Andrei

Dicționar en

Andrei Bantaș

DICȚIONAR
ENGLEZ-ROMÂN
35.000 de cuvinte

Teora

Titlul: **Dicţionar englez-român, 35.000 de cuvinte**

Pentru informaţii generale despre Editura Teora —
cărţi, librării, distribuitori, oferte speciale, promoţii,
adrese de e-mail etc. – vă invităm să vizitaţi www.teora.ro.

Librăria „Teora - Cartea prin poştă":
Website: www.teora.ro
CP 79-30, cod 024380, Bucureşti, Romania

Editura Teora SRL,
Calea Moşilor nr. 211, sector 2, cod 020863,
Bucureşti, Romania
Tel.: 021 - 619.30.04,
Fax: 021 - 210.38.28
Preşedinte: Teodor Răducanu

NOT 8552 DIC ENGLEZ ROMAN 35000 CUV.
ISBN 10: 973-601-630-7
ISBN 13: 978-973-601-630-1

Printed in Romania

Cuvânt înainte

Vă prezentăm un dicționar englez-român relativ cuprinzător, de proporții medii: 35.000 cuvinte-titlu și alte unități lexicale: compuși și sintagme (colocații), locuțiuni, abrevieri, denumiri geografice, precum și adjective și substantive derivate de la ele.

Este menit a sluji mai ales ca instrument de lucru pentru românii care studiază limba engleză și pentru englezii și americanii care studiază limba română, pentru economiști și oameni de afaceri, tehnicieni, turiști și artiști care călătoresc în și din România, pentru profesori de toate gradele, pentru interpreți și traducători din diverse domenii, ș.a.m.d.

Dicționarul de față beneficiază de cernerea tuturor surselor de informare de care dispunem - care au sporit spectaculos în ultimii douăzeci de ani.

În linii mari, tezaurul limitat din care am extras Dicționarul Englez-Român de față, este alcătuit din:

1. Webster's Third New International Dictionary, 1986.

2. The Compact Edition of the Oxford English Dictionary 1971 + Supplement to the Oxford English Dictionary, 1987.

3. Dicționarele englez-francez și francez-englez generale și pe domenii (tehnic, medical, afaceri, informatică etc.) aflate la ultimele ediții (Harrap Routledge, Collins Robert etc.).

Traducerile cuvintelor-titlu au fost aranjate de preferință după ordinea frecvenței lor în limba contemporană, părțile de vorbire au fost aranjate pe baza ordinii tradiționale: substantiv, articol, adjectiv, pronume, numeral, verb (auxiliar, modal, tranzitiv, intranzitiv, reflexiv), adverb, prepoziție, conjuncție, interjecție, particulă. Ele sunt despărțite prin cifre romane (ex. **down I** s., **II.** adj., **III.** vt., **IV.** adv., **V.** prep.).

Unitățile frazeologice și exemplele sunt aranjate în urma sensului cuvântului-titlu, după barele duble (||).

În plus, cititorii sunt îndemnați să recurgă la listele și tabelele din secțiunea mediană a Dicționarului nostru englez-român și român-englez (Editura Teora, 1993), la glosarele de termeni literari și la tabelele cronologice din Manual de literatură engleză și americană de Bantaș - Clonțea - Brânzeu (Editura Teora, 1993) și la diferite tabele și liste din alte cărți ale seriei Essential English (Editura Teora).

Pentru diferitele operații complicate - și mai ales modernizate - pe care le-a implicat redactarea actualului dicționar, trebuie să mulțumim echipei de tineri lexicografi a Editurii Teora, care a efectuat o muncă admirabilă și continuă s-o facă în folosul nostru, al tuturora.

Recunoștința noastră cea mai profundă se îndreaptă către opera și concepțiile lexicografice ale profesorului și mentorului nostru Leon Levițchi, a cărui activitate de pionierat încercăm s-o ducem mai departe.

ANDREI BANTAȘ

Simboluri fonetice utilizate în volumul de faţă

I. VOCALISMUL

i:] *i* foarte lung

[i] *i* scurt, foarte deschis, aproape de *e*

[e] *e* puţin mai deschis ca în româneşte

[æ] *e* foarte deschis spre *a*, ca în graiul ardelenesc

[ɑ:] *a* foarte deschis; format în fundul gurii

[ə] vocală centrală, un fel de *ă* foarte lung, rostit cu dinţii apropiaţi şi buzele întinse lateral

[ɔ] *o* scurt, deschis spre *a*, rostit cu buzele trase în jos, ca în graiul ardelenesc

[ɔ:] *o* lung, deschis, şi cu buzele trase în jos

[u] *u* foarte scurt

[u:] *u* foarte lung

[ʌ] *a* foarte scurt şi închis, rostit în centrul gurii

II. DIFTONGI

[ei] similar cu diftongul românesc, dar mai deschis şi fără palatizare

[ou] ca *ău* din româneşte, dar cu buzele rotunjite, cea de jos ieşită înainte

[ai] ca *ai* din româneşte, dar mai deschis.

[au] ca *au* din româneşte, dar mai deschis

[oi] ca *o* deschis, ardelenesc, urmat de un *i* foarte scurt

[iə] *i* deschis, urmat de *d* scurt

[ɛə] *e* foarte deschis, urmat de *d* scurt

[uə] *u* scurt, urmat de *ă* scurt, închis

III. CONSONANTISMUL

a) ocluzive (explozive)

[p] *p* urmat de obicei de o mică explozie, ca un *h* scurt

[b] ca *b* românesc, dar mai sonor

[t] *t* rostit cu limba la rădăcina dinţilor, urmat de obicei de o mică explozie, ca un *h* scurt

[d] *d* foarte sonor, rostit cu limba la rădăcina dinţilor

[k] *c* foarte tare, nepalatalizat, urmat de o mică explozie de aer ca un *h* scurt

[g] ca *g* românesc, foarte sonor

b) semi-ocluzive (africate)

[tʃ] *t* îmbinat cu *ş*, ca în *ci* românesc (nepalatalizat)

[dʒ] *d* îmbinat cu *j*, ca în *gi* românesc (nepalatalizat)

[ʤ] consoană centrală neaccentuată, un fel de *d* foarte scurt

c) nazale

[m] ca *m* românesc

[n] ca *n* românesc

[ŋ] *n* velar (realizat prin lipirea dosului limbii de vălul palatului ca în româneşte, în „lângă", „crâng", „pungă")

d) laterale

[l] ca *l* românesc (cu limba mai retrasă, când consoana apare la sfârşitul cuvântului)

e) fricative (şuierătoare)

[f] ca *f* românesc

[v] ca *v* românesc (dar mai sonor)

[θ] consoană surdă, pronunţată cu limba ţinută între dinţi (ca un *s* foarte peltic)

[ð] consoană foarte sonoră, pronunţată cu limba ţinută între dinţi (ca un *z* foarte peltic).

[s] ca *s* românesc

[z] ca *z* românesc, foarte sonor

[ʃ] ca *ş* românesc

[ʒ] ca *j* românesc, foarte sonor

[r] consoană lichidă, aproape fără fricţiune, fără vibraţia limbii

[h] un *h* pronunţat mai în fundul gâtului decât în româneşte

f) semiconsoane (semivocale)

[w] *u* foarte scurt, cu buzele făcute pungă, folosit înaintea vocalelor

[j] *i* tare, foarte palatalizat (iot), folosit înaintea vocalelor

Lista prescurtărilor folosite în dicţionar
List of abbreviations used in the dictionary

abrev.	abreviere	abbreviation
acuz.	acuzativ	accusative
adj.	adjectiv	adjective
adv.	adverb	adverb
agr.	agricultură	agriculture
amer.	americanism	American English
anat.	anatomie	anatomy
aprox.	aproximativ	approximately
arh.	arheologie	archeology
arhit.	arhitectură	architecture
art. hot.	articol hotărât	definite article
art. nehot.	articol nehotărât	indefinite article
astr.	astronomie	astronomy
auto	auto(mobilism)	motoring
aux.	auxiliar	auxiliary
av.	aviaţie	aviation
biol.	biologie	biology
bis.	bisericesc	church
bot.	botanică	botany
chim.	chimie	chemistry
cib.	cibernetică	cybernetics
cin.	cinema(tografie)	cinema
com.	comerţ	trade
comp.	comparativ	comparative
cond.	condiţional	conditional
conj.	conjuncţie	conjunction
constr.	construcţii	building industry
d.	despre	about
dat.	dativ	dative
econ.	economie	economics
el.	electricitate	electricity
entom.	entomologie	entomology
etc.	et caetera	et caetera
fam.	familiar	colloquial, informal
farm.	farmaceutică	pharmaceutics
fem.	feminin	feminine
ferov.	(termen) feroviar	railway
fig.	figurat	figurative
filoz.	filozofie	philosophy
fin.	finanţe	finances
fiz.	fizică	physics
fiziol.	fiziologie	physiology
fon.	fonetică	phonetics
foto.	fotografie	photography
gastr.	gastronomie	gastronomy
gen.	genitiv	genitive
geogr.	geografie	geography
geol.	geologie	geology
geom.	geometrie	geometry
gram.	gramatică	grammar
iht.	ihtiologie	ichthyology
ind.	indicativ	indicative
inf.	infinitiv	infinitive
interj.	interjecţie	interjection
interog.	interogativ	interrogative

iron.	ironic	ironically
ist.	istorie	history
înv.	învechit	obsolete
jur.	juridic	law
lingv.	lingvistică	linguistics
lit.	literatură	literature
loc.	locuțiune	phrase
log.	logică	logic
mar.	marină	navy, navigation
masc.	masculin	masculine
măt.	matematică	mathematics
med.	medicină	medicine
met.	metalurgie	metallurgy
meteor.	meteorologie	meteorology
metr.	metrică, versificație	prosody
mil.	militar	military
mine.	minerit	mining
minr.	mineralogie	mineralogy
mit.	mitologie	mythology
muz.	muzică	music
nav.	construcții navale	shipbuilding
neg.	negativ	negative
num.	numeral	numeral
num. card.	numeral cardinal	cardinal numeral
num. ord.	numeral ordinal	ordinal numeral
ornit.	ornitologie	ornithology
paleont.	paleontologie	paleontology
part.	participiu	participle
pas.	pasiv	passive
peior.	peiorativ	derogatory, pejorative
pers.	persoană	person
pl.	plural	plural
poet.	poetic	poetic language
pol.	politică	politics
poligr.	poligrafie	printing
pop.	popular	popular
prep.	prepoziție	preposition
prez.	prezent	present
pron.	pronume	pronoun
prop.	propoziție	sentence
psih.	psihologie	psychology
rad.	radiotehnică, radiofonie	radio communications
reg.	regionalism	regionalism
rel.	religie	religion
s.	substantiv	noun
sing.	singular	singular
sl.	argou	slang
smb.	cineva	somebody
smth.	ceva	something
subj.	subjonctiv	subjunctiv
superl.	superlativ	superlative
tehn.	tehnică	technology
telec.	telecomunicații	telecommunications
text.	textile	textiles
trec.	trecut	past
univ.	universitar	university
v.	vezi	see
v. aux.	verb auxiliar	auxiliary verb
vet.	veterinar	veterinary
vi.	verb intranzitiv	intransitive verb
viit.	viitor	future
v. mod.	verb modal	modal verb
vr.	verb reflexiv	reflexive verb
vt.	verb tranzitiv	transitive verb
zool.	zoologie	zoology

A

A [ei] *s.* **1.** (litera) A, a. **2.** *muz.* (nota) la. || A1 grozav, straşnic.

a [ə, ei] *art. nehot.* un, o. || *twice* ~ *day* de două ori pe zi.

aback [ə'bæk] *adv.* înapoi. || *taken* ~ surprins.

abacus ['æbəkəs] *s.* numărătoare, abac.

abaft [ə'bɑːft] *mar.* **I.** *adv.* la pupa; aproape de pupa. **II.** *prep.* înapoia *(cu gen.)*, îndărătul *(cu gen.)*

abandon [ə'bændən] *vt.* **1.** a abandona, a părăsi. **2.** a ceda.

abandoned [ə'bændənd] *adj.* **1.** abandonat, părăsit. **2.** destrăbălat.

abandonment [ə'bændənmənt] *s.* **1.** părăsire, uitare, abandonare. **2.** renunţare. **3.** abandon; uitare de sine. **4.** *jur.* retragere a unei acţiuni. **5.** *jur.* abandon.

abase [ə'beis] *vt.* a înjosi.

abasement [ə'beismənt] *s.* **1.** degradare, umilire; umilinţă. **2.** *înv.* coborâre, micşorare, retrogradare.

abash [ə'bæʃ] *vt.* a ruşina, a da de ruşine.

abashed [ə'bæʃt] *adj.* **(at)** fâstâcit, ruşinat (de, din cauza).

abate [ə'beit] **I.** *vt.* **1.** a micşora. **2.** a înlătura. **II.** *vi.* a scădea.

abatement [ə'beitmənt] *s.* **1.** micşorare, slăbire, scădere; atenuare; potolire, alinare. **2.** reducere, descreştere, diminuare; rabat. **3.** *jur.* anulare, abrogare. **4.** curmare, încetare.**5.** talaş; aşchii.

abat(t)is [*sing.* 'æbətis. *pl.* 'æbətiːz] *s. sing.* şi *pl. mil.* abatiză, palancă.

abattoir [,æbə'twɑː] *s.* abator, zalhana.

abbess ['æbis] *s.* **1.** stareţă, superioară a unei mănăstiri. **2.** *fam.* directoare de pensionat.

abbey ['æbi] *s.* mănăstire.

abbot ['æbət] *s* abate; stareţ.

abbreviate [ə'briːvieit] *vt.* **1.** a prescurta. **2.** a scurta.

abbreviation [ə,briːvi'eiʃn] *s.* prescurtare.

ABC ['ei'biː'siː] *s.* **1.** alfabet. **2.** abecedar. **3.** parte elementară, rudimente. **4.** mersul trenurilor.

abdicate ['æbdikeit] *vt.* **1.** a abdica de la. **2.** a renunţa la.

abdication [,æbdi'keiʃn] *s.* **1.** abdicare (şi *fig.*). **2.** depunere a unui mandat. **3.** demisie. **4.** *jur. rar* dezmoştenire. **5.** repudiere.

abdomen ['æbdəmen] *s. anat.* abdomen, pântece, burtă.

abdominal [æb'dɔminl] *adj.* **1.** *anat.* abdominal. **2.** *iht.* cu aripioare abdominale.

abduct [æb'dʌkt] *vt.* **1.** *fiziol.* a abduce; a deriva **2.** *jur.* a răpi, a fura *(o persoană)*.

abduction [æb'dʌkʃn] *s.* **1.** *fiziol.* abducţie. **2.** *jur.* rapt, răpire (a unei persoane).

abeam [ə'biːm] *adv. mar.* la travers.

abed [ə'bed] *adv.* **1.** culcat *(în pat)*, în pat; la pat; spre pat. **2.** în durerile facerii.

aberrant [æ'berənt] *adj.* **1.** aberant, care se abate. **2.** *biol.* anormal, aberant.

aberration [,æbə'reiʃn] *s.* **1.** aberaţie. **2.** rătăcire.

abet [ə'bet] *vt.* **1.** a tăinui. **2.** a ajuta.

abettor [ə'betə] *s.* **1.** complice. **2.** tăinuitor.

abeyance [ə'beiəns] *s.* stare de aşteptare; inactivitate; suspendare temporară; situaţie neclară; extincţie *(a unui drept)*; vacanţă *(a unui post)*.|| *in* ~ în suspensie, în aşteptare; vacant, fără stăpân, fără pretendent.

abhor [əb'hɔː] *vt.* **1.** a nu putea suferi. **2.** a urî.

abhorrence [əb'hɔrns] *s.* oroare, silă.

abhorrent [əb'hɔrənt] *adj.* **1. (to)** respingător, dezgustător (pentru cineva). **2.** ~ *to* / *from* incompatibil cu; necorespunzător, contrar *(cu dat.)*

abide [ə'baid] **I.** *vt.* a aştepta. **II.** *vi.* **1.** a sta. **2.** a locui || *to* ~ *by* a respecta.

abiding [ə'baidiŋ] **I.** *adj.* statornic, durabil; continuu; constant. **II.** *s.* **1.** şedere, domiciliere. **2.** stabilitate, trăinicie; , stăruinţă, constanţă. **3.** aşteptare.**4.** *sl.* ascunzătoare.

abigail ['æbigeil] *s.* slujnică, fată în casă; subretă.

ability [ə'biliti] *s.* **1.** putere. **2.** capacitate. **3.** pricepere.

abject ['æbdʒekt] *adj.* **1.** abject, josnic. **2.** meschin. **3.** umil; jalnic.

abjuration [æbdʒuə'reiʃn] *s.* abjurare, călcare a unui jurământ. || *amer. oath of* ~ renunţare prin jurământ la cetăţenia anterioară.

abjure [əb'dʒuə] *vt.* **1.** a abjura, a se lepăda de. **2.** a-şi lua înapoi *(cuvântul dat)*, a-şi călca, a-şi retrage *(jurământul)*; a retracta, a-şi retrage o părere.

ablative ['æblətiv] *gram.* **I.** *s.* (cazul) ablativ. || *in the* ~ la ablativ. **II.** *adj.* ablativ.

ablaze [ə'bleiz] *adj., adv.* **1.** aprins, în flăcări, arzând. || *to be* ~ a arde cu vâlvătaie. **2.** strălucitor, scânteietor. **3.** înflăcărat,înfierbântat; aţâţat.

able ['eibl] *adj.* capabil. || *to be* ~ *to* a putea să.

able-bodied ['eibl'bɔdid] *adj.* voinic, robust; tare; întreg la trup; apt *(pentru serviciul militar)*.

abloom [ə'bluːm] *adj., adv.* în floare, înflorit.

ablution [ə'bluːʃn] *s.* **1.** *(mai ales pl.)* *rel.* abluţiune, spălare rituală. **2.** *rel.* apa în care s-a făcut spălarea. **3.** *med.* abluţiune, spălare. || *fam. to perform one's* ~s a se spăla.

ably ['eibli] *adv.* cu dibăcie, cu îndemânare; bine, cum se cuvine.

abnegate ['æbnigeit] *vt.* **1.** a-şi refuza, a se lipsi de, a nu-şi permite. **2.** a renega, a se lepăda de.

abnegation [æbni'geiʃn] *s.* **1.** abnegaţie. **2.** renunţare.

abnormal [æb'nɔməl] *adj.* **1.** anormal. **2.** excepţional.

abnormality [,æbnɔː'mæliti] *s.* **1.** anormalitate; anomalie. **2.** *med.* anomalie, diformitate.

abnormity [æb'nɔːmiti] *s.* anomalie.

aboard [ə'bɔːd] **I.** *adv.* **1.** pe bord. **2.** *amer.* în tren. || *all* ~! poftiţi în vagoane! **II.** *prep.* **1.** pe bordul *(cu gen.)*. **2.** pe.

abode [ə'boud] I. s. locuință. II. vt., vi. trec. și part. trec. de la **abide.**

abolish [ə'bɔliʃ] vt. a aboli, a desființa.

abolition [,æbə'liʃn] s. abolire, desființare.

abolitionist [æbə'liʃɔnist] s. ist. aboliționist, antisclavagist.

A-bomb ['eibɔm]s. bombă atomică.

abominable [ə'bɔminəbl] adj. scârbos, dezgustător, abominabil; antipatic, nesuferit.

abominate [ə'bɔmineit] vt. 1. a urî; a detesta, a avea oroare de. 2. fam. a nu-i plăcea, a nu înghiți (pe cineva).

abomination [ə,bɔmi'neiʃn] s. 1. ură; dezgust, oroare. 2. monstruozitate; ticăloșie. 3. fam. (d. un lucru) oroare; porcărie.

aboriginal [,æbə'ridʒənl] s., adj. băștinaș.

aborigines [,æbə'ridʒini:z] s. pl. băștinași, aborigeni.

abort [ə'bɔt] vi. 1. a avorta, a lepăda. 2. fig. a se naște mort. 3. a rămâne steril. 4. biol. a nu se dezvolta; a se pipernici.

abortion [ə'bɔːʃn] s. 1. avort. 2. avorton.

abortive [ə'bɔtiv] adj. 1. neizbutit. 2. prematur.

abound [ə'baund] vi. a abunda.

about [ə'baut] I. adj. 1. treaz. 2. pe picioare. II. adv. 1. (de jur) împrejur. 2. pe aproape. || ~ turn! mil. stânga împrejur. III. prep. 1. în jurul (cu gen.). 2. aproape de; nu departe de. 3. (de jur) împrejurul (cu gen.).

above [ə'bʌv] I. adv. 1. (mai) sus. 2. (mai) înainte. 3. în cer. II. prep. 1. deasupra (cu gen.). 2. mai sus de. 3. peste. 4. mai presus de. || ~ all mai presus de orice; mai ales.

above-board [ə'bʌ'bɔːd] I. adv. pe față; (în mod) cinstit. II. adj. cinstit, fățiș, sincer.

abracadabra ['æbrəkə'dæbrə] s. 1. abracadabra, formulă magică. 2. absurditate, elucubrație. 3. amuletă, talisman.

abrade [ə'breid] I. vt. 1. a șterge, a rade; a eroda. 2. a jupui; a roade (pielea). 3. tehn. a șlefui, a poliza. II. vi. a se roade; a se eroda.

Abraham ['eibrəhæm] s. înv. : to sham ~ a face pe bolnavul.

abrasion [ə'breiʒn] s. 1. roadere; rosătură, julitură. 2. med. escoriație; abraziune. 3. geol. abraziune. 4. tehn. abraziune; șlefuire, polizare.

abrasive [ə'breisiv] I. adj. abraziv; de șlefuit. II. s. (material) abraziv (șmirghel etc.).

abreast [ə'brest] adv. 1. alături. 2. la egalitate. || ~ of în pas cu.

abridge [ə'bridʒ] vt. 1. a prescurta. 2. a scurta.

abridg(e)ment [ə'bridʒmənt] s. 1. prescurtare. 2. text prescurtat; ediție prescurtată. 3. rezumat; compendiu. 4. restrângere, limitare (a drepturilor etc.). 5. ~ of privare / lipsire de.

abroad [ə'brɔːd] I. 1. adj. din străinătate. II. adv. 1. în străinătate. 2. peste tot. 3. în aer. 4. afară; plecat (din casă). || a rumour is ~ that se zvonește că.

abrogate ['æbrogeit] vt. a abroga.

abrogation [,æbrou'geiʃn] s. abrogare, revocare (a unei legi etc.).

abrupt [ə'brʌpt] adj. 1. brusc. 2. abrupt.

abruptly [ə'brʌptli] adv. 1. brusc, pe neașteptate. 2. abrupt.

Absalom ['æbsəlɔm] s. fig. fiu iubit.

abscess ['æbsis] s. 1. med. abces, bubă. || to lance an ~ a deschide un abces. 2. tehn. suflură, por (la metale).

abscond [əb'skɔnd] vi. 1. a se ascunde (de obicei cu bani străini). 2. a-și părăsi postul (în secret). 3. (from) a se ascunde (de), a se eschiva (de la). 4. fam. a o șterge, a spăla putina.

absence ['æbsns] s. absență.

absence of mind ['æbsns ɔv 'maind] s. zăpăceală, distracție.

absent ['æbsnt] adj. 1. absent. 2. distrat.

absentee [æbsən'tiː] I. s. 1. absent. 2. absenteist. 3. persoană care se eschivează de la ceva; evazionist. II. adj. absent; care locuiește în altă parte.

absenteeism ['æbsən'tiːizəm] s. 1. absenteism. 2. absență; chiul.

absently ['æbsntli] adv. absent, (în mod) neatent, distrat; din neatenție.

absent-minded ['æbsnt'maindid] adj. 1. neatent. 2. distrat, uituc.

absent-mindedness ['æbsnt 'maindidnis] s. neatenție, zăpăceală; uitucenie.

absinth(e) ['æbsinθ] s. 1. bot. pelin (Artemisia). 2. (băutură) absint, pelin.

absolute ['æbsəluːt] adj. 1. absolut. 2. perfect. 3. complet.

absolutely ['æbsə'luːtli] adv. 1. absolut, deplin. 2. fam. sigur, categoric.

absolution [,æbsə'luːʃn] s. 1. scutire. 2. absolvire, iertare.

absolutism ['æbsəluːtizəm] s. 1. pol. absolutism, domnie arbitrară. 2. rel. absolutism. 3. estetică doctrina frumosului în sine.

absolve [əb'zɔlv] vt. 1. a ierta. 2. a scuti.

absorb [əb'sɔːb] vt. a absorbi.

absorbent [əb'sɔːbənt] I. adj. absorbant. II. s. 1. absorbant, substanță absorbantă. 2. aparat de absorbție.

absorbent cotton [əb'sɔːbənt 'kɔtn] s. vată hidrofilă.

absorbing [əb'sɔːbiŋ] I. adj. 1. absorbant. 2. captivant, atrăgător. II. s. absorbție, înghițire, sugere; aspirare.

absorption [əb'sɔːpʃn] s. absorbție.

absorptive [əb'sɔːptiv] adj. 1. absorbant, aspirator. 2. de amortizare, care amortizează.

abstain [əb'stein] vi. a se abține.

abstemious [æb'stiːmiəs] adj. 1. cumpătat (la mâncare și băutură); abstinent. 2. econom; sobru; frugal.

abstention [əb'stenʃn] s. 1. (from) abținere, reținere (de la). 2. abținere (de la vot). 3. privațiune.

abstinence ['æbstinəns] s. cumpătare; abstinență.

abstract[1] ['æbstrækt] I. s. 1. rezumat. 2. esență. II. adj. abstract.

abstract[2] [æb'strækt] vt. 1. a deduce, a scoate. 2. a fura, a sustrage.

abstracted [æb'stræktid] adj. adâncit în gânduri, neatent, preocupat.

abstractedly [æb'stræktidli] adv. 1. (în) abstract. 2. distrat, neatent. 3. ~ from făcând abstracție de.

abstraction [æb'strækʃn] s. 1. sustragere. 2. reducere. 3. neatenție. 4. abstracție. 5. abstracțiune.

abstruse [æb'struːs] adj. 1. ermetic (fig.). 2. ascuns; obscur.

absurd [əb'sɔːd] adj. 1. absurd. 2. prostesc. 3. prost, stupid.

absurdity [əb'sɔːditi] s. absurditate, nonsens.

absurdly [əb'sɔːdli] adv. absurd.

abundance [ə'bʌndəns] s. abundență, bogăție.

abundant [ɔ'bʌndənt] *adj.* **1.** abundent, copios. **2.** amplu. **3.** suficient. || ~ *in* plin de.

abuse[1] [ɔ'bju:s] *s.* **1.** insultă. **2.** batjocură. **3.** abuz.

abuse[2] [ɔ'bju:z] *vt.* **1.** a insulta. **2.** a batjocori. **3.** a abuza de.

abusive [ɔ'bju:siv] *adj.* **1.** abuziv, excesiv. **2.** abuziv, arbitrar; necinstit. **3.** insultător. **4.** *înv.* înşelător, amăgitor.

abut [ɔ'bʌt] *vr.* : *to* ~ *upon* a se învecina cu.

abutment [ɔ'bʌtmənt] *s.* **1.** limită, margine; răzor, hotar. **2.** *constr.* contrafort; consolă; pilastru; culee (la poduri, baraje). **3.** *tehn.* presiune axială.

abysm [ɔ'bizəm] *poet.* **I.** *s.* genune, adâncuri, abis. **II.** *vt.* a arunca în prăpastie.

abyss [ɔ'bis] *s.* **1.** prăpastie, abis (şi fig.). **2.** haos.

acacia [ɔ'keiʃɔ] *s.* salcâm (Robinia pseudoacacia).

academe ['ækɔ'di:m] *s.* *poet.* şcoală.

academia [ˌækɔ'di:miɔ] *s.* cercurile universitare; lumea academică / universitară.

academic [ˌækɔ'demik] *adj.* academic.

academical [ˌækɔ'demikl] **I.** *adj.* academic, universitar. **II.** *s. pl.* uniformă academică, robă şi tocă.

academician [ɔˌkædɔ'miʃn] *s.* academician.

academy [ɔ'kædɔmi] *s.* academie.

acanthi [ɔ'kænθai] *s.* **1.** *bot.* talpa ursului, acant(ă) (Acanthus). **2.** *arhit.* acant(ă).

acanthus [ɔ'kænθɔs], *pl.* **acanthuses** *sau* **acanthi** [ɔ'kænθai] *s.* **1.** *bot.* talpa ursului, acant(ă) (Acanthus). **2.** *arhit.* acant(ă).

accede [æk'si:d] *vi.*: *to* ~ *to* a accepta, a consimţi la; a ajunge la, a ocupa, a pune mâna pe; a adera la.

accelerate [ɔk'selɔreit] *vt., vi.* **1.** a (se) grăbi. **2.** a (se) accelera.

acceleration [ɔkˌselɔ'reiʃn] *s.* grăbire, iuţire; *fiz.* acceleraţie. || ~ *of gravity* acceleraţie gravitaţională.

accelerator [æk'selɔreitɔ] *s.* **1.** *tehn.* accelerator (la maşini). **2.** *chim.* catalizator. **3.** *mil.* tun cu mai multe camere de explozie. **4.** vagon de mesagerii. **5.** *anat.* nerv / muşchi motor.

accent[1] ['æksnt] *s.* accent.

accent[2] [æk'sent] *vt.* a accentua, a sublinia.

accentuate **I.** [æk'sentjueit] *vt.* **1.** a accentua. **2.** *fig.* a sublinia, a scoate în relief. **II.** [æk'sentjuit] *adj.* accentuat.

accentuation [ækˌsentju'eiʃn] *s.* **1.** accentuare. **2.** (fig.) subliniere, scoatere în evidenţă. **3.** accent, fel de a pronunţa.

accept [ɔk'sept] *vt.* a accepta.

acceptability [ɔkˌsept'ɔbiliti] *s.* caracter acceptabil.

acceptable [ɔk'septɔbl] *adj.* **1.** acceptabil, admisibil. **2.** plăcut, agreabil; oportun.

acceptance [ɔk'septɔns] *s.* **1.** primire, acceptare; aprobare, admitere. || ~ *of a proposal* acceptarea unei propuneri; *to beg smb.'s* ~ *of smth.* a ruga pe cineva să accepte ceva; *this proposal met with general* ~ propunerea s-a bucurat de aprobarea tuturor; ~ *of persons* parţialitate, părtinire; *(d. un fapt etc.) to find* ~ a fi crezut. **2.** *econ.* acceptare; accept; poliţă.

acceptation [ˌæksep'teiʃn] *s.* **1.** v. **acceptance** 1. **2.** primire binevoitoare. **3.** sens, accepţie (a unui cuvânt). || *in the full* ~ *of the word* în toată puterea cuvântului.

access ['ækses] *s.* acces. || *easy of* ~ accesibil, binevoitor.

accessibility [ækˌsesi'biliti] *s.* accesibilitate.

accessible [ɔk'sesɔbl] *adj.* accesibil.

accession [æk'seʃn] **I.** *s.* **1.** apropiere, contact; acces, pătrundere (a aerului etc.). **2.** urcare (pe tron); înălţare (în grad); numire (în funcţie). **3.** intrare (într-un partid etc.). **4.** adaos, completare; înmulţire; adeziune. **5.** *med.* acces, criză. **II.** *vt. amer.* a cataloga, a înscrie (cărţi) în catalog.

accessory [æk'sesɔri] *s., adj.* accesoriu.

accidence ['æksidns] *s.* **1.** *gram.* morfologie. **2.** baze, rudimente. **3.** frecvenţa accidentelor / avariilor.

accident ['æksidnt] *s.* **1.** accident. **2.** întâmplare. || *by* ~ întâmplător.

accidental [ˌæksi'dentl] *adj.* întâmplător.

accidentally [ˌæksi'dentli] *adv.* întâmplător, din întâmplare.

acclaim [ɔ'kleim] *vt.* a aclama.

acclamation [ˌæklɔ'meiʃn] *s.* aclamaţii, ovaţii; aplauze. ||

carried by / with ~ adoptat prin aclamaţii (fără a mai vota).

acclimation [ˌæklai'meiʃn] *s.* aclimatizare.

acclimatize [ɔ'klaimɔtaiz] **I.** *vt. (şi fig.)* **(to)** a aclimatiza, a deprinde (cu). **II.** *vi. (rar)* a se aclimatiza, a se deprinde.

acclivity [ɔ'kliviti] *s.* **1.** urcuş; coastă, pantă (numai la urcare). **2.** rampă.

accolade ['ækɔleid] *s.* *ist.*, *muz.* acoladă.

accomodate [ɔ'komɔdeit] *vt.* **1.** a potrivi. **2.** a împăca. **3.** a găzdui.

accommodating [ɔ'komɔdeitiŋ] *adj.* **1.** serviabil, amabil. **2.** sociabil; înţelegător, conciliant. || *in an* ~ *spirit* într-un spirit de înţelegere. **3.** acomodabil, adaptabil (şi peior.). **4.** care poate primi; în care pot încăpea. || *a hall* ~ *500 people* o sală de 500 de locuri.

accommodation [ɔˌkomɔ'deiʃn] *s.* **1.** acomodare. **2.** compromis. **3.** locuinţă, cazare. **4.** (în tren, avion etc.) loc (rezervat), bilet.

accompaniment [ɔ'kʌmpɔnimɔnt] *s.* **1.** însoţire. **2.** *muz.* acompaniament. **3.** accesoriu; anexă; însoţitor.

accompanist [ɔ'kʌmpɔnist] *s.* *muz.* acompaniator.

accompany [ɔ'kʌmpɔni] *vt.* **1.** a acompania. **2.** a însoţi.

accomplice [ɔ'komplis] *s.* complice.

accomplish [ɔ'kompliʃ] *vt.* **1.** a îndeplini, a realiza. **2.** a face, a săvârşi. **3.** a desăvârşi.

accomplished [ɔ'kompliʃt] *adj.* **1.** împlinit, înfăptuit. **2.** desăvârşit, perfect. **3.** bine crescut, educat; cultivat; rafinat, politicos; fin; pus la punct.

accomplishment [ɔ'kompliʃmɔnt] *s.* **1.** îndeplinire, realizare. **2.** săvârşire. **3.** desăvârşire. **4.** talent; îndemânare, pricepere.

accord [ɔ'ko:d] **I.** *s.* **1.** acord. **2.** înţelegere. **3.** tratat, pact. **4.** armonie. || *of one's own* ~ de bună voie. **II.** *vt., vi.* a (se) armoniza.

accordance [ɔ'ko:dns] *s.* **1.** conformitate. **2.** acord. || *in* ~ *with* conform cu.

accordant [ɔ'ko:dnt] *adj.* concordant.

according [ɔ'ko:diŋ] *adv.* : ~ *as* pe măsură ce; ~ *to* după; conform cu.

accordingly [ə'kɔ:diŋli] adv. **1.** de aceea; în consecinţă. **2.** ca atare. **3.** deci.

accordion [ə'kɔ:djən] s. acordeon.

accost [ə'kɔst] **I.** s. salut, cuvânt de deschidere. **II.** vt. **1.** a acosta, a aborda; a intra în vorbă cu; a agăţa. **2.** mar. a acosta. **3.** înv. a ataca.

account [ə'kaunt] **I.** s. **1.** socoteală. **2.** bilanţ. **3.** cont. **4.** relatare. || of no ~ fără importanţă; inutil; on one's own ~ pe cont propriu; on ~ of din pricina; on no ~, not on any ~ în nici un caz, cu nici un chip; to take into ~ a ţine seamă de. **II.** vt. a considera; a justifica.

accountable [ə'kauntəbl] adj. **1. (to; for)** responsabil (faţă de; pentru, de). **2.** explicabil, justificabil.

accountancy [ə'kauntənsi] s. **1.** contabilitate. **2.** evidenţă contabilă.

accountant [ə'kauntənt] s. contabil.

accounting [ə'kauntiŋ] s. **1.** econ. calcul, socoteală. **2.** econ. contabilitate; gestiune. **3.** explicare, justificare. || there is no ~ for tastes gusturile nu se discută.

accoutre [ə'ku:tə] vt. **1.** mai ales mil. a echipa, a îmbrăca. **2. (with)** a echipa, a înzestra; a prevedea (cu).

accoutrements [ə'ku:trəmənts] s. pl. **1.** mil. echipament, efecte personale (mai ales articole de pielărie). **2.** harnaşament.

accredit [ə'kredit] vt. **1.** a împuternici; **(to)** a acredita (pe lângă); a aproba. **2.** a crede, a da crezare (cu dat.) **3.** to ~ smth. to smb. a pune ceva în seama cuiva. **4.** econ. a acorda credit (cu dat.)

accredited [ə'kreditid] adj. **1.** acreditat, autorizat. **2.** (d. opinii etc.) universal acceptat.

accretion [ə'kri:ʃn] s. **1.** bot. concreştere. **2. (to)** adaos (la); creştere, mărire. **3.** med. aderenţă. **4.** geol. etc. aluviune; depunere aluvională; acumulare.

accrue [ə'kru:] vi. **1.** a se mări, a creşte; a se înmulţi; a se acumula. **2.** to ~ from a proveni din.

accumulate [ə'kju:mjuleit] vt., vi. **1.** a (se) acumula. **2.** a (se) aglomera.

accumulation [ə'kju:mju'leiʃn] s. **1.** acumulare, strângere; îngrămădire, aglomerare. **2.** grămadă, masă, morman. **3.** univ. căpătare

concomitentă a mai multor titluri universitare. **4.** cumul.

accumulator [ə'kju:mju:leitə] s. **1.** colector. **2.** om strângător / econom; zgârcit. **3.** tehn. colector. **4.** tehn. acumulator. **5.** persoană care capătă concomitent mai multe grade universitare.

accuracy ['ækjurəsi] s. **1.** acurateţe, scrupulozitate. **2.** exactitate, precizie; corectitudine; punctualitate.

accurate ['ækjurit] adj. **1.** exact, precis. **2.** corect. **3.** scrupulos. **4.** punctual.

accurately ['ækjuritli] adv. **1.** exact, precis. **2.** corect. **3.** scrupulos.

accursed [ə'kɔ:sid] adj. **1.** blestemat, afurisit. **2.** urâcios, scârbos; groaznic.

accusation [,ækju:'zeiʃn] s. acuzaţie.

accusative [ə'kju:zətiv] s., adj. acuzativ.

accuse [ə'kju:z] vt. a acuza.

accused [ə'kju:zd] s.: the ~ inculpatul; acuzaţii, inculpaţii.

accuser [ə'kju:zə] s. acuzator; reclamant.

accustom [ə'kʌstəm] vt.: to ~ to a deprinde cu sau să. || to be ~ ed to a fi obişnuit să.

ace [eis] s. **1.** as. **2.** campion. **3.** numărul unu.

acerb(ic) [ə'sə:b(ik)] adj. **1.** (foarte) acru; aspru (la gust). **2.** (d. vorbire, temperament) acerb, aspru.

acetate ['æsiteit] s. chim. acetat.

acetic [ə'si:tik] adj. chim. acetic.

acetone ['æsitoun] s. chim. acetonă.

acetylene [ə'setili:n] s. chim. acetilenă.

Achaean [ə'ki:ən] adj., s. ist. aheu.

ache [eik] **I.** s. durere (continuă, mai ales nevralgică) **II.** vi. a durea. || to ~ for a tânji după.

achieve [ə'tʃi:v] vt. **1.** a îndeplini, a realiza. **2.** a obţine.

achievement [ə'tʃi:vmənt] s. **1.** realizare. **2.** îndeplinire. **3.** succes. **4.** desăvârşire.

Achilles' heel [ə'kili:z 'hi:l] s. fig. călcâiul lui Ahile; slăbiciune.

achromatic [,ækrou'mætik] adj. **1.** fiz. acromatic. **2.** muz. acromatic, fără modulaţie. **3.** biol. acromatic, refractar la colorare. **4.** med. daltonic.

achy ['eiki] adj. dureros, ca un junghi; acut.

acid ['æsid] s., adj. acid.

acidity [ə'siditi] s. **1.** aciditate; acreală, acrime. **2.** fam. acreală.

acidosis [,æsi'dousis] s. med. acidoză.

acidulate [ə'sidjuleit] vt. a acidula.

acidulous [ə'sidjuləs] adj. **1.** acidulat, acid; acru. **2.** fig. caustic, muşcător.

acknowledge [ək'nɔlidʒ] vt. **1.** a recunoaşte. **2.** a aprecia. **3.** a confirma.

acknowledg(e)ment [ək'nɔlidʒmənt] s. **1.** recunoaştere. **2.** mulţumire. **3.** confirmare.

acme ['ækmi] s. culme, punct culminant.

acne ['ækni] s. coş; pl. acnee.

acolyte ['ækəlait] s. **1.** bis. acolit; dascăl; paracliser. **2.** fig. acolit, tovarăş; cirac.

aconite ['ækənait] s. **1.** bot. omag, mărul-lupului (Aconitum napellus). **2.** poet. otravă.

acorn ['eikɔ:n] s. ghindă.

acoustic(al) [ə'ku:stik(l)] adj. acustic, auditiv.

acoustics [ə'ku:stiks] s. pl. acustică.

acquaint [ə'kweint] vt. **1. (with)** a face cunoştinţă. **2.** a aduce la cunoştinţă, a informa despre. || to become ~ ed with a face cunoştinţă cu; a cunoaşte, a se familiariza cu.

acquaintance [ə'kweintns] s. **1.** cunoştinţă. **2.** cunoaştere. || to make smb.'s ~ a face cunoştinţă cu cineva.

acquaintanceship [ə'kweintənʃip] s. **1.** cunoştinţă, cunoaştere; familiaritate; legătură. **2.** (cerc de) cunoştinţe, relaţii. || wide ~ relaţii întinse.

acquiesce [,ækwi'es] vi. **1.** a cădea de acord. **2.** a încuviinţa.

acquiescence [,ækwi'esns] s. **1. (in)** încuviinţare (pentru), consimţământ (la). **2.** resemnare. **3. (in)** supunere (la, faţă de).

acquiescent [,ækwi'esnt] **I.** adj. **1.** înţelegător; care consimte; aprobator. **2.** supus, ascultător, docil. **II.** s. rar persoană înţelegătoare.

acquire [ə'kwaiə] vt. a căpăta.

acquirement [ə'kwaiəmənt] s. **1.** dobândire; obţinere; cucerire; agonisire. **2.** câştigare, realizare; însuşire. **3.** pl. realizări. **4.** pl. deprinderi căpătate. **5.** pl. cunoştinţe, cultură; educaţie.

acquisition [,ækwi'ziʃn] s. **1.** dobândire; cucerire. **2.** achiziţie, câştig.

acquisitive [æ'kwizitiv] adj. **1.** strângător; acaparator; lacom. **2.** receptiv. **3.** însetat de cunoştinţe.

acquit [ə'kwit] *vt., vr.* a (se) achita.

acquittal [ə'kwitl] *s.* **1.** *jur.* achitare. **2. (of)** scutire *(de o obligaţie etc.)* **3.** îndeplinire *(a unei sarcini etc.)*

acre ['eikə] *s.* pogon.

acreage ['eikəridʒ] *s.* suprafaţă; arie.

acrid ['ækrid] *adj.* **1.** înţepător, pişcător; picant; iritant; *chim.* corosiv. **2.** *(fig.)* aspru; caustic, sarcastic.

acrimonious [,ækri'mounjəs] *adj.* **1.** aspru, brutal. **2.** aprig, violent. || ~ *dispute* ceartă violentă, ceartă la cuţite. **3.** arţăgos, certăreţ. **4.** acru; caustic, sarcastic.

acrimony ['ækriməni] *s.* **1.** maliţie; acreală. **2.** răutate, duşmănie. **3.** amărăciune.

acrobat ['ækrobæt] *s.* acrobat.

acrobatics [,ækro'bætiks] *s. pl.* *(folosit mai ales ca sing.)* acrobaţie. || *av. aerial* ~ acrobaţii aeriene.

acronym ['ækrənim] *s.* *lingv.* acronim.

acropoleis [ə'krɔpɔli:s] *s.* acropolă.

acropolis [ə'krɔpɔlis] *pl.* **acropolises** *s.* acropolă, fortăreaţă (pe deal).

across [ə'krɔs] **I.** *adv.* **1.** în curmeziş. **2.** vizavi. **3.** *(la cuvinte încrucişate)* orizontal. **II.** *prep.* **1.** peste. **2.** în faţa, vizavi de. **3.** în curmezişul, de-a curmezişul *(cu gen.).*

acrostic [ə'krɔstik] **I.** *s.* (şaradă în) acrostih. **II.** *adj.* în formă de acrostih.

acrylic [ə'krilik] **I.** *adj. chim.* *(d. vopsea, răşină, fibră)* acrilic. **II.** *s.* fibră / răşină / vopsea acrilică.

act [ækt] **I.** *s.* **1.** acţiune. **2.** faptă. **3.** act. **4.** lege, decret. **II.** *vt.* **1.** a săvârşi. **2.** a juca *(un rol).* **III.** *vi.* **1.** a acţiona. **2.** a juca teatru *(şi fig.).* **3.** a sluji *(de interpret etc.).* **4.** a funcţiona.

acting [æ'ktiŋ] **I.** *s.* joc *(al actorilor).* **II.** *adj.* **1.** provizoriu. **2.** temporar; interimar. **3.** scenic.

actinic [æk'tinik] *adj. fiz., chim.* actinic.

actinism ['æktinizəm] *s. fiz., chim.* actinism, fotosensibilitate.

action ['ækʃn] *s.* **1.** acţiune. **2.** faptă. **3.** luptă. **4.** proces.

actionable ['ækʃənəbl] *adj. jur.* pasibil de dat în judecată; ilegal.

activate ['æktiveit] **I.** *vt.* **1.** *chim., biol.* a activa, a accelera. **2.** *fiz.*

a face radioactiv. **3.** *amer. mil.* a forma, a completa *(o unitate).* **II.** *vi.* a activa, a fi activ, a milita.

active ['æktiv] *adj.* **1.** activ. **2.** energic.

activism ['æktivizəm] *s. pol.* activism, militantism.

activity [æk'tiviti] *s.* **1.** activitate. **2.** energie.

actor ['æktə] *s.* actor.

actress ['æktris] *s.* actriţă.

actual ['æktjuəl] *adj.* **1.** real. **2.** existent. **3.** curent.

actuality ['æktju'æliti] *s.* realitate.

actually ['æktjuəli] *adv.* **1.** de fapt. **2.** cu adevărat, realmente. **3.** de-a binelea. **4.** pur şi simplu.

actuary ['æktjuəri] *s.* **1.** notar. **2.** socotitor.

actuate ['æktjueit] *vt.* **1.** a îndemna, a anima. **2.** a împinge, a determina.

acuity [ə'kjuiti] *s.* **1.** acuitate. **2.** ascuţime.

acumen [ə'kju:men] *s. fig.* ascuţime; acuitate.

acupuncture ['ækjupʌŋktʃə] *s. med.* acupunctură.

acute [ə'kju:t] *adj.* **1.** ascuţit. **2.** *(d. boli)* acut, grav, greu. || ~ *pain*, durere puternică. **3.** pătrunzător, perspicace. || ~ *ear*, auz fin; ~ *sight* vedere pătrunzătoare. **4.** *(d. sunet)* ascuţit, acut; strident; asurzitor.

acuteness [ə'kju:tnis] *s.* ascuţime *(a unui unghi etc.)*, acuitate, (mare) sensibilitate, gravitate.

ad [æd] *s.* **1.** reclamă. **2.** anunţ. || *classified* ~*s* mica publicitate.

A.D. ['ei 'di:] *adj.* : *Anno Domini* al erei noastre, după Hristos.

adage ['ædidʒ] *s.* **1.** maximă. **2.** proverb.

adagio [ə'dɑ:dʒiou] *adv., s. muz.* adagio.

Adam ['ædəm] *s.* Adam. || *fam. I don't know him from* ~ habar n-am cine este (el); *fam. I know no more than* ~ *where he is* habar n-am unde ar putea să fie; *amer. since* ~ *was a boy* de pe vremea lui tata Noe.

adamant ['ædəmənt] *s.* **1.** diamant, piatră *(fig.).* || *to be* ~ a fi (de) neînduplecat.

adamantine [,ædə'mæntain] **I.** *adj.* **1.** adamantin, (tare) ca diamantul. **2.** *fig.* indestructibil, de nezdruncinat. **3.** *înv.* magnetic. **II.** *s.* **1.** *chim.* bor cristalizat. **2.** *mine.* alice de oţel călit (folosite la forat).

Adam's apple ['ædəmz,æpl] *s.* **1.** banan. **2.** lămâie. **3.** *anat.* mărul lui Adam.

adapt [ə'dæpt] *vt.* **1.** a adapta. **2.** a modifica.

adaptability [ə'dæptəbiliti] *s.* adaptabilitate; supleţe, flexibilitate.

adaptable [ə'dæptəbl] *adj.* (uşor) adaptabil, acomodabil.

adaptation [,ædæp'teiʃn] *s.* **1.** adaptare, acomodare. || *light* ~ acomodare vizuală; *mil.* ~ *to the ground* adaptare la teren, folosirea terenului. **2.** ajustare, potrivire. **3.** adaptare, prelucrare *(pentru scenă, ecran etc.)*; aranjament, prelucrare. || ~ *of a musical composition* adaptarea unei compoziţii muzicale.

adapter [ə'dæptə] *s.* **1.** autor al unei adaptări. **2.** *el.* cap de redare. **3.** racord; (manşon de) reducţie; alonjă. **4.** *mil.* şenilă.

add [æd] *vt., vi.* **1.** a (se) adăuga. **2.** a spori.

addendum [ə'dendəm] *pl.* **addenda** [ə'dendə]*s.* **1.** adaos. **2.** anexă.

adder ['ædə] *s.* viperă *(Vipera berus).*

addict ['ædikt] *s.* **1.** consumator *(de stupefiante etc.).* **2.** alcoolic.

addicted [ə'diktid] *adj.:* ~ *to* dedat, dedicat *(cu dat.).* || ~ *to drinking* beţiv.

addiction [ə'dikʃn] *s.:* ~ *to* înclinaţie spre, deprindere cu; dedare la; patimă, viciu; dependenţă *(de un drog).*

addictive [ə'diktiv] *adj.* **1.** care induce o patimă / înclinaţie *(spre).* **2.** *med.* care produce dependenţă *(de un drog).*

addition [ə'diʃn] *s.* **1.** adăugare. **2.** *mat.* adunare. **3.** adaos. || *in* ~ *to* pe lângă.

additional [ə'diʃənl] *adj.* suplimentar, în plus.

additive ['æditiv] *s. chim.* aditiv.

addle ['ædl] **I.** *adj.* **1.** *(d. ouă)* stricat, clocit. **2.** *fig.* sec, găunos; zăpăcit. **II.** *vi.* *(d. ouă)* a se strica, a se altera, a se cloci. **III.** *vt.* **1.** a agoli, a deşerta. **2.** *fig.* a zăpăci, a aiuri. || *to* ~ *one's head / brain* a-şi tulbura mintea; a se zăpăci.

address [ə'dres] **I.** *s.* **1.** adresă. **2.** pricepere. **3.** alocuţiune, discurs. **4.** *pl.* salut. **II.** *vt., vr.* a (se) adresa.

addressee [,ædre'si:] *s.* **1.** destinatar. **2.** persoană căreia i te adresezi; interlocutor.

adduce [ə'dju:s] *vt.* a aduce, a prezenta; a cita, a invoca.

adductor [ə'dʌktə] *s. anat.* (mușchi) aductor.

adenoid [æ'dinɔid] I. *adj. anat.* adenoid; de țesut limfatic. II. *s. (mai ales pl.)* adenoide, vegetație adenoidă.

adept ['ædept] I. *s.* 1. inițiat. 2. specialist (la). II. *adj.* **(at, in)** priceput, expert (la).

adequacy ['ædikwəsi] *s.* 1. comensurabilitate; proporționalitate. 2. potrivire, corespondență. 3. competență.

adequate ['ædikwit] *adj.* 1. potrivit, corespunzător. 2. suficient.

adhere [əd'hiə] *vi.* 1. a se lipi.2. a adera.

adherence [əd'hiərns] *s.* 1. adeziune; aderare; alipire. 2. ~ *to* respectare *(cu gen.)*; devotament / fidelitate față de. 3. *tehn.* aderență.

adherent [əd'hiərnt] I. *adj.* **(to)** 1. care se lipește, care aderă (la). 2. lipit (de), atașat (la). II. *s.* adept, partizan.

adhesion [əd'hi:ʒn] *s.* 1. adeziune. 2. aderență.

adhesive [əd'hi:siv] *adj.* 1. lipicios, cleios. 2. aderent, adeziv.

adieu [ə'dju:] *s., interj.* adio.

ad infinitum [æd ˌinfi'naitəm] *adv.* ad infinitum; la infinit.

adipose ['ædipous] I. *adj. chim., med.* adipos, gras. II. *s.* grăsime animală.

adjacent [ə'dʒeisənt] *adj.* 1. **(to)** alăturat, vecin (cu). 2. *geom.* adiacent.

adjective ['ædʒiktiv] *s.* adjectiv.

adjoin [ə'dʒɔin] I. *vt.* 1. a se învecina cu. 2. *înv.* a uni. II. *vi.* a se învecina, a sta alături.

adjourn [ə'dʒə:n] I. *vt.* 1. a amâna. 2. a ridica. 3. a suspenda (o ședință). II. *vi.* 1. a se suspenda. 2. a ridica ședința.

adjudge [ə'dʒʌdʒ] *vt.* 1. a judeca, a considera; a declara; a hotărî. 2. **(to)** a condamna (la, să). 3. **(to)** a adjudeca, a atribui *(un premiu etc. cuiva)*.

adjudicate [ə'dʒu:dikeit] I. *vt.* 1. a judeca *(un proces, un vinovat etc.)*. 2. a declara *(vinovat, nevinovat)*. 3. **(to)** a adjudeca, a atribui *(cu dat.)*. II. *vi.* 1. a fi arbitru *(într-o chestiune)*. 2. *to ~ on / upon* a da o sentință cu privire la; a-și forma o părere despre.

adjudication [əˌdʒu:di'keiʃn] *s.* 1. judecare. 2. adjudecare, decernare.

adjunct ['ædʒʌŋkt] I. *adj.* adjunct, ajutător, secundar. II. *s.* 1. adjunct, ajutor. 2. **(to)** adaos, anexă (la). 3. proprietate auxiliară. 4. *gram.* atribut; adjunct; complement circumstanțial.

adjuration [ˌædʒuə'reiʃn] *s.* 1. rugăminte; implorare. 2. (luare de) jurământ.

adjure [ə'dʒuə] *vt.* 1. a ruga fierbinte a implora, a conjura. 2. a lega prin jurământ.

adjust [ə'dʒʌst] *vt.* 1. a aranja. 2. a adapta. 3. a ajusta.

adjustable [ə'dʒʌstəbl] *adj.* ajustabil; adaptabil.

adjuster [ə'dʒʌstə] *s. tehn.* 1. instalator. 2. ajustor. 3. dispozitiv de reglare.

adjustment [ə'dʒʌstmənt] *s.* 1. reglare, ajustare, adaptare. || *to make ~ to* a se adapta la. 2. *tehn.* montaj, asamblare; reglare. 3. *tehn.* mecanism de reglare. 4. *mil.* reglare a tirului. || ~ *in direction* reglare a direcției de tragere; ~ *in range* reglare a focului în bătaie; ~ *of sight* corectare a ochirii.

adjutant ['ædʒutnt] *s.* 1. *mil.* adjutant, aghiotant. 2. *constr.* supraveghetor; antreprenor. 3. *(și ~ bird) ornit.* marabu, barză-gușată *(din India) (Leptoptilus argala)*.

adjutant general ['ædʒutnt 'dʒenrl] *s. mil.* 1. aghiotant general. 2. comandant teritorial *(al unei regiuni)*.

ad-lib [æd'lib] I. *adj.* improvizat, spontan. II. *vi.* a improviza *(în fața microfonului sau pe scenă)*; a vorbi liber *(în fața microfonului)*. III. *s. (mai ales pl.)* improvizație *(pe scenă)*.

administer [əd'ministə] *vt., vi.* a (se) administra.

administrate [əd'ministreit] *vt., vi. amer.* v. **administer**.

administration [ədˌmini'streiʃn] *s.* 1. administrație. 2. conducere. 3. administrare. 4. *amer.* guvern, guvernare.

administrative [əd'ministrətiv] *adj.* 1. administrativ; gospodăresc. 2. *(d. putere)* executiv.

administrator [əd'ministreitə] *s.* 1. administrator. 2. conducător.

admirable ['ædmərəbl] *adj.* admirabil.

admirably ['ædmərəbli] *adv.* de minune, admirabil.

admiral ['ædmrəl] *s.* amiral.

admiralty ['ædmrəlti] *s.* amiralitate. || *the Admiralty* Ministerul marinei *(în Anglia)*.

admiration [ˌædmə'reiʃn] *s.* admirație.

admire [əd'maiə] *vt.* a admira.

admirer [əd'maiərə] *s.* admirator, adorator.

admissible [əd'misəbl] *adj.* admisibil.

admission [əd'miʃn] *s.* 1. admitere. 2. mărturisire, recunoaștere.

admit [əd'mit] *vt.* 1. a primi. 2. a accepta. 3. a permite. 4. a mărturisi.

admittance [əd'mitns] *s.* intrare.

admittedly [əd'mitidli] *adv.* 1. după cum este recunoscut, după cum se știe (de toată lumea); de bună seamă. 2. după cum se presupune.

admixture [əd'mikstʃə] *s.* 1. amestec, adaos; ingredient; 2. dozaj.

admonish [əd'mɔniʃ] *vt.* 1. a ruga 2. a sfătui. 3. a avertiza.

admonition [ˌædmə'niʃn] *s.* 1. îndemn, povață. 2. avertisment, prevenire. 3. dojană, mustrare.

admonitory [əd'mɔnitəri] *adj.* povățuitor; prevenitor.

ado [ə'du:] *s.* 1. zarvă. 2. încurcătură.

adobe [ə'doubi] *s. constr.* 1. cărămidă nearsă, chirpici. 2. construcție de chirpici.

adolescence [ˌædou'lesns] *s.* adolescență.

adolescent [ˌædo'lesnt] *s., adj.* adolescent(ă).

adopt [ə'dɔpt] *vt.* 1. a adopta. 2. a alege.

adoption [ə'dɔpʃn] *s.* 1. adopțiune. 2. adoptare.

adoptive [ə'dɔptiv] *adj.* 1. adoptiv, înfiat. 2. *fig.* de adopțiune.

adorable [ə'dɔ:rəbl] *adj.* adorabil.

adorably [ə'dɔ:rəbli] *adv.* adorabil, minunat.

adoration [ˌædɔ:'reiʃn] *s.* 1. adorare, închinare. 2. *fig.* adorație, cult.

adore [ə'dɔ:] *vt.* 1. a adora. 2. a idolatriza.

adorn [ə'dɔ:n] *vt.* a împodobi.

adornment [ə'dɔ:nmənt] *s.* 1. ornament. 2. podoabă.

adown [ə'daun] *adv. poet.* jos; spre pământ.

adrenal [æd'ri:nl] *fiziol.* I. *adj.* suprarenal. II. *s.* glandă suprarenală.

adrenalin(e) [ə'drenəlin] *s. med. farm.* adrenalină.

adrift [ə'drift] *adj., adv.* 1. în bătaia vântului. 2. luat de ape, dus de valuri.

adroit [ə'drɔit] *adj.* abil, îndemânatic, agil.

adroitly [ə'drɔitli] *adv.* cu în-demânare, abil.

adroitness [ə'drɔitnis] *s.* abilitate, dexteritate.

adulation [ˌædjuleiʃn] *s.* linguşire slugarnică, adulaţie.

adult ['ædʌlt] *s., adj.* 1. adult. 2. matur.

adulterate [ə'dʌltəreit] *vt.* 1. a preface. 2. a falsifica.

adulteration [ə'dʌltəreiʃn] *s.* falsificare, contrafacere, alterare, corupţie.

adulterer [ə'dʌltərə] *s.* bărbat adulter.

adulteress [ə'dʌltəris] *s.* femeie adulteră.

adultery [ə'dʌltəri] *s.* adulter.

adumbrate ['ædʌmbreit] *vt.* 1. a schiţa; a schiţa conturul (cu gen.); a da o idee generală despre. 2. *fig.* a reprezenta simbolic; a prevesti. 3. a (ad)umbri.

advance [əd'vɑːns] I. *s.* 1. propă-şire. 2. avans. 3. împrumut. II. *vt.* 1. a înainta. 2. a promova. 3. a împrumuta. 4. a avansa. III. *vi.* 1. a înainta. 2. a avansa.

advancement [əd'vɑːnsmənt] *s.* 1. înaintare. 2. propăşire. 3. promovare.

advantage [əd'vɑːntidʒ] I. *s.* 1. avantaj, profit; superioritate. 2. (la tenis) avantaj. || ~ *in* avan-taj / serviciu; ~ *out* avantaj primire. II. *vt.* 1. a avantaja, a părtini, a-i prii (cuiva), a-i şedea bine (cuiva). 2. a ajuta, a promova. 3. a folosi (cuiva).

advantageous [ˌædvən'teidʒəs] *adj.* avantajos.

advent ['ædvent] *s.* 1. the Advent naşterea lui Hristos; postul Crăciunului. 2. venire, sosire; apariţie.

Adventist ['ædvəntist] *s., adj.* ad-ventist.

adventitious [ˌædven'tiʃəs] *adj.* întâmplător; accidental.

adventure [əd'ventʃə] I. *s.* 1. aventură. 2. risc. II. *vt., vi.* a (se) aventura.

adventurer [əd'ventʃrə] *s.* 1. aven-turier. 2. speculant.

adventuress [əd'ventʃəris] *s.* aventurieră.

adventurous [əd'ventʃərəs] *adj.* 1. aventuros; îndrăzneţ, între-prinzător. 2. riscant, periculos.

adverb ['ædvəːb] *s.* adverb.

adversary ['ædvəsri] *s.* 1. adver-sar. 2. duşman.

adverse ['ædvəːs] *adj.* 1. opus. 2. contrar.

adversely ['ædvəsli] *adv.* 1. defavorabil. || *to influence smb* ~ a influenţa pe cineva în rău. 2. ~ *to* împotriva, în contra (intereselor cuiva etc.).

adversity [əd'vəːsiti] *s.* 1. nenorocire. 2. ghinion.

advert[1] [əd'vəːt] *vi.:* ~ *to* a-şi îndrepta atenţia spre; a men-ţiona, a face aluzie la. || *to* ~ *to other matters* a trece la alte chestiuni.

advert[2] ['ædvəːt] *abrev. de la advertisement*.

advertise ['ædvətaiz] I. *vt.* 1. a anunţa, a informa. 2. a face reclamă pentru. 3. a avertiza. II. *vi.* a face reclamă. 2. a in-sera anunţuri.

advertisement [əd'vəːtismənt] *s.* 1. anunţ. 2. reclamă. 3. publi-citate.

advertiser ['ædvətaizə] *s.* 1. per-soană care publică un anunţ, o reclamă. 2. ziar cu anunţuri.

advice [əd'vais] *s.* 1. sfaturi. 2. păreri. 3. *pl.* comunicări tele-fonice; ştiri.

advisability [əd'vaizə'biliti] *s.* oportunitate; caracter reco-mandabil.

advisable [əd'vaizəbl] *adj.* 1. recomandabil. 2. oportun.

advise [əd'vaiz] *vt.* 1. a sfătui. 2. a recomanda. 3. a anunţa.

advisedly [əd'vaizidli] *adv.* 1. dinadins. 2. înţelept, judicios; în cunoştinţă de cauză; după o matură chibzuinţă.

advisement [əd'vaizmənt] *s. rar* judecare, examinare.

adviser [əd'vaizə] *s.* 1. consilier. 2. sfetnic.

advisory [əd'vaizəri] *adj.* consultativ.

advocacy ['ædvəkəsi] *s.* 1. apărare; susţinere, sprijin; propagare (a unor măsuri, idei etc.). 2. profesiune de avocat; avocatură.

advocate[1] ['ædvəkit] *s.* 1. apărător. 2. susţinător.

advocate[2] ['ædvəkeit] *vt.* 1. a sprijini. 2. a recomanda.

adze [ædz] *s.* a. teslă.

aedile ['iːdail] *s. ist. Romei* edil.

aegis ['iːdʒis] *s.* 1. egidă, scut. 2. *fig.* egidă, protecţie. || *under the* ~ *of* sub protecţia / egida (cu gen).

aeolian harp [i'ouljən 'hɑːp] *s.* harfă eoliană.

aeon ['iːən] *s.* 1. eon; veşnicie. 2. *geol.* eră, vârstă, perioadă, epocă. 3. *filoz.* eon, lume ideală.

aerate ['eiəreit] *vt.* 1. a aerisi; a aera. 2. a gazifica (apa), a şampaniza (vinul).

aerial ['eəriəl] I. *adj.* 1. aerian; de aer; care trăieşte în aer. 2. suspendat (în aer). 3. *fig.* aerian, vaporos; ireal; nepă-mântesc. II. *s. rad.* antenă.

aerie ['eəri] *s.* 1. cuib de vultur (sau de alte păsări de pradă); *fig.* locuinţă construită pe o stâncă inaccesibilă. 2. *fam.* pui (din cuibul unei păsări de pradă). 3. *fam.* păsări de pradă.

aerobatics [ˌeərə'bætiks] *s. pl.* (folosit ca sing.) zboruri acrobatice, acrobaţii aeriene.

aerobics [eə'roubiks] *s.* (cu verbul la sing.) gimnastică aerobică.

aerodrome ['eərədroum] *s.* aerodrom.

aerodynamics ['eəroudai'næmiks] *s. pl.* (folosit ca sing.) fiz. aerodinamică.

aerofoil ['eərəfɔil] *s. av.* profil aerodinamic; suprafaţă portantă.

aeronaut ['eərənɔːt] *s.* aeronaut.

aeronautic(al) [ˌeərə'nɔːtik(l)] *adj.* aeronautic.

aeronautics [ˌeərə'nɔːtiks] *s. pl.* aviaţie.

aeroplane ['eərəplein] *s.* avion.

aerosol ['eərəsɔl] *s. fiz., chim.* aerosol.

aerospace ['eərouspeis] *s. av.* teh-nică aerospaţială.

aesthete ['iːsθiːt] *s.* 1. estet. 2. amator de artă.

aesthetic [iːs'θetik] *adj.* estetic.

aesthetics [iːs'θetiks] *s. pl.* (cu verb la sing.) estetică.

aether ['iːθə] *v.* ether.

afar [ə'fɑː] *adv.* departe.

afear(e)d [ə'fiəd] *adj. înv.* speriat, înspăimântat.

affability [ˌæfə'biliti] *s.* afabilitate, politeţe, bunăvoinţă.

affable ['æfəbl] *adj.* afabil.

affair [ə'feə] *s.* 1. afacere; treabă. 2. grijă. 3. idilă, aventură.

affect [ə'fekt] *vt.* 1. a afecta. 2. a adopta (o atitudine etc.).

affectation [ˌæfek'teiʃn] *s.* afec-tare, poză.

affected [ə'fektid] *adj.* 1. atins, (de o boală). 2. jignit. 3. afec-tat, artificial; emfatic.

affection [ə'fekʃn] *s.* 1. afecţiune. 2. emoţie. 3. boală.

affectionate [ə'fekʃnit] *adj.* drăgăstos, afectuos.

afferent ['æfərnt] *adj.* aferent.

affiance [ə'faiəns] I. *s.* 1. (in, on) încredere (în), crezare (cu dat.).

2. logodnă; contract de căsătorie. **II.** *vt.* a promite în căsătorie; a logodi. || *they are* ~*d* sunt logodiți. **III.** *vr.* a se logodi.

affidavit [ˌæfiˈdeivit] *s.* declarație sub (prestare de) jurământ.

affiliate [əˈfilieit] *vt.* **1.** a afilia. **2.** a stabili paternitatea (*cu gen.*). **3.** a atribui.

affiliation [əˈfiliˈeiʃn] *s.* afiliere.

affinity [əˈtiniti] *s.* **1.** înrudire. **2.** atracție.

affirm [əˈfəːm] *vt.* **1.** a afirma. **2.** a declara.

affirmation [ˌæfəˈmeiʃn] *s.* **1.** afirmație. **2.** declarație.

affirmative [əˈfəːmotiv] *s., adj.* afirmativ.

affix **I.** [əˈfiks] *vt.* **1. (to, on, upon)** a fixa, a atașa (la, de). **2.** a uni. **3.** a pune (*pecetea, ștampila, semnătura*); a aplica, a lipi (*un timbru*). **II.** [ˈæfiks] *s.* **1.** adăugire, adaos. **2.** *gram.* afix; particulă.

afflict [əˈflikt] *vt.* **1.** a chinui. **2.** a necăji. **3.** a lovi (*fig.*).

affliction [əˈflikʃn] *s.* **1.** mizerie. **2.** chin.

affluence [ˈæfluons] *s.* **1.** afluență. **2.** bogăție; belșug.

affluent [ˈæfluɔnt] **I.** *adj.* **1.** abundent, bogat. **2.** *fiziol.* (*d. sânge*) afluent. **II.** *s.* **1.** *geogr.* afluent. **2.** remu, umflarea apelor din cauza unui obstacol.

afflux [ˈæflʌks] aflux.

afford [əˈfɔːd] *vt.* **1.** a oferi. **2.** a-și permite. || *I can* ~ *it* îmi dă mâna s-o fac; *we can't* ~ *this luxury* nu ne putem permite acest lux.

afforest [əˈfɔrist] *vt.* a împăduri.

affranchise [əˈtrænʃaiz] *vt.* a dezrobi.

affray [əˈtrei] **I.** *s.* tulburare a ordinii publice; ceartă; încăierare. **II.** *vt. înv.* a speria, a înfricoșa.

affright [əˈfrait] *poet.* **I.** *vt.* a îngrozi, a speria. **II.** *s.* spaimă, groază.

affront [əˈfrʌnt] **I.** *s.* **1.** insultă. **2.** afront. **II.** *vt.* a insulta.

Afghan [ˈæfɡæn] **I.** *s.* **1.** afgan. **2.** (limba) afgană. **3.** *afghan amer.* basma croșetată; șal. **4.** *afghan* covor turcmen mițos cu desene geometrice; cergă. **II.** *adj.* afgan.

afield [əˈfiːld] *adv.* **1.** pe / la câmp. **2.** *fig.* pe câmpul de luptă. **3.** razna, hai-hui. || *to wander* ~ a călca pe de lături.

afire [əˈfaiɔ] *adj., adv.* arzând, în flăcări. || *to set* ~ a aprinde; a da foc la.

aflame [əˈfleim] *adj., adv.* în flăcări.

afloat [əˈflout] *adj., adv.* pe apă.

aflutter [əˈflʌtə] *adj., adv.* **1.** fluturând. **2.** neliniștit, agitat.

afoot [əˈfut] *adj., adv.* **1.** pe jos. **2.** *fig.* în mișcare; în picioare; treaz; activ. **3.** *fig.* pe picioare; sănătos. **4.** *mil.* în marș.

afore [əˈfɔː] *prep., adv., conj. înv.* v. **before.**

aforementioned [əˈfɔːˌmenʃnd] *adj.* menționat mai sus.

aforesaid [əˈfɔːsed] *adj.* numit mai sus, de mai sus; sus numit.

aforetime [əˈfɔːtaim] **I.** *adv.* odinioară, în vechime. **II.** *adj.* fost, de altădată, de demult.

afoul [əˈfaul] *adj., adv.* în conflict. || *to run* ~ *of* a se ciocni de; *fig.* a intra în conflict cu.

afraid [əˈfreid] *adj.* speriat. || *to be* ~ *of* a se teme de; *I'm* ~ *I am late* iertați-mă că am întârziat.

afresh [əˈtreʃ] *adv.* iar(ăși), din nou.

African [ˈæfrikən] *s., adj.* african(ă).

Afrikaans [ˌæfriˈkɑːns] *s. lingv.* dialect olandez vorbit în Africa de Sud.

Afrikaner [ˌæfriˈkɑːnə] *s.* africander, băștinaș de origine europeană din Africa de Sud; *ist.* bur.

Afro [ˈæfrou] *adj.* **1.** (*d. păr*) lung și stufos. **2.** (*d. modă etc.*) african, afro.

aft [ɑːft] *adv.* **1.** la pupă. **2.** în spate.

after [ˈɑːftə] **I**; *adv.* după aceea, mai târziu. **II.** *prep.* după. || ~ *you!* după dvs.! ~ *all* la urma urmei, după toate; ~ *a manner / fashion* într-un fel. **III**; *conj.* după ce.

afterdeck [ˈɑːftədek] *s. mar.* dunetă.

after-effect [ˈɑːftəriˈfekt] *s.* **1.** urmare, efect întârziat; consecință (ulterioară). **2.** *med.* complicație tardivă. **3.** *fiz.* remanență.

afterglow [ˈɑːftəɡlou] *s.* **1.** geană de lumină (după apusul soarelui); amurg. **2.** *fiz.* inerție luminoasă. **3.** *met.* recoacere. **4.** sentiment, gust plăcut (care rămâne în urma a ceva).

after-life [ˈɑːftəlaif] *s.* **1.** viață viitoare / de apoi. **2.** viitor. || *in* ~ mai târziu (în viață), în viitor.

aftermath [ˈɑːftəmæθ] *s.* **1.** otavă; iarbă nouă. **2.** *fig.* consecințe.

aftermost [ˈɑːftəmoust] *adj.* cel din urmă, ultimul.

afternoon [ˈɑːftəˈnuːn] *s.* **1.** după-amiază. **2.** *fig.* toamnă.

after-thought [ˈɑːftəθɔːt] *s.* gând întârziat, răzgândire.

afterward(s) [ˈɑːftəwɔːdz] **I.** *adv.* **1.** apoi, mai târziu; ulterior. **2.** *mar.* spre pupa. **II.** *s.* **1.** viitor. **2.** viață viitoare, viața de apoi.

again [əˈɡen] *adv.* **1.** iarăși. **2.** altă dată. || *now and* ~ când și când; *time and* ~ mereu.

against [əˈɡenst] *prep.* **1.** împotriva, contra (*cu gen.*). **2.** lipit de. || *a rainy day* pentru zile negre; ~ *the wall* lângă / la perete; ~ *my will* în pofida voinței mele.

agape [əˈɡeip] *adj., adv.* cu gura căscată.

agar-agar [ˈeiɡɑːˈeiɡɔ] *s. biol., med.* agar-agar.

agate [ˈæɡət] *s.* agat.

agave [əˈɡeivi] *s. bot.* agavă (*Agave*).

age [eidʒ] **I.** *s.* **1.** vârstă. **2.** epocă. || *of* ~ major; *under* ~ minor. **II.** *vt., vi.* a îmbătrâni.

aged [ˈeidʒid] *adj.* bătrân. || *he is* ~ [eidʒd] *ten* are 10 ani.

ageless [ˈeidʒlis] *adj.* veșnic tânăr.

agency [ˈeidʒnsi] *s.* **1.** mijloc. **2.** agenție. || *by the* ~ *of* prin, cu ajutorul.

agenda [əˈdʒendə] *s.* **1.** ordine de zi, agendă. **2.** agendă, carnet de însemnări.

agent [ˈeidʒnt] *s.* **1.** operator. **2.** agent. **3.** factor.

agent provocateur [ɑːˈʒɑːŋ prɔvɔkəˈtœːr] *pl.* **agents provocateurs** *s.* agent provocator.

age of consent [ˈeidʒ ɔv kɔnˈsent] *s.* vârsta discernământului.

agglomerate [əˈɡlɔməreit] *vt., vi.* a (se) aglomera.

agglomeration [əˌɡlɔməˈreiʃn] *s.* **1.** aglomerație. **2.** *tehn.* aglomerare; îngrămădire; aglutinare; concreționare.

agglutinate [əˈɡluːtineit] **I.** *vt.* **1.** a lipi, a aglutina. **2.** a transforma în clei. **3.** *lingv.* a aglutina. **II.** *vi.* a se preface în clei. **III.** [əˈɡluːtinit] *adj.* **1.** lipit, aglutinat. **2.** (*lingv., d. limbi*) aglutinant.

aggrandize [ə'grændaiz] *vt.* **1.** a spori. **2.** a exagera.

aggrandizement [ə'grændizmənt] *s.* mărire, extindere; sporire; înălțare.

aggravate ['ægrəveit] *vt.* **1.** a agrava. **2.** a enerva. **3.** a exaspera.

aggravation [,ægrə'veiʃn] *s.* **1.** agravare, îngreunare. **2.** *fam.* supărare, exasperare. **3.** *jur.* circumstanță agravantă.

aggregate ['ægrigit] **I.** *s.* **1.** total. **2.** agregat. **II.** *adj.* **1.** combinat. **2.** total. **3.** complex.

aggregation [,ægri'geiʃn] *s.* **1.** strângere, adunare. **2.** *chim.* agregare; *tehn.* agregat. **3.** masă, conglomerat. **4.** putere de coeziune.

aggression [ə'greʃn] *s.* agresiune.

aggressive [ə'gresiv] *adj.* agresiv.

aggressiveness [ə'gresivnis] *s.* **1.** comportare agresivă, purtare provocatoare. **2.** agresivitate, caracter ofensiv.

aggressor [ə'gresə] *s.* **1.** agresor. **2.** persoană care caută râcă; bătăuș.

aggrieve [ə'griːv] *vt.* **1.** a mâhni. **2.** a chinui.

aghast [ə'gɑːst] *adj.* **1.** înspăimântat. **2.** uluit.

agile ['ædʒail] *adj.* **1.** agil. **2.** activ.

agility [ə'dʒiliti] *s.* iuțeală în mișcări, agilitate; sprinteneală, vioiciune; agerime (a minții), istețime.

agitate ['ædʒiteit] **I.** *vt.* **1.** a tulbura. **2.** a agita. **II.** *vi.* a se agita.

agitation [,ædʒitei'ʃn] *s.* **1.** mișcare. **2.** agitație. **3.** tulburare.

agitator ['ædʒiteitə] *s.* agitator.

agleam [ə'gliːm] *adj.,* *adv.* scânteietor; strălucitor.

aglow [ə'glou] *adj.,* *adv.* **1.** aprins; înroșit; incandescent. **2.** *fig.* aprins, îmbujorat; emoționat. || *all ~ with delight* cu fața îmbujorată de plăcere.

agnail ['ægneil] *s.* piele în jurul unghiei, pieliță.

agnostic [æg'nɔstik] *adj., s.* filoz. agnostic.

ago [ə'gou] *adv.* în urmă. || *five days ~* acum 5 zile; *long ~* de mult.

agog [ə'gɔg] *adj.,* *adv.* în așteptare, înfrigurat. || *to stand ~* a sta (ca) pe ghimpi; *to be ~ on / upon / about / with* a fi pasionat după, a se da în vânt după; *to*

set smb.'s curiosity ~ a stârni curiozitatea cuiva.

a-going [ə'gouiŋ] *adj., adv. fam.* în mișcare; mergând, plecând. || *to set ~* a pune în mișcare; a incita, a instiga; *just ~ to begin* pe punctul de a începe.

agone [ə'gɔn] *adv. înv., poet.* v. **ago.**

agonistic(al) [,ægə'nistik(l)] *adj.* **1.** atletic, de atletism. **2.** polemic, combativ. **3.** exagerat.

agonize ['ægənaiz] *vt., vi.* a (se) tortura.

agony ['ægəni] *s.* **1.** chin. **2.** agonie. **3.** luptă.

agoraphobia [,ægərə'foubiə] *s.* med. agorafobie.

agrarian [ə'greəriən] *adj.* **1.** agrar. **2.** agricol.

agree [ə'griː] *vi.* **1.** a se înțelege, a fi de acord. **2.** a fi în armonie.

agreeable [ə'griːəbl] *adj.* **1.** plăcut. **2.** amabil. **3.** favorabil.

agreeably [ə'griːəbli] *adv.* **1.** plăcut, agreabil. || *~ surprised* plăcut surprins. **2.** corespunzător, potrivit, conform.

agreement [ə'griːmənt] *s.* **1.** acord. **2.** înțelegere.

agricultural [,ægri'kʌltʃrl] *adj.* agricol.

agriculturalist [,ægri'kʌltʃərəlist] *s.* agronom.

agriculture ['ægrikʌltʃə] *s.* agricultură.

agronomy [ə'grɔnəmi] *s.* agronomie.

aground [ə'graund] *adj., adv.* **1.** mar. eșuat, (pus) pe uscat. || *to be ~* a fi (pus) pe uscat; *to go / to run ~* a eșua. **2.** fig. la strâmtoare / ananghie; în încurcătură; împotmolit.

ague ['eigjuː] *s.* malarie; friguri.

ah [ɑː] *interj.* ah!

aha [ə'hɑː] *interj.* aha!

ahead [ə'hed] *adv.* **1.** înainte. **2.** în față. **3.** mai devreme.

ahem [hm] *interj.* hm!

ahoy [ə'hɔi] *interj. mar.* he(i)! || *all hands ~!* toată lumea pe punte!

aid [eid] **I.** *s.* **1.** ajutor (mai ales material). **2.** complice. **II.** *vt.* a ajuta.

aide [eid] *s.* **1.** mar., mil. aghiotant, adjutant. **2.** *pl.* personal ajutător.

aide-de-camp ['eiddə'kɑːŋ]. *pl.* **aides-de-camps** ['eidzdə'kɑːŋ] *s. mil.* aghiotant (al unui general).

AIDS *abrev. med.* SIDA, sindromul imuno-deficitar dobândit.

aigrette ['eigret] *s.* **1.** egretă; moț; penaj; coama coifului. **2.** *ornit.* stârc-alb, stârc-bălan *(Ardes alba).* **3.** *tehn.* fascicol de raze.

aikido [ai'kiːdou] *s.* aikido, artă marțială.

ail [eil] **I.** *vt.* **1.** a tulbura. **2.** a necăji. **3.** a chinui. **II.** *vi.* **1.** a suferi; a fi bolnav. **2.** a nu se simți bine. **3.** a tânji, a lâncezi.

aileron ['eilərən] *s. av.* eleron, aripioară; volet de torsiune.

ailment ['eilmənt] *s.* **1.** boală. **2.** *med.* tulburare. **3.** indispoziție; durere, suferință (fizică sau psihică).

aim [eim] **I.** *s.* țel. **II.** *vt.* **1.** a ținti. **2.** a ochi. **III.** *vi.* a ținti (în).

aimless ['eimlis] *adj.* **1.** fără țintă / scop; fără (nici un) rost. **2.** neplanificat.

ain't [eint] **1.** *fam.* prescurtare de la **are not. 2.** *reg.* prescurtare de la **am not; is not; have not.**

air [ɛə] **I.** *s.* **1.** aer. **2.** atmosferă. **3.** briză. **4.** înfățișare. **5.** *pl.* îngâmfare. **II.** *vt.* a aerisi; a vântura. **III.** *vr.* a lua aer.

airborne ['ɛəbɔːn] *adj.* aeropurtat.

air-conditioned ['ɛəkənˌdiʃnd] *adj.* cu aer condiționat.

aircraft ['ɛəkrɑːft] *s.* **1.** avion. **2.** aviație.

aircraft carrier ['ɛəkrɑːft 'kæriə] *s.* purtător de avioane, portavion.

airdrome ['ɛədroum] *s.* aerodrom.

Airedale ['ɛədeil] *s.* Airedale *(rasă de câini).*

airfield ['ɛəfiːld] *s.* aerodrom.

air force ['ɛəfɔːs] *s.* aviație.

airily ['ɛərili] *adv.* **1.** ușor, diafan; cu ușurință; cu grație, mlădios. **2.** ușuratic, flușturatic. **3.** vesel, degajat. **4.** cu aere / ifose.

airless ['ɛəlis] *adj.* fără aer, apăsător.

air line ['ɛə lain] *s.* linie aeriană.

air mail ['ɛəmeil] *s.* poștă aeriană.

airman ['ɛəmæn] *s.* **1.** pilot. **2.** aviator.

air-minded ['ɛəˌmaindid] *adj.* cunoscător în problemele de aviație; preocupat de problemele aviatice.

airplane ['ɛəplein] *s.* avion, aeroplan.

air pocket ['ɛəˌpɔkit] *s.* pungă *sau* gol de aer.

airport ['ɛəpɔːt] *s.* aeroport.

air raid ['ɛəreid] *s.* raid *sau* atac aerian.

airscrew ['ɛəskru:] *s.* elice.

airship ['ɛəʃip] *s.* aeronavă; dirijabil; zepelin.

airtight ['ɛətait] *adj.* etanş.

airway ['ɛəwei] *s.* **1.** linie / rutā aerianā. **2.** *(mai ales pl.)* companie aerianā. **3.** *mine.* lucrare minierā de aeraj; galerie de aeraj.

airworthy ['ɛə,wə:ði] *adj.* *av.* capabil de zbor, apt pentru zbor.

airy ['ɛəri] *adj.* **1.** aerian. **2.** delicat. **3.** superficial.

aisle [ail] *s.* **1.** interval (între scaune), culoar; pasaj. **2.** (loc de) trecere.

aitch-bone ['eitʃboun] *s.* **1.** şold, coapsă. **2.** muşchi.

ajar [ə'dʒɑ:] *adj., adv.* întredeschis.

akimbo, a-kimbo [ə'kimbou] *adv.* cu mâinile în şolduri. || *to set one's arms* ~ a-şi pune mâinile în şolduri.

akin [ə'kin] *adj.* **1.** înrudit. **2.** asemănător.

alabaster ['æləbɑ:stə] *s.* *minr.* alabastru.

à la carte [ɑ:lɑ:'kɑ:t] *adj.* à la carte.

alack [ə'læk] *interj.* *înv.* vai (şi amar)! alelei!

alack-a-day [ə'lækə] *interj.* *înv.* v. **alack**.

alacrity [ə'lækriti] *s.* vioiciune; promptitudine, zel.

à la mode [ɑ:lɑ:'moud] modern.

alarm [ə'lɑ:m] **I.** *s.* **1.** alarmă. **2.** avertisment. **II.** *vt.* **1.** a alarma. **2.** a înfricoşa.

alarm-clock [ə'lɑ:mklɔk] *s.* ceas deşteptător.

alarmingly [ə'lɑ:miŋli] *adv.* alarmant. || *to be* ~ *ill* a fi (foarte) grav bolnav.

alarmist [ə'lɑ:mist] *s.* alarmist; panicard.

alarum [ə'lɛərəm] *s.* **1.** *poet., înv.* alarmă, alertă. **2.** sunetul deşteptătorului. **3.** mecanismul sonor al unui deşteptător. **4.** (ceas) deşteptător; || ~*s and excursions* zarvă, freamăt; un du-te-vino continuu.

alas [ə'lɑ:s] *interj.* **1.** ah! **2.** vai! **3.** din păcate.

Alaskan [ə'læskən] *adj.* din Alaska.

alb [ælb] *s.* *bis.* stihar.

albacore ['ælbəkɔ:] *s.* *iht.* ton.

Albanian [æl'beinjən] **I.** *s.* **1.** albanez, arnăut. **2.** (limba) albanezā. **II.** *adj.* albanez, arnăuţesc.

albatross ['ælbətrɔs] *s.* albatros *(Diomedea sp.)*.

albeit [ɔ:l'bi:it] *conj.* (şi ~ *that*) deşi, cu toate că.

albinism ['ælbinizəm] *s.* albinism, absenţa pigmenţilor în piele.

albino [æl'bi:nou] *s.* albinos.

Albion ['ælbjən] *s.* Albionul, Anglia.

album ['ælbəm] *s.* album.

albumen ['ælbjumin] *s.* **1.** albuş (de ou). **2.** *chim., biol.* albumen. **3.** *bot.* parenchim nutritiv. **4.** *chim.* albumină.

albumin ['ælbjumin] *s.* *chim.* albumină.

albuminous [æl'bju:minəs] *adj.* albuminos.

alcalde [ɑ:l'kɑ:ldi] *s.* *(la spanioli)* alcalde, primar al oraşului.

alchemist ['ælkimist] *s.* alchimist.

alchemy ['ælkimi] *s.* alchimie.

alcohol ['ælkəhɔl] *s.* alcool.

alcoholic [,ælkə'hɔlik] *adj.* alcoolic.

alcoholism ['ælkəhɔlizəm] *s.* alcoolism, patima băuturii.

alcove ['ælkouv] *s.* **1.** nişă. **2.** boschet.

alder ['ɔ:ldə] *s.* arin *(Alunus sp.)*.

alderman ['ɔ:ldəmən] *s.* consilier *(municipal etc.)*.

ale [eil] *s.* bere *(de malţ)*.

ale-house ['eilhaus] *s.* berărie.

alembic [ə'lembik] *s.* alambic.

alert [ə'lə:t] **I.** *s.* alarmă. **II.** *adj.* **1.** atent. **2.** vioi.

alertly [ə'lə:tli] *adv.* vigilent, atent; prudent.

alertness [ə'lə:tnis] *s.* **1.** vigilenţă, pază, atenţie. **2.** vioiciune, sprinteneală; promptitudine.

alfalfa [æl'fælfə] *s.* *bot.* alfalfa, lucernă *(Medicago sativa)*.

alfresco [æl'frescou] *adj., adv.* **1.** în aer liber. **2.** *artă* al fresco.

alga ['ælgə] *s.* algă.

algebra ['ældʒibrə] *s.* algebră.

algebraic(al) [,ældʒi'breiik(l)] *adj.* algebric.

Algerian [æl'dʒiəriən] *adj., s.* algerian.

ALGOL *s.* *cib.* ALGOL *(limbaj de progamare)*.

Algonkian [æl'gɔŋkiən] *s.* *geol.* algonkian, eră algonkiană.

Algonquian [æl'gɔŋkiən] *adj., s.* *ling.* algonkian.

algorithm ['ælgə,riðm] *s.* *mat.* algoritm.

alias ['eiliæs] **I.** *s.* nume fals. **II.** *adv.* alias, zis şi, aşa numit.

alibi ['ælibai] *s.* **1.** alibi. **2.** scuză.

alien ['eiljən] **I.** *s.* **1.** strāin. **2.**

dușman. **II.** *adj.* **1.** străin. **2.** stingher.

alienate ['eiljəneit] *vt.* a înstrăina.

alienation [,eiljə'neiʃn] *s.* **1.** înstrăinare. **2.** alienaţie (mintală).

alienist ['eiliənist] *s.* *med.* alienist, doctor de boli nervoase; psihiatru.

alight [ə'lait] **I.** *adj.* aprins. **II.** *vi.* **1.** a descăleca. **2.** a coborî.

align [ə'lain] *vt.* **1.** a alinia. **2.** a linia. **3.** a centra; a îndrepta, a potrivi.

alignment [ə'lainmənt] *s.* **1.** aliniere, înşiruire; aliniament. **2.** centrare; ajustare, potrivire, îndreptare. **3.** *topografie* vizare prin mai multe puncte. **4.** *mil.* aliniere, front. **5.** linie de vizare, proiecţie orizontală. || *zero* ~ linie de credinţă. **6.** *pl.* grupări / blocuri militare. **7.** jalonare.

alike [ə'laik] **I.** *adj.* **1.** similar. **2.** asemănător. || *to be* ~ a se asemăna. **II.** *adv.* **1.** asemenea. **2.** la fel.

aliment ['ælimənt] **I.** *s.* **1.** aliment(e), hrană. **2.** *jur.* întreţinere; pensie alimentară *(în Scoţia)*. **II.** *vt.* **1.** a alimenta. **2.** *jur.* a da *(cuiva)* o pensie alimentară, de întreţinere *(în Scoţia)*.

alimentary [,æli'mentəri] *adj.* alimentar, de hrană; digestiv.

alimony ['æliməni] *s.* **1.** pensie alimentară. **2.** întreţinere.

alive [ə'laiv] *adj.* **1.** viu. **2.** vioi. **3.** activ. **4.** în viaţă. || *look* ~! mişcă-te mai repede!; *man* ~! vai de capul meu!

alkali ['ælkəlai] *s.* *chim.* **1.** bază. **2.** sodă (caustică).

alkaline ['ælkəlain] *adj.* **1.** alcalin. **2.** bazic.

alkalinity [,ælkə'liniti] *s.* *chim.* alcalinitate.

alkaloid ['ælkəlɔid] *s.* *chim.* alcaloid.

all [ɔ:l] **I.** *adj.* **1.** tot. **2.** întreg. **3.** maxim. **4.** orice; oricare. **II.** *pron.* **1.** toţi; toată lumea. **2.** totul. || *at* ~ cât de cât; *not at* ~ deloc; *(ca interj.)* n-aveţi pentru ce! pentru puţin!; *it is* ~ *but impossible* e aproape imposibil; *taken* ~ *in* ~ în ansamblu; cu una, cu alta. **III.** *adv.* în întregime; complet; total. || ~ *at once* deodată; ~ *over* peste tot; ~ *right* bine; perfect; ~ *the same* totuşi; la fel, egal.

allay [ə'lei] vt. **1.** a stăvili. **2.** a liniști *(temerile etc.)*. **3.** a alina *(durerea etc.)*.

allegation [,æle'geiʃn] s. **1.** afirmație (nedovedită). **2.** pretenție.

allege [ə'ledʒ] vt. **1.** a pretinde. **2.** a susține.

allegedly [ə'ledʒidli] adv. chipurile.

allegiance [ə'li:dʒns] s. **1.** supunere. **2.** credință.

allegoric(al) [,æle'gɔrik(l)] adj. alegoric; figurat.

allegorize ['æligəraiz] **I.** vt. a reprezenta alegoric, a da un înțeles alegoric *(unui lucru)*. **II.** vi. **(upon)** a vorbi în alegorii (despre).

allegory ['æligɔri] s. **1.** alegorie. **2.** emblemă.

allegro [ə'leigrou] adj., s. muz. allegro.

alleluia(h) [,æli'lu:jə] s. **1.** aleluia. **2.** imn religios.

allergenic [ælə'dʒenik] adj. med. alergen.

allergic [ə'lə:dʒik] adj. **1.** med. alergic. **2.** fam. to be ~ to smth. a-i displăcea ceva.

allergy ['ælədʒi] s. med. alergie.

alleviate [ə'li:vieit] vt. **1.** a ușura. **2.** a alina. **3.** a micșora.

alleviation [ə,li:vi'eiʃn] s. **1.** ușurare *(a suferinței etc.)*. **2.** calmare, alinare *(a durerii etc.)*. **3.** micșorare, slăbire.

alley ['æli] s. **1.** alee. **2.** trecătoare. **3.** popicărie.

alleyway ['æliwei] s. amer. alee.

All Fools' Day ['ɔ:l'fu:lzdei] s. întâi aprilie, ziua păcălelilor.

alliance [ə'laiəns] s. **1.** alianță. **2.** căsătorie. **3.** rudenie.

allied [ə'laid] adj. **1.** aliat. **2.** înrudit, apropiat.

alligator ['æligeitə] s. aligator *(Alligator sp.)*.

all-important ['ɔ:lim'pɔ:tnt] adj. de cea mai mare importanță.

all-in ['ɔ:l,in] adj. **1.** global. **2.** total. **3.** istovit.

alliteration [ə,litə'reiʃn] s. aliterație.

alliterative [ə'litərətiv] adj. aliterativ.

allocate ['æləkeit] vt. **1.** a aloca. **2.** a consacra.

allocation [,ælou'keiʃn] s. **1.** alocare, amer. rezervare. **2.** localizare.

allocution [,ælo'kju:ʃn] s. **1.** discurs. **2.** salut.

allot [ə'lɔt] vt. **1.** a aloca. **2.** a distribui. **3.** a repartiza.

allotment [ə'lɔtmənt] s. **1.** repartizare; repartiție. **2.** cotă. **3.** porție.

all-out ['ɔ:l,aut] adj. **1.** global. **2.** rapid.

all-over ['ɔ:l,ouvə] adj. răspândit pe toată suprafața.

allow [ə'lau] **I.** vt. **1.** a permite. **2.** a acorda. **3.** a recunoaște. **II.** vi.: to ~ for a ține seama de; a scădea. **III.** vr. **1.** a-și permite. **2.** a se lăsa.

allowable [ə'lauəbl] adj. admisibil, permis; presupus.

allowance [ə'lauəns] s. **1.** permisiune. **2.** alocație; diurnă. **3.** stipendiu. **4.** reducere. || to make ~ for a ține seama de; a se gândi și la; a fi îngăduitor cu.

alloy[1] ['ælɔi] s. **1.** aliaj. **2.** amestec. **3.** titlu *(al unui metal prețios)*.

alloy[2] [ə'lɔi] vt. **1.** a alia *(metale etc.)*. **2.** a amesteca. **3.** a preface.

all-round ['ɔ:l,raund] adj. **1.** multilateral. **2.** general. **3.** complet.

allspice ['ɔ:lspais] s. **1.** bot. piment *(Pimenta officinalis)* cuișoare englezești. **2.** sl. băcan.

allude [ə'lu:d] vi. : to ~ to a face aluzie la; a se referi la.

allure [ə'luə] vt. a ispiti.

allurement [ə'ljuəmənt] s. **1.** farmec, fascinație, seducție. **2.** nadă, momeală.

alluring [ə'ljuəriŋ] adj. ademenitor, atrăgător. || ~ prospects perspective ispititoare.

allusion [ə'lu:ʒn] s. **1.** aluzie. **2.** referire.

alluvial [ə'lju:viəl] adj. geol. aluvial, aluvionar, de aluviune; de dejecție.

alluvium [ə'lju:viəm], pl. **alluvia** [ə'lu:viə] s. geol. aluviune.

ally[1] ['ælai] s. aliat.

ally[2] [ə'lai] vt., vr. **1.** a (se) alia. **2.** a (se) uni.

almanac(k) ['ɔ:lmənæk] s. **1.** almanah. **2.** calendar.

almighty [ɔ:l'maiti] **I.** s. : the Almighty Atotputernicul. **II.** adj. atotputernic.

almond ['ɑ:mənd] s. migdal(ă) *(Amygdalus communis)*.

almost ['ɔ:lmoust] adv. **1.** aproape. **2.** cât pe-aci să.

alms [ɑ:mz] s. **1.** pomană, pomeni. **2.** dar.

alms-house ['ɑ:mzhaus] s. azil de săraci.

aloe ['ælou] s. **1.** bot. aloe(s) *(Aloe)*. **2.** pl. farm. sabur, suc de aloe; purgativ.

aloft [ə'lɔft] adv. sus, în înalturi; în sus. || fam. to go ~ a da ortul popii.

alone [ə'loun] **I.** adj. **1.** singur. **2.** singuratic. **3.** izolat. || leave / let me ~ lasă-mă în pace; let ~ his coming late ca să nu mai vorbim de faptul că a întârziat. **II.** adv. **1.** numai. **2.** exclusiv.

along [ə'lɔŋ] **I.** adv. înainte. || all ~ tot timpul. **II.** prep. de-a lungul *(cu gen.)*.

alongside [ə'lɔŋsaid] prep. (și ~ of) **1.** de-a lungul *(cu gen.)*. **2.** pe lângă *(și fig.)*.

aloof [ə'lu:f] **I.** adj. **1.** semeț, mândru. **2** distant, detașat. **II.** adv. **1.** separat. **2.** deoparte, detașat.

aloofness [ə'lu:fnis] s. fig. distanță; rezervă; indiferență.

aloud [ə'laud] adv. **1.** (cu glas) tare. **2.** răspicat. **3.** puternic.

alp [ælp] s. **1.** culme, înălțime. **2.** pășune alpină (în Elveția).

alpaca [æl'pækə] s. **1.** zool. alpaca *(Auchenia pacos)*. **2.** text. lână de alpaca, păr de alpaca.

alpha ['ælfə] s. alfa.

alphabet ['ælfəbit] s. **1.** alfabet. **2.** primele noțiuni.

alphabetic(al) [,ælfə'betik(l)] adj. alfabetic.

alphanumeric [ælfənju:'merik] adj. mat. alfanumeric.

alpine ['ælpain] **I.** adj. alpin, de munte. **II.** s. muntean.

already [ɔ:l'redi] adv. deja.

Alsatian [æl'seiʃn] **I.** adj. alsacian. **II.** s. **1.** alsacian. **2.** câine lup.

also ['ɔ:lsou] adv. de asemenea, și.

altar ['ɔ:ltə] s. altar.

alter ['ɔ:ltə] vt., vi. a (se) modifica.

alterable ['ɔ:ltərəbl] adj. supus modificărilor.

alteration [,ɔ:ltə'reiʃn] s. modificare.

altercation [,ɔ:ltə'keiʃn] s. ceartă, altercație.

alternate[1] [ɔ:l'tə:nit] adj. **1.** alternativ. **2.** supleant.

alternate[2] ['ɔ:ltəneit] vt., vi. a alterna.

alternation [,ɔ(:)ltə(:)'neiʃn] s. alternare, alternanță. || ~ of day and night alternanța zilei cu noaptea.

alternative [ɔ:l'tə:nətiv] **I.** s. alternativă. **II.** adj. alternativ.

alternator ['ɔ:ltəneitə] s. el. alternator.

although [ɔ:l'ðou] conj. **1.** deși; cu toate că. **2.** măcar că.

altimeter [æl'timitə] s. altimetru.

altitude ['æltitju:d] s. 1. înălțime, altitudine; cotă. 2. fig. apogeu; elevație.

alto ['æltou] s. 1. altist(ă). 2. violă.

altogether [ˌɔ:ltə'geðə] adv. 1. complet; cu totul. 2. în general, în linii mari. 3. la urma urmei, dacă ținem seama de toate.

altruism ['æltruizəm] s. altruism.

altruist ['æltruist] s. altruist.

altruistic [ˌæltru'istik] adj. altruist.

alum ['æləm] s. alaun.

alumina [ə'lu:minə] s. chim., minr. alumină; oxid de aluminiu.

aluminium [ˌælju'minjəm] s. aluminium.

alumna [ə'lʌmnə], pl. **alumnae** [ə'lʌmni] fem. de la **alumnus**.

alumnus [ə'lʌmnəs] pl. **alumni** [ə'lʌmnai] s. fost elev sau student.

alveolus [æl'viələs], pl. **alveoli** [æl'violai] s. anat. alveolă.

always ['ɔ:lwəz] adv. întotdeauna.

am [əm, æm] v. aux., v. mod., vi. pers. I ind. prez. de la be sunt.

amain [ə'mein] adv. 1. înv. poet. din răsputeri, cu avânt. 2. dintr-o dată, repede. 3. grozav, extraordinar. 4. mar. în bandă moale. || strike ~! dați drumul la parâme în bandă!

amalgam [ə'mælgəm] s. 1. amalgam. 2. amestec.

amalgamate [ə'mælgəmeit] vt., vi. a (se) amesteca: a (se) uni.

amalgamation [əˌmælgə'meiʃn] s. 1. chim. amalgamare. 2. fig. amestec, combinare. 3. unificare, fuziune (a organizațiilor, instituțiilor etc.).

amanuensis [əˌmænju'ensis] s. 1. secretar(ă). 2. stenodactilograf(ă).

amaranth ['æmərænθ] s. 1. bot. amarantă, știr (Amarantus). 2. culoare purpurie. 3. poet. floare nepieritoare.

amaranthine [æmə'rænθain] adj. 1. purpuriu, cărămiziu, roșietic. 2. fig. veșnic.

amaryllis [æmə'rilis] s. bot. ghiocel de toamnă (Amaryllis).

amass [ə'mæs] vt. a aduna.

amateur ['æmətə:] I. s. amator. II. adj. de amatori, amator.

amateurish [æmə'tə:riʃ] adj. de amator(i), de diletanți.

amatory ['æmətəri] I. adj. erotic, de dragoste. II. s. licoare, băutură fermecată de dragoste.

amaze [ə'meiz] vt. a ului; a încurca.

amazedly [ə'meizidli] adv. uluit, uimit, surprins.

amazement [ə'meizmənt] s. uluire, stupoare. || filled with ~ cuprins de uimire.

amazing [ə'meiziŋ] adj. uluitor, uimitor.

amazon ['æməzən] s. 1. ist. amazoană. 2. fig. eroină; zmeoaică.

ambassador [æm'bæsədə] 1. ambasador. 2. sol.

ambassadorial [æmˌbæsi'dɔ:riəl] adj. de ambasador.

ambassadress [æm'bæsidris] s. 1. ambasadoare. 2. soție de ambasador.

amber ['æmbə] I; s. chihlimbar. II; adj. galben; portocaliu.

ambergris ['æmbəgris] s. ambră, chihlimbar cenușiu.

ambidext(e)rous ['æmbi'dekstrəs] adj. ambidextru.

ambiency ['æmbiənsi] s. ambianță.

ambient ['æmbiənt] adj. ambiant, înconjurător.

ambiguity [ˌæmbi'gjuiti] s. ambiguitate, echivoc; vorbire cu două înțelesuri, în doi peri, cu dublu înțeles; neclaritate.

ambiguous [æm'bigjuəs] adj. 1. echivoc; ambiguu. 2. nesigur.

ambit ['æmbit] s. 1. împrejurimi, preajmă. 2. limite, cadru. 3. fig. sferă, domeniu. 4. arhit. spațiu liber în jurul unei clădiri.

ambition [æm'biʃn] s. 1. ambiție. 2. aspirație. 3. țel.

ambitious [æm'biʃəs] adj. 1. ambițios. 2. doritor. 3. îndrăzneț.

amble ['æmbl] I. s. trap ușor. II. vi. (d. cal) a sălta.

ambrosia [æm'brouziə] s. 1. mit. ambrozie, hrana zeilor. 2. fig. ambrozie, lucru savuros. 3. păstură.

ambulance ['æmbjuləns] s. 1. ambulanță, salvare. 2. spital de campanie.

ambulatory ['æmbjulətəri] I. adj. 1. ambulant, pribeag. 2. mobil. 3. trecător. 4. (d. tratamente) ambulator(iu). II. s. gang (acoperit), arcadă.

ambuscade [ˌæmbəs'keid] I. s. ambuscadă, pândă. II. vi. 1. a sta la pândă. 2. a organiza o ambuscadă. III. vt. a pândi.

ambush ['æmbuʃ] I. s. 1. ambuscadă. 2. pândă. II. vt. mil. a hărțui.

ameer [ə'miə] s. emir.

ameliorate [ə'mi:ljəreit] vt., vi. a (se) îmbunătăți.

amelioration [ə'mi:liə'reiʃn] s. îmbunătățire, ameliorare.

amen ['ɑ:'men] interj. amin.

amenable [ə'mi:nəbl] adj. 1. răspunzător. 2. ascultător, înțelegător. 3. supus, influențabil, coruptibil.

amend [ə'mend] I. vt. a corecta, a îndrepta, a amenda. II. vi. a se îndrepta.

amendment [ə'mendmənt] s. 1. amendament. 2. îmbunătățire.

amends [ə'mendz] s. pl. 1. reparație. 2. compensație. || to make ~ for a îndrepta, a repara.

amenity [ə'mi:niti] s. 1. farmec, grație; politețe, curtenie 2; pl. desfătări, bucurii, plăceri.

amerce [ə'mə:s] vt. 1. a amenda, a da o amendă (cuiva). 2. (with) a pedepsi (cu).

American [ə'merikən] I. s. american(că). II. adj. 1. american. 2. din Statele Unite.

Americanism [ə'merikənizəm] s. americanism.

americanize [ə'merikənaiz] vt. I. a americaniza. II. vi. 1. a folosi americanisme. 2. a se americaniza.

amethyst ['æmiθist] s. ametist.

amiability [ˌeimjə'biliti] s. amabilitate, cordialitate.

amiable ['eimjəbl] adj. 1. prietenos. 2. amabil. 3. drăguț.

amicable ['æmikəbl] adj. 1. prietenos. 2. prietenesc.

amid [ə'mid] prep. în mijlocul (cu gen.) printre, între (exclude însă apartenența).

amidship(s) [ə'midʃip(s)] adv. mar. travers, perpendicular. || helm ~ ! cârma drept la mijloc! la zero!

amidst [ə'midst] prep. v. **amid**.

aminoacid [ə'mi:nou'æsid] s. chim. aminoacid.

amir [ə'miə] s. emir.

amiss [ə'mis] adj., adv. 1. greșit. 2. rău.

amity ['æmiti] s. amiciție, relații prietenești.

ammeter ['æmˌmi:tə] s. el. ampermetru.

ammo ['æmou] s. sl. mil. muniție.

ammonia [ə'mounjə] s. chim. 1. amoniac. 2. (și liquid ~) fam. soluție apoasă de amoniac, hidroxid de amoniu.

ammoniac [ə'mounjæk] adj. chim. de amoniu, amoniacal.

ammonite ['æmənait] s. chim. amonit (exploziv).

ammonium [əˈmounjəm] *s.* amo-
niu.

ammunition [ˌæmjuˈniʃn] *s.* mu-
niţii.

amnesia [æmˈniːziə] *s. med.* am-
nezie, pierderea memoriei.

amnesty [ˈæmnesti] **I.** *s.* amnistie.
II. *vt.* a amnistia.

amnion [ˈæmniən] *s. anat.* am-
nios.

amoeba [əˈmiːbə], *pl.* **amoebae**
[əˈmiːbi] *şi* **amoebas** [əˈmiːbəz]
s. zool. amibă.

amok [əˈmɔk] *adj., adv.* v. **amuck**.

among(st) [əˈmʌŋ(st)] *prep.* **1.**
printre. **2.** între.

amoral [æˈmɔrəl] *adj.* amoral.

amorous [ˈæmərəs] *adj.* **1.**
amoros, erotic; senzual. **2.** care
se îndrăgosteşte uşor, iubăreţ.

amorphous [əˈmɔːfəs] *adj.* **1.** *minr.*
amorf, necristalizat. **2.** *fig.*
amorf, fără formă.

amortization [əˈmɔːtiˈzeiʃn] *s.*
econ. amortizare, amortisment,
stingere a unei datorii.

amortize [əˈmɔːtaiz] *vt.* **1.** *econ.* a
amortiza, a stinge *(datorii)*. **2.** a
trece *(averea)* pe seama
bisericii sau a statului.

amount [əˈmaunt] **I.** *s.* **1.** cantitate.
2. valoare. **II.** *vi. : to ~ to* a se
ridica la, a totaliza.

amour [əˈmuə] *s.* aventură amo-
roasă; legătură de dragoste.

amour-propre [ˈæmuəˈprɔpr] *s.*
fig. dragoste de sine; amor
propriu.

ampere [æmˈpɛə] *s. el.* amper.

ampersand [ˈæmpəsænd] *s.* sem-
nul & *(şi)*.

amphetamine [æmˈfetəmin] *s.*
farm. amfetamină.

amphibian [æmˈfibiən] **I.** *s.* **1.**
zool. amfibiu. **2.** *av.* avion-am-
fibiu. **II.** *adj.* amfibiu.

amphibious [æmˈfibiəs] *adj.* am-
fibiu.

amphitheatre [ˈæmfiˌθiətə] *s.* **1.**
amfiteatru. **2.** arenă. **3.** scenă.

amphora [ˈæmfər], *pl.* **amphorae**
[ˈæmfəri] *şi* **amphoras**
[ˈæmfərəz] *s.* amforă.

ample [æmpl] *adj.* **1.** amplu. **2.**
suficient.

ampleness [ˈæmplinis] *s.*
amploare.

amplification [ˌæmplifiˈkeiʃn] *s.*
mărire.

amplifier [ˈæmplifaiə] *s.* **1.** *rad., el.*
amplificator. **2.** *fiz.* lentila
dinapoia obiectivului micros-
copului.

amplify [ˈæmplifai] *vt.* **1.** a

amplifica, a extinde. **2.** a da
amploare *(cu dat.)*; a exagera.
3. a răspândi, a difuza. **4.** *rad.*
a amplifica. **II.** *vi.* **1.** a se
amplifica, a se extinde; a lua
proporţii. **2.** a vorbi pe larg; a
se întinde (la vorbă). **3.** a exa-
gera, a înflori.

amplitude [ˈæmplitjuːd] *s.* **1.**
proporţii. **2.** amploare.

amply [ˈæmpli] *adv.* amplu, pe
larg.

ampoule [ˈæmpuːl] *s.* fiolă,
sticluţă.

amputate [ˈæmpjuteit] *vt.* a tăia; *şi*
med. a amputa.

amputation [ˌæmpjuˈteiʃn] *s.* **1.**
trunchiere, tăiere; *med.* am-
putare, amputaţie. **2.** *fig.* am-
putare; eliminare.

amuck [əˈmʌk] **I.** *adj.* **(at, on,**
against, with, of) înnebunit,
cuprins de furie (împotriva). **II.**
adv. nebuneşte, ca un apucat.
III. *s.* amoc, criză de furie
(ucigaşă).

amulet [ˈæmjulit] *s.* amuletă.

amuse [əˈmjuːz] *vt.* **1.** a distra. **2.** a
amuza.

amusement [əˈmjuːzmənt] *s.* **1.**
distracţie. **2.** joc. **3.** amuza-
ment.

amusing [əˈmjuːziŋ] *adj.* distractiv,
nostim, amuzant.

an [ən, æn] *art.* un, o *(înaintea*
vocalelor).

anachronism [əˈnækrənizəm] *s.*
anacronism.

anaconda [ˌænəˈkɔndə] *s. zool.*
1. piton reticulat *(Python*
reticulatus). **2.** anaconda, boa
de apă *(Eunectes murinus)*.

anaemia [əˈniːmjə] *s. med.* ane-
mie; slăbiciune.

anaemic [əˈniːmik] *adj.* anemic.

anaesthesia [ˌænisˈθiːzjə] *s. med.*
anestezie.

anaesthetic [ˌænisˈθetik] *s., adj.*
med. anestezic.

anaesthetist [əˈniːsθətist] *s.*
anestezist.

anaesthetize [æˈniːsθətaiz] *vt.*
med. a anestezia, a amorţi.

anagram [ˈænəgræm] *s.* ana-
gramă.

anal [ˈeinl] *adj. anat.* anal.

analgesia [ˌænælˈdʒiːzjə] *s. med.*
analgezie.

analgesic [ˌænælˈdʒiːsik] *adj., s.*
med. analgezic.

analogous [əˈnæləgəs] *adj.* **1.**
similar. **2.** analog.

analogue [ˈænəlɔg] *s.* **1.** expresie
analoagă. **2.** *tehn.* analog.

analogy [əˈnælədʒi] *s.* **1.**
analogie. **2.** asemănare.

analyse [ˈænəlaiz] *vt.* **1.** a analiza,
a cerceta *(amănunţit)*. **2.** *chim.,*
gram. a analiza, a descom-
pune; a face analiza *(cu*
gen.).

analysis [əˈnæləsis] *s.* analiză.

analyst [ˈænəlist] *s.* **1.** laborant. **2.**
psihanalist, psihiatru.

analytic(al) [ˌænəˈlitik(l)] *adj.*
analitic.

analyze [ˈænəlaiz] *vt. amer.* v.
analyse.

anarchic(al) [æˈnɑːkik(l)] *adj.*
anarhic.

anarchism [ˈænəkizəm] *s.* anar-
hie.

anarchist [ˈænəkist] *s.* anarhist.

anarchy [ˈænəki] *s.* **1.** anarhie. **2.**
dezordine. **3.** zăpăceală.

anathema [əˈnæθimə] *s.* **1.** bles-
tem. **2.** excomunicare.

anathematize [əˈnæθimətaiz] *vt.,*
vi. bis. a afurisi, a anatemiza; a
blestema.

anatomic(al) [ˌænəˈtɔmik(l)] *adj.*
1. anatomic. **2.** structural.

anatomist [əˈnætəmist] *s.* **1.**
anatomist. **2.** persoană care
face o disecţie. **3.** *fig.* analist.

anatomize [əˈnætəmaiz] *vt.* **1.** a
diseca *(şi fig.)* **2.** a critica.

anatomy [əˈnætəmi] *s.* **1.**
anatomie. **2.** disecţie.

ancestor [ˈænsistə] *s.* strămoş.

ancestral [ænˈsestrl] *adj.* **1.**
strămoşesc. **2.** ancestral.

ancestress [ˈænsistris] *s.* stră-
bună.

ancestry [ˈænsistri] *s.* **1.** obârşie,
ascendenţă; neam. **2.** *fam.*
strabuni. **3.** obârşie nobilă. **4.**
arbore genealogic.

anchor [ˈæŋkə] **I.** *s.* ancoră. ‖ *at*
~ ancorat; *to cast ~* a ancora;
to weigh ~ a porni la drum. **II.**
vt., vi. a ancora; a (se) fixa.

anchorage [ˈæŋkəridʒ] *s.* **1.** an-
corare. **2.** reazem. **3.** port.

anchoret [ˈæŋkəret] *s.* pustnic.

anchorite [ˈæŋkərait] *s.* v.
anchoret.

anchovy [ˈæntʃəvi] *s.* **1.** hamsie;
scrumbie. **2.** anşoa.

anchylose [ˈæŋkilous] *vt., vi.* **1.** a
(se) anchiloza. **2.** a (se)
înţepeni.

anchylosis [ˌæŋkaiˈlousis] *s.* an-
chiloză; anchilozare.

ancien régime [aːnsjæŋ reiˈʒiːm]
s. **1.** *ist.* sistem politic din
Franţa înaintea Revoluţiei de la
1789. **2.** sistem politic vechi,
depăşit. **3.** vechiul regim.

ancient ['einʃnt] I. s.: the ~s popoarele antice. II. adj. 1. antic. 2. vechi.

anciently ['einʃəntli] adv. odinioară, altă dată; de demult.

ancillary [æn'siləri] adj. 1. (to) subordonat (cu dat.); ajutător, auxiliar. 2. de serviciu; de slujitor.

and [ənd, ænd] conj. şi.

andante [æn'dænti] adv., s. muz. adante.

andiron(s) ['ændaiən(z)] s. (pl.) suport, pirostrii.

androgynous [æn'drɔdʒinəs] adj. 1. biol., med., bot. bisexual, androgin, hermafrodit. 2. întrunind caracteristici opuse.

anecdote ['ænikdout] s. anecdotă.

anemia [ə'ni:mjə] s. v. anaemia.

anemometer [ˌæni'mɔmitə] s. fiz. anemometru.

anemone [ə'nemɔni] s. anemonă.

anent [ə'nent] prep. înv. (cuvânt scoţian) 1. (pe) lângă. 2. despre, cu privire la.

aneroid ['ænərɔid] I. adj. aneroid, fără lichid. II. s. (barometru) aneroid.

anesthesia [ˌænis'θi:zjə] s. v. anaesthesia.

aneurism· ['ænjuərizəm] s. med. anevrism.

anew [ə'nju:] adv. 1. iarăşi. 2. altfel.

angel ['eindʒl] s. 1. înger. 2. sol, trimis.

angelic [æn'dʒelik] adj. îngeresc.

angelica [æn'dʒelikə] s. bot. angelică, anghilică (Angelica officinalis, Archangelica officinalis).

angelical [æn'dʒelikl] adj. v. angelic.

angelus ['ændʒiləs] s. bis. catolică angelus (rugăciune spusă dimineaţa, la prânz şi seara; toaca pentru această rugăciune).

anger ['æŋgə] I. s. furie. II. vt. a supăra.

Angevin ['ændʒivin] I. ist. angevin, de Anjou, plantagenet. II. s. 1. locuitor din Anjou. 2. ist. membru al familiei regale din Anjou; plantagenet.

angina [æn'dʒainə] s. anghină.

angiosperm ['ændʒiɔspɔ:m] s. bot. angiosperm.

angle ['æŋgl] I. s. 1. unghi. 2. vârf. 3. fig. punct de vedere. 4. undiţă. II. vi. a pescui cu undiţa.

angler ['æŋglə] s. pescar cu undiţa, undiţar.

Angles ['æŋglz] s. pl. angli (trib vest germanic, stabilit în Anglia în sec. V).

angle worm ['æŋglwɔ:m] s. râmă (pentru pescuit).

Anglican ['æŋglikən] s., adj. anglican.

Anglicism ['æŋglisizəm] s. anglicism.

Anglicize ['æŋglisaiz] I. vt. a angliciza, a face englez / englezesc. II. vi. a se angliciza.

angling ['æŋgliŋ] s. pescuitul cu undiţa.

Anglo- ['æŋglou] prefix anglo-.

Anglo-American ['æŋglou ə'merikən] adj., s. anglo-american.

Anglo-Indian ['æŋglou'indjən] adj., s. anglo-indian.

Anglophile ['æŋgloufail] s. anglofil.

Anglo-Saxon ['æŋglo'sæksn] I. s. 1. anglo-saxon(ă). 2. anglo-saxonă, engleză veche. II. adj. anglo-saxon.

angostura [ˌæŋgə'stjuərə] s. bot., farm. scoarţa unor copaci (Galipea officinalis, Cusparia trifoliata) utilizată ca antipiretic.

angrily ['æŋgrili] adv. cu furie, mânios, supărat.

angry ['æŋgri] adj. 1. supărat. 2. furios. 3. ţâfnos. || to be ~ with smb. a se supăra pe cineva.

angström ['æŋstrəm] s. fiz. angstrom.

anguish ['æŋgwiʃ] s. 1. chin. 2. durere.

angular ['æŋgjulə] adj. 1. ascuţit. 2. colţuros.

angularity [ˌæŋgju'læriti] s. 1. formă colţuroasă, unghiularitate. 2. pl. contururi unghiulare.

anhydrous [æn'haidrəs] adj. chim. anhidru; uscat, deshi-dratat.

aniline ['ænili:n] s. chim. anilină.

animadversion [ˌænimæd'vɔ:ʃn] s. imputare, mustrare; reproş; condamnare.

animadvert [ˌænimæd'vɔ:t] vi.: to ~ on / upon a reproşa (ceva); a critica / a dojeni (pe cineva) pentru.

animal ['æniməl] I. s. 1. animal. 2. peior. (d. om) animal, dobitoc. II. adj. 1. (de) animal. 2. animalic; senzual. 3. bestial.

animalcule [ˌæni'mælkju:l] s. animalcul, microorganism.

animalism ['æniməlizəm] s. 1. animalitate, senzualitate. 2. activitate de animal. 3. filoz. animalism.

animality [ˌæni'mæliti] s. 1. animalitate; natură animală. 2. vitalitate. 3. regnul animal.

animate[1] ['ænimeit] vt. 1. a însufleţi. 2. a inspira.

animate[2] ['ænimit] adj. însufleţit, animat.

animated ['ænimeitid] adj. viu, animat, vioi.

animation [ˌæni'meiʃn] s. animaţie.

animator ['ænimeitə] s. animator; însufleţitor.

animism ['ænimizəm] s. filoz. 1. animism. 2. spiritualism.

animosity [ˌæni'mɔsiti] s. (to, against) animozitate, duşmănie, ostilitate (faţă de); ură (împotriva).

animus ['æniməs] s. 1. predispoziţie; prejudecată; pornire. 2. animozitate, ostilitate; pică; ură. 3. jur. animus, mobil.

anion ['ænaiən] s. chim. anion.

anise ['ænis] s. anison bot. (Pimpinella anissum).

aniseed ['ænisi:d] s. sămânţa de anison.

ankle ['æŋkl] s. 1. gleznă. 2. încheietură.

anklet ['æŋklit] s. 1. brăţară (pentru gleznă). 2. pl. pantaloni bufanţi (de sport).

ankylose ['æŋkilous] vt., vi. a (se) anchiloza.

annals ['ænəlz] s. pl. 1. anale. 2. cronică. 3. istorie.

anneal [ə'ni:l] vt. 1. tehn. a căli; a recoace. 2. tehn. a arde; a încălzi (sticlă, ceramică) pentru pictare. 3. fig. a căli, a oţeli.

annelid ['ænəlid] s. zool. (vierme) anelid.

annex [æ'neks] vt. 1. a anexa. 2. a ataşa.

annexation [ˌænek'seiʃn] s. (to) 1. anexare, alăturare (la). 2. pol. anexiune, anexare (de teritorii la).

annexe ['æneks] s. constr. (clădire) anexă.

annihilate [ə'naiəleit] vt. 1. a nimici. 2. a distruge.

annihilation [əˌnaiə'leiʃn] s. 1. distrugere. 2. nimicire.

anniversary [ˌæni'vɔ:sri] s. 1. aniversare. 2. sărbătorire.

Anno Domini ['æno'dɔminai] adv. al erei noastre, după Hristos.

annotate ['ænoteit] I. vt. a adnota. II. vi. a face note.

annotation [ˌænou'teiʃn] s. **1. (on)** adnotare, notă explicativă; însemnare (despre, cu privire la). **2.** comentariu, (note) marginale.

announce [ə'nauns] vt. **1.** a anunța; a vesti. **2.** a proclama.

announcement [ə'naunsmənt] s. **1.** anunț. **2.** proclamație.

announcer [ə'naunsə] s. **1.** crainic (de radio). **2.** vestitor.

annoy [ə'nɔi] vt. **1.** a supăra, a enerva. **2.** a hărțui.

annoyance [ə'nɔiəns] s. **1.** supărare. **2.** chin. **3.** dezgust.

annual ['ænjuəl] **I.** s. plantă anuală. **2.** anuar. **II.** adj. anual.

annually ['ænjuəli] adv. anual, în fiecare an, an de an.

annuity [ə'njuiti] s. **1.** cotă anuală. **2.** pensie.

annul [ə'nʌl] vt. **1.** a anula. **2.** a nimici; a desființa.

annular ['ænjulə] adj. inelar.

annulet ['ænjulet] s. **1.** inel, ineluș. **2.** arhit. spiră, volută. **3.** mat. anulator.

annunciation [əˌnʌnsi'eiʃn] s. vestire. || the Annunciation rel. Buna Vestire.

anode ['ænoud] s. el. anod, placă anodică.

anodyne ['ænodain] adj. calmant.

anoint [ə'nɔint] vt. **1.** a unge. **2.** a numi (într-o funcție).

anomalous [ə'nɔmələs] adj. **1.** neregulat. **2.** anormal. **3.** gram. aberant, care se abate de la regulă.

anomaly [ə'nɔməli] s. **1.** anomalie. **2.** excepție. **3.** neregularitate.

anon [ə'nɔn] adj. **1.** curând. **2.** iarăși. || ever and ~ din când în când.

anonymity [ˌænə'nimiti] s. anonimat.

anonymous [ə'nɔniməs] adj. anonim.

anorak ['ænɔˌrɑːk] s. hanorac.

another [ə'nʌðə] **I.** adj. **1.** alt; altă. **2.** încă un; încă o. **II.** pron. **1.** un altul; o alta. **2.** încă unul; încă una.

answer ['ɑːnsə] **I.** s. **1.** răspuns. **2.** apărare. **3.** soluție. || in ~ to ca răspuns la. **II.** vt. **1.** a răspunde la sau cuiva. **2.** a corespunde la sau pentru. || to ~ the door a deschide ușa, a răspunde la sonerie. **III.** vi. **1.** a răspunde. **2. (for)** a răspunde, a fi răspunzător (pentru). **3.** a corespunde (cu dat.). || to ~ back a răspunde obraznic; a se obrăznici.

answerable ['ɑːnsrəbl] adj. răspunzător.

answering machine ['ɑːnsəriŋ mə'ʃiːn],**answerphone** ['ɑːnsəfoun] s.telec. robot telefonic.

ant [ænt] s. furnică (Formicidae) .

antacid [æn'tæsid] s., adj. antiacid.

antagonism [æn'tægənizəm] s. **1.** antagonism. **2.** opoziție.

antagonist [æn'tægənist] s. **1.** adversar. **2.** dușman.

antagonistic(al) [ænˌtægə'nistik(l)] adj. **(to)** antagonist (față de), în conflict (cu), potrivnic (cu dat.), în opoziție (cu).

antagonize [æn'tægənaiz] **I.** vt. **1.** a se împotrivi (cuiva), a rivaliza cu. **2.** a face opoziție (cu dat.), a contracara; fiz. a neutraliza. **3.** a intra în conflict cu, a-și atrage dușmănia (cuiva). **4.** a lupta cu. **II.** vi. a se opune, a face opoziție.

antarctic [æn'tɑːktik] adj. antarctic.

ante ['ænti] s. (la pocher) miză (depusă înainte de a schimba cărți).

ant-eater ['æntˌiːtə] s. zool. furnicar.

antecedent [ˌænti'siːdnt] s., adj. precedent.

antechamber ['æntiˌtʃeimbə] s. anticameră. **2.** vestibul.

antedate ['ænti'deit] vt. a antedata.

antediluvian [ˌæntidi'luːvjən] **I.** adj. **1.** antediluvian, dinaintea potopului. **2.** fig. învechit. **II.** s. om cu idei învechite.

antelope ['æntiloup] s. antilopă.

antenatal ['ænti'neitl] adj. prenatal.

antenna [æn'tenə] s. **1.** (pl. **antennae** [æn'teniː]) zool. ent. antenă. **2.** (pl. **antennas** [æn'tenəz]) amer. antenă (TV, radio).

anterior [æn'tiəriə] adj. anterior.

ante-room ['æntiruːm] s. anticameră.

anthem ['ænθəm] s. **1.** imn. **2.** odă. **3.** cântec.

anther ['ænθə] s. bot. anteră.

anthill ['ænthil] s. mușuroi de furnici.

anthology [æn'θɔlədʒi] s. **1.** antologie. **2.** selecție.

anthracene ['ænθrəsiːn] s. chim. antracen.

anthracite ['ænθrəsait] s. antracit.

anthrax ['ænθræks] s. **1.** antrax; dalac. **2.** bot. cărbune.

anthropoid ['ænθrəpɔid] zool. **I.** adj. antropoid, asemănător omului. **II.** s. antropoid; maimuță antropoidă.

anthropologic(al) [ˌænθrəpə'lɔdʒik(əl)] adj. antropologic.

anthropologist [ˌænθrə'pɔlədʒist] s. antropolog.

anthropology [ˌænθrə'pɔlədʒi] s. antropologie.

anthropomorphic [ˌænθrəpə'mɔːfik] adj. antropomorfic.

anthropomorphism [ˌænθrəpə'mɔːfizəm] antropomorfism.

anthropomorphous [ˌænθrəpə'mɔːfəs] adj. antropomorf(ic).

anti- ['ænti-] (prefix) contra-, anti-.

anti-aircraft ['ænti'ɛəkrɑːft] adj. antiaerian.

antibiotic ['æntibai'ɔtik] adj., s. biol. antibiotic.

antibody ['æntiˌbɔdi] s. anticorp.

antic ['æntik] **I.** s. **1.** clovn. **2.** scamator. **3.** pl. clovnerii. **4.** capricii. **II.** adj. **1.** grotesc. **2.** ciudat.

Antichrist ['æntikraist] s. rel. Antichrist.

anticipate [æn'tisipeit] vt. **1.** a anticipa. **2.** a preveni. **3.** a grăbi.

anticipation [ænˌtisi'peiʃn] s. **1.** anticipare. **2.** așteptare.

anticipatory [æn'tisipətəri] adj. **1.** anticipat. **2.** care anticipează. **3.** anticipativ.

anticlimax ['ænti'klaimæks] s. **1.** efect contrar. **2.** cădere (fig.), scădere a tonului.

anticlockwise [ˌænti'klɔkwaiz] adj., adv. antiorar, în sens invers acelor ceasornicului.

anticyclone ['ænti'saikloun] s. meteor. anticiclon.

antidote ['æntidout] s. antidot.

antifreeze ['ænti'friːz] s. tehn. antigel.

antigen ['æntidʒən] s. med. antigen.

antihistamine [ˌænti'histəmin] s. farm. antihistaminic.

antilogarithm [ˌænti'lɔgariθm] s. mat. antilogaritm.

antimacassar [ˌæntimə'kæsə] s. husă, carpetă (pentru a apăra brațele sau spătarul fotoliului sau al canapelei).

antimony ['æntiməni] s. chim. stibiu, antimoniu.

antinational ['ænti'næʃənl] adj. antinațional.

antipathetic [ænˌtipə'θetik] adj. **1.** potrivnic. **2.** antipatic.

antipathy [æn'tipəθi] s. **1.** aversiune. **2.** antipatie.

antiperspirant [ˌænti'pəːspirənt] *s.* antisudorific, deodorant.

antiphon ['æntifən] *s. muz.* antifon.

antiphonal [æn'tifənl] *adj. muz.* antifonic.

antipodes [æn'tipədiːz] *s. pl.* **1.** *(rar)* antipozi, locuitori de la antipod. **2.** *geogr.* antipozi *(şi fig.).*

antipyretic [ˌæntipai'retik] *s., adj. farm.* (medicament) antipiretic.

antiquarian [ˌænti'kweəriən] **I.** *adj.* **1.** de anticar(iat). **2.** arheologic. **II.** *s.* **1.** colecţionar de antichităţi; anticar. **2.** arheolog.

antiquary ['æntikwəri] *s.* **1.** cercetător al antichităţilor. **2.** colecţionar de antichităţi.

antiquated ['æntikweitid] *adj.* **1.** demodat. **2.** învechit.

antique [æn'tiːk] **I.** *s.* **1.** obiect antic. **2.** stil antic. **II.** *adj.* **1.** antic. **2.** demodat.

antiquity [æn'tikwiti] *s.* **1.** antichitate. **2.** vechime. **3.** *pl.* obiecte istorice.

antirrhinum [ˌænti'rainəm] *s. bot.* gura-leului *(Antirrhinum majus).*

antiscorbutic ['æntiskɔː'bjuːtik] *adj. med.* antiscorbutic, ascorbic || ~ *acid* vitamina C.

anti-Semite [ˌænti'siːmait] *s., adj.* antisemit.

antiseptic [ˌænti'septik] *adj., s. med.* antiseptic.

antislavery [ˌænti'sleivri] *s.* antisclavagism.

antisocial ['ænti'souʃl] *adj.* antisocial.

antistatic [ˌænti'stætik] *adj. fiz.* antistatic.

antithesis [æn'tiθisis] *s.* **1.** antiteză. **2.** contrast.

antitoxin ['ænti'tɔksin] *s. med.* antitoxină.

antitrade ['ænti'treid] *s.* contraalizeu.

antitrust ['ænti'trʌst] *adj. econ.* antitrust; împotriva trusturilor.

antlers ['æntləːz] *s. pl.* coarne de cerb.

antonym ['æntənim] *s.* antonim.

anus ['einəs] *s. anat.* anus, rect.

anvil ['ænvil] *s.* nicovală.

anxiety [æŋ'zaiəti] *s.* **1.** nelinişte; anxietate. **2.** îngrijorare. **3.** nerăbdare, dorinţă vie.

anxious ['æŋkʃəs] *adj.* **1.** nerăbdător. **2.** îngrijorat, neliniştit. **3.** îngrijorător, neliniştitor.

any ['eni] **I.** *adj.* **1.** orice; oricare. **2.** *(în prop. interog.)* vreun; vreo. **3.** *(în prop. neg.)* nici un; nici o. **II.** *pron.* **1.** oricare. **2.** *(în prop. interog.)* vreunul; vreuna. **3.** *(în prop. neg.)* nici unul, nici una. **III.** *adv.* deloc.

anybody ['eniˌbɔdi] **I.** *s.* un oarecare. **II.** *pron.* **1.** oricine. **2.** *(în prop. neg.)* nimeni. **3.** *(în prop. interog.)* cineva.

anyhow ['enihau] *adv.* **1.** oricum. **2.** în orice caz.

anyone ['eniwʌn] *pron.* **1.** oricine. **2.** *(în prop. neg.)* nimeni. **3.** *(în prop. interog.)* cineva.

anything ['eniθiŋ] *pron.* **1.** orice. **2.** *(în prop. neg.)* nimic. **3.** *(în prop. interog.)* ceva.

anyway ['eniwei] *adv.* **1.** oricum, cât de cât, măcar; în orice caz. **2.** *(în prop. neg.)* nicidecum, de loc.

anywhere ['eniweə] *adv.* **1.** oriunde. **2.** *(în prop. neg.)* nicăieri. **3.** *(în prop. interog.)* undeva.

anywise ['eniwaiz] *adv.* oricum.

Anzac ['ænzæk] *s. mil.* **1.** corpul de armată australiano-neozeelandez (în primul război mondial). **2.** militar aparţinând acestui corp.

aorist ['eɔrist] *s. gram.* aorist.

aorta [ei'ɔːtə] *s. anat.* aortă.

apace [ə'peis] *adv.* iute, în pas grăbit. || *to proceed* ~ a înainta cu paşi repezi.

apanage ['æpənidʒ] *s. înv.* apanaj *(şi fig.).*

apart [ə'pɑːt] *adv.* **1.** separat. **2.** la o parte, de o parte. || *jesting* ~ lăsând gluma la o parte.

apartheid [ə'pɑːthaid] *s.* discriminare rasială, apartheid.

apartment [ə'pɑːtmənt] *s.* **1.** cameră. **2.** *amer.* apartament.

apartment-house [ə'pɑːtmənt' haus] *s.* bloc (de locuinţe).

apathetic [ˌæpə'θetik] *adj.* apatic.

apathy ['æpəθi] *s.* **1.** insensibilitate. **2.** apatie. **3.** indolenţă.

ape [eip] **I.** *s.* maimuţă *(şi fig.).* **II.** *vt.* a maimuţări.

ape-like ['eiplaik] *adj.* (ca) de maimuţă.

aperient [ə'piəriənt] *adj., s. med.* laxativ, purgativ.

aperitif [ə'peritif] *s.* aperitiv *(băutură alcoolică).*

aperture ['æpətjuə] *s.* **1.** deschizătură. **2.** gaură.

apex ['eipeks] *s.* **1.** vârf. **2.** culme.

aphasia [æ'feiziə] *s. med.* afazie, pierderea graiului.

aphelion [æ'fiːljən] *s. astr.* afeliu.

aphid ['eifid] *s. entom.* afidă, păduche de plantă *(Aphidinea).*

aphis ['eifis] *pl.* **aphides** ['eifidiːz] *s. v.* **aphid.**

aphorism ['æfərizəm] *s.* **1.** aforism; maximă. **2.** definiţie.

aphrodisiac [ˌæfrou'diziæk] *adj.* afrodiziac.

apiary ['eipjəri] *s.* prisacă.

apiculture ['eipikʌltʃə] *s.* **1.** apicultură. **2.** albinărit.

apiece [ə'piːs] *adv.* (de, pentru) fiecare.

apish ['eipiʃ] *adj.* **1.** de maimuţă. **2.** grotesc.

aplomb [ə'plɔm] *s.* **1.** direcţie perpendiculară, perpendicularitate. **2.** aplomb, tupeu; siguranţa de sine, cutezanţă.

apocalypse [ə'pɔkəlips] *s.* apocalips.

apocrypha [ə'pɔkrifə] *s. pl.* scrieri apocrife, texte apocrife.

apocryphal [ə'pɔkrifəl] *adj.* **1.** apocrif. **2.** dubios. **3.** fals.

apogee ['æpodʒiː] *s.* apogeu; culme.

apologetic(al) [əˌpɔlə'dʒetik(l)] *adj.* **1.** adus ca scuză. **2.** pentru apărare.

apologia [æpə'loudʒiə] *s.* apologie.

apologist [ə'pɔlədʒist] *s.* apărător.

apologize [ə'pɔlədʒaiz] *vi.* a-şi cere iertare; a se scuza.

apologue ['æpɔlɔg] *s.* apolog, istorioară, fabulă.

apology [ə'pɔlədʒi] *s.* **1.** scuze. **2.** apărare. **3.** explicaţie. **4.** caricatură *(fig.)*, simulacru.

apophthegm ['æpəθem] *s.* maximă, sentinţă, aforism.

apoplectic [ˌæpə'plektik] *adj. med.* apoplectic; paralitic, *pop.* damblagiu.

apoplexy ['æpəpleksi] *s. med.* apoplexie, paralizie, *pop.* dambla.

apostasy [ə'pɔstəsi] *s.* apostazie, lepădare de credinţă / religie; trădare *(a unui principiu, a unei cauze etc.).*

apostate [ə'pɔstit] *s., adj.* apostat, renegat; nelegiuit.

a posteriori ['ei pɔsˌteri'ɔːrai] *adj., adv. filoz.* a posteriori.

apostle [ə'pɔsl] *s.* **1.** apostol. **2.** sol. **3.** misionar.

apostolic(al) [ˌæpɔs'tɔlik(l)] *adj.* **1.** apostolic, apostolesc. **2.** papal.

apostrophe [ə'pɔstrəfi] *s.* **1.** apostrof. **2.** invocare, apostrofă.

apostrophize [ə'pɔstrəfaiz] *vt.* **1.** a se adresa *(cuiva).* **2.** a apostrofa; a se răsti la. **3**. a pune apostrof la; a elida, a omite (litere).

apothecary [ə'pɒθikəri] s. **1**. înv. amer. farmacist, apotecar. **2**. înv. vraci, doctor. | | to talk like an ~ a vorbi alandala.

apothegm ['æpɒθem] s. amer. v. **apophthegm**.

apotheosis [ə,pɒθi'ousis] s. **1**. apoteoză. **2**. zeificare.

appal [ə'pɔːl] vt. **1**. a îngrozi, a înspăimânta. **2**. a consterna.

appalling [ə'pɔːliŋ] adj. **1**. înspăimântător. **2**. impresionant.

apparatus [,æpə'reitəs] s. **1**. aparat. **2**. aparatură, aparate.

apparel [ə'pærl] **I**. s. veșminte. **II**. vt. a îmbrăca.

apparent [ə'pærnt] adj. **1**. aparent. **2**. vizibil.

apparently [ə'pærəntli] adv. **1**. vădit, evident. **2**. în aparență; chipurile.

apparition [,æpə'riʃn] s. vedenie; fantasmă.

appeal [ə'piːl] **I**. s. **1**. apel. **2**. cerere, rugăminte. **3**. atracție. **II**. vt. amer. a face apel sau recurs împotriva (cu gen.). **III**. vi. : to ~ to **1**. a apela la. **2**. a se ruga de. **3**. a face (un) apel la. **4**. a ispiti, a fi atrăgător pentru.

appealingly [ə'piːliŋli] adv. **1**. rugător. **2**. mișcător, emoționant.

appear [ə'piə] vi. **1**. a apărea, a se ivi. **2**. a sosi. **3**. a părea.

appearance [ə'piərns] s. **1**. apariție. **2**. înfățișare. **3**. aparență.

appease [ə'piːz] vt. **1**. a liniști. **2**. a mulțumi.

appellant [ə'pelənt] **I**. adj. **1**. chemător; rugător. **2**. jur. care face apel; de apel. **II**. s. jur. apelant.

appellate [ə'pelit] adj. jur. de apel.

appellate court [ə'pelit 'kɔːt] s. amer. jur. curte de apel.

appellation [,æpe'leiʃn] s. **1**. numire. **2**. nume.

append [ə'pend] vi. a adăuga.

appendage [ə'pendidʒ] s. **1**. anexă, adaos; apendice; fig. însoțitor. **2**. pl. dependințe; terenuri adiacente. **3**. biol. parte secundară; organ extern.

appendant [ə'pendənt] **I**. adj. jur. **(to, on)** pendinte (de); accesoriu, anex, subsidiar. **2**. rar **(to / on)** atârnat de, atașat la. **II**. s. adaos, accesoriu anexă, supliment.

appendectomy [əpen'dektəmi] s. med. apendectomie.

appendicitis [ə,pendi'saitis] s. apendicită.

appendix [ə'pendiks] s. **1**. apendice. **2**. anexă.

appertain [,æpə'tein] vi.: to ~ to a aparține de (sau cu dat.), a ține de; a incumba (cu dat.).

appetite ['æpitait] s. poftă.

appetizer ['æpitaizə] s. aperitiv.

appetizing ['æpitaiziŋ] adj. îmbietor.

applaud [ə'plɔːd] vt., vi. a aplauda.

applause [ə'plɔːz] s. aplauze.

apple ['æpl] s. măr (Malus sp.).

appliance [ə'plaiəns] s. **1**. dispozitiv. **2**. unealtă. **3**. articol.

applicable ['æplikəbl] adj. **1**. aplicabil. **2**. potrivit.

applicant ['æplikənt] s. **1**. petiționar. **2**. solicitant; postulant.

application [,æpli'keiʃn] s. **1**. cerere. **2**. petiție. **3**. aplicație. **4**. silință.

applicator ['æplikeitə] s. instrument cu ajutorul căruia se aplică o substanță.

appliqué [æ'pliːkei] s. aplicație, broderie aplicată.

apply [ə'plai] **I**. vt. a aplica. **II**. vi. **1**. a se aplica. **2**. a corespunde. **3**. a se referi. | | to ~ for a solicita.

appoint [ə'pɔint] vt. **1**. a numi, a desemna (într-o funcție etc.). **2**. a specifica, a stabili.

appointee [ə,pɔin'tiː] s. **1**. persoană numită, nou numit. **2**. persoană cu care s-a stabilit o întâlnire. **3**. jur. beneficiar.

appointive [ə'pɔintiv] adj. amer. numit, desemnat prin numire (într-o funcție).

appointment [ə'pɔintmənt] s. **1**. numire, slujbă. **2**. oră fixată (la dentist etc.) **3**. întâlnire.

apportion [ə'pɔːʃn] vt. a împărți, a repartiza (în mod proporțional).

apportionment [ə'pɔːʃnmənt] s. împărțire, distribuire.

apposite ['æpəzit] adj. **1**. alăturat; învecinat. **2**. potrivit; oportun.

apposition [,æpə'ziʃn] s. **1**. aplicare, punere. **2**. juxtapunere, alăturare. **3**. gram. apoziție.

appraisal [ə'preizl] s. evaluare, apreciere; prețuire.

appraise [ə'preiz] vt. **1**. a evalua. **2**. a aprecia.

appraisement [ə'preizmənt] s. evaluare; prețuire; estimare.

appraiser [ə'preizə] s. prețuitor, expert (în stabilirea valorii); taxator.

appreciable [əpri'ʃiəbl] adj. **1**. evaluabil, care poate fi apreciat. **2**. apreciabil, însemnat, considerabil. | | not in an(y) ~ degree într-o măsură neînsemnată.

appreciate [ə'priːʃieit] vt. **1**. a aprecia (favorabil); I ~ ! mulțumesc! **2**. a recunoaște.

appreciation [ə,priːʃi'eiʃn] s. apreciere.

appreciative [ə'priːʃiətiv] adj. **1**. apreciativ, de recunoaștere (a meritelor etc.). **2**. recunoscător. **3**. (of) capabil de a aprecia (cu acuz.); priceput (la).

apprehend [,æpri'hend] vt. **1**. a se teme de. **2**. a aresta. **3**. a percepe, a prinde. **4**. a înțelege, a prinde.

apprehension [,æpri'henʃn] s. **1**. rar prindere, apucare. **2**. arestare. **3**. pricepere, înțelegere. **4**. idee, opinie. **5**. (adesea pl.) teamă, aprehensiune; neîncredere.

apprehensive [,æpri'hensiv] adj. **1**. inteligent. **2**. temător, neîncrezător. **3**. perceptibil, sesizabil.

apprehensively [,æpri'hensivli] adv. cu teamă / aprehensiune.

apprentice [ə'prentis] s. ucenic.

apprenticeship [ə'prentisʃip] s. **1**. ucenic. | | articles of ~ condiţiile contractului dintre ucenic şi patron. **2**. fig. învăţătură, ucenicie. | | he is not out of his ~ nu şi-a terminat ucenicia.

apprize[1] [ə'praiz] vt. a da de ştire (cuiva); a informa, a înştiinţa.

apprize[2] [ə'praiz] vt. înv. v. **appraise**.

approach [ə'proutʃ] **I**. s. **1**. apropiere. **2**. (cale de) acces. **3**. concepţie, mod de abordare. **4**. pl. avansuri; demersuri. **II**. vt. **1**. a se apropia de. **2**. a aborda.

approachable [ə'proutʃəbl] adj. **1**. accesibil (şi fig.). **2**. afabil. **3**. realizabil. **4**. dispus / bucuros să accepte (o propunere etc.).

approbation [,æpro'beiʃn] s. aprobare.

appropriate[1] [ə'prouprit] adj. potrivit.

appropriate[2] [ə'prouprieit] vt. **1**. a-şi însuşi. **2**. a aloca.

appropriateness [ə'prouprieitnis] s. caracter adecvat; moment potrivit; oportunitate.

appropriation [əˈprouprieiʃn] s. 1. însușire, dobândire. 2. alocare (de fonduri); destinație, menire. 3. strângere, colectare. 4. tehn. aplicație.

approval [əˈpruːvl] s. aprobare.

approve [əˈpruːv] I. vt. a proba. II. vi. : to ~ of a aproba.

approvingly [əˈpruːviŋli] adv. aprobator, aprobativ.

approximate¹ [əˈprɔksimit] adj. aproximativ.

approximate² [əˈprɔksimeit] vt. a aproxima.

approximately [əˈprɔksimitli] adv. aproximativ, cam, circa, vreo.

appurtenance [əˈpəːtinəns] s. 1. apartenență. 2. (mai ales pl.) accesoriu, anexă, dependință. 3. pl. text. furnituri.

après-ski [ˌæpreiˈskiː] adj. (d. îmbrăcăminte, activitate etc.) care se poartă / face după schiat.

apricot [ˈeiprikɔt] s. 1. caisă. 2. cais.

April [ˈeiprl] s. aprilie.

April fool [ˈeiprlˈfuːl] s. persoană păcălită de întâi aprilie.

a priori [ˈeipraiˈɔːrai] I. adv. a priori, din ceea ce este mai înainte. II. adj. aprioric.

apron [ˈeiprn] s. șorț.

apropos [ˈæprəpou] I. adv. 1. la timp, la țanc. 2. ~ of apropo de. II. adj. oportun, potrivit, la țanc; bine ales.

apse [æps] s. arhit., astr. absidă.

apsidal [ˈæpsidl] adj. astr. apsidal.

apsis [ˈæpsis] pl. **apsides** [æpˈsaidiːz] v. **apse**.

apt [æpt] adj. 1. potrivit, adecvat. 2. (d. cuvinte, expresii) nimerit. 3. capabil; abil. 4. ager; inteligent. 5. ~ to de natură să, în stare să.

apteryx [ˈæptəriks] s. ornit. kiwi (Apteryx australis).

aptitude [ˈæptitjuːd] s. aptitudine.

aptly [ˈæptli] adv. just; pe bună dreptate. || he very ~ remarks that are perfectă dreptate cînd observă că.

aptness [ˈæptnis] s. v. **aptitude**.

arabesque [ˌærəˈbesk] I. adj. 1. maur. 2. fantastic, bizar. II. s. arabesc(ă).

aqualung [ˈækwəlʌŋ] s. aparat de respirat sub apă.

aquamarine [ˌækwəməˈriːn] s. 1. minr. acvamarin. 2. acvamarin (culoare).

aquaplane [ˈækwəplein] I. s. scândură lată, acvaplan, remorcată de o barcă cu motor. II. vi. a face acvaplan, a se

deplasa cu acvaplanul.

aquarelle [ˌækwəˈrel] s. artă acuarelă.

aquarium [əˈkweəriəm] s. acvariu.

Aquarius [əˈkweəriəs] s. astr. Vărsătorul.

aquatic [əˈkwætik] I. adj. acvatic, de apă. II. s. 1. zool., bot. animal / plantă acvatic(ă). 2. (sau pl.) sport acvatic / nautic.

aquatint [ˈækwɔtint] artă, poligr. I. s. acvatintă, gravură cu apă tare. II. vt. a reproduce în acvatintă.

aqueduct [ˈækwidʌkt] s. 1. apeduct; conductă de apă. 2. anat. canal.

aqueous [ˈeikwiəs] adj. 1. apos; de apă, acvatic; saturat cu apă. 2. geol. sedimentar.

aquiline [ˈækwilain] adj. 1. acvilin, de vultur. 2. acvilin, coroiat.

Arab [ˈærəb] s. arab.

Arabian [əˈreibiən] I. adj. arab, arabic. II. s. arab.

Arabic [ˈærəbik] adj. arab(ă), arabic(ă).

arable [ˈærəbl] adj. arabil.

arachnid [əˈræknid] s. zool. arahnidă.

Aramaic [ˌærəˈmeiik] s. ist., lingv. (limba) aramaică.

arbalest [ˈɑːbəlist] s. ist. arbaletă.

arbiter [ˈɑːbitə] s. arbitru.

arbitral [ˈɑːbitrl] adj. arbitral, de arbitru.

arbitrament [ɑːˈbitrəmənt] s. 1. arbitraj, arbitru. 2. arbitraj, hotărâre (a unui arbitru). 3. hotărâre autoritară, finală.

arbitrarily [ˈɑːbitrərili] adv. 1. (în mod) arbitrar. 2. despotic.

arbitrary [ˈɑːbitrəri] adj. arbitrar.

arbitrate [ˈɑːbitreit] vt., vi. a arbitra.

arbitration [ˌɑːbiˈtreiʃn] s. arbitrare, arbitraj.

arbitrator [ˈɑːbitreitə] s. 1. arbitru, judecător. 2. Arbitrator fig. stăpân absolut.

arbitress [ˈɑːbitris] s. (femeie) arbitru.

arbor¹ [ˈɑːbə] s. amer. v. **arbour**.

arbor² [ˈɑːbə] s. tehn. arbore, osie; fus; dorn.

arboreal [ɑːˈbɔːriəl] adj. 1. bot. arborescent; de arbore; de lemn. 2. biol. arboricol.

arborescent [ˌɑːbəˈresnt] adj. arborescent.

arboretum [ˌɑːboˈriːtəm], pl. **arboretums** [ˌɑːboˈriːtəmz] sau **arboreta** [ˌɑːboˈriːtə] s. colecție de plante lemnoase vii; parc dendrologic.

arboriculture [ˈɑːbərikʌltʃə] s. arboricultură.

arbor-vitae [ˈɑːbəˈvaiti] s. bot. arborele - vieții (Thuja).

arbour [ˈɑːbə] s. boschet; copac.

arbutus [ɑːˈbjuːtəs] s. bot. arbutus (Arbutus unedo).

arc [ɑːk] s. tehn. arc.

arcade [ɑːˈkeid] s. 1. arcadă. 2. gang.

Arcadian [ɑːˈkeidiən] I. adj. 1. din Arcadia. 2. fig. idilic, câmpenesc. II. s. locuitor al fericitei Arcadii.

arcane [ɑːˈkein] adj. 1. secret, ascuns, tainic. 2. misterios.

arch [ɑːtʃ] I. s. arhit. arc; arcadă. II. adj. 1. viclean, șiret. 2. jucăuș, zglobiu. 3. (fem.) cochet.

archaeologic(al) [ˌɑːkiəˈlɔdʒik(l)] adj. arheologic.

archaeologist [ˌɑːkiˈɔlɔdʒist] s. arheolog.

archaeology [ˌɑːkiˈɔlɔdʒi] s. arheologie.

archaic [ɑːˈkeiik] adj. 1. arhaic 2. demodat.

archaism [ˈɑːkeiizəm] s. arhaism.

archangel [ˈɑːkˌeindʒl] s. arhanghel.

archbishop [ˈɑːtʃˈbiʃəp] s. 1. arhiepiscop. 2. mitropolit.

archbishopric [ɑːtʃˈbiʃəprik] s. arhiepiscopie, arhiepiscopat.

archdeacon [ˈɑːtʃˈdiːkn] s. arhidiacon.

archdiocese [ɑːtʃˈdaiəsis] s. bis. arhidioceză.

archduke [ˈɑːtʃˈdjuːk] s. arhiduce, mare duce.

archer [ˈɑːtʃə] s. arcaș.

arched [ɑːtʃt] adj. îndoit, curbat; arcuit; boltit.

arch-enemy [ɑːtʃˈenimi] s. 1. satan(a), diavol, drac. 2. dușman crâncen / de moarte.

archery [ˈɑːtʃəri] s. 1. arta arcașului; tragere cu arcul. 2. echipamentul arcașului. 3. ist. mil. arcași.

archetype [ˈɑːkitaip] s. prototip, arhetip; tipul original, originalul.

archipelago [ˌɑːkiˈpeligou] s. arhipelag.

architect [ˈɑːkitekt] s. arhitect.

architectonic(al) [ˌɑːkitekˈtɔnik(l)] adj. 1. arhitectonic; arhitectural. 2. relativ la sistematizarea științei / cunoștințelor.

architectural [ˌɑːkiˈtektʃrl] adj. arhitectural, arhitectonic.

architecture [ˈɑːkitektʃə] s. arhitectură.

architrave ['ɑːkitreiv] s. arhit. arhitravă.

archives ['ɑːkaivz] s. pl. 1. arhivă, arhive (loc). 2. (şi sing.) arhivă, arhive (documente).

archivist ['ɑːkivist] s. arhivar.

archly ['ɑːtʃli] adv. 1. şiret. 2. cochet. 3. ştrengăreşte; în joacă.

archon ['ɑːkən] s. 1. ist. arhonte. 2. arhon, domn.

archway ['ɑːtʃwei] s. arcadă, boltă; pasaj boltit; gang.

arctic ['ɑːktik] adj. arctic.

ardent ['ɑːdnt] adj. 1. arzător. 2. entuziast.

ardently ['ɑːdntli] adv. înflăcărat, înfocat, arzător, pasionat, cu ardoare.

ardour ['ɑːdə] s. 1. dogoare; foc. 2. ardoare; zel, entuziasm.

arduous ['ɑːdjuəs] adj. 1. dificil. 2. aspru.

are[1] [ə, ɑː] v. aux., vi. pers. II sing. şi pers. I - III pl. ind. prez. de la be.

are[2] [ɑː] s. ar (100 m^2).

area ['ɛəriə] s. suprafaţă, întindere.

arena [ə'riːnə] s. arenă.

aren't [ɑːnt] prescurtare de la are not.

arête [æ'reit] s. coamă de munte ascuţită.

argent ['ɑːdʒənt] I. adj. de argint, argintiu. II. s. 1. înv., poet. argint. 2. înv. arginţi.

Argentine ['ɑːdʒəntain] adj., s. argentinian.

Argive ['ɑːgaiv] s. poet. grec, elen.

argon ['ɑːgɔn] s. chim. argon.

Argonaut ['ɑːgɔnɔːt] s. 1. mit. argonaut. 2. argonaut amer. ist. căutător de aur (în California). 3. argonaut zool. argonaut.

argosy ['ɑːgəsi] s. 1. ist. argosie, navă comercială (mare). 2. ist. flotă. 3. poet. corabie, navă.

argot ['ɑːgou] s. argou; jargon.

argue ['ɑːgjuː] I. vt. 1. a susţine (un punct de vedere etc.). 2. a dovedi. II. vi. a se certa.

argument ['ɑːgjuːmənt] s. 1. discuţie; ceartă. 2. argument.

argumentation [ˌɑːgjumen'teiʃn] s. 1. argumentare, argumentaţie. 2. dezbatere, discuţie.

argumentative [ˌɑːgjuˈmentətiv] adj. 1. argumentator, gâlcevitor. 2. controversat; discutabil; presupus. 3. ~ of care dovedeşte, (ceva), care pledează în favoarea (cu gen.).

aria ['ɑːriə] s. muz. arie, melodie.

Arian ['ɛəriən] adj., s. arian.

arid ['ærid] adj. 1. arid, sterp. 2. neinteresant.

aridity [æ'riditi] s. ariditate, uscăciune.

Aries ['ɛəriːz] s. astr. (constelaţia) Berbecele.

aright [ə'rait] adv. just, corect; cum trebuie; pe calea cea bună.

arise [ə'raiz] vi. 1. a apărea. 2. a se naşte.

arisen [ə'rizn] vi. part. trec. de la **arise**.

aristocracy [ˌæris'tɔkrəsi] s. aristocraţie.

aristocrat ['æristəkræt] s. nobil.

aristocratic [ˌæristəˈkrætik] adj. aristocratic.

Aristotelian [ˌæristəˈtiːljən] I. adj. aristotelic, aristotelian. II. s. adept al lui Aristotel.

arithmetic [ə'riθmətik] s. aritmetică.

arithmetical [ˌæriθˈmetikl] adj. aritmetic.

arithmetician [ə,riˈθməˈtiʃn] s. aritmetician; calculator.

ark [ɑːk] s. arcă.

arm [ɑːm] I. s. 1. braţ. 2. mânecă. 3. armă. 4. pl. stemă, blazon. || ~ in ~ braţ la braţ. II. vt., vi. a (se) înarma.

armada [ɑːˈmɑːːdə] s. armada, mare flotă militară.

armadillo [ˌɑːməˈdilou] s. zool. tatu, mic mamifer cu plăci solzoase (Dasypus).

Armageddon [ˌɑːməˈgedn] s. rel. Armageddon, scena luptei dintre bine şi rău de la sfârşitul lumii.

armament ['ɑːməmənt] s. armament.

armature ['ɑːmətjuə] s. 1. armură, cuirasă. 2. tehn. armătură. 3. el. armătură; rotor. 4. biol. organ de apărare / atac (colţi, gheare, ghimpi etc.).

armchair ['ɑːmˈtʃɛə] s. fotoliu.

armful ['ɑːmful] s. braţ (de flori, fân etc.). || by ~ cu toptanul, cu grămada.

arm hole ['ɑːm houl] s. 1. subţioară. 2. răscroitura mânecii.

armistice ['ɑːmistis] s. armistiţiu.

armlet ['ɑːmlit] s. 1. brasardă, legătură. 2. brăţară (pentru braţ) 3. golfuleţ (al mării); braţ (de râu).

armorial [ɑːˈmɔːriəl] I. adj. heraldic, de blazon. II. s. blazon, armoarii.

armour ['ɑːmə] s. armură.

armour bearer ['ɑːməˈbɛərə] s. ist. purtătorul armurii, scutier.

armoured car ['ɑːməd'kɑː] s. car blindat.

armourer ['ɑːmərə] s. 1. armurier (fabricant, reparator). 2. maistru armurier; armurier-şef (la o unitate militară sau pe un vas).

armour plate ['ɑːməpleit] s. tablă pentru blindaj(e); placă blindată, foaie de blindaj (la nave, tancuri, avioane etc.).

armoury ['ɑːməri] s. 1. depozit de arme; arsenal. 2. sală de arme; muzeu de arme. 3. uzină de armament. 4. manej. 5. înv. blazon. 6. înv. armură.

armpit ['ɑːmpit] s. subsuoară.

army ['ɑːmi] s. armată.

arnica ['ɑːnikə] s. bot., farm. arnica (Arnica montana).

aroma [ə'roumə] s. aromă.

aromatic [ˌæroˈmætik] adj. 1. aromatic, mirositor. 2. picant.

arose [ə'rouz] vi. trec. de la **arise**.

around [ə'raund] I. adv. (de jur) împrejur. II. prep. în jurul.

arousal [ə'rauzəl] s. 1. trezire, deşteptare. 2. stârnire, aţâţare.

arouse [ə'rauz] I. vt. 1. a trezi, a deştepta. 2. a chema; a stimula, a aţâţa, a stârni (sentimente, pasiuni, energie). II. vi. (from) a se trezi, a se deştepta (din).

arpeggio [ɑː'pedʒiou] s. muz. arpegiu.

arquebus ['ɑːkwibəs] s. ist., mil. 1. archebuză. 2. archebuzier.

arrack ['ærək] s. arac (băutură alcoolică din orez).

arraign [ə'rein] vt. a da în judecată; a acuza; a denunţa.

arraignment [ə'reinmənt] s. 1. jur. trimitere în judecată, acuzare. 2. fig. acuzare, învinuire.

arrange [ə'reindʒ] vt., vi. a (se) aranja.

arrangement [ə'reindʒmənt] s. 1. aranjament. 2. acord. 3. plan.

arrant ['ærənt] adj. 1. pur; notoriu, vestit; înrăit; infam. 2. înv. rătăcitor.

arras ['ærəs] s. 1. tapiserie (decorativă, cu figuri). 2. draperie, paravan.

array [ə'rei] I. s. dispozitiv (de luptă etc.); ordine (de bătaie). 2. poet. veşmânt. II. vt. a îmbrăca; a înveşmânta.

arrearage [ə'riəridʒ] *s.* datorie, restanţă.

arrears [ə'riəz] *s. pl. fin.* **1.** restanţe. **2.** rămăşiţe.

arrest [ə'rest] I. *s.* arest(are). || *under* ~ sub arest, arestat. II. *vt.* **1.** a aresta. **2.** a reţine. **3.** a opri.

arresting [ə'restiŋ] *adj.* **1.** opritor, care opreşte; de frânare. **2.** uimitor; izbitor.

arrival [ə'raivl] *s.* **1.** sosire. **2.** nou venit, nou sosit.

arrive [ə'raiv] *vi.* a sosi, a veni.

arrogance ['ærəgəns] *s.* aroganţă, obrăznicie, semeţie.

arrogant ['ærəgənt] *adj.* arogant, obraznic, înfumurat.

arrogate ['ærogeit] *vt.* **1.** a-şi aroga, a-şi atribui (cu impertinenţă, cu îngâmfare). **2.** a atribui (pe nedrept).

arrondissement [æ͵rɔndis'mɑːŋ] *s.* arondisment.

arrow ['ærou] *s.* săgeată.

arrowhead ['ærouhed] *s.* **1.** vârf de săgeată. **2.** *mil.* capul săgeţii. **3.** *bot.* săgeată, săgeţea (Sagittaria).

arrowroot ['ærouruːt] *s.* **1.** *bot.* arorut (Maranta arundinacea). **2.** amidon extras din rădăcina acestei plante.

arrowy ['æroui] *adj.* **1.** în formă de săgeată, ca o săgeată. **2.** *fig.* ascuţit, sarcastic, înţepător. **3.** iute (ca săgeata).

arroyo [ə'rɔioul], *pl.* **arroyos** [ə'rɔiouz] *s.* curs de apă; râuleţ, pârâiaş.

arse [ɑːs] *s.* **1.** *vulgar* fund, dos. **2.** *mar.* coadă de macara.

arsenal ['ɑːsinl] *s.* arsenal.

arsenate ['ɑːsinit] *s. chim.* arseniat.

arsenic ['ɑːsnik] *s.* arsenic.

arsenical [ɑː'senikl] *s. v.* **arsenic.**

arsenious [ɑː'siːniəs] *adj. chim.* arsenios.

arson ['ɑːsn] *s.* incendiere.

art [ɑːt] I. *s.* **1.** artă. **2.** îndemânare. **3.** litere; umanistică. II. *vi.* formă arhaică pentru **are.**

artefact ['ɑːtfækt] *s.* artefact.

arterial [ɑː'tiəriəl] *adj.* **1.** arterial. **2.** ramificat.

arteriosclerosis [ɑː'tiəriouskliə'rousis] *s. med.* arterioscleroză.

artery ['ɑːtəri] *s.* arteră.

artesian well [ɑː'tiːzjən'wel] *s.* fântână arteziană.

artful ['ɑːtfl] *adj.* viclean.

arthritis [ɑː'θraitis], *pl.* **arthrites** [ɑː'θraitiːz] *s. med.* artrită; gută, podagră.

arthropod ['ɑːθrəpɔd] *s. zool.* artropod.

artichoke ['ɑːtitʃouk] *s.* anghinare *bot.* (Cynara scolymus).

article ['ɑːtikl] *s.* articol.

articular [ɑː'tikjulə] *adj.* **1.** *anat.* articular. **2.** *gram.* ca articolul; articulat.

articulate[1] [ɑː'tikjulit] *adj.* **1.** distinct. **2.** clar.

articulate[2] [ɑː'tikjuleit] *vt.* **1.** a articula. **2.** a rosti.

artifice ['ɑːtifis] *s.* **1.** şmecherie. **2.** artificiu. **3.** îndemânare.

artificer [ɑː'tifisə] *s.* **1.** meseriaş, meşteşugar. **2.** lăcătuş; mecanic. **3.** inovator. **4.** *mil.* artificier, tehnician (armurier).

artificial [͵ɑːti'fiʃl] *adj.* artificial.

artificiality [͵ɑːtifiʃi'æliti] *s.* **1.** artificialitate; afectare, prefăcătorie. **2.** iscusinţă, îndemânare. **3.** *adesea pl.* produs artificial.

artillerist [ɑː'tilərist] *s. mil.* artilerist.

artillery [ɑː'tiləri] *s.* artilerie.

artilleryman [ɑː'tilərimən], *pl.* **artillerymen** [ɑː'tilərimen] *s. mil.* artilerist.

artisan [͵ɑːti'zæn] *s.* meşteşugar.

artist ['ɑːtist] *s.* artist (plastic).

artiste [ɑː'tiːst] *s.* artist, interpret.

artistic [ɑː'tistik] *adj.* artistic.

artistically [ɑː'tistikəli] *adv.* artistic.

artistry ['ɑːtistri] *s.* **1.** preocupare artistică. **2.** artă; meşteşug; perfecţiune.

artless ['ɑːtlis] *adj.* **1.** nemeşteşugit; simplu. **2.** candid, inocent.

arty ['ɑːti] *adj. fam.* (d. lucruri) cu pretenţii artistice; (d. oameni) cu pretenţii de rafinament. || ~ *and crafty* de efect, artificial; nepractic.

arum ['ɛərəm] *s. bot.* rodul pământului (Arum maculatum).

Aryan ['ɛəriən] I. *adj.* arian, de arian. II. *s.* arian.

as [əz, æz] I. *pron.* care. || *such* ~ ca. II. *conj.* **1.** ca (şi). **2.** deoarece. **3.** pe când. **4.** (după) cum. || ~ *far* ~ până la; în măsura în care; ~ *for* în privinţa (cu gen.); ~ *good* ~ parcă, ca şi cum; ~ *if* ca şi cum; ~ *it were* parcă; ca şi cum; chipurile; ~ *long* ~ atâta vreme cât; cu condiţia ca; ~ *much* asta; aşa; ~ *a rule* de obicei; ~ *soon* mai degrabă; ~

soon ~ de îndată ce; ~ *though* ca şi cum; ~ *to* cât despre, în privinţa; ~ *well* (la fel) şi; ~ *well* ~ precum şi; ~ *yet* deocamdată; *so* ~ *to* pentru ca, în vederea.

asafoetida [æsə'fiːtidə] *s. bot., farm.* assa foetida, răşină de Ferula, utilizată în trecut ca antispasmodic.

asbestos [æz'bestəs] *s. constr.* azbest.

asbestosis [æsbes'tousis] *s. med.* azbestoză.

ascend [ə'send] *vt., vi.* a (se) urca.

ascendancy [ə'sendənsi] *s.* **(over)** ascendent, putere (asupra); superioritate (faţă de).

ascendant [ə'sendnt] *s., adj.* ascendent.

ascension [ə'senʃn] *s.* **1.** urcare. **2.** înălţare.

ascent [ə'sent] *s.* urcuş.

ascertain [͵æsə'tein] *vt.* a descoperi; a stabili.

ascetic [ə'setik] I. *s.* ascet. II. *adj.* ascetic.

asceticism [ə'setisizəm] *s.* ascetism, sihăstrie.

ascorbic acid [ə'skɔːbik 'æsid] *s. chim.* acid ascorbic; vitamina C.

ascot ['æskɔt] *s.* **1.** lavalieră sau cravată tip Ascot. **2.** *Ascot* Ascot, cursele de cai de la Ascot.

ascribe [əs'kraib] *vt.* a atribui.

ascription [əs'kripʃn] *s.:* ~ *of smth. to* atribuire a unui lucru (cuiva).

asdic ['æzdik] *s. tehn.* asdic.

asepsis [ə'sepsis] *s. med.* asepsie.

aseptic [ə'septik] *med.* I. *adj.* aseptic, steril; contra infecţiei. II. *s.* preparat aseptic.

asexual [ei'seksjuəl] *adj.* asexual, asexuat, fără sex.

ash [æʃ] *s.* **1.** *bot.* frasin (Fraxinus). || *wild* ~ scoruş-de-munte (Sorbus aucuparia). **2.** cenuşă. **3.** *pl.* scrum.

ashamed [ə'ʃeimd] *adj.* ruşinat, încurcat, stânjenit. || *to be* ~ *(of)* a-i fi ruşine (de); *I felt* ~ *for her* mi-era ruşine pentru dânsa; *you make me* ~ mă dai de ruşine, mă faci să-mi fie ruşine.

ash-can ['æʃkæn] *s. amer.* ladă de gunoi.

ashen ['æʃn] *adj.* **1.** cenuşiu. **2.** de o paloare cadaverică; pământiu.

ashlar ['æʃlə] *s. constr.* piatră cioplită, piatră de talie.

ashore [ə'ʃɔ:] *adv.* pe țărm; pe uscat.

ashram ['æʃræm] *s. rel. (în India)* retragere în scopul meditației religioase.

ash-tray ['æʃtrei] *s.* scrumieră.

ash-tree ['æʃtri:] *s.* frasin *(Frasinus).*

Ash Wednesday ['æʃ'wenzdi] *s.* Miercurea Cenușii; Lăsata secului.

ashy ['æʃi] *adj.* de cenușă, ca cenușa, cenușiu; pământiu, de o paloare cadaverică.

Asian ['eiʃn] *s., adj.* asiatic(ă).

Asiatic [,eiʃi'ætik] *s., adj.* asiatic(ă).

aside [ə'said] *adv.* 1. la o parte. 2. de-o parte.

asinine ['æsinain] *adj.* 1. măgăresc. 2. *fig.* prostesc; îndărătnic.

ask [ɑ:sk] I. *vt.* 1. a întreba. 2. a cere. 3. a ruga. 4. a solicita. 5. a pofti, a chema. || ~ *him in* poftește-l înăuntru. II. *vi.* a întreba. || *to* ~ *for* a cere.

askance [əs'kæns] *adv.* chiorâș.

askew [əs'skju:] I. *adv.* strâmb, pieziș; chiorâș. II. *adj.* strâmb, pieziș, anapoda.

aslant [ə'slɑ:nt] I. *adv.* pieziș; crucis, strâmb. II. *adj.* pieziș, oblic, teșit. III. *prep.* de-a curmezișul *(cu gen.);* într-o parte a *(cu gen.).*

asleep [ə'sli:p] *adj., adv.* adormit.

asp [æsp] *s.* 1. *zool.* aspidă *(Vipera aspis).* 2. *poet.* viperă, năpârcă.

asparagus [əs'pærəgəs] *s. bot.* 1. sparanghel. 2. umbra iepurelui.

aspect ['æspekt] *s.* 1. înfățișare, aspect. 2. aspect, privință.

aspen ['æspən] I. *s. bot.* plop-tremurător *(Populus tremula).* II. *adj.* 1. de plop. 2. *fig.* tremurător, fremătând.

asperity [æs'periti] *s.* asprime.

asperse [əs'pə:s] *vt.* 1. a împroșca, a stropi. 2. *fig.* a defăima, a ponegri.

aspersion [əs'pə:ʃn] *s.* 1. stropire. 2. defăimare, clevetire.

asphalt ['æsfælt] I. *s.* asfalt. II. *vt.* a asfalta.

asphaltum [əs'fæltəm] *s. v.* **asphalt.**

asphodel ['æsfədel] *s.* 1. *bot.* asfodelă *(Asphodelus albus).* 2. *poet.* narcisă galbenă *(Narcisus poeticus).*

asphyxia [æs'fiksiə] *s. med.* asfixie.

asphyxiate [æs'fiksieit] *vt.* a asfixia, a sufoca.

asphyxiation [æs'fksieiʃn] *s. v.* **asphyxia.**

aspic[1] ['æspik] *s. poet. v.* **asp.**

aspic[2] *s.* aspic, piftie.

aspidistra [,æspi'distrə] *s. bot.* lăcrămioară-asiatică *(Aspidistra lurida).*

aspirant [əs'paiərnt] I. *adj.* ambițios; **(to, after, for)** care aspiră / râvnește (la). II. *s.* candidat, aspirant; pretendent.

aspirate I. ['æsprit] *s.* 1. *fon.* sunet aspirat. 2. spirit aspru. II. ['æsprit] *adj. fon.* aspirat. III. ['æspəreit] *vt.* 1. *fon.* a pronunța aspirat. 2. *tehn.* a scoate *(lichid, aer),* a aspira.

aspiration [,æspə'reiʃn] *s.* năzuință.

aspirator ['æspəreitə] *s.* 1. aspirator. 2. ventilator; exhaustor.

aspire [əs'paiə] *vi.* **(to, after)** a aspira, a năzui (la. către).

aspirin ['æsprin] *s.* aspirină.

ass [æs] *s.* 1. măgar *(Eqnus asinus).* 2. *fig.* tâmpit.

assail [ə'seil] *vt.* a ataca.

assailable [ə'seiləbl] *adj.* atacabil.

assailant [ə'seilənt] *s.* dușman, agresor, cotropitor.

assassin [ə'sæsin] *s.* ucigaș.

assassinate [ə'sæsineit] *vt.* 1. a ucide, a asasina. 2. a distruge, a strica *(reputația etc.).*

assassination [ə'sæsi'neiʃn] *s.* omor, asasinat.

assault [ə'sɔ:lt] I. *s.* 1. atac. 2. atentat la pudoare; (încercare de) viol. II. *vt.* 1. a ataca. 2. a viola.

assay [ə'sei] I. *s.* 1. încercare; test; verificare; probă (pentru analiză); analiză. 2. *înv.* încercare. II. *vt.* 1. *mai ales tehn., chim.* a verifica; a determina conținutul *(cu gen.).* 2. *înv.* a încerca, a ispiti. 3. *fig.* a evalua, a cântări. 4. *poet.* a încerca, a se strădui.

assegai ['æsigai] *s.* asagai *(suliță africană).*

assemblage [ə'semblidʒ] *s.* 1. adunare, întrunire; reunire. 2. acumulare; mulțime; grupă; colecție. 3. *tehn.* montaj, asamblaj.

assemble [ə'sembl] I. *vt.* 1. a aduna. 2. a asambla. II. *vi.* a (se) aduna.

assembly [ə'sembli] *s.* 1. adunare. 2. miting. 3. asamblare,

montaj.

assemblyman [ə'semblimən], *pl.* **assemblymen** [ə'semblimen] *s. amer.* membru *(local)* al adunării camerii legislative.

assent [ə'sent] I. 1. *s.* încuviințare. II. *vi.* 1. a încuviința. 2. a se învoi.

assert [ə'sə:t] I. *vt.* 1. a afirma. 2. a declara. II. *vr.* 1. a (se) afirma. 2. a da din coate *(fig.).*

assertion [ə'sə:ʃn] *s.* 1. afirmație. 2. afirmare.

assertive [ə'sə:tiv] *adj.* 1. afirmativ; dogmatic; pozitiv. 2. prezumțios; (foarte) insistent; agresiv.

assess [ə'ses] *vt.* 1. a evalua. 2. a aprecia.

assessment [ə'sesmənt] *s.* 1. evaluare. 2. apreciere.

assessor [ə'sesə] *s.* 1. asesor; expert (consultant); ajutor; asistent. 2. inspector financiar, perceptor *(care fixează impozitele).* 3. *jur.* asesor.

asset ['æset] *s.* 1. bun. 2. dar. 3. *pl.* avere, bunuri.

asseverate [ə'sevəreit] *vt.* a afirma categoric, a declara solemn, a susține.

asseveration [ə,sevə'reiʃn] *s.* afirmație categorică, susținere *(a unei păreri etc.).*

assiduity [,æsi'djuiti] *s.* 1. asiduitate. 2. hărnicie.

assiduous [ə'sidjuəs] *adj.* sârguincios, stăruitor, asiduu.

assign [ə'sain] *vt.* 1. a repartiza. 2. a încredința. 3. a aloca. 4. a stabili.

assignation [,æsi'gneiʃn] *s.* 1. împărțire, distribuție. 2. *jur.* transfer; cesiune. 3. alocare; stabilire. 4. atribuire. 5. rendez-vous, întâlnire.

assignment [ə'sainmənt] *s.* 1. repartizare. 2. sarcină. 3. *școl. univ.* temă (pt. acasă).

assimilate [ə'simileit] I. *vt.* 1. a asimila. 2. a înțelege. II. *vi.* 1. a (se) asimila. 2. a integra.

assimilation [ə,simi'leiʃn] *s.* 1. asimilare. 2. asimilație.

assist [ə'sist] I. *vt.* a ajuta. II. *vi.: to* ~ *in* a ajuta la.

assistance [ə'sistns] *s.* ajutor, asistență.

assistant [ə'sistnt] *s.* 1. ajutor. 2. asistent.

assizes [ə'saiziz] *s. pl.* sesiune a tribunalului.

Assoc. *abrev. Association* asociație.

associate¹ [ə'souʃiit] *s.* **1.** tovarăș, asociat. **2.** partener. **3.** prieten.

associate² [ə'souʃieit] *vt., vi.* a (se) asocia.

association [ə,sousi'eiʃn] *s.* **1.** asociație. **2.** asociere.

assonance ['æsənəns] *s.* **1.** *mai ales metr.* asonanță. **2.** *muz. rar* armonie.

assort [ə'sɔːt] *vt., vi.* a (se) asorta.

assorted [ə'sɔːtid] *adj.* asortat; variat.

assortment [ə'sɔːtmənt] *s.* **1.** asortare. **2.** sortiment.

assuage [ə'sweidʒ] *vt.* a alina.

assume [ə'sjuːm] *vt.* **1.** a-și asuma. **2.** a lua. **3.** a adopta. **4.** a presupune.

assumption [ə'sʌmpʃn] *s.* **1.** asumare. **2.** însușire, preluare. **3.** adoptare. **4.** presupunere.

assurance [ə'ʃuərns] *s.* **1.** asigurare. **2.** siguranță. **3.** încredere. **4.** îndrăzneală.

assure [ə'ʃuə] *vt.* a asigura *(mai ales prin vorbe)*, a da asigurări (că).

assuredly [ə'ʃuəridli] *adv.* (de)sigur, cu siguranță, negreșit.

Assyrian [ə'siriən] **I.** *adj.* asirian. **II.** *s.* **1.** asirian. **2.** *(limba)* asiriană.

aster ['æstə] *s. bot.* ochiul boului *(Aster sp.).*

asterisk ['æstərisk] *s.* asterisc.

astern [ə'stəːn] *adv. mar.* la pupă.

asteroid ['æstərɔid] **I.** *s.* **1.** *astr.* asteroid; planetoid. **2.** *zool.* stea de mare *(Asteroidea).* **II.** *adj.* în (formă de) stea, stelat.

asthma ['æsmə] *s.* astmă.

asthmatic [æs'mætik] **I.** *adj.* astmatic. **II.** *s.* astmatic, persoană cu respirație grea.

astigmatism [æs'tigmətizəm] *s. med., fiz.* astigmatism.

astir [ə'stəː] *adj., adv.* **1.** în mișcare, în picioare; vioi, ridicat din pat. **2.** agitat, tulburat.

astonish [əs'tɔniʃ] *vt.* a ului, a stupefia.

astonishing [əs'tɔniʃiŋ] *adj.* uimitor, surprinzător, extraordinar. || ~ *news* o veste extraordinară.

astonishment [əs'tɔniʃmənt] *s.* uimire, mirare, surprindere. || *struck with* ~ cuprins de mirare; mut de uimire.

astound [əs'taund] *vt.* a ului, a năuci. || *I stood* ~*ed* am rămas încremenit / uluit.

astrakhan [,æstrə'kæn] *s.* astrahan; caracul.

astral ['æstrl] *adj.* astral, stelar; înstelat.

astray [ə'strei] *adv.* **1.** în lumea largă. **2.** aiurea. || *to lead* ~ a abate de la calea cea bună; a corupe.

astride [ə'straid] **I.** *adj., adv.* **1.** călare. **2.** cu picioarele desfăcute, crăcănat. **II.** ~ *of prep.* călare pe.

astringent [əs'trindʒnt] *med.* **I.** *adj.* astringent, contractant. **II.** *s.* astringent.

astrolabe ['æstrouleib] *s. astr.* astrolab.

astrologer [əs'trɔlədʒə] *s.* astrolog, cititor în stele.

astrologic(al) [,æstrə'lɔdʒik(əl)] *adj.* astrologic, de astrologie.

astrology [əs'trɔlədʒi] *s.* astrologie.

astronaut ['æstrə,nɔːt] *s.* cosmonaut, astronaut.

astronautics [,æstrə'nɔːtiks] *s. pl. (folosit ca sing.)* astronautică.

astronomer [əs'trɔnəmə] *s.* astronom.

astronomical [,æstrə'nɔmikl] *adj.* astronomic.

astronomy [əs'trɔnəmi] *s.* astronomie.

astrophysics ['æstrou'fiziks] *s. pl. (folosit ca sing.)* astrofizică.

astute [əs'tjuːt] *adj.* **1.** isteț, deștept. **2.** șmecher.

astuteness [əs'tjuːtnis] *s.* agerime; istețime, perspicacitate; viclenie.

asunder [ə'sʌndə] *adv.* **1.** separat. **2.** în bucăți.

asylum [ə'sailəm] *s.* azil.

asymmetric(al) [,æsi'metrik(əl)] *adj.* nesimetric, asimetric.

asymmetry [æ'simitri] *s.* asimetrie, lipsă de simetrie.

at [ət, æt] *prep.* **1.** la. **2.** în. || ~ *once* de îndată; imediat; deodată; ~ *that* astfel; în plus; *he is* ~ *it again* iar s-a apucat (de asta).

atavism ['ætəvizəm] *s.* atavism.

ate [et] *vt., vi. trec.* de la **eat**.

atelier ['ætəliei] *s.* atelier; studio.

atheism ['eiθiizəm] *s.* ateism.

atheist ['eiθiist] *s.* ateu.

athenaeum [,æθi'ni(:)əm] *s.* **1.** *ist.* atheneum. **2.** ateneu.

Athenian [ə'θiːnjən] *s. adj.* atenian.

atherosclerosis [,æθə,rousklio'rousis] *s. med.* ateroscleroză.

athirst [ə'θəːst] *adj.* **1.** însetat;

suferind de sete. **2.** *fig.* însetat, avid.

athlete ['æθliːt] *s.* atlet.

athletic [æθ'letik] *adj.* **1.** atletic; sportiv. **2.** mușchiulos.

athletics [æθ'letiks] *s. pl.* atletism.

athwart [ə'θwɔːt] **I.** *prep.* **1.** de-a curmezișul. **2.** *mar.* travers cu. || *to run* ~ *a ship's course* a tăia drumul unui vas. **3.** peste. || *to throw a bridge* ~ *a river* a dura un pod peste un râu. **4.** *fig.* împotriva, în ciuda, de-a curmezișul / împotriva *(cu gen.).* || ~ *his plans* de-a curmezișul planurilor sale. **II.** *adv.* **1.** *mar.* (de) travers. **2.** de-a curmezișul. **3.** *fig.* anapoda. || *everything went* ~ toate mergeau anapoda.

atilt [ə'tilt] *adj., adv.* **1.** cu lancea ridicată. **2.** *fig.* în apărare, în gardă. **3.** aplecat, într-o parte.

Atlantic [ət'læntik] *adj.* atlantic.

atlas ['ætləs] *s.* atlas.

atmosphere ['ætməsfiə] *s.* atmosferă.

atmospherics [,ætməs'feriks] *s. pl.* **1.** *telec.* paraziți (atmosferici), perturbații atmosferice. **2.** *meteor.* atmosferici.

atoll ['ætɔl] *s.* atol.

atom ['ætəm] *s.* **1.** atom. **2.** părticică.

atomic [ə'tɔmik] *adj.* atomic.

atomize ['ætəmaiz] *vt.* a atomiza; a pulveriza; a fărâmița.

atomizer ['ætəmaizə] *s.* vaporizator, pulverizator.

atomy¹ ['ætəmi] *s.* **1.** atom. **2.** *fig.* pitic, ghibirdic.

atomy² ['ætəmi] *s. abrev. de la anatomy* **1.** anatomie. **2.** *fig.* schelet, piele și oase.

atonal [ə'tounl] *adj. muz.* atonal, fără ton.

atone [ə'toun] **I.** *vi.* **(for)** a ispăși, a plăti (pentru). **II.** *vt.* **1.** a ispăși, a răscumpăra. **2.** *înv.* a împăca, a armoniza.

atonement [ə'tounmənt] *s.* **1.** răscumpărare. **2.** compensație.

atop [ə'tɔp] **I.** *adv.* sus, în vârf, pe vârf. **II.** *prep.* deasupra *(cu gen.);* peste.

atrium ['ɑːtriəm], *pl.* **atria** ['ɑːtriə] *s.* atrium *(și anat.).*

atrocious [ə'trouʃəs] *adj.* **1.** atroce, înfiorător. **2.** execrabil, mizerabil.

atrocity [ə'trɔsiti] *s.* cruzime; atrocitate.

atrophy ['ætrəfi] I. *s.* atrofiere; atrofie, slăbire. II. *vt.* a atrofia. III. *vi.* a se atrofia, a se slei, a se epuiza.

atropine ['ætrəpin] *s. chim.* atropină.

attaboy ['ætəbɔi] *interj.* bravo! frumos!

attach [ə'tætʃ] I. *vt.* 1. a ataşa. 2. a lipi. 3. a lega. II. *vi.* a se ataşa.

attaché [ə'tæʃei] *s.* ataşat de ambasadă / legaţie; ~ *case* (geantă) diplomat.

attachment [ə'tætʃmənt] *s.* 1. ataşament. 2. anexă.

attack [ə'tæk] I. *s.* 1. atac. 2. asalt. 3. criză. II. *vt.* 1. a ataca. 2. a începe.

attain [ə'tein] I. *vt.* 1. a atinge. 2. a ajunge la. II. *vi.* a ajunge.

attainder [ə'teində] 1. *jur.* condamnare la moarte *sau* deportare *(cu pierderea drepturilor civile)* pentru înaltă trădare; *ist.* Act / Bill of Attainder condamnare *(prin lege parlamentară)* a unei persoane vinovate de înaltă trădare. *înv.* pată (ruşinoasă), stigmat.

attaint [ə'teint] I. *vt.* 1. a condamna la moarte; a deporta cu pierderea de drepturi civile. 2. a necinsti, a stigmatiza. 3. *înv.* (d. boli) a atinge, a infecta. II. *s.* pată (ruşinoasă), stigmat.

attainment [ə'teinmənt] *s.* 1. atingere, dobândire, realizare. | | *above / beyond* ~ irealizabil, care nu poate fi atins. 2. *(mai ales pl.)* cunoştinţe; talent; deprindere.

attar ['ætə] *s.* ulei eteric *(din flori).*

attempt [ə'temt] I. *s.* 1. încercare. 2. efort. 3. atentat. II. *vt.* a încerca.

attend [ə'tend] I. *vt.* 1. a îngriji. 2. a asista. 3. a urma, a participa la *(cursuri etc.).* 4. a se duce la *(şcoală etc.).* 5. a însoţi. II. *vi.* : *to* ~ *to* a se ocupa de, a vedea de; *to* ~ *upon* a servi.

attendance [ə'tendns] *s.* 1. îngrijire. 2. însoţire. 3. public, spectatori.

attendant [ə'tendnt] I. *s.* slujitor; ajutor. II. *adj.* însoţitor.

attention [ə'tenʃn] I. *s.* 1. atenţie. 2. *pl.* politeţe. 3. complimente. | | *to stand to* ~ *mil.* a sta drepţi. III. *interj. mil.* drepţi!

attentive [ə'tentiv] *adj.* 1. atent. 2. grijuliu. 3. politicos.

attentively [ə'tentivli] *adv.* 1.

atent, cu luare aminte. 2. grijuliu, cu grijă. 3. politicos, atent, amabil.

attenuate [ə'tenjueit] I. *vt. chim., med.* 1. a atenua, a slăbi. 2. a uşura. 3. a subţia, a rarefia. 4. *fig.* a reduce. II. *vi.* a se micşora, a se rări, a se dilua; a(se) slăbi. III. [ə'tenjuit] *adj.* 1. atenuat, micşorat. 2. slăbit. 3. rărit, subţiat. 4. diluat. 5. *fig.* redus.

attest [ə'test] I. *vt.* a dovedi. II. *vi.* a depune mărturie.

attestation [ˌætes'teiʃn] *s.* 1. atestare, confirmare. 2. depoziţie *(de martor)* sub jurământ. 3. legalizare; autentificare *(de document).* 4. *mil.* depunere a jurământului.

attested [ə'testid] *adj. vet. (d. vaci / lapte)* controlat.

attic ['ætik] *s.* mansardă.

Attic ['ætik] I. *adj.* 1. atic, atenian; clasic. 2. *fig.* fin; spiritual; rafinat. II. *s.* 1. atenian. 2. dialectul din Atica; greaca clasică.

attire [ə'taiə] I. *s.* îmbrăcăminte. II. *vt.* a îmbrăca.

attitude ['ætitju:d] *s.* 1. atitudine. 2. concepţie.

attitudinize [ˌæti'tju:dinaiz] *vi.* a poza, a lua o poză teatrală.

attorney [ə'tɔ:ni] *s.* 1. agent, prepus. 2. avocat. 3. *amer.* procuror.

attorney general [ə'tɔ:ni'dʒenrl] *s.* 1. procuror general. 2. *amer.* ministru de justiţie.

attract [ə'trækt] *vt.* a atrage.

attraction [ə'trækʃn] *s.* atracţie.

attractive [ə'træktiv] *adj.* atrăgător.

attractiveness [ə'træktivnis] *s.* 1. atracţie. 2. farmec.

attributable [ə'tribjutəbl] *adj.:* ~ *to* care se poate pune pe seama *(cu gen.).*

attribute[1] ['ætribju:t] *s.* atribut.

attribute[2] [ə'tribju:t] *vt.* a atribui.

attribution [ˌætri'bju:ʃn] *s.* 1. atribuire, acordare. 2. atribuţie, competenţă, drept.

attributive [ə'tribjutiv] I. *adj. gram.* atributiv. II. *s. gram.* atribut.

attrition [ə'triʃn] *s.* 1. frecare. 2. atriţiere; uzare / uzură prin frecare; abraziune; ştergere; rodare. 3. *rel.* (po)căinţă nesinceră *(din teamă).* 4. epuizare, uzură.

attune [ə'tju:n] I. *vt.* 1. **(to)** a aduce la unison (cu); a acorda

(cu); a potrivi (cu). 2. *muz.* a acorda *(un instrument).* 3. **(to)** *fig.* a pune de acord (cu). II. *s. rar* armonie.

atypic(al) [ə'tipik(l)] *adj.* atipic, netipic.

aubergine ['oubədʒi:n] *s. bot.* (pătlăgică) vânătă *(Solanum melongena).*

aubrietia [ɔ:'bri:ʃə] *s. bot.* gen de plante din familia *Cruciferae.*

auburn ['ɔ:bən] *adj.* roşcat.

auction ['ɔ:kʃn] I. *s.* licitaţie. II. *vt.* a vinde la licitaţie.

auctioneer [ˌɔ:kʃə'niə] *s.* funcţionar însărcinat cu ţinerea licitaţiilor.

audacious [ɔ:'deiʃəs] *adj.* 1. îndrăzneţ. 2. obraznic.

audacity [ɔ:'dæsiti] *s.* îndrăzneală.

audibility [ˌɔ:di'biliti] audibilitate.

audible ['ɔ:dəbl] *adj.* care poate fi auzit.

audiofrequency ['ɔ:diou'fri:kwənsi] *s. telec.* audiofrecvenţă.

audibly ['ɔ:dəbli] *adv.* (cu voce / glas) tare; clar, perceptibil, lămurit.

audience ['ɔ:djəns] *s.* 1. public; spectatori. 2. audienţă.

audit ['ɔ:dit] I. *s.* 1. control, verificare. 2. revizie (contabilă). II. *vt.* 1. a examina. 2. a revizui, a verifica *(conturi).*

auditing commission ['ɔ:ditiŋ kə'miʃn] *s.* comisie de revizie / de control (financiar).

audition [ɔ:'diʃn] *s.* 1. ascultare, audiţie. 2. auz. 3. *amer.* audiţie; concurs de cântăreţi.

auditor ['ɔ:ditə] *s.* 1. revizor contabil. 2. ascultător.

auditorium [ˌɔ:di'tɔ:riəm] *s.* sală de spectacol.

auditory ['ɔ:ditəri] I. *adj.* auditiv. II. *s. pl.* 1. *rar* auditoriu, public. 2. sală de conferinţe, cursuri etc.

au fait [ou'fei] *adv.* la curent, cunoscător.

auger ['ɔ:gə] *s.* 1. *tehn.* burghiu elicoidal; melc; sapă; perforator. 2. *tehn.* pas al melcului. 3. *mine.* sfredel de sondaj; perforator cu lingură.

aught [ɔ:t] I. *pron.* ceva. | | *for* ~ *(that) I know* după câte ştiu. II. *adv.* oarecum, întrucâtva. III. *s.* zero, nulă.

augment [ɔ:g'ment] *vt., vi.* a (se) mări.

augmentation [ˌɔ:gmen'teiʃn] *s.* mărire.

augmented [ɔːgˈmentid] adj. muz. (d. interval) crescut cu un semiton.

augur [ˈɔːgə] I. s. augur, prezicător. II. vt. a prevedea; a prevesti. II. vi. a prevesti; a fi de bun / rău augur.

augury [ˈɔːgjuri] s. 1. prezicere (bună sau rea), piază (bună sau rea). 2. semn (bun sau rău), augur(i), auspicii. 3. presimțire.

August [ˈɔːgəst] s. august.

august [ɔːˈgʌst] adj. 1. maiestuos. 2. nobil.

Augustan [ɔːˈgʌstən] I. adj. 1. ist. augustan, referitor la Cezar August. 2. fig. dintr-o epocă / secol de aur, strălucit, august; din secolul clasic al literaturii și artei. II. s. scriitor dintr-un secol augustan.

Augustine [ɔːˈgʌstin] I. s. călugăr augustin. II. adj. augustin.

auk [ɔːk] s. ornit. pinguin nordic (Alcidae).

auld [ɔːld] adj. (cuvânt scoțian) vechi, bătrân.

aunt [ɑːnt] s. mătușă.

au pair [ouˈpɛə] adj. (d. un serviciu) prestat în schimbul altui serviciu.

aura [ˈɔːrə], pl. **aurae** [ˈɔːriː] s. 1. suflare, suflu, boare. 2. emanație. 3. aură, simptom (al unei crize de epilepsie).

aural [ˈɔːrl] adj. de ureche. auricular.

aureola [ɔːˈriolə] s. 1. nimb, aureolă. 2. astr. aureolă; corolă.

auricle [ˈɔːrikl] s. anat. 1. ureche externă, auriculă. 2. auricul (al inimii).

auricular [ɔːˈrikjulə] adj. auditiv; auricular; oral, verbal.

auriferous [ɔːˈrifərəs] adj. aurifer, conținând aur.

aurora [ɔːˈrɔːrə], pl. **auroras** [ɔːˈrɔːrəz] sau **aurorae** [ɔːˈrɔːriː] s. 1. poet. auroră, zori. 2. astr. auroră. 3. fig. zori, început.

auroral [ɔːˈrɔːrəl] adj. 1. din zori; matinal, de dimineață; trandafiriu; luminos. 2. provocat de aurora nordică sau sudică.

auscultation [ˌɔːskəlˈteiʃn] s. med. auscultație.

auspices [ˈɔːspisiz] s. pl. auspicii.

auspicious [ɔːˈspiʃəs] adj. 1. favorabil. 2. de bun augur. 3. norocos.

austere [ɔːsˈtiə] adj. 1. sever. 2. aspru. 3. auster.

austerity [ɔsˈteriti] s. 1. strictețe. 2. severitate. 3. privațiune.

austral [ˈɔːstrl] adj. sudic, austral.

Australian [ɔsˈtreiljən] adj., s. australian.

Austrian [ˈɔ(ː)striən] adj., s. austriac.

autarchy [ˈɔːtɔki] s. pol. autarhie; autocrație.

autarky [ˈɔːtɔki] s. econ. autarhie, independență economică.

authentic [ɔːˈθentik] adj. 1. veritabil. 2. autentic.

authentically [ɔːˈθentikəli] adv. autentic, veridic.

authenticate [ɔːˈθentikeit] vt. 1. a dovedi. 2. a autentifica.

authenticity [ˌɔːθenˈtisiti] s. autenticitate; veridicitate.

author [ˈɔːθə] s. 1. scriitor. 2. autor.

authoress [ˈɔːθəris] s. 1. scriitoare. 2. autoare.

authoritarian [ɔːˌθɔriˈtɛəriən] I. adj. autoritar. II. s. autoritarist, partizan al autoritarismului.

authoritative [ɔːˈθɔritətiv] adj. 1. autoritar. 2. valabil.

authority [ɔːˈθɔriti] s. 1. autoritate. 2. pl. autorități.

authorization [ˌɔːθəraiˈzeiʃn] s. autorizație; învoire; încuviințare, sancționare.

authorize [ˈɔːθəraiz] vt. 1. a autoriza. 2. a permite.

authorship [ˈɔːθəʃip] s. 1. origine; paternitate. 2. scris, literatură. 3. calitatea de scriitor.

autism [ˈɔːtizəm] s. psih. autism, gândire afectivă.

autobiographic(al) [ˈɔːtoˌbaioˈgræfik(l)] adj. autobiografic.

autobiography [ˌɔːtobaiˈɔgrəfi] s. autobiografie.

autochthonous [ɔːˈtɔkθənəs] adj. autohton, băștinaș, indigen.

autocracy [ɔːˈtɔkrəsi] s. autocrație, stăpânire / putere absolută.

autocrat [ˈɔːtokræt] s. tiran.

autocratic [ˌɔːtoˈkrætik] adj. 1. autocratic. 2. despotic.

autocross [ˈɔːtoukrɔs] s. sport raliu.

auto-da-fé [ˈɔːtoudɑˈfei], pl. **autos-da-fé** [ˈɔːtouzdɑˈfei] și **auto-da-fés** [ˈɔːtoudɑˈfeiz] s. 1. ist. autodafe; execuție / ardere pe rug a unui eretic. 2. fig. ardere, aruncare pe foc.

autograph [ˈɔːtəgrɑːf] s. autograf.

autointoxication [ˈɔːtouinˌtɔksiˈkeiʃn] s. med. autointoxicare, autootrăvire a organismului.

automatic [ˌɔːtoˈmætik] I. s. pistol automat. II. adj. automat.

automatically [ˌɔːtəˈmætikəli] adv. automat; mecanic, mașinal.

automation [ˌɔːtəˈmeiʃn] s. automatizare.

automaton [ɔːˈtɔmətn] s. robot, automat (și fig.).

automobile [ˈɔːtəməbiːl] s. automobil.

automobilist [ˌɔːtəməˈbiːlist] s. automobilist.

automotive [ˌɔːtəˈmoutiv] adj. 1. care se mișcă automat, automobil. 2. de automobile.

autonomous [ɔːˈtɔnəməs] adj. autonom.

autonomy [ɔːˈtɔnəmi] s. autonomie; independență.

autopsy [ˈɔːtəpsi] s. autopsie.

auto-suggestion [ˈɔːtousəˈdʒestʃn] s. autosugestie.

autumn [ˈɔːtəm] s. toamnă.

autumnal [ɔːˈtʌmnəl] adj. 1. tomnatic, de toamnă. 2. care înflorește sau care se coace toamna, tomnatic.

auxiliary [ɔːgˈziljəri] adj. ajutător, auxiliar.

avail [əˈveil] I. s. 1. folos. 2. avantaj. || of no ~ nefolositor; without ~ inutil. II. vi. 1. a folosi, a fi util. 2. a ajuta. III. vr.: to ~oneself of a profita de, a se folosi de.

availability [əˌveiləˈbiliti] s. 1. utilitate; folos. 2. disponibilitate, găsire. 3. jur. valabilitate, validitate.

available [əˈveiləbl] adj. 1. folositor. 2. disponibil. 3. care poate fi găsit. || the book is not ~ cartea nu se găsește.

avalanche [ˈævəlɑːnʃ] s. avalanșă.

avant-garde [ˈævɑːŋˈgɑːd] s. avangardă.

avarice [ˈævəris] s. zgârcenie.

avaricious [ˌævəˈriʃəs] adj. 1. zgârcit. 2. lacom.

avatar [ˈævəˈtɑː] s. 1. avatar, întruparea divinității (mai ales a lui Vișnu). 2. fig. încarnare, transformare, metamorfoză.

avaunt [əˈvɔːnt] interj. înv. du-te! ieși! șterge-o!

ave [ˈɑːvi] I. interj. salut (mai ales la despărțire). II. s. 1. rămas bun. 2. bis. Ave Maria.

avenge [əˈvendʒ] vt., vr. a (se) răzbuna.

avenger [əˈvendʒə] s. răzbunător.

avenue [ˈævinjuː] s. 1. bulevard. 2. magistrală. 3. fig. cale.

aver [əˈvəː] vt. 1. a confirma, a întări; a afirma. 2. jur. a demonstra.

average ['ævərɪdʒ] I. s. medie. II. adj. 1. mediu. 2. obişnuit. III. vt. a da o medie.

averse [ə'vəːs] adj. (to) 1. potrivnic (cu dat.). 2. refractar (la).

aversion [ə'vəːʃn] s. aversiune.

avert [ə'vəːt] vt. 1. a abate. 2. a îndepărta 3. a evita. 4. a împiedica.

aviary ['eiviəri] s. colivie mare; coteţ / crescătorie de păsări.

aviation [,eivi'eiʃn] s. aviaţie.

aviator ['eivieitə] s. aviator.

avid ['ævid] adj. 1. lacom. 2. nerăbdător.

avidity [ə'viditi] s. 1. lăcomie. 2. nerăbdare.

avocado [ævə'kɑːdou] s. bot. avocado, fructul unor copaci din genul Persea.

avocation [ævə'keiʃn] s. 1. îndeletnicire, profesiune. 2. distracţie, petrecere. 3. chemare, vocaţie.

avocet ['ævəset] s. ornit. culic, cioc-întors (Recurvirostra avocetta).

avoid [ə'vɔid] vt. 1. a evita. 2. a scăpa de.

avoidable [ə'vɔidəbl] adj. evitabil.

avoidance [ə'vɔidns] s. evitare.

avoirdupois [,ævədə'pɔiz] s. sistem de greutăţi folosit în Marea Britanie, America etc. (un funt = 16 uncii).

avouch [ə'vautʃ] I. vt. 1. a susţine, a confirma, a întări. 2. a sancţiona, a recunoaşte. II. vi. (for) a garanta, a gira.

avow [ə'vau] I. vt. a recunoaşte făţiş, a mărturisi. II. vr. a se mărturisi, a se spovedi.

avowal [ə'vauəl] s. mărturisire, recunoaştere făţişă.

avowedly [ə'vauədli] adv. după propria mărturisire.

avuncular [ə'vʌŋkjulə] adj. de unchi.

await [ə'weit] vt. a aştepta.

awake [ə'weik] I. adj. treaz, conştient. || wide ~ treaz de-a binelea; to be ~ to a fi conştient de. II. vt., vi. a (se) trezi.

awaken [ə'weikn] vt., vi. (mai ales la fig.) a (se) deştepta, a (se) trezi (talente, sentimente etc.).

awakening [ə'weikəniŋ] I. s. deşteptare, trezire. || rude ~ trezire la realitate; decepţie amară II. adj. 1. care deşteaptă. 2. de alarmă. 3. îmbolditor.

award [ə'wɔːd] I. s 1. premiu; primă. 2. distincţie. 3. sentinţă; hotărâre judecătorească. II. vt. a acorda.

aware [ə'wɛə] adj. conştient. || to be ~ of a-şi da seama de.

awash [ə'wɔʃ] adj., adv. 1. în / sub apă; acoperit de apă. 2. spălat de valuri / apă. 3. legănat de valuri.

away [ə'wei] adv. 1. departe. 2. în continuare, mai departe. || ~ with you! pleacă!; ~ with it! ia-o de aici!; right ~ chiar acum; speak ~! dă-i înainte!

awe [ɔː] I. s. 1. respect. 2. admiraţie. 3. teamă. II. vt. 1. a înspăimânta. 2. a impresiona.

aweary [ə'wiəri] adj. poet. obosit, ostenit.

aweigh [ə'wei] adj. mar. (d. ancoră) smuls.

awesome ['ɔːsəm] adj. 1. v. awful 1. 2. v. awe-struck.

awe-stricken ['ɔːstrikn] adj. v. awe-struck.

awe-struck ['ɔːstrʌk] adj. pătruns de veneraţie / de teamă respectuoasă; impresionat.

awful ['ɔːful] adj. 1. teribil; înspăimântător. 2. ['ɔːfl] straşnic, grozav.

awfully adv. 1. ['ɔːfuli] teribil, îngrozitor. 2. ['ɔːfli] foarte (folosit şi pozitiv).

awhile [ə'wail] adv. pentru câtva / un / scurt timp, pentru un moment; (pentru) o clipă.

awkward ['ɔːkwəd] adj. 1. dificil. 2. penibil. 3. neplăcut, supărător. 4. stângaci. 5. greoi.

awkwardly ['ɔːkwədli] adv. stângaci, cu stângăcie.

awkwardness ['ɔːkwədnis] s. stângăcie, dificultate, încurcătură.

awl [ɔːl] s. sulă.

awning ['ɔːniŋ] s. constr. 1. acoperiş de pânză. 2. marchiză.

awoke [ə'wouk] vt., vi trec. şi part. trec. de la awake.

awry [ə'rai] adj., adv. strâmb.

ax(e) [æks] s. topor.

axial ['æksiəl] adj. axial.

axil ['æksil] s. bot. axil.

axiom ['æksiəm] s. axiomă.

axis ['æksis] s. axă.

axle ['æksl] s. osie.

ay(e) [ai] I. s. 1. vot afirmativ. 2. da. || the ayes have it majoritatea e pentru; se aprobă. II. adv., interj. da.

azimuth ['æziməθ] astr. I. s. azimut; cerc vertical. II. adj. azimutal.

Aztec ['æztek] adj., s. aztec.

azure ['æʒə] I. s. azur, albastru. II. adj. azuriu, albastru.

B

B [biː] s. 1. (litera) B, b. 2. muz. (nota) si sau si bemol.

baa [bɑː] I. s. behăit. II. vi. a behăi. III. interj. behehe!

Baal ['beiəl] pl. **Baalim** ['beiəlim] s. 1. mit. Baal. 2. fig. idol, zeu fals.

baba ['bɑːbɑː] s. gastr. prăjitură îmbibată în rom; aprox. savarină.

Babbit ['bæbit] s. amer. lit. burtă-verde, tipul omului (de afaceri) mulţumit de sine.

babbit(t) ['bæbit] tehn. I. s. babit, aliaj de antifricţiune. II. vt. a stropi cu babit.

babble ['bæbl] I. s. 1. gângureală. 2. bolboroseală. 3. flecăreală. II. vt. 1. a gânguri. 2. a bolborosi. 3. a dezvălui (un secret etc.). III. vi. 1. a flecări. 2. a gânguri.

babbler ['bæblə] s. flecar, palavragiu.

babe [beib] s. 1. prunc. 2. copilaş nevinovat (şi fig.).

Babel ['beibl] s. 1. Babel. 2. babilonie.

baboon [bə'buːn] s. 1. zool. pavian (Cynocephalus). 2. fig. maimuţă, maimuţoi.

baby ['beibi] s. 1. copilaş; prunc. 2. pitic.

babyhood ['beibihud] s. 1. prima copilărie, pruncie. 2. fam. copii mici, plozi.

babyish ['beibiiʃ] adj. copilăresc, pueril, infantil.

Babylon ['bæbilən] s. 1. Babilon. 2. fig. babilonie.

Babylonian [,bæbi'lounjən] I. adj. 1. babilonic. 2. fig. urias, enorm. 3. fig. încurcat; alandala. II. s. 1. babilonian. 2. înv. astrolog. 3. înv. papistaş, catolic.

baby's dummy ['beibiz 'dʌmi] s. suzetă.

baby sitter ['beibi,sitə] s. persoană angajată să stea cu copilul în absenţa părinţilor.

baccalaureate [,bækə'lɔːriit] s. titlu de licenţiat.

baccara(t) ['bækərɑː] s. bacara, maca.

bacchanal ['bækənl] I. s. bacanală. II. adj. bacanal.

Bacchanalia [,bækə'neiljə] s. pl. 1. bacanale. 2. (şi bacchanalia) orgie, chef monstru; desfrâu.

bacchanalian [,bækə'neiljən] adj. v. **bacchanal** II.

Bacchant ['bæknt] I. adj. bahic. II. s. 1. bacantă. 2. femeie desfrânată.

Bacchante [bə'kænti] s. v. **Bacchant** II. 1.

baccy ['bæki] s. tutun, tabac.

bachelor ['bætʃlə] s. 1. celibatar; holtei. 2. licenţiat(ă).

bachelorhood[1] ['bætʃləhud] s. celibat; burlăcie.

bachelorhood[2] ['bætʃləhud] s. aprox. licenţă.

Bachelor of Arts ['bætʃlərəv'ɑːts] s. licenţiat în litere sau umanistică.

bacillus [b'siləs] s. bacil.

back [bæk] I. s. 1. spate 2. spinare. 3. dos; fund. 4. spetează (de scaun). 5. sport fundaş. || the ~ of beyond fundul pământului. II. adj. 1. din fund / spate; posterior. 2. vechi, (mai) de mult; demodat. || to take a ~ seat a fi modest. III. vt. 1. a sprijini. 2. a promova. 3. a face să dea înapoi. IV. vi. a da înapoi. V. adv. 1. înapoi. 2. în spate. 3. în fund. 4. dinapoi. 5. în urmă. || ~ and forth înainte şi înapoi.

backache ['bækeik] s. durere / junghi în spate.

backbit ['bækbit] vt. trec. de la **backbite.**

backbite ['bækbait] vt. trec. **backbit** ['bækbit], part. trec. **backbitten** ['bæk,bitn] 1. a bârfi. 2. a defăima.

backbitten ['bæk,bitn] vt. part. trec. de la **backbite.**

backbone ['bækboun] s. 1. coloană vertebrală. 2. şira spinării (şi fig.). 3. spinare. 4. fig. putere; curaj. 5. fig. sprijin; temelie. || wet to the ~ ud leoarcă.

backdoor ['bæk,dɔː] I. s. uşa din dos. II. adj. tainic; ascuns.

backer ['bækə] s. 1. susţinător, sprijinitor. 2. parior.

backgammon ['bæk,gæmən] s. (jocul) de table.

background ['bækgraund] s. 1. fundal; planul doi. 2. fond. 3. mediu, cadru (social, economic etc.). 4. context. 5. pregătire (intelectuală).

backhand ['bækhænd] I. s. 1. (lovitură dată cu) dosul palmei. 2. revers (la tenis). 3. scris spre stânga, răsturnat. II. adj. 1. în revers. 2. cu dosul mâinii. 3. fig. dubios.

backing ['bækiŋ] s. sprijin, reazem.

back number [,bæk'nʌmbə] s. 1. număr vechi de ziar. 2. lucru demodat. 3. om ruginit, persoană scoasă de la naftalină.

backsheesh, backshish ['bækʃiʃ] s. bacşiş.

backslid [,bæk'slid] vi. trec. şi part. trec. de la **backslide.**

backslidden [,bæk'slidn] înv. vi. part. trec. de la **backslide.**

backslide [,bæk'slaid] I. s. 1. recidivă. 2. recădere (în greşeală). 3. reluare a unui nărav. II. trec. şi part. trec. **backslid** [,bæk'slid] vi. 1. a recădea în greşeală. 2. a recidiva.

backstage ['bæk'steidʒ] I. adv. în culise. II. adj. din culise, de culise.

backward ['bækwəd] I. adj. 1. posterior. 2. din spate. 3. înapoiat. II. adv. înapoi.

backwardness ['bækwədnis] s. 1. rămânere în urmă, întârziere. 2. creştere înceată. 3. lipsă de progres; înapoiere. 4. silă, aversiune. 5. sfială.

backwards ['bækwədz] adv. înapoi.

backwater ['bæk,wɔːtə] s. 1. (loc cu) apă stătătoare. 2. bulboană. 3. fig. impas; marasm.

backwoods ['bækwudz] s. pl. 1. desiş de pădure. 2. pădure seculară. 3. regiune nedezvoltată sau îndepărtată.

backwoodsman ['bækwudzmən] s. colonist din pădurile seculare ale Americii.

bacon ['beikn] s. 1. slănină. 2. costiţă.

bacteria [bæk'tiəriə] s. pl. de la **bacterium.**

bactericidal [bæk,tiəri'saidal] adj. bactericid.

bacteriological [bæk,tiəriə'lɔdʒikəl] adj. bacteriologic, bacterian.

bacteriologist [bæk,tiəri'ɔlədʒist] s. bacteriolog.

bacteriology [bæk,tiəri'ɔlədʒi] s. bacteriologie.

bacterium [bæk'tiəriəm], pl. **bacteria** [bæk'tiəriə] s. bacterie.

bad [bæd] I. s. 1. rău. 2. lucru rău. 3. situaţie proastă. || to go to the ~ a se strica; a ajunge rău. II. adj. comp. **worse** [wəːs] superl. **the worst** [ðə'wəːst] 1. rău. 2. ticălos. 3. aspru. 4. stricat. 5. urât. 6. nepriceput. 7. neplăcut. 8. insuficient. || not ~ satisfăcător; to be in a ~ way a fi la ananghie; to be ~ at smth. a fi nepriceput la ceva.

bade [beid] (înv.,sport.) vt., vi. trec. de la **bid.**

bad egg ['bæd 'eg] s. 1. ou stricat. 2. fig. păcătos, ticălos.

bad fix [,bæd'fiks] s. bucluc; ananghie.

badge [bædʒ] s. 1. insignă. 2. semn.

badger ['bædʒə] I. s. zool. bursuc (Meles meles). II. vt. 1. a scormoni. 2. a sâcâi, a pisa.

bad language [,bæd'læŋgwidʒ] s. vorbire ordinară; vorbe urâte.

bad lot [,bæd'lɔt] s. păcătos; păcătoasă.

badly ['bædli] adv. comp. **worse** [wəːs] superl. **worst** [wəːst] 1. rău. 2. teribil. || to be ~ off a o duce greu; a trage mâţa de coadă.

badness ['bædnis] s. calitate proastă.

bad-tempered [,bæd'tempəd] adj. 1. nervos. 2. prost dispus. 3. supărăcios.

bad turn [,bæd'təːn] s. deserviciu, prost serviciu (făcut cuiva).

baffle ['bæfl] vt. 1. a zădărnici. 2. a nedumeri.

bag [bæg] I. s. 1. sac. 2. pungă. 3. tolbă. || to let the cat out of the ~ a se da de gol, a scăpa un secret. II. vt. 1. a obţine. 2. a captura. 3. a prinde. 4. a vâna. 5. a lua.

bagatelle [bægə'tel] s. 1. fleac, bagatelă. 2. joc asemănător cu biliardul.

baggage ['bægidʒ] s. 1. bagaj. 2. echipament militar. 3. târfă.

baggy ['bægi] *adj.* larg, care atârnă.

bag-man ['bægmən] *s.* **1.** vânzător ambulant. **2.** comis voiajor.

bagpipe(s) ['bægpaip(s)] *s.* cimpoi.

bah [bɑː] *interj. (exprimând dispreţ)* ei aş! aida de! pii! ptiu!

bail[1] [beil] **I.** *s.* **1.** cauţiune. **2.** chezăşie, garanţie. || *to go ~ for smb.* a se pune chezaş pentru cineva. **II.** *vt.* a elibera pe cauţiune. **III.** *vi.* a goli apa din barcă.

bail[2] [beil] *s.* **1.** stănog, stănoagă. **2.** *(la crichet)* bara de sus a porţii.

bail[3] [beil] *s.* mâner, toartă.

bailey ['beili] *s. ist.* **1.** zid de apărare. **2.** curte interioară la castelele feudale.

bailie ['beili] *s. ist. Scoţiei* pârgar, consilier / magistrat municipal.

bailiff ['beilif] *s.* **1.** portărel. **2.** aprod. **3.** vechil. 4 arendaş.

bailiwick ['beiliwik] *s. ist. Scoţiei* jurisdicţia unui "bailie".

bairn [bɛən] *s. (cuvânt scoţian)* copil.

bait [beit] **I.** *s.* **1.** momeală. **2.** furaj. **II.** *vt.* **1.** a momi. **2.** a hrăni *(caii).* **3.** a chinui.

baize [beiz] *s.* aba, dimie, postav.

bake [beik] *vt., vi.* a (se) coace.

bakelite ['beikəlait] *s.* bachelită.

baker ['beikə] *s.* brutar.

baker's dozen ['beikəz'dʌzn] *s.* treisprezece.

bakery ['beikəri] *s.* brutărie.

baking ['beikiŋ] **I.** *adj.* de copt; *(d. soare)* arzător, torid. **II.** *s.* coacere.

baking powder ['beikiŋ,paudə] *s.* praf de copt.

baksheesh ['bækʃiːʃ] *s.* bacşiş, remiză.

Balaam ['beilæm] *s. sl.* material de rezervă pentru a umple coloanele gazetelor, umplutură.

Balaclava (helmet) [bælə'klɑːvə ('helmit)] *s. ist.* acoperământ din lână pentru cap, gât şi umeri.

balalaika [,bælə'laikə] *s.* balalaică.

balance ['bæləns] *s.* **I. 1.** balanţă. **2.** cântar. **3.** echilibru. **4.** bilanţ. **II.** *vt.* **1.** a cântări. **2.** a echilibra.

balance sheet ['bælənsʃiːt] *s.* bilanţ.

balcony ['bælkəni] *s.* balcon.

bald [bɔːld] *adj.* **1.** chel; pleşuv. **2.** neîmpădurit. **3.** *fig.* neinteresant; arid.

balderdash ['bɔːldədæʃ] *s.* prostii, fleacuri.

balding ['bɔːldiŋ] *adj.* care începe să chelească, cu un început de chelie.

baldly ['bɔːldli] *adv.* pe şleau, deschis.

baldric ['bɔldrik] *s.* **1.** brâu, cingătoare *(pentru sabie, corn etc.)* **2.** *mil.* centură, centiron; bandulieră, diagonală.

bale [beil] **I.** *s.* **1.** balot *(de marfă)*; pachet mare; maldăr, teanc *(de diferite mărfuri)*; colet. **2.** *pl.* marfă. **II.** *vt.* a împacheta, a aşeza în vrafuri / teancuri.

baleful ['beilfl] *adj.* **1.** rău(tăcios). **2.** dăunător. **3.** veninos.

balk [bɔːk] **I.** *s.* **1.** piedică. **2.** hat. **3.** grindă. **II.** *vt.* a împiedica. **III.** *vi.* **1.** a (se) opri. **2.** a se împiedica.

Balkan ['bɔlkən] *adj.* balcanic.

ball [bɔːl] *s.* **1.** minge. **2.** ghem. **3.** bilă. **4.** glonte. **5.** bal.

ballad ['bæləd] *s.* baladă.

ballade [bæ'lɑːd] *s. lit., muz.* baladă.

ballast ['bæləst] *s.* **1.** balast. **2.** lest. **3.** echilibru.

ball bearing ['bɔːl'beəriŋ] *s.* rulment (cu bile).

ballerina [,bælə'riːnə] *s.* balerină.

ballet ['bælei] *s.* **1.** balet. **2.** coregrafie.

ballistic [bə'listik] *s. mil.* balistic.

ballistics [bə'listiks] *s. pl. (folosit ca sing.) mil.* balistică.

balloon [bə'luːn] *s.* balon.

balloonist [bə'luːnist] *s.* aeronaut.

ballot ['bælət] **I.** *s.* **1.** bilă (de vot); buletin de vot. || *to cast the ~* a-şi da votul, a vota. **2.** vot *(mai ales secret)*, scrutin. **3.** totalitatea voturilor exprimate. **4.** tragere la sorţi. **II.** *vi.* **1.** a vota. **2.** a trage la sorţi. **II.** *vt.* a vota, a alege.

ballot-box ['bælətbɔks] *s.* urnă.

ball(-point) pen ['bɔːl(pɔint)'pen] *s.* toc *sau* stilou cu pastă, pix.

ball room ['bɔːlrum] *s.* sală de bal / dans.

ball-shaped ['bɔːlʃeipt] *adj.* sferic.

bally ['bæli] *sl.* **I.** *adj.* afurisit, al dracului. **II.** *adv.* al naibii / dracului, grozav (de).

ballyhoo ['bæli'huː] *s. amer. sl.* zarvă, tapaj; reclamă zgomotoasă; propagandă senzaţională.

balm [bɑːm] *s.* balsam *(şi fig.)*.

balmy ['bɑːmi] *adj.* **1.** îmbălsămat, parfumat. **2.** *(d. atmosferă, aer)*

blând; *(d. vânt)* uşor, înmiresmat. **3.** balsamic, tămăduitor, calmant; dulce, răcoritor. **4.** *sl.* netot, nătâng.

balsa ['bɔːlsə] *s. bot.* balsa, lemn de plută *(Ochroma lagopus)*.

balsam ['bɔːlsəm] *s.* balsam *(şi bot.)*.

Baltic ['bɔltik] *adj.* baltic.

baluster ['bæləstə] *s.* stâlp de balustradă.

balustrade [,bæləs'treid] *s.* balustradă, rampă, parmalâc *(la balcon, pod, scară etc.)*

bambino [bɑːm'biːnou], *pl.* **bambini** [bɑːm'biːni] *s.* copil.

bamboo [bæm'buː] *s. bot.* bambus *(Bambusa sp.)*.

bamboozle [bæm'buːzl] *vt.* a trage pe sfoară, a înşela.

ban [bæn] **I.** *s.* **1.** interdicţie. **2.** oprobriu. **3.** surghiun. || *to be under a ~* a fi interzis. **II.** *vt.* a interzice, a opri.

banal [bə'nɑːl] *adj.* banal.

banality [bæ'næliti] *s.* banalitate, lucru de rând; loc comun.

bananna [bə'nɑːnə] *s.* **1.** banană. **2.** *bot.* bananier *(Musa sapientum)*.

band [bænd] **I.** *s.* **1.** bandă. **2.** panglică, bentiţă. **3.** fâşie. **4.** bandă, şleahtă, grup. **5.** taraf. **6.** orchestră; fanfară. **II.** *vt.* a aduna. **2.** a uni. **III.** *vi.* **1.** a se strânge laolaltă. **2.** a forma o bandă.

bandage ['bændidʒ] **I.** *s.* bandaj. **II.** *vt.* a bandaja.

bandana [bæn'dænə] *s.* batistă, basma *(cu buline)*.

bandbox ['bænbɔks] *s.* cutie de pălării. || *just out of a ~* ca scos din cutie.

bandeau [bæn'dou] *s.* legătură (de cap).

bandit ['bændit] *s.* **1.** bandit. **2.** tâlhar.

banditti [bæn'ditiː] *s.* bandă, şleahtă de bandiţi, de tâlhari.

bandmaster ['bænd,mɑːstə] *s.* capelmaistru; dirijor.

bandoleer [,bændo'liər] *s. mil.* **1.** bandulieră. **2.** cartuşieră.

band wagon ['bænd,wægən] *s. amer. pol. sl.* **1.** parte / partidă învingătoare. **2.** situaţie importantă; post comod. || *to climb / to get into the ~* a adera la o mişcare cu şanse de succes; a se da cu cel mai tare.

bandy ['bændi] **I.** *adj.* crăcănat. **II.** *vt.* a arunca încolo şi încoace, a-şi arunca unul altuia *(insulte)*. || *to ~ words* a se certa.

bandy-legged ['bændi legd] *adj.* crăcănat.

bane [bein] *s.* 1. nenorocire. 2. otravă.

baneful ['beinfl] *adj.* 1. rău. 2. dăunător.

bang [bæŋ] I. *s.* 1. pocnitură. 2. lovitură. II. *vt.* 1. a pocni. 2. a lovi. 3. a închide. 4. a trânti. III. *vi.* 1. a face zgomot. 2. a pocni. IV. *adv.* cu zgomot, tranc. V. *interj.* poc! trosc!

banger ['bæŋə] *s.* 1. foc de artificii zgomotos. 2. *sl.* rablă. 3. *sl.* minciună gogonată, gogoaşă.

bangle ['bæŋgl] *s.* brăţară ieftină.

banian ['bæniən] *s.* 1. negustor indian. 2. *bot.* smochin indian (Ficus bengalensis). 3. jachetă largă de lână.

banish ['bæniʃ] *vt.* 1. a surghiuni. 2. a izgoni.

banishment ['bæniʃmənt] *s.* exil.

banister(s) ['bænistə(z)] *s.* 1. balustradă. 2. margine.

banjo ['bændʒou] *s.* 1. *muz.* banjo. 2. *tehn.* cutie de viteze; carter; cămaşă (la motor auto).

bank [bæŋk] I. *s.* 1. mal, ţărm (de râu sau lac). 2. hat. 3. ridicătură. 4. troian. 5. dună. 6. maldăr. 7. taluz. 8. *fin.* bancă. 9. banchetă. II. *vt.* 1. a aduna. 2. a îngrămădi. 3. a miza. 4. a depune la bancă. 5. a ţine (bani) la bancă. III. *vi.* 1. a se aduna. 2. a forma un maldăr. 3. (**on**) a se bizui (pe); a miza (pe).

bank-book ['bæŋkbuk] *s.* 1. libret de economii. 2. carnet de cecuri.

banker ['bæŋkə] *s.* bancher.

bank holiday [,bæŋk'hɔlədi] *s.* sărbătoare legală.

banking ['bæŋkiŋ] *s.* 1. finanţe. 2. operaţii bancare.

bank-note ['bæŋknout] *s.* bancnotă.

bankrupt ['bæŋkrəpt] I. *s.* falit. II. *adj.* falit, care a dat faliment. || to go ~ a da faliment, a se ruina. III. *vt.* a ruina.

bankruptcy ['bæŋkrəpsi] *s.* faliment (şi fig.).

banner ['bænə] *s.* 1. steag. 2. stindard.

bannerette [,bænə'ret] *s.* steguleţ.

bannister ['bænistə] v. **banister.**

bannock ['bænək] *s.* (cuvânt scoţian) pâine / turtă din făină de orz / ovăz.

banns [bænz] *s. pl.* publicaţii de căsătorie. || to put up the ~ a-şi anunţa căsătoria.

banquet ['bæŋkwit] I. *s.* 1. banchet. 2. *amer.* prânz, masă. || ~ of brine lacrimi amare. II. *vt.* a da un banchet în cinstea (cuiva). III. *vi.* a benchetui.

banshee ['bæn'ʃi:] *s. mit.* irlandeză, scoţiană zână care prevesteşte moartea prin tânguiri.

bantam ['bæntəm] I. *s.* 1. *ornit.* găină sau cocoş de Bantam, javanez. 2. *fig.* pitic, om mic de statură. II *adj.* 1. pitic. 2. *fam.* necuviincios, impertinent.

banter ['bæntə] I. *s.* 1. glumă. 2. ironie, tachinerie. 3. voioşie. II. *vt.* 1. a tachina. 2. a glumi cu. III. *vi.* a face glume, a fi ironic.

bantling ['bæntliŋ] *s.* 1. pici, puşti. 2. creatură, progenitură.

banyan ['bæniən] v. **banian.**

baobab ['beiəbæb] *s. bot.* baobab (Adansonia digitata).

bap [bæp] *s.* chiflă, pâinişoară.

baptism ['bæptizəm] *s.* botez.

baptismal [bæp'tizməl] *adj.* de botez.

Baptist ['bæptist] *s.* baptist.

baptist(e)ry [bæp'tistri] *s.* 1. baptisteriu. 2. cristelniţă (la baptişti).

baptize [bæp'taiz] *vt.* a boteza.

bar [ba:] I. *s.* 1. bară; drug. 2. *pl.* gratii. 3. barieră (şi fig.). 4. banc de nisip. 5. dungă. 6. decoraţie; tresă. 7; *muz.* măsură. 8. *jur.* bară. 9. boxa acuzaţilor sau martorilor. 10. tejghea. 11. bar. 12. bufet, cârciumă. || the Bar avocatura, barou; to read for the ~ a studia dreptul. II. *vt.* 1. a închide cu gratii. 2. a bara. 3. a opri.

barathea [bærə'θi:ə] *s. text.* ţesătură fină din lână, bumbac, mătase.

barb [ba:b] *s.* 1. *bot.* mustaţă. 2. *iht.* mustăţi (la unii peşti). 3. *înv.* barbă, barbişon. 4. *vet.* afte. 5. fulg (de pană). 6. cârlig de undiţă. 7. plastron, jabou. 8. *fig.* înţepătură.

barbarian [ba:'beəriən] I. *s.* 1. barbar. 2. sălbatic. 3. mitocan, neicoplit. II. *adj.* 1. barbar. 2. neicoplit, nepoliticos.

barbaric [ba:'bærik] *adj.* 1. barbar, necivilizat. 2. simplu.

barbarism ['ba:bərizəm] *s.* 1. (act de) barbarie. 2. sălbăticie, lipsă de civilizaţie.

barbarity [ba:'bæriti] *s.* 1. barbarie, sălbăticie. 2. cruzime.

barbarous ['ba:bərəs] *adj.* 1. sălbatic. 2. crud. 3. neicoplit, grosolan.

Barbary ['ba:bəri] *adj.* berber.

barbecue ['ba:bikju:] I. *s.* 1. grătar sau frigare mare (pt. fript animale întregi). 2. picnic; ospăţ în aer liber. 3. petrecere câmpenească, chermesă. II. *vt.* a frige (animale întregi).

barbed ['ba:bd] *adj.* cu ţepi, ghimpat. || *fig.* ~ words cuvinte înţepătoare.

barbed wire [ba:bd'waiə] *s.* sârmă ghimpată.

barber ['ba:bə] *s.* bărbier, frizer.

barberry ['ba:bəri] *s. bot.* dracilă, măcriş-spinos (Berberis vulgaris).

barbican ['ba:bikən] *s. ist.* 1. fortăreaţă, fortificaţie exterioară înaintată. 2. turn de pază.

bard [ba:d] *s.* bard.

bare [beə] I. *adj.* 1. gol. 2. dezbrăcat. 3. pleşuv. 4. despădurit. 5. nemobilat. 6. simplu. 7. infim. || to lay ~ a dezvălui. II. *vt.* 1. a dezgoli. 2. a descoperi. 3. a dezvălui.

barebacked ['beəbækt] *adj.* 1. cu spinarea goală, cu spatele gol; despuiat. 2. fără şa.

barefaced ['beəfeist] *adj.* 1. neruşinat. 2. obraznic.

barefoot(ed) ['beəfut(id)] *adj.* desculţ.

bareheaded ['beə'hedid] *adj.* cu capul gol.

barely ['beəli] *adv.* 1. abia, doar. 2. (pur şi) simplu.

bargain ['ba:gin] I. *s.* 1. tocmeală. 2. învoială; acord. 3. afacere. 4. chilipir. || into the ~ pe deasupra; to drive a ~ a se tocmi (straşnic); a încerca să faci o afacere. II. *vi.* a se tocmi. || to ~ for a se aştepta la, a fi gata pentru.

barge [ba:dʒ] *s.* 1. şlep, şalandă. 2. vas de agrement.

bargee [ba:'dʒi:] *s.* pilot de şlep. || to swear like a ~ a înjura ca un birjar.

bargeman ['ba:dʒmən] *s.* v. **bargee.**

barite ['beərait] *s. minr.* barită, baritină.

baritone ['bæritoun] *s.* bariton.

barium ['beəriəm] *s. chim.* bariu.

bark [ba:k] I. *s.* 1. lătrat. 2. ţipăt. 3. coajă, scoarţă (de copac). II. *vt.* a coji. III. *vi.* a lătra. 2. a ţipa.

barker ['ba:kə] *s.* 1. lătrător; cel care strigă. 2. şleper, om care atrage clienţii *(la uşa unei prăvălii)*. **3.** *fam.* armă de foc *(mai ales revolver)*.

barking ['bɑ:kiŋ] *s.* lătrat.

barley ['bɑ:li] *s. bot.* orz *(Hordeum)* .

barleycorn [bɑ:likɔ:n] *s.* **1.** grăunte / bob de orz. **2.** *fam. poet.* John Barleycorn personificare a berii şi a altor băuturi de malţ *(mai ales whisky)*.

barm [bɑ:m] *s.* drojdie de bere; ferment.

barmaid ['bɑ:meid] *s.* chelneriţă.

barman ['bɑ:mən] *s.* **1.** barman. **2.** cârciumar.

Barmecide Feast ['bɑ:misaid 'fi:st] *s.* ospăţ amăgitor, binefacere iluzorie.

bar mitzvah [bɑ:'mitsvə] *rel. mozaică* bar mitzvah, confirmare, iniţiere religioasă pentru băieţii evrei.

barmy ['bɑ:mi] *adj.* **1.** spumos, în stare de fermentaţie. **2.** *sl.* scrântit, ţăcănit.

barn [bɑ:n] *s.* **1.** şură. **2.** hambar; magazie.

barnacle ['bɑ:nəkl] *s.* **1.** scoică de mare. **2.** om care se cramponează.

barometer [bə'rɔmitə] *s.* barometru.

barometric(al) [ˌbærɔ'metrik(əl)] *adj.* barometric, de barometru.

baron ['bærən] *s.* baron.

baronage ['bærənidʒ] *s.* **1.** baroni, nobili. **2.** baronie, titlu de baron.

baroness ['bærənis] *s.* baroneasă; soţie de baron.

baronet ['bærənit] *s.* baronet; sir.

baronetcy ['bærənitsi] *s.* baronie, titlul *sau* rangul de baronet.

baronial [bə'rouniəl] *adj.* de baron.

barony ['bærəni] *s.* **1.** posesiunile unui baron. **2.** baronie, titlu / rang de baron.

baroque [bə'rɔk] **I.** *s. arhit.* baroc. **II.** *adj.* **1.** *arhit.* baroc. **2.** baroc; ciudat; grotesc, lipsit de gust. **3.** *(mai ales d. perle)* neregulat ca formă.

barouche [bə'ru:ʃ] *s.* landou, caleaşcă cu patru locuri.

barrack ['bærək] **I.** *s.* **1.** baracă. **2.** *peior.* casă vagon. **3.** *pl.* cazarmă. **4.** *amer.* stog de fân. **II.** *vt.* **1.** a repartiza în barăci / cazărmi, a încazarma. **2.** *(cuvânt australian) sport* a huidui. **III.** *vi.* **1.** a trăi în barăci. **2.**

(cuvânt australian) sport a face galerie.

barrage ['bærɑ:ʒ] **I.** *s.* **1.** baraj. **2.** îngrăditură; dig. **3.** şi ~ fire *mil.* foc de baraj. **4.** *av., mar.* baraj. **5.** atac susţinut *(în scris / vorbire)*. **II.** *vt.* a face un baraj împotriva *(cu gen.)*. **III.** *vi.:* to ~ upon a face un baraj împotriva *(cu gen.)*

barred [bɑ:d] *adj.* barat *(în diferite sensuri)*.

barrel ['bærl] *s.* **1.** butoi. **2.** baril. **3.** ţeavă (de armă). **4.** rezervor (al stiloului).

barrel-organ ['bærlˌɔ:gən] *s.* flaşnetă.

barren ['bærn] *adj.* **1.** sterp. **2.** steril.

barrenness ['bærənis] *s.* **1.** ariditate, sterilitate, uscăciune. **2.** sărăcie, lipsă. **3.** goliciune.

barrette [bɑ:'ret] *s.* agrafă de păr.

barricade [bæri'keid] **I.** *s.* baricadă. **II.** *vt.* a baricada.

barrier ['bæriə] *s.* **1.** barieră. **2.** obstacol.

barring ['bɑ:riŋ] *prep.* fără, în afară de, cu excepţia *(cu gen.)*.

barrister ['bæristə] *s.* avocat pledant.

bar-room ['bɑ:rum] *s.* salon de bar.

barrow ['bærou] *s.* roabă, cărucioară.

bartender ['bɑ:ˌtendə] *s.* barman.

barter ['bɑ:tə] **I.** *s.* **1.** troc. **2.** *fin.* barter. **II.** *vt., vi.* a face troc (cu).

Bartlett ['bɑ:tlit] *s.* soi de pară americană, galbenă şi foarte zemoasă.

barytone ['bæritoun] *s. muz.* bariton.

basal ['beisl] *adj.* **1.** de bază, fundamental. **2.** *fiziol.* bazal.

basalt ['bæsɔ:lt] *s.* bazalt.

basaltic [bʌ'sɔltik] *adj. minr.* bazaltic, de bazalt.

base [beis] **I.** *s.* **1.** bază **2.** temelie. **3.** bază militară. **4.** fund(aţie). **II.** *adj.* **1.** josnic. **2.** meschin. **3.** ticălos. **4.** egoist. **5.** laş. **6.** inferior. **III.** *vt.* **(on)** a baza (pe).

baseball ['beisbɔ:l] *s.* baseball.

baseboard ['beisbɔ:d] *s. constr.* **1.** scândură de podea. **2.** şipcă de perete.

baseless ['beislis] *adj.* fără nici o bază, neîntemeiat.

basement ['beismənt] *s.* **1.** pivniţă. **2.** subsol.

bash [bæʃ] *sl.* **I.** *vt.* **1.** a bate, a lovi cu putere, a pocni; a zdrobi. || to ~ one's head

against a tree a se lovi cu capul de un copac; ~ed face faţă turtită de lovituri; ~ed in hat pălărie turtită cu pumnul. **2.** *mine.* a amplasa (un spaţiu exploatat). **3.** *înv.* v. **abash. 4.** to ~ smb. about a da (pe cineva) cu capul de toţi pereţii. **II** *s. fam.* lovitură puternică. || to have a ~ at smth. a încerca.

bashaw [bə'ʃɔ] *s.* **1.** *poet.* paşă. **2.** *fig. fam.* magnat, barosan, grangure.

bashful ['bæʃfl] *adj.* **1.** timid. **2.** ruşinos.

bashfulness ['bæʃflnis] *s.* timiditate, sfială.

basic ['beisik] *adj.* **1.** fundamental. **2.** esenţial.

basically ['bæsikli] *adv.* fundamental, din temelii; în esenţă.

basil ['bæzl] *s. bot.* busuioc *(Ocimum basilicum)*.

basilica [bə'zilikə] *s.* bazilică.

basilisk ['bæzilisk] *s.* **1.** *mit.* bazilic, vasilisc, dragon. **2.** *zool.* bazilisc, vasilisc *(Basiliscus)*. **3.** *ist.* tun (mare) *(în sec. XVI - XVII)*.

basin ['beisin] *s.* **1.** lighean. **2.** lavabou; chiuvetă. **3.** bol. **4.** bazin.

basis ['beisis] *s.* bază *(fig)*.

bask [bɑ:sk] *vi.* a sta la soare *sau* la căldură.

basket ['bɑ:skit] *s.* **1.** coş, paner. **2.** prăpădit, nenorocit.

basket-ball ['bɑ:skitbɔ:l] *s.* baschet.

basketfull ['bɑ:skitful] *s.* (un) coş (cu fructe etc.). || a ~ of vegetables un coş de legume.

bas-relief ['bæsriˌli:f] *s.* basorelief.

bass [beis] *s., adj. muz.* bas.

basset[1] ['bæsit] *s.* (şi ~ **hound**) cotei, (câine) baset.

basset[2] ['bæsit] *s. geol., mine.* afloriment, deschidere, ieşire la suprafaţă.

basset[3] ['bæsit] *s.* basetă, bancofranco, stos (joc de cărţi).

bassinet(te) [ˌbæsi'net] *s.* leagăn împletit pentru copii.

basso ['bæsou] *s. muz.* bas.

bassoon [bə'su:n] *s. muz.* fagot.

bast [bæst] *s. bot.* liber / filament; coajă de tei.

bastard ['bæstəd] *s.* **1.** bastard, copil nelegitim. **2.** ticălos.

bastardize ['bæstədaiz] **I.** *vt.* **1.** *jur.* a declara nelegitim. **2.** a lăsa să degenereze. **II.** *vi.* a degenera.

bastardy ['bæstədi] *s.* naştere nelegitimă; nelegitimitate, condiţia de bastard.

baste[1] [beist] *vt.* a înşaila.

baste[2] [beist] *vt.* a stropi *(carnea)* cu untură în timpul prăjitului *(ca să nu se ardă).*

bastinado [,bæsti'neidou] **I.** *pl.* **bastinadoes** [,bæsti'neidouz] *s.* 1. bastonadă; ciomăgeală. 2. baston, vargă. **II.** *vt.* a bate la tălpi.

basting ['beistiŋ] *s.* 1. *pop.* bătaie, ciomăgeală. 2. stropire a cărnii cu untură. 3. înșăilare.

bastion ['bæstiən] *s.* bastion.

batch [bætʃ] *s.* 1. grup. 2. număr. 3. pâlc. 4. pâinile puse o dată la cuptor. 5. încărcătură.

bat[1] [bæt] *s.* 1. *zool.* liliac *(Vespertilio sp.).* 2. *sport* băţ, bâtă *(pentru diverse jocuri cu mingea.).*

bat[2] [bæt] *vt.:* *not to ~ an eyelid* a nu clipi din ochi, a rămâne impasibil.

bate[1] [beit] **I.** *vt. abrev. de la* **abate**. 1. a reduce, a modera. 2. a toci. || *to ~ one's curiosity* a-şi astâmpăra curiozitatea; *to ~ one's hope* a înceta să mai spere; *with ~d breath* ţinându-şi răsuflarea, cu răsuflarea tăiată. **II.** *vi.* a se micşora, a slăbi. || *his energy has not ~d* energia lui n-a slăbit.

bate[2] [beit] *v.* (d. vultur, uliu etc.) a bate din aripi, a fâlfâi, a agita aripile.

bate[3] [beit] *s.* lichid corosiv, zeamă corosivă *(la tăbăcitul pieilor).*

bate[4] [beit] *s. sl.* furie, mânie, turbare. || *to get in a ~* a se înfuria, a-i veni dracii, a-l apuca năbădăile.

bated ['beitid] *adj.* (d. răsuflare) întretăiată; oprită.

bath [bɑ:θ] *pl.* **baths** [bɑ:ðz] **I.** *s.* 1. baie. 2. spălare. 3. cadă, albie. 4. (odaie de) baie. 5. *pl.* băi, baie. **II.** *vt., vi.* a (se) îmbăia.

Bath [bɑ:θ] *s.* stațiune balneară *(cu izvoare termale)* în vestul Angliei. || *go to ~!* du-te de te plimbă!

bathe [beið] **I.** *vi.* a se scălda, a face baie *(în mare, lac etc.).* 2. a înota. 3. a se cufunda, a se afunda. 4. a face băi (într-o localitate). **II.** *vt.* 1. a scălda, a spăla. || *fig. to ~ one's hands in blood* a-şi scălda mâinile în sânge. 2. a scălda, a uda. || *the lake ~d the foot of the mountain* lacul uda / scăldă poalele muntelui. 3. a înmuia *(cu ajutorul unui lichid).* 4. *fig.* a înconjura, a învălui; a scălda (în lumină). **III.** *s.* baie, scaldă, înot. || *to have / to go in for a ~* a se scălda; a înota; *to go for a ~* a se duce la scăldat, la ştrand.

bather ['beiðə] *s.* înotător.

bath house ['bɑ:θhaus] *s.* 1. baie *(publică).* 2. corp de cabine, vestiare *(la un bazin).*

bathing ['beiðiŋ] *s.* înot, scaldă.

bathing costume ['beiðiŋ,kɔstjuːm] *s.* costum de baie.

bathing slips / trunks ['beiðiŋ'slips / 'trʌŋks] *s. pl.* chiloţi de baie.

bathing suit ['beiðiŋ sjuːt] *s.* costum de baie.

bathos ['beiθɔs] *s. lit.* 1. scădere a tonului, batos. 2. efect contrar.

bath-tub ['bɑ:θtʌb] *s.* (cadă de) baie.

bathyscaphe ['bæθiskeif] *s. nav.* batiscaf.

bathysphere ['bæθisfiə] *s. nav.* batisferă.

batik [bə'tiːk] *s. text.* metodă de imprimare a textilelor.

batiste [bə'tiːst] *s. text.* batist.

batman ['bætmən] *s. mil.* ordonanţă.

baton ['bætn] **I.** *s.* 1. baston, toiag. 2. baghetă *(pentru dirijat).* 3. *sport* ştafetă. 4. baston de poliţist. 5. baston de mareşal. **II.** *vt.* a bate / lovi cu bastonul.

batrachians [bə'treikiənz] *s. pl. zool.* batracieni.

batsman ['bætsmən] *s.* jucător la bătaie *(la crichet, baseball etc.).*

battalion [bə'tæljən] *s.* batalion.

batten[1] ['bætn] **I.** *s.* scândură; şindrilă, şipcă. **II.** *vt.* a înţepeni, a fixa cu şipci transversale; a astupa (cu şipci).

batten[2] ['bætn] **I;** *vi.* 1. a se îngrăşa, a se îndopa; (d. plante) a creşte peste măsură. 2. *fig.* a huzuri, a trăi pe picior mare. 3. (d. pământ) a deveni roditor / mănos. **II.** *vt.* a îngrăşa, îndopa.

batter ['bætə] *vt.* 1. a lovi, a izbi. 2. a turti.

battering-ram ['bætriŋ,ræm] *s. mil.* berbec.

battery ['bætri] *s.* baterie.

batting[1] ['bætiŋ] *s.* vatelină, vată.

batting[2] ['bætiŋ] *s.* bătaie; bătătorire.

battle ['bætl] **I.** *s.* 1. bătălie, luptă. 2. victorie. 3. realizare. **II.** *vi.* a se lupta.

battle ax(e) ['bætl æks] *s. ist.* 1. secure, baltag, bardă. 2. halebardă.

battledore ['bætldɔː] *s.* 1. mai de bătut rufe. 2. rachetă, paletă. || *înv; ~ and shuttlecock* volan *(joc cu mingea).* 3. *mar.* cui de bintă.

battle-field ['bætlfiːld] *s.* câmp de luptă.

battle ground ['bætlgraund] *s.* 1. v. **battle field.** 2. *fig.* obiect de ceartă / discuţie, mărul discordiei.

battlement ['bætlmənt] *s.* (mai ales *pl.*) 1. creastă de zid; parapet; creneluri. 2. *fig.* vârf de munte crestat.

battle-ship ['bætlʃip] *s.* cuirasat, vas de linie.

batty ['bæti] *adj.* 1. *zool.* ca liliacul, de liliac. 2. *sl.* (şi *~ in the bean*) ţăcănit, smucit, sonat.

bauble ['bɔːbl] *s.* 1. jucărie. 2. podoabă fără valoare.

baulk [bɔːk] *v.* **balk.**

bauxite ['bɔːksait] *s. minr.* bauxită.

bawbee [bɔːbiː] *s.* 1. *(cuvânt scoţian)* glumeţ, *fam.* bănuţ, gologan. 2. v. **halfpenny.**

bawd [bɔːd] *s.* 1. mijlocitoare, codoaşă; *înv.* codoş. 2. patroana unei case de toleranţă.

bawdy ['bɔːdi] **I.** *adj.* obscen, deocheat. **II.** *s.* obscenitate, pornografie.

bawdy-house ['bɔːdihaus] *s.* bordel.

bawl [bɔːl] **I.** *s.* urlet. **II.** *vt., vi.* a urla.

bay[1] [bei] **I.** *s.* 1. golf. 2. *arhit.* geamlâc; travee. 3. nişă. 4. *bot.* laur. 5. *pl.* lauri. 6. cal roib. 7. lătrat. || *at ~* la ananghie, în mare primejdie; *to keep at ~* a ţine în şah. **II.** *vi.* a lătra.

bay[2] [bei] *s.* 1. *ferov.* staţie terminus pe o linie secundară. 2. *mar.* vas spital. 3. hală *(de uzină).*

bayberry ['beibəri] *s.* boabă de dafin.

bayonet ['beiənit] **I.** *s.* baionetă. **II.** *vt.* a străpunge cu baioneta.

bayou ['bɑːiu] *s.* braţ de râu *sau* parte a unui lac *sau* a unei mări transformată în baltă *(în sudul S.U.A.).*

bazaar [bə'zɑ:] *s.* bazar; magazin.
B.C. ['bi:'si:] *adj., adv.: Before Christ* înaintea erei noastre, înainte de Hristos.
be [bi(:)] *trec.* **was** [wɔz, wəz], **were** [wə(:)], *part. trec.* **been** [bi(:)n] **I.** *v. aux. pentru diateza pasivă şi aspectul continuu.* **II.** *v. mod.:* to ~ *to* a urma să, a trebui. | | *you are not to do that* nu trebuie să faci asta; *when are we to meet?* la ce oră urmează să ne întâlnim? **III.** *vi.* **1.** a fi. **2.** a exista. **3.** a se întâmpla. **4.** a costa. | | *has anyone been during my absence?* m-a căutat cineva?; *not to ~oneself* sau *one's own self* a nu fi în apele lui.
beach [bi:tʃ] *s.* plajă.
beacon ['bi:kn] *s.* **1.** lumină. **2.** far *(şi fig.).*
bead [bi:d] **I.** *s.* **1.** mărgea; boabă; perlă; *pl.* mătănii. **2.** strop, broboană. **3.** băşică *(de aer);* spumă; *pl.* mărgele *(la vin).* **4.** *mil.*cătare. **5.** *tehn.* bord(ură); margine îndoită; umăr; talon *(la anvelopă).* **II.** *vt.* **1.** a înşira. **2.** a împodobi cu mărgele; a coase mărgele la. **III.** *vi.* **1.** a face mărgele, a se îmbrobona, a se înroura. **2.** *înv.* a citi / a spune rugăciuni.
beaded ['bi:did] *adj.* **1.** *(d. mărgele)* înşirat. **2.** *fig.* înşirat ca mărgelele. **3.** în formă de mărgea.
beading ['bi:diŋ] *s.* fabricarea mărgelelor de sticlă prin turnare într-un tipar.
beadle ['bi:dl] *s.* paracliser.
beady ['bi:di] *adj.* (strălucitor) ca o mărgică.
beagle ['bi:gl] *s.* **1.** copoi, câine de vânătoare. **2.** *fig.* detectiv, agent secret, copoi.
beak [bi:k] *s.* cioc (de pasăre).
beaked ['bi:kt] *adj.* **1.** cu cioc. **2.** cu vârf, cu moţ. **3.** *(d. stânci, piscuri)* în formă de cioc.
beaker ['bi:kə] *s.* **1.** pocal *(de metal).* **2.** pahar de laborator, mensură.
beam [bi:m] **I.** *s.* **1.** grindă. **2.** drug. **3.** prăjină. **4.** rază. **5.** zâmbet. **II.** *vi.* **1.** a zâmbi. **2.** a străluci *(şi fig.).*
beamed [bi:md] *adj.* **1.** prevăzut cu grinzi. **2.** *(d. cerbi)* cu coarne.
beaming ['bi:miŋ] *adj.* **1.** luminos, strălucitor. **2.** radios, vesel.
bean(s) [bi:n(z)] *s.* **1.** *bot.* fasole

(Phaseolus vulgaris). **2.** *bot.* bobi *(Vicia foba).*
beano ['bi:nou] *s. sl.* petrecere zgomotoasă, chef, chiolhan.
bear [beə] **I;** *s.* **1.** urs *(şi fig.) (Ursus aretos).* **2.** *astr.* ursă, car. **II.***vt. trec.* **bore** [bɔ:], *part. trec.* **borne** [bɔ:n] sau **born** [bɔ:] *sensul 6. la pasiv* **1.** a căra. **2.** a duce, a purta. **3.** a produce. **4.** a îndura, a suferi. **5.** a suporta, a tolera. **6.**a naşte. | | *to ~ in mind* a ţine minte; *to ~ the brunt* a duce greul. **III.** *vi. trec.* **bore** [bɔ:], *part. trec.* **borne** [bɔ:n] sau **born** [bɔ:] *sensul* **6.** *la pasiv.* **1.** a se îndrepta *(către etc.).* **2.** a se mişca. **3.** a se întoarce. **4.** a se referi. **IV.** *vr.* a se purta, a se comporta.
bearable ['beərəbl] *adj.* suportabil.
beard [biəd] *s.* barbă.
bearded ['biədid] *adj.* **1.** cu barbă, bărbos. **2.** viril. **3.** *(d. animale sau plante)* cu barbă.
beardless ['biədlis] *adj.* **1.** spân. **2.** fără barbă.
bearer ['beərə] *s.* **1.** purtător. **2.** producător. **3.** mesager.
bearing ['beəriŋ] *s.* **1.** legătură, relaţie. **2.** referire. **3.** poziţie. **4.** purtare. **5.** îndurare; suportare.
bearish ['beəriʃ] *adj.* **1.** necioplit. **2.** ursuz, supărăcios.
bearskin ['beəskin] *s.* **1.** piele de urs. **2.** căciulă din blană de urs *(purtată de soldaţii englezi).* **3.** material gros de lână.
beast [bi:st] *s.* **1.** animal. **2.**fiară. **3.** vită. **4.** bestie.
beastly ['bi:stli] *adj.* **1.** nesuferit. **2.** neplăcut. **3.** scârbos.
beast of burden ['bi:stəv'bə:dn] *s.* animal de povară.
beast of prey ['bi:stəv'prei] *s.* fiară sălbatică.
beat [bi:t] **I.** *s.* **1.** lovitură. **2.** rond; cartier. **3.** *muz.* bătaie, măsură. **II.** *vt. trec.* **beat** [bi:t], *part. trec.* **beaten** ['bi:tn] sau **beat** [bi:t] **1.** a bate. **2.** a lovi. **3.** a pedepsi. **4.** a învinge. **5.** a izgoni. | |*to ~ a retreat* a bate în retragere; *to ~ one's brains* a-şi bate capul; *to ~ time* a bate măsura; *fig.* a bate pasul pe loc. **III.** *vi. trec.* **beat** [bi:t], *part. trec.* **beaten** ['bi:tn] sau **beat** [bi:t] **1.** a bate *(la uşă etc.).* **2.** a face gălăgie. | | *to ~ about the bush* a vorbi pe ocolite; a bate apa în piuă.

beaten ['bi:tn] **I.** *adj.* **1.** bătut. **2.** bătătorit. **II.** *vt., vi. part. trec. de la* **beat.**
beater ['bi:tə] *s.* bătător.
beatific [biə'tifik] *adj.* **1.** binecuvântător, aducător de binecuvântare. **2.** fericit, cuprins de extaz. **3.** benefic, aducător de fericire.
beatification [bi,ætifi'keiʃn] *s.* beatificare.
beatify [bi:'ætifai] *vt.* **1.** a face fericit, a ferici. **2.** *rel.* a beatifica, a sanctifica.
beating ['bi:tiŋ] *s.* **1.** bătaie, lovire. | | *to get / have a good / sound / thorough ~* a primi o bătaie zdravănă, a căpăta o mamă de bătaie; ~ *of the heart* bătaia inimii. **2.** înfrângere. **3.** bătaia aripilor, fâlfâit.
beatitude [bi'ætitju:d] *s.* fericire, beatitudine.
beau [bou], *pl.* **beaux** [bouz] *s.* **1.** filfizon, dandy. **2.** crai. **3.** curtezan. **4.** iubit.
Beaujolais ['bouʒolei] *s.* vin alb sau roşu de Bourgogne / Burgundia *(produs în districtul francez Beaujolais);* vin de masă.
beauteous ['bju:tiəs] *adj. poet.* frumos, mândru, minunat.
beautician [bju:'tiʃn] *s. amer.* cosmetician.
beautifier ['bju:tifaiə] *s.* persoană care înfrumuseţează.
beautiful ['bju:təfəl] *s., adj.* frumos.
beautifully ['bju:təf(u)li] *adv.* **1.** frumos. **2.** excelent; straşnic, grozav.
beautify ['bju:tifai] *vt.* a înfrumuseţa, a împodobi.
beauty ['bju:ti] *s.* **1.** frumuseţe. **2.** frumos.
beaux [bouz], *pl.* de la **beau.**
beaver ['bi:və] *s. zool.* castor *(Castor fiber).*
becalm [bi'kɑ:m] *vt.* **1.** a linişti, a potoli *(marea etc.).* **2.** *amer.* a opri *(un vapor, o flotă)* din cauza lipsei de vânt; a adăposti *(împotriva vântului).*
became [bi'keim] *vt., vi. trec. de la* **become.**
because [bi'kɔz] *conj.* pentru că. | | ~ *of* din pricina *(cu gen.).*
beck [bek] *s. : to be at smb.'s ~ and call* a fi la cheremul cuiva.
beckon ['bekn] **I.** *vt.* a chema. **II.** *vi.* a face semn (cuiva) cu mâna.
becloud [bi'klaud] *vt.* **1.** a întuneca, a înnora. **2.** *fig.* a întuneca, a înceţoşa *(judecata).*

become [bi'kʌm] **I.** vi. trec. **became** [bi'keim], part. trec. **become** [bi'kʌm] **1.** a deveni. **2.** a se întâmpla. **II.** vt. trec. **became** [bi'keim], part. trec. **become** [bi'kʌm] a şedea, a veni, a prinde. || it doesn't ~ you nu-ţi şade bine, nu te prinde.

bed [bed] **I.** s. **1.** pat. **2.** saltea. **3.** albie (de râu etc.). **4.** strat (de flori etc.). **5.** tehn. banc, suport. **II.** vt. **1.** a planta, a sădi. **2.** a culca. **3.** a fixa.

bedaub [bi'dɔ:b] vt. **1.** a mânji, a murdări. **2.** a înzorzona, a împopoţona.

bedchamber ['bed,tʃeimbər] s. înv. dormitor. || Gentleman of the King's Bedchamber cămăraş, camerier al regelui; postelnic.

bedclothes ['bedklouðz] s. pl. aşternut, rufărie de pat.

bedding ['bediŋ] s. **1.** aşternut. **2.** culcuş.

bedeck [bi'dek] vt. **1.** a împodobi. **2.** a pavoaza.

bedevil [bi'devl] vt. **1.** a chinui, a tortura. **2.** a influenţa în mod diabolic; a zăpăci, a fermeca, a subjuga. **3.** a înşela, a-şi bate joc de. **4.** a înrăi, a face al dracului.

bedew [bi'dju] vt. a (în)roura, a acoperi cu rouă; a stropi, a umezi. || cheeks ~ed with tears obraji scăldaţi în lacrimi.

bedfellow ['bed,felou] s. **1;** înv. bărbat, soţ; femeie, soţie. **2.** tovarăş de pat. || a strange ~ un tovarăş ciudat.

bed gown ['bedgaun] s. cămaşă de noapte; neglijeu.

bedight [bi'dait] vt., înv. poet. a acoperi, a învălui, a înveşmânta.

bedizen [bi'daizn] **I.** vt. **1.** a găti / a împodobi cu zorzoane. **II.** vi. a se împopoţona.

bedlam ['bedləm] **I.** s. **1.** ospiciu, balamuc. **2.** fig. casă de nebuni. **II.** adj. nebun, lunatic; de nebun.

Bedouin ['beduin], pl. **Bedouin** sau **Bedouins** ['beduinz] s. **1.** beduin. **2.** fig. nomad, ţigan.

bedraggle [bi'drægl] vt. a murdări.

bed-ridden ['bed,ridn] adj. ţintuit la pat.

bed-rock ['bed,rɔk] s. **1.** rocă de fund. **2.** temelie (şi fig.).

bedroom ['bedrum] s. dormitor.

bedside ['bedsaid] s. **1.** căpătâi. **2.** marginea patului.

bedstead ['bedsted] s. **1.** pat. **2.** lemnăria sau fierăria patului.

bedtime ['bedtaim] s. ora culcării.

bee [bi:] s. entom. albină (Apis).

beech [bi:tʃ] s. bot. fag (Fagus sp.).

beechen ['bi:tʃən] adj. de fag, din fag.

beechnut ['bi:tʃnʌt] s. bot. jir.

beef [bi:f] s. **1.** carne de vacă. **2.** bou.

beef-steak ['bi:f,steik] s. **1.** fleică. **2.** muşchi de vacă, biftec.

beef-tea ['bi:f,ti:] s. supă concentrată, bulion.

beefy ['bi:fi] adj. **1.** cărnos, cu aspect bovin. **2.** muşchiulos, vânjos. **3.** sanguin.

beehive ['bi:haiv] s. stup.

bee-line ['bi:lain] s. linie dreaptă.

been [bi(:)n] vt. part. trec. de la **be.**

beer [biə] s. bere.

beery ['biəri] adj. **1.** de bere; ca berea; cu bere. || I know a ~ nook cunosc un loc unde se poate bea o bere bună. **2.** ameţit de bere; duhnind a bere.

beeswax ['bi:zwæks] s. ceară de albine.

beeswing ['bi:zwiŋ] s. **1.** pojghiţă subţire pe vinul vechi. **2.** rar vin porto vechi.

beet [bi:t] s. bot. sfeclă (Beta vulgaris).

beetle[1] ['bi:tl] s. **1.** gândac. **2.** gânganie, insectă.

beetle[2] ['bi:tl] **I.** s. tehn. mai, ciocan de lemn, bătător (de bătut pământul); baros. || between the ~ and the block între ciocan şi nicovală. **II.** vt. a bătători cu maiul (pământul). **2.** a sfărâma, a fărâmiţa (piatră).

beetle[3] ['bi:tl] **I.** vi. a atârna ameninţător, a fi proeminent. **II.** adj. proeminent; ameninţător; încruntat.

beetling ['bi:tliŋ] adj. **1.** ieşit în afară, proeminent. **2.** ameninţător.

beetroot ['bi:tru:t] s. bot. sfeclă (Beta vulgaris).

beeves [bi:vz], pl. de la **beef 2.**

befall [bi'fɔ:l] vi. trec. **befell** [bi'fel], part. trec. **befallen** [bi'fɔ:ln] a se întâmpla.

befallen [bi'fɔ:ln] vi. part. trec. de la **befall.**

befell [bi'fel] vi. trec. de la **befall.**

befit [bi'fit] vt. a corespunde (cu dat.). **2.** a fi potrivit sau bun pentru.

befitting [bi'fitiŋ] adj. potrivit, cuvenit, adecvat.

befog [bi'fɔg] vt. **1.** a înceţoşa, a înnegura. **2.** fig. a încurca, a induce în eroare.

befool [bi'fu:l] vt. a prosti; a înşela, a trage pe sfoară.

before [bi'fɔ:] **I.** adv. **1.** înainte. **2.** în trecut. **3.** anterior. || long ~ demult; (cu) mult înainte. **II.** prep. **1.** înaintea. **2.** în faţa. **3.** faţă în faţă cu. **4.** mai degrabă decât. || ~ long curând. **III.** conj. **1.** înainte de a. **2.** mai degrabă decât să.

beforehand [bi'fɔ:hænd] **I.** adj. **1.** gata pregătit, din vreme. **2.** în avans. **II.** adv. **1.** anterior. **2.** dinainte.

befoul [bi'faul] vt. a mânji, a murdări, a întina.

befriend [bi'frend] vt. a ocroti, a ajuta, a favoriza; a fi prielnic (cuiva), a se arăta prieten cu.

befuddled [bi'fʌdld] adj. **1.** afumat, cherchelit. **2.** buimăcit.

beg [beg] **I.** vt. **1.** a cerşi. **2.** a cere. **3.** a ruga. || I ~ leave to cer voie să; I ~ your pardon scuzaţi!; poftim? **II.** vi. **1.** a se ruga. **2.** a cerşi.

began [bi'gæn] vt., vi. trec. de la **begin.**

beget [bi'get] vt. trec. **begot** [bi'gɔt], part. trec. **begotten** [bi'gɔtn] a produce, a crea. **2.** a da naştere la, a zămisli.

beggar ['begə] **I.** s. **1.** cerşetor. **2.** om, ins. **II.** vt. **1.** a ruina. **2.** a sărăci.

beggarly ['begəli] adj. **1.** sărăcăcios. **2.** ca un cerşetor.

beggary ['begəri] s. **1.** cerşit, milogeală. **2.** mizerie, sărăcie lucie. **3.** cerşetori, calicime. **4.** fig. sărăcie, lipsă. || to reduce to ~ a aduce la sapă de lemn.

begin [bi'gin] trec. **began** [bi'gæn], part. trec. **begun** [bi'gʌn] vt. vi. **1.** a începe. **2.** a porni.

beginner [bi'ginə] s. începător.

beginning [bi'giniŋ] s. început.

begone [bi'gɔn] interj. pleacă! afară! şterge-o!

begonia [bi'gouniə] s. bot. begonia, ţigancă (Begonia semperflorens).

begot [bi'gɔt] vt. trec. de la **beget.**

begotten [bi'gɔtn] vt. part. trec. de la **beget.**

begrime [bi'graim] vt. a mânji, a murdări.

begrudge [bi'grʌdʒ] vt. **1.** a pizmui pentru. **2.** a acorda cu reavoinţă.

beguile [bi'gail] vt. 1. a păcăli. 2. a înșela. 3. a face să treacă (timpul).

beguine [bi'gi:n] s. 1. dans din Indiile de Vest, asemănător rumbei; muzica acestui dans. 2. bis. (în Olanda) călugăriță, maică, măicuță.

begum ['beigəm] s. (la musulmanii din India) prințesă; doamnă din înalta societate.

begun [bi'gʌn] vt., vi. part. trec. de la **begin.**

behalf [bi'hɑːf] s. 1. folos, câștig, interes, favoare; scop. || in ~ of pentru, în folosul (cu gen.); in my ~ în interesul meu. 2. nume, reprezentare. || on ~ of my friends în numele / din partea prietenilor mei; on my (owen) ~ în numele meu; din partea mea.

behave [bi'heiv] I. vi. 1. a se purta. 2. a acționa. 3. a funcționa. II. vr. a se purta. || ~ yourself! poartă-te frumos!

behaviorism [bi'heivjərizəm] s. psih. behaviorism, psihologia comportamentului.

behaviorist [bi'heivjərist] adj., s. psih. behaviorist, adept al psihologiei comportamentului.

behavioristic [biheivjə'ristik] adj. behaviorist, legat de psihologia comportamentului.

behaviour [bi'heivjə] s. 1. purtare, comportament. 2. maniere.

behead [bi'hed] vt. a decapita.

beheld [bi'held] vt. trec. și part. trec. de la **behold.**

behemoth [bi'hi:məθ] s. 1. biblic hipopotam; monstru. 2. fig. animal mare și puternic, matahală, dihanie.

behest [bi'hest] s. 1. poet. poruncă. 2. înv. făgăduință, promisiune.

behind [bi'haind] I. s. 1. spate. 2. dos, fund. II. adv. 1. în urmă. 2. în spate, înapoi. 3. în restanță. III. prep. 1. în spatele (cu gen.). 2. dinapoia (cu gen.) 3. în urma (cu gen.). || ~ time târziu; ~ the scenes în culise; ~ the times demodat.

behindhand [bi'haindhænd] I. adj. 1. în întârziere. 2. în urmă. II. adv. 1. târziu. 2. cu întârziere.

behold [bi'hould] trec. și part. trec. **beheld** [bi'held] vt. a privi.

beholden [bi'houldn] adj. îndatorat, recunoscător.

beholder [bi'houldə] s. spectator, observator, martor.

behoof [bi'hu:v] s. folos, profit, avantaj, interes. || in on / for his ~ în folosul / interesul cuiva.

behoove [bi'hu:v] vt. impersonal a se cădea, a fi de datoria (cuiva); it ~s you to go e de datoria ta să te duci.

beige [beiʒ] I. adj. bej. II. s. 1. stofă din lână naturală nevopsită și nealbită. 2. (culoarea) bej.

being ['bi:iŋ] I. s. 1. existență, viață, lume; natură; fire. 2. ființă, om. || human ~s ființe omenești; lume, oameni. 3. făptură, corp, constituție. II. part. prez. (astfel) fiind. || ~ that deoarece. III. adj. existent, prezent, actual.

bejewel [bi'dʒu:əl] vt. a împodobi cu pietre prețioase.

belabour [bi'leibə] vt. a bate, a ciomăgi.

belated [bi'leitid] adj. întârziat.

bel canto ['bel'kæntou] s. muz. (stil) bel canto.

belch [beltʃ] I. s. 1. vărsătură. 2. râgâială. II. vt. a vărsa. III. vi. 1. a vărsa. 2. a râgâi.

beldam(e) ['beldəm] s. 1. băbuță; înv. bunică, străbunică. 2. babă-hârcă, muma-pădurii, vrăjitoare.

beleaguer [bi'li:gə] vt. 1. a asedia, a împresura. 2. fig. a înconjura, a împrejmui.

belfry ['belfri] s. clopotniță.

Belgian ['beldʒn] I. s. belgian(că). II. adj. belgian, belgiană.

Belial ['bi:ljəl] s. diavol; duh rău. || a man of ~ nemernic, ticălos, omul dracului.

belie [bi'lai] vt. 1. a dezminți. 2. a dezamăgi.

belief [bi'li:f] s. 1. credință. 2. încredere. || to the best of my ~ după câte cred.

believable [bi'li:vəbl] adj. credibil, demn de crezare.

believe [bi'li:v] vt., vi. a crede. || to ~ in a avea încredere în; a crede în; to make ~ a se preface.

believer [bi'li:və] s. credincios.

belike [bi'laik] adv. înv. poate, se prea poate, probabil.

Belisha beacon [bə'li:ʃə 'bi:kn] s. semafor galben, glob luminos de semnalizare a trecerilor de pietoni.

belittle [bi'litl] vt. 1. a diminua. 2. a deprecia.

bell [bel] s. 1. clopot. 2. sunet de clopot.

belladonna [ˌbelə'dənə] s. bot. beladona, mătrăgună (Atropa belladonna).

bellboy ['belbɔi] s. mai ales amer. băiat de serviciu (la hotel).

belle [bel] s. frumoasă, mândră. || the ~ of the ball regina balului.

belles-lettres ['bel'letr] s. pl. literatură, beletristică.

bellicose ['belikous] adj. belicos, războinic.

belligerence [bi'lidʒrəns] s. beligeranță, stare de război.

belligerent [bi'lidʒrənt] adj., s. beligerant.

bellman ['belmən] s. 1. ist. pristav, crainic. 2. înv. portar de noapte. 3. mine. gurar, muncitor de la gura puțului.

bellow ['belou] I. s. muget. II. vi. a mugi; a urla.

bellows ['belouz] s. pl. foale.

belly ['beli] s. 1. pântece. 2. stomac.

belong [bi'lɔŋ] vi. 1. (to) a aparține (cu dat.), a fi al (cu gen.); a (apar)ține de. 2. (with) a-și avea locul printre, a (apar)ține de, a se număra printre. 3. (in) a-și avea locul în. || this book ~s here aici e locul cărții acesteia; cartea asta stă aici.

belongings [bi'lɔŋiŋz] s. pl. 1. lucruri. 2. boarfe. 3. avere.

beloved [bi'lʌv(i)d] s., adj. iubit(ă).

below [bi'lou] I. adv. 1. mai jos. 2. dedesubt. 3. la fund. 4. la parter. II. prep. 1. mai jos de. 2. dedesubtul. 3. sub. || ~ the mark nesatisfăcător; prost, inferior.

belt [belt] s. 1. curea. 2. cordon. 3. centură. 4. bandă.

belting ['beltiŋ] s. tehn. 1. curea de transmisie. 2. transmisie prin curea. || fam. to give a child a good ~ a croi un copil cu cureaua.

belvedere ['belvidiə] s. arhit. 1. belvedere, foișor. 2. pavilion, chioșc. 3. amer. (sort de) trabuc, țigară de foi.

bemoan [bi'moun] I. vt. a deplânge, a jeli. II. vi. a se văita, a se jelui.

bemock [bi'mɔk] vt. rar a-și bate joc de, a batjocori, a-și râde de.

bemuse [bi'mju:z] vt. a uimi; a buimăci; a ameți, a îmbăta.

ben [ben] (cuvânt scoțian) I. s. 1. cea de-a doua cameră a unei locuinţe modeste cu două încăperi. || *but and* ~ prima şi cea de-a doua cameră. **2.** vârf de munte. **II.** *prep.* în, în interiorul *(cu gen.).* **III.** *adv.* înăuntru. || *come* ~! intră! **IV.** *adj.* interior. || *to be far* ~ *with smb.* a fi în relaţii intime cu cineva.

bench [bentʃ] *s.* **1.** bancă. **2.** laviţă. **3.** *jur.* judecători; tribunal. || *the* ~ curtea.

bencher ['bentʃə] *s.* **1.** membru vechi al tribunalului, magistrat vechi. **2.** *înv.* judecător. **3.** membru al Camerei Comunelor. **4.** vâslaş. **5.** cel care bate cârciumile. **6.** lucrător la bancul de montaj.

bend [bend] **I.** *s.* **1.** curbă. **2.** cotitură. **II.** *vt. trec. şi part. trec.* **bent** [bent] a îndoi. **III.** *vi. trec. şi part. trec.* **bent** [bent] **1.** a coti. **2.** a se îndoi. || *he is bent on doing it* ţine să facă acest lucru.

bender ['bendə] *s.* **1.** persoană care îndoaie *(ceva).* **2.** persoană care se supune. **3.** *sl.* monedă de şase peni. **4.** *amer. sl.* chef, chiolhan. || *to be on a* ~ a fi beat / pilit. **5.** *amer. sl.* beţiv(an). **6.** *amer.* picior. **7.** *tehn.* presă de îndoit.

beneath [bi'ni:θ] **I.** *adv.* **1.** dedesubt. **2.** mai jos. **II.** *prep.* **1.** dedesubtul *(cu gen.);* sub. **2.** mai prejos de. **3.** mai jos de. || *he is* ~ *contempt* nu merită nici măcar dispreţul *(nostru etc.).*

Benedictine *s.* **1.** [,beni'diktain] benedictin *(călugăr din ordinul Benedictinilor).* **2. benedictine** [,beni'dikti:n] (lichior) Benedictine, benedictină.

benediction [,beni'dikʃn] *s.* binecuvântare.

benefaction [,beni'fækʃn] *s.* binefacere, milostenie, danie.

benefactor ['benifæktə] *s.* binefăcător.

benefactress ['benifæktris] *s.* **1.** binefăcătoare. **2.** donatoare.

benefice ['benifis] *s. bis.* venit parohial, bisericesc; proprietate parohială.

beneficence [bi'nefisns] *s.* **1.** bunătate, milă, mărinimie. **2.** operă de binefacere, danie, faptă bună.

beneficent ['bi'nefisnt] *adj.* **1.** binefăcător, darnic, mărinimos. **2.** salutar. **3.** prielnic, folositor.

beneficial [,beni'tiʃl] *adj.* **1.** folositor, util. **2.** bun.

beneficiary [,beni'fiʃiəri] *s.* **1.** *ist.* feudatar. **2.** beneficiar, persoană ajutată *(mai ales de biserică),* miluit; beneficient *(persoană în folosul căreia se dă o reprezentaţie).* **3.** *amer.* bursier. **4.** funcţionar superior; persoană simandicoasă. **5.** *econ.* beneficiar.

benefit ['benifit] **I.** *s.* **1.** ajutor. **2.** avantaj. **3.** bine. **4.** beneficiu. **5.** favoare. **II.** *vt.* **1.** a ajuta. **2.** a fi folositor pentru, a sluji la. **III.** *vi.* a profita.

benevolence [bi'nevələns] *s.* bunăvoinţa.

benevolent [bi'nevolnt] *adj.* **1.** bun, milostiv, mărinimos, generos. **2.** prielnic, favorabil; ospitalier.

Bengal [beŋ'gɔ:l] *adj.* din Bengal, bengalez.

benighted [bi'naitid] *adj.* **1.** înnoptat. **2.** *fig.* ignorant.

benign [bi'nain] *adj.* **1.** blând, bun. **2.** favorabil.

benignant [bi'nignənt] *adj.* **1.** blând, milostiv; amabil, binevoitor (cu inferiorii). **2.** salutar, sănătos. **3.** *med.* benign.

benignity [bi'nigniti] *s.* **1.** blândeţe, bunătate. **2.** bunăvoinţa, complezenţa.

benison ['benizn] *s. înv.* blagoslovenie, binecuvântare.

Benjamin ['bendʒəmin] *s.: the* ~ prâslea, mezinul, răsfăţatul familiei.

bent[1] [bent] **I.** *s.* înclinaţie, tendinţă. **II.** *vt., vi. trec. şi part. trec. de la* **bend.**

bent[2] [bent] *s.* **1.** *bot.* iarba câmpului, iarba vântului *(Agrostis);* iarbă. **2.** câmpie.

benthos ['benθɔs] *s. biol.* bentos.

benumb [bi'nʌm] *vt.* **1.** a amorţi. **2.** a înţepeni.

benzene ['benzi:n] *s.* benzen.

benzine ['benzi:n] *s.* neofalină, benzină.

benzoin ['benzouin] *s. chim., farm.* benzoe *(răşină naturală).*

bequeath [bi'kwi:ð] *vt.* a lăsa (moştenire).

bequest [bi'kwest] *s.* moştenire.

berate [bi'reit] *vt. mai ales amer.* a ocărî, a mustra, a lua la rost.

Berber ['bə:bə] **I;** *s.* berber. **II.** *adj.* (de) berber.

bereave [bi'ri:v] *vt.* **1.** a răpi. **2.** a fura. **3.** (of) a priva, a văduvi (de).

bereaved [bi'ri:vd] *adj.* îndoliat, întristat, îndurerat; (of) văduvit (de).

bereavement [bi'ri:vmənt] *s.* nenorocire, mare supărare.

bereft [bi'reft] *vt. trec. şi part. trec. de la* **bereave.** || ~ *of reason* nebun.

beret ['berei] *s.* beretă, basc.

berg [bə:g] *s.* **1.** *abrev. iceberg* aisberg. **2.** *(în Africa de Sud)* munte, deal.

bergamot ['bə:gə,mɔt] *s. bot.* **1.** varietate de portocal *(Citrus bergamia).* **2.** (pară) pergamută *(Pirus sativa).*

beriberi ['beri'beri] *s. med.* beri-beri.

Berlin [bə:'lin] **I.** *adj.* berlinez. **II.** *s.* **1.** berlină, cupeu cu patru locuri. **2.** *auto.* limuzină, berlină.

Bermuda (shorts) [bə'mju:də (ʃɔ:ts)] *s.* bermude, pantaloni scurţi.

berry ['beri] *s.* **1.** bacă. **2.** fruct (de pădure).

berserk [bə'sə:k] *adj. (predicativ)* furios, turbat, scos din minţi.

berth [bə:θ] *s.* **1.** cuşetă. **2.** compartiment. **3.** dană. **4.** slujbă.

Bertha ['bə:θə] *s.* **1.** Berta *(nume feminin).* || *sl. mil. Big* ~ „Dicke Bertha" *(tun german de mare calibru utilizat în primul război mondial).* **2.** bertă, guler de damă *(de obicei de dantelă).*

beryl ['beril] *s. minr.* beril.

beryllium [be'riliəm] *s. chim.* beriliu.

beseech [bi'si:tʃ] *trec. şi part. trec.* **besought** [bi'sɔ:t] *vt.* a implora.

beset [bi'set] *vt. trec. şi part. trec.* **beset** [bi'set] **1.** a înconjura. **2.** a asedia.

besetting [bi'setiŋ] *adj.* **1.** obsesiv, chinuitor. **2.** permanent; caracteristic. **3.** principal, de seamă, de căpetenie.

beshrew [bi'ʃru:] *vt.* **1.** a strica, a deteriora. **2.** a blestema, a afurisi. || ~ *me, if...* să fiu al naibii dacă... ; ~ *my heart!* zău! să fiu al naibii! pe onoarea mea!

beside [bi'said] *prep.* **1.** alături de. **2.** dincolo de. **3.** mai presus de. || ~ *oneself* tulburat; nebun; ~ *the point* fără legătură(*cu subiectul*).

besides [bi'saidz] **I.** *adv.* **1.** de asemenea. **2.** mai mult decât atât, pe lângă asta. **II.** *prep.* **1.** pe lângă. **2.** precum şi.

besiege [bi'si:dʒ] *vt.* **1.** a asedia. **2.** a asalta.

besieger [bi'si:dʒə] *s.* asediator.

besmear [bi'smiə] *vt.* a mânji, a murdări *(cu unsoare)*, a unge, a păta; a împroşca cu noroi, a întina *(şi fig.)*.

besmirch [bi'smə:tʃ] *vt.* **1.** a păta; a înnegri, a murdări. **2.** *fig.* a necinsti, a pângări, a întina; a calomnia, a bârfi.

besom ['bi:zm] **I.** *s.* **1.** târn, mătură *(de nuiele)*. **2.** *bot.* mătură *(Sorghum vulgare)*. **3.** *sl. scoţian* otreapă, tărătură. **II.** *vt.* a mătura, a îndepărta, a alunga.

besot [bi'sɔt] *vt.* **1.** a prosti, a tâmpi. **2.** a uimi. **3.** a suci capul *(cuiva)*; a înnebuni.

besotted [bi'sɔtid] *adj.* **1.** nătâng, prost. **2.** beat (turtă), ameţit.

besought [bi'sɔ:t] *vt. trec. şi part. trec. de la* **beseech**.

bespangle [bi'spæŋgl] *vt.* a împodobi cu zorzoane; *fig.* a smălţui. || *the* ~*d sky* cerul înstelat.

bespatter [bi'spætə] *vt.* **1.** a împroşca cu noroi / apă murdară. **2.** *fig.* a defăima; a împroşca cu noroi, a întina.

bespeak [bi'spi:k] *trec.* **bespoke** [bi'spouk], *part. trec.* **bespoken** [bi'spoukn] *vt.* **1.** a angaja, a reţine (dinainte). **2.** a dovedi; a indica.

bespoke [bi'spouk] *vt. trec. de la* **bespeak**.

bespoken [bi'spoukn] *vt. part. trec. de la* **bespeak**.

besprent [bi'sprent] *adj. poet.* **(with)** stropit, smălţat, presărat (cu).

best [best] **I.** *s.* perfecţiune. || *at* ~ în cel mai bun caz; *to make the* ~ *of* a profita de; *to be at one's* ~ a străluci; *to the* ~ *of one's ability* cât mai bine cu putinţă; după cât poate. **II.** *adj. superlativ de la* **good**: cel mai bun; perfect. || *for the* ~ *part* în cea mai mare măsură. **III.** *adv. superlativ de la* **well**: **1.** cel mai bine. **2.** cel mai mult.

bestial ['bestiəl] *adj.* **1.** de fiară; animalic; bestial; brutal. **2.** senzual; depravat. **3.** iraţional, prostesc. **4.** inuman, neomenesc.

bestiary ['bestiəri] *s. lit.* bestiar, culegere de povestiri cu animale *(în Evul Mediu)*.

bestir [bi'stə:] **I.** *vt.* **1.** a aţâţa. **2.** a învora. **II.** *vr.* a se mişca vioi.

best man [,best'mæn] *s.* **1.** naş *(la cununie)*. **2.** cavaler de onoare *(la nuntă)*.

bestow [bi'stou] *vt.* a acorda, a da. || *they* ~*ed a prize upon him* i-au acordat un premiu.

bestrew [bi'stru:] *vt. part. trec. înv. poet. şi* **bestrewn** [bi'stru:n] **1.** **(with)** a presăra, a acoperi *(cu praf etc.)*. **2.** a împrăştia; a răspândi.

bestrewn [bi'stru:n] *vt. part. trec. de la* **bestrew**.

bestridden [bi'stridn] *vt. part. trec. de la* **bestride**.

bestride [bi'straid] *vt. trec.* **bestrode** [bi'stroud], *part. trec.* **bestridden** [bi'stridn] **1.** a sta; a încăleca (pe). **2.** *fig.* a încăleca, a ţine sub călcâi. **3.** a traversa, a trece (peste).

bestrode [bi'stroud] *vt. trec. de la* **bestride**.

best-seller ['best'selə] *s.* carte *sau* autor de mare popularitate.

bet [bet] **I.** *s.* pariu, rămăşag. **II.** *vt. inf., trec. şi part. trec.* **1.** a paria. **2.** a miza. **III.** *vi. inf., trec. şi part. trec.* **1.** a paria. **2.** a miza. **3.** a juca.

beta ['bi:tə] *s.* beta *(literă grecească)*.

betake [bi'teik] *înv. trec.* **betook** [bi'tu:k], *part. trec.* **betaken** [bi'teikn] **I.** *vt.* **1.** a încredinţa; a recomanda, a trimite. **2.** a lua asupra sa, a-şi asuma. **II.** *vi.:* *to* ~ *to* a se duce către. **III.** *vr.* **1.** a se încredinţa *(cu dat.)*, a recurge. **2.** *to* ~ *oneself to* a apela la.

betaken [bi'teikn] *vt., vi., vr. part. trec. de la* **betake**.

betatron ['bi:tətrɔn] *s. fiz.* betatron.

betel ['bi:tl] *s. bot.* betel *(Piper betle)*.

bête(-)noire [bet'nwa:], *pl.* **bêtes(-)noires** [bet'nwa:z] *s.* oaie neagră, bestie neagră, persoană detestabilă; lucru neplăcut.

bethink [bi'θiŋk] *trec. şi part. trec.* **bethought** [bi'θɔ:t] **I.** *vi.* **(of)** a se gândi, a reflecta (la), a ţine seama (de). **II.** *vr.: to* ~ *oneself of* a se gândi la; a-şi aminti de; *to* ~ *oneself to* a se gândi să.

bethought [bi'θɔ:t] *vi., vr. trec. şi part. trec. de la* **bethink**.

betid [bi'tid] *înv. vt., vi. trec. şi part. trec. de la* **betide**.

betide [bi'taid] **I.** *vt.* a i se întâmpla *(cuiva)*, a avea parte de. **II.** *vi.* a se întâmpla, a surveni.

betimes [bi'taimz] *adv.* **1.** la timp, din vreme. **2.** în curând. **3.** *amer.* câteodată, când şi când; întâmplător.

betoken [bi'toukn] *vt.* **1.** a indica. **2.** a demonstra. **3.** a sugera.

betook [bi'tuk] *vt., vi., vr. trec. de la* **betake**.

betray [bi'trei] **I.** *vt.* **1.** a trăda. **2.** a înşela. **3.** a dezvălui, a arăta. **II.** *vr.* a se da de gol, a se trăda.

betrayal [bi'treiəl] *s.* trădare.

betrayer [bi'treiə] *s.* trădător, denunţător, delator.

betroth [bi'trouð] *vt.* **1.** a logodi. **2.** *înv.* a se logodi cu.

betrothal [bi'trouðl] *s.* logodnă.

better ['betə] **I.** *s.: our* ~*s* mai marii noştri. **II.** *adj. comparativ de la* **good**: **1.** mai bun. **2.** superior. **3.** îmbunătăţit. || *the* ~ *half* mai mult de jumătate; *one's* ~ *half* soţia. **III.** *vt.* **1.** a îmbunătăţi. **2.** a depăşi, a întrece. **IV.** *vr.* a promova, a avansa. **V.** *adv. comparativ de la* **well**: **1.** mai bine. **2.** mai mult. **3.** mai complet. || *you had* ~ *go* ai face mai bine să pleci; *to know* ~ a avea experienţă; a chibzui; a se feri; a evita; a nu cădea în cursă; *to be* ~*off* a fi (mai) înstărit.

betterment ['betəmənt] *s.* **1.** îmbunătăţire. **2.** promovare.

betty ['beti] *s.* **1.** *sl.* bărbat care îşi bagă nasul unde nu-i fierbe oala. **2.** şperaclu.

between [bi'twi:n] **I.** *adv.* **1.** la intervale. **2.** la mijloc. || *far* ~ intervale mari. **II.** *prep.* între.

betwixt [bi'twikst] **I.** *adv.* la mijloc. || ~ *and between* aşa şi aşa. **II.** *prep.* între.

bevel ['bevl] **I.** *s.* **1.** bizotare. **2.** dungă, bie. **II.** *vt.* a bizota.

beverage ['bevəridʒ] *s.* băutură *(mai ales fără alcool)*.

bevy ['bevi] *s.* **1.** grup. **2.** stol. **3.** buchet *(fig.)*.

bewail [bi'weil] *vt.* **1.** a jeli, a deplânge, a plânge.

beware [bi'weə] *vi.* **1.** a avea grijă. **2.** **(of)** a se păzi (de). || ~ *of the cold* păzeşte-te de răceală; ~*!* păzea! ai grijă! fii atent!.

bewilder [bi'wildə] *vt.* **1.** a zăpăci. **2.** a încurca, a tulbura.

bewilderment [bi'wildəmənt] *s.* tulburare, încurcătură, zăpăceală, nedumerire; stânjenire; consternare.

bewitch [bi'witʃ] vt. a vrăji.

beyond [bi'jɔnd] I. s. lumea cealaltă. II. adv. 1. dincolo. 2. departe. 3. la capăt. III. prep. 1. dincolo de. 2. mai târziu de. || ~ compare fără seamăn.

bewray [bi'rei] vt. 1. înv. a destăinui. a demasca, a divulga, a face cunoscut. 2. a trăda fără voie (un secret).

bey [bei] s. ist. bei.

bezel ['bɔzl] s. 1. tăiş. 2. tăiş oblic al unei pietre preţioase. 3. montură, scaun (al pietrei inelului).

bezique [bi'zi:k] s. bezique, joc de cărţi în doi.

biannual [bai'ænjuəl] adj. bianual.

bias ['baiəs] I. s. 1. înclinaţie. 2. părtinire. 3. diagonală. II. vt. a influenţa. || to be ~ed a fi părtinitor sau influenţat.

bib [bib] s. bărbiţă, bavetă. || best ~ and tucker hainele cele mai bune.

Bible ['baibl] s. biblie.

biblical ['biblikl] adj. biblic.

bibliographic(al) [,biblio'græfik(l)] adj. bibliografic.

bibliography [,bibli'ɔgrəfi] s. bibliografie.

bibliophile ['biblioufail] s. bibliofil.

bibulous ['bibjuləs] adj. 1. absorbant. 2. fam. beţiv, dedat la băutură.

bicameral [bai'kæmərl] adj. pol. bicameral.

bicarbonate [bai'ka:bənit] s. chim. bicarbonat.

bicentenary [,baisen'ti:nəri] adj., s. bicentenar.

bicentennial [,baisen'teniəl] s., adj. bicentenar.

biceps ['baiseps] s. anat. biceps.

bichloride [bai'klɔ:raid] s. chim. 1. biclorură, diclorură. 2. (şi ~ of mercury) calomel.

bichromate [bai'kroumit] s. chim. bicromat.

bicker ['bikə] vi. 1. a se certa. 2. a se ciondăni.

biconvex [bai'kɔnveks] adj. fiz. biconvex.

bicuspid [bai'kʌspid] anat. I. adj. bicuspid; buscat. II. s. măsea din faţă, premolar.

bicycle ['baisikl] s. bicicletă.

bid [bid] I. s. 1. ofertă. 2. licitare. 3. preţ (la licitaţie etc.). II. vt. inf., trec. şi part. trec.; trec. şi. **bade** [beid], part. trec. şi **bidden** ['bidn] 1. a oferi (un preţ). 2. a porunci. 3. a spune. || to~ farewell to a-şi lua rămas

bun de la. III. vi. inf., trec. şi part. trec. a licita.

biddable ['bidəbl] adj. supus, ascultător, docil.

bidden ['bidn] vt., vi. part. trec. de la **bid**.

bidder ['bidə] s. licitator.

bidding ['bidiŋ] s. 1. ofertă de preţ. 2. poruncă, comandă. 3. licitaţie (la jocul de cărţi).

bide [baid] trec. şi **bode** [boud] I; vi. 1. a sta în aşteptare, a aştepta. 2. a dăinui, a sta. 3. a sălăşlui, a locui. II. vt. 1. a aştepta; a fi în aşteptarea (cu gen.). 2. a înfrunta, a rezista la; a îndura, a suferi. 3. a suporta; a se deprinde cu.

bidet ['bi:dei] s. 1. căluşel, căluţ. 2. mârţoagă. 3. bideu.

biding ['baidiŋ] s. 1. aşteptare; oprire, haltă. 2. înv. sălaş, locuinţă.

biennial [bai'eniəl] I. adj. bienal; din doi în doi ani. II. s. 1. bot. plantă bienală. 2. (expoziţie) bienală.

bier [biə] s. 1. catafalc. 2. năsălie.

biff [bif] amer.sl. I. s. scatoalcă, pumn, lovitură puternică/ zdravănă. II. vt. a-i arde (cuiva) una, a pocni.

bifocal [bɔi'foukl] I. adj. fiz. bifocal. II. s. pl. ochelari bifocali.

bifurcate ['baifə:keit] I. adj. bifurcat. II. vi. a se bifurca.

big [big] adj. comp. **bigger** ['bigə] superl. **the biggest** [ðə 'bigist] 1. mare; voluminos. 2. important. 3. măreţ. 4. generos.

bigamist ['bigəmist] s. bigam.

bigamy ['bigəmi] s. bigamie.

big game [,big'geim] s. vânat mare.

big horn [big'hɔ:n] s. zool. berbec de munte (Ovis montana).

bight [bait] s. 1. geogr. golf. 2. cot(itură) (de râu). 3. mar. dublin (al unei parâme).

bigness ['bignis] s. 1. mărime; grosime; lărgime. 2. fig. măreţie, pompă; mândrie.

bigot ['bigət] s. bigot.

bigoted ['bigətid] adj. 1. bigot; habotnic. 2. obtuz.

bigotry ['bigətri] s. 1. bigotism. 2. ochelari de cal (fig.).

bijou ['bi:ʒu:] I. s. pl. şi **bijoux** ['bi:ʒu:] bijuterie. II. adj. mic şi elegant.

bike [baik] s. bicicletă.

bikini [bi'ki:ni] s. costum (mic) de baie, bikini.

bilateral [bai'lætrl] adj. bilateral.

bilberry ['bilbəri] s. bot. 1. afin (Vaccinium myrtillus). 2. afină.

bile [bail] s. 1. fiere. 2. furie.

bilge [bildʒ] s. mar. 1. santină. 2. fundul vasului. 3. apă stătută.

bilharzia [bil'ha:tsiə] s. 1. zool. vierme intestinal tropical (Bilharzia). 2; med. bilharziază, schistosomiază.

biliary ['biliəri] adj. 1. anat. biliar. 2. v. **bilious**.

bilingual [bai'liŋgwəl] adj. bilingv.

bilious ['biljəs] adj. 1. furios. 2. irascibil, ţâfnos, supărăcios.

bilk [bilk] vt. 1. a nu plăti (o datorie etc.) 2. a înşela. 3. a frustra; a dezamăgi (prin neîndeplinirea unui angajament).

bill[1] [bil] I; s. 1. cioc (de pasăre). 2. notă de plată. 3. poliţă. 4. afiş. 5. (proiect de) lege. 6. bancnotă. II. vt. 1. a anunţa. 2. a afişa. III. vi.:to ~ and coo a se giuguli.

bill[2] [bil] s. 1. mar. gheară, vârf de ancoră. 2. cap, promontoriu îngust. 3. cozoroc.

bill[3] [bil] s. 1. ist. halebardă. 2. târnăcop. 3. ciocan. 4. foarfece de grădină; cosor. 5. topor, satâr.

billabong ['biləbɔŋ] s. geogr. (cuvânt australian) braţ de râu care formează o apă stătătoare; gârlă.

billboard ['bilbɔ:d] s. amer. afişier, avizier, panou de afişaj.

billet[1] ['bilit] I. s. 1. încartiruire. 2. biuvac. II. vt. a încartirui.

billet[2] ['bilit] s. 1. scurtătură (lemn); retevei. 2. met. lingou, bloc.

billet(-)doux [,bilei 'du:] s. pl. **billets-doux** [,bilei'du:z] scrisorică de dragoste, bileţel amoros.

billfold ['bilfould] s. amer. portvizit, portofel.

billhook ['bilhuk] s. foarfece de grădină; cosor.

billiards ['biljədz] s. pl. (cu verb la sing.) biliard.

Billingsgate [,biliŋzgit] s. 1. mare piaţă de peşte la Londra. 2. bilingsgate înjurătură, mahalagism; limbaj vulgar; to talk ~ a vorbi ca o precupeaţă, a se înjura ca precupeţele în piaţă.

billion ['biljən] s. 1. bilion. 2. amer. miliard.

bill of exchange ['bilɔviks'tʃeindʒ] s. scrisoare de schimb, trată.

bill of fare ['bilɔv'fɛə] s. 1. meniu,

listă de bucate. **2.** listă de prețuri.

bill of indictment ['bilǝvin'dait mǝnt] *s.* act de acuzare.

billow ['bilou] **I.** *s.* **1.** val; talaz. **2.** mare. **II.** *vi.* a se undui.

billy ['bili] *s.* **1.** baston de cauciuc, vână de bou. **2.** tovarăș, prieten, amic. **3.** frate. **4.** *australian* cazan (de câmp), gamelă, ceainic.

billy-goat ['biligout] *s.* țap.

bimetallic [ˌbaimi'tælik] *adj.* bimetalic.

bimetallism [bai'metǝlizǝm] *s.* bimetalism.

bi-monthly ['baimʌnθli] *adj., adv.* bilunar.

bin [bin] *s.* **1.** cutie. **2.** benă. **3.** ladă. **4.** coș (de gunoi).

binary ['bainǝri] *adj.* binar.

bind [baind] *trec. și part. trec.* **bound** [baund] **I.** *vt.* **1.** a lega. **2.** a lipi. **3.** a întări. **4.** a obliga. **5.** a atașa. **II.** *vi.* a lega cărți. **III.** *vr.* a se obliga.

binder ['baindǝ] *s.* legător (de cărți etc.).

bindery ['baindǝri] *s.* legătorie (de cărți).

binding ['baidiŋ] **I.** *s.* legătură (a cărților etc.). **II.** *adj.* obligator(iu).

bindweed ['baindwi:d] *s. bot.* volbură, rochița-rândunelei (Convulvulus).

bine [bain] *s. bot.* **1.** mlădiță, lăstar. **2.** lujer de plantă târâtoare.

binge [bindʒ] *s. fam.* chef, beție.

bingo ['bingou] **I.** *s. amer.* bingo, joc de noroc asemănător cu loto (foarte popular în S.U.A.). **II.** *interj.* pac! hâț!

binnacle ['binǝkl] *s. mar.* habitaclu, suport al busolei.

binoculars [bi'nɔkjulǝz] *s. pl.* binoclu.

binomial [bai'noumiǝl] *s. mat.* binom.

bio ['baɔiu] *s. amer.* **1.** biografie. **2.** articol biografic, portret (în ziar).

biochemistry ['baiou'kemistri] *s.* biochimie.

biodegradable [ˌbaioudi'greidǝbl] *adj.* biodegradabil, care poate fi descompus prin acțiunea bacteriilor.

biographer [bai'ɔgrǝfǝ] *s.* biograf.

biographic(al) [ˌbaio'græfik(l)] *adj.* biografic.

biography [bai'ɔgrǝfi] *s.* biografie.

biologic(al) [ˌbaio'lɔdʒik(l)] *adj.* biologic.

biologist [bai'ɔlǝdʒist] *s.* biolog.

biology [bai'ɔlǝdʒi] *s.* biologie.

bionic [bai'ɔnik] *adj. cib.* bionic.

bionics [bai'ɔniks] *s. pl.* (folosit ca sing.) *cib.* bionică.

bipartisan [bai'pɑːtizǝn] *adj.* bipartizan (bazat pe guvernarea cu două partide).

bipartite [bai'pɑːtait] *adj.* bipartit, cu două părți, bilateral.

biped ['baiped] *adj., s.* (animal) biped.

biplane ['baiplein] *s. av.* biplan.

birch [bǝːtʃ] *s.* **1.** *bot.* mesteacăn (Betula verrucosa). **2.** mănunchi de nuiele. **3.** nuia.

birchen ['bǝːtʃǝn] *adj.* de mesteacăn, (făcut) din mesteacăn.

bird [bǝːd] *s.* pasăre. || *a ~ in the bush* pielea ursului (din pădure).

bird's-eye view ['bǝːdzai'vjuː] *s.* privire sau vedere generală.

bird call ['bǝːdkɔːl] *s.* **1.** țipăt / chemare de pasăre. **2.** fluier (pentru ademenit păsări).

birdie ['bǝːdi] *s.* păsărică, păsărea.

bird lime ['bǝːdlaim] **I.** *s.* vâsc, clei (pentru prins păsări). **II.** *vt.* a prinde (păsări) cu clei.

biretta [bi'retǝ] *s.* (cuvânt spaniol) pălărie pătrată purtată de preoții romano-catolici.

Biro, biro ['baiǝrou] *s.* pix, toc cu pastă.

birth [bǝːθ] *s.* **1.** naștere. **2.** origine.

birthday ['bǝːθdei] *s.* zi de naștere; aniversare.

birth mark ['bǝːθmɑːk] *s.* aluniță sau alt semn din naștere.

birth-place ['bǝːθpleis] *s.* locul nașterii, loc natal.

birth-rate ['bǝːθreit] *s.* natalitate.

birthright ['bǝːθrait] *s.* **1.** dreptul primului născut, dreptul de primogenitură. **2.** drept câștigat prin naștere.

biscuit ['biskit] *s.* **1.** biscuit. **2.** pișcot.

bisect [bai'sekt] *vt.* a tăia / împărți în două, a face o secțiune în.

bisexual [bai'seksjuǝl] *adj.* **1.** bisexual. **2.** hermafrodit, androgin.

bishop ['biʃǝp] *s.* episcop.

bishopric ['biʃǝprik] *s.* episcopie.

bismuth ['bizmǝθ] *s. chim.* bismut.

bison ['baisn] *s.* (pl. mai ales ~) **1.** bizon. **2.** zimbru.

bisque [bisk] *s.* **1.** *sport* handi-

cap. **2.** *gastr.* supă concentrată (de raci). **3.** porțelan nesmălțuit.

bistro ['bistrou] *s.* bistro(u).

bit[1] [bit] **I.** *s.* **1.** bucățică. **2.** firimitură. **3.** sfredel. **4.** zăbală. || ~ *by* ~ treptat, treptat; *not a* ~ câtuși de puțin. **II.** *vt., vi. trec. și part. trec. de la* **bite.**

bit[2] [bit] *s. cib.* bit.

bitch [bitʃ] *s.* **1.** cățea. **2.** femelă (de lup etc.). **3.** stricată. **4.** cață, femeie rea de gură. **5.** *sl.* porcărie, mizerie.

bite [bait] **I.** *s.* **1.** mușcătură. **2.** îmbucătură. **3.** bucată. **II.** *trec.* **bit** [bit], *part. trec.* **bit** [bit] *și* **bitten** [bitn] *vt.* **1.** a mușca. **2.** a reteza, a tăia. **3.** a răni. **4.** a înțepa. || *to* ~ *the dust* a mușca țărâna. **III.** *vi.: to* ~ *at* a încerca să muști.

biting ['baitiŋ] *adj.* **1.** mușcător. **2.** tăios. **3.** sarcastic.

bitten ['bitn] *vt., vi. part. trec. de la* **bite.**

bitter ['bitǝ] *adj.* **1.** amar. **2.** dureros. **3.** aspru. **4.** înverșunat. || *to the* ~ *end* până la capăt.

bitterly ['bitǝli] *adv.* **1.** amar, cu amărăciune. **2.** usturător, crunt.

bittern ['bitǝ(:)n] *s. ornit.* buhai-de-baltă (Botaurus stellaris).

bitterness ['bitǝnis] *adv.* amărăciune.

bitter-sweet ['bitǝ'swiːt] *adj.* dulce-amărui.

bitumen ['bitjumin] *s.* bitum, asfalt.

bituminous [bi'tjuːminǝs] *adj.* bituminos.

bivalve ['baivælv] **I.** *adj.* bivalv. **II.** *s. zool.* (scoică) bivalvă.

bivouac ['bivuæk] *s.* bivuac.

bizarre [bi'zɑː] *adj.* **1.** ciudat, bizar. **2.** grotesc.

blab [blæb] **I.** *vt.* **1.** a scăpa vorba despre. **2.** a trăda (un secret). **II.** *vi.* a pălăvrăgi.

black [blæk] **I.** *s.* **1.** negru. **2.** doliu. **3.** murdărie. **4.** funingine. **II.** *adj.* **1.** negru. **2.** oacheș. **3.** întunecat, sumbru.

blackamoor ['blækǝmuǝ] *s. sl.* negru, negresă; arap, tăciune.

blackball ['blækbɔːl] **I.** *s.* **1.** bilă neagră; vot contra. **2.** vopsea neagră. **II.** *vt.* a vota contra (cuiva) cu bilă neagră; a respinge; a îndepărta, a exclude.

black-beetle ['blæk'biːtl] *s. entom.* gândac de bucătărie (Periplaneta orientalis).

blackberry ['blækberi] *s. bot.*

mură *(Rubus fricticosus).*

blackbird ['blækbə:d] *s. ornit.* mierlă *(Turdus merula).*

blackboard ['blækbə:d] *s.* tablă *(la şcoală).*

black currant ['blæk' kʌrnt] *s. bot.* **1.** coacăz-negru *(Ribes nigrum).* **2.** coacăză neagră.

black diamond ['blæk'daiəmənd] *s.* **1.** diamant negru. **2.** *pl.* cărbuni.

blacken ['blækn] *vt.* **1.** a înnegri. **2.** a ponegri.

black eye ['blæk'ai] *s.* vânătaie la ochi, ochi învineţit.

black-eyed ['blækaid] *adj.* cu ochii negri.

black face ['blækfeis] *s.* **1.** *poligr.* caractere aldine; caractere gotice. **2.** *amer. teatru fam.* actor negru. || *to appear in ~* a interpreta rolul unui negru *(mai ales comic).* **3.** teatru (de comedie) cu actori negri.

black flag ['blæk'flæg] *s.* steagul piraţilor.

Black Foot ['blækfut] *s.* indian (nord-american) din tribul Picioarelor Negre.

Black Friar ['blæk'fraiə] *s.* (călugăr) dominican.

blackguard ['blægɑ:d] **I.** *s.* ticălos. **II.** *vt.* a bârfi.

black head ['blækhed] *s.* **1.** *med.* punct negru *(pe piele).* **2.** *ornit.* denumirea mai multor păsări cu capul negru *(pescar, porumbel de mare, carabaş, giuşcă etc.).*

blacking ['blækiŋ] *s.* cremă de ghete (neagră).

blackish ['blækiʃ] *adj.* negricios.

black jack ['blæk 'dʒæk] **I.** *s.* **1.** *amer. sl.* bâtă, ciomag. **2.** *minr.* varietate de blendă de culoare închisă. **3.** steag / pavilion negru *(al piraţilor).* **4.** *amer. bot.* stejar negru *(Quercus marilandica).* **5.** *amer.* colorant *(pentru prăjituri şi băuturi).* **6.** *amer.* „vingt-et-un" *(joc de cărţi).* **II.** *vt. amer. sl.* **1.** a ciomăgi, a bate cu bâta. **2.** a constrânge, a sili.

blacklead ['blækled] *s.* grafit.

blackleg ['blækleg] *s.* **1.** spărgător de grevă. **2.** trădător. **3.** escroc.

black letters ['blæk'letəz] *s. pl.* caractere gotice vechi.

blacklist ['blæklist] **I.** *s.* listă neagră. **II.** *vt. (mai ales pol.)* a trece pe lista neagră.

blackmail ['blækmeil] **I.** *s.* şantaj. **II.** *vt.* a şantaja.

blackness ['blæknis] *s.* negreală, întunecime, obscuritate. **2.** *fig.* mârşăvie, ticăloşie.

blackout ['blækaut] *s.* camuflaj.

blacksmith ['blæksmiθ] *s.* potcovar; fierar.

blacktail ['blækteil] *s.* **1.** *iht.* ghigorţ, ghiborţ *(Acerina cernua).* **2.** *zool.* specie de cerb american cu urechi lungi *(Odocoileus macrotis).*

blackthorn ['blækθɔ:n] *s. bot.* porumbar *(Prunus spinosa).*

black work ['blækwɔ:k] *s.* **1.** fierărie, meseria fierarului. **2.** salahorie.

bladder ['blædə] *s.* **1.** băşică. **2.** cameră de minge.

blade [bleid] *s.* **1.** lamă, tăiş. **2.** fir de iarbă. **3.** frunză ascuţită.

blain [blein] *med.* **1.** *s.* buboi; furuncul; abces; pungă de puroi; flictenă. **II.** *vi.* a se acoperi cu furuncule; a face abcese.

blame [bleim] **I.** *s.* **1.** blam. **2.** dezaprobare. **3.** critică. **4.** răspundere. **II.** *vt.* **1.** a ţine de rău. **2.** a blama. || *who is to ~?* cine-i de vină?

blameless ['bleimlis] *adj.* **1.** nevinovat. **2.** neprihănit. **3.** ireproşabil.

blanch [blɑ:ntʃ] **I.** *vt.* **1.** a albi; a vărui, a spoi. **2.** a lipsi de lumină *(plante etc.).* **3.** a cositori, a spoi *(metale).* **4.** a desghioca, a coji. || *to ~ almonds* a curăţa migdale. **5.** *to ~ over* a scuza, a scoate basma curată. **II.** *vi.* a se îngălbeni, a se face alb ca varul *(de frică etc.).*

blancmange [blə'mɔnʒ] *s. gastr.* blamanjele(le), gelatină de smântână şi lapte de migdale.

bland [blænd] *adj.* **1.** amabil. **2.** *(d. climă)* blând. **3.** *med.* calmant.

blandishment ['blændiʃmənt] *s.* **1.** dezmierdare. **2.** linguşire.

blandly ['blændli] *adv.* politicos; cu blândeţe, cu tandreţe.

blandness ['blændnis] *s.* **1.** curtenie; amabilitate. **2.** blândeţe. **3.** prietenie.

blank [blæŋk] **I.** *s.* **1.** loc liber. **2.** spaţiu *sau* loc gol. **3.** gol, lacună. **4.** formular. **II.** *adj.* **1.** gol, cu spaţii goale. **2.** (în) alb. **3.** stupid. **4.** fără expresie, indiferent, absent. || *his memory was ~* nu-şi amintea nimic.

blank cartridge [,blæŋk'kɑ:tridʒ] *s.* cartuş orb.

blank cheque [,blæŋk'tʃek] *s.* cec

în alb.

blanket ['blæŋkit] *s.* pătură.

blankly ['blæŋkli] *adv.* inexpresiv, indiferent, absent.

blankness ['blæŋknis] *s.* **1.** *(rar)* albeaţă. **2.** goliciune, lipsă de miez. **3.** indiferenţă, lipsă de expresie. **4.** stinghereală, jenă.

blank verse ['blæŋk'və:s] *s.* **1.** vers alb. **2.** versuri albe.

blare [bleə] **I.** *s.* sunet de trâmbiţă. **II.** *vt.* a trâmbiţa. **III.** *vi.* a suna din trâmbiţă.

blarney ['blɑ:ni] *fam.* **I.** *s.* linguşeală; vorbe goale / linguşitoare; vrăjeală. **II.** *vt.* a linguşi. **III.** *vi.* a turna gogoşi.

blasé ['blɑ:zei] *adj.* blazat.

blaspheme [blæs'fi:m] *vt., vi.* **1.** a huli. **2.** a blestema, a ocărî.

blasphemous ['blæsfiməs] *adj.* hulitor, blasfemator.

blasphemy ['blæsfimi] *s.* **1.** hulă; blasfemie. **2.** insulte.

blast [blɑ:st] **I.** *s.* **1.** răbufnire. **2.** explozie. **3.** suflu. **4.** curent. **5.** zgomot. **6.** sunet. **II.** *vt.* **1.** a distruge. **2.** a arunca în aer.

blatant ['bleitnt] *adj.* **1.** zgomotos. **2.** ţipător. **3.** sforăitor.

blather ['blæðə] **I.** *vi.* a pălăvrăgi. **II.** *s.* flecăreală, pălăvrăgeală.

blaze [bleiz] **I.** *s.* **1.** vâlvătaie. **2.** incendiu. **3.** culoare strălucitoare. **4.** izbucnire. **II.** *vt.* **1.** a aprinde. **2.** a însemna *(copaci etc.).* **3.** a face cunoscut, a răspândi. || *to ~ a trail* a face pârtie; a fi deschizător de drumuri (noi).

blazer ['bleizə] *s.* jerseu.

blazing ['bleiziŋ] *adj.* **1.** luminos. **2.** strălucitor.

blazon ['bleizn] **I.** *s.* **1.** heraldică. **2.** blazon, armoarii. **3.** *fig.* zugrăvire, înfăţişare; reclamă; proslăvire. **II.** *vt.* **1.** a împodobi cu însemne heraldice. **2** a zugrăvi, a înfăţişa; a face reclamă *(cu dat.),* a trâmbiţa; a proslăvi. **3.** *to ~ abroad* a bate toba despre.

blazonry ['bleiznri] *s.* **1.** v. **blazon** I. 2. **2.** heraldică. **3.** reclamă, publicitate.

bleach [bli:tʃ] *vt., vi.* a (se) albi.

bleacher [bli:tʃə] *s.* **1.** persoană care albeşte; *(text)* albitor. **2.** vas pentru albit, rezervor pentru decolorare. **3.** *(mai ales pl.) amer. sport* peluză; tribună neacoperită.

bleak [bli:k] *adj.* **1.** sterp. **2.** rece. **3.** lugubru. **4.** bătut de vânturi.

blear [bliɔ] *adj.* 1. întunecat. 2. cetos.

blear-eyed ['bliɔraid] *adj.* 1. cu ochii urdurosi / împăienjeniti. 2. *fig.* miop; neprevăzător, mărginit; tont; greoi.

bleat [bli:t] I. *s.* behăit. II. *vi.* a behăi.

bled [bled] *vt., vi. trec. și part. trec. de la* **bleed.**

bleed [bli:d] *trec. și part. trec.* **bled** [bled] I. *vt.* 1. a lua sânge *(cuiva).* 2. a jecmăni. II. *vi.* 1. a sângera. 2. **(for)** a suferi *(alături de cineva etc.).*

blemish ['blemiʃ] I. *s.* 1. pată. 2. defect. II. *vt.* 1. a strica. 2. a păta.

blench [blentʃ] I; *vi.* a slăbi, a păli; a se decolora. II. *vt.* a înălbi, a curăța; a decolora.

blend [blend] I. *s.* 1. amestec. 2. îmbinare. II. *vt., vi.* 1. a (se) îmbina. 2. a (se) amesteca.

blende [blend] *s. minr.* blendă.

Blenheim ['blenim] *s. zool.* rasă de câine spaniol.

blenny ['bleni] *s. iht.* pește marin din familia *Blenniidae.*

blent [blent] *vt., vi. trec. și part. trec. de la* **blend.**

bless [bles] *vt. trec. și part. trec.* **blest** [blest] 1. a binecuvânta. 2. a ferici. 3. a sfinți.

blessed ['blesid] *adj.* 1. binecuvântat. 2. sfânt. 3. fericit. 4. aducător de noroc. 5. norocos.

blessedness ['blesidnis] *s.* 1. stare binecuvântată, binecuvântare. 2. fericire; noroc; *(glumeț) single* ~ burlăcie. 3. sfințenie.

blessing ['blesiŋ] *s.* binecuvântare.

blest [blest] I. *trec. și part. trec. de la* **bless.** II. *adj.* *(poet.)* v. **blessed 2.**

blether ['bleðɔ] v. **blather.**

blew [blu:] *vt., vi. trec. de la* **blow.**

blight [blait] I. *s. agr.* cărbune, mălură. II. *vt.* 1. a distruge. 2. a ruina. 3. a strica.

blighter ['blaitɔ] *s.* 1. distrugător, vătămător. 2. *glumeț, fam.* tip plictisitor, pacoste. 3. *sl.* tip, gagiu, cetățean.

blimey ['blaimi] *interj. sl.* la naiba! ptiu! ei, drăcie!

blimp [blimp] *s. fam.* 1. *av.* balon (captiv) de observație. 2. om gras și greoi, butoi. 3. ultra conservator, naționalist înfocat și prost; Moș Teacă. 4. *amer.*

cin. blindaj insonor(izat) al aparatului de filmat.

blind [blaind] I. *s.* 1. jaluzea. 2. stor. || *the* ~ orbii. II. *adj.* 1. orb *(și fig.).* 2. chior. 3. absurd. 4. închis. III. *vt.* 1. a orbi *(și fig.).*2. a lua mințile *(cuiva).*

blind alley ['blaind'æli] *s.* fundătură.

blindfold ['blaindfould] I. *adj.* legat la ochi. II. *vt.* a lega la ochi. III. *adv.* orbește, cu ochii legați.

blindly ['blaindli] *adv.* 1. orbește, ca orbeții. 2. orbește, nechibzuit.

blind-man's-buff ['blaindmænz'bʌf] *s.* de-a baba oarba.

blindness ['blaindnis] *s.* orbire.

blink [bliŋk] *vi.* a clipi.

blinker ['bliŋkɔ] *s.* 1. *amer. sl.* semnalizator luminos. 2. *pl. fam.* ochelari de cal; ochelari. || *to be / run in* ~ s a avea ochelari de cal. 3. *pl. sl.* ochi.

blinking ['bliŋkiŋ] *sl.* I. *adj.* al dracului, al naibii, blestemat. II. *adv.* al naibii , al dracului de *(rău, nesuferit etc.).*

blip [blip] *s. telec.* vârf de ecou; impuls scurt; pip.

bliss [blis] *s.* fericire, extaz.

blissful ['blisfl] *adj.* fericit, binecuvântat.

blister ['blistɔ] I. *s.* băsicuță. II. *vi.* a se umfla.

blithe [blaið] *adj.* 1. vesel, zglobiu. 2. fericit.

blithering ['bliðɔriŋ] *adj. sl.* 1. care vorbește vrute și nevrute, treanca-fleanca. 2. jalnic, mizerabil; cretin. || ~ *idiot* idiot fără pereche.

blithesome ['blaiðsɔm] *adj.* v. **blithe 1.**

blitz [blits] I. *s.* 1. *(și* **blitzkrieg)** război fulger. 2. bombardament aerian masiv. 3. *mil. sl.* du-te-vino *(înainte de inspecție).* 4. atac prin surprindere. 5. *pol.* campanie rapidă și eficace. 6. (muncă în) asalt. II. *vt.* 1. a bombarda. 2. *mil. sl. (d. ostaș) to be* ~ed a fi scos la raport. III. *vi.* 1.(*școlar) sl. .*a lipsi de la oră; a nu se prezenta la un examen. 2. *mil. sl.* a-și curăța echipamentul în mare grabă *(înainte de inspecție).*

blizzard ['blizɔd] *s.* 1. vifor; viscol, furtună de zăpadă. 2. *fig.* ploaie de gloanțe. 3. *fig.* lovitură nimicitoare; răspuns tăios.

bloat [blout] I. *vt.* 1. a umfla, a umple *(cu aer).* 2. a afuma *(pește).* II. *vi.* 1. a se umfla, a se umple (cu aer); a se inflama. 2. *fig.* a se umfla în pene. II. *s.* 1. *sl.* tip încrezut. 2. *sl.* sugativă, suge-bute. 3. *amer. vet.* balonare, meteorism *(la cai etc.).*

bloated ['bloutid] *adj.* umflat.

bloater ['bloutɔ] *s.* scrumbie sărată *sau* afumată.

blob [blɔb] *s.* 1. pată. 2. picătură *(de ceară etc.).*

bloc [blɔk] *s.* 1. grup, ceată. 2. *pol.* bloc *(de țări etc.).*

block [blɔk] I. *s.* 1. butuc. 2. pietroi. 3. bloc. 4. blochaus, bloc (de locuințe). 5. *amer.* cvartal, clădirile dintre două străzi. 6. *amer.* colț. 7. piedică, opritoare. 8. calapod. || *to be sent to the* ~ a fi decapitat. II. *vt.* 1. a bloca. 2. a opri.

blockade [blɔkeid] I. *s.* blocadă. II. *vt.* a supune la blocadă.

blockage ['blɔkidʒ] *s.* blocare.

blockhead ['blɔkhed] *s.* tâmpit.

blockhouse [[blɔkhaus] *s.* 1. *mil.* cazemată, fort. 2. *constr.* construcție din bârne, șarpantă, baracă. 3. cabană. 4. *ferov.* post de bloc.

block letters [,blɔk'letɔz] *s. pl.* majuscule, verzale.

bloke [blouk] *s. sl.* 1. flăcău; tip; individ. 2. *mar. sl.* comandant.

blond(e) [blɔnd] *s., adj.* blond(ă).

blood [blʌd] *s.* 1. sânge. 2. rudenie. 3. origine. 4. familie. 5. dispoziție, temperament. 6. patimă. || *in cold* ~ calm, cu sânge rece; *his* ~ *is up* e furios.

blood-curdling ['blʌdkɔ:dliŋ] *adj.* înfiorător, grozav, care-ți îngheață sângele în vine.

blooded ['blʌdid] *adj.* 1. *(în cuvinte compuse)* cu sânge. 2. *(d. cai)* pur sânge. 3. de vită, de neam. 4. *mil.* care a suferit pierderi de sânge. 5. însângerat, plin de sânge.

bloodhound ['blʌdhaund] *s.* copoi *(și fig.).*

bloodless ['blʌdlis] *adj.* 1. fără sânge. 2. fără vărsare de sânge. 3. palid.

bloodshed ['blʌdʃed] *s.* vărsare de sânge.

bloodshot ['blʌdʃɔt] *adj. d. ochi* injectat, congestionat.

bloodstained [blʌdsteind] *adj.* 1. pătat de sânge. 2. *fig.* pătat de sânge, vinovat de vărsare de sânge, ucigaș.

blood-sucker [ˈblʌdˌsʌkə] s. zool. lipitoare (Hiruda officinalis) (şi fig.).

bloodthirsty [ˈblʌdˌθɔːsti] adj. **1.** sălbatic, sângeros, însetat de sânge. **2.** criminal.

blood vessel [blʌdvesl] s. anat. vas sangvin.

bloody [ˈblʌdi] **I.** adj. **1.** însângerat, sângeros; cu sânge. || amer. to wave the ~ shirt a asmuţi, a aţâţa (la luptă); a aţâţa pasiunile. **2.** setos de sânge, sângeros. **3.** vulgar blestemat, împuţit, al dracului. || there wasn't a ~ soul there nu era nici dracul. **II.** adv. **1.** sângeros, cu sânge. **2.** vulgar al dracului / naibii (de); it's ~ good e al naibii de bun. **III.** vt. a însângera.

bloom [bluːm] **I.** s. **1.** floare (şi fig.). **2.** puf. **3.** strălucire. || in ~ înflorit. **II.** vi. a înflori.

bloomer [ˈbluːmə] s. sl. gafă, boacănă.

bloomers [ˈbluːmɔz] s. pl. **1.** pantalon bufanţi (de damă). **2.** chiloţi (de damă). **3.** chiloţi (de sport).

blooming [ˈbluːmiŋ] adj. **1.** înflorit. **2.** fig. înfloritor. **3.** sl. mizerabil, nenorocit, cumplit. || a ~ fool (un om) prost ca noaptea.

blossom [ˈblɔsəm] **I.** s. **1.** floare, flori (mai ales de pomi fructiferi). **2.** înflorire. || in full ~ în (plină) floare. **II.** vt. rar a produce ca rod. **III.** vi. a înflori, a îmboboci. || to ~ out / forth a îmboboci. || fig. to ~ out into a se dezvolta în, a se transforma în. || seventeen-year-old Pamela has ~ed out into a beautiful woman la şaptesprezece ani (ai săi) Pamela a devenit o adevărată frumuseţe.

blot [blɔt] **I.** s. **1.** pată. **2.** defect. **II.** vt. **1.** a păta (şi fig.). **2.** a usca cu sugativa. || to ~ out a şterge; a nimici.

blotch [blɔtʃ] **I.** s. pată. **II.** vt. a păta.

blotter [ˈblɔtə] s. **1.** sugativă. **2.** tampon. **3.** mapă de birou.

blotting-paper [ˈblɔtiŋˌpeipə] s. sugativă.

blouse [blauz] s. bluză.

blow [blou] **I.** s. **1.** lovitură. **2.** pumn. **3.** şoc. **4.** nenorocire. **5.** plimbare. || at a ~ dintr-o lovitură; to come to ~s a ajunge la bătaie; to go for a ~ a ieşi să ia aer. **II.** vt. trec. **blew** [bluː] , part. trec. **blown** [bloun] **1.** a sufla. **2.** a cânta (din instrumente de suflat). **3.** a fluiera. **4.** a anunţa. **5.** a împinge. **6.** a arunca. **7.** a umple. **8.** a umfla. || to ~ out a stinge; a arunca în aer; a zbura (creierii etc.); to ~ up a umfla; a mări (o fotografie etc.); a arunca în aer. **III.** vi. trec. **blew** [bluː] , part. trec. **blown** [bloun] **1.** (d. vânt) a sufla; a bate. **2.** a zbura. **3.** a şuiera. **4.** a (ră)sufla. || to ~ out a exploda; a se topi; to ~ up a exploda; a se sfărâma.

blower [ˈblouə] s. **1.** foale. **2.** suflător. **3.** sufleu.

blown [bloun] vt., vi. part. trec. de la **blow.**

blow-out [ˈblouaut] s. **1.** explozie. **2.** izbucnire. **3.** pană de cauciuc. **4.** ospăţ.

blowpipe [ˈblowpaip] s. **1.** metal. ţeavă pentru sudat, tub de lipit. **2.** tehn. ţeavă de suflat sticlă.

blowsy [ˈblauzi] v. **blowzy**

blow-up [ˈblouʌp] s. **1.** fotografie mărită. **2.** explozie.

blowy [ˈbloui] adj. (d. zi etc.) vântos, cu vânt; (d. teren) bătut de vânturi.

blowzy [ˈblauzi] adj. **1.** gras şi rumen, roşu în obraji. **2.** (d. femei) despletit, neglijent, şleampăt.

blub [blʌb] vi. sl. a da apă la şoareci, a plânge în hohote; peior. a se smiorcăi.

blubber [ˈblʌbə] vi. **1.** a face gălăgie. **2.** a plânge zgomotos.

bluchers [ˈbluːkəz] s. pl. (un fel de) botine bărbăteşti cu şireturi.

bludgeon [ˈblʌdʒn] **I.** s. **1.** măciucă. **2.** matracă. **II.** vt. a ciomăgi.

blue [bluː] **I.** s. **1.** albastru. **2.** azur. || out of the ~ din senin; in the ~s melancolic, trist. **II.** adj. **1.** albastru, azuriu. **2.** trist, melancolic. **3.** decoltat, fără perdea.

Bluebeard [ˈbluːbiəd] s. **1.** Barbă Albastră (eroul unei poveşti). **2.** bărbat care a avut multe soţii.

bluebell [ˈbluːbel] s. bot. campanulă (Campanula sp.).

blue berry [bluːbəri] s. bot. afină, coacăză neagră (Vaccinium myrtillus).

blue-bird [ˈbluːbɔːd] s. amer. ornit. specie de sturz (Sialia Sialis).

blue-blood [ˈbluːˈblʌd] s. nobleţe, sânge albastru.

blue-blooded [ˈbluːˌblʌdid] adj. cu sânge albastru; aristocratic.

bluebonnet [ˈbluːbɔnit] s. **1.** bonetă albastră de lână purtată de scoţieni. **2.** fig. înv. scoţian, luptător scoţian. **3.** ornit. piţigoi albastru (Parus caeruleus). **4.** bot. vineţea, albăstrea (Centaurea cyanus).

blue-book [ˈbluːbuk] s. **1.** Carte Albastră (raport oficial al guvernului, al unei comisii parlamentare sau al consiliului de coroană în Anglia). **2.** amer. listă a persoanelor care ocupă funcţii de stat în S.U.A. **3.** amer. auto. ghid auto. **4.** amer. univ. ghid pentru examen.

bluebottle [ˈbluːˌbɔtl] s. musculiţă albastră (de carne).

bluejacket [ˈbluːˌdʒækit] s. fam. marinar, matelot (făcând parte din cadrele marinei S.U.A.).

blue-print [ˈbluːprint] s. **1.** plan. **2.** proiect. **3.** schemă.

blue-stocking [ˈbluːstɔkiŋ] **I.** s. „bas bleu", femeie „savantă" / pedantă. **II.** adj. fam. pedant, savant, preţios.

bluestone [ˈbluːstoun] s. piatră vânătă, sulfat de cupru.

bluet [ˈbluit] s. bot. albăstrea, albăstriţă (Centaurea cyanus).

bluff [blʌf] **I.** s. **1.** creastă. **2.** faleză. **3.** bot de deal. **4.** cacialma, bluf. **II.** adj. **1.** deschis, degajat. **2.** entuziast. **3.** abrupt (şi fig.) **III.** vt. a păcăli (prin cacialma). **IV.** vi. **1.** a trage o cacialma. **2.** a face un bluf.

bluish [ˈbluiʃ] adj. albăstrui.

blunder [ˈblʌndə] **I.** s. **1.** greşeală. **2.** gafă. **II.** vi. **1.** a greşi. **2.** a face gafe.

blunderbuss [ˈblundəbʌs] s. **1.** ist. espingolă. **2.** om stângaci / nătâng.

blunt [blʌnt] **I.** adj. **1.** tocit. **2.** teşit. **3.** (d. maniere) deschis, fără menajamente (v. şi **bluff 4.**) **4.** (d. persoane) brutal, necioplit (v. şi **bluff 1.**). **II.** vt. **1.** a toci. **2.** a teşi.

bluntly [ˈblʌntli] adv. pe faţă / şleau, deschis, fără menajamente.

bluntness [ˈblʌntnis] s. **1.** lipsă de ascuţime. **2.** fig. caracter obtuz, prostie, îngustime. **3.** fig. asprime, grosolănie. **4.** fig.

caracter drept *sau* tăios; sinceritate.

blur [blə:] I. *s.* 1. obscuritate. 2. lipsă de claritate. 3. pată. II. *vt.* 1. a întuneca. 2. a încețoșa.

blurb [blə:b] I. *s. sl.* anunț redacțional de reclamă; prezentare-reclamă *(mai ales a unei cărți)*. II. *vt.* a face reclamă *(unei cărți)*.

blurt [blə:t] *vt.*: to ~ out a scăpa, a da drumul la *(o vorbă etc.)*.

blush [blʌʃ] I. *s.* roșeață. II. *vi.* a roși.

bluster [ˈblʌstə] I. *s.* 1. bubuit. 2. izbucnire. II. *vi.* a izbucni.

blustering [ˈblʌstəriŋ] 1. năvalnic, impetuos, furtunos. 2. lăudăros, fanfaron.

blustery [blʌstəri] *adj.* v. **blustering**.

boa [ˈbouə] *s.* 1. *zool.* boa *(Boa constrictor)*. 2. guler de blană.

boar [bɔː] *s. zool.* 1. vier. 2. *(porc)* mistreț *(Sus scrofa)*.

board [bɔːd] I. *s.* 1. scândură. 2. tablă. 3. bord. 4. carton. 5. masă. 6. mâncare. 7. întreținere. 8. consiliu. 9. minister. || on ~ the ship pe bordul vasului. II. *vt.* 1. a podi. 2. a acoperi cu scânduri. 3. a întreține; a hrăni. 4. a se îmbarca în *(vapor etc.)*. III. *vi.* a lua masa *(la pensiune etc.)*.

boarder [ˈbɔːdə] *s.* 1. (elev) intern. 2. chiriaș; locatar.

boarding [ˈbɔːdiŋ] *s.* 1. scânduri. 2. podea. 3. întreținere.

boarding-house [ˈbɔːdiŋˌhaus] *s.* pensiune.

boarding-school [ˈbɔːdiŋskuːl] *s.* școală cu internat.

Board of Education [ˈbɔːdəvedjuˈkeiʃn] *s.* Ministerul Învățământului *(în Anglia)*.

Board of Trade [ˈbɔːdəvˈtreid] *s.* Ministerul Comerțului *(în Anglia)*.

boast [boust] I. *s.* 1. laudă de sine. 2. mândrie. 3. prilej *sau* motiv de mândrie. II. *vt.* 1. a se lăuda cu. 2. a avea, a dispune de. III. *vi.* a se lăuda.

boaster[1] [ˈboustə] *s.* lăudăros, fanfaron.

boaster[2] [ˈboustə] *s.* daltă *(a pietrarului / sculptorului)*.

boastful [ˈboustfl] *adj.* lăudăros.

boastfulness [ˈboustflnis] *s.* lăudăroșenie.

boat [bout] I. *s.* 1. vas, ambarcațiune. 2. vapor. 3. corabie. 4. barcă. 5. castron. II. *vi.* a naviga.

boater [ˈboutə] *s.* vâslaș; barcagiu.

boat hook [ˈbout huk] *s. mar.* cange.

boat house [ˈbout haus] *s.* hangar pentru bărci.

boating [ˈboutiŋ] *s.* 1. canotaj. 2. sporturi nautice.

boatman [ˈboutmən] *s.* barcagiu.

boatswain [ˈbousn] *s.* nostrom; șef de echipaj.

bob[1] [bɔb] I. *s.* 1. *sport* bob. 2. zdruncinătură. 3. șiling. 4. păr tuns scurt. II. *vt.* a scurta.

bob[2] [bɔb] *(pl.* **bob***)* *s. fam.* flăcău, băiat, cetățean.

bobbin [ˈbɔbin] *s.* bobină.

bobble [ˈbɔbl] *s.* ciucure, canaf.

bobby [ˈbɔbi] *s. fam.* polițai; jandarm. || *sl.* bobbies and thieves de-a hoții și vardiștii.

bobby-soxer [ˈbɔbiˌsɔksə] *s.* puștancă, codană.

bobcat [ˈbɔbkæt] *s. zool.* linx *(Lynx lynx)*.

bobolink [ˈbɔboliŋk] *s.* 1. *ornit.* bobolinc *(Dolichony oryzivorus)*. 2. *amer. fam.* guraliv, flecar, limbut.

bobsled [ˈbɔbsled], **bobsleigh** [ˈbɔbslei] *s. sport* bob(sleigh).

bobtail [ˈbɔbteil] I. *s.* 1. ciump, coadă tăiată. 2. coadă scurtă. 3. cal *sau* câine cu coada tăiată. 4. *fam* golan, vagabond. II. *adj.* v. **bobtailed**.

bobtailed [ˈbɔbteild] *adj.* berc, cu coadă tăiată.

bode[1] [boud] *trec. de la* **bide**.

bode[2] [boud] *vt.* (**well / ill**) a prevesti (bine / rău).

bodice [ˈbɔdis] *s.* 1. pieptar. 2. corsaj. 3. sutien.

bodiless [ˈbɔdilis] *adj.* fără trup, fără formă materială.

bodily [ˈbɔdili] I. *adj.* trupesc. II. *adv.* 1. total. 2. cu totul. 3. ca un singur om, toți odată.

bodkin [ˈbɔdkin] *s.* 1. sulă. 2. *mar.* pumnal. || to sit ~ a ședea înghesuit între două persoane; to walk ~ a se plimba cu două persoane la braț.

body [ˈbɔdi] *s.* 1. trup, corp. 2. om. 3. cadavru. 4. esență. 5. grup. 6. *pol.* organ; organizație. 7. *auto.* caroserie. 8. cantitate, vraf.

body-guard [ˈbɔdigɑːd] *s.* 1. gardă personală. 2. agent de pază.

Boer [ˈbouə, buə] *s. ist.* bur.

boffin [ˈbɔfin] *s. fam.* om de știință care lucrează la un proiect tehnic secret.

bog [bɔg] I. *s.* mlaștină. II. *vt., vi.* (**down**) a (se) împotmoli.

bogey [ˈbougi] *s.* v. **bogie**.

boggle [ˈbɔgl] I. *vi.* 1. (**at, about**) a se speria (de); a ezita *(față de, în fața)*. 2. a lucra de mântuială. 3. a fi ipocrit. II. *vt.* 1. a speria. 2. *amer.* a pune în încurcătură.

boggy [ˈbɔgi] *adj.* mlăștinos, mocirlos.

bogie [ˈbougi] *s.* 1. trăsurică cu două osii. 2. *ferov.* boghiu, cărucior. 3. v. **bogy** 1., 2., 3.

bogle [ˈbougl] *s.* 1. fantomă, spectru. 2. sperietoare, gogoriță, momăie.

bogus [ˈbougəs] *adj.* fals.

bogy [ˈbougi] *s.* 1. diavolul. 2. fantomă, arătare. 3. sperietoare, gogoriță. 4. v. **bogie** 1., 2. 5. *fam.* polițist. 6. *amer. av. fam.* avion inamic *(mai ales japonez)*.

Bohemian [bouˈhiːmiən] I. *s.* 1. locuitor din Boemia. 2. țigan. 3. boem *(artist, literat)*. 4. *ist.* husit. II. *adj.* 1. de boem. 2. țigănesc.

boil [bɔil] I. *s.* 1. fierbere. 2. bubă; furuncul. II. *vt., vi.* a fierbe *(și fig.)*.

boiler [ˈbɔilə] *s.* 1. cazan. 2. boiler.

boisterous [ˈbɔistrəs] *adj.* 1. zgomotos, gălăgios. 2. furtunos, violent.

bold [bould] *adj.* 1. curajos. 2. îndrăzneț. 3. obraznic. 4. izbitor.

boldly [ˈbouldli] *adv.* 1. cu curaj, cu îndrăzneală. 2. cu obrăznicie, cu nerușinare / obraznic.

boldness [ˈbouldnis] *s.* 1. curaj, îndrăzneală. 2. obrăznicie, neobrăzare. 3. proeminență, reliefare; caracter țipător. 4. caracter abrupt *(al țărmului)*.

bole [boul] *s. bot.* trunchi; tulpină; buturugă.

bolero *s.* 1. [bəˈlɛərou] *muz.* bolero *(dans spaniol)*. 2. [ˈbɔlərou] bolerou *(vestă scurtă)*.

Bolivian [boˈliviən] *adj., s.* bolivian.

boll [boul] *s. bot.* capsulă cu semințe.

bollard [ˈbɔləd] *s. mar.* bolard, baba (de chei / amarare); bintă.

boloney [bəˈlouni] *s. sl.* prostii, fleacuri, apă de ploaie.

Bolshevik [ˈbɔlʃivik] *s., adj.* bolșevic.

Bolshevism ['bɔlʃəvizm] s. bolşevism.

Bolshie ['bɔlʃi] adj., s. anarhist, rebel; bolşevic.

bolster ['boulstə] I. s. pernă, sul (de canapea) II. vt. a sprijini. 2. a susţine.

bolt[1] [boult] I. s. 1. zăvor. 2. foraibăr. 3. cui; bolt. 4. săgeată. 5. fulger. 6. izbucnire. || a ~ from the blue (fig.) un trăsnet căzut din senin. II. vt. 1.a zăvorî. 2. a da peste cap. III. vi. a fugi.

bolt[2] [boult] I. s. sită, grătar. II. vt. a cerne; a cerceta, a investiga.

bomb [bɔm] I. s. bombă (şi fig.). II. vt. a bombarda.

bombard [bɔm'baːd] vt. a bombarda (cu artileria; şi fig.).

bombardier [,bɔmbə'diə] s. 1. av. bombardier, avion de bombardament. 2. mil. caporal de artilerie.

bombardment [bɔm'baːdmənt] s. bombardament.

bombast ['bɔmbæst] s. bombasticism, stil umflat.

bombastic [bɔm'bæstik] adj. bombastic.

bombazine ['bɔmbəziːn] s. text. un fel de finet.

bomber ['bɔmə] s. 1. bombardier. 2. atentator cu bombe.

bombshell ['bɔmʃəl] s. 1. bombă, obuz, grenadă. 2. amer. sl. persoană interesantă (mai ales femeie) care atrage imediat atenţia asupra sa; bărbat / femeie bine.

bona fide ['bounə 'faidi] adj., adv. de bună credinţă. || ~ offer ofertă serioasă; ~ purchaser cumpărător serios.

bonanza [bou'nænzə] s. amer. 1. mine zăcământ bogat (mai ales aurifer). 2. fam. reuşită (neaşteptată).

bonbon ['bɔnbɔn] s. bomboană.

bond [bɔnd] s. 1. angajament. 2. fin. titlu. 3. acord, contract. 4. legătură. 5. lanţ. || in ~s înlănţuit, întemniţat.

bondage ['bɔndidʒ] s. sclavie.

bondholder ['bɔnd,houldə] s. com. deţinător de obligaţii / bonuri / titluri de rentă.

bond(s)man ['bɔnd(z)mən] s. rob.

bone [boun] I. s. os. II. vt. a curăţa de oase.

bone of contention ['bounəvkən'tenʃn] s. mărul discordiei.

boneset ['bounset] s. bot. tătăneasă (Symphytum officinale).

bonfire ['bɔnfaiə] s. 1. foc. 2. rug.

bongo ['bɔŋgou] s. muz. bongos.

bonhomie ['bɔnəmi] s. bonomie.

bonnet ['bɔnit] s. 1. bonetă. 2. husă.

bonny ['bɔni] adj. 1. drăguţ; frumos. 2. atrăgător.

bonsai ['bɔnsai] s. 1. bonsai, arbust pitic. 2. bonsai, arta de a creşte aceşti arbuşti.

bonus ['bounəs] s. primă.

bony ['bouni] adj. osos.

boo [buː] interj. huo!

boob [buːb] sl. I. s. gafă, boacănă. II. vi. a face o gafă, a călca în străchini.

booby ['buːbi] s. prostănac.

booby-trap ['buːbitræp] s. capcană.

boodle[1] ['buːdl] s. 1. lume, mulţime || the whole (kit and) ~ of them toată şleahta. 2. grămadă; teanc, maldăr. 3. amer. sl. mită, şperţ (mai ales în politică).

boodle[2] ['buːdl] s. sl. prost, tont, nătărău.

book [buk] I. s. 1. carte. 2. registru comercial. 3. caiet. 4. carnet. 5. agendă. 6. capitol. || the Book Biblia. II. vt. 1. a înregistra, a trece în registru. 2. a înscrie. 3. a reţine (bilete etc.).

book-case ['bukkeis] s. dulap de cărţi, bibliotecă.

bookie ['buki] s. fam. v. bookmaker.

booking-office ['bukiŋ,ɔfis] s. casă de bilete.

bookish ['bukiʃ] adj. livresc, cărturăresc.

book-keeper ['buk,kiːpə] s. contabil.

book-keeping ['buk,kiːpiŋ] s. contabilitate.

booklet ['buklit] s. broşură; cărticică.

book-maker ['buk,meikə] s. agent de pariuri, book-maker (la curse).

bookmark(er) ['bukmɑːk(ə)] s. semn (de carte).

book-seller ['buk,selə] s. librar.

bookshelf ['bukʃelf] s. raft / poliţă pentru cărţi.

bookshop ['bukʃɔp] s. librărie.

bookstall ['bukstɔːl] s. stand de cărţi.

bookstore ['bukstɔː] s. amer. librărie.

bookworm ['bukwəːm] s. 1. entom. car. 2. fig. şoarece de bibliotecă.

boom[1] [buːm] I. s. 1. prăjină. 2. băţ. 3. mar. vargă (de vântrelă); catarg. 4. bubuit. 5. avânt economic, (perioadă de) prosperitate. II. vi. 1. a bubui. 2. a prospera.

boom[2] [buːm] s. 1. mar. lanţ de închidere a unui port; tangon. 2. girafă, braţ de susţinere (a unui microfon, aparat foto etc.).

boomerang ['buːməræŋ] s. bumerang.

boon [buːn] I. s. 1. avantaj. 2. bine, serviciu (prietenesc), favoare. II. adj. 1. plăcut. 2. mărinimos.

boor [buə] s. topârlan, ţărănoi, bădăran.

boorish ['buəriʃ] adj. 1. mitocan, prost crescut. 2. ursuz.

boost [buːst] I. vt. 1. a ridica, a urca. 2. fig. a susţine cu înflăcărare. 3. fig. a mări (preţuri, salarii). 4. el. a mări tensiunea (cu gen.). 5. tehn. a mări presiunea (motorului). II. vi. 1. a fi foc şi pară. 2. (d. preţuri) a creşte repede. III. s. 1. sprijin, ajutor. 2. mărire (a salariilor, preţurilor etc.) 3. el. tensiune suplimentară. 4. fam. reclamă, propagandă.

booster ['buːstə] s. 1. ajutor, sprijin(itor). 2. speculant. 3. agent de publicitate. 4. el. supravoltor, supravoltor-devoltor. 5. mine. activant (flotaţie); dispozitiv auxiliar. 6. auto. servomotor.

boot [buːt] s. 1. gheată. 2. cizmă. 3. pl. lustragiu, băiat de serviciu (la un hotel)· || to ~ în plus, pe deasupra.

bootblack ['buːtblæk] s. lustragiu.

bootee ['buːtiː] s. 1. botină, ghetuţă (de damă). 2. botoşel împletit (de copil).

booth [buːð] s. 1. tarabă. 2. cabină (telefonică etc.).

bootleg ['buːtleg] I. s. 1. carâmb de cizmă. 2. amer. mil. sl. cafea proastă. 3. amer. fam. băuturi spirtoase de contrabandă. II. vi. amer. fam. a face comerţ cu băuturi spirtoase de contrabandă. III. vt. amer. fam. a vinde la negru (băuturi spirtoase).

bootlegger ['buːt,legə] s. contrabandist de alcool.

bootless[1] ['buːtlis] adj. zadarnic, inutil, fără rost.

bootless[2] ['buːtlis] *adj.* fără ghete *sau* cizme, desculț.

bootstrap ['buːtstræp] I. *s.* efort prin forțe proprii. II. *vt. cib.* a încărca (un sistem de operare).

booty ['buːti] *s.* pradă (de război).

booze [buːz] I. *s.* băutură (alcoolică). II. *vi.* a trage la măsea.

boozer ['buːzə] *s.* 1. *fam.* bețivan, sugativă, suge-bute. 2. *sl.* cârciumioară, bombă.

boracic acid [bə'ræsik 'æsid] *s. chim.* acid boric.

borage ['bɔridʒ] *s. bot.* limba-mielului *(Borrago officinale)*.

borax ['bɔːræks] *s. chim.* borax.

Bordeaux [bɔː'dou] *s.* bordo *(vin roşu)*.

border ['bɔːdə] I. *s.* 1. margine. 2. chenar. 3. frontieră. 4. limită. II. *vt.* a se învecina cu. III. *vi.* (**on**) a se învecina *(cu)*, a fi vecin *(cu) (şi fig.)*.

borderer ['bɔːdrə] *s.* vecin, mărginaş, locuitor de la graniță.

borderland ['bɔːdəlænd] *s.* ținut *sau* regiune de frontieră.

bore[1] [bɔː] *s. mar.* flux subit şi violent al mării *(la gurile înguste de râu)*.

bore[2] [bɔː] I. *s.* om plicticos. II. *vt.* 1. a găuri, a sfredeli. 2. a plictisi.

bore[3] *vt., vi. trec. de la* **bear.**

boreal ['bɔriəl] *adj.* boreal, septentrional, nordic, de miază-noapte.

boredom ['bɔːdəm] *s.* plictiseală.

boric ['bɔːrik] *adj. chim.* boric.

born [bɔːn] *vt., vi. part. trec. de la* **bear**; *folosit numai la pasiv:* născut. || *to be* ~ a se naşte.

borne [bɔːn] *vt., vi. part. trec. de la* **bear**: purtat, suportat etc.

boron ['bɔːrən] *s. chim.* bor.

borough ['bʌrə] *s.* târg; orăşel.

borrow ['bɔrou] *vt.* (**from**) a lua cu împrumut, a împrumuta (de la).

borrower ['bɔrouə] *s.* cel care ia cu împrumut, datornic.

borsch [bɔːtʃ] *s.* borş, ciorbă.

Borstal ['bɔːstl] *s. (în Anglia)* casă de corecție pentru delincvenți minori. || ~ *boy* tânăr delincvent internat într-o casă de corecție.

borzoi ['bɔːzɔi] *s.* borzoi, (specie de) ogar.

bosh [bɔʃ] I. *s. fam.* prostii, vax, tâmpenii. II. *vt. sl.* a necăji, a cicăli, a tachina. III. *interj.* prostii! aiureli!

bosket ['bɔskit] *s.* boschet; crâng, dumbravă.

bosky ['bɔski] *adj.* crângos; împădurit.

bosom ['buːzəm] *s.* 1. sân, piept. 2. *fig.* inimă, sân. 3. centru.

boss [bɔs] I. *s.* 1. umflătură. 2. bosă. 3. şef; patron. II. *vt., vi.* a porunci, a comanda.

bossy ['bɔsi] *adj.* 1. ieşit în afară, reliefat. 2. cu ieşituri / cucuie / cocoaşe. 3. autoritar; autocrat; patronal.

bo'sun ['bousn] *s. v.* **boatswain.**

botanical [bə'tænikl] *adj.* botanic.

botanist ['bɔtənist] *s.* botanist.

botanize ['bɔtənaiz] *vt., vi.* a botaniza, a colecționa şi studia plante.

botany ['bɔtəni] *s.* botanică.

botch [bɔtʃ] I. *s.* cârpăceală. II. *vt.* a rasoli.

both [bouθ] I. *adj., pron.* amândoi. II. *adv.* 1. deopotrivă. 2. împreună. III. *conj.:* ~ ... and ... atât ... cât şi ...

bother ['bɔðə] I. *s.* 1. necaz. 2. supărare; pacoste. 3. bătaie de cap. 4. pisălog; persoană plicticoasă. II. *vt.* 1. a necăji. 2. a pisa. III. *vi.* 1. a se necăji. 2. a se deranja. 3. a-şi bate capul. IV. *interj.* fir-ar al dracului! drace!

bothersome ['bɔðəsəm] *adj.* plicticos, supărător; turbulent.

bottle ['bɔtl] I. *s.* sticlă; garafă. II. *vt.* 1. a pune la sticle, a îmbutelia. 2. a închide. 3. a stăpâni.

bottle-green ['bɔtlgriːn] *adj.* verde-închis, de culoarea sticlelor.

bottleneck ['bɔtlnek] *s.* 1. gât de sticlă. 2. strâmtoare. 3. încurcătură de circulație, ambuteiaj.

bottom ['bɔtəm] I. *s.* 1. fund. 2. fund, dos. 3. temelie. 4. *fig.* adânc. 5. inimă, suflet, fire. || *to go to the* ~ a se scufunda; a duce lucrurile până la capăt; *from the* ~ *of one's heart* din adâncul inimii. II. *adj.* 1. ultimul. 2. cel mai de jos.

bottom land ['bɔtəm lænd] *s.* luncă (inundabilă); vale.

bottomless ['bɔtəmlis] *adj.* 1. fără fund; de nemăsurat, nesfârşit. 2. *(d. scaune)* fără fund. 3. *fig.* fără margini *(în sens negativ)*.

botulism ['bɔtjulizəm] *s. med.* botulism, infecție botulinică.

bouclé ['buːklei] *s. text.* fire cu aspect buclat.

boudoir ['buːdwɑː] *s.* budoar.

Bougainvillaea [buːgən'viliə] *s. bot.* bougainvilea, gen de plante tropicale agățătoare *(Nyctaginaceae)*.

bough [bau] *s.* ram(ură), crenguță.

bought [bɔːt] *vt., vi. trec. şi part. trec. de la* **buy.**

bouillon [buːjɔːŋ] *s.* bulion.

boulder ['bouldə] *s.* bolovan.

boulevard ['buːlvɑː] *s.* bulevard.

boult [boult] *vt. v.* **bolt**[2].

bounce [bauns] *vi.* 1. a sări. 2. a țopăi.

bouncer ['baunsə] *s.* 1. lăudăros, mincinos. 2. fanfaronadă; minciună sfruntată. 3. huidumă, zdrahon. 4. *amer. sl.* boxer etc. angajat să dea afară scandalagiii din localuri.

bouncing ['baunsiŋ] I. *adj.* sănătos, voinic. II. *s.* 1. salturi *(ale automobilului)*; hurducături. 2. *av.* salturi ale avionului la aterizare.

bound[1] [baund] I. 1. margine, limită. 2. graniță. 3. săritură. II. *adj.:* to be ~ for a se îndrepta către, a avea destinația. III. *vt.* 1. a limita. 2. a stăpâni. IV. *vi.* 1. a sări. 2. a țopăi.

bound[2] [baund] *vt., vi. trec. şi part. trec. de la* **bind** || *to be* ~ *to* a fi obligat *sau* menit să.

boundary ['baundri] *s.* 1. graniță. 2. limită.

bounden ['baundən] *înv. part. trec. de la* **bind.** || *it is my* ~ *duty* (*to*) este de datoria mea (să).

bounder ['baundə] *s. fam.* 1. bădăran. 2. nemernic, mizerabil. 3. birjă.

boundless ['baundlis] *adj.* nelimitat.

bounteous ['bauntiəs] *adj.* 1. bogat, abundent, copios. 2. generos, darnic.

bountiful ['bauntiful] *adj.* 1. darnic, mărinimos. 2. îmbelşugat.

bounty ['baunti] *s.* 1. mărinimie. 2. cadou. 3. gratificație.

bouquet ['bukei] *s.* buchet.

bourbon ['buəbən] *s. amer.* 1. *pol.* democrat, intransigent cu idei învechite, reacționar. 2. ['bɔːbən] whisky din porumb şi secară.

bourgeois ['buəʒwɑː] *s., adj.* burghez(ă).

bourgeoisie [ˌbuəʒwɑː'ziː] *s.* burghezie.

bourn [buən] *s.* pârâiaş, izvoraş.

Bourse ['buəs] *s. fin.* bursa pariziană.

bout [baut] *s.* 1. luptă. 2. atac; asalt. 3. acces.

boutique [bu:'ti:k] *s.* butic, (mic) magazin elegant de haine.

boutonnière [ˌbutə'njɛ] *s.* floare de butonieră.

bouzouki [bu'zu:ki] *s. muz.* buzukia, instrument grecesc asemănător mandolinei.

bovine ['bouvain] *adj.* 1. bovin; de bou; de vită. 2. *fig.* greoi, stângaci; tare de cap.

bow[1] [bau] I. *vt.* a îndoi, a (a)pleca. || *to* ~ *one's thanks* a-și exprima mulțumirile printr-o plecăciune. II. *vr.: to* ~ *oneself out of the room* a ieși din cameră ploconindu-se. III. *vi.* 1. a se îndoi, a se apleca. 2. *fig.* (to) a se înclina, a se închina (în fața), a face o reverență. 3. *fig.* a se supune, a-și pleca fruntea. IV. *s.* plecăciune, închinare, reverență.

bow[2] [bou] *s.* 1. arc. 2. arcuș. 3. curcubeu. 4. nod. 5. fundă. 6. papion.

bowdlerize [ˌbaudləraiz] *vt.* a cenzura, a expurga.

bowels ['bauəlz] *s. pl.* 1. intestine, mațe. 2. *fig.* inimă, centru.

bower ['bauə] *s.* 1. boltă de verdeață. 2. chioșc.

bowery[1] ['bauəri] *adj.* sădit cu pomi *sau* arbuști; umbros.

bowery[2] ['bauəri] *s. amer.* 1. *ist.* plantație. 2. **the Bowery** cartier al epavelor sociale (la New York).

bowie knife ['boui'naif] *s. amer.* cuțit lung de vânătoare.

bowl [boul] I. *s.* 1. bol, castronaș. 2. scobitură. 3. bilă (de popice). 4. *pl.* popice. II. *vi.* a juca popice.

bow-legged ['boulegd] *adj.* crăcănat, cu picioare strâmbe / arcuite (în formă de O).

bowler ['boulə] *s.* 1. jucător de popice *sau* cricket. 2. gambetă, pălărie melon.

bowling ['bouliŋ] *s.* 1. joc cu bile (de lemn ușor descentrate). 2. *amer.* joc de popice; bowling.

bowling alley ['bouliŋæli] *s.* 1. v. **bowling.** 2. *amer.* popicărie.

bowling green ['bouliŋgri:n] *s.* gazon pentru jocul cu bile.

bowman ['boumən] *s.pl.* **bowmen** ['boumən] arcaș.

bowshot ['bouʃɔt] *s.* 1. descărcare a arcului. 2. distanța până unde zboară o săgeată.

bowsprit ['bousprit] *s.* 1. *mar.* bompres. 2. *sl.* nas, bec, cioc.

box [bɔks] I. *s.* 1. cutie. 2. ladă. 3. lojă. 4. boxă. 5. colibă. 6. cabină. 7. palmă, lovitură. 8. *bot.* merișor turcesc (Buxus sempervirens). II. *vt.* a pălmui. || *to* ~ *smb.'s ears* a pălmui pe cineva, a trage cuiva o pereche de palme. III. *vi.* a boxa.

boxer ['bɔksə] *s.* boxer.

boxing ['bɔksiŋ] *s.* box.

Boxing-day ['bɔksiŋdei] *s.* ziua cadourilor (26 decembrie).

box-office ['bɔks ˌɔfis] *s.* casă de bilete (la teatru etc.).

boxwood ['bɔkswud] *s. bot.* cimișir, merișor turcesc (Bruxus sempervirens); lemn de cimișir.

boy [bɔi] *s.* 1. băiat. 2. fiu.

boycott ['bɔikɔt] I. *s.* boicot. II. *vt.* a boicota.

boyhood ['bɔihud] *s.* adolescență.

boyish ['bɔiiʃ] *adj.* 1. băiețos. 2. copilăros.

boyishness ['bɔiiʃnis] *s.* 1. purtare, înfățișare de copil. 2. (fig.) copilărie, naivitate, prostie.

bra [brɑ:] *s.* sutien.

brace [breis] I. *s.* 1. legătură. 2. acoladă. 3. pereche (pl. **brace**). 4. *pl.* bretele. 5. sfredel. II. *vt.* 1. a fixa. 2. a întări (și fig.). 3. a înviora.

bracelet ['breislit] *s.* brățară.

bracing ['breisiŋ] I. 1. *adj. (d. aer)* întăritor, înviorător. II. *s. constr.* 1. lucrări de sprijinire / armare; înțepenire, întărire, rostuire. 2. astereală, grătar de șipci.

bracken ['brækn] *s. bot.* ferigă (Aspidium polystichum).

bracket ['brækit] I. *s.* 1. consolă. 2. paranteză. 3. *pl.* aplice. II. *vt.* 1. a lega. 2. a uni.

brackish ['brækiʃ] *adj.* sălciu.

bract [brækt] *s. bot.* bractee.

brad [bræd] *s.* 1. cui fără floare; caia. 2. *pl. sl.* bani.

bradawl ['brædɔ:l] *s.* sulă, perforator.

brae [brei] *s. (în nordul Angliei)* mal abrupt; pantă; deal, povârniș.

brag [bræg] I. *vi.* a se lăuda, a se făli. II. *s.* 1. fanfaronadă. 2. fanfaron, lăudăros. III. *adj.* 1. *înv.* curajos, viteaz. 2. *înv.* fanfaron, palavragiu. 3. *amer.* de prima clasă, grozav.

braggadocio [ˌbrægə'doutʃiou] *s.*

1. lăudăros, fanfaron. 2. lăudăroșenie, fanfaronadă.

braggart ['brægət] *s.* lăudăros.

Brahmanism ['brɑ:mənizəm] *s.* brahmanism.

Brahmin ['brɑ:min] *s.* brahman.

braid [breid] *s.* 1. găitan; brandenburg. 2. împletitură. 3. panglică.

Braille, braille [breil] *s.* scrierea Braille (pentru orbi).

brain [brein] *s.* 1. creier. 2. minte. 3. capacitate.

brainless ['breinlis] *adj.* fără minte, zevzec.

brain('s) trust ['brein(z)trʌst] *s.* (grup de) experți.

brain pan [breinpæn] *s. anat.* cutie craniană, craniu.

brain-sick ['breinsik] *adj.* alienat mintal; smintit, nebun, țicnit.

brainy ['breini] *adj. (mai ales amer.)* deștept, priceput.

braise [breiz] I. *vt.* a fierbe înăbușit (carne). II. *s.* carne fiartă înăbușit.

brake[1] [breik] I. *s.* frână. II. *vt., vi.* a frâna.

brake[2] [breik] *s.* desiș, tufișuri.

brakeman ['breikmən] *s.* 1. *mai ales amer.* frânar. 2. *mine.* mecanic al mașinii de ridicat.

bramble ['bræmbl] *s. bot.* mur, rug (Rubus fruticosus).

bran [bræn] *s.* tărâțe.

branch [brɑ:ntʃ] I. *s.* 1. ramură. 2. despărțitură. 3. filială, sucursală. 4. organizație (de partid etc.). II. *vi.* 1. a se despărți. 2. a se ramifica.

brand [brænd] I. *s.* 1. stigmat. 2. semn. 3. specie, gen. 4. sort, marcă, sortiment. II. *vt.* a înfiera.

brandish ['brændiʃ] *vt.* a agita, a învârti amenințător, a amenința cu.

brand-new ['bræn'nju:] *adj.* nou-nouț.

brandy ['brændi] *s.* rachiu; coniac.

brash [bræʃ] I. *s.* morman de sfărâmături. II. *adj. (mai ales amer.)* 1. fragil, sfărâmicios. 2. *fam.* obraznic, insidios. 3. *fam.* necugetat.

brass [brɑ:s] *s.* 1. alamă. 2. alămuri. 3. obrăznicie. 4. bani.

brassica ['bræsikə] *s. bot.* plantă din genul Brassica (varză, conopidă, nap).

brassière ['bræsiəə] *s.* sutien.

brass tack ['brɑ:stæk] *s.* 1. țintă,

cui. **2.** *pl. fig.* amănunte, detalii mărunte.

brassy ['brɑːsi] **I.** *adj.* **1.** de alamă; de bronz. **2.** (*d. sunet*) metalic. **3.** nerușinat, neobrăzat. **II.** *s.* **1.** *sport* baston de golf cu vârf de aramă. **2.** lovitură dată cu un astfel de baston.

brat [bræt] *s.* **1.** *peior.* pici, mormoloc; copilaș *sau* copiliță; progenitură. **2.** *mine.* strat subțire de cărbune amestecat cu pirită.

bravado [brə'vɑːdou], *pl.* **bravado(e)s** [brə'vɑːdouz]) *s.* bravadă, fanfaronadă.

brave [breiv] **I.** *adj.* **1.** viteaz, curajos. **2.** temerar. **II.** *vt.* a brava.

bravely ['breivli] *adv.* vitejește, bărbătește, cu curaj.

bravery ['breivri] *s.* curaj.

bravo ['brɑː'vou] *s.*, *interj.* bravo!

bravura [brə'vjuərə] *s.* **1.** act de bravură; performanță strălucită. **2.** *muz.* pasaj / arie de mare dificultate, de bravură.

braw [brɔː] *adj.* (*cuvânt scoțian*) frumos, minunat, ales.

brawl [brɔːl] **I.** *s.* scandal, bătaie. **II.** *vi.* a se bate, a se certa.

brawler ['brɔːlə] *s.* scandalagiu, bătăuș.

brawn [brɔːn] *s.* **1.** mușchi, musculatură; forță musculară. **2.** carne de porc sărată. **3.** piele bătătorită și aspră.

brawny ['brɔːni] *adj.* voinic, mușchiulos.

bray [brei] **I.** *s.* răget de măgar. **II.** *vi.* (*d. măgar*) a rage.

braze [breiz] *vt. tehn.* a braza, a face o lipitură tare.

brazen ['breizn] *adj.* **1.** de alamă. **2.** obraznic. **3.** agresiv.

brazier ['breizjə] *s.* **1.** căldărar, tinichigiu. **2.** mangal, vas în care se pune jăratic.

Brazilian [brə'ziljən] *adj.*, *s.* brazilian.

Brazil nut [brə'zil 'nʌt] *s.* nuca arborelui sud-american *Bertholetia excelsa.*

breach [briːtʃ] **I.** *s.* **1.** încălcare, violare. **2.** abuz. **3.** spărtură, ruptură. **4.** breșă. **II.** *vt.* a sparge.

bread [bred] *s.* pâine.

bread fruit ['bredfruːt] *s.* fructul arborelui de pâine.

breadline ['brædlain] *s.* coadă la alimente *(pentru săraci, șomeri).*

breadstuffs ['bredstʌfs] *s. pl.* **1.** făină, făinuri. **2.** produse de panificație.

breadth [bredθ] *s.* lățime; lărgime.

bread winner ['bredwinə] *s.* susținător al familiei; cap de familie.

break [breik] **I.** *s.* **1.** ruptură; spărtură. **2.** întrerupere. **3.** distracție. **4.** ocazie (*mai ales bună*). **5.** împrejurare. **6.** chestiune. **II.** *vt. trec.* **broke** [brouk], *part. trec.* **broken** [broukn] **1.** a sparge. **2.** a rupe. **3.** a strica. **4.** a crăpa. **5.** a zdrobi. **6.** a frânge. **7.** a încălca. **8.** a slăbi. **9.** a bate (*un record*). **10.** a supune, a îmblânzi. || *to ~ somebody's heart* a sfâșia inima cuiva; *to ~ one's neck* a-și frânge gâtul. **III.** *vi. trec.* **broke** [brouk], *part. trec.* **broken** [broukn] **1.** a se sparge. **2.** a se sfărâma. **3.** a se desface. **4.** a se revărsa. **5.** a izbucni. **6.** a începe. **7.** (*d. vreme*) a se strica. || *to ~ away* a fugi; *to ~ down* a se strica; *to ~ in* a intra prin efracție; a face o spargere; *to ~ off* a se întrerupe; *to ~ through* a pătrunde; *to ~ up* a înceta.

breakable ['breikəbl] **I.** *adj.* care se sparge ușor, fragil, casant. **II.** *s. pl.* obiecte fragile / casabile (*veselă etc.*).

breakage ['breikidʒ] *s.* **1.** ciob. **2.** spărtură. **3.** stricăciune. **4.** daună, pagubă.

breakdown ['breikdaun] *s.* **1.** stricăciune; pană. **2.** accident. **3.** destrămare. **4.** prăbușire. **5.** criză (*de nervi, de astenie*).

breaker ['breikə] *s.* talaz.

breakfast ['brekfəst] *s.* gustare de dimineață.

breakneck ['breiknek] *adj.* **1.** primejdios. **2.** nebunesc; amețitor.

breakwater ['breik‚wɔːtə] *s.* dig.

bream [briːm] *s. iht.* plătică.

breast [brest] *s.* **1.** sân. **2.** piept. **3.** inimă. || *to make a clean ~ of smth.* a mărturisi adevărul, a spune tot (*într-o privință*).

breastplate ['brestpleit] *s.* **1.** platoșă, cuirasă frontală. **2.** presen, chinga de sub pieptul calului. **3.** semn pe piept. **4.** *fam.* șemizetă. **5.** *fam.* cravată lată. **6.** *tehn.* tăblie, blindaj frontal. **7.** *tehn.* lama buldozerului.

breaststroke ['breststrouk] *s.* (înot) bras.

breastwork ['brestwɔːk] *s.* **1.** *mil.* parapet. **2.** *constr.* balustradă, mână curentă. **3.** *mar.* fronton de dunetă.

breath [breθ] *s.* **1.** suflare. **2.** respirație; răsuflare. **3.** aer, adiere. || *out of ~* fără suflu, cu respirația întretăiată.

breathalyser ['breθəlaizə] *s.* fiolă alcoolscop, *fam.* bășică.

breathe [briːð] *vt.*, *vi.* **1.** a sufla. **2.** a răsufla, a respira.

breather ['briːðə] *s.* **1.** creatură, ființă. **2.** inspirator. **3.** aparat de respirat. **4.** *fam.* clipă de răgaz. **5.** *fam.* plimbare în aer liber.

breathless ['breθlis] *adj.* **1.** fără suflare. **2.** mort. **3.** gâfâitor.

breathtaking [breθ‚teikiŋ] *adj. fig.* care-ți taie respirația.

bred [bred] **I.** *vt.*, *vi. trec. și part. trec. de la* **breed**. **II.** *adj.* crescut, educat.

breech [briːtʃ] *s.* închizător (de armă).

breeches ['britʃiz] *s. pl.* pantaloni (*de călărie, bufanți etc.*).

breed [briːd] **I.** *s.* **1.** rasă; specie. **2.** neam. **II.** *vt. trec. și part. trec.* **bred** [bred] **1.** a naște. **2.** a crește, a educa, a învăța. **III.** *vi. trec. și part. trec.* **bred** [bred] a se înmulți.

breeder ['briːdə] *s.* **1.** crescător (*de animale*). **2.** zămislitor.

breeding ['briːdiŋ] *s.* **1.** creștere. **2.** maniere, educație.

breeze [briːz] **I.** *s.* **1.** boare; *mar.* briză. **2.** *fam.* ceartă. **3.** noutate; zvon; șoaptă. **II.** *vi.* **1.** a adia. **2.** *amer. fig.* a năvăli, a da buzna. **3.** (*d. vânt*) *to ~ up* a se înteți.

breezy ['briːzi] *adj.* **1.** ușor. **2.** vesel. **3.** aerisit (*fig.*).

Bren (gun) ['bren gʌn] *s. mil.* pușcă mitralieră.

brent [brent] *s. ornit.* gâscă din genul *Brenta.*

brethren ['breðrin] *s. pl. de la* **brother** confrați.

Breton ['bretn] **I.** *adj.* breton. **II.** *s.* **1.** breton. **2.** graiul breton.

breve [briːv] *s.* **1.** *ist.* brevă, scrisoare papală. **2.** *poligr.* semnul scurtimii (*deasupra vocalelor scurte*).

brevet ['brevit] **I.** *s.* **1.** hrisov, uric. **2.** brevet, decret de numire. **3.** *av.* brevet de pilot. **II.** *vt. mil.* a avansa pe baza unui brevet.

breviary ['briːvjəri] *s.* breviar.

brevity ['breviti] *s.* 1. concizie. 2. scurtime.

brew [bru:] I. *s.* 1. bere. 2. băutură. II. *vt.* 1. a fierbe. 2. *fig.* a cloci. III. *vi.* 1. a fierbe, a fermenta. 2. *fig.* a cloci.

brewer ['bru:ə] *s.* berar.

brewery ['bru:əri] *s.* fabrică de bere.

briar ['braiə] *s. bot.* 1. măceş (*Rosa canina*). 2. iarbă neagră.

bribe [braib] I. *s.* mită. II. *vt.* a mitui.

bribery ['braibəri] *s.* 1. mită. 2. corupţie.

bric-à-brac ['brikəbræk] *s.* 1. antichităţi, vechituri; rarităţi. 2. mărunţişuri, bibelouri.

brick [brik] I. *s.* 1. cărămidă. 2. bucată; calup. 3. băiat bun. 4. gafă. II. *vt.* a zidi.

brickbat ['brikbæt] I. *s.* cloţ, deşeu de cărămidă. || *to shy ~s at smb.* a arunca cu bucăţi de cărămidă în cineva; *fig.* a arunca cuiva săgeţi; a ataca pe cineva (*în presă etc.*). || *fam.* (*as*) *blind as a ~* orb ca o cârtiţă. II. *vt.* a arunca cu cărămizi.

bricklayer ['brik,leiə] *s.* zidar.

brickwork ['brikwə:k] *s.* zidărie.

brickyard ['brik,jɑ:d] *s.* cărămidărie.

bridal ['braidl] I. *adj.* de mireasă; de nuntă. II. *s.* petrecere de nuntă; nuntă.

bride [braid] *s.* mireasă.

bridegroom ['braidgru:m] *s.* mire.

bridesmaid ['braidzmeid] *s.* domnişoară de onoare.

bridge [bridʒ] I. *s.* 1. pod. 2. punte. 3. bridge. II. *vt.* a traversa.

bridgehead [bridʒhed] *s. mil., fig.* cap de pod.

Bridget ['bridʒit] *s. amer. fam.* servitoare.

bridle ['braidl] I. *s.* 1. căpăstru. 2. frâu. II. *vt.* a ţine în frâu (*şi fig.*).

brief [bri:f] I. *s.* 1. *jur.* dosar. 2. instructaj. 3. *pl.* chiloţi. II. *adj.* scurt.

briefcase ['bri:fkeis] *s.* servietă, mapă.

briefly ['bri:fli] *adv.* 1. în scurt timp. 2. în curând. 3. pe scurt.

brier[1] ['braiə] *s. bot.* 1. măceş, trandafir sălbatic (*Rosa canina*). 2. tufă de mărăcini.

brier[2] ['braiə] *s. bot.* iarbă neagră mediteraneană, erica (*Erica arborea*). 2. pipă făcută

din lemn de iarbă neagră.

briery ['braiəri] *adj.* ţepos, spinos.

brig [brig] *s.* 1. *nav.* bric, vas cu două catarge. 2. *amer. mar.* arest la bord. 3. (*cuvânt scoţian*) punte, pod.

brigade [bri'geid] *s.* brigadă.

brigadier [,brigə'diə] *s.* 1. brigadier. 2. comandant de brigadă.

brigand ['brigənd] *s.* tâlhar.

brigandage ['brigəndidʒ] *s.* tâlhărie, brigandaj.

brigantine ['brigəntain] *s. mar.* brigantin(ă).

bright [brait] *adj.* 1. strălucitor. 2. vesel. 3. isteţ.

bright article ['brait'ɑ:tikl] *s. fam.* fată frumoasă.

brighten ['braitn] *vt., vi.* a (se) lumina.

brightness ['braitnis] *s.* 1. strălucire. 2. luminozitate. 3. veselie. 4. isteţime, deşteptăciune.

brill [bril] *s. iht.* calcan (*Bothus rhombus*).

brilliance ['briljəns] *s.* strălucire, pompă.

brilliancy ['briljənsi] *s. v.* **brilliance**.

brilliant ['briljənt] *adj.* 1. strălucitor. 2. strălucit.

brilliantine [,briljən'ti:n] *s.* briliantină.

brim [brim] *s.* 1. margine. 2. bord. || *full to the ~* plin ochi.

brimful(l) ['brim'ful] *adj.* plin ochi.

brimstone ['brimstən] *s.* pucioasă, sulf.

brindled ['brindld] *adj.* dungat, vărgat.

brine [brain] *s.* 1. saramură. 2. apă de mare. 3. *poet.* mare.

bring [briŋ] *vt. trec. şi part. trec.* **brought** [brɔ:t] 1. a aduce. 2. a produce. 3. a determina. || *to ~ down* a dărâma; *to ~ about, to ~ forth* a produce, a da naştere la ; *to ~ home to* a lămuri (pe cineva); *to ~ off* a scoate; *to ~ out* a arăta; *to ~ up* a creşte, a educa; *to ~ to an end* a pune capăt la; *to ~ under control* a localiza; a învinge.

brink [briŋk] *s.* margine.

briny ['braini] I. *adj.* sărat. II. *s. fam.* mare, ocean. || *to do the ~* a plânge.

briquette [bri'ket] I. *s.* brichetă (*de cărbune*). II. *vt.* a bricheta.

brisk [brisk] *adj.* 1. rapid. 2. ager.

brisket ['briskit] *s.* piept (*de pasăre etc.*).

briskness ['brisknis] *s.* 1. vioiciune; agilitate. 2. prospeţime. 3. scânteiere.

brisling ['brizliŋ]*s. v.* **sprat**.

bristle ['brisl] I. *s.* păr ţepos. II. *vi.* 1. a se ridica. 2. a se cabra. 3. a se înţepeni.

bristly ['brisli] *adj.* aspru; ţepos.

Britannia [bri'tænjə] *s. poet.* Marea Britanie (*şi ca personificare a Marii Britanii sub forma unei femei pe monede etc.*).

Britannic [bri'tænik] *adj.* britanic (*numai în limbajul diplomatic, ca titlu al regelui sau reginei*).

British ['britiʃ] *adj.* britanic; englezesc.

Britisher ['britiʃə] *s. amer. fam.* britanic, englez.

Briton ['britn] *s.* englez; britanic.

brittle ['britl] *adj.* fragil.

broach [broutʃ] *vt.* 1. a da cep la. 2. a aborda (*un subiect etc.*).

broad [brɔ:d] I. *adj.* 1. larg. 2. lat. 3. lăţit. 4. mare, întins. 5. principal; general. 6. vag. 7. clar, limpede. || *a ~ hint* o aluzie transparentă; *in ~daylight* ziua în amiaza mare. II. *s. amer.* damă, stricată.

broad-brim ['brɔ:d'brim] *s.* 1. pălărie cu boruri mari. 2. *fam.* quaker.

broadcast ['brɔ:dkɑ:st] I. *s.* emisiune (*radiofonică etc.*). II. *vt. inf., trec. şi part. trec.* 1. a transmite, a difuza. 2. a împrăştia. III. *vi. inf., trec. şi part. trec.* a emite. IV. *adj.* 1. răspândit, difuzat. 2. radiodifuzat, transmis prin radio.

broadcloth ['brɔ:dklɔ(:)θ] *s. text.* 1. postav negru subţire (*dublu lat*); ţesătură scămoasă de bumbac. 2. *amer. text.* (ţesătură) poplin.

broaden ['brɔ:dn] I; *vt.* a lărgi, a lăţi, a extinde. || *muz. to ~ the time* a executa mai larg o măsură; *to ~ smb.'s outlook* a lărgi orizontul cuiva; (*d. un actor, instrumentist*) *to ~ one's style* a-şi îmbogăţi interpretarea cu noi mijloace de expresie. II. *vi.* a se lărgi, a se extinde. || *his face ~ed (out) into a grin* faţa i se dechise într-un zâmbet larg, zâmbi cu gura până la urechi.

broadly ['brɔ:dli] *adv.* (în mod)

larg. || ~ *speaking* în general vorbind; în linii mari.

broad-minded [ˈbrɔːdˈmaindid] *adj.* **1.** înțelept. **2.** descuiat *(fig.)*.

broadside [ˈbrɔːdsaid] *s.* **1.** *mar.* bordee, bord, flanc *(al unei nave)*. **2.** *mar.* tunurile unui bord; salvă de bord. **3.** *fig.* potop de ocări / înjurături.

broadsword [ˈbrɔːdsɔːd] *s.* paloș, sabie.

brocade [brəˈkeid] *s.* brocart.

brocaded [brəˈkeidˈid] *adj. text.* de brocart.

broccoli [ˈbrɔkəli] *s. bot.* conopidă italiană *(Brassica oleracea botrytis)*.

brochure [brɔˈʃjuə] *s.* broșură.

broderie anglaise [ˈbroudəri ˈɒːŋɡleiz] *s.* broderie englezească.

brogue [broug] *s.* **1.** accent dialectal *sau* regional *(mai ales irlandez)*. **2.** pantof grosolan; sabot. **3.** înșelătorie.

broider [ˈbrɔidə] *vt. înv.* v. **embroider**.

broidery [ˈbrɔidəri] *s. înv.* v. **embroidery**.

broil [brɔil] **I.** *s.* **1.** friptură. **2.** arșiță. **3.** încăierare. **II.** *vt.* a pârjoli; a frige. **III.** *vi.* **1.** a se înfierbânta. **2.** a se încăiera.

broiler [ˈbrɔilə] *s.* **1.** grătar. **2.** pui bun de fript la grătar. **3.** *fam.* zi foarte călduroasă, arșiță.

broke [brouk] **I.** *adj.* falit, lefter. **II.** *vt., vi. trec. de la* **break.**

broken [ˈbroukn] *vt., vi. part. trec. de la* **break.**

broken-down [ˈbroukn'daun] *adj.* **1.** *(d. sănătate)* ruinat, distrus; *(d. forțe)* epuizat. **2.** răvășit, pustiit. **3.** stricat, avariat.

broken-hearted [ˈbroukn'hɑːtid] *adj.* cu inima zdrobită, distrus *(de durere)*.

broker [ˈbroukə] *s.* agent de schimb.

brokerage [ˈbroukəridʒ] *s.* **1.** samsarlâc, misitie. **2.** *fin.* curtaj.

brolly [ˈbrɔli] *s. sl.* **1.** umbrelă. **2.** *av.* parașută.

bromide [ˈbroumaid] *s. chim.* bromură.

bromine [ˈbroumiːn] *s. chim.* brom.

bronchial [ˈbrɔŋkiəl] *adj. anat.* bronhial. || *the ~ tubes* bronhiile.

bronchitis [brɔŋˈkaitis] *s. med.* bronșită.

bronco [ˈbrɔŋkou] *s. (cuvânt*

spaniol) cal (pe jumătate) sălbatic din vestul Americii.

brontosaurus [ˌbrɔntəˈsɔːrəs] *s. paleont.* brontozaur *(Brontosaurus)*.

bronze [brɔnz] *s.* bronz.

brooch [broutʃ] *s.* broșă.

brood [bruːd] **I.** *s.* puii ieșiți din ou. **II.** *vi.* a cloci *(și fig.)*.

brooder [ˈbruːdə] *s.* **1.** cloșcă. **2.** *mai ales amer.* bruder *(aparat pentru creșterea puilor ieșiți din clocitoare)*; incubator. **3.** persoană veșnic adâncită în gânduri *(mai ales negre)*.

broody [ˈbruːdi] **I.** *adj.***1.** *(d. găină)* gata să cadă cloșcă. **2.** *fig.* cufundat în gânduri; visător. **II.** *s.* **1.** cloșcă. **2.** om trist, melancolic; visător.

brook [bruk] **I.** *s.* pârâu. **II.** *vt.* **1.** a tolera. **2.** a admite.

brooklet [ˈbruklit] *s.* pârâiaș, râuleț.

broom [brum] *s.* mătură.

broomstick [ˈbrumstik] *s.* coadă de mătură. || *fam.* to marry over the ~ *sau* to jump (over) the ~ a se lua fără cununie; a trăi în concubinaj.

broth [brɔθ] *s.* supă; bulion.

brothel [ˈbrɔθl] *s.* bordel, casă de toleranță.

brother [ˈbrʌðə] *s.* **1.** frate. **2.** *(pl.* **brethren)** confrate.

brotherhood [ˈbrʌðəhud] *s.* frăție.

brother-in-law [ˈbrʌðərinlɔː] *s.* cumnat.

brotherly [ˈbrʌðəli] **I.** *adj.* frățesc, fratern. **II.** *adv.* frățește.

brougham [ˈbru(ː)əm] *s.* **1.** caretă. **2.** *auto.* automobil vechi cu caroserie tip cupeu.

brought [brɔːt] *vt. trec. și part. trec. de la* **bring.**

brow [brau] *s.* **1.** frunte. **2.** sprânceană. **3.** bot de deal etc.

browbeat [ˈbraubiːt] *vt. trec.* **browbeat** [ˈbraubiːt], *part. trec.* **browbeaten** [ˈbraubiːtn] a teroriza.

browbeaten [ˈbraubiːtn] *vt. part. trec. de la* **browbeat.**

brown [braun] **I.** *s., adj.* maro, cafeniu. **II.** *vt., vi.* a (se) rumeni.

Brown, Jones and Robinson [ˈbraun, ˈdʒounz ən ˈrɔbinsn] *s.* englezi(i) simpli / de rând.

brownie [ˈbrauni] *s.* spiriduș, duh *(al casei)*.

Browning [ˈbrauniŋ] *s.* (revolver) browning.

brownstone [ˈbraunstoun] *s. amer.* gresie / piatră de construcție;

fam. votul claselor avute.

brown study [ˈbraunˈstʌdi] *s.* (acces de) melancolie *sau* tristețe, posomoreală.

browse [brauz] **I.** *vt.* **1.** a mânca, a roade *(frunze etc.)*. **2.** a paște. **II.** *vi.* **1.** (on) a paște, a mânca (din). **2.** a răsfoi *(cărți)*; a scotoci *(prin biblioteci)*. **III.** *s.* **1.** mlădițe. **2.** curățire a mlădițelor.

bruise [bruːz] **I.** *s.* **1.** contuzie. **2.** rană. **3.** lovitură. **II.** *vt., vi.* a (se) lovi.

bruiser [ˈbruːzə] *s.* **1.** atlet profesionist, boxer. **2.** huidumă, neainic. **3.** *fiz.* aparat pentru șlefuitul lentilelor.

bruit [bruːt] *înv.* **I.** *s.* zvonuri, vorbe. **II.** *vt.* (și to ~ about / abroad) a răspândi *(zvonuri)*.

brunet(te) [bruːˈnet] *s.* brunetă, fată / femeie oacheșă.

brunt [brʌnt] *s.* greul *(luptei etc.)*.

brush [brʌʃ] **I.** *s.* **1.** perie. **2.** pensulă. **3.** penel. **4.** trăsătură de penel. **5.** bidinea. **II.** *vt.* **1.** a peria. **2.** a lustrui. **3.** a atinge (în treacăt). **4.** a se spăla pe dinți.

brushwood [ˈbrʌʃwud] *s.* **1.** tufișuri, arboret. **2.** cătină. **3.** uscături.

brushy [ˈbrʌʃi] *adj.* **1.** ca peria. **2.** *(d. sprâncene etc.)* stufos, des.

brusque [bru(ː)sk] **I.** *adj.* brusc, răstit. **II.** *vt.* a brusca, a se purta aspru cu.

Brussels sprouts [ˌbrʌslz' sprauts] *s. pl. bot.* varză de Bruxelles *(Brassica oleracea bullata)*.

brutal [ˈbruːtl] *adj.* **1.** brutal, sălbatic. **2.** inuman.

brutality [bruːˈtæliti] *s.* sălbăticie.

brutalize [ˈbruːtəlaiz] **I.** *vt.* **1.** a abrutiza, a îndobitoci. **2.** a brutaliza. **II.** *vi.* **1.** a se abrutiza, a se îndobitoci. **2.** a trăi ca vitele.

brutally [ˈbruːtəli] *adv.* brutal, crunt, cu sălbăticie.

brute [bruːt] **I.** *s.* **1.** brută. **2.** fiară. **II.** *adj.* brut.

brutish [ˈbruːtiʃ] *adj.* **1.** animalic. **2.** primitiv. **3.** brutal.

bryony [ˈbraiəni] *s.* plantă agățătoare din genul *Bryonia*.

BST *abrev. British Summer Time* ora de vară britanică.

BT *abrev. British Telecom* Serviciul Britanic de Telecomunicații.

Bt *abrev. Baronet* baronet.

bubble [ˈbʌbl] **I.** *s.* **1.** bășicuță. **2.** balon *(de săpun etc.)*. **II.** *vi.* **1.** a face bășici. **2.** a bolborosi.

bubbly ['bʌbli] I. *adj.* 1. *(d. vin)* spumos. 2. *(d. sticlă)* cu goluri. II. *s. fam.* (vin) spumos; şampanie.

bubonic [bju:'bɔnik] *adj. med.* bubonic.

buccaneer ['bʌkə'niə] *s.* pirat.

buck[1] [bʌk] I. *s.* 1. cerb. 2. iepure. 3. *fam.* dolar. II. *vi.: to ~ up* a prinde puteri *sau* curaj.

buck[2] [bʌk] *s.* obiect folosit în jocul de pocher pentru a indica jucătorul ce va face cărţile. || *to pass the ~* a fugi de răspundere, a pasa răspunderea.

bucket ['bʌkit] *s.* 1. găleată. 2. doniţă. || *to kick the ~* a da ortul popii.

bucketful ['bʌkitful] *s.* (o) găleată *(de apă etc.)*. || *fam. it's raining in ~s* toarnă (cu găleata).

buck eye[1] ['bʌk ai] *s. bot.* castan porcesc (american) *(Aesculus sp.)*.

buckeye[2] ['bʌk ai] *s. amer.* locuitor al statului Ohio.

buckle ['bʌkl] I. *s.* cataramă. II. *vt.* 1. a încătărăma. 2. a încuia.

buckler ['bʌklə] *s.* scut.

buckram ['bʌkrəm] *s.* pânză aspră *(pt. legătorie)*.

bucksaw ['bʌksɔ:] *s.* ferăstrău cu arc.

buckshee [bʌk'ʃi:] 'sl. I. *s.* bacşiş, pomană. II. *adj., adv.* gratuit, de pomană.

buckshot ['bʌkʃɔt] *s.* alice mari.

buckskin ['bʌkskin] *s.* 1. piele de cerb *sau* de căprioară. 2. *pl.* pantaloni de piele de cerb *sau* căprioară.

buckwheat ['bʌkwi:t] *s. bot.* hrişcă *(Fagopyrum sagittatum)*.

bucolic [,bju'kɔlik] I. *adj.* 1. bucolic. 2. *poet.* pastoral, idilic. 3. rustic. II. *s.* 1. bucolică. 2. *glumeţ* locuitor de la ţară.

bud [bʌd] I. *s.* 1. boboc. 2. mugure. II. *vi.* a înmuguri.

Buddhism ['budizəm] *s.* budism.

Buddhist ['budist] I. *s.* budist. II. *adj.* budist.

buddleia ['bʌdliə] *s. bot.* plantă din genul *Buddleia*.

buddy ['bʌdi] *s.* 1. *amer. fam.* prieten, amic, flăcău; boboc. 2. *mil. sl.* camarad.

budge [bʌdʒ] *vi.* a se clinti; a se mişca.

budgerigar [bʌdʒəri'ga:] *s. ornit.* papagal pitic din Australia *(Melopsittacus undulatus)*.

budget ['bʌdʒit] I. *s.* buget. II. *vt.* 1. a planifica. 2. a împărţi raţional.

buff [bʌf] *s.* piele (de bou).

buffalo ['bʌfəlou] *s. pl. şi* **buffalo(es)** ['bʌfəlou(z)] *zool.* 1. bivol *(Bos bubalus)*. 2. bizon (american) *(Bison americanus)*.

buffer ['bʌfə] *s.* 1. *tehn.* tampon, amortizor. 2. *auto.* bară de protecţie. 3. *cib.* memorie intermediară. 4. *chim.* soluţie-tampon.

buffet[1] ['bʌfit] I. *s.* 1. lovitură; ghiont; pumn. 2. *fig.* lovitură. II. *vt.* 1. a lovi; a înghionti. 2. a lupta cu. III. *vi.* 1. *to ~ with* a lupta cu; *to ~ to* a-şi croi drum spre *(cu coatele)*. 2. a boxa.

buffet[2] ['bufei] *s.* bufet.

buffoon [bʌ'fu:n] *s.* 1. bufon. 2. clovn.

buffoonery [bʌ'fu:nəri] *s.* 1. bufonerie. 2. clovnerie.

bug [bʌg] *s.* 1. ploşniţă. 2. *amer.* insectă, gânganie.

bugaboo ['bʌgəbu:] I. *s.* 1. sperietoare, gogoriţă. 2. *fig.* spaimă, coşmar. 3. *fam.* microb. 4. defect (ascuns). 5. *amer. sl.* microfon secret / ascuns. || *big ~* mare ştab / grangur. 6. *amer. sl.* panică. 7. *amer. fam.* cuvinte urâte, limbaj violent şi trivial. II. *vt. amer. sl.* a spiona prin microfoane ascunse.

bugbear ['bʌgbɛə] *s.* gogoriţă.

bugger ['bʌgə] *s. peior.* 1. pederast, sodomit. 2. ticălos, porc.

buggy ['bʌgi] *s.* trăsurică.

bugle ['bju:gl] *s.* trâmbiţă, goarnă.

bugler ['bju:glə] *s. mil.* gornist.

build [bild] I. *s.* 1. formă; structură. 2. construcţie. 3. statură, trup. II. *vt. trec. şi part. trec.* **built** [bilt]1. a clădi. 2. a făuri. || *to ~ up* a alcătui. III. *vi. trec. şi part. trec.* **built** [bilt] a clădi.

builder ['bildə] *s.* constructor.

building ['bildiŋ] *s.* 1. clădire; construcţie. 2. construcţii.

built [bilt] *vt., vi. trec. şi part. trec. de la* **build**.

built-in [biltin] *adj. (d. dulapuri etc.)* zidit în perete; *(d. grădini etc.)* înconjurat de clădiri; *(d. bârne etc.)* zidit, încastrat.

bulb [bʌlb] *s.* 1. bulb. 2. bec electric.

bulbous ['bʌlbəs] *adj.* 1. bulbos. 2. umflat, bulbucat; holbat.

Bulgarian [bʌl'gɛəriən] I. *s.* 1. bulgar. 2. (limba) bulgară. II. *adj.* bulgar, bulgăresc.

bulge [bʌldʒ] I. *s.* umflătură. II. *vt., vi.* a (se) umfla.

bulk [bʌlk] *s.* 1. cantitate. 2. gros. 3. volum. 4. mărime. 5. majoritate.

bulkhead [bʌlkhed] *s.* 1. *mar.* bulmea, cloason, perete etanş / despărţitor. 2. *constr.* boiandrug, perete etanş, batardou. 3. acoperiş *(al unei anexe la clădire)*. 4. anexă, dependinţă.

bulky ['bʌlki] *adj.* 1. voluminos. 2. greoi.

bull[1] [bul] *s.* 1. taur. 2. bulă *(papală etc.)*.

bull[2] [bul] *s.* 1. prostie, neghiobie; gafă. 2. *înv.* glumă.

bull's eye [bulz ai] *s.* 1. fereastră, lucarnă ovală. 2. *mar.* cap de berbec. 3. lupă. 4. felinar cu sticlă măritoare. 5. *mar.* hublou fix. 6. *mil.* centrul ţintei, lovitură reuşită. || *to hit / to make / to score the ~* a nimeri ţinta *(şi fig.)*. 7. ceas de buzunar de modă veche. 8. *pl.* drajeuri. 9. *constr.* ochi de bou. 10. *auto.* ochi de pisică.

bulldog ['buldɔg] *s.* buldog.

bulldose, bulldoze ['bul,douz] *vt.* 1. a fărâmiţa *(minereu, rocă)*. 2. a curăţa şi nivela cu ajutorul unui buldozer. 3. *fam.* a şantaja; a intimida, a constrânge.

bullet ['bulit] *s.* glonte.

bulletin ['bulitin] *s.* buletin.

bullet-proof ['bulitpru:f] *adj.* antiglonţ, blindat.

bull-fight ['bulfait] *s.* coridă.

bullfinch ['bulfintʃ] *s.* 1. *ornit.* botgros *(Pyrrhula pyrrhula)*. 2. gard viu des, cu şanţ.

bull frog ['bulfrɔg] *s. zool.* broască-bou *(Rana catesbeiana)*, broscoi.

bullhead ['bulhed] *s.* 1. *iht.* chefal *(Mugil auratus)*. 2. *iht.* zglăvoacă *(Cottus gobio)*. 3. *fam.* cap sec, tâmpit.

bullion ['buljən] *s.* 1. lingou de aur / argint. 2. dantelă / ciucure din fir de aur.

bullock ['bulək] *s.* 1. tăuraş. 2. juncan.

bully[1] ['buli] I. *s.* 1. fanfaron. 2. *fig.* tiran. 3. terorist. 4. bătăuş. 5. codoş. 6. *înv.* ibovnic. 7. *mine.* perforator. II. *vt.* a nu lăsa în pace; a teroriza. III. *interj. fam.* straşnic! minunat!

bully² ['buli] *sport* I. *s.* punerea pucului în joc la hochei. II. *vi.:* *to ~ off* a începe jocul de hochei.

bulrush ['bulrʌʃ] *s. bot.* pipirig, rogoz *(Scirpus);* trestie, papură.

bulwark ['bulwək] *s.* bastion.

bum [bʌm] I. *s.* 1. *vulgar* fund, şezut, dos. 2. trântor, pierde-vară; *amer.* vagabond. 3. beţivan. 4. *înv.* aprod. II. *adj. sl.* 1. necinstit; condamnabil. 2. prost, mizerabil. III. *vi.* 1. a trândăvi; a trăi din pomeni / pe socoteala altuia. 2. *amer. sl.* a bea în neştire, a se face pulbere.

bumble ['bʌmbl] *vi.* 1. a face o gafă, a se comporta prosteşte. 2. a bâzâi. 3. *to ~ on* a vorbi vrute şi nevrute.

bumblebee ['bʌmblbi:] *s. entom.* bondar, bărzăun(e) *(Bombus terrestris).*

bump [bʌmp] I. *s.* 1. umflătură. 2. cucui. II. *vt.* 1. a ciocni. 2. a lovi. III. *vi.* 1. a sălta. 2. a se lovi.

bumper ['bʌmpə] I. *s.* pahar. II. *adj.* abundent, copios, bogat.

bumpkin ['bʌmkin] *s.* ţărănoi.

bumptious ['bʌmʃəs] *adj.* încrezut.

bumpy ['bʌmpi] *adj.* 1. cu hopuri. 2. săltat. 3. zguduit.

bun [bʌn] *s.* 1. chec (cu stafide); brioş; corn. 2. coc *(la spate).*

bunch [bʌntʃ] *s.* 1. mănunchi. 2. buchet. 3. pâlc.

buncombe ['bʌŋkəm] *s. amer.* v. **bunkum.**

bund [bʌnd] I. *s.* 1. chei (*în Japonia şi China*). 2. dig, zăgaz (*în India*). 3. *fam.* alianţă, ligă. II. *vt.* a îndigui, a zăgăzui.

bundle ['bʌndl] I. *s.* 1. boccea. 2. balot de fân. II. *vt.* 1. a lega, a face balot. 2. a pune laolaltă.

bung [bʌŋ] I. *s.* 1. cep. 2. cârciumar. 3. *sl.* minciună; înşelătorie. II. *vt.* 1. a astupa; a pune cepul la. 2. a învineţi (*un ochi*). 3. *sl.* a arunca (*pietre etc.*). III. *vi. sl.: to ~ off* a o şterge. IV. *adj.* (*cuvânt australian*) *sl.* 1. mort, răposat. 2. falit.

bungalow ['bʌŋgəlou] *s.* bungalou, căsuţă fără etaj (*cu verandă*).

bung hole [bʌŋ,houl] *s.* vrană.

bungle ['bʌŋgl] I. *s.* cârpăceală. II. *vt.* a rasoli.

bungler ['bʌŋglə] *s.* cârpaci.

bunion ['bʌniən] *s. med.* mont.

bunk¹ [bʌŋk] *s.* pătuţ; prici.

bunk² [bʌŋk] *s. amer. sl.* v. **bunkum.**

bunk³ ['bʌŋk] *sl.: to do a ~* a o şterge, a o tuli.

bunker ['bʌŋkə] *s.* 1. *mar.* cală, magazie de cărbuni. 2. buncăr.

bunkum ['bʌŋkəm] *s.* vorbe, vorbărie (goală), pălăvrăgeală; discurs demagogic.

bunny ['bʌni] *s.* iepuraş.

Bunsen burner ['bʌnsn 'bə:nə] *s. tehn.* bec / lampă Bunsen.

bunt¹ [bʌnt] *s.* 1. *mar.* burta / umflătura pânzei; bază a vergii. 2. partea umflată a unui năvod.

bunt² I. [bʌnt] *vt.* a lovi, a izbi (*cu capul, cu coarnele*); a înghionti; a împunge. II. *s.* lovitură (*cu capul*), împunsătură (*cu coarnele*); ghiont.

bunt³ [bʌnt] *s. bot.* mălură *(Tilletia tritici).*

bunting¹ ['bʌntiŋ] *s.* 1. stofă pentru steaguri, etamină. 2. *fam.* steaguri. 3. *mar.* burta pânzei; pavilioane.

bunting² ['bʌntiŋ] *s. ornit.* presură *(Emberiza).*

buoy [bɔi] I. *s.* geamandură, baliză. II. *vt.* a baliza. || *to ~ up* a ţine la suprafaţă; a susţine.

buoyancy ['bɔiənsi] *s.* 1. capacitate de plutire. 2. rezistenţă. 3. bună dispoziţie (permanentă), fire veselă.

buoyant ['bɔiənt] *adj.* 1. care nu se scufundă. 2. veşnic bine dispus, vesel, optimist.

bur [bə:] I. *s.* 1. *bot.* ghimpe, spin (*al unei plante*). 2. *bot.* scai, scaiete *(Cirsium lanceolatum).* 3. *fig.* om cicălitor, scai, pacoste. II. *vt.* a scoate ghimpii *etc.*

burble ['bə:bl] *vi.* 1. a murmura. 2. a sporovăi. 3. a gânguri.

burden ['bə:dn] I. *s.* 1. povară. 2. sarcină. 3. refren. II. *vt.* 1. a încărca. 2. a împovăra.

burdensome ['bə:dnsəm] *adj.* 1. împovărător. 2. obositor. 3. dificil.

burdock ['bə:dɔk] *s. bot.* 1. brustur *(Arctium lappa).* 2. scai, scaiete, pălămidă *(Cirsium lanceolatum).*

bureau [bju'rou] *s.* 1. birou. 2. *amer.* departament.

bureaucracy [bju'rɔkrəsi] *s.* 1. birocraţie. 2. aparat de stat.

bureaucrat ['bjuərokræt] *s.* birocrat.

bureaucratic [,bjuəro'krætik] *adj.* birocratic.

burg [bə:g] *s.* 1. *amer.* oraş; *peior.* târg(uşor). 2. *ist.* burg, oraş medieval.

burgeon ['bə:dʒn] *poet.* I. *s.* mugur(e), boboc; (v)lăstar. II. *vi.* a înmuguri (*şi fig.*). III. *vt.* a da (muguri).

burger ['bə:gə] *s. fam.* chiftea, cârnat, hamburger; sandviş cu tocătură.

burgess ['bə:dʒis] *s.* 1. cetăţean al unui municipiu. 2. *ist.* membru al parlamentului, reprezentând o universitate.

burgh ['bʌrə] *s.* (*şi ca sufix*) oraş scoţian.

burgher ['bə:gər] *s.* cetăţean, „bürger" (*în Germania şi Olanda*).

burglar ['bə:glə] *s.* spărgător, hoţ.

burglarious [bə:'glɛəriəs] *adj.* comis prin efracţie, legat de o spargere.

burglary ['bə:gləri] *s.* spargere, furt (prin efracţie).

burgle ['bə:gl] *vt.* 1. a sparge, a comite o spargere la. 2. a jefui, a prăda.

burgomaster ['bə:gə,mɑ:stə] *s.* 1. primar (*în oraşele olandeze, flamande şi germane*). 2. *ornit.* pescăruş *(Larus).*

burgundy ['bə:gndi] *s.* vin de Bourgogne.

burial ['beriəl] *s.* înmormântare.

burial ground ['beriəlgraund] *s.* cimitir, ţintirim.

burlap ['bə:læp] *s.* pânză de sac, pânză pentru ambalaj.

burlesque [bə:'lesk] I. *s.* 1. comedie bufă. 2. revistă, varieteu, music-hall. II. *adj.* burlesc. III. *vt.* a parodia, a satiriza.

burly ['bə:li] *adj.* corpolent, masiv.

Burmese [bə:'mi:z] I. *s.* birman(ă). II. *adj.* birman.

burn¹ [bə:n] I. *s.* arsură. II.*vt. trec. şi part. trec.* **burnt** [bə:nt] 1. a arde. 2. a frige. 3. a distruge. 4. a ataca. || *to ~ down* a arde până în temelii. III.*vi. trec. şi part. trec.* **burnt** [bə:nt] 1. a arde. 2. a frige.3. a fi în flăcări (*şi fig.*).

burn² [bə:n] *s.* (*cuvânt scoţian*) pârâu, izvor.

burner ['bə:nə] *s.* 1. arzător. 2. lampă. 3. ochi (*de aragaz etc.*).

burnish ['bə:niʃ] *vt.* a lustrui.

burnous [bə:'nu:s] *s.* burnuz.

burnt [bə:nt] *vt., vi. trec. şi part. trec. de la* **burn.**

burp [bə:p] I. *s.* râgâială. II. *vi.* a râgâi.

burr[1] [bə:] *s.* 1. brusture. 2. scai.

burr[2] [bə:] *s., vt.* v. **bur**.

burro ['bərou] *s., pl.* **burros** ['bə:rouz] măgar, asin.

burrow ['bʌrou] I. *s.* vizuină. II. *vi.* 1. a se ascunde (în vizuină). 2. (**into**) a săpa; a scormoni (în).

bursar ['bə:sə] *s.* 1. contabil; casier; trezorier; econom *(la universităţi)*. 2. bursier *(la o universitate scoţiană)*.

bursary ['bə:səri] *s.* 1. bursă, stipendiu. 2. casierie *(la universităţi)*. 3. *(cuvânt scoţian)* expoziţie.

burst [bə:st] I. *s.* 1. izbucnire. 2. explozie. II. *vt. inf., trec. şi part. trec.* 1. a sparge. 2. a arunca în aer. III. *vi. inf., trec. şi part. trec.* 1. a izbucni. 2. a exploda, a sări în aer. 3. a năvăli. 4. a se sparge. 5. a crăpa. || *to ~ open* a se deschide; *to ~ in* a intra cu de-a sila.

burthen ['bə:ðən] *s. poet.* v. **burden** I. 1.

burton ['bə:tn] *s. mar.* pălăncel.

bury ['beri] I. *vt.* 1. a îngropa. 2. a ascunde. 3. a da uitării. II. *vr.* a se îngropa.

bus [bʌs] *s.* autobuz.

busby ['bʌzbi] *s.* căciulă de husar / artilerist / genist *(în armata britanică)*.

bush[1] [buʃ] *s.* 1. tufiş. 2. arbust.

bush[2] [buʃ] I. *s.* 1. *tehn.* bucşă. 2. *mil.* bucşă de amorsare. II. *vt.* a pune *(o bucşă)*.

bushel ['buʃl] *s.* buşel *(aprox. două baniţe)*.

bushing ['buʃiŋ] *s. el.* bucşă.

Bushman ['buʃmən] *s.* boşiman.

bushy ['buʃi] *adj.* stufos.

business ['biznis] *s.* 1. ocupaţie. 2. afacere. 3. comerţ. 4. afaceri. 5. întreprindere. 6. treabă. 7. îndatorire. || *on ~* cu treabă, în interes de serviciu; *to get to ~* a se apuca de treabă.

business-like ['biznislaik] *adj.* 1. practic. 2. concret.

businessman ['biznismən] *s., pl.* **businessmen** ['biznismen] *s.* 1. om de afaceri, bussinessman. || *big businessmen* mari capitalişti.

busker ['bʌskə] *s.* 1. scamator. 2. cântăreţ ambulant.

buskin ['bʌskin] *s.* 1. coturn. 2. *fig.* tragedie. || *to put on the*

~*s* a scrie în stil de tragedie.

buss [bʌs] *înv.* I. *s.* sărut. II. *vt.* a săruta, a pupa.

bust [bʌst] *s.* bust.

bustard ['bʌstəd] *s. ornit.* dropie *(Otis tarda)*.

buster ['bʌstə] *s. amer. sl.* 1. ceva neobişnuit / extraordinar. 2. minciună gogonată. 3. om foarte voinic. 4. zurbagiu, scandalagiu. 5. chef, petrecere. 6. vânt puternic, uragan. 7. *amer.* individ, tip; *hello ~!* noroc, şefule!

bustle[1] ['bʌsl] I. *s.* 1. agitaţie. 2. zarvă, zgomot. II. *vt.* a zori. III. *vi.* 1. a se agita. 2. a se grăbi.

bustle[2] ['bʌsl] *s.* turnură *(la rochie)*.

busy ['bizi] I. *adj.* 1. ocupat. 2. activ. 3. harnic. II. *vr.* a se ocupa.

busybody ['bizi,bɔdi] *s.* 1. om băgăreţ. 2. pisălog.

but I. *s.* [bʌt] 1. opoziţie. 2. contrazicere. II. *pron.* [bət] care (să) nu. || *there was no man ~ admired him* toată lumea îl admira. III. *adv.* [bʌt] 1. numai. 2. dacă nu; *all ~* aproape. IV. *prep.* [bət] fără. || *the last ~ one* penultimul; *~ for* fără *(ajutorul etc.)*. V. *conj.* [bət] dar; totuşi.

butane ['bju:tein] *s. chim.* butan.

butch [butʃ] *adj. sl.* 1. dur, aspru, rău. 2. *(d. femeie)* masculinizată; (lesbiană) activă.

butcher ['butʃə] I. *s.* 1. măcelar. 2. *fig.* călău. II. *vt.* 1. a măcelări. 2. a tăia *(vite etc.)*.

butchery ['butʃəri] *s.* 1. abator, zalhana. 2. măcel, vărsare de sânge.

butler ['bʌtlə] *s.* 1. majordom; şeful personalului de serviciu. 2. lacheu.

butt[1] [bʌt] I. *s.* 1. pat *(de puşcă etc.)*. 2. ţintă *(a batjocurii etc.)*. II. *vt., vi.* a (se) lovi.

butt[2] [bʌt] *s.* poloboc *(cu o capacitate de 490,96 l)*.

butt[3] [bʌt] *s.* capăt / muc de ţigară, chiştoc.

butter ['bʌtə] I. *s.* unt. II. *vt.* a unge cu unt.

buttercup ['bʌtəkʌp] *s. bot.* piciorul-cocoşului, floarea-broşteas-că *(Ranunculus acer)*.

butterfly ['bʌtəflai] *s.* fluture.

butter milk ['bʌtə,milk] *s.* 1. zer. 2. lapte bătut.

butter nut ['bʌtənʌt] *s.* 1. *bot.* specie de nuc de America, nuc cenuşiu *(Juglans cinerea)*. 2. *pl. (în sudul S.U.A.)* salopetă cafenie. 3. *ist. S.U.A.* soldat din Războiul Civil (1861-1865).

butter scotch ['bʌtəskɔtʃ] *s.* bomboane *(din unt şi zahăr)*. || ~ *colour* culoarea zahărului ars, cafeniu deschis.

buttery ['bʌtəri] I. *adj.* 1. de unt; untos. 2. *fig.* măgulitor, linguşitor. II. *s.* bufet; cantină; cămară *(la universităţi, pentru provizii şi băuturi)*.

buttocks ['bʌtəks] *s. pl.* fese, fund.

button ['bʌtn] I. *s.* 1. nasture. 2. buton. II. *vt., vi.* a (se) încheia (la nasturi).

buttonhole ['bʌtnhoul] I. *s.* 1. butonieră, cheotoare. 2. floare (purtată) la butonieră. II. *vt.* a pisa *(fig.)*, a ţine de vorbă.

buttonhook ['bʌtnhuk] *s.* croşetă, cârlig *(de încheiat nasturi)*.

buttress ['bʌtris] I. *s.* 1. *constr.* contrafort; proptea; culee. 2. *fig.* sprijin, susţinător. II. *vt.* a sprijini, a propti.

buxom ['bʌksəm] *adj.* 1. dolofană. 2. atrăgătoare.

buy [bai] *vt. trec. şi part. trec.* **bought** [bɔt]. 1. a cumpăra. 2. a mitui. 3. a obţine. || *to ~ up* a cumpăra tot.

buyer ['baiə] *s.* cumpărător.

buzz [bʌz] I. *s.* bâzâit. II. *vi.* a bâzâi.

buzzard ['bʌzəd] *s. ornit.* şorecar *(Buteo buteo)*.

buzzer ['bʌzə] *s.* 1. bărzăune. 2. sirenă; claxon. 3. *el. summer;* buzzer; sonerie; întrerupător automat. 4. *mil. sl.* agent de legătură; transmisionist.

by [bai] I. *adj.* 1. local. 2. lateral. 3. secundar. II. *adv.* 1. alături. 2. aproape. 3. prin apropiere. || *in days gone ~* în vremuri de demult; *~ and ~* curând; după aceea. III. *prep.* 1. lângă. 2. prin. 3. peste. 4. dincolo de. 5. pe (lângă). 6. pe, în timp de. 7. până la. 8. cu (ajutorul). 9. cu, pe *(bucată etc.)*. 10. după. || *~ day* ziua; *~ then* până atunci; *~ far* cu mult; *~ the hundred* cu sutele; *~ myself* singur; *~ the ~, ~ the way* apropo; *one ~ one* unul câte unul.

bye [bai] s. sport: to draw / have the ~ a fi scutit de joc.

bye-bye ['bai'bai] interj. la revedere, pa.

by-election ['baii,lek∫n] s. alegeri locale.

bygone ['baigon] adj. trecut.

by-law ['bailɔ:] s. lege locală.

byline ['bailain] s. amer. numele / semnătura autorului unui articol de ziar.

by-pass ['baipɑ:s] vt. a ocoli.

bypath ['baipɑ:θ] s. potecă laterală.

byplay ['baiplei] s. teatru scenă mută; episod.

by-product ['bai,prɔdakt] s. produs secundar.

byre ['baia] s. (în nordul Angliei) staul, ocol.

by-road ['bairoud] s. drum secundar.

Byronic [bai'rɔnik] adj. byronian, ca (la) Byron, în stilul lui Byron; satanic; romantic.

bystander ['bai,stændə] s. 1. spectator. 2. trecător.

byway ['baiwei] s. 1. drum secundar. 2. fig. linie moartă.

byword ['baiwɔ:d] s. 1. persoană proverbială. 2. zicătoare.

Byzantine [bi'zæntain] adj. bizantin.

C

C [si:] s. 1. (litera) C, c. 2. muz. (nota) do. || C3 de categoria a treia; de proastă calitate.

cab [kæb] s. 1. birjă. 2. taxi. 3. cabină.

cabal [kə'bæl] I. s. cabală, intrigă; manevră politică; clică politică. II. vi. a complota, a unelti.

cabalistic [,kæbə'listik] adj. cabalistic, tainic.

caballero [,kæbə'l(j)erou] s. cavaler spaniol.

cabaret ['kæbərei] s. cabaret.

cabas [kə'bɑ:s] s. amer. coş de voiaj.

cabbage ['kæbidʒ] s. bot. varză (Brassica obracea capitata).

cabber ['kæbə] s. fam. cal de birjă.

cabby ['kæbi] s. fam. 1. birjar. 2. şofer de taxi.

caber ['keibə] s. (în Scoţia) grindă, bârnă, buştean. || sport tossing the ~ aruncarea buşteanului.

cabin ['kæbin] s. 1. colibă. 2. cabină.

cabin boy ['kæbinbɔi] s. mar. băiat de serviciu.

cabinet ['kæbinit] s. 1. vitrină, dulap. 2. cabinet. 3. guvern.

cabinet-maker ['kæbinit,meikə] s. tâmplar (de mobilă fină).

cable ['keibl] s. 1. odgon. 2. cablu; fir. 3. telegramă. II. vt., vi. a telegrafia.

cablegram ['keiblgræm] s. cablogramă; telegramă (transmisă prin cablu).

cablework ['keiblwɔ:k] s. 1. macara cu cablu, troliu cu cablu. 2. el. întinderea / aşezarea cablului. 3. pl. fabrică de frânghii.

cabman ['kæbmən] s. 1. birjar. 2. şofer de taxi.

caboodle [kə'bu:dl] s. sl.: the whole ~ toată societatea; toată şleahta; tot calabalâcul.

caboose [kə'bu:s] s. 1. mar. cambuză; bucătărie. 2. amer. vagon de serviciu (la trenurile de marfă). 3. amer. locuinţă.

cabrage ['kæbrɑ:ʒ] s. av. cabrare, cabraj.

cacao [kə'kɑ:ou] s. arborele sau fructul de cacao.

cachalot ['kæ∫ɔlɔt] s. zool. caşalot (Catadon, Physeter).

cache [kæ∫] s. 1. ascunzătoare. 2. depozit.

cachet ['kæ∫ei] s. 1. pecete / dovadă de autenticitate; semn distinctiv; caşet. 2. farm. caşet(ă), bulin.

cack-handed ['kækhændid] adj. stângaci (şi fig.).

cackle ['kækl] I. s. 1. cloncănit. 2 cârâit (de pasăre). 3. cotcodăcit. II. vi. 1. a cotcodăci. 2. a cloncăni. 3. a chicoti.

cacophony [kə'kɔfəni] s. cacofonie.

cactus ['kæktəs] s. bot. pl. cacti ['kæktai] sau **cactuses** ['kæktəsiz] cactus.

cad [kæd] s. 1. mitocan. 2. ticălos.

cadaverous [kə'dævərəs] adj. 1. cadaveric, de cadavru. 2. cadaveric, palid ca un mort.

caddie ['kædi] s. v. **caddy** 1.

caddis (-fly) ['kædis (flai)] s. entom. friganidă (Phryganea striata).

caddish ['kædi∫] adj. 1. mitocănesc; mojic. 2. rău, ticălos.

caddis-worm ['kædis wɔ:m] s. entom. larvă de friganidă.

caddy¹ ['kædi] s. 1. comisionar, remizier. 2. flăcăiaş. 3. băiat care aduce / strânge mingile la golf / tenis.

caddy² ['kædi] s. cutie pentru ceai.

cadence ['keidns] s. cadenţă, ritm, tact, modulaţie.

cadenza [kə'dɔnzə] s. muz. cadenţă.

cadet [kə'det] s. 1. mar. cadet, subofiţer. 2. fiu mai mic.

cadge [kædʒ] vt., vi. a cerşi.

cadger ['kædʒə] s. cerşetor, milog.

cadi ['kɑ:di] s. cadiu, judecător musulman.

cadmia ['kædmiə] s. 1. minr. calamită. 2. chim. cadmie, crustă solidificată de zinc.

cadmium ['kædmiəm] s. chim. cadmiu.

cadre ['kɑ:də] s. 1. cadru; plan. 2. mil. cadre active ale unei unităţi. 3. activist, cadru.

caducity [kə'dju:siti] s. 1. caducitate, caracter efemer. 2. şubrezenie, stare de ruină. 3. bătrâneţe, senilitate. 4. jur. prescripţie extinctivă; caducitate.

caecum ['si:kəm], pl. **caeca** ['si:kə] s. anat. cec, cecum.

Caesar ['si:zə] s. cezar, împărat, rege. || to appeal to ~ a face apel la o instanţă superioară; pol. a face apel la alegători (în timpul unor alegeri generale); rel.; to render to ~ the things that are ~'s a-i da Cezarului ceea ce este al Cezarului.

Caesarian [si'zɛəriən] adj. cezarian, de cezar; autocrat(ic). || ~ operation med. cezariană.

caesium ['si:zjəm] *s. chim.* cesiu.

caesura [si:'zjuərə] *s. metr.* cezură.

café ['kæfei] *s.* cafenea.

cafeteria [ˌkæfi'tiəriə] *s.* bufet expres *(cu autoservire).*

caffeine ['kæfi:n] *s.* cafeină, cofeină.

caftan ['kæfˌtæn] *s.* 1. caftan. 2. halat oriental lung.

cage [keidʒ] I. *s.* 1. colivie, cuşcă. 2. *mine.* lift. II. *vt.* a închide în colivie.

cagey ['keidʒi] *adj. fam.* evaziv.

cagmag ['kægmæg] I. *s.* 1. gâscă bătrână, cu carnea tare. 2. carne proastă; carne tare, iască. 3. cârcotaş; caţă, bârfitoare. II. *adj.* anost, searbăd.

cagoule [kə'gu:l] *s.* cagulă, pelerină impermeabilă cu glugă.

cahoot [kə'hu:t] *s. amer. sl.* tovărăşie, societate. || *to go ~s* a împărţi pe din două *(veniturile şi cheltuielile);* a merge / face fifty-fifty.

Cain [kein] *s. amer. fam.* iad; dracul *(numai în expresii).* || *what in ~ ?* la dracu, ce e?; *to raise ~* a face gălăgie / scandal.

cairn [kɛən] *s.* 1. tumul celtic. 2. movilă de pietre *(ca semn de hotar, de orientare etc.).*

cairngorm ['kɛən'gɔ:m] *s. minr.* topaz fumuriu.

caisson [kə'su:n] *s. mil., constr.* cheson.

caitiff ['keitif] *adj., s. înv., poet.* fricos; mişel, laş; ticălos, netrebnic.

cajole [kə'dʒoul] *vt.* 1. a linguşi. 2. a alinta. 3. a păcăli.

cake [keik] I. *s.* 1. prăjitură. 2. cozonac; chec. 3. turtă. 4. calup, bucată *(de săpun etc.).* || *to take the ~* a lua premiul; a lua potul. II. *vt.* a modela *(în formă de cărămidă etc.).* III. *vi.* *(d. noroi etc.)* a se usca, a se întări.

caking ['keikiŋ] *s. tehn.* 1. aglutinare, sinterizare. 2. tasare.

calabash ['kæləbæʃ] *s.* 1. *bot.* tigvă *(Lagenaria vulgaris).* 2. vas / pipă făcut(ă) din tigvă; narghilea.

calaboose ['kæləbu:s] *s. amer. sl.* pârnaie, închisoare.

calamin(e) ['kæləmain] *s. minr.* calamină, galmei.

calamitous [kə'læmitəs] *adj.* 1. dezastruos, fatal, catastrofal. 2. nenorocit, groaznic.

calamity [kə'læmiti] *s.* 1. nenorocire; năpastă. 2. dezastru. 3. calamitate (naturală).

calamus ['kæləməs] *s.* 1. *bot. (şi sweet ~)* obligeană, trestiemirositoare *(Acorus calamus).* 2. *ist.* pană de trestie.

calcareous [kæl'kɛəriəs] *adj. chim., minr., geol.* calcaros.

calcedony [kæl'sedəni] *s. minr.* calcedonie.

calceolaria [ˌkælsiə'lɛəriə] *s. bot.* plantă din genul *Calceolaria.*

calcify ['kælsifai] I. *vt. minr., chim., geol.* a calcifica. II. *vi.* 1. *minr., chim., geol.* a se calcifica, a se împietri. 2. *anat., med.* a se calcifi(c)a; a se osifica.

calcine ['kælsain] I. *vt.* 1. *tehn., chim.* a calcina, a prăji; a căli; a preface în var. 2. *fig.* a purifica. II. *vi. tehn., chim.* a se calcina; a se preface în var.

calcite ['kælsait] *s. minr.* calcit.

calcium ['kælsiəm] *s.* calciu.

calculate ['kælkjuleit] I. *vt.* 1. a calcula. 2. a socoti. 3. a plănui. II. *vi.* a face socoteli. || *to ~ on* a miza pe.

calculated ['kælkjuleitid] *adj.* 1. calculat, socotit. 2. intenţionat. 3. *~ to* destinat să; *~ for* destinat pentru; potrivit pentru.

calculation [ˌkælkju'leiʃn] *s.* 1. calcul. 2. socoteală. 3. chibzuială. 4. hotărâre. 5. rezultat.

calculator ['kælkjuleitə] *s.* 1. calculator. 2. maşină de calculat; aritmometru; contor.

calculus ['kælkjuləs], *pl.* **calculuses** sau **calculi** ['kælkjulai] *s.* 1. *med.* calcul, piatră. 2. *mat.* calcul.

caldron ['kɔ:ldrən] *s. v.* **cauldron.**

Caledonian [ˌkæli'dounian] *poet.* I. *s.* scoţian. II. *adj. geol., geogr.* caledonian, caledonic; scoţian.

calendar ['kælində] *s.* calendar.

calends ['kælindz] *s. pl. ist.* calende . || *(glumeţ) on / at the Greek ~* la calendele greceşti, la paştele cailor.

calf [ka:f] *s. pl.* **calves** [ka:vz] 1. viţel. 2. piele de viţel. 3. *anat.* pulpă, gambă.

calfskin ['ka:fskin] *s.* piele de viţel.

Caliban ['kælibæn] *s. fig.* monstru, dihanie.

calibrate ['kælibreit] *vt.* 1. *tehn.* a calibra; a etalona; a verifica; a regla. 2. *mil.* a calibra.

calibre ['kælibə] *s.* 1. calibru. 2. valoare.

calico ['kælikou] *s.* pânză albă de bumbac.

calif ['kælif] *s.* calif.

californium [ˌkæli'fɔ:njəm] *s. chim.* californiu.

calipers ['kælipəz] *s. pl. amer. v.* **callipers.**

caliph ['kælif] *s.* calif.

caliphate ['kælifeit] *s.* califat.

calisthenics [ˌkælis'θeniks] *s. pl. (folosit ca sing.)* gimnastică ritmică / suedeză; pregătire fizică, antrenament.

calk [kɔ:k] I. *s.* 1. cui de potcoavă, caia. 2. *amer.* ţintă, crampon. 3. *amer. sl.* aţipeală, moţăială. II. *vt.* 1. *mar.* a călăfătui, a astupa cu câlţi. 2. *tehn.* a ştemui. 3. a bate în caiele; a bate ţinte la. 4. *sl. mar.* a face să tacă; a astupa gura *(cuiva).*

call [kɔ:l] I. *s.* 1. strigăt. 2. chemare, apel. 3. convorbire telefonică. 4. mesaj. 5. invitaţie. 6. vizită. 7. atracţie. 8. cerere. 9. nevoie. II. *vt.* 1. a chema. 2. a striga. 3. a numi. 4. a atrage. 5. a considera. 6. a invita. || *to ~ away* a trimite în altă parte; *to ~ off* a opri; a anula; *to ~ a strike* a declara grevă ; *to ~ the roll* a face apelul, a striga catalogul; *to ~ up* a chema la telefon; a încorpora; a reaminti; *to ~ over the coals* a ocărî. III. *vi.* 1. a striga, a ţipa. 2. a face o vizită. || *to ~ for* a necesita; *to ~ out* a striga.

calla (lily) ['kælə (ˌlili)] *s. bot.* cală *(Zantedeschia aethiopica).*

caller ['kɔ:lə] *s.* vizitator.

calligraphy [kə'ligrəfi] *s.* caligrafie, scriere.

calling ['kɔ:liŋ] *s.* 1. profesie, meserie. 2. chemare *(şi fig.).* vocaţie.

callipers ['kælipəz] *s. pl.* 1. şubler. 2. compas de exterior.

callosity [kə'lɔsiti] *s.* 1. calozitate, îngroşare a pielii, bătătură *(mai ales în palmă).* 2. *fig.* asprime, duritate; cruzime.

callous ['kæləs] *adj.* 1. asprit; bătătorit. 2. nesimţitor; împietrit.

callow ['kælou] I. *adj.* 1. fără pene, gol(aş). 2. *fig.* crud, nepriceput. 3. *(d. ţărm etc.)* jos, uşor inundabil, mlăştinos. II. *s.* 1. depresiune, suprafaţă (uşor) inundabilă. 2. *mine.* strat de suprafaţă.

callus ['kæləs] *s.* 1. *med.*

bătătură; calus. **2.** *bot.* nod.

calm [kɑːm] **I.** *s.* **1.** calm, linişte. **2.** tihnă. **II.** *adj.* **1.** calm, liniştit. **2.** lin. **3.** tihnit. **III.** *vt., vi.* a (se) linişti.

calmative ['kælmətiv] **I.** *adj.* calmant, liniştitor, alinător. **II.** *s.* calmant.

calmness ['kɑːmnis] *s.* calm, linişte. || ~ *of mind* linişte sufletească.

calomel ['kæləmel] *s. chim.* calomel.

caloric [kə'lɔrik] **I.** *s.* căldură (şi *fig.*). **II.** *adj.* caloric, de căldură.

caloricity ['kælə'risiti] *s. fiziol.* putere calorifică.

calorie ['kæləri] *s.* calorie.

calorific [,kælə'rifik] *adj.* calorific; caloric; termic.

calorimeter [,kælə'rimitə] *s. fiz.* calorimetru.

calumet ['kæljumet] *s.* pipă; pipa păcii. || *to smoke the* ~ *together* a se împăca, a face pace, a cădea la înţelegere.

calumniate [kə'lʌmnieit] *vt.* a defăima.

calumnious [kə'lʌmniəs] *adj.* **1.** calomniator, bârfitor. **2.** fals.

calumny ['kæləmni] *s.* calomnie.

calvary ['kælvəri] *s.* calvar.

Calvary ['kælvəri] *s.* **1.** Golgota. **2.** *calvary* patimi, răstignire; *fig.* calvar, tortură, pătimire.

calve [kɑːv] **I.** *vi.* **1.** *(d. vaci, balene etc.)* a făta. **2.** *(d. aisberguri)* a se desface dintr-un gheţar. **II.** *vt.* a făta.

calves [kɑːvz] *pl. de la* **calf.**

Calvinism ['kælvinizəm] *s.* calvinism.

calx [kælks], *pl.* **calces** ['kælsiːz] *s.* reziduuri friabile rămase după arderea metalelor / mineralelor.

calyx ['keiliks], *pl.* **calyxes** ['keiliksiːz] *sau* **calyces** ['keilisiːz] *s.* **1.** *bot.* caliciu, potir. **2.** *mine.* scule de instrumentaţie.

cam [kæm] **I.** *s.* **1.** *tehn.* cui, bolţ; camă; excentric. **2.** *mine.* masă de alegere a minereului. **II.** *vt. tehn.* a ridica, a îndepărta *(cu cama).*

camber ['kæmbə] **I.** *s.* **1.** convexitate, îndoire, curbură; bombare. || ~ *of arch* săgeata arcului. **2.** *constr.* grindă curbată. **3.** *av.* curbură *(a aripii).* **II.** *vt.* a bomba, a curba, a îndoi.

cambist ['kæmbist] *s.* agent de bursă, agent de schimb, zaraf.

Cambrian ['kæmbriən] **I.** *adj.* **1.**

poet. velş, din Ţara Galilor. **2.** *geol.* cambrian. **II.** *s. poet.* locuitor din Ţara Galilor.

cambric ['kæmbrik] *s.* chembrică.

came [keim] *vi. trec. de la* **come.**

camel ['kæml] *s.* cămilă.

camellia [kə'miːljə] *s. bot.* camelie.

Camembert ['kæməmbɛə] *s. gastr.* brânză Camembert.

cameo ['kæmiou] *s.* camee, medalion.

camera ['kæmrə] *s.* **1.** aparat de fotografiat. **2.** aparat de filmat. **3.** cameră de luat vederi (pt. televiziune).

cameraman ['kæmrəmæn] *s. pl.* **cameramen** ['kæmrəmən] **1.** fotograf. **2.** operator *(de cinema, de televiziune etc.).*

camion ['kæmjən] *s.* camion.

camisole ['kæmisoul] *s.* camizol, cămăşuţă cu broderii.

camomile ['kæməmail] *s.* muşeţel, romaniţă *(Matricaria chamomilla).*

camouflage ['kæmuflɑːʒ] **I.** *s.* camuflaj; mascare. **II.** *vt.* a camufla.

camp[1] [kæmp] **I.** *s.* **1.** tabără. **2.** lagăr *(şi fig.).* **II.** *vi.* a campa, a aşterne tabăra.

camp[2] [kæmp] **I.** *adj.* **1.** exagerat, pretenţios. **2.** mofturos, afectat. **3.** efeminat; homosexual. **II.** *s.* purtare afectată. **III.** *vr.* a se purta afectat, a face pe grozavul, a strâmba din nas.

campaign [kæm'pein] *s.* campanie.

campaigner [kəm'peinə] *s.* **1.** combatant; luptător. || *old* ~ veteran; *fig.* cătană bătrână; om care a trecut prin multe. **2.** *pol.* susţinător *(al unui candidat),* agent electoral. **3.** organizatorul unei campanii (de presă).

campanile [,kæmpə'niːli], *pl.* **campaniles** *sau* **campanili** [,kæmpə'nilai] *s.* campanilă, clopotniţă.

campanology [kæmpə'nɔlɔdʒi] *s.* studiul clopotelor; trasul clopotelor.

campanula [kəm'pænjulə] *s. bot.* clopoţel *(Campanula).*

camp-bed ['kæmp'bed] *s.* pat de campanie.

camp-fire ['kæmp'faiə] *s.* foc de tabără.

camphane ['kæmfein] *s. chim.* camfan.

camphor ['kæmfə] *s. chim.* camfor.

camphorate ['kæmfəreit] *vt.* a impregna cu camfor.

camping ['kæmpiŋ] *s.* **1.** camping, dormit în corturi etc. **2.** turism.

campion ['kæmpiən] *s. bot.* **1.** opăţel *(Lychnis hemoxalis).* **2.** guşa porumbului *(Silene inflata).*

campus ['kæmpəs] *s. amer.* **1.** universitate. **2.** localul unei universităţi cu terenurile aferente.

campward(s) ['kæmpwɔːdz] *adv.* spre tabără.

cam shaft ['kæm ʃɑːft] *s. tehn.* arbore cu came.

can **I.** *s.*[kæn] **1.** cutie de tinichea. **2.** bidon. **3.** conservă. **II.** *v. mod. defectiv* [kən, kæn] *trec.* **could** [kəd, kud] **1.** a putea. **2.** a şti să. **3.** a fi posibil. **III.** *vt.*[kæn] **1.** a conserva; a pune în cutii (de conserve). **2.** a înregistra *(muzică, evenimente).*

Canaan ['keiniən] *s. rel.* Canaan, pământul făgăduinţei.

Canadian [kə'neidjən] *s., adj.* canadian(ă).

canal [kə'næl] *s.* **1.** canal artificial. **2.** *anat.* tub, canal.

canalize ['kænəlaiz] *vt.* a lega prin canale.

canard [kæ'nɑːd] *s.* ştire falsă, zvon; *pl.* braşoave, gogoşi.

canary [kə'nɛəri] *s.* canar.

canasta [kə'næstə] *s.* canasta *(joc de cărţi).*

can't [kɑːnt] *v.* **cannot.**

cancan ['kænkæn] *s.* cancan *(dans).*

cancel ['kænsl] *vt.* **1.** a anula. **2.** a şterge. **3.** a oblitera. **4.** a ştampila.

cancellation [,kænse'leiʃn] *s.* **1.** anulare. **2.** obliterare.

cancer ['kænsə] *s.* cancer.

Cancer ['kænsə] *s.* : *the Tropic of* ~ tropicul Cancerului.

candelabrum [,kændi'lɑːbrəm], *pl.* **candelabra** [kændi'læbrə] *s.* candelabru; policandru; sfeşnic *(cu multe braţe).*

candid ['kændid] *adj.* **1.** cinstit. **2.** sincer. **3.** naiv.

candidacy ['kændidəsi] *s.* candidatură.

candidate ['kændidit] **I.** *s.* candidat. **II.** *adj.* ales, nominalizat.

candidature ['kændidətʃə] *s.* candidatură.

candied ['kændid] *adj.* **1.** zaharisit, fiert în zahăr. **2.** cristalizat, glasat. **3.** *fig. (d. vorbe etc.)* mieros, seducător.

candle ['kændl] s. lumânare. || to burn the ~ at both ends a se consuma sau a se cheltui prea mult; a munci din greu.

candle light ['kændllait] s. **1.** lumină de lumânare. **2.** amurg, înserare.

candlestick ['kændlstik] s. sfeșnic.

candle wick ['kændl wik] s. **1.** muc, fitil. **2.** amer. cuvertură brodată.

candour ['kændə] s. **1.** candoare. **2.** cinste. **3.** sinceritate.

candy ['kændi] I. s. **1.** zahăr candel. **2.** amer. dulciuri; bomboane. II. vt. a face candel.

candy store ['kændistɔ:] s. amer. bombonerie.

candytuft ['kænditʌft] s. bot. limba-mării (Iberis umbellata).

cane [kein] I. s. **1.** (tulpină de) trestie. **2.** (băț de) bambus. **3.** baston. **4.** răchită. **5.** mobilă de răchită. **6.** nuia. II. vt. a bate cu bățul sau cu nuiaua.

cane-sugar ['kein'ʃugə] s. zahăr de trestie.

canicular [kə'nikjulə] adj. canicular, de caniculă.

canine ['keinain] adj. canin.

canister ['kænistə] s. **1.** canistră, bidon. **2.** cutie de metal.

cank [kæŋk] s. geol., constr. rocă bazaltică dură.

canker ['kæŋkə] I. s. **1.** aftă. **2.** rană. **3.** bot. cărbune. **4.** fig. putreziciune, cancer. II. vt. **1.** a distruge. **2.** a roade.

canker worm ['kæŋkə wə:m] s. **1.** zool. omidă (Geometra brumata). **2.** vierme. **3.** fig. necaz.

canned music ['kænd'mju:zik] s. muzică înregistrată (pe discuri sau benzi).

cannery ['kænəri] s. fabrică de conserve.

cannibal ['kænibl] s. **1.** canibal. **2.** sălbatic.

cannibalism ['kænibəlizəm] s. canibalism, antropofagie.

cannibalize ['kænibəlaiz] vt., vi. **1.** a refolosi piesele de la o mașină uzată. **2.** a restructura (o întreprindere).

cannikin ['kænikin] s. **1.** cutie de tablă. **2.** căniță (de lemn).

cannon ['kænən] s. pl. mai ales ~ tun.

cannonade [,kænə'neid] mil. I. s. canonadă. II. vt. a bombarda (cu artileria). III. vi. a trage cu tunul.

cannon-ball ['kænənbɔ:l] s. ghiulea.

cannoneer [,kænə'niə] s. mil. tunar, artilerist.

cannon-fodder ['kænən,fɔdə] s. carne de tun.

cannonry ['kænənri] s. rar, mil. **1.** canonadă. **2.** artilerie.

cannot ['kænət] v. mod. neg. a nu (se) putea, a fi cu neputință. || ~ do it nu pot / nu știu s-o fac; she ~ come nu poate veni; n-are voie să vină.

canny ['kæni] adj. viclean; prudent.

canoe [kə'nu:] s. canoe.

canon ['kænən] s. **1.** canon. **2.** regulă. **3.** principiu. **4.** canonic, preot.

canonical [kə'nɔnikl] adj. **1.** canonic. **2.** autorizat.

canonization [,kænənai'zeiʃn] s. bis. canonizare, sanctificare.

canonize ['kænənaiz] vt. **1.** a proclama sfânt, a canoniza. **2.** a sfinți.

canoodle [kə'nu:dl] sl. I. vt. a lua cu binișorul, a duce cu zăhărelul. II. vi. a se mângâia, a se dezmierda.

canopy ['kænəpi] s. baldachin.

canst [kænst] v. mod. pers. II. sg. înv. v. cannot.

cant[1] [kænt] s. **1.** prefăcătorie. **2.** vorbe ipocrite; minciuni. **3.** argoul hoților, al lumii interlope.

cant[2] [kænt] I. s. **1.** înclinare. **2.** margine tăiată pieziș. **3.** amer. grindă. **4.** împunsătură, lovitură. II. vt. **1.** a tăia pieziș; a ecarisa (lemnul), a teși; a fasona. **2.** a înclina. **3.** a răsturna. **4.** a împinge. III. vi. a se răsturna, a se întoarce pe o parte.

cantaloup ['kæntəlu:p] s. bot. catalup.

cantankerous [kæn'tæŋkərəs] adj. certăreț.

cantata [kæn'tɑ:tə] s. muz. cantată.

canteen [kæn'ti:n] s. **1.** bidon. **2.** ploscă. **2.** bufet. **3.** popotă; cantină.

canter ['kæntə] I. s. galop ușor. II. vi. a galopa.

canterbury ['kæntəbəri] s. etajeră (pentru note, ziare etc.).

cantharid ['kænθərid] s. entom. cantaridă.

canticle ['kæntikl] s. **1.** imn, cântare bisericească. **2.** Canticles pl. rel. Cântarea Cântărilor.

cantilever ['kæntili:və] I. s. constr. contrafișă; consolă. II. adj. **1.** av. cantilever. **2.** constr. (în) consolă.

cantle ['kæntl] s. **1.** bucată; felie. **2.** partea din față a șeii.

canto ['kæntou] s. **1.** lit. cânt (dintr-un poem, epopee etc.). **2.** muz. soprano. **3.** înv. cântec; baladă.

canton I. ['kæntən] s. canton (diviziune administrativă). II. [kən'tu:n] vt. mil. a cantona, a încartirui.

cantonal ['kæntənl] adj. cantonal, de canton.

Cantonese [,kæntə'ni:z] I. adj. din Canton. II. s. locuitor al Cantonului.

cantonment [kən'tu:nmənt] s. mil. **1.** cantonare, încartiruire. **2.** mil. bivuac, tabără. **3.** cantonament.

cantor ['kæntɔ:] s. cantor, dascăl.

canty ['kænti] s. (cuvânt scoțian) vesel.

canvas ['kænvəs] s. **1.** canava; canafas. **2.** pânză de corabie. **3.** tablou. **4.** pânză.

canvass ['kænvəs] I. vt. a dezbate. II. vi. a face propagandă (electorală etc.). **2.** a duce muncă de lămurire.

canvasser ['kænvəsə] s. **1.** persoană care cutreieră un oraș pentru a face abonamente etc. **2.** amer. librar ambulant. **3.** pl. echipă volantă, grup care duce muncă de lămurire, face propagandă electorală (din casă în casă) etc.

canvassing ['kænvəsiŋ] s. **1.** propagandă (electorală). **2.** muncă de lămurire (din casă în casă). **3.** anchetă socială; recensământ.

cany ['keini] adj. **1.** de trestie; ca trestia. **2.** plin de trestii.

canyon ['kænjən] s. canion.

caoutchouc ['kautʃu(:)k] s. cauciuc. || hardened ~ ebonit.

cap [kæp] I. s. **1.** șapcă. **2.** bască. **3.** bonetă; pălărie de damă. **4.** majusculă. II. vt. **1.** a acoperi. **2.** a depăși. **3.** a pune capac la (și fig.).

capability [,keipə'biliti] s. capacitate.

capable ['keipəbl] adj. **1.** capabil. **2.** apt; susceptibil (de îmbunătățire etc.).

capably ['keipəbli] adv. cu pricepere, cu îndemânare etc.

capacious [kə'peiʃəs] *adj.* încăpător.

capacitance [kə'pæsitns] *s. el.* capacitanţă, capacitate electrostatică.

capacitor [kə'pæsitə] *s. el.* condensator.

capacity [kə'pæsiti] *s.* 1. capacitate. 2. calitate. || *filled to* ~ arhiplin, plin ochi.

cap-a-pie [,kæpə'pi:] *adv.* din cap până în picioare, de sus până jos. || *armed* ~ înarmat până în dinţi.

caparison [kə'pærisn] I. *s.* 1. cergă pentru cai. 2. găteală, podoabe. II. *vt.* 1. a acoperi cu o cergă *(pentru cai)*. 2. a împodobi.

cape [keip] *s.* 1. capă. 2. etolă. 3. *geogr.* cap.

caper ['keipə] I. *s.* 1. ţopăială. 2. giumbuşluc. || *to cut* ~*s* a face giumbuşlucuri; a-şi face de cap. II. *vi.* a zburda.

capercailye [,kæpə'keilji] *s. ornit.* cocoş de munte *(Tetrao urogallus)*.

capillary [kə'piləri] I. *adj.* capilar. II. *s.* 1. ,anat. (vas) capilar. 2. *fiz., tehn.* (tub) capilar.

capital ['kæpitl] I. *s.* 1. *arhit.* capitel. 2 *geogr.* capitală. 3. *fin.* capital. 4. avere. 5. *poligr.* literă mare, majusculă. II. *adj.* 1. capital. 2. de moarte. 3. straşnic, excelent. 4. esenţial.

capitalism ['kæpitəlizəm] *s.* capitalism.

capitalist ['kæpitəlist] *s.* capitalist.

capitalistic [,kæpitə'listik] *adj.* capitalist, de capitalist.

capitalization ['kæpitəlai'zeiʃn] *s.* 1. *econ.* capitalizare; transformare în capital. 2. valorificare; rentabilizare.

capitalize ['kæpitəlaiz] I. *vt.* 1. a capitaliza, a tranforma în capital. 2. a fructifica; a rentabiliza. II. *vi.*: *to* ~ *upon* a scoate venituri din; a-şi face un capital din.

capitation [,kæpi'teiʃn] *s.* calcul / calculare pe cap de om.

Capitol ['kæpitl] *s.* 1. *ist.* Capitoliu. 2. *amer.* clădirea Congresului (parlamentului) S.U.A.

capitulate [kə'pitjuleit] *vi.* a capitula.

capitulation [kə,pitju'leiʃn] *s.* capitulare.

capon ['keipən] *s.* 1. clapon. 2. *fig., înv.* fricos. || *Norfolk* ~ scrumbie afumată.

capon judge ['keipən dʒʌdʒ] *s. sl.* judecător corupt.

caprice [kə'pri:s] *s.* capriciu; fantezie.

capricious [kə'priʃəs] *adj.* 1. capricios, năzuros. 2. nestatornic, schimbător.

Capricorn ['kæprikɔ:n] *s. astr.* Capricornul *(constelaţie şi semn al zodiacului).* || *geogr. the tropic of* ~ tropicul Capricornului.

capsicum ['kæpsikəm] *s. bot.* ardei (gras) *(Capsicum annuum).*

capsize [kæp'saiz] *vt., vi.* a (se) răsturna.

capstan ['kæpstən] *s. mar.* cabestan.

capstone ['kæpstoun] *s.* 1. *arhit.* cheie de boltă. 2. *pl. hidrologie* înveliş de coronament.

capsule ['kæpsju:l] *s.* capsulă.

captain ['kæptin] I. *s.* 1. căpitan. 2. şef. II. *vt. sport* a conduce.

caption ['kæpʃn] *s.* 1. titlu (de articol). 2. legendă de ilustraţie.

captious ['kæpʃəs] *adj.* 1. dificil; sâcâitor. 2. veşnic nemulţumit; critic; pedant.

captivate ['kæptiveit] *vt.* 1. a captiva. 2. a vrăji.

captive ['kæptiv] I. *s.* 1. deţinut. 2. prizonier. II. *adj.* captiv.

captivity [kæp'tiviti] *s.* 1. captivitate, prizonierat. || *to bring into* ~ a robi, a subjuga. 2. *fig.* robie; cătuşe.

captor ['kæptə] *s.* 1. persoană care ia în captivitate. 2. *mar.* vas care a capturat o pradă; corsar.

capture ['kæptʃə] I. *s.* 1. captură. 2. prindere. 3. pradă. 4. ostatic. II. *vt.* 1. a captura. 2. a lua prizonier. 3. a prinde. 4. a atrage.

Capuchin ['kæpjutʃin] *s.* 1. (călugăr) capucin. 2. *capuchin* manta cu glugă. 3. *zool.* (maimuţă) capucin *(Cebus capucinus).*

car [kɑ:] *s.* 1. automobil. 2. vagon. 3. tramvai. 4. nacelă. || *by* ~ cu maşina.

carabineer [,kærəbi'niə] *s. mil.* carabinier.

caraf(f)e [kə'rɑ:f] *s.* garafă.

caramel ['kærəmel] *s.* 1. caramelă. 2. caramel.

carapace ['kærəpeis] *s. zool.* carapace.

carat ['kærət] *s.* carat.

caravan [,kærə'væn] *s.* 1. caravană. 2. căruţă cu coviltir.

caravanserai [,kærə'vænsərai] *s.* 1. caravanserai. 2. hotel mare.

caravel ['kærəvəl] *s. v.* **carvel**.

caraway ['kærəwei] *s. bot.* chimen *(Carum carvi).*

carbine[1] ['kɑ:bain] *s.* 1. carabină. 2. puşcă cu ţeava scurtă.

carbine[2] ['kɑ:bain] *s.* 1. *înv. mil.* carabinier. 2. *text.* carabinieră.

carbohydrate ['kɑ:bou'haidreit] *s. chim.* hidrocarbonat.

carbolic [kɑ:'bɔlik] *chim.* I. *adj.* carbolic, fenic. II. *s. fam.* acid fenic.

carbon ['kɑ:bən] *s.* 1. carbon. 2. cărbune.

carbonate I. ['kɑ:bənit] *s. chim.* carbonat. II. *vt.* ['kɑ:bəneit] a carbonata.

carbonation [kɑ:bə'neiʃn] *s. chim.* carbonatare.

carbonic [kɑ:'bɔnik] *adj.* carbonic.

carboniferous ['kɑ:bə'nifərəs] *geol.* I. *adj.* carbonifer. II. *s.* carbonifer, era carboniferă.

carbonize ['kɑ:bənaiz] *vt.* 1. a carboniza; a carburiza; a carbonifica; a cocsifica; a arde. 2. a cementa, a carbura *(metale).*

carbon paper ['kɑ:bən,peipə] *s.* carbon, indigou.

carborundum [,kɑ:bə'rʌndəm] *s. tehn.* carborund, carbură de siliciu.

carbuncle ['kɑ:bʌŋkl] *s.* 1. antrax. 2. umflătură. 3. rubin, granat.

carburettor ['kɑ:bjuretə] *s.* carburator.

carcase, carcass ['kɑ:kəs] *s.* leş, stârv *(de animal).*

carcinogen [kɑ:'sinədʒən] *s. med.* carcinogen; agent cancerigen.

card[1] [kɑ:d] *s.* 1. carte de joc. 2. carte de vizită. 3. carton. 4. legitimaţie. 5. carte de vizită. || *one's best* ~ atu, argument zdrobitor.

card[2] [kɑ:d] *text.* I. *s.* cardă; darac. II. *vt.* a carda, a dărăci.

cardamon ['kɑ:dəmən] *s.* nucşoară *(fruct de Elettaria şi Amomum).*

cardboard ['kɑ:dbɔ:d] *s.* carton.

cardiac ['kɑ:diæk] I. *adj. anat.* cardiac. II. *s.* 1. *fig.* mângâiere, alinare. 2. *fam.* cardiac, persoană care suferă de inimă.

cardialgia [,kɑ:di'ældʒiə] *s. med.* cardialgie.

cardigan ['kɑ:digən] *s.* 1. cardigan *(vestă, haină tricotată).*

2. *Cardigan* rasă de câini. **3.** *text.* fang.

cardinal ['kɑːdinl] **I.** *s.* cardinal. **II.** *adj.* **1.** cardinal. **2.** principal. **3.** important. **4.** esenţial.

card index ['kɑːd 'indeks] *s.* fişier, cartotecă.

cardiogram ['kɑːdiəgræm] *s. med.* cardiogramă.

cardio-vascular [kɑːdiou'væskjulə] *adj. med.* cardiovascular.

care [kɛə] **I.** *s.* **1.** grijă. **2.** atenţie. **3.** preocupare. **4.** (sursă de) îngrijorare. **5.** îngrijire. **6.** protecţie. **7.** răspundere. || *to take ~ of* a se îngriji de; a avea grijă de; a se ocupa de; *take ~! ai grijă! fii atent! pa! la revedere!; take ~ of yourself! ai grijă (de tine)! fii atent! pe curând!* **II.** *vt. (cu inf.)* a dori. **III.** *vi.* **1.** a se îngriji. **2.** a fi preocupat. **3.** a fi îngrijorat. || *to ~ for* a ţine la (cineva, ceva) a-ţi păsa de; a îngriji.

careen [kə'riːn] *mar.* **I.** *vt.* a canarisi, a înclina în carenă. **II.** *vi.* a se canarisi, a se apleca într-o parte. **II.** *s.* canarisire, înclinare.

career [kə'riə] **I.** *s.* **1.** carieră. **2.** profesie. **3.** progres, înaintare. **4.** viteză. **II.** *vi.* **1.** a înainta. **2.** a goni.

careerist [kə'riərist] *s.* arivist, carierist.

carefree ['kɛəfriː] *adj.* **1.** lipsit de griji. **2.** fericit, vesel. **3.** nepăsător, insensibil. **4.** iresponsabil; imprudent.

careful ['kɛəfl] *adj.* **1.** atent, grijuliu. **2.** înţelept. **3.** exact. **4.** serios.

carefully ['kɛəfli] *adv.* cu grijă.

carefulness ['kɛəflnis] *s.* **1.** grijă, atenţie. **2.** migală, exactitate, acurateţe. **3.** prevedere, prudenţă. **4.** previziune; clarviziune.

careless ['kɛəlis] *adj.* **1.** neatent. **2.** nepăsător. **3.** neserios. **4.** uşuratic. **5.** nechibzuit.

carelessness ['kɛəlisnis] *s.* **1.** neglijenţă. **2.** nepăsare.

caress [kə'res] **I.** *s.* **1.** mângâiere. **2.** sărutare. **II.** *vt.* a mângâia.

caressing [kə'resiŋ] *adj.* mângâietor.

caret ['kærit] *s. poligr.* semn de omisiune.

caretaker ['kɛəteikə] **I.** *s.* **1.** îngrijitor. **2.** custode. **II.** *adj.* interimar.

care-worn ['kɛə wɔːn] *adj.* ros / copleşit de griji, necăjit.

car fare ['kɑː fɛə] *s. amer.* costul biletului de tramvai.

cargo ['kɑːgou] *s.* încărcătură.

cargoboat ['kɑːgou'bout] *s.* cargobot, vas comercial.

Caribbean [,kæri'biːən] *adj.* din regiunea mării Caraibilor.

caribou ['kæribuː] *s. zool.* caribu *(Rangifer tarandus).*

caricature [,kærikə'tʃuə] **I.** *s.* caricatură, portret caricatural, şarjă. **II.** *vt.* a caricaturiza.

caries ['kɛəriiːz] *s. med.* carie.

carillon [kə'riljən] *s.* **1.** sunet emis de mai multe clopote acordate diferit. **2.** dangăt de clopote; trasul clopotelor.

carload ['kɑːloud] *s.* **1.** încărcătura unui camion. **2.** pasagerii unui automobil.

carman ['kɑːmən] *s.* **1.** *amer.* manipulant, vatman. **2.** căruţaş. **3.** *amer.* lucrător la căile ferate, îngrijitor / reparator de vagoane.

Carmelite ['kɑːməlait] *s. bis.* (călugăr) carmelit.

carminativ ['kɑːminətiv] *s., adj. farm.* carminativ.

carmine ['kɑːmain] *s., adj.* **1.** carmin. **2.** stacojiu.

carnage ['kɑːnidʒ] *s.* măcel.

carnal ['kɑːnl] *adj.* trupesc.

carnation [kɑː'neiʃn] **I.** *s.* **1.** carnaţie, ten. **2.** *bot.* garoafă *(mai ales roşie) (Dianthus caryophyllus).* **II.** *adj.* roşu, rumen.

carnelian [kɑː'niːljən] *s. minr.* carneol.

carnival ['kɑːnivl] *s.* carnaval.

carnivore ['kɑːnivɔː] *s. zool.* (animal) carnivor.

carnivorous [kɑː'nivrəs] *adj.* carnivor.

carol ['kærl] **I.** *s.* colindă. **II.** *vi.* a cânta colinde.

Caroline ['kærəlain] *adj. ist.* **1.** carolingian. **2.** referitor la epoca lui Carol I sau II din Anglia *(sec. XVII).*

Carolinian [,kærə'liniən] *adj.* **1.** v. **Caroline** 2. **2.** din statul Carolina (S.U.A.).

carotid [kə'rɔtid] *s. anat.* (artera) carotidă.

carousal [kə'rauzl] *s.* chef.

carouse [kə'rauz] *vi.* a chefui.

carp [kɑːp] **I.** *s.* crap. **II.** *vi.* **1.** a fi nemulţumit, a se plânge. **2.** a găsi nod în papură. **3.** a insista; a pisa un subiect.

carpal [kɑːpl] *adj. anat.* carpian, al încheieturii mâinii.

Carpathian [kɑːː'peiθiən] *adj.* din (munţii) Carpaţi, carpatic.

carpel ['kɑːpel] *s. bot.* carpelă.

carpenter ['kɑːpintə] *s.* dulgher; tâmplar.

carpentry ['kɑːpintri] *s.* dulgherie; tâmplărie.

carpet ['kɑːpit] **I.** *s.* covor. **II.** *vt.* a acoperi *(cu covoare).*

carpet bag ['kɑːpitbæg] **I.** *s.* sac de voiaj; boccea. **II.** *adj.* aventurier.

carpet bagger ['kɑːpit,bægə] *s.* **1.** călător cu traista în băţ. **2.** aventurier, vântură-lume. **3.** *ist. peior.* politician *sau* bancher aventurier; aventurier politic; profitor. **5.** *(în Anglia)* candidat la deputăţie *sau* deputat.

carpus ['kɑːpəs], *pl.* **carpi** ['kɑːpai] *anat.* carp, încheietura mâinii.

carriage ['kæridʒ] *s.* **1.** trăsură. **2.** caleaşcă. **3.** vagon *(mai ales de pasageri).* **4.** cărăuşie; transport. **5.** *tehn.* car. **6.** afet. **7.** ţinută *(a corpului).*

carriage-forward ['kæridʒ,fɔːwəd] *adj., adv.* contra ramburs.

carriageway ['kæridʒwei] *s.* parte carosabilă.

carrier ['kæriə] *s.* **1.** cărăuş. **2.** portbagaj. **3.** mesager.

carrion ['kæriən] *s.* leş, stârv.

carrot ['kærət] *s.* **1.** *bot.* morcov *(Daucus carota)* **2.** *pl. fam.* păr roşcat; (om) roşcovan.

carry ['kæri] **I.** *vt.* **1.** a duce, a căra. **2.** a purta. **3.** a susţine. **4.** a prelungi, a continua. **5.** a prinde. **6.** a răpi. **7.** a câştiga. **8.** a ţine *(capul etc.).* || *to ~ away* a îndepărta, a fura *(şi fig.); to ~ coals to Newcastle* a căra apă la puţ; *to ~ forward* a reporta; *to ~ off* a răpi; a câştiga; *to ~ on* a desfăşura; a duce (mai departe); a continua; a purta; a-şi face de cap; *to ~ out* a îndeplini, a realiza, a înfăptui; *to ~ through* a duce la bun sfârşit; *to ~ weight* a fi convingător; a avea importanţă. **II.** *vi.* a ajunge.

carry-over ['kæri 'ouvə] *s.* rămăşite, vestigii ale trecutului.

cart [kɑːt] **I.** *s.* **1.** docar, şaretă. **2.** car. **II.** *vt.* a căra, a transporta.

cartage ['kɑːtidʒ] *s.* **1.** transport, cărăuşie, cărat *(cu tracţiune animală).* **2.** costul unui transport *(cu tracţiune animală).*

carte blanche ['kɑːt 'blɑːnʃ] *s.* **1.** blanchet, formular necompletat.

2. *fig.* puteri depline; libertate deplină *(de acţiune)*; semnătură în alb.

cartel ['kɑːtel] *s.* **1.** *econ.* cartel. **2.** *pol.* cartel electoral. **3.** *mil.* convenţie privind schimbul de prizonieri.

carter ['kɑːtə] *s.* **1.** căruţaş. **2.** cărăuş.

Carthaginian [ˌkɑːθəˈdʒiniən] *ist.* **I.** *s.* cartaginez. **II.** *adj.* cartaginez; punic.

Carthusian [kɑːˈθjuːzjən] *bis.* **I.** *s.* (călugăr) cartuzian. **II.** *adj.* cartuzian.

cartilage ['kɑːtilidʒ] *s. anat.* cartilaj; zgârci.

cartilaginous [ˌkɑːtiˈlædʒinəs] *adj.* cartilaginos.

cart load ['kɑːtloud] *s.* (indicând cantitatea) **(of)** car plin (de). || a ~ of foarte mulţi, foarte multe.

cartography [kɑːˈtɔgrəfi] *s.* cartografie, întocmirea hărţilor.

carton ['kɑːtən] *s.* **1.** cutie de carton. **2.** carton (de prăjituri). **3.** cartuş *sau* bax de ţigări.

cartoon [kɑːˈtuːn] *s.* **1.** caricatură. **2.** desen animat.

cartoonist [kɑːˈtuːnist] *s.* caricaturist.

cartouche [kɑːˈtuːʃ] *s.* **1.** *arhit., artă* cartuş(ă), cadru ornamentat. **2.** *mil.* cartuş; cartuşieră.

cartridge ['kɑːtridʒ] *s.* **1.** cartuş. **2.** doză de picup. **3.** *foto.* casetă *(de rolfilm)*.

cart wheel ['kɑːtwiːl] *s.* **1.** roată de căruţă, roata carului. **2.** *fig.* dare peste cap, roata; roata ţiganului. **3.** *av.* viraj, rotire. **4.** *sl.* monedă mare; dolar (de argint).

carve [kɑːv] *vt.* **1.** a ciopli. **2.** a sculpta. **3.** a cizela. **4.** a tăia, a tranşa *(carnea)*.

carvel ['kɑːvl] *s. mar.* **1.** *ist.* caravelă. **2.** filă de bordaj latin *sau* diagonal.

carver ['kɑːvə] *s.* **1.** gravor, cioplitor. **2.** cuţit pentru tăierea cărnii *(la masă).* || a pair of ~s cuţit şi furculiţă pentru tăierea cărnii.

carving ['kɑːviŋ] *s.* **1.** sculptură. **2.** cioplire. **3.** tranşare *(a cărnii).*

caryatid [ˌkæriˈætid] *arhit.* cariatidă.

cascade [kæsˈkeid] *s.* cascadă.

case[1] [keis] *s.* **1.** caz. **2.** situaţie. **3.** întâmplare. **4.** pacient. **5.** proces. **6.** argumente, pledoarie. **7.** *gram.* caz. || just in

~ ca să fie, pentru orice eventualitate; in any ~ în orice caz.

case[2] [keis] **I.** *s.* **1.** *tehn.* înveliş de protecţie; carcasă; manta. **2.** cutie. **3.** ladă; vitrină. **4.** tocul uşii / ferestrei. **II.** *vt.* **1.** a pune într-o ladă. **2.** a pune într-un cadru, a înrăma. **3.** a căptuşi; a acoperi. **4.** *amer. sl.* a cotrobăi; a inspecta *(d. hoţ etc.).*

casein ['keisiin] *s. chim.* cazeină.

casemate ['keismeit] *s. mil.* cazemată.

casement (window) ['keismənt ('windou)] *s.* fereastră batantă.

cash [kæʃ] **I.** *s.* **1.** bani (gheaţă). **2.** capital, avere. || ~ down cu bani peşin; ~ on delivery contra ramburs; out of ~ fără bani. **II.** *vt.* a încasa.

cash-book ['kæʃbuk] *s.* registru de încasări.

cashew [kæˈʃuː] *s. bot.* **1.** anacard, *(Anacardium occidentale).* **2.** acaju.

cashier [kəˈʃiə] **I.** *s.* casier. **II.** *vt.* a concedia.

cashmere [kæʃˈmiə] *s. text.* caşmir.

cash-register ['kæʃˈredʒistə] *s. com.* maşină de casă *(care înregistrează încasările).*

casing ['keisiŋ] *s.* **1.** învelitoare. **2.** înveliş. **3.** *tehn.* lagăr.

casino [kəˈsiːnou] *s.* cazino.

cask [kɑːsk] *s.* butoi.

casket ['kɑːskit] *s.* **1.** cutie, casetă *(de bijuterii etc.).* **2.** *amer.* sicriu.

casque [kæsk] *s. ist. poet.* coif, cască.

cassava [kəˈsɑːvə] *s.* **1.** *bot.* manioc *(Manihot utilissima).* **2.** *farm.* tapioca.

casserole ['kæsəroul] *s.* **1.** tigaie *(cu toartă)*, cratiţă *(de argilă).* **2.** musaca / ghiveci *(cu carne, legume, cartofi sau orez, învelite în aluat).*

cassete [kəˈset] *s.* casetă.

cassia ['kæsiə] *s. bot.* **1.** casia *(Cassia).* **2.** scorţişor *(Cinnamomum cassia).*

cassiopeium [ˌkæsiəˈpiːjəm] *s. chim.* casiopeiu, luteţiu.

cassock ['kæsək] *s.* sutană.

cassowary ['kæsəweəri] *s. ornit.* cazuar *(Casuarius).*

cast [kɑːst] **I.** *s.* **1.** aruncare. **2.** rest. **3.** răsucire. **4.** mulaj. **5.** *teatru, cin.* distribuţie. **II.** *vt. inf., trec. şi part. trec.* **1.** a arunca. **2.** a trimite. **3.** a îndrepta. **4.** *tehn.* a turna, a mula. **5.** a

socoti. || to ~ a vote a vota; to ~ a thing in smb.'s teeth a-i spune cuiva un lucru de la obraz, a-i reproşa cuiva ceva; to ~ lots a trage la sorţi. **III.** *vi. inf., trec. şi part. trec.* a se întoarce, a vira. || to ~ about for a căuta din ochi.

castanets [ˌkæstəˈnets] *s. pl.* castaniete.

castaway ['kɑːstəwei] *s.* naufragiat; paria.

caste [kɑːst] *s.* castă.

castellated ['kæstileitid] *adj.* **1.** (construit) în formă de castel. **2.** *(d. un loc)* cu multe castele. **3.** crenelat, cu turnuleţe şi creneluri. **4.** *tehn.* crenelat; moletat.

caster ['kɑːstə] *v.* **castor** 1.

caster sugar ['kɑːstəˌʃugə] *s.* zahăr pudră / praf *sau* granulat fin.

castigate ['kæstigeit] *vt.* **1.** a pedepsi. **2.** a bate. **3.** a critica.

castigation [ˌkæstiˈgeiʃn] *s.* **1.** pedepsire; bătaie. **2.** reproş, reproşuri; critică aspră. **3.** corectare, amendare; revizuire *(stilistică, a unei lucrări literare).* **4.** *înv.* curăţire.

casting ['kɑːstiŋ] *s.* **1.** mulaj. **2.** turnare.

casting-vote ['kɑːstiŋˈvout] *s.* vot decisiv.

cast iron ['kɑːstˈaiən] **I.** *s.* fontă. **II.** *adj.* **1.** de fier. **2.** fix, neclintit *(şi fig.).*

castle ['kɑːsl] *s.* **1.** castel. **2.** cetate. || ~s in the air castele în Spania.

cast-off ['kɑːstˈɔ(ː)f] **I.** *s.* obiect aruncat *(la o parte)*; zdreanţă, vechitură; deşeu, rebut. **II.** *adj.* aruncat, dat la gunoi, rebutat.

castor[1] ['kɑːstə] *s.* **1.** rotilă. **2.** presărătoare; solniţă.

castor[2] ['kɑːstə] *s. farm.* (ulei) castoreum.

castor oil ['kɑːstərˈɔil] *s.* unt de ricin.

castor sugar ['kɑːstəˌʃugə] *v.* **caster sugar**.

castrate [kæsˈtreit] *vt.* a castra.

casual ['kæʒjuəl] *adj.* **1.** întâmplător. **2.** neaşteptat. **3.** sporadic. **4.** neglijent. **5.** degajat; nepăsător.

casually ['kæʒjuəli] *adv.* **1.** întâmplător. **2.** la întâmplare, aiurea.

casuals ['kæʒjuəlz] *s. pl.* haine obişnuite / de fiecare zi.

casualty ['kæʒjuəlti] *s.* **1.** victimă. **2.** *pl. mil.* pierderi.

casuist ['kæʒjuist] *s.* cazuist; sofist.

casuistry ['kæʒjuistri] *s.* **1.** cazuistică, argumentaţie abilă. **2.** sofistică(rie).

cat [kæt] *s.* **1.** pisică, mâţă *(şi fig.)*. **2.** felină. **3.** bici, pisica cu nouă cozi.

catachresis [ˌkætə'kri:sis] *s. lingv.* catacreză.

cataclysm ['kætəklizəm] *s.* cataclism.

catacomb ['kætəkoum] *s.* catacombă.

catafalque ['kætəfælk] *s.* **1.** catafalc. **2.** dric, car funebru.

catalepsy ['kætəlepsi] *s.* **1.** *med.* catalepsie. **2.** *filoz.* (putere de) înţelegere, comprehensiune.

catalogue ['kætələg] *s.* catalog.

catalysis [kə'tælisis] *s. chim.* cataliză; efect catalitic / de contact.

catamaran [ˌkætəmə'ræn] *s.* **1.** *nav.* catamaran. **2.** *av.* catamaran *(tip de hidroavion)*. **3.** *fam.* scorpie, caţă, femeie cicălitoare.

catamite ['kætəmait] *s.* efeb, copil folosit pentru relaţii homosexuale.

catapult ['kætəpʌlt] **I.** *s.* **1.** praştie. **2.** catapultă. **II.** *vt.* a catapulta.

cataract ['kætərækt] *s.* cataractă.

catarrh [kə'tɑ:] *s.* **1.** guturai. **2.** răceală. **3.** catar.

catarrhal [kə'tɑːrəl] *adj. med.* cataral.

catastrophe [kə'tæstrəfi] *s.* catastrofă.

catastrophic [ˌkætə'strɔfik] *adj.* catastrofal, dezastruos, teribil.

cat bird ['kætbəːd] *s. amer. ornit.* sturz *(Dumetella carolinensis)*.

catcall ['kætkɔːl] *teatru* **I.** *s.* fluierat. **II.** *vt., vi.* a fluiera.

catch [kætʃ] **I.** *s.* **1.** prindere. **2.** captură. **3.** opritoare. **4.** închizătoare. **5.** încuietoare *(şi fig.)*. **II.** *vt. trec. şi part. trec.* **caught** [kɔːt] **1.** a prinde. **2.** a opri. **3.** a ajunge (din urmă). **4.** a descoperi. **5.** a se molipsi de, a lua. **6.** a înţelege. || *to ~ one's breath* a rămâne cu respiraţia întretăiată; *to ~ fire* a se aprinde; *to ~ in the act* sau *to ~ red-handed* a prinde asupra faptului; *to ~ a person's eye* a întâlni privirea cuiva; a atrage atenţia cuiva; *to ~ sight of* a distinge, a vedea.

III. *vi. trec. şi part. trec.* **caught** [kɔːt] **1.** a se apuca. **2.** a se opri. || *to ~ at a straw* a se agăţa şi de un pai; *to ~ up with* a ajunge din urmă.

catcher ['kætʃə] *s.* **1.** persoană care prinde, apucă ceva. **2.** agent de poliţie. **3.** *tehn.* excavator / elevator cu gheare. **4.** plasă, năvod. **5.** *pl. ornit.* păsări de pradă.

catching ['kætʃiŋ] *adj.* molipsitor.

catchment area ['kætʃmənt ˌɛəriə] *s.* **1.** bazin *(de râu)*, bazin tributar. **2.** bazin de captare. **3.** *mine.* capcană petroliferă.

catchup ['kætʃəp] *v.* **ketchup**.

catchword ['kætʃwəːd] *s.* **1.** cuvânt de ordine; parolă; lozincă, slogan. **2.** *teatru* replică de efect. **3.** *poligr.* colontitlu *(la dicţionare şi enciclopedii)*. **4.** articol de dicţionar. **5.** cuvânt rimat, rimă.

catchy ['kætʃi] *adj. (d. melodii)* atrăgător, uşor de reţinut; cu caracter de şlagăr.

cate [keit] *s. (mai ales pl.) înv.* bunătăţi; trufanda(le), delicatese.

catechism ['kætikizəm] *s.* **1.** catehism. **2.** morală, predică. **3.** interogatoriu.

catechize ['kætikaiz] *vt.* **1.** a interoga. **2.** a învăţa *(pe cineva)* prin metoda catehismului.

catechumen [ˌkæti'kju:men] *s.* **1.** *bis.* catehumen. **2.** novice, începător.

categorical [ˌkæti'gɔrikl] *adj.* **1.** categoric. **2.** necondiţionat.

categorize ['kætigəraiz] *vt.* a categorisi, a repartiza pe categorii.

category ['kætigəri] *s.* **1.** categorie. **2.** grup.

cater ['keitə] *vi.:* to ~ *for* a aproviziona, a alimenta, a satisface, a mulţumi; *to ~ to* a se ocupa de.

caterer ['keitərə] *s.* furnizor.

catering ['keitəriŋ] *s.* **1.** alimentaţie (publică). **2.** aprovizionare. **3.** servicii.

caterpillar ['kætəpilə] *s.* **1.** *zool.* omidă. **2.** şenilă.

caterwaul ['kætəwɔːl] **I.** *vi.* **1.** a mieuna. **2.** a fi în călduri *(şi fig.)*; a umbla după femei. **II.** *s.* miorlăit, mieunat.

catgut ['kætgʌt] *s.* catgut.

catharsis [kə'θɑ:sis] *s.* **1.** *med.* purgaţie, curăţire. **2.** *lit., filoz.*

catarsis, purificare, eliberare.

cathartic [kə'θɑ:tik] *adj.* catartic, cu caracter de catarsis .

Cathay [kæ'θei] *s. înv., poet.* China, Chitai.

cathedral [kə'θiːdrl] *s.* catedrală.

catherine wheel ['kæθrin ˌwiːl] *s.* **1.** roată de foc *(artificii)*. **2.** *arhit.* roză, rozetă. **3.** *(acrobaţii)* roată, tumbă.

catheter ['kæθitə] *s. med.* cateter, sondă.

cathode ['kæθoud] *s. el.* catod.

catholic ['kæθəlik] *adj.* **1.** *rel.* catolic. **2.** generos. **3.** cu orizont larg. **4.** universal.

Catholic ['kæθəlik] *s.* catolic(ă).

catholicism [ˌkə'θɔlisizəm] *s. rel.* catolicism.

cation ['kætaiən] *s. chim.* cation.

catkin ['kætkin] *s. bot.* mâţişor *(de salcie etc.)*.

cat-like ['kætlaik] *adj.* pisicesc, (ca) de pisică; felin.

catmint ['kætmint] *s. bot.* cătuşnică, iarba-mâţei, minta-mâţei *(Nepeta cataria)* .

catnip ['kætnip] *s. amer. bot.* cătuşnică *(Nepeta cataria)*.

cat-o'-nine-tails ['kætə'nainteilz] *s.* bici, pisica cu nouă cozi.

cat's paw ['kæts pɔː] *s.* **1.** *mar.* gură de ştiucă. **2.** *pl. mar.* mare cu berbeci. **3.** păcălit, persoană înşelată. **4.** *fig.* unealtă; instrument. || *to make a ~ of smb.* a face din cineva unealta sa; a scoate castanele din foc cu mâna altcuiva.

catsup ['kætsəp] *s.* v. **ketchup**.

cattail ['kætteil] *s. bot.* papură.

cattle ['kætl] *s. pl.* vite (cornute).

cattleman ['kætlmæn], *pl.* **cattlemen** ['kætlmen] *s.* **1.** păzitor / îngrijitor de vite; văcar. **2.** cioban. **3.** *amer.* negustor / crescător de vite.

catty ['kæti] *adj.* **1.** pisicesc; felin *(şi fig.)*. **2.** *(fig.)* rău(tăcios); şiret; ipocrit, fals.

Caucasian [kɔː'keiziən] **I.** *s.* caucazian. **II.** *adj.* caucazian, din Caucaz.

caucus ['kɔːkəs] *s.* **1.** nucleu al unui partid. **2.** întrunire (electorală).

caudal ['kɔːdl] *adj.* caudal, de (la) coadă.

caudate ['kɔːdeit] *adj.* caudat, cu coadă.

caught [kɔːt] *vt., vi. trec. şi part. trec. de la* **catch**.

cauldron ['kɔːldrn] *s.* **1.** ceaun. **2.** cazan.

cauliflower ['kɔliflauə] s. cono-pidă.

caulk [kɔːk] vt. 1. mar. a călăfătui. 2. a etanşa.

causal ['kɔːzl] adj. cauzal.

causality [kɔːˈzæliti] s. cauzalitate.

causation [kɔːˈzeiʃn] s. 1. cauzare, pricinuire. 2. cauzalitate.

causative ['kɔːzətiv] adj. cauzal.

cause [kɔːz] I. s. 1. pricină, motiv. 2. justificare. 3. cauză. || in a good ~ pentru o cauză dreaptă. II. vt. a pricinui.

cause célèbre [kouz se'lebr] s. jur. proces penal celebru.

causeless ['kɔːzlis] adj. nemo-tivat, fără motiv; neîntemeiat, nejustificat.

causer ['kɔːzə] s. autor, cauză; făptaş; vinovat.

causeway ['kɔːzwei] s. potecă (pe o creastă, pe stânci).

caustic ['kɔːstik] I. s. substanţă caustică. II. adj. caustic (şi fig.).

cauterize ['kɔːtəraiz] vt. cauteriza, a arde.

caution ['kɔːʃn] I. s. 1. grijă. 2. precauţie. 3. avertisment. 4. (glum.) pacoste; persoană primejdioasă. II. vt. 1. a preveni. 2. a avertiza.

cautionary ['kɔːʃənəri] adj. de prevenire, de avertizare.

cautious ['kɔːʃəs] adj. 1. atent. 2. precaut.

cautiously ['kɔːʃəsli] adv. prudent, cu grijă, prevăzător.

cavalcade [ˌkævl'keid] s. caval-cadă.

cavalier [ˌkævə'liə] I. s. cavaler. II. adj. neserios, frivol.

cavalry ['kævlri] s. cavalerie.

cavalryman ['kævəlrimən], pl. **cavalrymen** ['kævəlrimen] s. mil. cavalerist, călăraş.

cave [keiv] I.- s. 1. peşteră. 2. cavernă. II. vi.: to ~ in a se prăbuşi.

caveat ['keiviæt] s. 1. protest, obiecţie. 2. jur. opoziţie; con-testaţie, notificare de opoziţie.

cavern ['kævən] s. 1. peşteră, cavernă, gol carstic; vizuină. 2. med. cavernă.

cavernous ['kævənəs] adj. 1. cavernos, cu multe peşteri. 2. med. cavernos. 3. (în formă) de peşteră. 4. (d. ochi) dus în or-bite. 5. (d. obraji) supt, sco-fâlcit. 6. (d. voce) cavernos.

caviar(e) ['kæviɑː] s. icre negre.

cavil ['kævil] vi. : to ~ at a obiecta împotriva, a critica.

cavity ['kæviti] s. 1. cavitate. 2. scobitură.

cavort [kə'vɔːt] vi. amer. a sări, a ţopăi, a zburda.

caw [kɔː] I. s. croncănit. II. vi. a croncăni.

cayenne [kei'en] s. 1; bot. ardei (iute), ciuşcă; (Capsicum putescens longum). 2. papric, boia de ardei.

cayman ['keimən] s. zool. caiman, crocodil / aligator american (Caiman).

CBE abrev. Commander of the Order of the British Empire Comandant al Ordinului Im-periului Britanic (cea mai înaltă decoraţie).

CBI abrev. Confederation of British Industries Confederaţia Industriilor Britanice.

CD abrev. 1. Corps Diplomatique Corpul Diplomatic 2. compact disc compact disc.

c/o abrev. care of prin grija..., la (adresa...).

cease [siːs] vt., vi. a înceta.

ceaseless ['siːslis] adj. neîncetat, continuu.

ceaselessly ['siːslisli] adv. neîncetat, continuu.

cedar ['siːdə] s. cedru.

cede [siːd] I. vt. a ceda (un teritoriu etc.). II. vi. a ceda (într-o discuţie).

cedilla [si'dilə] s. sedilă (semn or-tografic).

ceilidh ['keili] s. (în Scoţia şi Irlan-da) petrecere dansantă.

ceiling ['siːliŋ] s. tavan, plafon.

celandine ['seləndain] s. bot. ros-topască (Chelidonium maius).

celebrant ['selibrənt] s. persoană care oficiază, oficiant; slujitor al altarului (preot care slujeşte liturghia).

celebrate ['selibreit] vt. 1. a sărbători. 2. a lăuda; a preamări.

celebrated ['selibreitid] adj. 1. celebru. 2. binecunoscut.

celebration [ˌseli'breiʃn] s. 1. sărbătorire. 2. petrecere.

celebrity [si'lebriti] s. celebritate.

celeriac [si'leriæk] s. bot. varie-tate de ţelină cu rădăcină comestibilă.

celerity [si'leriti] s. iuţeală.

celery ['seləri] s.bot. ţelină (Apium graveolens).

celesta [si'lestə] s. muz. celestă.

celestial [si'lestiəl] I. adj. 1. ceresc, celest. 2. fig. minunat,

dumnezeiesc, îngeresc. 3. fig. virtuos; milos(tiv). II. s. 1. locuitor al cerului. 2. Celestial fam. chinez.

celibacy ['selibəsi] s. celibat.

celibate ['selibit] s., adj. celibatar.

cell [sel] s. 1. celulă. 2. element galvanic.

cellar ['selə] s. pivniţă.

cellarer ['selərə] s. chelar (la mănăstiri).

cello ['tʃelou] s. violoncel.

cellophane ['seləfein] s. celofan.

cellular ['seljulə] adj. celular.

cellulate ['seljuleit] adj. cu celule, din celule.

celluloid ['seljulɔid] s. celuloid.

cellulose ['seljulous] s. celuloză.

Celt [kelt] s. celt.

Celtik ['keltik] I. adj. celt(ic), al celţilor. II. s. (limba) celtă.

cement [si'ment] I. s. 1. ciment. 2. liant. II. vt. a cimenta (şi fig.).

cemetery ['semitri] s. cimitir.

cenotaph ['senətɑːf] s. monument.

censer ['sensə] s. cădelniţă.

censor ['sensə] I. s. cenzor. II. vt. 1. a cenzura. 2. a critica.

censorius [sen'sɔːriəs] adj. 1. critic. 2. şicanator.

censorship ['sensəʃip] s. cenzură.

censure ['senʃə] I. s. 1. dezaprobare. 2. blam. 3. critică. || vote / motion of ~ vot de blam; moţiune critică. II. vt. 1. a blama. 2. a dezaproba. 3. a critica.

census ['sensəs] s. recensământ.

cent [sent] s. cent. || per ~ la sută.

centaur ['sentɔː] s. centaur.

centenarian [ˌsenti'neəriən] I. adj. centenar, (în vârstă) de o sută de ani. II. s. centenar, om în vârstă de (peste) o sută de ani.

centenary [sen'tiːnəri] s., adj. centenar.

centennial [sen'tenjəl] adj. cen-tenar.

center ['sentə] s. amer. v. centre.

centigrade ['sentigreid] adj. centi-grad, Celsius. || degrees ~ grade Celsius.

centigram(me) ['sentigræm] s. centigram.

centilitre ['senti,liːtə] s. centilitru.

centime ['sɑːntiːm] s. centimă (a suta parte dintr-un franc fran-cez).

centimetre ['senti,miːtə] s. centi-metru.

centipede ['sentipiːd] s. zool. mic miriapod, cârcâiac (Scolopendra).

central ['sentrl] I. s. amer. centrală telefonică. II. adj. 1. central. 2. principal. 3. esențial.

centralization [,sentrəlai'zeiʃn] s. centralizare; concentrare.

centralize ['sentrəlaiz] vt. 1. a centraliza. 2. a concentra.

centre ['sentə] I. s. 1. centru. 2. nucleu. 3. persoană importantă. II. vt., vi. 1. a (se) concentra. 2. a (se) centraliza.

centrifugal [sen'trifjugl] adj. centrifug.

centrifuge ['sentrifju:dʒ] I. s. (mașină) centrifugă. II. vt. a centrifuga.

centripetal [sen'tripitl] adj. centripet.

centurion [sen'tjuəriən] s. ist. centurion.

century ['sentʃuri] s. 1. secol. 2. grup, colecție sau număr de o sută.

cephalic [si'fælik] adj. anat. cefalic, al capului.

cephalopoda [,sefə'lɔpədə] s. pl. zool. cefalopode.

ceramic [sə'ræmik] I. s. obiect de ceramică. II. adj. ceramic, de ceramică.

ceramics [sə'ræmiks] s. pl. (folosit ca sing.) ceramică; olărit.

cereal ['siəriəl] s. cereală.

cerebellum [,seri'beləm] s. anat. cerebel, creierul mic.

cerebration [,seri'breiʃn] s. activitate cerebrală, activitatea creierului.

cerebrospinal [,seribrou'spainl] adj. anat. cerebrospinal.

cerebrum ['seribrəm] s. anat. creier, creierul mare.

cerement ['siəmənt] s. 1. pânză ceruită. 2. pl. poet. giulgiu, lințoliu. 3. rar ceruit, ceruială.

ceremonial [,seri'mounjəl] adj. 1. de ceremonie. 2. oficial.

ceremonious [,seri'mounjəs] adj. ceremonios.

ceremony ['serimⱥni] s. 1. ceremonie. 2. politețe. 3. caracter oficial.

cerise [sə'ri:z] I. adj. cireșiu, rozalb. II. s. culoare cireșie / rozalbă.

cerium ['si:riəm] s. chim. ceriu.

cert [sə:t] I. s. sl. lucru / pont sigur. II. adj. amer. pop. v. certain. III. adv. v. certainly.

certain ['sə:tn] adj. 1. sigur, neîndoios. 2. inevitabil. 3. anume, anumit; oarecare. || for ~ fără doar și poate; a ~ Michael un oarecare Mihai.

certainly ['sə:tnli] adv. 1. fără îndoială. 2. bineînțeles. 3. cu plăcere.

certainty ['sə:tnti] s. 1. certitudine, siguranță. 2. caracter neîndoios.

certificate[1] [sə'tifikit] s. certificat.

certificate[2] [sə'tifikeit] vt. a certifica.

certificated teacher [sə'tifikeitid 'ti:tʃə] s. profesor cu diplomă.

certification [,sə(:)tifi'keiʃn] s. certificare, adeverire, atestare.

certified teacher ['sə:tifaid,ti:tʃə] s. învățător, institutor.

certify ['sə:tifai] vt. 1. a certifica. 2. a dovedi, a atesta.

certitude ['sə:titju:d] s. siguranță.

cerulean [si'ru:liən] I. adj. poet. azuriu, albastru precum cerul. II. s. azur, albastrul cerului.

cervical ['sə:vikl] adj. anat. cervical, al cefei.

cervine ['sə:vain] adj. de cerb.

cervix ['sə:viks], pl. **cervices** ['sə:visi:z] s. anat. 1. ceafă, gât, grumaz, cerbice. 2. col (uterin), gâtul mitrei.

cessation [se'seiʃn] s. 1. încetare. 2. pauză.

cession ['seʃn] s. cedare.

cesspit ['sespit] s. puț de decantare; hazna, cloacă; groapă de gunoi.

cess-pool ['sespu:l] s. 1. hazna. 2. fig. cloacă.

cetacean [si'teiʃn] zool. I. adj. de cetaceu, de balenă. II. s. cetaceu.

Chablis ['ʃæbli:] s. vin alb sec de Bourgogne.

chafe [tʃeif] I. vt. 1. a freca. 2. a încălzi. 3. a ațâța, a surescita. 4. a enerva. II. vi. 1. a se încălzi. 2. a se enerva.

chafer ['tʃeifə] s. 1. entom. cărăbuș (Melolontha melolontha). 2. mangal (vas în care se pune jăratic).

chaff [tʃɑ:f] I. s. 1. pleavă. 2. tărâțe. 3. tachinerie, glume. II. vt. a tachina.

chaffer ['tʃæfə] I. vt. 1. a târgui. 2. to ~ down / away a vinde. II. vi. a târgui, a se tocmi. III. s. 1. tocmeală, târguială. 2. înv. negoț, comerț.

chaffinch ['tʃæfintʃ] s.ornit. cintezoi (Fringilla coelebs).

chafing dish ['tʃeifiŋ diʃ] s. 1. v. **chafer** 2. 2. tigaie electrică; termos electric; lampă de spirt.

chagrin ['ʃægrin] I. s. necaz,

supărare; ciudă. II. vt. (mai ales pas.) a mâhni, a supăra; a înciuda.

chain [tʃein] I. s. 1. lanț. 2. serie. || in ~s întemnițat. II. vt. a înlănțui, a lega.

chain-store ['tʃeinstɔ:] s. amer. magazin cu sucursale; rețea de magazine.

chair [tʃeə] I. s. 1. scaun. 2. fotoliu (prezidențial). 3. președinte. 4. prezidiu. 5. catedră. II. vt. a prezida.

chairman ['tʃeəmən] s. pl. **chairmen** ['tʃeəmən] președinte.

chairmanship ['tʃeəmənʃip] s. președinție, calitatea de președinte; președinte.

chairperson ['tʃeə,pə:sn] s. președinte sau președintă; moderator sau moderatoare (la o dezbatere).

chairwoman ['tʃeə,wumən], pl. **chairwomen** ['tʃeə,wimin] președintă; moderatoare (a unei dezbateri).

chaise [ʃeiz] s. 1. diligență. 2. caleașcă; trăsurică (trasă de ponei).

chalcedony [kæl'sedəni] s. minr. calcedonie, cuarț criptocristalin.

chalet ['ʃælei] s. 1. cabană. 2. closet public.

chalice ['tʃælis] s. 1. poet. cupă, pocal. 2. bis. potir. 3. bot. caliciu, potir.

chalk [tʃɔ:k] I. s. 1. cretă. 2. calcar. II. vt. a însemna (cu cretă).

chalky ['tʃɔ:ki] adj. 1. de cretă; de var; calcaros. 2. med. podagros; de gută.

challenge ['tʃælindʒ] I. s. 1. provocare. 2. întrebare. 3. interogatoriu. 4. problemă (dificilă / spinoasă); 5. preocupare, frământare. 6. solicitare. 7. punere sub semnul întrebării / în discuție. II. vt. 1. a provoca. 2. a solicita intens. 3. a pune în discuție / sub semnul întrebării; a contesta. 4. a pune în încurcătură.

challenger ['tʃælindʒə] s. 1. persoană care face o provocare; persoană care propune o întrecere / o luptă. 2. contestator, oponent, potrivnic, reclamant. 3. pretendent. 4. sport challenger; concurent, rival. 5. persoană care cere socoteală (cuiva). 6. telec. interogator; emițător-pilot de impulsuri.

chamber ['tʃeimbə] *s.* **1.** cameră *(şi tehn.).* **2.** *pol.* cameră *(a deputaţilor etc.).* **3.** *pl.* odăi (mobilate).

chamberlain ['tʃeimbəlin] *s.* şambelan.

chambermaid ['tʃeimbəmeid] *s.* fată în casă.

chamber music ['tʃeimbə'mju:zik] *s.* muzică de cameră.

chameleon [kə'mi:ljən] *s.* cameleon *(şi fig.).*

chamfer ['tʃæmfə] **I.** *s.* **1.** jgheab; scobitură; *arhit.* canelură, ciubuc. **2.** *tehn.* muchie teşită; şanfren. **II.** *vt.* **1.** *tehn.* a scobi, a găuri; a şanfrena; a canela. **2.** *arhit.* a împodobi cu caneluri / ciubuce. **3.** a teşi.

chamois ['ʃæmwɑ:] *s. zool. pl.* **chamois** ['ʃæmwaz] **1.** capră neagră *(Rupicapra rupicapra).* **2.** piele de antilopă.

champ [tʃæmp] **I.** *vt.* a mesteca, a clefăi *(cu zgomot)*; a muşca, *(zăbala etc.)*; a scrâşni din *(dinţi)*. **II.** *vi.* **1.** a mesteca. **2.** *to ~ upon the bit* a muşca zăbala. **3.** *to ~ up* a mânca, a clămpăni. **III.** *s.* mestecare.

champagne [ʃæm'pein] *s.* şampanie.

champion ['tʃæmpjən] **I.** *s.* **1.** campion. **2.** apărător. **3.** susţinător. **II.** *adj.* remarcabil. **III.** *vt.* a apăra, a susţine.

championship ['tʃæmpjənʃip] *s.* **1.** campionat. **2.** titlu de campion. **3.** apărare.

chance [tʃɑ:ns] *s.* **1.** întâmplare. **2.** şansă. **3.** noroc. **4.** posibilitate. **5.** ocazie. || *by ~* întâmplător, la întâmplare; *to take one's ~(s)* a-şi încerca norocul. **II.** *adj.* întâmplător. **III.** *vt.* **1.** a încerca. **2.** a risca. **IV.** *vi.* **1.** a se întâmpla. **2.** a surveni. || *to ~ upon smb.* a da peste cineva, a întâlni din întâmplare pe cineva.

chancel ['tʃɑ:nsl] *s. bis.* altar; *fig.* sanctuar.

chancellery ['tʃɑ:nsələri] *s.* **1.** funcţie / titlu de cancelar. **2.** cancelariat, biroul unui cancelar.

chancellor ['tʃɑ:nsələ] *s.* **1.** cancelar. **2.** *ist.* dregător. **3.** decan. **4.** preşedinte.

Chancellor of the Exchequer ['tʃɑ:nsələr əv ði iks'tʃekə] *s.* ministru de Finanţe.

chancellorship ['tʃɑ:nsələʃip] *s.* funcţie / demnitate de cancelar.

chancery ['tʃɑ:nsəri] *s.* **1.** tribunal.

2. curtea cancelarului. **3.** cancelariat, cancelarie. **4.** notariat. **5.** arhivă. || *in ~* la judecată, în proces.

chancy ['tʃɑ:nsi] *adj.* **1.** riscat, hazardat. **2.** schimbător, nesigur. **3.** *(cuvânt scoţian)* norocos, reuşit.

chandelier [,ʃændi'liə] *s.* candelabru.

chandler ['tʃɑ:ndlə] *s.* **1.** lumânărar, fabricant *sau* negustor de lumânări. **2.** furnizor *(mai ales în marină)*.

change [tʃeindʒ] **I.** *s.* **1.** schimbare. **2.** trecere. **3.** tranziţie. **4.** variaţie. **5.** alternanţă. **6.** diferenţă. **7.** mărunţiş. **8.** rest *(de bani)*. || *for a ~* ca o schimbare; pentru a evita monotonia. **II.** *vt.* **1.** a schimba, a modifica. **2.** a preschimba. **3.** a face schimb de. || *to ~ one's mind* a se răzgândi; *to ~ colour* sau *countenance* a se schimba la faţă. **III.** *vi.* **1.** a se schimba. **2.** a se modifica.

changeable ['tʃeindʒəbl] *adj.* **1.** schimbător, variabil. **2.** susceptibil de îmbunătăţire.

changeful ['tʃeindʒfl] *adj. poet.* **1.** plin de schimbări. **2.** v. **changeable**.

changeless ['tʃeindʒlis] *adj.* neschimbat, neschimbător; fix; statornic; permanent.

changeling ['tʃeindʒliŋ] *s. (în basme)* copil lăsat de zâne în schimbul celui răpit de ele.

channel ['tʃænl] **I.** *s.* **1.** canal (natural).**2.** braţ *(de râu etc.).* **3.** tub, canal. **4.** *fig.* sursă. **5.** mijloc, cale. **II.** *vt.* **1.** a canaliza. **2.** a dirija, a îndrepta *(către)*. || *the Channel* Canalul Mânecii.

chanson ['ʃænsən] *s.* şansonetă, cântec de music-hall.

chant [tʃɑ:nt] **I.** *s.* cîntec (religios). **II.** *vt.* **1.** a cânta. **2.** a scanda.

chanter ['tʃɑ:ntə] *s.* **1.** corist *(într-un cor bisericesc).* **2.** *bis.* dascăl, cântăreţ. **3.** *muz.* fluier pentru melodie *(la cimpoi).* **4.** *sl.* şantajist, escroc.

chanticleer [,tʃænti'kliə] *s. poet.* cocoş.

chantry ['tʃɑ::ntri] *s. bis.* **1.** capelă *(pentru pomenirea ctitorului).* **2.** danie pentru pomenire.

chaos ['keiɔs] *s.* haos.

chaotic [kei'ɔtik] *adj.* haotic.

chap[1] [tʃæp] **I.** *s.* **1.** om. **2.** băiat. **3.** individ, tip. **II.** *vt., vi.* a (se)

crăpa.

chap[2] [tʃæp] *s. (mai ales la pl.)* **1.** falcă; bot, rât *(al animalelor).* **2.** *glumeţ* falcă; bot *(al omului).* **3.** *tehn.* falcă de menghină.

chaparral [ʃæpə'ræl] *s. bot.* **1.** *amer.* desiş (de tufişuri). **2.** mărăciniş.

chapatti [tʃə'pæti] *s. gastr.* turtă de făină nedospită .

chapel ['tʃæpl] *s.* **1.** capelă. **2.** bisericuţă, paraclis. **3.** parte a bisericii.

chaperon(e) ['ʃæpəroun] **I.** *s. înv.* însoţitoare *(a unei fete tinere)* **II.** *vt.* a însoţi *(o fată tânără).*

chapiter ['tʃæpitə] *s. arhit.* capitel *(de coloană).*

chaplain ['tʃæplin] *s.* **1.** capelan. **2.** preot militar.

chaplet ['tʃæplit] *s.* **1.** cunună, ghirlandă *(şi fig.).* **2.** mătănii; salbă, colier. **3.** *met.* suport pentru miezuri, suport răcitor.

chapman ['tʃæpmən] *s. pl.* **chapmen** ['tʃæpmən] *înv.* negustor ambulant; telal; negustor de mărunţişuri.

chapter ['tʃæptə] *s.* **1.** capitol. **2.** serie, lanţ.

char [tʃɑ:] **I.** *s.* femeie cu ziua. **II.** *vt., vi.* a (se) preface în mangal.

char-a-banc ['ʃærəbæŋ] *s.* camion cu bănci *(pentru excursii)*, autocar deschis.

character ['kæriktə] *s.* **1.** caracter. **2.** fire. **3.** tărie de caracter. **4.** personalitate. **5.** specific. **6.** caracterizare. **7.** recomandaţie. **8.** reputaţie, faimă. **9.** caracter tipografic *sau* caligrafic; literă.

characteristic [,kæriktə'ristik] **I.** *s.* caracteristică, specific. **II.** *adj.* **1.** caracteristic. **2.** înnăscut.

characteristically [,kæriktə'ristikli] *adv.* grăitor.

characterization [,kæriktərai 'zeiʃn] *s.* **1.** caracterizare. **2.** arta de a crea caractere; arta de a reda caracteristicul.

characterize [,kæriktəraiz] *vt.* a caracteriza.

charade [ʃə'rɑ:d] *s.* şaradă.

charcoal ['tʃɑ:koul] *s.* mangal.

chard [tʃɑ:d] *s. bot.* soi de sfeclă cu frunze comestibile.

charge [tʃɑ:dʒ] **I.** *s.* **1.** acuzaţie. **2.** *mil.* şarjă. **3.** *com.* cost. **4.** taxă. **5.** poruncă, instrucţiuni. **6.** sarcină. **7.** responsabilitate. **8.** persoană dată în grija cuiva. || *to bring a ~ against smb.* a acuza pe cineva. **II.** *vt.* **1.** a acuza. **2.** a ataca; a şarja. **3.** a

cere (un preţ, un onorariu). **4.** a
încărca. **4.** a însărcina.

chargeable ['tʃɑːdʒəbl] adj. **1.**
condamnabil, de blamat. **2.**
(with) responsabil (pentru, de).
3. exigibil; impozabil.

chargé d'affaires ['ʃɑːʒeidæ'fɛə]
s. însărcinat cu afaceri.

charger ['tʃɑːdʒə] s. **1.** persoană
care încarcă, umple etc. **2.** înv.
acuzator. **3.** mil. încărcător. **4.**
mil. cal de luptă. **5.** met.
maşină de încărcat / şarjat. **6.**
tehn. dozator, încărcător. **8.**
fam. automobil, maşină
(mică).

chariot ['tʃæriət] s. faeton, car.

charioteer [,tʃæriə'tiə] I. s. **1.** înv.,
poet. căruţaş, vizitiu. **2.** the
Charioteer astr. Vizitiul (con-
stelaţie). **II.** vt. a purta într-un
car (de triumf).

charisma [kæ'rismə] s. **1.** carismă,
farmec / magnetism personal.
2. putere de convingere sau
seducţie. **3.** aureolă, nimb.

charitable ['tʃæritəbl] adj. **1.**
caritabil, filantrop(ic). **2.** bun,
milos.

charity ['tʃæriti] s. **1.** pomană. **2.**
caritate, filantropie. **3.** blân-
deţe.

charlatan ['ʃɑːlətn] s. şarlatan.

Charles's Wain ['tʃɑːlziz'wein] s.
astr. Carul-mare.

charlock ['tʃɑːlək] s. bot. muştar
sălbatic / de câmp (Sinapis ar-
vensis).

charlotte ['ʃɑːlət] s. şarlotă,
(prăjitură).

charm [tʃɑːm] I. s. **1.** farmec;
descântec. **2.** vrajă. **3.** atracţie,
farmec. **4.** amuletă. || to be
under a ~ a fi vrăjit. **II.** vt. **1.**
a vrăji. **2.** a descânta. **3.** a
încânta.

charmer ['tʃɑːmə] s. **1.** mai ales
glumeţ, peior. crai, berbant,
hoţ de inimi. **2.** femeie fer-
mecătoare, nurlie; vrăjitoare,
sirenă. **3.** vrăjitor; îmblânzitor
de şerpi.

charming ['tʃɑːmiŋ] adj. încân-
tător.

charnel-house ['tʃɑːnlhaus] s. **1.**
osuar. **2.** gropniţă; mormânt.

chart [tʃɑːt] I. s. **1.** hartă (marină).
2. tabel, grafic. **II.** vt. **1.** a trasa.
2. a plănui.

charter ['tʃɑːtə] I. s. cartă, hrisov.
II. vt. **1.** a întări (un drept etc.).
2. a închiria.

chartered ['tʃɑːtəd] adj. **1.** întărit,
confirmat (printr-un hrisov etc.)
2. fig. privilegiat; autorizat. **3.**

comandat, închiriat.

Chartism ['tʃɑːtizm] s. ist. car-
tism (mişcare revoluţionară
muncitorească în Anglia,
1837 – 1848).

chartreuse [ʃɑː'trɔːz] s. **1.**
mănăstire, şartreză. **2.** (lichior)
Chartreuse.

charwoman ['tʃɑː,wumən] s. pl.
charwomen ['tʃʌ:wimin]
femeie cu ziua.

chary ['tʃɛəri] adj. **1.** prudent,
prevăzător. **2.** timid. **3.** zgârcit.
|| be ~ of going there fereşte-te
de a te duce acolo; ~ of words
zgârcit la vorbă.

chase[1] [tʃeis] I. s. goană. **II.** vt. **1.**
a goni. **2.** a urmări. **3.** a izgoni.

chase[2] [tʃeis] I. s. **1.** mil. tranşee,
şanţuri. **2.** tehn. scobitură, şanţ.
3. poligr. ramă (tipografică). **4.**
montură (a unei pietre
preţioase). **II.** vt. **1.** tehn. a
dăltui, a scobi. **2.** a grava (un
ornament în metal); a ştemui, a
scoate în relief.

chaser ['tʃeisə] s. **1.** cal pentru
cursele cu obstacole. **2.** hăi-
taş, gonaci. **3.** mar. (vas) vâ-
nător de submarine. **4.** fam.
băutură cu care te dregi (după
un chef).

chasm ['kæzəm] s. **1.** spărtură. **2.**
prăpastie (şi fig.).

chasseur [ʃæ'sɔː] s. vânător.

chassis ['ʃæsi] s. şasiu.

chaste [tʃeist] adj. **1.** cast;
cuminte. **2.** pur. **3.** simplu.

chasten ['tʃeisn] vt. a pedepsi.

chastise [tʃæs'taiz] vt. a pedepsi.

chastisement ['tʃæstizmənt] s.
pedeapsă disciplinară; pedep-
sire.

chastity ['tʃæstiti] s. **1.** castitate;
cuminţenie. **2.** puritate.

chasuble ['tʃæzjubl] s. patrafir.

chat [tʃæt] I. s. **1.** conversaţie.
2. şuetă. **II.** vi. a flecări; a con-
versa.

château ['ʃɑːtou] pl. **chateaux**
['ʃɑːtouz] s. **1.** castel, palat. **2.**
conac.

châtelaine ['ʃætəlein] s. **1.** cas-
telană, stăpână. **2.** cârlig,
agăţătoare (de care se prind
cheile etc.).

chattel ['tʃætl] s. **1.** (mai ales la
pl.) bunuri (mobile); avere;
acareturi. **2.** sclav, rob; iobag.

chatter ['tʃætə] I. s. **1.** flecăreală,
trăncăneală. **2.** clănţănit. **3.**
zgomot. **II.** vi. **1.** a trăncăni. **2.** a
clănţăni. **3.** a face zgomot.

chatter-box ['tʃætəbɔks] s. fig.
moară stricată.

chatty ['tʃæti] adj. **1.** flecar,
guraliv. **2.** mil., mar. sl. jegos,
soios.

chauffeur ['ʃoufə] s. şofer (al unei
persoane particulare).

chauvinism ['ʃouvinizəm] s.
şovinism.

cheap [tʃiːp] I. adj. **1.** ieftin (şi
fig.). **2.** fără valoare, prost. **3.**
meschin. **II.** adv. ieftin.

cheapen ['tʃiːpn] vt. a ieftini.

cheapjack ['tʃiːpdʒæk] I. s.
vânzător ambulant / de
mărunţişuri. **II.** adj. ieftin, de
calitate proastă.

cheaply ['tʃiːpli] adv. **1.** ieftin. **2.**
uşor, lesne. **3.** la suprafaţă.

cheat [tʃiːt] I. s. pungaş, escroc.
II. vt., vi. a înşela.

cheating ['tʃiːtiŋ] s. înşelăciune,
escrocherie.

check [tʃek] I. s. **1.** verificare, con-
trol. **2.** oprire. **3.** piedică. **4.**
bifare. **5.** contramarcă. **6.**
carou. **7.** amer. cec. || to keep
in ~ a opri; a stăvili. **II.** vt. **1.** a
verifica, a controla. **2.** a stă-
pâni. **3.** a opri. **4.** a avertiza. **5.**
a da în grijă, a preda.

check book ['tʃekbuk] s. carnet
de cecuri.

checkerboard ['tʃekəbɔːd] s. tablă
de şah (pentru jucat dame).

checkered ['tʃekəd] adj. **1.** în
pătrăţele, cadrilat. **2.** pestriţ. **3.**
variat, diferit.

checkers ['tʃekəz] s. pl. amer. **1.**
(jocul de) dame. **2.** carouri.

checkmate ['tʃek'meit] I. s. şah
mat. **II.** vt. a face şah mat.

check room ['tʃekrum] s. amer.
1. vestiar, garderobă. **2.**
cameră de păstrare.

Cheddar ['tʃedə] s. brânză (de)
Cheddar.

cheek [tʃiːk] s. **1.** obraz. **2.**
obrăznicie. **3.** neruşinare. ||
~by jowl la cataramă.

cheek bone ['tʃiːkboun] s. pomete
(al obrazului).

cheeky ['tʃiːki] adj. **1.** obraznic. **2.**
neruşinat.

cheep [tʃiːp] I. s. piuit; ciripit. **II.**
vi. a piui, a ciripi.

cheer [tʃiə] I. s. **1.** ovaţie; ura. **2.**
veselie. || ~s! noroc! la mai
mare!; three ~s for him de trei
ori ura pentru el. **II.** vt. **1.** a
înveseli. **2.** a ovaţiona. **III.** vi. a
se înveseli. || to ~ up a se
lumina la faţă; a se înveseli.

cheerful ['tʃiəfl] adj. **1.** vesel. **2.**

optimist. **3.** plăcut.

cheerfulness ['tʃiəflnis] *s*. **1.** optimism. **2.** veselie.

cheerily ['tʃiərili] *adv*. vesel.

cheerio(h) ['tʃiəriou] *interj*. **1.** la revedere! pa! **2.** noroc!

cheerless ['tʃiəlis] *adj*. **1.** trist; nenorocit. **2.** întunecat.

cheery ['tʃiəri] *adj*. vesel, bucuros, vioi.

cheese [tʃi:z] **I.** *s*. brânză. || say ~! zâmbiți, vă rog! **II.** *vt*.: ~ it! (ține-ți) gura!

cheese cloth ['tʃi:zklɔθ] *s*. strecurătoare de brânză, tifon.

chef-d'oeuvre ['ʃei 'dɔ:vr], *pl*. **chefs d'oeuvre** *s*. capodoperă.

cheetah ['tʃi:tə] *s. zool*. ghepard (*Acinonyx jubatus etc.*).

chef [ʃef] *s*. bucătar șef.

chemical ['kemikl] **I.** *s*. chimicală. **II.** adj. chimic.

chemise [ʃə'mi:z] *s*. **1.** combinezon, furou. **2.** rochie-sac.

chemisette [ˌʃemi'zet] *s*. **1.** șemizetă, bluză. **2.** jabou.

chemist ['kemist] *s*. **1.** chimist. **2.** farmacist. **3.** droghist. || at the ~'s la farmacie *sau* drogherie.

chemistry ['kemistri] *s*. chimie.

chenille [ʃə'ni:l] *s*. șnur, găitan.

cheque [tʃek] *s*. cec.

cheque-book ['tʃekbuk] *s*. carnet de cecuri.

chequered ['tʃekəd] *adj*. **1.** cadrilat. **2.** în zig-zag.

cherish ['tʃeriʃ] *vt*. **1.** a păstra (cu grijă). **2.** a nutri. **3.** a iubi.

cheroot [ʃə'ru:t] *s*. trabuc, havană (*cu capetele tăiate*).

cherry ['tʃeri] **I.** *s. bot*. **1.** (și ~-tree) vișin *sau* cireș. **2.** vișină *sau* cireașă. **II.** adj. roșu.

cherub ['tʃerəb] *s*. heruvim.

cherubic [tʃe'ru:bik] *adj*. înaripat *sau* bucălat ca un heruvim; nevinovat; angelic; îngeresc.

cherubim ['tʃerəbim] *s. pl. de la* **cherub**.

chervil ['tʃə:vil] *s. bot*. **1.** asmățui, hațmațuchi (*Anthriscus cerefolium*). **2.** antonică (*Chaerophyblum*).

chess [tʃes] *s*. jocul de șah.

chess-board ['tʃesbɔ:d] *s*. tablă de șah.

chessman ['tʃesmæn] *s. pl.* **chessmen** ['tʃesmən] piesă de șah.

chest [tʃest] *s*. **1.** cufăr, ladă. **2.** piept.

chesterfield ['tʃestəfi:ld] *s*. **1.** pal-

ton larg în talie. **2.** canapea (cu spetează).

chestnut ['tʃesnʌt] **I.** *s*. **1.** castan. **2.** castană. **3.** cal roib. **II.** adj. **1.** castaniu, șaten. **2.** roib.

chest-of-drawers ['tʃestəv'drɔ:z] *s*. scrin.

chesty ['tʃesti] *adj. amer*. încrezut; încăpățânat.

cheval-glass [ʃə'vælglɑ:s] *s*. psihe, oglindă mare mobilă / rabatabilă.

chevalier [ˌʃevə'liə] *s*. **1.** *ist*. cavaler. **2.** cavaler (*al unui ordin*).

cheviot ['tʃeviət] *s*. **1.** *text*. (stofă) șeviot. **2.** *Cheviot* oaie șeviot.

chevron ['ʃevrən] *s*. **1.** șevron, tresă pe blazon. **2.** *constr*. căpriori.

chew [tʃu:] **I.** *vt*. a mesteca; a rumega (și *fig*.). **II.** *vi*. **1.** a mesteca; a rumega. **2.** (**on, upon**) a medita, a se gândi (la). **III.** *s*. **1.** rumegare, mestecare. **2.** tutun de mestecat.

chewing-gum ['tʃuiŋgʌm] *s*. gumă de mestecat.

chez [ʃei] *prep*. la (acasă la cineva).

Chianti [ki'ænti] *s*. soi de vin roșu italian.

chiaroscuro [kiˈɑːrəsˈkjuərou] *s*. **1.** *artă* clar-obscur. **2.** *lit*. folosirea contrastelor (*în poezie*).

chic [ʃik] **I.** *adj*. șic, dichisit, elegant. **II.** *s*. șic, eleganță, dichis.

chicane [ʃi'kein] **I.** *s*. șicană; tertip(uri), chichițe. **II.** *vt*. a șicana, a necăji, a pisa. **III.** *vi*. a umbla cu tertipuri / cu chițibușuri, a căuta nod în papură.

chicanery [ʃi'keinəri] *s*. **1.** șicană; tertipuri, chițibușuri. **2.** sofisticărie, despicarea firului în patru.

chick [tʃik] *s*. **1.** puișor (și *fig*.). **2.** păsărică. **3.** copilaș.

chickadee ['tʃikədi(:)] *s. ornit*. pițigoi negru (*Parus atricapillus*).

chickaree ['tʃikəri:] *s. zool*. veveriță roșie (*Sciurus hudsonicus*).

chicken ['tʃikin] *s*. **1.** pui. **2.** păsărică. **3.** puișor. **4.** carne de pasăre / pui.

chicken-pox ['tʃikinpɔks] *s*. vărsat de vânt.

chick pea ['tʃik pi:] *s. bot*. năut, nohot (*Cicer arietinum*).

chickweed ['tʃikwi:d] *s. bot*. **1.** rocoină (*Stellaria media*). **2.** studeniță (*Arenaria*).

chicory ['tʃikəri] *s*. **1.** *bot*. cicoare (*Cichorium intybus*). **2.** cicoare, surogat de cafea. **3.** salată din frunze de cicoare. **4.** culoare albastră ca cicoarea.

chid [tʃid] *vt. trec. și part. trec. de la* **chide**.

chidden ['tʃidn] *vt. part. trec. de la* **chide**.

chide [tʃaid] *vt. trec.* **chid** [tʃid], *part. trec.* **chid** [tʃid] *și* **chidden** ['tʃidn] a ocărî.

chief [tʃi:f] **I.** *s*. **1.** șef. **2.** conducător. || in ~ șef **II.** adj. **1.** principal. **2.** suprem. **3.** șef.

chiefly ['tʃi:fli] *adv*. **1.** mai ales. **2.** mai presus de toate.

chieftain ['tʃi:ftən] *s*. căpetenie.

chiff-chaff ['tʃif tʃæf] *s. ornit*. pitulice mică (*Phylloscopus collybita*).

chiffon [ʃi'fɔn] **I.** *s*. **1.** fular, șal subțire; volănaș, ornament. **2.** *text*. șifon. **II.** adj. **1.** moale, ușor, subțire. **2.** (*d. prăjituri etc.*) moale, care se topește în gură.

chiffonier [ˌʃifə'niə] *s*. șifonier, dulap (*de haine*), garderob.

chigoe ['tʃigou] *s. entom*. purice sud-american / vest-indian (*Pulex penetrans*).

chihuahua [tʃi'wɑ:wɑ] *s. zool*. chihuahua (*rasă de câini*).

chilblain ['tʃilblein] **I.** *s*. degerătură. **II.** *vt*. a face să degere.

child [tʃaild] *s. pl.* **children** ['tʃildrn] **1.** copil. **2.** prunc.

child's play ['tʃaildzplei] *s*. fleac, joacă (*fig*.).

Chili ['tʃili] *s*. v.**chilli**.

childbed ['tʃaildbed] *s*. **1.** naștere. **2.** lehuzie.

childbirth ['tʃaildbə:θ] *s*. naștere.

childhood ['tʃaildhud] *s*. copilărie.

childing ['tʃaildiŋ] *adj. fig*. roditor, rodnic.

childish ['tʃaildiʃ] *adj*. **1.** copilăresc. **2.** copilăros. **3.** prostesc.

childishness ['tʃaildiʃnis] *s*. **1.** nevinovăție, inocență (*de copil*); naivitate. **2.** copilărie, lipsă de seriozitate; prostie.

childless ['tʃaildlis] *adj*. fără copii.

childlike ['tʃaildlaik] *adj*. **1.** copilăresc. **2.** nevinovat.

children ['tʃildrn] *s. pl. de la* **child**.

Chilean ['tʃilian] **I.** adj. chilian, din Chile. **II.** *s*. chilian.

chill [tʃil] **I.** *s*. **1.** răceală. **2.**

răcoare *(și fig.)* II. *adj.* 1. răcoros. 2. rece. 3. glacial. III. *vt.* 1. a răci. 2. a îngheța. 3. a răcori. 4. a tempera.

chilli ['tʃili] *s.* 1. *bot.* ardei iute. 2. *bot.* ardei (gras) *(Capsicum annuum)*. 3. fel de mâncare ardeiat.

chillness ['tʃilnis] *s.* 1. frig; umezeală. 2. *fig.* răceală.

chilly ['tʃili] I. *adj.* 1. *(d. vreme)* rece, răcoros, umed. 2. înfrigurat, rebegit. II. *adv.* 1. rece, ca iarna. 2. *fig.* cu răceală.

chim(a)era [kai'miərə] *s.* himeră.

chime [tʃaim] I. *s.* 1. grup de clopote. 2. sunet de clopote. II. *vt., vi.* a suna. || *to ~ in* a se amesteca în conversație; *to ~ in with smth.* a se armoniza cu ceva.

chimney ['tʃimni] *s.* coș, horn.

chimney-sweep(er) ['tʃimni ˌswip(ə)] *s.* coșar.

chimpanzee [ˌtʃimpən'ziː] *s.* cimpanzeu.

chin [tʃin] *s.* bărbie.

china ['tʃainə] *s.* 1. porțelan. 2. porțelanuri.

China ['tʃainə] *adj.* din China, chinez, chinezesc.

Chinaman ['tʃainəmən] *s. pl.* **Chinamen** ['tʃainəmən] chinez.

chinaware ['tʃainəˌweə] *s.* porțelanuri.

chinch [tʃintʃ] *s. amer. entom.* ploșniță, păduche de lemn *(Cimex lectularius)*.

chinchilla [tʃin'tʃilə] *s.* 1. *zool.* șinșilă *(Chinchilla lanigera)*. 2. blană de șinșilă.

chin-chin ['tʃin 'tʃin] *s. sl.* 1. *(la întâlnire și despărțire)* salut! noroc! 2. conversație ceremonioasă, simandicoasă.

chine[1] [tʃain] *s.* 1. șira spinării *(la animale)*; mușchi, spinare, file. 2. creastă, vârf de munte.

chine[2] [tʃain] *s.* trecătoare, defileu, pas.

Chinese ['tʃai'niːz] I. *s.* chinez(oaică). || *the ~* chinezii. II. *adj.* chinez(ă).

chink [tʃiŋk] I. *s.* 1. crăpătură. 2. clinchet *(de pahare etc.)* II. *vt., vi.* 1. a zornăi. 2. a scoate un clinchet. 3. a (se) ciocni.

Chinquapin ['tʃiŋkəpin] *s. amer. bot.* castan pitic *(Castanea pumila)*.

chintz [tʃints] *s.* creton.

chip [tʃip] I. *s.* 1. așchie. 2. surcică. 3. ciob. 4. ciupitură. 5.

felie. 6. *pl.* cartofi prăjiți, șip. || *a ~ of the old block* leit taică-său. II. *vt.* 1. a așchia. 2. a ciobi. 3. a tăia subțire. III. *vi.* 1. a se ciobi. 2. a se strica.

chipmunk ['tʃipmʌŋk] *s. zool.* veveriță americană *(Tamias striatus, Eutamias)*.

chipolata [tʃipə'lɑːtə] *s. gastr.* cârnat subțire.

chippendale ['tʃipndeil] I. *s.* stil Chippendale, rococo *(stil de mobilă englezească din secolul al XVIII-lea)*. II. *adj.* (stil) Chippendale.

chipper ['tʃipə] I. *s. amer.* taifas, flecăreală. II. *adj. amer. fam.* vioi, vesel, (plin) de viață.

chiropody [ki'rɔpədi] *s.* 1. *med.* arta tratării bolilor de mâini și de picioare. 2. pedichiură.

chiropractic [kaiərə'præktik] *med.* I. *s.* presopunctură, tratament aplicat asupra coloanei vertebrale. II. *adj.* care acționează asupra coloanei vertebrale.

chirp [tʃəːp] I. *s.* ciripit. II. *vt., vi.* a ciripi.

chirpy ['tʃəːpi] *adj. fam.* vesel, vioi, însuflețit.

chirr [tʃəː] I. *vi.* 1. *(d. greieri)* a țârâi. 2. *(d. porumbei)* a ugui, a gunguri. 3. *(d. trestie)* a foșni. II. *s.* 1. țârâit. 2. uguit. 3. foșnet *(al trestiei)*.

chirrup ['tʃirəp] I. *s.* ciripit. II. *vi.* a ciripi.

chisel ['tʃizl] I. *s.* daltă. II. *vt.* a cizela, a dăltui.

chit[1] [tʃit] *s. peior.* țânc, pici.

chit[2] [tʃit] *s.* 1. notiță, însemnare; socoteală; scrisoare (scurtă). 2. recomandație; certificat.

chit-chat ['tʃit,tʃæt] *s. fam.* vorbă, palavre, verzi și uscate, mofturi.

chit-chit ['tʃit tʃæt] *s. fam.* vorbă, palavre, taclale, mofturi.

chitterlings ['tʃitəliŋz] *s. pl.* mațe, măruntaie.

chivalrous ['ʃivlrəs] *adj.* 1. viteaz. 2. politicos. 3. cavaler. 4. mărinimos.

chivalry ['ʃivlri] *s.* 1. cavalerism, noblețe. 2. echitate. 3. cavalerie.

chive [tʃaiv] *s. (mai ales pl.) bot.* arpagic *(Allium scheonoprasum)*.

chiv(v)y ['tʃivi] *vt.* a urmări, a goni; a hărțui.

chloral ['klɔːrl] *s. chim.* cloral.

chlorate ['klɔːrit] *s. chim.* clorat.

chloride ['klɔːraid] *s. chim.*

clorură.

chlorinate ['klɔːrineit] *vt. chim.* a clorina.

chlorine ['klɔːriːn] *s. chim.* clor.

chloroform ['klɔrəfɔːm] I. *s.* cloroform. II. *vt.* a cloroformiza.

chlorophyll ['klɔrəfil] *s. bot.* clorofilă.

choc [tʃɔk] *s. fam.* ciocolată. || *~ ice* înghețată cu glazură de ciocolată.

chock [tʃɔk] *s.* piedică, opritoare.

chock-full ['tʃɔk'ful] *adj., adv.* plin ochi.

chocolate ['tʃɔklit] *s.* 1. ciocolată. 2. bomboană de ciocolată. 3. (lapte cu) cacao.

choice [tʃɔis] I. *s.* 1. alegere. 2. posibilitate de alegere. 3. ales. 4. sortiment. || *by ~* pe alese. II. *adj.* 1. ales. 2. remarcabil.

choir ['kwaiə] *s.* 1. cor. 2. galeria corului la biserică.

choke [tʃouk] I. *s.* 1. înăbușire, strangulare, gâtuire. 2. *auto.* șoc. II. *vt.* a îneca; a înăbuși. || *to ~ up* a năclăi; a astupa; *to ~ down* a-și înghiți *(supărarea etc.)*. III. *vi.* 1. a se înăbuși. 2. a se îneca.

choler ['kɔlə] *s.* 1. *înv.* fiere; fire colerică, umoare colerică. 2. *poet.* ură; mânie, irascibilitate.

cholera ['kɔlərə] *s.* holeră.

choleric ['kɔlərik] *adj.* nervos.

cholesterol [kə'lestərɔl] *s. chim.* colesterol.

choose [tʃuːz] I. *vt. trec.* **chose** [tʃouz], *part. trec.* **chosen** [tʃouzn] 1. a alege. 2. a hotărî. 3. a dori. II. *vi. trec.* **chose** [tʃouz], *part. trec.* **chosen** [tʃouzn] 1. a face o selecție. 2. a prefera.

chop[1] [tʃɔp] I. *vt.* 1. a tăia; a despica. 2. a fărâmița. 3. a bolborosi *(cuvinte)*. 4. a teși; a cresta; a scobi. 5. *sport* a lovi de sus *(la diverse jocuri)*. II. *vi. fam.* a mânca cotlete. III. *s.* 1. tăietură; lovitură *(cu securea)*; săpătură; crestătură. 2. cotlet. 3. *sport* ciocan *(la box)*; bombă; smeci.

chop[2] [tʃɔp] I. *s.* 1. transformare. 2. schimb, troc. 3. *mar.* (mare cu) berbeci. 4. *geol.* falie. II. *vt.* a transforma. || *to ~ logic* a diseca, a despica firul în patru. III. *vi.* 1. *(d. vânt)* a se schimba. 2. a șovăi; a sta pe gânduri. 3. a discuta *(aprins)*.

chopper ['tʃɔpər] *s.* 1. satâr; cuțit de măcelar. 2. mașină de tocat. 3. *amer.* tăietor de pădure. **4.** *amer.,* *fam.* mitralieră. **5.** *el.* întrerupător, ruptor. **6.** *cib.* cioper, medulator. **7.** *amer., fam.* controlor de bilete *(la teatru etc.).*

choppy ['tʃɔpi] *adj.* **1.** *(d. vânt)* foarte schimbător. **2.** *(d. mare)* agitat, cu berbeci. **3.** *tehn.* buclat, ondulat.

chopsticks ['tʃɔpstiks] *s. pl.* beţişoare pentru mâncat orez.

chop-suey ['tʃɔp 'suːi] *s. gastr.* tocană chinezească *(cu ciuperci, fasole etc.).*

choral ['kɔːrl] *adj.* coral.

chorale [kɔ'rɑːli] *s. muz.* coral.

chord [kɔːd] *s.* **1.** *poet.* coardă, strună. **2.** *mai ales anat.* coardă, tendon, ligament; nerv. **3.** *constr.* pilă; coardă; talpă a unei grinzi. **4.** *tehn.* şnur, funie.

chore [tʃɔː] *s. amer.* **1.** treabă (casnică). **2.** muncă.

choreography [,kɔri'ɔɡrɔfi] *s.* coregrafie.

chorister ['kɔristə] *s.* corist.

chortle ['tʃɔːtl] *vi.* **1.** a râde pe înfundate; a chicoti. **2.** a jubila.

chorus ['kɔːrəs] *s.* **1.** cor. **2.** refren.

chorus-girl ['kɔːrəsɡəːl] *s.* **1.** balerină, figurantă (la revistă, music-hall).

chose [tʃouz] *vt., vi. trec. de la* **choose**.

chosen ['tʃouzn] *vt., vi. part. trec. de la* **choose**.

chough [tʃʌf] *s. ornit.* cioară, stancă, stăncuţă *(Coloeus monedula).*

chow [tʃau] *s.* **1.** chow-chow *(rasă de câini chinezeşti.)* **2.** *amer. sl.* haleală, potol. **3.** *(cuvânt australian) fam.* chinez.

chowder ['tʃaudə] *s. gastr.* supă / tocană de peşte sau moluşte.

chow mein [tʃau 'mein] *s. gastr.* mâncare chinezească cu carne, legume şi tăiţei.

chrism ['krizəm] *s.* **1.** *bis.* mir. **2.** *bis.* miruire, ungere. **3.** *fig.* balsam.

Christ [kraist] **I.** *s.* Hristos. **II.** *interj.* Doamne!

christen ['krisn] *vt.* a boteza.

Christendom ['krisndəm] *s.* creştinătate.

christening ['krisəniŋ] *s. bis.* botez, botezare.

Christian ['kristjən] *s., adj.* creştin.

christiania (turn) [,kristʃi'ænjə (tɔːn)] *s. sport* cristiană *(la ski).*

Christianity [,kristi'æniti] *s.* creştinism.

christianize ['kristjənaiz] *vt.* a creştina.

Christian name ['kristjən'neim] *s.* nume de botez, nume mic.

Christmas ['krisməs] *s.* Crăciun.

Christmas card ['krisməs,kɑːd] *s.* felicitare de sărbători.

Christmas Eve ['krisməs'iːv] *s.* ajunul Crăciunului.

chromatic [krə'mætik] *adj.* **1.** cromatic, colorat. **2.** *muz.* cromatic.

chromatography [,kroumə'tɔɡrəfi] *s.* cromatografie.

chrome [kroum] *s. v.* **chromium**.

chromic ['kroumik] *adj. chim.* cromic.

chromium ['kroumjəm] *s. chim.* crom.

chromosome ['kroumɔsoum] *s. biol.* cromozom.

chronic ['krɔnik] *adj.* cronic.

chronicle ['krɔnikl] *s.* cronică.

chronicler ['krɔniklə] *s.* cronicar, cronograf, istoric.

chronologic(al) [,krɔnə'lɔdʒik(l)] *adj.* cronologic.

chronology [krə'nɔlɔdʒi] *s.* **1.** cronologie. **2.** tabel cronologic.

chronometer [krə'nɔmitə] *s.* **1.** cronometru; ceas exact. **2.** *muz.* metronom.

chrysalis ['krisəlis], *pl.* **chrysalises** ['krisəlisiz] *sau* **chrysalides** [kri'sælidiz] *s. entom.* crisalidă, nimfă.

chrysanthemum [kri'sænθəməm] *s.* crizantemă.

chrysolite ['krisəlait] *s. minr.* hrizolit, crizolită, olivină.

chub [tʃʌb] *s. iht.* clean *(Leuciscus cephalus).* **2.** *înv.* tont, nătăfleţ. **3.** *amer.* persoană mică şi grasă, dop.

chubby ['tʃʌbi] *adj.* **1.** bucălat. **2.** durduliu.

chuck [tʃʌk] *vt.* **1.** a arunca. **2.** a părăsi. | | *to ~ under the chin* a mângâia sub bărbie.

chuckle ['tʃʌkl] **I.** *s.* **1.** chicot. **2.** râs înfundat. **II.** *vi.* **1.** a râde pe înfundate. **2.** a chicoti.

chuffed [tʃʌft] *adj. sl.* **1.** morocănos, posac. **2.** vesel, mândru, înfumurat.

chug [tʃʌɡ] *vi. (d. locomotive etc.)* a pufăi, a merge pufăind.

chukka, chukker ['tʃʌkə] *s. sport* repriză *(la polo)* .

chum [tʃʌm] **I.** *s.* **1.** prieten bun. **2.** tovarăş. **II.** *vi.* a se împrieteni, a fi ca fraţii.

chummy ['tʃʌmi] **I.** *adj. fam.* sociabil, prietenos; intim. **II.** *s.* **1.** *pop.* (ajutor de) hornar / coşar. **2.** *sl.* maşină mică, automobil.

chump [tʃʌmp] *s. fam.* **1.** lemn, scurtătură, butuc. **2.** capăt gros *(al unui obiect)*. **3.** *fam.* tont, cap sec, vită încălţată. **4.** *sl.* căpăţână, dovleac.

chunk [tʃʌŋk] *s.* bucată.

chunter ['tʃʌntə] *vi.* a mormăi, a bombăni.

chupatty [tʃə'pæti] *v.* **chapatti**.

church [tʃəːtʃ] *s.* **1.** biserică. **2.** *fig.* liturghie. **3.** *fig.* religie.

churchgoer ['tʃəːtʃ,ɡouə] *s.* persoană bisericoasă / care frecventează biserica, credincios.

churchman ['tʃəːtʃmən] *s.* **1.** teolog. **2.** cleric, faţă bisericească. **3.** membru al bisericii de stat.

churchwarden ['tʃəː'wɔːdn] *s.* **1.** ţârcovnic. **2.** epitrop, staroste de biserică. **3.** pipă (lungă) de lut.

churchyard ['tʃəː'tʃjɑːd] *s.* cimitir.

churl [tʃəːl] *s.* bădăran.

churlish ['tʃəːliʃ] *adj.* mojic.

churn [tʃəːn] **I.** *s.* **1.** putinei; aparat de bătut untul; agitator, tel. **2.** vas, cană *(de lapte).* **II.** *vt.* **1.** a bate, a separa *(untul).* **2.** a scutura, a preface în spumă *(un lichid).* **III.** *vi.* **1.** a se preface în unt. **2.** a spumega, a face spumă; a se agita.

chute [ʃuːt] *s.* **1.** jgheab. **2.** tub. **3.** tobogan.

chyle [kail] *s. fiziol.* chil.

chyme [kaim] *s. fiziol.* chim.

ciao [tʃau] *interj. fam.* **1.** ciao! pa! **2.** ciao! bună!

cicada [si'kɑːdə], *pl.* **cicadae** [si'kɑːdiː] *sau* **cicadas** *s. entom.* greier(e) tropical *(Acheta).*

cicatrice ['sikətris] *s.* **1.** cicatrice; zgârietură. **2.** *rar* urmă, semn.

CID *abrev.* Criminal investigation Department Departamentul de Investigaţii Penale.

cider ['saidə] *s.* cidru.

cigar [si'ɡɑː] *s.* trabuc.

cigarette [,siɡə'ret] *s.* ţigară, ţigaretă.

cigarette-case [,siɡə'retkeis] *s.* tabacheră.

cigarette-holder [,siɡə'ret,houldə] *s.* port-ţigaret.

cilia ['siliə] *s. pl. anat., bot.* cili.

cilium ['siliəm] *s.* **1.** geană. **2.** *biol.* perişor; cil.

Cimmerian [si'miəriən] adj. 1. ist. cimerian. 2. sumbru, întunecos, întunecat; orb.

cinch [sintʃ] amer. I. s. 1. chingă. 2. fam. strânsoare; putere. 3. fam. ursită; lucru / pont sigur. 4.influenţă, control. II. vt. 1. a înşeua; fig.a pune şaua pe. 2. a hotărî. III. vi. a întări strânsoarea.

cinchona [siŋ'kounə] s. 1. bot. arborele de chinină (Cinchona). 2. coajă de Cinchona; chinină.

cincture ['siŋktʃə] s. 1. centură, brâu. 2. împrejmuire. 3. arhit. brâu (la coloane).

cinder [sində] s. 1. zgură. 2. cenuşă.

Cinderella [,sində'relə] s. Cenuşăreasa.

cine- prefix ['sini] cine-, cinematografic, de cinema.

cine-camera ['sini'kæmərə] s. cin. aparat de filmat.

cinema ['sinimə] s. cinema(tograf).

cinematograph [,sini'mætəgrɑːf] s. 1. cinema. 2. aparat de proiecţie.

cineraria [,sinə'rɛəriə] s. bot. cineraria (Senecio cruentus).

cinerary ['sinərəri] adj. cinerar, relativ la cenuşă.

cinnabar ['sinəbɑː] s. minr. chinovar, cinabru, vermilion.

cinnamon ['sinəmən] s. scorţişoară.

cinq(ue) foil ['siŋkfɔil] s. 1. bot. cinci degete (Potentilla). 2. arhit. ornament cu cinci frunze (la ferestrele gotice).

Cinque Ports ['siŋk pɔːts] s. pl. ist. cele cinci porturi (Dover, Sandwich, Romney, Hastings, Hythe).

cipher ['saifə] I. s. 1. cifru. 2. zero, nimic. 3. fig. nulitate. II. vt. 1. a socoti. 2. a cifra.

circa ['sɜːkə] adv. aproximativ, circa, vreo.

Circassian [sɜː'kæsiən] I. adj. circazian, cerchez. II. s. 1. circazian, cerchez. 2. (limba) circaziană, (limba) cercheză.

Circe ['sɜːsi] s. 1. mit. Circe (şi fig.). 2. fig. seducătoare, ademenitoare.

circle ['sɜːkl] I. s. 1. cerc. 2. inel. 3. serie, lanţ. 4. teatru balcon. II. vt. a înconjura. III. vi. a se învârti în cerc.

circlet ['sɜːklit] s. 1. cerc mic, cerculeţ. 2. inel; brăţară; cunună.

circuit ['sɜːkit] s. 1. circuit. 2. turneu. 3. tur. 4. circumscripţie.

circuitous [sɜː'kjuitəs] adj. 1. indirect. 2. (spus) pe înconjur.

circuitry ['sɜːkitri] s. el. circuite; schemă electrică / de conexiuni / de montaj.

circular ['sɜːkjulə] I. s. circulară. II. adj. rotund; circular.

circularize ['sɜːkjuləraiz] vt. 1. a trimite (cuiva) circulare. 2. a rotunji, a face rotund.

circulate ['sɜːkjuleit] I. vt. a răspândi. II. vi. 1. a circula. 2. a merge în cerc.

circulating ['sɜːkjuleitiŋ] adj. ambulant.

circulating library ['sɜːkjuleitiŋ'laibrəri] s. bibliotecă de împrumut..

circulation [,sɜːkju'leiʃn] s. 1. circulaţie. 2. răspândire. 3. tiraj (al unei publicaţii).

circulatory ['sɜːkjulətəri] adj. circulator, ambulant.

circumcise ['sɜːkəmsaiz] vt. 1. rel. a circumcide, a tăia împrejur. 2. fig. a tăia, a reduce.

circumcision [,sɜːkəm'siʒən] s. 1. rel. circumcizi(un)e, tăiere împrejur. 2. fig. tăiere, reducere.

circumference [sə'kʌmfrns] s. circumferinţă.

circumferential [sə,kʌmfə'renʃl] adj. 1. având formă de cerc, de circumferinţă, rotund; periferic; indirect. 2. înconjurător.

circumflex ['sɜːkəmfleks] s. (accent) circumflex.

circumlocution [,sɜːkəmlə'kjuːʃn] s. 1. circumlocuţiune. 2. verbozitate, vorbire evazivă / pe ocolite. 3. lingv. perifrază; glumeţ Circumlocution Office birou sau instituţie unde înfloresc formalismul şi birocratismul (expresie creată de Dickens în romanul Micuţa Dorrit).

circumnavigate [,sɜːkəm'nævigeit] vt. a ocoli (pe mare), a naviga în jurul (cu gen.).

circumnavigation [sɜːkəmnævi'geiʃ] s. circumnavigaţie; călătorie în jurul lumii.

circumscribe ['sɜːkəmskraib] vt. a circumscrie; a limita.

circumscription [,sɜːkəm'skripʃn] s. 1. inscripţie. 2. circumscriere.

circumspect ['sɜːkəmspekt] adj. 1. prudent. 2. grijuliu.

circumspection [,sɜːkəm'spekʃn] s. circumspecţie, precauţie; vigilenţă, atenţie.

circumstance ['sɜːkəmstəns] s. 1. împrejurare, condiţie. 2. eveniment. 3. amănunt. 4. pl. avere. || in sau under the ~s dată fiind situaţia; în acest caz, în cazul de faţă.

circumstantial ['sɜːkəm'stænʃəl] I. adj. 1. amănunţit, detaliat, minuţios. 2. circumstanţial; întâmplător, accidental, depinzând de împrejurări. || ~ evidence dovezi / probe indirecte / adiacente. II. s. 1. detaliu, amănunt. 2. împrejurare; moment însoţitor; difference between substantials and ~s deosebire între important şi neimportant / între esenţial şi neesenţial.

circumvent [,sɜːkəm'vent] vt. a împiedica.

circus ['sɜːkəs] s. 1. circ. 2. piaţă.

cirque [sɜːk] s. 1. geogr. căldare, circ glaciar; amfiteatru natural. 2. poet. amfiteatru; arenă. 3. piaţă (circulară).

cirrhosis [si'rousis] s. med. ciroză.

cirriped ['siriped] s. zool. crustaceu din subclasa Cirripedia .

cirrus ['sirəs] pl. cirri ['sirai] s. 1. (nor) cirus. 2. bot. cârcel de viţă, lujer, curpen.

cisalpine [sis'ælpain] adj. cisalpin (situat în partea sudică a Alpilor).

Cistercian [sis'tɜːʃiən] s. adj. bis. (călugăr) cistercian.

cistern ['sistən] s. cisternă, bazin, rezervor (de apă, ţiţei etc.).

cistus ['sistəs] s. bot. plantă din genul Cistus.

citadel ['sitədl] s. 1. citadelă, fortăreaţă. 2. fig. refugiu.

citation [sai'teiʃn] s. 1. citat, notă (în josul paginii). 2. enumerare, menţionare. 3. (mai ales mil.) citare prin ordin de zi, decorare. 4. jur. citaţie.

cite [sait] vt. a cita.

citizen ['sitizn] s. 1. cetăţean. 2. locuitor.

citizenry ['sitizənri] s. cetăţeni.

citizenship ['sitiznʃip] s. 1. cetăţenie. 2. îndatoriri cetăţeneşti.

citrate ['sitreit] s. chim. citrat, sare a acidului citric.

citric ['sitrik] adj. citric. || ~ acid acid citric.

citron ['sitrən] s. bot. 1. chitru (Citrus medica). 2. chitră, lămâie dulce.

citronella [sitrə'nelə] *s.* **1.** *bot.* iarbă aromatică *(Cymbopogon Nardus).* **2.** ulei extras din această iarbă.

citrous ['sitrəs] *adj. bot.* citric.

citrus ['sitrəs] *s. bot.* **1.** chitru *(Citrus medica).* **2.** (fructe) citrice *(şi ~ fruit).*

city ['siti] *s.* oraş. || the City cartierul comercial al Londrei.

city-man ['siti'mæn] *s.* om de afaceri.

city state ['siti steit] *s. ist.* cetate, polis *(oraş - stat în lumea antică).*

civet ['sivit] *s.* **1.** *zool.* zibetă *(Viverra zibetha).* **2.** parfum de zibetă.

civic ['sivik] *adj.* cetăţenesc, civic.

civics ['siviks] *s. pl. (folosit ca sing.) jur.* teoria drepturilor şi îndatoririlor cetăţeneşti.

civil ['sivl] *adj.* **1.** cetăţenesc. **2.** civil. **3.** politicos, manierat. **4.** oficial.

civil engineering ['sivl endʒi'niəriŋ] *s.* construcţii civile.

civilian [si'viljən] *s., adj.* civil.

civility [si'viliti] *s.* politeţe.

civilization [,sivilai'zeiʃn] *s.* **1.** civilizaţie. **2.** civilizare.

civilize ['sivilaiz] *vt.* **1.** a civiliza. **2.** a educa.

civilized ['sivilaizd] *adj.* **1.** civilizat. **2.** politicos, instruit.

civil law ['sivl'lɔ:] *s.* drept civil.

civil servant ['sivl'sə:vnt] *s.* funcţionar public, de stat.

civil service ['sivl sə:vis] *s.* serviciu public sau guvernamental; administraţie civilă.

clack [klæk] **I.** *s.* **1.** uruit; clămpăneală; zgomot de voci; zarvă; *fig.* flecăreală, bârfeală. **2.** *tehn.* ventil cu clapă. **II.** *vi.* **1.** a urui; a clămpăni. **2.** a cotcodăci. **3.** a flecări, a bârfi.

clad [klæd] *adj.* **1.** îmbrăcat. **2.** împădurit.

cladding ['klædiŋ] *s.* armătură, blindaj; prọtecţie.

claim [kleim] **I.** *s.* **1.** pretenţie. **2.** revendicare. **3.** drept. **4.** obiectul unei revendicări. || to set up a ~ a ridica o pretenţie. **II.** *vt.* **1.** a pretinde. **2.** a susţine. **3.** a revendica. **4.** a necesita. **5.** a merita.

claimant ['kleimənt] *s.* pretendent.

clairvoyance [kleə'vɔiəns] *s.* **1.** clarviziune, vedere de la distanţă. **2.** *fig.* clarviziune, perspicacitate. **3.** capacitate de prezicere.

clairvoyant [kleə'vɔiənt] *s.* **1.** vizionar, prezicător, ghicitor. **2.** *fig.* persoană clarvăzătoare, perspicace.

clam [klæm] *s. zool.* scoică, moluscă comestibilă.

clamber ['klæmbə] *vi.* a se căţăra.

clammy ['klæmi] *adj.* **1.** jilav. **2.** lipicios. **3.** rece şi umed.

clamorous ['klæmrəs] *adj.* **1.** gălăgios. **2.** pretenţios.

clamour ['klæmə] **I.** *s.* **1.** larmă, gălăgie, strigăt. **2.** *fig.* proteste / manifestaţii zgomotoase. **II.** *vi.* a vocifera, a striga. **III.** *vt.* **1.** a striga, a rosti zgomotos. **2.** to ~ down a reduce la tăcere.

clamp[1] [klæmp] **I.** *s.* **1.** *tehn.* cârlig, scoabă, clamă; falcă de prindere, cap de prindere; brăţară; bridă. **2.** *constr.* etrier, brăţară. **3.** grămadă de cartofi *(adăpostiţi pentru iarnă).* **II.** *vt.* **1.** a lega, a îmbuca; a încleia. **2.** a aşeza (în) grămezi, a face morman.

clamp[2] [klæmp] **I.** *vi.* a bocăni, a păşi greoi. **II.** *s.* mers greoi.

clan [klæn] *s.* **1.** clan; neam. **2.** clică.

clandestine [klæn'destin] *adj.* clandestin.

clang [klæŋ] **I.** *s.* dangăt. **II.** *vt., vi.* a suna.

clango(u)r ['klæŋgə] *s.* **1.** dangăt. **2.** sunet metalic.

clank [klæŋk] **I.** *s.* **1.** sunet ascuţit. **2.** zăngănit *(de lanţuri).* **II.** *vt., vi.* a suna, a zăngăni.

clannish ['klæniʃ] *adj.* **1.** de clan, de trib, tribal. **2.** exclusivist, care are spirit de clan; partizan.

clannishness ['klæniʃnis] *s.* spirit de clan, castă sau gaşcă.

clansman ['klænzmən], *pl.* **clansmen** ['klænzmen] *s.* membru al unui clan.

clap[1] [klæp] **I.** *s.* **1.** pocnet, trosnet. **2.** bubuit(ură). **3.** *pl.* aplauze. **II.** *vt.* **1.** a pocni; a bate din *(palme).* **2.** a lovi (uşurel). || to ~ one's hands a aplauda, a bate din palme; to ~ (one's) eyes on a pune ochii pe. **III.** *vi.* **1.** a trosni. **2.** a aplauda.

clap[2] [klæp] *sl.* **I.** *s.* blenoragie; boală venerică / lumească. **II.** *vt.* a îmbolnăvi de blenoragie.

clapboard ['klæp,bɔ:d] *s.* **1.** doagă. **2.** *amer.* scândură tăiată în formă de pană. **3.** draniţă, şindrilă, şiţă.

clapper ['klæpə] *s.* **1.** limbă de clopot. **2.** *glumeţ anat.* limbă. **3.** cârâitoare, hârâitoare *(pentru a speria păsările).*

clap trap ['klæp træp] **I.** *s.* **1.** frază sforăitoare. **2.** *teatru* cârlig, gag, efect (teatral). **3.** reclamă zgomotoasă. **II.** *adj.* **1.** sforăitor, zgomotos. **2.** ieftin, care caută să dea senzaţie.

claret ['klærət] *s.* **1.** vin roşu (de Bordeaux). **2.** *sl.* sânge, borş.

claret ['klærət] *s.* **1.** vin bordo, (vin de) Bordeaux. **2.** (culoare) roşu-închis, bordo. **3.** *sl.* sânge; borş. || to tap smb.'s ~ a umple pe cineva de sânge, a face să-i dea borşul cuiva.

clarify ['klærifai] *vt., vi.* a (se) clarifica.

clarinet [,klæri'net] *s.* clarinet.

clarion ['klæriən] *s.* trâmbiţă.

clarity ['klæriti] *s.* claritate.

clash [klæʃ] **I.** *s.* **1.** ciocnire. **2.** discordie. **II.** *vt.* **1.** a ciocni. **2.** a izbi. **III.** *vi.* **1.** a se ciocni. **2.** a se lovi. **3.** a zăngăni. **4.** a se bate cap în cap. **5.** a fi în discordie.

clasp [klɑ:sp] **I.** *s.* **1.** scoabă. **2.** legătură. **3.** strângere de mână. **4.** îmbrăţişare. **II.** *vt.* **1.** a strânge; a apuca bine. **2.** a fixa.

class [klɑ:s] *s.* **1.** clasă. **2.** lecţie, oră (de clasă). **3.** categorie. **4.** grup(ă). || in a ~ by itself (cu totul) aparte.

classic ['klæsik] **I.** *s.* **1.** clasic. **2.** operă clasică. **3.** film clasic. **4.** *pl. şcol.* umanistică; limbi şi literaturi clasice. **II.** *adj.* **1.** clasic. **2.** bine cunoscut, vestit.

classical ['klæsikl] *adj.* **1.** clasic; antic. **2.** sobru. **3.** excelent.

classicism ['klæsisizəm] *s.* **1.** clasicism. **2.** studiul limbilor şi literaturii clasice. **3.** *lingv.* limba latină / greacă.

classicist ['klæsisist] *s.* **1.** cunoscător sau iubitor al clasicismului; latinist sau clasicist, umanist. **2.** clasicizant; academist.

classification [,klæsifi'keiʃn] *s.* clasificare.

classify ['klæsifai] *vt.* a clasifica.

classmate ['klɑ:smeit] *s.* coleg de clasă.

classroom ['klɑ:srum] *s.* (sală de) clasă.

classy ['klɑ:si] *adj. sl.* a-ntâia, fain, eminent, distins; elegant, fin.

clatter ['klætə] I. *s.* **1.** tropot. **2.** zarvă. II. *vt.* a zăngăni. III. *vi.* **1.** a tropoti. **2.** a tropăi. **3.** a zăngăni.

clause [klɔːz] *s.* **1.** clauză. **2.** *gram.* propoziție *(dintr-o frază).*

clavichord ['klævikɔːd] *s. muz.* clavicord.

clavicle ['klævikl] *s. anat.* claviculă.

clavier *s.* **1.** [klə'viə] clavir *(numele vechi al pianului).* **2.** ['klæviə] claviatură.

claw [klɔː] I. *s.* gheară. II. *vt.* **1.** a apuca. **2.** a zgâria.

clay [klei] *s.* **1.** argilă, lut. **2.** pământ.

clayey ['kleii] *adj.* argilos.

claymore ['kleimɔː] *s.* sabie scoțiană *(cu lama lungă și lată).*

clean [kliːn] I. *adj.* **1.** curat. **2.** spălat. **3.** proaspăt. **4.** neîntrebuințat. **5.** imaculat. **6.** pur. **7.** corect. **8.** îndemânatic. || *to make a ~ breast off* a mărturisi. II. *vt.* **1.** a curăța; a face curat în. **2.** a spăla. **3.** a înlătura. **4.** a scurge / a stoarce de bani. III. *adv.* **1.** curat. **2.** total, complet.

clean-cut ['kliːn'kʌt] *adj.* **1.** clar, distinct. **2.** curat, curățel. **3.** bine făcut.

cleaner ['kliːnə] *s.* curățitor; spălător.

cleanliness ['klenlinis] *s.* curățenie, puritate.

cleanly[1] ['klenli] *adj.* **1.** curat, îngrijit. **2.** *fig., înv.* curat, nevinovat; neprihănit.

cleanly[2] ['kliːnli] *adv.* curat.

cleanness ['kliːnnis] *s.* curățenie, puritate *(și fig.)*

cleanse [klenz] *vt.* **1.** a curăța, a face curățenie în. **2.** a purifica.

clean-shaven ['kliːn'ʃeivn] *adj.* **1.** ras. **2.** fără barbă *sau* mustață.

clean-up ['kliːn'ʌp] *s. fam.* curățenie temeinică.

clear [kliə] I. *adj.* **1.** clar, limpede. **2.** curat. **3.** pur. **4.** nepătat. **5.** distinct. **6.** ferit, liber *(de primejdii).* **7.** slobod, eliberat de. **8.** total, întreg. || *to keep ~ of* a nu se apropia de, a se feri de; *the coast is ~* primejdia a trecut, nu mai e nici un pericol. II. *vt.* **1.** a curăța. **2.** a limpezi. **3.** a clarifica. **4.** a trece. **5.** a elibera, a scăpa de. || *to ~ away* a strânge masa; *to ~ up* a aranja; *to ~ one's throat* a-și drege glasul; *to ~*

customs a trece prin vamă, a fi vămuit. III. *vi.* **1.** a se limpezi. **2.** a se clarifica. **3.** a se însenina. || *to ~ off* sau *out* a pleca.

clearance ['kliərəns] *s.* **1.** clarificare. **2.** eliberare. **3.** spațiu.

clear-cut ['kliə'kʌt] *adj.* **1.** limpede. **2.** drept, corect.

clearing ['kliəriŋ] *s.* **1.** poiană. **2.** defrișare. **3.** *fin.* cliring.

Clearing House ['kliəriŋ haus] *s. econ.* Oficiu de cliring.

clearly ['kliəli] *adv.* **1.** limpede. **2.** distinct, clar.

clearness ['kliənis] *s.* claritate.

clear-sighted ['kliəsaitid] *adj.* clarvăzător, prevăzător; prudent; ager.

cleat [kliːt] *s.* **1.** *tehn.* clemă, pană, tachet, scoabă, eclisă; șipcă. **2.** *met.* filieră de trefilare. **3.** *geol.* clivaj vertical. **4.** *mar.* tachet; urechi de ghidare.

cleavage ['kliːvidʒ] *s.* **1.** crăpătură. **2.** despărțire. **3.** sciziune. **4.** *geol.* clivaj.

cleave [kliːv] I. *vt. trec.* **cleft** [kleft] *și part. trec.* **cleft** [kleft] *și* **cloven** ['klouvn] **1.** a despica, a spinteca; a străpunge. **2.** *fig.* a despica, a tăia *(valurile, aerul).* **3.** a croi *(o cărare).* **4.** a tăia *(bucăți).* II. *vi. trec.* **cleft** [kleft] *și part. trec.* **cleft** [kleft] *și* **cloven** ['klouvn] **1.** a se despica, a se tăia, a se spinteca; a se separa. **2.** a-și croi drum.

cleaver ['kliːvə] *s.* **1.** tăietor *(de lemne etc.).* **2.** satâr.

clef [klef] *s. muz.* cheie.

cleft [kleft] I. *s.* crăpătură, despicătură. II. *vt., vi. trec. și part. trec. de la* **cleave.** || *in a ~ stick* într-o situație fără ieșire, în impas.

clematis ['klemətis] *s. bot.* clematită, vița-albă, curpen-alb *(Clematis vitalba).*

clemency ['klemənsi] *s.* **1.** blândețe. **2.** îndurare.

clement ['klemənt] *s.* blând.

clementine ['kleməntain] *s. bot.* varietate de portocală mică.

clench [klentʃ] I. *vt.* **1.** a strânge, a încleșta. **2.** v. **clinch** I.2. II. *s.* **1.** strângere, încleștare. **2.** nituire. **3.** scoabă, clemă; nit. **4.** *fig.* argument convingător.

clergy ['klɔːdʒi] *s.* **1.** cler(ici) **2.** cinul preoțesc. **3.** *(folosit ca pl.)* fețe bisericești. || *twenty ~ were present* au fost de față douăzeci de reprezentanți ai

clerului / de fețe bisericești.

clergyman ['klɔːdʒimən], *pl.* **clergymen** ['klɔːdʒimən] *s.* preot, cleric, față bisericească.

cleric ['klerik] I. *s.* cleric, față bisericească. II. *adj.* clerical.

clerical ['klerikl] *adj.* **1.** cleric(al). **2.** bisericesc. **3.** funcționăresc.

clerihew ['klerihjuː] *s.* catren umoristic cu rime împerecheate *(inventat de Edmund Clerihew Bentley).*

clerk [klɑːk] *s.* **1.** funcționar *(mai ales comercial)*; contabil. **2.** vânzător *sau* vânzătoare de prăvălie. **3.** conțopist. **4.** notar. **5.** grefier.

clever ['klevə] *adj.* **1.** deștept. **2.** isteț. **3.** iscusit. **4.** îndemânatic.

cleverly ['klevəli] *adv.* **1.** cu deșteptăciune, isteț, inteligent. **2.** abil, cu iscusință. **3.** *amer.* sigur, categoric.

cleverness ['klevənis] *s.* **1.** inteligență, istețime. **2.** agilitate, iuțeală. **3.** înzestrare, dăruire. **4.** iscusință, abilitate.

clew [kluː] I. *s.* **1.** ghem *(de ață).* **2.** *fig.* fir conducător; îndreptar; indiciu. **3.** *mar.* colț *(de școtă).* II. *vt.* **1.** a face ghem, a înfășura. **2.** *mar.* a strânge *(pânzele)* pe colț.

cliché ['kliːʃei] *s.* **1.** *poligr.* clișeu pe zinc; placă de stereotipie. **2.** *fig.* clișeu, ștampilă; expresie stereotipă; platitudine, banalitate.

click [klik] I. *s.* pocnitură. II. *vt., vi.* a pocni.

client ['klaiənt] *s.* **1.** *(ist. Romei)* client. **2.** *fig.* protejat, favorit, cirac. **3.** client *(al unui avocat).* **4.** client, cumpărător.

clientèle [ˌkliːɑːnˈteil] *s.* clientelă, clienți; obișnuiții *(unui local, hotel etc.).*

cliff [klif] *s.* **1.** faleză. **2.** râpă, buză de deal.

climacteric [klaiˈmæktərik] I. *adj.* **1.** climacteric, critic. **2.** referitor la menopauză / la climacteriu. II. *s.* **1.** *fiziol.* climacteriu, vârstă critică; menopauză; andropauză. **2.** perioadă critică *(și fig.).*

climate ['klaimit] *s.* **1.** climă. **2.** climat.

climatic [klaiˈmætik] *adj.* climateric.

climax ['klaimæks] *s.* **1.** punct culminant, culme. **2.** orgasm.

climb [klaim] I. *s.* **1.** urcuș. **2.** pantă. II. *vt.* a urca, a se cățăra pe. **III.** *vi.* **1.** a se (ab)urca. **2.** a se căţăra. **3.** a se înălţa. **4.** a parveni (în viaţă). || *to ~ down* a coborî; a fi în declin.

climber ['klaimə] *s.* **1.** plantă agăţătoare. **2.** alpinist; căţărător. **3.** arivist, parvenit.

clime [klaim] *s. poet.* **1.** climă; climat. **2.** meleaguri, tărâm.

clinch [klintʃ] **I.** *vt.* **1.** a ţintui; a nitui. **2.** a stabili, a se înţelege cu privire la. **3.** v. **clench** I. 1. **II.** *vi.* **1.** a bate un cui / o scoabă etc. **2.** *sport* a intra într-un clinci *(la box).* **III.** *s.* **1.** *tehn.* bornă, clemă; scoabă; nit. **2.** joc de cuvinte, calambur. **3.** *sport* clinci, imobilizare.

cling [kliŋ]*vi. trec. şi part. trec.* **clung** [klʌŋ] **1.** a se lipi de; a se agăţa de. **2.** a nu se clinti. || *to ~ on to smth.* a nu lăsa ceva din mână.

clinging ['kliŋiŋ] *adj.* **1.** agăţător. **2.** colant.

clinic ['klinik] *s.* clinică.

clinical ['klinikl] *adj.* **1.** *med.* clinic. **2.** *bis.* la patul bolnavului; la un bolnav pe patul morţii.

clink[1] [kliŋk] **I.** *s.* clinchet. **II.** *vt.* **1.** a ciocni. **2.** a zornăi. **III.** *vi.* a zornăi.

clink[2] [kliŋk] *s. sl.* pârnaie, zdup, închisoare.

clinker ['kliŋkə] **I.** *s.* **1.** clincher. **2.** (bulgăre de) zgură; lavă răcită. **3.** cui cu cioc pentru tencuială. **II.** *vt. tehn.* a arde, a coace, a sinteriza.

clinker-built ['kliŋkə ‚bilt] *adj. mar.* căptuşit cu scânduri suprapuse; construit în clinuri / în sistem suprapus.

clip [klip] **I.** *s.* **1.** clamă. **2.** agrafă. **3.** tuns *(al oilor).* **4.** reclamă scurtă, clip *(publicitar).* **II.** *vt.* **1.** a reteza. **2.** a prinde *(cu o agrafă etc.).* **3.** a perfora *(un bilet etc.).* **4.** a tunde *(oile etc.).*

clipper ['klipə] *s.* **1.** goeletă. **2.** transatlantic. **3.** avion transatlantic. **4.** *pl.* foarfeci. **5.** *pl.* cleşte. **6.** *pl.* maşină de tuns.

clipping ['klipiŋ] *s.* **1.** tăietură. **2.** extras din ziar, tăietură de presă.

clique [kli:k] **I.** *s.* clică, gaşcă. **II.** *vi. fam.* a forma o clică / gaşcă, a se înhăita.

cloaca [klou'eikə], *pl.* **cloacae** [klou'eiki:] *s.* **1.** canal de scurgere, conductă / canal pentru ape uzate. **2.** closet,

privată. **3.** *zool.* cloacă.

cloak [klouk] **I.** *s.* **1.** manta. **2.** mantie. **3.** pardesiu larg. **4.** anteriu. **5** *fig.* paravan. **II.** *vt.* a ascunde, a tăinui.

cloak-room ['kloukrum] *s.* **1.** vestiar. **2.** garderobă. **3.** casă de bagaje *(la gară).*

clobber ['klɔbə] **I.** *vt.* **1.** a distruge, a fărâma, a face bucăţi. **2.** a învinge. **II.** *s.* **1.** clei, pap. **2.** cârpeală. **3.** *sl.* ţoale, haine.

cloche [klɔʃ] *s.* **1.** clopot de sticlă *(pentru plante).* **2.** pălărie de damă cloş, clop.

clock [klɔk] **I.** *s.* **1.** orologiu. **2.** ceas, ceasornic *(de masă, de perete etc.).* **II.** *vt., vi.* a ponta.

clock-maker ['klɔkmeikə] *s.* ceasornicar.

clockwise ['klɔkwaiz] *adj., adv.* în sensul acelor unui ceasornic.

clockwork ['klɔkwə:k] *s.* mecanism de ceasornic.

clod [klɔd] *s.* bulgăre de pământ.

clod-hopper ['klɔd‚hɔpə] *s.* **1.** *peior.* bădăran, ţăran; ghiorlan, topârlan. **2.** *pl.* bocanci ţărăneşti.

clog [klɔg] **I.** *s.* sabot. **II.** *vt., vi.* **1.** a (se) năclăi. **2.** a (se) bloca.

cloister ['klɔistə] *s.* **1.** mănăstire. **2.** galerie.

clone [kloun] *biol.* **I.** *s.* clon(ă). **II.** *vi., vt.* a se înmulţi prin clonare.

clonus ['klounəs] *s. med.* clonus *(spasm al muşchilor).*

close[1] [klouz] **I.** *s.* încheiere. **2.** sfârşit. || *to draw to a ~* a se sfârşi, a se apropia de sfârşit. **II.** *vt.* **1.** a închide. **2.** a astupa. **3.** a ascunde. **4.** a încheia. || *to ~ the ranks* a strânge rândurile; *to ~ up* a închide de tot. **III.** *vi.* **1.** a se apropia. **2.** a se învoi. || *to ~ with an offer* a accepta o propunere; *to ~ in upon* a se apropia de; a înconjura.

close[2] [klous] **I.** *s.* **1.** împrejmuire. **2.** ţarc. **3.** curte. **II.** *adj.* **1.** apropiat. **2.** la îndemână. **3.** complet. **4.** amănunţit. **5.** înghesuit. **6.** îndesat, gros. **7.** ascuns; tainic. **8.** închis. **III.** *adv.* **1.** în apropiere. **2.** la îndemână *(şi ~ at hand).* || *~ by* sau *to* lipit de, lângă.

closely ['klousli] *adv.* **1.** îndeaproape. **2.** strâns.

closeness ['klousnis] *s.* **1.** zăpuşeală, năduf, aer îmbâcsit / viciat. **2.** desime, caracter compact. **3.** caracter înghesuit *(al*

scrisului); concizie *(a stilului).* **4.** precizie, fidelitate, exactitate *(a unei traduceri etc.).* **5.** *fig.* tăcere; caracter retras; singurătate, izolare, claustrare. **6.** *fig.* caracter aprins, înverşunare *(a unei discuţii).* **7.** *fig.* zgârcenie, avariţie, meschinărie.

close season ['klous‚si:zn] *s.* sezon interzis. *(pentru vânătoare, pescuit etc.).*

close shave ['klous'ʃeiv] *s.* **1.** ras apăsat. **2.** mare primejdie *(de care scapi ca prin minune).*

closet ['klɔzit] *s.* **1.** cămăruţă retrasă; budoar *sau* birou personal. **2.** cameră de toaletă. **3.** dulap în perete. **4.** closet.

close-up ['klousʌp] *s. foto., cin.* (fotografie în) prim-plan.

clot [klɔt] **I.** *s.* cheag. **II.** *vi.* **1.** a se închega. **2.** a se năclăi.

cloth [klɔθ] *s.* **1.** stofă, postav. **2.** pânză. **3.** cârpă.

clothe [klouð] *vt.* **1.** a îmbrăca. **2.** a acoperi.

clothes [klouðz] *s. pl.* **1.** haine, îmbrăcăminte. **2.** lenjerie *(de pat etc.).*

clothes-line ['klouðzlain] *s.* funie de rufe.

clothes-peg ['klouðzpeg] *s.* cârlig de rufe.

clothes-pin ['klouðzpin] *s.* cuier.

clothier ['klouðiə] *s.* **1.** postăvar, fabricant de stofe. **2.** negustor de stofe. **3.** croitor.

clothing ['klouðiŋ] *s.* îmbrăcăminte.

cloud [klaud] **I.** *s.* **1.** nor. **2.** ceaţă. **3.** hoardă, stol. **4.** *pl.* cer. || *to live / to be in the ~* a fi cu capul în nori. **II.** *vt., vi.* a se înnora.

cloud-burst ['klaudbə:st] *s.* rupere de nori.

cloudless ['klaudlis] *adj.* senin.

cloudlet ['klaudlit] *s.* nouraş, noruleţ.

cloudy ['klaudi] *adj.* **1.** noros; înnorat. **2.** ceţos.

clough [klʌf] *s.* **1.** strungă, strâmtoare, defileu; vâlcea; râpă, prăpastie. **2.** ecluză, stăvilar.

clout [klaut] **I.** *s.* **1.** cârpă. **2.** palmă; dupac. **II.** *vt.* a pocni.

clove [klouv] **I.** *s.* **1.** *bot.* cuişoare. **2.** căţel de usturoi. **II.** *vt., vi. trec. de la* **cleave.**

clove hitch ['klouv hitʃ] *mar.* **I.** *s.* nod de măr, foarfecă. **II.** *vt.* a înnoda în foarfecă.

cloven ['klouvn] *vt., vi. part. trec. de la* **cleave**.

cloven hoof ['klouvn 'hu:f] *s.* **1.** copită despicată *(de drac)*. || *to show the ~* a-şi da arama pe faţă; a avea un plan diabolic. **2.** Aghiuţă, ucigă-l toaca.

clover ['klouvə] *s. bot.* trifoi *(Trifolium sp.)*. || *to be in ~* a trăi ca în sânul lui Avram.

clown [klaun] *s.* **1.** clovn. **2.** mârlan.

clownish ['klauniʃ] *adj.* de bufon.

cloy [klɔi] *vt.* a ghiftui, a sastisi.

club [klʌb] **I.** *s.* **1.** băţ, bâtă. **2.** crosă, băţ *(de golf etc.)*. **3.** treflă. **4.** club; asociaţie. **5.** local. **II.** *vt.* a ciomăgi. **III.** *vi.* **(together)** a se asocia; a face o cârdăşie.

club house ['klʌb haus] *s. (clădire a unui)* club.

clubman ['klʌbmən] *s. pl.* **clubmen** ['klʌbmən] bărbat (bogat) care frecventează cluburile (de lux).

club woman ['klʌb ˌwumən] *s. pl.* **clubwomen** ['klʌbˌwimin] **1.** membră a unui club / a unei asociaţii. **2.** *amer.* femeie cu spirit independent, femeie cu preocupări sociale *sau* intelectuale; sufragetă, feministă.

cluck [klʌk] **I.** *s.* cloncănit. **II.** *vi.* a cloncăni. **II.** *vt.* a chema printr-un cloncănit.

clue [klu:] *s.* **1.** soluţie, rezolvare; cheie. **2.** fir conducător, indiciu (pentru rezolvarea unui mister).

clump [klʌmp] *s.* **1.** pâlc. **2.** bulgăre.

clumsily ['klʌmzili] *adv.* stângaci, cu stângăcie, neîndemânatic.

clumsy ['klʌmzi] *adj.* stângaci; neîndemânatic; greoi.

clung [klʌŋ] *vi. trec şi part. trec, de la* **cling**.

cluster ['klʌstə] **I.** *s.* ciorchine. **II.** *vi.* a se aduna; a se îngrămădi.

clutch [klʌtʃ] **I.** *s.* **1.** apucare. **2.** gheară. **3.** ambreiaj. **II.** *vt.* a apuca, a prinde.

clutter ['klʌtə] **I.** *s.* **1.** îmbulzeală, dezordine; harababură. **2.** zarvă. **II.** *vt.* **1.** a deranja, a răvăşi; *fig.* a întoarce pe dos. **2.** *amer.* a îngrămădi *(lucruri într-un geamantan)*. **III.** *vi.* **1.** a face zgomot. **2.** a bodogăni, a bălmăji, a mormăi. **3.** a se îmbulzi.

CND *abrev. Campaign for Nuclear Disarmament* campanie pentru dezarmarea nucleară.

CO *abrev. Commanding Officer* (ofiţer) comandant.

Co. *abrev.* **1.** *company* companie. **2.** *county* judeţ.

coach [koutʃ] **I.** *s.* **1.** trăsură. **2.** diligenţă. **3.** vagon de pasageri. **4.** autocar. **5.** antrenor. **6.** meditator, profesor. **II.** *vt.* **1.** a prepara *(un elev)*. **2.** *sport* a antrena.

coachman ['koutʃmən] *s. pl.* **coachmen** ['kautʃmən] vizitiu.

coadjutor [kou'ædʒutər] *s.* **1.** ajutor, adjunct, asistent; colaborator. **2.** *bis.* vicar, adjunct de prelat, locţiitor, persoană pregătită ca să urmeze unui prelat, stareţ etc.

coagulant [kou'ægjulənt] *s. chim.* coagulant.

coagulate [kou'ægjuleit] **I.** *vi.* **1.** a se închega, a se coagula; a se solidifica. **2.** *(d. lapte)* a se covăsi, a se acri. **3.** a forma bulgări / cheaguri. **II.** *vt.* a închega, acovăsi.

coagulation [kouˌægju'leiʃn] *s.* coagulare, închegare.

coal [koul] *s.* **1.** cărbune. **2.** *pl.* cărbuni, jar. || *to carry ~s to Newcastle* a căra apă la puţ.

coalesce [ˌkouə'les] *vi.* **1.** a se uni, a se alia; a se lega; a se coaliza. **2.** *fig.* a se contopi. **3.** a concreşte, a se întrepătrunde.

coal-field ['koulfi:ld] *s.* bazin carbonifer.

coalition [ˌkouə'liʃn] *s.* **1.** coaliţie. **2.** unire.

coal-pit ['koulpit] *s.* mină de cărbuni.

coal-tar ['koultɑ:] *s.* gudron de huilă.

coarse [kɔ:s] *adj.* **1.** aspru. **2.** grosolan. **3.** ordinar, de proastă calitate. **4.** mitocănesc.

coarsen ['kɔ:sn] **I.** *vt.* a înăspri, a face aspru *sau* grosolan. **II.** *vi.* a se înăspri, a deveni vulgar / grosolan.

coarseness ['kɔ:snis] *s.* **1.** caracter rudimentar, aspru *sau* grosolan, proastă calitate. **2.** grosolănie, mitocănie.

coast [koust] **I.** *s.* coastă, ţărm. **II.** *vi.* **1.** a merge de-a lungul coastei. **2.** a coborî o pantă.

coastal ['koustl] **I.** *adj. mar.* de coastă. || *~ traffic* cabotaj, navigare de-a lungul coastelor. **II.** *s.* vas de cabotaj.

coaster ['koustə] *s.* **1.** *mar.* cabotier, navă de coastă. **2.** tavă de argint *(adesea pe rotiţe)*; tăviţă de plută *(pentru pahare etc.)*. **3.** *amer.* v. **roller-coaster**. **4.** sanie.

coast-guard ['koustgɑ:d] grănicer.

coast line ['koust lain] *s.* linie de coastă, litoral.

coastwise ['koust waiz] **I.** *adj.* de cabotaj; costier. **II.** *adv.* de-a lungul coastei.

coat [kout] **I.** *s.* **1.** haină. **2.** înveliş. **3.** strat *(de vopsea etc.)*. **II.** *vt.* **1.** a înveli. **2.** a îmbrăca. **3.** a vopsi.

coating ['koutiŋ] *s.* înveliş.

coat-of-arms ['koutəv'ɑ:mz] *s. pl.* **coats-of-arms** ['koutsəv'ɑ:mz] **1.** blazon. **2.** stemă.

coat-of-mail [koutəvmeil] *s. pl.* **coats-of-mail** ['koutsəvmeil] zale, cămaşă de zale.

coax [kouks] *vt.* **1.** a îndupleca *(cu rugăminţi şi promisiuni)*. **2.** a lua cu binişorul; a duce cu zahărelul.

coaxial [kou'æksiəl] *adj. tehn.* coaxial.

cob [kɔb] *s.* **1.** ştiulete. **2.** bucată; bulgăre. **3.** *ornit.* lebădoi.

cobalt [kə'bɔ:lt] *s. chim.* cobalt.

cobber ['kɔbə] *s. (în Australia)* prieten, amic, fârtat.

cobble ['kɔbl] **I.** *s.* piatră de râu. **II.** *vt.* **1.** a pietrui. **2.** a cârpăci.

cobbler ['kɔblə] *s.* cârpaci, ciubotar.

cobble stone ['kɔbl stoun] *s.* v. **cobble**.

COBOL ['koubəl] *s. cib.* COBOL, limbaj de programare.

cobra ['koubrə] *s.* **1.** *zool.* şarpe cu ochelari, cobră *(Naja tripudianus)*. **2.** *(cuvânt australian)* cap; craniu, ţeastă.

cobweb ['kɔbweb] *s.* pânză de păianjen.

coca-cola ['koukə'koulə] *s.* coca-cola.

cocaine [kə'kein] *s.* cocaină.

coccus ['kɔkəs], *pl.* **cocci** ['kɔksai] *s. med., biol.* coc *(microb)*.

coccyx ['kɔksiks] *s. anat.* coccis, cauda.

cochineal ['kɔtʃini:l] *s.* **1.** *entom.* coşenilă *(Coccus cacti)*. **2.** carmin, cârmâz *(vopsea)*.

cock¹ [kɔk] **I.** *s.* **1.** cocoş. **2.** conducător. **3.** campion. **4.** robinet. **II.** *vt.* a ciuli. **III.** *particulă pt. masculin ornit. (de exemplu: ~ sparrow* vrăbioi*)*.

cock² [kɔk] **I.** *s.* stog (de fân). **II.** *vt.* a aşeza în stog(uri).

cockade [kɔ'keid] *s.* cocardă.
cock-a-doodle-doo ['kɔkə,du:dl-'du:] *interj., s.* cucurigu(!).
cockatoo [,kɔkə'tu:] *s.* 1. *ornit.* cacadu *(specie de papagal, Plissolophus).* 2. *austral. fam.* mic fermier.
cockchafer ['kɔk ,tʃeifə] *s. entom.* cărăbuş *(Melolontha melolontha).*
cocker ['kɔkə] *s.* cocker *(rasă de câini).*
cockerel ['kɔkrl] *s.* 1. cocoşel. 2. *fig.* tânăr mândru şi bătăuş; moftangiu, cocoşel.
cock-eyed ['kɔkaid] *adj.* saşiu, zbanghiu.
cockle ['kɔkl] *s. zool.* scoică, moluscă comestibilă.
cockney ['kɔkni] I. *s.* 1. londonez get-beget. 2. accent (şi dialect) londonez. II. *adj.* din mahalalele londoneze, cockney.
cockpit ['kɔkpit] *s.* 1. carlingă. 2. arenă *(mai ales pentru luptele de cocoşi).*
cockroach ['kɔkroutʃ] *s.* gândac de bucătărie.
cockscomb ['kɔkskoum] *s.* 1. creastă de cocoş. 2. v. **coxcomb** 2., 3.
cocksure ['kɔkʃuə] *adj.* 1. încrezut, înfumurat. 2. prea sigur de sine.
cocktail ['kɔkteil] *s.* cocteil.
cocky ['kɔki] *adj.* încrezut, fudul; impertinent.
coco ['koukou] *s. bot.* palmier de cocos, cocotier *(Cocos nucifera).*
cocoa ['koukou] *s.* cacao.
coconut ['koukənʌt] *s.* nucă de cocos.
cocoon [kə'ku:n] *s.* cocon *(de vierme de mătase.).*
cocopalm ['koukəpɑ:m] *s.* cocotier.
cocotte [kə'kɔt] *s.* cocotă, damă.
cod[1] [kɔd], *pl.* **cod** *rar şi* **cods** *s. iht.* cod, batog *(Gadus morrhua).*
cod[2] [kɔd] *vt. sl.* a înşela, a duce cu preşul, a aiuri.
coddle ['kɔdl] *vt.* a cocoli.
code [koud] *s.* 1. cod. 2. codice.
codein(e) ['koudii:n] *s. chim., farm.* codeină.
codex ['koudeks], *pl.* **codices** ['koudisi:z] *s.* 1. codex, codice; colecţie de manuscrise vechi. 2. manuscrise vechi.
cod fish ['kɔd fiʃ] *s.* v. **cod** 1.
codger ['kɔdʒə] *s.* 1. (şi **rum old**

~) om ciudat, trăsnit, aiurit, figură. 2. flăcău; tip, băiat, cetăţean.
codicil ['kɔdisil] *s. jur.* codicil; apendice, adaos.
codify ['kɔdifai] *vt.* a codifica.
coding ['koudiŋ] *s. cib.* codificare, secvenţă de instrucţiuni codificate.
codling ['kɔdliŋ] *s. iht.* cod mic *(tânăr).*
cod-liver-oil ['kɔdlivər'ɔil] *s.* untură de peşte.
co-ed ['kou'ed] *s.* elevă la o şcoală mixtă.
co-education ['ko,edju'keiʃn] *s.* învăţământ mixt.
coefficient [,koui'fiʃnt] I. *s.* 1. *mat., fiz.* coeficient; indice; factor. 2. factor ajutător / auxiliar. II. *adj.* ajutător, auxiliar.
coequal [kou'i:kwl] I. *adj.* egal, deopotrivă. II. *s.* egal.
coerce [kou'ə:s] I. *vt.* 1. a constrânge, a obliga. 2. a înfrâna; a reprima. 3. a impune. II. *vi.* a face uz de forţă, a folosi mijloace de constrângere.
coercion [kou'ə:ʃn] *s.* constrângere.
coeval [kou'i:vəl] I. *s.* persoană de aceeaşi vârstă cu cineva; contemporan. II. *adj.* 1. (with) de o vârstă *(cu);* contemporan, acelaşi contingent (cu). 2. la fel de durabil.
co-exist ['koig'zist] *vi.* a coexista.
co-existence ['koig'zistns] *s.* coexistenţă.
coextensive ['kouiks'tensiv] *adj.* 1. care are aceeaşi lungime / durată. 2. care cuprinde acelaşi spaţiu / loc.
C. of E. *abrev. Church of England* Biserica anglicană / Angliei.
coffee ['kɔfi] *s.* (ceaşcă de) cafea.
coffee-break ['kɔfibreik] *s.* pauză de cafea.
coffee-house ['kɔfihaus] *s.* cafenea.
coffer ['kɔfə] *s.* 1. cufăr; ladă. 2. tezaur.
coffin ['kɔfin] *s.* sicriu.
cog[1] [kɔg] *s.* 1. *tehn.* dinte, zimţ. 2. *fig.* rotiţă, intermediar. 3. îmbinare *(la tâmplărie).* 4. *mine.* armătură de stive de lemn / metalice.
cog[2] [kɔg] I. *vt.* 1. a înşela, a amăgi; a pungăşi. 2. a dinţa, a zimţui. II. *vi.* 1. a trişa la zaruri. 2. a trage lumea pe sfoară.
cog[3] [kɔg] *s.* luntre pescărească, lotcă.

cogent ['koudʒnt] *adj.* 1. convingător. 2. puternic, elocvent.
cogitate ['kɔdʒiteit] I. *vi.* (upon, over) a cugeta, a medita (la, asupra). II. *vt.* 1. a plănui. 2. *filoz.* a concepe.
cogitation [,kɔdʒi'teiʃn] *s.* 1. cugetare. 2. *pl.* planuri.
cognac ['kɔnjæk] *s.* coniac.
cognate ['kɔgneit] I. *s.* lucru înrudit. II. *adj.* 1. înrudit. 2. similar.
cognition [kɔg'niʃn] *s.* 1. *filoz.* cunoaştere, cunoştinţă *(pe cale raţională);* intuire. 2. *jur.* recunoaştere, mărturisire; jurisdicţie.
cognizance ['kɔgnizns] *s.* cunoştinţă.
cognizant ['kɔgniznt] *adj.* 1. ~ conştient de, având cunoştinţă de; care-şi dă seama de. 2. competent.
cognomen [kɔg'noumen] *s.* 1. nume (de familie). 2. poreclă.
cog-wheel ['kɔgwi:l] *s.* roată dinţată.
cohabit [kou'hæbit] *vi.* 1. *rar* a coabita, a locui împreună. 2. a convieţui. 3. a trăi în concubinaj.
cohere [kou'hiə] *vi.* 1. a fi legat, a se îmbina; a fi solidar. 2. a se înlănţui, a fi coerent. 3. *fig.* (with) a se potrivi, a avea afinitate (cu). 4. a se lipi, a adera.
coherent [kou'hiərnt] *adj.* 1. coerent. 2. clar. 3. inteligibil.
cohesion [kou'hi:ʒn] *s.* 1. *fiz.* coeziune, aderenţă; atracţie moleculară. 2. coeziune, unitate, solidaritate.
cohort ['kouhɔ:t] *s.* 1. *ist. Romei* cohortă. 2. *(adesea pl.)* armată; trupă; detaşament; ceată; pâlc.
coif [kɔif] I. *s.* 1. glugă; batic; bonetă. 2. coif, cască. II. *vt.* a pune coiful / boneta etc. pe cap *(cuiva).*
coiffeur [kwa:'fə] *s.* coafor, frizer.
coiffure [kwa:'fjuə] *s.* coafură, pieptănătură.
coign [kɔin] *s.* colţ. || ~ of vantage poziţie prielnică *(pentru observaţie / acţiune).*
coil [kɔil] I. *s.* 1. serpentină. 2. bobină. II. *vt.* 1. a răsuci. 2. a face ghem. III. *vi.* 1. a se răsuci. 2. a se încolăci.
coin [kɔin] I. *s.* 1. monedă. 2. fisă de telefon, pentru automat etc. II. *vt.* 1. a fabrica. 2. a bate

(monedă). || to be ~ing money a face avere, a se îmbogăți.

coinage ['kɔinidʒ] s. **1.** baterea monedelor. **2.** sistem monetar. **3.** cuvânt nou format.

coincide [ˌkoin'said] vi. **1.** a coincide; a se suprapune. **2.** a surveni în același timp. **3.** a se armoniza.

coincidence [ko'insidns] s. coincidență.

coincident [kou'insidənt] adj. **1.** coincident; care se potrivește / se suprapune. **2.** corespondent, asemănător. **3.** paralel, simultan.

coincidental [kou,insi'dentl] adj. întâmplător, produs prin coincidență.

coition [ˌkou'iʃn] s. **1.** contact sexual, coit, copulație; împreunare. **2.** înv. astr. conjuncție, atracție (și magnetică).

coitus ['kouitəs] s. biol. coit, raport sexual, împreunare.

coke [kouk] I. s. **1.** cocs. **2.** amer. fam. coca-cola. **3.** sl. cocaină. II. vt. a cocsifica.

col [kɔl] s. geogr. col, depresiune; trecătoare.

cola ['koulə] s. **1.** bot. arbore de cola (Cola acuminata / nitida). **2.** coca-cola, băutură acidulată cu extras de cola.

colander ['kɔləndə] I. s. strecurătoare, filtru. II. vt. a strecura, a filtra; a cerne.

cold [kould] I. s. **1.** frig. **2.** temperatură sub zero grade; ger. **3.** med. răceală. || to catch (a) ~ a răci. II. adj. **1.** rece. **2.** înghețat. **3.** glacial. **4.** calm. **5.** neatrăgător.

cold-blooded ['kould'blʌdid] adj. **1.** cu sânge rece. **2.** sălbatic, crud.

cold-hearted ['kould'hɑːtid] adj. **1.** împietrit. **2.** nesimțitor; fără inimă.

coldly ['kouldli] adj. cu răceală, fără politețe / amabilitate; fără sentiment, împietrit, ca o stană de piatră.

coldness ['kouldnis] s. **1.** frig, răcoare. **2.** fig. calm, indiferență. **3.** glacialitate, lipsă de politețe / de amabilitate.

cold-snap ['kouldsnæp] s. val de frig.

coleoptera [ˌkɔli'ɔptərə] s. pl. entom. coleoptere.

coleslaw ['koulslɔː] s. gastr. salată de varză.

coley ['kouli] s. iht. pește asemănător codului.

colic ['kɔlik] s. med. colică, crampă; durere acută.

colitis [kou'laitis] s. med. colită.

collaborate [kə'læbəreit] vi. a colabora.

collaboration [kə,læbə'reiʃn] I. s. **1.** colaborare, sprijin, concurs, ajutor; muncă în comun, conlucrare. || to work in ~ (with) a munci în colaborare (cu). **2.** colaboraționism, trădare de țară. II. adj. lucrat în colaborare.

collaborator [kə'læbəreitə] s. **1.** colaborator. **2.** colaboraționist.

collage [kou'lɑːʒ] s. artă colaj.

collapse [kə'læps] I. s. **1.** prăbușire. **2.** sfărâmare. **3.** eșec. **4.** leșin. II. vi. **1.** a se prăbuși. **2.** a se nărui, a se sfărâma. **3.** a eșua.

collapsible [kə'læpsəbl] adj. **1.** pliant. **2.** rabatabil. **3.** decapotabil.

collar ['kɔlə] I. s. **1.** guler. **2.** zgardă. **3.** garnitură. II. vt. **1.** a apuca, a lua de guler. **2.** a prinde.

collar-bone ['kɔləboun] s. claviculă.

collar stud ['kɔləstʌd] s. buton de guler.

collate [kə'leit] vt. **1.** a colaționa. **2.** a compara.

collateral [kə'lætrl] I. adj. **1.** secundar; suplimentar. **2.** indirect, colateral. **3.** paralel. II. s. **1.** colateral, rudă colaterală. **2.** garanție suplimentară. **3.** garanție. **4.** amer. (rezervă de) capital.

collation [kə'leiʃn] s. **1.** colaționare, comparare; verificare. **2.** gustare, zacuscă, prânz frugal.

colleague ['kɔliːg] s. coleg.

collect[1] [kə'lekt] I. vt. **1.** a strânge; a aduna. **2.** a colecționa. **3.** a-și aduna (gândurile etc.). II. vi. a se stânge, a se aduna.

collect[2] [kə'lekt] I. s. **1.** bis. rugăciune scurtă (în biserica anglicană și catolică). **2.** chetă. II. adj. (d. telegrame, convorbiri telefonice) cu taxă inversă. III. adv. cu taxă inversă.

collected [kə'lektid] adj. **1.** adunat; acumulat; concentrat; colecționat. **2.** stăpân pe sine, calm, liniștit; lucid.

collection [kə'lekʃn] s. **1.** strângere. **2.** adunare. **3.** colecție. **4.**

colecționare. **5.** colectă.

collective [kə'lektiv] s., adj. colectiv.

collectivism [kə'lektivizəm] s. colectivism.

collector [kə'lektə] s. **1.** colecționar. **2.** controlor de bilete. **3.** perceptor. **4.** colector.

colleen ['kɔliːn] s. fetișcană, codană.

college ['kɔlidʒ] s. **1.** colegiu. **2.** universitate. **3.** facultate. **4.** liceu superior.

collegian [kə'liːdʒiən] s. **1.** membru al unui colegiu. **2.** (fost) student al unui colegiu. **3.** sl. pușcăriaș, pensionar.

collegiate [kə'liːdʒiit] I. adj. **1.** universitar, academic. **2.** de colegiu. **3.** colegial, cu membri egali. II. s. colegian, elev / student la un colegiu.

collide [kə'laid] vi. a se ciocni.

collie ['kɔli] s. dulău.

collier ['kɔliə] s. miner (în minele de cărbuni).

colliery ['kɔliəri] s. mină de cărbuni.

collision [kə'liʒn] s. ciocnire. || to come into ~ a se ciocni.

collocate ['kɔləkeit] vt. **1.** a așeza, a distribui, a ordona, a pune în regulă. **2.** a așeza, a alătura.

collocation [ˌkɔlə'keiʃn] s. colocație, îmbinare de cuvinte, locuțiune, expresie fixă.

colloid ['kɔlɔid] chim. I. s. coloid. II. adj. coloidal.

colloquial [kə'loukwiəl] adj. de conversație, familiar.

colloquialism [kə'loukwiəlizəm] s. expresie de conversație, colocvialism; exprimare neîngrijită, stil vorbit / familiar.

colloquy ['kɔləkwi] s.. **1.** conversație. **2.** dialog.

collusion [kə'luːʒn] s. **1.** jur. înțelegere secretă între două părți (împotriva unui terț); înțelegere pe ascuns. **2.** urzeală; complicitate, învoială. **3.** înșelăciune.

collywobbles ['kɔliwɔblz] s. pl. **1.** med. crampe. **2.** fam. glumeț chioraială de mațe, foame.

Cologne [kə'loun] s. colonie, apă de colonie.

colo(u)r ['kʌlə] I. s. **1.** culoare. **2.** nuanță. **3.** înfățișare. **4.** pl. semn distinctiv. **5.** pl. steag, drapel. **6.** pretext, motiv. || to change ~ a se schimba la față; to come off with flying ~s a triumfa; to get one's ~ a fi admis într-un club, într-o echipă; *to join the ~s* a intra în armată; *to lose ~* a păli; *under ~ of* sub pretext că. **II.** *vt.* **1.** a colora. **2.** a vopsi. **3.** a schimba. **4.** *fig.* a înflori, a denatura. **III.** *vi.* **1.** a se colora. **2.** a se îmbujora.

colon[1] ['koulən] *s.* două puncte.

colon[2] ['koulən] *s. anat.* colon.

colonel ['kə:nl] *s.* colonel.

colonial [kə'lounjəl] **I.** *s.* **1.** colonist. **2.** colonialist. **II.** *adj.* colonial.

colonialism [kə'lounjəlizəm] *s.* colonialism; politică colonialistă.

colonist ['kolənist] *s.* colonist.

colonization [,kolənai'zeiʃn] *s.* colonizare; colonizarea.

colonize ['kolənaiz] **I.** *vt.* **1.** a coloniza. **2.** *amer. pol.* a muta temporar *(alegătorii într-o altă circumscripţie electorală cu scopul de a vota de două ori)*. **II.** *vi.* a se stabili, a se statornici *(într-o ţară străină)*, a emigra.

colonizer ['kolənaizə] *s.* **1.** colon(ist). **2.** colonialist.

colonnade [,kolə'neid] *s.* **1.** *arhit.* colonadă. **2.** şir dublu de pomi, boltă de pomi.

colony ['koləni] *s.* colonie.

colophon ['koləfon] *s.* **1.** *poligr.* casetă / notă finală a unei cărţi. **2.** emblema editurii. **3.** *fig.* sfârşit. || *from title-page to ~* de la A la Z; din cap în coadă.

color ['kʌlə] *s. amer.* v. **colour.**

Colorado (potato) beetle [,kolə'ra:dou (pə'teitou) 'bi:tl] *entom.* gândacul de Colorado *(Leptinotarsa decemllineata).*

coloration [,kʌlə'reiʃn] *s.* **1.** colorare; coloraţie. **2.** *artă* colorit, coloratură; arta de a aplica culorile.

coloratura [,kolərə'tuərə] *s. muz.* coloratură, înfloritură.

colossal [kə'losl] *s.* uriaş, imens.

Colosseum [,kolə'siəm] *s.* Coliseu(m), stadion antic din Roma.

colossus [kə'losəs] *s.* colos.

colour bar ['kʌləba:] *s.* barieră de culoare; discriminare *sau* segregaţie rasială.

colour-blind ['kʌləblaind] *adj.* insensibil la culori, suferind de daltonism.

coloured ['kʌləd] *adj.* **1.** colorat. **2.** *(d. oameni)* de culoare, *(mai ales)* negru.

colourful ['kʌləfl] *adj.* colorat, viu, luminos; vioi.

colouring ['kʌləriŋ] *s.* **1.** culoare. **2.** vopsea. **3.** colorit.

colourless ['kʌlələs] *adj.* **1.** incolor *(şi fig.).* **2.** palid; şters.

colt [koult] *s.* mânz *(şi fig.).*

coltsfoot ['koultsfut] *s. bot.* podbal *(Tussilago farfara).*

Columbine ['koləmbain] **I.** *s.* **1.** Colombină *(personaj din comedia dell'arte sau pantomimă).* **2.** *bot.* căldăruşa, cinci-coade *(Aquilegia).* **II.** **columbine** *adj.* ca porumbelul *(şi fig.),* (ca guşa) de porumbiţă.

column ['koləm] *s.* **1.** coloană. **2.** rubrică. **3.** *(într-un ziar)* comentariu; cursiv; casetă. **4.** reportaj.

columnist ['koləmnist] *s.* comentator.

colza ['kolzə] *s. bot.* rapiţă *(Brassica rapa).*

coma ['koumə] *s.* comă.

comatose ['koumətous] *adj. med.* referitor la starea de comă, comatos.

comb [koum] **I.** *s.* **1.** pieptene. **2.** darac. **3.** fagure. **II.** *vt.* **1.** a pieptăna. **2.** a percheziţiona.

combat ['kombət] **I.** *s.* luptă. **II.** *vt.* a combate. **III.** *vi.* a (se) lupta.

combatant ['kombətnt] **I.** *adj.* de luptă; de front; combatant. **II.** *s.* **1.** combatant, luptător. **2.** parte combatantă. **3.** *fig.* apărător înfocat.

combative ['kombətiv] *adj.* luptător, de luptă, combativ; belicos; bătăios.

combe [ku:m] v. **coomb.**

comber ['koumər] *s.* **1.** *text.* lucrător la darac. **2.** maşină de dărăcit, de pieptănat. **3.** talaz, brizant.

combination [,kombi'neiʃn] *s.* **1.** combinaţie. **2.** afacere. **3.** asociaţie. **4.** *pl.* combinezon.

combine[1] ['kombain] *s.* **1.** asociaţie. **2.** cartel combinat. **3.** combină.

combine[2] [kəm'bain] *vt., vi.* a (se) combina.

combustible [kəm'bʌstəbl] **I.** *s.* combustibil. **II.** *adj.* **1.** combustibil. **2.** iritabil.

combustion [kəm'bʌstʃən] *s.* combustie, ardere.

come [kʌm] **I.** *vt. trec.* **came** [keim] , *part. trec.* **come** [kʌm] a suporta, a înghiţi. || *I can't ~ it* asta n-o înghit. **II.** *vi.* **1.** a veni. **2.** a se apropia. **3.** a ajunge. **4.** a deveni. **5.** a se ridica. **6.** a se întâmpla, a se petrece. || *to ~ about* a se întâmpla; *to ~*

across a întâlni *(din întâmplare)*; *~ along!* haide!; *to ~ by* smth. a găsi ceva; *to ~ down* a coborî; a scăpăta; *~ in!* intră!; *to ~ in handy* a se nimeri bine; *to ~ into effect* sau *force* a intra în vigoare; *to ~ into one's own* a-şi primi drepturile; *to ~ into sight* a se ivi; *to ~ of age* a ajunge la majorat; *to ~ off* a se produce; *~ on!* haide!; *to ~ out* a apărea, a ieşi la iveală; *to ~ round* a se trezi; *to ~ to* a se trezi; a-şi reveni; a-şi veni în fire; *to ~ to an agreement* a se înţelege; *to ~ to an end* a se sfârşi; *to ~ to nothing* a da greş; *to ~ to oneself* sau *to one's senses* a-şi veni în fire; *to ~ to pass* a se întâmpla; *how did you ~ to find it?* cum de-ai găsit-o? *in the years to ~* în viitor; *to ~ up* a creşte, a progresa.

come-back ['kʌmbæk] *s.* revenire.

comedian [kə'mi:diən] *s.* **1.** autor de comedii. **2.** actor comic; comic.

comedienne [kə,mi:di'en] *s.* actriţă *(în special de comedie).*

come-down ['kʌmdaun] *s.* **1.** decădere. **2.** înrăutăţire.

comedy ['komidi] *s.* **1.** comedie. **2.** întâmplare hazlie.

comeliness ['kʌmlinis] *s.* nuri, farmec, atracţie, graţie.

comely ['kʌmli] *adj.* **1.** atrăgător. **2.** arătos, frumos.

comer ['kʌmər] *s.* cel care vine / care soseşte. || *first ~* primul sosit / venit; *against all ~s* împotriva oricui; *for all ~s* deschis pentru toţi.

comestible [kə'mestibl] **I.** *adj. înv.* comestibil, care se poate mânca. **II.** *s. pl.* alimente, merinde.

comet ['komit] *s.* cometă.

comfit ['kʌmfit] *s.* **1.** *înv.* bomboană, *pl.* zaharicale. **2.** *pl.* fructe zaharisite.

comfort ['kʌmfət] **I.** *s.* **1.** alinare. **2.** consolare. **3.** uşurare. **4.** confort. **5.** mulţumire. **6.** tihnă. **II.** *vt.* **1.** a alina. **2.** a consola. **3.** a împăca.

comfortable ['kʌmftəbl] *adj.* **1.** confortabil. **2.** tihnit, liniştit.

comfortably ['kʌmftəbli] *adj.* confortabil. || *~ off* înstărit.

comforter ['kʌmfətə] *s.* **1.** consolator. **2.** fular.

comfortless ['kʌmfətlis] adj. 1. incomod, lipsit de confort. 2. nemângâiat, neconsolat, fără sprijin. 3. care nu aduce alinare / consolare.

comfrey ['kʌmfri] s. bot. tătăneasă, iarbă-bâloasă (Symphytum officinale).

comfy ['kʌmfi] adj. fam. confortabil, comod.

comic(al) ['kɔmik(l)] adj. comic; de comedie.

comic(al) strips ['kɔmik(l) strips] s. pl. comicsuri.

coming ['kʌmiŋ] adj. 1. viitor. 2. de viitor. 3. cu perspective, promițător.

coming-out ['kʌmiŋ'aut] s. 1. debut, ieșire în lume. 2. apariție, ivire.

comity ['kɔmiti] s. bunăvoință, amabilitate.

comma ['kɔmə] s. virgulă.

command [kə'mɑ:nd] I. s. 1. poruncă, ordin. 2. comandă. 3. putere; autoritate. 4. stăpânire. 5. conducere. 6. comandament. || in ~ of stăpân pe. II. vt. 1. a comanda. 2. a porunci. 3. a stăpâni. 4. a deține; a dispune de. 5. a impune, a solicita. 6. a domina. || yours to ~ la dispoziția dvs.

commandant [,kɔmən'dænt] s. comandant.

commandeer [,kɔmən'diə] vt. a rechiziționa.

commander [kə'mɑ:ndə] s. 1. comandant. 2. mar. comandor.

commander-in-chief [,kə'mɑ:ndər in'tʃi:f] s. pl. commanders-in-chief [kə'mʌndəzin'tʃi:f] comandant suprem.

commanding [kə'mɑ:ndiŋ] adj. 1. impunător. 2. poruncitor. 3. comandant.

commandment [kə'mɑ:ndmənt] s. poruncă, ordin.

commando [kə'mɑ:ndou] s. detașament de asalt.

commemorate [kə,memə'reit] vt. a comemora.

commemoration [kə,memə'reiʃn] s. 1. comemorare. 2. amintire.

commence [kə'mens] vt., vi. a începe.

commencement [kə'mensmənt] s. 1. început (festiv), începere; (și ~ exercises) amer. univ. serbări de sfârșit de an; ceremonia înmânării diplomelor.

commend [kə'mend] I. vt. 1. a lăuda. 2. a trimite. II. vr. a fi atrăgător, a face impresie bună.

commendable [kə'mendəbl] adj. 1. lăudabil, meritoriu; demn de încredere. 2. recomandabil.

commensurable [kə'menʃərəbl] adj. (with, to) comensurabil (cu), proporțional (cu).

commensurate [kə'menʃrit] adj. 1. proporțional. 2. corespunzător, potrivit.

comment ['kɔment] I. s. comentariu. II. vi. a face comentarii.

commentary ['kɔməntri] s. comentariu.

commentator ['kɔmenteitə] s. comentator.

commerce ['kɔməs] s. comerț (cu ridicata).

commercial [kə'məʃl] adj. comercial.

commercialize [kə'məʃəlaiz] vt. a comercializa.

commercial traveller [kə'mə:ʃl 'trævlə] s. comis-voiajor, voiajor comercial.

commingle [kə'miŋgl] vt., vi. a (se) amesteca, a (se) combina.

comminute ['kɔminju:t] vt. 1. a pulveriza, a sfărâma. 2. a (îm)bucătăți, a mărunți; a tăia; a fărâmița, a împărți în părți mici (averea etc.).

commiserate [kə'mizəreit] vt. a compătimi.

commiseration [kə,mizə'reiʃn] s. 1. milă. 2. înțelegere.

commissar [,kɔmi'sɑ:r] s. 1. comisar. 2. înv. v. commissary.

commissariat [,kɔmi'sɛəriət] s. 1. intendență. 2. administrație.

commissary ['kɔmisəri] s. 1. intendent. 2. reprezentant. 3. pol. comisar.

commission [kə'miʃn] I. s. 1. autorizație; brevet. 2. grad de ofițer. 3. însărcinare. 4. comision. 5. com. comision. 6. comisie; comitet. 7. efectuare. 8. aplicare. || on ~ from din partea, din însărcinarea; in ~ gata (de luptă etc.). II. vt. 1. a însărcina. 2. a inaugura.

commissionaire [kə,miʃə'nɛə] s. 1. comisionar (la hotel); mesager. 2. portar.

commissioned [kə'miʃnd] adj. 1. autorizat. 2. confirmat.

commissioner [kə'miʃnə] s. 1. membru al unei comisii. 2. comisar, reprezentant guvernamental.

commit [kə'mit] I. vt. 1. a comite. 2. a săvârși. 3. a încredința. 4. a angaja. || to ~ to memory a memora; to ~ to paper a nota, a așterne pe hârtie. II. vr. a se angaja.

commitment [kə'mitmənt] s. 1. angajament. 2. obligație.

committal [kə'mitl] s. 1. predare, trimitere. 2. punere sub pază / arest. 3. obligație, angajament; sarcină. 4. comitere.

committee [kə'miti] s. 1. comitet. 2. comisie.

commode [kə'moud] s. 1. scrin, comodă. 2. scaun de noapte (cu oală de noapte), scaun pentru necesități.

commodious [kə'moudjəs] adj. spațios.

commodity [kə'mɔditi] s. 1. marfă. 2. articol (de comerț); bun.

commodore ['kɔmədɔ:] s. comandor.

common ['kɔmən] I. s. 1. izlaz. 2. pășune. 3. comunitate. 4. pl. popor. || in ~ în comun; out of the ~ neobișnuit; the (House of) Commons Camera Comunelor (Camera Deputaților în Anglia). II. adj. 1. comun. 2. ordinar, de rând. 3. răspândit. 4. frecvent. 5. grosolan. 6. vulgar. 7. ieftin. || it is ~ knowledge that se știe prea bine că.

commonality [kɔmə'næliti] s. 1. devălmășie, posesiune în comun. 2. trăsături comune, caracter obișnuit. 3. obște, comunitate; popor. 4. răspândire, frecvență.

commonalty ['kɔmənəlti] s. 1. breaslă, breslași. 2. obște; comunitate; oameni de rând; popor.

commoner ['kɔmənə] s. 1. om de rând, din popor. 2. membru / breslaș de rând. 3. pol. membru al Camerei Comunelor. 4. univ. student nebursier.

common ground ['kɔmən,graund] s. 1. teren comun. 2. punct de vedere comun.

common law [,kɔmən'lɔ:] s. 1. cutumă. 2. datină, tradiție.

commonly ['kɔmənli] adv. de obicei, în general.

commoner garden [,kɔmənə'gɑ:dn] adj. obișnuit, banal, de duzină.

commonplace ['kɔmənpleis] I. s. loc comun, platitudine. II. adj. banal, plat; obișnuit.

common-room ['kɔmənrum] s. cancelarie.

commons [ˈkɔmɔnz] s. pl. **1.** ist. Angliei starea a treia, poporul. || the House of Commons Camera Comunelor. **2.** provizii alimente consumate în comun.

common sense [ˌkɔmɔnˈsens] s. **1.** înțelepciune. **2.** simț practic. **3.** bun-simț.

commonsense [ˈkɔmɔnsens] adj. de bun-simț, simplu și înțelept.

commonwealth [ˈkɔmɔnwelθ] s. **1.** comunitate de bunuri. **2.** avere comună. **3.** națiune. **4.** republică. || the (British) Commonwealth Comunitatea Britanică de Națiuni; ist. Imperiul Britanic.

commotion [kɔˈmouʃn] s. **1.** tulburare, agitație. **2.** încurcătură.

communal [ˈkɔmjunl] adj. comunal, obștesc.

commune[1] [ˈkɔmjuːn] s. comună.

commune[2] [kɔˈmjuːn] vi. a comunica, a se înțelege.

communicable [kɔˈmjuːnikɔbl] adj. **1.** transmisibil. **2.** molipsitor.

communicant [kɔˈmjuːnikɔnt] s. **1.** persoană care comunică, informator. **2.** bis. persoană care se cuminecă / împărtășește.

communicate [kɔˈmjuːnikeit] vt., vi. a comunica.

communication [kɔˌmjuːniˈkeiʃn] s. **1.** comunicare. **2.** transmitere. **3.** comunicat. **4.** informație. **5.** comunicații.

communicative [kɔˈmjuːnikɔtiv] adj. comunicativ.

communion [kɔˈmjuːnjɔn] s. **1.** comuniune. **2.** comunitate. **3.** apropiere. **4.** discuție. **5.** sectă. **6.** rel. împărtășanie.

communiqué [kɔˈmjuːnikei] s. comunicat.

communism [ˈkɔmjunizɔm] s. comunism.

communist [ˈkɔmjunist] s., adj. comunist.

community [kɔˈmjuːniti] s. **1.** comunitate. **2.** colectiv; societate. **3.** națiune. **4.** public. **5.** proprietate obștească. **6.** localitate.

commutation [ˌkɔmjuˈteiʃn] s. **1.** comutare. **2.** amer. navetă.

commutation ticket [ˌkɔmjuˈteiʃn ˌtikit] s. amer. abonament (la tren etc.)

commutator [ˈkɔmjuteitɔ] s. comutator, șalter.

commute [kɔˈmjuːt] I. vt. **1.** a comuta. **2.** a schimba. II. vi. amer. a face naveta.

commuter [kɔˈmjuːtɔ] s. navetist.

compact[1] [ˈkɔmpækt] s. **1.** acord, pact; înțelegere. **2.** pudrieră.

compact[2] [kɔmˈpækt] I. adj. **1.** compact. **2.** solid. **3.** unit. II. vt. a compacta, a presa laolaltă.

compact disc / disk [ˌkɔmˌpæktˈdisk] s. disc compact, CD, compact disc.

companion [kɔmˈpænjɔn] s. **1.** însoțitor, tovarăș. **2.** prieten. **3.** om de lume, om de societate. **4.** damă de companie. **5.** pereche. **6.** manual (enciclopedie); ghid, călăuză; mică enciclopedie (de literatură etc.).

companionable [kɔmˈpænjɔnɔbl] adj. sociabil, prietenos.

companionship [kɔmˈpænjɔnʃip] s. tovărășie.

company [ˈkʌmpni] s. **1.** mil. companie. **2.** companie, tovărășie. **3.** asociație. **4.** ec. societate. **5.** musafir(i). **6.** teatru trupă. **7.** tovarăși. || to keep smb. ~ a ține de urât cuiva; to keep ~ with a fi prieten cu; a se înhăita cu; a se frecventa cu; to part ~ a se despărți.

company manners [ˈkʌmpni ˌmænɔz] s. maniere alese.

comparable [ˈkɔmprɔbl] adj. comparabil.

comparative [kɔmˈpærɔtiv] I. s. comparativ. II. adj. **1.** comparabil. **2.** comparativ. **3.** relativ.

comparatively [kɔmˈpærɔtivli] adv. comparativ, relativ; prin comparație.

compare [kɔmˈpɛɔ] I. s. comparație. || beyond sau past ~ fără egal sau seamăn II. vt. a compara, a asemui.

comparison [kɔmˈpærisn] s. **1.** comparație. **2.** asemuire. || by ~ în raport cu altele; to bear ~ with a face față la.

compartment [kɔmˈpɑːtmɔnt] s. compartiment.

compass [ˈkʌmpɔs] s. **1.** busolă. **2.** pl. compas.

compassion [kɔmˈpæʃn] s. **1.** milă. **2.** îndurare. **3.** înțelegere.

compassionate [kɔmˈpæʃnit] adj. **1.** milos. **2.** înțelegător.

compatible [kɔmˈpætibl] adj. **1.** compatibil. **2.** armonios.

compatriot [kɔmˈpætriɔt] s. compatriot.

compeer [kɔmˈpiɔ] s. rar seamăn, pereche, tovarăș; confrate.

compel [kɔmˈpel] vt. **1.** a sili. **2.** a stoarce (fig.). **3.** a necesita.

compelling [kɔmˈpeliŋ] adj. **1.** irezistibil, de neînfrânt; silnic. **2.** palpitant; captivant; atrăgător. **3.** convingător; irefutabil.

compendious [kɔmˈpendiɔs] adj. scurt, concis, succint.

compendium [kɔmˈpendiɔm] s. compendiu, rezumat.

compensate [ˈkɔmpenseit] vt., vi. **1.** a (se) compensa. **2.** a (se) despăgubi.

compensation [ˌkɔmpenˈseiʃn] s. **1.** compensație. **2.** despăgubire. **3.** consolare.

compete [kɔmˈpiːt] vi. **1.** a concura. **2.** a rivaliza.

competence [ˈkɔmpitns] s. **1.** competență. **2.** capacitate. **3.** avere.

competency [ˈkɔmpitnsi] s. v. competence.

competent [ˈkɔmpitnt] adj. **1.** competent. **2.** capabil. **3.** satisfăcător.

competition [ˌkɔmpiˈtiʃn] s. **1.** concurență. **2.** întrecere. **3.** competiție.

competitive [kɔmˈpetitiv] adj. de concurență.

competitor [kɔmˈpetitɔ] s. concurent.

compilation [ˌkɔmpiˈleiʃn] s. **1.** compilație. **2.** selecție; adunare.

compile [kɔmˈpail] vt. **1.** a alcătui, a redacta (un dicționar etc.). **2.** a compila.

compiler [kɔmˈpailɔ] s. redactor.

complacency [kɔmˈpleisnsi] s. autoliniștire, mulțumire (de sine).

complacent [kɔmˈpleisnt] adj. **1.** împăcat cu sine, mulțumit. **2.** vanitos, încrezut. **3.** înv. bun, blând.

complain [kɔmˈplein] vi. **1.** a se plânge. **2.** a protesta.

complaint [kɔmˈpleint] s. **1.** plângere, reclamație; plângere în justiție, dare în judecată. **2.** nemulțumire; jale; suferință. **3.** boală, durere, maladie, tulburare. || to lodge a ~ against smb. a face o plângere / reclamație împotriva cuiva; a da pe cineva în judecată; what is his ~? de ce se plânge? ce-l doare?; to make ~s of a se plânge de; to get a ~ a căpăta o boală.

complaisance [kɔmˈpleizns] s. **1.** complezență. **2.** ușurință.

complaisant [kəm'pleiznt] *adj.* **1.** **(to)** complezent, îndatoritor, amabil, politicos (cu, faţă de). **2.** tolerant; cu slăbiciuni; concesiv (faţă de).

complement ['kɔmplimənt] *s.* **1.** complinire. **2.** complement.

complementary [,kɔmpli'mentri] *adj.* **1.** complementar; de complinire / completare. **2.** interdependent, corelat.

complete [kəm'pli:t] **I.** *adj.* **1.** întreg, complet. **2.** total. **3.** absolut. **4.** perfect, desăvârşit. **II.** *vt.* **1.** a termina. **2.** a desăvârşi. **3.** a perfecţiona. **4.** acompleta.

completely [kəm'pli:tli] *adv.* **1.** total; cu totul. **2.** în întregime. **3.** absolut.

completion [kəm'pli:ʃn] *s.* **1.** completare. **2.** terminare. **3.** desăvârşire.

complex ['kɔmpleks] **I.** *s.* **1.** întreg. **2.** complex. **II.** *adj.* **1.** complex. **2.** complicat.

complexion [kəm'plekʃn] *s.* **1.** ten; culoare a pielii. **2.** înfăţişare.

complexity [kəm'pleksiti] *s.* complex, complexitate.

complex sentence ['kɔmpleks 'sentns] *s.* frază (compusă) prin subordonare.

compliance [kəm'plaiəns] *s.* **1.** încuviinţare. **2.** acord. **3.** bunăvoinţă. || *in ~ with your request* acceptând rugămintea dvs., ascultând de cererea dvs.

compliant [kəm'plaiənt] *adj.* binevoitor.

complicate ['kɔmplikeit] *vt.* a complica.

complicated ['kɔmplikeitid] *adj.* complicat, dificil, greu; încurcat, încâlcit.

complication [,kɔmpli'keiʃn] *s.* **1.** complicaţie. **2.** încurcătură.

complicity [kəm'plisiti] *s.* **1.** complicitate. **2.** cârdăşie.

compliment[1] ['kɔmplimənt] *s.* **1.** compliment. **2.** salutare politicoasă. **3.** omagiu. **4.** *pl.* felicitări.

compliment[2] ['kɔmpliment] *vt.* **1.** a omagia. **2.** a lăuda. **3.** a felicita.

complimentary [,kɔmpli'mentri] *adj.* **1.** laudativ, măgulitor, galant, complezent. **2.** admirativ. **3.** gratuit, de favoare; de felicitare.

comply [kəm'plai] *vi.*: *to ~ with a request* a satisface, a accepta *sau* a încuviinţa o rugăminte; *to ~ with the rules etc.* a se supune regulilor etc.

component [kəm'pounənt] *s., adj.* component.

comport [kəm'pɔ:t] **I.** *vi.* **(with)** a concorda cu, a corespunde *(cu dat.)*. **II.** *vt.* **1.** *înv.* a suporta *(pe cineva)*. **2.** *rar* a comporta, a atrage după sine. **III.** *vr.* a se comporta, a se purta. **IV.** *s. înv.* purtare, comportare.

compose [kəm'pouz] *vt.* **1.** a compune. **2.** a aranja. **3.** *poligr.* a culege. **4.** a linişti. **5.** a împăca. **6.** a rezolva. || *to be ~d of a* se compune din.

composed [kəm'pouzd] *adj.* **1.** linişti t, tihnit. **2.** **(of)** compus; alcătuit (din).

composedly [kəm'pousidli] *adv.* linişti t.

composer [kəm'pouzə] *s.* **1.** *muz.* compozitor. **2.** autor, scriitor. **3.** conciliator. **4.** alinător, mângâietor; *fig.* mângâiere.

composite ['kɔmpəzit] *adj.* compus.

composition [,kɔmpə'ziʃn] *s.* **1.** compunere. **2.** compoziţie. **3.** compus. **4.** alcătuire.

compositor [kəm'pɔzitə] *s. tipo.* culegător, zeţar.

compost ['kɔmpɔst] *s. agr.* bălegar, gunoi de grajd *(folosit ca îngrăşământ)*.

composure [kəm'pouʒə] *s.* linişte, calm.

compound[1] ['kɔmpaund] **I.** *s.* **1.** (element / cuvânt) compus. **2.** curte, împrejmuire. **II.** *adj.* compus; coordonat.

compound[2] [kəm'paund] *vt.* **1.** a compune. **2.** a prepara, a alcătui. **3.** a împăca, a potoli.

compound sentence ['kɔmpaund 'sentns] *s.* frază (compusă) prin coordonare.

comprehend [,kɔmpri'hend] *vt.* **1.** a înţelege. **2.** a cuprinde.

comprehensible [,kɔmpri'hensəbl] *adj.* de înţeles.

comprehension [,kɔmpri'henʃn] *s.* **1.** înţelegere. **2.** cuprindere.

comprehensive [,kɔmpri'hensiv] *adj.* cuprinzător.

compress[1] ['kɔmpres] *s.* compresă.

compress[2] [kəm'pres] *vt.* a comprima.

compressed [kəm'prest] *adj.* comprimat, condensat, strâns.

compression [kəm'preʃn] *s.* **1.** concizie. **2.** comprimare.

comprise [kəm'praiz] *vt.* a cuprinde, a fi alcătuit din.

compromise ['kɔmprəmaiz] **I.** *s.* **1.** compromis. **2.** împăcare; împăciuire. **3.** înţelegere. **II.** *vt.* **1.** a împăca. **2.** a primejdui. **3.** a compromite. **III.** *vi.* a face un compromis.

comptroller [kən'troulə] *s.* **1.** controlor; inspector; supraveghetor. **2.** *tehn.* regulator. **3.** *el.* controler.

compulsion [kəm'pʌlʃn] *s.* **1.** constrângere, silire. **2.** voinţă nestăpânită, viciu. || *under a ~* silit, la strâmtoare.

compulsive [kəm'pʌlsiv] *adj.* coercitiv, impus, forţat.

compulsory [kəm'pʌlsri] *adj.* obligatoriu.

compunction [kəm'pʌŋkʃn] *s.* **1.** scrupul. **2.** remuşcare. **3.** regret.

computation [,kɔmpju'teiʃn] *s.* socoteală.

compute [kəm'pju:t] *vt., vi.* a calcula, a socoti.

computer [kəm'pju:tə] *s.* **1.** calculator (electronic), computer. **2.** maşină (electronică) de calculat.

comrade ['kɔmrid] *s.* tovarăş.

con[1] [kɔn] **I.** *s.* argument *sau* vot potrivnic. **II.** *adv.* împotrivă.

con[2] [kɔn] *vt.* **1.** a învăţa pe dinafară; a toci, a memoriza. **2.** *înv.* a şti, a înţelege. **3.** *înv.* a fi în stare să. **4.** *înv.* a pune la învăţătură.

con[3] [kɔn] *mar.* **I.** *vt.* a cârmi *(un vas)*; a cârmi după compas. **II.** *s.* cârmă; cârmire.

concatenate [kɔn'kætineit] *vt.* a înlănţui, a uni în lanţ / serii succesive.

concave ['kɔn'keiv] *adj.* concav.

conceal [kən'si:l] *vt.* **1.** a ascunde. **2.** a tăinui.

concealment [kən'si:lmənt] *s.* **1.** ascundere, tăinuire, pitire. **2.** ascunzătoare, refugiu secret. **3.** *mil.* mascare, camuflare; lagăr, tabără; cartier izolat, împrejmuit. || *mil. ~ of flash* ascunderea flăcării.

concede [kən'si:d] **I.** *vt.* **1.** a ceda. **2.** a admite. **3.** a permite. **4.** a acorda. **II.** *vi.* a ceda.

conceit [kən'si:t] *s.* **1.** îngâmfare. **2.** vanitate. **3.** concepţie.

conceited [kən'si:tid] *adj.* **1.** încrezut. **2.** orgolios; vanitos.

conceivable [kən'si:vəbl] *adj.* **1.** de conceput. **2.** posibil, imaginabil.

conceivably [kən'sivəbli] *adv.* posibil, plauzibil, inteligibil, clar.

conceive [kən'si:v] I. vt. 1. a concepe. 2. a imagina. II. vi. a-şi închipui.

concentrate ['kɔnsentreit] I. vt. 1. a concentra. 2. a aduna. II. vi. a se concentra.

concentration [,kɔnsen'treiʃn] s. 1. concentrare. 2. aglomeraţie.

concentration camp [,kɔnsen 'treiʃn'kæmp] s. lagăr de concentrare.

concentric [kən'sentrik] adj. concentric.

concept ['kɔnsept] s. noţiune.

conception [kən'sepʃn] s. 1. concepţie. 2. plan.

conceptual [kən'septjuəl] adj. conceptual.

concern [kən'sən] I. s. 1. grijă. 2. (**for**) preocupare, îngrijorare. 3. (**in**) interes (pentru). 4. participare. 5. firmă comercială; întreprindere. 6. concern, trust. II. vt. 1. a interesa. 2. a afecta, a privi (fig.) 3. a îngrijora. 4. a necăji. || as ~s... cât despre..., în ce priveşte... III. vr.: to ~ oneself with a se ocupa de.

concerned [kən'sə:nd] adj. 1. (**with, in, about**) interesat, preocupat (de); (cu inf.) interesat (să). 2. (**at, for**) îngrijorat, preocupat, neliniştit (de). 3. (**at, for, about**) indispus, întristat (de). 4. implicat, amestecat.

concerning [kən'sə:niŋ] prep. referitor la, cu privire la; în privinţa.

concert ['kɔnsət] s. 1. concert; spectacol. 2. înţelegere, acord. || in ~ împreună, de comun acord.

concerted [kən'sə:tid] adj. 1. concertat. 2. comun.

concertina [,kɔnsə'ti:nə] s. armonică.

concerto [kən'tʃeətou] s. muz. pl. **concerti** [kən'tʃeəti:] concert (compoziţie muzicală). || sl. up to ~ straşnic, grozav, clasa întâi.

concession [kən'seʃn] s. 1. concesie. 2. cedare. 3. pol., econ. concesiune.

concessionaire [kən,seʃə'nɛə] s. jur. concesionar.

concessive [kən'sesiv] adj. 1. îngăduitor; conciliant. 2. gram. concesiv.

conch [kɔŋtʃ] s. 1. ghioc, concă, scoică. 2. arhit. absidă, ieşitură semicirculară. 3. amer. fam. persoană originară din Bahama.

conchology [kɔŋ'kɔlədʒi] s. zool. studiul scoicilor, malacologie.

conciliate [kən'silieit] vt. a împăca.

conciliation [kən,sili,eiʃən] s. împăcare, (re)conciliere. || jur. court of ~ curte de arbitraj.

conciliatory [kən'siliətri] adj. împăciuitor; împăciuitorist.

concise [kən'sais] adj. concis, succint.

conclave ['kɔnkleiv] s. conclav, conciliabul; întrunire secretă.

conclude [kən'klu:d] I. vt. 1. a încheia. 2. a rezolva. 3. a desăvârşi. 4. a conchide, a trage concluzia (că) II. vi. a se încheia.

conclusion [kən'klu:ʒn] s. 1. concluzie. 2. încheiere; terminare; sfârşit. 3. rezolvare. || in ~ în concluzie; în cele din urmă.

conclusive [kən'klu:siv] adj. 1. final. 2. convingător. 3. hotărâtor.

concoct [kən'kɔkt] vt. 1. a pregăti. 2. a coace (fig.) 3. a născoci.

concoction [kən'kɔkʃn] s. 1. preparat culinar. 2. născocire.

concomitant [kən'kɔmitnt] I. s. însoţitor. II. adj. 1. concomitent. 2. însoţitor.

concord ['kɔŋkɔ:d] s. 1. acord (şi gram.). 2. armonie; pace; înţelegere. 3. amiciţie, prietenie.

concordance [kən'kɔ:dns] s. 1. concordanţă. 2. acord. 3. index, glosar (la Biblie, la operele unui autor).

concourse ['kɔŋkɔ:s] s. 1. conjunctură, concurs de împrejurări. 2. adunare.

concrete¹ ['kɔŋkri:t] I. s. beton. II. adj. 1. concret, definit. 2. real. 3. palpabil. III. vt. a betona.

concrete² [kən'kri:t] vi. a se aglomera.

concretely [kən'kri:tli] adv. (în mod) concret.

concretion [kən'kri:ʃn] s. 1. contopire, îmbinare. 2. cimentare, întărire; condensare; precipitare; sedimentare. 3. masă solidă / precipitată. 4. geol. concreţie. 5. med. calcul; concrescenţă. 6. fig. concretizare, materializare.

concubine ['kɔŋkjubain] s. 1. concubină. 2. amantă.

concupiscence [kən'kju:pisns] s. 1. concupiscenţă, dorinţă sexuală. 2. senzualitate, pofte lumeşti.

concur [kən'kə:] vi. (**with**) 1. a fi de acord. 2. a se întâlni. 3. a se uni. 4. (cu inf.) a concura (la producerea unui rezultat).

concurrence [kən'kʌrns] s. 1. întâlnire. 2. acord. 3. unire. 4. concurs de împrejurări.

concurrent [kən'kʌrnt] adj. 1. paralel. 2. concomitent. 3. corespunzător.

concuss [kən'kʌs] vt. 1. mai ales fig. a zdruncina. 2. med. a provoca (cuiva) o comoţie (cerebrală). 3. a intimida, a forţa, a constrânge.

concussion [kən'kʌʃn] s. 1. lovitură; şoc. 2. comoţie.

condemn [kən'dem] vt. 1. a condamna, a osândi. 2. a interzice. 3. a confisca. 4. a declara (vinovat, grav bolnav etc.).

condemned cell [kən'demd'sel] s. celula condamnaţilor la moarte.

condensation [,kɔnden'seiʃn] s. 1. condensare; îndesare, concentrare; îngroşare; lichefiere. 2. masă condensată.

condense [kən'dens] I. vt. 1. a condensa. 2. a rezuma. 3. a concentra. II. vi. a se condensa.

condenser [kən'densə] s. condensator.

condescend [,kɔndi'send] vi. (**to**) a condescinde (să, a), a catadicsi.

condescension [,kɔndi'senʃn] s. condescendenţă; politeţe arogantă.

condign [kən'dain] adj. meritat.

condiment ['kɔndimənt] s. condiment.

condition [kən'diʃn] I. s. 1. situaţie. 2. condiţie, stare. 3. pl. împrejurări. 4. rang, situaţie socială. || on ~ (that) cu condiţia ca; on no~ sub nici un motiv. II. vt. 1. a determina, a condiţiona. 2. a întări.

conditional [kən'diʃənl] I. s. condiţional. II. adj. 1. condiţional. 2. condiţionat.

condole [kən'doul] vi.: to ~ with smb. a exprima condoleanţe cuiva; a fi alături de cineva (fig.).

condolence [kən'douləns] s. condoleanţe.

condom ['kɔndəm] s. prezervativ.

condominium [,kɔndə'miniəm] s. pol. condominiu, stăpânire mixtă / asociată; teritoriu sub protectoratul / stăpânirea a două state.

condone [kən'doun] vt. **1.** a trece cu vederea. **2.** a accepta.

conduce [kən'djuːs] vi. **(to)** a conduce (către), a contribui (la).

conducive [kən'djuːsiv] adj.: to be ~ to a produce, a determina.

conduct[1] ['kɔndəkt] s. **1.** purtare. **2.** conduită. **3.** conducere.

conduct[2] [kən'dʌkt] I. vt. **1.** a duce. **2.** a conduce, a dirija. **3.** a stăpâni. **4.** a îndeplini. **5.** a transmite. II. vi. muz. a dirija. III. vr. a se purta, a se comporta.

conducting [kən'dʌktiŋ] s., adj. tehn. conductor.

conduction [kən'dʌkʃn] s. **1.** conducere, transport(are) (a apei prin ţevi etc.). **2.** conductibilitate, transmitere (a căldurii etc.). **3.** bot. transport, ducere. **4.** fiziol. transmitere a excitaţiei nervoase.

conductive [kən'dʌktiv] adj. fiz. conductibil, conductor, conductiv.

conductivity [,kɔndʌk'tiviti] s. fiz., el. conductivitate, conductibilitate specifică; conductibilitate electrică.

conductor [kən'dʌktə] s. **1.** conducător. **2.** dirijor. **3.** conductor, taxator (în tramvai etc.).

conduit ['kɔndit] s. conductă.

cone [koun] s. con.

coney ['kouni] s. v. **cony.**

confab(ulate) [kən'fæb(juleit)] vi. a sta de vorbă; a tăifăsui.

confection [kən'fekʃn] s. **1.** prăjitură. **2.** pl. dulciuri. **3.** confecţii.

confectioner [kən'fekʃnə] s. cofetar.

confectionery [kən'fekʃnəri] s. **1.** cofetărie. **2.** dulciuri.

confederacy [kən'fedrəsi] s. **1.** (con)federaţie. **2.** alianţă.

confederate[1] [kən'fedrit] I. s. **1.** aliat. **2.** federat. II. adj. federal.

confederate[2] [kən'fedəreit] vt., vi. a (se) federaliza.

confederation [kən,fedə'reiʃn] s. (con)federaţie.

confer [kən'fəː] I. vt. a conferi, a acorda (cu dat.). II. vi. **(with) 1.** a se consulta, a conferi. **2.** a discuta (cu).

conference ['kɔnfrns] s. **1.** consultare, schimb de vederi; conferinţă. **2.** congres, adunare. || to be in ~ a fi ocupat, într-o discuţie cu cineva.

confess [kən'fes] I. vt. **1.** a mărturisi. **2.** a recunoaşte. II.vi. a (se) mărturisi, a (se) spovedi.

confessedly [kən'fesidli] adv. după propria mărturisire.

confession [kən'feʃn] s. **1.** mărturisire. **2.** spovedanie.

confessional [kən'feʃənl] s. **1.** spovedanie. **2.** loc de spovedanie.

confessor [kən'fesə] s. duhovnic.

confetti [kən'feti] s. pl. **1.** confeti. **2.** bomboane mici; dulciuri.

confidant [,kɔnfi'dænt] s. confident.

confidante [,kɔnfi'dænt] s. confidentă.

confide [kən'faid] I. vt. **(to) 1.** a mărturisi (cu dat.). **2.** a încredinţa (cuiva). II. vi. **(in)** a se încrede (în cineva etc.).

confidence ['kɔnfidns] s. **1.** credinţă. **2.** încredere. **3.** îndrăzneală. **4.** confidenţă; secret. || in ~ în taină; to take smb. into one's ~ a acorda încredere cuiva; a se destăinui cuiva.

confidence man ['kɔnfidəns,mən] şi pl. **confidence men** ['kɔnfidəns,men] s. escroc, şarlatan, şmenar.

confident ['kɔnfidnt] adj. **1.** încrezător; credul, sincer, deschis. || to be ~ that a fi convins / încrezător că, a spera că. **2.** îndrăzneţ, curajos.

confidential [,kɔnfi'denʃl] adj. **1.** confidenţial; secret; tainic. **2.** de încredere.

confidentially [,kɔnfi'denʃəli] adv. confidenţial; în secret, în taină.

confidently ['kɔnfidntli] adv. cu (deplină) încredere; încrezător, credul; sincer, deschis.

confiding [kən'faidiŋ] adj. **1.** încrezător, sincer, înclinat spre confidenţe. **2.** de încredere.

configuration [kən,figju'reiʃn] s. **1.** configuraţie. **2.** alcătuire.

confine [kən'fain] vt. **1.** a limita, a îngrădi. **2.** a ţine închis. **3.** a ţine / ţintui la pat.

confined [kən'faind] adj. **1.** limitat. **2.** îngust, strâmt. || she is ~ e la maternitate; naşte; e lehuză.

confinement [kən'fainmənt] s. **1.** captivitate. **2.** închisoare; recluziune. **3.** naştere. **4.** lăuzie.

confines ['kɔnfainz] s. pl. **1.** graniţă. **2.** limită.

confirm [kən'fəːm] vt. **1.** a confirma, a dovedi. **2.** a întări. **3.** a autentifica, a sancţiona.

confirmation [,kɔnfə'meiʃn] s. **1.** confirmare. **2.** întărire.

confirmed [kən'fəːmd] adj. **1.** confirmat. **2.** întărit. **3.** hotărât. **4.** înrăit. **5.** condamnat. **6.** stabilit.

confiscate ['kɔnfiskeit] vt. a confisca.

conflagration [,kɔnflə'greiʃn] s. **1.** foc; incendiu. **2.** conflagraţie.

conflict[1] ['kɔnflikt] s. **1.** conflict. **2.** luptă.

conflict[2] [kən'flikt] vi. **(with) 1.** a fi în conflict sau opoziţie (cu). **2.** a se bate cap în cap (cu). **3.** a diferi (de).

confluence ['kɔnfluəns] s. **1.** confluenţă. **2.** întâlnire. **3.** mulţime, râuri de oameni.

confluent ['kɔnfluənt] I. adj. confluent, concurent. II. s. afluent tributar (al unui râu).

conform [kən'fɔːm] I. vt. **1.** a potrivi. **2.** a pune de acord. II. vi. **1.** a se conforma. **2.** a se supune.

conformable [kən'fɔːməbl] adj. **1.** **(to)** potrivit (cu), conform, (cu dat.). **2.** supus, ascultător; docil, maleabil; adaptabil. **3.** armonios.

conformation [,kɔnfɔː'meiʃn] s. **1.** conformaţie, formă. **2.** concordanţă, potrivire.

conformism [kən'fɔːmism] s. conformism.

conformist [kən'fɔːmist] s. conformist.

conformity [kən'fɔːmiti] s. **1.** conformitate, concordanţă, potrivire, corespondenţă. || in ~ with conform cu, după, în conformitate cu. **2.** acord, armonie. **3.** supunere. **4.** bis. conformare la normele bisericii anglicane.

confound [kən'faund] vt. **1.** a ului, a buimăci. **2.** a uimi. **3.** a încurca. **4.** a confunda. **5.** a răsturna; a înfrânge. || ~ it! dracu' să-l ia!

confront [kən'frʌnt] vt. **1.** a confrunta. **2.** a opune. **3.** a pune faţă în faţă (cu). **4.** a înfrunta.

confuse [kən'fjuːz] vt. **1.** a încurca, a confunda. **2.** a pune în încurcătură, a buimăci, a încurca.

confused [kən'fjuːzd] adj. încurcat.

confusedly [kən'fjuːzdli] adv. **1.** învălmăşit, de-a valma. **2.** încurcat.

confusion [kən'fjuːʒn] s. **1.** dezordine. **2.** încurcătură. **3.** ruşine. **4.** uluială.

confute [kən'fju:t] *vt.* **1.** a respinge. **2.** a nimici.

congeal [kən'dʒi:l] *vt., vi.* a îngheța.

congenial [kən'dʒi:njəl] *adj.* **1.** asemănător. **2.** plăcut. **3.** potrivit. **4.** favorabil.

congenital [kən'dʒenitl] *adj.* congenital, înnăscut.

conger(eel) ['kɔngə(ri:l)] *s. iht.* țipar de mare *(Conger vulgaris).*

congeries [kən'dʒiəri:z] *s. (sing. și pl.)* **1.** masă, grămadă, teanc. **2.** amestecătură, îngrămădire, adunătură.

congest [kən'dʒest] *vt.* **1.** a umple. **2.** a aglomera. **3.** a congestiona.

congestion [kən'dʒestʃn] *s.* **1.** congestie. **2.** congestionare. **3.** aglomerație.

conglomerate[1] [kən'glɔmərit] **I.** *s.* **1.** aglomerație. **2.** conglomerat. **II.** *adj.* conglomerat.

conglomerate[2] [kən'glɔməreit] *vt., vi.* **1.** a (se) aglomera. **2.** a forma un conglomerat.

congratulate [kən,grætju'leit] *vt., vr.* a (se) felicita.

congratulations [kən,grætju'leiʃnz] *s. pl.* felicitări.

congratulatory [kən'grætjulətri] *adj.* de felicitare.

congregate ['kɔngrigeit] *vt., vi.* a (se) aduna.

congregation [,kɔngri'geiʃn] *s.* **1.** parohie. **2.** enoriași.

congregational [,kɔngri'geiʃənl] *adj. bis.* **1.** de congregație, referitor la enoriași. **2.** independent, autonom.

congregationalism [,kɔngri'geiʃənəlizəm] *s. bis.* autonomie, autocefalie, congregaționalism *(revendicarea autonomiei bisericești pentru fiecare parohie).*

congress ['kɔngres] *s.* congres, conferință. || *the Congress amer.* (Parlamentul) Congresul SUA.

congressional [kən'greʃənl] *adj.* referitor la congres.

Congressman ['kɔngresmən], *pl.* **Congressmen** ['kɔngresmən] *s. amer.* membru al Camerei Reprezentanților, deputat.

congruent ['kɔngruənt], **congruous** ['kɔngruəs] *adj.* **1.** armonios. **2.** (**with**) potrivit (cu), corespunzător (cu). **3.** logic; rezonabil.

conic ['kɔnik] **I.** *adj.* conic, țuguiat. **II.** *s. geom.* secțiune conică.

conical ['kɔnikl] *adj.* conic.

conifer ['kounifə] *s. bot.* conifer.

coniferous [ko'nifərəs] *adj.* conifer.

conjectural [kən'dʒektʃrl] *adj.* **1.** îndoielnic. **2.** bazat pe presupuneri.

conjecture [kən'dʒektʃə] **I.** *s.* **1.** ghiceală. **2.** impresie. **3.** presupunere. **II.** *vt., vi.* a ghici, a presupune.

conjoin [kən'dʒɔin] **I.** *vt.* **1.** a uni, a lega; a combina; a strânge. **2.** a asocia, a pune laolaltă. **II.** *vi.* a se uni, a se lega, a se asocia.

conjoint ['kɔndʒɔint] *adj.* **1.** unit. **2.** comun.

conjugal ['kɔndʒugl] *adj.* conjugal, matrimonial; conubial.

conjugate ['kɔndʒugeit] *vt.* **1.** a conjuga. **2.** a uni.

conjugation [,kɔndʒu'geiʃn] *s.* conjugare.

conjunct [kən'dʒʌŋkt] *adj.* unit, îmbinat, combinat, asociat.

conjunction [kən'dʒʌŋʃn] *s.* **1.** conjuncție. **2.** unire. **3.** conjunctură. || *in ~ with* în legătură cu; conjugat, împreună cu.

conjunctiva [,kɔndʒʌŋk'taivə] *s. anat.* conjunctivă.

conjunctive [kən'dʒʌŋtiv] *adj.* de legătură.

conjunctivitis [kən,dʒʌŋkti'vaitis] *s. med.* conjunctivită.

conjuncture [kən'dʒʌŋktʃə] *s.* **1.** conjunctură, circumstanțe; prilej, întâmplare. **2.** moment critic, criză.

conjure[1] ['kʌndʒə] *vt.* **1.** a jongla cu. **2.** a invoca. **3.** a evoca. || *a name to ~ with* un nume influent *sau* răsunător.

conjure[2] [kən'dʒuə] *vt.* a conjura, a implora.

conjurer ['kʌndʒərə] *s.* **1.** jongler. **2.** scamator.

conjuror ['kʌndʒərə] *s.* **1.** vrăjitor, magician; scamator. **2.** *amer.* conjurat; complotist.

conk [kɔŋk] **I.** *s.* **1.** *sl.* nas, trompă. **2.** defect la instalarea motorului *(întrerupere, bătaie).* **3.** *amer. sl.* cap, bostan, dovleac. **II.** *vi. sl.: to ~ out* **1.** *(mai ales d. mașini)* a se paradi, a fi în pană. **2.** a da ortul popii. **III.** *vt. amer.* a da una în cap *(cuiva).*

conker ['kɔŋkə] *s.* **1.** *bot.* castană

(porcească). **2.** joc de copii constând în spargerea castanelor adversarului.

con man [kɔn mæn], *pl.* **con men** ['kɔnmen] v. **confidence man**.

connect [kə'nekt] **I.** *vt.* **1.** a lega. **2.** a uni. **3.** a pune laolaltă. **II.** *vi.* **1.** a se lega. **2.** a se uni. **3.** a se înrudi.

connection [kə'nekʃn] *s.* **1.** unire. **2.** legătură. **3.** alăturare. **4.** înrudire. **5.** *pl.* relații. **6.** clientelă. || *in this ~* în această ordine de idei; în privința asta; în legătură cu asta.

connective [kə'nektiv] **I.** *adj.* **1.** care leagă, conjunctiv. **2.** *gram.* conector copulativ. **II.** *s. gram.* cuvânt de legătură *(mai-ales);* conjuncție.

connexion [kə'nekʃn]*s.* v. **connection**.

conning-tower ['kɔniŋ ˌtauə] *s. mar.* turelă de luptă; adăpost, redută, cazemată.

connivance [kə'naivns] *s.* **1.** coniveță. **2.** (**at, with**) complicitate (la, cu).

connive [kə'naiv] *vi.: to ~ at* a trece cu vederea; a tăinui; *to ~ with* a fi / a se face complice cu.

connoisseur [ˌkɔni'sɔ:] *s.* **1.** cunoscător. **2.** expert.

connotation [ˌkɔno'teiʃn] *s.* **1.** implicație. **2.** înțeles; conotație.

connote [kə'nout] *vt.* **1.** a implica. **2.** *fam.* a însemna, a denota.

connubial [kə'nju:biəl] *adj.* **1.** conjugal, nupțial; marital. **2.** *fig.* intim.

conquer ['kɔŋkə] *vt.* **1.** a cuceri. **2.** a înfrânge. **3.** a ocupa. **4.** a stăpâni.

conqueror ['kɔŋkrə] *s.* **1.** cuceritor. **2.** învingător.

conquest ['kɔŋkwest] *s.* **1.** cucerire. **2.** victorie. || *to make a ~ of fig.* a cuceri.

consanguineous [ˌkɔnsæŋ'gwiniəs] *adj.* consanguin.

consanguinity [ˌkɔnsæŋ'gwiniti] *s.* rudenie de sânge.

conscience ['kɔnʃns] *s.* simț etic, conștiință morală. || *for ~ sake* pentru a fi cu conștiința împăcată.

conscientious [ˌkɔnʃi'enʃəs] *adj.* conștiincios.

conscientious objector [ˌkɔnʃi'enʃəs ɔb'dʒektə] *s.* om care refuză să facă armata (din motive etice).

conscious ['kɔnʃəs] *adj.* **1.** conştient; treaz. **2.** ştiutor. **3.** întreg la minte.

consciously ['kɔnʃəsli] *adv.* conştient; la rece; în mod intenţional / deliberat.

consciousness ['kɔnʃəsnis] *s.* **1.** conştienţă, trezie; cunoştinţă. **2.** conştiinţă (*politică etc.*). **3.** minte. **4.** înţelepciune.

conscript[1] ['kɔnskript] *s.* recrut.

conscript[2] [kən'skript] *vt.* **1.** a recruta. **2.** a încorpora.

conscription [kən'skripʃn] *s.* **1.** recrutare. **2.** serviciu militar (obligatoriu).

consecrate ['kɔnsikreit] *vt.* **1.** a sfinţi. **2.** a consacra.

consecration [,kɔnsi'kreiʃn] *s.* **1.** sfinţire. **2.** hirotonisire.

consecutive [kən'sekjutiv] *adj.* consecutiv;(*gram. şi*) rezultativ.

consensus [kən'sensəs] *s.* **1.** consens. **2.** acord.

consent [kən'sent] **I.** *s.* **1.** acord, încuviinţare. **2.** permisiune. **II.** *vi.* **1.** a fi de acord, a încuviinţa. **2.** a se învoi.

consequence ['kɔnsikwəns] *s.* **1.** rezultat. **2.** consecinţă, urmare. **3.** importanţă. || *in ~ of* ca urmare a.

consequent ['kɔnsikwənt] **I.** *s.* **1.** urmare. **2.** corolar. **II.** *adj.* **1.** ulterior. **2.** firesc. || *~ to / on* ca o urmare firească (*în gen.*).

consequential [,kɔnsi'kwenʃl] *adj.* **1.** care-şi dă importanţă. **2.** firesc. **3.** important.

consequently [,kɔnsikwəntli] *adv.* **1.** prin urmare. **2.** (şi) deci.

conservancy [kən'sə:vənsi] *s.* (*autoritate pentru*) protecţia râurilor şi pădurilor.

conservation [,kɔnsə'veiʃn] *s.* păstrare, conservare.

conservationist [,kɔnsə'veiʃənist] *s.* adept al conservării mediului; ecologist.

conservatism [kən'sə:vətizəm] *s.* caracter conservator.

conservative [kən'sə:vtiv] **I.** *s.* conservator **II.** *adj.* **1.** conservator. **2.** prudent. **3.** moderat.

conservatoire [kən'sə:vətwɑ:] *s.* conservator, şcoală de muzică.

conservatory [kən'sə:vətri] **I.** *s.* **1.** seră. **2.** academie de muzică. **II.** *adj.* conservator, de păstrare.

conserve [kən'sə:v] **I.** *s.* dulceaţă; gem. **II.** *vt.* **1.** a păstra. **2.** a conserva.

consider [kən'sidə] **I.** *vt.* **1.** a chibzui. **2.** a lua în consideraţie, a cântări. **3.** a considera. || *all things ~ed* ţinând seama de toate; cu una cu alta. **II.** *vi.* **1.** a gândi. **2.** a chibzui. **3.** a considera.

considerable [kən'sidrəbl] *adj.* **1.** important. **2.** considerabil.

considerably [kən'sidrəbli] *adv.* **1.** în mare măsură. **2.** foarte.

considerate [kən'sidrit] *adj.* **1.** moderat, chibzuit. **2.** grijuliu, atent.

consideration [kən,sidə'reiʃn] *s.* **1.** chibzuială, judecată. **2.** consideraţie. **4.** răsplată. **5.** grijă. **6.** importanţă. || *under ~* în studiu; *to leave out of ~* a omite; *in ~ of* pe baza (*cu gen.*); din pricina (*cu gen.*); ca răsplată pentru.

considering [kən'sidriŋ] **I.** *adv.* **1.** la urma urmei. **2.** dacă stai să te gândeşti. **II.** *prep.* **1.** dată fiind. **2.** ţinând seama de (*împrejurări etc.*).

consign [kən'sain] *vt.* **1.** a trimite, a expedia. **2.** a încredinţa. **3.** a înmâna.

consignee [,kɔnsai'ni:] *s.* destinatar.

consigner [kən'sainə] *s.* expeditor.

consignment [kən'sainmənt] *s.* **1.** expediere. **2.** transport. **3.** încredinţare.

consist [kən'sist] *vi.: to ~ of* a fi alcătuit din; *to ~ in* a consta în; a fi întruchipat în.

consistence [kən'sistns] *s.* **1.** consistenţă. **2.** soliditate.

consistency [kən'sistnsi] *s.* **1.** consecvenţă. **2.** consistenţă.

consistent [kən'sistnt] *adj.* consecvent. || *~ with* corespunzător (*cu dat.*); potrivit pentru *sau* cu.

consolation [,kɔnsəleiʃn] *s.* consolare.

consolatory [kən'sɔlətri] *adj.* de consolare.

console[1] ['kɔnsoul] *s.* consolă.

console[2] [kən'soul] *vt.* a consola.

consolidate [kən'sɔlideit] *vt., vi.* **1.** a (se) întări. **2.** a (se) uni.

consolidated annuities [kən'sɔlideitidə'njuitiz] *s. pl. fin.* titlu de stat.

consolidation [kən,sɔli'deiʃən] *s.* **1.** consolidare, întărire. || *~ of the soil* stabilizarea terenului. **2.** solidificare, învârtoşare. **3.** confirmare, întărire. **4.** *med.*

calcifiere. **5.** unificare, concentrare (*de societăţi, întreprinderi indicate*). **6.** *econ.* consolidare, unificare (*de legi, împrumuturi, datorii publice etc.*).

consols [kən'sɔlz] *s. pl.* v. **consolidated annuities.**

consommé [kən'sɔmei] *s.* (supă) consommé.

consonance ['kɔnsənəns] *s.* **1.** armonie, consonanţa (*şi muz.*). || *~ of words* rimă. **2.** acord, concordanţă.

consonant ['kɔnsənənt] **I.** *adj.* **1.** *muz.* consonant. **2.** *fig.* **(to with)** în armonie (cu); conform (cu); corespunzător (*cu dat.*). **II.** *s.* consoană.

consort[1] ['kɔnsɔ:t] *s.* **1.** consort; consoartă. **2.** însoţitor.

consort[2] [kən'sɔ:t] *vi.* **(with) 1.** a se întovărăşi. **2.** a se înhăita. **3.** a se înţelege. **4.** a se potrivi.

consortium [kən'sɔ:tiəm] *s.* **1.** *com.* consorţiu. **2.** asociere; colaborare.

conspectus [kən'spektəs] *s.* **1.** privire de ansamblu, concepţie generală. **2.** tablou sinoptic.

conspicuous [kən'spikjuəs] *adj.* **1.** evident, vizibil. **2.** izbitor, care îţi sare în ochi. **3.** remarcabil. || *to make oneself ~* a se băga în ochii oamenilor; a se îmbrăca ţipător; a ieşi în evidenţă.

conspiracy [kən'spirəsi] *s.* **1.** complot. **2.** conspiraţie.

conspirator [kən'spirətə] *s.* complotist.

conspire [kən'spaiə] **I.** *vi.* **(with, together) 1.** a unelti; a conspira. **2.** a se uni. **II.** *vt.* a pune gând rău (*cuiva*), a pune la cale (*moartea cuiva*).

constable ['kʌnstəbl] *s.* **1.** poliţist. **2.** ofiţer de poliţie.

constabulary [kən'stæbjuləri] *s.* **1.** jandarmerie. **2.** poliţie.

constancy ['kɔnstnsi] *s.* constanţă.

constant ['kɔnstnt] **I.** *s.* constantă. **II.** *adj.* **1.** constant, consecvent. **2.** credincios. **3.** ferm, neabătut. **4.** neîncetat.

constantly ['kɔnstntli] *adv.* **1.** mereu. **2.** adeseori.

constellation [,kɔnstə'leiʃn] *s.* constelaţie.

consternate ['kɔnstəneit] *vt.* a consterna.

constipation [,kɔnsti'peiʃn] *s.* constipaţie.

constituency [kən'stitjuənsi] *s.* **1.** circumscripţie electorală. **2.** alegători.

constituent [kən'stitjuənt] I. s. 1. element constitutiv. 2. alegător. II. adj. 1. cu drept de vot. 2. constituant.

constitute ['kɔnstitju:t] vt. 1. a stabili. 2. a constitui. 3. a înființa. 4. a numi. 5. a compune. 6. a promulga.

constitution [,kɔnsti'tju:ʃn] s. 1. constituție. 2. sănătate. 3. structură; alcătuire. 4. mentalitate; structură psihică.

constitutional [,kɔnsti'tju:ʃənl] I. s. plimbare, mișcare (în aer liber). II. adj. 1. constituțional. 2. structural.

constitutive ['kɔnstitju:tiv] adj. 1. esențial. 2. indispensabil.

constrain [kən'strein] vt. a constrânge.

constrained [kən'streind] adj. 1. încurcat. 2. chinuit.

constraint [kən'streint] s. 1. constrângere. 2. încurcătură.

constrict [kən'strikt] vt. 1. a strânge. 2. a limita.

constrictor [kən'striktə] s. 1. anat. mușchi constrictor. 2. zool. boa (constrictor) (Boa constrictor). 3. med. constrictor (instrument chirurgical).

construct [kən'strʌkt] vt. 1. a construi, a făuri. 2. a alcătui. 3. a concepe, a imagina.

construction [kən'strʌkʃn] s. 1. construire. 2. construcție. 3. interpretare. 4. explicație. || under ~ în construcție; to put a wrong ~ on a interpreta / a înțelege greșit.

constructive [kən'strʌktiv] adj. 1. constructiv. 2. folositor.

construe [kən'stru:] I. vt. 1. a lămuri. 2. a traduce. 3. a interpreta. II. vi. 1. a (se) înțelege. 2. a (se) lămuri.

consubstantial [,kɔnsəb'stænʃl] adj. rel. unic, nedespărțit, dintr-o fire.

consubstantiation ['kɔnsəb ,stænʃi'eiʃn] s. rel. îmbinare, unire, întrupare.

consul ['kɔnsəl] s. consul.

consular ['kɔnsjulə] adj. consular.

consulate ['kɔnsjulit] s. 1. consulat. 2. rang de consul.

consult [kən'sʌlt] I. vt. 1. a consulta. 2. a chibzui asupra, a cântări. II. vi. a se consulta.

consultant [kən'sʌltnt] s. 1. consultant, consilier. 2. medic consultant. 3. detectiv.

consultation [,kɔnsəl'teiʃn] s. 1. consultație. 2. consfătuire, conferință, discuție. 3. consult (de medici).

consultative [kən'sʌltətiv] adj. consultativ.

consume [kən'sj:m] I; vt. 1. a distruge. 2. a arde. 3. a consuma. 4. a epuiza. 5. a irosi. II; vi. 1. a se consuma. 2. a se chinui.

consumer [kən'sju:mə] s. consumator.

consumer goods [kən'sju:mə 'gudz] s. bunuri de larg consum.

consumerism [kən'sju:mərizəm] s. econ. 1. societate de consum. 2. (politică de) protejare a drepturilor consumatorului.

consummate¹ [kən'sʌmit] adj. 1. desăvârșit, perfect. 2. complet.

consummate² ['kɔnsəmeit] vt. 1. a desăvârși, a împlini, a efectua; jur. a consuma. 2. a completa.

consummation [,kɔnsʌ'meiʃn] s. 1. desăvârșire. 2. împlinire. 3. încoronare.

consumption [kən'sʌmʃn] s. 1. consum, consumație. 2. oftică, tuberculoză pulmonară.

consumptive [kən'sʌmtiv] I. s. tuberculos. II. adj. 1. tuberculos. 2. distrugător.

contact¹ ['kɔntækt] s. 1. contact. 2. comunicație. 3. înțelegere. 4. discuție. 5. legătură, relație. 6. lentilă de contact.

contact² [kən'tækt] vt. a lua legătura cu.

contact lens ['kɔntækt,lenz] s. opt. lentilă de contact.

contagion [kən'teidʒn] s. 1. molipsire. 2. răspândire.

contagious [kən'teidʒəs] adj. molipsitor, contagios (și fig.).

contain [kən'tein] vt. 1. a conține. 2. a reține. 3. a stăpâni. 4. a limita.

container [kən'teinə] s. 1. recipient; vas. 2. borcan, sticlă . 3. cutie, container

containment [kən'teinmənt] s. 1. înfrânare, reținere, ținere în frâu. 2. pol. politica de înfrânare a națiunilor ostile (concretizată în doctrina Truman).

contaminate [kən'tæmineit] vt. 1. a contamina. 2. a murdări.

contamination [kən,tæmi'neiʃn] s. 1. murdărie; vătămare. 2. rar contaminare, molipsire. 3. lingv., lit. contaminare.

contemn [kən'tem] vt. lit. 1. a dispreţui, a se purta în mod dispreţuitor cu; a nu lua în seamă, a nu da atenţie (cu dat.) 2. a neglija, a nesocoti, a ignora.

contemplate ['kɔntempleit] I. vt. 1. a contempla. 2. a privi. 3. a întrezări. 4. a intenţiona, a plănui. II. vi. a sta în contemplaţie.

contemplation [,kɔntem'pleiʃn] s. 1. contemplaţie. 2. plan, intenţie. 3. prevedere, speculaţie.

contemplative ['kɔntempleitiv] adj. 1. contemplativ; gânditor, meditativ. 2. filoz. speculativ.

contemporaneous [kən,tem pə'reinjəs] adj. 1. contemporan. 2. concomitent.

contemporary [kən'temprəri] s., adj. contemporan.

contempt [kən'temt] s. 1. dispreţ. 2. ruşine. 3. sfidare. || to hold in ~ a dispreţui.

contemptible [kən'temtəbl] adj. 1. vrednic (doar) de dispreţ, nevrednic. 2. ruşinos; jalnic, mărunt.

contemptuous [kən'temptjuəs] adj. dispreţuitor.

contemptuously [kən'temptjuəsli] adv. cu dispreţ, dispreţuitor, arogant.

contend [kən'tend] I. vt. a susţine. II. vi. 1. a se lupta. 2. a se întrece. 3. a se certa.

content¹ [kən'tent] I. s. 1. mulţumire. 2. tihnă. || to one's heart's ~ după pofta inimii. II. adj. 1. mulţumit. 2. doritor, dispus. III. vt. a mulţumi, a satisface.

content² ['kɔntent] s. 1. conţinut. 2. sens. 3. pl. cuprins. 4. pl. tablă de materii.

contented [kən'tentid] adj. satisfăcut, încântat, fericit.

contentedly [kən'tentidli] adv. cu mulţumire, satisfăcut, încântat.

contention [kən'tenʃn] s. 1. luptă; discordie; ceartă, controversă. 2. pricină, litigiu. 3. rivalitate, emulaţie.

contentious [kən'tenʃəs] adj. 1. certăreţ. 2. discutabil.

contentment [kən'tentmənt] s. satisfacţie, mulţumire, plăcere. || ~ is above wealth mai bună e mulţumirea decât avuţia.

contest¹ ['kɔntest] s. 1. luptă. 2. întrecere. 3. concurs.

contest² [kən'test] vt. 1. a contesta. 2. a se lupta pentru. 3. a(-şi) disputa.

contestant [kən'testənt] *s.* concurent.

context ['kɔntekst] *s.* context.

contextual [kən'tekstjuəl] *adj.* referitor la context.

contiguity [,kɔnti'gjuiti] *s.* **1.** învecinare. **2.** alăturare. **3.** atingere.

contiguous [kən'tigjuəs] *adj.* **1.** învecinat. **2.** alăturat.

continence ['kɔntinəns] *s.* **1.** stăpânire. **2.** abstinență.

continent ['kɔntinənt] **I.** *s.* continent. || *the Continent* Europa. **II.** *adj.* **1.** stăpânit. **2.** cumpătat.

continental [,kɔnti'nentl] **I.** *s.* european. **II.** *adj.* **1.** continental. **2.** european.

contingency [kən'tindʒnsi] *s.* **1.** posibilitate. **2.** probabilitate. **3.** eveniment întâmplător. **4.** eventualitate. || *against any ~, for any contingencies* pentru orice eventualitate; ca o măsură de prevedere.

contingent [kən'tindʒnt] **I.** *s.* **1.** contingent. **2.** detașament. **3.** eventualitate. **II.** *adj.* **1.** probabil. **2.** eventual. **3.** (**on, upon**) depinzând de.

continual [kən'tinjuəl] *adj.* **1.** repetat. **2.** intermitent.

continually [kən'tinjuəli] *adv.* **1.** mereu; într-una. **2.** în repetate rânduri, intermitent, din când în când.

continuance [kən'tinjuəns] *s.* **1.** durată. **2.** neîntrerupere. **3.** permanență.

continuation [kən,tinju'eiʃn] *s.* **1.** continuare. **2.** adaos, anexă.

continuation school [kən,tinju'eiʃn sku:l] *s.* școală complementară (pentru adulți).

continue [kən'tinju:] **I.** *vt.* **1.** a continua; a duce mai departe. **2.** a relua. **3.** a realege, a numi din nou. || *to be ~d* va urma. **II.** *vi.* **1.** a continua. **2.** a merge mai departe. **3.** a rămâne în continuare. **4.** a se menține.

continuity [,kɔnti'njuiti] *s.* **1.** continuitate, consecvență, identitate. **2.** continuare. **3.** comperaj, text de prezentare; comentariu (*la film*).

continuity list [,kɔnti'njuiti'list] *s.* cin. listă de montaj.

continuo [kən'tinjuou] *s. muz.* acompaniament continuu de bas, cântat de obicei la un instrument cu clape.

continuous [kən'tinjuəs] *adj.* **1.** permanent. **2.** continuu.

continuously [kən'tinjuəsli] *adv.* în continuu, fără încetare / întrerupere, neîntrerupt.

continuum [kən'tinjuəm] *s.* șir, continuitate; (lucru cu caracter) continuu.

contort [kən'tɔ:t] *vt.* **1.** a suci. **2.** a deforma.

contortion [kən'tɔ:ʃn] *s.* **1.** contorsiune. **2.** schimă.

contortionist [kən'tɔ:ʃnist] *s.* **1.** contorsionist. **2.** caricaturist.

contour ['kɔntuə] *s.* contur.

contraband [,kɔntrəbænd] *s.* **1.** contrabandă. **2.** marfă de contrabandă.

contraception ['kɔntrə'sepʃn] *s. med.* măsuri anticoncepționale, contracepție .

contraceptive ['kɔntrə'septiv] *adj., s. med.* anticoncepțional.

contract[1] ['kɔntrækt] *s.* **1.** contract. **2.** înțelegere, acord.

contract[2] [kən'trækt] **I.** *vt.* **1.** a contracta, a strânge. **2.** a limita. **3.** a scurta. **4.** a forma. **5.** a căpăta. **6.** a deprinde. **II.** *vi.* **1.** a se contracta, a se strânge. **2.** a se micșora. **3.** a se restrânge.

contracted [kən'træktid] *adj.* **1.** contras. **2.** contractat.

contractile [kən'træktail] *adj.* contractil, compresibil.

contraction [kən'trækʃn] *s.* **1.** contracție. **2.** contractare. **3.** formă contrasă *sau* scurtată.

contractor [kən'træktə] *s.* **1.** contractant, antrepenor, parte contractantă. **2.** *anat.* mușchi contractor / constrictiv.

contractual [kən'træktʃuəl] *adj.* contractual, decurgând dintr-un contract.

contradict [,kɔntrə'dikt] *vt.* **1.** a contrazice. **2.** a nega. **3.** a contraveni la.

contradiction [,kɔntrə'dikʃn] *s.* **1.** contradicție. **2.** contrazicere. **3.** negare. **4.** neînțelegere.

contradictory [,kɔntrə'diktri] *adj.* contradictoriu.

contradistinction [,kɔntrə di'stiŋʃn] *s.* contrast. || *in ~ to* în contrast cu, spre deosebire de.

contralto [kən'træltou] *s.* **1.** contraltă. **2.** voce de contraltă.

contraption [kən'træpʃn] *s.* **1.** dispozitiv. **2.** improvizație. **3.** rablă.

contrariety [,kɔntrə'raiəti] *s.* **1.** contradicție. **2.** antagonism.

contrarily ['kɔntrərili] *adv.* invers.

contrariwise ['kɔntrəriwaiz] *adv.* **1.** dimpotrivă. **2.** invers. **3.** în caz contrar.

contrary ['kɔntrəri] **I.** *s.* **1.** element contrar. **2.** opus. || *on the ~* dimpotrivă. **II.** *adj.* **1.** contrar. **2.** nefavorabil. **3.** încăpățânat. **III.** *adv.* (în mod) contrar.

contrast[1] ['kɔntræst] *s.* (**with, to**) **1.** contrast (cu). **2.** opoziție (cu).

contrast[2] [kən'træst] **I.** *vt.* (**with**) a pune în contrast (cu), a compara (cu). **II.** *vi.* **1.** a contrasta. **2.** a fi în opoziție.

contravene [,kɔntrə'vi:n] *vt.* **1.** a încălca, a contraveni la (o lege etc.). **2.** (d. lucruri) a veni în contradicție cu. **3.** a contesta, a pune la îndoială (o declarație etc.).

contravention [,kɔntrə'venʃn] *s.* **1.** încălcare. **2.** contrazicere. || *in ~ of* contravenind (cu dat.); încălcând (cu acuz.).

contretemps ['kɔ:ntrətɑ:ŋ] *s.* **1.** accident, nenorocire; neplăcere. **2.** piedică, obstacol. **3.** *muz.* contratimp, sincopare.

contribute [kən'tribju:t] **I.** *vt.* **1.** a contribui cu, a da. **2.** a trimite (colaborări la o revistă etc.). **II.** *vi.* (**to**) **1.** a-și aduce contribuția (la). **2.** a colabora (la o publicație).

contribution [,kɔntri'bju:ʃn] *s.* **1.** contribuție. **2.** colaborare (la o revistă etc.).

contributor [kən'tribjutə] *s.* colaborator.

contributory [kən'tribjutri] *adj.* **1.** auxiliar. **2.** pe bază de contribuție. **3.** folositor.

contrite ['kɔntrait] *adj.* pocăit.

contrition [kən'triʃn] *s.* căință; pocăință.

contrivance [kən'traivns] *s.* **1.** invenție, născocire. **2.** dispozitiv, mecanism. **3.** plan (viclean), șiretenie, viclenie.

contrive [kən'traiv] **I.** *vt.* **1.** a născoci; a inventa. **2.** a izbuti să. **II.** *vi.* **1.** a o scoate la capăt. **2.** a izbuti.

control [kən'troul] **I.** *s.* **1.** control. **2.** stăpânire. **3.** autoritate, comandă. **4.** influență. **5.** verificare. **6.** combatere. **7.** bază de verificare. || *beyond ~* de nestăpânit. **II.** *vt.* **1.** a stăpâni. **2.** a verifica. **3.** a ține în frâu. **4.** a combate.

controller [kən'troulə] *s.* **1.** controlor. **2.** regulator.

controversial [ˌkɔntrə'vɔːʃl] adj. 1. controversat. 2. certăreț.

controversy ['kɔntrəvɔːsi] s. 1. controversă. 2. dezbatere.

controvert ['kɔntrəvɔːt] vt. 1. a contrazice. 2. a nega. 3. a se opune la.

contumacy ['kɔntjuməsi] s. 1. nesupunere, îndărătnicie; recalcitranță; sfidare; mil. insubordonare, rebeliune. 2. jur. contumacie, absență.

contumely ['kɔntjuːmli] s. obrăznicie.

contuse [kən'tjuːz] vt. 1. a contuziona, a învineți. 2. înv. a pisa, a pulveriza.

contusion [kən'tjuːʒn] s. contuzie; lovitură.

conundrum [kə'nʌndrəm] s. 1. joc de cuvinte. 2. enigmă; ghicitoare. 3. problemă.

conurbation [ˌkɔnɔː'beiʃn] s. conurbație, aglomerație urbană, comasare a unor orașe.

convalesce [ˌkɔnvə'les] vi. med. a fi în convalescență; a se întrema (după boală).

convalescence [ˌkɔnvə'lesns] s. convalescență.

convalescent [ˌkɔnvə'lesnt] I. adj. med. convalescent, pe cale de însănătoșire. II. s. convalescent.

convection [kən'vekʃn] s. 1. fiz. convecție. 2. el. curent de convecție; transmitere. 3. chim. conducție electrolitică.

convector [kən'vektə] s. fiz. convector, conductor (de căldură / electricitate).

convene [kən'viːn] I. vt. a convoca. II. vi. a se aduna.

convener [kən'viːnə] s. organizator.

convenience [kən'viːnjəns] s. 1. conveniență. 2. avantaj. 3. tihnă. 4. pl. confort. 5. ușurință. 6. brit. closet (public).

convenient [kən'viːnjənt] adj. 1. corespunzător. 2. convenabil; avantajos.

conveniently [kən'viːnjəntli] adv. convenabil, la îndemână, comod.

convent ['kɔnvnt] s. mănăstire de maici.

convention [kən'venʃn] s. 1. convenție. 2. acord, înțelegere; tratat. 3. obicei; datină. 4. amer. întrunire, congres național (al unui partid).

conventional [kən'venʃənl] adj. 1. convențional. 2. banal. 3. tradițional.

converge [kən'vɔːdʒ] I. vt. a concentra. II. vi. a fi convergent, a se concentra.

convergence [kən'vɔːdʒns] s. 1. convergență. 2. punct de întâlnire.

conversant [kən'vɔːsnt] adj. to be ~ with a fi la curent cu; a cunoaște bine.

conversation [ˌkɔnvə'seiʃn] s. 1. conversație. 2. convorbire.

conversational [ˌkɔnvə'seiʃənl] adj. 1. de conversație. 2. flecar, vorbăreț. || criminal ~ adulter, relații imorale.

conversationalist [ˌkɔnvə'seiʃənəlist] s. (bun) causeur, persoană pricepută în arta conversației, meșter la vorbă; interlocutor interesant.

converse[1] ['kɔnvɔːs] I. s. 1. conversație. 2. opus. II. adj. opus.

converse[2] [kən'vɔːs] vi 1. a conversa. 2. a discuta, a conferi.

conversely ['kɔnvɔːsli] adv. invers.

conversion [kən'vɔːʃn] s. 1. schimbare. 2. preschimbare. 3. convertire. 4. (și gram.) conversiune; conversie.

convert[1] ['kɔnvɔːt] s. convertit.

convert[2] [kən'vɔːt] vt. 1. a schimba, a transforma. 2. a preschimba. 3. a converti.

converter [kən'vɔːtə] s. 1. persoană care convertește, care face prozeliți. 2. transformator, prelucrător (fabricant, meseriaș). 3. el. convertizor; înv. transformator. 4. met. convertizor. 5. amer. aparat de cifrat. 6. rad. comutatrice. 7. adaptor de canal.

convertible [kən'vɔːtəbl] adj. 1. transformabil. 2. decapotabil.

convex ['kɔn'veks] adj. convex.

convexity [kən'veksiti] s. convexitate.

convey [kən'vei] vt. 1. a transmite. 2. a difuza. 3. a transporta.

conveyance [kən'veiəns] s. 1. transmitere. 2. transfer. 3. vehicul.

conveyancing [kən'veiənsiŋ] s. jur. capitolul Transmisiunea proprietății din Dreptul Civil.

conveyer [kən'veiə] s. 1. mesager, curier. 2. tehn. bandă transportoare, conveier.

convict[1] ['kɔnvikt] s. 1. condamnat. 2. ocnaș.

convict[2] [kən'vikt] vt. 1. a condamna. 2. a declara vinovat.

conviction [kən'vikʃn] s. 1. convingere. 2. condamnare. 3. declarare a vinovăției.

convince [kən'vins] vt. a convinge.

convincing [kən'vinsiŋ] adj. convingător.

convivial [kən'viviəl] adj. 1. vesel. 2. înveselit (de alcool etc.). 3. sociabil, amabil.

conviviality [kən,vivi'æliti] s. 1. veselie. 2. fire sociabilă, amabilitate.

convocation [ˌkɔnvə'keiʃn] s. 1. convocare. 2. întrunire.

convoke [kən'vouk] vt. a convoca.

convoluted ['kɔnvəljuːtid] adj. 1. biol. convolut, convoluit (în spirală). 2. încrețit, buclat.

convolution [ˌkɔnvə'ljuːʃn] s. 1. încolăcire, răsucire; încrețitură, cută, spirală. 2. anat. circumvoluție (a creierului etc.).

convolvulus [kən'vɔlvjuləs] s. bot. rochița rândunicii.

convoy ['kɔnvɔi] I. s. 1. convoi. 2. alai. II. vt. a escorta. 2. a trimite în covoi.

convulse [kən'vʌls] vt. a zgudui, a provoca convulsii în.

convulsion [kən'vʌlʃn] s. 1. convulsie, spasm. 2. zguduire.

convulsive [kən'vʌlsiv] adj. 1. convulsiv. 2. spasmodic.

cony ['kouni] s. 1. zool. iepure de casă (Lepus cuniculus). 2. zool. specie de mici pahiderme din Asia și Africa (Hyracoidea nirax). 3. zool. daman (Procavia syriaca). 4. blană de iepure.

coo [kuː] I. s. gângurit (de porumbei). II. vi. 1. a gânguri. 2. a se giuguli.

cooee ['kuːiː] I. s., interj. hei! alo! (strigăt folosit pentru a atrage atenția cuiva aflat la distanță). II. vi. a striga în acest fel.

cook [kuk] I. s. 1. bucătar. 2. bucătăreasă. II. vt. 1. a găti, a prepara (mâncare). 2. fig. (și to ~ up) a falsifica. 3. a născoci. III. vi. 1. a face mâncare, a găti. 2. (d. alimente) a se găti (într-un anumit fel).

cooker ['kukə] s. mașină de gătit.

cookery ['kukəri] s. artă culinară.

cookery-book ['kukəribuk] s. carte de bucate.

cook-house ['kukhaus] s. bucătărie de campanie.

cookie, cooky ['kuki] s. 1. pișcot. 2. prăjiturică.

cool [ku:l] **I.** *s.* răcoare. **II.** *adj.* **1.** răcoros. **2.** calm. **3.** tihnit. **4.** îndrăzneţ. **5.** indiferent, pasiv. **6.** *fig.* glacial. || *as ~ as a cucumber* cât se poate de calm. **III.** *vt., vi.* a (se) răci. || *to ~ one's heels* a face anticameră; a fi lăsat să aştepte; *to ~ down* a-i trece entuziasmul, furia etc.; a se linişti.

coolant ['ku:lənt] *s.* **1.** *met.* mediu de răcire; apă de răcire la tocilărie. **2.** *tehn.* agent frigorific / de răcire; fluid de răcire.

cooler ['ku:lə] *s.* vas de răcire.

cool-headed ['ku:l'hedid] *s.* calm.

coolie ['ku:li] *s.* culi.

coolness ['ku:lnis] *s.* **1.** răcoare. **2.** *fig.* răceală. **3.** calm.

coomb [ku:m] *s.* **1.** vâlcea pe coasta unui deal, viroagă. **2.** fiord mic *(în Anglia)*.

coon [ku:n] *s.* **1.** *(abrev. de la* **racoon)** *zool.* raton *(Procyon lotor)*. **2.** *amer. fam.* şmecher, vulpoi; ticălos, javră. || *old ~* om trecut prin sită şi dârmon, vulpe bătrână; *sl.* *to hunt / to skin the same old ~* a face mereu acelaşi lucru; *fam.* *to tree the ~* a pune mâna pe omul de care ai nevoie; a rezolva problema; *sl.* *a gone ~* un om pierdut. **3.** *amer. peior.* negru. **4.** *Coon* *înv.* poreclă dată unui *whig* (liberal).

coop [ku:p] **I.** *s.* coteţ. **II.** *vt.* a închide.

co-op [kou'op] *s.* *amer. abrev.* cooperativă (magazin); societate cooperativă.

cooper ['ku:pə] *s.* dogar, butnar.

co-operate [ko'opəreit] *vt.* **1.** a colabora, a coopera. **2.** a se uni.

co-operation [ko,opə'reiʃn] *s.* colaborare.

co-operative [ko'oprətiv] *adj.* **1.** cooperatist. **2.** binevoitor, gata să coopereze *(cu poliţia etc.)*.

co-operative farm [ko'oprətiv 'fɑːm] *s.* cooperativă agricolă de producţie.

co-operative society [ko'oprətiv sə'saiəti] *s.* cooperativă.

co-opt [ko'opt] *vt.* a coopta.

co-ordinate[1] [ko'ɔːdnit] *adj.* coordonat.

co-ordinate[2] [ko'ɔːdineit] *vt.* a coordona.

co-ordination [kou,ɔːdi'neiʃn] **I.** *s.* **1.** coordonare, acordare,

armonizare. **2.** *gram.* coordonare. **3.** *chim.* coordinaţie. **II.** *adj.* **1.** de coordonare, coordonator. **2.** *chim.* coordinativ, de coordinaţie.

coot [ku:t] *s.* **1.** *ornit.* lişiţă *(Fulica atra)*. ||*(as) bald as a ~* chel ca în palmă. **2.** *fam.* prostănac, nătărău; mojic.

cop [kop] *s.* **1.** poliţist, sticlete. **2.** creastă.

copal ['koupl] *s.* copal, răşină / lac de copal.

co-partner ['kou'pɑːtnə] *s.* tovarăş, asociat.

cope[1] [koup] *vi.:* *to ~ with* a face faţă la.

cope[2] ['koup] *s.* *bis.* odăjdii preoţeşti; hlamidă de episcop.

copeck ['koupek] *s.* *fin.* copeică.

coping ['koupiŋ] *s.* **1.** *constr.* creasta unui zid; prichici, pervaz. **2.** partea de sus a unui parapet. **3.** creasta unui dig.

copious ['koupjəs] *adj.* **1.** abundent. **2.** fecund, fertil. **3.** suficient.

copiously ['koupiəsli] *adv.* mult, copios, din abundenţă, bogat; amplu, pe larg.

copper[1] ['kopə] **I.** *s.* **1.** aramă. **2.** bănuţ, gologan. **3.** cazan. **II.** *vt.* a arămi.

copper[2] ['kopə] *s.* *sl.* poliţist, sticlete, curcan.

copperplate ['kopəpleit] *s.* zinc, clişeu de metal.

copperplate writing ['kopəpleit 'raitiŋ] scriere caligrafică.

coppery ['kopəri] *adj.* arămiu, de aramă; amestecat cu aramă.

coppice ['kopis] *s.* **1.** pădure tânără. **2.** tufişuri.

copse [kops] **I.** *s.* v. **coppice**. **II.** *vt.* a planta o pădure tânără.

copula ['kopjulə] *s.* **1.** *gram.* copulă, verb de legătură. **2.** *anat.* ligament, cartilaj. **3.** *log.* copulă, relaţie. **4.** *muz.* pasaj de legătură.

copulate ['kopjuleit] *vi.* a se copula, a se împreuna; a avea raporturi sexuale.

copy ['kopi] **I.** *s.* **1.** copie. **2.** exemplar. **3.** model. **4.** manuscris pentru tipar. **5.** subiect *(pentru un articol, reportaj etc.)*. **II.** *vt.* **1.** a copia. **2.** a imita. **III.** *vi.* a copia.

copy-book ['kopibuk] *s.* caiet.

copyhold ['kopihould] *s.* **1.** *jur.* proprietate. **2.** drept de proprietate.

copyist ['kopiist] *s.* **1.** copist. **2.** plagiator.

copyright ['kopirait] **I.** *s.* drept de autor. **II.** *adj.* apărat prin legea dreptului de autor.

coquetry ['koukitri] *s.* cochetărie.

coquette [ko'ket] *s.* cochetă.

coquettish [ko'ketiʃ] *adj.* de cochetă; (făcut / îmbrăcat) cu cochetărie.

coracle ['korəkl] *s.* barcă de nuiele împletite, acoperită cu pânză impermeabilă / piele *(folosită în Franţa, Irlanda şi Ţara Galilor)*.

coral ['korəl] **I.** *s.* *zool.* mărgean, coral. **II.** *adj.* de coral.

cor anglais [,kɔːrɔn'glei] *s.* *muz.* corn englez.

corbel ['kɔːbl] **I.** *s.* **1.** *arhit.* suport *(pentru un balcon etc.)*, consolă. **2.** *tehn.* consolă, suport. **II.** *vt.* *arhit., tehn.* **1.** a aşeza pe consolă / suporţi. **2.** a sprijini cu suporţi / consolă.

cord [kɔːd] **I.** *s.* **1.** funie. **2.** coardă. **II.** *vt.* a lega.

cordage ['kɔːdidʒ] *s.* odgoane.

cordial ['kɔːdjəl] **I.** *s.* tonic. **II.** *adj.* **1.** cald, prietenos. **2.** cordial. **3.** puternic. **4.** profund. **5.** întăritor.

cordiality [,kɔːdi'æliti] *s.* **1.** cordialitate; prietenie. **2.** sinceritate.

cordite ['kɔːdait] *s.* *chim.* mine cordită *(explozibil)*.

cordon ['kɔːdn] *s.* cordon *(de poliţie, sanitar; pt. o decoraţie etc.)*.

cordon bleu ['kɔːdn blɔː] *s.* cordon bleu; maistru bucătar.

corduroy ['kɔːdərɔi] *s.* **1.** pluşcord, catifea reiată. **2.** *pl.* pantaloni de catifea reiată.

core [kɔː] **I.** *s.* miez, inimă. **II.** *vt.* a curăţa de miez.

coreopsis [kɔri'opsis] *s.* *bot.* lipscănoaică *(Coreopsis)* .

co-respondent [,kouris'pondənt] *s.* *jur.* complice (la adulter).

corgi ['kɔːdʒi] *s.* *zool.* rasă galeză de câine mic.

coriander [,kɔri'ændə] *s.* *bot.* **1.** coriandru, iarbă puturoasă, *(Coriandrum sativum)*. **2.** sămânţă de coriandru.

Corinthian [kə'rinθiən] **I.** *adj.* **1.** *ist., arhit., artă* corintic. **2.** luxos, risipitor; desfrânat, destrăbalat; cheliu, petrecăreţ. **3.** *artă* împodobit cu graţie, frumos ornamentat. **II.** *s.* **1.** corintian. **2.** om de lume, chefliu. **3.** amator de petreceri; filfizon, sclivisit. **4.** sportiv, băiat modern; fecior de bani gata, care se ocupă cu sportul. **5.** *înv.* craidon, crai de mahala.

cork [kɔːk] **I.** *s.* **1.** dop. **2.** *bot.* plută. **II.** *vt.* a astupa.

corkage ['kɔːkidʒ] *s.* **1.** astupatul și destupatul sticlelor. **2.** *com.* taxă pentru băuturile înfundate, servite în restaurant.

corked ['kɔːkt] *adj.* **1.** astupat, înfundat; cu dop. **2.** înnegrit cu dop ars. **3.** *(d. vin)* cu gust de dop.

corkscrew ['kɔːkskruː] *s.* tirbușon.

corm ['kɔːm] *s. bot.* corm.

cormorant ['kɔːmrnt] *s. ornit.* cormoran.

corn[1] [kɔːn] **I.** *s.* **1.** grâne, cereale. **2.** grâu. **3.** *amer.* porumb. **4.** boabă de cereale. **II.** *vt.* a săra, a pune la saramură.

corn[2] [kɔːn] *s.* **1.** *anat.* bătătură. **2.** *fig.* banalitate, clișeu, lucru răsuflat; spectacol ieftin. **3.** muzică proastă. **4.** *sport* zăpadă bună pentru schi.

corn-cob ['kɔːnkɔb] *s. bot.* știulete de porumb.

cornea ['kɔːniə] *s. anat.* cornee, corneea transparentă.

corned ['kɔːnd] *adj.* **1.** *(d. carne)* conservat. || ~ *beef* conservă de carne de vacă. **2.** *(d. piele)* presată.

cornelian [kɔː'niːljən] *s. minr.* cornalină.

cornelian cherry [kɔː'niːliən 'tʃeri] *s. bot.* **1.** corn *(Cornus mas)* . **2.** coarnă.

corner ['kɔːnə] **I.** *s.* **1.** colț. **2.** cotlon, ascunziș. **3.** loc înde-părtat. **4.** stoc. **II.** *vt.* **1.** a înghesui, a încolți. **2.** a prinde. **3.** a stoca.

corner-stone ['kɔːnəstoun] *s.* piatră unghiulară, temelie.

cornet ['kɔːnit] *s.* **1.** cornet. **2.** *muz.* cornet.

corn-flour ['kɔːnflauə] *s.* făină de porumb.

cornice ['kɔːnis] *s.* cornișă.

corn flower [kɔːn ˌflauər] *s. bot.* **1.** albăstrea, albăstriță *(Centaurea cyanus)*.

Cornish ['kɔːniʃ] **I.** *adj.* din regiunea Cornwall. **II.** *s. ist.* limba din Cornwall.

corn-laws ['kɔːnlɔːz] *s. pl.* legi împotriva importului de grâne *(în Anglia, la începutul sec. al XIX-lea)*.

corn stalk [kɔːn stɔːk] *s.* **1.** fir de grâu. **2.** *amer.* strujan, tulpină de porumb. **3.** *fam.* prăjină, lungan, namilă, stâlp de te-legraf.

cornucopia [ˌkɔːnju'koupiə], *pl.* **cornucopiae** [ˌkɔːnju'koupiiː] *s.* **1.** *mit.* cornul abundenței. **2.** abundență, belșug. **3.** corn, cornet; vas *sau* alt obiect or-namental în formă de corn.

corny ['kɔːni] *adj.* **1.** (producător) de grâu, bogat în grâu; de cereale, cerealier. **2.** *amer.* bătătorit, răsuflat; demodat, banal.

corolla [kə'rɔlə] *s. bot.* corolă.

corollary [kə'rɔləri] *s.* urmare, corolar.

corona [kə'rounə] *s.* **1.** can-delabru circular *(folosit în biserici)*. **2.** *anat.* coroană *(a dintelui etc.)*; creștet *(al capului)*. **3.** *el.* efect corona. **4.** *astr.* coroană solară; cerc luminos, halo *(împrejurul lunii sau al soarelui)*.

coronary ['kɔrənəri] *s.* **1.** în formă de coroană. **2.** *anat.* coronar, coronarian.

coronary thrombosis ['kɔrənəri θrɔm'bousis] *s. med.* tromboză coronară.

coronation [ˌkɔrə'neiʃn] *s.* încoronare.

coroner ['kɔrənə] *s.* procuror, reprezentant al parchetului *(în cazuri de deces)*.

coronet ['kɔrənit] *s.* coroniță *(mai ales de mireasă)*.

corporal ['kɔːprl] **I.** *s.* **1.** caporal. **2.** subofițer. **II.** *adj.* corporal.

corporal punishment ['kɔːprl 'pʌniʃmənt] *s.* **1.** pedeapsă cor-porală; bătaie; biciuire. **2.** *înv.* arest, întemnițare.

corporate ['kɔːprit] *adj.* **1.** asociat, unit. **2.** comun. **3.** obștesc. **4.** *econ.* al companiilor / cor-porațiilor; legat de marile com-panii / trusturi.

corporation [ˌkɔːpə'reiʃn] *s.* **1.** societate. **2.** *amer. econ.* (mare) companie, societate (pe acțiuni). **3.** municipalitate.

corporative ['kɔːpərətiv] *adj.* cor-porativ, (cu caracter) de cor-porație.

corporeal [kɔː'pɔːriəl] *adj.* trupesc, fizic.

corps [kɔː] *s.* **1.** corp de armată. **2.** corp *(diplomatic, de balet etc.)*. **3.** trupă.

corpse [kɔːps] *s.* cadavru.

corpulent ['kɔːpjulənt] *adj.* gras.

corpus ['kɔːpəs], *pl.* **corpora**

['kɔːpərə] *s.* **1.** corp, trup *(mai ales mort)*. **2.** *fig.* parte prin-cipală. **3.** culegere, cod(ice), corpus. **4.** *com.* capital fix.

corpuscle ['kɔːpʌsl] *s.* **1.** globulă. **2.** corpuscul.

corral [kɔː'rɑːl] **I.** *s.* **1.** împrejmuire. **2.** țarc. **II.** *vt.* a împrejmui.

correct [kə'rekt] **I.** *adj.* **1.** just, drept. **2.** corect. **3.** exact. **4.** corespunzător. **II.** *vt.* a corecta.

correction [kə'rekʃn] *s.* **1.** corec-tură. **2.** corectiv. || *under ~* sub rezerva rectificării ul-terioare; dacă nu greșesc.

correctitude [kə'rektitjuːd] *s. rar* corectitudine, cinste, probitate.

corrective [kə'rektiv] *adj.* de corectare.

correctly [kə'rektli] *adv.* corect, just, cinstit, drept, bine.

correctness [kə'rektnis] *s.* **1.** corectitudine. **2.** justețe.

correlate ['kɔrileit] **I.** *s.* corelativ. **II.** *vt.* a pune în corelație, a lega. **III.** *vi.* a fi în corelație.

correlative [kɔ'relətiv] **I.** *adj.* **1.** corelativ *(și gram.)*. **2.** analog. **II.** *s.* corelativ *(și gram.)*.

correspond [ˌkɔris'pɔnd] *vi.* **1.** a corespunde. **2.** a coresponda.

correspodence [ˌkɔris'pɔndəns] *s.* **1.** acord, armonie. **2.** cores-pondență.

correspondent [ˌkɔris'pɔndənt] **I.** *s.* corespondent. **II.** *adj.* corespunzător.

corresponding [ˌkɔris'pɔndiŋ] *adj.* **1.** corespunzător. **2.** corespon-dent. **3.** în corespondență.

correspondingly ['kɔris'pɔndiŋli] *adv.* (în mod) corespunzător, adecvat, potrivit.

corridor ['kɔridɔː] *s.* coridor.

corrigible ['kɔridʒibl] *adj.* cori-jabil, care poate fi îndreptat.

corroborate [kə'rɔbəreit] *vt.* **1.** a întări. **2.** a verifica.

corrode [kə'roud] *vt., vi.* **1.** a (se) roade. **2.** a (se) rugini. **3.** a (se) chinui.

corrosion [kə'rouʒn] *s.* **1.** co-roziune; atacare. **2.** ruginire.

corrosive [kə'rousiv] *s., adj.* coroziv *(și fig.)*.

corrugate ['kɔrugeit] *vt., vi.* a (se) încreți, a se ondula.

corrugated iron [ˌkɔrugeitid'aiən] *s.* tablă ondulată *(pentru acoperiș)*.

corrupt [kə'rʌpt] **I.** *adj.* **1.** putred, stricat. **2.** corupt. **3.** stâlcit; pocit. **II.** *vt.* **1.** a corupe. **2.** a mitui. **3.** a stâlci, a poci. **III.** *vi.* **1.** a fi corupt. **2.** a se strica.

corruptible [kə'rʌptəbl] *adj.* coruptibil.

corruption [kə'rʌpʃn] *s.* **1.** putreziciune; descompunere. **2.** corupţie; mită. **3.** stâlcire.

corrupt practices [kə'rʌpt 'præktisiz] *s. pl.* **1.** mită. **2.** corupţie.

corsage [kɔ:'sɑ:ʒ] *s.* **1.** corsaj; vestă, pieptar. **2.** *fam.* buchet *(prins la corsaj).*

corsair ['kɔ:sɛə] *s.* pirat.

cors(e)let ['kɔ:slit] *s.* **1.** *ist.* platoşă, za. **2.** corset; pieptar; rochie / haină strânsă pe corp. **3.** *entom.* torace.

corset ['kɔ:sit] *s.* corset.

cortège [kɔ:'teiʒ] *s.* **1.** cortegiu, alai. **2.** procesiune.

Cortes ['kɔ:tiz] *s. pl. (în Spania şi Portugalia)* cortes *(cele două camere legiuitoare).*

cortex ['kɔ:teks], *pl.* **cortices** ['kɔ:tisi:z] *s. anat., bot.* cortex, scoarţă.

cortisone ['kɔ:tisoun] *s. med.* cortizon.

corundum [kə'rʌndəm] *s. minr.* corindon, oxid natural de aluminiu.

coruscate ['kɔrəskeit] *vi.* a scânteia.

corvette [kɔ:'vet] *s. mar.* **1.** corvetă *(mic vas de război inferior fregatei).* **2.** corvetă *(vas rapid de însoţire).*

cos [kɔs] *s.:* ~ lettuce specie de salată, lăptucă *(Lactuca sativa longifolia)* .

cosh [kɔʃ] **I.** *s. sl.* măciucă, ciomag. **II.** *vt.* a ciomăgi, a bate.

cosily ['kouzili] *adv.* **1.** comod. **2.** confortabil.

cosine ['kousain] *s. mat.* cosinus.

cosmetic [kɔz'metik] *s.* cosmetic.

cosmic ['kɔzmik] *adj.* **1.** cosmic. **2.** uriaş. **3.** armonios.

cosmogony [kɔz'mɔgəni] *s.* cosmogonie.

cosmology [kɔz'mɔlədʒi] *s.* cosmologie.

cosmonaut ['kɔzmənɔ:t] *s.* cosmonaut.

cosmopolitan [,kɔzmə'pɔlitn] *s., adj.* cosmopolit

cosmos ['kɔzmɔs] *s.* **1.** cosmos, univers. **2.** sistem.

Cossack ['kɔsæk] **I.** *s.* cazac. **II.** *adj.* căzăcesc.

cosset ['kɔsit] **I.** *s.* **1.** miel pe lângă casă. **2.** *fig.* favorit; răsfăţat. **II.** *vt.* a răsfăţa, a alinta; a mângâia.

cost [kɔst] **I.** *s.* **1.** cost. **2.** preţ. **3.** cheltuială. **4.** *pl.* cheltuieli de judecată. | | *at all* ~s cu orice preţ. **II.** *vt. trec. şi part. trec.* **cost** [kɔst] **1.** a preţălui, a evalua. **2.** a cere. **3.** a cauza, a pricinui. **III.** *vi. inf., trec. şi part. trec.* a costa.

costal ['kɔstl] *adj. anat.* costal.

coster(monger) ['kɔstə(,mʌŋgə)] *s.* **1.** vânzător ambulant. **2.** zarzavagiu.

costive ['kɔstiv] *adj.* constipat.

costly ['kɔstli] *adj.* **1.** costisitor, scump. **2.** foarte preţios *sau* valoros. **3.** somptuos.

costume ['kɔstju:m] *s.* **1.** costum. **2.** îmbrăcăminte. **3.** taior.

costume jewel(le)ry ['kɔstju:m 'dʒu:əlri] *s.* bijuterii false / imitaţie.

costumier [kɔs'tju:miə] *s.* costumier; recuziter; croitor.

cosy ['kouzi] *adj.* **1.** cald, plăcut. **2.** confortabil.

cot[1] [kɔt] *s.* **1.** pătuţ. **2.** pat de campanie. **3.** colibă; căsuţă.

cot[2] [kɔt] **I.** *s.* ţarc, ocol. **II.** *vt.* a mâna *(oile)* în ţarc.

cote [kout] *s.* **1.** ţarc, ocol. **2.** porumbar. **3.** *sl. înv.* căsuţă, cocioabă.

coterie ['koutəri] *s.* **1.** coterie, cenaclu, salon *(literar, artistic etc.).* **2.** coterie, clică, gaşcă.

cotoneaster [kətouni'æstə] *s. bot.* arbust din genul *Cotoneaster (de exemplu bârcoace).*

cottage ['kɔtidʒ] *s.* **1.** căsuţă (cu etaj). **2.** vilişoară.

cottage piano ['kɔtidʒ'pjænou] *s. muz.* pianină.

cottager ['kɔtidʒə] *s.* **1.** ţăran, sătean. **2.** *înv.* argat. **3.** *ist.* iobag. **4.** *amer.* locatar al unei vile.

cotter pin ['kɔtə pin] *s. met.* cui spintecat, splint.

cotton ['kɔtn] *s.* **1.** bumbac. **2.** ţesături de bumbac. **3.** aţă.

cotton seed ['kɔtnsi:d] *s.* sămânţă de bumbac.

cotton-wool ['kɔtn'wul] *s.* **1.** vată. **2.** tifon.

cotyledon [,kɔti'li:dn] *s. bot.* cotiledon.

couch [kautʃ] **I.** *s.* **1.** divan. **2.** pat. **II.** *vt.* **1.** a exprima. **2.** a înclina. **3.** a culca.

couch grass ['kautʃ grɑ:s] *s. bot.* **1.** pir *(Triticum repens).* **2.** iarba-câmpului *(Agrostis alba).*

cougar ['ku:gə] *s. zool.* cuguar, puma *(Felis concolor).*

cough [kɔf] **I.** *s.* **1.** tuse. **2.** răceală. **II.** *vt., vi.* a tuşi.

cough-drop ['kɔfdrɔp] *s.* bomboană de tuse; tabletă contra tusei.

couguar ['ku:gwɑ:] *s. zool.* v. **cougar**.

could [kəd, kud] *v. aux. şi mod., trec. şi cond. de la* **can**. | | *I* ~ *not go* nu m-am putut duce; ~ *I do it later?* aş putea s-o fac mai târziu? ; *he* ~ *have told me (so)* putea să mi-o spună.

coulee ['ku:li] *s.* **1.** torent de lavă (solidificat). **2.** *amer.* viroagă, râpă adâncă; albie uscată.

coulomb ['ku:lɔm] *s. el.* culomb.

coulter ['koultə] *s. agr.* brăzdar *(la plug).*

council ['kaunsl] *s.* **1.** consiliu. **2.** sfat; *bis.* sinod; *med.* consult. **3.** administrator / autoritate locală.

councillor ['kaunsilə] *s.* consilier.

counsel ['kaunsl] **I.** *s.* **1.** sfat; povaţă. **2.** consilier. **3.** avocat. | | ~ *for the defence* apărător, avocat; ~ *for the prosecution* procuror, acuzator; *to keep one's own* ~ a nu se sfătui cu nimeni. **II.** *vt.* a se sfătui.

counsellor ['kaunslə] *s. amer.* v. **counselor**.

counselor ['kaunslə] *s.* **1.** sfetnic; sfătuitor. **2.** avocat.

count [kaunt] **I.** *s.* **1.** socoteală. **2.** numărătoare. **3.** cont. **4.** conte *(nu din Anglia).* | | *on all* ~s în toate privinţele; *to take* ~ *of* a ţine seama de. **II.** *vt.* **1.** a socoti, a număra. **2.** a aduna. **3.** a ţine seama de. **4.** a considera. **III.** *vi.* **1.** a conta. **2.** a valora. **3.** a număra.

countenance ['kauntinəns] **I.** *s.* **1.** înfăţişare, expresie (a feţei). **2.** încurajare. **3.** aprobare. **II.** *vt.* **1.** a sprijini. **2.** a încuraja. **3.** a aproba.

counter ['kauntə] **I.** *s.* **1.** tejghea. **2.** fisă. **3.** jeton. **II.** *adj.* potrivnic, opus. **III.** *vt., vi.* a (se) opune. **IV.** *adv.* împotrivă.

counteract [,kauntə'rækt] *vt.* a contracara.

counter-attack ['kauntrə,tæk] *s.* **1.** contraatac. **2.** contraofensivă.

counterbalance **I.** ['kauntə,bæləns] *s.* **1.** contragreutate. **2.** *fig.* contrapondere. **II.** [,kauntə'bæləns] *vt.* **1.** a contrabalansa. **2.** a compensa.

counter-clockwise [,kauntə'klɔkwaiz] adv. în sensul invers acelor ceasornicului.

counterespionage [,kauntər 'espiɔnɑːʒ] s. contraspionaj.

counterfeit ['kauntəfit] I. s. 1. fals. 2. imitație. 3. falsificator. 4. impostor. II. adj. 1. fals. 2. falsificat. III. vt. 1. a falsifica. 2. a imita.

counterfoil ['kauntəfɔil] s. 1. contramarcă. 2. cotor.

counter intelligence [,kauntər in'telidʒəns] s. (serviciu de) contrainformații / contraspionaj.

countermand [,kauntə'mɑːnd] I. s. (ordin de) revocare. II. vt. 1. a contramanda. 2. a revoca.

countermarch ['kauntə,mɑːtʃ] I. s. mil. contramarș. II. vi. 1. mil. a se întoarce. 2. a face cale întoarsă. III. vt. a întoarce (trupele) în direcția opusă.

counterpane ['kauntəpein] s. cuvertură.

counterpart ['kauntəpɑːt] s. corespondent, omolog.

counterpoint ['kauntəpɔint] s. contrapunct.

counterpoise ['kauntəpɔiz] I. s. contrapondere. II. vt. a contrabalansa.

counter-productive [,kauntə prɔ'dʌktiv] adj. contraproductiv, având efecte opuse celor dorite.

counter-revolution [,kauntə revə'luːʃn] s. contrarevoluție.

countersign ['kauntəsain] I. s. 1. parabolă. 2. contrasemnătură. II. vt. a contrasemna.

countersink ['kauntəsiŋk] I. vt. trec. **countersank** ['kauntəsæŋk] și part. trec. **countersunk** ['kauntəsʌŋk] tehn. a încresta; a puncta; a freza. II. s. 1. încrestare, scobire (de metale, lemn). 2. tehn. zencuitor; teșitor; freză conică.

counter tenor [,kauntə 'tenə] s. muz. 1. altist, contratenor. 2. rol de altist.

countervail [,kauntə'veil] I. vt. 1. a se opune (la), a rezista (la). 2. a contracara, a compensa. II. vi. (against) a rivaliza (cu).

countess ['kauntis] s. contesă.

counting-hause ['kauntiŋhaus] s. vistierie.

countless ['kauntlis] adj. 1. nenumărat. 2. infinit.

countrified ['kʌntrifaid] adj. iron. rural, rustic; (ca) de la țară; provincial (fig.).

country ['kʌntri] s. 1. țară. 2. stat. 3. patrie. 4. națiune. 5. conaționali. 6. provincie. 7. sat. || to go to the ~ a se duce la țară; a ține alegeri generale.

country cousin [,kʌntri'kʌzn] s. țărănoi, mocofan.

country-dance [,kʌntri'dɑːns] s. 1. dans popular. 2. contradans.

country-house [,kʌntri'haus] s. 1. vilă. 2. conac.

countryman ['kʌntrimən] s. pl. **countrymen** ['kʌntrimən] 1. țăran, om de la țară. 2. conațional, compatriot.

country-seat [,kʌntri'siːt] s. conac.

countryside ['kʌntri'said] s. 1. țară, provincie. 2. peisaj. 3. provinciali.

country woman ['kʌntri,wumən] s. pl. **countrywomen** ['kʌntri,wimin] 1. țărancă, femeie de la țară. 2. compatrioată.

county ['kaunti] s. 1. district; județ. 2. raion; cartier. 3. comitat.

county council [,kaunti'kaunsl] s. brit. consiliu al comitatului / districtului.

county town [,kaunti'taun] s. capitala de comitat; oraș reședință.

coup (d'état) ['kuː(dei'tɑː)] s. pl. **coups (d'état)** [~] lovitură de stat.

coup de grâce [kuː də' grɑːs] s. lovitură de grație / decisivă.

coupé ['kuːpei] s. cupeu.

couple ['kʌpl] I. s. 1. pereche. 2. cuplu. 3. doi. II. vt. 1. a cupla, a uni. 2. a asocia.

couplet ['kʌplit] s. cuplet; distih.

coupling ['kʌpliŋ] s. 1. unire, îmbinare. 2. cuplare.

coupon ['kuːpɔn] s. cupon. 2. bon de cartelă.

courage ['kʌridʒ] s. curaj.

courageous [kə'reidʒəs] adj. curajos.

courageously [kə'reidʒəsli] adv. cu curaj, cu bărbăție, vitejește.

courgette [kuə'ʒet] s. bot. dovlecel.

courier ['kuriə] s. curier.

course [kɔːs] I. s. 1. înaintare. 2. drum. 3. traseu; rută. 4. curs. 5. durată. 6. teren de alergări și sport. 7. conduită. 8. fel de mâncare. 9. șir, rând. || in ~ of (construction etc.) în curs de (construcție etc.); in the ~ of în

decursul (cu gen.); in due ~ la timpul potrivit, la momentul oportun; of ~ bineînțeles; de la sine înțeles; to run one's ~ a-și urma drumul firesc. II. vt. a fugări, a urmări. III. vi. 1. a fugi. 2. a curge.

courser ['kɔːsə] s. 1. poet. telegar; pegas; cal de curse. 2. poet. cal de luptă. 3. copoi, câine de vânătoare, gonaci.

court [kɔːt] I. s. 1. tribunal. 2. curte. 3. teren sportiv. || to take a case to ~ a aduce în fața judecății; a intenta acțiune; to pay ~ to a curta (cu acuz.). II. vt. 1. a curta. 2. a cultiva. 3. a urmări. 4. a solicita. 5. a risca.

court circular [,kɔːt'sɔːkjulə] s. buletinul curții regale.

courteous ['kɔːtjəs] adj. 1. politicos. 2. curtenitor.

courteously ['kɔːtiəsli] adv. curtenitor, politicos, amabil, afabil.

courtesan [,kɔːti'zæn] s. curtezană.

courtesy ['kɔːtisi] s. 1. politețe. 2. curtoazie. 3. favoare.

courthouse ['kɔːt'haus] s. 1. tribunal, curte de justiție, palatul justiției. 2. amer. (oraș) capitală / reședință de ținut.

courtier ['kɔːtjə] s. curtean.

courtly ['kɔːtli] I. adj. 1. curtenitor, politicos, afabil, cuviincios. 2. rafinat, grațios, ales; elegant, căutat. 3. lingușitor, cu spinarea plecată. II. adv. curtenitor, politicos etc.

court-martial ['kɔːt'mɑːʃl] I. s. pl. **courts-martial** [kɔːts'mɑːʃl] curte marțială. II. vt. a trimite în fața curții marțiale.

court room ['kɔːtruː(:)m] s. amer. jur. curte, sală a tribunalului, judecătorie.

courtship ['kɔːtʃip] s. curte (făcută unei femei), omagii, atenții. || to pay one's ~ to a lady a face curte unei doamne.

courtyard ['kɔːt'jɑːd] s. curte, ogradă, bătătură.

cousin ['kʌzn] s. 1. văr. 2. verișoară, vară. 3. rudă.

couture [kuː'tjuə] s. croitorie / vestimentație de lux.

cove [kouv] s. 1. golf. 2. individ / tip.

coven ['kʌvən] s. (cuvânt scoțian) 1. înv. adunare, întrunire. 2. mit. sabat (al vrăjitoarelor).

covenant ['kʌvinənt] I. s. 1. acord, pact. 2. compromis; înțelegere.

II. vt. 1. a promite. 2. a se angaja să. III. vi. 1. a cădea de acord. 2. a face un compromis.

Coventry ['kɔvəntri] s. sl.: to send smb. to ~ a boicota pe cineva; a nu mai vrea să ştie de cineva; a trimite pe cineva la plimbare.

cover ['kʌvə] I. s. 1. învelitoare. 2. capac. 3. copertă. 4. plic. 5. adăpost. 6. acoperiş. 7. paravan (fig.). 8. camuflaj (fig.), mască. 9. tacâm. 10. acoperire financiară. || from ~ to ~ din scoarţă în scoarţă; under the same ~ în acelaşi plic, alăturat; to take ~ a se adăposti. II. vt. 1. a acoperi. 2. a adăposti. 3. a proteja. 4. a ascunde. 5. a domina. 6. a stăpâni. 7. a parcurge. 8. a relata. 9. agr. zool. a face montă cu. III. vr. a se acoperi (şi fig.).

coverage ['kʌvəridʒ] s. 1. (presă) relatare; publicare de informaţii / reportaje / comentarii (d. un eveniment). 2. arie (de răspândire etc.). 3. public, ascultători, cititori.

cover-girl ['kʌvəgəːl] s. 1. vedetă. 2. model, manechin.

covering ['kʌvriŋ] s. 1. acoperiş. 2. învelitoare. 3. protecţie. 4. relatare (în presă). 5. agr. zool. montă.

coverlet ['kʌvəlit] s. cuvertură, învelitoare.

covert ['kʌvət] I. s. adăpost. II. adj. 1. ascuns. 2. tainic. 3. camuflat.

covet ['kʌvit] vt. 1. a râvni la. 2. a pizmui.

covetous ['kʌvitəs] adj. (of) 1. invidios, pizmaş (pe). 2. lacom (de), acaparator. 3. care râvneşte (la).

covey ['kʌvi] s. 1. pui (mai ales ai potârnichei). 2. stol, roi, cârd. 3. fig. ceată, cârd (mai ales de copii sau femei). 4. familie, neam.

cow [kau] I. s. 1. vacă. 2. zool. femelă (de elefant, rinocer, balenă etc.). II. vt. 1. a înfricoşa. 2. a intimida.

coward ['kauəd] s., adj. laş.

cowardice ['kauədis] s. 1. laşitate. 2. frică.

cowardly ['kauədli] I. adj. 1. fricos; laş. 2. timid, şovăielnic; slab. II. adv. cu frică; (în mod) laş, mişelnic.

cowboy ['kaubɔi] s. cowboy, văcar.

cower ['kauə] vi. a se chirci.

cowherd ['kauhəːd] s. văcar.

cowhide ['kauhaid] s. piele de bou.

cowl [kaul] s. glugă.

cowrie ['kauri] s. ghioc.

cowslip ['kauslip] s. bot. ciuboţica cucului (Primula neris).

cox [kɔks] s. cârmaci.

coxcomb ['kɔkskoum] s. 1. scufie (de bufon). 2. filfizon. 3. îngâmfat.

coxswain ['kɔksn, 'kɔkswein] s. cârmaci.

coy [kɔi] adj. 1. sfios, timid. 2. modest.

coyote ['kɔiout] s. zool. coiot, lup de prerie (Canis latrans).

coypu ['kɔipuː] s. zool. nutrie (Myopotamus coypus).

cozen ['kʌzn] vi. a trăncăni, a flecări.

cozy ['kouzi] adj., s. v. **cosy**.

crab [kræb] I. s. 1. crab. 2. măr pădureţ. || to catch a ~ a înţepeni vâsla. II. adj. pădureţ; acru.

crabbed ['kræbd] adj. 1. certăreţ, cârcotaş, dificil. 2. acru (fig.). 3. (d. scris) mâzgălit.

crabby ['kræbi] adj. 1. îndărătnic. 2. irascibil, morocănos, ursuz. 3. greu, dificil.

crack [kræk] I. s. 1. spărtură, crăpătură. 2. pocnitură, lovitură. II. adj. 1. grozav; straşnic. 2. de elită; de prima calitate. III. vt. 1. a crăpa; a pocni. 2. a plesni (din bici etc.). 3. a lăuda. || to ~ a joke a face o glumă. IV. vi. 1. a crăpa. 2. a se sparge. 3. a pocni. 4. (d. voce) a suna spart. || to ~ up a fi dărâmat.

crack-brained ['krækbreind] adj. 1. trăsnit. 2. nebunesc.

cracked [krækt] adj. 1. crăpat, plesnit, spart. 2. fam. smintit, sărit. 3. ruinat. 4. (d. reputaţie) ştirbit; (d. omenie, cinste) ştirbit. 5. (d. sunet, voce) ascuţit; strident; spart; şi răguşit.

cracker ['krækə] s. 1. biscuit. 2. dop, petardă. 3. pl. spărgător de nuci.

crackle ['krækl] I. s. 1. pârâit (al lemnelor care ard); pl. răpăit, foc de puşti. 2. med. hârâit (în plămâni). 3. crăpătură, fisură. II. vi. 1. a trosni, a pârâi. 2. muz. a cânta cu tremolo; a face arpegii (la un instrument cu coarde). III. vt. a rupe cu un pârâit uşor.

crackling ['krækliŋ] s. 1. trosnet, pârâit. 2. şorici de porc prăjit. 3. pl. amer. jumări (de porc). 4. turtă cu jumări. 5. covrig.

cracknel ['kræknl] s. gastr. 1. biscuit uscat, pişcot tare, covrig. 2. amer. (mai ales la pl.) jumări de porc, şorici prăjit.

cradle ['kreidl] I. s. 1. leagăn. II. vt. 1. a legăna (în braţe). 2. a educa. 3. mine. a spăla (aur, minereu).

craft [krɑːft] s. 1. meserie. 2. breaslă. 3. viclenie. 4. vrăjitorie. 5. ambarcaţiune. 6. mar. vase. 7. avion. 8. aviaţie.

craftsman ['krɑːftsmən] s. pl. **craftsmen** ['krɑːftsmən] meşteşugar, meseriaş.

craftsmanship ['krɑːftsmənʃip] s. artizanat; măiestrie (artistică / literară).

crafty ['krɑːfti] adj. 1. abil, meşteşugit. 2. viclean; înşelător.

crag [kræg] s. stâncă, stei, colţ de stâncă.

craggy ['krægi] adj. stâncos, colţuros.

cram [kræm] I. vt. 1. a îndopa. 2. a înfunda. 3. fig. a învăţa, a toci. II. vi. a învăţa, a toci.

cramp [kræmp] I. s. 1. crampă. 2. cârcel. 3. tehn. scoabă. II. vt. 1. a înţepeni. 2. a fixa (cu o scoabă). 3. a paraliza. 4. a împiedica.

cramped [kræmpt] adj. 1. strâmt. 2. împiedicat. 3. îmbâcsit.

crampon ['kræmpɔn] s. 1. tehn. cârlig de fier, gheară; scoabă. 2. pl. crampoane, cuie de talpă / potcoavă.

cranberry ['krænbəri] s. bot. 1. (fruct de) merişor (Vaccinium vitis idea). 2. (fruct de) răchiţele (Vaccinium oxycoccus).

crane [krein] I. s. 1. cocor. 2. macara. II. vt. a întinde (gâtul). III. vi. 1. a se apleca. 2. a întinde gâtul.

cranium ['kreiniəm], pl. **crania** ['kreinjə] s. anat. craniu.

crank [kræŋk] I. s. 1. manivelă. 2. vinci. 3. maniac. II. vt. 1. a porni cu manivela. 2. a învârti.

cranky ['kræŋki] adj. 1. stricat; paradit. 2. şubred. 3. bolnav. 4. firav. 5. ţicnit, trăsnit.

cranny ['kræni] s. 1. crăpătură, fisură. 2. cotlon, ungher, ascunziş; gaură.

crape [kreip] s. 1. *text.* crêpe-de-Chine. 2. doliu (negru).

craps ['kræps] s. *amer.* joc de noroc cu zaruri (*aprox.* barbut).

crapulence ['kræpjuləns] s. 1. mahmureală. 2. beţie.

crash [kræʃ] I. s. 1. pocnitură, trosnet. 2. ciocnire, coliziune; zdrobire. 3. tunet. 4. prăbuşire. 5. *fin.* crah. II. *vt.* 1. a zdrobi. 2. a se ciocni, a turti. 3. a dărâma. III. *vi.* 1. a trosni. 2. a se ciocni, a se zdrobi.3. a se prăbuşi. 4. a da faliment.

crass [kræs] *adj.* 1. cras. 2. total.

crate [kreit] s. 1. ladă. 2. cuşcă. 3. coş (mare).

crater ['kreitə] s. crater.

cravat [krə'væt] s. 1. fular, eşarfă. 2. *înv.* cravată.

crave [kreiv] I. *vt.* 1. a cere (insistent). 2. a cerşi (*îndurare etc.*). 3. a dori. II. *vi.* a tânji.

craven ['kreivn] I. *adj.* 1. *înv.* învins, biruit. 2. laş, fricos. || *to cry* ~ a se da bătut; a o băga pe mânecă. II. s. laş.

craving ['kreiviŋ] s. (**for**) 1. dor (de). 2. poftă, sete, dorinţă (de).

craw [krɔ:] s. 1. *ornit.* guşă. 2. *zool.* stomac.

crawfish ['krɔ:fiʃ] s. *zool.* v. **crayfish** 1.

crawl [krɔ:l] I. s. 1. târât. 2. târâre. 3. înot crawl. II. *vi.* 1. a se târî. 2. a merge greoi. 3. a ţi se se face piele de gâscă.

crayfish ['kreifiʃ] s. *zool.* 1. rac de râu (*Astacus*). 2. *amer.* langustă (*Palimurus*).

crayon ['kreiən] s. 1. pastel. 2. cărbune pentru desen.

craze [kreiz] I. s. 1. entuziasm. 2. nebunie. 3. modă. II. *vt.* a înnebuni.

crazy ['kreizi] *adj.* 1. aiurit, nebun. 2. entuziast. 3. fantezist. 4. şubred.

creak [kri:k] I. s. scârţâit. II. *vi.* a scârţâi.

cream [kri:m] s. 1. cremă (şi *fig.*). 2. smântână. 3. frişcă. 4. caimac.

creamery ['kri:məri] s. 1. presă pentru unt, fabrică de unt. 2. lăptărie, magazin de brânzeturi.

creamy ['kri:mi] *adj.* 1. cu smântână, cu cremă. 2. ca smântâna, gras. 3. crem. 4. *fig.* excelent, de mâna-ntâi, de primă calitate.

crease [kri:s] I. s. dungă. II. *vt., vi.* 1. a (se) îndoi. 2. a (se) şifona.

create [kri'eit] I. *vt.* 1. a crea. 2. a făuri. 3. a înnobila. 4. a produce. || *to* ~ *a part* a juca un rol la premieră; *he was* ~*d a baronet* i s-a acordat titlul de baronet. II. *vi.* 1. a face caz. 2. a bârfi (*pe socoteala cuiva*).

creation [kri'eiʃn] s. 1. creaţie. 2. facere. 3. înnobilare.

creative [kri'eitiv] *adj.* creator.

creator [kri'eitə] s. creator.

creature ['kri:tʃə] s. 1. fiinţă. 2. persoană. 3. creatură. 4. băutură, alcool.

crèche [kreiʃ] s. creşă.

credence ['kri:dəns] s. 1. credinţă; încredere; crezare, creanţă. || *to give* ~ a crede, a da crezare, a acorda, a arăta încredere; *to find* ~ a se bucura de încredere; *to refuse* ~ a nu acorda încredere; *letter of* ~ scrisoare de recomandaţie. 2. *bis.* credenţă, măsuţă în altar.

credentials [kri'denʃlz] s. *pl.* 1. acreditiv. 2. scrisori de acreditare.

credible ['kredəbl] *adj.* demn de crezare *sau* încredere.

credit ['kredit] I. s. 1. crezare; credinţă. 2. încredere. 3. reputaţie, renume. 4. mândrie; podoabă. 5. credit. 6. cont. 7. palmares. 8. generic (*la film, program TV etc.*). || *to give smb;* ~ a atribui cuiva (*ceva*); *to do* ~ *to smb.* a face cinste cuiva; *on* ~ pe credit. II. *vt.* 1. a crede. 2. a da crezare (*unui lucru*). 3. a acorda credit (*cuiva*).

creditable ['kreditəbl] *adj.* lăudabil.

creditor ['kreditə] s. creditor.

credo ['kri:dou] s. 1. *bis.* crez, simbol al credinţei. 2. convingere, crez.

credulity [kri'dju:liti] s. credulitate. || *to practice on smb.'s* ~ a profita de credulitatea cuiva.

credulous ['kredjuləs] *adj.* încrezător; credul.

creed [kri:d] s. crez.

creek [kri:k] s. *geogr.* golf.

creep [kri:p] I. s. 1. târâre. 2. furişare. || *to give smb. the* ~ s a-i face piele de gâscă, a-i da fiori. II. *vi. trec. şi part. trec.* **crept** [krept] 1. a se târî. 2. a merge pe furiş, a se strecura.

3. a se scurge încet. 4. a se înfiora.

creeper ['kri:pə] s. 1. plantă agăţătoare. 2. insectă târâtoare.

creepy ['kri:pi] *adj.* 1. care dă fiori. 2. târâtor, agăţător.

cremate [kri'meit] *vt.* a incinera, a arde.

crematorium [,kremə'tɔ:riəm] s. crematoriu.

crematory ['kremətəri] s. crematoriu.

crenel(l)ated ['krenileitid] *adj.* 1. *constr.* crenelat, prevăzut cu creneluri. 2. (*bot. etc.*) dinţat, crestat. 3. *arhit.* dantelat.

Creole ['kri:oul] s. creol.

creosote ['kri:əsout] I. s. *chim.* creozot. II. *vt.* a creozota, a impregna cu creozot.

crêpe [kreip] s. 1. crep. 2. crêpe-de-Chine. 3. *gastr.* clătită.

crepitate ['krepiteit] *vi.* 1. a trosni, a pârâi, a pocni; a sfârâi; a pâlpâi. 2. a horcăi, a hârâi.

crept [krept] *vi. trec. şi part. trec.* de la **creep**.

crescendo [kri'ʃendou] *adv., s. muz.* crescendo.

crescent ['kreznt] I. s. 1. semilună; crai nou. 2. corn, pâiniţă. II. *adj.* 1. în formă de semilună. 2. crescând.

cress [kres] s. lobodă.

crest [krest] I. s. 1. creastă. 2. vârf. 3. coamă. 4. surguci. II. *vt.* 1. a împodobi cu creastă. 2. a urma (*creasta unui deal etc.*).

crestfallen ['krest,fɔ:ln] *adj.* 1. dazamăgit. 2. descurajat. 3. necăjit.

cretaceous [kri'teiʃəs] I. *adj. geol.* 1. cretos, ca creta; cretacic. 2. alb ca varul; alb mat. 3. care conţine cretă. II. s. *geol.* cretacic.

cretin ['kretin] s. 1. cretin. 2. tâmpit, idiot, imbecil.

cretonne [kre'tɔn] s. creton.

crevasse [kri'væs] s. 1. *geol.* crevasă, crăpătură. 2. *amer.* ruptura unui zăgaz.

crevice ['krevis] s. crăpătură.

crew [kru:] I. s. 1. echipaj. 2. echipă. 3. bandă; grup. II. *vt. trec. înv. de la* **crow**.

crewel ['kru:əl] s. lână fină (*pentru brodat*).

crib [krib] I. s. 1. pat de copil. 2. colibă; căsuţă. 3. iesle. 4. juxtă. 5. fiţuică. II. *vt.* 1. a înghesui. 2. a copia. 3. a plagia. III. *vi.* 1. a copia. 2. a folosi juxta.

cribbage [ˈkribidʒ] s. 1. joc de cărți. 2. fam. plagiat.

cricket [ˈkrikit] s. 1. greier. 2. jocul de cricket. || it's not ~ nu e just; nu-i frumos!

crier [ˈkraiə] s. vestitor, crainic.

crikey [ˈkraiki] interj. sl. ptiu, drace! ia te uită! măi să fie!

crime [kraim] s. 1. crimă, delict. 2. ticăloşie. 3. greşeală.

criminal [ˈkriminl] I. s. criminal. II. adj. penal, criminal.

criminology [ˌkrimiˈnɔlədʒi] s. criminologie.

crimp [krimp] I. vt. 1. a îndoi (marginile) înăuntru, a bordura, a zbârci, a încreți; a face cute sau îndoituri la. 2. a ambutisa. 3. tehn. a comprima, a presa. 4. text. a gofra. 5. a încreți, a ondula (părul). 6. a sertisa (un cartuş). 7. a cresta (carnea sau peştele proaspăt înainte de preparare). 8. a pişca; a strânge, a ține strâns; a apuca, a prinde. II. vi. a se şifona. III. s. 1. cută, încrețitură. 2. (şi pl.) buclă, ondulație (a părului). 3. gofrare. 4. cută (la un postav). 5. ambutisare (a pielii). 6. sertisare (a unui cartuş). IV. adj. 1. fragil, sfărâmicios, casant, friabil. 2. (rar, d. depoziţie, mărturie) inconsecvent, contradictoriu. 3. (d. păr) încrețit, ondulat.

crimson [ˈkrimzn] I. s., adj. stacojiu. II. vt., vi. a (se) înroşi.

cringe [krindʒ] I. vi. 1. (before smb.) a se pleca adânc, a se ploconi, a slugări, a face sluj; a se umili, a se înjosi, a se pleca umil (în faţa cuiva); (to) a se linguşi (pe lângă), a intra pe sub pielea (cuiva); a flata, a peria (pe cineva); bowing and cringing linguşire servilă, umilă. 2. a se face mic de tot; a se piti, a se ascunde (de frică), a se feri (de lovitură). II. s. 1. temenea, plecăciune servilă, sluj; linguşire. 2. dare în lături, ferire (pentru a scăpa de ceva).

crinkle [ˈkriŋkl] I. s. 1. cotitură, meandră; curbură, zigzag, serpentină. 2. cută, rid, zbârcitură. 3. tehn. încrețitură, cută (în hârtie). II. vt. 1. a îndoi, a da (cu dat.) formă de zigzag. 2. a încreți, a ondula (părul). 3. a mototoli (hârtia); a zbârci. III. vi. 1. a şerpui, a coti; a se încovoia. 2. a se zbârci, a se rida, a se încreți.

crinoline [ˈkrinəlin] s. crinolină.

cripple [ˈkripl] I. s. 1. infirm. 2. invalid. 3. ciung. 4. şchiop. II. vt. 1. a mutila. 2. a ciunti. 3. a împiedica.

crisis [ˈkraisis] s. pl. **crises** [ˈkraisiːz] 1. criză. 2. cotitură (fig.).

crisp [krisp] adj. 1. crocant. 2. tare. 3. înviorător. 4. vioi. 5. (d. păr) creț.

criss-cross [ˈkriskrɔs] adj., adv. în zigzag.

criterion [kraiˈtiəriən] s. criteriu.

critic [ˈkritik] s. critic.

critical [ˈkritikl] adj. 1. critic. 2. primejdios. 3. şicanator.

criticism [ˈkritisizəm] s. 1. critică. 2. analiză critică; articol critic; observaţie critică.

criticize [ˈkritisaiz] vt., vi. a critica.

critique [kriˈtiːk] s. (literatură) critică.

croak [krouk] I. s. 1. orăcăit. 2. croncănit. II. vi. 1. a orăcăi. 2. a croncăni. 3. a prevesti rele.

crochet [ˈkrouʃei] I. s. lucru de mână. II. vt., vi. a croşeta.

crochet-hook [ˈkrouʃihuk] s. croşet.

crock [krɔk] I. s. 1. oală. 2. ciob. 3. mârţoagă. 4. infirm. 5. pisălog. 6. om de nimic. II. vt. 1. a strica. 2. a dărâma. 3. a slăbi. III. vi. a slăbi.

crockery [ˈkrɔkəri] s. 1. oale. 2. olărit. 3. ceramică.

crocodile [ˈkrɔkədail] s. crocodil.

crocus [ˈkroukəs] s. brânduşă.

croft [krɔft] s. 1. pajişte. 2. fermă.

crofter [ˈkrɔftə] s. arendaş al unei ferme (în Scoţia).

croissant [ˈkrwæsɑː] s. gastr. corn.

cromlech [ˈkrɔmlek] s. arh. dolmen, cromleh (monument druidic).

crone [kroun] s. 1. babă, hârcă, cotoroanţă. 2. peior. cutră bătrână (ocară pentru un bărbat). 3. oaie bătrână.

crony [ˈkrouni] s. prieten nedespărţit, la toartă.

crook [kruk] s. 1. cârjă. 2. îndoitură. 3. cot; cotitură. 4. escroc. II. vt., vi. 1. a (se) îndoi. 2. a (se) încovoia.

crooked [ˈkrukid] adj. 1. strâmb. 2. încovoiat. 3. cotit; întortocheat. 4. necinstit.

croon [kruːn] vt., vi. 1. a gânguri. 2. a fredona.

crop [krɔp] I. s. 1. recoltă. 2. cul-tură (agricolă). 3. plantă. 4. ornit. guşă. 5. cravaşă. 6. păr tuns scurt. 7. tunsoare. II. vt. 1. a paşte. 2. a tăia scurt, a tunde. 3. agr. a semăna, a cultiva. III. vi. 1. a apărea, a se ivi. 2. a produce; a renta. || to ~ up a se ivi, a se ridica.

cropper [ˈkrɔpə] s. 1. plantă de cultură. 2. cădere. || to come a ~ a da greş; a fi o ruşine.

croquet [ˈkroukei] I. s. crochet. II. vt. a juca crochet.

croquette [krouˈket] s. gastr. crochetă.

crosier [ˈkrouʒə] s. cârjă episcopală.

cross [krɔs] I. s. 1. cruce. 2. fig. calvar. 3. bara de la t. 4. încrucişare. 5. corcitură. 6. creştinism. || to make one's ~ a semna punând degetul. II. adj. 1. supărat. 2. nervos; irascibil. 3. încrucişa. 4. opus. III. vt. 1. a traversa, a trece. 2. a şterge. 3. a marca cu o cruce. 4. a încrucişa. 5. a se întâlni cu. 6. a împiedica; a pune beţe în roate la. || to ~ smb.'s mind a trece prin mintea cuiva; to ~ one's t's (and dot one's i's) a pune punctul pe i; a vorbi pedant; to ~ swords with a se duela cu (şi fig.). IV. vi. 1. a trece strada. 2. a trece dincolo. 3. a se încrucişa. V. vr. a-şi face cruce.

cross-bar [ˈkrɔsbɑː] s. bară transversală.

cross-beam [ˈkrɔsbiːm] s. grindă.

cross-bow [ˈkrɔsbou] s. arbaletă.

cross-bred [ˈkrɔsbred] adj. încrucişat, corcit.

cross-breed [ˈkrɔsbriːd] s. corcitură.

cross-country [ˈkrɔsˈkʌntri] adj., adv. pe teren variat.

cross-country race [ˈkrɔsˌkʌntri ˈreis] s. cros, alergare pe teren variat.

cross-cut [ˈkrɔskʌt] s. beschie, ferăstrău.

cross-examination [ˈkrɔsigˌzæmiˈneiʃn] s. interogatoriu (suplimentar) în faţa instanţei.

cross-examine [ˈkrɔsigˈzæmin] vt. jur. a interoga (suplimentar) în instanţă.

cross-eyed [ˈkrɔsaid] adj. saşiu.

cross-fire [ˈkrɔsfaiə] s. foc concentric (şi fig.).

cross-grained [ˈkrɔsgreind] adj. 1. neregulat. 2. fig. antipatic. 3. ţâfnos.

crossing ['krɔsiŋ] s. **1.** trecere. **2.** traversare. **3.** barieră. **4.** pasaj la nivel.

cross-legged ['krɔslegd] adv. cu picioarele încrucișate.

crossly ['krɔsli] adv. cu țâfnă, nervos.

crossness ['krɔsnis] s. **1.** fire nesuferită. **2.** arțag.

cross piece [krɔspi:s] s. **1.** constr. bară / grindă transversală, bară de distanțare, diagonală, antretoază. **2.** tehn. cap de cruce.

cross-purposes [,krɔs'pə:pəsiz] s. pl.: to be at ~ a fi în conflict, a nu se înțelege.

cross reference ['krɔs'refrns] s. referire la un pasaj din aceeași lucrare.

cross road(s) [krɔsroud(z)] s. încrucișare de drumuri, răscruce, bifurcație; intersecție. || at the ~s la răscruce / răspântie.

cross-section ['krɔs,sekʃn] s. **1.** secțiune transversală. **2.** fig. selecție tipică.

crosswise ['krɔswaiz] adv. **1.** cruciș. **2.** încrucișat.

cross-word (puzzle) ['krɔswɔ:d ('pʌzl)] s. cuvinte încrucișate.

crotch [krɔtʃ] s. **1.** crăcană. **2.** anat. stinghie, îmbinare a picioarelor.

crotchet ['krɔtʃit] s. **1.** muz. pătrime. **2.** capriciu; fantezie. **3.** pl. gărgăuni.

crotchety ['krɔtʃiti] adj. capricios, cu toane.

croton oil ['krouton ɔil] s. tehn. ulei de croton.

crouch [krautʃ] I. s. ședere pe vine. II. vi. **1.** a se ghemui. **2.** a se îndoi. **3.** a ședea pe vine.

croup [kru:p] s. **1.** crup, anghină. **2.** crupă (de cal).

croupier ['kru:piə] s. **1.** crupier. **2.** vicepreședinte la un banchet oficial.

crow [krou] I. s. **1.** cioară. **2.** cucurigu. **3.** gângurit. || as the ~ flies în linie dreaptă. II. vi. trec. înv. și **crew** [kru:] **1.** a cânta cucurigu. **2.** a gânguri. **3.** a se lăuda. **4.** a exulta.

crowbar ['kroubɑ:] s. bară de metal; gură de lup.

crowd [kraud] I. s. **1.** mulțime. **2.** aglomerație. **3.** grup. II. vt., vi. **1.** a (se) îngrămădi, a (se) înghesui. **2.** a (se) aduna. **3.** a (se) aglomera.

crowded ['kraudid] adj. **1.** plin (până la refuz), ticsit. || ~ hall

sală plină (până la refuz), sală ticsită de lume. **2.** fig. plin, încărcat. || life ~ with great events viață plină de mari evenimente / de întâmplări. **3.** amer. înghesuit, strâns, presat. || to be ~ for time a fi foarte ocupat, a nu avea timp (nici să răsufle).

crown [kraun] I. s. **1.** coroană. **2.** încoronare. **3.** fig. răsplată. **4.** înv. monedă de cinci șilingi. **5.** vârf. II. vt. **1.** a încorona. **2.** a încununa. **3.** a pune capac la.

Crown Prince [,kraun 'prins] s. prinț moștenitor, de coroană.

Crown Princess [,kraun 'prinses] s. prințesă moștenitoare, de coroană.

crow's-feet ['krouzfi:t] s. pl. **1.** riduri. **2.** semnele bătrâneții.

crozier ['krouʒə] s. cârja episcopală.

crucial ['kru:ʃjəl] adj. **1.** crucial. **2.** decisiv, critic. **3.** esențial.

crucible ['kru:sibl] s. **1.** cazan. **2.** creozot. **3.** fig. tortură, calvar.

cruciferous [,kru:'sifərəs] adj. bot. crucifer.

crucifix ['kru:sifiks] s. **1.** crucifix. **2.** troiță.

crucifixion [,kru:si'fikʃn] s. răstignire, crucificare.

crucify ['kru:sifai] vt. **1.** a răstigni, a crucifica. **2.** fig. a chinui.

crude [kru:d] adj. **1.** crud, necopt. **2.** neterminat. **3.** lipsit de rafinament.

cruel [kruəl] adj. **1.** crud, sălbatic. **2.** chinuitor.

cruelly ['kru(:)əli] adv. **1.** cu cruzime, fără milă, fără îndurare; în chip sălbatic / chinuitor. **2.** fam. foarte, grozav de, nevoie mare.

cruelty ['kruəlti] s. **1.** cruzime. **2.** sălbăticie. **3.** asprime.

cruet [kruit] s. **1.** sticluță (pentru oțet, untdelemn). **2.** pl. serviciu de salată, oțetar, olivieră.

cruet-stand ['kruit,stænd] s. serviciu de salată, olivieră.

cruise [kru:z] I. s. mar. croazieră. II. vi. **1.** a face o croazieră. **2.** a naviga.

cruiser ['kru:zə] s. crucișător.

crumb [krʌm] s. firimitură (și fig.).

crumble ['krʌmbl] I. vt. a fărâmița. II. vi. **1.** a se fărâmița. **2.** (d. case) a se prăbuși, a se ruina.

crumpet ['krʌmpit] s. soi de prăjitură (aprox. minciunele).

crumple ['krʌmpl] I. vt. **1.** a îndoi.

2. a mototoli (o hârtie etc.) **3.** a șifona, a boți. **4.** a face ghemotoc. **5.** a zdrobi. II. vi. **1.** a se șifona, a se boți. **2.** a se mototoli. || to ~ up a se prăbuși.

crunch [krʌntʃ] I. s. **1.** crănțănit, ronțăit. **2.** scârțâit. II. vt. **1.** a crănțăni, a ronțăi. **2.** a sfărâma, a măcina. III. vi. (d. zăpadă etc.) a scârțâi.

crusade [kru:'seid] I. s. **1.** cruciadă. **2.** campanie; mișcare. II. vi. a face o cruciadă.

crusader [kru:'seidə] s. cruciat.

crush [krʌʃ] I. s. **1.** zdrobire, turtire. **2.** înghesuială; mulțime. **3.** pasiune la prima vedere. II. vt. **1.** a zdrobi. **2.** a învinge. III. vi. **1.** a se zdrobi. **2.** a se șifona. **3.** a se înghesui.

crust [krʌst] I. s. **1.** crustă. **2.** coajă; scoarță. II. vi. a face crustă.

crustacean [krʌs'teiʃən] s. zool. crustaceu.

crusty ['krʌsti] adj. **1.** tare; scorțos. **2.** crocant.

crutch [krʌtʃ] s. **1.** cârjă. **2.** sprijin.

crux [krʌks] s. miez, cheie (a unei probleme).

cry [krai] I. s. **1.** strigăt. **2.** plânset. || a far ~ from cu totul altceva decât; within ~ destul de aproape ca să (te) poată auzi. II. vt. **1.** a striga. **2.** a anunța. || to ~ up a lăuda. III. vi. **1.** a țipa; a striga. **2.** a plânge. || to ~ for smth. a cere ceva plângând; to ~ for the moon a cere luna de pe cer, a cere un lucru imposibil.

crying ['kraiiŋ] adj. **1.** urgent. **2.** strigător la cer.

cryogenics [kraiou'dʒeniks] s. criologie, crionică.

crypt [kript] s. **1.** criptă; cavou; capelă subterană.

cryptic ['kriptik] adj. **1.** tainic. **2.** obscur.

cryptogam ['kriptougæm] s. bot. criptogamă.

cryptogram ['kriptougræm] s. criptogramă; document cifrat.

crystal ['kristl] s. cristal.

crystal-clear ['kristl,kliə] adj. limpede ca lacrima.

crystalline ['kristəlain] adj. cristalin; limpede.

crystallize ['kristəlaiz] vt., vi. a (se) cristaliza (și fig.).

CSE abrev. Certificate of Secondary Education aprox. examen de treapta a doua; diplomă *sau* certificat care atestă absolvirea învățământului preliceal.

cub [kʌb] *s.* **1.** pui *(de leu, urs etc.).* **2.** tânăr prost crescut.

Cuban [ˈkjuːbən] *s., adj.* cuban(ă); cubanez(ă).

cubby hole [ˈkʌbi houl] *s. fam.* colț tihnit, odăiță, locuință confortabilă.

cube [kjuːb] **I.** *s.* cub. **II.** *adj.* cubic. **III.** *vt.* a ridica la cub.

cubic(al) [ˈkjuːbik(l)] **I.** *adj.* cubic. **II.** *s. mat.* (ecuație) cubică.

cubicle [ˈkjuːbikl] *s.* **1.** compartiment. **2.** cămăruță; boxă. **3.** cabină *(la ștrand etc.).*

cubism [ˈkjuːbizəm] *s.* cubism.

cubit [ˈkjuːbit] *s.* cot *(măsură de lungime).*

cuboid [ˈkjuːbɔid] **I.** *adj.* cuboid(al). **II.** *s.* **1.** *anat.* (os) cuboid. **2.** *geom.* cuboid, paralelipiped dreptunghic.

cuckold [ˈkʌkld] **I.** *s.* încornorat. **II.** *vt.* a încorna.

cuckoo [ˈkuku:] *s.* cuc.

cucumber [ˈkjuːkəmbə] *s.* castravete.

cud [kʌd] *s.* furaj rumegat. || *to chew the ~* a rumega *(și fig.).*

cuddle [ˈkʌdl] **I.** *vt.* **1.** a strânge în brațe. **2.** a corcoli. **II.** *vi.* a se cuibări.

cudgel [ˈkʌdʒl] **I.** *s.* măciucă. || *to take up the ~s for* a susține, a apăra (cu înverșunare). **II.** *vt.* a ciomăgi. || *to ~ one's brains* a-și bate capul.

cue [kjuː] *s.* **1.** *teatru* (sfârșit de) replică. **2.** aluzie. **3.** indicație. **4.** toc, băț de biliard. **5.** coadă. || *to take one's ~ from smb.* a se lua după cineva; a aplica instrucțiunile cuiva.

cuff [kʌf] **I.** *s.* **1.** manșetă. **2.** palmă, lovitură. **II.** *vt.* a pocni.

cuirass [kwiˈræs] **I.** *s.* platoșă, cuirasă, za. **II.** *vt.* a împlătoșa, a înzăua; a cuirasa.

cuisine [kwiˈziːn] *s.* **1.** bucătărie. **2.** mâncare, hrană, fel de alimentație. **3.** artă culinară, gătit.

cul-de-sac [ˈkuldəsæk] *s.* **1.** fundătură. **2.** *fig.* impas, situație fără ieșire. **3.** *anat.* cecum, intestinul gros.

culinary [ˈkʌlinəri] *adj.* culinar.

cull [kʌl] *vt.* **1.** a alege. **2.** a culege.

culminate [ˈkʌlmineit] *vi.* a culmina.

culmination [ˌkʌlmiˈneiʃn] *s.* **1.** punct culminant, apogeu, zenit, culminare. **2.** *astr.* culminare, trecere la meridian.

culpable [ˈkʌlpəbl] *adj.* vinovat.

culprit [ˈkʌlprit] *s.* **1.** vinovat. **2.** acuzat.

cult [kʌlt] *s.* **1.** cult. **2.** modă.

cultivate [ˈkʌltiveit] *vt.* **1.** a cultiva. **2.** a perfecționa.

cultivated [ˈkʌltiveitid] *adj. agr.,* *(d. pământ)* lucrat, cultivat. **2.** *fig.* cult(ivat), ridicat, instruit. **3.** *fig.* fin, rafinat.

cultivation [ˌkʌltiˈveiʃn] *s.* **1.** cultivare. **2.** cultură. **3.** rafinament.

cultivator [ˈkʌltiveitə] *s.* **1.** cultivator. **2.** mașină de plivit.

cultural [ˈkʌltʃrl] *adj.* cultural.

culture [ˈkʌltʃə] *s.* **1.** cultură. **2.** agricultură.

cultured [ˈkʌltʃəd] *adj.* **1.** cult. **2.** bine crescut. **3.** rafinament.

culvert [ˈkʌlvət] *s. constr.* podeț tubular; galerie de drenaj *sau* de desecare la zi.

cumber [ˈkʌmbə] *vt.* a încărca, a împovăra.

cumbersome [ˈkʌmbəsəm] *adj.* **1.** obositor. **2.** incomod. **3.** greoi.

cumbrous [ˈkʌmbrəs] *adj. v.* **cumbersome.**

cumin [ˈkʌmin] *s. bot.* chimion *(Cuminum cuminum).*

cummerbund [ˈkʌməbʌnd] *s.* *(anglo-indian)* brâu, centură.

cumulative [ˈkjuːmjulətiv] *adj.* (re)unit; cumulat; *jur.* conexat, cumulat.

cumulus [ˈkjuːmjuləs], *pl.* **cumuli** [ˈkjuːmjulai] *s.* *meteor.* cumulus.

cuneiform [ˈkjuːniifɔːm] **I.** *adj.* cuneiform. **II.** *s.* (caracter) cuneiform.

cunning [ˈkʌniŋ] **I.** *s.* **1.** viclenie. **2.** abilitate. **II.** *adj.* **1.** viclean. **2.** abil. **3.** *amer.* atrăgător, plăcut.

cup [kʌp] **I.** *s.* **1.** ceașcă, cupă. **2.** *fig.* pahar. **3.** ventuză. **4.** băutură. || *to be in one's ~s* a fi beat. **II.** *vt.* a face (mâinile) căuș.

cup-bearer [ˈkʌpˌbɛərə] *s.* paharnic.

cupboard [ˈkʌbəd] *s.* dulap.

cupboard love [ˈkʌbədlʌv] *s.* dragoste interesată.

cupful [ˈkʌpful] *s.* (cât încape într-o) ceașcă *sau* cupă.

Cupid [ˈkjuːpid] *s. mit.* Cupidon, Amor. || *to look for ~s in smb.'s eyes* a se uita stăruitor *sau* languros în ochii cuiva.

cupidity [kjuːˈpiditi] *s.* lăcomie.

cupola [ˈkjuːpələ] *s.* cupolă.

cur [kəː] *s.* javră *(și fig.).*

curable [ˈkjuərəbl] *adj.* vindecabil.

curacy [ˈkjuərəsi] *s.* slujbă de ajutor de preot.

curate [ˈkjuərit] *s.* **1.** diacon; ajutor de preot. **2.** preot fără parohie.

curative [ˈkjuərətiv] *adj.* curativ.

curator [kjuəˈreitə] *s.* **1.** custode. **2.** îngrijitor.

curaçao [ˌkjuərəˈsou] *s.* (lichior) Curaçao *(din portocale).*

curb [kəːb] **I.** *s.* **1.** frâu *(și fig.).* **2.** bordură (a trotuarului). **3.** refugiu pentru pietoni. **II.** *vt.* a ține în frâu *(și fig.).*

curd [kəːd] *s.* **1.** *(și pl.)* lapte bătut. **2.** *(mai ales pl.)* brânză de vaci.

curdle [ˈkəːdl] **I.** *vt.* **1.** a brânzi, a face să se strice *(laptele).* **2.** a îngheța *(sângele etc.).* **II.** *vi. (d. lapte)* a se strica, a se tăia, a se brânzi.

cure [kjuə] **I.** *s.* **1.** cură. **2.** tratament. **3.** vindecare. **4.** remediu. **II.** *vt.* **1.** a vindeca. **2.** a înlătura. **3.** a prepara *(carnea etc.).* **4.** a săra, a afuma *(peștele etc.).*

curette [kjuəˈret] *med.* **I.** *s.* chiuretă. **II.** *vt.* a chiureta, a curăța cu chiureta.

curfew [ˈkəːfju] *s.* **1.** astuparea focurilor. **2.** interzicerea circulației pe întuneric. **3.** stare excepțională.

curio [ˈkjuəriou] *s.* **1.** bibelou. **2.** antichitate, obiect de anticariat.

curiosity [ˌkjuəriˈɔsiti] *s.* **1.** curiozitate. **2.** indiscreție. **3.** bibelou. **4.** antichitate, obiect de anticariat. **5.** raritate.

curious [ˈkjuəriəs] *adj.* **1.** curios. **2.** indiscret. **3.** ciudat. **4.** misterios.

curiously [ˈkjuriəsli] *adv.* în chip ciudat, curios, neobișnuit, straniu.

curl [kəːl] **I.** *s.* **1.** buclă; zuluf. **2.** ondulație. **3.** sul *(de fum etc.).* **II.** *vt.* a suci, a răsuci. **III.** *vi.* a se suci; a se răsuci; a se strâmba. || *to ~ up* a se încolăci.

curlew [ˈkəːlju] *s. ornit.* culic mare, ploier mare.

curling [ˈkəːliŋ] *adj.* ondulat.

curling-iron / **tong(s)** [ˈkəːliŋaiən/tɔŋ(z)] *s. pl.* fier de frizat / ondulat părul.

curl-papers [ˈkəːlˌpeipəz] *s. pl.* bigudiuri, moațe.

curly [ˈkəːli] *s.* **1.** cu cârlionți, cu zulufi, frezat; cu crețuri. **2.** *(d. o plantă)* agățător; unduios, ondulat, văluros. **3.** curb, strâmb. **4.** *geol.* fibros.

curmudgeon [kə'mʌdʒn] *s.* zgârie-brânză, avar.

currant ['kʌrnt] *s.* **1.** stafidă (neagră). **2.** *bot.* coacăz (Ribes). **3.** coacăză.

currency ['kʌrnsi] *s.* **1.** monedă. **2.** valută. **3.** caracter curent. **4.** răspândire, circulaţie (mare). **5.** universalitate.

current ['kʌrnt] **I.** *s.* **1.** curent. **2.** scurgerea timpului. **3.** curs. **4.** tendinţă. **II.** *adj.* curent.

curriculum [kə'rikjuləm] *s. pl. mai ales* **curricula** [kə'rikjulə] program de studiu, plan de învăţământ.

curriculum vitae [kə'rikjuləm-'vi:tai] *s. pl.* **curricula vitae** [kə'rikjulə'vi:təi] cur(r)iculum vitae, autobiografie (profesională).

currish ['kə:riʃ] *adj.* laş, mizerabil.

curry[1] ['kʌri] **I.** *s.* **1.** condiment (extras din fructul unui arbust asiatic). **2.** sos picant (preparat din acest condiment). **II.** *vt.* **1.** a găti cu sos picant.

curry[2] ['kʌri] *vt.* **1.** a ţesăla. **2.** a prepara / a tăbăci (piele). || *to ~ favour with smb.* a se băga pe sub pielea cuiva.

currycomb ['kʌrikoum] **I.** *s.* ţesălă. **II.** *vt.* a ţesăla.

curse [kə:s] **I.** *s.* **1.** blestem. **2.** înjurătură. **3.** nenorocire; calamitate. **II.** *vt.* **1.** a blestema. **2.** a înjura. **3.** a nenoroci. **III.** *vi.* **1.** a blestema. **2.** a înjura.

cursed ['kə:sid] *adj.* blestemat, afurisit.

cursive ['kə:siv] *adj.* **1.** scris de mână. **2.** cursiv.

cursor ['kə:sə] *s. tehn.* cursor, (ac) indicator.

cursory ['kə:sri] *adj.* fugar; fugitiv; (citit etc.) în treacăt; (făcut) în grabă.

curt [kə:t] *adj.* **1.** scurt, concis. **2.** repezit; tăios. **3.** brusc, fără ocolişuri.

curtail [kə:'teil] *vt.* **1.** a ciunti, a tăia, a scurta. **2.** a reduce, a micşora.

curtailment [kə:'teilmənt] *s.* **1.** ciuntire. **2.** limitare.

curtain ['kə:tn] **I.** *s.* **1.** perdea. **2.** cortină. **3.** paravan (şi fig.). **II.** *vt.* a acoperi cu perdele. || *to ~ off* a separa.

curtain-lecture ['kə:tn'lektʃə] *s.* dojană (făcută soţului).

curtain-raiser ['kə:tn,reizə] *s.* piesă într-un act (prezentată ca prolog).

curtly ['kə:tli] *adv.* repezit, brusc; nepoliticos, fără politeţe.

curtsey ['kə:tsi] **I.** *s.* reverenţă. **II.** *vi.* a face reverenţă.

curvaceous [kə:'veiʃəs] *adj.* **1.** *fam.* (d. trupul feminin) armonios, cu forme atrăgătoare. **2.** şerpuitor, plin de curbe.

curvature ['kə:vətʃə] *s.* curbură.

curve [kə:v] **I.** *s.* **1.** curbă. **2.** cot. **II.** *vt., vi.* a (se) îndoi.

curvet [kə:'vet] **I.** *s.* curbetă; ştrengărie, poznă, festă. **II.** *vi.* a face curbete; a sări, a ţopăi.

curvilinear [,kə:vi'liniə] *adj.* curb(iliniu), arcuit, şerpuit(or), nelinear.

cushion ['kuʃn] **I.** *s.* **1.** pernă de sprijin. **2.** perniţă. **II.** *vt.* **1.** a acoperi cu perna. **2.** a tapisa.

cushy ['kuʃi] *adj. sl.* (d. un post, o slujbă) uşor şi bine plătit; comod.

cusp [kʌsp] *s.* **1.** corn, colţ (al lunii). **2.** pisc, ţugui (de munte); colţ (de stâncă). **3.** promontoriu, cap. **4.** colţ de dinte *sau* de măsea. **5.** punct de intersecţie a două curbe; cuspidă, punct cuspidal *sau* de întoarcere.

cuspidor ['kʌspidɔ:] *s. amer.* scuipătoare.

cuss [kʌs] **I.** *s.* **1.** înjurătură. **2.** individ (prăpădit). **II.** *vt.* v. **curse**.

custard ['kʌstəd] *s.* cremă de ouă.

custodian [kʌs'toudjən] *s.* **1.** custode. **2.** îngrijitor. **3.** păzitor.

custody ['kʌstədi] *s.* **1.** pază. **2.** închisoare; recluziune; arest.

custom ['kʌstəm] **I.** *s.* **1.** datină, obicei. **2.** clientelă. **3.** *pl.* vamă. **4.** *amer. com.* comandă. **II.** *adj.* **1.** vamal. **2.** *amer.* făcut la comandă; de comandă.

customary ['kʌstəmri] *adj.* obişnuit.

customer ['kʌstəmə] *adj. com.* client, consumator. || *fig.* queer / rum ~ tip ciudat.

custom house ['kʌstəmhaus] *s.* vamă.

cut [kʌt] **I.** *s.* **1.** tăietură. **2.** reducere. **3.** tunsoare. **4.** scurtătură. **5.** bucată de carne. **6.** lovitură. **7.** croială. **8.** aluzie (răutăcioasă), atac. **9.** gravură. **10.** *poligr.* zinc. **11.** canal. **II.** *adj.* tăiat. || ~ *and dried* gata pregătit; stereotip. **III.** *vt. inf., trec. şi part. trec.* **1.** a tăia. **2.** a împărţi. **3.** a reduce, a micşora. **4.** a croi. **5.** a cresta. **6.** a ignora (pe cineva). **7.** a lipsi de la. **8.** a plesni (cu biciul). || *to ~ away* a înlătura; *to ~ the cards* a tăia cărţile; *to ~ down* a reteza; a dărâma; a reduce; *to ~ free* a elibera; *to ~ off* a reteza; *to ~ open* a deschide; *to ~ out* a decupa; a croi cu decolteu; a zdrobi; *to be ~ out for* a fi potrivit pentru; *to have one's work ~ out (for one)* a avea (mult) de furcă; *to ~ short* a scurta; a întrerupe; *the baby is ~ting its teeth* îi ies dinţii copilului; *to ~ up* a împărţi; a nimici; a chinui; a necăji. **IV.** *vi. inf., trec. şi part. trec.* **1.** a tăia; a fi tăios *sau* ascuţit. **2.** a se tăia. **3.** a fugi, a şterge. || *to ~ away* a o lua la sănătoasa; *to ~ in* a intra în joc; a se băga în conversaţie; a face scandal.

cute [kju:t] *adj.* **1.** isteţ. **2.** *amer.* nostim; frumos.

cutlass ['kʌtləs] *s.* **1.** iatagan. **2.** *mar.* cuţit *sau* sabie de abordaj.

cutlery ['kʌtləri] *s.* **1.** cuţite. **2.** tacâmuri; argintărie.

cutlet ['kʌtlit] *s.* cotlet (mai ales de berbec sau viţel).

cutter ['kʌtə] *s.* **1.** tăietor. **2.** croitor. **3.** *mar.* cuter. **4.** barcă.

cut-throat ['kʌtθrout] **I.** *s.* asasin. **II.** *adj.* **1.** ucigător. **2.** sălbatic, fioros.

cutting ['kʌtiŋ] **I.** *s.* **1.** tăietură. **2.** canal. **3.** defileu. **4.** butaş. **II.** *adj.* tăios (şi fig.).

cuttle ['kʌtl] *s.* **1.** (sau ~ fish (zool.) caracatiţă (Octopus vulgaris). **2.** *zool.* sepie (Sepia officinalis). **3.** *înv.* cuţit.

cuttle-fish ['kʌtlfiʃ] *s.* v. **cuttle 1., 2.**

cutwater ['kʌt,wɔ:tə] *s.* **1.** *mar.* tăiş *sau* ascuţiş al etravei, taiemare; muchia chilei. **2.** *constr.* avantbec. **3.** sparge-gheaţă.

cwm [ku:m] *s.* (în dialectul galez) **1.** râpă, prăpastie. **2.** depresiune (circulară), căldare.

cyanide ['saiənaid] *s. chim.* cianură.

cyanosis [saiə'nousis] *s. med.* cianoză.

cyclamate ['sikləmeit] *s. farm.* ciclamat.

cyclamen ['sikləmən] *s. bot.* pâinea-porcului, ciclamen (*Cyclamen europaeum*).

cycle ['saikl] I. *s.* **1.** ciclu. **2.** veac. **3.** bicicletă. II. *vi.* a merge pe bicicletă.

cyclic(al) ['saiklik(l)] *adj.* ciclic, periodic.

cycling ['saikliŋ] *s.* ciclism.

cyclist ['saiklist] *s.* biciclist.

cyclone ['saikloun] *s.* ciclon.

cyclonic [sai'klɔnik] *adj.* ciclonic; vijelios.

Cyclops ['saiklɔps], *pl.* **Cyclops** *sau* **Cyclopes** [sai'kloupi:z] *s. mit.* ciclop.

cyclop(a)edia [ˌsaiklə'pi:djə] *s.* enciclopedie (*a unui domeniu*).

cyclotron ['saiklətrɔn] *s. fiz.* ciclotron.

cygnet ['signit] *s.* pui de lebădă.

cylinder ['silində] *s.* cilindru.

cylindrical [si'lindrikl] *adj.* cilindric.

cymbals ['simblz] *s. pl. muz.* talgere.

cynic ['sinik] *s.* cinic.

cynical ['sinikl] *adj.* **1.** cinic. **2.** batjocoritor.

cynicism ['sinisizəm] *s.* **1.** cinism. **2.** observație cinică; ironie amară.

cynosure ['sinəzjuə] *s.* **1.** stea călăuzitoare. **2.** centru *sau*

punct de atracție.

Cynthia ['sinθiə] *s. poet.* luna.

cypher ['saifə] *s.* v. **cipher**.

cypress ['saipris] *s. bot.* chiparos (*Cupressus*).

cyst ['sist] *s. med.* chist.

cystic ['sistik] *adj.* **1.** *med.* chistic, de chist. **2.** *biol., med.* cistic, de bășică, de vezic(ul)ă. **3.** în formă de bășică.

cystitis [sis'taitis] *s. med.* cistită.

czar [zɑ:] *s.* țar.

czarina [zɑ:'ri:nə] *s.* țarină.

Czech [tʃek] *s., adj.* **1.** ceh(ă). **2.** cehoslovac(ă).

D

d [di:] *s.* **1.** (litera) D, d. **2.** *muz.* (nota) re.

da [dɑ:] *s.* (*cuvânt scoțian*) v. **dad(dy)**.

dabble ['dæbl] I. *vt.* a stropi. II. *vi.* **1.** a se bălăci (*și fig.*). **2.** a se afla în treabă. || *to ~ at / in* a se juca cu, a se ocupa (ca amator, în treacăt) de.

dabby ['dæbi] *adj.* umed, jilav; ud și lipicios.

dab[1] [dæb] I. *s.* **1.** atingere. **2.** murdărire. **3.** picătură. II. *vt.* **1.** a atinge. **2.** a lovi. **3.** a ochi (în).

dab[2] [dæb] *s. iht.* cambulă, limbă-de-mare (*Pleuronectes limanda*).

dab[3] [dæb] *fam.* I. *s.* (**at**) meșter, expert, doctor (în). II. *adj.* priceput, meșter.

dabchick ['dæbtʃik] *s.* **1.** pui de găină (*abia ieșit din găoace*). **2.** *ornit.* fundac, cufundar (*Podiceps, Colymbus*).

dace [deis] *s. iht.* ochiană (*Leusciscus vulgaris*).

dacha ['dætʃə] *s.* vilă rusească la țară.

dachshund ['dæks(hu)nd] *s. zool.* cotei.

dactyl ['dæktil] *s.* dactil.

dad(dy) ['dæd(i)] *s.* tătic.

dado ['deidou] I. *s.* (*pl.* **dadoes**) **1.** soclu, piedestal. **2.** panel, panou, lambriu. II. *vt.* **1.** a împodobi cu lambriuri. **2.** *tehn.* a fixa într-o scobitură. **3.** a scobi.

daemon ['di:mən] *s.* v. **demon**.

daffodil ['dæfədil] *s. bot.* narcisă galbenă, coprină (*Narcissus pseudonarcissus*).

daft [dɑ:ft] *adj.* țâcnit, scrântit.

dagger ['dægə] *s.* pumnal.

dago ['deigou] *s. peior.* spaniol *sau* italian.

daguerreotype [də'gerəutaip] *s. foto.* **1.** daghereotip. **2.** daghereotipie.

dahlia ['deiljə] *s. bot.* dalie (*Dahlia variabilis*).

Dail Eireann [dɔil 'ɛərən] *s.* Camera deputaților din Republica Irlandeză.

daily ['deili] I. *adj.* zilnic, cotidian. II. *adv.* zilnic, în toate zilele. III. *s.* **1.** cotidian, ziar, jurnal. || *the dailies* presa zilnică. **2.** femeie cu ziua.

daintiness ['deintinis] *s.* **1.** delicatețe, rafinament; ceremonie; politețe exagerată; afectare. **2.** gingășie, feminitate; slăbiciune de caracter. **3.** gusturi pretențioase, pretenții, afectare. **4.** pedanterie, scrupulozitate. **5.** susceptibilitate. **6.** gust bun (*al bucatelor*). **7.** *înv.* mâncare aleasă. **8.** *înv.* splendoare, frumusețe.

dainty ['deinti] I. *adj.* **1.** fin, elegant, ales; gingaș. **2.** elegant, pus la punct. **3.** (*d. mâncăruri*) gustos, ales. **4.** splendid, frumos (*și peior.*). **5.** cu gusturi alese. **6.** pretențios,

greu de mulțumit; scrupulos; cere-monios. **7.** susceptibil. **8.** plăpând, slab; plin de feminitate. II. *s.* **1.** obiect / prilej de încântare. **2.** mâncare aleasă; *pl.* delicatese; zaharicale. **3.** *înv.* valoare, excelență. **4.** *înv.* comoară, dragoste. || *my ~!* comoara mea!

dairy ['dɛəri] *s.* produse de lăptărie.

dairy-farm ['dɛərifɑ:m] *s.* fermă de lapte.

dairying ['dɛəriiŋ] *s.* industria laptelui.

dairymaid ['dɛərimeid] *s.* **1.** mulgătoare. **2.** lăptăreasă.

dairyman ['dɛərimən] *s. pl.* **dairymen** ['dɛərimən] lăptar.

dais ['deiis] *s.* estradă.

daisy ['deizi] *s. bot.* **1.** părăluță, bumbișor (*Bellis perennis*). **2.** margaretă (*Crysanthemum leucanthemum*).

dale [deil] *s.* vale, vâlcea.

dalliance ['dæliəns] *s.* **1.** zăbavă, nehotărâre, șovăială. **2.** frivolitate, neseriozitate, cochetărie. **3.** amuzament, distracție, pierdere de vreme.

dally ['dæli] *vi.* **1.** a șovăi. **2.** a zăbovi. **3.** (**with**) a se juca (cu ceva).

Dalmatian [dæl'meiʃən] I. *adj.* dalmat, dalmatin. II. *s.* **1.** dalmat, dalmatin. **2.** (câine) dalmațian.

dam¹ [dæm] I. *s.* **1.** stăvilar;
zăgaz. **2.** baraj. II. *vt.* **1.** a
zăgăzui. **2.** a stăvili *(şi fig.).*
dam² [dæm] *s.* **1.** *zool.* femelă,
mamă *(la mamifere).* **2.** *peior.*
femeie. || *înv.* the devil's ~
baba cloanţa.
damage ['dæmidʒ] I. *s.* **1.**
pagubă, stricăciune. **2.** *pl.*
daune, despăgubiri. II. *vt.* a
strica.
damascene ['dæməsi:n] I. *s.* v.
damson. II. *vt.* a damaschina
*(a incrusta oţelul cu firicele de
aur / argint)*; a bruna *(oţelul).*
damask ['dæməsk] I. *s.* **1.** pânză
de damasc. **2.** oţel de damasc.
3. roz. II. *adj.* **1.** de Damasc. **2.**
roz. III. *vt.* a împodobi cu
arabescuri.
dame [deim] *s.* **1.** doamnă. **2.**
soţie de cavaler. **3.** artistă
emerită. **4.** *amer.* damă.
damn [dæm] *vt.* **1.** a osândi. **2.** a
blestema. **3.** a da dracului.
damnable ['dæmnəbl] *adj.* **1.**
nesuferit; supărător, enervant.
2. vinovat; blamabil, condam-
nabil.
damnation [dæm'neiʃn] I. *s.* **1.**
damnaţiune. **2.** osândire, con-
damnare. **3.** distrugere. II. *in-
terj.* fir-ar al dracului!, la naiba!
damosel, damozel ['dæmə͵zel] *s.*
înv. v. **damsel** 1, 2.
damp [dæmp] I. *s.* umezeală. ||
to cast a ~ *over* a întrista. II.
adj. **1.** umed. **2.** ploios. III. *vt.*
1. a umezi. **2.** a descuraja. **3.** a
tempera.
dampen ['dæmpn] *vt.* **1.** a
tempera. **2.** a descuraja.
damper ['dæmpə] *s.* persoană
nesuferită.
dampness ['dæmpnis] *s.* **1.**
umezeală. **2.** climă ploioasă.
damsel [dæmzl] *s.* **1.** fecioară,
domnişoară. **2.** *înv.* domniţa,
jupâniţa. **3.** *amer. sl.* studentă.
damson ['dæmzn] *s.* **1.** *bot.* gol-
dan, scolbuş *(Prunus institia).*
2. (prună) goldană.
dance [dɑ:ns] I. *s.* **1.** dans. **2.** ceai
dansant, petrecere. **3.** local de
dans. II. *vt., vi.* a dansa.
dancer ['dɑ:nsə] *s.* **1.** dansator. **2.**
dansatoare.
dancing ['dɑ:nsiŋ] *s.* **1.** dans. **2.**
balet.
dandelion ['dændilaiən] *s.* păpă-
die.
dander ['dændə] I. *s. fam.* mânie,
supărare; indignare.|| *to put*

up sau to raise smb's ~ a
înfuria pe cineva. II. *vi.* a
hoinări, a umbla haimana.
dandle ['dændl] I. *vt.* **1.** a legăna
în braţe sau pe genunchi *(un
copil).* **2.** a alinta, a răsfăţa, a
trata ca pe un copil. II. *vi.*
(with) a se juca (cu).
dandruff ['dændrəf] *s.* mătreaţă.
dandy ['dændi] I. *s.* filfizon. II. *adj.
sl.* grozav, a-ntâia
Dane [dein] *s.* danez(ă).
dang [dæŋ] *vt. amer. pop.* v.
damn.
danger ['deindʒə] *s.* **1.** primejdie.
2. ameninţare. || *out of* ~ în
afară de orice primejdie.
dangerous ['deindʒrəs]   *adj.*
primejdios.
dangle ['dæŋgl] I. *vt.* **1.** a legăna.
2. a plimba. **3.** a învârti. **4.** a
ispiti, a ademeni. II. *vi.* **1.** a
atârna. **2.** a se bălăbăni. || *to*
~ *after smb.* a se ţine scai de
cineva, a umbla după fuste.
dangler ['dæŋglə] *s.* **1.** încurcă-
lume, om fără treabă, tălălău.
2. ~ *about / after women* crai,
craidon, curtezan.
Danish ['deiniʃ] *adj.* danez(ă).
dank [dæŋk] *adj.* umed.
daphne ['dæfni] *s. bot.* tulipin,
tulichină, cleiţă, piperul-lupului
(Daphne mezereum).
dapper ['dæpə] *adj.* **1.** îngrijit;
sclivisit. **2.** ager.
dapple ['dæpl] I. *vt.* a pune pete
sau picăţele la, a împestriţa *(şi
fig.).* II. *(d. cer)* a se acoperi
cu nori rotunzi. III. *adj.* bălţat,
pestriţ; *(d.cai)* pag; rotat. IV. *s.*
1. culoare pestriţă. **2.** pată.
dappled ['dæpld] *adj.* **1.** bălţat. **2.**
pătat.
Darby and Joan ['dɑ:bi ənd
'dʒoun] *s.* pereche fericită *(mai
ales în vârstă).*
dare ['dɛə] I. *v. mod.* a îndrăzni. II.
vt. **1.** a îndrăzni, a avea
îndrăzneala să. **2.** a sfida, a
provoca. **3.** a desfide. || *I* ~
say that cred că. III. *vi.* a fi
îndrăzneţ, curajos.
dare-devil ['dɛə͵devl] I. *s.* aven-
turier nesăbuit. II. *adj.* foarte
riscant, nesăbuit.
daring ['dɛəriŋ]   I.   *s.*   **1.**
îndrăzneală. **2.** bravură. II. *adj.*
1. îndrăzneţ. **2.** curajos. **3.**
obraznic.
dariole ['dærioul] *s. gastr.* dariolă,
foitaj cu umplutură dulce sau
condimentată.
dark [dɑ:k] I. *s.* **1.** întuneric. **2.**

întunecime, beznă. **3.** căderea
nopţii. **4.** ignoranţa. || *pitch* ~
întuneric beznă; *to keep smb.
in the* ~ a ascunde cuiva
adevărul. II. *adj.* **1.** întunecat.
2. întunecos. **3.** negricios;
oacheş. **4.** negru. **5.** tainic;
misterios. **6.** sumbru. **7.** ticălos.
darken ['dɑ:kn] *vt., vi.* **1.** a (se)
înnegri. **2.** a (se) întuneca.
darkey ['dɑ:ki] *s.* **1.** *sl.* amurg. **2.**
sl. noapte. **3.** *amer. peior.*
negru, arap *(poreclă dată
negrilor de către rasiştii
americani).*
darkling ['dɑ:kliŋ] I. *adv.* **1.** *poet.*
în întuneric / beznă, pe
întuneric. **2.** *fig.* orbeşte, cu
ochii închişi, inconştient. II. **1.**
adj. crepuscular; care se
găseşte în întuneric / în
obscuritate.
darkly ['dɑ:kli] *adv.* **1.** posomorât.
2. rău, ameninţător. **3.** enig-
matic, misterios, obscur,
încurcat, neclar. **4.** în ascuns,
nesigur, orbeşte.
darkness ['dɑ:knis] *s.* **1.** întuneric,
beznă. **2.** neclaritate;
opacitate. || *pitch* ~ întuneric
beznă. **3.** culoare închisă. **4.**
fig. melancolie, tristeţe. **5.** *fig.*
răutate, ticăloşie; beznă,
întuneric. **6.** *fig.* taină, mister.
7. *fig.* ignoranţă, neştiinţă. **8.**
fig. lipsă de claritate. **9.** făină
de calitate inferioară.
darksome ['dɑ:ksəm] *adj. poet.*
întunecat, sumbru.
darling ['dɑ:liŋ] I. *s.* iubit(ă). II.
adj. drăguţ, scump.
darn [dɑ:n] I. *vt.* a ţese (ciorapi).
II. *vi.* a ţese ciorapi.
darnel ['dɑ:nl] *s. bot.* **1.** sălbăţie
(Lolium temulentum). **2.** *înv.*
buruiană *(din cereale).*
darner ['dɑ:nə] *s.* **1.** cârpaci,
ţesător. **2.** ciupercă *(de cârpit
ciorapii).*
dart [dɑ:t] I. *s.* **1.** suliţă. **2.** săgeată
(şi fig.). **3.** izbucnire. II. *vt.* a
arunca; a scoate. III. *vi.* **1.** a
ţâşni. **2.** a merge iute ca
săgeata.
darter ['dɑ:tə] *s.* **1.** aruncător de
lănci, lăncier; arcaş. **2.** *ornit.*
corb-de-mare *(Anhinga anhin-
ga).*
Darwinian [dɑ:'winiən] *adj., s.* dar-
vinist.
dash [dæʃ]I. *s.* **1.** zvâcnire. **2.**
izbucnire. **3.** ţâşnire. **4.** picătură.
5. vioiciune. **6.** fugă rapidă. **7.**
linie de dialog, (linie de)

pauză. || to make a ~ for a se repezi la. II. vt. 1. a arunca; a scoate. 2. a face să ţâşnească. 3. a nărui, a distruge. 4. a nota. || to ~ smth. off a scrie ceva repede. III. vi. 1. a ţâşni. 2. a se repezi.

dash board ['dæʃbɔːd] s. 1. aripă, tăblie (de vehicul). 2. av., auto. tablou (de bord). 3. constr. jgheab de scândură pentru scurgere.

dasher ['dæʃə] s. 1. persoană care bate / loveşte / scutură / pisează. 2. persoană care face senzaţie, om afectat în ţinută / în vorbă; fanfaron. 3. bătător (de bătut laptele în putinei) 4. amer. aripă (a trăsurii).

dashing ['dæʃiŋ] adj. 1. îndrăzneţ. 2. vioi. 3. elegant. 4. chipeş. 5. surprinzător.

dastard ['dæstəd] s. 1. laş, poltron. 2. ticălos.

dastardly ['dæstədli] adj. 1. laş. 2. josnic. 3. ticălos.

data ['deitə] s. pl. de la **datum** 1. date. 2. realităţi. 3. fapte.

data bank ['deitəbæŋk], **data-base** ['deitəbeis] s. cib. bază de date; bancă de informaţii / date (computerizată).

date [deit] I. s. 1. dată; zi. 2. perioadă. 3. amer. întâlnire între o fată şi un băiat; rendez-vous; băiat sau fată cu care ieşi în lume; iubit(ă). 4. bot. curmal (Phoenix dactylifera). 5. curmală. || out of~ demodat; up to ~modern, la modă; what is the ~today? în câte suntem astăzi?. II. vt., vi. 1. a data. 2. amer. a-ţi da / a avea întâlnire (cu); a umbla, a fi în vorbă (cu). || it ~s from sau (back to) the 14th century datează (încă) din secolul al XIV- lea.

dateless ['deitlis] adj. 1. rar fără dată, nedatat. 2. poet. fără sfârşit, veşnic; perpetuu; străvechi, imemorial. 3. amer. fam. neinvitat, care nu a primit invitaţie.

dative ['deitiv] s., adj. dativ.

datum ['deitəm] s. pl. **data** [deitə] dată (ştiinţifică, a unei probleme), element.

daub [dɔːb] I. s. 1. pictură proastă. 2. mâzgăleală. II. vt. 1. a acoperi. 2. a vopsi. 3. a murdări. 4. a picta prost. 5. a mâzgăli. II. vi. 1. a picta prost. 2. a mâzgăli.

dauber ['dɔːbə] s. 1. tencuitor, vopsitor, zugrav. 2. pictor prost, mâzgălici. 3. perie, pensulă (folosită la gravură). 4. înv. linguşitor.

daughter ['dɔːtə] s. fiică.

daughter-in-law ['dɔːtərinlɔː] s. pl. **daughters-in-law** ['dɔːtəzin-lɔː] noră.

daunt [dɔːnt] vt. 1. a speria; a înfricoşa. 2. a intimida.

dauntless ['dɔːntlis] adj. 1. neînfricat. 2. perseverent.

dauphin ['dɔːfin] s. ist. Franţei delfin (moştenitorul tronului).

davenport ['dævnpɔːt] s. 1. birou mic. 2. amer. canapea, sofa, divan.

davit ['dævit] s. mar. gruie de ambarcaţie.

daw [dɔː] s. 1. ornit. stancă, stăncuţă (Corvus monedula). 2. înv. prostănac, găgăuţă.

dawdle ['dɔːdl] I. vt.: to ~ away a irosi (timpul). II. vi. a pierde vremea.

dawn [dɔːn] I. s. 1. zori. 2. dimineaţă. 3. fig. început, răsărit. II. vt. 1. a se face ziuă. 2. a se revărsa. 3. a apărea. || it ~ed on me that mi-am dat (brusc) seama că.

day [dei] s. 1. zi. 2. lumină. 3. perioadă, epocă. 4. eveniment. || the ~ after tomorrow poimâine; the ~ before yesterday alaltăieri; all the ~ long toată ziua; by ~ ziua (pe lumină); every ~ zi de zi; from ~ to ~ de azi pe mâine; to have one's ~ a-şi trăi traiul; one~ odată (de mult); the other ~ deunăzi; this ~ fortnight de azi în două săptămâni; to pass the time of ~ with smb. a-şi da bineţe; some~ într-o bună zi (în viitor).

daybreak ['dei,breik] s. zori, zorii zilei, revărsatul zorilor.

day-dream ['deidriːm] s. visare (cu ochii deschişi), reverie.

day labourer ['dei,leibrə] s. zilier.

daylight ['deilait] s. 1. lumina zilei. 2. revărsatul zorilor.

day-nursery ['dei,nəːsri] s. cămin de zi; creşă.

dayspring ['deispriŋ] s. 1. poet. zori, revărsatul zorilor. 2. fig. început.

day star ['deistɑː] s. 1. luceafărul-de-dimineaţă. 2. poet. soarele.

daytime ['deitaim] s. timpul zilei, ziua. || in the ~ în timpul zilei, cât e ziuă.

daze [deiz] I. s. zăpăceală, uluire.

II. vt. 1. a ului. 2. a orbi. 3. a prosti. 4. a ameţi.

dazzle ['dæzl] I. vt. a orbi. II. vi. a străluci (orbitor), a-ţi lua ochii.

dB abrev. decibel(s) decibel(i).

DC abrev. 1. direct current curent continuu. 2. District of Columbia Districtul Columbia.

DDT abrev. D.D.T. (insecticid).

deacon ['diːkn] s. diacon.

deaconess ['diːkənis] s. bis. diaconeasă.

deactivate [di'æktiveit] vt. chim., tehn. a dezactiva.

dead [ded] I. s.: the ~ morţii; the ~ of night miezul nopţii. II. adj. 1. mort. 2. lipsit de viaţă. 3. stins. 4. total nefolosit. III. adv. 1. complet. 2. întru totul.

deaden ['dedn] vt. 1. a amorţi. 2. a alina. 3. a amortiza.

deadfall ['ded,fɔːl] s. amer. 1. cursă, capcană. 2. arbore (de pădure) căzut din cauza vârstei sau a putreziciunii; grămadă de copaci doborâţi / căzuţi.

deadline ['dedlain] s. 1. limită teritorială; graniţă. 2. linie de delimitare, demarcaţie (a unei închisori, a unui lagăr de prizonieri). 3. econ. termen final. 4. el. linie neutră. 5. fam. termen limită; termen de expirare, scadenţă; soroc.

deadlock ['dedlɔk] s. impas.

deadly ['dedli] adj., adv. 1. mortal, fatal. 2. de moarte.

dead reckoning ['ded'rekəniŋ] s. mar. calcularea / estimarea nautică a distanţelor parcurse.

deaf [def] adj. surd (şi fig.).

deafen ['defn] vt. a asurzi.

deaf-mute ['def'mjuːt] s. 1. surdomut. 2. med. sl. obiect / corp de disecţie.

deafness ['defnis] s. surzenie.

deal [diːl] I. s. 1. cantitate (mare). 2. afacere; târg. 3. învoială; acord. 4. împărţirea cărţilor de joc. 5. scândură de brad. || a great ~ mult; în mare măsură. II. vt. trec. şi part. trec. **dealt** [delt] 1. a împărţi (cărţile). 2. a da (o lovitură). III. vi.trec. şi part. trec. **dealt** [delt]: to ~ with a se ocupa de; a face negoţ cu; a fi în relaţii cu; a trata cu (cineva); to ~ in a face negoţ de / cu.

dealer ['diːlə] s. 1. negustor. 2. jucător care împarte cărţile.

dealing ['diːliŋ] s. 1. atitudine. 2. relaţie. 3. afacere.

dealt [delt] *vt., vi. trec. şi part. trec de la* **deal**.

dean [di:n] *s.* **1.** *rel.* vicar (episcopal); arhimandrit, protopop. **2.** *univ.* decan.

deanery ['di:nəri] *s.* **1.** *bis., univ.* decanat; funcţia de decan *sau* vicar. **2.** *bis.* locuinţa decanului *sau* a vicarului. **3.** *bis.* cerc (protopopesc).

dear ['diə] *s., adj., adv.* scump. || *my* ~ dragul meu; *Dear Sir* stimate domn.

dearie ['diəri] *s. fam.* iubit, drag.

dearly ['diəli] *adv.* **1.** scump. **2.** foarte mult, cu vârf şi îndesat.

dearness ['diənis] *s.* **1.** scumpete. **2.** afecţiune.

dearth [də:θ] *s.* lipsă.

death [deθ] *s.* **1.** moarte. **2.** pricina morţii (*fig.*). **3.** distrugere. **4.** sfârşit. || *to put to* ~ a ucide; *you'll be the* ~ *of me* ai să mă bagi în mormânt.

death's-head ['deθshed] *s.* cap de mort.

deathbed ['deθbed] *s.* **1.** patul morţii. **2.** ceasul morţii.

death blow ['deθblou] *s.* lovitură mortală / fatală, lovitură de graţie (*şi fig.*).

death-darting ['deθ,dɑ:tiŋ] *adj.* aducător de moarte.

death-dealing ['deθ,di:liŋ] *adj.* v. **death-darting**.

deathless ['deθlis] *adj.* nemuritor.

deathlike ['deθlaik] *adj.* ca moartea.

deathly ['deθli] *adj., adv.* **1.** de moarte. **2.** ca moartea.

death-rate ['deθreit] *s.* mortalitate.

deb [deb] *s. amer. fam.* debutantă; tânără care-şi face intrarea în societate.

debâcle [dei'bɑ:kl] *s.* **1.** dezgheţarea unui râu; rupere a albiei unui râu. **2.** dezgheţ; inundaţie; revărsare de ape (*în văile munţilor*). **3.** *fig.* nimicire; prăpăd; cădere (*a guvernului etc.*). **4.** *fig.* fugă (*din cauza panicii*). **5.** *sl.* crah (financiar).

debar [di'bɑ:] *vt.* **1.** a înlătura. **2.** a priva.

debase [di'beis] *vt.* **1.** a coborî. **2.** a înjosi. **3.** a devaloriza. **4.** a strica.

debasement [di'beismənt] *s.* **1.** reducere a valorii / calităţii / purităţii, devalorizare. **2.** înjosire, degradare.

debatable [di'beitəbl] *adj.* **1.** discutabil. **2.** în discuţie.

debate [di'beit] **I.** *s.* **1.** dezbatere. **2.** discuţie **II.** *vt.* **1.** a dezbate. **2.** a discuta.

debater [di'beitə] *s.* argumentator; orator; purtător de cuvânt. || *skilful* ~ creator iscusit; *knife-and-fork* ~ persoană căreia îi place să ţină cuvântări la masă.

debauch [di'bɔ:tʃ] **I.** *s.* desfrâu. **II.** *vt.* a corupe, a strica.

debauchee [,debɔ:'tʃi:] *s.* desfrânat, corupt; libertin, imoral, stricat.

debauchery [di'bɔ:tʃri] *s.* desfrâu.

debenture [,di'bentʃə] *s. econ.* **1.** obligaţiune (*titlu de credit*); obligaţiune a unei societăţi pe acţiuni. **2.** certificat vamal.

debilitate [di'biliteit] *vt.* a debilita, a slăbi (*constituţia, puterile*).

debility [di'biliti] *s.* **1.** debilitate, sănătate şubredă. **2.** neputinţă. **3.** *astr.* slăbire a influenţei unei planete.

debit ['debit] *s.* **1.** debit. **2.** cont debitor.

debonair [,debə'nɛə] *adj.* **1.** vesel. **2.** plăcut. **3.** binevoitor, afabil. **4.** cu inima uşoară.

debouch [di'bautʃ] *vi.* **1.** *mil.* a ieşi în loc deschis. **2.** (*d. un râu*) a ieşi din munţi.

débris ['debri:] *s.* **1.** moloz. **2.** dărâmătură.

debt [det] *s.* datorie (bănească). || *to be in* ~ a fi dator; *to run into* ~ a se îngloda în datorii.

debtor ['detə] *s.* datornic.

debtors' prison ['detəz'prizn] *s.* închisoarea datornicilor.

debunk [di:'bʌŋk] *vt.* **1.** a demasca. **2.** a da (*pe cineva*) de minciună. **3.** a demitiza.

début ['deibu:] *s.* debut.

débutant ['debjutɑ:ŋ] *s.* debutant.

débutante ['debju:tɑ:nt] *s.* debutantă.

decade ['dekeid] *s.* deceniu.

decadence ['dekədns] *s.* decadenţă.

decadent ['dekədənt] **I.** *adj.* decadent; decăzut. **II.** *s.* artist decadent.

decaffeinate [di:'kæfineit] *vt.* a decafeiniza.

decagon ['dekəgən] *s. geom.* decagon.

decagram(me) ['dekəgræm] *s.* decagram.

decalitre ['dekə,li:tə] *s.* decalitru.

Decalogue ['dekələg] *s. rel.* decalogul, cele zece porunci.

decametre ['dekəmi:tə] *s.* decametru.

decamp [di'kæmp] *vi.* **1.** a ridica tabăra. **2.** a pleca; a fugi.

decanal [di'keinl] *adj.* **1.** de decan, decanal. **2.** *bis.* de vicar *sau* arhimandrit.

decant [di'kænt] *vt.* a turna.

decanter [di'kæntə] *s.* garafă.

decapitate [di'kæpiteit] *vt.* a decapita, a tăia capul (*cuiva*).

decapitation [di(:),kæpi'teiʃn] *s.* decapitare, tăierea capului.

decarbonize [di:'kɑ:bənaiz] *vt.* **1.** *chim.* a decarbura. **2.** *geol.* a decarboniza; a decarbonata.

decathlon [di'kæθlɔn] *s. sport* decatlon.

decay [di'kei] **I.** *s.* **1.** putreziciune (*şi fig.*). **2.** stricăciune (*fig.*). **3.** carie. || *to fall into* ~ a decădea. **II.** *vi.* **1.** a se strica. **2.** a slăbi; a decădea. **3.** a putrezi. **4.** a se caria.

decease [di'si:s] **I.** *s.* deces. **II.** *vi.* a deceda.

deceased [di'si:st] **I.** *adj.* decedat, mort. **II.** *s.: the* ~ defunctul, răposatul; morţii, răposaţii.

deceit [di'si:t] *s.* **1.** înşelăciune. **2.** prefăcătorie.

deceitful [di'si:tfl] *adj.* mincinos.

deceitfulness [di'si:tfulnis] *s.* **1.** perfidie, viclenie, şiretenie. **2.** natură înşelătoare.

deceive [di'si:v] **I.** *vt.* **1.** a păcăli; a înşela. **2.** a amăgi; a induce în eroare. **II.** *vi.* a se amăgi singur.

deceiver [di'si:və] *s.* **1.** înşelător. **2.** impostor.

December [di'sembə] *s.* decembrie.

decemvir [di'semvə], *pl.* **decemvirs** [di'semvəz] *sau* **decemviri** [di'semvirai] *s. ist. Romei* decemvir (*unul din cei zece magistraţi ai Romei*).

decency ['di:snsi] *s.* **1.** decenţă; ruşine. **2.** modestie.

decennial [di'seniəl] *adj.* decenal, care se repetă la fiecare zece ani.

decennium [di'seniəm] (*pl.* **decenniums** *sau* **decennia** [di'seniə] *s.* deceniu.

decent ['di:snt] *adv.* **1.** decent; curat. **2.** potrivit; corespunzător. **3.** cumsecade. **4.** bun; de treabă. **5.** satisfăcător.

decently ['di:sntli] *adv.* **1.** cuviincios, decent. **2.** cu modestie. **3.** destul de bine / curat / frumos / amabil / drăguţ.

decentralization [di:,sentrəlai-'zeiʃn] *s.* descentralizare.

decentralize [di:'sentrəlaiz] *vt.* a descentraliza.

deception [di'sepʃn] s. **1.** dezamăgire. **2.** minciună, viclenie. **3.** înşelăciune, impostură. **4.** amăgire.

deceptive [di'septiv] adj. înşelător, amăgitor.

deci- ['desi] (element de compunere) deci-.

decide [di'said] vt., vi. a (se) hotărî.

decided [di'saidid] adj. **1.** hotărât. **2.** clar. **3.** neşovăitor.

decidedly [di'saididli] adv. **1.** hotărât, cu hotărâre. **2.** fără doar şi poate.

deciduous [di'sidjuəs] adj. cu frunze căzătoare.

decigram(me) ['desigræm] s. decigram.

decilitre ['desi,li:tə] s. decilitru.

decimal ['desiml] adj. zecimal.

decimalize ['desiməlaiz] vt. **1.** a transforma în sistem zecimal. **2.** a împărţi cu zece.

decimate ['desimeit] vt. amer. a decima.

decimeter ['desi,mi:tə] s. amer. v. **decimetre**.

decimetre ['desi,mi:tə] s. decimetru.

decipher [di'saifə] vt. a descifra.

decision [di'siʒn] s. **1.** hotărâre. **2.** fermitate. **3.** concluzie.

decisive [di'saisiv] adj. **1.** hotărâtor. **2.** hotărât.

decisively [di'saisivli] adj. decisiv, hotărâtor.

deck [dek] I. s. mar. punte. II. vt. **1.** a împodobi. **2.** a înveseli (fig.).

deck-chair ['dek'tʃɛə] s. şezlong.

declaim [di'kleim] I. vi. **1.** a declama, a recita. **2.** (on) a ţine un discurs declamatoriu (despre). **3.** to ~ against a ataca, a protesta împotriva (cu gen.). II. vt. a declama, a recita (versuri).

declamation [,deklə'meiʃn] s. **1.** declamaţie; stil orator. **2.** cuvântare, declaraţie.

declamatory [di'klæmətəri] adj. **1.** declamator; oratoric. **2.** pompos, bombastic; emfatic, umflat.

declaration [,deklə'reiʃn] s. declaraţie.

declaratory [di'klærətəri] adj. declarativ, explicativ. || ~ of care exprimă (intenţia legiuitorului etc.).

declare [di'klɛə] I. vt. a declara, a proclama; a face cunoscut. II. vi. a (se) declara.

declension [di'klenʃn] s. declinare.

declination [,dekli'neiʃn] s. **1.** deviere, declinare; abatere (şi fig.) **2.** fiz. declinaţie magnetică. **3.** mar., astr. declinaţie. **4.** înclinare. **5.** gram. declinare. **6.** refuz, retragere; antipatie. **7.** înv. declin, decadenţă.

decline [di'klain] I. s. **1.** declin. **2.** slăbire. **3.** oftică. II. vt. **1.** a refuza a respinge. III. vi. **1.** a scădea. **2.** a se micşora. **3.** a slăbi.

declivity [di'kliviti] s. **1.** pantă. **2.** coborâre.

declutch ['di:'klʌtʃ] vi. a debreia.

decoction [di'kokʃn] s. **1.** fierbere în apă a unei buruieni (de leac) / a unei plante medicinale. **2.** decocţie; fiertură medicinală.

decode [di:'koud] vt. a decoda, a descifra.

decoke [di:'kouk] vt. a decocsa.

décolletage [deikol'tɑ:ʒ] s. decolteu.

décolleté [dei'koltei] adj. decoltat.

decompose [,di:kəm'pouz] vt., vi. a (se) descompune.

decomposition [,di:kompə'ziʃn] s. **1.** fiz., chim. descompunere, dezagregare, dezintegrare; analiză. **2.** descompunere, dezagregare, putrezire; ruinare (şi fig.).

decompress [,di:kəm'pres] vt. a decompresa, a diminua presiunea (din, în).

decongestant [di:kən'dʒestnt] s. farm. anticongestiv, medicament care descongestionează.

decontaminate [,di:kən'tæmineit] vt. a decontamina; a degazifica.

décor ['deikɔ:] s. decor (de scenă).

decorate ['dekəreit] vt. **1.** a împodobi. **2.** a zugrăvi (o casă). **3.** a decora.

decoration [,dekə'reiʃn] s. **1.** împodobire. **2.** pavoazare. **3.** podoabă. **4.** decoraţie.

decorative ['dekrətiv] adj. decorativ.

decorator ['dekəreitə] s. **1.** decorator. **2.** zugrav.

decorous ['dekərəs] adj. **1.** decent, cuviincios. **2.** demn. **3.** de bun gust.

decorum [di'kɔ:rəm] s. **1.** decenţă, bună-cuviinţă. **2.** purtare aleasă. **3.** pl. convenienţe.

decoy [di'kɔi] I. s. **1.** momeală. **2.** capcană; cursă (şi fig.). **3.** (fig.) (agent) provocator. II. vt. **1.** a prinde în cursă. **2.** a momi.

decrease[1] ['di:kri:s] s. **1.** scădere; descreştere. **2.** declin. || on the ~ în scădere.

decrease[2] [di'kri:s] vt., vi. **1.** a scădea. **2.** a (se) împuţina.

decree [di'kri:] I. s. decret. II. vt. **1.** a decreta. **2.** a porunci.

decrement ['dekrimənt] s. **1.** descreştere, (grad de) diminuare, micşorare; pierdere. **2.** fiz. decrement. **3.** fig. amortizare, raport de atenuare.

decrepit [di'krepit] adj. **1.** îmbătrânit. **2.** slab.

decrepitude [di'krepitju:d] s. decrepitudine, îmbătrânire, ramolisment.

decretal [di'kri:tl] s. bis. decret, hotărâre papală.

decry [di'krai] vt. **1.** a blama. **2.** a ponegri. **3.** a diminua.

dedicate ['dedikeit] vt. **1.** a consacra. **2.** a dedica, a închina.

dedication [,dedi'keiʃn] s. **1.** dedicaţie. **2.** închinare, dăruire.

dedicatory ['dedikeitəri] adj. dedicatoriu, care constituie o dedicaţie.

deduce [di'dju:s] vt. a deduce; a trage concluzia că.

deducible [di'dju:sibl] adj. deductibil.

deduct [di'dʌkt] vt. a scădea, a reduce.

deduction [di'dʌkʃn] s. **1.** scădere, reducere, rabat. **2.** deducţie; concluzie.

deductive [di'dʌktiv] adj. deductiv, bazat pe deducţie.

deed [di:d] s. **1.** acţiune. **2.** act.

deem [di:m] vt. a crede, a considera.

deep [di:p] I. s. **1.** adânc. **2.** mare, ocean. || in the ~ of winter în toiul iernii. II. adj. **1.** adânc, profund. **2.** (d. sunete) jos, profund. **3.** (d. culori) întunecat. III. adv. în adâncime.

deepen ['di:pn] vt., vi. a (se) adânci.

deep-freeze ['di:p'fri:z] s. congelator.

deep-laid ['di:p'leid] adj. **1.** ascuns, adânc, cu dibăcie. **2.** (d. un plan) urzit în detaliu şi în secret; urzit cu îndemânare.

deep-rooted ['di:p'ru:tid] adj. **1.** adânc înrădăcinat. **2.** înverşunat.

deep-sea ['di:p'si:] adj. de mare

adâncime; de apă adâncă, de mare pescaj; pelagic.

deep-seated ['di:p'si:tid] *adj.* (profund) înrădăcinat.

deep-set ['di:p'set] *adj. (d. ochi)* dus în fundul capului.

deer ['diə] *s. pl.* ~ **1.** cerb. **2.** căprioară.

deerskin ['diəˌskin] *s.* piele de căprioară, antilopă.

deface [di'feis] *vt.* a desfigura.

de facto [di:'fæktou] *adj, adv.* de fapt, într-adevăr.

defalcate ['di:fælkeit] **I.** *vt.* **1.** a defalca, a scădea. **2.** a delapida, a sustrage. **II.** *vi.* a comite fraude, a-şi însuşi un bun încredinţat; a delapida.

defalcation [ˌdi:fæl'keiʃn] *s.* **1.** defalcare. **2.** fraudă, defraudare, delapidare; bani delapidaţi, sumă defraudată.

defamation [ˌdefə'meiʃn] *s.* defăimare, calomnie.

defamatory [di'fæmətri] *adj.* calomnios, defăimător.

defame [di'feim] *vt.* a defăima, a vorbi de rău.

default [di'fɔ:lt] **I.** *s.* **1.** lipsă *(de la o îndatorire).* **2.** neplată *(a unei datorii).* **3.** absenţă. **4.** contumacie. || *match lost by* ~ meci pierdut prin forfait. **II.** *vi.* **1.** a nu îndeplini o obligaţie. **2.** a nu se prezenta la judecată.

defaulter [di'fɔ:ltə] *s.* **1.** *jur.* condamnat *(în contumacie).* **2.** *econ.* falit; persoană care nu-şi onorează iscălitura / care îşi calcă cuvântul. **3.** răufăcător; delapidator. **4.** *mil.* infractor.

defeat [di'fi:t] **I.** *s.* **1.** înfrângere. **2.** eşec. **II.** *vt.* **1.** a înfrânge, a învinge, a bate. **2.** a nimici.

defeatism [di'fi:tizəm] *s.* defetism; pesimism.

defecate ['defikeit] **I.** *vt.* **1.** *chim.* a defeca, a curăţa *(de sedimente),* a purifica. **2.** *fig.* a curăţa *(de păcate).* **II.** *vi.* **1.** *chim.* a se limpezi, a se curăţa *(de sedimente).* **2.** *med.* a defeca, a avea scaun.

defect I. *s.* ['di:fekt] **1.** defect. **2.** lipsă. **II.** *vt.* [di'fekt] **1.** a dezerta (la inamic). **2.** (**abroad**) a-şi părăsi ţara, a cere azil politic.

defection [di'fekʃn] *s.* **1.** dezertare *(de la o datorie de onoare faţă de conducător / partid).* **2.** (**from**) defecţiune, retragere *(de la, din faţa)* **3.** necredinţă, nelealitate.

defective [di'fektiv] *adj.* **1.** deficient. **2.** incomplet, lacunar. **3.** greşit. **4.** *gram.* defectiv.

defence [di'fens] *s.* **1.** apărare; protecţie. **2.** pledoarie.

defenceless [di'fenslis] *adj.* **1.** fără apărare. **2.** neajutorat.

defenceless [di'fenslis] *adj.* **1.** lipsit de apărare, fără apărare; neînarmat. **2.** *mil.(d. un loc)* deschis, neîntărit.

defend [di'fend] *vt.* **1.** a apăra; a ocroti. **2.** a pleda pentru.

defendant [di'fendənt] *s.* pârât; acuzat.

defender [di'fendə] *s.* apărător.

defense [di'fens] *s.* *amer.* v. **defence**.

defensible [di'fensibl] *adj.* **1.** *mil.* uşor de apărat. **2.** uşor de susţinut. **3.** defensibil.

defensive [di'fensiv] **I.** *s.* defensivă; apărare. **II.** *adj.* defensiv; de apărare.

defer [di'fə:] **I.** *vt.* a amâna. **II.** *vi.* a ceda.|| *to* ~ *to* a face o concesie *(cuiva).*

deference ['defrns] *s.* **1.** respect. **2.** cedare. **3.** ascultare. || *in* ~ *to* ascultând de; din respect pentru.

deferential [ˌdefə'renʃl] *adj.* **1.** respectuos. **2.** ascultător.

defiance [di'faiəns] *s.* **1.** provocare *(la război, la discuţie).* **2.** atitudine sfidătoare, sfidare; nesupunere făţişă. **3.** încălcare. || *to bid* ~ *to* sau *set at* ~ a nesocoti, a sfida; *in*~ *of* în ciuda / pofida *(cu gen.)*; sfidând; *to live in open* ~ *with smb.* a trăi în duşmănie făţişă cu cineva. || *in* ~ *of* în ciuda *(cu gen.).*

defiant [di'faiənt] *adj.* **1.** sfidător. **2.** îndrăzneţ.

defiantly [di'faiəntli] *adv.* **1.** provocator, sfidător. **2.** bănuitor, neîncrezător.

deficiency [di'fiʃnsi] *s.* **1.** lipsă. **2.** deficienţă. **3.** deficit.

deficient [di'fiʃnt] *adj.* **1.** incomplet. **2.** deficient.

deficit ['defisit] *s.* deficit.

defile[1] [di'fail] *vt.* **1.** a pângări, a profana. **2.** a spurca. **3.** a murdări.

defile[2] **I.** [di'fail] *vi. (d. armată)* a defila. **II.** ['di:fail] *s.* defileu, trecătoare.

defilement [di'failmənt] *s.* **1.** murdărire. **2.** pângărire, profanare. **3.** corupere, pervertire, depravare, seducere.

define [di'fain] *vt.* **1.** a defini. **2.** a descrie. **3.** a explica.

definite ['definit] *adj.* **1.** hotărât. **2.** clar, precis, definit.

definitely ['definitli] *adv.* **1.** fără doar şi poate. **2.** (în mod) precis, clar.

definition [ˌdefi'niʃn] *s.* **1.** definiţie. **2.** definire.

definitive [di'finitiv] *adj.* **1.** definitiv. **2.** hotărâtor.

deflate [di'fleit] *vt.* **1.** a dezumfla. **2.** a reduce.

deflation [di'fleiʃn] *s.* **1.** dezumflare, scoatere *(a aerului, a gazelor).* **2.** *econ.* deflaţie.

deflect [di'flekt] *vt., vi.* a (se) abate.

deflection [di'flekʃn] *s.* **1.** deflecţie, abatere; deviaţie *(a acului magnetic etc.);* elongaţie, îndoire, strâmbare. **2.** *fig.* abatere, deviere. **3.** *fiz.* refracţie. **4.** *mil.* determinare a devierii la tirul în unghi orizontal *(pentru reglare, rectificare).* **5.** elasticitate. **6.** *av.* bracare. **7.** *mar.* derivă. **8.** *mine., el.* deflexie, deviaţie. **9.** *text.* deflectare. **10.** *auto.* îndoire a arcului.

deflower [di:'flauə] *vt.* **1.** a rupe florile de pe *(o plantă etc.).* **2.** a deflora, a dezvirgina.

defoliate [di:'foulieit] **I.** *vt.* a desfrunzi, a desfolia. **II.** *adj.* desfrunzit.

deforest [di(:)'fɔrist] *vt.* a despăduri *(o regiune),* a defrişa *(o pădure).*

deform [di'fɔ:m] *vt.* **1.** a deforma. **2.** a poci.

deformed [di'fɔ:md] *adj.* **1.** diform, slut, pocit. **2.** scârbos, respingător.

deformity [di'fɔ:miti] *s.* **1.** diformitate. **2.** anomalie.

defraud [di'frɔ:d] *vt.* **1.** a înşela; a amăgi, a escroca. **2.** a defrauda, a delapida.

defray [di'frei] *vt.* a achita costul *(cu gen.),* a deconta.

defrost ['di:'frɔst] *vt.* **1.** a dezgheţa; a decongela *(carnea congelată),* a pune la dezgheţat *(un frigider).* **2.** a dejivra *(şi auto).*

deft [deft] *adj.* abil, îndemânatic.

deftly ['deftli] *adv.* cu îndemânare, cu abilitate, cu dibăcie.

deftness ['deftnis] *s.* îndemânare, dibăcie, iuţeală, abilitate.

defunct [di'fʌŋkt] **I.** *adj.* **1.** defunct, răposat. **2.** trecut, perimat. **II.** *s.* *the* ~ răposatul.

defuse [di:'fju:z] *vt.* a dezamorsa, a scoate focosul *(unei bombe etc.)*; a diminua pericolul.

defy [di'fai] *vt.* **1.** a sfida. **2.** a înfrunta. **3.** a da piept cu. **4.** a contrazice. **5.** a nu se supune la; a încălca. **6.** a învinge.

degenerate[1] [di'dʒenrit] *adj.* **1.** degenerat. **2.** decăzut. **3.** înrăutăţit.

degenerate[2] [di'dʒenəreit] *vi.* **1.** a degenera. **2.** a decădea.

degeneration [di,dʒenə'reiʃn] *s.* degenerare; *med.* dezintegrare morbidă a ţesutului. || *med. fatty ~ of heart* degenerescenţă grasă a inimii.

degradation [,degrə'deiʃn] *s.* **1.** degradare. **2.** decădere.

degrade [di'greid] *vt.* **1.** a degrada. **2.** a strica.

degrading [di'greidiŋ] *adj.* degradant, ruşinos, umilitor.

degree [di'gri:] *s.* **1.** grad. **2.** rang. **3.** titlu. **4.** măsură *(fig.)*. || *by ~s* treptat; încet; *to a certain ~* în oarecare măsură.

dehiscent [di'hisnt] *adj. bot. (d. capsula cu seminţe)* dehiscent, care se deschide.

dehumanize [di:'hju:mənaiz] *vt.* a dezumaniza, a abrutiza.

dehydrate [di:'haidreit] *vt. chim.* a deshidrata.

deice [di:'ais] *vt. av., auto.* a dejivra.

deification [,di:ifi'keiʃn] *s.* **1.** deificare, zeificare, divinizare, îndumnezeire; apoteoză. **2.** *fig.* divinizare.

deify ['di:ifai] *vt.* **1.** a deifica. **2.** a venera.

deign [dein] *vt., vi.* a condescinde (să); a catadicsi (să).

deism ['di:izəm] *s. rel.* deism.

deist ['di:ist] *s. rel.* deist.

deity ['di:iti] *s.* zeitate.

déja vu ['deiʒɑ:'vu:] **I.** *s.* iluzie de a mai fi trăit odată o situaţie prezentă, paramnezie. **II.** *adj.* deja văzut, (bine)cunoscut, banal(izat), demodat.

deject [di'dʒekt] *vt.* a deprima, a mâhni; a demobiliza.

dejected [di'dʒektid] *adj.* **1.** trist. **2.** deprimat. **3.** sumbru.

dejection [di'dʒekʃn] *s.* **1.** tristeţe. **2.** deprimare.

delay [di'lei] **I.** *s.* **1.** întârziere. **2.** răgaz. **II.** *vt.* **1.** a întârzia. **2.** a amâna. **III.** *vi.* **1.** a zăbovi, a întârzia. **2.** a merge încet; a lâncezi.

delectable [di'lektəbl] *adj.* agreabil.

delectation [,di:lek'teiʃn] *s.* delectare, desfătare.

delegacy ['deligəsi] *s.* **1.** deputăţie. **2.** delegare. **3.** mandat, procură *(a delegatului)*.

delegate[1] ['deligit] *s.* delegat.

delegate[2] ['deligeit] *vt.* **1.** a delega. **2.** a încredinţa.

delegation [,deli'geiʃn] *s.* **1.** delegaţie. **2.** delegare.

delete [di'li:t] *vt. tipo., cib.* a şterge *(cuvinte, litere, semne)*.

deleterious [,deli'tiəriəs] *adj. rar* pernicios, dăunător *(pentru sănătate şi moral)*.

deletion [di'li:ʃn] *s. tipo. cib.* **1.** ştergere *(a unor cuvinte, litere, semne)*. **2.** ştersătură.

delf(t) [delf(t)] *s.* delft, faianţă, ceramică smălţuită *(fabricată la Delft, în Olanda)*.

deliberate[1] [di'librit] *adj.* **1.** intenţionat. **2.** bine chibzuit.

deliberate[2] [di'libəreit] *vt., vi.* **1.** a delibera. **2.** a (se) consulta.

deliberately [di'libritli] *adv.* **1.** anume, intenţionat. **2.** încet, cu grijă.

deliberation [di,libə'reiʃn] *s.* **1.** chibzuială; grijă. **2.** înceti-neală. **3.** intenţie. **4.** dezbatere, deliberare.

deliberative [di'libərətiv] *adj.* **1.** *(d. vot)* deliberativ. **2.** intenţionat, voit.

delicacy ['delikəsi] *s.* **1.** delicateţe. **2.** fineţe. **3.** caracter firav; slăbiciune. **4.** delicatese, trufanda.

delicate ['delikit] *adj.* **1.** delicat. **2.** fin. **3.** firav. **4.** politicos. **5.** dificil, mofturos.

delicate-looking ['delikit,lukiŋ] *adj.* plăpând.

delicately ['delikeitli] *adv.* delicat.

delicatessen [,delikə'tesn] *s. pl.* **1.** delicatese; preparate culinare. **2.** magazin de delicatese / alimente.

delicious [di'liʃəs] *adj.* delicios.

delight [di'lait] **I.** *s.* **1.** încântare; plăcere. **2.** bucurie. || *to take ~ in* a savura; a se complăcea în. **II.** *vt.* **1.** a încânta. **2.** a vrăji *(fig.)*. **III.** *vi.:* *to ~ in* a-i plăcea să; a savura.

delighted [di'laitid] *adj.* **1.** încântat; fermecat. **2.** *înv.* v. **delightful.**

delightful [di'laitfl] *adj.* încân-tător, delicios, care te răsfaţă.

delimit [di'limit] *vt.* a delimita.

delimitation [di,limi'teiʃn] *s.* delimitare, demarcare.

delineate [di'linieit] *vt.* **1.** a descrie. **2.** a desena.

delineation [di,lini'eiʃn] *s.* **1.** schiţă; plan; studiu; traseu. **2.** descriere, zugrăvire. **3.** *mat.* delimitare.

delinquency [di'liŋkwənsi] *s.* **1.** criminalitate; delincvenţă. **2.** neglijenţă (criminală).

delinquent [di'liŋkwənt] *s.* delincvent.

deliquesce [,deli'kwes] *vi.* **1.** *chim.* a se lichefia, a se topi. **2.** *fig.* a se mistui.

delirious [di'liriəs] *adj.* **1.** *med.* cu febră mare. **2.** delirant, în delir.

delirium [di'liriəm] *s.* **1.** *med.* delir. **2.** extaz.

deliver [di'livə] **I.** *vt.* **1.** a furniza. **2.** a oferi; a da. **3.** a transporta. **4.** a preda. **5.** a elibera; a izbăvi. **6.** a da *(o lovitură)*. **7.** a rosti, a ţine *(un discurs etc.)*; a prezenta *(un raport etc.)*. **II.** *vr.* a se preda.

deliverance [di'livrns] *s.* **1.** eliberare; izbăvire. **2.** declaraţie.

deliverer [di'livərə] *s.* **1.** mântuitor, izbăvitor, salvator. **2.** povestitor.

delivery [di'livri] **1.** predare. **2.** furnitură. **3.** transport. **4.** rostire. **5.** dicţiune. **6.** oratorie.

dell [del] *s.* vâlcea.

delphinium [del'finiəm] *s. bot.* nemţişor *(Delphinium elatum)*.

delta ['deltə] *s.* deltă.

delude [di'lu:d] *vt.* a înşela.

deluge ['delju:dʒ] **I.** *s.* potop *(şi fig.)*. **II.** *vt.* **1.** a inunda. **2.** a covârşi.

delusion [di'lu:ʒn] *s.* **1.** înşelare. **2.** iluzie.

delusive [di'lu:siv] *adj.* **1.** amăgitor, înşelător. **2.** iluzoriu.

de luxe [də'lʌks] *adj.* de lux, somptuos.

delve [delv] *vt., vi.* **1.** a săpa. **2.** a cerceta.

delver ['delvə] *s.* săpător.

demagnetize ['di:'mægnitaiz] *vt.* **1.** *el.* a demagnetiza. **2.** a trezi din somnul magnetic.

demagogue ['deməgog] *s.* demagog.

demagoguery ['demə,gogəri] *s.* v. **demagogy.**

demagogy ['deməgogi] *s.* demagogie.

demand [di'mɑːnd] I. s. 1. cerere. 2. pretenţie. 3. revendicare. 4. necesitate. || on ~ la cerere; in great ~ foarte căutat. II. vt. a cere (imperios), a revendica.

demarcation [ˌdiːmɑː'keiʃn] s. demarcaţie.

demean [di'miːn] vr. 1. a condescinde. 2. a se coborî (fig).

demeanour [di'miːnə] s. comportare, purtare.

demented [di'mentid] adj. 1. nebun. 2. înnebunit.

dementia [di'menʃiə] s. med. demenţă, nebunie.

demerara [deməˈrɛərə] s. zahăr brun, nerafinat.

demerit [diː'merit] s. 1. lipsă, defect. 2. vină.

demesne [di'meiɲ] s. 1. stăpânire (a proprietăţii funciare). 2. moşie nedată în arendă. 3. grădină, parc (pe lângă casă). 4. fig. domeniu / sferă de activitate.

demigod ['demigɔd] s. mit. şi fig. semizeu.

demijohn ['demidʒɔn] s. damigeană.

demilitarize [ˌdiː'militiraiz] vt. a demilitariza.

demi-monde ['demi'mɔnd] s. lume a femeilor declasate.

demise [di'maiz] I. vt. jur. 1. a transmite prin testament; a arenda (avere). 2. a transmite (un titlu nobiliar etc.) prin deces sau abdicare. II. s. 1. transmitere a averii prin moştenire; arendare. 2. transmitere a titlului prin deces sau abdicare. 3. rar deces (al unui rege).

demisemiquaver ['demi'semi ˌkweivə] s. muz. treizecidoime.

demist [diː'mist] vt. a şterge aburul de pe un geam etc.

demo ['demou] s. fam. demonstraţie.

demobilization [diːˌmoubilai'zeiʃn] s. demobilizare.

demobilize [diː'moubilaiz] vt. a demobiliza.

democracy [di'mɔkrəsi] s. democraţie.

democrat ['demɔkræt] s. democrat.

democratic [ˌdemə'krætik] adj. 1. democratic. 2. democrat.

democratize [di'mɔkrətaiz] I. vt. a democratiza. II. vi. a se democratiza.

demography [diː'mɔgrəfi] s. demografie.

demoiselle [ˌdemwɑː'zel] s. 1. înv. fată; domnişoară. 2. ornit. cocorul-mic (Anthropoides virgo). 3. entom. libelulă, calul-dracului (Libellula).

demolish [di'mɔliʃ] vt. 1. a dărâma, a demola. 2. a distruge. 3. a consuma.

demolition [ˌdemə'liʃn] s. 1. dărâmare. 2. ruină. 3. demolare.

demon ['diːmən] s. demon.

demoniac [di'mouniæk], **demoniacal** [diːmə'naiəkl] adj. 1. apucat, posedat. 2. demoniac, diabolic; feroce, monstruos.

demonology [ˌdiːmə'nɔlədʒi] s. demonologie.

demonstrable ['demɔnstrəbl] adj. 1. demonstrabil, care se poate arăta / dovedi. 2. înv. evident, vădit, clar.

demonstrate ['demənstreit] vt., vi. 1. a demonstra. 2. a manifesta.

demonstration [ˌdeməns'treiʃn] s. 1. demonstraţie. 2. demonstrare. 3. manifestaţie.

demonstrative [di'mɔnstrətiv] adj. 1. demonstrativ. 2. expansiv. 3. vizibil, manifest.

demonstrator ['demənstreitə] s. 1. demonstrant, participant la manifestaţie. 2. asistent al unui profesor de ştiinţe. 3. deget arătător.

demoralization [diˌmɔrəlai'zeiʃn] s. demoralizare, descurajare.

demoralize [di'mɔrəlaiz] vt. 1. a demoraliza. 2. a slăbi.

demote [di'mout] vt. mil. fig. a retrograda.

demotic [di(ː)'mɔtik] adj. 1. popular. 2. (d. scrierea egipteană veche) demotic, în formă populară.

demur [di'mə:] I. s. 1. obiecţie. 2. ezitare. II. vi. 1. a obiecta. 2. a şovăi.

demure [di'mjuə] adj. 1. rezervat, sfios. 2. serios, cuminte. 3. prefăcut, fals, ipocrit, de mironosiţă.

demurely [di'mjuə:li] adv. 1. rezervat; cu răceală, rece. 2. cu o sfială / modestie afectată; prefăcut, ipocrit, ca o mironosiţă.

den [den] s. 1. vizuină. 2. tavernă. 3. speluncă.

denarius [di'nɛəriəs] s. ist. fin. dinar (monedă de argint din vechea Romă).

denary ['diːnəri] adj. zecimal.

denationalize [diː'næʃənəlaiz] vt. a deznaţionaliza.

denature [diː'neitʃə] vt. a denatura, a falsifica (ceaiul, spirtul etc.).

denial [di'nail] s. 1. negare. 2. refuz.

denier ['deniə] s. text. denier.

denigrate ['denigreit] vt. a denigra, a calomnia, a bârfi.

denim ['denim] s. text. dril.

denizen ['denizn] s. 1. locuitor, oaspete (al pădurii etc.). 2. poet. cetăţean.

denominate I. [di'nɔmineit] vt. a denumi, a numi. II. [di'nɔminit] adj. mat. concret.

denomination [diˌnɔmi'neiʃn] s. 1. nume; numire. 2. categorie. 3. unitate (de măsură). 4. rel. sectă, confesiune.

denominational [di'nɔmi'neiʃnəl] adj. (d. educaţie) confesional, sectar.

denominationalism [diˌnɔmi'neiʃnəlizəm] s. spirit de sectă; sectarism.

denominator [di'nɔmineitə] s. mat. numitor (al unei fracţii).

denote [di'nout] vt. 1. a indica. 2. a desemna.

dénouement [dei'nuːmɑːŋ] s. 1. lit., teatru deznodământ. 2. încheiere, epilog.

denounce [di'nauns] vt. 1. a denunţa; a demasca. 2. a învinui, a înfiera. 3. a denunţa (un tratat, un armistiţiu). 4. înv. a profetiza, a proroci (nenorociri).

dense [dens] adj. 1. dens. 2. des; gros. 3. înţepat. 4. fig. greu de cap, prostovan.

densely [densli] adv. dens; compact. || ~ populated area regiune (dens) populată, regiune cu populaţie densă / compactă; ~ wooded country ţinut (bogat) împădurit.

density ['densti] s. densitate.

dent [dent] I. s. tehn. dinte, colţ, zimţ; crestătură; urmă de lovitură. II. vt. a dinţa, a cresta.

dental ['dentl] I. adj. 1. dentar, dental. 2. dentistic. II. s. fon. consoană dentală.

dentate ['denteit] adj. dinţat, zimţat.

dentifrice ['dentifris] s. praf de dinţi; pastă de dinţi.

dentine ['dentiːn] s. anat. dentină.

dentist ['dentist] s. dentist.

dentistry ['dentistri] s. dentistică.

dentition [den'tiʃn] s. 1. dentiţie, creştere a dinţilor. 2. dantură.

denture ['dentʃə] s. 1. dentiţie, dantură. 2. proteză dentară.

denudation [‚di:nju(:)'deiʃn] s. **1.** dezgolire, dezvelire, dezbrăcare, descoperire. **2.** deposedare. **3.** geol. denudare, dezgolire, afloriment. **4.** despădurire. **5.** bot. degarnisire.

denude [di'nju:d] vt. **1.** a dezgoli. **2.** a priva.

denunciation [di‚nʌnsi'eiʃn] s. **1.** denunțare. **2.** denunț.

deny [di'nai] vt. **1.** a nega. **2.** a refuza; a nu acorda. **3.** a renega.

deodorant [di:'oudərnt] adj., s. dezodorizant, dezinfectant.

deodorize [di:'oudəraiz] vt. a dezodoriza, a îndepărta mirosul din (cu gen.), a dezinfecta.

deoxyribonucleic acid ['di‚oksiraibounju:'kli:ik'æsid] s. biol. acid dezoxiribonucleic, ADN.

depart [di'pɑ:t] vi. **1.** a pleca. **2.** a se abate. **3.** a răposa. || the (dear) ~ed răposatul; răposații.

departed [di'pɑ:tid] **I.** adj.înv. poet. trecut, apus, de altădată. **II.** s. the ~ răposatul; răposații.

department [di'pɑ:tmənt] s. **1.** departament. **2.** minister. **3.** despărțitură. **4.** facultate; secție, catedră.

departmental [‚di:pɑ:t'mentl] adj. **1.** departamental, regional. **2.** (d. magazine etc.) împărțit pe branșe / pe specialități. **3.** ministerial.

department store [di'pɑ:tmənt stɔ:] s. magazin universal.

departure [di'pɑ:tʃə] s. **1.** plecare. **2.** cotitură. **3.** abatere. **4.** schimbare.

depend [di'pend] vi. **1.** a se bizui. **2.** a se încrede. **3.** a depinde. || you may ~ upon it poți să fii sigur de asta; it all ~s cine știe? depinde!

dependability [di‚pendə'biliti] s. încredere (pe care o inspiră cineva sau ceva).

dependable [di'pendəbl] adj. de nădejde.

dependant adj., [di'pendənt] s. v. **dependent**.

dependence [di'pendəns] s. **1.** dependență. **2.** încredere.

dependency [di'pendənsi] s. colonie, posesiune.

dependent [di'pendənt] **I.** s. întreținut, persoană dependentă de cineva. **II.** adj. **1.** dependent. **2.** subordonat.

depict [di'pikt] vt. a descrie.

depiction [di'pikʃn] s. **1.** tablou, pictură. **2.** fig. descriere, zugrăvire, evocare.

depilate ['depileit] vt. **1.** a (d)epila. **2.** a sărăci, a epuiza (resursele).

depilatory [di'pilətəri] **I.** adj. (d)epilator. **II.** s. (d)epilator, substanță (d)epilatoare.

deplete [di'pli:t] vt. **1.** a goli. **2.** a sărăci, a epuiza (resursele).

depletion [di(:)'pli:ʃn] s. **1.** golire, epuizare, istovire. **2.** med. evacuare / curățire a intestinelor; sângerare, luare de sânge.

deplorable [di'plɔ:rəbl] adj. deplorabil, jalnic, lamentabil, regretabil.

deplore [di'plɔ:] vt. a deplânge.

deploy [di'plɔi] **I.** s. desfășurare. **II.** vt., vi. a (se) desfășura.

deponent [di'pounənt] **I.** s. **1.** jur. martor, deponent. **2.** gram. verb deponent (pasiv ca formă, activ ca sens). **II.** adj. gram. deponent.

depopulate [di:'pɔpjuleit] **I.** vt. a depopula, a reduce populația. **II.** vi. rar a se depopula.

depopulation [di:‚pɔpju'leiʃn] s. despopulare.

deport [di'pɔ:t] **I.** vt. a deporta. **II.** vr. a se purta.

deportation [‚di:pɔ'teiʃn] s. deportare.

deportment [di'pɔ:tmənt] s. **1.** comportament, purtare, conduită, maniere. **2.** ținută, înfățișare. **3.** chim. acțiune (a unui metal).

depose [di'pouz] vt. **1.** a demite; a răsturna (de la putere). **2.** a debarca. **3.** a detrona. **4.** a depune (mărturie).

deposit [di'pɔzit] **I.** s. **1.** depunere. **2.** (geol., fin.) depozit. **3.** zăcăminte. **4.** garanție; acont. **II.** vt. **1.** a depune. **2.** a depozita. **3.** a plăti ca acont sau garanție.

depositary [di'pɔzitəri] s. econ. **1.** depozitar, consemnatar. **2.** magazie, depozit.

deposition [‚depə'ziʃn] s. **1.** depunere. **2.** răsturnare de la putere. **3.** depoziție.

depositor [di'pɔzitə] s. depunător.

depot ['depou] s. **1.** depozit. **2.** depou. **3.** amer. ['di:pou] gară.

depository [di'pɔzitəri] s. magazie, depozit, antrepozit.

|| fig. he is a ~ of learning e tobă de carte / de învățătură, e o enciclopedie.

deprave [di'preiv] **I.** vt. a deprava, a perverti, a corupe, a strica. **II.** vr. a se destrăbăla.

depraved [di'preivd] adj. depravat, stricat, destrăbălat.

depravity [di'præviti] s. **1.** depravare, viciu. **2.** ticăloșie.

deprecate ['deprikeit] vt. a dezaproba.

depreciate [di'pri:ʃieit] **I.** vt. a deprecia, a scădea valoarea (cu gen.). **2.** a înjosi, a discredita, a denigra. **II.** vi. a se deprecia, a scădea în valoare.

depreciation [di‚pri:ʃi'eiʃn] s. **1.** depreciere. **2.** econ. devalorizare; depreciere; amortizare. **3.** econ. redusă pentru deteriorare (prevăzută în bilanț, evaluare etc.). **4.** disprețuire, neglijare. **5.** uzură.

depreciatory [di'pri:ʃiətəri] adj. depreciator, depreciativ.

depredation [‚depri'deiʃn] s. **1.** jaf, prădăciune. **2.** pl. ravagii, pustiire.

depress [di'pres] vt. **1.** a deprima. **2.** a apăsa. **3.** a slăbi.

depressant [di'presnt] **I.** adj. **1.** deprimant. **2.** sedativ, calmant. **II.** s. med. sedativ, calmant.

depressed [di'prest] adj. **1.** lăsat în jos. **2.** econ. în stagnare, lipsit de animație. **3.** abătut, deprimat, indispus.

depression [di'preʃn] s. depresiune.

depressive [di'presiv] adj. **1.** deprimant. **2.** psih. depresiv.

deprivation [‚depri'veiʃn] **1.** (of) lipsire, deposedare (de). **2.** destituire (mai ales dintr-o funcție bisericească). **3.** pierdere.

deprive [di'praiv] vt. (of) a priva, a lipsi (de).

dept. abrev. department **1.** departament.

depth [depθ] s. **1.** adâncime. **2.** profunzime. **3.** înțelepciune. **4.** adânc. **5.** toi (al iernii etc.). || he is out of his ~ e în apă prea adâncă; fig. se simte depășit; nu e în domeniul lui; nu se simte la largul lui.

deputation [‚depju'teiʃn] s. delegație.

depute [di'pju:t] vt. **1.** a delega, a împuternici. **2.** a transmite puterea (cuiva).

deputize ['depjutaiz] I. vt. 1. a delega, a împuternici, a mandata. 2. a alege deputat (cu acuz.). II. vi. 1. (for) a reprezenta (pe cineva). 2. muz., teatru a dubla, a înlocui (pe cineva). 3. a fi numit ca deputat.

deputy ['depjuti] s. 1. adjunct. 2. delegat. 3. deputat (nu în lumea anglo-saxonă).

derail [di'reil] vt. a face să deraieze.

derange [di'reindʒ] vt. 1. a deranja. 2. a tulbura.

derangement [di'reindʒmənt] s. 1. deranjament. 2. nebunie. 3. deranj.

Derby, derby ['dɑːbi] s. 1. derbi. 2. amer. gambetă, pălărie melon.

derelict ['derilikt] adj. 1. părăsit. 2. părăginit.

dereliction [,deri'likʃn] s. 1. părăsire, abandon(are). 2. călcare, lipsă. 3. omitere, scăpare. 4. retragere a mării descoperind un uscat nou; aluviune marină.

deride [di'raid] vt. a-şi râde de, a ridiculiza, a zeflemisi.

derision [di'riʒn] s. batjocură.

derisive [di'raisiv] adj. batjocoritor.

derisively [di'raisivli] adv. batjocoritor, ironic, în batjocură.

derisory [di'raisəri] adj. batjocoritor; ironic.

derivation [,deri'veiʃn] s. 1. derivare. 2. origine.

derivative [di'rivətiv] s. derivat.

derive [di'raiv] I. vt. a obţine. II. vi. 1. a proveni. 2. a decurge.

dermatitis [,dɑːmə'taitis] s. med. dermatită.

dermatologist [,dɑːmə'tɔlədʒist] s. 1. med. dermatolog, specialist în boli de piele. 2. fam. pielar.

dermatology [,dɑːmə'tɔlədʒi] s. dermatologie.

derogate ['derəgeit] vi.: to ~ from a micşora, a diminua; a ştirbi (fig.).

derogation [,derə'geiʃn] s. 1. derogare, înjosire. 2. slăbire, reducere, ştirbire. 3. micşorare (a demnităţii etc.); detracţiune, discreditare. || it is said on ~ of his character aceasta se spune pentru a-l discredita.

derogatory [di'rɔgətri] adj. 1. nefavorabil. 2. înjositor. 3. insultător. 4. peiorativ.

derrick ['derik] s. 1. macara. 2. (turlă de) sondă.

derris ['deris] s. insecticid din rădăcina plantelor din genul Derris.

derv [dɔːv] s. motorină pentru vehicule de mare tonaj.

dervish ['dɔːviʃ] s. derviş.

descant I. [dis'kænt] vi. 1. a cânta (mai ales cu voce de soprană), a face variaţiuni sau triluri. 2. to ~ upon a perora despre, a vorbi mult despre. II.['deskænt] s. 1. cântec, melodie. 2. muz. soprano; variaţiuni; triluri; înv. melodie, armonie. 3. comentariu, observaţie.

descend [di'send] I. vt. a coborî. || to be ~ed from a person a se trage din cineva. II. vi. 1. a coborî. 2. a se trage. || to ~ upon a ataca; a se năpusti asupra (cu gen.).

descendant [di'sendənt] s. 1. urmaş. 2. descendent.

descent [di'sent] s. 1. coborâre. 2. origine. 3. genealogie. 4. invazie. 5. atac.

describe [dis'kraib] vt. 1. a înfăţişa; a prezenta. 2. a descrie. 3. a desena.

description [dis'kripʃn] s. 1. descriere. 2. relatare. 3. portret. 4. fel, gen. || of all ~s de tot soiul, de toate felurile.

descriptive [dis'kriptiv] adj. descriptiv; figurativ; demonstrativ. || ~ of care descrie / zugrăveşte.

descry [dis'krai] vt. a discerne, a zări.

desecrate ['desikreit] vt. 1. a lua (cuiva) darul preoţiei; a lipsi de caracterul sacru. 2. a profana, a pângări, a spurca (cele sfinte).

desecration [,desi'kreiʃn] s. profanare, pângărire, spurcare.

deserter [di'zɔːtə] s. dezertor.

desert[1] ['dezət] s., adj. pustiu.

desert[2] [di'zət] I. s. 1. merit. 2. răsplată. || pop. to give smb. his ~s a snopi pe cineva. II. vt. 1. a părăsi, a abandona. 2. a părăsi la nevoie, a lăsa la ananghie. III. vi. a dezerta.

desertion [di'zɔːʃn] s. 1. dezertare. 2. părăsire, abandon(are).

deserve [di'zɔːv] vt. 1. a merita. 2. a câştiga prin trudă.

deservedly [di'zɔːvidli] adv. pe merit, pe bună dreptate.

deserving [di'zɔːviŋ] adj. merituos, meritoriu. || to be more ~ than lucky a fi mai

puţin norocos decât (o) merită; ~ of (smth.) care merită, meritând, vrednic de (ceva); ~ of a better cause demn de o cauză mai bună; to be ~ of a merita, a fi vrednic de.

desiccate ['desikeit] vt. 1. a usca. 2. a deshidrata.

desideratum [dizidə'retəm] pl. **desiderata** [dizidə'retə] s. 1. deziderat, cerinţă. 2. pl. dorinţe.

design [di'zain] I. s. 1. desen. 2. schiţă. 3. plan. 4. proiect. 5. machetă. 6. alcătuire generală. 7. intenţie. II. vt. 1. a desena. 2. a desemna. 3. a alege. 4. a repartiza. 5. a proiecta. 6. a schiţa.

designate I. ['dezigneit] vt. 1. a desemna, a dezigna, a specifica, a însemna. 2. a denumi. 3. a descrie. 4. a numi (în funcţie, în slujbă); a desemna (drept candidat). II. ['dezignit] adj. (se pune după substantiv) numit, dar neinstalat (în funcţie).

designation [,dezig'neiʃn] s. numire.

designedly [di'zainidli] adv. dinadins, cu premeditare.

designer [di'zainə] s. 1. desenator. 2. proiectant.

designing [di'zainiŋ] I. s. 1. proiectare. 2. desen. II. adj. 1. viclean. 2. intrigant.

desirability [di,zaiərə'biliti] s. faptul de a fi dezirabil / de a fi dorit; atracţie; avantaj (al unei linii de conduită).

desirable [di'zaiərəbl] adj. 1. de dorit. 2. dezirabil.

desire [di'zaiə] I. s. 1. dorinţă, poftă. 2. cerere. 3. ţintă. II. vt. a dori; a cere.

desirous [di'zaiərəs] adj. (of) doritor, dornic (de).

desist [di'zist] vi.: to ~ from a înceta, a se lăsa de, a renunţa la.

desk [desk] s. 1. pupitru. 2. birou. 3. catedră. 4. com. casă.

desolate[1] ['desəlit] adj. pustiu. 2. părăsit. 3. izolat. 4. nenorocit. 5. deznădăjduit.

desolate[2] ['desəleit] vt. 1. a pustii. 2. a devasta. 3. fig. a întrista.

desolation [,desə'leiʃn] s. 1. pustiire. 2. dezolare. 3. tristeţe. 4. mizerie.

despair [dis'pɛə] I. s. 1. deznădejde, disperare. 2. chin.

II. *vi.* **1.** a fi deznădăjduit. **2.** a-şi pierde speranţa, a dispera.

despatch [dis'pætʃ] *s., vt.* v. **dispatch**.

desperado [,despə'rɑːdou] *s.* **1.** om nesăbuit, în stare de orice. **2.** scelerat; criminal, ucigaş.

desperate ['desprit] *adj.* **1.** desperat. **2.** fără speranţă. **3.** imprudent la maximum; nesăbuit.

desperately ['despəritli] *adv.* **1.** cu disperare, cu furie; pe viaţă şi pe moarte. **3.** *(îndrăgostit etc.)* nebuneşte, la nebunie, teribil, grozav.

desperation [,despə'reiʃn] *s.* desperare.

despicable ['despikəbl] *adj.* **1.** mizerabil. **2.** vrednic de dispreţ.

despise [dis'paiz] *vt.* a dispreţui.

despiser [di'spaizə] *s.* persoană dispreţuitoare.

despite [dis'pait] **I.** *s.* dispreţ. **II.** *prep.* în ciuda *(cu gen.).*

despiteful [di'spaitful] *adj. înv., poet.* rău, crud, crunt; duşmănos, ranchiunos; câinos; dispreţuitor.

despoil [di'spoil] *vt.* a jefui, a prăda, a spolia. || *to ~ of* a despuia de, a prăda de.

despoiler [di'spoilə] *s.* jefuitor, spoliator.

despond [dis'pond] **I.** *vi.* a se întrista, a fi abătut, a se descuraja. **II.** *s. înv.* v. **despondency**.

despondence [dis'pondəns] *s.* deznădejde.

despondency [di'spondənsi] *s.* mâhnire, deprimare, descurajare. || *to fall into ~* a cădea pradă deznădejdii.

despondent [dis'pondənt] *adj.* **1.** disperat. **2.** nenorocit.

despot ['despot] *s.* despot; asupritor; tiran.

despotic [dis'potik] *adj.* despotic.

despotism ['despotizəm] *s.* **1.** despotism. **2.** dictatură, tiranie.

dessert [di'zəːt] *s.* **1.** fructe *(servite după desert).* **2.** *amer.* prăjituri; desert.

destination [,desti'neiʃn] *s.* destinaţie.

destine ['destin] *vt.* a destina.

destiny ['destini] *s.* destin.

destitute ['destitjuːt] *adj.* **1.** sărac, nevoiaş. **2. (of)** lipsit (de). **3.** nenorocit.

destitution [,desti'tjuːʃn] *s.* **1.** sărăcie. **2.** lipsuri.

destroy [dis'troi] *vt.* **1.** a nimici. **2.** a ucide. **3.** a arunca. **4.** a elimina.

destroyer [dis'troiə] *s.* **1.** distrugător. **2.** *mar.* (vas) distrugător (de război), contra-torpilor.

destruct [di'strʌkt] *amer.* **I.** *vt.* a distruge intenţionat. **II.** *s.* (auto)distrugere (intenţionată).

destruction [dis'trʌkʃn] *s.* **1.** distrugere. **2.** nimicire. **3.** exterminare. **4.** nenorocire.

destructive [dis'trʌktiv] *adj.* **1.** distrugător. **2.** stricător.

destructiveness [dis'trʌktivnis] *s.* **1.** efect distrugător, putere distructivă *(a unui exploziv etc.).* **2.** tendinţa de a strica *(a unui copil etc.).*

desuetude [di'sjuːitjuːd] *s.* **1.** desuetudine; învechire *(a unei legi, a unui obiect).* **2.** dezvăţ.

desultory ['desltri] *adj.* **1.** dezordonat. **2.** împrăştiat.

detach [di'tætʃ] *vt.* **1.** a desprinde. **2.** a detaşa.

detachable [di'tætʃəbl] *adj.* separabil.

detached [di'tætʃt] *adj.* **1.** izolat, separat. **2.** nepărtinitor. **3.** *mil.* delegat, trimis *(în misiune).*

detachment [di'tætʃmənt] *s.* **1.** detaşament. **2.** detaşare. **3.** independenţă.

detail ['diːteil] **I.** *s.* amănunt. **II.** *vt.* **1.** a detalia. **2.** a descrie în amănunt. **3.** *mil.* a detaşa.

detain [di'tein] *vt.* **1.** a deţine. **2.** a reţine.

detainee [,ditei'niː] *s.* deţinut.

detect [di'tekt] *vt.* **1.** a descoperi, a detecta *(existenţa, prezenţa etc.);* a prinde. **2.** *radio.* a detecta.

detection [di'tekʃn] *s.* **1.** descoperire, surprindere, prindere. **2.** identificare; detectare *(a existenţei, a prezenţei etc.).* **3.** *telec.* detectare, detecţie; demodulare.

detective [di'tektiv] *s.* detectiv.

detective story [di'tektiv'stɔːri] *s.* roman poliţist, popular.

detector [di'tektə] *s.* **1.** *telec.* detector; sens palpator. **2.** *mil., chim.* detector.

détente [dei'taŋt] *s.* destindere *(în relaţiile politice).*

detention [di'tenʃn] *s.* **1.** reţinere, arestare. **2.** detenţiune.

deter [di'təː] *vt.* **1.** a împiedica, a reţine. **2.** a disuada.

detergent [di'təːdʒənt] **I.** *adj.* detergent, curăţitor. **II.** *s.* detergent; mijloc de dezinfectare; agent dezinfectant.

deteriorate [di'tiriəreit] *vt., vi.* a (se) înrăutăţi.

deterioration [di,tiriə,rei∫ən] *s.* **1.** deteriorare, stricare, agravare. **2.** uzare, decădere. || *~ of relations* înrăutăţire a relaţiilor.

determinable [di'təːminəbl] *adj.* determinabil.

determinant [di'təːminənt] **I.** *adj.* determinant, hotărâtor, decisiv. **II.** *s.* **1.** factor determinant / hotărâtor. **2.** *gram.* v. **determiner**.

determinate **I.** [di'təːminit] *adj.* **1.** determinat, definit, fixat; definitiv. **II.** [di'təːmineit] *vt.* a determina, a defini, a preciza.

determination [di,təːmi'nei∫n] *s.* **1.** hotărâre. **2.** determinare.

determinative [di'təːminətiv] *s., adj. gram.* determinant.

determine [di'təːmin] **I.** *vt.* **1.** a hotărî. **2.** a fixa. **3.** a determina. **4.** a preciza. **5.** a stabili. **6.** a rezolva. **II.** *vi.* a se hotărî.

determined [di'təːmind] *adj.* **1.** hotărât. **2.** ferm.

determinedly [di'təːmindli] *adv.* hotărât; cu un aer hotărât.

determiner [di'təːminə] *s. gram.* determinant *(articol, adjectiv nehotărât).*

determinism [di'təːminizəm] *s. filoz.* determinism.

determinist [di'təːminist] *s. filoz.* determinist.

deterrent [di'terənt] **I.** *adj.* **1.** *(d. un efect etc.)* preventiv. **2.** care reţine, care împiedică; respingător; înspăimântător. **II.** *s.* piedică, descurajare prin intimidare; factor de reţinere.

detest [di'test] *vt.* **1.** a detesta. **2.** a urî.

detestable [di'testəbl] *adj.* detestabil, odios.

detestation [,diːtes'tei∫n] *s.* **1.** ură. **2.** oroare.

dethrone [di'θroun] *vt.* a detrona.

dethronement [di'θrounmənt] *s.* detronare.

detonate ['detouneit] **I.** *vi.* a detona, a bubui. **II.** *vt.* a detona, a face să explodeze cu detunătură puternică.

detonator ['detouneitə] *s.* **1.** detonator; amorsă, capsulă. **2.** petardă.

détour ['deituə] s. ocolire; ocol.

detract [di'trækt] vt. a defăima.

detraction [di'trækʃn] s. detractare, micşorare (a meritelor cuiva etc.).

detractor [di'træktə] s. detractor, clevetitor.

detriment ['detrimənt] s. detriment.

detrimental [,detri'mentl] adj. dăunător.

detritus [di'traitəs] s. 1. geol. rocă detritică; grohotiş; mine. detritus, rest (rămas din măcinarea rocilor). 2. constr. (drumuri) savură.

de trop [də'trou] adj. superfluu, de prisos; inutil.

deuce [dju:s] s. 1. numărul doi, pereche. 2. (la tenis) egalitate. 3. the ~ dracul.

deuterium [dju:'tiəriəm] s. chim. deuteriu.

Deutschmark ['dɔitʃmɑːk] s. fin. marcă germană.

devalue ['di:'vælju:] vt. econ. a deprecia, a devaloriza.

devastate ['devəsteit] vt. a pustii.

devastating ['devəsteitiŋ] adj. 1. pustiitor, nimicitor, devastator. 2. dezastruos, catastrofal.

develop [di'veləp] I. vt. 1. a dezvolta. 2. a manifesta. 3. a indica. 4. a produce. 5. a realiza. II. vi. 1. a se dezvolta; a creşte. 2. a se transforma.

developer [di'veləpə] s. 1. persoană care dezvoltă 2. foto., text. developator; revelator.

development [di'veləpmənt] s. 1. dezvoltare. 2. creştere. 3. prefacere, schimbare. 4. eveniment, întorsătură a evenimentelor.

deviant ['di:viənt] I. adj. psih. 1. deviant, care se abate de la normă. 2. (d. om) cu o conduită deviantă. II. s. om sau lucru care se abate de la normă.

deviate ['di:vieit] vi. (from) a se abate (de la).

deviation [,di:vi'eiʃn] s. 1. (from) deviere, abatere (de la) (şi fig.). 2. pol. deviere. 3. mar. abatere de la cursa contractată, care exonerează pe asigurator de despăgubiri. 4. fiz. decalaj; deviaţie (a acului busolei). 5. mat. deviaţie.

device [di'vais] s. 1. plan. 2. chibzuială. 3. intenţie. 4. şmecherie. 5. invenţie. 6. dis-

pozitiv. 7. deviză. || to leave smb. to his own ~s a lăsa pe cineva să se descurce singur.

devil ['devl] s. 1. drac; demon. 2. ticălos. 3. nenorocit. || to give the ~ his due a da fiecăruia ce i se cuvine.

devilish ['deviliʃ] adj. diabolic, drăcesc.

devilment ['devlmənt] s. 1. v. **devilry** 1., 2., 3., 6. 2. sâcâire, zile fripte. 3. ciudăţenie.

devilry ['devlri] s. 1. magie neagră, artă diabolică. 2. nelegiuire, infamie. 3. cruzime. 4. demonologie. 5. diavoli, duhuri rele. 6. drăcie, năzbâtie.

devious ['di:vjəs] adj. 1. indirect, ocolit. 2. necinstit, dubios.

deviously ['di:vjəsli] adv. indirect, pe ocolite, pe căi întortocheate.

devise [di'vaiz] vt. 1. a născoci. 2. a produce.

devoid [di'vɔid] adj.: ~ of lipsit de, fără.

devolution [,di:və'lju:ʃn] s. 1. coborâre printr-o serie de schimbări. 2. trecere (a bunurilor în linie directă). 3. biol. degenerare, degradare. 4. pol. delegare a puterii / a unei sarcini (în special de către Parlament comisiilor sale).

devolve [di'vɔlv] I. vt. a transfera. II. vi.: to ~ upon a reveni, a incumba (cu dat.).

devote [di'vout] vt. a dedica, a închina, a consacra.

devoted [di'voutid] adj. 1. devotat. 2. credincios. 3. închinat, dedicat, consacrat.

devotedly [di'voutidli] adv. devotat, fidel, credincios, cu devotament. || ~ attached to smth. profund ataşat de ceva.

devotee [,devo'ti:] s. 1. adept. 2. fanatic. 3. admirator fervent.

devotion [di'vouʃn] s. 1. dragoste. 2. devotament. 3. pl. rugăciuni.

devotional [di'vouʃənl] adj. 1. pios, credincios, religios. 2. (d. o carte etc.) de rugăciuni.

devour [di'vauə] vt. 1. a devora. 2. a chinui. 3. a nimici.

devout [di'vaut] adj. 1. pios. 2. serios. 3. sincer.

devoutly [di'vautli] adv. 1. evlavios, cu religiozitate, cu devoţiune, în mod pios. 2. sincer, cu sinceritate.

dew [dju:] s. rouă.

dewberry ['dju:bəri] s. bot. rug, mur (Rubus Caesius).

dew drop [,dju:drɔp] s. picătură

de rouă.

dewlap ['dju:læp] s. 1. zool. salbă (de curcan), bărbie (mai ales la bovine). 2. bărbie dublă.

dew point ['dju:point] s. meteor. punct de rouă / de condensare isobară.

dewy ['dju:i] adj. înrourat.

dexterity [deks'teriti] s. 1. dexteritate, abilitate, uşurinţă. 2. med. dexteritate, folosirea mâinii drepte.

dexterous ['dekstrəs] adj. îndemânatic.

dexterously ['dekstrəsli] adv. cu îndemânare, cu iscusinţă.

dextrin(e) ['dekstrin] s. chim. dextrină.

dharma ['dɑ:mə] s. rel., filoz. orientală adevăr buddhist; normă morală hindusă.

dhoti ['douti] s. bucată de pânză purtată de hinduşi în jurul şalelor.

dhow [dau] s. mar. corabie arabă.

DHSS abrev. Departament of Health and Social Security Departamentul pentru sănătate şi asistenţă socială.

diabetes [,daiə'bi:ti:z] s. med. diabet.

diabetic [,daiə'betik] adj., s. med. diabetic.

diabolic(al) [,daiə'bɔlik(l)] adj. diabolic.

diabolism [dai'æbəlizəm] s. 1. cultul diavolului. 2. vrăjitorie, magie.

diaconal [dai'ækənl] adj. de diacon.

diaconate [dai'ækənət] s. diaconat, diaconie.

diacritical ['daiəkritikəl] adj. lingv. diacritic.

diadem ['daiədem] s. 1. diademă. 2. coroniţă.

diaeresis [dai'iərisis], pl. **diaereses** [dai'iərisi:z] s. lingv. diereză, tremă.

diagnose ['daiəgnouz] vt. a pune un diagnostic (cuiva), a diagnostica.

diagnosis [,daiəg'nousis] s. diagnostic.

diagnostic [,daiəg'nɔstik] I. adj. med. diagnostic. II. s. diagnostic, diagnoză.

diagnostician [,daiəgnɔs'tiʃn] s. (medic) diagnostician.

diagonal [,dai'ægənl] I. s. diagonală. II. adj. în diagonală.

diagonally [dai'ægənəli] adv. diagonal, în diagonală.

diagram ['daiəgræm] s. diagramă.

diagrammatic(al) [,daiəgrə'mæti-k(əl)] adj. schematic, grafic.

dial [dail] I. s. 1. cadran. 2. disc cu numere (la telefon). II. vt. a face, a forma (un număr de telefon).

dialect ['daiəlekt] s. dialect.

dialectic(al) [,daiə'lektik(əl)] adj. filoz. dialectic.

dialogue ['daiələg] s. dialog.

dialysis [dai'æləsis] s. 1. med., chim. dializă. 2. gram. diereză.

diamagnetic [,daiəmæg'netik] fiz. I. adj. diamagnetic. II. s. (corp) diamagnetic.

diamanté [diə'mɑːntei] adj. decorat cu praf de briliante sau sticlă.

diameter [dai'æmitə] s. diametru.

diametrically [,daiə'metrikəli] s. 1. diametral. 2. exact. 3. total.

diamond ['daiəmənd] s. 1. diamant. 2. caro (la cărţi).

Diana [dai'ænə] s.. 1. călăreaţă, amazoană. 2. adeptă a celibatului. 3. poet. luna, Diana, Selene.

diapason [,daiə'peizn] s. 1. muz. diapazon. 2. muz. registrul principal al orgii. 3. poet. melodie, armonie. 4. fig. gamă, scară, şir.

diaper ['daiəpə] I. s. 1. pânză cu desenuri rombice; pânză cu înflorituri; faţă de masă damascată; dril. 2. prosop, şerveţel. 3. amer. scutec, faşă. 4. desen cu romburi. II. vt. 1. a împodobi cu motive în romburi. 2. amer. a înfăşa.

diaphanous [dai'æfənəs] adj. diafan, străveziu.

diaphragm ['daiəfræm] I. s. 1. diafragmă, membrană. 2. blendă;ecran; perete despărţitor. 3. ferov. deflector. II. vt.: to ~ out foto. a diafragma.

diarist ['daiərist] s. persoană care ţine un jurnal (intim), memorialist.

diarrhoea [,daiə'riə] s. diaree.

diary ['daiəri] s. 1. agendă. 2. jurnal de bord. 3. jurnal (intim).

Diaspora [dai'æspərə] s. diaspora.

diastase ['daiəsteis] s. chim., biol. diastază, amilază.

diastole [dai'æstəli] s. fiziol. diastolă.

diatom ['daiətəm] s. bot. diatome, algă pietrificată (calcificată).

diatomic [,daiə'təmik] adj. chim. 1. diatomic. 2. dibazic.

diatonic [daiə'tənik] adj. muz. diatonic.

diatribe ['daiətraib] s. diatribă; pamflet; atac virulent; discurs injurios.

dibble ['dibl] agr. I. s. chitonag, plantator. II. vt. a sădi sau a semăna cu ajutorul chitonagului. III. vi. a face gropi în pământ cu chitonagul.

dice [dais] I. s. pl. zaruri. II. vi. a juca zaruri.

dicey ['daisi] adj. sl. riscant, nesigur.

dichotomy [di'kɔtəmi] s. dihotomie, bifurcaţie.

dichromatic [daikrə'mætik] adj. bicolor, bicrom, în două culori.

dick [dik] s. sl. 1. bici. 2. dicţionar. 3. vorbire aleasă, pompoasă. 4. amer. agent secret, detectiv. 4. vulg. penis.

dickens ['dikinz] s. aghiuţă. || how goes the ~? cât e ceasul?.

dicker ['dikə] vi. 1. amer. a se tocmi bine, a face troc sau negustorie măruntă. 2. a ezita.

dickey ['diki] I. s. 1. sl. măgar. 2. păsărică. 3. plastron, pieptar. 4. şorţ de piele, baveţă de copil. 5. capră (de trăsură), loc la spatele trăsurii (pentru lachei etc.). 6. loc la spatele unui automobil cu două locuri. II. adj. sl. 1. prăpădit, slab, ofilit. 2. (d. o întreprindere comercială) şubred, nesigur.

dicky ['diki] s., adj. v. dickey.

dicotyledon [daikɔti'liːdn] s. bot. (plantă) dicotiledonată.

dicotyledonous ['dai,kɔti'liːdənəs] adj. bot. dicotiledonat.

dictaphone ['diktəfoun] s. telec. dictafon.

dictate¹ ['dikteit] s. 1. dictat. 2. îndemn.

dictate² [dik'teit] vt., vi. a dicta.

dictation [dik'teiʃn] s. dictare.

dictator [dik'teitə] s. dictator.

dictatorial [,diktə'tɔːriəl] adj. dictatorial.

dictatorship [dik'teitəʃip] s. dictatură.

diction ['dikʃn] s. dicţiune.

dictionary ['dikʃnri] s. dicţionar.

dictum ['diktəm], pl. **dicta** ['diktə] s. 1. dicton, aforism, maximă. 2. declaraţie oficială, afirmaţie sentenţioasă, propunere. 3. jur. dictum, sentinţă.

did [did] vt., vi. trec. de la **do**.

didactic [di'dæktik] adj. 1. didactic. 2. profesoral.

diddle ['didl] I. vt. fam. a înşela, a păcăli. || to ~ smb. out of his money a lua banii cuiva prin înşelăciune. II. vi. a pierde vremea cu fleacuri.

die [dai] I. s. 1. zar pl. **dice** [dais] . 2. matriţă. 3. perforator. 4. tehn. filieră. II. vi. 1. a muri. 2. a se stinge. 3. a se pierde. 4. a fi chinuit. 5. a dispărea. || to ~away a se ofili; to ~down a slăbi; to ~ game a muri luptând; to ~ in one's bed a muri de bătrâneţe; to ~ off a se stinge (pe rând); to ~ out a se sfârşi; to ~ with desire etc. a muri de poftă etc.

dielectric [,daii'lektrik] el. I. s. mediu dielectric, izolator. II. adj. dielectric, izolator.

diesel ['diːzl] s. tehn. 1. motor diesel. 2. motorină. 3. vehicul cu motor diesel.

Diesel ['diːzəl] s. tehn. (motor) diesel.

diet¹ ['daiət] s. 1. regim, dietă. 2. hrană de regim. II. a pune la regim.

diet² ['daiət] s. 1. dietă, adunare parlamentară. 2. adunare generală; congres, conferinţă.

dietetic(al) [,daii'tetik(əl)] adj. dietetic, relativ la regim.

dietetics [,daii'tetiks] s. pl. folosit ca sing., dietetică, ştiinţă a dietei.

dietician, dietitian [,daii'tiʃn, ,dɔiə'tiʃn] s. 1. medic dieteti-cian. 2. soră dieteticiană.

differ ['difə] vi. (from) 1. a se deosebi (de). 2. a nu se înţelege (cu).

difference ['difrns] s. (from) 1. deosebire (de). 2. diferenţă (faţă de). 3. dezacord (faţă de). || it makes no ~ nu contează, n-are importanţă.

different ['difrnt] adj. (from) 1. diferit (de). 2. separat (de).

differential [,difə'renʃl] adj. diferenţial.

differentiate [,difə'renʃieit] vt., vi. 1. a (se) diferenţia. 2. a (se) deosebi.

differentiation [,difərenʃi'eiʃn] s. (from) diferenţiere, deosebire, distincţie (faţă de).

differently ['difrntli] adv. diferit, deosebit, altfel, altminteri. || now he thinks quite ~ about it acum are o părere cu totul diferită (în această chestiune).

difficult ['difiklt] adj. 1. dificil. 2. greu de mânuit. 3. încăpăţânat. 4. neplăcut.

difficulty ['difiklti] s. 1. dificultate. 2. piedică.

diffidence ['difidəns] *s.* **1.** neîncredere în sine. **2.** sfială, timiditate, modestie, ruşine.

diffident ['difidnt] *adj.* **1.** timid, neîncrezător. **2.** bănuitor, suspicios.

diffract [di'frækt] *vt. fiz.* a difracta *(o rază luminoasă).*

diffraction [di'frækʃn] *s. fiz.* difracţie.

diffuse[1] [di'fju:s] *adj.* **1.** difuz. **2.** neclar.

diffuse[2] [di'fju:z] *vt., vi.* **1.** a (se) difuza. **2.** a (se) răspândi.

diffusion [di'fju:ʒn] *s.* **1.** difuziune, difuzare, răspândire, împrăştiere. **2.** prolixitate, profuziune, verbozitate, exces de cuvinte. **3.** *fiz.* difuzie (optică). **4.** *mat.* penetraţie.

dig [dig] **I.** *s.* **1.** ghiont. **2.** ironie. **3.** *pl.* locuinţă. **II.** *vt. trec. şi part. trec.* **dug** [dʌg] **1.** a săpa. **2.** a dezgropa. **3.** a scoate la iveală. **4.** a studia, a cerceta. **5.** a înghionti. **III.** *vi. trec. şi part. trec.* **dug** [dʌg] **1.** a săpa. **2.** (into) a investiga, a cerceta, a studia.

digest[1] ['daidʒest] *s.* **1.** rezumat. **2.** prezentare trunchiată.

digest[2] [di'dʒest] **I.** *vt.* **1.** a digera, a mistui. **2.** a înţelege. **3.** a suporta. **II.** *vi.* a mistui.

digestibility [di'dʒestə'biliti] *s.* digestibilitate.

digestible [di'dʒestəbl] *adj.* **1.** digestibil, asimilabil, care poate fi mistuit. **2.** *fig.* uşor asimilabil, lesne de însuşit.

digestion [di'dʒestʃn] *s.* digestie.

digestive [di'dʒestiv] *adj.* digestiv.

digger ['digə] *s.* **1.** săpător. **2.** miner *(mai ales în minele de aur);* miner la cărbune. **3.** *sl.* australian. **4.** *pl. Diggers* trib de indieni din California de Nord. **5.** unealtă de săpat. **6.** *pl. ist.* diggeri *(participanţi la mişcarea agrară din perioada Revoluţiei burgheze din Anglia).* **7.** *sl.* pică *(la jocul de cărţi).*

digging ['digiŋ] *s.* **1.** mină, carieră. **2.** excavaţie; săpătură. **3.** *pl.* locuinţă.

dight [dait] *vt. inf., trec. şi part. trec. înv., poet.* **1.** a învesmânta, a împodobi, a găti. **2.** a pregăti; a pune în ordine.

digit ['didʒit] *s.* **1.** *glumeţ sau anat.* deget de la mână *sau* picior. **2.** lat de deget *(măsură*

= *3/4 de inch).* **3.** *mat.* cifră, unitate. **4.** *astr.* a 12-a parte din diametrul soarelui sau al lunii în măsurarea eclipselor.

digital ['didʒitəl] *adj.* **1.** digital, (în formă) de deget. **2.** *mat.* digital.

digitalis [didʒi'teilis] *s. farm.* digitalină.

dignified ['dignifaid] *adj.* demn, plin de demnitate.

dignify ['dignifai] *vt.* a înnobila.

dignitary ['dignitri] *s.* demnitar.

dignity ['digniti] *s.* **1.** demnitate. **2.** comportare aleasă. **3.** rang înalt. **4.** demnitar. || *to stand upon one's* ~ a fi mândru, demn; a-şi păstra demnitatea; a se respecta; *beneath one's* ~ nedemn de persoana respectivă.

digraph ['daigrɑ:f] *s. fon.* digraf.

digress [dai'gres] *vi.* a se abate, a face o digresiune (de la subiect).

digression [dai'greʃn] *s.* digresiune.

dike [daik] *s.* **1.** şanţ. **2.** dig.

dilapidated [di,læpi'deitid] *adj.* **1.** dărâmat. **2.** ruinat.

dilapidation [di,læpi'deiʃn] *s.* **1.** dărâmare. **2.** ruină.

dilate [dai'leit] **I.** *vt.* **1.** a dilata. **2.** a extinde. **II.** *vi.* **1.** a se dilata. **2.** a se extinde. **3.** a se întinde *(la vorbă, la scris etc.).*

dilation [dai'leiʃn] *s.* **1.** dilatare, extindere. **2.** *fig.* extindere, dezvoltare *(a unui subiect).*

dilatory ['dilətri] *adj.* **1.** încet; zăbavnic. **2.** moale.

dilemma [di'lemə] *s.* **1.** dilemă. **2.** încurcătură.

dilettante [,dilə'tænti] *s.* diletant.

diligence ['dilidʒns] *s.* **1.** silinţă. **2.** strădanie, diligenţă. **3.** seriozitate.

diligent ['dilidʒnt] *adj.* **1.** silitor, sârguincios, harnic. **2.** serios.

dill [dil] *s. bot.* mărar *(Anethum graveolens).*

dilly-dally ['dilidæli] *vi.* **1.** a zăbovi. **2.** a şovăi, a fi nehotărât.

dilute [dai'lju:t] *vt.* **1.** a dilua. **2.** *fig.* a slăbi, a atenua.

dilution [dai'lu:ʃn] *s.* **1.** diluare. **2.** soluţie diluată.

diluvial [dai'lu:viəl] *adj.* **1.** *geol.* diluvian. **2.** *rel.* diluvial.

dim [dim] **I.** *adj.* **1.** ceţos. **2.** întunecos. **3.** *(d. lumină)* slab. **4.** înceţoşat, estompat. **5.** *(d. sunete)* surd. **6.** vag; neclar. **II.** *vt., vi.* **1.** a (se) întuneca. **2.** a (se) înceţoşa. **3.** a (se) estompa.

dime [daim] *s. amer.* (monedă de) 10 cenţi.

dimension [di'menʃn] *s.* **1.** dimensiune; mărime. **2.** *pl.* proporţii. **3.** importanţă.

diminish [di'miniʃ] *vt., vi.* a diminua.

diminuendo [di,minju'endou] *s., adv. muz.* diminuendo.

diminution [,dimi'nju:ʃn] *s.* diminuare.

diminutive [di'minjutiv] **I.** *s.* diminutiv. **II.** *adj.* **1.** mic(uţ). **2.** diminutival.

dimity ['dimiti] *s. text.* stofă cu ţesătură diagonală *(pentru perdele).*

dimness ['dimnis] *s.* **1.** neclaritate. **2.** întunecare *(a vederii, minţii etc.).*

dimple ['dimpl] **I.** *s.* gropiţă *(în obraz etc.).* **II.** *vi.* a face gropiţe.

din [din] **I.** *s.* zgomot; zarvă. **II.** *vt.* **1.** a repeta (zgomotos). **2.** a ţipa. **III.** *vi.* a face gălăgie.

dinar ['di:nɑ:] *s.* dinar.

dine [dain] **I.** *vt.* **1.** a mânca *(prânzul sau cina).* **2.** a ospăta *(pe cineva).* **3.** a da o masă în cinstea *(cuiva).* **II.** *vi.* a lua masa. || *to* ~ *out* a mânca în oraş.

diner ['dainə] *s.* **1.** persoană care ia masa. **2.** vagon-restaurant.

dinette [dai'net] *s.* **1.** gustare de dimineaţă foarte copioasă, compusă şi din feluri calde. **2.** *amer.* nişă servind drept sufragerie, cameră pentru micul dejun.

ding-dong ['diŋ 'dɔŋ] **I.** *s.* **1.** ding-dong, dangăt de clopot. **2.** sunet prin care ceasornicul anunţă sferturile de oră. **3.** alternanţă a rimei; repetiţie monotonă. **II.** *adj. fam.* care se succede repede; îndârjit. **III.** *adv.* insistent, cu îndârjire. || *fam.* to be at it ~ a se lupta cu îndârjire ; *to set about smth.* ~ a se apuca de ceva cu hotărâre.

dinghy ['diŋgi] *s.* **1.** *mar.* pui; şlep. **2.** *av.* barcă pneumatică *(pentru amerizare forţată).* **3.** vagon de dormit *(pentru lucrători feroviari).*

dinginess ['dindʒinis] *s.* **1.** culoare ştearsă / spălăcită. **2.** aspect murdar / fumuriu.

dingle ['diŋgl] *s.* vâlcea adâncă; râpă, vale; *geol.* depresiune.

dingo ['diŋgou] *s. zool.* (câine) dingo *(Canis dingo).*

dingy ['dindʒi] *adj.* **1.** murdar, soios. **2.** fără culoare, şters.

dining(-)car ['daininka:] *s.* vagon-restaurant.

dining(-)room ['daininrum] *s.* sufragerie.

dinkum ['dinkəm] *adj. sl. (în engleza australiană)* **1.** adevărat, veritabil. **2.** cinstit, de treabă.

dinky ['dinki] *adj. fam.* **1.** elegant, gătit, spilcuit. **2.** mic, neînsemnat.

dinner ['dinə] *s.* **1.** masă principală a zilei; cină *sau* prânz. **2.** banchet, dineu.

dinner hour ['dinə‚auə] *s.* ora mesei.

dinner-jacket ['dinə‚dʒækit] *s.* smoching.

dinner-party ['dinə‚pa:ti] *s.* dineu, banchet.

dinner time ['dinətaim] *s. v.* **dinner hour.**

dinosaur [‚dainəsɔ:] *s. paleont.* dinozaur.

dint [dint] *s.* semn. || by ~ of cu ajutorul *(cu gen.)*, datorită *(unor strădanii, sârguinţei etc.).*

diocesan [dai'ɔsisən] *bis.* **I.** *adj.* diocezan, eparhial. **II.** *s.* **1.** episcop. **2.** *rar* paroh *sau* enoriaş *(dintr-o anumită eparhie).*

diocese ['daiəsis] *s. bis.* dioceză, eparhie.

diode ['daioud] *s. el.* diodă.

dioecious [dai'i:ʃəs] *adj. bot.* dioic, cu florile bărbăteşti şi femeieşti pe plante diferite.

diorite ['daiərait] *s. minr.* diorit.

dioxid(e) [dai'ɔksaid] *s. chim.* bioxid.

dip [dip] **I.** *s.* **1.** baie; scăldătoare. **2.** lumânare. **3.** groapă. **4.** înclinare. **5.** coborâre. || to go for a ~ a se scălda, a face o baie *(în mare etc.).* **II.** *vt.* **1.** a (în)muia, a cufunda. **2.** a coborî. || to ~ one's hand into one's purse a fi mână spartă. **III.** *vi.* **1.** a coborî. **2.** a se înmuia, a se băga *(în apă etc.).* **3.** a se cufunda *(şi fig.),* a se scălda.

Dip. *abrev. Diploma* diplomă.

diphtheria [‚dif'θiəriə] *s.* difterie.

diphthong ['difθɔŋ] *fon.* **I.** *s.* diftong. **II.** *vt. rar* a pronunţa diftongat, a diftonga.

diploma [di'ploumə] *s.* diplomă.

diplomacy [di'plouməsi] *s.* diplomaţie.

diplomat ['dipləmæt] *s.* diplomat *(şi fig.).*

diplomatic [‚diplə'mætik] *adj.* **1.** diplomatic. **2.** abil; diplomat. **3.** plăcut.

diplomatist [di'ploumətist] *s.* diplomat.

dipper ['dipə] *s.* **1.** căuş. **2.** polonic. || the Great Dipper Carul Mare; the Little Dipper Carul Mic.

dipsomania [‚dipsou'meiniə] *s.* dipsomanie, alcoolism.

diptera ['diptərə] *s. pl. entom.* diptere, insecte cu două aripi.

dipterous ['diptərəs] *adj. entom.* dipter, cu două aripi.

diptych ['diptik] *s.* **1.** *ist.* diptic *(tăbliţă de ceară).* **2.** *bis.* diptic, tablou din două panouri.

dire ['daiə] *adj.* **1.** cumplit, înfiorător. **2.** *(d. sărăcie)* cumplit, lucie, degradant, extrem.

direct [di'rekt] **I.** *adj.* **1.** direct, drept. **2.** continuu. **3.** imediat, apropiat. **4.** sincer. **II.** *vt.* **1.** a îndruma. **2.** a dirija. **3.** a conduce. **4.** a indica. **5.** a adresa. **III.** *vi.* a dirija. **IV.** *adv.* direct, fără ocol.

direction [di'rekʃn] *s.* **1.** direcţie. **2.** indicaţie. **3.** conducere. **4.** îndrumare. **5.** *pl.* instrucţiuni. **6.** *pl.* adresă.

directional [di'rekʃənl] *adj.* direcţional, de direcţie.

directive [di'rektiv] **I.** *adj.* director, conducător, îndrumător. **II.** *s.* directivă, instrucţiune.

directly [di'rektli] **I.** *adv.* **1.** direct. **2.** imediat. **3.** curând, după aceea. **II.** *conj.* de îndată ce; în clipa în care.

directness [di'rektnis] *s.* **1.** sinceritate. **2.** caracter deschis, drept etc.

director [di'rektə] *s.* **1.** îndrumător. **2.** director. **3.** membru în consiliu de administraţie. **4.** regizor. || board of ~s consiliu de administraţie.

directorate [di'rektərit] *s.* directorat; conducere, (consiliu de) administraţie, cârmuire.

directorship [di'rektəʃip] *s.* direcţie, conducere; funcţie de director.

directory [di'rektri] *s.* **1.** ghid, îndrumar. **2.** carte de telefon.

dirge [də:dʒ] *s.* bocet.

dirigible ['diridʒəbl] *adj.* dirijabil.

dirk [də:k] *s.* stilet.

dirndl ['də:ndl] *s.* rochie *sau* fustă tiroleză (largă şi viu colorată).

dirt [də:t] *s.* **1.** murdărie. **2.** ţărână. **3.** noroi. **4.** obscenitate. || to fling *sau* throw ~ at a împroşca cu noroi *(şi fig.).*

dirt-cheap ['də:t'tʃi:p] **I.** *adj.* ieftin ca braga. **II.** *adv.* pe nimic.

dirt-track ['də:ttræk] *s.* **1.** *sport* pistă de zgură. **2.** drum nepietruit.

dirty ['də:ti] **I.** *adj.* **1.** murdar (şi fig.). **2.** obscen. **3.** (d. vreme) proastă. **II.** *vt.* a murdări.

dirty trick [‚də:ti'trik] *s.* mârşăvie, porcărie.

disability [‚disə'biliti] *s.* **1.** incapacitate. **2.** invaliditate.

disable [dis'eibl] *vt.* **1.** a mutila. **2.** a răni. **3.** a reduce la incapacitate.

disabuse [‚disə'bju:z] *vt.* **1.** a dezamăgi. **2.** a lămuri, a trezi la realitate. **3.** a deschide ochii *(cuiva).*

disadvantage [‚disəd'va:ntidʒ] **I.** *s.* **1.** dezavantaj, situaţie nefavorabilă. **2.** daună, detriment. **3.** piedică, obstacol. **II.** *vt.* a dezavantaja, a păgubi.

disadvantageous [‚disædva:n'teidʒəs] *adj.* (to) dezavantajos, nefavorabil, neprielnic, neconvenabil (pentru).

disaffected [‚disə'fektid] **I.** *adj.* (to, towards, with) nemulţumit (de), lipsit de afecţiune (pentru, faţă de). **II.** *s. pl.:* the ~ nemulţumiţii.

disagree [‚disə'gri:] *vi.* **1.** a nu fi de acord. **2.** a se certa. **3.** a fi nepotrivit *sau* dăunător.

disagreeable [‚disə'gri:əbl] *adj.* dezagreabil, neplăcut; nesuferit.

disagreement [‚disə'gri:mənt] *s.* **1.** dezacord. **2.** nepotrivire. **3.** ceartă.

disallow [‚disə'lau] **I.** *vt.* **1.** a respinge, a recuza. **2.** a refuza. || to ~ a claim a respinge o cerere. **3.** a interzice. **II.** *vi.* to ~ of a refuza să admită, a respinge.

disallowance [‚disə'lauəns] *s.* **1.** respingere, refuz. **2.** interdicţie, interzicere. **3.** *muz.* succesiune greşită de acorduri.

disappear [‚disə'piə] *vi.* a dispărea.

disappoint [‚disə'pɔint] *vt.* **1.** a dezamăgi. **2.** a tulbura, a strica. **3.** a necăji, a nemulţumi.

disappointment [‚disə'pɔintmənt] **1.** dezamăgire. **2.** necaz.

disapproval [ˌdisəˈpruːvl] *s.* **1.** dezaprobare. **2.** critică.

disapprove [ˌdisəˈpruːv] **I.** *vt.* **1.** a dezaproba. **2.** a condamna. **II.** *vi.*: to ~ of a nu fi de acord cu, a avea o părere proastă despre; a fi împotriva *(cu gen.)*.

disapproving [ˌdisəˈpruːviŋ] *adj.* dezaprobator, critic; sever.

disapprovingly [ˌdisəˈpruːviŋli] *adv.* dezaprobator, reprobator; pe un ton *sau* cu un aer dezaprobator.

disarm [disˈɑːm] *vt., vi.* a dezarma *(și fig.)*.

disarmament [disˈɑːməmənt] *s.* dezarmare.

disarrange [ˌdisəˈreindʒ] *vt.* a deranja, a tulbura, a dezorganiza; a răscoli.

disarrangement [ˌdisəˈreindʒmənt] *s.* dezordine, dezorganizare; haos, harababură.

disarray [ˈdisəˈrei] **I.** *vt.* **1.** a crea dezordine / confuzie în, a dezorganiza. **2.** *poet.* a dezbrăca, a despuia. **II.** *s.* **1.** dezordine, neorânduială, confuzie. **2.** neglijență în îmbrăcăminte, înfățișare dezordonată.

disaster [diˈzɑːstə] *s.* dezastru, nenorocire; calamitate.

disastrous [diˈzɑːstrəs] *adj.* dezastruos.

disavow [ˌdisəˈvau] *vt.* **1.** a dezaproba. **2.** a dezavua. **3.** a nega.

disband [disˈbænd] *vt.* **1.** a lăsa la vatră; a demobiliza. **2.** a concedia, a licenția.

disbar [disˈbɑː] *vt. jur.* a exclude / a radia din barou.

disbelieve [ˌdisbiˈliːv] *vt., vi.* a nu crede.

disburden [disˈbəːdn] **I.** *vt.* a descărca, a ușura, a libera, a scăpa; *fig.* a ușura. || to ~ one's heart a se ușura, a-și lua o piatră de pe inimă. **II.** *vi.* a se descărca, a se ușura.

disburse [disˈbəːs] **I.** *vt.* a cheltui, a plăti; a scoate din pungă. **II.** *s. înv.* plată.

disbursement [disˈbəːsmənt] *s.* plată (în numerar).

disc [disk] *v.* **disk**.

discard [disˈkɑːd] *vt.* **1.** a arunca (la o parte). **2.** a lăsa deoparte. **3.** a ignora. **4.** a se despărți de.

discern [diˈsəːn] *vt., vi.* **1.** a deosebi, a distinge. **2.** a discerne.

discernment [diˈsəːnmənt] *s.* **1.** discernământ. **2.** clarviziune.

discharge [disˈtʃɑːdʒ] **I.** *s.* **1.** descărcare. **2.** foc *(de armă)*. **3.** împușcătură. **4.** eliberare. **5.** achitare *(a unei datorii)*. **6.** îndeplinire *(a unei sarcini)*. **7.** *med.* scurgere. **II.** *vt.* **1.** a descărca. **2.** a scoate. **3.** a elimina. **4.** a trage *(o săgeată, un foc)*. **5.** a concedia. **6.** a lăsa la vatră. **7.** a plăti. **8.** a îndeplini.

disciple [diˈsaipl] *s.* discipol.

disciplinarian [ˌdisipliˈnɛəriən] *s.* **1.** adept *sau* propagator al disciplinei. || he is a good ~ știe să mențină o disciplină severă. **2.** *ist. rel.* partizan al doctrinei presbiteriene.

disciplinary [ˈdisiplinəri] *adj.* disciplinar.

discipline [ˈdisiplin] **I.** *s.* **1.** disciplină. **2.** pedeapsă. **II.** *vt.* **1.** a disciplina. **2.** a pedepsi. **3.** a educa.

disclaim [disˈkleim] **I.** *vt.* **1.** a renunța la, a abandona. **2.** a nega, a tăgădui, a renega, a respinge, a dezavua. **II.** *vi.* **1.** a renunța *(la un drept)*. **2.** a tăgădui, a abjura.

disclaimer [disˈkleimə] *s.* **1.** persoană care renunță *sau* tăgăduiește. **2.** *jur.* act de renunțare *(la un drept)*. **3.** dezmințire; tăgăduire, negare; refuz, renunțare.

disclose [disˈklouz] *vt.* **1.** a dezvălui. **2.** a divulga. **3.** a arăta, a scoate la iveală.

disclosure [disˈklouʒə] *s.* **1.** dezvăluire. **2.** divulgare. **3.** publicare. **4.** scoatere la iveală. **5.** declarație.

discolo(u)r [disˈkʌlə] **I.** *vt.* **1.** a decolora. **2.** a schimba culoarea *sau* înfățișarea. **II.** *vi.* **1.** a se decolora. **2.** a-și schimba culoarea.

discomfit [disˈkʌmfit] *vt.* **1.** a necăji. **2.** a șicana; a pune bețe în roate.

discomfiture [disˈkʌmfitʃə] *s.* **1.** zăpăceală, tulburare. **2.** răsturnare a planurilor, piedică, obstacol. **3.** înfrângere, zdrobire.

discomfort [disˈkʌmfət] *s.* **1.** neplăcere. **2.** situație grea.

discompose [ˌdiskəmˈpouz] *vt.* a tulbura.

discomposure [ˌdiskəmˈpouʒə] *s.* **1.** tulburare, agitație, neliniște. **2.** descompunere, alterare *(a*

trăsăturilor feței)*. **3.** dezordine, confuzie.

disconcert [ˌdiskənˈsəːt] *vt.* **1.** a tulbura. **2.** a răsturna *(planurile cuiva etc.)*.

disconnect [ˌdiskəˈnekt] *vt.* **1.** a separa. **2.** a despărți.

disconnected [ˈdiskəˈnektid] *adj.* **1.** fără legătură, întrerupt; *(d. vorbire)* incoerent. **2.** *tehn. etc.* decuplat.

disconnection [ˌdiskəˈnekʃn] *s.* **1.** întrerupere; detașare. **2.** despărțire, separare. **3.** *el.* deconectare; întrerupere. **4.** *tehn.* debreiere; decuplare.

disconsolate [disˈkɔnslit] *adj.* **1.** trist. **2.** neconsolat.

disconsolately [disˈkɔnslitli] *adv.* nemângâiat, deznădăjduit, dezamăgit, nenorocit.

discontent [ˈdiskənˈtent] **I.** *s.* nemulțumit. **II.** *vt.* a nemulțumi.

discontented [ˌdiskənˈtentid] **I.** *adj.* nemulțumit, supărat; mâhnit. **II.** *s. pl.* the ~ nemulțumiții.

discontinuance [ˌdiskənˈtinjuəns] *s.* **1.** întrerupere, intermitență. **2.** *jur.* suspendare, încetare *(a unei acțiuni etc.)*.

discontinue [ˌdiskənˈtinju] *vt., vi.* a înceta, a suspenda.

discontinuous [ˌdiskənˈtinjuəs] *adj.* discontinuu, întrerupt; sporadic, intermitent.

discord [ˈdiskɔːd] *s.* **1.** neînțelegere. **2.** dezacord.

discordance [disˈkɔːdəns] *s.* **1.** discordanță, divergență, dezacord, neînțelegere, opoziție. **2.** *muz.* disonanța.

discordant [disˈkɔːdnt] *adj.* **1.** discordant. **2.** nearmonios. **3.** în dezacord.

discount [ˈdiskaunt] **I.** *s.* **1.** rabat, reducere *(de preț)*. **2.** disconto. **3.** scont. **II.** *vt.* **1.** a sconta. **2.** a privi cu neîncredere; a nu (prea) crede.

discountenance [disˈkauntinəns] *vt.* **1.** a dezaproba. **2.** a disuada; a abate de la un țel. **3.** a împiedica.

discourage [disˈkʌridʒ] *vt.* **1.** a descuraja. **2.** a disuada. **3.** a combate; a împiedica. **4.** a respinge. **5.** a pune bețe în roate *(cu dat.)*; a șicana.

discouragement [disˈkʌridʒmənt] *s.* **1.** descurajare, deprimare, depresiune. **2.** dezaprobare, condamnare. **3.** disuadare, respingere. **4.** piedică, obstacol.

discourse [dis'kɔːs] I. s. cuvântare, cuvânt. II. vi. a vorbi pe larg.

discourteous [dis'kɔːtjəs] adj. nepoliticos.

discourtesy [dis'kɔːtisi] s. nepolitețe.

discover [dis'kʌvə] vt. a descoperi.

discoverer [dis'kʌvrə] s. 1. descoperitor. 2. explorator.

discovery [dis'kʌvri] s. descoperire.

discredit [dis'kredit] I. s. 1. discreditare. 2. rușine. 3. neîncredere. II. vt. 1. a discredita. 2. a nu da crezare (cu dat.).

discreditable [dis'kreditəbl] adj. compromițător, rușinos.

discreet [dis'kriːt] adj. 1. prudent. 2. discret. 3. la locul lui.

discreetly [di'skriːtli] adv. judicios, prudent, reținut.

discrepancy [dis'krepnsi] s. 1. diferență. 2. decalaj. 3. contradicție.

discrete quantity [dis'kriːt 'kwɔntiti] s. mat. mărime discretă.

discretion [dis'kreʃn] s. 1. discreție. 2. înțelepciune. 3. discernământ.

discretionary [di'skreʃənəri] adj. discreționar. || ~ powers puteri depline / discreționare.

discriminate [dis'krimineit] I. vt. 1. a discrimina; a distinge. 2. a face o diferență între, a diferenția. II. vi. 1. a discrimina, a distinge. 2. a face o diferență.

discriminating [dis'krimineitiŋ] adj. 1. distinctiv, caracteristic. 2. plin de discernământ, judicios; discriminatoriu, care distinge / diferențiază. || ~ taste gust selectiv / fin. 3. (d. tarif etc.) diferențial. 4. tehn. selectiv; discriminator.

discrimination [dis,krimi'neiʃn] s. 1. discriminare. 2. discernământ.

discrown [dis'kraun] vt. a detrona.

discursive [dis'kɔːsiv] adj. 1. discursiv, logic (uneori în opoziție cu "intuitive").

discus ['diskəs] s. sport disc.

discuss [dis'kʌs] vt. a discuta.

discussion [dis'kʌʃn] s. 1. discuție. 2. conversație. 3. dezbatere.

discus throwing ['diskəs 'θroiŋ] s. aruncarea discului.

disdain [dis'dein] I. s. dispreț. II. vt. a disprețui.

disdainful [dis'deinfl] adj. disprețuitor.

disdainfully [dis'deinfuli] adv. disprețuitor; depreciativ, cu desconsiderare.

disease [di'ziːz] I. s. boală (serioasă); boală infecțioasă. II. vt. 1. a îmbolnăvi. 2. a infecta, a molipsi.

disembark ['disim'baːk] vt., vi. a debarca.

disembarkation [dis,emba:'keiʃn] s. debarcare, descărcare.

disembarrass ['disim'bærəs] vt. a scoate din încurcătură, din nedumerire; a descurca, a scăpa de; a libera (din strâmtoare sau jenă).

disembody [,disim'bɔdi] vt. a detașa (sufletul, vocea, etc.) de trup.

disembowel [,disim'bauəl] vt. 1. a spinteca (burta), a deschide. 2. a scoate intestinele (cuiva).

disenchant [,disin'tʃaːnt] vt. a demistifica, a elibera de iluzii.

disencumber [,disin'kʌmbə] vt. 1. a descurca, a scăpa; a curăți, a înlătura (piedicile). 2. jur. a degreva (de sarcini ipotecare).

disengage [,disin'geidʒ] vt. 1. a elibera. 2. a desface.

disengaged [,disin'geidʒd] adj. liber, neocupat.

disentangle [,disin'tæŋgl] vt. a descâlci, a descurca.

disestablish [,disis'tæbliʃ] vt. 1. a desființa, a aboli, a abroga. 2. a destitui. 3. a separa (biserica de stat).

disestablishment [,disis'tæbliʃmənt] s. 1. desființare, abolire, abrogare. 2. răsturnare, destituire. 3. separare a bisericii (de stat).

disesteem [,disis'tiːm] I. s. lipsă de stimă, desconsiderare. II. vt. a desconsidera.

disfavo(u)r ['dis'feivə] I. s. dizgrație. II. vt. a dezaproba.

disfigure [dis'figə] vt. 1. a desfigura. 2. a urâți.

disfigurement [dis'figəmənt] s. 1. desfigurare, mutilare, sluțire; diformitate, defect fizic. 2. fig. deformare, mutilare.

disfranchise [,dis'fræntʃaiz] vt. a lipsi de drepturi (electorale etc.).

disgorge [dis'gɔːdʒ] I. vt. 1. a vărsa, a arunca, a revărsa (lavă etc.).|| fig. to ~ one's secret

a-și da taina în vileag; a vomita. 2. a profera (înjurături). 3. a înapoia. II. vi. a se revărsa.

disgrace [dis'greis] I. s. 1. rușine. 2. dizgrație. II. vt. a rușina, a dezonora.

disgraceful [dis'greisfl] adj. rușinos.

disgruntled [dis'grʌntld] adj. nemulțumit; iritat, prost dispus, enervat.

disguise [dis'gaiz] I. s. 1. travestire. 2. travesti. 3. mască; deghizare. 4. paravan (fig.). II. vt. 1. a deghiza, a travesti. 2. a ascunde. 3. a masca.

disgust [dis'gʌst] I. s. dezgust. II. vt. a dezgusta.

disgusting [dis'gʌstiŋ] adj. dezgustător.

dish [diʃ] I. s. 1. farfurie; vas (pt. alimente). 2. pl. veselă. 3. (fel de) mâncare. II. vt. 1. a pune pe farfurie. 2. a servi, a da.

disharmony [dis'haːməni] s. lipsă de armonie, disonanță, discordanță.

dish-cloth ['diʃklɔθ] s. cârpă de vase.

dishearten [dis'haːtn] vt. a descuraja.

dishevel(l)ed [di'ʃevld] adj. 1. zburlit. 2. dezordonat.

dishonest [dis'ɔnist] adj. necinstit.

dishonesty [dis'ɔnisti] s. 1. necinste. 2. înșelăciune.

dishono(u)r [dis'ɔnə] I. s. rușine. II. vt. 1. a dezonora. 2. a da de rușine. 3. a nu plăti.

dishonourable [dis'ɔnərəbl] adj. dezonorant, rușinos, necinstit.

disillusion [,disi'luːʒn] I. s. deziluzie. II. vt. 1. a deziluziona. 2. a trezi la realitate.

disillusionment [,disi'luːʒənmənt] s. v. **disillusion** I.

disincentive ['disin'sentiv] I. s. factor deprimant sau demobilizator. II. adj. deprimant, demoralizant.

disinclination [,disinkli'neiʃn] s. 1. împotrivire. 2. repulsie, lipsă de poftă sau înclinație.

disincline [disin'klain] vt. (to) a inspira aversiune (față de), a îndepărta (de), a tăia (cuiva) cheful (de).

disinfect [,disin'fekt] vt. a dezinfecta.

disinfectant [,disin'fektənt] s., adj. dezinfectant.

disinfection [disin'fekʃn] s. dezinfecție; deparazitare.

disinflation [,disin'fleiʃn] s. econ. deflație, scădere a inflației.

disingenuous [ˌdisin'dʒenjuəs] *adj.* lipsit de sinceritate, de bună-credinţă; făţarnic; prefăcut; şiret, necinstit.

disinherit [ˌdisin'herit] *vt.* a dezmoşteni.

disintegrate [dis'intəgreit] *vt., vi.* a (se) dezintegra.

disintegration [disˌinti'greiʃn] *s.* 1. dezintegrare, divizare, dezmembrare. 2. dezagregare, descompunere.

disinter ['disin'tə:] *vt.* a dezgropa.

disinterested [dis'intristid] *adj.* dezinteresat.

disinterestedness [dis'intristidnis] *s.* dezinteresare; imparţialitate. || *to establish one's ~* a dovedi că este dezinteresat.

disjoin [dis'dʒɔin] I. *vt.* a despărţi, a dezbina *(şi fig.)*. II. *vi.* 1. a se despărţi. 2. a se dezlipi, a se desprinde.

disjoint [dis'dʒɔint] I. *vt.* 1. a dezarticula; a desface, a dezmembra. 2. a demonta. II. *vi.* a se descompune, a se desface. III. *adj. înv.* v. **disjointed**.

disjointed [dis'dʒɔintid] *adj.* 1. dezarticulat, dizlocat; dezmembrat. 2. demontat. 3. *fig.* fără şir, incoerent, dezlânat.

disjunction [dis'dʒʌŋkʃn] *s.* 1. separare, despărţire. 2. *el.* întrerupere, deconectare, disjuncţiune. 3. *gram.* propoziţie disjunctivă.

disjunctive [dis'dʒʌŋktiv] I. *adj.* despărţitor, disjunctiv. 2. *log.* alternativ. II. *s.* 1. *gram.* conjuncţie disjunctivă. 2. *log.* aserţiune alternativă.

disk [disk] *s.* disc.

diskette [dis'ket] *s. cib.* dischetă.

dislike [dis'laik] I. *s.* antipatie. II. *vt.* 1. a antipatiza. 2. a nu putea suferi.

dislocate ['disləkeit] *vt.* 1. a disloca. 2. a tulbura.

dislocation [ˌdislə'keiʃn] *s.* 1. dislocare, deplasare din articulaţie *(a unui os)*, luxare. 2. deranjare, tulburare. 3. dezordine, dezorganizare. 4. *geol.* deplasare, dislocare, surpare *(de straturi, roci, provocând fisuri sau falii)*. 5. *mil.* cantonament / deplasare (de trupe). 6. *fiz.* dislocare.

dislodge [dis'lɔdʒ] *vt.* 1. a muta. 2. a izgoni.

disloyal ['dis'lɔil] *adj.* 1. lipsit de loialitate / de credinţă, infidel, necredincios. 2. nesincer.

disloyalty [dis'lɔiəlti] *s.* 1. lipsă de loialitate / credinţă infidelitate; necinste. 2. trădare, defecţiune.

dismal ['dizml] *adj.* 1. întunecos, sumbru. 2. trist. 3. sinistru.

dismantle [dis'mæntl] *vt.* a demonta.

dismay [dis'mei] I. *s.* spaimă. II. *vt.* a înspăimânta.

dismember [dis'membə] *vt.* 1. a dezmembra. 2. a ciopârţi.

dismemberment [dis'membəmənt] *s.* 1. dezmembrare *(şi fig.)*. 2. mutilare, ciuntire *(şi fig)*.

dismiss [dis'mis] *vt.* 1. a lăsa liber. 2. a concedia. 3. a alunga.

dismissal [dis'misl] *s.* 1. concediere. 2. izgonire.

dismount [dis'maunt] I. *vt.* 1. a coborî. 2. a demonta. II. *vi.* a descăleca. 2. a coborî.

disobedience [ˌdisə'bi:djəns] *s.* **(to)** neascultare, nesupunere (faţă de).

disobedient [ˌdisə'bi:djənt] *adj.* **(to)**1. neascultător. 2. nesupus (faţă de).

disobey [ˌdisə'bei] I. *vt.* a nu asculta (de), a nu se supune *(cu dat.)*. II. *vi.* a fi neascultător *sau* nesupus.

disoblige [ˌdisə'blaidʒ] *vt.* a refuza, a nu servi *(pe cineva)*.

disorder [dis'ɔ:də] I. *s.* 1. dezordine. 2. încurcătură. 3. tulburare. 4. boală. II. *vt.* 1. a tulbura. 2. a perturba. 3. a lăsa în dezordine; a deranja.

disorderly [dis'ɔ:dəli] *adj.* 1. dezordonat. 2. în dezordine. 3. învălmăşit. 4. turbulent. 5. nesupus.

disorganization [disˌɔ:gənai'zeiʃn] *s.* dezorganizare, lipsă de rânduială; învălmăşeală.

disorganize [dis'ɔ:gənaiz] *vt.* a dezorganiza.

disown [dis'oun] *vt.* 1. a renega. 2. a dezmoşteni.

disparage [dis'pæridʒ] *vt.* 1. a discredita. 2. a bârfi, a defăima.

disparagement [d'ispæridʒmənt] *s.* 1. defăimare, discreditare, desconsiderare. || *without ~ to the author* fără a-l nedreptăţi / învinui pe autor. 2. atitudine dispreţuitoare.|| *in terms of ~* în termeni dispreţuitori; *to do ~ to smb.* a insulta pe cineva.

disparagingly [dis'pæridʒiŋli] *adj.* 1. insultător. 2. cu duşmănie.

disparate ['dispərit] *adj.* fără legătură; deosebit, nepotrivit,

disparat.

disparity [dis'pæriti] *s.* 1. nepotrivire. 2. inegalitate. 3. decalaj.

dispart [dis'pɑ:t] I. *vt.* 1. a despărţi, a separa. 2. a distribui. II. *vi.* 1. a se despărţi, a porni în direcţii diferite. 2. *(d. ceruri)* a se deschide. III. *s.mil.* cătare *(şi ~ sight)*.

dispassionate [dis'pæʃɔnit] *adj.* 1. fără pasiune, calm, rece. 2. nepărtinitor, imparţial.

dispatch [dis'pætʃ] I. *s.* 1. trimitere, expediere. 2. mesaj. 3. telegramă. 4. grabă. II. *vt.* 1. a trimite, a expedia. 2. a termina. 3. a ucide. 4. a executa.

dispatcher [dis'pætʃə] *s.* 1. expeditor. 2. *tehn.* dispecer. 3. *fig.* ucigaş, asasin. 4. bucătărie rapidă. 5. *sl.* zaruri măsluite.

dispel [dis'pel] *vt.* 1. a alunga. 2. a împrăştia.

dispensary [dis'pensri] *s.* 1. farmacie (filantropică). 2. dispensar *(pt. săraci)*.

dispensation [ˌdispen'seiʃn] *s.* 1. împărţire. 2. dispensă. 3. dispensare. 4. lege *sau* poruncă religioasă.

dispense [dis'pens] I. *vt.* 1. a împărţi. 2. a distribui. 3. a prepara *(medicamente)*. II. *vi.*: *to ~ with* a se lipsi de; a renunţa la.

dispenser [dis'pensə] *s.* 1. persoană care împarte, împărţitor. 2. persoană care aplică *(legea)*.

dispeople ['dis'pi:pl] *vt.* a depopula.

dispersal [dis'pə:səl] *s.* v. **dispersion**.

disperse [dis'pə:s] *vt., vi.* 1. a (se) dispersa. 2. a (se) împrăştia.

dispersion [dis'pə:ʃn] *s.* 1. dispersare, împrăştiere. 2. lipsă de continuitate, de unitate, de coeziune. 3. *fiz., chim.* dispersi(un)e, dispersare.

dispersive [dis'pə:siv] *adj.* dispersiv, care împrăştie / răspândeşte.

dispirit [di'spirit] *vt.* a descuraja, a demobiliza; a deprima.

dispirited [dis'piritid] *adj.* 1. trist. 2. descurajat, deprimat.

displace [dis'pleis] *vt.* 1. a deplasa. 2. a înlocui. 3. a dispersa.

displacement [dis'pleismənt] I. *s.* 1. înlocuire. 2. deplasare. 3. *mar.* deplasament, tonaj.

display [dis'plei] I. s. 1. expoziție. 2. manifestare. 3. etalare (vulgară). II. vt. 1. a expune. 2. a arăta. 3. a manifesta; a indica.

displease [dis'pli:z] vt. 1. a irita, a supăra. 2. a ofensa.

displeasure [dis'pleʒə] s. 1. nemulțumire. 2. supărare, iritare.

disport [dis'pɔ:t] vi., vr. 1. a se distra. 2. a se juca.

disposable [dis'pouzəbl] adj. disponibil; liber; util.

disposal [dis'pouzl] s. 1. înstrăinare. 2. eliminare. 3. folosire. 4. dispoziție. || at smb's ~ la dispoziția cuiva.

dispose [dis'pouz] I. vt. 1. a așeza, a dispune. 2. a da dispoziții cu privire la, a hotărî; a stabili, a determina. II. vi. a dispune de; a îndepărta, a scăpa de, a se descotorosi de; a lichida.

disposer [dis'pouzə] s. împărțitor, distribuitor.

disposition [,dispə'ziʃn] s. 1. fire, caracter. 2. mentalitate. 3. dispoziție. 4. aranjament.

dispossess [,dispə'zes] vt. a deposeda.

dispraise [dis'preiz] I. vt. a dezaproba, a blama, a critica; a disprețui. II. s. dezaprobare, blam; dispreț.

disproof [dis'pru:f] s. combatere, dezmințire; respingere (a unei dovezi, argumentații).

disproportion [,dispro'pɔ:ʃn] I. s. disproporție, nepotrivire. II. vt. a disproporționa.

disproportional [dis,prɔ:pɔ:ʃnl] adj. v. **dissproportionate**.

disproportionate [,disprə'pɔ:ʃnit] adj. disproporționat.

disprove [dis'pru:v] vt. a dovedi mincinos sau fals.

disputable [dis'pju:təbl] adj. 1. discutabil. 2. dubios.

disputant [dis'pju:tnt] I. adj. care discută în contradictoriu. II. s. persoană care susține o discuție / o controversă; antagonist, opozant.

disputation [,dispju'teiʃn] s. dispută, discuție; controversă; ceartă; dezbateri.

disputatious [,dispju'teiʃəs] adj. 1. înclinat spre controversă; combativ. 2. certăreț; gâlcevitor.

dispute [dis'pju:t] I. s. 1. dezbatere. 2. dispută; ceartă. || beyond ~ indiscutabil, mai presus de orice îndoială. II. vt. 1. a discuta. 2. a pune la

îndoială. 3. a se lupta pentru. 4. a disputa. III. vi. 1. a discuta. 2. a se certa.

disqualification [dis,kwɔlifi'keiʃn] s. 1. descalificare, pierdere de drepturi. 2. (for) incapacitate, lipsă de calificare (pentru). 3. jur. pierdere de drepturi civile și politice.

disqualify [dis'kwɔlifai] vt. (for) 1. a descalifica (de la). 2. a împiedica (de la).

disquiet [dis'kwaiət] I. s. neliniștit. II. vt. 1. a neliniști. 2. a tulbura.

disquietude [dis'kwaiitju:d] s. neliniște, frământare, îngrijorare.

disquisition [,diskwi'ziʃn] s. 1. disertație, tratat. 2. înv. cercetare juridică, anchetă. 3. (on, upon) investigație (asupra, cu privire la).

disregard ['disri'gɑ:d] I. s. 1. neglijare. 3. neatenție, lipsă de atenție. II. vt. a nesocoti, a disprețui.

disrepair ['disri'peə] s. stare proastă (de funcționare etc.).

disreputable [dis'repjutəbl] adj. 1. cu reputație proastă, rău famat. 2. urât, rușinos.

disrepute ['disripju:t] s. faimă proastă.

disrespect ['disris'pekt] s. 1. nepolitețe. 2. lipsă de respect, necuviincios.

disrespectful [,disris'pektfl] adj. lipsit de respect.

disrobe ['dis'roub] I. vt. a dezbrăca, a despuia. II. vi. a se dezbrăca, a-și scoate hainele.

disrupt [dis'rʌpt] vt. 1. a fărâmița, a dezagrega. 2. a dezbina.

disruption [dis'rʌpʃn] s. 1. ruptură, spărtură; dezbinare. 2. ist., bis. dezbinare, schismă. 3. geol. dezagregare, erodare. 4. el. străpungere, perforare.

disruptive [dis'rʌptiv] adj. 1. care dezbină. 2. diversionist.

dissatisfaction ['di,sætis'fækʃn] s. nemulțumire, insatisfacție.

dissatisfied ['dis'sætisfaid] adj. (with, at) nesatisfăcut, nemulțumit (de).

dissatisfy ['dis'sætisfai] vt. a nemulțumi.

dissect [di'sekt] vt. 1. a tăia în bucăți. 2. a supune la disecție.

dissection [di'sekʃn] s. 1. disecție. 2. fragment. 3. disecare, analiză amănunțită.

dissemble [di'sembl] I. vt. a disimula, a ascunde; a trece sub tăcere; a deghiza. II. vi. a se preface, a fi fățarnic.

dissembler [di'semblə] s. prefăcut, ipocrit.

disseminate [di'semineit] vt. a răspândi.

dissemination [di,semi'neiʃn] s. fig. semănare; diseminare, răspândire.

dissension [di'senʃn] s. 1. disensiune. 2. ceartă; neînțelegere.

dissent [di'sent] I. s. 1. dezacord. 2. neconformism. II. vi. 1. a fi în dezacord. 2. a avea vederi deosebite. 3. a nu se conforma. 4. a fi eretic.

dissenter [di'sentə] s. 1. neconformist. 2. eretic.

dissentient [di'senʃiənt] I. adj. contrar (părerii oficiale), în disensiune / divergență (cu autoritățile). II. s. disident, opoziționist.

dissertation [,disə'teiʃn] s. dizertație, teză / lucrare de doctorat.

disservice ['di'sə:vis] s. deserviciu, prost serviciu.

dissever [di'sevə] vt. a desparți.

dissident ['disidənt] I. adj. disident, care se abate de la opinia generală. II. s. disident, fracționist; neconformist.

dissimilar [di'similə] adj. (to) diferit (de).

dissimilarity [,disimi,læriti] s. neasemănare, deosebire.

dissimulate [di'simjuleit] vt., vi. a (se) ascunde.

dissimulation [di,simju'leiʃn] s. disimulare, ascundere; prefăcătorie, ipocrizie.

dissipate ['disipeit] I. vt. 1. a risipi; a împrăștia. 2. a alunga. II. vi. a se risipi; a se împrăștia.

dissipated ['disipeitid] adj. desfrânat, stricat, detracat.

dissipation [,disi'peiʃn] s. 1. risipire; împrăștiere. 2. risipă. 3. desfrâu, dezmăț.

dissociate [di'souʃieit] (from) I. vt. a separa (de). II. vr. a se desolidariza (de).

dissociation [di,sousi'eiʃn] (from) s. 1. disociere, separare; izolare (de). 2. desolidarizare (de). 3. psih. disociere; dedublare a personalității. 4. chim. disociație (termică sau electrolitică).

dissolute ['disəlu:t] *adj.* destrăbă-
lat, detracat.
dissolution ['disəlu:ʃn] *s.* **1.** des-
facere. **2.** dizolvare. **3.** imora-
litate, dezmăţ, desfrâu.
dissolve [di'zɔlv] **I.** *vt.* **1.** a dizolva.
2. a desface. **II.** *vi.* **1.** a se dizol-
va. **2.** a dispărea. **3.** a se
destrăma.
dissonance ['disənəns] *s.* diso-
nanţă. **2.** lipsă de armonie. **3.**
neînţelegere.
dissonant ['disənənt] *adj.* **1.** *muz.*
disonant, discordant. **2.** *(fig. d.
interese, păreri)* contradictoriu,
opus.
dissuade [di'sweid] *vt.* a disuada.
dissyllable [di'siləbl] *adj.* disi-
labic.
distaff ['distɑ:f] *s.* furcă (de tors).
distain [dis'tein] *vt. înv.* a păta, a
murdări.
distal ['distl] *adj. anat., bot.* distal,
periferic.
distance ['distns] **I.** *s.* **1.** distanţă.
2. depărtare. **3.** spaţiu. **4.** timp.
II. *vt.* **1.** a distanţa. **2.** a se dis-
tanţa. **3.** a lăsa în urmă.
distant ['distnt] *adj.* **1.** îndepărtat.
2. vag. **3.** rece, distant, rezer-
vat.
distantly ['distntli] *adv.* **1.** de
departe. **2.** *fig.* cu rezervă, dis-
tant.
distaste [dis'teist] *s.* **1.** dezgust. **2.**
aversiune. **3.** antipatie.
distasteful [dis'teistfl] *adj.* **1.**
dezagreabil. **2.** cu gust neplă-
cut. **3.** greţos.
distemper[1] [dis'tempə] *s. vet.*
răpciugă.
distemper[2] [dis'tempə] **I.** *s.* artă **1.**
pictură în tempera. **2.** vopsea
cu clei. **II.** *vt.* a picta în
tempera.
distend [dis'tend] *vt., vi.* **1.** a (se)
umfla. **2.** a (se) dilata. **3.** *med.*
a (se) balona; a (se) meteoriza.
distension [dis'tenʃn] *s.* întindere,
extensiune, dilataţie.
distich ['distik] *s. metr.* distih.
distil [dis'til] *vt., vi.* **1.** a (se) distila.
2. a picura.
distillate ['distilit] *s. chim.* produs
al distilării, distilat.
distillation [,disti'leiʃn] *s.* distilare.
distiller [dis'tilə] *s.* **1.** persoană
care distilează *(mai ales sub-
stanţe alcoolice)*; rachier. **2.**
tehn. distilator, aparat pentru
distilat.
distillery [dis'tiləri] *s.* **1.** distilerie.
2. fabrică de spirt.
distinct [dis'tiŋt] *adj.* **1.** clar. **2.**

distinct. **3.** **(from)** separat (de).
distinction [dis'tiŋʃn] *s.* **1.** dis-
tincţie. **2.** separare. **3.** exce-
lenţă. **4.** decoraţie.
distinctive [dis'tiŋtiv] *adj.* **1.**
deosebit. **2.** specific. **3.** dis-
tinctiv.
distinctly [dis'tiŋtli] *adv.* **1.** dis-
tinct, clar. **2.** fără îndoială.
distinctness [dis'tiŋktnis] *s.* **1.**
claritate, precizie. **2.** **(from)**
deosebire (de).
distingué [di'stæŋgei] *adj.* (foarte)
distins; din lumea bună.
distinguish [dis'tiŋgwiʃ] *vt., vi.* a
(se) distinge.
distinguishable [dis'tiŋgwiʃəbl]
adj. **1.** perceptibil. **2.** remar-
cabil. || ~ *from* care se poate
distinge de; ~ *into* care se
poate împărţi în.
distinguished [dis'tiŋgwiʃt] *adj.* **1.**
distins. **2.** remarcabil.
distort [dis'tɔ:t] *vt.* a deforma.
distortion [dis'tɔ:ʃn] *s.* **1.** defor-
mare. **2.** denaturare.
distract [dis'trækt] *vt.* **1.** **(from)** a
distrage, a abate *(atenţia)* de
la. **2.** a hărţui. **3.** a tulbura, a
zăpăci. **4.** **(with)** a tulbura min-
tea *(cuiva)*, a înnebuni (cu).
distracted [dis'træktid] *adj.* **1.** tul-
burat *(la culme)*. **2.** înnebunit.
distraction [dis'trækʃn] *s.* **1.** dis-
tragere. **2.** tulburare. **3.**
nebunie. **4.** distracţie. || *to
love smb. to* ~ a iubi
nebuneşte pe cineva; *to drive
smb. to* ~ a înnebuni pe
cineva.
distrain [dis'trein] *jur.* **I.** *vt.* a
aplica un sechestru *(cu dat.)*, a
sechestra. **II.** *vi. to* ~ *upon* a
sechestra; a executa *(un
debitor)*.
distraint [dis'treint] *s. jur.*
sechestru, retenţie.
distrait [dis'trei] *adj.* distrat,
neatent.
distraught [dis'trɔ:t] *adj.* înnebunit,
năucit.
distress [dis'tres] **I.** *s.* **1.** necaz. **2.**
mizerie. **3.** primejdie. **II.** *vt.* **1.** a
chinui. **2.** a necăji, a supăra.
distressful [dis'tresfl] *adj.* trist,
nenorocit; jalnic, penibil. || ~
situation situaţie nefericită /
dezastruoasă.
distribute [dis'tribjut] *vt.* **1.** a
împărţi, a distribui. **2.** a
răspândi. **3.** a repartiza.
distribution [,distri'bju:ʃn] *s.* **1.**
împărţire, distribuire. **2.** dis-
tribuţie. **3.** repartiţie, repar-
tizare.

distributive [dis'tribjutiv] *adj.* **1.**
de împărţire. **2.** distributiv.
distributor [dis'tribjutə] *s.* dis-
tribuitor, împărţitor, difuzor.
district ['distrikt] *s.* **1.** regiune. **2.**
district; raion. **3.** cartier.
district attorney ['distrikt ə'tɔ:rni]
s. amer. procuror (al distric |
tului).
distrust [dis'trʌst] **I.** *s.*
neîncredere. **II.** *vt.* **1.** a bănui, a
suspecta. **2.** a nu avea
încredere în.
distrustful [dis'trʌstfl] *adj.*
bănuitor, suspicios.
disturb [dis'tɔ:b] *vt.* a tulbura.
disturbance [dis'tɔ:bns] *s.* tul-
burare, dezordine (publică).
disturber [dis'tɔ:bə] *s.* pertur-
bator; *jur.* persoană care
împiedică pe cineva să-şi exer-
cite un drept.
disulphide [dai'sʌlfaid] *s. chim.*
disulfură.
disunion ['dis'ju:njən] *s.* **1.**
neunire; dezbinare; sciziune;
separare, izolare. **2.** *fig.*
dezacord, discordanţă.
disunite ['disju:'nait] *vt., vi.* a (se)
dezbina.
disuse[1] ['disju:s] *s.* **1.** nefolosire.
2. paragină.
disuse[2] [dis'ju:z] *vt.* **1.** a nu
folosi. **2.** a lăsa în paragină.
ditch [ditʃ] **I.** *s.* şanţ. **II.** *vt.* **1.** a
săpa *(un şanţ)*. **2.** a băga în
şanţ.
dithyramb ['diθiræmb] *s.*
ditiramb.
ditto ['ditou] *pron.* acelaşi.
ditto marks ['ditou'mɑ:ks] *s.* ghili-
mele pentru repetiţie.
ditty ['diti] **I.** *s.* **1.** cântec;
cântecel. **2.** zicală, vorbă, ex-
presie (favorită). **II.** *vi. înv.* a
cânta un cântec. **III.** *vt. înv.* a
cânta.
diuretic [,daiju'retik] *med.* **1.** *adj.*
diuretic, cu proprietăţi
diuretice. **II.** *s.* diuretic, sub-
stanţă diuretică.
diurnal [dai'ɔ:nl] **I.** *adj.* **1.** de zi,
diurn. **2.** *astr.* diurn, care
durează o zi. **3.** *înv.* de fiecare
zi, zilnic. **II.** *s. înv.* jurnal zilnic.
diva ['di:və] *s. muz.* divă,
primadonă, cântăreaţă celebră.
divan [di'væn] *s.* divan.
dive [daiv] **I.** *s.* **1.** plonjon; săritură
în apă. **2.** picaj. **3.** tavernă;
restaurant (în pivniţă). **II.** *vi.* **1.**
a plonja; a sări în apă. **2.** a
intra în picaj. **3.** a se năpusti.

diver ['daivə] *s.* **1.** scafandru. **2.** săritor de la trambulină. **3.** *ornit.* cufundar.

diverge [dai'və:dʒ] *vi.* (**from**) **1.** a fi în divergență (cu). **2.** a se separa (de). **3.** a se deosebi (de).

divergence [dai'və:dʒəns] *s.* (**from**) **1.** divergență, deosebire; dezacord; deviere (față de). **2.** *tehn., mat.* divergență.

divergency [dai'və:dʒnsi] *s.* **1.** divergență. **2.** deosebire.

divergent [dai'və:dʒənt] *adj.* (**from**) **1.** divergent, deosebit (față de), în dezacord (cu); deviat. || ~ *views* păreri diferite. **2.** *tehn., mat.* divergent.

diversification [dai'və:sifi'keiʃn] *s.* diversificare.

divers ['daivə:z] *adj. înv.* diverși, diferiți; mai mulți, mai multe.

diverse [dai'və:s] *adj.* **1.** diferit. **2.** divers.

diversify [dai'və:sifai] *vt.* a diversifica.

diversion [dai'və:ʃn] *s.* (**from**) **1.** abatere, distragere (de la). **2.** diversiune. **3.** distracție, amuzament.

diversity [dai'və:siti] *s.* **1.** varietate. **2.** deosebire.

divert [dai'və:t] *vt.* (**from**) **1.** a abate, a distrage (de la). **2.** a amuza, a distra.

diverting [dai'və:tiŋ] *adj.* amuzant.

divest [dai'vest] *vt.* **1.** a scoate; a smulge *(haine, veșminte, podoabe etc.).* **2.** a arunca. **3.** (**of**) a despuia (de); a priva, a lipsi (de).

divide [di'vaid] **I.** *s.* **1.** despărțire. **2.** *amer.* cumpăna apelor. **3.** creastă. **II.** *vt.* **1.** a despărți. **2.** a împărți. **3.** a repartiza. **4.** a dezbina. **III.** *vi.* **1.** a se despărți. **2.** a se împărți. **3.** a se despica. **4.** a se dezbina.

dividend ['dividend] *s.* **1.** dividend. **2.** deîmpărțit.

divider [di'vaidə] *s.* **1.** persoană *sau* obiect care divide. **2.** *pl.* compas distanțier. **3.** *mat.* divizor. **4.** *chim.* separator. **5.** *tehn.* piesă de ramificație.

divination [,divi'neiʃn] *s.* **1.** ghicit. **2.** prevestire; prevedere, pătrundere. **3.** pronostic dibaci *(care se realizează).*

divine [di'vain] **I.** *s.* **1.** teolog. **2.** cleric. **II.** *adj.* **1.** divin. **2.** minunat. **3.** splendid. **III.** *vt.* a ghici.

diviner [di'vainə] *s.* ghicitor.

diving ['daiviŋ] *s.* **1.** plonjon. **2.** scufundare.

divinity [di'viniti] *s.* **1.** divinitate. **2.** teologie. || *doctor of ~, D.D.* doctor în teologie.

divisible [di'vizəbl] *adj.* divizibil.

division [di'viʒn] *s.* **1.** împărțire. **2.** diviziune. **3.** graniță. **4.** dezacord. **5.** votare.

divisional [di'viʒənl] *adj.* **1.** divizionar, care se referă la împărțire; fracționar. **2.** *mil.* de divizie. **3.** de circumscripție.

divisor [di'vaizə] *s.* divizor.

divorce [di'və:s] **I.** *s.* **1.** divorț. **2.** *fig.* separație. **3.** dezacord. **II.** *vt.* **1.** a divorța (de). **2.** *fig.* a se despărți de.

divorcement [di'və:smənt] *s.* **1.** divorț. **2.** despărțire, separare.

divot ['divət] *s.* *(cuvânt scoțian)* porțiune de pământ cu iarbă, gazon.

divulge [dai'vʌldʒ] *vt.* a divulga.

divvy ['divi] *pop.* **I.** *s.* **1.** lot, parte. **2.** *mil.* divizion; divizie. **II.** *vt.* a împărți, a divide.

dixie ['diksi] *s.* *mil. fam.* **1.** marmită. **2.** gamelă.

Dixie(land) ['diksi(lænd)] *s.* **1.** denumire dată statelor din sudul S.U.A. **2.** numele unor cântece compuse în timpul războiului de secesiune (1861 – 1865); gen de muzică de prânz.

Dixie's Land ['diksiz lænd] *s.* v. **Dixie(land)** 1.

DIY *abrev.* do-it-yourself **1.** tehnica la domiciliu. **2.** care poate fi asamblat etc. și de către un amator.

dizen ['daizn] *vt.* (și *to ~ out) înv.* a împodobi (fără gust), a împopoțona.

dizzily ['dizili] *adv.* amețitor; confuz.

dizziness ['dizinis] *s.* amețeală.

dizzy ['dizi] *adj.* **1.** amețit. **2.** zăpăcit. **3.** amețitor.

DJ *abrev* **1.** *disc jockey* disc jockey. **2.** *dinner jacket* smoching, haină de seară.

dl *abrev.* decilitre decilitru.

D. Litt. *abrev.* Doctor of Letters Doctor în litere, în filologie.

dm *abrev.* decimetre decimetru.

DNA *abrev.* deoxyribonucleic acid acid dezoxiribonucleic, ADN.

do¹ [du(:)] **I.** *s.* **1.** înșelătorie. **2.** faptă. **3.** *fam.* distracție. **4.** (cotă) parte. **II.** *v. aux. pt. interog. și neg. și la imper. neg. trec.* **did** [did], *part. trec.* **done** [dʌn] **III.** *v. mod.* arată insistența trec. **did** [did], *part. trec.* **done** [dʌn]: *you ~ sing well!* dar bine mai cânți!;*(folosit ca înlocuitor) he said he would help me and so he did* a spus că mă va ajuta și chiar așa a și făcut. **IV.** *vt. trec.* **did** [did], *part. trec.* **done** [dʌn] **1.** a îndeplini, a executa. **2.** a săvârși, a face. **3.** a corespunde *(cu dat.);* a mulțumi. **4.** a păcăli. **5.** a strica. || *easier said than done* ușor de spus, dar greu de făcut; *to ~ one's best* a face tot posibilul; *to ~ one's bit* sau *duty* a-și face datoria; *to ~ duty as* a sluji de; *to ~ smb. in* a ucide pe cineva; *to ~ justice to* a face dreptate cuiva; a recunoaște meritele cuiva; a onora cum se cuvine; *to ~smb. a good turn* a face cuiva un serviciu; *to ~ up* a împodobi; a coafa; a încheia *(un nasture etc.);* a istovi. **V.** *vi.* **1.** a acționa. **2.** a activa. **3.** a se ocupa. **4.** a o duce. **5.** a progresa. **6.** a merge, a corespunde. **7.** a ajunge, a fi de ajuns *sau* suficient. || *how ~ you ~?* bună ziua; vă salut; îmi pare bine de cunoștință; *to ~ away with* a înlătura; a desființa; *to have to ~ with* a avea de-a face cu; *to ~ for smb.* a îngriji, a sluji pe cineva; *sl.* a ucide pe cineva; *to be done for* a fi distrus; *to ~ well* a avea dreptate să; *to ~ well by smb.* a se purta frumos cu cineva; *to ~ sau to have done with smth.* a termina cu; *I could ~ with a cup of tea* aș vrea o ceașcă de ceai; mi-ar prinde bine o ceașcă de ceai; *to ~ without smth.* a se (putea) lipsi de ceva; *nothing doing* nu e nimic de făcut.

do² [dou] *s. muz.* do.

doat [dout] *vi.* v. **dote.**

dobbin ['dobin] *s.* cal de tracțiune.

docile ['dousail] *adj.* **1.** docil. **2.** blând.

docility [dou'siliti] *s.* docilitate, supunere; blândețe.

dock [dɔk] **I.** *s.* **1.** *mar.* doc. **2.**

boxa acuzaţilor. **3.** coadă. **4.** măcriş; ştevie. **II.** *vt.* **1.** a aduce *(un vas)* într-un doc. **2.** a tăia *(o coadă).* **3.** a micşora, a reduce. **III.** *vi.* a intra într-un doc.

docker ['dɔkə] *s.* docher.

docket ['dɔkit] **I.** *s.* **1.** *jur.* rol *(al proceselor de judecat).* **2.** registru, opis de hotărâri. **3.** etichetă; fişă, andosament; *econ.* foaie de expediţie. **4.**chitanţa de plată a taxelor vamale. **II.** *vt.* **1.** *jur.* a înregistra *(o hotărâre judecătorească).* **2.** a eticheta, a face o adnotaţie pe un document, a înregistra pe o fişă *(conţinutul unui document etc.).*

dockyard ['dɔkjɑːd] *s.* **1.** *mar.* ansamblu de docuri, antrepozite; şantier naval; arsenal naval. **2.** *amer.* şantier.

doctor ['dɔktə] **I.** *s.* doctor. **II.** *vt.* a trata *(un bolnav).* **2.** a preface, a falsifica, a amesteca *(vinul etc.).*

doctoral ['dɔktərəl] *adj.* **1.** de doctor; doctoral; doctoricesc. **2.** de doctorat.

doctorate ['dɔktrit] *s.* doctorat.

doctrinaire [,dɔktri'nɛə] **I.** *s.* doctrinar, teoretician; ideolog. **II.** *adj.* doctrinar; teoretic; nepractic.

doctrinal [dɔk'trainl] *adj.* referitor la o doctrină, dogmatic.

doctrine ['dɔktrin] *s.* **1.** doctrină. **2.** dogmă.

document ['dɔkjumənt] **I.** *s.* document. **II.** *vt.* a dovedi cu documente; a documenta.

documentary [,dɔkju'mentri] *adj.* documentar.

dodder ['dɔdə] **I.** *s. bot.* cuscută *(Cuscuta europaea).* **II.** *vi.* **1.** a se bălăbăni. **2.** a merge nesigur. **3.** a vorbi în dodii.

dodecagon [dou'dekəgən] *s. geom.* dodecagon.

dodge [dɔdʒ] **I.** *s.* **1.** eschivă; truc. **2.** plan. **3.** manevră. **II.** *vt.* a evita *(fig.).* **III.** *vi.* a se eschiva.

Dodgem ['dɔdʒəm] *s.* automobil electric în miniatură, minicar *(în parcurile de distracţii).*

dodger ['dɔdʒə] *s.* **1.** chiulangiu. **2.** evazionist. **3.** şmecher.

dodo ['doudou] *s. ornit.* pasărea dodo *(Didus ineptus).* || *fam. (as) old as the ~* (foarte) bătrân.

doe [dou] *s.* **1.** căprioară. **2.** iepuroaică.

DOE *abrev. Department of the*

Environment Departamentul mediului.

doer [duə] *s.* **1.** om de acţiune. **2.** executant.

does [dɔz, dʌz] *pers. III. sing., ind. prez. de la* **do.**

doeskin ['douskin] *s.* piele de căprioară.

doesn't ['dʌznt] *formă contrasă de la* **does not.**

doff [dɔf] *vt.* a-şi scoate *(pălăria etc.).*

dog [dɔg] **I.** *s.* **1.** câine. **2.** *fig.* javră. **3.** ins, om, cetăţean. || *to throw to the ~s* a arunca la gunoi; *to let sleeping ~s lie* a nu stârni lucrurile. **II.** *vt.* a urmări.

dog-cart ['dɔgkɑːt] *s.* docar.

dog-days ['dɔgdeiz] *s. pl.* zilele lui cuptor.

doge [doudʒ] *s.* doge.

dog-eared ['dɔgiəd] *adj. (d. carte etc.)* rufos, cu colţurile îndoite.

dog fish ['dɔgfiʃ] *s. iht.* câine-de-mare, rechin mic.

dogged ['dɔgid] *adj.* **1.** încăpăţânat. **2.** tenace.

dogger ['dɔgə] *s.* **1.** *mar.* vas olandez de pescuit cu două catarge. **2.** *geol.* jurasic mijlociu.

doggerel ['dɔgrl] *s.* **1.** versuri proaste. **2.** maculatură *(fig.).*

doggo ['dɔgou] *adv. sl.: to lie ~* a face pe mortul în păpuşoi; a sta la pândă.

doggy ['dɔgi] **I.** *adj.* **1.** de câine, câinesc. **2.** iubitor de câini. **II.** *s.* căţel, căţeluş.

dogma ['dɔgmə] *s.* dogmă.

dogmatic [dɔg'mætik] *s.* **1.** dogmatic. **2.** axiomatic. **3.** enunţiativ.

dogmatism ['dɔgmətizəm] *s.* dogmatism.

dogmatize ['dɔgmətaiz] **I.** *vi.* **1.** a dogmatiza. **2.** a vorbi pe un ton autoritar *sau* sentenţios. **II.** *vt.* a afirma *(principii etc.)* ca dogme.

dog-tired ['dɔg'taiəd] *adj.* istovit.

dog wood ['dɔgwud] *s. bot.* sânger *(Cornus sanguinea).*

doh [dou] *s. muz.* (nota) do.

doily ['dɔili] *s.* şerveţel ornamental (pe care se serveşte tortul sau prăjitura).

doings ['duiŋz] *s. pl.* **1.** activitate. **2.** fapte; acţiuni.

doit [dɔit] *s. ist.* **1.** veche monedă olandeză, gologan, sfanţ. **2.** lucru de nimic, fleac. | | *not to care a ~* a nu-i păsa nici cât

negru sub unghie; *it is not worth a ~* nu face nici cât o ceapă degerată.

Dolby ['dɔlbi] *s. rad.* dolby, sistem pentru reducerea zgomotului de fond la înregistrarea pe bandă magnetică.

dolce ['dɔltʃi] *adj. muz.* dolce.

doldrums ['dɔldrəmz] *s. pl.* **1.** mare calmă. **2.** *fig.* tristeţe.

dole [doul] **I.** *s.* **1.** dar. **2.** plată. **3.** ajutor de şomaj. | | *to be on the ~* a şoma. **II.** *vt.* **1.** a distribui. **2.** a da cu ţârâita.

doleful ['doulfl] *adj.* trist.

doll [dɔl] *s.* **1.** păpuşă. **2.** *fam.* păpuşică, femeie drăguţă. **3.** *amer. sl.* tipă, fustă.

dollar ['dɔlə] *s.* **1.** dolar. **2.** *sl. ist.* coroană *(monedă de 5 şilingi).*

dollop ['dɔləp] *s. fam.* bucată mare, calup.

dolly ['dɔli] **I.** *s.* **1.** păpuşică. **2.** scândură pentru spălatul rufelor. **3.** *tehn.* aparat pentru zdrobit şi spălat minereuri. **4.** platformă pentru transportul scândurilor *sau* al buştenilor *etc.* **5.** *ferov.* boghiu, locomotivă pe o linie îngustă. **6.** *tehn.* matriţă, stanţă. **II.** *vt.* **1.** a spăla, a bate *(rufele).* **2.** *tehn.* a sparge minereu; a amesteca *(minereu)* în cursul operaţiei de spălare.

dolman sleeve ['dɔlmən 'sliːv] *s.* mânecă îngustă la manşetă şi foarte largă în partea de sus, croită din aceeaşi bucată cu haina.

dolmen ['dɔlmen] *s. arh.* dolmen, cromleh.

dolomite ['dɔləmait] *s. minr.* dolomit.

dolor ['doulə] *s. v.* **dolour.**

dolorous ['dɔlərəs] *adj. poet.* dureros, jalnic.

dolour ['doulə] *s. poet.* durere, tristeţe, jale.

dolphin ['dɔlfin] *s.* **1.** *zool.* delfin *(Delphinus delphis).* **2.** *mar.* geamandură de legat navele; mănunchi de piloţi.

dolt [doult] *s.* tâmpit.

dom [dɔm] *s.* domnul *(în Portugalia şi Brazilia).*

domain [də'mein] *s.* domeniu.

dome [doum] *s.* dom.

domed [doumd] *adj.* **1.** *arhit.* împodobit cu o cupolă; boltit. **2.** *(d. frunte)* boltit, înalt.

domestic [də'mestik] **I.** *s.* servitor. **II.** *adj.* **1.** domestic. **2.** familial. **3.** intern.

domesticate [də'mestikeit] *vt.* **1.** a domestici. **2.** a deprinde cu gospodăria. **3.** a civiliza.

domesticity [,doumes'tisiti] *s.* **1.** viață de familie, dragoste de casă. **2.** *pl.* treburi casnice. **3.** domesticire, îmblânzire.

domicile ['dɔmisail] *s.* domiciliu.

domiciled ['dɔmisaild] *adj.* domiciliat, rezident.

domiciliary [,dɔmi'siljəri] *adj.* domiciliar.

dominance ['dɔminəns] *s.* stăpânire, ascendent.

dominant ['dɔminənt] *adj.* **1.** dominant. **2.** puternic. **3.** superior.

dominate ['dɔmineit] **I.** *vt.* **1.** a domina. **2.** a guverna. **3.** a stăpâni. **II.** *vi.* **1.** a avea o poziție dominantă. **2.** a avea autoritate.

domination [,dɔmi'neiʃn] *s.* dominație.

domineer [,dɔmi'niə] *vi.*: *to ~ over* a teroriza, a tiraniza.

domineering [,dɔmi'niəriŋ] *adj.* **1.** autoritar. **2.** arogant. **3.** îngâmfat.

Dominican [də'minikən] **I.** *adj.* dominican.

dominie ['dɔmini] *s. (scoțian, mai ales peior.)* învățător.

dominion [də'minjən] *s.* **1.** dominație. **2.** autoritate. **3.** stăpânire, guvernare. **4.** dominion.

domino ['dɔminou] *s.* domino.

don [dɔn] **I.** *s.* **1.** don. **2.** nobil. **3.** membru în conducerea unei universități; profesor *(la Oxford etc.)*. **II.** *vt.* **1.** a îmbrăca *(o haină etc.)*. **2.** a-și pune *(pălăria etc.)*.

donate [do'neit] *vt.* a dona.

donation [dou'neiʃn] *s.* donație, dar, danie; alocație.

donative ['dounətiv] **I.** *adj.* acordat printr-o donație. **II.** *s.* **1.** dar, donație; gratificație. **2.** *bis.* obol, donație.

don't [*forma tare* dount; *forme slabe* doun, dən, dn] prescurtare de la **do not**.

done [dʌn] *part. trec. de la* **do**.

donjon ['dɔndʒn] *s. arhit.* donjon.

donkey ['dɔŋki] *s.* **1.** măgar. **2.** *fig.* tâmpit.

donna ['dɔnə] *s.* doamnă *(titlu italian, spaniol sau portughez)*.

donnish ['dɔniʃ] *adj.* profesoral, doct; pedant.

donor ['dounə] *s.* donator.

doodle ['duːdl] **I.** *s. sl.* **1.** găgăuță, nerod. **2.** desen sau mâzgăleală *(executată mașinal)* **II.** *vi. fam.* a mâzgăli distrat o hârtie.

doom [duːm] **I.** *s.* **1.** soartă (rea). **2.** judecata de apoi. **II.** *vt.* a osândi; a sorti.

doomsday ['duːmzdei] *s.* ziua judecății de apoi. || *till ~ la* nesfârșit.

door [dɔː] *s.* **1.** ușă. **2.** poartă. **3.** portiță. **4.** *fig.* cale; cheie. || *next ~* alături; *from ~ to ~* din poartă în poartă; *out of ~s* afară; *to show smb. the ~* a da pe cineva afară.

door-bell ['dɔːbel] *s.* sonerie.

door-frame ['dɔːfreim] *s.* cadrul ușii.

door-keeper ['dɔː,kiːpə] *s.* portar.

door knob ['dɔːnɔb] *s.* mâner/ clanță de ușă

door-plate ['dɔːpleit] *s.* tăbliță cu numele locatarului.

door-step ['dɔːstep] *s.* prag.

door stone ['dɔːstoun] *s.* dală, lespede de piatră în fața ușii principale.

door-way ['dɔːwei] *s.* **1.** intrare. **2.** prag. **3.** cadrul ușii.

dope [doup] **I.** *s.* **1.** drog, stupefiant. **2.** *fig.* opiu. **3.** dopaj. **4.** tâmpit. **5.** *amer.* informație secretă; pont. **II.** *vt.* **1.** a dopa. **2.** a droga. **3.** a deprinde cu stupefiante.

dope-fiend ['doupfiːnd] *s.* toxicoman, drogat.

dopey ['doupi] *adj.* tâmp, prost, nătâng.

doppelgänger ['dɔpəl,gæŋə] *s.* spectru, fantomă.

Doppler effect ['dɔpləri'fekt] *s. fiz.* efect Doppler.

Dorcas ['dɔːkəs] *s.* **1.** asociație filantropică de femei engleze. **2.** filantroapă.

Dorian ['dɔːriən] **I.** *adj.* dorian, dornic. **II.** *s.* locuitor din Doria.

Doric ['dɔrik] **I.** *adj.* **1.** doric. **2.** grosolan, provincial. **II.** *s.* **1.** dialectul doric. **2.** dialect local. || *to speak one's native ~* a vorbi în dialectul matern.

dormant ['dɔːmənt] *adj.* **1.** adormit. **2.** toropit. **3.** inactiv. **4.** latent.

dormer(-window) ['dɔːmə ('window)] *s.* lucarnă, tabacheră.

dormitory ['dɔːmitri] *s.* dormitor (comun).

dormouse ['dɔːmaus] *s. zool.* alunar, pârș *(Muscardinus anellanarius)*.

dorsal ['dɔːsəl] *adj. anat.* dorsal, al spatelui.

dory ['dɔːri] *s.* luntre de pescari cu fundul plat *(mai ales în America de Nord)*.

dosage ['dousidʒ] *s.* **1.** *med., farm.* dozare. **2.** doză; administrare în doze.

dose [dous] **I.** *s.* doză *(fig.)*. **II.** *vt.* a administra *(o doctorie)*.

doss [dɔs] *sl.* **I.** *s.* pat de închiriat la un preț modest; prici. **II.** *vi.* a înnopta într-un azil.

dosshouse ['dɔshaus] *s. sl.* azil de noapte.

dossier ['dɔsiei] *s.* **1.** dosar. **2.** *jur.* proces, afacere.

dost [dʌst] *înv. pers.* a II-a *sing. ind. prez. de la* **do**[1].

dot [dɔt] **I.** *s.* **1.** punct. **2.** picătură. **3.** dotă. **II.** *vt.* a pune punct. || *to ~ one's i's* a pune punctul pe i.

dotage ['doutidʒ] *s.* **1.** ramoleală. **2.** bătrânețe.

dotard ['doutəd] *s.* ramolit.

dote [dout] *vi.* **1.** a da în doaga copilăriei, a se prosti. **2.** *to ~ on / upon* a fi nebun după; a iubi ca ochii din cap.

doth [dʌθ] *înv. pers.* a III-a *sing. ind. prez. de la* **to do**.

doting ['doutiŋ] **I.** *adj.* **1.** ramolit; copilăros. **2.** îndrăgostit la nebunie. **II.** *s.* ramolisment, senilitate.

dotterel ['dɔtərl] *s. ornit.* prundăraș-de-munte *(Eudromias morinellus)*.

dottle ['dɔtl] *s. (cuvânt scoțian)* tutun nefumat rămas în pipă.

dotty ['dɔti] *adj.* **1.** punctat, presărat cu puncte. **2.** *fam.* cu mersul nesigur, șchiopătând. **3.** *fam.* tâmpit, bătut la cap; slab de minte; țicnit; zăbăuc.

double ['dʌbl] **I.** *s.* **1.** dublu. **2.** dublură. **3.** meci, probă de dublu. **4.** pas alergător. **5.** întorsătură. **II.** *adj.* **1.** dublu. **2.** cu două părți. **3.** bilateral. **III.** *vt.* **1.** a dubla. **2.** a îndoi. **3.** a juca *(două roluri)*. **4.** a trece *(de un colț, de un cap etc.)*. || *to ~ back* a îndoi; *to ~ up* a ghemui. **IV.** *vi.* **1.** a se îndoi, a se încovoia. **2.** a merge în pas alergător. || *to ~ up* a se ghemui. **V.** *adv.* **1.** dublu; de două ori. **2.** perechi-perechi.

double-barrelled ['dʌbl,bærəld] *adj.* **1.** cu două țevi. **2.** *fig.* echivoc.

double-bass ['dʌbl'beis] *s. muz.* contrabas.

double-breasted ['dʌbl'brestid] *adj. (d. haină)* la două rânduri.

double-cross ['dʌblkrɔs] *vt.* **1.** a înşela. **2.** a trăda. **3.** a blestema.

double-dealer ['dʌbl'di:lə] *s.* ipocrit; taler cu două feţe.

double-edged ['dʌbl'edʒd] *adj.* cu două tăişuri.

double entendre [,du:blā:'ntā:ndr] *s.* vorbă cu două înţelesuri.

double-faced ['dʌblfeist] *adj.* făţarnic.

double-quick ['dʌbl'kwik] *mil.* **I.** *s.* pas alergător. **II.** *adj.* foarte rapid. **III.** *adv.* repede, în pas alergător.

doublet ['dʌblit] *s.* **1.** tunică. **2.** dublet.

doubloon [dʌ'blu:n] *s. ist., fin.* dublon, monedă spaniolă de aur.

doubly ['dʌbli] *adv.* de două ori.

doubt ['daut] **I.** *s.* **1.** îndoială. **2.** nesiguranţă. **3.** dilemă; enigmă. || *in* ~ la îndoială; *no* ~, *without (a)* ~ fără îndoială; *beyond a* ~ mai presus de orice îndoială. **II.** *vt.* **1.** a pune la îndoială. **2.** a nu crede. **III.** *vi.* a sta la îndoială.

doubtful ['dautfl] *adj.* **1.** neîncrezător. **2.** şovăitor; şovăielnic. **3.** dubios.

doubtfully ['dautfuli] *adv.* **1.** cu îndoială. **2.** cu inima îndoită.

doubtless ['dautlis] *adv.* **1.** sigur. **2.** fără doar şi poate.

douche [du:ʃ] **I.** *s.* **1.** spălătură. **2.** duş. **II.** *vt.* **1.** a face spălătură *(cuiva).* **2.** a face duş *(cuiva),* a stropi cu apă. **III.** *vi.* **1.** a(-şi) face o spălătură. **2.** a face duş.

dough [dou] *s.* **1.** aluat, cocă. **2.** *sl.* bani.

dough-nut ['dounʌt] *s.* gogoaşă.

doughty ['dauti] *adj. înv., iron.* voinicos, curajos.

dour ['duə] *adj.* **1.** sever. **2.** încăpăţânat.

douse [daus] **I.** *vt.* **1.** a muia, a scufunda în apă. **2.** a stropi. **3.** a uda (leoarcă). **4.** a stinge. || *sl. to* ~ *the glim* a stinge lumina. **5.** *mar.* a strânge repede *(pânzele).* **II.** *vi.* a cădea în apă.

dove[1] [dʌv] *s.* porumbel; turturea.

dove[2] [douv] *trec. înv. şi amer. de* la **dive.**

dove-cot ['dʌvkɔt] *s.* hulubărie.

dovetail ['dʌvteil] **I.** *s.* îmbinare. **II.** *vt., vi.* **1.** a (se) îmbina. **2.** a (se) potrivi *(fig.).*

dowager ['dauə'dʒə] *s.* **1.** văduvă. **2.** *fam.* matroană; femeie impunătoare. || *Queen Dowager* regina-mamă.

dowdy ['daudi] **I.** *adj. fam.* **1.** *(d. o femeie)* lipsită de gust, demodată, împopoţonată. **2.** *(d. o rochie)* urâtă, împopoţonată, demodată. **II.** *s.* femeie îmbrăcată neglijent / prost; ţaţă.

dowel ['dauəl] **I.** *s.* **1.** pană, ic. **2.** *tehn.* ştift, cep, pivot. **3.** *constr.* diblu. **4.** *mar.* cavilă, întinzător de lemn. **II.** *vt.* a întări *sau* a fixa pene *etc.*

dowelling ['dauəliŋ] *s. tehn.* stinghii de lemn pentru pene, dibluri etc.

dower ['dauə] **I.** *s.* **1.** moştenire *(partea care revine văduvei pe toată durata vieţii).* **2.** zestre. **3.** talent, dar. **II.** *vt.* **1.** a lăsa moştenire văduvei. **2. (with)** *fig.* a înzestra (cu).

down [daun] **I.** *s.* **1.** dună, deal. **2.** puf; tulei. || *to have a* ~ *on smb.* a nu putea suferi pe cineva; a avea pică pe cineva. **II.** *adj.* **1.** trist. **2.** prăpădit. **3.** flămând. **4.** bolnav. **5.** coborâtor. || *to be* ~ a fi trist; a fi pământ; *to be* ~ *in the mouth* a fi prăpădit; a fi flămând etc.; *to be* ~ *with fever* a fi bolnav la pat; *to be* ~ *on one's luck* a avea ghinion; ~ *and out* distrus; extremist; *to be* ~ *for* a se înscrie la. **III.** *vt.* **1.** a coborî. **2.** a lăsa (în) jos. **3.** a trânti la pământ. **4.** a da pe gât. || *to* ~ *a glass* a bea un pahar până la fund; *to* ~ *tools* a intra în grevă. **IV.** *adv.* **1.** (în) jos. **2.** la pământ. **3.** în inferioritate. || ~ *to* până la; *to put smb.* ~ a critica pe cineva; *to have smth.* ~ a aşterne ceva pe hârtie; *up and* ~ încolo şi încoace; *cash* ~ cu bani gheaţă; ~ *with him!* jos cu el! **V.** *prep.* **1.** în josul *(cu gen.).* **2.** de-a lungul *(cu gen.).*

Down's syndrome ['daunz 'sindroum] *s. med.* sindromul Down.

downcast ['daunkɑ:st] *adj.* **1.** deprimat, trist. **2.** descurajat. **3.** *(d. ochi)* lăsaţi în jos.

downfall ['daunfɔ:l] *s.* **1.** cădere. **2.** precipitaţii. **3.** *fig.* distrugere; ruină.

downhearted ['daun'hɑ:tid] *adj.* **1.** trist. **2.** deprimat.

downhill ['daunhil] *adv.* **1.** în jos. **2.** la vale. **3.** *fig.* spre mai rău.

Downing Street ['dauniŋstri:t] *s.* **1.** reşedinţa primului ministru britanic. **2.** *fig.* guvernul britanic.

downpour ['daunpɔ:] *s.* ploaie torenţială.

downright ['daunrait] **I.** *adj.* **1.** cinstit; franc. **2.** total. **II.** *adv.* **1.** de-a dreptul. **2.** întru totul.

downstairs [,daun'stɛəz] *adv.* jos, la parter.

downstream [,daun'stri:m] *adv.* în aval, în josul apei.

downtown [,daun'taun] *adv.* **1.** în cartierul comercial. **2.** *amer.* în centru.

down train ['dauntrein] *s.* tren care merge spre provincie.

downtrodden ['daun,trɔdn] *adj.* **1.** umilit. **2.** asuprit.

downward ['daunwəd] **I.** *adj.* **1.** descendent. **2.** *fig.* scăpătat. **II.** *adv.* în jos.

downwards ['daunwədz] *adv.* în jos.

downy ['dauni] **I.** *adj.* **1.** pufos, ca puful. **2.** de puf, acoperit cu puf, cu tuleie. **3.** *fig.* moale, plăcut; dulce. **4.** *sl.* şiret, viclean. **II.** *s. sl.* pat. || *to do the* ~ a lenevi în pat.

dowry ['dauəri] *s.* **1.** zestre. **2.** talent.

dowse [daus] *vt. mar.* a strânge *(pânzele).*

doxology [dɔk'sɔlədʒi] *s. bis.* doxologie.

doyen ['dɔiən] *s.* decan, şef *(al corpului diplomatic).*

doze [douz] **I.** *s.* aţipeală, somn. **II.** *vi.* **1.** a aţipi. **2.** a dormita. || *to* ~ *off* a aţipi.

dozen ['dʌzn] *s.* duzină.

D.Phil. *abrev. Doctor of Philosophy* Doctor în filozofie / umanistică.

drab [dræb] *adj.* **1.** urât, sordid; murdar. **2.** *fig.* neinteresant, şters, fără haz. **3.** obscur. **4.** mizer.

drachm [dræm] *s.* drahmă *(măsură de greutate farmaceutică).*

drachma ['drækmə] *s. fin.* drahmă, unitate monetară grecească.

Draconian [drə'kouniən] *adj.* draconic, aspru, cumplit.

draff [dræf] *s.* **1.** lături, zoaie; resturi. **2.** borhot. **3.** *fig.* drojdie, resturi.

draft [drɑːft] I. s. 1. schiţă. 2. plan. 3. proiect. 4. ordin de plată. 5. contingent. 6. recrutare obligatorie. II. vt. 1. a schiţa. 2. a face un proiect pentru. 3. a detaşa. 4. amer. a lua la armată, a încorpora.

drafting ['drɑːftiŋ] s. 1. redactare. 2. proiectare. 3. amer. încorporare (obligatorie).

draftsman ['drɑːftsmən] s. 1. proiectant, desenator tehnic. 2. redactor (al unui document).

drag [dræg] I. s. 1. piedică (la căruţă). 2. furcă (pentru pescuit). 3. trăsură. 4. dâră. 5. plasă. II. vt. 1. a târî; a trage. 2. a târâi. 3. a cerceta, a draga (fundul unui lac etc.). || to ~ one's feet a-şi târî picioarele. III. vi. 1. a se târî; a se târâi. 2. a se lăsa greu. 3. a pescui cu plase.4. a trece cu greu.

draggle [d'rægl] I. vt. a murdări cu noroi, a terfeli. II. vi. 1. a se târî prin noroi. 2. a întârzia, a rămâne în urmă.

draggled ['drægld] adj. 1. murdar. 2. soios.

dragnet ['drægnet] s. 1. plasă de prins peşti. 2. plasă de prins vânat. 3. amer. razie.

dragon ['drægn] s. balaur.

dragon-fly ['drægnflai] s. entom. libelulă (Odonata sp.).

dragoon [drə'guːn] I. s. mil. dragon. II. vt. înv. a sili.

drain [drein] I. s. 1. jgheab; uluc. 2. ţeavă. 3. canal. 4. scurgere.5. fig. pierdere. 6. duşcă, înghiţitură; picătură. II. vt. 1. a scurge. 2. a canaliza. 3. a suge; a goli. 4. fig. a stoarce. 5. a bea. 6. a canaliza, a introduce canalizarea în. III. vi. 1. a se scurge. 2. a se usca. 3. a se evapora. 4. a slăbi, a fi stors.

drainage ['dreinidʒ] s. canalizare, scurgere. 2. apă de scurgere.

drainer ['dreinə] s. 1. lucrător de drenaje. 2. bazin cu fund perforat.

drake [dreik] s. răţoi.

dram [dræm] s. picătură.

drama ['drɑːmə] s. 1. genul dramatic, teatru. 2. opere dramatice. 3. piesă de teatru. 4. dramă.

dramatic [drə'mætik] adj. dramatic, spectaculos.

dramatically [drə'mætikəli] adv. (în mod) dramatic / spectaculos.

dramatics [drə'mætiks] s. pl. teatru.

dramatist ['dræmətist] s. dramaturg.

dramatization [ˌdræmətai'zeiʃn] s. dramatizare.

dramatize ['dræmətaiz] vt. 1. a dramatiza. 2. fig. a lua în tragic.

drank [dræŋk] vt., vi. trec. de la **drink**.

drape [dreip] vt. 1. a drapa. 2. a acoperi cu pânză.

draper ['dreipə] s. pânzar.

drapery ['dreipəri] s. 1. draperie. 2. pânzeturi.

drapery store ['deipəristɔː] s. magazin de pânzeturi.

drastic ['dræstik] adj. drastic.

drastically ['dræstikəli] adv. (în mod) drastic, (în mod) radical.

draught [drɑːft] I. s. 1. tragere. 2. tracţiune. 3. decantare. 4. băutură; duşcă. 5. pescaj.6. curent. 7. pl. (jocul de) dame. || beast of ~ animal de tracţiune / ham; at one ~ dintr-o înghiţitură. II. vt. v. **draft**.

draughtsman ['drɑːftsmən] s. pl. **draughtsmen** ['drɑːftsmen] 1. desenator (tehnic). 2. proiectant. 3. piesă, bilă, damă (la jocul de dame).

draughty ['drɑːfti] adj. (d. cameră etc.) în care trage, în care e curent, friguros.

drave [dreiv] vt. înv. trec. de la **drive**.

Dravidian [drə'vidiən] adj. dravidian, dravidic.

draw [drɔː] I. s. 1. tragere. 2. scoatere (a sabiei, pistolului etc.). 3. duel. 4. sport. remiză; meci nul. 5. atracţie. II. vt. trec. **drew** [druː], part. trec. **drawn** [drɔːn] 1. a trage. 2. a târî. 3. a atrage. 4. a provoca.5. a scoate. 6. a descrie. 7. mar. a călca (apa). 8. a deforma. || to ~ applause a cuceri aplauze; to ~ back a retrage; a trage la o parte; to ~ smb.'s blood a răni pe cineva; a lua cuiva sânge; to ~ one's breath a-şi trage sufletul; to ~ down a coborî; to ~ forth a scoate; to ~ a game a da remiză o partidă; to ~ in a atrage; to ~ the line a stabili limitele; to ~ the long bow a exagera; to ~ lots a trage la sorţi; to ~ off a scoate, a dezbrăca; to ~on a pune, a îmbrăca; a produce; to ~ out a lungi; a trage de limbă; a elabora; a produce; to ~ a

parallel a face o paralelă; to ~ a prize a câştiga un premiu (la loterie etc.); to ~ tears a stoarce lacrimi. III. vi. trec. **drew** [druː], part. trec. **drawn** [drɔːn] 1. a se apropia. 2. a fi atras. 3. a trage. 4. a desena. 5. a trage la sorţi. 6. a face meci nul sau remiză. 7. a se lăsa dus. || to ~ away a se îndepărta; to ~ back a se retrage; a se întoarce; a şovăi; to ~ out a se prelungi; a pleca; to ~ in a se scurta; a fi econom; to ~ off a se îndepărta; to ~ on a se apropia; a se folosi de; a se inspira din; to ~ together a se apropia, a se uni; to ~ up a se apropia, a se alinia; a se opri; a trage la scară.

drawback ['drɔːbæk] s. 1. piedică, obstacol. 2. defect, dezavantaj.

drawbridge ['drɔːbridʒ] s. pod basculant.

drawer ['drɔːə] s. 1. sertar. 2. desenator. 3. pl. chiloţi (mai ales de damă).

drawing ['drɔːiŋ] s. 1. desen. 2. grafică.

drawing-board ['drɔːiŋbɔːd] s. planşetă de desen.

drawing-pin [drɔːiŋpin] s. pioneză.

drawing-room ['drɔːiŋrum] s. 1. salon. 2. salonaş.

drawl [drɔːl] I. s. vorbă tărăgănată. II. vt. a tărăgăna. III. vi. a vorbi tărăgănat.

drawn [drɔːn] vt., vi. part. trec. de la **draw**.

dray [drei] I. s. 1. căruţă (joasă); camion cu bere, cotigă. 2. tălpi de sanie. II. vt. a excava, a draga.

drayman ['dreimən] s. căruţaş, camionagiu.

dread [dred] I. s. spaimă, teamă; groază. II. vt., vi. a (se) înspăimânta.

dreadful ['dredfl] adj. 1. înspăimântător. 2. de temut. 3. teribil. 4. neplăcut.

dreadfully ['dredfuli] adv. 1. înspăimântător, teribil. 2. ['dredfli] grozav de, foarte.

dreadnought ['drednɔːt] s. mar. cuirasat.

dream [driːm] I. s. 1. vis. 2. visare. II. vt. trec. şi part. trec. **dreamt** [dremt] 1. a visa. 2. a-şi închipui. III. vi. trec. şi part. trec. **dreamt** [dremt] a visa (şi fig.).

dreamer ['driːmə] s. visător.

dreamily ['dri:mili] *adv.* visător, ca în vis.

dreamland ['dri:mlænd] *s.* țară de basm, lume de vis.

dreamless ['dri:mlis] *adj.* (d. somn) fără vise.

dreamt [dremt] *vt., vi. trec. și part. trec.* de la **dream**.

dreamy ['dri:mi] *adj.* **1.** visător. **2.** de vis. **3.** vag.

drear [driər] *adj. poet.* v. **dreary**.

drearily ['driərili] *adv.* trist, lugubru.

dreary ['driəri] *adj.* **1.** îngrozitor. **2.** sinistru. **3.** întunecos.

dredge [dredʒ] **I.** *s.* dragă. **II.** *vt.* **1.** a draga. **2.** a presăra. **III.** *vi.* a draga.

dredger ['dredʒə] *s.* **1.** dragă. **2.** presărător, cutie găurită pentru presărat. **3.** pescar (în special de stridii).

dregs [dregz] *s. pl.* drojdie (și fig.).

drench [drentʃ] *vt.* a uda leoarcă.

drender ['drendə] *s.* **1.** furtun de pompieri. **2.** băutor. **3.** *fam.* ploaie torențială.

Dresden ['drezdən] *s.* porțelan de Dresda.

dress [dres] **I.** *s.* **1.** rochie; rochiță. **2.** haine, îmbrăcăminte; ținută. **II.** *vt.* **1.** a îmbrăca (și fig.). **2.** a împodobi. **3.** a pregăti. **4.** a coafa. **5.** a alinia. || *to ~ up* a îmbrăca elegant. **III.** *vi.* **1.** a se îmbrăca (elegant). **2.** a se alinia. || *to ~ up* a se îmbrăca elegant.

dress-circle ['dres'sə:kl] *s.* teatru balcon I.

dress-coat ['dres'kout] *s.* **1.** frac. **2.** jachetă.

dresser ['dresə] *s.* **1.** infirmier. **2.** garderobieră. **3.** bufet; măsuță de bucătărie.

dressing ['dresiŋ] *s.* **1.** îmbrăcare. **2.** preparare a mâncării. **3.** salată. **4.** sos. **5.** bandaj. **6.** scrobeală. **7.** ocară. || *to give smb. a good ~ down* a face pe cineva de două parale; a trage o săpuneală cuiva.

dressing-case ['dresiŋkeis] *s.* trusă medicală.

dressing-gown ['dresiŋgaun] *s.* halat; capot.

dressing room ['dresiŋru(:)m] *s.* **1.** cameră de toaletă. **2.** *teatru* cabină (pentru actori).

dressing-table ['dresiŋ,teibl] *s.* masă de toaletă.

dressmaker ['dres,meikə] *s.* croitoreasă.

dressmaking ['dres,meikiŋ] *s.* **1.** cusut; croitorie. **2.** confecții pentru dame.

dress rehearsal ['dresri'hə:sl] *s.* repetiție generală (în costume).

dressy ['dresi] *adj. fam.* **1.** (d. persoane) elegant, bine îmbrăcat. **2.** (d. haine) elegant, șic; de gală.

drew [dru:] *vt., vi. trec.* de la **draw**.

drey ['drei] *s.* cuib, vizuină de veveriță.

dribble ['dribl] **I.** *s.* **1.** picurare, scurgere înceată. **2.** *sport* dribling. **II.** *vt., vi.* **1.** a picura. **2.** a dribla.

drib(b)let ['driblit] *s.* **1.** sumă mică (de bani). || *to pay in ~s* a plăti cu țârâita. **2.** cantitate mică. || *by ~s* puțin câte puțin, cu țârâita.

dried [draid] **I.** *vt., vi. trec. și part. trec.* de la **dry**. **II.** *adj.* uscat.

drier ['draiə] *s.* **1.** uscător; artă sicativă. **II.** *adj. comparativ* de la **dry** I.

drift [drift] **I.** *s.* **1.** curent. **2.** sens; direcție. **3.** val. **4.** troian; morman. **5.** alunecare. **II.** *vt.* **1.** a îndepărta. **2.** a duce. **3.** a muta. **4.** a abate. **III.** *vi.* **1.** a fi dus, îndepărtat. **2.** a fi îndepărtat, abătut (din drum). **3.** a fi luat sau dus de curent. **4.** a fi purtat sau dus de colo-colo.

drifter ['driftə] *s.* **1.** drifter, navă pentru pescuitul cu năvodul. **2.** năvodar. **3.** *amer. fam.* haimana. **4.** *mine.* miner la înaintare.

driftwood ['driftwud] *s.* **1.** material lemnos plutitor. **2.** trunchiuri (care alătuiesc plutele).

drill[1] [dril] **I.** *s.* **1.** sfredel; freză. **2.** *mil.* instrucție. **3.** școală exerciții; repetiții. **4.** semănătoare. **5.** *text.* (pânză de) dril. **II.** *vt.* **1.** a sfredeli. **2.** a instrui. **III.** *vi.* **1.** a face găuri. **2.** *mil.*, școală a face exerciții sau instrucție.

drill[2] [dril] **I.** *s. agr.* brazdă. **II.** *vt.* a semăna în rânduri.

drill[3] [dril] *s. zool.* dril, specie de maimuță (Cynocephalus leucophoeus).

drill bit ['dril bit] *s.* **1.** burghiu (lat, plat). **2.** *constr.* floare de burghiu.

driller ['drilə] *s.* **1.** *mil.* instructor militar. **2.** *mine.* miner perforator; sondor. **3.** *tehn.* mașina de găurit.

drily ['draili] *adv.* v. **dryly**.

drink [driŋk] **I.** *s.* băutură (mai ales alcoolică). || *in ~ beat.* **II.**

vt. trec. **drank** [dræŋk], *part. trec.* **drunk** [drʌnk] **1.** a bea. **2.** a sorbi. **3.** a suge. **4.** a toasta pentru. || *to ~ up, off* sau *down* a bea până la fund; *to ~ in* a absorbi (și fig.); a sorbi (și fig.). **III.** *vi. trec.* **drank** [dræŋk], *part. trec.* **drunk** [drʌnk] **1.** a bea. **2.** a fi bețiv.

drinkable ['driŋkəbl] *adj.* potabil, de băut.

drinker ['driŋkə] *s.* băutor. || *heavy ~* bețivan, alcoolic.

drip [drip] **I.** *s.* **1.** picătură. **2.** picurare. **II.** *vt., vi.* a picura.

dripping ['dripiŋ] **I.** *s.* **1.** grăsime topită. **2.** zeamă de friptură. **II.** *adj.* ud leoarcă.

drive [draiv] **I.** *s.* **1.** plimbare cu un vehicul. **2.** alee. **3.** alungare. **4.** lovitură (la jocurile cu mingea). **5.** forță. **6.** energie, entuziasm. **7.** campanie. **8.** efort. **9.** cursă. **II.** *vt. trec.* **drove** [drouv], *part. trec.* **driven** ['drivn] **1.** a mâna (caii). **2.** a conduce (mașina etc.). **3.** a duce (cu un vehicul). **4.** a împinge. **5.** a lovi. **6.** a determina. **7.** a bate (un cui). **8.** a face, a efectua. **9.** a construi. || *to ~ away* a izgoni; *to ~ smb. into a corner* a strânge pe cineva cu ușa. **III.** *vi. trec.* **drove** [drouv], *part. trec.* **driven** ['drivn] **1.** a mâna caii. **2.** a conduce mașina. **3.** a merge cu mașina. **4.** a umbla. **5.** a merge. || *to ~ at smth.* a face aluzie la ceva; a ținti la ceva.

drivel ['drivl] **I.** *s.* **1.** vorbărie goală, pisălogeală. **2.** prostii, fleacuri. **II.** *vi.* a spune prostii.

driven ['drivn] *vt., vi. part. trec.* de la **drive**.

driver ['draivə] *s.* **1.** șofer. **2.** vizitiu. **3.** păstor. **4.** roată motrice.

driveway ['draivwei] *s.* alee / drum de acces la castel, biserică etc; (în Anglia).

driving ['draiviŋ] **I.** *s.* conducerea mașinii. **II.** *adj.* **1.** motrice. **2.** *fig.* conducător, director.

drizzle ['drizl] **I.** *s.* burniță. **II.** *vi.* a bura, a burnița.

droll [droul] *adj.* **1.** amuzant, nostim. **2.** ciudat, caraghios, ridicol.

dromedary ['drʌmədri] *s.* dromader.

drone [droun] **I.** *s.* **1.** trântor (și fig.). **2.** zumzet. **II.** *vi.* **1.** a zumzăi. **2.** a vorbi monoton.

drool [dru:l] *amer. fam.* I. *vi.* a sporovăi. II. *s.* pisălog, palavragiu.

droop [dru:p] I. *vt.* a lăsa în jos, a coborî; a lăsa să atârne, a înclina. || *amer. mil.* to ~ the colour a saluta cu drapelul. II. *vi.* 1. a se lăsa în jos, a se pleca. 2. *(d. plante)* a se veșteji, a se apleca. 3. a-și pierde curajul. 4. a intra în declin. II. *s.* 1. lăsare, coborâre. 2. ofilire. 3. obosire. 4. decădere, declin. 5. *muz.* coborâre a tonului.

drop [drɔp] I. *s.* 1. picătură *(și fig.)*. 2. cădere. II. *vt.* 1. a lăsa să cadă. 2. a scăpa. 3. a pune la pământ. || to ~ anchor a ancora; to ~ a brick a face o gafă; to ~ a curtsey a face o reverență. III. *vi.* 1. a cădea. 2. a scădea. 3. a coborî. 4. a scăpăta. || to ~ in (on smb.) a trece pe la cineva, a intra la cineva; to ~ off a se împuțina; a scădea; a ațipi; to ~ out a se lăsa; a se da bătut; to let smth. ~ a lăsa ceva baltă.

droplet ['drɔplit] *s.* picătură mică.

dropsy ['drɔpsi] *s.* dropică, hidropizie.

dross [drɔs] *s.* zgură *(și fig.)*.

drossy ['drɔsi] *adj.* fără valoare.

drought [draut] *s.* secetă. 2. uscăciune.

drouth [drauθ] *s. poet. (cuvânt scoţian)* to feel the ~ a fi la ananghie.

drove [drouv] I. *s.* 1. turmă. 2. ceată. II. *vt., vi. trec. de la* **drive**.

drover ['drouvə] *s.* 1. văcar, păzitor de vite. 2. negustor de vite.

drown [draun] I. *vt.* 1. a îneca. 2. a acoperi. II. *vi., vr.* a se îneca.

drowse [drauz] I. *vt.* a omorî *(timpul)*. II. *vi.* 1. a moţăi. 2. a ațipi.

drowsily ['drauzili] *adv.* somnoros; alene; cu indolență.

drowsiness ['drauzinis] *s.* toropeală, somnolență.

drowsy ['drauzi] *adj.* 1. toropit, somnoros. 2. soporific, adormitor. 3. flasc, moale, topit.

drub [drʌb] *vt.* a bate (rău).

drubbing ['drʌbiŋ] *s.* 1. bătaie, ciomăgeală. 2. urme lăsate de bătaie.

drudge [drʌdʒ] I. *s.* 1. sclav, rob. 2. om care muncește din greu. II. *vi.* 1. a munci pe rupte. 2. a robi.

drudgery ['drʌdʒri] *s.* 1. sclavie. 2. trudă.

drug [drʌg] I. *s.* 1. doctorie. 2. drog. II. *vt.* 1. a droga. 2. a preface. 3. a falsifica.

drugget ['drʌgit] *s.* 1. ţesătură de lână grosolană pentru preșuri. 2. preş; scoarţă.

druggist ['drʌgist] *s. cuvânt scoţian, amer.* farmacist.

drugstore ['drʌgstɔ:] *s. amer.* (mic) magazin universal.

Druid ['dru:id] *s.* druid.

drum [drʌm] I. *s.* 1. tobă, *pl. muz.* baterie. 2. rezervor. 3. cilindru. II. *vt.* 1. a bate toba pe. 2. a repeta la infinit. III. *vi.* a bate toba.

drummer ['drʌmə] *s.* 1. toboşar. 2. *amer.* comis-voiajor.

drumstick ['drʌmstik] *s.* 1. baghetă pentru tobă. 2. pulpă de pasăre fiartă / friptă. 3. *pl. fam.* picioare subţiri.

drunk [drʌŋk] I. *vt., vi.part. trec. de la* **drink**. II. *adj.* beat. || to get ~ a se îmbăta; ~ with success ameţit de succes. III. *s.* 1. beţiv(an).2. om beat.

drunkard ['drʌŋkəd] *s.* beţiv.

drunken ['drʌŋkn] *adj.* 1. beat. 2. ameţit. 3. nebunesc.

drunkenness ['drʌŋknnis] *s.* 1. beţie. 2. ameţeală.

drupe [dru:p] *s. bot.* drupă.

dry [drai] I. *adj.* **drier, the driest**. 1. uscat, sec. 2. arid. 3. antialcoolic. 4. secetos. II. *vt.* a usca. III. *vi.* 1. a (se) usca. 2. a seca.

dryad ['draiəd, 'draiæd] *s. mit.* driadă.

dry-dock ['drai,dɔk] *mar.* I. *vt.* a trage *(o navă)* în docurile de uscat; *(d. nave)* a intra în docurile de uscat. II. *s.* doc (de) uscat.

dryer ['draiə] *s.* 1. uscător. 2. dispozitiv pentru uscare.

dry goods ['drai,gudz] *s. pl.* 1. cereale. 2. galanterie, mercerie.

dryly ['draili] *adv.* 1. uscat. 2. *fig.* rece; glacial.

dry measure [,drai'meʒə] *s.* măsură de capacitate.

dryness ['drainis] *s.* 1. uscăciune *(a unei regiuni etc.)*. 2. uscăciune *(a aerului etc.)*. 3. asprime, severitate *(a tonului)*.

dual ['djuəl] *adj.* 1. dual. 2. dublu. 3. bilateral.

dualism ['dju(:)ə,lizəm] *s.* dualism.

duality [dju'æliti] *s.* dualitate.

dub [dʌb] *vt.* 1. a înnobila; a unge cavaler. 2. a porecli. 3. a dubla *(un film)*.

dubiety [dju:'baiəti] *s.* dubiu, îndoială; ezitare.

dubious ['dju:bjəs] *adj.* 1. neîncrezător; îndoit. 2. șovăitor. 3. dubios. 4. echivoc.

dubiously ['dju:biəsli] *adv.* cu îndoială.

ducal ['dju:kl] *adj.* ducal.

ducat ['dʌkət] *s. ist.* ducat *(monedă)*.

duchess ['dʌtʃis] *s.* ducesă.

duchy ['dʌtʃi] *s.* ducat, principat.

duck [dʌk] I. *s.* 1. raţă. 2. persoană încântătoare. 3. *text.* tercot, pânză de doc. 4. *pl.* haine de doc (alb); costum de vară. 5. cufundare. 6. plonjon. || ~s and drakes (jocul de-a) boul, ochiuri *(pe apă)*; to play ~s and drakes with one's money a toca banii. II. *vt.* 1. a cufunda. 2. a coborî. 3. a apleca.

duckbill ['dʌkbil] *s.* 1. *zool.* ornitorinc *(Ornithorhynchus paradoxus)*. 2. *bot.* grâu-mare, *(Triticum turgidum)*.

duckling ['dʌkliŋ] *s.* 1. boboc de raţă, răţuşcă. 2. copilaş (îndrăgit).

duct [dʌkt] *s.* 1. tub. 2. canal.

ductile ['dʌktail] *adj.* 1. ductil. 2. *fig.* influenţabil, docil.

ductility [dʌk'tiliti] *s.* 1. ductilitate, maleabilitate; plasticitate. 2. *fig.* supunere, ascultare.

ductless ['dʌktlis] *adj. anat.* *(d. glandă)* cu secreţie internă.

dud [dʌd] *s.* 1. bombă care nu explodează. 2. lucru de prisos. 3. ratat. 4. incapabil. 5. imbecil.

dude [dju:d] *s. amer. sl.* 1. spilcuit, filfizon. 2. student. 3. tip, individ. 4. orăşean. 5. turist venit în Vestul Sălbatic.

dudgeon ['dʌdʒn] *s.: in high ~* supărat foc / la culme.

due [dju:] I. *s.* 1. datorie. 2. respect *sau* lucru datorat. 3. *pl.* taxă, cotizaţie. II. *adj.* 1. datorat. 2. scadent. 3. cuvenit. 4. corespunzător, cum trebuie. 5. aşteptat.6. planificat.|| *in ~ course* la timpul potrivit; *the accident was ~ to careless driving* accidentul s-a datorat neatenţiei la volan.

duel ['djuəl] I. *s.* duel *(și fig.)*. II. *vi.* a se duela.

duellist ['djuəlist] *s.* duelgiu.

duello [du:'elou] *s.* duel.

duenna [dju:'enə] *s.* guvernantă,

însoțitoare *(a tinerelor fete); rar înv.* duenă.

duet [dju'et] *s.* duet.

duff[1] [dʌf] *s.* **1.** aluat, cocă. **2.** *sl.* budincă cu stafide. **3.** *amer.* pământ negru, humus.

duff[2] [dʌf] *vt. sl.* **1.** a falsifica, *(mărfuri).* **2.** a amăgi, a înșela.

duff[3] [dʌf] *vt. fam.* a rata *(o afacere etc.).*

duff[4] [dʌf] *adj. sl.* inferior, fără valoare.

duffer ['dʌfə] *s.* **1.** incapabil, neghiob. | | *a perfect ~ at history* un ageamiu desăvârșit la istorie. **2.** falsificator *sau* contrabandist de mărfuri; calpuzan.

duffle coat ['dʌfl ˌkout] *s.* scurtă bărbătească de stofă groasă cu glugă și brandenburguri.

dug[1] [dʌg] *vt., vi. trec. și part. trec. de la* **dig**.

dug[2] [dʌg] *s.* uger, mamelă *(la animale); (vulg. la femei)* țâță.

dugong ['dju:gɔŋ] *s. zool.* dugong *(Dugong dugong).*

dug-out ['dʌgaut] *s.* **1.** barcă săpată într-un trunchi. **2.** *mil.* adăpost *(blindat).*

duke [dju:k] *s.* duce.

dukedom ['dju:kdəm] *s.* **1.** rangul de duce. **2.** ducat, principat.

dulcet ['dʌlsit] *adj. (d. sunete)* suav, plăcut.

dulcimer ['dʌlsimə] *s. muz.* timpanon; *aprox.* țambal.

dull [dʌl] **I.** *adj.* **1.** greoi. **2.** monoton; plicticos; nesărat. **3.** tâmpit, prost. **4.** prostesc, stupid. **5.** întunecos; mohorât. **6.** tocit. **II.** *vt.* **1.** a atenua, a îmblânzi. **2.** a estompa *(și sunetele).* **3.** a toci. **III.** *vi.***1.** a se atenua. **2.** a se toci.

dullard ['dʌləd] *s.* tâmpit; cap de lemn.

dul(l)ness ['dʌlnis] *s.* **1.** caracter greoi / obtuz; opacitate. **2.** monotonie; tristețe. **3.** *econ.* stagnare. **4.** lipsă de strălucire *(a unei culori).* **5.** zgomot surd *(al unei lovituri).*

dully ['dʌli] *adv.* **1.** greoi; încet. **2.** plicticos, monoton; trist. **3.** surd, înăbușit. **4.** fără strălucire *(și fig.).*

duly ['dju:li] *adv.* **1.** la timpul potrivit. **2.** când *sau* cum trebuie; conform obligațiilor. **3.** în mod corespunzător.

dumb [dʌm] *adj.* **1.** mut. **2.** fără glas. **3.** amuțit. **4.** *amer.* tâmpit.

dumb-bell ['dʌmbel] **I.** *s.* **1.** *pl.*

haltere, greutăți. **2.** *amer. sl.* prost, tâmpit. **II** *vt.* a face gimnastică cu haltere.

dumbfound ['dʌm'faund] *vt.* **1.** a uimi, a zăpăci; a lăsa cu gura căscată. **2.** a înfunda, a reduce la tăcere.

dumbly ['dʌmli] *adv.* mut, în tăcere.

dumb-show ['dʌmˌʃou] *s.* **1.** joc mut. **2.** mimă.

dumdum ['dʌmdʌm] *s.* (glonte) dumdum.

dummy ['dʌmi] *s.* **1.** manechin. **2.** înlocuitor. **3.** copie fidelă; imitație. **4.** mână moartă. **5.** martor mut. **6.** suzetă.

dump [dʌmp] **I.** *s.* depozit *(de armament sau gunoi).* **II.** *vt.* **1.** a descărca. **2.** *econ.* a arunca (pe piață), a face dumping cu.

dumping ['dʌmpiŋ] *s.* inundarea pieței cu mărfuri ieftine, dumping.

dumpish ['dʌmpiʃ] *adj.* posomorât, abătut.

dumpling ['dʌmpliŋ] *s.* **1.** găluscă. **2.** gogoașă.

dumps [dʌmps] *s.* tristețe; depresiune.

dumpy[1] ['dʌmpi] *adj.* v. **dumpish.**

dumpy[2] *adj.* **I.** scund și îndesat. **II.** *s.* **1.** rasă de găini cu picioare scurte. **2.** bondoc.

dumpy[3] ['dʌmpi] *s.* **1.** scăunel mic, pliant. **2.** umbreluță.

dun [dʌn] **I.** *s.* creditor / perceptor insistent și inoportun. **II.** *vt. (d. creditori)* a pisa *(cerând rambursarea datoriilor).*

dunce [dʌns] *s.* tâmpit, cap sec.

dunderhead ['dʌndəhed] *s.* prostovan, nătâng, cap sec / de lemn.

dunderheaded ['dʌndəhedid] *adj. fam.* nătâng, bătut în cap.

dune [dju:n] *s.* dună.

dung [dʌŋ] *s.* bălegar.

dungaree [ˌdʌŋgə'ri:] *s. (anglo- indian)* țesătură de bumbac grosolană *(mai ales de culoare albastră).*

dungeon ['dʌndʒn] *s.* temniță, beci.

dunlin ['dʌnlin] *s. ornit.* fugaci-de-țărm *(Calidris alpina).*

dunnock ['dʌnək] *s. ornit.* brumăriță-de-pădure *(Prunella modularis).*

duo ['dju:ou] *s. muz.* duo, pereche de interpreți, duet.

duodecimal [ˌdju:ou'desiməl] **I.** *s.* a douăsprezecea parte. **II.** *adj.*

duodecimal, al doisprezecelea.

duodecimo [ˌdju:(ː)ou'desimou] *s. poligr.* (format) duodecimo, fasciculă cu douăsprezece file.

duodenum [ˌdju:ou'di:nəm], *pl.* **duodena** [ˌdju:ou'dinə] *s. anat.* duoden.

duologue ['dju:əlɔg] *s.* v. **dialogue.**

dupe [dju:p] **I.** *s.* fraier, om păcălit *sau* escrocat. **II.** *vt.* **1.** a păcăli. **2.** a escroca.

duple ['dju:pl] *adj.* **1.** *rar* dublu, îndoit. **2.** *muz.* de două măsuri, în doi timpi.

duplex ['dju:pleks] *adj.* dublu.

duplicate[1] ['dju:plikit] **I.** *s.* **1.** duplicat. **2.** copie. **II.** *adj.* **1.** dublu. **2.** copiat.

duplicate[2] ['dju:plikeit] *vt.* **1.** a copia, a reproduce. **2.** a înmulți cu doi. **3.** a dubla.

duplication [ˌdju:pli'keiʃn] *s.* **1.** duplicare; dublare, înmulțire cu doi. **2.** facerea unui duplicat.

duplicator ['dju:plikeitə] *s.* **1.** mașină de multiplicat / de copiat. **2.** mașină de înregistrat; mașină de calculat bonurile de casă.

duplicity [dju'plisiti] *s.* **1.** fățărnicie. **2.** înșelăciune.

durability [ˌdjuərə'biliti] *s.* **1.** durabilitate; stabilitate; longevitate. **2.** rezistență *(a materialelor)*

durable ['djuərəbl] *adj.* durabil.

duralumin [djuə'ræljumin] *s. met.* duraluminiu.

durance ['djuərəns] *s.* **1.** *poet.* întemnițare, detenție. **2.** *înv.* postav, stofă, aba. **3.** *înv.* durabilitate. **4.** *înv.* răbdare.

duration [dju'reiʃn] *s.* durată.

duress(e) [dju'res] *s.* **1.** constrângere. **2.** întemnițare. || *under ~* prin / sub constrângere; cu forța / de-a sila.

during ['djuəriŋ] *prep.* în timpul *(cu gen.).*

durst [də:st] *vt. trec de la* **dare** II.

dusk [dʌsk] *s.* **1.** amurg, crepuscul. **2.** întuneric.

duskiness ['dʌskinis] *s.* **1.** înserare, întunecare; întuneric. **2.** culoare închisă.

dusky ['dʌski] *adj.* **1.** de amurg. **2.** întunecat; întunecos. **3.** negricios.

dust [dʌst] **I.** *s.* **1.** praf. **2.** pulbere. **3.** țărână. **4.** *fig.* mormânt. **5.** *sl.*

bani. || *to raise a ~* a ridica praful; *fig.* a face scandal; *to be in the ~* a fi cu fruntea în ţărână. **II.** *vt.* **1.** a scutura / a şterge de praf. **2.** a presăra. || *to ~ smb.'s jacket for him* a bate măr pe cineva.

dust-bin ['dʌsbin] *s.* ladă de gunoi.

dust-cart ['dʌstkɑːt] *s.* maşină de salubritate / gunoi.

duster ['dʌstə] *s.* **1.** cârpă de praf. **2.** presărător, cutie pentru presărat *(zahăr pudră etc.).*

dustman ['dʌsmən] *s. pl.* **dustmen** ['dʌsmən] gunoier.

dusty ['dʌsti] *adj.* **1.** prăfuit. **2.** (sub formă de) praf.

Dutch [dʌtʃ] **I.** *s.* (limba) olandeză. || *the ~* olandezii; *it's double ~ (to me)* nu înţeleg o iotă; e o babilonie. **II.** *adj.* olandez.

Dutch courage [,dʌtʃ'kʌridʒ] *s.* curajul beţivului.

Dutchman ['dʌtʃmən] *s. pl.* **Dutchmen** ['dʌtʃmen] olandez.

Dutchwoman ['dʌtʃ,wumən] *s. pl.* **Dutchwomen** ['dʌtʃwimin] olandeză.

duteous ['djuːtjəs] *adj.* ascultător, supus, obedient.

dutiable ['djuːtjəbl] *adj.* **1.** impozabil. **2.** supus taxelor vamale.

dutiful ['djuːtifl] *adj.* **1.** ascultător, supus. **2.** respectuos, cuviincios.

duty ['djuːti] *s.* **1.** îndatorire; da-

torie. **2.** sarcină. **3.** treabă. **4.** taxă (vamală). || *on ~* de serviciu; *to be in ~ bound to* a fi obligat să.

duty-free ['djuːti'friː] *adj.* scutit de taxe (vamale).

duvet ['duːvei] *s.* plapumă (subţire).

dwarf [dwɔːf] **I.** *s.* pitic. **II.** *vt.* **1.** a micşora. **2.** a reduce.

dwarfish [dwɔːfiʃ] *adj.* **1.** pitic, de pitic. **2.** pipernicit, nedezvoltat; scund, mărunţel.

dwell [dwel] *vi. trec. şi part. trec.* **dwelt** [dwelt] **1.** a locui. **2.** a rămâne. **3.** a insista (asupra unui subiect).

dweller ['dwelə] *s.* locuitor.

dwelling(-house) ['dweliŋ(haus)] *s.* locuinţă.

dwelling place ['dweliŋpleis] *s.* domiciliu, locuinţă, reşedinţă.

dwelt [dwelt] *vi. trec. şi part. trec.* de la **dwell**.

dwindle ['dwindl] **I.** *vi.* **1.** a se micşora, a se împuţina. **2.** a slăbi, a se ofili. **3.** a se irosi, a se stinge. **4.** a decădea, a degenera. **II.** *vt.* a micşora, a împuţina; a slăbi.

dye [dai] **I.** *s.* **1.** vopsea. **2.** *fig.* categorie. **II.** *vt., vi.* **1.** a (se) vopsi. **2.** a (se) colora.

dyer ['daiər] *s.* vopsitor, boiangiu.

dyestuff ['daistʌf] *s.* **1.** vopsea. **2.** colorant.

dying ['daiiŋ] *adj.* muribund.

dyke [daik] *s.* **1.** dig. **2.** şanţ.

dynamic [dai'næmik] *adj.* **1.** dinamic. **2.** energic.

dynamics [dai'næmiks] *s. pl.* dinamică.

dynamism ['dainəmizəm] *s. filoz.* dinamism.

dynamite ['dainəmait] **I.** *s.* dinamită. **II.** *vt.* a dinamita.

dynamo ['dainəmou] *s.* dinam.

dynast ['dinəst] *s.* monarh, conducător *sau* reprezentant al dinastiei.

dynastic [di'næstik] *adj.* dinastic.

dynasty ['dinəsti] *s.* dinastie.

dyne [dain] *s. fiz.* dină.

dysentery ['disntri] *s.* dizenterie.

dysfunction [,disfʌŋʃn] *s.* **1.** (şi *med.*) disfuncţie. **2.** disfuncţionalitate; proastă funcţionare.

dyslexia [dis'leksiə] *s. med. psih.* dislexie, dificultăţi anormale la citire şi scriere datorate unei disfuncţii a creierului.

dyspepsia [dis'pepsiə] *s. med.* dispepsie; indigestie, digestie proastă.

dyspeptic [dis'peptik] **I.** *adj.* **1.** *med.* dispeptic. **2.** melancolic, indispus; pesimist. **II.** *s.* **1.** *med.* dispeptic. **2.** pesimist; melancolic.

dystrophy ['distrəfi] *s. med.* distrofie.

E

E [iː] *s.* **1.** (litera) E, e. **2.** *muz.* (nota) mi.

each [iːtʃ] **I.** *adj.* fiecare (în parte). **II.** *pron.* fiecare (în parte). || *~ other* reciproc; unul pe altul, între ei. **III.** *adv.* (de) fiecare.

eager ['iːgə] *adj.* **1.** doritor. **2.** nerăbdător; curios. **3.** gata. **4.** zelos.

eagerly ['iːgəli] *adv.* v. **eager**.

eagerness ['iːgənis] *s.* **1.** nerăbdare. **2.** dorinţă. **3.** ascuţime.

eagle ['iːgl] **I.** *s.* vultur *(Aquila etc. sp.).* **II.** *adj.* de vultur, vulturesc.

eaglet ['iːglit] *s.* pui de vultur, vulturaş.

ear[1] ['iə] *s.* **1.** ureche. **2.** auz. **3.**

ureche muzicală. **4.** spic. || *to be all ~s* a fi numai (ochi şi) urechi; *to give ~ to* a-şi pleca urechea la.

ear[2] ['iə] **I.** *vi.* a da în spic. **II.** *vt. înv.* a ara.

ear ache ['iəreik] *s. med.* durere de urechi; otalgie; boală de urechi.

earl [əːl] *s.* conte (englez).

earldom ['əːldəm] *s.* rangul *sau* proprietatea unui conte.

early ['əːli] **I.** *adj.* **1.** timpuriu. **2.** prematur. **3.** de început. **4.** prim. **5.** matinal. **II.** *adv.* devreme; din vreme, de timpuriu, dis de dimineaţă.

earmark ['iəmɑːk] **I.** *s.* **1.** semn. **2.** ştampilă. **3.** semn distinctiv. **4.**

semn de proprietate. **II.** *vt.* **1.** a marca. **2.** a însemna. **3.** *fin.* a destina, a aloca.

earn [əːn] *vt.* **1.** a câştiga *(prin muncă).* **2.** a merita.

earnest ['əːnist] **I.** *s.* **1.** seriozitate. **2.** acont, arvună. || *to be in ~* a fi serios. **II.** *adj.* **1.** serios. **2.** sincer.

earnings ['əːniŋz] *s. pl.* **1.** salariu. **2.** câştig.

earphone ['iəfoun] *s. rad.* cască.

ear-ring ['iəriŋ] *s.* cercel.

earshot ['iəʃɔt] *s.* distanţa de la care se poate auzi.

earth [əːθ] **I.** *s.* **1.** pământ. **2.** lume. **3.** uscat. **4.** sol. **5.** vizuină. **6.** *chim.* pământ rar.

|| *how on* ~? cum Dumnezeu?; *to run to* ~ a se ascunde în vizuină. **II.** *vt.* a acoperi cu pământ.

earth-born ['ɔ:θbɔ:n] *adj.* **1.** pământean, terestru; muritor, lumesc; josnic, nedemn. **2.** *mit.* născut pe pământ, pământean. **3.** de jos, din familie proastă. **4.** autohton, de baștină.

earthen ['ɔ:θn] *adj.* **1.** de pământ. **2.** argilos. **3.** pământiu.

earthenware ['ɔ:θnwɛə] *s.* oale, ceramică.

earthly ['ɔ:θli] *adj.* **1.** pământesc. **2.** posibil.

earthquake ['ɔ:θkweik] *s.* cutremur (de pământ).

earthward(s) ['ɔ:θwəd(z)] *adv.* către / spre pământ.

earthwork ['ɔ:θwɔ:k] *s. mil.* întăritură, fortificație.

earthworm ['ɔ:θwɔ:m] *s. zool.* râmă *(Lumbricus terrestris).*

eartrumpet ['iə,trʌmpit] *s.* cornet acustic.

earwig ['iəwig] *s. entom.* urechelniță *(Forficula).*

ease [i:z] **I.** *s.* **1.** tihnă. **2.** huzur. **3.** libertate. **4.** ușurință. **5.** confort. || *at* ~ liniștit; *mil.* pe loc repaus; *ill at* ~ neliniștit; chinuit. **II.** *vt.* **1.** a ușura. **2.** a slăbi. **3.** a alina. **4.** a liniști. **III.** *vi.* **1.** a se liniști. **2.** a slăbi.

easel ['i:zl] *s.* șevalet.

easement ['i:zmənt] *s.* **1.** *înv.* liniștire, domolire; ușurare. **2.** comoditate; înlesnire, avantaj. **3.** dependințe, anexe. **4.** *jur.* servitute.

easily ['i:zili] *adv.* **1.** ușor. **2.** negreșit.

easiness ['i:zinis] *s.* **1.** liniște, huzur; comoditate; confort. || ~ *of mind* liniște sufletească, pace. **2.** ușurință, facilitate. **3.** superficialitate. **4.** naturalețe, lipsă de constrângere. **5.** indiferență, nepăsare. **6.** blândețe *(a firii)*; suplețe.

east [i:st] **I.** *s.* **1.** răsărit. **2.** Orient. **II.** *adj.* de răsărit. **III.** *adv.* către răsărit.

Easter ['i:stə] *s.* Paște.

easterly ['i:stəli] **I.** *adj.* de răsărit. **II.** *adv.* spre răsărit.

eastern ['i:stən] **I.** *adj.* **1.** răsăritean, estic. **2.** situat în partea de (nord-)est a S.U.A. **II.** *s. Eastern* oriental, locuitor din Orient.

easterner ['i:stənə] *s.* **1.** v. **eastern** **II.** **2.** *Easterner* locuitor din partea de est a S.U.A. (coasta Atlanticului).

eastward ['i:stwəd] *adj., adv.* spre răsărit.

easy ['i:zi] **I.** *adj.* **1.** ușor, facil. **2.** liniștit, tihnit. **3.** plăcut. **4.** simpatic. **II.** *adv.* **1.** ușurel, ușor. **2.** încetișor. || *take it* ~ nu te necăji; nu te speria; ia-o încet; copăcel!

easy chair ['i:zi'tʃɛə] *s.* scaun confortabil *(de obicei cu spetează)*; fotoliu.

easy-going ['i:zigouiŋ] *adj.* **1.** comod, indolent; nepăsător. **2.** ușuratic, flușturatic. **3.** plăcut, simpatic. **4.** *(d. mersul calului)* lin, ușor.

eat [i:t] **I.** *vt. trec.* **ate** [æt], *part. trec.* **eaten** [i:tn] **1.** a mânca. **2.** a înghiți. **3.** a distruge; a mistui. **4.** a roade. || *to* ~ *dirt* a se umili; *to* ~ *one's heart out* a se omorî cu firea. **II.** *vi. trec.* **ate** [æt], *part. trec.* **eaten** [i:tn] **1.** a mânca. **2.** a roade.

eatable ['i:təbl] **I.** *s.* aliment; *pl.* mâncare, merinde. **II.** *adj.* comestibil.

eaten ['i:tn] *vt., vi. part. trec. de la* **eat.**

eater ['i:tə] *s.* mâncător.

eating ['i:tiŋ] *s.* **1.** mâncare. **2.** mâncat.

eating-house ['i:tiŋhaus] *s.* **1.** restaurant. **2.** birt (ieftin), cantină.

Eau-de-Cologne ['oudəkə'loun] *s.* (apă de) colonie.

eaves [i:vz] *s. pl.* streașină.

eavesdrop ['i:vzdrɔp] *vi.* a trage cu urechea.

eavesdropper ['i:vz,drɔpə] *s.* persoană care ascultă la ușă, care trage cu urechea, indiscret; intrigant.

e'en [i:n] *adv. poet.* v. **even**[1] **III.**

e'er [ɛər] *adv. poet.* v. **ever.**

ebb [eb] **I.** *s.* **1.** reflux. **2.** declin. **3.** scădere. **II.** *vi.* **1.** a intra în reflux. **2.** a scădea, a slăbi. **3.** a decădea.

ebonite ['ebənait] *s. chim.* ebonit.

ebony ['ebəni] **I.** *s.* **1.** abanos. **2.** negreală. **II.** *adj.* **1.** de abanos. **2.** (negru) ca abanosul.

ebullient [i'bʌljənt] *adj.* **1.** fierbând, în fierbere, în clocot. **2.** *fig.* plin de entuziasm, înflăcărat; debordant, exuberant. **3.** *fig.* iute, aprins.

ebullition [,ebə'liʃn] *s.* **1.** fierbere, clocot(ire); dare în clocot. **2.** *fig.* revărsare, izbucnire *(a unei pasiuni etc.).*

eccentric [ik'sentrik] *s., adj.* excentric.

eccentricity [,eksen'trisiti] *s.* **1.** *tehn.* excentricitate. **2.** excentricitate, originalitate, ciudățenie.

ecclesia [i'kli:ziə] *s.* **1.** *ist.* Greciei adunare regulată *(mai ales a cetățenilor din Atena).* **2.** *înv.* biserica creștină. **3.** parohie.

ecclesiastic [i,kli:zi'æstik] *s., adj.* cleric(al), ecleziast(ic).

ecclesiastical [ikli:zi'æstikl] *adj.* ecleziastic.

echelon ['eʃəlɔn] **I.** *s.* **1.** *mil.* eșalon. **2.** treaptă, grad; gradație. **II.** *vt.* **1.** a eșalona, a așeza în distanțe *(trupe).* **2.** a grada, a planifica.

echidna [i'kidnə] *s. zool.* echidna *(Tachyglossus aculeata).*

echinoderm [i'kainoudə:m] *s. zool.* echinoderm.

echo ['ekou] **I.** *s.* **1.** ecou. **2.** răsunet. **3.** imitație. **II.** *vt.* a reproduce ca un ecou; a se face ecoul *(cu gen.).* **III.** *vi.* **1.** a răsuna. **2.** a avea ecou.

éclair [ei'klɛə] *s. gastr.* ecler.

éclat ['eiklɑ:] *s.* **1.** glorie, slavă. **2.** succes; vâlvă, senzație. **3.** ostentație, paradă.

eclectic [ik'lektik] **I.** *adj.* eclectic; selectiv. **II.** *s.* **1.** om care alege ce-i place de peste tot. **2.** compilator. **3.** *filoz.* (filozof) eclectic.

eclecticism [ek'lektisizəm] *s.* eclectism, caracter eclectic.

eclipse [i'klips] **I.** *s.* **1.** eclipsă *(și fig.).* **2.** întunecare. **II.** *vt.* **1.** a întuneca. **2.** a eclipsa.

eclogue ['eklɔg] *s. lit.* eglogă, poezie pastorală.

ecology [i'kɔlədʒi] *s. biol.* ecologie.

economic [,i:kə'nɔmik] *adj.* economic, din domeniul economiei.

economical [,i:kə'nɔmikl] *adj.* **1.** econom. **2.** chibzuit. **3.** economic(os).

economically [,i:kə'nɔmikli] *adv.* **1.** cu economie, chibzuit. **2.** din punct de vedere economic.

economics [,i:kə'nɔmiks] *s.* **1.** economie politică. **2.** științe economice.

economist [i'kɔnəmist] *s.* **1.** economist. **2.** econom.

economize [i'kɔnəmaiz] *vt., vi.* a economisi.

economy [i'kɔnəmi] *s.* **1.** economie. **2.** chibzuială. **3.** administrație. **4.** economie politică.

écru ['ekru:] *adj.* **1.** *text.* brut, neprelucrat. **2.** de culoare gălbuie, ecru.

ecstasy ['ekstəsi] *s.* *(şi la pl.)* extaz.

ecstatic [eks'tætik] *adj.* **1.** vesel, extatic, extaziat. **2.** îmbucurător.

ecstatically [ek'stætikli] *adv.* în extaz.

ECT *abrev.* *electroconvulsive therapy* terapie cu şocuri electrice.

ectoderm ['ektoudə:m] *s.* *anat.* ectodermă.

ectodermal [,ektou'də:ml] *adj.* *anat.* ectodermic.

ectoplasm ['ektouplæzəm] *s.* *anat.* ectoplasmă.

ecumenic(al) [,i:kju:menik(əl)] *adj.* *bis.* ecumenic.

eczema ['eksimə] *s.* eczemă.

Edam ['i:dæm] *s.* brânză de Olanda.

eddy ['edi] **I.** *s.* vârtej. **II.** *vi.* a se învârteji, a face un vârtej.

Eden ['i:dn] *s.* paradis.

edentate [i'denteit] *zool.* **I.** *adj.* **1.** cu dinţi puţini. **2.** fără dinţi. **II.** *s.* animal fără dinţi *sau* cu dinţi puţini.

edge [edʒ] **I.** *s.* **1.** muchie. **2.** margine. **II.** *vt.* **1.** a mărgini. **2.** a face muchie *sau* margine la. **3.** a-şi face *(loc, drum)*. **III.** *vi.* **1.** a merge. **2.** a se strecura.

edgeways ['edʒweiz] *adv.* **1.** pe muchie. **2.** lateral. || *not to be able to get a word in* ~ a nu putea plasa un cuvânt.

edgewise ['edʒwaiz] *adv.* v. **edgeways**.

edging ['edʒiŋ] *s.* margine, bordură; chenar.

edible ['edibl] **I.** *s.* aliment. **II.** *adj.* comestibil.

edict ['i:dikt] *s.* edict, dispoziţie, decret.

edification [,edifi'keiʃn] *s.* **1.** informare. **2.** edificare, lămurire. **3.** instrucţiuni. **4.** prefacere morală.

edifice ['edifis] *s.* **1.** clădire. **2.** *fig.* vis.

edify ['edifai] *vt.* **1.** a înălţa sufleteşte, a lumina. **2.** *înv.* a clădi. **3.** a povăţui, a sfătui, a moraliza. **4.** a înfiinţa, a organiza.

edit ['edit] *vt.* **1.** a conduce *(un ziar)*. **2.** a redacta. **3.** a stiliza. **3.** *cin.* a monta. **4.** *cib.* a edita, a pregăti pentru imprimare.

edition [i'diʃn] *s.* **1.** ediţie. **2.** format. **3.** tiraj.

editor ['editə] *s.* **1.** redactor; redactor şef. **2.** stilizator. **3.** *cin.* montor.

editorial [,edi'tɔ:riəl] **I.** *s.* articol de fond. **II.** *adj.* redacţional.

editorially [,edi'tɔ:riəli] *adv.* în editorial, în articolul de fond. || *the Times writes* ~ ziarul Times scrie într-un editorial.

editorship ['editəʃip] *s.* **1.** conducerea redacţională, conducerea unui periodic. **2.** funcţia *sau* obligaţiile unui redactor.

educate ['edjukeit] *vt.* **1.** a învăţa; a instrui. **2.** a educa.

education [,edju'keiʃn] *s.* **1.** învăţământ; instrucţie. **2.** educaţie; creştere.

educational [,edju'keiʃnl] *adj.* **1.** de învăţământ. **2.** educativ.

educationist [,edju:'keiʃənist] *s.* educator, pedagog, specialist în pedagogie.

educative ['edju(:)kətiv] *adj.* educativ; instructiv.

educe [i:'dju:s] *vt.* **1.** a manifesta, a da dovadă de *(talente ascunse)*. **2.** a dezvolta. **3.** a deduce, a trage *(o concluzie)*. **4.** *chim.* a degaja, a dezvolta, a emite.

Edwardian [ed,wɔ:diən] **I.** *adj.* din epoca regelui Edward I, II, III, VI *sau* VII al Angliei. **2.** *s.* persoană din acea perioadă.

EEG *abrev.* *electroencephalogram* EEG, electroencefalogramă.

eel [i:l] *s.iht.* **1.** anghilă. **2.** ţipar *(Anquilla)*.

eerie, eery ['iəri] *adj.* **1.** straniu. **2.** sinistru.

efface [i'feis] *vt.* **1.** a şterge. **2.** a estompa.

effect [i'fekt] **I.** *s.* **1.** rezultat. **2.** efect. **3.** sens. **4.** impresie. **5.** *pl.* echipament. || *of no* ~ inutil; *in* ~ în fapt; în vigoare; *to bring into* ~ a concretiza; a realiza. **II.** *vt.* **1.** a produce **2.** a efectua.

effective [i'fektiv] *adj.* **1.** efectiv; propriu-zis. **2.** eficace. **3.** de efect.

effectiveness [i'fektivnis] *s.* **1.** eficacitate. || *the* ~ *of the remedy* eficacitatea doctoriei. **2.** impresie izbitoare *(produsă de un tablou etc.)*.

effectual [i'fektjuəl] *adj.* **1.** eficace. **2.** în vigoare. **3.** valabil.

effectually [i'fektjuəli] *adv.* cu eficacitate.

effectuate [i'fektjueit] *vt.* a efectua, a îndeplini, a înfăptui.

effeminacy [i'feminəsi] *s.* efeminare; caracter femeiesc; moliciune, slăbiciune.

effeminate [i'feminit] *adj.* efeminat, lipsit de bărbăţie.

efferent ['efrnt] *anat.* **I.** *adj.* eferent. **II.** *s.* organ eferent.

effervesce [,efə'ves] *vi.* **1.** a fierbe. **2.** a fremăta.

effervescence [,efə'vesns] *s.* **1.** efervescenţă, fierbere; degajare *(a unui gaz)*. **2.** *fig.* efervescenţă, clocot *(de viaţă etc.)*; agitaţie *(a spiritelor)*.

effervescent [,efə'vesnt] *adj.* **1.** efervescent. **2.** în fierbere.

effete [e'fi:t] *adj.* **1.** istovit. **2.** mort *(fig.)*. **3.** perimat.

efficacious [,efi'keiʃəs] *adj.* eficace.

efficacy ['efikəsi] *s.* **1.** eficacitate, randament. **2.** *înv.* mod de a acţiona.

efficiency [i'fiʃnsi] *s.* **1.** randament. **2.** eficienţa.

efficient [i'fiʃnt] *adj.* **1.** eficace. **2.** capabil. **3.** activ.

effigy ['efidʒi] *s.* efigie; chip, portret.

effloresce [,eflɔ:'res] *vi.* **1.** *bot.* a înflori. **2.** *chim.* a deveni eflorescent; a prinde floare. **3.** a se cristaliza; a se zvânta.

efflorescence [,eflɔ:'resns] *s.* **1.** *bot.* floare, eflorescenţă. **2.** *chim.* eflorescenţă; mucegai. **3.** *med.* eflorescenţă, erupţie.

effluence ['efluəns] *s.* scurgere *(poluantă)*; emanaţie.

effluent ['efluənt] **I.** *adj.* care se scurge. **II.** *s.* **1.** curs de apă derivat; efluent. **2.** apă uzată, reziduuri.

effluvium [e'flu:viəm], *pl.* **effluvia** [e'flu:viə] **1.** efluviu, emanaţie. **2.** duhoare.

effort ['efət] *s.* **1.** efort, sforţare. **2.** încercare.

effrontery [e'frʌntəri] *s.* obrăznicie, neruşinare, insolenţă.

effulgence [e'fʌldʒns] *s.* (stră)lucire, radiere; splendoare. || ~ *of youth* splendoare a tinereţii.

effulgent [e'fʌldʒənt] *adj.* (stră)lucitor, radios.

effuse [i'fju:z] **I.** *vt.* **1.** a vărsa; a revărsa. **2.** a împrăştia *(lumină etc.)*. **II.** *vi.* **1.** a se vărsa, a se scurge. **2.** a se împrăştia, a se irosi.

effusion [i'fju:ʒn] *s.* **1.** izbucnire. **2.** ţâşnire.

effusive [i'fju:siv] *adj.* **1.** expansiv, exuberant. **2.** *geol.* efuziv.

eft [eft] *s. zool.* salamandră-de-apă *(Triturus cristatus)*.

EFTA *abrev. European Free Trade Association* Asociaţia europeană a liberului schimb (AELS).

eftsoon(s) [eft'su:n(z)] *adv. înv.* **1.** curând, îndată. **2.** din nou, iar.

egalitarian [i‚gæli'teəriən] *s.* adept al egalitarismului.

egg [eg] **I.** *s.* ou. || *in the ~* în embrion; nedezvoltat. **II.** *vt.* a îndemna.

egg-cup ['egkʌp] *s.* păhăruţ pentru ou.

egg-head ['eghed] *s. iron.* intelectual, savant.

egg-plant ['egplɑ:nt] *s. bot.* (pătlăgică) vânătă *(Solanum melongena)*.

eggshell ['egʃel] *s.* **1.** coajă de ou, găoace. || *to walk (up)on ~s* a merge ca pe ouă; a proceda cu multă atenţie. **2.** obiect fragil.

eglantine ['egləntain] *s. bot.* răsură, măceş *(Rosa canina)*.

ego ['i:gou] *s. filoz.* the ~ eul, sinele.

egocentric [‚i:gou'sentrik] *adj.* egocentric.

egocentrism [‚i:gou'sentrizəm] *s.* egocentrism, cultul eului.

egoism ['i:gouizəm] *s.* **1.** egoism. **2.** *rar* egotism.

egoist ['i:gouist] *s.* egoist.

egotism ['egotizəm] *s.* **1.** egocentrism. **2.** egoism.

egotist ['egotist] *s.* **1.** egocentric. **2.** egoist.

egregious [i'gri:dʒiəs] *adj.* **1.** care iese din comun, remarcabil; vestit. **2.** strident, evident.

egress ['i:gres] **I.** *s.* ieşire. **II.** *vi.* a ieşi.

egret ['i:gret] *s. ornit.* egretă *(Egretta sp.)*.

Egyptian [i'dʒipʃn] **I.** *s.* egiptean; egipteancă. **II.** *adj.* egiptean.

Egyptology [‚i:dʒip'tɔlədʒi] *s.* egiptologie.

eh [ei] *interj.* cum? ei?

eider ['aidə] *s. ornit.* eider, raţă sălbatică din nord *(Somateria mollissima)*.

eiderdown ['aidədaun] *s.* pilotă, plapumă (de puf).

eight [eit] *s., num.* opt.

eighteen ['eiti:n] *s., num.* optsprezece.

eighteenth ['eiti:nθ] *num.* al optsprezecelea.

eighth [eitθ] **I.** *s.* optime. **II.** *num.* al optulea.

eightieth ['eitiiθ] *num.* al optzecilea.

eighty ['eiti] *s., num.* optzeci.

eisteddfod(d) [ais'teðvəd] *s.* concurs de poezii şi cântece; jocuri florale *(în Ţara Galilor)*.

either ['aiðə] **I.** *adj.* fiecare, oricare (din doi). **II.** *pron.* **1.** oricare (din doi). **2.** amândoi. **III.** *adv.*: *not that ~* nici aceea. **IV.** *conj.*: *~ ... or...* fie ... fie ....

ejaculate [i'dʒækjuleit] *vt., vi.* **1.** a ejacula. **2.** a exclama.

eject [i'dʒekt] *vt.* **1.** a scoate. **2.** a izgoni. **3.** *tehn.* a ejecta.

ejection [i(:)'dʒekʃn] *s.* **1.** izgonire, alungare; dare afară; concediere, demitere. **2.** *jur.* evacuare. **3.** ţâşnire *(de vapori, de flăcări etc.)*. **4.** *med.* scaun; vomitare, vărsare. **5.** materie aruncată; lavă.

eke [i:k] *vt.*: *to ~ out one's living / livelihood* a o duce de azi pe mâine.

el [el] *s. amer. ferov.* tren / metrou aerian suspendat.

elaborate[1] [i'læbrit] *adj.* **1.** complicat. **2.** dificil.

elaborate[2] [i'læbəreit] *vt.* **1.** a elabora. **2.** a amănunţi, a detalia.

elaborateness [i'læbritnis] *s.* **1.** prelucrare îngrijită. **2.** minuţiozitate.

elaboration [i'læbə'reiʃn] *s.* **1.** elaborare. **2.** amănunţire, detaliere.

elan [ei'lɑ:n] *s.* **1.** elan; entuziasm; înflăcărare. **2.** *mil.* înaintare rapidă; atac puternic.

eland ['i:lənd] *s. zool.* antilopă sud-africană *(Taurotragus oryx)*.

elapse [i'læps] *vi. (d. timp)* a se scurge, a trece.

elastic [i'læstik] *s., adj.* elastic.

elasticity [‚elæs'tisiti] *s.* **1.** elasticitate, flexibilitate. **2.** *tehn.* elasticitate. || *tensile ~* elasticitate de tracţiune.

elate [i'leit] **I.** *vt.* **1.** a ridica moralul *(cuiva)*. **2.** a încuraja; a exalta, a îmbăta. **II.** *adj. înv.* aprins, exaltat; triumfător.

elated [i'leitid] *adj.* **1.** entuziast, entuziasmat. **2.** optimist, bine dispus.

elation [i'leiʃn] *s.*. **1.** entuziasm. **2.** optimism.

elbow ['elbou] **I.** *s. anat.* cot. || *out at ~s* cu coatele rupte. **II.** *vt.* a-şi croi *(drum)*.

eld [eld] *s. înv., poet.* **1.** vechime, vremuri de demult. || *the*

Druids of ~ druizii de odinioară. **2.** bătrâneţe.

elder ['eldə] **I.** *s.* **1.** superior. **2.** mai mare. **3.** conducător. **4.** *bot.* soc *(Sambucus nigra)*. **II.** *adj. comp.* de la **old** *(d. membrii unei familii, ai unui grup)* mai mare, mai vârstnic.

elderly ['eldəli] *adj.* bătrâior.

eldest ['eldist] *adj. superl.* de la **old** *(d. membrii unei familii, ai unui grup)* cel mai vârstnic.

El Dorado [‚el dɔ'rɑ:dou] *s.* **1.** *geogr.* El Dorado. **2.** *fig.* ţara bogăţiilor / aurului. **3.** *amer.* California.

eldritch ['eldritʃ] *adj.* cumplit, înfiorător; de dincolo de mormânt, supranatural.

elect [i'lekt] **I.** *s.*: *the ~* aleşii; floarea. **II.** *adj.* ales. **III.** *vt.* **1.** a alege. **2.** a hotărî.

election [i'lekʃn] *s.* **1.** alegere. **2.** alegeri.

electioneer [i‚lekʃə'niə] *vi.* a organiza o campanie electorală.

electioneering [i'lekʃə'niəriŋ] *s.* campanie electorală.

elective [i'lektiv] *adj.* **1.** electiv. **2.** electoral. **3.** facultativ.

elector [i'lektə] *s.* **1.** elector. **2.** alegător.

electoral [i'lektrl] *adj.* electoral.

electorate [i'lektrit] *s.* electorat; corpul electoral.

electric(al) [i'lektrik(l)] *adj.* electric.

electrically [i'lektrikli] *adv.* electric, cu ajutorul electricităţii.

electrician [ilek'triʃn] *s.* electrician.

electricity [ilek'trisiti] *s.* electricitate.

electric torch [i'lektrik'tɔ:tʃ] *s.* lanternă (de buzunar).

electrification [i‚lektrifi'keiʃn] *s.* **1.** electrificare *(a unui sat etc.)*. **2.** electrizare *(a unui corp etc.)*.

electrify [i'lektrifai] *vt.* **1.** a electrifica. **2.** a electriza.

electro- [i'lektrou] *(element de compunere)* electro-, galvano-.

electro-cardiogram [i'lektrou 'kɑ:diougræm] *s. med.* electro-cardiogramă.

electroconvulsive [ilektrou kən-'vʌlsiv] *adj. med. (d. terapie)* cu şocuri electrice.

electrocute [i'lektrəkju:t] *vt.* a electrocuta; a executa *(un condamnat)* prin electrocutare.

electrocution [i‚lektrə'kju:ʃn] *s.* electrocutare; execuţie prin electrocutare.

electrode [i'lektroud] *s. el.* e-lectrod.

electroencephalogram [ilektro-uen'sefələgræm] *s. med.* electroencefalogramă.

electrolysis [i:‚lek'trɔlisis] *s. el.* electroliză.

electrolyte [i'lektrəlait] *s.* electrolit.

electromagnet [i‚lektrou'mægnit] *s. el.* electromagnet.

electromagnetic [i‚lektroumæg'netik] *adj. el.* electromagnetic.

electromotive [i‚lektrou'moutiv] *el.* **I.** *adj.* electromotor. **II.** *s.* locomotivă electrică; electromotor.

electron [i'lektrɔn] *s.* electron.

electronic [ilek'trɔnik] *adj.* electronic.

electronics [ilek'trɔniks] *s. pl.* *(folosit ca sing.)* electronică.

electroplate [i'lektroupleit] *met.* **I.** *vt.* a galvaniza. **II.** *s.* obiect galvanizat. **III.** *adj.* placat *(cu aur etc.)* prin galvanoplastie.

electroscope [i'lektrəskoup] *s. el.* electroscop.

electrostatic(al) [i'lektrou'stætik(l)] *adj. el.* electrostatic.

electrotype [i'lektroutaip] *poligr.* **I.** *s.* **1.** galvanoplastie; electrotipie. **2.** galvano, mulaj galvanic. **II.** *vt.* a multiplica prin galvanoplastie / electrotipie.

elegance ['eligəns] *s.* **1.** eleganţă. **2.** *fam.* maniere alese; haine elegante.

elegant ['eligənt] *adj.* **1.** elegant. **2.** artistic.

elegy ['elidʒi] *s.* elegie.

element ['elimənt] *s.* **1.** element. **2.** aspect. **3.** pic, picătură. **4.** *pl.* elemente esenţiale, rudimente.

elemental [‚eli'mentl] *adj.* **1.** natural. **2.** elementar.

elementary [‚eli'mentri] *adj.* **1.** elementar. **2.** rudimentar.

elephant ['elifənt] *s.* elefant *(Elephas maximus; Loxodonta africana).*

elephantiasis [‚elifən'taiəsis] *s. med.* elefantiazis.

elephantine [‚eli'fæntain] *s.* **1.** *(d. proporţii)* de elefant, elefantin. **2.** *fig.* greoi; grosolan, necioplit.

elevate ['eliveit] *vt.* **1.** a ridica. **2.** a înălţa.

elevation [‚eli'veiʃn] *s.* **1.** înălţare. **2.** ridicare. **3.** înălţime, cotă. **4.** grandoare. **5.** deal. **6.** ridicare topografică.

elevator ['eliveitə] *s.* **1.** elevator. **2.** *amer.* lift, ascensor. **3.** *amer.* siloz.

eleven [i'levn] **I.** *s.* **1.** unsprezece. **2.** echipă de fotbal. **II.** *num.* unsprezece.

eleventh [i'levnθ] **I.** *s.* unsprezecime. **II.** *num.* al unsprezecelea. || *at the ~ hour* în ultimul moment; în ceasul al doisprezecelea; tocmai la timp.

elf [elf] *s. pl. şi* **elves** [elvz] spiriduş.

elfin ['elfin] **I.** *adj.* **1.** de elf, de spiriduş, de zână; fermecat. **2.** (de) pitic; mititel. **II.** *s.* v. **elf.**

elfish ['elfiʃ] *adj.* **1.** de spiriduş. **2.** zglobiu, jucăuş.

elicit [i'lisit] *vt.* **1.** a solicita. **2.** a necesita. **3.** a smulge.

elide [i'laid] *vt.* **1.** a evita, a trece sub tăcere. **2.** *fon.* a elida, a face eliziunea *(cu gen.).* **3.** *jur.* *(cuvânt scoţian)* a anula.

eligibility [‚elidʒə'biliti] *s.* **1.** eligibilitate, dreptul de a fi ales. **2.** acceptabilitate *(a unui pretendent etc.).*

eligible ['elidʒəbl] *adj.* **1.** eligibil. **2.** demn de ales.

eliminate [i'limineit] *vt.* **1.** a desfiinţa. **2.** a izgoni. **3.** a înlătura.

elimination [i‚limi'neiʃn] *s.* **1.** eliminare, excludere. **2.** distrugere, lichidare. **3.** *chim., fiziol.* eliminare. **4.** *mat.* eliminare *(a unei necunoscute).* **5.** *fam.* extragere *(a hranei din pământ etc.).*

elision [i'liʒn] *s.* **1.** eliziune. **2.** o-misiune.

élite [ei'li:t] *s.* elită, floare. || *mil. corps d' ~* trupă de elită; corp de elită.

elixir [i'liksə] *s. farm.* elixir, extract. || *Godfrey's ~* elixir cu opium.

Elizabethan [i'lizə'bi:θn] *s., adj.* elisabetan(ă).

elk [elk] *s. zool.* elan *(Alces alces).*

ell [el] *s.* (măsură de un) cot.

ellipse [i'lips] *s. geom.* elipsă.

ellipsis [i'lipsis] *s. gram. pl.* **ellipses** [i'lipsi:z] elipsă.

ellipsoid [i'lipsɔid] *s. mat.* elipsoid.

elliptic(al) [i'liptik(l)] *adj.* eliptic.

elm [elm] *s. bot.* ulm *(Ulmus).*

elocution [‚elə'kju:ʃn] *s.* oratorie; elocinţă.

elongate ['i:lɔŋgeit] **I.** *vt.* a întinde, a lungi. **II.** *vi. bot.* a se întinde, a se lungi. **III.** *s. bot., zool.* alungit şi subţiat.

elongation [‚i:lɔŋ'geiʃn] *s.* **1.** alungire; întindere. **2.** distanţa *(şi*

fig.). **3.** *astr.* elongaţie, depărtare de soare. **4.** *med.* întindere a unui ligament.

elope [i'loup] *vi.* a fugi *(cu iubitul sau iubita).*

elopement [i'loupmənt] *s.* **1.** răpire. **2.** fugă a îndrăgostiţilor.

eloquence ['eləkwns] *s.* **1.** elocinţă. **2.** oratorie.

eloquent ['eləkwnt] *adj.* **1.** elocvent. **2.** grăitor.

else [els] **I.** *adj.* alt(ă). || *what ~?* ce altceva?; *something ~* altceva; *somebody ~* altcineva. **II.** *adv.* **1.** în plus, mai. **2.** altfel. || *where ~?* unde în altă parte?; *how ~?* cum altfel?; *or ~* căci altfel, sau altfel; *where ~ did you go?* unde ai mai fost?

elsewhere ['elsweə] *adv.* în altă parte, aiurea.

elucidate [i'lu:sideit] *vt.* a lămuri.

elude [i'lu:d] *vt.* **1.** a evita. **2.** a elu-da.

elusive [i'lu:siv] *adj.* **1.** lunecos, care-ţi scapă printre degete. **2.** fugitiv.

elver ['elvə] *s. iht.* ţipar tânăr.

elves [elvz] *s. pl. de la* **elf.**

elvish ['elviʃ] *adj.* v. **elfish.**

Elysian [i'liziən] *adj.* **1.** de Elizeu. **2.** *fig.* paradisiac, de rai.

Elysium [i'liziəm] *s.* **1.** *mit.* Elizeu. **2.** *fig.* rai, paradis.

em *s. poligr.* pătrişor, litera m *(ca unitate de măsură a rândurilor de tipar).*

emaciate [i'meiʃieit] *vt.* a slăbi, a debilita.

emaciation [i'meiʃi'eiʃn] *s.* **1.** *med.* epuizare, extenuare. **2.** *mine.* secătuire, sărăcire *(a unui zăcământ).*

emanate ['eməneit] *vi.* a emana.

emanation [‚emə'neiʃn] *s.* **1.** emanaţie; radiaţie. **2.** exalaţie, efluviu. **3.** provenienţă.

emancipate [i'mænsipeit] *vt.* **1.** a elibera. **2.** a emancipa.

emasculate[1] [i'mæskjuleit] **I.** *vt.* **1.** a castra; a jugăni. **2.** *fig.* a slăbi, a vlăgui, a secătui; a face plăpând, a moleşi. **3.** *fig.* a sărăci *(de conţinut)*, a mutila. **II.** *vi.* a se moleşi, a se feminiza.

emasculate[2] [i'mæskjulit] *adj.* **1.** castrat, jugănit. **2.** vlăguit, stors *(de putere, de vlagă)*; sărăcit; sterp. **3.** plăpând, nerezistent, firav.

embalm [im'bɑ:m] *vt.* a îmbălsăma.

embalmer [im'bɑːmə] s. îmbălsă-
mător, sanitar care face îmbăl-
sămări.

embalmment [im'bɑːmənt] s. îm-
bălsămare.

embank [im'bæŋk] vt. a îndigui, a
zăgăzui; a taluza (un drum).

embankment [im'bæŋkmənt] s.
taluz.

embargo [em'bɑːgou] s. 1. embar-
go. 2. interzicere. II. vt. a pune
embargo asupra (cu gen.).

embark [im'bɑːk] vt., vi. a (se)
îmbarca.

embarkation [embɑːˈkeiʃn] s. 1.
mar. îmbarcare, încărcare (pe
vas). 2. rar ambarcaţie, vas.

embarrass [im'bærəs] vt. 1. a în-
curca. 2. a împiedica. 3. a ne-
căji, a chinui. 4. a stânjeni, a
jena.

embarrassment [in'bærəsmənt] s.
1. încurcătură. 2. necaz. 3. je-
nă, stânjeneală.

embassy ['embəsi] s. 1. amba-
sadă. 2. misiune.

embattle [im'bætl] mil. I. vt. 1. (de
obicei la part. trec.) a aşeza în
linie de bătaie. 2. a crenela. II.
vi. a fi în poziţie de luptă.

embed [im'bed] vt. 1. a băga, a
vârî; a înţepeni; a încastra; a
încrusta. 2. fig. a întipări, a să-
di.

embellish [im'beliʃ] vt. 1. a înfru-
museţa. 2. a împodobi.

embellishment [im'beliʃmənt] s.
1. înfrumuseţare, împodobire.
2. podoabă; fig. zorzoane. 3.
lit., muz. înfloritură, ornament.

ember days ['embədeiz] s. pl. bis.
cele trei zile de post la înce-
putul fiecărui anotimp (la cato-
lici).

embers ['embəz] s. pl. jeratic.

embezzle [im'bezl] vt. a delapida.

embezzlement [im'bezlmənt] s.
delapidare.

embitter [im'bitə] vt. 1. a amărî. 2.
a acri.

emblazon [im'bleizn] vt. 1. a îm-
podobi cu un blazon. 2. fig.
a slăvi, a preamări; a sărbă-
tori.

emblem ['embləm] s. 1. emblemă.
2. semn.

emblematic(al) [,embliˈmætik(l)]
adj. simbolic, figurativ.

embodiment [im'bɔdimənt] s. în-
truchipare.

embody [im'bɔdi] vt. 1. a întru-
chipa. 2. a întrupa.

embolden [im'bouldn] vt. 1. a
îmbărbăta, a încuraja. 2. a sti-

mula, a da ghes (cuiva), a îm-
boldi.

embolism ['embɔlizəm] s. 1. med.
embolie. 2. intercalare de zile /
luni / ani într-un sistem calen-
daristic (pentru regularizare).

embosom [im'buzəm] vt. 1. a îm-
brăţişa, a cuprinde în (braţe).
2. fig. a îmbrăţişa, a îndrăgi. 3.
fig. a îmbrăţişa, a cuprinde, a
include; a înconjura.

emboss [im'bɔs] vt. 1. a gofra. 2. a
ştanţa.

embower [im'bauə] vt. 1. a îm-
brăca în verdeaţă. 2. a adă-
posti, a acoperi, a umbri.

embrace [im'breis] I. s. a îmbră-
ţişa (şi fig.). 2. a lua. 3. a porni.
4. a cuprinde.

embrasure [im'breiʒə] s. 1. con-
str. şpalet; breşă; deschizătură
(pentru uşă, fereastră). 2.
mil. ambrazură, deschizătură
(într-un zid / parapet).

embrocation [,embrouˈkeiʃn] s. 1.
ungere, fricţionare; badijonare.
2. loţiune, unguent.

embroider [im'brɔidə] vt., vi. a
broda (şi fig.).

embroidery [im'brɔidri] s.
broderie.

embroil [im'brɔil] vt. 1. a încurca,
a încâlci (treburi). 2. a băga în
încurcătură, a implica (într-o
chestiune neplăcută). || to ~
in war a târî în război. 3. to ~
with a face să se certe cu.

embroilment [im'brɔilmənt] s. 1.
încurcătură, confuzie; perple-
xitate. 2. ceartă, sfadă.

embryo ['embriou] s. embrion (şi
fig.).

embryology [,embriˈɔlɔdʒi] s. biol.
embriologie.

embryonic [,embriˈɔnik] adj. 1.
biol. embrionar. 2. fig. embri-
onar, nedezvoltat.

emend [i'mend] vt. 1. a corecta. 2.
a îmbunătăţi.

emerald ['emrəld] s. smarald.

emerge [i'mɔːdʒ] vi. 1. a ieşi (la
iveală). 2. a se afla. 3. a părea.
4. a se înălţa.

emergence [i'mɔːdʒns] s. 1.
ieşire, ivire, apariţie. 2. v.
emergency. 3. bot. răsărire,
înmugurire.

emergency [i'mɔːdʒnsi] s. 1.
urgenţă. 2. (caz de) pericol,
caz de forţă majoră. 3. even-
tualitate (neplăcută), caz ne-
prevăzut. 4. stare excepţională.

emergent [i'mɔːdʒnt] adj. geol.,

fiz. emergent, care iese la su-
prafaţă.

emeritus [i'meritɔs] adj. emerit.

emery ['eməri] s. şmirghel.

emetic [i'metik] s. vomitiv.

emigrant ['emigrnt] s. emigrant.

emigrate ['emigreit] vi. a emigra.

emigration [,emiˈgreiʃn] s.
emigra-ţie.

émigré ['emigrei] s. emigrant.

eminence ['eminəns] s. 1. superi-
oritate. 2. faimă. 3. înălţime (şi
fig.). 4. eminenţă.

eminent ['eminənt] adj. 1. e-
minent. 2. remarcabil. 3.
celebru.

emir [e'miə] s. emir.

emissary ['emisri] s. emisar.

emission [i'miʃn] s. 1. emitere. 2.
ţâşnire. 3. emisiune.

emit [i'mit] vt. 1. a scoate, a vărsa
(fum etc.). 2. a emite.

emmet ['emit] s. înv., reg. furnică.

emollient [i'mɔliənt] adj., s. e-
molient.

emolument(s) [i'mɔljumənt(s)] s.
pl. 1. salariu, retribuţie, remu-
neraţie. 2. onorariu. 3. câştig.

emotion [i'mouʃn] s. emoţie.

emotional [i'mouʃənl] adj. 1. afec-
tiv. 2. sentimental.

emotionally [i'mouʃnli] adv. afec-
tiv, din punct de vedere sen-
timental.

emotive [i'moutiv] adj. 1. emotiv.
2. emoţional.

empanel [im'pænl] vt. jur. a face
lista (juriului). || to ~ a juror a
înscrie un jurat pe listă.

empathy ['empəθi] s. psih. em-
patie; înrudire spirituală.

emperor ['empərə] s. împărat.

emphasis ['emfəsis] s. 1. subli-
niere. 2. accent. 3. atenţie.

emphasize ['emfəsaiz] vt. 1. a
sublinia. 2. a accentua.

emphatic [im'fætik] adj. 1. su-
bliniat. 2. apăsat, categoric. 3.
accentuat. 4. gram. de întărire.
5. autoritar, energic.

empire ['empaiə] s. 1. imperiu. 2.
stăpânire.

empiric [em'pirik] adj. 1. empiric.
2. pragmatic. 3. (d. leac) şi
băbesc.

empirical [em'pirikəl] adj. v. **em-
piric**.

empiricism [em'pirisizəm] s. em-
pirism.

emplacement [im'pleismənt] s. 1.
amplasament, poziţie. 2. mon-
tare pe poziţie. 3. destinaţie
(pentru locuinţe etc.). 4. mil.

amplasament, platformă pentru tun; tranşeu pentru tun / mitralieră.

employ [im'plɔi] vt. **1.** a folosi. **2.** a angaja. **3.** a se servi de.

employee [ˌemplɔi'i:] s. **1.** salariat. **2.** funcţionar.

employer [im'plɔiə] s. **1.** antreprenor. **2.** patron, stăpân. **3.** jur. procurator.

employment [im'plɔimənt] s. **1.** slujbă. **2.** angajare. **3.** ocupaţie.

emporium [em'pɔ:riəm], pl. **emporiums** sau **emporia** [em'pɔ:riə] s. **1.** centru comercial; piaţă, antrepozit. **2.** magazin mare; bazar.

empower [im'pauə] vt. **1.** a împuternici; a autoriza. **2.** a da posibilitate(a) (cuiva).

empress ['empris] s. împărăteasă.

emprise [im'praiz] s. înv., poet. faptă vitejească, ispravă. || knights of bold ~ cavaleri viteji.

emptiness ['emptinis] s. **1.** vid; spaţiu gol / neocupat. **2.** fig. goliciune, uscăciune. **3.** fig. deşertăciune, vanitate.

empty ['emti] I. adj. **1.** gol. **2.** liber. II. vt., vi. a (se) goli.

empty-handed [ˌempti'hændid] adj. fig. cu mâinile goale. || to return ~ a se întoarce cu mâinile goale.

empyreal [ˌempai'riəl] adj. empireal, din partea cea mai înaltă a cerului; ceresc; sublim.

empyrean [ˌempai'ri:ən] I. s. empireu. II. adj. v. **empyreal**.

emu ['i:mju:] s. ornit. emu (Dromiceius).

emulate ['emjuleit] vt. a rivaliza cu; a căuta să depăşească.

emulation [ˌemju'leiʃn] s. întrecere.

emulous ['emjuləs] adj. **1.** care rivalizează. **2. (of)** doritor (de), însetat (după).

emulsify [i'mʌlsifai] I. vt. a emulsiona. II. vi. a prepara emulsii.

emulsion [i'mʌlʃn] s. emulsie.

enable [i'neibl] vt. **1.** a face posibil; a permite. **2.** a face capabil; a da posibilitatea (cu subjonctiv).

enact [i'nækt] vt. **1.** a promulga. **2.** a decreta. **3.** a monta sau juca (o piesă, o festă).

enactment [i'næktmənt] s. jur. **1.** legiferare (a unei măsuri); promulgare, adoptare (a unei

legi), decret, ordonanţă. **2.** lege; pl. prevederi (ale unei legi). **3.** montare, punere în scenă.

enamel [i'næml] I. s. smalţ, email. II. vt. a smălţui, a emaila.

enamour [i'næmə] vt. **1.** a trezi dragostea (cuiva). **2.** a încânta, a fermeca, a fascina.

en bloc [ã'blɔk] adv. în bloc, cu toţii, de-a valma.

encamp [in'kæmp] I. vt. a aşeza în tabără. II. vi. a aşeza o tabără.

encampment [in'kæmpmənt] s. **1.** tabără, lagăr; campament. **2.** aşezare / organizare a unei tabere.

encase [in'keis] vt. **1.** a îmbrăca. **2.** a închide. **3.** a ambala, a înveli, a împacheta.

encash [in'kæʃ] vt. econ. a încasa; a plăti / a primi în numerar.

encaustic [en'kɔ:stik] I. adj. encaustic; smălţuit. II. s. encaustică, pictură cu ceară.

encephalitis [ˌensefə'laitis] s. med. encefalită.

enchain [in'tʃein] vt. **1.** a pune în lanţuri, a înlănţui, a fereca. **2.** fig. a lega, a înlănţui. **3.** fig. a lega, a uni. **4.** fig. a captiva (atenţia etc.).

enchant [in'tʃɑ:nt] vt. **1.** a vrăji. **2.** a încânta.

enchanter [in'tʃɑ:ntə] s. vrăjitor (şi fig.).

enchanting [in'tʃɑ:ntiŋ] adj. încântător, fermecător.

enchantment [in'tʃɑ:ntmənt] s. **1.** vrajă. **2.** încântare.

enchantress [in'tʃɑ:ntris] s. **1.** vrăjitoare. **2.** fig. femeie fermecătoare / nurlie.

enchase [in'tʃeis] vt. **1.** a monta, a fixa (o piatră scumpă). **2.** a cizela, a şlefui.

encircle [in'sɔ:kl] vt. **1.** a încercui. **2.** a înconjura.

encl. presc. de la **enclosure 4.**

enclave ['enkleiv] I. s. şi geom. enclavă. II. vt. a înconjura (un teritoriu).

enclitic [in'klitik] gram. I. adj. enclitic. II. s. cuvânt enclitic, particulă enclitică.

enclose [in'klouz] vt. **1.** a înconjura. **2.** a împrejmui. **3.** a închide. **4.** a pune în plic, a ataşa, a anexa. || a copy is ~d în plic veţi găsi o copie; vă trimitem alăturat o copie.

enclosure [in'klouʒə] s. **1.** îngrăditură. **2.** îngrădire. **3.** împrejmuire, ţarc. **4.** (presc. **encl.**) anexă (inclusă într-un plic).

encode [in'koud] vt. a coda, a cifra.

encomium [en'koumiəm] s. laudă, panegiric, discurs elogios.

encompass [in'kʌmpəs] vt. **1.** a cuprinde. **2.** a înconjura.

encore [ɔŋ'kɔ:] I. s. bis. II. vt. a bisa. III. interj. bis!

encounter [in'kauntə] I. s. **1.** întâlnire. **2.** luptă; ciocnire. **3.** duel. II. vt., vi. a (se) întâlni.

encourage [in'kʌridʒ] vt. **1.** a încuraja. **2.** a stimula, a însufleţi. **3.** a promova.

encouragement [in'kʌridʒmənt] s. încurajare.

encroach [in'kroutʃ] vi.: to ~ (up) on a încălca, a viola.

encroachment [in'kroutʃmənt] s. încălcare.

encrust [in'krʌst] I. vt. **1.** a încrusta. **2.** a acoperi (cu o coajă, pojghiţă, rugină etc.) **3.** a împodobi. II. vi. **1.** a se acoperi (cu crustă etc.), a prinde coajă / pojghiţă. **2.** a rugini.

encumber [in'kʌmbə] vt. **1.** a împotrivi. **2.** a îngreuna. **3.** a aglomera. **4.** a chinui.

encumbrance [in'kʌmbrns] s. **1.** povară. **2.** piedică.

encyclic(al) [en'siklik(əl)] bis. I. adj. enciclic. II. s. enciclică.

encyclopaedic(al) [enˌsaiklou'pi:dik(l)] adj. enciclopedic.

encyclopaedist [enˌsaiklou'pi:dist] s. enciclopedist.

encyclop(a)edia [enˌsaiklou'pi:djə] s. enciclopedie.

end [end] I. s. **1.** capăt. **2.** sfârşit. **3.** moarte; distrugere. **4.** ţintă; scop. || at a loose ~ neavând ce face; no ~ of o mulţime de; to stand on ~ a înţepeni; (d. păr) a se face măciucă; in the ~ până la urmă; without ~ nesfârşit; to come to an ~ a înceta. II. vt., vi. a (se) sfârşi.

endanger [in'deindʒə] vt. a primejdui.

endear [in'diə] vt. **1.** a face (mai) drag, a face să iubească, a face plăcut sau iubit. **2.** a-şi ataşa (pe cineva). **3.** a atrage. **4.** înv. a ridica preţul (cu gen.), a scumpi. **5.** înv. a câştiga afecţiunea (cuiva).

endearment [in'diəmənt] s. **1.** afecţiune. **2.** alintare, răsfăţ.

endeavo(u)r [in'devə] I. s. efort; strădanie. II. vi. a se strădui.

endemic [en'demik] med. I. adj. endemic, cu caracter local. II. s. endemie, boală endemică.

ending ['endiŋ] s. 1. gram. terminaţie. 2. sfârşit.

endive ['endiv] s. bot. 1. cicoare (de vară) (Cichorium intybus). 2. andivă, cicoare-de-grădină (Cichorium endivia).

endless ['endlis] adj. 1. nesfârşit. 2. uriaş, nemăsurat.

endo- ['endou] (element de compunere) endo-.

endocrine ['endoukrain] I. adj. endocrin. II. s. glandă endocrină.

endorse [in'dɔːs] vt. 1. fin. a gira. 2. a andorsa. 3. a aproba; a sprijini.

endorsment [in'dɔːsmənt] s. 1. fin. gir. 2. aprobare, susţinere.

endosperm ['endouspəːm] s. bot. endospermă.

endow [in'dau] vt. 1. a înzestra. 2. a investi. 3. a furniza. 4. a hărăzi.

endowment [in'daumənt] s. 1. dotare; înzestrare. 2. alocare. 3. talent.

endue [in'djuː] vt. 1. înv. a îmbrăca, a înveşmânta. 2. a înzestra, a aproviziona.

endurance [in'djuərns] s. rezistenţă. || past ~ de neîndurat.

endure [in'djuə] I. vt. 1. a suporta. 2. a îndura. 3. a suferi. II. vi. 1. a dura. 2. a ţine.

enduring [in'djuəriŋ] adj. 1. trainic, durabil. 2. răbdător.

endwise ['endwaiz] adv. 1. cu capul / capătul înainte. 2. drept, în picioare. 3. în lung, de-a lungul.

enema ['enimə], pl. **enemas** sau **enemata** [ə'nemətə] s. med. 1. clismă, spălătură intestinală. 2. clistir, siringă pentru clismă.

enemy ['enimi] I. s. 1. duşman, inamic. 2. inamici, duşmani. 3. nenorocire. 4. the ~ diavolul. II. adj. inamic, duşman.

energetic [ˌenə'dʒetik] adj. 1. energic. 2. activ.

energize ['enədʒaiz] I. vt. 1. a insufla energie (cu dat.); a activ(iz)a, a vitaliza, a umple de viaţă. 2. el. a lăsa curentul să treacă prin, a electriza. II. vi. a se comporta energic.

energy ['enədʒi] s. 1. energie. 2. forţă. 3. capacitate.

enervate ['enəːveit] vt. 1. a moleşi. 2. a slăbi, a vlăgui.

enfeeble [in'fiːbl] vt. a slăbi.

enfilade [ˌenfi'leid] mil. I. s. 1. anfiladă. 2. şir lung (de tranşee, trupe etc.) II. vt. mil. (d. artilerie) a executa foc de anfiladă, a bate în lungime.

enfold [in'fould] vt. 1. a cuprinde. 2. a îmbrăţişa. 3. a înfăşura.

enforce [in'fɔːs] vt. 1. a aplica. 2. a introduce. 3. a decreta. 4. a pune în vigoare, a promulga. 5. a forţa.

enforcement [in'fɔːsmənt] s. 1. silire, constrângere; presiune. 2. jur. aplicare, executare; intrare în vigoare (a unei legi). 3. jur. înv. sancţiune.

enfranchise [in'fræntʃaiz] vt. 1. a acorda drepturi electorale. 2. a emancipa. 3. a elibera.

enfranchisement [in'fræntʃizmənt] s. 1. acordare de drepturi electorale. 2. (e)liberare. 3. împământenire, încetăţenire (şi fig.).

engage [in'geidʒ] I. vt. 1. a angaja. 2. a ocupa. 3. a lega, a obliga. 4. a promite. 5. a logodi. 6. a întreprinde. 7. a ataca. 8. a prinde. II. vi. 1. a se ocupa. 2. a se prinde. III. vr. a se angaja.

engaged [in'geidʒd] adj. 1. ocupat. 2. logodit.

engagement [in'geidʒmənt] s. 1. angajament. 2. promisiune. 3. logodnă. 4. luptă.

engaging [in'geidʒiŋ] adj. 1. atrăgător. 2. plăcut. 3. amabil.

engender [in'dʒendə] vt. 1. a genera, a stârni, a provoca. 2. a produce. 3. a promova, a favoriza.

engine ['endʒin] s. 1. motor. 2. maşină (cu abur etc.). 3. locomotivă.

engineer [endʒi'niə] I. s. 1. inginer. 2. amer. mecanic (de locomotivă). 3. mil. genist, pionier. II. vt. 1. a lucra. 2. a plănui. 3. a pune la cale.

engineering [ˌendʒi'niəriŋ] s. 1. construcţii (mecanice). 2. inginerie.

Englander ['iŋgləndə] s. englez.

English ['iŋgliʃ] I. s. 1. (limba) engleză. 2. the ~ englezii. || in plain ~ pe şleau. II. adj. englezesc; britanic.

English Channel [ˌiŋgliʃ'tʃænl] s.: the ~ Canalul Mânecii.

Englishman ['iŋgliʃmən] s. pl. **Englishmen** ['iŋgliʃmən] englez; britanic.

Englishwoman ['iŋgliʃˌwumən] s. pl. **Englishwomen** ['iŋgliʃwimin] englezoaică.

engraft [in'grɑːft] vt. 1. (upon; into) bot. a altoi, a grefa (pe; în). 2. (in) fig. a altoi, a sădi, a înrădăcina (pe; în). 3. a încorpora (un lucru într-altul). 4. a întipări (în minte).

engrave [in'greiv] vt. 1. a grava. 2. a imprima. 3. a impresiona.

engraver [in'greivə] s. gravor.

engraving [in'greiviŋ] s. gravură.

engross [in'grous] vt. 1. a absorbi (fig.). 2. a ocupa (fig.).

engulf [in'gʌlf] vt. 1. a arunca într-o prăpastie. 2. a scufunda. 3. (d. o prăpastie) a înghiţi. 4. fam. a înghiţi, a îmbuca lacom, a devora.

enhance [in'hɑːns] vt. 1. a spori. 2. a mări. 3. a înfrumuseţa. 4. a ridica; a înălţa. 5. a intensifica.

enhancement [in'hɑːnsmənt] s. 1. mărire; sporire; intensificare; ridicare; întărire. 2. agravare.

enigma [i'nigmə] s. enigmă.

enigmatic [ˌenig'mætik] adj. 1. enigmatic. 2. misterios.

enjoin [in'dʒɔin] vt. 1. a porunci. 2. a cere (imperios).

enjoy [in'dʒɔi] vt. 1. a savura; a se bucura de. 2. a avea.

enjoyable [in'dʒɔiəbl] adj. plăcut.

enjoyment [in'dʒɔimənt] s. 1. plăcere; mulţumire. 2. bucurie.

enkindle [in'kindl] vt. 1. a aprinde, a pune pe foc. 2. fig. a aţâţa, a stârni, a trezi; a înflăcăra.

enlarge [in'lɑːdʒ] I. vt. a mări. II. vi. a vorbi, a discuta pe larg.

enlargement [in'lɑːdʒmənt] s. 1. mărire. 2. amplificare. 3. adaos.

enlighten [in'laitn] vt. 1. a lumina. 2. a lămuri.

enlightenment [in'laitnmənt] s. 1. luminare. 2. iluminism.

enlist [in'list] I. vt. 1. a înrola. 2. a ralia. 3. a obţine. II. vi. 1. a se înrola. 2. a se angaja.

enlistment [in'listmənt] s. mil. 1. înrolare; înregimentare. 2. amer. serviciu militar.

enliven [in'laivn] vt. 1. a anima. 2. a înveseli.

en masse [ɑːn'mæs] 1. în masă; cu toţii. 2. în întregime.

enmesh [in'meʃ] vt. 1. a prinde într-o plasă. 2. fig. a prinde în mreje.

enmity ['enmiti] s. duşmănie; ostilitate; ură (faţă de).

ennoble [i'noubl] vt. a înnobila.

ennui ['ɔnwiː] **I.** *s.* urât, plictiseală. **II.** *vt.* a plictisi.

enormity [i'nɔːmiti] *s.* **1.** enormitate. **2.** crimă.

enormous [i'nɔːməs] *adj.* uriaş.

enormously [i'nɔːməsli] *adv.* e-norm, colosal; grozav (de).

enough [i'nʌf] **I.** *adj.* **1.** destul; suficient. **2.** prea mult. **II.** *adv.* **1.** destul. **2.** foarte, în mare măsură. || *sure* ~ sigur, cum te văd şi cum mă vezi.

enow [i'nau] *adj., adv. înv., poet.* v. **enough.**

enquire [in'kwaiə] *vt.* v. **inquire.**

enquiry [in'kwaiəri] *s.* v. **inquiry.**

enrage [in'reidʒ] *vt.* **1.** a supăra. **2.** a înfuria.

enrapt [in'ræpt] *adj.* încântat, extaziat.

enrapture [in'ræptʃə] *vt.* **1.** a încânta. **2.** a vrăji.

enrich [in'ritʃ] *vt.* **1.** a îmbogăţi, a căpătui, a chivernisi. **2.** *agr.* a îngrăşa, a fertiliza. **3.** *fig.* a împodobi, a îmbunătăţi.

enrichment [in'ritʃmənt] *s.* **1.** îmbogăţire. **2.** *fig.* îmbogăţire, înfrumuseţare.

enrol(l) [in'roul] *vt., vr.* **1.** a (se) înscrie. **2.** a (se) înregimenta. **3.** a (se) înrola.

enrolment [in'roulmənt] *s.* **1.** înrolare. **2.** promoţie.

en route [ãː'ruːt] *adv.* în drum (spre), pe drum.

ensanguine [in'sæŋgwin] *vt.* a însângera.

ensconce [in'skɔns] **I.** *vt.* **1.** a ascunde, a tăinui. **2.** a aşeza, a instala *(comod).* **II** *vr.* **1.** a se piti, a se ascunde. **2.** a lua loc, a se instala *(într-un loc ferit).*

ensemble [ɑːn'sɑːmbl] **I.** *adv.* dimpreună, deodată, laolaltă. **II.** *s.* **1.** ansamblu, întreg. **2.** efect general, impresie generală. **3.** *muz.* tutti; ansamblu. **4.** trupă, amsamblu.

enshrine [in'ʃrain] *vt.* **1.** *bis.* a pune în raclă *(moaşte).* **2.** *fig.* a păstra cu sfinţenie *(o amintire etc.).*

enshroud [in'ʃraud] *vt.* **1.** a înveli în giulgiu. **2.** a înveli. **3.** *fig.* a învălui, a tăinui, a adăposti.

ensign ['ensain] *s.* **1.** steag. **2.** insignă. **3.** semn. **4.** portdrapel, stegar. **5.** *aprox.* sublocotenent.

ensilage ['ensilidʒ] *agr.* **I.** *s.* ansilaj, însilozare. **2.** nutreţ pus în siloz. **II.** *vt.* a însiloza *(nutreţ).*

enslave [in'sleiv] *vt.* a înrobi.

ensnare [in'snɛə] *vt.* **1.** a prinde în capcană *(şi fig.).* **2.** *fig.* a ademeni, a seduce. **3.** a încurca.

ensue [in'sjuː] *vi.* **1.** a urma. **2.** a rezulta.

ensure [in'ʃuə] **I.** *vt.* **1.** a asigura. **2.** a garanta. **II.** *vr.* a se asigura.

entablature [en'tæblətʃə] *s. arhit.* antablament.

entail [in'teil] *vt.* **1.** a determina. **2.** a necesita. **3.** a atrage după sine *(consecinţe).* **4.** a lăsa moştenire.

entangle [in'tæŋgl] *vt.* **1.** a încurca. **2.** a împiedica.

entanglement [in'tæŋglmənt] *s.* încurcătură.

entente ['ɔntɔnt] *s. pol.* antantă, alianţa politică şi militară.

enter ['entə] **I.** *vt.* **1.** a intra în. **2.** a recruta. **3.** a înscrie. **4.** a nota. **II.** *vi.* **1.** a intra. || *to* ~ *upon* a se apuca de; a începe.

enteric [en'terik] **I.** *adj. anat.* intestinal, enteric. **II.** *s. med.* febră tifoidă.

enteritis [ˌentə'raitis] *s. med.* enterită.

enterprise ['entəpraiz] *s.* **1.** curaj. **2.** spirit întreprinzător. **3.** aventură. **4.** antrepriză.

enterprising ['entəpraiziŋ] *adj.* **1.** întreprinzător. **2.** îndrăzneţ.

entertain [ˌentə'tein] *vt.* **1.** a primi, a ospăta *(musafiri).* **2.** a distra. **3.** a întreţine. **4.** *fig.* a nutri, a hrăni.

entertainer [ˌentə'teinə] *s.* **1.** comper, prezentator. **2.** om amuzant. **3.** gazdă primitoare.

entertaining [ˌentə'teiniŋ] *adj.* **1.** distractiv. **2.** încântător.

entertainment [ˌentə'teinmənt] *s.* **1.** distracţie. **2.** spectacol. **3.** petrecere. **4.** ospitalitate.

enthral(l) [in'θrɔːl] *vt.* **1.** a (în)robi. **2.** *fig.* a încânta, a vrăji.

enthrone [en'θroun] *vt.* a întrona, a înscăuna *(şi fig.).* || *fig. to be* ~*d in the hearts* a stăpâni inimile oamenilor.

enthuse [in'θjuːz] **I.** *vt. fam.* a entuziasma. **II.** *vi.* **(over, about)** a se entuziasma (de).

enthusiasm [in'θjuːziæzəm] *s.* **1.** entuziasm. **2.** agitaţie.

enthusiast [in'θjuːziæst] *s.* entuziast.

enthusiastic [inˌθjuːzi'æstik] *adj.* **(about, over)** entuziast (faţă de), entuziasmat (de).

enthusiastically [inˌθjuːzi'æstikli] *adv.* cu entuziasm, cu înflăcărare / avânt.

entice [in'tais] *vt.* a momi.

enticement [in'taismənt] *s.* **1.** momeală. **2.** momire.

entire [in'taiə] *adj.* total, tot.

entirely [in'taiəli] *adv.* **1.** în întregime, complet, cu desăvârşire. **2.** *înv.* din inimă. **3.** *înv.* cu seriozitate.

entirety [in'taiəti] *s.* **1.** întreg, totalitate, ansamblu. **2.** total. **3.** *jur.* proprietate de pământ în indiviziune. || *possession by entireties* posesiune în indiviziune.

entity ['entiti] *s.* **1.** *filoz.* entitate; unitate. **2.** fiinţă. **3.** existenţă. **4.** abstracţiune. || *legal* ~ *jur.* persoană juridică.

entomb [in'tuːm] *vt.* **1.** a înmormânta, a îngropa. **2.** *fig.* a îngropa, a ascunde.

entombment [in'tuːmmənt] *s.* înmormântare, îngropare, înhumare.

entomologic(al) [ˌentəmə'lɔdʒik(l)] *adj.* entomologic.

entomologist [ˌentə'mɔlədʒist] *s.* entomolog.

entomology [ˌentə'mɔlədʒi] *s.* entomologie, studiul insectelor.

entourage ['ɔntuərɑːʒ] *s.* anturaj.

entrails ['entreilz] *s. pl.* **1.** măruntaie. **2.** intestine.

entrain [in'trein] **I.** *vt.* a urca în tren, a îmbarca *(trupe etc.).* **II.** *vi.* a se urca în tren, a se îmbarca.

entrance[1] ['entrns] *s.* **1.** intrare. **2.** introducere. **3.** primire.

entrance[2] [in'trɑːns] *vt.* **1.** a vrăji. **2.** a încânta.

entrant ['entrənt] *s.* **1.** persoană care intră undeva; musafir, vizitator; novice, debutant; cadru nou numit. **2.** *sport etc.* participant; concurent.

entrap [in'træp] *vt.* **1.** a prinde *(în capcană, în cursă).* **2.** *fig.* a amăgi, a prinde în cursă.

entr'acte ['ɔntrækt] *s.* antract.

entreat [in'triːt] *vt.* a implora.

entreaty [in'triːti] *s.* **1.** rugăminte. **2.** cerere.

entrée ['ɔ(ː)ntrei] *s.* **1.** drept de intrare, acces. **2.** antreuri; gustări.

entrench [in'trentʃ] *vt.* **1.** a fortifica. **2.** a apăra.

entrenchment [in'trentʃmənt] *s.* **1.** *mil.* tranşee, întăritură, zid de apărare, fortificaţie. **2.** *fig.* apărare, zid. **2. (upon)** încălcare *(cu gen.).*

entrepreneur [ˈɔːntrəprəˈnɔː] *s.* **1.** *muz., teatru* impresar. **2.** întreprinzător, antreprenor, manager.

entresol [ˈɔntrəˈsɔl] *s. arhit.* mezanin.

entropy [ˈentrəpi] *s. fiz.* entropie.

entrust [inˈtrʌst] *vt.* a încredinţa.

entry [ˈentri] *s.* **1.** intrare. **2.** înregistrare. **3.** articol de dicţionar etc. || *to make an ~ com.* a face o înregistrare.

entwine [inˈtwain] **I.** *vt.* **1.** a împleti, a încolăci. **2.** a îmbina. **3.** a îmbrăţişa. **II.** *vi.* a se împleti, a se îmbina; a se încolăci.

enumerate [iˈnjuːməreit] *vt.* a enumera.

enumeration [iˌnjuːməˈreiʃn] *s.* **1.** enumerare, înşirare. **2.** listă, tabel.

enunciate [iˈnʌnsieit] *vt.* **1.** a enunţa. **2.** a declara.

enunciation [iˌnʌnsiˈeiʃn] *s.* **1.** enunţare, formulare; anunţare, proclamare. **2.** dicţie, pronunţare; rostire frumoasă.

envelop [inˈveləp] *vt.* **1.** a cuprinde. **2.** a învălui.

envelope [ˈenvələup] *s.* **1.** plic. **2.** înveliş.

envelopment [inˈveləpmənt] *s.* **1.** învelire, înfăşurare; învăluire. **2.** înveliş.

envenom [inˈvenəm] *vt.* **1.** a otrăvi *(mâncăruri etc.)* **2.** *fig.* a învenina, a otrăvi.

enviable [ˈenviəbl] *adj.* de invidiat.

envious [ˈenviəs] *adj.* invidios.

environ [inˈvairən] *vt.* a înconjura, a împresura, a învălui.

environment [inˈvaiərnmənt] *s.* **1.** împrejurimi. **2.** mediu. **3.** cadru.

environmental [inˌvairənˈmentl] *adj.* înconjurător, ambiant; împrejmuitor.

environs [inˈvaiərənz] *s. pl.* **1.** împrejurimi. **2.** suburbii.

envisage [inˈvizidʒ] *vt.* **1.** *înv.* a înfrunta *(o primejdie etc.).* **2.** a examina, a studia *(o chestiune).* **3.** a concepe, a plănui, a se gândi la. **4.** a prevedea; a preconiza.

envoy [ˈenvɔi] *s.* **1.** trimis (diplomatic). **2.** sol, mesager.

envy [ˈenvi] **I.** *s.* **1.** invidie, pizmă. **2.** obiect al invidiei. **II.** *vt.* a invidia.

enwrap [inˈræp] *vt.* **1.** a înveli, a împacheta. **2.** *fig.* a ascunde, a tăinui.

enzyme [ˈenzaim] *s. chim.* enzimă, ferment.

Eocene [ˈiːousiːn] *s. geol.* eocen.

EP *abrev. extended-play (record) muz.* EP.

epaulet(te) [ˈepoulet] *s.* epolet.

ephedrine [ˈefədriːn] *s. farm.* efedrină.

ephemera [iˈfemərə], *pl.* **ephemerae** [iˈfeməriː] *s.* **1.** *entom.* efemeră. **2.** lucru efemer / trecător. **3.** vremelnicie.

ephemeral [iˈfemrl] *adj.* **1.** efemer, trecător. **2.** *biol.* efemer.

Ephesian [iˈfiːʒiən] **I.** *adj.* efesean, din Efes. **II.** *s.* **1.** efesean. **2.** *sl.* chefliu.

epic [ˈepik] **I.** *s.* **1.** epopee *(şi fig.).* **2.** *cin.* superproducţie. **II.** *adj.* epic.

epicene [ˈepisiːn] **I.** *adj.* **1.** *gram.* ambigen, epicen. **2.** hermafrodit. **3.** *fig.* nedefinit; efeminat; molatic. **II.** *s.* hermafrodit.

epicentre [ˈepisentə] *s. geol.* epicentru.

epicure [ˈepikjuə] *s.* **1.** *filoz.* epicurian, adept al lui Epicur. **2.** *fig.* epicurian, senzual, voluptuos; gurmand.

Epicurean [ˌepikjuəˈriːən] *adj.* **1.** *filoz.* epicurian. **2.** *fig.* senzual, voluptos; gurmand, cu gusturi rafinate. **II.** *s.* v. **epicure.**

epidemic [ˌepiˈdemik] **I.** *s.* epidemie. **II.** *adj.* epidemic.

epidemical [epiˈdemikl] *adj.* v. **epidemic** I.

epidemic disease [ˌepiˈdemik diˈziːz] *s. med.* boală epidemică.

epidemiology [ˈepiˌdiːmiˈɔlədʒi] *s. med.* epidemiologie.

epidermal [ˌepiˈdəːml] *adj. anat.* epidermic.

epidermis [epiˈdəːmis] *s. anat.* epidermă.

epidiascope [ˌepiˈdaiəskoup] *s. fiz.* epidiascop.

epidural [epiˈdjuərl] *med., farm.* **I.** *adj. (d. anestezic)* injectabil în vecinătatea membranei dura mater. **II.** *s.* injecţie în vecinătatea membranei dura mater.

epiglottis [ˌepiˈglɔtis] *s. anat.* epiglotă.

epigram [ˈepigræm] *s.* epigramă.

epigrammatic [ˌepigrəˈmætik] *adj.* epigramatic.

epigraph [ˈepigrɑːf] *s.* **1.** epigraf. **2.** citat; moto.

epilepsy [ˈepilepsi] *s.* epilepsie.

epileptic [ˌepiˈleptik] *s., adj.* epileptic.

epilogue [ˈepilɔg] *s.* epilog.

Epiphany [iˈpifəni] *s. rel.* **1.** Bobotează. **2.** *epiphany* revelaţie (divină), epifanie, manifestare (a divinităţii).

epiphyte [ˈepifait] *s. bot.* **1.** epifit. **2.** parazit vegetal pe corpul unui animal.

episcopacy [iˈpiskəpəsi] *s. bis.* **1.** conducerea bisericii de către episcopi. **2.** episcopat, corpul episcopilor.

episcopal [iˈpiskəpl] *adj.* episcopal.

episcopate [iˈpiskəpət] *s. bis.* **1.** episcopat, episcopie. **2.** corpul episcopilor.

episode [ˈepisoud] *s.* **1.** episod. **2.** întâmplare.

epistemology [epistəˈmɔlədʒi] *s.* epistemologie.

epistle [iˈpisl] *s.* epistolă.

epistolary [iˈpistlri] *adj.* epistolar.

epitaph [ˈepitɑːf] *s.* epitaf.

epithalamium [ˌepiθəˈleimiəm] *s.* epitalam, cântec / poem nupţial.

epithelial [ˌepiˈθiːliəl] *adj. anat., bot.* epitelial.

epithelium [ˌepiˈθiːliəm], *pl.* **epitheliums** *sau* **epithelia** [ˌepiˈθiːliə] *s.* **1.** *anat.* epiteliu. **2.** *bot.* strat de celule.

epithet [ˈepiθet] *s.* epitet.

epitome [iˈpitəmi] *s.* **1.** rezumat. **2.** simbol. **3.** reprezentant (tipic); întruchipare *(fig.).*

epitomize [iˈpitəmaiz] *vt.* a prescurta, a rezuma, a conspecta; a condensa.

EPNS *abrev. electroplated nickel silver tehn.* acoperire galvanică cu nichel-argint.

epoch [ˈiːpɔk] *s.* epocă.

epochal [ˈepɔkl] *adj.* epocal.

epoch-making [ˈiːpɔkˌmeikiŋ] *adj.* epocal, memorabil.

eponym [ˈepɔnim] *s. lingv.* eponim.

epoxy resin [iˈpɔksi rezin] *s. chim.* răşină epoxidică.

Epsom salts [ˈepsəm sɔːlts] *s. pl. chim.* sulfat de magneziu cristalizat, sare amară.

equable [ˈekwəbl] *adj.* **1.** statornic. **2.** liniştit. **3.** regulat.

equal [ˈiːkwl] **I.** *s.* egal. **II.** *adj.* **1.** egal. **2.** liniştit. || *to feel ~ to* a fi în stare să *sau* de. **III.** *vt.* a egala.

equality [iˈkwɔliti] *s.* egalitate.

equalize ['i:kwəlaiz] *vt.* a egaliza.

equally ['i:kwəli] *adv.* **1.** egal. **2.** la fel.

equanimity [,i:kwə'nimiti] *s.* calm; resemnare.

equate [i'kweit] *vt.* a egala.

equation [i'kweiʃn] *s.* ecuaţie.

equator [i'kweitə] *s.* ecuator.

equatorial [,ekwə'tɔːriəl] **I.** *adj.* ecuatorial. **II.** *s. astr.* ecuatorial.

equerry [i'kweri] *s.* **1.** ofiţer de ordonanţă (la palat). **2.** *înv.* (comis care se ocupă de) grajdurile regale.

equestrian [i'kwestriən] **I.** *s.* bun călăreţ. **II.** *adj.* ecvestru.

equiangular [,i:kwi'æŋgjulə] *adj. geom.* cu unghiuri egale.

equidistant [,i:kwi'distənt] *adj. mat.* echidistant.

equilateral [,i:kwi'lætərəl] *adj. geom.* echilateral.

equilibrium [,i:kwi'libriəm] *s.* echilibru, cumpănă.

equine ['ekwain] *adj. zool.* cabalin, hipic.

equinoctial [,i:kwi'nɔkʃəl] **I.** *adj.* echinocţial. **II.** *s.* **1.** linie echinocţială; ecuator ceresc / pământesc. **2.** *pl.* furtuni echinocţiale.

equinox ['i:kwinɔks] *s.* echinocţiu.

equip [i'kwip] *vt.* **1.** a echipa. **2.** a înzestra.

equipage ['ekwipidʒ] *s.* trăsură, echipaj.

equipment [i'kwipmənt] *s.* **1.** echipament. **2.** instalaţii. **3.** utilaj.

equipoise ['ekwipɔiz] **I.** *s.* **1.** echilibru (*şi fig.*). **2.** contragreutate. **II.** *vt.* **1.** a echilibra; a ţine în echilibru. **2.** a contrabalansa.

equitable ['ekwitəbl] *adj.* **1.** just. **2.** echitabil. **3.** rezonabil.

equitation [,ekwi'teiʃn] *s.* echitaţie.

equity ['ekwiti] *s.* **1.** echitate. **2.** dreptate. **3.** sindicatul actorilor. **4.** asociaţie de întΓ-ajutorare; *şi* ~ *fund* fond de ajutor reciproc. **5.** *pl.* beneficii, dividende.

equivalent [i'kwivələnt] *s., adj.* echivalent.

equivocal [i'kwivəkl] *adj.* **1.** echivoc. **2.** nesigur. **3.** dubios.

equivocate [i'kwivəkeit] **I.** *vi.* **1.** a vorbi în mod echivoc. **2.** a proceda în mod echivoc, a se eschiva. **II.** *vt. înv.* **1.** a da un dublu înţeles (*cu dat.*) **2.** a se eschiva de la.

equivocation [i,kwivə'keiʃn] *s.* (răspuns) echivoc; eschivare.

ER *abrev. de la Elizabetha Regina* regina Elisabeta a Angliei.

era ['iərə] *s.* **1.** eră. **2.** epocă.

eradicate [i'rædikeit] *vt.* **1.** a desfiinţa. **2.** a distruge. **3.** a dezrădăcina. **4.** *med. şi fig.* a eradica.

erase [i'reiz] *vt.* **1.** a şterge. **2.** a desfiinţa. **3.** a rade.

eraser [i'reizə] *s.* gumă, radieră.

erasure [i'reiʒə] *s.* **1.** răsătură. **2.** ştergere.

ere [ɛə] *poet. înv.* **I.** *prep. (temporal)* înaintea (*cu gen.*), înainte de. | | ~ *long* curând. **II.** *conj.* înainte ca. **III.** *adv.* mai înainte, mai demult.

erect [i'rekt] **I.** *adj.* **1.** drept. **2.** ţeapăn. **3.** vertical. **II.** *vt.* **1.** a ridica, a înălţa. **2.** a înfiinţa.

erectile [i'rektail] *adj.* **1.** care se poate ridica. **2.** *fiziol.* erectil.

erection [i'rekʃn] *s.* **1.** ridicare. **2.** înălţare. **3.** clădire, construcţie. **4.** *fiziol.* erecţie.

eremite ['erimait] *s.* pustnic, sihastru, ermit.

erewhile [ɛə'wail] *adv. înv., poet.* **1.** de curând, nu de mult. **2.** în urmă, mai înainte.

erg [əːg] *s. fiz.* erg.

ergo ['əːgou] *adv.* ergo, prin urmare, aşadar.

ergon ['əːgən] *s. fiz.* ergon.

ergot ['əːgət] *s. bot.* corn-desecară (*Claviceps purpurea*).

Erin ['iərin] *s. poet., înv.* Irlanda. | | *a son of* ~ irlandez.

ermine ['əːmin] *s.* **1.** *zool.* hermină (*Mustela erminea*). **2.** (blană de) hermină.

erne [əːn] *s. ornit.* codalb (*Haliaeetus albicilla*).

erode [i'roud] *vt.* **1.** a roade. **2.** a uza.

erosion [i'rouʒən] *s.* **1.** roadere; corozitune; distrugere treptată. **2.** *geol.* eroziune, erodare.

erotic [i'rɔtik] *adj.* erotic.

erotica [i'rɔtikə] *s. pl.* literatură / artă erotică.

err [əː] *vi.* **1.** a greşi. **2.** a fi incorect.

errand ['ernd] *s.* **1.** serviciu, comision; drum (*pentru cineva*). **2.** ţintă.

errand-boy ['erndbɔi] *s.* comisionar.

errata [e'rɑːtə] *pl. de la* **erratum**.

erratic [i'rætik] *adj.* **1.** extravagant; ciudat. **2.** aiurit. **3.** capricios. **4.** boem. **5.** haotic; dezorganizat, dezordonat; zăpăcit.

erratum [e'rɑːtəm] *s. pl.* **errata** [e'rɑːtə] erată.

erroneous [i'rouniəs] *adj.* greşit.

erroneously [i'rouniəsli] *adv.* **1.** greşit, eronat, fals. **2.** din greşeală.

error ['erə] *s.* greşeală.

ersatz ['ɔːzæts] *s.* (material) înlocuitor; erzaţ; surogat.

erst [əːst] *adv. înv.* odinioară, altădată; la început.

erstwhile ['əːstwail] *înv.* **I.** *adv.* odinioară, altădată. **II.** *adj.* de altădată / odinioară.

eructation [,i:rʌk'teiʃn] *s.* **1.** râgâială. **2.** vărsătură; eliminare (*şi fig.*). **3.** (*d. vulcani*) erupţie.

erudite ['erjudait] **I.** *adj.* erudit, învăţat. **II.** *s.* erudit, savant.

erudition [,eru(:)'diʃn] *s.* erudiţie.

erupt [i'rʌpt] **I.** *vi.* **1.** (*d. vulcani, gheizeri*) a erupe. **2.** (*d. dinţi*) a ieşi. **3.** (*d. boală, război etc.*) a izbucni. **4.** *med.* (*d. eczemă*) a erupe. **5.** *fig.* a izbucni; a ţâşni, a erupe. **II.** *vt.* a azvârli (*lavă*).

eruption [i'rʌpʃn] *s.* **1.** erupţie. **2.** izbucnire.

erysipelas [,eri'sipiləs] *s. med.* erizipel, *pop.* brâncă.

escadrille ['eskədril] *s.* **1.** *mar.* escadră (*de cel mult opt vase*). **2.** *av.* escadrilă (*de cel mult şase avioane*).

escalator ['eskəleitə] *s.* scară rulantă.

escallop [is'kɔləp] *s.* v. **scallop**.

escalope ['eskələp] *s. gastr.* escalop.

escapade [,eskə'peid] *s.* **1.** escapadă; poznă. **2.** *rar* evadare. **3.** lovitură cu copita.

escape [is'keip] **I.** *s.* **1.** scăpare. **2.** evadare. **3.** fugă. **4.** scurgere (*de gaze etc.*). **5.** ieşire. **II.** *vt.* **1.** a scăpa (de). **2.** a evita. **3.** a nu-şi aduce aminte. | | *it* ~*d my memory* mi-a ieşit (pur şi simplu) din minte. **III.** *vi.* **1.** a fugi. **2.** a scăpa.

escapee [,eskə'pi:] *s.* evadat.

escapement [is'keipmənt] *s.* **1.** scăpare; fugă, evadare. **2.** *tehn.* eşapament, scurgere. **3.** canal de scurgere.

escapism [is'keipizəm] *s. lit.* evadare din real(itate), escapism, fugă de realitate.

escapologist [eskə'pɔlədʒist] *s.* **1.** specialist în evadări. **2.** *lit.* adept al evadării din realitate.

escapology [eskə'pɔlədʒi] *s.* metode şi tehnici de evadare.

escarpment [is'kɑːpmənt] s. 1. povârniş, coastă. 2. *mil.* escarpă.

eschatology [eskə'tɔlədʒi] s. *rel.* escatologie.

escheat [is'tʃiːt] I. s. *jur.* 1. reversiune, drept de întoarcere la donator. 2. proprietate astfel întoarsă. II. *vt.* 1. *jur.* (**to**) a preda o asemenea proprietate *(cuiva)*. 2. a confisca. III. *vi. jur.* (*d. proprietate*) (**to**) a se întoarce (la donator).

eschew [is'tʃuː] *vt.* 1. a evita. 2. a ocoli.

escort¹ ['eskɔːt] s. 1. escortă. 2. gardă. 3. însoțitor, bodyguard. 4. damă (de consumație). 5. gigolo. 6. băiat / bărbat care însoțește o fată la petreceri.

escort² [is'kɔːt] *vt.* a escorta.

escritoire [,eskri'twɑː] s. 1. birou, pupitru. 2. cele trebuincioase pentru scris.

esculent ['eskjulənt] I. *adj.* comestibil. II. *s.* articol comestibil; aliment.

escutcheon [is'kʌtʃn] s. 1. blazon. 2. scut cu blazon.

Eskimo ['eskimou] s. 1. eschimos; eschimoasă. 2. limba eschimoșilor.

ESN *abrev. educationally sub-normal* retardat, înapoiat mintal.

esophagus [i(ː)'sɔfəgəs], *pl.* **esophagi** [i(ː)'sɔfədʒai] s. *anat.* esofag.

esoteric [,esou'terik] I. *adj.* 1. (*d. doctrine filozofice*) ezoteric; (*d. discipuli*) inițiat. 2. confidențial, tainic. 3. complicat. II. *s.* inițiat.

espadrille [espə'dril] s. espadrilă.

espalier [is'pæliə] s. 1. spalier. 2. pom / plantă crescut(ă) pe spalier.

esparto [es'pɑːtou] s. *bot.* alfa (*Stipa tenacissima, Lygeum spartum*).

especial [is'peʃl] *adj.* 1. deosebit. 2. special.

especially [is'peʃli] *adv.* mai ales; în special.

Esperanto [,espə'ræntou] s. esperanto.

espionage ['espiɔnɑːʒ] s. spionaj.

esplanade [,esplə'neid] s. esplanadă.

espousal [is'pauzl] s. 1. *fig.* îmbrățișare, adoptare (*a unei cauze*). 2. (*mai ales pl.*) *înv.* logodnă; căsătorie.

espouse [is'pauz] *vt.* 1. a lua de nevastă. 2. *fig.* a adopta, a îmbrățișa (*o cauză*).

esprit [es'priː] s. spirit, inteligență.

esprit de corps [es,priːdə'kɔː] s. solidaritate, spirit de clan.

espy [is'pai] *vt.* a zări.

esquire [is'kwaiə] s. 1. domn (*mai ales prescurtat Esq. și pus la adresă*). 2. gentilom. || *Lionel Davies, Esq.* Domnul Lionel Davies.

essay¹ ['esei] s. 1. eseu. 2. lucrare. 3. *sport.* încercare.

essay² [e'sei] *vt., vi.* a încerca.

essayist ['eseiist] s. eseist.

essence ['esns] s. esență.

essential [i'senʃl] *adj.* 1. esențial. 2. fundamental.

essentially [i'senʃli] *adv.* fundamental, în esență, esențial.

establish [is'tæbliʃ] *vt.* 1. a înființa. 2. a întemeia. 3. a dovedi. 4. a instaura. 5. a stabili.

establishment [is'tæbliʃmənt] s. 1. înființare. 2. întemeiere. 3. instituție. 4. gospodărie. 5. stabilire.

estate [is'teit] s. 1. moșie. 2. proprietate. 3. avere. 4. categorie. 5. situație.

esteem [is'tiːm] I. s. stimă. II. *vt.* a stima. 2. (**that**) a considera (că).

ester ['estə] s. *chim.* ester.

estimable ['estiməbl] *adj.* 1. stimabil, demn de stimă. 2. apreciabil. 3. *înv.* valoros.

estimate¹ ['estimit] s. 1. deviz. 2. calcul. 3. apreciere.

estimate² ['estimeit] I. *vt.* 1. a aprecia. 2. a evalua. II. *vi.* a face un deviz.

estimation [,esti'meiʃn] s. 1. apreciere. 2. părere. 3. stimă. 4. evaluare.

estrange [is'treindʒ] *vt.* (**from**) a înstrăina (de) (*și fig.*).

estrangement [is'treindʒmənt] s. înstrăinare; separare; îndepărtare; răcire (*a relațiilor*).

estuary ['estjuəri] s. estuar.

eta ['iːtə] s. eta (*literă grecească*).

etcetera [et'setərə] et caetera, etc.

etch [etʃ] *vt., vi.* 1. a grava. 2. a schița.

etching ['etʃiŋ] s. gravură.

eternal [i'təːnl] *adj.* etern.

eternally [i(ː)'təːnəli] *adv.* veșnic, de-a pururi, etern. || *he is ~ complaining* veșnic se vaită.

eternity [i'təːniti] s. eternitate.

ethane ['eθein] s. *chim.* etan.

ether ['iːθə] s. eter.

ethereal [i'θiəriəl] *adj.* 1. *chim., fiz.* eteric, de natura eterului. 2. *fig.* eteric; ușor; aerian; nepământesc.

ethic(al) ['eθik(əl)] *adj.* etic, moral.

ethics ['eθiks] s. (*cu verb la sing.*) etică, morală.

Ethiopean [,iːθi'oupiən] I. *adj.* etiopian, abisinian. II. s. 1. etiopian, abisinian. 2. (limba) etiopiană.

ethnic(al) ['eθnik(əl)] *adj.* 1. etnic. 2. păgân, păgânesc.

ethnologic(al) [,eθnou'lɔdʒik(əl)] *adj.* etnologic.

ethnology [eθ'nɔlədʒi] s. etnologie.

ethos ['iːθɔs] s. etos, spirit caracteristic.

ethyl ['eθil] s. *chim.* etil.

ethylene ['eθiliːn] s. *chim.* etilenă.

etiolate ['iːtiouleit] I. *vi.* 1. (*d. plante*) a se ofili. 2. *fig.* (*d. oameni*) a se ofili, a slăbi. II. *vt.* 1. a face să se ofilească (*plante*). 2. *fig.* a vlăgui, a slăbi (*oameni*).

etiquette ['etiket] s. 1. ceremonial; etichetă. 2. morală profesională. 3. *rar* etichetă, marcă.

Etruscan [i'trʌskən] I. *adj.* etrusc. II. s. 1. etrusc. 2. (limba) etruscă.

etude ['eitjuːd] s. *muz.* studiu, exercițiu (de compoziție).

etymologic(al) [,etimə'lɔdʒik(əl)] *adj.* etimologic.

etymology [,eti'mɔlədʒi] s. etimologie.

eucalyptus [,juːkə'liptəs] s. *bot.* eucalipt (*Eucalyptus*).

Eucharist ['juːkərist] s. împărtășanie, cuminecătură.

euchre ['juːkə] s. *amer.* joc de cărți (*asemănător cu whist-ul*).

eugenic [juː'dʒenik] *adj.* eugenic, referitor la eugenie.

eugenics [juː'dʒeniks] s. *pl.* (*folosit ca sing.*) eugenie.

eulogistic(al) [,juːlə'dʒistik(əl)] *adj.* de laudă, elogios.

eulogium [juː(ː)'loudʒiəm], *pl.* **eulogiums** [juː(ː)'loudʒiəmz] *sau* **eulogia** [juː(ː)'loudʒiə], s. v. **eulogy**.

eulogize ['juː(ː)lədʒaiz] *vt.* a face elogiul (*cuiva*); a elogia, a lăuda, a slăvi (*pe cineva*).

eulogy ['juːlədʒi] s. 1. laudă. 2. apologie.

eunuch ['juːnək] s. eunuc.

euphemism ['juːfimizəm] s. eufemism.

euphony ['juːfəni] s. *muz.* eufonie.

euphorbia [juː(ː)'fɔːbiə] s. *bot.* laptele-câinelui (*Euphorbia*); euforbie.

euphuism ['juːfjuːizəm] *s. lit.* eufuism, prețiozitate, stil afectat / prețios.

Eurasian [juˈreiʒən] *s.* metis cu sânge european și asiatic.

eureka [juˈriːkə] *interj.* evrica! am găsit!

Eurodollar [ˌjuəroudɔlə] *s. fin.* eurodolar.

European [ˌjuərəˈpiən] *s., adj.* european(ă).

Eustachian tube [juːsˈteiʃjən tjuːb] *s. anat.* trompa lui Eustațiu.

euthanasia [ˌjuːθəˈneiziə] *s. med.* eutanasie.

evacuate [iˈvækjueit] *vt.* **1.** a evacua. **2.** a goli.

evacuation [i(ː)ˌvækjuˈeiʃn] *s.* **1.** evacuare, golire, deșertare. **2.** retragere. **3.** *med.* evacuare, purjare; *pl.* excremente. **4.** evacuare *(a gazelor)*, ventilație, aeraj.

evacuee [iˌvækjuˈiː] *s.* evacuat; persoană susceptibilă de a fi evacuată.

evade [iˈveid] *vt.* **1.** a scăpa de. **2.** a evita, a ocoli. **3.** a se sustrage de la.

evaluate [iˈvæljueit] *vt.* **1.** a evalua, a prețui; a estima. **2.** *mat.* a exprima în cifre.

evaluation [iˌvæljuˈeiʃn] *s.* **1.** evaluare. **2.** *mat.* exprimare în cifre.

evanesce [ˌevəˈnes] *vi.* a dispărea; a se pierde din vedere.

evanescence [ˌevəˈnesns] *s.* **1.** dispariție, evanescență. **2.** volatilitate. **3.** caracter trecător.

evanescent [ˌeːvəˈnesnt] *adj.* **1.** trecător. **2.** disparent.

evangel [iˈvændʒel] *s. rel. rar* **1.** evanghelie. **2.** evanghelist. **3.** *fig.* veste bună.

evangelic(al) [ˌiːvænˈdʒelik(l)] *adj.* evanghelic.

evangelism [iˈvændʒelizəm] *s. rel.* evanghelism, predicarea evangheliei.

evangelist [iˈvændʒilist] *s.* evanghelist.

evaporate [iˈvæpəreit] *vt., vi.* a (se) evapora.

evaporation [iˌvæpəˈreiʃn] *s.* vaporizare; evaporare.

evaporator [iˈvæpəreitə] *s. tehn.* evaporator; vaporizator; uscător.

evasion [iˈveiʒn]·*s.* **1.** scăpare. **2.** evitare. **3.** sustragere; evaziune.

evasive [iˈveisiv] *adj.* evaziv.

eve [iːv] *s.* ajun.

Eve [iːv] *s.* Eva. || *a daughter of* ~ o fiică a Evei, o femeie tipică / prin excelență.

even[1] [iːvn] **I.** *adj.* **1.** neted. **2.** orizontal. **3.** regulat. **4.** neschimbător. **5.** egal. **6.** *mat.* par. || *to get* ~ *with smb.* a fi chit cu cineva. **II.** *vt.* a egaliza. **III.** *adv.* **1.** chiar. **2.** tocmai. **3.** încă, și. **4.** egal; la fel. || ~ *if* sau *though* chiar dacă.

even[2] [iːvn] *s. (cuvânt scoțian, poet)* seară.

evening [iːvniŋ] **I.** *s.* seară. **II.** *adj.* de seară.

evening dress [iːvniŋdres] *s.* **1.** haine de seară / de gală. **2.** ținută de ceremonie.

evening service [ˌiːvniŋˈsəːvis] *s. bis.* vecernie.

evenly [iːvnli] *adv.* **1.** liniștit. **2.** egal. **3.** regulat.

evenness [iːvənnis] *s.* **1.** caracter plan / neted, netezime; uniformitate. **2.** seninătate; echilibru; calm. **3.** nepărtinire, imparțialitate.

even odds [ˌiːvnˈɔdz] *s. pl.* șanse egale.

evensong [iːvnsɔŋ] *s.* **1.** v. **evening service**. **2.** cântec de seară.

event [iˈvent] **I.** *s.* **1.** eveniment. **2.** întâmplare. **3.** *sport* probă. || *at all* ~*s* în orice caz; *in the* ~ *of* în eventualitatea că.

eventful [iˈventful] *adj.* **1.** agitat. **2.** plin de emoții.

eventide [iˈvəntaid] *s. poet.* seară, înserare.

eventual [iˈventjuəl] *adj.* ultim, final.

eventually [iˈventjuəli] *adv.* în cele din urmă, în final.

eventuate [iˈventjueit] *vi.* **1. (in)** a se termina, a se rezolva (prin). **2.** *amer.* a se întâmpla, a avea loc.

ever [ˈevə] *adv.* **1.** oricând. **2.** întotdeauna; mereu. **3.** *(cu neg.)* niciodată. **4.** *(cu interog.)* vreodată. **5.** foarte. || *hardly* ~ mai niciodată; ~ *after* de-a pururi; ~ *so nice* cât se poate de drăguț.

evergreen [ˈevəgriːn] **I.** *s.* **1.** plantă perenă. **2.** arbust cu frunzele necăzătoare. **II.** *adj.* **1.** veșnic verde. **2.** peren.

everlasting [ˌevəˈlaːstiŋ] *s.:* the *Everlasting* Dumnezeu. **II.** *adj.* **1.** etern. **2.** nemuritor. **3.** nepieritor. **4.** neîncetat.

everlastingly [ˌevəˈlaːstiŋli] *adj.* veșnic, continuu.

evermore [ˈevəˈmɔː] *adv.* mereu.

every [ˈevri] **I.** *adj.* **1.** fiecare. **2.** toți, toate. || ~ *bit* totul; ~ *now and then* din când în când; ~ *other Thursday* joia din două în două săptămâni; ~ *time* de fiecare dată; ~ *way* în toate privințele.

everybody [ˈevribɔdi] *pron.* **1.** toată lumea. **2.** toți. **3.** fiecare.

everyday [ˈevridei] *adj., adv.* **1.** zilnic. **2.** obișnuit.

everyone [ˈevriwʌn] *s.* v. **everybody**.

everything [ˈevriθiŋ] *pron.* **1.** totul; toate. **2.** principalul.

everywhere [ˈevriweə] *adv.* pretutindeni.

evict [iˈvikt] *vt.* **1.** a izgoni. **2.** a scoate din casă. **3.** a evacua.

eviction [i(ː)ˈvikʃn] *s.* **1.** *jur.* reintrare legală în posesiune. **2.** evacuare, izgonire.

evidence [ˈevidns] **I.** *s.* **1.** dovadă. **2.** *jur.* probe, dovezi, mărturii. **3.** indicație. || *to give* ~ a depune mărturie; *in* ~ evident. **II.** *vt.* a dovedi, a evidenția.

evident [ˈevidnt] *adj.* evident.

evidently [ˈevidntli] *adv.* evident, limpede.

evil [ˈiːvl] **I.** *s.* **1.** rău. **2.** racilă. **3.** ticăloșie. **4.** păcat. **5.** nenorocire. **II.** *adj.* **1.** rău. **2.** ticălos. **3.** păcătos. **4.** nenorocit.

evil-doer [ˈiːvlˌduːə] *s.* răufăcător.

evil eye [ˌiːvlˈai] *s.* deochi. || *to cast the* ~ a deochia pe.

evil-minded [ˈiːvlˈmaindid] *adj.* **1.** rău intenționat. **2.** diabolic.

evince [iˈvins] *vt.* **1.** a manifesta, a arăta. **2.** a demonstra, a dovedi.

eviscerate [iˈvisəreit] *vt.* **1.** a scoate măruntaiele *(cu gen.)*. **2.** *fig.* a lipsi de conținut, a vlăgui, a emascula.

evocation [ˌevouˈkeiʃn] *s.* evocare.

evocative [iˈvɔkətiv] *adj.* evocator.

evoke [iˈvouk] *vt.* **1.** a evoca. **2.** a aminti. **3.** a stârni. **4.** a invoca.

evolution [ˌiːvəˈluːʃn] *s.* **1.** dezvoltare; evoluție. **2.** manevră. **3.** mișcare.

evolutionary [ˌiːvəˈluːʃnəri] *adj.* evolutiv.

evolutionism [ˌiːvəˈluːʃənizəm] *s. biol.* evoluționism; teoria evoluționistă.

evolutionist [ˌiːvəˈluːʃnist] **I.** *s.* evoluţionist, adept al evoluţionismului. **II.** *adj.* evolutiv.

evolve [iˈvɔlv] **I.** *vt.* **1.** a desfăşura. **2.** a transforma. **II.** *vi.* **1.** a evolua. **2.** a se dezvolta.

ewe [juː] *s.* oaie.

ewer [ˈjuə] *s.* urcior, chiup.

exacerbate [igˈzæsəbeit] *vt.* **1.** a agrava, a intensifica *(suferinţa, supărarea etc.)*. **2.** a irita; a întărâta *(pe cineva)*.

exact [igˈzækt] **I.** *adj.* **1.** exact. **2.** corect. **3.** precis. **II.** *vt.* **1.** a cere, a solicita. **2.** a pretinde. **3.** a impune.

exacting [igˈzæktiŋ] *adj.* **1.** pretenţios. **2.** sever. **3.** dificil.

exaction [igˈzækʃn] *s.* **1. (of)** cerere, pretenţie *(de bani etc.)*. **2.** lucru cerut; sumă pretinsă. **3.** pretenţie nejustificată, stoarcere *(de bani)*. **4.** impunere arbitrară.

exactitude [igˈzæktitjuːd] *s.* exactitate, precizie; acurateţe.

exactly [igˈzæktli] *adv.* **1.** exact, chiar. **2.** întocmai, exact. **3.** cu exactitate, cu precizie.

exactness [igˈzæktnis] **I.** *v.* **exactitude. 2.** justeţe *(a unui raţionament etc.)*.

exaggerate [igˈzædʒəreit] *vt., vi.* a exagera.

exaggeration [igˌzædʒəˈreiʃn] *s.* **1.** exagerare. **2.** înrăutăţire, agravare; intensificare.

exalt [igˈzɔːlt] *vt.* **1.** a înălţa. **2.** a lăuda. **3.** a slăvi.

exaltation [ˌegzɔːlˈteiʃn] *s.* **1.** înălţare. **2.** slăvire. **3.** exaltare.

exalted [igˈzɔːltid] *adj.* **1.** înalt *(fig.)*. **2.** exaltat. **3.** slăvit.

exam [igˈzæm] *s. fam.* examen.

examination [igˌzæmiˈneiʃn] *s.* **1.** examen. **2.** examinare. **3.** cercetare. **4.** inspecţie. **5.** interogatoriu.

examine [igˈzæmin] *vt.* **1.** a cerceta. **2.** a examina. **3.** a interoga.

example [igˈzɑːmpl] *s.* **1.** exemplu. **2.** specimen. **3.** model. **4.** avertisment. || *for ~* de exemplu; *to set a good ~* a da o pildă bună.

exasperate [igˈzɑːspreit] *vt.* **1.** a exaspera. **2.** a aţâţa.

excavate [ˈekskəveit] *vt.* a excava.

excavation [ˌekskəˈveiʃn] *s.* **1.** săpătură. **2.** groapă. **3.** lucru dezgropat.

excavator [ˈekskəveitə] *s.* excavator.

exceed [ikˈsiːd] *vt.* **1.** a depăşi. **2.** a întrece.

exceedingly [ikˈsiːdiŋli] *adv.* **1.** extrem. **2.** deosebit. **3.** foarte (mult).

excel [ikˈsel] **I.** *vt.* a depăşi. **II.** *vi.* a excela.

excellence [ˈeksləns] *s.* **1.** perfecţiune. **2.** excelenţă. **3.** capacitate deosebită.

excellency [ˈekslənsi] *s.* excelenţă.

excellent [ˈekslənt] *adj.* minunat, excelent.

except [ikˈsept] **I.** *vt.* **1.** a excepta. **2.** a omite. **II.** *prep.* **1.** fără. **2.** în afară de. || *~ for* în afară de; *~ that* (afară) doar că.

excepting [ikˈseptiŋ] *prep.* cu excepţia *(cu gen.)*.

exception [ikˈsepʃn] *s.* **1.** excepţie. **2.** obiecţie. || *to take ~ to* a obiecta la.

exceptionable [ikˈsepʃənəbl] *adj.* discutabil, contestabil; condamnabil.

exceptional [ikˈsepʃnl] *adj.* excepţional.

excerpt [ˈeksəːpt] *s.* **1.** extras. **2.** fragment.

excess [ikˈses] **I.** *s.* **1.** exces. **2.** excedent. **3.** depăşire. **4.** exagerare. **5.** *pl.* ticăloşii. **6.** delict. || *in ~ of* peste, pe deasupra. **II.** *adj.* **1.** suplimentar. **2.** excedentar.

excessive [ikˈsesiv] *adj.* **1.** excesiv. **2.** extrem.

exchange [iksˈtʃeindʒ] **I.** *s.* **1.** schimb. **2.** *pl.* comerţ. **3.** bursă. || *in ~ for* în schimbul a. **II.** *vt., vi.* **1.** a (se) schimba. **2.** a (se) preschimba. || *to ~ blows* a se bate.

exchequer [iksˈtʃekə] *s.* **1.** minister de finanţe. **2.** visterie, trezorerie, tezaur. **3.** avere.

excise **I.** *s.* [ˈeksaiz] **1.** impozit pe cifra de afaceri. **2.** taxă. **II.** *vt.* [ikˈsaiz] **1.** a impune, a taxa. **2.** a reduce. **3.** a tăia; a extirpa.

excitable [ikˈsaitəbl] *adj.* excitabil.

excitation [ˌeksiˈteiʃn] *s.* excitaţie.

excite [ikˈsait] *vt.* **1.** a emoţiona. **2.** a agita; a tulbura. **3.** a stârni.

excitement [ikˈsaitmənt] *s.* **1.** emoţie. **2.** tulburare. **3.** senzaţie.

exciting [ikˈsaitiŋ] *adj.* **1.** emoţionant. **2.** tulburător. **3.** palpitant.

exclaim [iksˈkleim] *vt., vi.* a exclama.

exclamation [ˌekskləˈmeiʃn] *s.* **1.** exclamaţie. **2.** strigăt.

exclude [iksˈkluːd] *vt.* **1. (from)** a exclude (de la). **2.** a nu primi.

exclusion [iksˈkluːʒn] *s.* excludere. || *to the ~* în afară de, cu excepţia *(cu gen.)*.

exclusive [iksˈkluːsiv] *adj.* **1.** exclusiv. **2.** rezervat. **3.** select. **4.** snob. **5.** exclusivist. **6.** privilegiat. || *~ of* fără, cu excepţia *(cu gen.)*.

excommunicate [ˌekskəˈmjuːnikeit] *vt.* a excomunica.

excoriate [eksˈkɔːrieit] *vt.* **1.** a excoria, a jupui, a decortica. **2.** *fig.* a marca, a însemna.

excrement [ˈekskrimənt] *s.* excremente, (materii) fecale.

excrescence [iksˈkresns] *s.* **1.** excrescenţă; umflătură; cucui. **2.** *fig.* excrescenţă. **3.** *fig., rar* exces; exuberanţă.

excreta [eksˈkriːtə] *s. pl. fiziol.* excreţii; excremente.

excrete [eksˈkriːt] *vt.* **1.** a excreta. **2.** a secreta.

excruciating [iksˈkruːʃieitiŋ] *adj.* **1.** cumplit. **2.** chinuitor.

exculpate [ˈekskʌlpeit] *vt.* a dezvinovăţi.

excursion [iksˈkəːʃn] **I.** *s.* **1.** excursie; călătorie, expediţie. **2.** *fiz.* deviere, abatere restantă de la valoarea medie; amplitudine a vibraţiei. **3.** *fig.* divagaţie. **II.** *vi. rar* a face o excursie.

excursive [iksˈkəːsiv] *adj.* **1.** cu caracter de excursie / plimbare / hoinăreală. **2.** digresiv, care se abate. **3.** divers, variat.

excusable [iksˈkjuːzəbl] *adj.* scuzabil.

excuse[1] [iksˈkjuːs] *s.* **1.** scuză. **2.** pretext.

excuse[2] [iksˈkjuːz] *vt.* **1.** a scuza. **2.** a ierta. **3.** a elibera. **4.** a lăsa liber.

execrable [ˈeksikrəbl] *adj.* groaznic.

execrate [ˈeksikreit] **I.** *vt.* **1.** a-i fi scârbă de, a detesta. **2.** a blestema. **II.** *vi.* a blestema.

executant [igˈzekjutənt] *s.* executant.

execute [ˈeksikjuːt] *vt.* **1.** a executa. **2.** a aplica. **3.** a îndeplini.

execution [ˌeksiˈkjuːʃn] *s.* **1.** execuţie. **2.** distrugere.

executioner [ˌeksiˈkjuːʃnə] *s.* călău.

executive [igˈzekjutiv] **I.** *s.* **1.** director. **2.** administrator. **3.** consiliu executiv. **4.** ramură executivă. **II.** *adj.* **1.** executiv. **2.** de acţiune. **3.** eficace.

executor [ig'zekjutə] s. executor, îndeplinitor.

exegesis [ˌeksi'dʒiːsis], pl. **exegeses** [ˌeksi'dʒiːsiːz] s. exegeză, tălmăcire (mai ales a bibliei).

exemplar [ig'zemplɑː] s. 1. pildă, model, exemplu (de imitat). 2. tip, specimen; exemplar.

exemplary [ig'zempləri] adj. 1. exemplar, model. 2. tipic.

exemplify [ig'zemplifai] vt. 1. exemplifica, a ilustra. 3. înv. a servi ca exemplu de. 4. jur. a legaliza, a autentifica.

exempt [ig'zemt] (**from**) I. adj. scutit (de). II. vt. a scuti (de).

exequies ['eksikwiz] s. pl. cortegiu funebru; înmormântare, funeralii.

exercise ['eksəsaiz] I. s. 1. exercițiu. 2. mișcare. 3. mil. manevră. 4. exercitare. 5. pl. amer. ceremonie; program festiv. II. vt. 1. a exercita. 2. a pune la încercare sau treabă. 3. a necăji. 4. a îngrijora. III. vi. a face mișcare.

exert [ig'zəːt] I. vt. 1. a folosi. 2. a exercita. 3. a încerca. II. vr. 1. a se obosi. 2. a se strădui.

exertion [ig'zəːʃn] s. 1. exercitare. 2. exercițiu. 3. efort, sforțare.

exfoliate [eks'foulieit] I. vt. 1. med. a descuama, a exfolia. 2. a coji. II. vi. 1. med. a se exfolia, a se descuama. 2. a se coji. 3. (d. frunze) a se desprinde.

ex gratia [eks 'greiʃə] din amabilitate.

exhale ['eksheil] vt., vi. a răsufla; a exala.

exhaust [ig'zɔːst] I. s. evacuare. II. adj. de evacuare. III. vt. 1. a istovi. 2. a epuiza. 3. a da afară, a evacua.

exhausted [ig'zɔːstid] adj. istovit, epuizat, stors.

exhausting [ig'zɔːstiŋ] adj. istovitor.

exhaustion [ig'zɔːstʃn] s. istovire.

exhaustive [ig'zɔːstiv] adj. complet, exhaustiv.

exhibit [ig'zibit] I. s. 1. exponent. 2. obiect. 3. corp delict. II. vt., vi. 1. a (se expune). 2. a (se) manifesta.

exhibition [ˌeksi'biʃn] s. 1. expoziție. 2. manifestare. 3. școl. bursă.

exhibitioner [eksi'biʃənə] s. bursier, stipendiat.

exhibitionism [ˌeksi'biʃənizəm] s. 1. med. exhibiționism. 2. tendința de a-și face autoreclamă, laudă de sine.

exhibitor [ig'zibitə] s. expozant, persoană care expune.

exhilarate [ig'ziləreit] vt. 1. a înveseli. 2. a înviora.

exhilaration [igˌzilə'reiʃn] s. 1. veselie. 2. înviorare. 3. emoție.

exhort [ig'zɔːt] vt. 1. a ruga. 2. a solicita. 3. a îndemna, a avertiza.

exhortation [ˌegzɔː'teiʃn] s. 1. îndemn(are), povățuire. 2. predică.

exhumation [ˌekshju:'meiʃn] s. exhumare, dezgropare.

exhume [eks'hjuːm] vt. a exhuma, a dezgropa.

exigency ['eksidʒənsi] s. 1. necesitate. 2. situație grea. 3. exigență.

exigent ['eksidʒənt] adj. 1. urgent, grabnic, care nu suferă amânare. 2. exigent, pretenţios. || ~ of care reclamă / cere (cu ac.).

exiguous [ig'zigjuəs] adj. 1. mic, neînsemnat. 2. fin, delicat.

exile ['eksail] I. s. 1. exil. 2. exilat. II. vt. a exila, a surghiuni.

exist [ig'zist] vi. 1. a exista. 2. a trăi. 3. a se produce.

existence [ig'zistns] s. 1. existență. 2. trai. 3. viață.

existent [ig'zistənt] adj. 1. existent, în ființă, prezent. 2. actual; de a(stă)zi.

exit ['eksit] I. s. ieșire. || to make one's ~ a ieși (de pe scenă). II. vi. a ieși (de pe scenă).

exodus ['eksədəs] s. exod.

ex-officio [ˌeksə'fiʃiou] adj. rar de la sine, din oficiu.

exonerate [ig'zɔnəreit] vt. 1. a dezvinovăți. 2. a declara nevinovat. 3. (**from**) a exonera, a scuti (de).

exorbitant [ig'zɔːbitnt] adj. exorbitant.

exorcism ['eksɔːsizəm] s. exorcism, alungarea duhurilor rele; vrajă; descânt(ec).

exorcize ['eksɔːsaiz] vt. a exorciza, a alunga (duhurile rele); a descânta (pe cineva).

exordium [ek'sɔːdiəm], pl. **exordia** [ek'sɔːdiə] sau **exordiums** s. exord(iu) (început de discurs, temă etc.).

exotic [eg'zɔtik] I. adj. exotic, din țări străine. II. s. 1. plantă exotică. 2. cuvânt exotic.

expand [iks'pænd] I. vt. 1. a lărgi. 2. a mări. 3. a desfășura. II. vi. 1. a se întinde. 2. a se dezvolta. 3. a înflori.

expander [iks'pændə] s. sport extensor.

expanse [iks'pæns] s. 1. întindere. 2. suprafață.

expansion [iks'pænʃn] s. 1. întindere. 2. expansiune. 3. lărgire.

expansive [iks'pænsiv] adj. 1. expansiv. 2. întins.

expatiate [eks'peiʃieit] vi. 1. a scrie sau vorbi pe larg. 2. a se întinde la vorbă sau scris.

expatriate¹ [eks'pætrieit] I. vt. a expatria. II. vr. a emigra, a se expatria.

expatriate² [eks'pætriət] s., adj. expatriat, surghiunit.

expect [iks'pekt] vt. 1. a se aștepta la. 2. a aștepta. 3. a solicita, a necesita. 4. a presupune.

expectance [iks'pektəns] s. 1. expectativă, așteptare. 2. speranță, nădejde. 3. anticipare. 4. probabilitate.

expectancy [iks'pektnsi] s. așteptare.

expectant [iks'pektnt] adj. în așteptare.

expectant mother [iksˌpektnt 'mʌðə] s. gravidă.

expectation [ˌekspek'teiʃn] s. 1. așteptare. 2. perspectivă. 3. probabilitate. 4. pl. perspective. || beyond ~(s) mai presus de orice așteptări; ~ of life speranța de viață.

expectorant [iks'pektərənt] s. med. expectorant.

expectorate [iks'pektəreit] vt., vi. a expectora; a scuipa.

expedience [iks'piːdjəns] s. 1. conveniență. 2. interes.

expediency [iks'piːdjənsi] s. v. **expedience**.

expedient [iks'piːdjənt] I. s. 1. expedient. 2. truc. II. adj. 1. avantajos. 2. eficient. 3. convenabil.

expedite ['ekspidait] vt. 1. a grăbi. 2. a da peste cap.

expedition [ˌekspi'diʃn] s. 1. expediție. 2. grabă. 3. promptitudine.

expeditionary [ˌekspi'diʃənəri] adj. expediționar, de expediție.

expeditious [ˌekspi'diʃəs] adj. expeditiv, iute, prompt.

expel [iks'pel] vt. 1. expulza. 2. a da afară. 3. a elimina. 4. a exclude.

expend [iks'pend] vt. a cheltui; a risipi.

expendable [iks'pendəbl] adj. 1. consumabil, de întrebuinţat;

care poate fi cheltuit. **2.** iremediabil. **3.** *mil.* care poate fi cedat inamicului.

expenditure [iks'penditʃə] *s.* **1.** cheltuieli; cheltuială. **2.** efort cheltuit, cheltuială de energie.

expense [iks'pens] *s.* **1.** cheltuială. **2.** efort. **3.** cost. || *at the ~ of* pe socoteala *(şi fig.).*

expensive [iks'pensiv] *adj.* scump, costisitor.

experience [iks'piəriəns] **I.** *s.* **1.** experienţă; înţelepciune. **2.** e-veniment. **3.** *pl.* întâmplări; aventuri. **II.** *vt.* **1.** a trece prin *(situaţii, greutăţi etc.).* **2.** a suferi. **3.** a cunoaşte, a se bu-cura de.

experienced [iks'piəriənst] *adj.* **1.** experimentat, încercat. **2.** abil. **3.** cu experienţă, călit.

experiment [iks'perimənt] **I.** *s.* **1.** experienţă *(ştiinţifică);* probă. **2.** metodă experimentală. **II.** *vi.* a face experienţe.

experimental [eks,peri'mentl] *adj.* experimental.

experimentally [eks,peri'mentəli] *adv.* **1.** din experienţă. **2.** ex-perimental, pe bază de ex-perienţă. **3.** cu titlu de ex-perienţă.

experimentation [iks,perimen-'teiʃn] *s.* experimentare, încer-care, verificare.

experimenter [iks'perimentə] *s.* experimentator.

expert ['ekspə:t] **I.** *s.* specialist. **II.** *adj.* **1.** expert. **2.** îndemânatic.

expertise [,ekspə:'ti:z] *s.* **1.** exper-tiză. **2. (in)** pricepere, înde-mânare (la); cunoştinţe de specialitate.

expertness ['ekspə:tnis] *s.* **(in)** îndemânare (la); cunoştinţe de specialitate (în).

expiate ['ekspieit] *vt.* **1.** a ispăşi. **2.** a-şi răscumpăra.

expiation [,ekspi'eiʃn] *s.* ispăşire, răscumpărare *(a păcatelor etc.).*

expiration [,ekspaiə'reiʃn] *s.* **1.** ex-pirare, încetare, scurgere *(a unui termen etc.).* || *on the ~ of term* la expirarea termenului. **2.** expirare, răsuflare; exalare. **3.** moarte, deces.

expire [iks'paiə] *vi.* **1.** a expira. **2.** a-şi da duhul, a muri.

expiry [ik'spaiəri] *s.* expirare, încheierea termenului de vala-bilitate.

explain [iks'plein] **I.** *vt.* **1.** a ex-plica. **2.** a justifica. || *to ~*

away a justifica pe deplin. **II.** *vi.* a da explicaţii.

explanation [,eksplə'neiʃn] *s.* **1.** explicaţie. **2.** explicare.

explanatory [iks'plænətri] *adj.* **1.** explicativ. **2.** justificativ.

expletive [eks'pli:tiv] *s.* expletiv, cuvânt de umplutură.

explicable ['eksplikəbl] *adj.* ex-plicabil, de înţeles.

explication [,ekspli'keiʃn] *s.* **1.** in-terpretare, exegeză; explicaţie. **2.** evoluţie, dezvoltare; dare de seamă, expunere.

explicit [iks'plisit] *adj.* explicit.

explode [iks'ploud] **I.** *vt.* **1.** a face să explodeze. **2.** a distruge. **II.** *vi.* **1.** a exploda. **2.** a izbucni.

exploitation [,eksplɔi'teiʃn] *s.* ex-ploatare.

exploit[1] ['eksplɔit] *s.* faptă glo-rioasă.

exploit[2] [iks'plɔit] *vt.* a exploata.

exploration [,eksplɔ:'reiʃn] *s.* ex-plorare.

exploratory [eks'plɔ(:)rətəri] *adj.* de explorare / cercetare / tatonare. || *~ talks* convorbiri cu caracter de tatonare.

explore [iks'plɔ:] *vt.* **1.** a explora. **2.** a cerceta.

explorer [iks'plɔ:rə] *s.* **1.** explo-rator. **2.** cercetător.

explosion [iks'plouʒn] *s.* **1.** ex-plozie. **2.** izbucnire.

explosive [iks'plousiv] *s., adj.* ex-ploziv.

exponent [eks'pounənt] *s.* expo-nent.

exponential [,ekspou'nenʃl] *adj.* *mat.* exponenţial.

export[1] ['ekspɔ:t] *s.* **1.** export. **2.** articol de export.

export[2] [iks'pɔ:t] *vt.* a exporta.

exportation [,ekspɔ:'teiʃn] *s.* ex-port(are).

expose [iks'pouz] **I.** *vt.* **1.** a expu-ne, a supune *(acţiunii soa-relui etc.);* a aşeza în direcţia. **2.** a da în vileag, a demasca. **3.** a expune *(un risc etc.);* a lăsa în voia soartei. **4.** a expune, a etala *(spre vânzare etc.).* **5.** a destăinui, a revela *(o taină).* **6.** a afişa *(ignoranţa etc.).* **7.** *foto.* a expune. **II.** *vr.* a se expune *(unui pericol etc.).*

exposition [,ekspə'ziʃn] *s.* ex-punere. **2.** expoziţie.

expositor [eks'pozitə] *s.* **1.** per-soană care expune / prezintă ceva. **2.** interpret, comenta-tor.

ex post facto [eks poust 'fæktou] *adj., adv.* **1.** retrospectiv. **2.** *jur.* retroactiv.

expostulate [iks'pɔstjuleit] *vi.* **1.** a discuta (cu argumente). **2.** a protesta, a obiecta.

expostulation [iks'pɔstju'leiʃn] *s.* **1.** dojană, mustrare. **2.** argu-mentaţie, încercare de a con-vinge. **3.** schimb de cuvinte.

exposure [iks'pouʒə] *s.* **1.** demas-care. **2.** expunere; dezgolire.

expound [iks'paund] *vt.* **1.** a ex-pune, a prezenta; a face o prezentare *(cu gen.).* **2.** a ex-plica, a desluşi, a interpreta.

expounder [iks'paundə] *s.* inter-pret, tălmăcitor.

expresive [iks'presiv] *adj.* expre-siv.

express [iks'pres] **I.** *s.* **1.** expres. **2.** poştă expres. **II.** *adj.* **1.** ex-pres. **2.** clar, precis. **3.** rapid. **4.** exact. **III.** *vt.* **1.** a exprima. **2.** a trimite expres. **IV.** *adv.* expres.

expression [iks'preʃn] *s.* **1.** ex-primare. **2.** expresie. || *past ~* indescriptibil.

expressionism [iks'preʃənizəm] *s.* *artă* expresionism.

expressionless [iks'preʃənlis] *adj.* fără / lipsit de expresie.

expressive [iks'presiv] *adj.* **1.** ex-presiv. **2.** elocvent, cu tâlc / înţeles. || *~ of* exprimând / care exprimă *(cu ac.).*

expressly [iks'presli] *adv.* **1.** clar. **2.** explicit. **3.** special. **4.** anu-me.

expropriate [eks'prouprieit] *vt.* a expropria; a deposeda de; a confisca *(averea).*

expulsion [iks'pʌlʃn] *s.* **1.** expul-zare. **2.** excludere. **3.** izgonire.

expurgate ['ekspə:geit] *vt.* a cen-zura.

exquisite ['ekskwizit] **I.** *adj.* **1.** exagerat, excesiv. **2.** excelent, perfect, ales; încântător, deli-cios, rar. **3.** *(d. durere, senzaţii)* violent, intens. **II.** *s.* **1.** om spil-cuit, fante. **2.** femeie foarte elegantă.

exquisitely ['ekskwizitli] *adv.* **1.** minunat, splendid. **2.** grozav (de), extrem (de).

ex-serviceman ['eks'sə:vismən], *pl.* **ex-servicemen** ['eks'sə:vis-mən] *s.* militar demobilizat; fost combatant; rezervist *(care şi-a făcut stagiul).*

extant [eks'tænt] *adj.* existent, care se găseşte.

extempore [eks'tempəri] I. *adj.* **1.** nepregătit. **2.** neașteptat. II. *adv.* pe nepregătite.

extemporize [iks'tempəraiz] *vt., vi. lit.* a improviza, a inventa, a compune ocazional.

extend [iks'tend] I. *vt.* **1.** a extinde. **2.** a întinde. **3.** a răspândi. II. *vi.* **1.** a se întinde. **2.** a se mări. **3.** a continua. **4.** a ajunge (până la).

extended [iks'tendid] *adj.* **1.** întins, prelungit. **2.** lung, întins; larg. **3.** *mil.* dispus în linie. **4.** *gram.* dezvoltat.

extension [iks'tenʃn] *s.* **1.** întindere. **2.** mărire. **3.** prelungire. **4.** anexă. **5.** *(la telefon)* derivație; interior; cuplaj.

extensive [iks'tensiv] *adj.* **1.** întins. **2.** larg. **3.** vast. **4.** de mari proporții.

extent [iks'tent] *s.* **1.** măsură. **2.** proporții. **3.** spațiu. **4.** cantitate. **5.** grad. || *to a certain ~* în oarecare măsură.

extenuate [eks'tenjueit] *vt.* **1.** a scuza (în parte). **2.** a atenua.

extenuating circumstances [iks,tenjueitiŋ'səːkəmstnsiz] *s. pl.* circumstanțe atenuante.

extenuation [eks,tenju'eiʃn] *s.* **1.** slăbire, atenuare *(a unei vini)*. **2.** scuză / justificare parțială.

exterior [eks'tiəriə] *s., adj.* exterior.

exterminate [eks'təːmineit] *vt.* **1.** a extermina. **2.** a nimici.

extermination [eks,təːmi'neiʃn] *s.* **1.** exterminare, distrugere, stârpire. **2.** *mat.* eliminare.

external [eks'təːnl] I. *s.* înfățișare exterioară. II. *adj.* **1.** exterior. **2.** extern.

externalize [eks'təːnəlaiz] I. *vt.* **1.** a întruchipa; a exterioriza, a concretiza *(un gând, o intenție etc.)*. **2.** a da o formă concretă *(cu dat.)*. II. *vi.* a se exterioriza, a se materializa, a se manifesta.

externally [eks'təːnəli] *adv.* extern; pe dinafară, la exterior; dinspre exterior.

extinct [iks'tiŋkt] *adj.* **1.** stins. **2.** mort. **3.** *(d. specii etc.)* dispărut.

extinction [iks'tiŋkʃn] *s.* **1.** stingere, extincție. **2.** *fig.* dispariție, apus, asfințit. **3.** *fig.* distrugere, nimicire.

extinguish [iks'tiŋgwiʃ] *vt.* **1.** a stinge. **2.** *(fig.)* a nărui.

extinguisher [iks'tiŋgwiʃə] *s.* stingător.

extirpate ['ekstəːpeit] *vt.* **1.** a extirpa. **2.** a nimici.

extirpation [,ekstəː'peiʃn] *s.* extirpare, stârpire.

extol [iks'tɔl] *vt.* a lăuda, a ridica în slăvi.

extort [iks'tɔːt] *vt.* **1.** a stoarce *(bani)*. **2.** a smulge *(o taină etc.)*; a scoate cu de-a sila.

extortion [iks'tɔːʃn] *s.* **1.** escrocherie. **2.** abuz.

extortionate [iks'tɔːʃnit] *adj.* **1.** de jaf, prădalnic. **2.** exagerat; cămătăresc.

extortioner [iks'tɔːʃnə] *s.* cămătar, speculant, jefuitor.

extra ['ekstrə] I. *s.* **1.** supliment. **2.** figurant. II. *adj., adv.* suplimentar.

extract[1] ['ekstrækt] *s.* extras.

extract[2] [iks'trækt] *vt.* **1.** a extrage. **2.** a obține. **3.** a stoarce.

extraction [iks'trækʃn] *s.* **1.** extragere. **2.** origine. **3.** loc de baștină, obârșie.

extractive [iks'træktiv] I. *adj.* extractiv. II. *s.* extract, substanță extrasă.

extractor [iks'træktə] *s.* **1.** persoană *sau* aparat care extrage / scoate ceva; extractor; extractor de miere; mașină de scos butuci. **2.** *med.* forceps; clește *(de extras dinți)*. **3.** gheară extractoare *(la o armă)*.

extractor fan [ik'stræktə fæn] *s.* ventilator montat în geam (pentru aerisire).

extraditable ['ekstrədaitəbl] *adj.* **1.** pasibil de extrădare. **2.** care justifică extrădarea.

extradite ['ekstrədait] *vt.* a extrăda.

extradition [,ekstrə'diʃn] *s. jur.* extrădare.

extramural ['ekstrə'mjuərəl] *adj.* în afara zidurilor *(unei cetăți, instituții etc.)*, extern; în exterior.

extraneous [eks'treinjəs] *adj.* **1.** fără legătură. **2.** exterior, extern.

extraordinary [iks'trɔːdnri] *adj.* **1.** remarcabil. **2.** extraordinar, neobișnuit.

extra-territorial [,ekstrə,teri'tɔːriəl] *adj.* extrateritorial.

extravagance [iks'trævigəns] *s.* **1.** risipă. **2.** exagerare. **3.** nechibzuială.

extravagant [iks'trævigənt] *adj.* **1.** risipitor. **2.** exagerat. **3.**

nepotrivit.

extravaganza [iks,trævə'gænzə] *s.* **1.** *lit., muz.* lucrare fantezistă. **2.** povestire abracadabrantă. **3.** extravaganță.

extreme [iks'triːm] I. *s.* extremă. || *in the ~* la maximum. II. *adj.* **1.** extrem. **2.** periferic. **3.** marginal.

extremely [iks'triːmli] *adv.* **1.** extrem de mult / de puternic etc. **2.** extrem de, foarte, nespus de, peste măsură de; în ultimul grad.

extremism [iks'triːmizəm] *s.* extremism.

extremist [iks'triːmist] *s.* extremist.

extremity [iks'tremiti] *s.* **1.** extremitate. **2.** margine. **3.** culme. **4.** capăt.

extricate ['ekstrikeit] *vt., vr.* **1.** a (se) elibera. **2.** a (se) descurca.

extrinsic(al) [eks'trinsik(əl)] *adj.* extrinsec, extern; accidental, accesoriu.

extrovert ['ekstrəvəːt] *s. psih.* extravertit.

extrude [iks'truːd] *vt.* **1.** a scoate afară; a împinge (în) afară. **2.** *tehn.* a extruda.

extrusion [eks'truːʒn] *s.* **1.** scoatere afară, înlăturare. **2.** *tehn.* extruziune.

exuberant [ig'zjuːbrnt] *adj.* **1.** exuberant. **2.** abundent. **3.** fantastic.

exudation [,eksju'deiʃn] *s.* **1.** transpirație, sudație. **2.** *med.* exsudat *(pleural etc.)*.

exude [ig'zjuːd] *fiziol., med.* I. *vt.* a exsuda, a elimina. II. *vi.* a transpira, a asuda.

exult [ig'zʌlt] *vi.* **1.** a se bucura. **2.** a exulta.

exultation [,egzʌl'teiʃn] *s.* bucurie.

eye [ai] I. *s.* **1.** ochi. **2.** privire. **3.** vedere. **4.** gaură. **5.** ureche de ac. || *to have an ~ for* a se pricepe la; *to keep an ~ (up) on* a nu scăpa din ochi; *to make sheep's ~s at smb.* a face ochi dulci cuiva; *to run one's ~s over* a parcurge cu privirea; *to see ~ to ~ with smb.* a fi de acord cu cineva; *to see smth. with half an ~* a remarca ceva imediat; *up to the ~s* până peste cap; *with an ~ to* țintind la; nădăjduind în; în vederea *(cu gen.)*. II. *vt.* a privi.

eyeball ['aibɔ:l] s. globul ocular.
eyebrow ['aibrau] s. sprânceană.
eyeful ['aiful] s. fam. **1.** privire atentă / intensă. **2.** persoană atractivă / remarcabilă. **3.** lucru atrăgător.
eyeglass ['aiglɑ:s] s. **1.** lentilă. **2.** pl. ochelari.

eyelash ['ailæʃ] s. geană.
eyeless ['ailis] adj. orb.
eyelet ['ailit] s. **1.** gaură. **2.** inel. **3.** ochi.
eyelid ['ailid] s. pleoapă.
eyesight ['aisait] s. vedere.
eyesore ['aisɔ:] s. **1.** urâciune. **2.** muma pădurii.

eyewash [aiwɔʃ] s. **1.** colir. **2.** prostii, mofturi, apă de ploaie.
eye-witness ['ai'witnis] s. martor ocular.
eyrie, eyry ['aiəri] s. v. **aerie.**

F

F [ef] s. **1.** (litera) F, f. **2.** muz. (nota) fa.
fa [fɑ:] s. muz. **1.** (nota) fa. **2.** (nota) subdominantă.
fable ['feibl] s. fabulă.
fabled ['feibld] adj. legendar, fabulos.
fabric ['fæbrik] s. **1.** țesătură. **2.** structură.
fabricate ['fæbrikeit] vt. **1.** a născoci. **2.** a încropi.
fabrication [,fæbri'keiʃn] s. **1.** născocire, plăsmuire. **2.** fals.
fabulous ['fæbjuləs] adj. fabulos.
façade [fə'sɑ:d] s. **1.** fațadă. **2.** zid care unește flancurile a două bastioane. **3.** perete stâncos.
face [feis] I. s. **1.** față. **2.** obraz. **3.** chip. **4.** înfățișare. **5.** strâmbătură. **6.** îndrăzneală, nerușinare. **7.** suprafață. || to make sau pull a ~ a se strâmba; in the ~ of în ciuda (cu gen.); to one's ~ de la obraz; on the ~ of it după cât se pare; to put a new ~ on a schimba. II. vt. **1.** a înfrunta. **2.** a (se) îndrepta către. **3.** a face față (cu dat.), a da piept cu. **4.** a recunoaște, a admite. **5.** a acoperi. || to ~ the music a privi lucrurile în față, a înfrunta situația, a suferi consecințele. III. vi. a se întoarce (într-o direcție). || ~ about! mil. stânga-mprejur!
facet ['fæsit] s. fațetă.
facetious [fə'si:ʃəs] adj. glumeț.
facia ['feiʃə] s. **1.** bord (la automobil). **2.** firmă (la magazin).
facial ['feiʃəl] I. adj. facial, al feței. II. s. masaj sau tratament facial.
facile ['fæsail] adj. facil.
facilitate [fə'siliteit] vt. a ușura.
facility [fə'siliti] s. **1.** ușurință. **2.** îndemânare. **3.** pl. posibilități.
facing ['feisiŋ] s. **1.** îmbrăcare,

acoperire; căptușire; împodobire. **2.** strunjire. **3.** tresă, galon (colorat); vipușcă; **4.** pl. mar. viraje (ale vasului). **5.** întoarcere (la dreapta, la stânga).
facsimile [fæk'simili] I. s. **1.** facsimil, copie exactă. **2.** fax. II. vt. **1.** a reproduce în facsimil. **2.** a trimite prin fax.
fact [fækt] s. **1.** faptă. **2.** fapt. **3.** realitate. || in ~ de fapt, în realitate; as a matter of ~ de fapt; pe de altă parte; în treacăt fie spus.
faction ['fækʃn] s. **1.** fracțiune (politică); facțiune; clică. **2.** dezbinare.
factious ['fækʃəs] adj. **1.** rel. și fig. schismatic. **2.** răzvrătit, rebel. **3.** cu caracter de dezbinare; scizionist.
factitious [fæk'tiʃəs] adj. artificial.
factor ['fæktə] s. **1.** element. **2.** factor. **3.** agent (fig.).
factorial [fæk'tɔ:riəl] s. mat. factorial.
factorize [,fæktəraiz] vt. mat. a descompune în factori.
factory ['fæktri] s. fabrică.
factotum [fæk'toutəm] s. **1.** factotum, om de încredere. **2.** meșter la toate; fată (în casă), femeie la toate.
factual ['fæktʃuəl] adj. faptic; efectiv, real.
faculty ['fæklti] s. **1.** facultate. **2.** capacitate.
fad [fæd] s. **1.** capriciu. **2.** pasiune. **3.** manie.
faddist ['fædist] s. **1.** persoană ciudată, excentric; maniac, pornit, apucat. || food ~ maniac în privința mâncării; vegetarian convins. **2.** amer. adept al unei mode trecătoare.
faddy ['fædi] adj. **1.** ciudat, excentric. **2.** capricios.

fade [feid] I. vt. **1.** a decolora. **2.** a reduce (sunetul, intensitatea). II. vi. **1.** a scădea; a slăbi. **2.** a se decolora, a se șterge.
fading ['feidiŋ] s. **1.** decolorare, ștergere a culorilor. **2.** ofilire, veștejire. **3.** radio feding, pierderea sunetului.
faeces ['fi:si:z] s. pl. **1.** sediment, depunere, drojdie. **2.** (materii) fecale.
faerie ['feiəri] înv. poet. I. s. **1.** ținut fermecat, țară de basm. **2.** vrăjitorie; vrajă, farmec. II. adj. fermecat, vrăjit; de basm, feeric; fantastic, imaginar.
faery ['feiəri] s., adj. v. **faerie.**
fag [fæg] I. s. **1.** trudă, corvoadă. **2.** sl. mai ales univ. elev (mai mic) forțat să-l slujească pe altul. **3.** amer. sl. homosexual. **4.** fam. țigară, cui de coșciug. II. vt. **1.** a istovi; a obosi. **2.** a pune la muncă grea. III. vi. a trudi (pt. alții).
fag(g)ot ['fægət] s. sarcină de lemne.
fah ['fɑ:] s. muz. (nota) "fa".
Fahrenheit ['færənhait] s. Fahrenheit.
faience [fai'ɑ:ns] s. faianță.
fail [feil] I. s.: without ~ sigur. II. vt. **1.** a trânti la examen. **2.** a nu ajuta, a părăsi la nevoie. || my memory often ~s me memoria îmi joacă adeseori feste. III. vi. (in) **1.** a eșua, a da greș (în, cu). **2.** a nu izbuti (cu subj.). **3.** a nu face un lucru, o acțiune. **4.** a cădea la examen. **5.** a slăbi. **6.** a lipsi. **7.** a da dovadă de neglijență. || he ~ed to come n-a venit; to ~ of one's purpose a da greș, a nu-și atinge țelul.
failing ['feiliŋ] I. s. slăbiciune. II. prep. fără.

failure ['feiljə] *s.* (in) **1.** eşec; in-succes (la, în). **2.** neglijenţă (în). **3.** lipsă; omisiune. **4.** faliment.

fain [fein] I. *adj.* (mai ales poet.) **1.** ~ to / of bucuros că, gata de. **2.** ~ to obligat să. II. *adv.* cu dragă inimă.

faint [feint] I. *s.* leşin. II. *adj.* **1.** slab, firav. **2.** istovit. **3.** prăpădit. **4.** vag; neclar. III. *vi.* **1.** a leşina. **2.** a slăbi. **3.** a se ofili.

faint-hearted [,feint'hɑːtid] *adj.* fricos.

faintly ['feintli] *adv.* **1.** slab, de-abia; uşor. **2.** cu sfială, sfielnic.

faintness ['feintnis] *s.* **1.** slăbiciune. **2.** ameţeală, leşin. || *a feeling of* ~ *came over him* simţea că-i vine să leşine. **3.** paliditate.

fair [fɛə] I. *s.* **1.** bâlci, târg. **2.** bazar. **3.** expoziţie. II. *adj.* **1.** corect; just, drept. **2.** cinstit. **3.** frumos. **4.** mediu. **5.** moderat. **6.** blond. **7.** de culoare deschisă. **8.** blând. **9.** curat. III. *adv.* **1.** corect. **2.** cinstit. **3.** direct. **4.** clar.

fair copy [,fɛə'kɔpi] *s.* formă definitivă (a unui text).

fair-haired [fɛər'hɛəd] *adj.* cu părul blond.

Fair Isle ['fɛər ail] I. *adj.* (d. tricotaje) cu un model multicolor. II. *s.* pulover multicolor.

fairly ['fɛəli] *adv.* **1.** sincer. **2.** corect. **3.** moderat. **4.** complet. **5.** relativ, destul de.

fair-minded [,fɛə 'maindid] *adj.* **1.** imparţial, drept, corect, cinstit. **2.** binevoitor.

fairness ['fɛənis] *s.* cinste, nepărtinire.

fair play ['fɛəplei] *s.* **1.** sport joc corect, cinstit. **2.** fig. (spirit de) corectitudine, echitate.

fairway ['fɛəwei] *s.* **1.** mar. şenal navigabil. **2.** (la golf) porţiune de parcurs cu iarbă, fără accidente; (la tenis) centrul terenului.

fairy ['fɛəri] I. *s.* **1.** zână. **2.** amer. homosexual. II. *adj.* de basm, ca în poveşti.

fairy-like ['fɛəri laik] *adj.* ca de zână; feeric.

fairy-tale ['fɛəriteil] *s.* basm (fig.).

fait accompli [,fet ɑː,kɔːŋ'pliː] *s.* fapt împlinit.

faith [feiθ] I. *s.* **1.** încredere. **2.** credinţă. **3.** cinste; lealitate. **4.** promisiune. || *to lose* ~ a-şi pierde încrederea; *to break*

one's ~ a-şi călca cuvântul. II. *interj. înv.* zău aşa! pe cuvânt de onoare!

faithful ['feiθfl] I. *s.: the* ~ credincioşii. II. *adj.* **1.** credincios, fidel. **2.** demn de încredere. **3.** corect; exact; fidel.

faithfully ['feiθfuli] *adv.* **1.** cu credinţă; cinstit. **2.** fidel, cu exactitate, corect. || *yours* ~ cu toată stima (formulă de înche-iere în scrisori).

faithless ['feiθlis] *adj.* **1.** neloial, necinstit. **2.** făţarnic. **3.** necredincios.

fake [feik] I. *s.* **1.** fals. **2.** imitaţie. II. *vt.* **1.** a falsifica. **2.** a imita.

faker ['feikə] *s. sl.* **1.** măsluitor, plastograf; şarlatan. **2.** negustor ambulant. **3.** peior. saltimbanc, comediant. **4.** amer. stilizator.

fakir [fə'kiə] *s.* **1.** fachir. **2.** amer. stilizator.

falchion ['fɔːltʃn] *s.* iatagan, poet. paloş.

falcon ['fɔː(l)kn] *s.* şoim.

falconer ['fɔː(l)kənə] *s.* persoană care creşte / dresează şoimi pentru a vâna cu ei.

falconry ['fɔː(l)knri] *s.* vânătoare de şoimi.

fall [fɔːl] I. *s.* **1.** cădere. **2.** prăbuşire. **3.** amer. toamnă. **4.** (mai ales pl.) cascadă. II. *vi. trec.* **fell** [fel], part. trec. **fallen** ['fɔːln] **1.** a cădea. **2.** a se prăbuşi. **3.** a scădea; a coborî. **4.** a păcătui. **5.** a muri. **6.** a se sfărâma. **7.** a se ivi. **8.** a scăpa. **9.** a fi dezamăgit. **10.** a se împărţi. **11.** a deveni; a ajunge. || *to* ~ *asleep* a adormi; *to* ~ *back* a se retrage; *to* ~ *behind* a rămâne în urmă; *to* ~ *due* a fi scadent; *to* ~ *flat* a rămâne fără efect; a da greş; *to* ~ *foul of* a se ciocni cu; *to* ~ *ill* a se îmbolnăvi; *to* ~ *in* a se prăbuşi; a se alinia; *to* ~ *in with* a se întâlni cu; *to* ~ *in love (with)* a se îndrăgosti (de); *to* ~ *into a habit* a căpăta un nărav; *to* ~ *off* a scădea; *to* ~ *out* a se certa; a se produce; *to* ~ *on* a ataca; a se năpusti asupra (cu gen.); a se apuca de; *to* ~ *(up) on* a se năpusti asupra; a recurge la; a se bizui pe.

fallacious [fə'leiʃəs] *adj.* **1.** eronat, fals. **2.** înşelător. **3.** greşit (înţeles).

fallacy ['fæləsi] *s.* **1.** log. judecată (întemeiată pe o premisă)

greşită. **2.** fals(itate); sofism.

fallen ['fɔːln] *vi. part. trec. de la* **fall.**

fallible ['fæləbl] *adj.* supus greşelii.

fall-out ['fɔːlaut] *s.* pulbere *sau* cădere radioactivă.

fallow[1] ['fælou] I. *s.* pârloagă, ţelină. II. *adj.* **1.** agr. înţelenit, necultivat. **2.** părăginit. **3.** sterp.

fallow[2] ['fælou] *adj.* galben-cafeniu, roşcat.

fallow-deer ['fælodiə] *s. zool.* **1.** căprior (Dama dama). **2.** cerb lopătar (Cervus dama).

false [fɔːls] I. *adj.* **1.** greşit. **2.** fals. **3.** mincinos; înşelător. **4.** fals, falsificat. II. *adv.: to play* ~ a înşela, a trişa.

falsehood ['fɔːlshud] *s.* **1.** minciună, fals. **2.** făţărnicie.

falseness ['fɔ(ː)lsnis] *s.* **1.** falsitate, incorectitudine (a unui citat etc.). **2.** falsitate, necredinţă, călcare a cuvântului. **3.** pungăşie, înşelătorie murdară.

falsetto [fɔːl'setou] *s. muz.* falset.

falsification ['fɔːlsifi'keiʃn] *s.* **1.** falsificare. **2.** fals.

falsify ['fɔːlsifai] *vt.* **1.** a falsifica. **2.** a dezamăgi.

falsity ['fɔːlsiti] *s.* **1.** falsitate. **2.** fals.

falter ['fɔːltə] I. *vt.* a îngăima, a rosti şovăielnic. II. *vi.* **1.** a se bălăbăni, a se clătina pe picioare, a merge nesigur / şovăielnic. **2.** a vorbi îngăimat, a se bâlbâi. **3.** a bolborosi.

faltering ['fɔːltriŋ] *adj.* (d. vorbire, glas) **1.** şovăitor. **2.** tremurător. **3.** nesigur.

fame [feim] *s.* **1.** glorie. **2.** celebritate.

famed [feimd] *adj.* **(for)** faimos, celebru (prin, pentru).

familial [fə'miliəl] *adj.* familial.

familiar [fə'miljə] *adj.* **1.** familiar; cunoscut. **2.** obişnuit. **3.** intim. **4.** îndrăzneţ. || *to be* ~ *with smth.* / *smb.* a cunoaşte îndeaproape ceva / pe cineva.

familiarity [fə,mili'æriti] *s.* **(with)** **1.** familiaritate. **2.** prietenie (cu). **3.** cunoaştere profundă (cu gen.). **4.** intimitate (cu).

familiarize [fə'miliəraiz] I. *vt.: (with / to)* a familiariza (cu), a obişnui (cu). II. *vr.: (with)* a se familiariza / a se obişnui (cu).

family ['fæmili] I. *s.* **1.** familie. **2.** neam. **3.** copii, odrasle. **4.** origine. || *he has a large* ~

are mulţi copii. **II.** *adj.* **1.** de familie. **2.** familial.

family skeleton ['fæmili'skelitən] *s.* secret (ruşinos) de familie.

famine ['fæmin] *s.* **1.** foamete. **2.** lipsă; criză.

famish ['fæmiʃ] *vt.*, *vi.* a flămânzi.

famous ['feiməs] *adj.* **1.** (**for**) celebru (prin, pentru). **2.** grozav, straşnic.

fan [fæn] **I.** *s.* **1.** evantai. **2.** amator. **3.** fanatic. **II.** *vt.* **1.** a ventila. **2.** a răcori. **III.** *vi.* **1.** a se întinde. **2.** a adia.

fanatic [fə'nætik] *s.* **1.** fanatic. **2.** amator.

fanaticism [fə'nætisizəm] *s.* fanatism.

fancier ['fænsiə] *s.* crescător de animale, păsări *sau* plante.

fanciful ['fænsifl] *adj.* **1.** fantastic. **2.** *(d. fantezie)* imaginativ, bogat. **3.** fantezist. **4.** aiurit.

fancifully ['fænsifuli] *adv.* **1.** capricios, fantezist. **2.** bizar, fistichiu.

fancy ['fænsi] **I.** *s.* **1.** imaginaţie. **2.** fantezie. **3.** trăsnaie. **4.** (**for**) pasiune. **5.** dragoste (nebună) pentru. **6.** capriciu. || *to take a ~* a se îndrăgosti de, a se pasiona de. **II.** *adj.* **1.** fantezist. **2.** închipuit. **3.** trăsnit. **4.** fantastic. **5.** capricios. **6.** luxos. **7.** *amer.* superior. **III.** *vt.* **1.** a-şi închipui. **2.** a presupune. **3.** a îndrăgi. **4.** a savura. || *just ~ his coming here!* închipuie-ţi că a venit aici!; *~ that now!* auzi vorbă!

fancy-(dress) ball ['fænsi ('dres) bɔ:l] *s.* bal mascat *sau* costumat.

fancy-work ['fænsi,wə:k] *s.* **1.** dantelă. **2.** lucru de mână.

fandango [fæn'dæŋgou] *s.* **1.** fandango *(dans spaniol).* **2.** *amer.* bal vesel.

fane [fein] *s. poet.* altar, templu.

fanfare ['fænfɛə] *s.* fanfară.

fang [fæŋ] *s.* colţ; dinte.

fan tail ['fæn teil] *s. ornit.* porumbel rotat *(Columba livia laticauda).*

fantasia [fæn'teiziə] *s.* **1.** *lit., muz.* fantezie. **2.** turnir de călăreţi arabi, fantasia.

fantasize ['fæntəsaiz] **I.** *vi.* a fantaza, a fabula, a visa cu ochii deschişi. **II.** *vt.* a-şi imagina.

fantastically [fən'tæstikəli] *adv.* fantastic.

fantastic(al) [fæn'tæstik(l)] *adj.* **1.** fantastic. **2.** absurd. **3.** grotesc.

fantasy ['fæntəsi] *s.* **1.** fantezie. **2.** închipuire.

far [fɑ:] **I.** *adj. comp.* **farther** ['fɑːðə] *sau* **further** ['fə:ðə], *superl.* **(the) farthest** [ðə'fɑːðist] *sau* **(the) furthest** [ðə'fə:ðist] **1.** îndepărtat. **2.** extrem. **3.** celălalt. || *it's a ~ cry from* e cu totul altceva decât. **II.** *adv. comp.* **further** ['fɑːðə] *sau* **further** ['fə:ðə], *superl.* **farthest** ['fɑːðist] *sau* **furthest** ['fə:ðist] **1.** departe. **2.** în mare măsură. **3.** *(cu comp.)* (cu) mult mai. **4.** cu nimic. || *from ~* din depărtare; *~ from it* aş, de unde! departe de asta; *as ~ as the school* până la şcoală; *so ~* până acum; *as ~ as it goes* cât este; *in so ~ as* în măsura în care; *~ and wide* peste tot; *by ~* cu mult; *~ gone* rău de tot, pierdut; *~ better* mult mai bine; infinit mai bine.

farad ['færəd] *s. el.* farad.

far-away ['fɑːrəwei] *adj.* îndepărtat.

farce ['fɑːs] *s.* farsă.

farcical ['fɑːsikl] *adj.* **1.** absurd. **2.** prostesc. **3.** de farsă.

fare [fɛə] **I.** *s.* **1.** costul călătoriei, tarif; taxă. **2.** bilet *(de tramvai etc.).* **3.** pasager; client. **4.** mâncare. **II.** *vi.* a o duce, a-i merge *(bine, rău).*

Far East [,fɑːr'iːst] *s.* Extremul Orient.

farewell [,fɛə'wel] *s., interj.* adio.

far-famed [,fɑː'feimd] *adj.* bine cunoscut, vestit.

far-fetched [,fɑː'fetʃt] *adj.* nefiresc, forţat.

far-flung [,fɑː'flʌŋ] *adj.* larg, întins, cuprinzător.

farina [fə'rainə] *s.* **1.** făină. **2.** praf, pudră. **3.** amidon, feculă. **4.** *bot.* polen. **5.** griş.

farm [fɑːm] **I.** *s.* **1.** fermă. **2.** gospodărie. **II.** *vt.* **1.** a cultiva, a lucra *(pământul).* **2.** a arenda; a da *sau* a lua în arendă. **3.** *fig.* a creşte, a educa. **III.** *vi.* a cultiva pământul, a face agricultură.

farmer ['fɑːmə] *s.* **1.** fermier. **2.** arendaş. **3.** proprietar de mină.

farm house ['fɑːm haus] *s.* locuinţă de fermier; casă (locuinţă) la o fermă; gospodărie ţărănească.

farmstead ['fɑːmsted] *s.* fermă, gospodărie.

farmyard ['fɑːmjɑːd] *s.* curte (ţărănească), ogradă.

faro ['fɛərou] *s.* faraon *(joc de cărţi).*

far-off [,fɑːr'ɔːf] *adj.* îndepărtat.

farrago [fə'rɑːgou] *s.* amestec(ătură), adunătură.

far-reaching [,fɑː'riːtʃiŋ] *adj.* **1.** de mare anvergură; important. **2.** cu scadenţă întârziată. **3.** *(d. planuri)* de perspectivă.

farrier ['færiə] *s.* **1.** potcovar, fierar. **2.** *înv.* (medic) veterinar.

farrow ['færou] **I.** *s.* **1.** totalitatea purceilor fătaţi deodată de o scroafă. **2.** purcel. **II.** *vt.* a făta *(purcei).* **III.** *vi.* a făta purcei.

far-seeing ['fɑː'siːiŋ] *adj. fig.* care vede departe, prevăzător, perspicace.

far-sighted ['fɑː'saitid] *adj.* clarvăzător.

far-sightedness ['fɑː'saitidnis] *s.* **1.** perspicacitate; prevedere. **2.** *med.* hipermetropie; prezbitism.

fart [fɑːt] *vulg.* **I.** *s.* pârţ, gaze. **II.** *vi.* a se băşi.

farther ['fɑːðə] **I.** *adj. comp. de la* **far** I. **1.** mai îndepărtat. **2.** celălalt. **II.** *adv. comp. de la* **far** II. **1.** mai departe. **2.** în plus.

farthermost ['fɑːðəmoust] *adj.* cel mai îndepărtat.

farthest ['fɑːðist] **I.** *adj. superl. de la* **far** I. **1.** cel mai îndepărtat. || *at (the) ~* cel mult. **2.** cel mai târziu. **II.** *adv. superl. de la* **far** II. cel mai îndepărtat.

farthing ['fɑːðiŋ]. || *it's not worth a ~* nu face nici cât o ceapă degerată.

farthingale ['fɑːðiŋgeil] *s. înv.* **1.** (fustă) malacof. **2.** turnură *(care se poartă sub fustă).*

Far West [,fɑː'west] *s.* Far West, Vestul îndepărtat (al Statelor Unite).

fascia ['feiʃiə], *pl.* **fasciae** ['feiʃiiː] *s.* **1.** fâşie, bandă. **2.** firmă. **3.** *anat.* ţesut conjunctiv, aponevroză. **4.** *arhit.* fâşie; cordon, plintă. **5.** ['fæʃiə] *med.* faşă; bandaj.

fascicle ['fæsikl] *s.* **1.** parte. **2.** fasciculă *(a unei publicaţii).* **3.** *bot.* fascicul; mănunchi; smoc; ciorchine.

fascinate ['fæsineit] *vt.* **1.** a fascina. **2.** a atrage.

fascinating ['fæsineitiŋ] *adj.* **1.** fascinant, seducător. **2.** atrăgător; încântător. **3.** absorbant.

fascination [,fæsi'neiʃn] *s.* **1.** fascinaţie, farmec; încântare, fermecare. **2.** deochi, deochere.

fascism ['fæʃizəm] *s.* fascism.

fascist ['fæʃist] *s., adj.* fascist.

fashion ['fæʃn] I. s. 1. modă. 2. stil. 3. obicei. || in ~ la modă; out of ~ demodat; a man of ~ un om elegant, un filfizon; people of ~ lumea bună. II. vt. a fasona.

fashionable ['fæʃnəbl] adj. 1. elegant. 2. la modă.

fashionably ['fæʃnəbli] adv. 1. monden, elegant. 2. fin, cu fineţe / rafinament.

fast [fɑːst] I. s. rel. post. II. adj. 1. strâns. 2. fix. 3. ţeapăn. 4. credincios. 5. statornic. 6. neinfluenţabil. 7. rapid, iute. 8. frivol; neserios. 9. extravagant. 10. ferov. accelerat. || my watch is (three minutes) ~ ceasul meu a luat-o înainte (cu trei minute). III. vi. a posti. IV. adv. 1. strâns. 2. fix. 3. ţeapăn. 4. repede; în grabă. || he is ~ asleep doarme dus, doarme buştean.

fasten ['fɑːsn] I. vt. 1. a fixa, a prinde. 2. a lega. 3. a încheia. 4. a închide. || to ~ one's eyes on a-şi aţinti ochii asupra. II. vi.: to ~ (up)on a apuca; a se repezi la.

fastener ['fɑːsnə] s. 1. fixator. 2. capsă. 3. fermoar.

fastidious [fæs'tidiəs] adj. 1. mofturos, dificil. 2. pisălog.

fastidiousness [fæs'tidiəsnis] s. 1. mofturi, capricii, nazuri; pretenţii. 2. înv. dispreţ.

fastness ['fɑːstnis] s. 1. siguranţă (fig.). 2. ascunziş. 3. soliditate, tărie, trăinicie. 4. fortăreaţă, bastion, citadelă. 5. viteză, repeziciune.

fat [fæt] I. s. 1. grăsime. 2. untură. 3. ulei. || to live on the ~ of the land a face lux; a huzuri. II. adj. 1. gras. 2. unsuros. 3. gros. 4. bogat. || a ~ lot o mulţime; iron. deloc. III. vt., vi. a (se) îngrăşa.

fatal ['feitl] adj. 1. fatal. 2. mortal.

fatalism ['feitəlizəm] s. fatalism.

fatalist ['feitəlist] s. fatalist.

fatalistic [,feitə'listik] adj. fatalist.

fatality [fei'tæliti] s. 1. nenorocire. 2. fatalitate.

fatally ['feitəli] adv. fatal, funest, mortal. || to end ~ a sfârşi tragic.

fate [feit] s. 1. soartă. 2. moarte. 3. distrugere. || as sure as ~ neîndoios; the Fates Parcele.

fated ['feitid] adj. 1. stabilit. 2. fatal. 3. destinat.

fateful ['feitfl] adj. 1. crucial,

hotărâtor. 2. important, esenţial, vital. 3. fatal, inevitabil. 4. profetic, fatidic.

fathead ['fæthed] s. cap sec.

father ['fɑːðə] I. s. 1. tată. 2. părinte. 3. strămoş. 4. preot. II. vt. 1. a da naştere. 2. a crea.

fatherhood ['fɑːðəhud] s. paternitate, calitatea de tată.

father-in-law ['fɑːðərinlɔː] s. socru

fatherland ['fɑːðəlænd] s. patrie.

fatherless ['fɑːðəlis] adj. orfan de tată.

fatherly ['fɑːðəli] adj. patern; părintesc.

fathom ['fæðəm] I. s. stânjen. II. vt. 1. a măsura. 2. a sonda. 3. a înţelege.

fathomless ['fæðəmlis] adj. 1. adânc; profund. 2. fără fund, insondabil.

fatigue [fə'tiːg] I. s. 1. osteneală, epuizare. 2. trudă. II. vt. a istovi, a epuiza.

fatness ['fætnis] s. 1. grăsime; caracter uleios / gras. 2. corpolenţă, obezitate. 3. fertilitate, rodnicie. 4. înv. senzualitate.

fatten ['fætn] vt., vi. a (se) îngrăşa.

fatty ['fæti] adj. 1. chim. gras. 2. anat. adipos.

fatuous ['fætjuəs] adj. 1. stupid; prostesc, naiv. 2. inutil.

faubourg ['foubuəg] s. suburbie, mahala, cartier.

faucet ['fɔːsit] s. robinet.

faugh [fɔː] interj. pfui! ptiu!

fault [fɔːlt] s. 1. greşeală. 2. vină. 3. vinovăţie. 4. falie. || at ~ vinovat.

fault finding ['fɔː(ː)lt ,faindiŋ] I. s. 1. critică pedantă, defăimare; cicălire. 2. tehn. detectarea penelor. II. adj. cicălitor, sâcâitor.

faultless ['fɔːltlis] adj. ireproşabil.

faultlessly [fɔ(ː)ltləsli] adv. perfect, ireproşabil.

faulty ['fɔːlti] adj. 1. defectuos. 2. plin de greşeli. 3. deficient.

faun [fɔːn] s. mit. faun.

fauna ['fɔːnə] s. faună.

faux pas ['fou 'pɑː], pl. **faux pas** ['fou 'pɑːz] s. gafă.

favo(u)r ['feivə] I. s. 1. favoare. 2. graţie. 3. avantaj. 4. părtinire. 5. bunătate. 6. amabilitate. 7. decoraţie. || out of ~ în dizgraţie. II. vt. 1. a favoriza. 2. a ajuta. 3. a acorda. 4. a da. 5. a sprijini. 6. a semăna cu (unul din părinţi).

favo(u)rable ['feivrəbl] adj. 1. favorabil. 2. potrivit.

favo(u)rite ['feivrit] I. s. favorit. II. adj. favorit, preferat.

favouritism ['feivəritizəm] s. favoritism.

fawn [fɔːn] I. s. 1. căprioară. 2. s. linguşire / ploconire servilă, josnică. II. adj. castaniu. III. vi. (upon) a se gudura (pe lângă cineva), a linguşi, a adula (cu acuz.).

fawning ['fɔːniŋ] adj. linguşitor, servil.

fax (machine) [fæks(,mə'ʃin)] s. (tele)fax.

fay [fei] I. s. 1. înv. credinţă || fam. by my ~ ! pe cinstea mea! 2. zână. 3. amer. om alb. II. vt. 1. a ataşa, a uni strâns. 2. tehn. a ajusta. III. vi. tehn. a se ajusta. IV. adj. 1. condamnat; sortit pieirii. 2. muribund. 3. răposat.

FC abrev. Football Club sport FC (club de fotbal).

fealty ['fiːəlti] s. 1. fidelitate, credinţă, constanţă. 2. înv. credinţa vasalului faţă de seniorul feudal.

fear ['fiə] I. s. 1. teamă; spaimă. 2. risc. 3. probabilitate. 4. respect. || for ~ that ca nu cumva (să). II. vt. 1. a se teme de. 2. a respecta. III. vi. a se teme.

fearful ['fiəfl] adj. 1. înspăimântător. 2. îngrozitor.

fearfully ['fiəfuli] adv. teribil.

fearless ['fiəlis] adj. neînfricat.

fearlessly [fiəlisli] adv. neînfricat; curajos.

fearlessness ['fiəlisnis] s. îndrăzneală, temeritate; vitejie.

fearsome ['fiəsəm] adj. 1. teribil, îngrozitor. 2. timid.

feasibility [,fiːzə'biliti] s. posibilitatea de executare / de realizare, fezabilitate.

feasible ['fiːzəbl] adj. 1. posibil. 2. realizabil.

feast [fiːst] I. s. 1. ospăţ. 2. sărbătoare. 3. (fig.) încântare. II. vt., vi. 1. a ospăta. 2. a (se) hrăni. 3. a (se) delecta.

feat [fiːt] s. 1. faptă (măreaţă). 2. trăsătură.

feather ['feðə] I. s. pană. || birds of a ~ cine se aseamănă; in full ~ în mare ţinută şi într-o dispoziţie excelentă; to show the white ~ a se dovedi laş. II. vt. a împodobi (cu pene). || to ~ one's nest a se căpătui; a se îmbogăţi; a se aranja bine.

feather weight ['feðə weit] s. 1. om / obiect foarte uşor. 2. sport (box), categoria pană. 3.

sport cea mai uşoară greutate care poate fi purtată de un cal de curse. 4. *fig.* persoană fără greutate.

feathery ['feðəri] *adj.* 1. acoperit / împodobit cu pene, împănat. 2. asemănător unei pene, ca o pană, uşor. 3. neînsemnat, neimportant.

feature ['fi:tʃə] I. *s.* 1. trăsătură. 2. *pl.* înfăţişare. 3. film (artistic) de lung metraj. 4. punct (din program). 5. articol, reportaj literar. II. *vt.* 1. a arăta. 2. a sublinia. 3. a prezenta.

featureless ['fi:tʃəlis] *adj.* 1. lipsit de trăsături caracteristice; inexpresiv. 2. fără formă.

Feb. *abrev. February* febr. (februarie).

febrile ['fi:brail] *adj.* febril *(şi fig.).*

February ['februəri] *s.* februarie.

fecund ['fi:kənd] *adj.* roditor, fertil; fecund, productiv, rodnic *(şi fig.).*

fecundate ['fi:kəndeit] *vt.* 1. a fecunda; a lăsa grea. 2. a face roditor, a fertiliza; a poleniza.

fecundity [fi'kʌnditi] *s.* fecunditate, fertilitate, productivitate, rodnicie *(şi fig.).*

fed [fed] *vt., vi. trec. şi part. trec. de la* **feed**.

federal ['fedərl] *adj.* 1. federal. 2. federativ.

federalist ['fedərəlist] *s.* federalist; aliat.

federate ['fedəreit] I. *vt.* a uni. II. *vt.* 1. a se uni. 2. a face o federaţie (de state).

federation [,fedə'reiʃn] *s.* (con)federaţie.

federative ['fedərətiv] *adj.* federativ, aliat, confederat.

fee [fi:] I. *s.* 1. taxă. 2. onorariu, plată. II. *vt.* a plăti.

feeble ['fi:bl] *adj.* slab, plăpând, firav.

feeble-minded [,fi:bl'maindid] *adj.* 1. debil mintal, slab de minte, prost. 2. *fig.* nehotărât; lipsit de curaj, fricos.

feebleness ['fi:blnis] *s.* 1. slăbiciune, lipsă de putere, debilitate. 2. neputinţă; infirmitate; beteşug.

feebly ['fi:bli] *adv.* slab, prost, firav.

feed [fi:d] I. *s.* 1. hrană; masă. 2. alimentare. 3. hrănire. 4. furaj. II. *vt. trec. şi part. trec.* **fed** [fed] 1. a hrăni. 2. a alimenta. 3. a aproviziona. 4. a întreţine. || *to be fed up with* a fi sătul

sau plictisit de. III. *vi. trec. şi part. trec.* **fed** [fed] 1. a mânca. 2. a se hrăni.

feeder ['fi:də] *s.* 1. mâncător. 2. *tehn.* alimentator. 3. biberon.

feel [fi:l] I. *s.* 1. simţire; senzaţie, impresie. 2. atingere, pipăit. II. *vt. trec. şi part. trec.* **felt** [felt] 1. a simţi (din plin). 2. a pipăi. 3. a atinge. 4. a-şi da seama de. 5. a da dovadă de. 6. a suferi de pe urma *(cu gen.).* 7. a considera. 8. a avea impresia că; a crede. || *to ~ one's way* a merge pe bâjbâite. III. *vi. trec. şi part. trec.* **felt** [felt] 1. a se simţi. 2. a fi sensibil, a fi milos. 3. a se înfăţişa. 4. a fi milos *sau* compătimitor. 5. a bâjbâi. || *I don't ~ up to it* nu mă simt în stare de aşa ceva; sunt prea şubred pentru asta; *I ~ like (going to) the cinema* m-aş duce la cinema. IV. *vr. trec. şi part. trec.* **felt** [felt] a se simţi *(bine, rău etc.).*

feeler ['fi:lə] *s. zool. (şi fig.)* antenă.

feeling ['fi:liŋ] I. *s.* 1. sentiment; simţire. 2. emoţie. 3. cunoştinţă. 4. mentalitate. 5. convingere. 6. impresie; părere. 7. compătimire. 8. bunăvoinţă. 9. generozitate. 10. sensibilitate. II. *adj.* 1. înţelegător. 2. sensibil. 3. sentimental. 4. plin de compătimire.

feet [fi:t] *s. pl. de la* **foot**.

feign [fein] *vt.* 1. a simula. 2. a pretinde. 3. a născoci.

feint [feint] I. *s.* 1. fentă. 2. simulacru. II. *vi.* 1. a fenta. 2. a simula.

felicitate [fi'lisiteit] I. *vt.* 1. a felicita; a ura fericire. 2. *înv.* a ferici. II. *adj. înv.* fericit, norocos.

felicitation [fi,lisi'teiʃn] *s.* felicitare, urare.

felicitous [fi'lisitəs] *adj.* 1. izbutit. 2. potrivit, nimerit.

felicity [fi'lisiti] *s.* 1. fericire. 2. exprimare fericită.

feline ['fi:lain] I. *adj.* 1. *zool.* felin, de felină. 2. *fig.* şiret, prefăcut, viclean; răutăcios, duşmănos. || *~ amenities peior.*; înţepături ascunse, vorbe muşcătoare / usturătoare. II. *s.* felină.

fell¹ [fel] I. *adj.* criminal; ticălos. II. *vt.* a doborî.

fell² [fel] I. *s.* 1. piele de animal, blană. || *~ of hair* plete. 2. *(cuvânt scoţian)* munte; deal

într-o regiune mlăştinoasă. 3. *înv.* mânie. 4. *înv.* melancolie. II. *adj. (cuvânt scoţian)* uriaş, gigantic. III. *vt.* 1. a tigheli, a tivi.

fell³ [fel] *vi. trec. de la* **fall**.

felloe ['felou] *s.* obadă; pervaz, toc.

fellow ['felou] *s.* 1. individ. 2. tovarăş; prieten. 3. pereche. 4. membru. 5. *univ.* aspirant; cercetător ştiinţific rezident *(ataşat unei universităţi).*

fellow citizen [,felou 'sitizən] *s.* concetăţean.

fellow-countryman [,felou'kʌntrimən], *pl.* **fellow-countrymen** [,felou'kʌntrimən] *s.* conaţional, compatriot.

fellowship ['felouʃip] *s.* 1. tovărăşie. 2. asociaţie. 3. prietenie; frăţie. 4. calitate de membru, tovarăş *sau* asociat. 5. *univ.* post *sau* calitate de cercetător rezident.

felly¹ ['feli] *adv.* cu cruzime.

felly² ['feli] *s.* obadă, geantă.

felon ['felən] *s.* criminal.

felonious [fi'lounias] *adj.* 1. rău, perfid, trădător. 2. scelerat, criminal. 3. *jur.* premeditat, cu rea intenţie.

felony ['feləni] *s.* crimă.

felspar ['fel-spɑ:] *s. minr.* feldspat.

felt [felt] I. *s.* 1. fetru. 2. pâslă. II. *vt., vi. trec. şi part. trec. de la* **feel**.

felucca [fe'lʌkə] *s. mar.* felucă.

female ['fi:meil] I. *s.* 1. femelă. 2. femeie. II. *adj.* 1. feminin. 2. femeiesc.

feminine ['feminin] *adj.* 1. feminin. 2. femeiesc.

feminism ['feminizəm] *s.* feminism.

femur ['fi:mə] *s. anat.* femur, osul coapsei.

fen [fen] *s.* 1. mlaştină, mocirlă. 2. ţinut mlăştinos.

fence [fens] I. *s.* 1. gard *(mai ales de lemn).* 2. scrimă. 3. tăinuitor (de lucruri furate). II. *vt.* 1. a îngrădi. 2. a înconjura. III. *vi.* 1. a duela. 2. a face scrimă. 3. a se feri.

fencer ['fensə] *s.* 1. *sport* scrimer; maestru de scrimă. 2. duelist, spadasin *(şi fig.).* 3. *sport* săritor bun; cal care sare uşor peste garduri. 4. constructor / reparator de garduri.

fencing ['fensiŋ] *s.* 1. scrimă. 2. *fig.* duel verbal, dispută verbală (şi sarcastică), schimb de replici (caustice). **3.** gard *(mai ales de lemn)*.

fend [fend] **I.** *vt.* a feri. **II.** *vi.* **1.** a(-şi) procura hrană. **2.** a se descurca (singur), a o scoate la capăt.

fender ['fendə] *s.* **1.** galerie (dinaintea sobei). **2.** apărătoare, tampon. **3.** aripă de bicicletă *sau* maşină etc.

fennel ['fenəl] *s. bot.* chimen dulce, secărea *(Foeniculum vulgare)*.

fenugreek ['fenju,griːk] *s. bot.* schinduf *(Trigonella foenum)*.

feoff [fef] *s.* v. **fief.**

feral[1] ['ferəl] *adj.* **1.** sălbatic; neîmblânzit; nedomesticit. **2.** *bot.* sălbăticit; de câmp. **3.** necivilizat.

feral[2] ['ferl] *adj.* **1.** trist; funebru; lugubru. **2.** fatal, mortal.

ferment[1] ['fɔːmənt] *s.* **1.** ferment. **2.** agitaţie.

ferment[2] [fə'ment] **I.** *vt.* **1.** a face să fermenteze. **2.** a agita. **II.** *vi.* **1.** a fermenta. **2.** a fi în fierbere.

fermentation [,fəːmen'teiʃn] *s.* **1.** fermentaţie. **2.** agitaţie, tulburare. **3.** fierbere.

fern [fəːn] *s .bot.* ferigă *(Filicineae sp.)*.

ferocious [fə'rouʃəs] *adj.* **1.** feroce. **2.** sălbatic.

ferociously [fə'rouʃəsli] *adv.* sălbatic, barbar, feroce; crud.

ferocity [fə'rɔsiti] *s.* **1.** sălbăticie. **2.** asprime.

ferret ['ferit] **I.** *s.* nevăstuică. **II.** *vt.* **1.** a scoate la iveală. **2.** a căuta. **III.** *vi.* a vâna *(fig.)*.

ferric ['ferik] *adj. chim.* feric.

Ferris wheel ['feris ,wiːl] *s.* roată gigantică *(în parcul de distracţii)*.

ferro- ['ferou] *prefix* fero-.

ferro-concrete ['fero'kɔŋkriːt] *s.* beton armat.

ferrous ['ferəs] *adj. chim.* feros.

ferrule ['feruːl] **I.** *s.* **1.** *tehn.* inel, verigă; mufă; manşon; manşetă; obadă; bucşă. **2.** *ferov.* linie de centură. **3.** *mil.* teacăreleu. **II.** *vt.* a pune un inel / o verigă la *(ceva)*.

ferry ['feri] **I.** *s.* bac. **II.** *vt.* a transporta cu bacul. **III.** *vi.* a traversa o apă cu bacul.

ferry-boat ['feribout] *s.* feribot.

ferryman ['ferimən] *pl.* **ferrymen** ['ferimən] *s.* podar, luntraş de la bac.

fertile ['fəːtail] *adj.* **1.** rodnic. **2.** fertil. **3.** productiv.

fertility [fə'tiliti] *s.* **1.** fertilitate, rodnicie; abundenţă, belşug. **2.** *fig.* bogăţie *(a fanteziei etc.)*.

fertilization [,fəːtilai'zeiʃn] *s.* **1.** fertilizare. **2.** *biol.* fecundare, însămânţare.

fertilize ['fəːtilaiz] *vt.* a fertiliza, a îngrăşa.

fertilizer ['fəːtilaizə] *s.* **1.** îngrăşământ. **2.** bălegar.

ferule ['feruːl] *s.* **1.** nuia. **2.** băţ.

fervency ['fəːvnsi] *s.* însufleţire, fervoare; sârguinţă; avânt.

fervent ['fəːvnt] *adj.* fierbinte, fervent *(fig.)*.

fervently ['fəːvntli] *adv.* fervent; cu ardoare; stăruitor.

fervid ['fəːvid] *adj.* **1.** strălucitor. **2.** fierbinte.

fervo(u)r ['fəːvə] *s.* **1.** zel. **2.** pasiune.

festal ['festl] *adj.* **1.** sărbătoresc, festiv. **2.** voios. **3.** în sărbătoare, care nu lucrează.

fester ['festə] **I.** *vt.* a face să supureze. **II.** *vi.* **1.** *(d. răni, bube)* a puroi, a supura. **2.** a se infecta. **3.** a se strica. **4.** *(fig.)* a se înăcri.

festival ['festəvl] **I.** *s.* **1.** festival. **2.** sărbătoare. **II.** *adj.* festiv.

festive ['festiv] *adj.* **1.** vesel. **2.** sărbătoresc.

festivity [fes'tiviti] *s.* **1.** festivitate. **2.** petrecere.

festoon [fes'tuːn] **I.** *s.* **1.** feston. **2.** chenar. **II.** *vt.* **1.** a festona. **2.** a împodobi.

fetch [fetʃ] *vt.* **1.** a aduce. **2.** a te duce să aduci. **3.** a scoate. **4.** a produce, a aduce *(un câştig)*.

fetching ['fetʃiŋ] *adj. fam.* atrăgător, fermecător, cuceritor.

fête [feit] **I.** *s.* **1.** festival. **2.** sărbătoare. **II.** *vt.* a sărbători.

fetich(e), fetish ['fetiʃ] *s.* **1.** fetiş. **2.** amuletă.

fetid ['fetid] *adj.* fetid, puturos.

fetlock ['fetlɔk] *s. zool.* chişiţă (a calului).

fetter ['fetə] **I.** *s.* **1.** lanţ. **2.** *pl. fig.* lanţuri, cătuşe, jug. **II.** *vt.* **1.** a înlănţui, a încătuşa, a (în)robi. **2.** a opri.

fettle ['fetl] *s.*: *in fine ~* dinamic, activ; în mare formă.

feud [fjuːd] *s.* **1.** gâlceavă. **2.** dezbinare. **3.** feudă.

feudal ['fjuːdl] *adj.* feudal.

feudalism ['fjuːdəlizəm] *s.* feudalism.

feudatory ['fjuːdətri] *ist.* **I.** *adj.*

vasal, supus. **II.** *s.* **1.** vasal, feudal. **2.** feudă. **3.** stat vasal.

fever ['fiːvə] *s.* **1.** febră, temperatură. **2.** friguri *(fig.)*. **3.** înfrigurare. **4.** agitaţie.

fevered ['fiːvəd] *adj.* febril; agitat, excitat. || ~ *imagination* imaginaţie înflăcărată.

feverfew ['fiːvəfjuː] *s. bot.* iarbamoale, iarba-fetei *(Chrysanthemum parthenium)*.

feverish ['fiːvəriʃ] *adj.* **1.** febril. **2.** fierbinte.

feverishly ['fiːvəriʃli] *adv.* febril, cu febrilitate.

few [fjuː] **I.** *adj.* **1.** (prea) puţini; (prea) puţine. **2.** nu prea mulţi; nu prea multe. || *a ~* câţiva, câteva; destui, destule; *quite a ~*; *not a ~* destul de mulţi *sau* multe, mulţi de tot. **II.** *pron.* (prea) puţini, (prea) puţine.

fewness ['fjuːnis] *s.* puţinătate, număr mic; sărăcie; raritate.

fey ['fei] *adj. (cuvânt scoţian)* **1.** sortit (morţii) ; în pragul morţii. **2.** straniu, nepământean. **3.** aiurit, nebun, cu minţile pierdute. **4.** încrezut. **5.** capricios.

fez [fez] *pl.* **fezes** ['feziz] *s.* fes.

ff *abrev. muz.* fortissimo.

fiancé [fi'ɑːnsei] *s.* logodnic.

fiancée [fi'ɑːnsei] *s.* logodnică.

fiasco [fi'æskou] *s.* fiasco, eşec.

fiat ['faiæt] **1.** poruncă. **2.** decret.

fib [fib] **I.** *s.* minciună, gogoaşă. **II.** *vi.* a minţi.

fibber ['fibə] *s. fam.* mincinos.

fiber, fibre ['faibə] *s.* **1.** fibră. **2.** *fig.* caracter.

fibril ['faibril] *s.* fibrilă, fibră mică, filament.

fibrin ['faibrin] *s. chim.* **1.** fibrină. **2.** *(şi plant / vegetable ~)* gluten.

fibroid ['faibrɔid] **I.** *adj.* fibros, filamentos. **II.** *s. med.* fibrom, tumoare fibroasă.

fibrous ['faibrəs] *adj.* **1.** fibros; a-ţos. **2.** *fig.* vânjos, călit.

fibula ['fibjulə] *pl.* **fibulae** ['fibjuliː] *sau* **fibulas** ['fibjuləz] *s.* **1.** *anat.* peroneu. **2.** *ist.* fibulă, agrafă.

fibular ['fibjulə] *adj. anat.* peronier.

fiche ['fiːʃ] *s.* (cadru de) microfilm, microfişă.

fickle ['fikl] *adj.* nestatornic, instabil, schimbător; capricios. || ~ *friends* prieteni de ocazie / nestatornici; ~ *weather* vreme schimbătoare.

fickleness ['fiklnis] *s.* nestatornicie, inconstanță, instabilitate; neseriozitate; fire capricioasă.

fiction ['fikʃn] *s.* **1.** proză literară. **2.** epică în proză. **3.** ficțiune; plăsmuire.

fictional ['fikʃənl] *adj.* **1.** fictiv; născocit. **2.** imaginativ, de domeniul ficțiunii.

fictitious ['fiktiʃəs] *adj.* fictiv.

fid [fid] *s.* **1.** pană, ic. **2.** grămadă, morman.

fiddle ['fidl] **I.** *s.* **1.** scripcă, vioară. **2.** instrument cu coarde. || *as fit as a* ~ în mare formă. **II.** *vt.* a cânta din *(vioară etc.)*. **III.** *vi.* **1.** a cânta la vioară *(și ironic)*. **2.** a pierde vremea. **3.** **(with)** a se juca (cu).

fiddler ['fidlə] *s.* **1.** scripcar, viorist. **2.** lăutar. **3.** pierde vară.

fiddlestick ['fidlstik] *s.* arcuș. || ~*s! fam.* prostii!

fiddling ['fidəliŋ] **I.** *adj. fam.* **1.** gol, deșert; de nimic; frivol. **2.** mărunt, meschin; fără importanță. **II.** *s.* **1.** cântatul la vioară. **2.** *poligr.* broșare, cusutul fasciculelor.

fiddly ['fidli] *adj.* incomod, greu de utilizat; peste mână.

fidelity [fi'deliti] *s.* **1.** credință. **2.** atașament. **3.** fidelitate. **4.** exactitate.

fidget ['fidʒit] **I.** *s.* **1.** neastâmpăr, agitație. **2.** persoană nervoasă. **II.** *vt.* a tulbura. **III.** *vi.* a se agita.

fidgety ['fidʒiti] *adj.* **1.** nervos. **2.** neastâmpărat.

Fido ['faidou] *s. av.* dispozitiv de înlăturare a ceții de pe terenul de aterizare *(prin lămpi cu petrol)*.

fiduciary [fi'dju:ʃiəri] **I.** *adj.* **1.** (demn) de încredere, bazat pe încredere. **2.** confidențial. **3.** *fin. etc.* fiduciar, întemeiat pe încredere generală. **II.** *s.* curator, tutore, persoană de încredere.

fie [fai] *interj.* rușine!

fief [fi:f] *s. ist.* fief, feudă.

field [fi:ld] **I.** *s.* **1.** câmp. **2.** teren. **3.** lan. **4.** domeniu. **5.** teren sportiv. **6.** câmp (de bătălie). **7.** *sport* echipă în apărare. **II.** *vi., vi.* **1.** a opri (mingea). **2.** a respinge.

fielder ['fi:ldə] *s. sport* jucător de câmp *(mai ales la baseball și crichet)*.

fieldfare ['fi:ldfɛə] *s. ornit.* sturz de iarnă *(Turdus pilaris)*.

field-glass ['fi:ldglɑ:s] *s.* **1.** telemetru. **2.** binoclu.

field-marshal [,fi:ld'mɑ:ʃl] *s.* feldmareșal.

fiend [fi:nd] *s.* **1.** diavol. **2.** ticălos. **3.** toxicoman, consumator de stupefiante etc.

fiendish ['fi:ndiʃ] *s.* **1.** diabolic. **2.** crud, sălbatic.

fierce [fiəs] *adj.* **1.** aspru. **2.** violent. **3.** rău. **4.** sălbatic. **5.** intens.

fiery ['faiəri] *adj.* **1.** arzător. **2.** fierbinte.

fiesta ['fjestɑ:] *s.* serbare, sărbătoare.

fife [faif] *s.* fluier.

fifteen ['fif'ti:n] **I.** *s.* **1.** cincisprezece. **2.** echipă de rugbi. **II.** *num.* cincisprezece.

fifteenth ['fifti:nθ] **I.** *s.* cincisprezecime. **II.** *num.* al cincisprezecelea.

fifth [fifθ] **I.** *s.* cincime. **II.** *num.* al cincilea.

fifthly ['fifθli] *adv.* în al cincilea rând.

fiftieth ['fiftiiθ] **I.** *s.* a cincizecea parte. **II.** *num.* al cincizecilea.

fifty ['fifti] *num.* cincizeci. || *to go* ~-~ a face pe din două.

fig[1] [fig] *s. bot.* **1.** smochin *(Ficus carica)*. **2.** smochină.

fig[2] [fig] *fam.* **I.** *vt.* **1.** a găti, a împopoțona. **2.** a îmboldi *(un cal)*. **II.** *s.* **1.** găteală, ținută de gală. **2.** *fig.* stare, formă, condiție fizică.

fight [fait] **I.** *s.* **1.** luptă. **2.** bătălie. **3.** meci. **4.** combatere. **5.** combativitate. || *to show* ~ a fi gata de bătaie / luptă; a se opune. **II.** *vt. trec. și part. trec.* **fought** [fɔ:t] **1.** a combate. **2.** a se lupta cu. **3.** a pune să se lupte; || *to* ~ *off* a respinge, a izgoni; *to* ~ *it out* a rezolva o situație prin luptă; a disputa un lucru până la capăt. **III.** *vi. trec. și part. trec.* **fought** [fɔ:t] **1.** a se lupta. **2.** a se bate. || *to* ~ *shy of* a se feri de.

fighter ['faitə] *s.* **1.** luptător. **2.** boxer. **3.** avion de vânătoare.

fighter plane ['faitəplein] *s.* avion de vânătoare.

fighting ['faitiŋ] **I.** luptă. **II.** *adj.* **1.** combativ. **2.** de luptă. **3.** cercetător. **4.** combatant.

figment ['figmənt] *s.* **1.** născocire. **2.** plăsmuire.

figurative ['figjurətiv] *adj.* figurativ.

figuratively]'figjurətivli] *adv.* figurat, metaforic, simbolic.

figure ['figə] **I.** *s.* **1.** cifră. **2.** *pl.* aritmetică. **3.** siluetă; trup. **4.** figură de stil. **5.** poză; ilustrație. **6.** figură geometrică. || *to cut a poor* ~ a face o impresie proastă. **II.** *vt.* **1.** a închipui. **2.** a desena. **3.** a înțelege. **4.** a socoti, a gândi. **III.** *vi.* **1.** a părea, a figura. **2.** a face socoteli.

figurehead ['figəhed] *s.* **1.** galion. **2.** *(fig.)* marionetă.

figurine ['figjuri:n] *s.* statuetă, figurină.

filament ['filəmənt] *s.* **1.** *bot.* filamentul staminei. **2.** *el.* filament. **3.** fibră, fir. **4.** curent, fascicul, fir, undă *(de aer sau lumină)*.

filbert ['filbə:t] *s. bot.* **1.** alun *(Corylus avellana)*. **2.** alună. || *sl. cracked in the* ~ aiurit, smintit.

filch [filtʃ] *vt.* a șterpeli.

file [fail] **I.** *s.* **1.** pilă. **2.** dosar. **3.** colecție. **4.** arhivă. **5.** fir. **6.** șir; rând. || *in single / Indian* ~ în șir indian. **II.** *vt.* **1.** a colecționa. **2.** a pune în ordine. **3.** a înregistra. **4.** a pili. **5.** a înșira. **III.** *vi.* a pleca (unul câte unul).

filer ['failə] *s.* **1.** lucrător care pilește. **2.** mașină / aparat de pilit. **3.** *sl.* pungaș, hoț.

filial ['filiəl] **I.** *adj.* filial. **II.** *s.* filială, sucursală.

filibuster ['filibʌstə] **I.** *s.* **1.** *ist.* luptător neautorizat. **2.** corsar. **3.** *amer.* obstrucționist. **II.** *vi. amer.* a face obstrucție.

filigree ['filigri:] *s.* filigran.

filings ['failiŋz] *s. pl.* pilitură.

fill [fil] **I.** *s.* **1.** plin. **2.** plinătate. || *to eat one's* ~ a mânca pe săturate. **II.** *vi.* **1.** a umple. **2.** a ocupa. **3.** a exercita *(o funcție)*. **4.** a completa. **5.** a executa. || *to* ~ *out* a umple, a umfla; *to* ~ *in* a completa *(un formular etc.)*; ~*ed to capacity* arhiplin. **III.** *vi.* **1.** a se umple. **2.** a se umfla. **3.** a se completa, a se ocupa. || *to* ~ *out* a se umfla; a se îngrașa.

filler ['filə] *s.* **1.** persoană sau lucru care umple ceva; recipient. **2.** vas, cisternă, (tanc) petrolier. **3.** *mil.* încărcătură. **4.** rezervă *(de stilou, de hârtie etc.)*. **5.** material de umplutură *(în ziar)*. **6.** material pentru umplutul golurilor dintre pietrele drumului etc. **7.** șanuri, calapoade. **8.** *(teatru)* intermezzo; scenetă de umplutură. **9.** *lingv.* cuvânt intercalat.

fillet ['filit] I. s. 1. cordeluță, legătură, (pentru păr, cap). 2. mușchi; file (de carne, pește). 3. tehn. filet; flanșă; coamă. 4. tehn. reducție; racord; canelură. 5. constr. astragal; dusină. II. vt. 1. a împodobi cu cordeluță / legătură de cap. 2. a tăia (carne, pește) în fileuri.

filling-station ['filiŋ,steiʃn] s. benzinărie, stație de (alimentare cu) benzină.

fillip ['filip] s. 1. bobârnac. 2. (fig.) imbold, impuls.

filly ['fili] s. 1. mânză. 2. fig. fetișcană.

film [film] I. s. 1. pieliță, membrană. 2. strat subțire. 3. încețoșare. 4. văl. 5. film. II. vt. 1. a ecraniza. 2. a acoperi cu o pieliță etc. III. vi. 1. a se întuneca. 2. a se încețoșa.

filmy ['filmi] adj. cețos.

filter ['filtə] I. s. filtru. II. vt., vi. 1. a (se) filtra. 2. a (se) strecura.

filth [filθ] s. murdărie (și fig.).

filthy ['filθi] adj. 1. murdar. 2. jegos. 3. obscen, porcos.

filtrate ['filtreit] I. vt. a filtra. II.s. filtrat, lichid curățat; filtru.

fin [fin] s. 1. aripioară (de pește). 2. av. aripioară stabilizatoare, stabilizator.

finagle [fi'neigl] vi. a unelti, a obține ceva prin subterfugii / pe căi necinstite.

final ['fainl] I. s. 1. ultimul examen. 2. finală. II. adj. 1. final. 2. hotărâtor.

finale [fi'nɑːli] s. final.

finalist ['fainəlist] I. s. filoz. adept al teoriei finalității, teleolog. 2. sport finalist. II. adj. filoz. teleologic.

finality [fai'næliti] s. 1. hotărâre; atitudine decisă. 2. caracter definitiv, decisiv. 3. finalitate, scop.

finalize ['fainəlaiz] vt. a definitiva.

finally ['fainəli] adv. 1. în sfârșit. 2. în cele din urmă. 3. definitiv, pentru totdeauna.

finance [fai'næns] I. s. 1. finanțe. 2. pl. bani. II. vt. a finanța.

financial [fai'nænʃl] adj. financiar.

financially [fai'nænʃli] adv. din punct de vedere financiar.

financier [fai'nænsiə] s. financiar; om de afaceri.

finch [fintʃ] s. ornit. 1. cintez(ă) (Fringilla sp.). 2. pasăre cântătoare.

find [faind] I. s. 1. lucru găsit. 2. descoperire. II. vt. trec. si part.

trec. **found** [faund]1. a găsi. 2. a descoperi. 3. a da peste; a nimeri. 4. a constata. 5. a afla. 6. a furniza. 7. a aduce. 8. a primi. 9. a regăsi. || to ~ one's voice a-și recăpăta glasul; to ~ smb. out a da de gol pe cineva, a demasca pe cineva; all found toate la dispoziție; to ~ fault with a critica; a obiecta la sau împotriva (cu gen.); not to ~ it in one's heart to leave a nu avea inima să plece. III. vr. trec. si part. trec. **found** [faund] a se găsi, a se afla. || a-și descoperi puteri noi. 3. a se trezi (într-un loc).

finder ['faində] s. 1. găsitor. 2. lentilă, ocular; vizor.

findings ['faindiŋz] s. pl. constatări.

fine [fain] I. s. amendă. 2. (în Anglia) filodormă. 3. jur. sumă plătită drept compensație. 4. jur. compromis, convenție. II. vt. a amenda.

fine-grained [fain greind] adj. (d. un metal, d. lemn) cu granulație fină.

finely ['fainli] adv. 1. frumos, fin, cu delicatețe. 2. excelent, desăvârșit. || fam. ~ well foarte bine. 3. îndeaproape.

fineness ['fainnis] s. 1. finețe. 2. ascuțime. 3. subțirime.

finery ['fainəri] s. 1. îmbrăcăminte elegantă, haine de duminică. 2. pl. podoabe (mai ales de dantelă).

fine-spun [fain 'spʌn] adj. 1. text. cu fir subțire, fin. 2. (peior. despre un raționament) subtil.

finesse [fi'nes] I. s. 1. finețe; delicatețe; rafinament. 2. subtilitate; viclenie; șmecherie. 3. tertip, vicleșug, scamatorie. 4. (la cărți) derutare a adversarului jucând o carte mică. II. vi. 1. a proceda cu finețe / abilitate / viclenie; a face tertipuri. 2. (la cărți) a juca o carte mică (pentru a deruta adversarul). II. vt. a înșela. || to~ smth. away from smb. a smulge ceva de la cineva prin vicleșug.

finger ['fiŋə]1. s. deget (de la mână). || to have smth at one's ~s' ends a ști perfect ceva, a cunoaște ceva la perfecție. II. vt. 1. a atinge. 2. a pipăi.

fingering[1] ['fiŋəriŋ] s. 1. pipăire. 2. muz. digitație.

fingering[2] ['fiŋəriŋ] s. text. lână fină, toarsă de mână.

fingerprint ['fiŋəprint] s. ampren-tă digitală.

finger-tip ['fiŋətip] s. vârf de deget.

finial ['finiəl] s. arhit. fleuron; ornament de vârf.

finical ['finikl] adj. 1. pisălog. 2. plicticos.

finicky ['finiki] adj. v. finical.

finis ['finis] s. fine, sfârșit (la o carte etc).

finish ['finiʃ] I. s. 1. capăt. 2. sfârșit. 3. finiș. 4. finisaj. II. vt. 1. termina. 2. a încheia. 3. a distruge. 4. a consuma. 5. a finisa. 6. a perfecționa. III. vi. 1. a se sfârși. 2. a înceta.

finisher ['finiʃə] s. 1. (text., drumuri) finisor. 2. executor. || ~ of the law călău 3. fam. probă hotărâtoare, argument zdrobitor; lovitură de grație.

finite ['fainait] adj. 1. limitat. 2. finit. 3. (d. formele verbale) personal.

Finn [fin] s. finlandez(ă).

finnan ['finən] s. gastr. egrefin afumat.

Finnish ['finiʃ] I. s. (limba) finlandeză. II. adj. finlandez(ă).

fiord [fjɔːd] s. geogr. fiord.

fir [fəː] s. 1. bot. brad (Abies sp.). 2. bot. pin (Pinus sp.).

fire ['faiə] I. s. 1. foc. 2. incendiu. 3. foc de armă. 4. tir. 5. înfierbântare. || on ~ în flăcări; to set ~ to, to set on ~ a incendia. II. vt. 1. a descărca, a trage cu (o armă). 2. a aprinde. 3. a incendia. 4. a arde. 5. a umple (o sobă). 6. a înflăcăra. 7. a concedia. III. vi. 1. a trage cu arma, a împușca. 2. a se înflăcăra. || ~ away! dă-i drumul! spune (odată)!

fire-arm ['faiərɑːm] s. armă de foc.

fire ball ['faiə bɔːl] s. 1. bolid. 2. fulger sferoidal. 3. ist. ghiulea. 4. bot. arșinic, opățel (Lychnis).

fire-box ['faiəbɔks] s. tehn. focar, cutia focarului.

fire brick ['faiə brik] s. cărămidă refractară.

fire-brigade ['faiəbri,geid] s. (post de) pompieri.

fire-cracker ['faiə,krækə] s. 1. pocnitoare. 2. pl. artificii.

fire-damp ['faiədæmp] s. grizu, gaz de mină.

fire-engine ['faiər,endʒin] s. pompă de incendiu.

fire escape ['faiəris,keip] *s.* scară de incendiu.

firefly ['faiəflai] *s. entom.* licurici (*Lampyridae sp.*).

fireless ['faiəlis] *adj.* fără foc; neîncălzit.

firelight ['faiəlait] *s.* focul din cămin.

fireman ['faiəmən] *s. pl.* **firemen** ['faiəmən] **1.** pompier. **2.** fochist.

fireplace ['faiəpleis] *s.* **1.** cămin. **2.** vatră.

fireproof ['faiəpru:f] **I.** *adj.* **1.** ignifug. **2.** neinflamabil. **II.** *vt.* a ignifuga.

fireside ['faiəsaid] *s.* **1.** gura sobei. **2.** *fig.* viața tihnită.

firewood ['faiəwud] *s.* lemne de foc.

fireworks ['faiəwə:ks] *s. pl.* foc(uri) de artificii.

firing ['faiəriŋ] *s.* **1.** tir, focuri. **2.** concediere.

firing party ['faiəriŋ,pɑ:ti], **firing squad** ['faiəriŋskwɔd] *s.* pluton de execuție.

firkin ['fə:kin] *s.* butoi, putină, măsură de capacitate (= 40,89 l.).

firm [fə:m] **I.** *s.* **1.** firmă, întreprindere comercială. **II.** *adj.* **1.** ferm. **2.** solid. **3.** neclintit. **4.** serios. **III.** *adv.* **1.** tare. **2.** ferm. **3.** fără șovăială.

firmament ['fə:məmənt] *s.* firmament.

firman [fə:'mɑ:n] *s.* **1.** firman (*al sultanului, al șahului*). **2.** permisiune, autorizație; pașaport.

firmness ['fə:mnis] *s.* **1.** soliditate, tărie; duritate. **2.** fermitate, intransigență. **3.** fidelitate, statornicie.

first [fə:st] **I.** *s.* început || *the ~* primul, primii, prima, primele; *from the ~* de la început. **II.** *adj.* **1.** întâi, prim. **2.** primordial. **3.** principal. || *at ~ hand* direct. **III.** *num.* întâiul, primul. **IV.** *adv.* **1.** mai întâi. **2.** în primul rând. **3.** mai degrabă.

first aid [,fə:st 'eid] *s. med.* prim-ajutor.

first-born ['fə:st,bɔ:n] *s.* primul născut; moștenitor.

first-class [,fə:st'klɑ:s] **I.** *adj.* de prima calitate. **II.** *adv.* **1.** cu clasa întâi. **2.** perfect.

first-hand [,fə:st'hænd] *adj., adv.* direct, (de) la prima mână.

firstling ['fə:stliŋ] *s.* **1.** *pl.* primele roade / rezultate. **2.** primul născut (*al unui animal domestic*).

firstly ['fə:stli] *adv.* mai întâi, în primul rând.

first-name [,fə:st'neim] *s.* nume de botez, nume mic.

first-rate ['fə:st'reit] *adj., adv.* excelent.

firth [fə:θ] *s.* **1.** estuar. **2.** golf.

fir-tree ['fə:tri:] *s. v.* **fir.**

fiscal ['fiskl] **I.** *adj.* **1.** fiscal. **2.** financiar. **II.** *s.* **1.** *înv.* vistiernic. **2.** *cuvânt scoțian* procuror fiscal. **3.** *ist.* cel mai înalt grad de magistrat în Imperiul Roman.

fish[1] [fiʃ] **I.** *s. pl.* **fishes** ['fiʃiz] *numai pentru specii* **1.** pește. **2.** pești. **3.** (mâncare de) pește. || *he drinks like a ~* bea de stinge. **II.** *vt.* **1.** a pescui. **2.** a prinde. **3.** a scoate. **4.** a obține. **5.** a căuta. **III.** *vi.* a pescui. || *to ~ for* a umbla după.

fish[2] ['fiʃ] *s. tehn.* piesă de legătură.

fisher ['fiʃə] *s. sl.* bancnotă de o liră sterlină.

fisherman ['fiʃəmən] *s. pl.* **fishermen** ['fiʃəmən] pescar.

fishery ['fiʃəri] *s.* **1.** pescuit. **2.** cherhana.

fish hook ['fiʃ huk] *s.* undiță.

fishing ['fiʃiŋ] *s.* pescuit.

fishing-line ['fiʃinlain], **fishing-rod** ['fiʃiŋrɔd] *s.* undiță.

fishmonger ['fiʃ,mʌŋgə] *s.* negustor de pește.

fish tail ['fiʃ teil] *s.* coadă de pește.

fishwife ['fiʃwaif] *s. pl.* **fishewives** ['fiʃwaivz] vânzătoare de pește; *aprox.* precupeață (*fig.*).

fishy ['fiʃi] *adj.* **1.** de pește. **2.** dubios.

fissile ['fisail] *adj.* **1.** șistos. **2.** care se despică (ușor), care se desface ușor.

fission ['fiʃn] *s.* fisiune.

fissure ['fiʃə] **I.** *s.* **1.** *geol.* fisură; falie; crăpătură adâncă; ruptură. **2.** *anat.* șanț (*pe creier, ficat*). **3.** *med.* fisură, fractura (*a unui os*). **II.** *vt.* a crăpa, a sparge, a rupe, a fractura. **III.** *vi.* a se sparge, a se frânge, a se crăpa.

fist [fist] *s.* pumn.

fisticuff ['fistikʌf] **I.** *s.* **1.** (lovitură de) pumn. **2.** *pl.* bătaie cu pumnii, box. || *to come to ~s* a se lua la bătaie. **II.** *vi.* a se bate cu pumnii, a boxa.

fistula ['fistjula] *s. med.* fistulă, buboi.

fit [fit] **I.** *s.* **1.** atac, acces, criză (*de boală*). **2.** izbucnire. **3.**

potrivire, potriveală (*a unei haine etc.*); număr potrivit (*la pantofi etc.*). || *it gives me the ~s* mă scoate din sărite; *by ~s and starts* pe apucate; în asalt; *the coat is a good ~* haina vine bine; *the trousers are a rather close ~* pantalonii sunt cam strâmți. **II.** *adj.* **1.** potrivit, nimerit. **2.** corespunzător. **3.** convenabil. **4.** gata. **5.** corect. **6.** sănătos, voinic. **7.** (*d. îmbrăcăminte*) care cade / vine bine; (*d. pantofi etc.*) numărul potrivit. || *as ~ as a fiddle* în mare formă; *when you think it ~* când găsești de cuviință. **III.** *vt.* **1.** a potrivi. **2.** a proba (*îmbrăcăminte, încălțăminte*). **3.** a corespunde (*cu dat.*). **4.** a se potrivi (*cu dat.*). **5.** a pregăti. **6.** a aranja. **7.** a fi potrivit pentru. **8.** (*d. pălărie, haină etc.*) a ședea bine (*cuiva*). || *to ~ out* a aproviziona; a furniza cele necesare (*cuiva etc.*); *to ~ up* a echipa; a pregăti. **IV.** *vi.* **1.** a se potrivi. **2.** a fi corespunzător, bun *sau* folositor. || *to ~ in* a se potrivi (*de minune*).

fitch [fitʃ] *s.* **1.** blană de dihor. **2.** bidinea din păr de dihor.

fitcheu ['fitʃu:] *s. zool.* dihor (*Mustela / Putorius putorius*).

fitful ['fitfl] *adj.* spasmodic, intermitent, schimbător, capricios. || *~ mood* toane.

fitfully ['fitfuli] *adv.* spasmodic, intermitent, neregulat; capricios; pe apucate; când și când.

fitment ['fitmənt] *s.* **1.** piesă de mobilier, mobile. **2.** (*mai ales pl.*) garnituri; armătură; înzestrare. **3.** potrivire, ajustare.

fitness ['fitnis] *s.* **1.** potrivire. **2.** sănătate. **3.** formă bună.

fitter ['fitə] *s.* **1.** persoană care ajustează (*articole de îmbrăcăminte etc.*). **2.** montor, ajustor, mecanic, lăcătuș. **3.** marcator (*al pomilor care urmează să fie tăiați*).

fitting ['fitiŋ] **I.** *s.* **1.** potrivire, potriveală. **2.** probă (*la croitorie etc.*). **3.** *pl.* accesorii, garnituri. **II.** *adj.* **1.** potrivit, nimerit. **2.** corespunzător. **3.** decent.

five [faiv] *s. num.* cinci.

fiver ['faivə] *s.* **1.** cinci. **2.** bancnotă de cinci (lire).

fives ['faivz] *s. sport* tenis sau alt joc cu mingea jucat la perete.

fix [fiks] I. s. situaţie grea. II. vt. 1. a fixa. 2. a stabili. 3. a aranja. 4. a hotărî. 5. a repara. 6. a pregăti. 7. a găti. 8. a definitiva. 9. a ţinti. 10. a atrage.‖ to ~ up a aranja; a împăca; a repara. III. vi. a se hotărî.

fixate [fik'seit] vt. 1. a fixa (cu privirea). 2. psih. a face o fixaţie / obsesie (pentru cineva ori ceva).

fixation [fik'seiʃn] s. fixare, consolidare; întărire.

fixative ['fiksətiv] I. adj. care fixează, fixator. II. s. (şi foto.) fixator.

fixed [fikst] adj. 1. fix. 2. hotărât. 3. neschimbător.

fixedly ['fiksidli] adv. 1. fix; atent. 2. ferm, tare.

fixedness ['fiksidnis] s. 1. imobilitate, invariabilitate; stabilitate; persistenţă. 2. consolidare, întărire. 3. fixitate (a privirii).

fixing ['fiksiŋ] s. 1. fixare; stabilire. 2. pl. amer. fam. echipament; accesorii; garnitură. 3. pl. amer. garnitură (la o haină, mâncare etc.).

fixity ['fiksiti] s. 1. fixitate, imobilitate; constanţă. 2. constr. încastrare.

fixture ['fikstʃə] s. 1. accesoriu fix. 2. anexă. 3. lucru imobil sau înţepenit. 4. om care stă mult într-un loc. 5. permanenţă. ‖ he is a ~ e nelipsit ca martie din post; unde e acolo o să moară.

fizzle ['fizl] I. vi. 1. a fâsâi. 2. a clocoti. 3. a murmura, a susura. ‖ fam. to ~ out a se stinge şuierând; fig. a se stinge încet; fig. a eşua. II. s. 1. fâsâit, şuierat. 2. fiasco, eşec.

fjord [fjɔːd] s. fiord.

flab ['flæb] s. fam. caracter flasc / adipos, moliciune a cărnii.

flabbergast ['flæbəgɑːst] vt. a ului.

flabby ['flæbi] adj. 1. moale (fig.). 2. flasc.

flaccid ['flæksid] adj. flasc.

flag [flæg] I. s. 1. steag (naţional). 2. mar. pavilion. 3. mar. navă comandant. 4. bot. stânjen(el) (iris). 5. dală. II. vt. 1. a împodobi. 2. a semnaliza. 3. a transmite. III. vi. 1. a se ofili. 2. a fi toropit sau istovit. IV. vt. a pava cu dale.

flagellant ['flædʒilənt] s. 1. flagelant, persoană care se autoflagelează sau flagelează pe cineva. 2. membru al unei secte a flagelanţilor.

flagellate ['flædʒileit] vt. a flagela, a biciui.

flagellation [,flædʒi'leiʃn] s. flagelare, biciuire.

flageolet [,flædʒə'let] s. 1. muz. flageoletă. 2. bot. fasole-oloagă.

flagitious [flə'dʒiʃəs] adj. 1. scelerat, mârşav, infam. 2. grosolan, scandalos.

flagman ['flægmən] s. pl. **flagmen** ['flægmən] 1. semnalizator; mar. matroz responsabil cu semnalizarea. 2. sport arbitru, starter.

flagon ['flægn] s. 1. sticlă burtoasă, butelcă. 2. flacon.

flagpole ['flægpoul] s. v. **flag-staff**.

flagrant ['fleigrnt] adj. flagrant.

flagship ['flægʃip] s. vas amiral.

flagstaff ['flægstɑːf] s. băţ de (la) steag.

flagstone ['flægstɑːf] s. dală, lespede (de piatră).

flail [fleil] s. agr. îmblăciu.

flair [fleə] s. fig. fler, presimţire.

flak [flæk] s. mil. 1. artilerie antiaeriană. 2. foc al artileriei antiaeriene.

flake [fleik] I. s. fulg. II. vi. a fulgui.

flaky ['fleiki] adj. 1. ca un fulg, ca fulgii; solzos. 2. care se desface în straturi / în solzi.

flambé ['flæmbei] adj. gastr. flambat, stropit cu alcool şi servit arzând.

flambeau ['flæmbou] s. arhit. stil flamboiant.

flamboyant [flæm'bɔiənt] adj. 1. arhit. flamboiant. 2. multicolor, viu (colorat).

flame [fleim] I. s. 1. flacără. 2. vâlvătaie. 3. izbucnire (a pasiunii etc.). 4. pasiune, dragoste. II. vi. 1. a arde (cu vâlvătaie). 2. a fi înflăcărat.

flamen ['fleimen], pl. şi **flamines** ['fleiminiz] s. 1. (la romani) preot consacrat unui anumit zeu. 2. preot al unui zeu păgân (mai ales în vechea Britanie).

flamenco [flə'meŋkou] s. flamenco (dans / cântec ţigănesc spaniol).

flaming ['fleimiŋ] adj. 1. aprins. 2. arzător.

flamingo [flə'miŋgou] s.ornit. pl. şi **flamingoes** [flə'miŋgouz] flamingo (Phoenicopterus ruber).

flamy ['fleimi] adj. cuprins de foc, în flăcări; de culoarea focului.

flange [flændʒ] tehn. I. s. bridă, flanşă; bordură; ieşitură. II. vi. a lua forma de bridă. III. vt. a îndoi marginile (cu gen.).

flank [flæŋk] I. s. 1. flanc. 2. coastă. II. vt. 1. a flanca. 2. a ataca din flanc.

flannel ['flænl] s. 1. flanelă. 2. pl. (haină de) flanelă.

flannelette [,flænəl'et] s. flanelă foarte fină; imitaţie de flanelă.

flap [flæp] I. s. 1. clapă; îndoitură a supracopertei. 2. lovitură. 3. fâlfâit (de aripi). II. vt. 1. a fâlfâi. 2. a lovi; a atinge. III. vi. a fâlfâi.

flapjack ['flæpdʒæk] s. amer. clătită.

flapper ['flæpə] s. 1. apărătoare de muşte. 2. bătător. 3. fetişcană.

flare [fleə] I. s. 1. pâlpâit. 2. flacără. 3. izbucnire. 4. umblare. II. vi. 1. a pâlpâi. 2. a scânteia. 3. a străluci. 4. (out, up) a izbucni (cu furie). 5. a se umfla.

flare-up [fleə'rʌp] s. 1. explozie; semnal luminos. 2. fam. izbucnire de mânie; ceartă zgomotoasă; tărăboi; chiolhan. 3. sl. rachiu.

flaring ['fleəriŋ] adj. 1. strălucitor. 2. pâlpâind. 3. fig. ţipător.

flash [flæʃ] I. s. 1. flacără. 2. fulger; fulgerare. 3. izbucnire. 4. licărire. 5. clipă. II. vt. 1. a aprinde. 2. a lumina. 3. a trage (o ocheadă, un zâmbet). III. vi. 1. a fulgera. 2. a străluci. 3. a (stră)fulgera (prin minte). 5. a izbucni. 6. a trece iute.

flashing ['flæʃiŋ] I. s. scânteiere; străfulgerare. II. adj. scânteietor; strălucitor.

flashlight ['flæʃlait] s. 1. lanternă. 2. far. 3. reflector. 4. bliţ, flaş.

flashy ['flæʃi] adj. (d. îmbrăcăminte) ţipător, de prost gust.

flask [flɑːsk] s. 1. garafă, butelcă. 2. ploscă.

flat [flæt] I. s. 1. apartament. 2. câmpie. 3. lat (de mână etc.). 4. muz. bemol. II. adj. 1. întins; plat. 2. turtit. 3. neted. 4. stupid. 5. monoton; fără viaţă. 6. lipit. 7. subţire. 8. liniştit. 9. total. 10. (d. refuz, răspuns) categoric, ferm, clar. III. adv. 1. întins. 2. turtit. 3. total, complet.

flat boat [,flæt 'bout] s. mar. barcă cu fundul plat.

flat-bottomed [flæt 'bɔtəmd] adj. cu fundul plat.

flat foot ['flæt ,fut], pl. **flat feet**

['flæt ˌfiːt] s. 1. med. picior plat. 2. sl. prostovan, nătâng. 3. sl. polițist, curcan; agent secret, detectiv. 4. sl. marinar, ma-troz. 5. pl. sl. infanteriști.

flat-footed [ˌflæt'futid] adj. 1. med. cu picior plat. 2. amer. fam. hotărât, dârz.

flat-iron ['flæt,aiən] s. fier de călcat.

flatly ['flætli] adv. 1. de-a latul; întins, orizontal. 2. hotărât, categoric, absolut. 3. sec, fără duh.

flatness ['flætnis] s. 1. suprafață plată. 2. lipsă de gust. 3. fig. insipiditate. 4. fig. plictiseală, lâncezeală, apatie. 5. caracter hotărât. 6. econ. stagnare.

flatten ['flætn] vt., vi. 1. a (se) turti. 2. a (se) întinde.

flatter ['flætə] I. vt. 1. a linguși. 2. a flata, a măguli. 3. a încânta. 4. a felicita. II. vi. a fi lingușitor. III. vr. 1. (that) a se felicita (pentru). 2. a se amăgi cu gândul (că).

flattery ['flætəri] s. lingușire.

flatulent ['flætjulənt] adj. 1. med. care produce meteorism, care balonează. 2. med. care suferă de meteorism (gaze / vânturi). 3. fig. umflat, bombastic; vanitos.

flaunt [flɔːnt] I. vt. a etala (fig.); a face caz de. II. vi. 1. a face pe grozavul. 2. a se împăuna.

flautist ['flɔːtist] s. muz. flautist.

flavo(u)r ['fleivə] I. s. 1. savoare. 2. aromă. II. vt. 1. a aromatiza; a parfuma. 2. a condimenta (și fig.).

flaw [flɔː] s. 1. lipsă, deficiență; lacună. 2. defect, cusur. 3. slăbiciune.

flawless ['flɔːlis] adj. 1. fără cusur, impecabil. 2. perfect, desăvârșit.

flax [flæks] s. bot. in (Linum usitatissimum).

flaxen ['flæksn] adj. 1. de in. 2. ca inul.

flay [flei] vt. a jupui (și fig.).

flea [fliː] s. entom. purice (Pulicidae sp.).

flea-bite ['fliːbait] s. pișcătură de purice.

fleck [flek] I. s. 1. pată. 2. punct. II. vt. 1. a păta. 2. a stropi.

fled [fled] vt., vi. trec. și part. trec. de la **flee**.

fledg(e)ling ['fledʒliŋ] s. 1. pasăre tânără (cu penajul incomplet), pui. 2. fig. ageamiu.

fledge [fledʒ] I. vi. (d. puii de pasăre) a se acoperi cu pene; a (se) zburătăci. II. vt. 1. a aplica pene (unei săgeți). 2. a căptuși cu pene (un cuib).

fledged [fledʒd] adj. matur.

flee [fliː] vi., vt. trec. și part. trec. **fled** [fled] 1. a fugi (de). 2. a scăpa (de).

fleece [fliːs] I. s. 1. caier. 2. nor. II. vt. 1. a umple de câlți. 2. a înnora. 3. a jefui. 4. a escroca.

fleecy ['fliːsi] adj. lânos, mițos; creț. || ~ hair păr creț; ~ waves valuri spumegânde.

fleet [fliːt] I. s. 1. flotă. 2. grup. 3. parc (de tractoare, mașini). II. adj. rapid.

fleeting ['fliːtiŋ] adj. 1. fugitiv; fugar. 2. efemer, trecător.

fleetness ['fliːtnis] s. scurgere rapidă; repeziciune.

Fleet Street ['fliːtstriːt] s. 1. strada ziarelor din Londra. 2. fig. presa.

Fleming ['flemiŋ] s. flamand(ă).

Flemish ['flemiʃ] I. s. (limba) flamandă. II. adj. flamand.

flesh [fleʃ] s. 1. carne (fig.). 2. trup. 3. instincte. || in the ~ în carne și oase; în viață; one's own ~ and blood rudele de sânge; to go the way of all ~ a muri, a trece în lumea drepților; to put on ~ a se îngrășa.

fleshless ['fleʃlis] adj. fără carne, descărnat; slab.

fleshly ['fleʃli] adj. senzual.

flesh-pots ['fleʃpɔts] s. pl. lux, huzur.

fleshy ['fleʃi] adj. 1. cărnos. 2. gras.

fleur-de-lis ['fləːdə'liː], pl. **fleurs-de-lis** ['fləːzdə'liː] s. 1. bot. crin, lilie (Lilium candidum). 2. (floare de) crin heraldic.

flew [fluː] vt., vi. trec. de la **fly**.

flex [fleks] I. s. 1. el. conductă flexibilă. 2. mat. inflexiune. II. vt. 1. med. a încovoia, a îndoi. 2. geol. a încreți. III. vi. 1. med. a se încovoia, a se îndoi. 2. geol. a se încreți.

flexibility [ˌfleksə'biliti] s. 1. flexibilitate, suplețe. 2. fig. îngăduință. 3. fig. adaptabilitate.

flexible ['fleksəbl] adj. 1. flexibil; mlădios. 2. adaptabil.

flexion ['flekʃn] s. 1. tehn., med. încovoiere, îndoire, flexiune. 2. curbă, sinuozitate. 3. gram. flexiune, desinență. 4. mat. curbură; derivata a doua.

flexor ['fleksə] s. anat. (mușchi) flexor.

flexure ['flekʃə] s. 1. îndoire, flexiune; curbură; îndoitură; strâmbare. 2. geol. cută, curbură (a straturilor).

flibbertigibbet ['flibəti'dʒibit] s. 1. om neserios, ușuratic; om nestatornic / șovăitor. 2. palavragiu, flecar. 3. înv. spirit necurat.

flick [flik] I. s. plesnitură. II. vt. 1. a plesni. 2. a lovi. 3. a bate.

flicker ['flikə] I. s. licărire. II. vi. 1. a licări. 2. a se agita.

flier ['flaiə] s. 1. zburător, zburătoare. 2. aviator. 3. trăpaș, bidiviu. 4. amer. expres. 5. fluturaș, reclamă.

flight [flait] s. 1. zbor. 2. stol. 3. scurgere. 4. grup de trepte (între două paliere). 5. fugă. goană. || to take (to) ~ a fugi, a o rupe la fugă.

flighty ['flaiti] adj. 1. nestatornic. 2. capricios.

flimsy ['flimzi] adj. 1. subțire, firav. 2. nesigur. 3. fig. străveziu. 4. șubred. 5. neserios.

flinch [flintʃ] vi. a se clinti.

fling [fliŋ] I. s. 1. aruncare. 2. mișcare bruscă. 3. tresărire. 4. încercare, tentativă. 5. atac. || to have a ~ at a-și încerca norocul cu; a se năpusti asupra (cu gen.); to have one's ~ a-și face de cap. II. vt. trec. și part. trec. **flung** [flʌŋ] 1. a arunca. 2. a repezi. 3. a trânti. III. vi. trec. și part. trec. **flung** [flʌŋ] 1. a se arunca. 2. a se năpusti; a se repezi. 3. a se trânti.

flint [flint] s. cremene, silex.

flint lock ['flint lɔk] s. mil. ist. 1. închizător de pușcă cu cremene. 2. pușcă cu cremene.

flintstone ['flinstoun] s. v. **flint**.

flinty ['flinti] adj. 1. minr. de cremene, de silex. 2. fig. de piatră, neînduplecat.

flip[1] ['flip] I. s. plesnitură. II. vt. 1. a pocni. 2. a da un bobârnac (cu dat.). 3. a scutura. III. vi. a se scutura.

flip[2] [flip] s. grog din bere, rachiu și zahăr.

flip[3] [flip] adj. vorbăreț, limbut.

flippancy ['flipnsi] s. 1. neseriozitate, frivolitate, caracter ușuratic. 2. glumă, luare a lucrurilor în glumă / ușor.

flippant ['flipənt] adj. 1. ușuratic, neserios. 2. dezinvolt. 3. ireverențios.

flipper ['flipə] s. 1. aripioară (de pește), înotătoare. 2. sl. mână, labă. || give us your ~ bate laba.

flirt [flə:t] I. s. persoană neserioasă în dragoste; cochetă; crai. II. vi. 1. a flirta, a cocheta. 2. a se amuza (cu o idee etc.).

flirtation [flə:'teiʃn] s. flirt.

flirtatious [flə:'teiʃəs] adj. neserios în dragoste.

flit [flit] vi. 1. a zbura de colo-colo. 2. a se muta mereu.

flitch [flitʃ] s. 1. costiță de porc sărată și afumată. 2. proptea (de lemn).

flitter ['flitə] vi. a zbura, a fâlfâi, a da din aripi.

flitting ['flitiŋ] adj. fugar, trecător; fugitiv, efemer.

flivver ['flivə] s. sl. automobil ieftin / popular.

float [flout] I. s. 1. obiect plutitor. 2. car (alegoric). 3. camion, platformă. 4. pl. luminile rampei. II. vt. a lansa (pe apă) (fig.). III. vi. a pluti.

floatation [flou'teiʃn] s. 1. plutire, navigare. 2. econ. fondare a unei întreprinderi. 3. econ. emisiune, lansare (de împrumut). 4. mine., met., fin. flotație.

flocculent ['flɔkjulnt] adj. mițos, flocos; care are aspectul lânii.

flock [flɔk] I. s. 1. turmă. 2. stol. 3. ceată. 4. enoriași. 5. câlți. II. vi. a se aduna; a veni în număr mare.

floe [flou] s. 1. sloi (plutitor). 2. banchiză.

flog [flɔg] vt. 1. a biciui. 2. a bate. 3. a vinde (pe sub mână). || to ~ a dead horse a dezgropa morții (fig.); a face un efort zadarnic, a se omorî de pomană.

flogging ['flɔgiŋ] s. bătaie (cu biciul).

flood [flʌd] I. s. 1. inundație. 2. revărsare. 3. potop. 4. flux. || in ~ inundat; revărsat. II. vt. 1. a inunda. 2. a se revărsa asupra (cu gen.). 3. a umple. III. vi. 1. a inunda. 2. a se revărsa. 3. a curge.

flood gate ['flʌd geit] s. stăvilar, ecluză. || fig. to open the ~s a deschide calea; a ploua cu găleata; a izbucni în plâns.

flood-light ['flʌdlait] s. 1. reflector. 2. lumină puternică.

floor [flɔ:] I. s. 1. dușumea, podea. 2. pardoseală. 3. fundație, fund. 4. etaj. 5. (ground ~) parter. 6. tribună (a vorbitorului); fig. cuvânt(are). || to give the ~ to a da cuvântul (cu dat.); to have the ~ a avea cuvântul; to take the ~ a lua cuvântul. II. vt. 1. a pardosi. 2. a doborî; a înfrânge. 3. a ului. 4. a pune în încurcătură. 5. a necăji, a chinui.

floorer ['flɔ:rə] s. 1. întrebare grea. 2. lovitură zdrobitoare.

flooring ['flɔ:riŋ] s. pardoseală.

floor walker ['flɔ: ˌwɔ:kə] s. amer. șef de raion (de magazin).

flop [flɔp] I. s. 1. cădere. 2. eșec. II. vt. a trânti. III. vi. a cădea. IV. adv. (hodoronc-)tronc.

flora ['flɔ:rə] s. floră.

floral ['flɔ:rl] adj. înflorit.

Florentine ['flɔrəntain] adj. florentin, din Florența. 2. florentine text. florentină. 3. florentine înv. un fel de plăcintă (mai ales cu carne).

florid ['flɔrid] adj. 1. înflorit. 2. înfloritor. 3. împopoțonat. 4. complicat.

florin ['flɔrin] s. florin (monedă engleză de 2 șilingi).

florist ['flɔrist] s. florăreasă; florar.

floss [flɔs] s. puf.

flotation [flou'teiʃn] s. v. **floatation**.

flotilla [flə'tilə] s. mar. flotilă.

flotsam ['flɔtsəm] s. obiecte aduse de valuri.

flounce [flauns] I. s. 1. zguduire. 2. zdruncinătură. II. vi. a se agita.

flounder ['flaundə] I. s. iht. cambulă (Pleuronectus plexus). II. vi. 1. a se zbuciuma. 2. a se lupta. 3. a șovăi.

flour ['flauə] I. s. făină (mai ales de grâu). II. vt. a presăra cu făină.

flourish ['flʌriʃ] I. s. 1. fluturare (a sabiei, etc.). 2. înfloritură. 3. sunet (de trompetă etc.). 4. trâmbițare. II. vt. 1. a agita; a învârti. 2. a amenința cu (sabia, etc.). III. vi. 1. a înflori. 2. a progresa. 3. a fi activ. 4. a avea succes.

floury ['flauəri] adj. 1. plin de făină. 2. făinos.

flout [flaut] I. vt. 1. a batjocuri, a lua în râs, a-și bate joc de. 2. a călca în picioare, a încălca, a nu respecta. 3. a ocărî, a insulta. II. vi.: to ~ at v. vt. III. s. 1.

batjocură, bătaie de joc. 2. sarcasm. 3. dispreț; ocară.

flow [flou] I. vi. 1. a curge; a se vărsa. 2. (d. sânge, curent electric etc.) a curge, a circula. 3. fig. a se revărsa; a țâșni. 4. (d. haină, draperie) a flutura, a cădea în falduri. 5. (d. flux) a crește, a înainta. || to ~ from a decurge din. II. vt. 1. a inunda. 2. (rar, d. râuri, torenți) a conține, a purta (apă). III. s. 1. curs, curent, scurgere (a unui lichid; și fig.); șuvoi (de metal topit). 2. debit de apă. 3. belșug. 4. potop (de cuvinte); efuziune (de sentimente); ușurință (în vorbire). 5. flux. 6. mine. erupție; curgere. 7. text. compoziție.

flower ['fla(u)ə] I. s. 1. floare. 2. înfloritură (fig.). II. vi. a înflori (fig.).

floweret ['fla(u)ərit] s. poet. floricică.

flower-girl ['fla(u)əgə:l] s. florăreasă.

flower of speech ['fla(u)ərəv'spi:tʃ] s. figură de stil.

flowerpot ['fla(u)əpɔt] s. ghiveci (cu flori), glastră.

flower show ['fla(u)əʃou] s. expoziție de flori.

flowery ['fla(u)əri] adj. 1. înflorit. 2. înfloritor.

flown [floun] vt., vi. part. trec. de la **fly**.

flu [flu:] s. gripă.

fluctuate ['flʌktjueit] vi. 1. a fluctua. 2. a se schimba. 3. a șovăi.

fluctuation [ˌflʌktju'eiʃn] s. 1. fluctuație, instabilitate. || ~ of the dollar fluctuația (cursului) dolarului. 2. nestatornicie, nehotărâre. 3. variație, schimbare.

flue [flu:] s. 1. burlan. 2. horn.

fluency ['fluənsi] s. fluență, cursivitate.

fluent ['fluənt] I. adj. 1. (d. vorbire etc.) curgător, fluent; elegant. 2. rar curgător, fluid. 3. rar schimbător. II. s. mat. mărime variabilă.

fluently ['flu:əntli] adv. curent, fluent. || he speaks English ~ vorbește curent engleza.

fluff [flʌf] I. s. puf. II. vt. a scămoșa.

fluffy ['flʌfi] adj. 1. pufos. 2. flocos.

fluid ['fluid] I. s. fluid. II. adj. 1. fluid. 2. curgător. 3. schimbător.

fluke[1] [flu:k] *s.* **1.** *iht.* peşte plat *(mai ales* calcan). **2.** *zool.* gălbează *(Distomum hepaticum).* **3.** specie de cartofi.

fluke[2] [flu:k] *fam.* **I.** *s.* baftă, noroc. **II.** *vt.* a obţine *(ceva)* printr-o întâmplare norocoasă. **III.** *vi.* a avea noroc, a da o lovitură (norocoasă).

flume [flu:m] **I.** *s.* **1.** jgheab, canal, conductă, rigolă. **2.** *amer.* trecătoare îngustă, canion. **3.** *înv.* râu, şuvoi, torent. || *amer. fig. sl. to go up the ~* a se prăbuşi, a cădea. **II.** *vt. amer.* a aduce *(apă)* prin canalizare.

flummery ['flʌməri] *s.* **1.** cremă de ouă. **2.** *înv.* terci, fiertură de ovăz. **3.** *fig., fam.* prostii, apă de ploaie; compliment servil.

flummox ['flʌməks] *vt. sl.* **1.** a ului, a zăpăci, a tâmpi. **2.** a încurca, a zăpăci *(pe cineva).*

flung [flʌŋ] *vt., vi. trec. şi part. trec. de la* **fling.**

flunk [flʌŋk] *amer.* **I.** *vt.* a trânti la examen. **II.** *vi.* a cădea la examen. **III.** *s.* eşec *(la un examen).*

flunkey ['flʌŋki] *s.* lacheu.

fluorescence [flu:ə'resns] *s.* fluorescenţă.

fluoridate ['fluərideit] *vt.* a fluoriza.

fluorine ['fluəri:n] *chim.* fluor.

fluorite ['fluərait] *s.* v. **fluor spar.**

fluor spar ['fluə spa:] *s. minr.* fluorină, fluorit.

flurry ['flʌri] **I.** *s.* **1.** ropot *(de ploaie etc.).* **2.** încurcătură. **3.** agitaţie. **II.** *vt.* a zăpăci, a încurca.

flush [flʌʃ] **I.** *s.* **1.** torent. **2.** curent. **3.** îmbujorare. **4.** elan. **5.** culoare *(la cărţi).* **II.** *adj.* **1.** neted. **2.** îmbinat perfect. **3.** umflat. **III.** *vt.* **1.** a inunda. **2.** a umple. **3.** a îmbujora. **4.** a emoţiona. **5.** a ridica. || *to ~ the toilet* a trage apa *(la closet).* **IV.** *vi.* **1.** a se scurge. **2.** a se năpusti. **3.** a se îmbujora. **4.** a se înălţa. **V.** *adv.* **1.** neted. **2.** lin.

fluster ['flʌstə] **I.** *s.* nervozitate. **II.** *vt.* a tulbura.

flute [flu:t] **I.** *s.* flaut; fluier. **II.** *vi.* a cânta la flaut *sau* din fluier.

flutter ['flʌtə] **I.** *s.* **1.** fluturat. **2.** agitaţie. **II.** *vi.* **1.** a flutura. **2.** a agita. **3.** a tulbura. **4.** a alarma. **III.** *vi.* **1.** a flutura. **2.** a se agita. **3.** a se speria.

fluty ['flu:ti] *adj.* ca de flaut.

fluvial ['flu:viəl] *adj.* fluvial.

flux [flʌks] *s.* flux *(sanguin, etc.).*

fluxion ['flʌkʃn] *s.* **1.** *rar med.* scurgere. **2.** *înv. mat.* derivată.

fly [flai] **I.** *s.* **1.** muscă. **2.** zbor. **3.** prohab. **4.** acoperitoare. **II.** *vt. trec.* **flew** [flu:], *part. trec.* **flown** [floun] **1.** *mil.* a înălţa (steagul, pavilionul). **2.** a părăsi *(un oraş etc.).* **3.** a fugi de *(inamic etc.).* **III.** *vi. trec.* **flew** [flu:], *part. trec.* **flown** [floun] **1.** a zbura. **2.** a se înălţa. **3.** a flutura. **4.** a se întinde. **5.** a fugi. **6.** a se grăbi. || *to ~ to arms* a se ridica la luptă; *to let ~ at smb.* a ataca pe cineva; *to ~ into a rage, to ~ off the handle* a-şi ieşi din sărite.

fly-away ['flaiəwei] **I.** *adj.* **1.** *(d. haine)* larg, comod. **2.** nestatornic, fluşturatic; zăpăcit, capricios. **3.** *(d. idei)* ciudat, bizar. **4.** *av.* gata de zbor. **II.** *s.* fugar.

flyer ['flaiə] *s.* **1.** aviator. **2.** pegas, telegar. **3.** expres.

flying ['flaiiŋ] **I.** *s.* zbor. **II.** *adj.* **1.** zburător. **2.** fulger. **3.** fulgerător. || *with ~ colours* victorios.

flying fish [flaiiŋ 'fiʃ] *s. iht.* peşte zburător *(Dactylopterus).*

flying machine ['flaiiŋ mə‚ʃi:n] *s. av.* avion.

flying saucer [‚flaiiŋ'sɔ:sə] *s.* farfurie zburătoare.

fly-leaf ['flaili:f] *s. poligr.* forzaţ, pagină albă de la începutul cărţii.

fly-over ['flai‚ouvə] *s.* pasaj superior *sau* denivelat.

fly-paper ['flai‚peipə] *s.* hârtie de muşte.

fly wheel ['flai wi:l] *s. tehn.* volant.

foal [foul] **I.** *s.* mânz. || *(d. iapă etc.) in* sau *with ~* gestantă, în gestaţie. **II.** *vi. (d. iapă etc.)* a făta.

foam [foum] **I.** *s.* **1.** spumă. **2.** *poet.* mare. **II.** *vi.* **1.** a spumega, a face spumă. **2.** a fi înspumat.

foamy ['foumi] *adj.* înspumat, spumos.

fob [fɔb] **I.** *s.* **1.** buzunar pentru ceas. **2.** lanţ de ceas. **II.** *vt.* a păcăli.

focal ['foukl] *adj. fiz., mat.* focal.

foc's'le ['fouksl] *s. mar.* **1.** teugă. **2.** sala echipajului.

focus ['foukəs] **I.** *s. pl.* **focuses** ['foukəsiz] *sau* **foci** [fou'sai] **1.** focar. **2.** centru *(fig.).* **II.** *vt.* **1.** a concentra. **2.** a potrivi. **III.** *vi.* a se concentra *(fig.).*

fodder ['fɔdə] *s.* furaj (uscat).

foe [fou] *s. poet. şi fig.* duşman.

foeman ['foumən] *s. înv.* v. **foe.**

fo(e)tid ['fetid] *adj.* v. **fetid.**

fo(e)tus ['fi:təs], *pl.* **fo(e)tuses** *sau* **fetus** ['fi:təs] *s. biol.* făt, embrion.

fog [fɔg] *s.* **1.** ceaţă, pâclă. **2.** confuzie.

foggy ['fɔgi] *adj.* ceţos.

fog-horn ['fɔghɔ:n] *s. mar.* sirenă de alarmă pentru ceaţă.

fogy ['foudʒi] *s.* **1.** babalâc. **2.** reacţionar, conservator. **II.** *adj.* **1.** demodat, învechit. **2.** conservator, reacţionar.

foible ['fɔibl] *s.* **(for)** slăbiciune (pentru).

foil [fɔil] **I.** *s.* **1.** foiţă metalică. **2.** contrast, opus. **3.** floretă. **II.** *vt.* **1.** a depăşi. **2.** a învinge. **3.** a zădărnici. **4.** a împiedica.

foist [fɔist] *vt.* a vinde *(o marfă)* păcălind clientul; a băga *(o marfă)* pe gât *(clientului).*

fold [fould] **I.** *s.* **1.** îndoitură. **2.** creţ; pliu. **3.** pliseu. **4.** scobitură. **5.** ţarc, ocol, stână. **6.** *bis. fig.* credincioşi. **II.** *vt.* **1.** a îndoi. **2.** a împături. **3.** a încreţi. **4.** a înveli. **5.** a îmbrăţişa. **6.** a închide *(în ţarc etc.).* **III.** *vi.* **1.** a se îndoi. **2.** a se încreţi.

folder ['fouldə] *s.* pliant.

folderol ['fɔldərɔl] *s.* **1.** *înv.* tralala *(refren).* **2.** înfumurare prostească. **3.** *pl.* nimicuri, fleacuri.

folding ['fouldiŋ] *adj.* **1.** pliant. **2.** rabatabil.

foliaceous [fouli'eiʃəs] *adj. bot.* foliaceu; *(d. arbori)* foios, cu frunze late.

foliage ['fouliidʒ] *s.* frunziş.

foliate[1] ['fouliət] *adj.* **1.** cu frunze, înfrunzit. **2.** în formă de frunză.

foliate[2] ['fouliit] *vt.* a lamela, a desface în foi subţiri.

folio ['fouliou] *s.* **1.** (volum in) folio. **2.** numărul paginii.

folk [fouk] **I.** *s.* **1.** oameni. **2.** public. **3.** popor. **4.** *pl.* neamuri, rude. **II.** *adj.* popular.

folk-dance ['foukda:ns] *s.* dans popular.

folklore ['fouklɔ:] *s.* **1.** folclor. **2.** înţelepciune populară.

follicle ['fɔlikl] *s.* **1.** *anat.* folicul, sac, pungă. **2.** *bot.* teacă, păstaie. **3.** *entom.* gogoaşă, cocon.

follow ['fɔlou] I. *vt.* **1.** a urma. **2.** a urmări. **3.** a se ocupa de. **4.** a înţelege. **5.** a asculta (de). **6.** a se supune *(cu gen.)*. || *to ~ out* a duce până la capăt; *to ~ up* a urmări cu perseverenţă / în desfăşurarea sa; a relua. II. *vi.* **1.** a urma. **2.** a se lămuri. **3.** a decurge, a rezulta. || *to ~ up* a continua; a veni ca o consecinţă.

follower ['fɔloə] *s.* **1.** adept. **2.** însoţitor.

following ['fɔloiŋ] I. *s.* **1.** simpatizanţi, suporteri. **2.** adeziune. II. *adj.* următor.

follow-up ['fɔlou'ap] *s.* urmare; continuare; reluare.

folly ['fɔli] *s.* prostie, absurditate; nesăbuinţă, nebunie. || *a piece of ~* o nebunie; *the height of ~* culmea prostiei / a absurdităţii.

foment [fou'ment] *vt.* **1.** a îngriji. **2.** a bandaja. **3.** a stârni. **4.** a întreţine.

fomentation [,foumen'teiʃn] *s.* **1.** cataplasmă, prişniţă. **2.** *fig.* instigare, aţâţare. || *~ of discord* instigare la vrajbă.

fond [fɔnd] *adj.* (of) **1.** iubitor (de). **2.** tandru. **3.** îndrăgostit. **4.** îndrăgit, drag; preferat, favorit. || *to be ~ of smth.* a-ţi plăcea ceva; *to be ~ of smb.* a iubi pe cineva; a ţine mult la cineva.

fondant ['fɔndənt] *s.* bomboană fondantă.

fondle ['fɔndl] *vt.* a mângâia.

fondly ['fɔndli] *adv.* **1.** cu dragoste. **2.** prosteşte, (în mod) naiv. **3.** din inimă.

fondness ['fɔndnis] *s.* (of) **1.** dragoste (pentru). **2.** tandreţe (pentru). **3.** ataşament (pentru).

fondu(e) ['fɔndju:] *s. gastr.* **1.** brânză topită. **2.** fondu, mâncare cu sos fierbinte.

font [fɔnt] *s.* **1.** *bis.* cristelniţă. **2.** *bis.* agheasmatar. **3.** *tipo.* casetă cu litere.

food [fu:d] *s.* **1.** mâncare, alimente. **2.** hrană *(şi fig.)*.

food-stuff ['fu:d stʌf] *s.* aliment.

fool[1] [fu:l] I. *s.* **1.** prost. **2.** zevzec. **3.** bufon; clovn. || *to make a ~ of* a face de râs; a trage pe sfoară; *to play the ~ (with)* a face pe nebunul (cu). II. *vt.* **1.** a păcăli. **2.** a-şi bate joc de. || *to ~ away* a irosi. III. *vi.* **1.** a se purta prosteşte. **2.** a pierde vremea, a se juca.

fool[2] [fu:l] *s.* gelatină de fructe.

fool's errand ['fu:lz'ernd] *s.* **1.** nebunie curată. **2.** lucru inutil.

foolery ['fu:ləri] *s.* **1.** prostie. **2.** aiureală.

foolhardy ['fu:l,hɑ:di] *adj.* **1.** nesăbuit. **2.** care se joacă cu focul.

foolish ['fu:liʃ] *adj.* **1.** prostesc. **2.** aiurit.

foolproof ['fu:lpru:f] *adj.* **1.** simplu de tot. **2.** ferit de orice primejdie; inofensiv.

foolscap ['fu:lzkæp] *s.* **1.** *poligr.* coală ministerială. **2.** tichie de bufon.

foot [fut] I. *s. pl.* **feet** [fi:t] **1.** picior, laba piciorului. **2.** (măsură de) 30 cm. **3.** *fig.* talpă. **4.** capăt; partea de jos. **5.** *mil.* the ~ infanterie. **6.** poale *(ale unui deal etc.)*. || *on ~* pe jos; *to put one's ~ down* a pune piciorul în prag; *to put one's ~ in it* a strica totul; a da cu băţul în baltă; *to carry smb. off his feet* a lua pe cineva pe sus; *fig.* a entuziasma pe cineva. II. *vt.* **1.** a dansa. **2.** a pune capăt *(cu dat.)*. || *to ~ the bill* a achita, a plăti nota, cheltuielile etc; *to ~ it* a merge pe jos, a o lua la picior; a dansa.

footage ['futidʒ] *s.* **1.** *cin.* lungime *(a unui film)*. **2.** *mine.* adâncime forată *(în picioare)*.

football ['futbɔ:l] *s.* **1.** minge de fotbal. **2.** fotbal. **3.** *amer.* rugby (american).

footboard ['futbɔ:d] *s.* **1.** (treaptă de) scară *(de trăsură, automobil etc.)*. **2.** pedală. **3.** coada trăsurii, platforma de la spatele unei trăsuri *(pe care valeţii stăteau în picioare)*.

foot-bridge ['futbridʒ] *s.* **1.** punte, pod(eţ) pentru pietoni. **2.** pasarelă.

footfalls ['futfɔ:lz] *s. pl.* (zgomot de) paşi.

foot gear ['futgiə] *s. fam.* **1.** încălţăminte. **2.** ciorapi.

foot-hills ['futhilz] *s. pl.* poalele dealurilor *sau* munţilor.

foothold ['futhould] *s.* **1.** loc de pus piciorul; priză, prispă (a stâncii). **2.** loc sigur.

footing ['futiŋ] *s.* **1.** aşezarea piciorului. **2.** poziţie, situaţie. **3.** nivel. **4.** *fig.* picior. || *on a war ~* pe picior de război.

footless ['futlis] *adj.* **1.** fără picioare. **2.** lipsit de bază. **3.** *amer. v.* **futile.**

footlights ['futlaits] *s. pl.* **1.** luminile rampei. **2.** actorie. **3.** teatru.

footling ['fu:tliŋ] *adj.* banal, neînsemnat, prostesc.

footman ['futmən] *s. pl.* **footmen** ['futmən] **1.** valet, servitor. **2.** lacheu.

footmark ['futmɑ:k] *s.* urmă de picior.

footnote ['futnout] *s.* notă de subsol.

footpad ['futpæd] *s. înv.* tâlhar, hoţ de drumul mare.

footpath ['futpɑ:θ] *s.* potecă.

foot pound ['fut paund] *s. tehn.* unitate de măsurat energia, egală cu travaliul necesar pentru ridicarea unei greutăţi de o livră la înălţimea de un picior *(30,479 cm)*.

footprint ['futprint] *s.* urmă de picior / pas.

foot-soldier ['fut,souldʒə] *s.* infanterist.

foot-sore ['fut sɔ:] *adj.* care suferă de picioare, cu picioarele umflate (de mers).

footstep ['futstep] *s.* **1.** urmă de pas. **2.** pas. || *to follow in smb.'s ~* a călca pe urmele cuiva *(fig.)*.

footstool ['futstu:l] *s.* **1.** taburet, scăunel pentru picioare. **2.** *(şi God's ~ sau ~ of the Almighty)* amer. lume, pământ.

foot way ['fut ,wei] *s.* **1.** alee pentru pietoni; trotuar. **2.** *mine.* cărare, drum îngust.

footwear ['futwɛə] *s.* încălţăminte.

foot work ['fut wə:k] *s.* **1.** joc cu picioarele. **2.** joc de picioare. **3.** dans.

fop [fɔp] *s.* filfizon.

foppish ['fɔpiʃ] *adj.* spilcuit; împopoţonat.

for [fə, fɔ:] I. *prep.* **1.** pentru. **2.** timp de. **3.** din, din pricina *(cu gen.)*. **4.** după. **5.** în schimbul a *(cu gen.)*. **6.** în loc de. **7.** în favoarea *(cu gen.)*. **8.** de. **9.** în ceea ce priveşte. || *~ all that* totuşi; *~ all the snow* în ciuda zăpezii; *~ aught I know* după câte ştiu; *~ that matter* cât despre asta; la urma urmei; *~ want of* din lipsă de; *~ fără*; *oh, ~ a glass of water!* ce n-aş da să pot bea un pahar cu apă!; *what ~?* pentru ce?; *to be in~ trouble* a fi ameninţat de necazuri etc.; *to be out ~* a căuta să. II. *conj.* întrucât; căci, fiindcă.

forage ['tɔridʒ] I. s. furaj. II. vt. 1. a hrăni; a furaja. 2. a căuta, a scotoci. 3. a jefui. 4. a lua cu forţa, cu japca.

forasmuch [fərəz'mʌtʃ] conj. înv. (şi for as much) 1. dat fiind că, întrucât, deoarece, din moment ce. 2. mai ales că, cu atât mai mult că.

foray ['tɔrei] I. s. 1. atac. 2. incursiune. II. vt. a face o incursiune asupra (cu gen.), a ataca. III. vi. a face o incursiune.

forbad [fə'bæd], **forbade** [fə'beid] vt. trec. de la **forbid**.

forbear[1] ['fɔ:beə] s. strămoş.

forbear[2] [fɔ:'beə] I. vt. trec. **forbore** [fɔ:'bɔ:] part. trec. **forborne** [fɔ:'bɔ:n] 1. a se abţine de la. 2. a renunţa la. II. vi. trec. **forbore** [fɔ:'bɔ:] part. trec. **forborne** [fɔ:'bɔ:n] 1. a se abţine. 2. a se feri.

forbearance [fɔ:'beərns] s. 1. răbdare. 2. stăpânire de sine.

forbid [fə'bid] vt. trec. **forbad** [fə'bæd] şi **forbade** [fə'beid] part. trec. **forbidden** [fə'bidn] 1. a interzice. 2. a opri. || God ~! ferească Dumnezeu!

forbidden [fə'bidn] I. vt. part. trec. de la **forbid**. II. adj. oprit, interzis.

forbidden-ground [fə'bidn graund] s. subiect tabu.

forbidding [fə'bidiŋ] adj. 1. sever; respingător. 2. ameninţător. 3. inabordabil.

forbore [fɔ:'bɔ:] vt., vi. trec. de la **forbear**.

forborne [fɔ:'bɔ:n] vt., vi part. trec. de la **forbear**.

force [fɔ:s] I. s. 1. forţă. 2. energie. 3. putere (de convingere etc.). 4. forţă (motrice). 5. armată. 6. mil. detaşament. 7. jur. vigoare. 8. sens. || to join ~s with a se uni cu; in ~ în număr mare, masiv; jur. obligatoriu; în vigoare; to put into ~ a promulga, a aplica. II. vt. 1. a forţa. 2. a sili. 3. a scoate (cu forţa). 4. a grăbi. 5. fig. a biciui.

forceful ['fɔ:sfl] adj. 1. puternic. 2. forţat. 3. impresionant.

force majeure [,fɔ:s mæ'ʒɔ:] s. jur. forţă majoră.

forcemeat ['fɔ:smi:t] s. gastr. tocătură, carne tocată.

forceps ['fɔ:sips] s. sing. şi pl. 1. med. forceps. 2. zool., entom. cleşte; mandibulă.

forcible ['fɔ:səbl] adj. 1. forţat. 2. silnic. 3. făcut cu forţa. 4. puternic. 5. impresionant. 6. convingător.

ford [fɔ:d] I. s. vad. II. vt. a trece (un râu) prin vad.

Ford [fɔ:d] s. (automobil) Ford.

fore [fɔ:] I. s. punte din faţă. || to the ~ in frunte; la îndemână. II. adj. 1. din faţă. 2. frontal.

fore-and-aft ['fɔ:rənd'ɑ:ft] adj. mar. longitudinal; la prova şi la pupa.

forearm ['fɔ:rɑ:m] I. s. antebraţ. II. vt. 1. a pregăti (dinainte). 2. a înarma.

forebear ['fɔ:beə] s. v. **forbear** 1.

forebode [fɔ:'boud] vt. 1. a ameninţa cu. 2. a prevesti (rele).

foreboding [fɔ:'boudiŋ] I. s. presimţire (neagră). II. adj. de rău augur, prevestită de rău.

forecast ['fɔ:kɑ:st] I. s. 1. previziune. 2. prevedere. II. vt. inf., trec. şi part. trec. 1. a prezice. 2. a prevesti. 3. a prevedea.

forecastle ['foukəsl] s. mar. 1. teugă. 2. sala echipajului.

foreclose [fɔ:'klouz] vt. jur. 1. a înlătura (pe cineva de la o moştenire etc.), a priva de dreptul de folosinţă. 2. jur. a priva de dreptul de achitare a unei ipoteci. 3. a rezolva dinainte; a încheia dinainte (un acord). 4. a rezolva (o problemă).

foreclosure [fɔ:'klouʒə] s. jur. procedură prin care se stinge dreptul de a achita o ipotecă, stipulare a condiţiilor în care se stinge acest drept.

forecourt ['fɔ: kɔ:t] s. curte exterioară.

foredoom [fɔ:'du:m] vt. 1. a osândi (dinainte). 2. a sorti pieirii.

forefather ['fɔ:,fɑ:ðə] s. strămoş.

forefinger ['fɔ:,fiŋgə] s. arătător.

forefoot ['fɔ:fut] s. pl. **forefeet** ['fɔ:fi:t] zool. picior dinainte.

forefront ['fɔ:frʌnt] s. parte din faţă. 2. mil. linia întâi.

foregather [fɔ:'gæðə] vi. v. **forgather**.

forego [fɔ:'gou] vt. trec. **forewent** [fɔ:'went], part. trec. **foregone** [fɔ:'gɔn] 1. înv., lit. a anticipa, a preceda. 2. v. **forgo**.

foregoing [fɔ:'goiŋ] adj. 1. anterior. 2. de mai înainte. 3. (pomenit) anterior.

foregone[1] ['fɔ:gɔn] adj. dinainte stabilit. || a ~ conclusion.

foregone[2] [fɔ:gɔn] vt. part. trec. de la **forego**.

foregone conclusion ['fɔ:gɔn kən'klu:ʒn] s. 1. rezultat inevitabil. 2. lucru de la sine înţeles. 3. lucru dinainte stabilit.

foreground ['fɔ:graund] s. prim-plan.

forehand ['fɔ:hænd] adj. lovitură directă.

forehead ['fɔrid] s. anat. frunte.

foreign ['fɔrin] adj. 1. străin. 2. extern. 3. exterior.

foreigner ['fɔrinə] s. străin.

Foreign Office ['fɔrin'ɔfis] s. Ministerul de Externe (britanic).

foreknew [fɔ:'nju] vt. trec. de la **foreknow**.

foreknow [fɔ:'nou] vt. trec. **forknew** [fɔ:'nju:] şi part. trec. **forknown** [fɔ:'noun] a cunoaşte dinainte; a prevedea; a presimţi.

foreknown [fɔ:'noun] vt. part. trec. de la **foreknow**.

foreland ['fɔ:lənd] s. 1. geogr. cap, promontoriu. 2. litoral. 3. mil. bermă, drum între picioarele parapetului şi şanţ.

foreleg ['fɔ:leg] s. picior dinainte.

forelock ['fɔ:lɔk] s. cârlionţ. || to take time by the ~ a profita de timp sau ocazie.

foreman ['fɔ:mən] s. pl. **foremen** ['fɔ:mən] 1. (contra)maistru. 2. şef de echipă. 3. prim jurat.

foremast ['fɔ:mɑ:st] s. mar. arbore trinchet.

foremost ['fɔ:moust] I. adj. 1. principal. 2. prim. II. adv. 1. în primul rând. 2. mai întâi de toate.

forename ['fɔ:neim] s. prenume, nume de botez.

forenoon ['fɔ:nu:n] s. dimineaţă, înainte de amiază. || is there a ~ collection? se ridică scrisorile înainte de amiază?

forensic [fə'rensik] adj. jur. judiciar, juridic; criminalistic; medico-legal. || ~ medicine medicină legală.

foreordain [,fɔ:rɔ:'dein] vt. a predestina.

forepart ['fɔ:pɑ:t] s. 1. parte din faţă. 2. început (al zilei etc.).

foreplay ['fɔ:plei] s. preludiu al actului sexual, stimulare sexuală.

forerunner ['fɔ:,rʌnə] s. premergător. 2. predecesor.

foresail ['fɔ:seil] mar. şcota trincii.

foresaw [fɔ:'sɔ:] vt. trec. de la **foresee**.

foresee [fɔ:'si:] vt. trec. **foresaw** [fɔ:'sɔ:], part. trec. **foreseen** [fɔ:'sin] a prevedea.

foreseen [fɔ:'sin] vt. part. trec. de la **foresee**.

foreshadow [fɔ:'ʃædou] vt. a prevesti.

foreshore ['fɔ:ʃɔ:] s. 1. plajă. 2. partea de coastă care rămâne uscată în timpul refluxului.

foreshorten [fɔ:'ʃɔ:tn] vt. artă a picta sau a prezenta (un obiect) micşorat.

foreshortening [,fɔ:'ʃɔ:təniŋ] s. artă racursi.

foresight ['fɔ:sait] s. previziune, prevedere. 2. prudenţă.

foreskin ['fɔ:skin] s. anat. preput.

forest ['fɔrist] s. codru.

forestall [fɔ:'stɔ:l] vt. 1. a preveni. 2. a înlătura. 3. a o lua înainte.

forester ['fɔristə] s. pădurar.

forestry ['fɔristri] s. silvicultură.

foretaste ['fɔ:teist] s. 1. (de)gustare. 2. mostră. 3. arvună (fig.).

foretell [fɔ:'tel] vt. trec. şi part. trec. **foretold** [fɔ:'tould] 1. a prezice. 2. a proroci.

forethought ['fɔ:θɔ:t] s. 1. plan. 2. plănuire.

foretold [fɔ:'tould] vt. trec. şi part. trec. de la **foretell**.

forever [fə'revə] adv. (de-a) pururi; mereu.

forewarn [fɔ:'wɔ:n] vt. a preveni, a avertiza. || ~ed is forearmed paza bună trece primejdia rea.

forewent [fɔ:'went] vt. trec. de la **forego**.

forewoman ['fɔ:,wumən], pl. **forewomen** [fɔ:,wimin] s. 1. prima jurată. 2. maistră, şefă de echipă.

foreword ['fɔ:wə:d] s. 1. prefaţă. 2. introducere.

forfeit ['fɔ:fit] I. s. 1. pierdere. 2. pedeapsă. 3. pl. gajuri. II. adj. de pedeapsă. III. vt. a pierde (ca pedeapsă).

forfeiture ['fɔ:fitʃə] s. confiscare; pierdere a unui drept / a vieţii / a onoarei etc.; amendă. || ~ of one's driving licence retragerea permisului de conducere.

forfend [fɔ:'fend] vt. înv. a alunga, a înlătura (o nenorocire).|| God ~! Doamne păzeşte!

forgather [fɔ:'gætə] vi. 1. a se aduna, a se strânge. 2. (cuvânt scoţian) a se întâlni. || to ~ with smb. a se întâlni cu cineva.

forgave [fə'geiv] vt., vi. trec. de la **forgive**.

forge [fɔ:dʒ] I. s. 1. forjă. 2. foale. 3. atelier de fierărie. II. vt. 1. a forja. 2. a făuri. 3. a falsifica. 4.

a depăşi. III. vi.: to ~ ahead a merge înainte.

forgery ['fɔ:dʒri] s. 1. fals. 2. falsificare. 3. plastografie.

forget [fə'get] I. vt., vi. trec. **forgot** [fə'gɔt] part. trec. **forgotten** [fə'gɔtn] a uita. II. vr. a-şi da în petic; a nu se purta cum trebuie.

forgetful [fə'getfl] adj. 1. uituc. 2. zăpăcit; neglijent. || to be ~ of a da uitării, a uita de.

forgetfulness [fə'getflnis] s. 1. memorie proastă; distracţie. 2. neglijenţă.

forget-me-not [fə'getmi'nɔt] s. bot. nu-mă-uita (Myosotis palustris).

forgive [fə'giv] vt., vi. trec. **forgave** [fə'geiv] part. trec. **forgiven** [fə'givn] a ierta.

forgiven [fə'givn] vt., vi. part. trec. de la **forgive**.

forgiveness [fə'givnis] s. iertare.

forgiving [fə'giviŋ] adj. iertător.

forgo [fɔ:'gou] vt. trec. **forwent** [fɔ:'went] , part. trec. **foregone** [fɔ:'gɔn] 1. a renunţa (la). 2. a da uitării (o ceartă).

forgot [fə'gɔt] vt., vi. trec. de la **forget**.

forgotten [fə'gɔtn] vt., vi. part. trec. de la **forget**.

fork [fɔ:k] I. s. 1. furcă. 2. furculiţă. 3. răscruce. II. vt. a lua cu furca. || to ~ out a plăti, a scoate, a da (bani). III. vi. a se bifurca.

forked [fɔ:kt] adj. bifurcat.

forlorn [fə'lɔ:n] adj. 1. nenorocit. 2. părăsit, abandonat. 3. pustiu.

form [fɔ:m] I. s. 1. formă. 2. înfăţişare. 3. aranjament. 4. stil. 5. formular. 6. circulară. 7. ceremonie; pompă. 8. formalităţi. 9. formulă. 10. bancă (la şcoală).11. clasă. II. vt. 1. a forma. 2. a alcătui. 3. a educa. 4. a da naştere la. 5. a concepe. 6. a organiza. 7. a aranja. III. vi. 1. a prinde formă. 2. a se naşte. 3. a se forma.

formal ['fɔ:ml] adj. 1. oficial; protocolar, ceremonios. 2. formal. 3. superficial. 4. categoric.

formaldehyde [fɔ:'mældihaid] s. chim. formaldehidă, aldehidă formică.

formalin(e) ['fɔ:məlin] s. chim. formalin.

formalism ['fɔ:məlizəm] s. formalism; rigurozitate; convenţionalism.

formality [fɔ:'mæliti] s. 1. formalitate. 2. caracter oficial /

protocolar / ceremonios.

formalize ['fɔ:məlaiz] vt. 1. a da formă (artistică, juridică etc.) (cu dat.). 2. a făuri, a alcătui. 3. a stabili formalităţile pentru. 4. a face (un lucru) în mod ceremonios. 5. lingv. log. a formaliza.

formally ['fɔ:məli] adv. 1. în mod oficial; cu ceremonie. 2. în mod formal sau artificial. 3. categoric.

format ['fɔ:mæt] s. poligr. format.

formation [fɔ:'meiʃn] s. 1. formare. 2. mil. formaţie. 3. geol. formaţiune.

formative ['fɔ:mətiv] adj. formativ, care contribuie la formare.

former ['fɔ:mə] I. adj. 1. de pe vremuri. 2. vechi. 3. fost. 4. anterior. 5. pomenit mai întâi. II. pron.: (the) ~ cel dintâi din doi, primul pomenit.

formerly ['fɔ:məli] adv. 1. pe vremuri. 2. în trecut.

formic acid ['fɔ:mik,æsid] s. chim. acid formic.

formidable ['fɔ:midəbl] adj. 1. formidabil. 2. impresionant. 3. teribil; înspăimântător.

formless ['fɔ:mlis] adj. fără formă, inform; neterminat.

Formosan ['fɔ:'mousən] s. locuitor din Formosa / Taiwan.

formula ['fɔ:mjulə] s. pl. şi **formulae** ['fɔ:mjuli:] 1. formulă. 2. formulare. 3. fam. reţetă, prescripţie. 4. amer. lapte preparat din praf.

formulary ['fɔ:mjuləri] I. s. formular. II. adj. prescris, prestabilit (de ritual).

formulate ['fɔ:mjuleit] vt. a formula.

formulation [,fɔ:mju'leiʃn] s. formulare; exprimare; redactare. || final ~ redactare finală.

fornication [,fɔ:ni'keiʃn] s. 1. păcat trupesc. 2. amor nelegitim. 3. adulter.

forsake [fə'seik] vt. trec. **forsook** [fə'suk], part. trec. **forsaken** [fə'seikn] 1. a părăsi. 2. a renunţa la. 3. a se lăsa de.

forsaken [fə'seikn] vt. part. trec. de la **forsake**.

forsook [fə'suk] vt. trec. de la **forsake**.

forsooth [fə'su:θ] adv. 1. într-adevăr. 2. iron. cum să nu.

forswear [fɔ:'sweə] I. vt. trec. **forswore** [fɔ:'swɔ:] , part. trec. **forsworn** [fɔ:'swɔ:n] 1. a abjura. 2. a renunţa solemn la. 3.

a jura că nu e adevărat. **II.** *vi.*, *vr. trec.* **foreswore** [fɔ:'swɔ:] , *part. trec.* **forsworn** [fɔ:'swɔ:n] a jura strâmb; a comite un sperjur.

forswore [fɔ:'swɔ:] *vt.*, *vr. trec. de la* **forswear**.

forsworn [fɔ:'swɔ:n] *vt.*, *vr. part. trec. de la* **forswear**.

forsythia [fɔ:'saiθiə] *s. bot.* forsythia, clopoţel galben *(Forsythia suspensa)*.

fort [fɔ:t] *s.* fort.

forte *s.* **1.** [fɔ:t] tărie, superioritate *(a unei persoane)*. **2.** specialitate. **3.** ['fɔ:ti] *muz.* forte.

forth [fɔ:θ] *adv.* **1.** înainte. **2.** afară. || *to put* ~ a scoate (la iveală).

forthcoming [fɔ:θ'kʌmiŋ] *adj.* **1.** aşteptat. **2.** viitor. **3.** în curs de apariţie. **4.** săritor la nevoie, serviabil. **5.** amabil, prietenos.

forthright ['fɔ:θrait] *adj.* **1.** deschis. **2.** sincer.

forthwith [ˌfɔ:θ'wið] *adv.* îndată.

fortieth ['fɔ:tiiθ] *num.* al patruzecilea.

fortification [ˌfɔ:tifi'keiʃn] *s.* fortificaţie.

fortify ['fɔ:tifai] *vt.* **1.** a întări. **2.** a fortifica.

fortissimo [fɔ:'tisimou] *adv.*, *s. muz.* fortissimo.

fortitude ['fɔ:titju:d] *s.* vitejie, bravură (statornică).

fortnight ['fɔ:tnait] *s.* (perioadă de) două săptămâni.

fortnightly ['fɔ:tˌnaitli] *adj.*, *adv.* bilunar; (o dată) la două săptămâni.

Fortran ['fɔ:træn] *s. cib.* Fortran *(limbaj de programare)*.

fortress ['fɔ:tris] *s.* fortăreaţă; cetate.

fortuitous [fɔ:'tjuitəs] *adj.* întâmplător.

fortunate ['fɔ:tʃnit] *adj.* **1.** norocos. **2.** fericit. **3.** triumfător.

fortunately ['fɔ:tʃnitli] *adv.* din fericire.

fortune ['fɔ:tʃn] *s.* **1.** noroc. **2.** şansă. **3.** destin. **4.** avere.

fortune-teller ['fɔ:tʃnˌtelə] *s.* ghicitor; ghicitoare.

forty ['fɔ:ti] *num.* patruzeci.

forum ['fɔ:rəm] *s.* for.

forward ['fɔ:wəd] **I.** *s.* înaintaş. **II.** *adj.* **1.** din frunte. **2.** în înaintare. **3.** timpuriu. **4.** nerăbdător. **5.** viitor. **6.** îndrăzneţ, obraznic. **III.** *vt.* **1.** a înainta. **2.** a trimite. **3.** a expedia. **IV.** *adv.* **1.** înainte, în faţă. **2.** spre viitor. || *to*

come ~ a se oferi; *to look* ~ *to* a aştepta cu nerăbdare.

forwardness ['fɔ:wədnis] *s.* **1.** promptitudine. **2.** bunăvoinţă. **3.** caracter prematur. **4.** pripeală. **5.** impertinenţă.

forwards ['fɔ:wədz] *adv.* **1.** înainte, în faţă. **2.** spre viitor.

forwent [fɔ:'went] *vt. part. trec. de la* **forgo**.

fosse [fɔs] *s.* **1.** *geogr. mil.* şanţ, canal, tranşee. **2.** *anat.* fosă *(nazală etc.)*

fossil ['fɔsl] **I.** *s.* fosilă *(şi fig.).* **II.** *adj.* fosilizat.

fossilize ['fɔsilaiz] **I.** *vt.* a fosiliza, a transforma în fosilă. **II.** *vi.* **1.** a se fosiliza. **2.** *fig.* a se mumifica.

foster ['fɔstə] *vt.* **1.** a creşte. **2.** a hrăni. **3.** a alăpta. **4.** *(fig.)* a nutri. **5.** a sprijini.

foster-brother ['fɔstə‚brʌðə] *s.* frate de lapte.

foster-child ['fɔstə‚tʃaild] *s.* copil adoptiv.

foster-mother ['fɔstə‚mʌðə] *s.* mamă adoptivă.

fought [fɔ:t] *vt.*, *vi. trec. şi part. trec. de la* **fight**.

foul [faul] **I.** *s.* **1.** rău, ticăloşie. **2.** purtare incorectă. **3.** *sport* fault. **II.** *adj.* **1.** urât. **2.** murdar. **3.** rău. **4.** rău mirositor. **5.** ticălos. **6.** incorect. **7.** tulbure. **III.** *vt.* **1.** a strica. **2.** a infecta. **IV.** *vi.* **1.** a se ciocni. **2.** a se încurca. **V.** *adv.* **1.** rău. **2.** urât, josnic, mârşav. **3.** incorect. || *to fall* ~ *of* a se ciocni (cu); a se purta urât cu cineva.

foulard ['fu:lɑ:(d)] *s.* fular, şal.

foul play [ˌfaul 'plei] *s.* **1.** *sport* fault. **2.** *(fig.)* înşelătorie; necinste. **3.** violenţă.

found[1] [faund] *vt.*, *vr. trec. şi part. trec. de la* **find**.

found[2] [faund] *vt.* **1.** a întemeia; a înfiinţa. **2.** a baza.

found[3] [faund] *vt. tehn.* **1.** a topi, a turna în forme *(metale, sticlă)*. **2.** a pili.

foundation [faun'deiʃn] *s.* **1.** întemeiere. **2.** înfiinţare. **3.** fundaţie. **4.** temelie; bază.

founder ['faundə] **I.** *s.* **1.** întemeietor. **2.** ctitor. **II.** *vt.* a scufunda. **III.** *vi.* **1.** a se scufunda. **2.** a cădea. **3.** a se împotmoli. **4.** a se dărâma.

foundling ['faundliŋ] *s.* copil găsit.

foundry ['faundri] *s.* topitorie.

fount [faunt] *s.* **1.** fântână. **2.** izvor. **3.** *tipo.* casetă cu litere.

fountain ['fauntin] *s.* **1.** fântână. **2.** cişmea. **3.** ţâşnitoare. **4.** *fig.* sursă, izvor.

fountain-head [fauntin'hed] *s.* izvor *(fig.)*.

fountain-pen ['fauntinpen] *s.* stilou, toc rezervor.

four [fɔ:] *s.*, *num.* (număr de) patru. || *on all* ~s în patru labe.

fourfold ['fɔ:fould] *adj.*, *adv.* împătrit.

four-footed ['fɔ:'futid] *adj.* patruped.

four-in-hand ['fɔ:rin'hænd] *s.* trăsură cu patru cai.

four-o'clock [fɔrə'klɔk] *s.* **1.** *bot.* barba-împăratului, noptiţă *(Mirabilis jalapa)*. **2.** de la ora patru; *bot.* care înfloreşte la ora patru.

fourpence ['fɔ:pns] *s.* patru penny.

four-poster [fɔ:'poustə] *s.* **1.** pat *(cu baldachin)* cu patru stâlpi. **2.** *mar. sl.* navă cu patru catarge.

fourscore [fɔ:'skɔ:] *num.*, *adj.*, *pron.*, *s. înv.* optzeci. || *man of* ~ octogenar.

foursome ['fɔ:səm] *s. sport* partidă (de golf) între două perechi; joc / partidă în patru.

four-square [fɔ:'skwɛə] **I.** *s.* pătrat, careu. **II.** *adj.* **1.** pătrat, în patru colţuri. **2.** *fig.* neclintit, ferm. || *we have stood* ~ *to every storm* am ţinut piept furtunilor / vijeliilor.

fourteen ['fɔ:'ti:n] *num.* paisprezece.

fourteenth ['fɔ:'ti:nθ] **I.** *s.* paisprezecime. **II.** *num.* al paisprezecelea.

fourth [fɔ:θ] **I.** *s.* pătrime. **II.** *num.* al patrulea.

fowl [faul] *s. ornit.* **1.** găină; cocoş. **2.** pasăre de curte. **3.** pasăre care se vânează.

fowler ['faulə] *s.* vânător *(de păsări)*.

fowling-piece ['fauliŋpi:s] *s.* puşcă de vânătoare *(pentru păsări)*.

fox [fɔks] *s. zool.* vulpe *(Vulpes sp.)*.

foxglove ['fɔksglʌv] *s. bot.* degeţel roşu *(Digitalis purpurea)*.

foxhound ['fɔks‚haund] *s.* rasă englezească de câine de vânătoare.

fox-terrier ['fɔks‚teriə] *s.* foxterier.

foxtrot ['fɔkstrɔt] *s. muz.* foxtrot.

foxy ['fɔksi] *adj.* şiret *(ca o vulpe)*.

foyer ['fɔiei] s. foaier.

Fr. abrev. 1. Father tată. 2. French franceză.

fr. abrev. franc(s) franc(i).

fracas ['trækɔ:] s. scandal, tărăboi.

fraction ['frækʃn] s. 1. fracție. 2. fracțiune. 3. fărâmă.

fractional ['trækʃnǝl] adj. 1. fracțional, parțial. 2. fam. neînsemnat. 3. mat. fracționar. 4. chim. fracționat.

fractious ['trækʃǝs] adj. 1. nervos, dificil, iritabil. 2. supărăcios, țâfnos.

fracture ['træktʃǝ] I. s. 1. fractură. 2. ruptură. II. vt., vi. a (se) fractura; a (se) stâlci.

fragile ['frædʒail] adj. 1. fragil. 2. delicat.

fragility [trǝ'dʒiliti] s. 1. fragilitate, friabilitate. 2. fig. gingășie, șubrezenie, slăbiciune. 3. met. frangibilitate.

fragment ['trægmǝnt] s. 1. fragment. 2. bucată (ruptă); sfărâmătură.

fragmentary ['trægmǝntǝri] adj. 1. fragmentar, parțial. 2. geol. detritic, clastic.

fragrance ['treigrns] s. 1. aromă; savoare. 2. mireasmă, parfum.

fragrant ['treigrnt] adj. 1. înmiresmat, parfumat. 2. savuros, încântător.

frail [treil] adj. 1. plăpând, firav; slab. 2. nesigur.

frailty ['treilti] s. 1. slăbiciune. 2. ușurință, nesocotință. 3. greșeală.

frame [treim] I. s. 1. cadru. 2. ramă. 3. structură. 4. construcție. 5. trup. 6. stare. II. vt. 1. a încadra. 2. a alcătui. 3. a plănui. 4. a pregăti. 5. a dezvolta. 6. amer. a înscena un proces împotriva (cu gen.). III. vi. 1. a prinde viață. 2. a se dezvolta.

frame of mind [,treimǝv'maind] s. 1. dispoziție. 2. concepție. 3. mentalitate.

frame-up ['treimʌp] s. înscenare judiciară.

framework ['treimwǝ:k] s. cadru (mai ales fig.).

franc [træŋk] s. fin. franc.

franchise ['træntʃaiz] s. drepturi cetățenești. 2. autorizație, licență.

frank [træŋk] I. s. scrisoare scutită de taxe poștale. II. adj. 1. sincer. 2. deschis; franc; fără ocolișuri / menajamente.

frankfurter ['træŋkfǝ:tǝ] s. (mai ales amer.) frankfurter, cârnat de Frankfurt.

frankincense ['træŋkin,sens] s. tămâie.

franklin ['træŋklin] s. ist. răzeș înstărit (în Anglia).

frankly ['træŋkli] adv. franc, sincer, deschis.

frankness ['træŋknis] s. franchețe, sinceritate.

frantic ['træntik] adj. 1. nebunesc. 2. înnebunitor.

frantically ['træntikǝli] adv. frenetic, cu frenezie / disperare.

fraternal [trǝ'tǝ:nl] adj. frățesc.

fraternity [trǝ'tǝ:niti] s. frăție.

fraternize ['trætǝnaiz] vi. a fraterniza.

fratricide ['trætrisaid] s. fratricid.

fraud [trɔ:d] s. 1. înșelătorie, șarlatanie, impostură, înșelăciune. 2. impostor; șarlatan.

fraudulent ['trɔ:djulǝnt] adj. 1. necinstit, 2. înșelător.

fraught [trɔ:t] adj. (with) încărcat, plin (de). || ~ with pleasure încântător; ~ with danger primejdios.

fray [frei] I. s. 1. bătaie. 2. luptă. II. vt. a uza, a roade. III. vi. 1. a (se) uza. 2. a (se) roade.

frazzle ['træzl] fam. (mai ales amer.). I. vt. 1. a roade, a uza (haine etc.). 2. a slei. II. vi. (d. haine etc.) a se rupe, a se face ferfeniță. III. s. 1. deteriorare, uzură (a hainelor). 2. capăt tocit.

freak [tri:k] s. 1. capriciu; curiozitate. 2. act irațional. 3. anomalie, capriciu al naturii.

freakish ['tri:kiʃ] adj. 1. capricios. 2. ciudat, anormal.

freckle ['trekl] I. s. pistrui. II. vt., vi. a (se) pistruia.

freckled ['trekld] adj. pistruiat, plin de pistrui.

free [tri:] I. adj. 1. liber. 2. slobod. 3. gratuit. 4. scutit. 5. neocupat. 6. separat. 7. grațios. 8. generos. || to make ~ use of a recurge la; to make ~ with a profita de; ~ from (trouble etc.) scutit de (necazuri etc.). II. vt. a elibera. III. adv. gratis.

freebooter ['tri:,bu:tǝ] s. ist. corsar.

free-born [tri: 'bɔ:n] adj. (mai ales jur.) născut liber.

freedman ['tri:dmǝn] s. pl. freedmen ['tri:dmǝn] sclav liberat, libert.

freedom ['tri:dǝm] s. 1. libertate. 2. familiaritate.

free-handed [tri:'hændid] adj. generos, darnic, cu mână largă.

freehold ['tri:hould] s. proprietate funciară.

freely ['tri:li] adv. 1. liber, fără îngrădiri, de bunăvoie. 2. îmbelșugat, abundent. 3. familiar. 4. spontan, de la sine. 5. gratis, gratuit. 6. darnic, cu generozitate.

freeman ['tri:mǝn] s. pl. freemen ['tri:mǝn] 1. om liber. 2. răzeș.

freemason ['tri:,meisn] s. francmason.

freemasonry ['tri:,meisnri] s. francmasonerie.

freesia ['tri:ziǝ] s. bot. frezie (Freesia).

free speech [tri:'spi:tʃ] s. libertatea cuvântului.

free-thinker ['tri:'θiŋkǝ] s. liber cugetător.

free will [tri:'wil] s. liberă voință, liber arbitru. || of one's ~ de bunăvoie, benevol.

freeze [tri:z] I. s. înghețare. II. vt. trec. froze [trouz], part. trec. frozen ['trouzn] a îngheța. III. vi. trec. froze [trouz], part. trec. frozen ['trouzn] a se slei.

freezer ['tri:zǝ] s. 1. congelator, frigorifer, agregat frigorific. 2. mașină pentru făcut înghețată. 3. (cuvânt australian) fam. crescător de animale; persoană care se ocupă cu exportul cărnii congelate. 4. fam. zi friguroasă. 5. fig. răceală, rezervă.

freezing-point ['tri:ziŋpɔint] s. punct de înghețare a apei.

freight [treit] I. s. 1. marfă. 2. transport, cărăușie (mai ales pe apă). II. vt. 1. a angaja pentru transport. 2. a transporta (mai ales pe apă).

freighter ['treitǝ] s. 1. armator. 2. vas comercial.

French [trentʃ] I. s. (limba) franceză. || the ~ francezii. II. adj. francez, franțuzesc.

Frenchman ['trentʃmǝn] s. pl. Frenchmen ['trentʃmǝn] francez, franțuz.

Frenchwoman ['trentʃ,wumǝn] s. pl. Frenchwomen ['trentʃ,wimin] franțuzoaică.

frenetic [trǝ'netik] adj. v. frenzied.

frenzied ['trenzid] adj. 1. înnebunit. 2. nebunesc. 3. frenetic, delirant.

frenzy ['trenzi] s. 1. nebunie. 2. frenezie.

frequency ['fri:kwənsi] *s.* **1.** frecvență. **2.** repetiție.

frequent[1] ['fri:kwənt] *adj.* frecvent.

frequent[2] [fri'kwent] *vt.* a frecventa.

frequently ['fri:kwəntli] *adv.* adeseori, (în mod) frecvent.

fresco ['freskou] *s. pl.* **frescoes** ['freskouz] **1.** frescă. **2.** *fig.* tablou, descriere.

fresh [freʃ] **I.** *s.* **1.** prospețime. **2.** răcoare. || *the ~ of the morning* zorii zilei. **II.** *adj.* **1.** proaspăt. **2.** nou. **3.** necunoscut. **4.** curat; înviorător. **5.** proaspăt. **6.** *(d. apă)* dulce. **7.** *amer.* obraznic. || *to break ~ ground* a deșteleni terenul *(fig.)*.

freshen ['freʃn] **I.** *vt.* **1.** a împrospăta *(aerul, memoria etc.)* **2.** a desăra *(carnea).* **3.** *met.* a rafina, a dezoxida *(metalele).* **4.** *med.* a aviva. **5.** *mar.* a înlocui *(o parâmă etc.).* **II.** *vi.* **1.** a înflori, a da (în) floare; a îmboboci. **2.** a se desăra. **3.** *(mar., d. vânt)* a se întări. **4.** *(d. vreme, temperatură)* a se răci, a se răcori.

fresher ['freʃə] *s. fam.* boboc, student în anul I.

freshet ['freʃit] *s.* **1.** puhoi. **2.** curent de apă dulce în mare *(la gura fluviilor).* **3.** *înv.* pârâu.

freshly ['freʃli] *adv.* **1.** *(în cuvinte compuse cu participii trecute)* proaspăt, de curând. *(ex.: ~ gathered* proaspăt cules).* **2.** cu vioiciune, cu putere.

freshman ['freʃmən] *s. pl.* **freshmen** ['freʃmən] student în anul I, boboc.

freshness ['freʃnis] *s.* **1.** prospețime; noutate. **2.** lipsă de experiență; noviciat.

freshwater ['freʃ,wɔ:tə] *adj.* de apă dulce.

fret[1] [fret] **I.** *vt.* **1.** a agita. **2.** a necăji. **3.** a uza. **4.** a ajura. **5.** a împodobi cu chenar *sau* ajur. **II.** *vi.* **1.** a se necăji. **2.** a se agita. **3.** a fi nervos.

fret[2] [fret] **I.** *s. arhit.* ornament în unghiuri drepte. **II.** *vt.* a orna(menta) *(un plafon etc.).*

fretful ['fretfl] *adj.* **1.** nervos. **2.** agitat. **3.** nemulțumit.

fretfully ['fretfuli] *adv.* **1.** iritat; ursuz. **2.** *(despre vânt)* în rafale.

fret-saw ['fretsɔ:] *s.* traforaj.

fretwork ['fretwə:k] *s.* **1.** orna-

mente traforate. **2.** ajur.

Freudian ['frɔidiən] *adj.* freudian.

friable ['fraiəbl] *adj.* friabil, (s)fărâmicios; fragil; gingaș.

friar ['fraiə] *s.* călugăr.

friary ['fraiəri] *s.* mănăstire de călugări.

fricassee [,frikə'si:] **I.** *s.* tocană. **II.** *vt.* a face tocană din.

fricative ['frikətiv] *fon.* **I.** *s.* (consoană) fricativă. **II.** *adj.* fricativ.

friction ['frikʃn] *s.* **1.** frecare. **2.** *(fig.)* fricțiune; neînțelegere.

Friday ['fraidi] *s.* vineri.

fridge [fridʒ] *s. fam.* frigider; răcitor.

friend [frend] *s.* **1.** prieten(ă). **2.** iubit(ă). **3.** rudă. || *to make ~s with* a se împrieteni cu.

friendless ['frendlis] *adj.* fără rude *sau* prieteni; singur pe lume.

friendliness ['frendlinis] *s.* **(to, towards)** bunăvoință, dispoziție favorabilă (față de).

friendly ['frendli] *adj.* **(to)** **1.** prietenos (cu). **2.** amabil, cordial (cu).

friendship ['frendʃip] *s.* prietenie.

frieze [fri:z] *s. arhit.* friză.

frigate ['frigit] *s.* fregată.

fright [frait] *s.* **1.** spaimă. **2.** *fig.* sperietoare (de ciori). || *to take ~ at* a se speria de.

frighten ['fraitn] *vt.* a speria.

frightful ['fraitfl] *adj.* **1.** înspăimântător. **2.** groaznic.

frightfully ['fraitfli] *adv.* **2.** înspăimântător, teribil. foarte, extrem de.

frightfulness ['fraitfulnis] *s.* grozăvie, atrocitate.

frigid ['fridʒid] *adj.* **1.** rece, glacial. **2.** neprietenos. **3.** frigid. **4.** țeapăn.

frigidity [fri'dʒiditi] *s.* **1.** frig, ger. **2.** *fig.* răceală, rezervă, indiferență. **3.** *med.* frigiditate.

frill [fril] *s.* **1.** jabou; volănaș. **2.** *pl.* zorzoane. **3.** *pl. (fig.)* aere, afectare.

frilled [frild] *adj.* **1.** înzorzonat, împopoțonat. **2.** afectat, cu pretenții.

fringe [frindʒ] **I.** *s.* **1.** franjuri; bord(ură). **2.** breton. **3.** margine. **II.** *vt.* **1.** a mărgini. **2.** a împodobi.

frippery ['fripəri] **I.** *s.* **1.** dichisuri, zorzoane. **2.** fleacuri. **3.** *înv.* vechituri, boarfe. **II.** *adj.* de nimic, fără valoare.

Frisco ['friskou] *s. fam. (presc. de la)* San Francisco.

frisk [frisk] *vi.* a se zbengui.

frisky ['friski] *adj.* **1.** jucăuș. **2.** vioi.

frith [friθ] *s. v.* **firth.**

fritter ['fritə] *vt.* **1.** a risipi, a irosi. **2.** a toca mărunt, a fărâmița.

frivolity [fri'vɔliti] *s.* **1.** neseriozitate. **2.** frivolitate.

frivolous ['frivələs] *adj.* **1.** neserios. **2.** frivol. **3.** fără importanță.

friz(z) [friz] **I.** *vt.* a freza, a ondula, a încreți *(părul).* **II.** *vi.* a se încreți. **III.** *s.* cârlionț, buclă; păr ondulat.

frizzle ['frizl] **I.** *vt. v.* **friz(z) I. II.** *s.* încrețire, ondulare *(a părului).*

fro [frou] *adv.: to and ~* încolo și încoace; în sus și în jos.

frock [frɔk] *s.* **1.** rochie, rochiță. **2.** anteriu. **3.** halat (de lucru); salopetă.

frock-coat [,frɔk'kout] *s.* redingotă.

frog[1] [frɔg] *s. zool.* broască; brotac *(Rana).*

frog[2] ['frɔg] *s.* brandenburg *(ornament la tunicile militare).*

frogman ['frɔgmən] *s. pl.* **frogmen** ['frɔgmən] scafandru, ombroască.

frolic ['frɔlik] **I.** *s.* **1.** capriciu. **2.** zbenguială. **3.** năzbâtie. **4.** farsă. **II.** *vi.* **1.** a zburda. **2.** a se juca. **3.** a se ține de pozne.

frolicsome ['frɔliksəm] *adj.* **1.** jucăuș. **2.** zburdalnic.

from [frɔm, frəm] *prep.* **1.** de la. **2.** din. **3.** de (pe). **4.** de. **5.** din; din pricina *(cu gen.).* **6.** față de. || *~ ... to* între; de la... până la; *~ time to time* din când în când; *~ under* de dedesubtul *(cu gen.).*

frond [frɔnd] *s. bot.* frunză *(de ferigă sau palmier).*

front [frʌnt] **I.** *s.* **1.** față. **2.** *fig.* frunte. **3.** fațadă. **4.** front. **5.** țărm. **6.** nerușinare. **7.** plastron. || *in ~* în față; *in ~ of* înaintea *(cu gen.);* în fața *(cu gen.); at the ~* pe front. **II.** *adj.* **1.** frontal. **2.** din față, anterior. **III.** *vt.* **1.** a fi orientat către. **2.** *(fig.)* a privi spre. **IV.** *vi.* a fi orientat. **V.** *adv.* în față.

frontage ['frʌntidʒ] *s.* **1.** fațadă. **2.** front (de clădiri).

frontal ['frʌntl] *adj.* frontal.

frontier ['frʌntjə] *amer.* [frʌn'tiər] **I.** *s.* **1.** frontieră. **2.** *pl.* limită, periferie. **II.** *adj.* de frontieră.

frontier guard ['frʌntjəgɑ:d] *s.* grănicer.

frontispiece ['frʌntispiːs] s. 1. arhit., tipo. frontispiciu. 2. sl. mutră, vitrină.

frontlet ['frʌntlit] s. 1. diademă. 2. fruntar (legătură de pânză purtată de călugăriţe pe frunte). 3. bis. corn, filater (la evrei). 4. cureaua de pe fruntea calului. 5. pată (pe fruntea unui animal).

front page ['frʌnt,peidʒ] I. s. 1. pagină de titlu (a cărţii). 2. pagina întâi (a ziarelor). II. adj. (d. ştire) important; senzaţional. III. vt. a publica.

front rank ['frʌntræŋk] I. s. rândul întâi. II. adj. fruntaş, de frunte.

frost [frɔst] I. s. 1. ger. 2. frig. 3. (fig.) răceală. 4. eşec. II. vt. 1. a îngheţa. 2. a jivra. 3. a face să degere. III. vi. 1. a îngheţa. 2. a degera.

frost-bite ['frɔsbait] s. degerătură; pişcat de ger.

frost-bitten ['frɔs,bitn] adj. degerat, pişcat de ger.

frosting ['frɔstiŋ] s. 1. glazură. 2. jivraj.

frosty ['frɔsti] adj. 1. geros. 2. îngheţat. 3. fig. glacial.

froth [frɔθ] II. s. 1. spumă. 2. fig. aiureală. 3. vorbărie goală. II. vi. a face spumă.

frothy ['frɔθi] adj. 1. spumos. 2. înspumat. 3. fig. neserios.

froward ['frouəd] adj. înv. 1. năzuros, cu toane, capricios. 2. încăpăţânat; neascultător, nesupus. 3. prost dispus, îmbufnat, posac.

frown [fraun] I. s. 1. încruntare. 2. severitate. II. vi. a se încrunta (la); a privi cu ochi răi (cu acuz.).

frowst [fraust] s. fam. aer închis (în cameră).

frowsy, frowzy ['frauzi] adj. 1. (d. aer, atmosferă) închis, îmbâcsit. 2. (d. îmbrăcăminte) murdar, soios, jegos. 3. (d. păr) nespălat, neglijent; nepieptănat.

froze [trouz] vt., vi. trec. de la **freeze**.

frozen ['frouzn] vt., vi. part. trec. de la **freeze**.

fructification [,frʌktifi'keiʃn] s. bot. 1. rodire (formarea fructului). 2. organe de reproducere (la criptogame). 3. fecundare, fecundaţie.

fructify ['frʌktifai] I. vt. 1. bot. a fertiliza, a face să rodească. 2.

com. a fructifica, a da sau a aduce beneficii (cuiva). II. vi. bot. a da roade.

fructose ['frʌktous] s. chim. fructoză, levuloză.

frugal ['fruːgl] adj. 1. chibzuit. 2. economic. 3. redus. 4. cumpătat.

fruit [fruːt] I. s. 1. fruct. 2. fructe. 3. pl. roade. 4. profit. II. vi. a da roade (fig.).

fruiterer ['fruːtərə] s. vânzător de fructe.

fruitful ['fruːtfl] adj. rodnic.

fruition [fru:'iʃən] s. 1. uzufruct al unei proprietăţi. 2. îndeplinire, realizare (a dorinţelor etc.); bucurie (de pe urma unui eveniment etc.).

fruitless ['fruːtlis] adj. 1. sterp. 2. inutil. 3. nereuşit.

fruity ['fruːti] adj. 1. de fructe, ca un fruct. 2. (d. vin) păstrând aroma strugurilor. 3. fig. foarte interesant, nostim.

frump [frʌmp] s. fam. 1. femeie îmbrăcată demodat şi fistichiu. || peior. old ~ babornIţă. 2. femeie cârcotaşă.

frustrate [frʌ'streit] vt. 1. a zădărnici. 2. a împiedica. 3. a dejuca. 4. a nemulţumi.

frustration [frʌs'treiʃn] s. (from) 1. zădărnicire. 2. nemulţumire. 3. dezamăgire (de pe urma – cu gen.).

fry [frai] I. s. 1. (small ~) plevuşcă, peştişori mici. 2. pl. înv. posteritate, urmaşi. 3. pl. peior. fleacuri, mofturi. II. vt. a prăji (la tigaie, în untură etc.). || fried eggs ochiuri (la tigaie). III. vi. a se prăji.

frying-pan ['fraiiŋpæn] s. tigaie (cu coadă).

fuchsia ['fjuːʃə] s. bot. fucsie, cerceluş (Fuchsia sp.).

fuddle ['fʌdl] vt. 1. a îmbăta. 2. a ameţi.

fuddy-duddy ['fʌdi,dʌdi] s. fam. persoană rigidă, încuiat.

fudge [fʌdʒ] I. vt. 1. fig. a falsifica, a denatura. 2. fig. a inventa, a scorni. 3. a copia (la şcoală). 4. a rasoli, a face (ceva) de mântuială. II. vi. a spune gogoşi. III. s. 1. invenţie, născocire. 2. un fel de bomboană (fondantă) de ciocolată. 3. (în ziar) ultimele ştiri; ştiri senzaţionale; spaţiu (alb) rezervat ştirilor de ultimă oră. III. interj. aş! prostii!

fuel [fjuəl] I. s. combustibil. || to add ~ to the fire a turna gaz

peste foc. II. vt., vi. a (se) alimenta cu combustibil.

fuel oil ['fjuəlɔil]s. păcură.

fug [fʌg] I. s. 1. zăpuşeală, zăduf; aer închis. 2. gunoi, murdărie (mai ales în colţurile camerei). II. vi. 1. a sta în zăpuşeală / în aer închis. 2. a duce o viaţă sedentară.

fugitive ['fjuːdʒitiv] s., adj. fugar.

fugue [fjuːg] s. muz. fugă.

fulcrum ['fʌlkrəm] s. punct de sprijin.

fulfil [ful'fil] vt. 1. a împlini. 2. a realiza, a îndeplini. 3. a săvârşi. 4. a desăvârşi. 5. a mulţumi.

full [ful] I. s. 1. întreg. 2. întregime. 3. plin; toi, apogeu. || in ~ în întregime; to the ~ pe deplin. II. adj. 1. complet, deplin. 2. maxim. 3. larg. 4. matur. III. vt. text. 1. a scămoşa. 2. a bate (o ţesătură la piuă).

full-back [ful'bæk] s. sport fundaş (la fotbal etc.).

full-blooded ['ful'blʌdid] adj. 1. pasionat. 2. viguros. 3. de rasă pură.

full-blown [ful'bloun] adj. bot. 1. în plină înflorire. 2. fig. perfect, desăvârşit; (d. vârstă etc.) înfloritor. || he is a ~ lawyer are toate diplomele de avocat.

full dress ['ful'dres] s. 1. haine de gală. 2. haine de seară. 3. mare ţinută.

fuller ['fulə] s. text. călcător, piuar.

full-fledged ['ful'fledʒd] adj. matur.

full house [,ful'haus] s. 1. teatru sală arhiplină. 2. ful (la pocher).

full-length [,ful'leŋθ] adj. în mărime naturală.

ful(l)ness ['fulnis] s. 1. plenitudine. 2. saţ. 3. mulţumire.

full stop [,ful'stɔp] s. 1. punct (în punctuaţie). 2. (fig.) sfârşit, încheiere; capăt. 3. oprire.

fully ['fuli] adv. cu totul, pe deplin.

fulmar ['fulmə] s. ornit. pasăre palmipedă din mările nordice (Fulmarus glacialis).

fulminant ['fʌlminənt] adj. 1. fulgerător. 2. chim. fulminant, detonant. 3. (d. febră) galopant.

fulminate ['fʌlmineit] vi. (against) (a tuna şi) a fulgera (împotriva).

fulsome ['fulsəm] adj. 1. excesiv (de linguşitor etc.). 2. greţos.

fumble ['fʌmbl] I. *vt.* a umbla neîndemânatic cu. II. *vi.* 1. a bâjbâi. 2. a umbla stângaci *(cu ceva)*. 3. a fi neîndemânatic.

fume [fju:m] I. *s.* 1. abur *(şi fig.)*; *pl.* aburii absolutului / beţiei. 2. acces *(de furie etc.)*. 3. tulburare, agitaţie. II. *vt.* a afuma. III. *vi.* 1. a scoate foc şi fum *(fig.)*. 2. a fierbe *(fig.)* **(with** − de supărare; **at** − pe ceva / cineva).

fumigate ['fju:migeit] *vt.* a afuma.

fumigation [fju:mi'geiʃn] *s.* 1. afumare, afumat; gazare, dezinfectare; *agr., chim., med.* fumigaţie. 2. *înv.* tămâiere.

fun [fʌn] *s.* 1. distracţie. 2. veselie. 3. glumă. 4. ridicol. 5. persoană amuzantă *sau* ridicolă. || *to make* ∼ *of; to poke* ∼ *at* a batjocori; *in* ∼ în glumă.

function ['fʌŋʃn] I. *s.* 1. funcţie. 2. funcţiune. 3. scop. 4. *pl.* îndatoriri. 5. *amer.* ceremonie *(nuntă etc., dar mai ales funebră)*; înmormântare. II. *vi.* 1. a funcţiona. 2. a îndeplini o datorie.

functional ['fʌŋkʃənəl] *adj.* funcţional.

functionary ['fʌŋʃnəri] *s.* funcţionar.

fund [fʌnd] I. *s.* 1. fond. 2. *pl.* resurse. II. *vt.* a furniza *(fonduri)*.

fundamental [ˌfʌndə'mentl] *adj.* 1. fundamental. 2. elementar.

fundamentalism [ˌfʌndə'mentolizəm] *s. rel.* fundamentalism.

fundamentals [ˌfʌndə'mentlz] *s. pl.* (elemente de) bază; baze; esenţă.

funeral ['fju:nrl] I. *s.* înmormântare. || *it's not my* ∼ mie nu-mi pasă; nu e treaba mea; *it's your own* ∼ te priveşte (personal). II. *adj.* funerar.

funeral repast ['fju:nrl riˌpɑ:st] *s.* praznic.

funereal [fju:'niəriəl] *adj.* 1. funerar. 2. sinistru.

fungi ['fʌngi:] *pl. de la* **fungus**.

fungicide ['fʌndʒisaid] *adj.* fungicid.

fungus ['fʌngəs] *s. pl.* **fungi** ['fʌngi:] ciupercă.

funicular (railway) [fju'nikjulə ('reilwei)] *s.* funicular.

funk [fʌŋk] I. *s.* spaimă. II. *vt., vi.* a (se) speria.

funnel ['fʌnl] *s.* pâlnie. 2. coş *(de vapor, locomotivă)*.

funny ['fʌni] *adj.* 1. nostim. 2. amuzant. 3. ciudat.

funny story ['fʌni'stɔ:ri] *s.* 1. anecdotă. 2. glumă.

fur [fɔ:] I. *s.* 1. blană. 2. animal(e) cu blană. 3. crustă. II. *adj.* de blană. III. *vt.* a îmblăni. IV. *vi.* 1. a se acoperi cu (o) blană. 2. a face crustă.

furbelow ['fɔ:bilou] I. *s.* 1. volan *(la rochie)*. 2. *pl. peior.* boarfe, zdrenţe. II. *vt.* a împodobi cu volane.

furbish ['fɔ:biʃ] *vt.* a lustrui.

furcate ['fɔ:keit] I. *adj.* bifurcat; răşchirat. II. *vt., vr.* a (se) bifurca.

furious ['fjuəriəs] *adj.* 1. furios. 2. vehement. 3. violent. 4. nestăpânit.

furl [fɔ:l] *vt., vi.* a (se) înfăşura.

furlong ['fɔ:lɔŋ] *s.* măsură de lungime, optime de milă *(200 m)*.

furlough ['fɔ:lou] *s.* 1. *mil.* permisie. 2. concediu.

furnace ['fɔ:nis] *s.* 1. furnal; coş. 2. cuptor.

furnish ['fɔ:niʃ] *vt.* 1. a mobila. 2. a aproviziona.

furnishings ['fɔ:niʃiŋz] *s. pl.* 1. mobilier. 2. furnituri. 3. garnituri.

furniture ['fɔ:nitʃə] *s.* mobilă.

furore [fjuə'rɔ:ri] *s.* vâlvă, entuziasm.

furrier ['fʌriə] *s.* blănar.

furrow ['fʌrou] I. *s.* brazdă *(fig.)*. II. *vt.* a brăzda.

furry ['fɔ:ri] *adj.* 1. îmblănit. 2. cu blană.

further ['fɔ:ðə] I. *adj. comp. de la* **far** I. 1. mai îndepărtat. 2. suplimentar. 3. nou. 4. viitor. II. *vt.* 1. a promova. 2. a continua, a duce mai departe. 3. a ajuta, a sprijini, a susţine. III. *adv. comp. de la* **far** II. 1. mai departe. 2. în continuare. 3. în plus. 4. de asemenea. || ∼ *to com.* urmare a *(scrisorii, convorbirii etc.)*.

furtherance ['fɔ:ðrns] *s.* promovare.

furthermore ['fɔ:ðə'mɔ:] *adv.* pe deasupra.

furthermost ['fɔ:ðəmoust] *adj.* v. **farthermost**.

furthest ['fɔ:ðist] I. *adj. superl. de la* **far** I. 1. cel mai îndepărtat. 2. celălalt. II. *adv. superl. de la* **far** II. 1. cel mai departe. 2. cel mai târziu.

furtive ['fɔ:tiv] *adj.* 1. (făcut pe) furiş. 2. tainic, ascuns, secret.

furtively ['fɔ:tivli] *adv.* pe furiş, în ascuns; hoţeşte.

fury ['fjuəri] *s.* 1. furie. 2. izbucnire. 3. om furios. 4. *pl.* istericale.

furze [fɔ:z] *s. bot.* grozamă, drobiţă; genistră *(Genista tinctoria)*.

fuse [fju:z] I. *s.* 1. fitil. 2. *el.* siguranţă. 3. şarjă. II. *vt., vi.* 1. a (se) topi. 2. a fuziona.

fuselage ['fju:zilɑ:ʒ] *s.* fuselaj.

fusible ['fju:zəbl] *adj.* fuzibil.

fusilier [fju:zi'liə] *s. mil.* puşcaş.

fusillade [ˌfju:zi'leid] *mil.* I. *s.* 1. canonadă. 2. împuşcare. II. *vi.* 1. a trage (cu puşca). 2. a împuşca.

fusion ['fju:ʒn] *s.* 1. fuziune. 2. unire. 3. îmbinare.

fuss [fʌs] I. *s.* 1. agitaţie. 2. emoţie. 3. zarvă, gălăgie. 4. scandal. II. *vt.* a enerva. III. *vi.* 1. a se agita. 2. a se afera; a-şi da importanţă. 3. a face multă gălăgie.

fussy ['fʌsi] *adj.* 1. aferat, agitat; (care se agită); exagerat. 2. nervos. 3. pisălog, care dă importanţă fleacurilor.

fustian ['fʌstiən] I. *s.* 1. sibir. 2. *fig.* palavre, vorbărie goală. II. *adj.* 1. de sibir. 2. ordinar; prost. 3. bombastic, emfatic, pompos, sforăitor.

fusty ['fʌsti] *adj.* 1. mucegăit. 2. (cu iz de) vechi; vetust.

futile ['fju:tail] *adj.* 1. inutil; zadarnic. 2. de prisos. 3. orgolios.

futility [fju:'tiliti] *s.* zădărnicie. 2. lucru de prisos.

futon ['fu:tɔn] *s.* saltea japoneză.

future ['fju:tʃə] I. *s.* viitor. || *for the* ∼; *in* ∼ de aci înainte. II. *adj.* (de) viitor.

futurism ['fju:tʃərizəm] *s. artă* futurism.

futuristic [ˌfju:tʃə'ristik] *adj. artă* futurist.

futurity [fju:'tjuəriti] 1. (ideea de) viitor. 2. eveniment viitor.

fuzz [fʌz] I. *s.* 1. praf şi pulbere. 2. păr pufos. II. *vi.* 1. a se acoperi cu praf şi pulbere. 2. a se spulbera, a se face praf şi pulbere.

fuzzy ['fʌzi] *adj.* 1. rufos. 2. difuz, vag; estompat. 3. nesigur. 4. flocos.

G

G [dʒiː] *s.* **1.** (litera) G, g. **2.** *muz.* (nota) sol.

gab [gæb] *s.* vorbărie, flecăreală.

gabardine ['gæbəˌdiːn] *s.* **1.** *text.* gabardină. **2.** gabardină, haină. **3.** îmbrăcăminte de gata.

gabble ['gæbl] **I.** *s.* flecăreală. **II.** *vt.* a spune repede; a flecări.

gabby ['gæbi] *adj. fam.* limbut, guraliv.

gaberdine ['gæbədiːn] *s.* gabardină.

gable ['geibl] *s. arhit.* fronton (în formă de triunghi cu vârful în sus); pinion.

gabled ['geibld] *adj.* (d. acoperiș) cu vârf ascuțit, țuguiat.

gaby ['geibi] *s. fam. reg.* nătărău, nerod.

gad [gæd] **I.** *s.* **1.** strămutare. **2.** *mine.* rangă. **3.** băț; nuia. **II.** *vi.* (și ~ **about**) a vagabonda, a hoinări. **III.** *interj.* Doamne!

gadabout ['gædəbaut] **I.** *s.* **1.** haimana, vagabond. **2.** țață, mahalagioaică. **II.** *adj.* hoinar.

gadfly ['gædflai] *s.entom.* **1.** tăun (Tabonus). **2.** streche (Hypoderma).

gadget ['gædʒit] *s.* **1.** dispozitiv / mecanism (ingenios). **2.** obiect ingenios *sau* nostim; gadget. **3.** podoabă, fleac.

Gaelic ['geilik] **I.** *s.* (limba) gaelică, velșă (limbă celtică vorbită în Scoția, Irlanda etc.). **II.** *adj.* gaelic, velș.

gaff ['gæf] **I.** *s.* cange pentru pescuit. **II.** *vt.* a prinde (pește) cu cangea.

gaffe [gæf] *s.* gafă, *fam.* boacănă.

gaffer ['gæfə] *s.* **1.** *iron.* moșulică, bunicuț; *peior.* babalâc, boșorog. **2.** maistru, șef de echipă.

gag [gæg] **I.** *s.* **1.** căluș. **2.** *teatru* truc, cârlig, gag. **3.** *fig. cin.* gag, găselniță. **II.** *vt.* **1.** a face să tacă. **2.** a pune căluș (cuiva).

gaga ['gɑːgɑː] *adj. sl.* **1.** dus, terminat; *fam.* (bătrân) ramolit, senil. **2.** (cam) sonat; *fam.* aiurit, într-o ureche.

gage [geidʒ] *s.* (instrument de) măsură, v. **gauge.**

gaggle ['gægl] **I.** *s. iron.* cârd de gâște; gâștele de pe Capitoliu. **II.** *vi.* a gâgâi.

gaiety ['geiəti] *s.* **1.** veselie. **2.** înfățișare festivă. **3.** *pl.* petreceri.

gaily ['geili] *adv.* **1.** vesel. **2.** necumpătat. **3.** dezordonat. **4.** țipător, strident.

gain [gein] **I.** *s.* **1.** câștig. **2.** spor. **II.** *vt.* **1.** a câștiga. **2.** a învinge. **3.** a ajunge la. **III.** *vi.* **1.** a câștiga. **2.** a profita. **3.** (d. ceas) a o lua înainte.

gainer ['geinə] *s.* câștigător. || *to be a great ~ by* a fi foarte câștigat de pe urma (cu gen.); *I am neither a ~ nor a loser by it* prin aceasta nici n-am câștigat, nici n-am pierdut.

gainful ['geinful] *adj.* rentabil, avantajos; lucrativ; (bine) plătit.

gainsaid [gein'sed] *vt. trec. și part. trec. de la* **gainsay.**

gainsay [gein'sei] *vt. trec. și part. trec.* **gainsaid** [gein'sed] **1.** a nega, a infirma. **2.** a contrazice. **3.** a pune la îndoială / în discuție, a contesta.

gait [geit] *s.* mers.

gaiters ['geitəz] *s. pl.* **1.** jambiere. **2.** ghetre.

gal. *abrev.* gallon(s) galon.

gala ['gɑːlə] **I.** *s.* **1.** festivitate, ceremonie; sărbătorire. **2.** sărbătoare, festival. **3.** (spectacol de) gală. **II.** *adj.* de gală, festiv, sărbătoresc.

galactic [gə'læktik] *adj. astr.* galactic.

galantine ['gælənˌtiːn] *s. gastr.* galantină, rasol (de pasăre) în aspic.

galaxy ['gæləksi] *s.* **1.** *astr.* galaxie. **2.** the ~ *astr.* Calea Laptelui / Lactee. **3.** *fig.* pleiade, constelație, grup.

gale [geil] *s.* **1.** vânt puternic. **2.** furtună. **3.** izbucnire.

Galen ['geilin] *s.* *glumeț* doctor.

galena [gə'liːnə] *s.* **1.** *minr.* galenă. **2.** *met.* sulfură de plumb.

gall [gɔːl] **I.** *s.* **1.** fiere, bilă. **2.** *fig.* amărăciune, tristețe. **3.** *fig.* invidie. **4.** *sl.* tupeu, obrăznicie. **5.** scârbă, lucru scârbos. **6.** jupuitură, julitură; rosătură. **7.** *bot.* gală. **II.** *vt.* **1.** a juli; a jupui; a roade. **2.** *fig.* a roade, a necăji. **3.** *fig.* a enerva, a irita; a înveninà.

gallant¹ ['gælənt] *adj.* viteaz, brav.

gallant² [gə'lænt] **I.** *adj.* **1.** elegant. **2.** curtenitor, galant. **II.** *s.* dandy.

gallantly *adv.* **1.** ['gæləntli] vitejește. **2.** [gə'læntli] *poet.* foarte frumos. **3.** curtenitor, cu galanterie. **4.** cu eleganță.

gallantry ['gæləntri] *s.* **1.** vitejie. **2.** galanterie, purtare aleasă. **3.** *amer.* intrigă amoroasă.

galleon ['gæliən] *s. ist.* galion, corabie de război.

gallery ['gæləri] *s.* galerie.

galley ['gæli] *s. nav.* **1.** galeră. **2.** cambuză. **3.** vingălac.

galliard ['gæljəd] *înv.* **I.** *adj.* vesel, vioi. **II.** *s.* **1.** băiat vesel. **2.** dans vioi.

Gallic ['gælik] *adj.* **1.** *ist.* gal(ic). **2.** francez, galic.

Gallicism, gallicism ['gæliˌsizəm] *s.* **1.** *lingv.* galicism. **2.** (trăsătură) caracteristică a francezilor.

gallinaceous [gæli'neiʃəs] *adj.* de găină, galinaceu.

galliot ['gæliət] *s. ist. mar.* galiot (galeră mică cu vâsle).

gallivant ['gæliˌvænt] *vi. fam.* a umbla haihui / aiurea.

gallon¹ ['gælən] *s.* măsură de capacitate (3,34 sau 4,34 l.).

gallon² *s.* ['gælən] găitan; galon, tresă.

gallop ['gæləp] **I.** *s.* galop. **II.** *vi.* a galopa (și fig.).

galloper ['gæləpə] *s.* **1.** cal pur-sânge; cal de curse. **2.** călăreț al cărui cal fuge în galop. **3.** *ist., mil. sl.* aghiotant. **4.** *mil.* tun de câmp.

gallows ['gælouz] *s.* (cu verb la *sing.*) spânzurătoare.

gallows-bird ['gælouzbəːd] *s.* spânzurat; (criminal) condamnat la spânzurătoare.

Gallup poll ['gæləp ,poul] *s.* sondaj de opinie, testare (pre-electorală) a opiniei publice.

galore [gə'lɔ:] *adv.* din belşug; cu găleata; abundent.

galosh [gə'lɔʃ] *s.* **1.** galoş. **2.** *amer.* şoşon.

galumph [gə'lʌmf] *vi.* a galopa triumfător; a trece maiestuos.

galvanic [gæl'vænik] *adj.* **1.** *el.* galvanic. **2.** *fig.* stimulativ. **3.** *fig.* electrizant; entuziasmant. **4.** *fig.* nervos, iritat.

galvanism ['gælvənizəm] *s.* **1.** galvanism. **2.** *med.* galvanizare.

galvanize ['gælvənaiz] *vt.* **1.** a galvaniza. **2.** *fig.* a electriza.

galvanometer [gælvə'nɔmitə] *s.* *el.* galvanometru.

gambit ['gæmbit] *s.* **1.** *(la şah)* gambit, sacrificiu. **2.** *fig.* iniţiativă; acţiune, mişcare.

gamble ['gæmbl] **I.** *s.* **1.** aventură. **2.** joc de noroc. **II.** *vt.* a risca *(la joc)*. **III.** *vi.* a juca *(cărţi sau alte jocuri de noroc)*.

gambler ['gæmblə] *s.* **1.** jucător de jocuri de noroc, cartofor. **2.** escroc. **3.** aventurier (politic).

gambling ['gæmbliŋ] *s.* (participare la) jocuri de noroc.

gambling-house ['gæmbliŋhaus] *s.* tripou.

gambol ['gæmbl] **I.** *s.* **1.** zburdălnicie. **2.** giumbuşluc. **II.** *vi.* a zburda.

gamboge [gæm'bu:dʒ] *s.* gumă guta.

game [geim] **I.** *s.* **1.** joc. **2.** partidă. **3.** întrecere sportivă. **4.** glumă. **5.** plan. **6.** vânat. || *to make ~ of* a ridiculiza. **II.** *adj.* **1.** brav. **2.** dispus, pregătit. **3.** şchiop, invalid. **4.** rănit. || *to die ~* a muri vitejeşte. **III.** *vt., vi.* a juca (jocuri de noroc).

game keeper ['geim,ki:pə] *s.* pădurar, paznic de vânătoare.

game laws ['geimlɔ:z] *s. pl.* legi privitoare la vânat şi pescuit.

gamesome ['geimsəm] *adj.* vesel, hazliu.

gamester ['geimstə] *s.* **1.** jucător, cartofor. **2.** *înv.* om şugubăţ, păcală. **3.** *înv.* târfă, lele.

gamete ['gæmi:t] *s.* *biol.* gamet.

gamin ['gæmin] *s.* **1.** copil al străzii, golănaş, vagabond. **2.** spiriduş, duh.

gamine [gə'mi:n] *s.* ştrengăriţa.

gamma ['gæmə] *s.* **1.** gamma *(literă grecească)*. **2.** microgram. **3.** *fiz.* gama *(unitate de măsură a câmpului magnetic)*.

gammon ['gæmən] *s.* marţ *(la table)*.

gammy ['gæmi] *adj. sl.* schilodit, pocit.

gamut ['gæmət] *s.* gamă *(şi fig.)*.

gamy ['geimi] *adj.* **1.** viteaz, îndrăzneţ, dârz. **2.** gata oricând, dispus. **3.** vioi. **4.** scandalos; corupt, stricat.

gander ['gændə] *s.* gâscan.

gang [gæŋ] *s.* **1.** grup. **2.** echipă. **3.** bandă.

ganger ['gæŋə] *s.* şef de echipă.

gangling ['gæŋgliŋ] *adj.* lăbărţat; greoi.

ganglion ['gæŋgliən], *pl.* şi **ganglia** ['gæŋgliə] *s.* **1.** *anat., med.* ganglion. **2.** *fig.* centru.

gang plank ['gæŋ ,plæŋk] *s. mar.* pasarela.

gangrene ['gæŋgri:n] **I.** *s.* gangrenă. **II.** *vt., vi.* a (se) gangrena.

gangster ['gæŋstə] *s.* gangster, bandit.

gangue [gæŋ] *s.* *mine.* gangă, steril.

gangway ['gæŋwei] *s.* **1.** pasarelă. **2.** culoar, interval dintre scaune *(în autobuz etc.)*.

gannet ['gænit] *s.* *ornit.* gâscă de mare *(Sula basana)*.

gantlet ['gɔ:ntlit] *s. v.* **gauntlet.**

gantry ['gæntri] *s.* macara; pod rulant.

gaol [dʒeil] *înv.* **I.** *s.* temniţă. **II.** *vt.* a întemniţa.

gaol-bird ['dʒeilbɔ:d] *s.* ocnaş.

gaoler ['dʒeilə] *s.* temnicer.

gap [gæp] *s.* **1.** gol; loc liber. **2.** lipsă; omisiune. **3.** prăpastie. **4.** spărtură. **5.** pauză. **6.** *fig.* strâmtoare. || *to fill the ~* a umple golul.

gape [geip] **I.** *s.* **1.** căscat. **2.** mirare. **II.** *vi.* **1.** a căsca gura. **2.** a (se) căsca.

garage ['gærɑ:ʒ] *s.* garaj.

garb [gɑ:b] **I.** *s.* îmbrăcăminte. **II.** *vt., vi.* a (se) îmbrăca.

garbage ['gɑ:bidʒ] *s.* gunoi *(şi fig.)*.

garble ['gɑ:bl] *vt.* a trunchia, a deforma *(un text etc.)*.

garden ['gɑ:dn] **I.** *s.* **1.** grădină. **2.** parc. **II.** *adj.* de grădină.

gardener ['gɑ:dnə] *s.* grădinar.

gardenia [gɑ:'di:niə] *s.* gardenie; arbust înrudit cu roiba *(Gardenia)*.

gardening ['gɑ:dniŋ] *s.* grădinărit.

garden-party ['gɑ:dn,pɑ:ti] *s.* **1.** picnic. **2.** chermesă.

Gargantuan [gɑ:'gæntjuən] *adj.* **1.** uriaş. **2.** *(d. poftă)* pantagruelic.

gargle ['gɑ:gl] **I.** *s.* gargară. **II.** *vi. sl.* a gargarisi.

gargoyle ['gɑ:gɔil] *s.* gargui, cap de balaur *(ca ornament)*.

garish ['gɛəriʃ] *adj. (d. culori)* ţipător, bătător la ochi; *(d. îmbrăcăminte)* înzorzonat; în culori ţipătoare.

garland ['gɑ:lənd] *s.* ghirlandă.

garlic ['gɑ:lik] *s. bot.* usturoi *(Allium sativum)*.

garment ['gɑ:mənt] **I.** *s.* **1.** articol de îmbrăcăminte. **2.** haine / îmbrăcăminte de gata, confecţii. **II.** *vt.* a îmbrăca.

garner ['gɑ:nə] *vt.* **1.** a depozita (în hambar); a înmagazina; a însiloza. **2.** a aduna; a strânge, a culege *(prin muncă)*. **3.** a stoca. **4.** a aproviziona; a asorta.

garnet ['gɑ:nit] **I.** *s.* **1.** *minr.* granat. **2.** grenat, culoare rubinie. **II.** *adj.* **1.** cu granate. **2.** grenat, rubiniu.

garnish ['gɑ:niʃ] **I.** *s.* garnitură. **II.** *vt.* a garnisi.

garniture ['gɑ:nitʃə] *s.* **1.** podoabă, garnitură *(la rochie)*. **2.** *tehn.* garnitură, accesorii. **3.** garnitură *(la o mâncare)*.

garotte [gə'rɔt] **I.** *vt.* a strangula, a sugruma. **II.** *s.* **1.** ştreang. **2.** strangulare, sugrumare.

garret ['gærət] *s.* mansardă.

garrison ['gærisn] *s.* garnizoană.

garrulity [gæ'ru:liti] *s.* limbuţie, logoree.

garrulous ['gæruləs] *adj.* flecar.

garter ['gɑ:tə] *s.* jartieră.

gas [gæs] **I.** *s.* **1.** gaz (de iluminat). **2.** *amer.* benzină. **II.** *vt.* a gaza. **III.** *vi.* a trăncăni; a vorbi vrute şi nevrute.

gaseous ['geizjəs] *adj.* gazos.

gash [gæʃ] **I.** *s.* **1.** tăietură. **2.** rană. **II.** *vt.* a tăia.

gasify ['gæsifai] *vt.* a gazifica a preface în gaz.

gasket ['gæskit] *s.* **1.** *tehn.* garnitură, manşon. **2.** *nav.* sachet, baieră.

gas light ['gæs lait] *s.* **1.** iluminat cu gaz. **2.** lampă cu gaz aerian, felinar.

gas meter ['gæs,mi:tə] *s.* contor de gaze *(declanşează alimentarea cu gaze prin introducerea unei monede)*.

gasolene, gasoline ['gæsə'li:n] *s.* **1.** gazolină. **2.** *amer.* benzină.

gasp [gɑ:sp] **I.** *s.* **1.** icnit. **2.** răsuflare întretăiată. **II.** *vt.* a bolborosi. **III.** *vi.* **1.** a-şi pierde răsuflarea. **2.** a icni.

gassy ['gæsi] *adj.* **1.** gazos. **2.** umplut cu gaze.

gastric ['gæstrik] *adj.* gastric; stomacal.

gastronome [,gæstrə'noum] *s.* gastronom, specialist în arta culinară.

gastronomy [gæs'trɔnəmi] *s.* gastronomie, artă culinară.

gastropod ['gæstrə,pɔd] *s.* zool. gasteropod.

gat [gæt] *s. amer. sl.* revolver, pistol.

gate [geit] *s.* **1.** poartă, portiță (și în munți). **2.** barieră. **3.** sport (număr de) spectatori.

gate-house ['geithaus] *s.* ghereta portarului.

gate-post ['geitpoust] *s.* stâlpul porții. || between you and me and the ~ între noi fie vorba.

gateu ['gætou] *s. gastr.* tort mare și ornamentat.

gateway ['geitwei] *s.* **1.** poartă (ca intrare). **2.** fig. poartă, intrare.

gather ['gæðə] I. *vt.* **1.** a aduna. **2.** a culege; a strânge. **3.** a înțelege. **4.** a deduce. II. *vi.* **1.** a se aduna. **2.** a se strânge. **3.** (d. o bubă etc.) a coace.

gathering ['gæðəriŋ] *s.* **1.** adunare. **2.** med. coptură.

G. A. T. T. *abrev. General Agreement on Tariffs and Trade* Acordul general pentru tarife și comerț.

gauche [gouʃ] *adj.* stângaci (în societate).

gaucho ['gautʃou] *s.* cowboy sud-american, gaucho.

gaud [gɔːd] *s.* **1.** găteală; zorzoane. **2.** jucărie; fleac, nimic. **3.** pl. serbări grandioase.

gaudy ['gɔːdi] *adj.* **1.** țipător. **2.** arătos.

gauge [geidʒ] I. *s.* **1.** (aparat de) măsură. **2.** ecartament. **3.** gabarit. **4.** etalon. || to take the ~ of a măsura. II. *vt.* a măsura.

Gaul [gɔːl] *s.* **1.** ist. Galia. **2.** ist. gal. **3.** francez.

gaunt [gɔːnt] *adj.* **1.** sfrijit, slab. **2.** sterp. **3.** sărac.

gauntlet ['gɔːntlit] *s.* **1.** ist. mănușă de armură. **2.** tehn. mănușă de protecție. **3.** tehn. manșetă protectoare. || to throw down the ~ a provoca pe cineva (la duel), a lansa o provocare.

gauze [gɔːz] *s. text.* gaz, tifon. **2.** voal.

gauzy ['gɔːzi] *adj.* (mai ales d. țesături) subțire, transparent.

gave [geiv] *vt., vi. trec. de la* **give**.

gavel ['gævl] *s.* ciocănaș.

gavotte [gə'vɔt] *s. muz.* gavotă.

gawk [gɔːk] I. *s.* prostovan neîndemânatic (și greoi), bălălău. II. *vt.* a se uita prostește.

gawky ['gɔːki] *adj.* **1.** deșirat. **2.** stângaci.

gay [gei] **1.** vesel. **2.** țipător. **3.** frivol, deșănțat, destrăbalat. **4.** amer. homosexual.

gazabo [gə'zeibou] *s. sl.* tip, gagiu.

gaze [geiz] I. *s.* privire insistentă. II. *vi.* a se uita lung.

gazelle [gə'zel] *s. zool.* gazelă (Gazella).

gazer ['geizə] *s.* **1.** privitor, spectator; contemplator. **2.** curios, gură-gască.

gazette [gə'zet] *s.* **1.** monitorul oficial. **2.** gazetă (ca titlu).

gazetteer [,gæzi'tiə] *s.* **1.** dicționar geografic. **2.** index de denumiri geografice.

gear [giə] I. *s.* **1.** angrenaj. **2.** tehn. viteză. **3.** echipament. **4.** mecanism. || out of ~ fig. în dezordine; stricat. II. *vt.* **1.** a angrena. **2.** a adapta. III. *vi.* a se angrena.

gear-box ['giəbɔks] *s.* cutie de viteze.

gearing ['giəriŋ] *s. tehn.* angrenaj, transmisie (prin roți dințate).

gecko ['gekou] *s. zool.* geko (reptilă sauriană din regiunile calde) (Gekkonidae sp.).

gee ['dʒiː] *interj.* (exprimând surpriza) phii!, strașnic!, ia te uită!, ei nu zău!

geese [giːs] *s. pl. de la* **goose**.

geezer ['giːzə] *s. sl.* bărbat, moș.

Geiger counter ['gaigə ,kauntə] *s. fiz.* contor Geiger (Müller).

geisha ['geiʃə] *s.* gheișă.

gel [dʒel] *fiz., chim.* I. *s.* suspensie (coloidală). II. *vi.* a forma un gel / o suspensie coloidală.

gelatin(e) [dʒelə'tiːn] *s.* gelatină.

gelatinous [dʒi'lætinəs] *adj.* gelatinos.

geld [geld] *vt.* a jugăni, a castra.

gelding ['geldiŋ] *s.* animal castrat (mai ales cal).

gelignite ['dʒelig,nait] *s.* (exploziv cu) fulmicoton.

gem [dʒem] I. *s.* **1.** piatră prețioasă, nestemată; gemă. **2.** bot. boboc, mugur. **3.** fig. comoară, perlă; cremă, floare. **4.** școlar, iron. perlă; prostie. || fig; ~ of the Ocean Irlanda. II. *vt.* a împodobi cu pietre prețioase.

Gemini ['dʒemi,nai] *s. pl. astr.* Gemenii.

Gen. *abrev.* **1.** Genesis Geneză. **2.** General general.

gen [dʒen] *sl.* I. *s.* informație. II. *vi.* a da / strânge informații.

gendarme ['ʒɔːndɑːm] *s.* **1.** jandarm. **2.** stâncă; bloc de stânci.

gender ['dʒendə] *s. gram.* gen.

gene [dʒiːn] *s. biol.* genă.

genealogical [,dʒiːniə'lɔdʒikl] *adj.* genealogic.

genealogy [dʒiːni'ælədʒi] *s.* **1.** genealogie. **2.** arbore genealogic.

genera ['dʒenərə] *s. pl. de la* **genus**.

general ['dʒenrl] I. *s.* general. II. *adj.* **1.** general. **2.** vag.

generalissimo [,dʒenərə'lisi,mou] *s. mil.* generalisim.

generality [dʒenə'ræliti] *s.* **1.** generalitate. **2.** majoritate.

generalization [dʒenrəlai'zeiʃn] *s.* generalizare.

generalize ['dʒenrə,laiz] I. *vt.* **1.** a generaliza; a absolutiza; a abstractiza. **2.** a răspândi, a generaliza. **3.** artă a stiliza, a schematiza. II. *vi.* **1.** a generaliza. **2.** a vorbi în termeni generali.

generally ['dʒenrəli] *adv.* în general.

generalship ['dʒenrəlʃip] *s.* **1.** mil. grad / funcție de general. **2.** tactică, strategie. **3.** tact, îndemânare, dibăcie. **4.** rar, fig. conducere.

general staff ['dʒenrl'stɑːf] *s.* stat major.

generate ['dʒenəreit] *vt.* **1.** a genera. **2.** a produce.

generation [dʒenə'reiʃn] *s.* **1.** generație. **2.** generare.

generative ['dʒenərətiv] *adj.* **1.** generator; producător. **2.** referitor la (pro)creație / (re)producție.

generator ['dʒenə,reitə] *s.* **1.** fiz. generator (mai ales dinam). **2.** chim. generator, sursă. **3.** părinte, tată, creator.

generic [dʒi'nerik] *adj.* generic.

generosity [,dʒenə'rɔsiti] *s.* **1.** generozitate, dărnicie; act de filantropie. **2.** înv. noblețe.

generous ['dʒenrəs] *adj.* **1.** generos. **2.** bogat. **3.** abundent.

generously ['dʒenrəsli] *adv.* generos, cu generozitate / mărinimie.

genesis ['dʒenisis], *pl.* **geneses** ['dʒenisi:z] *s.* **1.** geneză, naştere, origine; apariţie. **2.** geneza, facerea lumii.

genetic [dʒi'netik] *adj. biol.* **1.** genetic. **2.** ereditar.

genetics [dʒi'netiks] *s. pl. (folosit ca sing.)* genetică; ştiinţa eredităţii.

genial ['dʒi:njəl] *adj.* **1.** plăcut. **2.** simpatic. **3.** favorabil. **4.** blând.

geniality [,dʒi:ni'æliti] *s.* **1.** blândeţe. **2.** amabilitate.

genie ['dʒi:ni] *s.* geniu (bun / rău), gin, spirit, duh *(în poveştile arabe).*

genii ['dʒi:niai] *s. pl. de la* **genius** 2.

genital ['dʒenitl] *adj.* genital, de reproducere.

genitalia [,dʒeni'teiliə] *s. pl. anat.* organe genitale / sexuale.

genitive ['dʒenitiv] *s., adj.* genitiv.

genius ['dʒi:njəs] *s.* **1.** *(pl.* **geniuses***)* geniu. **2.** *(pl.* **genii***)* spirit, spiriduş.

genocide ['dʒenosaid] *s.* crimă împotriva umanităţii.

Genoese [,dʒenou'i:z] **I.** *adj.* genovez, de la / din Genova. **II.** *s.* genovez.

genre [ʒɑ:ŋr] *s.* **1.** stil. **2.** gen (literar). **3.** artă compoziţie.

gent [dʒent] *s. vulg.* **1.** v. **gentleman**. **2.** amant (care plăteşte), iubit.

genteel [dʒen'ti:l] *adj.* **1.** rafinat, subţire. **2.** (prea) politicos.

gentian ['dʒenʃiən] *s.* genţiană.

gentile ['dʒentail] *s.* arian.

gentility [dʒen'tiliti] *s.* rafinament (formal), spoială.

gentle ['dʒentl] *adj.* **1.** blând; dulce. **2.** prietenos; amabil. **3.** tandru. **4.** nobil.

gentlefolk ['dʒentlfouk] *s. pl.* aristocraţie; lume bună.

gentleman ['dʒentlmən] *s. pl.* **gentlemen** ['dʒentlmən] **1.** domn (distins). **2.** aristocrat, nobil.

gentlemanly ['dʒentlmənli] *adj.* **1.** distins, de gentleman. **2.** bine crescut, politicos. **3.** corect, cum se cuvine.

gentlemen's agreement ['dʒentlmənzə'gri:mənt] *s.* acord tacit.

gentleness ['dʒentlnis] *s.* **1.** blândeţe, politeţe. **2.** pantă dulce. **3.** moliciune. **4.** delicateţe *(la pipăit).* || ~ *achieves more than violence* vorba dulce mult aduce.

gentlewoman ['dʒentl,wumən] *s. pl.* **gentlewomen** ['dʒentl,wimin] **1.** doamnă. **2.** aristocrată.

gently ['dʒentli] *adv.* **1.** blând, liniştit, delicat; cu delicateţe / blândeţe. **2.** uşurel, încetişor; cu precauţie / cu grijă; moderat; cu cumpătare. || ~*!* încet! uşurel!

gentry ['dʒentri] *s. (cu verb la pl.)* (mică) nobilime.

genty ['dʒenti] *s. fam.* closet public *sau* toaletă pentru bărbaţi.

genuflect ['dʒenju,flekt] *vi.* **1.** a face o genuflexiune, a îndoi genunchii; *bis.* a bate mătănii. **2.** *fig.* a fi servil / umil.

genuflection [,dʒenju'flekʃn] *s.* genuflexiune.

genuine ['dʒenjuin] *adj.* **1.** original. **2.** veritabil. **3.** adevărat.

genuinely ['dʒenjuinli] *adv.* **1.** autentic. **2.** cu sinceritate, deschis.

genuineness ['dʒenjuinnis] *s.* **1.** autenticitate. **2.** sinceritate.

genus ['dʒi:nəs] *s. pl.* **genera** ['dʒenərə] *biol.* gen.

geocentric [dʒi:o'sentrik] *adj.* geocentric.

geode ['dʒi:oud] *s. geol.* geodă.

geodesic [,dʒi:ou'desik] **I.** *adj.* geodezic. **II.** *s.* linie geodezică.

geodesy [dʒi'ədisi] *s.* geodezie, agrimensură.

geodetic(al) [,dʒiou'detik(l)] *adj.* v. **geodesic** I.

geographer [dʒi'ɔgrəfə] *s.* geograf.

geographic(al) [dʒiə'græfik(l)] *adj.* geografic.

geographically [dʒiə'græfikli] *adv.* geografic.

geographical mile [dʒiə,græfikl 'mail] *s.* milă marină / geografică.

geography [dʒi'ɔgrəfi] *s.* geografie.

geologic(al) [dʒiə'lɔdʒik(l)] *adj.* geologic.

geologist [dʒi'ɔlədʒist] *s.* geolog.

geology [dʒi'ɔlədʒi] *s.* geologie.

geometric(al) [dʒiə'metrik(l)] *adj.* geometric.

geometry [dʒi'ɔmitri] *s.* geometrie.

Geordie ['dʒɔ:di] *s.* băştinaş din regiunea Tyneside *(Scoţia).*

George, george [dʒɔ:dʒ] **I.** *s.* **1.** *av. fam.* pilot automat. **2.** *amer. sl.* plasator *(la teatru).* **II.** *adj.* (mai ales *amer.*) *sl.* excelent; perfect, cum trebuie. || *that's*

real ~ *of you* e foarte drăguţ din partea d-tale; *fam. let* ~ *do it!* s-o facă altul!

georgette [dʒɔ:'dʒet] *s. text.* voal / mătase / crep georgette.

Georgian ['dʒɔ:dʒjən] **I.** *adj.* **1.** *ist.* georgian, referitor la epoca regilor George ai Angliei *(1714 – 1830 şi 1910 – 1936).* **2.** referitor la statul Georgia din S.U.A. **3.** georgian, gruzin. **II.** *s.* **1.** contemporan al regilor George al Angliei. **2.** locuitor din statul Georgia din S.U.A. **3.** georgian, gruzin.

geranium [dʒi'reinjəm] *s. bot.* muşcată *(Geranium).*

gerbil ['dʒɔ:bil] *s. zool.* şoarece săritor de deşert *(Gerbillus).*

gerfalcon ['dʒɔ:fɔ:lkn] *s. ornit.* şoim-islandez *(Falco gyrfalco).*

geriatrics [,dʒeriætriks] *s. pl. (folosit ca sing.) med.* geriatrie, gerontologie.

germ [dʒɔ:m] **I.** *s.* **1.** germene *(şi fig.).* **2.** bacterie, microb. **II.** *adj.* microbian, bacteriologic.

German ['dʒɔ:mən] **I.** *s.* **1.** german(ă). **2.** (limba) germană. **II.** *adj.* german(ă).

german ['dʒɔ:mən] *adj.* **1.** *(d. rude, mai ales veri)* bun, drept; primar. **2.** *fig.* înrudit, apropiat.

germander [dʒɔ:'mændə] *s. bot.* dumbeţ, jugăreţ, buruiană de spulberătură *(Teucrium chamaedris).*

germane [dʒɔ:'mein] *adj.* **1.** înrudit, legat, apropiat. **2.** relevant, pertinent, adecvat.

Germanic [dʒɔ:'mænik] **I.** *adj.* **1.** germanic; teutonic. **2.** german, nemţesc. **II.** *s. lingv.* germana comună.

germicide ['dʒɔ:mi,said] **I.** *s.* germicid; antiseptic. **II.** *adj.* germicid, bactericid.

germinal ['dʒɔ:minl] *adj.* **1.** germinativ, embrionar. **2.** *fig.* embrionar; incipient; în germene / faşă.

germinate ['dʒɔ:mineit] *vt.* a încolţi.

germination [,dʒɔ:mi'neiʃn] *s.* **1.** germinare, încolţire. **2.** *fig.* dezvoltare, creştere, mărire.

gerontology [dʒerɔn'tɔlədʒi] *s. med., biol.* gerontologie, geriatrie.

gerrymander ['dʒeri,mændə] *vt.* a falsifica, a truca, a denatura *(alegeri, fapte etc.).*

gerund ['dʒernd] *s. gram.* gerund *(formă în -ing cu funcţii de substantiv şi verb).*

Gestapo [ge'stɑːpou] *s. ist.* Gestapo.

gestation [dʒe'steiʃn] I. *s.* (perioadă de) gestație, sarcină. II. *adj.* de gestație / sarcină.

gesticulate [dʒes'tikjuleit] *vi.* a gesticula.

gesticulation [dʒes,tikju'leiʃn] *s.* gesticulație.

gesture ['dʒestʃə] *s.* gest (și fig.).

get [get] I. *vt. trec.* **got** [gɔt], *part. trec.* **got** [gɔt] *și* **gotten** ['gɔtn] *(amer.)* 1. a căpăta, a obține. 2. a primi. 3. a lua. 4. a procura. 5. a învăța. 6. a face. 7 a realiza. 8. a găsi. 9. a câștiga (prin muncă). 10. a contracta. 11. a păți. 12. a aduna. 13. a nimeri. 14. a înțelege. 15. a învinge. 16. a cuceri. 17. a prinde. 18. a depăși. 19. a enerva. 20. a omorî. 21. a forța. 22. a lua. || to ~ across a face să treacă *(rampa, etc.)*; to ~ along a împinge înainte; to ~ away a smulge, a scoate; to ~ back a recăpăta; a răzbuna; to ~ by heart a învăța pe de rost; to ~ down a coborî; a înghiți; to ~ forty winks a ațipi; to ~ a glimpse of a zări; to ~ hold of a pune mâna pe, a apuca; to ~ in a strânge, a recăpăta și a aduce acasă / înapoi; a plasa și a învăța; to ~ into a băga; to ~ off a scoate, a scăpa de; a învăța pe de rost; to ~ on a îmbrăca, a încălța; to ~ out a scoate, a smulge; to ~ over a trece dincolo; a îndeplini; to ~ smb. round a trezi pe cineva din leșin; to ~ through a duce la bun sfârșit; a asigura succesul *(cu dat.)*; to ~ together a aduna (laolaltă); to ~ under a înfrânge; a subjuga; to ~ up a ridica; a ațâța; a inventa; a aranja; a îmbrăca; a pregăti; to ~ up steam a da presiune; *fig.* a se monta, a se pune pe treabă. II. *vi. trec.* **got** [gɔt], *part. trec.* **got** [gɔt] *și* **gotten** ['gɔtn] *(amer.)* 1. a ajunge. 2. a veni. 3. a nimeri. 4. a izbuti; a parveni. 5. a deveni. 6. a începe (să). 7. a se duce. 8. a crește. 9. a câștiga. || to ~ about a umbla; a se face bine; a fi pe picioare; a fi sculat; a se răspândi; to ~ above a se înălța; to ~ abroad a se răspândi; to ~ across a trece *(rampa etc.)*; to ~ along a înainta; a avea succes; a o

scoate la capăt; a izbuti; a se înțelege; a pleca; to ~ angry a se supăra; to ~ at a ajunge / ținti la; a face aluzie la; a necăji; ~ away with you! fugi d-aici; to ~ back a se întoarce; a (se) da înapoi; a se răzbuna; to ~ better a se înzdrăveni; to ~ beyond a depăși; to ~ by sau clear a se strecura; to ~ caught a fi prins; to ~ done a isprăvi; to ~ down a coborî; to ~ down to a se apuca (de); to ~ drunk a se îmbăta; to ~ even with a se răzbuna pe; a se apuca de; to ~ forward a înainta; to ~ in a intra; a veni acasă; a se urca; a se băga; a se strecura; a fi ales; to ~ into a pătrunde *(și fig.)*; a se deprinde cu; a da de; to ~ into one's clothes a se îmbrăca; to ~ married a se căsători; to ~ off a se da jos; a pleca; a scăpa (ușor); to ~ old a îmbătrâni; to ~ on a înainta (în vârstă), a îmbătrâni; a continua; a trece; a crește; a se înțelege; a ajunge; to ~ out a ieși (la iveală); a coborî; a se feri; a se abate; a pleca; a scăpa; a ieși; to ~ out of sight a dispărea; to ~ over a trece peste / de; a învinge; a depăși; a-și reveni; a-și veni în fire; to ~ rid of a scăpa de; to ~ round a ocoli; a se răspândi; a eluda; a convinge; a momi; to ~ there a izbuti; to ~ through a trece; a o scoate la capăt; a triumfa; to ~ through to smb. a obține legătura cu cineva; to ~ through with smth. a termina, a scăpa de ceva; to ~ to a se apuca de; a ajunge; to ~ together a se aduna; a se înțelege; to ~ under a trece pe dedesubt; to ~ up a se scula; a se înălța; a se înteți.

get-at-able [get'ætəbl] *adj.* accesibil.

get-together ['gettu,geðə] *s.* 1. adunare. 2. petrecere.

get-up ['getʌp] *s.* 1. înfățișare. 2. formă. 3. prezentare grafică.

geum ['dʒiːəm] *s. bot.* plantă din genul *Geum*.

gewgaw ['gjuːgɔː] *s.* fleac, podoabă; breloc.

geyser[1] ['gaizə] *s.* geizer.

geyser[2] ['giːzə] *s.* cazan de baie.

ghastly ['gɑːstli] *adj.* înspăimântător; groaznic.

gha(u)t [gɔːt] *s. (în India)* 1.

geogr. pas, trecătoare, chei. 2. debarcader pe un râu.

ghee, ghi ['giː] *s. (în India)* unt (din lapte de bivoliță).

gherkin ['gəːkin] *s.bot.* castravecior, cornișori.

ghetto ['getou] I. *s.* ghetou. II. *vt.* a închide / a concentra într-un ghetou.

ghost [goust] *s.* duh; strigoi.

ghostly ['goustli] *adj.* 1. supranatural, fantomatic, spectral. 2. religios; duhovnicesc; spiritual. 3. sufletesc.

ghost-writer ['goust,raitə] *s. fam.* negru, autor adevărat *(folosit de un pretins scriitor)*.

ghoul [guːl] *s.* 1. vârcolac, vampir. 2. jefuitor de cadavre. 3. *fig.* hienă, șacal, vampir.

ghoulish ['guːliʃ] *adj.* vampiric. || ~ *humour* spirit / umor macabru.

GHQ *abrev.* general headquarters cartier general, stat major.

GI [dʒiː'ai] I. *s.* soldat american. II. *adj.* cazon *(privitor la armata Statelor Unite)*.

giant ['dʒaiənt] *s. adj.* uriaș.

giantess ['dʒaiəntis] *s.* femeie uriașă / gigantică.

giaour ['dʒauə] *s. rel.* ghiaur, nemahomedan.

gibber ['dʒibə] I. *vi.* 1. a trăncăni, a flecări. 2. a vorbi repezit. 3. a scoate sunete nearticulate; a bolborosi, a vorbi nedeslușit. II. *s.* 1. trăncăneală, flecăreală. 2. bolboroseală, vorbire nedeslușită.

gibberish ['gibəriʃ] *s.* babilonie, pălăvrăgeală confuză.

gibbet ['dʒibit] I. *s.* spânzurătoare. II. *vt.* a spânzura.

gibbon ['gibn] *s. zool.* gibon *(Hylobates)*.

gibbous ['gibəs] *adj.* 1. cocoșat, ghebos. 2. proeminent, convex.

gibe [dʒaib] I. *s.* 1. glumă. 2. ironie. II. *vi.* 1. a glumi. 2. a face ironii.

giblets ['dʒiblits] *s.* potroace, măruntaie (de pasăre).

giddiness ['gidinis] *s.* 1. amețeală, vârtej. 2. nechibzuință, nesocotința. || to have fits of ~ a avea amețeli.

giddy ['gidi] *adj.* 1. amețit. 2. zăpăcit. 3. neserios. 4. *(d. înălțimi etc.)* amețitor.

gift [gift] I. *s.* 1. cadou, dar. 2. har. II. *adj.* de dar, dăruit. III. *vt.* a dărui.

gifted ['giftid] adj. înzestrat, talentat, capabil. || poorly ~ slab înzestrat.

gig[1] [gig] s. 1. şaretă. 2. barcă.

gig[2] [gig] I. s. fam. angajament (al unui muzicant pentru o seară). II. vi. fam. a cânta (cu un angajament provizoriu).

gigantic [dʒai'gæntik] adj. uriaş.

giggle ['gigl] I. s. chicot(it). II. vi. a chicoti.

gigolo ['ʒigə,lou] s. 1. gigolo. 2. dansator de profesie (în localuri).

gild[1] [gild] vt. trec. şi part. trec. mai ales **gilt** [gilt] 1. a auri. 2. a polei (şi fig.). || to ~ the pill a îndulci hapul.

gild[2] [gild] v. **guild**.

gilding ['gildiŋ] s. aurire.

gill[1] [gil] s. (mai ales pl.) 1. iht. branhie. 2. fam. obraji.

gill[2] [gil] s. 1. viroagă, vâlcea, ravină (împădurită). 2. torent, pârâu de munte.

gill[3] [dʒil] s. pahar de băutură (= 111 – 142 ml.).

gillie ['gili] s. (în Scoţia) 1. hăitaş, ajutor (la vânătoare). 2. băiat care ajută la pescuit. 3. ist. curtean, ajutor al unei căpetenii din Highland.

gillyflower ['dʒili,flauə] s. bot. micsandră (Mathiola incana).

gillyflower water ['dʒili,flauəu-'wɔ:tə] s. apă de flori.

gilt[1] [gilt] I. adj. poleit. II. vt. trec şi part. trec. de la **gild**.

gilt[2] [gilt] s. zool. scroafă tânără.

gilt-edged ['giltedʒd] adj. 1. fin. şi fig. perfect (sigur). 2. de prima calitate.

gimbals ['dʒimblz] s. pl. mar. balansiere, suspensie giroscopică (a busolei etc.).

gimcrack ['dʒimkræk] I. s. fleac. II. adj. fără valoare.

gimlet ['gimlit] s. sfredel.

gimmick ['gimik] s. 1. dispozitiv / obiect atrăgător. 2. inovaţie, invenţie, expedient; idee genială / năstruşnică. 3. şarlatanie, păcăleală.

gin [dʒin] I. s. 1. gin. 2. darac (pentru bumbac). 3. capcană, cursă, laţ. 4. tehn. macara, scripete, troliu. II. vt. a egrena.

ginger ['dʒindʒə] I. s. 1. bot. ghimbir (Zingiber officinale). 2. vioiciune, sare şi piper. II. adj. roşu; brun-roşcat.

gingerbread ['dʒindʒəbred] s. turtă dulce.

gingerly ['dʒindʒəli] adj., adv. 1. blând. 2. delicat. 3. prudent.

gingham ['giŋəm] s. 1. text. pânză vărgată / cadrilată. 2. hârtie cu pătrăţele. 3. fam. umbrelă.

gingivitis [dʒindʒi'vaitis] s. med. gingivită.

gin(g)kgo ['giŋkou] s. bot. arbust japonez cu flori.

ginseng ['dʒinseŋ] s. bot., med., farm. (rădăcină de) ginseng, rădăcina vieţii, plantă medicinală exotică (genul Panax).

gipsy ['dʒipsi] I. s. ţigan(că). II. adj. 1. ţigănesc. 2. ţigan.

giraffe [dʒi'rɑ:f] s. girafă (Giraffa camelopardalis).

gird [gə:d] vt. trec. şi part. trec. **girt** [gə:t] a încinge.

girder ['gə:də] s. grindă.

girdle ['gə:dl] I. s. 1. cingătoare. 2. brâu. II. vt. 1. a încinge. 2. a înconjura.

girl [gə:l] s. 1. fată. 2. domnişoară. 3. iubită.

girl-happy ['gə:l,hæpi] adj. norocos în dragoste.

girlhood ['gə:lhud] s. adolescenţă.

girlie ['gə:li] s. fetiţă; fetişcană.

girlish ['gə:liʃ] adj. 1. de fată. 2. de domnişoară.

giro ['dʒairou] s., pl. **giros** fin. virament; sistem de transfer şi credit.

girt [gə:t] vt. trec. şi part. trec. de la **gird**.

girth [gə:θ] s. 1. chingă. 2. măsura taliei.

gist [dʒist] s. (fig.) esenţă.

give [giv] I. s. elasticitate. || ~ and take compromis, concesii reciproce. II. vt. trec. **gave** [geiv], part. trec. **given** [givn] 1. a da. 2. a dărui. 3. a acorda. 4 a transmite. 5. a încredinţa. 6. a aloca. 7. a lăsa (moştenire). 8. a permite. 9. a oferi. 10. a hărăzi. 11. a produce. 12. mat. a face. 13. a arunca. 14. a realiza. 15. a ceda. 16. a lăsa. 17. a recunoaşte. 18. a arăta. 19. a închina (paharul) pentru. || to ~ away a da (în căsătorie); a trăda; a emite; a reflecta; to ~ birth to a da naştere la; to ~ chase to a urmări; to ~ ear to a asculta; to ~ evidence a depune mărturie; to ~ forth a produce; a răspândi; a scoate; to ~ ground a ceda (teren); to ~ in a înmâna; to ~ off a degaja; a emite; a produce; to ~ out a anunţa; a produce; to ~ over a abandona; to ~ rise to a prilejui; a stârni;

to ~ smb. the cold shoulder a fi rece cu cineva; to ~ smb. the slip a evita pe cineva, a se ascunde de cineva; to ~ up a părăsi, a ceda; a înmâna; a se lăsa de; a preda; a declara pierdut; to ~ way a ceda; a se rupe; a se preda. III. vi. trec. **gave** [geiv], part. trec. **given** [givn] 1. a face daruri. 2. a fi generos. 3. a se retrage. 4. a ceda. 5. a (se) slăbi. 6. a se decolora. 7. a se îmblânzi. 8. a se îndulci. || to ~ in a se da bătut; to ~ out a se termina; a nu mai putea de oboseală; to ~ up a renunţa, a se da bătut.

given ['givn] vt.,vi. part. trec. de la **give**.

given name ['givnneim] s. nume de botez.

giver ['givə] s. donator; ctitor. || com. ~ of a trade order autor al unei comenzi.

gizzard ['gizəd] s. 1. pipotă. 2. (fig.) gât.

glacé ['glæsei] adj. 1. glasat, acoperit de glazură. 2. zaharisit. 3. îngheţat. 4. lucios, lustruit, glacé. 5. text. satinat.

glacial ['gleisjəl] adj. glacial (şi fig.).

glaciate ['gleisieit] vt. 1. a îngheţa. 2. a lustrui (o suprafaţă mată).

glaciated ['gleisieitid] adj. geol. 1. supus acţiunii gheţii, supus glaciaţiunii. 2. acoperit de gheţuri.

glacier ['glæsjə] s. gheţar.

glacis ['glæsis] s. mil. taluz, povârniş în faţa unui fort.

glad [glæd] adj. 1. bucuros. 2. încântat. 3. fericit. 4. încântător.

gladden ['glædn] vt. a bucura.

glade [gleid] s. luminiş, poiană.

gladiator ['glædi,eitə] s. 1. ist. gladiator. 2. polemist.

gladiatorial [,glædiə'tɔ:riəl] adj. de gladiator. || ~ fights lupte de gladiatori.

gladiolus [,glædi'ouləs] s. bot. pl. **gladioli** [,glædi'oulai] gladiolă (Gladiulus imbricatus).

gladly ['glædli] adv. 1. cu bucurie; cu veselie, cu mulţumire. 2. de bunăvoie; cu dragă inimă. || I accept ~ primesc bucuros.

gladness ['glædnis] s. veselie, bucurie.

gladsome ['glædsəm] adj. poet. bucuros, voios.

Gladstone ['glædstən] s. 1. sac de voiaj din piele. 2. cupeu.

glair ['glɛə] *s.* **1.** albuş de ou. **2.** substanţă vâscoasă.

glaive [gleiv] *s. înv. poet.* paloş, sabie, spadă.

glamorous ['glæmərəs] *adj.* fermecător.

glamour ['glæmə] *s.* **1.** farmec. **2.** vrajă.

glance [glɑːns] **I.** *s.* **1.** privire. **2.** licărire. **II.** *vi.* **1.** (at) a privi (la), a se uita *(repede, în treacăt)* (la). **2.** a scânteia.

gland [glænd] *s.* glandă.

glanders ['glændəz] *s. pl. (folosit ca sing.) vet.* răpciugă.

glandular ['glændjulə] *adj.* glandular.

glare [glɛə] **I.** *s.* **1.** strălucire. **2.** privire aspră. **II.** *vi.* **1.** a străluci. **2.** (at) a se uita fioros (la), a fulgera cu privirea.

glaring ['glɛəriŋ] *adj.* **1.** strălucitor. **2.** orbitor. **3.** feroce. **4.** *(d. greşeală)* izbitor.

glass [glɑːs] **I.** *s.* **1.** sticlă *(ca material).* **2.** oglindă. **3.** lunetă. **4.** barometru. **5.** pahar. **6.** *pl.* ochelari. **7.** *pl.* binoclu. **II.** *vt.* a pune geamuri la *(casă etc.).*

glass-blower ['glɑːsblouə] *s.* sticlar.

glass case ['glɑːskeis] *s.* vitrină (cu obiecte).

glassful ['glɑːsfl] *s.* (conţinutul unui) pahar.

glass-house ['glɑːshaus] *s.* seră.

glassware ['glɑːswɛə] *s.* sticlărie.

glassy ['glɑːsi] *adj.* sticlos.

glaucoma [glɔː'koumə] *s. med.* glaucom.

glaucous ['glɔːkəs] *adj.* **1.** *bot.* glauc. **2.** învelit în epicarp *(ca pruna).*

glaze [gleiz] **I.** *s.* **1.** glazură. **2.** smalţ. **3.** faianţă. **II.** *vt.* **1.** a pune geam la. **2.** a glasa. **III.** *vi.* a deveni sticlos.

glazier ['gleizjə] *s.* geamgiu.

gleam [gliːm] **I.** *s.* licărire *(şi fig.).* **II.** *vi.* a licări.

glean [gliːn] *vt., vi.* a spicui *(şi fig.).*

glebe [gliːb] *s.* glie, pământ, petic de ţarină.

glee [gliː] *s.* veselie.

gleeful ['gliːfl] *adj.* voios, vesel; zglobiu.

gleeman ['gliːmən] *s. pl.* **gleemen** ['gliːmən] *ist.* cântăreţ ambulant, menestrel.

glen [glen] *s.* vâlcea.

glengarry [glen'gæri] *s.* bonetă scoţiană.

glib [glib] *adj.* **1.** iute. **2.** abil. **3.** nesincer. **4.** facil, superficial.

glide [glaid] **I.** *s.* **1.** alunecare. **2.** glisadă. **3.** diftong. **II.** *vi.* a aluneca.

glider (plane) ['glaidə(plein)] *s.* planor.

glimmer ['glimə] **I.** *s.* licărire. **II.** *vi.* a licări.

glimpse [glimps] **I.** *vt.* (at) v. **glance.** **II.** *s.* (at) privire, o-cheadă.

glint [glint] **I.** *s.* scânteiere. **II.** *vi.* a scânteia.

glisten ['glisn] *vi.* a scânteia; a străluci.

glister ['glistə] *vi. înv.* v. **glisten.**

glitter ['glitə] **I.** *s.* **1.** scânteiere; strălucire. **2.** splendoare. **II.** *vi.* **1.** a străluci. **2.** a licări.

gloaming ['gloumiŋ] *s. poet. şi fig.* crepuscul, amurg.

gloat [glout] *vt.: to ~ over* a sorbi din ochi.

global ['gloubl] *adj.* **1.** global, total. **2.** mondial; universal.

globe [gloub] *s.* glob.

globe-trotter ['gloub,trɔtə] *s.* turist pasionat *(pedestru).*

globular ['glɔbjulə] *adj.* globular, sferic, rotund.

globule ['glɔbjuːl] *s.* **1.** globulă. **2.** pilulă, bulin.

glockenspiel ['glɔkən,spiːl] *s. muz.* (celesta) glockenspiel.

gloom [gluːm] *s.* **1.** întunecime. **2.** tristeţe.

gloomily ['gluːmili] *adv.* mohorât, trist, melancolic.

gloomy ['gluːmi] *adj.* **1.** întunecos. **2.** trist. **3.** disperat.

gloria ['glɔːriə] *s.* **1.** ţesătură mixtă de mătase şi lână. **2.** *bis.* imn de slavă.

glorify ['glɔːrifai] *vt.* a ridica în slăvi.

glorious ['glɔːriəs] *adj.* **1.** glorios. **2.** splendid. **3.** încântător.

gloriously ['glɔːriəsli] *adv.* **1.** cu glorie; glorios. **2.** măreţ, faimos.

glory ['glɔːri] **I.** *s.* **1.** glorie. **2.** strălucire. **3.** splendoare. **II.** *vi.: to ~ in* a se făli cu.

gloss[1] [glɔs] **I.** *s.* luciu *(şi fig.).* **II.** *vt.* a lustrui *(şi fig.).*

gloss[2] [glɔs] *s.* **1.** observaţie marginală, adnotare. **2.** glosă, exegeză, explicaţie; parafrază. **II.** *vt.* **1.** a tălmăci, a interpreta. **2.** a răstălmăci, a denatura. **3.** a comenta nefavorabil.

glossary ['glɔsəri] *s.* glosar.

glossy ['glɔsi] *adj.* lucios.

glottal ['glɔtl] *adj. anat., lingv.* glotal.

glottis ['glɔtis] *s. anat., lingv.* glotă.

glove [glʌv] *s.* mănuşă.

glow [glou] **I.** *s.* **1.** licărire. **2.** fierbinţeală. **3.** roşeaţă. **4.** patimă. **II.** *vi.* **1.** a fi fierbinte. **2.** a străluci. **3.** a se îmbujora.

glower ['glauə] **I.** *s.* căutătură rea. **II.** *vi.* a se încrunta.

glowing ['glouiŋ] *adj.* **1.** strălucitor. **2.** entuziast. **3.** îmbujorat.

glow worm ['glouwəːm] *s.* licurici.

glucose ['gluːkouz] *s. chim.* glucoză.

glue [gluː] **I.** *s.* clei. **II.** *vt.* **1.** a încleia. **2.** a lipi.

glum [glʌm] *adj.* posomorât.

glut [glʌt] *vt.* **1.** a îndopa. **2.** a inunda *(fig.).*

gluten ['gluːtn] *s. chim.* gluten.

glutinous ['gluːtinəs] *adj.* lipicios, cleios.

glutton ['glʌtn] *s.* lacom.

gluttonous ['glʌtənəs] *adj.* vorace, hulpav, lacom.

gluttony ['glʌtəni] *s.* voracitate, lăcomie *(la mâncare).*

glycerin(e) ['glisərin] *s. chim.* glicerină.

glycogen ['glikoudʒen] *s. chim.* glicogen.

gm *abrev.* gram(me), gram(mse) gram(e).

G-man ['dʒiː ,mæn] *s. amer. fam.* agent al F.B.I.-ului; poliţist, detectiv.

gnarl[1] [nɑːl] **I.** *s.* nod, ciot *(la copaci).* **II.** *vt.* a zimţui, a brăzda.

gnarl[2] [nɑːl] *vi. (d. câini, oameni ursuzi)* a mârâi, a mormăi.

gnarled [nɑːld] *adj.* **1.** noduros. **2.** *fig.* aspru.

gnash [næʃ] *vt.: to ~ one's teeth* a scrâşni din dinţi.

gnat [næt] *s.* ţânţar.

gnaw [nɔː] **I.** *vt.* **1.** a roade. **2.** a chinui. **II.** *vi.* **1.** a roade. **2.** a (se) chinui.

gnawings ['nɔːiŋz] *s. pl.* **1.** remuşcări. **2.** chin.

gneiss [nais] *s. minr.* gneis.

gnome [noum] *s. mit.* gnom, pitic.

gnomic(al) ['noumik(l)] *adj.* gnomic; aforistic.

gnomon ['noumən] *s.* **1.** gnomon, fus de cadran orar. **2.** *geom.* parte omoloagă a unui paralelogram.

gnostic ['nɔstik] *adj., s. filoz.* gnostic.

G.N.P. *abrev.* gross national product PNB, produs naţional brut.

gnu [nu:] *s. zool.* gnu *(Con-nochaetes gnu).*

go[1] ['gou] **I.** *s.* **1.** energie. **2.** entuziasm. **3.** încercare. **4.** modă; *on the ~* în activitate; *all the ~* ultima modă. **II.** *vt. trec.* **went** [went], *part. trec.* **gone** [gon] **1.** a încerca. **2.** a face. **3.** a străbate. **4.** a îndura. **5.** a risca. **III.** *vi. trec.* **went** [went], *part. trec.* **gone** [gon] **1.** a merge. **2.** a umbla. **3.** a se duce. **4.** a trece. **5.** a curge. **6.** a circula, a fi în circulație. **7.** a se potrivi. **8.** a-și avea locul. **9.** a tinde. **10.** a acționa. **11.** a se desfășura. **12.** a se vinde. **13.** a avea succes. **14.** a valora. **15.** a muri. **16.** a scăpa. **17.** a se duce de râpă. **18.** a da faliment. **19.** a fi șters. **20.** a deveni. || *to ~ against* a contrazice; *to ~ ahead* a merge înainte; *to ~ along* a pleca; *to ~ at* a se năpusti asupra; *to ~ back* a se întoarce; a da / veni înapoi; *to ~ before* a avea precădere; *to ~ behind* a urmări; *to ~ between* a mijloci; *to ~ beyond* a depăși; *to ~ by* a se scurge; a se lua după; a trece (pe lângă); a se purta cu; *to ~ down* a coborî; a se afunda; a se scurge; a merge; a slăbi; a spune; *to ~ far* a ajunge departe; *to ~ fast* a o lua înainte; *to ~ fifty-fifty* sau *halves* a face pe din două; *to ~ for* a căuta; a ataca; a valora; a-i plăcea; *to ~ forth* a pleca; a se ivi; *to ~ forward* a înainta; a progresa; *to ~ in* a intra; a sosi; *to ~ in for* a se apuca de; a învăța pentru; a se ocupa de; *to ~ into* a pătrunde; a intra; *to ~ near* a se apropia (de); *to ~ off* a pleca; a o șterge; a porni; a leșina; a muri; a se produce; a se desfășura; a se descărca, a exploda; a scădea, a slăbi; *to ~ off the handle* a-și ieși din fire; *to ~ on* a continua; a merge mai departe, a avea succes; a trece; a progresa; a se apropia; *~ on!* ei, ași!; *to ~ on strike* a intra în grevă; *to ~ one better* a întrece; *to go out* a ieși (în societate); a apărea; a se răspândi; a muri; a se sfârși; *to ~ out of one's mind* a înnebuni; *to ~ over* a trece dincolo; a examina, a reciti; a întrece, a birui; a se schimba; a se rostogoli; *to ~ through* a

trece prin; a sfârși; a cerceta; a se vinde; a se face praf; a se epuiza; *to ~ to* a recurge la; *to ~ to the dogs* a se duce de râpă; *to ~ to expenses* a cheltui bani; *to ~ to glory* a muri; *to ~ to pieces* a se face fărâme; a se pierde cu firea; *to ~ to sleep* a adormi; *to ~ to seed* a se umple de buruieni; *fig.* a se pleoști; a se ofili; a se trece; a slăbi; *to ~ together* a se potrivi; a merge împreună; *to ~ under* a se scufunda; a (de)cădea; a se duce de râpă; a sărăci; *to ~ up* a se ridica; a crește; a exploda; a merge în sus / la Londra; *to ~ with* a merge cu; a se potrivi cu; *to ~ without* a fi lipsit de; a se priva de; *it goes without saying* se înțelege de la sine; *to ~ the way of all flesh* a se întoarce în țărână; *to ~ the whole hog* a pune totul la bătaie; a merge până la capăt; *as far as it goes* deocamdată; în măsura posibilului.

go[2] ['gou] *s.* go *(joc japonez).*

goad [goud] **I.** *s.* **1.** strămutare. **2.** *fig.* îndemn. **II.** *vt.* a îndemna.

goal [goul] *s.* **1.** țintă, țel. **2.** *sport* poartă. **3.** *sport* gol.

goalie ['gouli] *s. fam. sport* portar.

goal-keeper ['goul,ki:pə] *s. sport* portar.

goat [gout] *s. zool.* **1.** capră *(Capra).* **2.** țap.

goatee [gou'ti:] *s.* barbișon.

goatherd ['gouthə:d] *s.* păstor de capre, căprar.

goatskin ['goutskin] **I.** *s.* **1.** piele de capră; marochin. **2.** burduf din piele de capră. **II.** *adj.* din piele de capră, din marochin.

goatsucker ['gout,sʌkə] *s. ornit.* păpăludă, lipitoare *(Caprimulgus).*

gob [gob] **I.** *s.* **1.** *fam.* plisc, muzicuță. **2.** *sl.* înghițitură, îmbucătură. **3.** *sl.* scuipat, flegmă. **4.** grămadă, cantitate mare. **5.** *amer. sl.* marinar. **6.** *sl.* moacă, mestecătoare, gură. || *~-stopper* acadea. **II.** *vi.* a scuipa.

gobble ['gobl] **I.** *s.* bolboroseală. **II.** *vt.* a înfuleca, a mânca pe nerăsuflate. **III.** *vi.* **1.** a mânca pe nerăsuflate, a înfuleca. **2.** *(d. curcan)* a bolborosi.

gobbledygook ['gobldi,guk] *s.* **1.** ghigluglu (sunetul curcanului). **2.** bolboroseală, galimație. **3.**

(limbă) păsărească, jargon *(oficial)* neinteligibil.

gobbler[1] ['goblə] *s.* mâncău, găman.

gobbler[2] ['goblə] *s. ornit.* curcan *(Meleagris).*

go-between ['goubi,twi:n] *s.* **1.** mijlocitor. **2.** codoș.

goblet ['goblit] *s.* **1.** pahar. **2.** cupă.

goblin ['goblin] *s.* duh, spiriduș.

go-by ['gou,bai] *s.* indiferență, răceală, lipsă de atenție. || *to get the ~* a fi tratat cu răceală / indiferență.

god [god] *s.* **1.** zeu. **2.** *God* Dumnezeu. **3.** *the gods* teatru galerie.

godchild ['godtʃaild] *s. pl.* **god-children** ['godtʃildrn] fin.

goddess ['godis] *s.* zeiță.

godfather ['god,fa:ðə] *s.* naș *(la botez).*

God-fearing ['god,fiəriŋ] *adj.* **1.** cu frica lui Dumnezeu. **2.** evlavios.

God-forsaken ['godfə,seikn] *adj.* **1.** uitat de Dumnezeu, prăpădit. **2.** mizerabil.

godhead ['god,hed] *s.* divinitate.

godless ['godlis] *s.* nelegiuit, fără lege / Dumnezeu.

godlike ['godlaik] *adj.* **1.** divin. **2.** pios, cucernic, cuvios *(și iron.).*

godliness ['godlinis] *s.* evlavie, cucernicie.

godly ['godli] *adj.* pios.

godmother ['god,mʌðə] *s.* nașă *(la botez).*

godparents ['god,peərnts] *s. pl.* **1.** nași. **2.** cumetri.

godsend ['godsend] *s.* **1.** noroc. **2.** pomană (cerească).

God's (little) acre ['godz(,litl) 'eikə] *s.* cimitir.

godson ['godsʌn] *s.* fin *(prin botez).*

god-speed ['god'spi:d] *s.* **1.** succes. **2.** noroc.

godwit ['godwit] *s. ornit.* sitar de mal *(Limosa).*

goer ['gouə] *s.* **1.** călător; pasager; trecător, pieton. **2.** *(în cuvinte compuse)* frecventator; amator.

go-getter ['gougetə] *s. amer. sl.* om energic și întreprinzător, om de afaceri foarte activ, performer.

goggle ['gogl] **I.** *vi.* a holba ochii, a se zgâi; a da ochii peste cap. **II.** *adj. (d. ochi)* holbat, zgâit. **III.** *s.* **1.** privire mirată / surprinsă; privire speriată / înspăimântată. **2.** *pl.* ochelari de protecție / fumurii. **3.** *pl. sl.* o-chelari, bicicletă. **4.** *pl.* ochelari de cal.

going ['goiŋ] **I.** *s.* **1.** plecare. **2.** viteză. **3.** drum. **II.** *adj.* **1.** activ. **2.** rentabil.

going concern ['goiŋkɔn,sɔːn] *s.* afacere / întreprindere bună / rentabilă; treabă care merge bine.

goings-on ['goiŋz'ɔn] *s. pl.* **1.** întâmplări. **2.** purtare.

goiter, goitre ['goitə] *s.* gușă.

gold [gould] **I.** *s.* **1.** aur. **2.** auriu, culoare aurie. **II.** *adj.* **1.** de aur. **2.** auriu.

gold beater ['gould,biːtə] *s.* aurar.

golden ['gouldn] *adj.* **1.** auriu. **2.** de aur.

golden mean ['gouldnmiːn] *s.* calea de mijloc.

gold-fever ['gould,fiːvə] *s.* goana după aur.

gold-field ['gouldfiːld] *s.* bazin aurifer.

goldfinch ['gouldfintʃ] *s.* **1.** *ornit.* sticlete (*Carduelis elegans*). **2.** *sl. înv.* monedă (de aur) de o liră sterlină. **3.** *fam.* bogat.

goldfish ['gouldfiʃ] *s. iht.* caras-auriu (*Carassius auratus*).

gold-foil ['gouldfɔil] *s.* beteală de aur.

gold-rush ['gouldrʌʃ] *s.* goana după aur.

goldsmith ['gouldsmiθ] *s.* bijutier; aurar.

golf [gɔlf] *s. sport* golf.

golf-club ['gɔlfklʌb] *s.* **1.** bâtă, crosă pentru golf. **2.** club al jucătorilor de golf.

golf-links ['gɔlfliŋks] *s. pl.* teren de golf.

Golgotha ['gɔlgɔθə] *s. rel.* Gol-gota.

golliwog ['goliwog] *s.* păpușă caraghioasă; paiață grotescă.

golly ['gɔli] *interj. amer. fam.* drace! la naiba! || *by ~!* pe legea mea!

golosh [gə'lɔʃ] *s.* **1.** galoș. **2.** șoșon.

gonad ['gɔnæd] *s. biol.* gonadă.

gondola ['gondələ] *s.* **1.** gondolă. **2.** *av.* nacelă. **3.** *ferov.* vagon platformă. **4.** *com.* gondolă, stand cu produse (*în magazin cu autoservire*).

gondolier [gondə'liə] *s.* gondolier.

gone [gon] *vt., vi. part. trec. de la* **go**.

goner ['gonə] *s. sl.* om / lucru pierdut; cauză pierdută.

gonfalon ['gonfələn] *s.* **1.** flamură, steag. **2.** *bis.* prapor.

gong [gɔŋ] *s.* gong.

gonorrhea [,gɔnə'riə] *s. med.* gonoree, blenoragie.

goo [guː] *s. sl.* **1.** smac, mehlem; clisă, materie vâscoasă / lipi-cioasă. **2.** *fig.* sirop, frecție; sentimentalism ieftin.

good [gud] **I.** *s.* **1.** bun. **2.** proprietate. **3.** avantaj. **4.** folos. **5.** *pl.* mărfuri. **6.** avere. || *for ~ (and all)* definitiv; de-a pururi; *to the ~* spre bine; *the ~* oamenii buni; *~ s and chattels* efecte personale. **II.** *adj.* **1.** bun. **2.** minunat. **3.** potrivit. **4.** capabil. **5.** cuminte. **6.** complet. **7.** viguros. **8.** norocos. || *as ~ as* aproape la fel de bun; *as ~ as his word* de cuvânt; *to have a ~ time* a petrece, a se distra de minune.

good-bye ['gud'bai] *s., interj.* **1.** adio. **2.** rămas bun. **3.** la reve-dere.

good-for-nothing ['gudfə'nʌθiŋ] *s.* **1.** neisprăvit. **2.** prăpădit.

Good Friday ['gud'fraidi] *s.* Vinerea mare.

good-hearted ['gud'hɑːtid] *adj.* cu inima bună, bun, blând.

good-humo(u)red ['gud'hjuːməd] *adj.* **1.** amabil. **2.** plăcut.

good-humouredly ['gud'hjuːmə-li] *adv.* cu bună dispoziție, cu haz, cu chef; vesel, prietenos.

goodish ['gudiʃ] *adj. fam.* bunicel, destul de bun; acceptabil.

goodliness ['gudlinis] *s.* frumu-sețe, aspect frumos.

good-looking ['gud'lukiŋ] *adj.* **1.** chipeș, arătos. **2.** frumos.

goodly ['gudli] *adj.* **1.** frumușel. **2.** suficient.

goodman ['gudmən] *s. pl.* **good-men** ['gudmən] *înv.* stăpân al casei, gospodar; soț, bărbat.

good-natured ['gud'neitʃəd] *adj.* **1.** de treabă. **2.** amabil.

goodness ['gudnis] *s.* **1.** bunătate, blândețe; inimă bună, gene-rozitate. **2.** calitate bună, valoa-re. **3.** curățenie sufletească, puritate. **4.** cucernicie, evlavie.

good sailor ['gud'seilə] *s.* **1.** marinar bun. **2.** pasager care nu suferă de rău de mare.

good-sized ['gud'saizd] *adj.* de mărime potrivită.

good sort ['gud'sɔːt] *s.* **1.** per-soană onorabilă. **2.** om bine, plăcut. **3.** (*fig.*) soi bun.

good-tempered ['gud'tempəd] *adj.* calm.

goodwife ['gudwaif] *s. pl.* **good-wives** ['gudwaivz] *înv.* stăpână

(a casei), gospodină; gazdă; nevastă.

goodwill ['gud'wil] *s.* **1.** bună-voință. **2.** reputație bună.

goody ['gudi] **I.** *s.* **1.** *amer.* bom-boană, *pl.* zaharicale, cofeturi. **2.** *înv.* țață. **II.** *interj.* strașnic! grozav! bravo! **III.** *adj.* v. **goody-goody!**

goody-goody ['gudi'gudi] *fam.* **I.** *adj.* **1.** blegos, sentimental, u-șor de înduioșat. **2.** strașnic, grozav. **II.** *s.* **1.** fățarnic; miro-nosiță; ipocrit, fals cucernic / virtuos. **2.** bărbat efeminat, fă-tălău.

gooey ['guːi] *adj.* cleios, clisos, lipicios.

goof [guːf] *sl.* **I.** *s.* fraier, cap-soman. **II.** *vi.* **1.** a tăia frunze la câini, a pierde vremea. **2.** a face o boacănă, a încurca lucrurile / borcanele. **III.** *vt.* **1.** a zăpăci, a face de mântuială, a rasoli. **2.** (*mai ales la part. trec., d. un drog*) a matoli, a năuci.

googly ['guːgli] *s. sport* lovitură la cricket.

goon [guːn] *s.* **1.** terorist. **2.** cretin.

goosander [guː'sændə] *s. ornit.* bodârlău-cu-ferestrău (*Mergus merganser*).

goose [guːs] *s.* **1.** *pl.* **geese** [giːs] gâscă. **2.** (*pl.* **gooses**) fier de călcătorie. || *to be unable to say boo to a ~* a fi prea timid; *all his geese are swans* crede că tot ce zboară se mănâncă.

gooseberry ['guzbri] *s.* **1.** *bot.* coacăz (*Ribes grossularia*). **2.** coacăză.

goose flesh ['guːs fleʃ] *s.* **1.** carne de gâscă. **2.** *fig.* piele de găină / de gâscă, piele devenită aspră (*din cauza frigului, a fricii etc.*).

gopher ['goufə] *s. amer. zool.* gofer, rozător american; *aprox.* popândău (*Geomys*).

gore[1] [gɔː] *s.* sânge (*mai ales închegat*).

gore[2] [gɔː] **I.** *s.* clin (*la rochie*). **II.** *vt.* a croi cu un clin.

gore[3] [gɔː] *vt.* a împunge cu coar-nele. **2.** a străpunge, a găuri.

gorge [gɔːdʒ] **I.** *s.* **1.** strâmtoare. **2.** *geogr.* chei. **3.** gât. **II.** *vt., vi.* a (se) îndopa (cu).

gorgeous ['gɔːdʒəs] *adj.* **1.** strălucitor. **2.** minunat. **3.** splendid.

gorgeously ['gɔːdʒəsli] *adv.* splen-did.

gorget ['gɔːdʒit] *s.* **1.** *înv.* grumăjer. **2.** gardă a gâtului (*la* vechile uniforme militare). **3.** colier, salbă, gherdan. **4.** pată pe gâtul unei păsări.

gorgon ['gɔːgən] *s.* **1.** gorgonă, cap de meduză. **2.** *fig.* scorpie; ciumă, iazmă.

Gorgonzola [ˌgɔːgən'zoulə] *s.* brânză *(italienească de tip)* Gorgonzola.

gorilla [gə'rilə] *s.zool.* gorilă *(Gorilla gorilla).*

gormandize ['gɔːmən͵daiz] *rar* **I.** *vi.* a se ghiftui, a se îmbuiba. **II.** *vt.* a devora; a înfuleca.

gormandizer ['gɔːməndaizə] *s.* găman, mâncău.

gormless ['gɔːmlis] *adj. fam.* prostesc, stupid, idiot.

gorse [gɔːs] *s. bot.* grozamă, genistră *(Ulex, Genista).*

Gorsedd ['gɔːseð] *s. ist. (în Țara Galilor)* adunare a druizilor, care putea conferi titluri și grade barzilor.

gory ['gɔːri] *adj.* însângerat.

gosh [gɔʃ] *interj.* Doamne! Dumnezeule (mare)! || *by* ~ ! la naiba!

goshawk ['gɔsˌhɔːk] *s. ornit.* uliu porumbar *(Accipiter gentilis).*

gosling ['gɔzliŋ] *s.* boboc de gâscă.

gospel ['gɔspl] *s.* evanghelie *(și fig.).*

gospel truth ['gɔspltru:θ] *s.* adevărul adevărat.

gossamer ['gɔsəmə] *s.* **1.** borangic. **2.** voal. **3.** funigei.

gossip ['gɔsip] **I.** *s.* **1.** bârfă. **2.** flecăreală. **3.** taifas. **4.** bârfitoare, gură spartă. **II.** *vi.* **1.** a flecări. **2.** a bârfi.

gossipy ['gɔsipi] *adj.* **1.** vorbăreț, guraliv. **2.** *(d. vorbă)* gol, în vânt, de clacă.

got [gɔt] **I.** *vt., vi. trec. și part. trec. de la* **get.** **II.** *particulă de întărire pt. verbul* **have:** to have ~ a avea; to have ~ to a trebui (neapărat) să.

Goth [gɔθ] *s.* got.

Gotham *s.* **1.** ['goutəm] *a (wise) man of* ~ gogoman, prost, prostălău; haplea, omul din orașul unde s-a răsturnat carul cu proști. **2.** ['gɔθəm] *amer.* (orașul) New York.

Gothic ['gɔθik] *s., adj.* gotic(ă).

gotten ['gɔtn] *vt., vi. (amer.) part. trec de la* **get.**

gouache [gu'ɑːʃ] *s. artă* guașă.

Gouda ['gaudə] *s. gastr.* (roată de) brânză de Olanda.

gouge [gaudʒ] **I.** *s.* **1.** daltă (semicirculară). **2.** scobitură făcută cu dalta. **3.** *amer. fam.* escroc, pungaș. **II.** *vt.* **1.** a scobi cu dalta. **2.** *amer. fam.* a trage pe sfoară, a escroca, a înșela. **3.** a estorca, a stoarce prin înșelătorie.

goulash ['guːlæʃ] *s.* **1.** *gastr.* gulaș, tocană; mâncare de carne cu legume *(foarte condimentată).* **2.** *(la bridge)* gulaș.

gourd ['guəd] *s.* dovleac; tigvă.

gourmand ['guəmænd] **I.** *s.* mâncău; gurmand. **II.** *adj.* mâncăcios, lacom.

gourmet ['guəmei] *s.* gurmet, expert gastronomic / în arta culinară.

gout [gaut] *s.* gută.

gouty ['gauti] *adj.* **1.** de gută, de podagră. **2.** bolnav de gută / de podagră.

govern ['gʌvn] **I.** *vt.* **1.** a stăpâni. **2.** a guverna. **3.** *gram.* a determina; a cere. **II.** *vi.* a guverna.

governance ['gʌvnəns] *s.* **1.** guvernare, conducere; administrație. **2.** stăpânire, putere, conducere.

governess ['gʌvnis] *s.* guvernantă.

government ['gʌvnmənt] *s.* **1.** guvern. **2.** guvernare. **3.** guvernământ.

governmental [ˌgʌvn'mentl] *adj.* guvernamental.

governor ['gʌvnə] *s.* **1.** guvernator. **2.** consilier. **3.** membru în consiliul unui colegiu etc. **4.** șef. **5.** *fam.* tată, papa.

governor general ['gʌvnə 'dʒenərəl] *s.* guvernator general *(al unei colonii, al unui dominion).*

governorship ['gʌvnəʃip] *s.* **1.** funcție de guvernator. **2.** durata funcției unui guvernator.

gown [gaun] *s.* **1.** halat. **2.** rochie. **3.** togă. **4.** robă.

goy [gɔi] *s., pl.* **goyim** ['gɔim] / **goys** [gɔiz] goi, știnkan *(nume dat de evrei ne-evreilor);* arian.

gr. *abrev.* **1.** *grade* grad. **2.** *grain(s)* v. **grain.** **3.** *gram(me)(s)* gram(e). **4.** *gravity* gravitate. **5.** *gross* gros, angro.

grab [græb] *vt.* **1.** a apuca. **2.** a smulge.

grace [greis] **I.** *s.* **1.** grație. **2.** har. **3.** favoare. **4.** rugăciune de mulțumire. **5.** îndurare. || *Your Grace* Alteța Voastră / Sfinția Voastră. **II.** *vt.* **1.** a onora. **2.** a împodobi.

graceful ['greisfl] *adj.* **1.** grațios. **2.** amabil.

gracefully ['greisfuli] *adv.* **1.** grațios, cu grație. **2.** elegant, cu eleganță.

gracefulness ['greisfulnis] *s.* grație; suplețe; eleganță.

graceless ['greislis] *adj.* **1.** urât. **2.** ticălos.

gracious ['greiʃəs] *adj.* **1.** plăcut. **2.** îndurător. || *good(ness)* ~! Doamne (ferește)!.

grad [græd] *s. fam.* v. **graduate1.**

gradate [grə'deit] **I.** *vt.* **1.** a grada, a nuanța. **2.** a așeza într-o anumită ordine / ierarhie. **II.** *vi.* a fi nuanțat, a se nuanța.

gradation [grə'deiʃn] *s.* gradație.

grade [greid] **I.** *s.* **1.** rang, grad. **2.** *amer.* clasă. **3.** *amer.* notă, medie. **4.** *amer.* pantă. || *on the up* ~ în ascensiune. **II.** *vt.* **1.** a grada. **2.** *școl. univ.* a nota. **3.** a nivela.

gradient ['greidjənt] *s.* pantă.

gradual ['grædjuəl] *adv.* treptat.

gradually ['grædiuəli] *adj.* treptat; progresiv; gradat; succesiv.

graduate1 ['grædjuit] *s.* absolvent.

graduate2 ['grædjueit] **I.** *vt.* **1.** a grada. **2.** a absolvi. **3.** *amer.* a da diplomă. **II.** *vi.* a absolvi.

graduation [ˌgrædju'eiʃn] *s.* **1.** absolvire. **2.** ceremonie de absolvire. **3.** *pl.* gradații.

graffitto [græ'fiːtou], *pl.* **graffitti** [græ'fiːti] *s.* **1.** *artă* graffitti. **2.** *amer. (univ.)* inscripție / desen amuzant(ă) *sau* pornografic(ă) *(pe pereții closetelor etc.).*

graft [grɑːft] **I.** *s.* **1.** altoi. **2.** grefă. **3.** altoire. **4.** *amer.* corupție; mită. **5.** escrocherie. **6.** venit necinstit, câștig fraudulos. **II.** *vt.* **1.** a altoi. **2.** a grefa. **3.** a mitui. **III.** *vi.* **1.** a practica altoirea. **2.** a folosi mijloace corupte, a face afaceri necurate / necinstite.

grafter ['grɑːftə] *s.* **1.** altoitor, persoană care altoiește. **2.** cosor, custură *(de altoit).* **3.** *amer.* slujbaș corupt, șperțar, ciubucar. **4.** *amer.* escroc, șnapan, profitor.

Grail [greil] *s. mit.* Sfântul Graal.

grain [grein] *s.* **1.** bob. **2.** fir. **3.** măsură de greutate de 0,065 gr. **4.** *pl.* grâne. || *(to go) against the* ~ a merge în răspăr; (a fi) contra firii.

grained [greind] *adj.* **1.** granulat, grăunțos. **2.** zgrunțuros. **3.** păros, acoperit cu păr. **4.** șagrinat, imprimat.

gram [græm] s. gram.

gramercy [grə'mɔːsi] interj. înv. mulțumesc, bogdaproste, mulțam.

graminaceous [ˌgræmi'neiʃəs] adj. bot. graminaceu, din familia gramineelor.

graminivorous [græmi'nivərəs] adj. zool. ierbivor.

grammar ['græmə] s. gramatică.

grammarian [grə'mɛəriən] s. gramatician.

grammar school ['græməskuːl] s. aprox. gimnaziu.

grammatical [grə'mætikl] adj. gramatical.

gramme [græm] s. gram.

gramophone ['græməfoun] s. 1. înv. gramofon, patefon. 2. picup.

grampus ['græmpəs] s. zool. specie de cetaceu (Grampus griseus); aprox. și fig. balenă.

granary ['grænəri] s. 1. hambar. 2. grânar.

grand [grænd] I. s. 1. mărime. 2. distincție. 3. pian cu coadă. 4. amer. sl. mie de dolari. II. adj. 1. măreț. 2. nobil. 3. splendid. 4. important. 5. distins. 6. arogant. 7. principal. 8. complet.

grandam ['grændæm] s. înv. 1. bunică; străbună. 2. femeie bătrână, bătrânică, băbuță.

grand aunt ['grænd ɑːnt] s. soră a bunicului / a bunicii.

grandchild ['græntʃaild] s. pl. **grandchildren** ['græntʃildrn] nepot (de bunic).

granddaughter ['grænˌdɔːtə] s. nepoată (de bunic).

grandee [græn'di] s. 1. ist. grande (de Spania). 2. fam. nobil, aristocrat, domn.

grandeur ['grændʒə] s. grandoare, măreție.

grandfather ['grænˌfɑːðə] s. bunic.

grandiloquence [græn'diləkwəns] s. grandilocvență, emfază, patos.

grandiloquent [græn'diləkwent] adj. pompos, grandilocvent.

grandiose ['grændious] adj. grandios, festiv, spectaculos.

grandma ['grænmɑː] s. 1. (în limbajul copiilor) v. **grandmamma** 2. mil. sl. viteza întâi (la autovehicule).

grandmamma ['grænməˌmɑː] s. (în limbajul copiilor) bunică, bunicuță, mamă-mare.

grandmother ['grænˌmʌðə] s. bunică.

grand nephew, grandnephew ['grændˌnevju] s. fiu al unui nepot sau al unei nepoate (de frate sau de soră).

grandpa ['grænpɑː] s. (în limbajul copiilor) v. **grandpapa**.

grandpapa ['grænpəˌpɑː] s. (în limbajul copiilor) bunic(uț), tată-mare, bunel.

grandparents ['grænˌpɛərnts] s. pl. bunici.

Grand Prix [grã'priː] s. sport Circuitul Marelui Premiu.

grandson ['grænsʌn] s. nepot (de bunic).

grand stand ['grænstænd] s. tribuna principală / oficială.

grange [greindʒ] s. conac.

granger ['greindʒə] s. 1. înv. administrator de fermă. 2. amer. membru al unei asociații de fermieri. 3. amer. agricultor, gospodar. 4. amer. pol. Grangers pl. agrarieni.

granite ['grænit] s. granit.

grannie, granny ['græni] s. bunicuță.

grant [grɑːnt] I. s. 1. alocație. 2. dar. II. vt. 1. a acorda. 2. a recunoaște. || to take for ~ed a lua drept bun; a considera de la sine înțeles.

grantee [grɑːn'tiː] s. 1. persoană căreia i se permite / îngăduie / aprobă ceva. 2. bursier, stipendiat, beneficiar al unei alocații / burse. 3. jur. donator; persoană căreia i se transmite un bun.

grantor [grɑːn'tɔː] s. amer. donator.

granular ['grænjulə] adj. granular, grăunțos.

granulate ['grænjuˌleit] vt. a granula, a fărâmița.

granule ['grænjuːl] s. granulă, grăunte, bob.

grape [greip] s. (boabă de) strugure.

grapefruit ['greipfruːt] s. grepfrut.

grape-vine ['greipvain] s. viță de vie.

graph [grɑːf] s. 1. grafic. 2. diagramă.

graphic ['græfik] adj. 1. grafic. 2. ilustrat. 3. grăitor; concret.

graphically ['græfikəli] adv. 1. grafic, prin grafice, prin diagrame. 2. (în povestiri, descrieri etc.) plastic, colorat, expresiv, viu. 3. elocvent, grăitor, expresiv.

graphics ['græfiks] s. pl. (folosit ca sing.) 1. diagramare. 2. arte grafice (combinate cu texte / scriere).

graphite ['græfait] s. grafit.

graphology [græ'fɔlədʒi] s. grafologie.

grapnel ['græpnl] s. mar. ancoră cu patru (sau mai multe) gheare.

grapple ['græpl] I. s. cârlig. II. vt., vi. (with) a se lupta (cu).

grasp [grɑːsp] I. s. 1. strânsoare (puternică). 2. putere. 3. apucare. II. vt. 1. a apuca. 2. a strânge. 3. a înțelege. III. vi. (at) a da să apuci.

grasping ['grɑːspiŋ] adj. 1. apucător, zgârcit. 2. lacom.

grass [grɑːs] s. bot. iarbă.

grasshopper ['grɑːsˌhɔpə] s. zool. cosaș (Locusta viridissima).

grassland ['grɑːslænd] s. pășune.

grass widow ['grɑːsˌwidou] s. văduvă de paie, femeie al cărei soț este plecat.

grassy ['grɑːsi] adj. 1. ierbos, acoperit cu iarbă. 2. ierbos, ca iarba. 3. de culoarea ierbii, verde ca iarba.

grate [greit] I. s. 1. grătar. 2. galerie (în fața sobei). II. vt. 1. a zgâria; a rade. 2. a pune gratii. III. vi. 1. a fi supărător. 2. a fi discordant.

grateful ['greitfl] adj. 1. recunoscător. 2. agreabil.

gratefully ['greitfli] adv. 1. plăcut, agreabil; odihnitor, reconfortant. 2. cu recunoștință.

grater ['greitə] s. răzătoare, raspă, raspel.

gratification [ˌgrætifi'keiʃn] s. 1. satisfacție, mulțumire, plăcere. 2. gratificație, recompensă, răsplată. 3. peior. mită, ciubuc, șpagă, șperț.

gratify ['grætifai] vt. 1. a gratifica. 2. a încânta. 3. a satisface.

grating ['greitiŋ] s. gratii.

gratis ['greitis] I. adj. gratuit, (pe) gratis. II. adv. (pe) gratis, fără bani / plată.

gratitude ['grætitjuːd] s. recunoștință.

gratuitous [grə'tjuitəs] adj. 1. gratuit. 2. nejustificat.

gratuity [grə'tjuiti] s. 1. bacșiș. 2. gratificație. 3. gratuitate.

gratulate ['grætjuleit] vt. înv. a felicita, a firitisi.

gratulation [ˌgrætju'leiʃn] s. înv. firitiseală, felicitare.

grave[1] [greiv] I. s. mormânt. II. adj. 1. mohorât, grav. 2.

gânditor. **3.** solemn. **4.** important. **III.** *vt. part. trec. înv.*

graven ['greivn] **1.** a grava. **2.** a ciopli; a sculpta.

grave[2] [greiv] *vt. mar.* a curăța, a cătrăni, a smoli *(carena navei).*

grave digger ['greiv ‚digə] *s.* **1.** gropar; cioclu. **2.** *entom.* necrofor, gropar *(Necrophorus).*

gravel ['grævl] **I.** *s.* pietriș. **II.** *vt.* a acoperi cu pietriș.

gravely ['greivli] *adv.* grav, cu gravitate.

graven ['greivn] *part. trec. de la* **grave.** || ~ *image rel. lit.* chip cioplit.

graver ['greivə] *s.* cioplitor; gravor.

gravestone ['greivstoun] *s.* piatră / lespede de mormânt.

graveyard ['greivjɑːd] *s.* cimitir.

gravid ['grævid] *adj.* gravidă, însărcinată.

graving dock ['greiviŋ ‚dɔk] *s. mar.* doc, bazin de radub.

gravitate ['grævi‚teit] *vi.* **1. (round)** *fiz.* a gravita (în jurul) *(cu gen.).* **2. (to, towards)** a fi atras (de / spre). **3. (to, towards)** a tinde, a aspira (spre / către). **4.** a cădea la fund, a trage în jos.

gravitation [‚grævi'teiʃn] *s.* **1.** gravitație, atracție universală. **2.** gravitate, greutate.

gravitational [‚grævi'teiʃnəl] *adj. fiz.* **1.** gravitațional, de gravitate. **2.** de gravitate, de greutate.

gravity ['græviti] *s.* **1.** gravitate. **2.** greutate *(specifică etc.).* **3.** solemnitate. **4.** importanță.

gravy ['greivi] *s.* **1.** zeamă de carne. **2.** sos (de carne).

gray [grei] *adj., s.* v. **grey.**

grayling ['greiliŋ] *s. iht.* lipan *(Thymallus).*

graze [greiz] **I.** *s.* **1.** rosătură. **2.** julitură. **II.** *vt.* **1.** a roade. **2.** a juli. **3.** a paște. **4.** a duce la păscut. **III.** *vi.* a paște.

grazier ['greiziə] *s.* crescător de vite, fermier.

grazing ['greiziŋ] **I.** *s.* **1.** iarbă, nutreț verde. **2.** păscut, pășunat. **II.** *adj.* **1.** care paște. **2.** *mil.* razant.

grease [griːs] **I.** *s.* **1.** untură. **2.** grăsime. **3.** murdărie. **II.** *vt.* a unge. || *to ~ smb.'s hand / palm / fist* a mitui pe cineva.

greaser ['griːzə] *s.* **1.** *tehn.* gresor, ungător; fochist. **2.** *s. amer. peior.* mexican; locuitor al

Americii Latine *(de origine spaniolă sau portugheză).*

greasy ['griːsi] *adj.* **1.** unsuros. **2.** alunecos. **3.** ['griːzi] soios, murdar, scârbos, obscen.

great [greit] **I.** *s.: the ~* cei mari. **II.** *adj.* **1.** mare. **2.** important. **3.** măreț. **4.** splendid. **5.** amuzant. **6.** drăguț. **7.** nobil.

great aunt [greit 'ɑːnt] *s. amer.* soră a bunicului *sau* a bunicii.

greatcoat['greit'kout] *s.* palton.

great grandchild ['greit 'græn tʃaild] *s.* strănepot, strănepoată (de bunic).

great grandfather [greit 'grænd ‚fɑːðə] *s.* străbunic.

great grandmother [greit 'græn ‚mʌðə] *s.* străbunică.

great grandson [greit 'grænsʌn] *s.* strănepot (de bunic).

great hearted [greit 'hɑːtid] *adj.* mărinimos, generos; cu suflet larg.

greatly ['greitli] *adv.* **1.** în mare măsură. **2.** foarte.

greatness ['greitnis] *s.* **1.** mărime *(în dimensiuni, în număr etc.)*; enormitate, mărime extraordinară. **2.** mărime, rang înalt; putere. **3.** importanță; gravitate. || *the ~ of a crime* gravitatea unei crime. **4.** noblețe (sufletească), generozitate, mărinimie; (mare) valoare intelectuală. **5.** renume, faimă.

great uncle [greit 'ʌŋkl] *s. amer.* frate al bunicului / a bunicii.

greave [griːv] *s. înv.* dumbravă, crâng.

grebe [griːb] *s. ornit.* cufundac, cufundar, fundac, corcodel *(Podiceps cristatus).*

Grecian ['griːʃən] **I.** *adj. (mai ales despre stilurile arhitectonice sau trăsăturile feței)* grec(esc), elen. || ~ *nose* nas grecesc, nas clasic. **II.** *s.* **1.** grec, grecoaică. **2.** elenist. **3.** evreu care vorbește grecește. **4.** elev din cursul superior al școlii londoneze *Christ's Hospital.*

greed [griːd] *s.* lăcomie.

greedily [griːdili] *adv.* cu lăcomie, lacom; cu nesaț, cu poftă.

greedy ['griːdi] *adj.* lacom.

Greek [griːk] **I.** *s.* **1.** grec; elen. **2.** limba greacă. || *it's (all) ~ to me* nu înțeleg o iotă. **II.** *adj.* **1.** grec(esc). **2.** elen, elin.

green [griːn] **I.** *s.* **1.** verde. **2.** verdeață. **3.** spațiu verde. **4.** imaș. **5.** *pl.* verdețuri. **II.** *adj.* **1.** verde. **2.** necopt. **3.** inocent; novice. **4.** viguros. **5.** proaspăt.

greenback ['griːnbæk] *s. amer.* bancnotă, dolar.

greenery ['griːnəri] *s.* verdeață.

greengage ['griːngeidʒ] *s. bot.* renglotă, prună *(fructul arborelui Prunus italica).*

greengrocer ['griːn‚grousə] *s.* zarzavagiu.

greenhorn ['griːnhɔːn] *s.* ageamiu.

greenhouse ['griːnhaus] *s.* seră.

greenish ['griːniʃ] *adj.* verzui.

greenness ['griːnnis] *s.* **1.** verde, culoarea verde. **2.** imaturitate, stare necoaptă; *fig.* lipsă de experiență; lipsă de antrenament *(a unui cal de curse).* **3.** *fig.* tinerețe, prospețime; vigoare, putere tinerească *(a unui bătrân).*

greensward ['griːnswɔːd] *s.* gazon, pajiște.

greenwood ['griːnwud] *s.* pădure / crâng verde; frunziș, bolta pădurii. || *înv. to go to the ~* a lua calea codrului, a se face haiduc / tâlhar.

greet [griːt] *vt.* **1.** a saluta. **2.** a întâmpina.

greeting [griːtiŋ] *s.* **1.** salut(are). **2.** urare, felicitare. **3.** întâmplare, primire. || *to send one's ~ to smb.* a trimite cuiva salutări / complimente. *New Year ~s* urări de anul nou. *frigid ~* primire glacială / rece.

gregarious [gri'geəriəs] *adj.* **1.** gregar; de turmă. **2.** *fig.* sociabil.

Gregorian [gre'gɔːriən] *adj. bis.* gregorian.

Gregorian calendar [gri'gɔːriən 'kælində] *s.* calendar gregorian.

gremlin ['gremlin] *s. av. sl.* vârcolac *(care strică mecanismele, motorul etc.)*

grenade [gri'neid] *s.* grenadă (de mână).

grenadier [‚grenə'diə] *s. mil.* **1.** *înv.* grenadier. **2.** soldat dintr-un regiment de gardă.

grew [gruː] *vt., vi. trec. de la* **grow.**

grey [grei] **I.** *s.* cenușiu. **II.** *adj.* cenușiu; cărunt. **III.** *vt., vi.* a încărunți.

greybeard ['greibiəd] *s.* bătrân.

grey-haired ['grei'heəd] *adj.* cu părul cărunt.

greyhound ['greihaund] *s.* **1.** ogar. **2.** *amer.* autocar de cursă lungă.

greyish ['greiiʃ] *adj.* **1.** (bătând în) cenușiu, sur; cărunt. **2.** încăruntit.

greylag ['greilæg] *s.* gâscă de vară *(Anser anser).*

grid [grid] *s.* **1.** grilă. **2.** grătar.

griddle ['gridl] *s.* **1.** tavă, formă *(de copt plăcinte).* **2.** un fel de clătită friptă pe grătar. **3.** *mine.* ciur, sită.

gridiron ['grid‚aiən] *s.* grătar de fript.

grief [gri:f] *s.* **1.** supărare. **2.** necaz.

grief-stricken ['gri:f‚strikən] *adj.* copleşit de durere.

grievance ['gri:vns] *s.* **1.** necaz. **2.** plângere. **3.** revendicare.

grieve [gri:v] *vt., vi.* a (se) necăji.

grievous ['gri:vəs] *adj.* **1.** supărător. **2.** trist. **3.** dureros.

grievously ['gri:vəsli] *adv.* **1.** dureros, cumplit. **2.** *(rănit etc.)* grav.

griffin[1] ['grifin] *s.* **1.** *mit.* grifon, făptură de basm cu cap şi aripi de vultur pe trup de leu. **2.** *fig.* paznic vigilent, cerber.

griffin[2] ['grifin] *s.* anglo-indian *sl.* european nou sosit în India; novice.

griffon ['grifn] *s.* **1.** *ornit.* vultur gulerat / pleşuv *(Gyps fulvus).* **2.** (câine) grifon.

grig [grig] *s.* **1.** *iht.* ţipar-mic. **2.** *entom.* greier *(Gryllus domesticus).* **3.** ştrengar, glumeţ. || *as merry as a* ~ foarte vesel.

grill [gril] **I.** *s.* **1.** grătar. **2.** friptură la grătar. **II.** *vt.* **1.** a frige pe grătar. **2.** a chinui. **III.** *vi.* a se prăji *(la soare etc.).*

grille ['gril] *s.* **1.** grilă. **2.** gard, grilaj. **3.** *auto.* mască *(la motor / radiator).*

grim [grim] *adj.* **1.** aspru. **2.** sălbatic. **3.** sinistru. **4.** sever. **5.** întunecat.

grimace [gri'meis] **I.** *s.* strâmbătură. **II.** *vi.* a se strâmba.

grimalkin [gri'mælkin] *s.* **1.** pisică bătrână. **2.** *(d. femei)* hârcă, ciumă.

grime [graim] **I.** *s.* murdărie. **II.** *vt.* a murdări.

grimly ['grimli] *adv.* cumplit etc. v. **grim.**

grimness ['grimnis] *s.* **1.** sălbăticie. **2.** înverşunare, furie. **3.** grozăvie, caracter odios. **4.** înfăţişare aspră / severă.

grimy ['graimi] *adj.* **1.** murdar, soios; mânjit; pătat. **2.** acoperit de funingine / cu praf de cărbune. **3.** brunet, oacheş, tuciuriu.

grin [grin] **I.** *s.* **1.** rânjet. **2.** zâmbet

(de satisfacţie). **II.** *vi.* **1.** a rânji. **2.** a zâmbi.

grind [graind] **I.** *s.* trudă. **II.** *vt. trec. şi part. trec.* **ground** [graund] **1.** a măcina. **2.** a zdrobi. **3.** a tiraniza. **4.** a ascuţi. **5.** a împinge. **6.** a trudi. **7.** a scrâşni. || *to* ~ *smb. down* a împila, a asupri pe cineva. **III.** *vi. trec. şi part. trec.* **ground** [graund] **1.** a trudi. **2.** a se chinui. **3.** a se freca. **4.** a se toci.

grinder ['graində] *s.* **1.** măsea. **2.** râşniţă. **3.** moară. **4.** tocilar.

grindstone ['graindsoun] *s.* (piatră de) tocilă.

grinning ['grinin] **I.** *adj.* zâmbăreţ, care rânjeşte / zâmbeşte *(satisfăcut / enervant).* **II.** *s.* rânjet / zâmbet *(satisfăcut / enervant).*

grip [grip] **I.** *s.* **1.** strânsoare. **2.** apucare. **3.** prindere. **4.** stăpânire. || *to come to* ~ *s with* a se lupta cu *(şi fig.).* **II.** *vt.* **1.** a apuca. **2.** a strânge. **3.** a stăpâni. **4.** a captiva. **5.** a înţelege, a pricepe.

gripe [graip] **I.** *vt.* **1.** a apuca, a înhăţa. **2.** a strânge, a presa. **3.** *fig.* a asupri, a împila; a chinui, a tortura. **4.** *mar.* a lega *(un vas)* de ţărm *(cu odgoanele).* **5.** *amer. sl.* a irita, a întărâta. **II.** *vi.* **1.** a fi zgârcit / avar. **2.** *amer. sl.* a se tângui, a se lamenta, a se plânge. **3.** *rar* a avea spasme / colici. || *to* ~ *at* a pune mâna pe, a înşfăca. **III.** *s.* **1.** înşfăcare, strânsoare. **2.** *fig.* apăsare, asuprire. **3.** *pl.* crampe, colici. **4.** *rar* manivelă, mâner. **5.** *pl. mar.* parâme, odgoane.

grippe [grip] *s. med.* gripă.

gripping ['gripin] **I.** *adj.* **1.** apucător, care strânge tare. **II.** *s.* v. **grip 1, 2, 3.**

grisly ['grizli] *adj.* **1.** oribil, groaznic. **2.** sinistru. **3.** înspăimântător.

grist [grist] *s.* **1.** grâne. **2.** *fig.* folos. || *to bring* ~ *to smb.'s mill* a da apă la moara cuiva.

gristle ['grisl] *s.* zgârci.

grist-mill ['gristmil] *s.* moară *(de măcinat).*

grit [grit] **I.** *s.* **1.** nisip. **2.** pietricele. **3.** cremene. **4.** *fig.* tărie de caracter. **5.** rezistenţă. **II.** *vt.,vi.* a scrâşni (din dinţi).

grits [grits] *s. pl.* **1.** crupe de ovăz / grâu. **2.** uruială, tărâţe.

gritty ['griti] *adj.* **1.** nisipos, prun-

dos, cu nisip. **2.** *fam.* neclintit, ferm, hotărât; curajos.

grizzle ['grizl] **I.** *vi.* **1.** a scânci, a se miorlăi. **2.** *fig.* a se plânge. **II.** *s.* uşurare (a inimii).

grizzled ['grizld] *adj.* cărunt.

grizzly ['grizli] **I.** *s.* urs cenuşiu (din America). **II.** *adj.* **1.** cărunt; sur. **2.** cenuşiu. **3.** pepit.

groan [groun] **I.** *s.* **1.** geamăt. **2.** murmur. **II.** *vt.* **1.** a murmura. **2.** a spune oftând. **III.** *vi.* a geme *(şi fig.).*

groat [grout] *s. ist.* **1.** monedă de argint englezească *(=patru pence).* **2.** *fig.* gologan, ban. || *I don't care a* ~ puţin îmi pasă.

groats [grouts] *s. pl.* crupe *(de grâu, ovăz etc.).*

grocer ['grousə] *s.* băcan.

grocery ['grousri] *s.* **1.** băcănie. **2.** *pl.* alimente.

grog [grɔg] *s.* grog, rachiu cu apă şi lămâie.

groggy ['grɔgi] *adj.* **1.** şubred. **2.** ameţit, groggy. **3.** slăbit.

grogram ['grɔgrəm] *s. text.* v. **grosgrain.**

groin [grɔin] *s.* **1.** *anat.* arcadă. **2.** *arhit.* stinghie.

groom [grum] **I.** *s.* **1.** grăjdar. **2.** groom, băiat / om de serviciu *(la hotel etc.).* **3.** mire. **II.** *vt.* **1.** a ţesăla. **2.** a-şi îngriji *(toaleta etc.).* **3.** a dichisi.

groove [gru:v] **I.** *s.* **1.** scobitură. **2.** şanţ. **3.** rilă. **II.** *vt.* a scobi.

grope [group] **I.** *vt.* a căuta pe bâjbâite. **II.** *vi.* a bâjbâi *(şi fig.).*

grosbeak ['grousbi:k] *s. ornit.* botgros *(Coccothraustes coccothraustes).*

grosgrain ['grous‚grein] *s. text.* grogren, rejansă.

gross [grous] **I.** *s. pl.* **gross** com. **1.** *(măsură de)* 12 duzini. **2.** gros; toptan. || *in (the)* ~ cu ridicata; în ansamblu. **II.** *adj.* **1.** grosolan. **2.** greoi. **3.** abundent. **4.** total. **5.** strigător la cer.

grossness ['grousnis] *s.* **1.** grosime. **2.** desime, densitate. **3.** *fig.* grosolănie, vulgaritate. **4.** *fig.* prostie, opacitate. **5.** *fig.* grozăvie, urâciune. **6.** *fig.* caracter vădit / evident *(al unei minciuni, greşeli etc.).*

grotesque [gro'tesk] **I.** *s.* lucru grotesc. **II.** *adj.* **1.** grotesc. **2.** ciudat.

grotto ['grɔtou] *s.* grotă.

grouch [grautʃ] *amer. fam.* **I.** *vi.* **1.** a mormăi, a bombăni. **2.** a fi morocănos. **II.** *s.* **1.** proastă dispoziție; bosumflare. **2.** (om) ursuz, morocănos. **3.** pică, ciudă, necaz.

ground[1] [graund] **I.** *s.* **1.** teren. **2.** domeniu. **3.** pământ. **4.** sol. **5.** curte. **6.** motiv; temei. **7.** fundal. **8.** *pl.* drojdie. || *above* ~ în viață; *to standone's* ~ a nu se da bătut; *to gain* ~ a câştiga teren; *down to the* ~ complet, perfect; *to break fresh* ~ a deşteleni un teren *(şi fig.).* **II.** *vt.* **1.** a pune la pământ. **2.** a baza, a întemeia. **3.** a înfiinţa, a întemeia. **4.** a învăţa esenţialul. **5.** a face legătura cu pământul. **III.** *vi.* **1.** a ateriza. **2.** a da de pământ.

ground[2] [graund] *vt., vi. trec. şi part. trec. de la* **grind.**

ground-floor ['graunflɔ:] *s.* parter.

groundless ['graundlis] *adj.* neîntemeiat.

groundling ['graundliŋ] *s.* **1.** *iht.* denumire pentru peştii de fund. **2.** plante agăţătoare / pitice. **3.** *teatru* spectator de la parter *(în vechiul teatru englez).* **4.** spectator / cititor nepretenţios. **5.** *pl.* the ~s *înv.* oamenii fără cultură, analfabeţii, incullţii.

ground-nut ['graundnʌt] *s.* (alună) arahidă, alună americană.

groundsel ['graunsəl] *s. bot.* cruciuliţă *(Senecio vulgaris).*

groundwork ['graundwɔ:k] *s.* **1.** fundament, fundaţie; temelie, bază *(şi fig.).* **2.** săpătură. **3.** *ferov.* infrastructura căii ferate; terasamentul căii ferate. **4.** *artă* grund, culoare de fond *(la tablouri).*

group [gru:p] **I.** *s.* grup. **II.** *vt., vi.* a (se) grupa.

grouse [graus] **I.** *s.* **1.** *ornit.* ierruncă, gotcan *(Tetrao urogallus).* **2.** plângere. **II.** *vi.* a mormăi.

grout [graut] **I.** *s.* **1.** *constr.* lapte de var / ciment; tencuială subţire. **2.** *pl.* drojdie, zaţ, sediment. **3.** *pl.* terci subţire. **II.** *vt. constr.* a lega, a cimenta; a tencui.

grove [grouv] *s.* crâng, pădurice. **2.** *mine.* puţ / galerie de mină.

grovel ['grɔvl] *vi.* **1.** a se târî. **2.** *fig.* a se ploconi.

grovelling ['grɔvəliŋ] *adj.* umil, smerit; servil, ploconit.

grow [grou] **I.** *vt. trec.* **grew** [gru:], *part. trec.* **grown** [groun] **1.** a creşte. **2.** a cultiva. || *to* ~ *a*

beard a-şi lăsa barbă. **II.** *vi. trec.* **grew** [gru:], *part. trec.* **grown** [groun] **1.** a creşte. **2.** a spori. **3.** a dezvolta. **4.** a trăi. **5.** a deveni. || *to* ~ *out of* a nu mai încăpea în; a se trage din; a se dezbăra de; *to* ~ *pale* a păli; *to* ~ *up* a se face mare, a se maturiza; *to* ~ *yellow* a se îngălbeni; *it grew dark* s-a întunecat.

grower ['grouə] *s.* **1.** producător, cultivator; grădinar; *(şi fruit-* ~*)* persoană care cultivă fructe. **2.** *agr.* plantă; pom. **3.** *înv.* fermier. || *slow* ~s pomi cu creştere înceată.

growl [graul] **I.** *s.* mârâit. **II.** *vt.*1. a mârâi. **2.** a mormăi. **III.** *vi.* **1.** a mârâi. **2.** a bubui.

grown [groun] *vt., vi. part. trec. de la* **grow.**

grown-up ['grounʌp] *s.* adult.

growth [grouθ] *s.* **1.** creştere. **2.** sporire. **3.** spor. **4.** smoc. **5.** tufiş.

groyne [grɔin] *s.* **1.** dig, spargeval. **2.** *mar.* etravă, pinten.

grub [grʌb] **I.** *s. fam.* mâncare, haleală. **II.** *vt.* **1.** a săpa. **2.** a scoate. **III.** *vi.* a trudi.

grubby ['grʌbi] *adj.* murdar, soios.

grubstake ['grʌbsteik] *amer. fam.* **I.** *s.* fonduri avansate unei întreprinderi de către un comanditar. **II.** *vt.* a comandita *(o întreprindere),* a avansa *(fonduri)* în comandită unei întreprinderi nou create.

grudge [grʌdʒ] **I.** *s.* **1.** ciudă, pică. **2.** răzbunare. **3.** ranchiună. **II.** *vt.* **1.** a urmări cu duşmănie. **2.** a nu voi să dea / să acorde / să recunoască.

grudgingly ['grʌdʒiŋli] *adv.* cu părere de rău, fără plăcere, în silă.

gruel ['gruəl] *s.* **1.** fulgi de ovăz. **2.** terci.

gruel(l)ing ['gru:əliŋ] *adj.* **1.** istovitor, chinuitor. **2.** *amer.* înfiorător, groaznic.

gruesome ['gru:səm] *adj.* **1.** înspăimântător. **2.** sinistru.

gruff [grʌf] *adj.* aspru. **2.** nepolitics.

gruffly ['grʌfli] *adv.* cu asprime, nepoliticos, grosolan.

grumble ['grʌmbl] **I.** *s.* **1.** nemulţumire. **2.** mormăit. **3.** bubuit. **II.** *vt.* a mormăi. **III.** *vi.* **1.** a fi nemulţumit. **2.** a protesta; a mormăi. **3.** *(d. tunet)* a bubui.

grumbler ['grʌmblə] *s.* cârcotaş, cârciogar, om veşnic nemulţumit.

grummet ['grʌmit] *s. mar.* inel de frânghie, laţ de inel.

grumpy ['grʌmpi] *adj.* **1.** ţâfnos. **2.** (veşnic) nemulţumit. **3.** cârcotaş.

grunt [grʌnt] **I.** *s.* grohăit; mormăit. **II.** *vt.* a mormăi. **III.** *vi.* **1.** a grohăi. **2.** a mormăi.

grunter ['grʌntə] *s.* **1.** *fam.* porc. **2.** om care mormăie într-una. **3.** *sl.* poliţist; sticlete, curcan.

Gruyère (cheese) ['gru:jɛə (ˌtʃi:z)] *s.* şvaiter.

gryphon ['grifn] *s. mit.* grifon.

G-string ['dʒi:ˌstriŋ] *s.* **1.** *muz.* coarda sol. **2.** cache-sex, bikini.

guano ['gwɑ:nou] *s. geol., agr.* guano, îngrăşământ fosil.

guarantee [gærn'ti:] **I.** *s.* **1.** garanţie. **2.** gir. **II.** *vt.* **1.** a garanta. **2.** a promite.

guarantor [ˌgærn'tɔ:] *s.* girant, garant.

guaranty ['gærnti] *s. jur.* **1.** garanţie. **2.** gaj. **3.** gir.

guard [gɑ:d] **I.** *s.* **1.** pază. **2.** gardă. **3.** paznic. **4.** *pl.* trupe de gardă. **5.** apărătoare. || *to be off one's* ~ a fi luat prin surprindere; *to mount / stand* ~ a sta de pază. **II.** *vt.* **1.** a păzi. **2.** a apăra. **III.** *vi.* **1.** a fi în gardă. **2.** a fi prudent.

guarded ['gɑ:did] *adj.* **1.** păzit. **2.** prudent.

guard-house ['gɑ:dhaus] *s.* corp de gardă.

guardian ['gɑ:djən] *s.* **1.** tutore. **2.** epitrop. **3.** păzitor.

guardian angel ['gɑ:djən'eindʒl] *s.* înger păzitor.

guardianship ['gɑ:djənʃip] *s.* tutelă.

guard room ['gɑ:dru(:)m] *s.* v. **guard-house.**

guardsman ['gɑ:dzmən] *s. pl.* **guardsmen** ['gɑ:dzmən] **1.** ofiţer; *rar* soldat dintr-un regiment de gardă. **2.** păzitor, gardian; străjer.

gubernatorial [ˌgju:bənə'tɔ:riəl] *adj. amer.* de guvernator; referitor la funcţia guvernatorilor.

gudgeon[1] ['gʌdʒən] *s.* **1.** *iht.* porcuşor *(Gobio fluviatilis).* **2.** nerod, găgăuţă. || *to swallow a* ~ *fig.* a muşca din momeală, a cădea în capcană.

gudgeon[2] ['gʌdʒən] *s.* **1.** *tehn.* bolţ; bulon; pivot de manivelă. **2.** balama de cârmă.

gue(r)rilla [gə'rilə] *s.* **1.** (război de) gherilă. **2.** partizan(i).

guelder rose ['geldə ˌrouz] *s. bot.*

călin, dârmoz *(Vibusnum opulus).*

guerdon ['gəːdən] *poet.* **I.** *s.* răsplată, recompensă; premiere. **II.** *vt.* a răsplăti; a recompensa, a premia.

guernsey ['gəːnzi] *s.* **1.** pulover gros de lână. **2.** vacă din rasa Guernsey.

guess [ges] **I.** *s.* **1.** presupunere. **2.** ghiceală. || *at a ~, by ~* pe ghicite **II.** *vt., vi* **1.** a ghici. **2.** *amer.* a gândi, a crede, a socoti. **3.** *amer.* a-şi închipui, a presupune.

guess-work ['geswəːk] *s.* **1.** ghicit, ghiceală. **2.** presupunere. || *by ~* pe ghicite.

guest [gest] *s.* **1.** oaspete. **2.** client.

guffaw [gʌ'fɔː] **I.** *s.* hohot. **II.** *vi.* a hohoti.

guidance ['gaidns] *s.* **1.** conducere. **2.** călăuzire.

guide [gaid] **I.** *s.* **1.** călăuză. **2.** ghid. **3.** principiu călăuzitor. **4.** model. **II.** *vt.* **1.** a călăuzi. **2.** a îndruma.

guide book ['gaidbuk] *s.* călăuză, ghid, carte-călăuză *(pentru călători).*

guided missiles ['gaidid'misailz] *s. pl.* (proiectile) teleghidate; rachete.

guide post ['gaidpoust] *s.* stâlp indicator *(la răscruce).*

Guider ['gaidə] *s.* conducător al unei organizaţii de cercetaşe *(pentru fete între 11-16 ani, în Marea Britanie, Canada etc.).*

guidon ['gaidn] *s.* **1.** *mil.* steguleţ ascuţit lângă vârful lăncii. **2.** stegar. **3.** steag de breaslă.

guild [gild] *s.* **1.** *ist.* corporaţie, breaslă. **2.** organizaţie, asociaţie.

guilder ['gildə] *s.* gulden, florin *(monedă olandeză).*

guild-hall ['gildhɔːl] *s.* **1.** *the Guildhall* primăria din Londra. **2.** *ist.* locul de adunare a unei bresle.

guild master ['gild ˌmɑːstə] *s. ist.* conducător / şef de breaslă.

guile [gail] *s.* **1.** viclenie. **2.** păcăleală.

guileful ['gailful] *adj.* **1.** perfid, prefăcut. **2.** şiret, viclean.

guileless ['gaillis] *adj.* **1.** inocent, nevinovat. **2.** onest, sincer.

guillemot ['gaillimɔt] *s. ornit.* varietate de cufundar-arctic *(Uria).*

guillotine ['gilə̩tiːn] **I.** *s.* ghilotină.

II. *vt.* a ghilotina.

guilt [gilt] *s.* vină.

guiltiness [giltinis] *s.* vinovăţie.

guiltless ['giltlis] *adj.* nevinovat.

guilty ['gilti] *adj.* vinovat. || *to plead ~* a se declara vinovat.

guinea ['gini] *s.* guinee, sumă / monedă de 21 de şilingi.

guinea-pig ['ginipig] *s.* cobai.

guipure [gi'pjuə] *s.* ghipură, broderie de dantelă.

guise [gaiz] *s.* **1.** veşmânt. **2.** înfăţişare. **3.** *fig.* mască.

guitar [gi'tɑː] *s.* chitară.

gulch [gʌltʃ] *s. amer.* viroagă, vale creată de un torent.

gulf [gʌlf] *s.* **1.** golf. **2.** prăpastie *(şi fig.).*

gull [gʌl] **I.** *s.* **1.** *ornit.* pescăruş *(Larus argentatus).* **2.** fraier. **II.** *vt.* a păcăli.

gullet ['gʌlit] *s.* **1.** *anat.* esofag, *fam.* gât(iţă). **2.** gâtlej. **3.** *geogr.* trecătoare, defileu.

gullible ['gʌləbl] *adj.* **1.** naiv, credul. **2.** uşor de păcălit / de tras pe sfoară, fraier.

gully[1] ['gʌli] *s.* **1.** şanţ. **2.** canal.

gully[2] ['gʌli] *s.* cuţit mare.

gulp [gʌlp] **I.** *s.* **1.** înghiţitură. **2.** sorbitură. **II.** *vt., vi.* **1.** a înghiţi. **2.** a sorbi.

gum [gʌm] **I.** *s.* **1.** gingie. **2.** gumă. **3.** cauciuc. **4.** eucalipt. **II.** *vt.* **1.** a lipi. **2.** a guma.

gumbo ['gʌmbou] *s. amer.* **1.** *bot.* bame *(Hibiscus esculentus).* **2.** supă din păstăile de nalbă mare. **3.** *geol.* gumbo *(sol nămolos alcalin).*

gummy[1] ['gʌmi] *adj.* **1.** cleios, vâscos. **2.** răşinos; care secretă clei / răşină. **3.** gumat, cu gumă / lipici / clei; lipicios.

gummy[2] ['gʌmi] *adj.* ştirb.

gumption ['gʌmʃn] *s. fam.* **1.** pricepere; deşteptăciune. **2.** spirit descurcăreţ. || *he's got plenty of ~* ştie să se descurce; toate îi merg în plin.

gun [gʌn] *s.* **1.** armă de foc. **2.** puşcă. **3.** puşcaş. **4.** *amer.* pistol. **5.** *mil.* tun. || *to stick to one's ~s* a-şi apăra concepţiile; *it blows great ~* s e o furtună cumplită.

gunboat ['gʌnbout] *s. mar.* **1.** vedetă rapidă. **2.** monitor; canonieră.

gun cotton ['gʌn ˌkɔtn] *s. chim. mil.* fulmicoton, piroxilină.

gunman ['gʌnmən] *s. pl.* **gunmen** ['gʌnmən] **1.** franctiror. **2.** puşcaş. **3.** bandit.

gunner ['gʌnə] *s.* tunar.

gunnery ['gʌnəri] *s. mil.* arta artileriei.

gunny ['gʌni] *s. text.* ţesătură groasă şi tare de iută.

gunpowder ['gʌnˌpaudə] *s.* praf de puşcă.

gunshot ['gʌnʃɔt] *s.* **1.** împuşcătură. **2.** bătaia puştii.

gunsmith ['gʌnsmiθ] *s.* armurier.

gunstock ['gʌnstɔk] *s.* pat de puşcă.

gunwale ['gʌnl] *s. mar.* copastie, bord.

guppy ['gʌpi] *s. mar.* submarin.

gurgle ['gəːgl] *vi.* **1.** a gâlgâi. **2.** a bolborosi.

gurnard ['gəːnəd], **gurnet** ['gəːnit] *s. iht.* rândunică de mare *(Trigla).*

guru ['guruː] *s.* guru, preot / predicator hindus.

gush [gʌʃ] **I.** *s.* **1.** izbucnire. **2.** ţâşnitură. **II.** *vi.* **1.** a ţâşni. **2.** a izbucni. || *to ~ over* a se entuziasma de.

gusher [gʌʃə] *s.* **1.** *fam.* om care-şi revarsă sentimentele, entuziast. **2.** puţ ţâşnitor *(de petrol).*

gusset ['gʌsit] *s.* **1.** clin *(la haină, rochie etc.).* **2.** plastron *(la cămaşă).* **3.** *tehn.* guseu, îmbucătură, îmbinare.

gust [gʌst] *s.* **1.** rafală. **2.** torent. **3.** *fig.* izbucnire.

gustatory ['gʌstətəri] *adj.* gustativ.

gusto ['gʌstou] *s.* **1.** plăcere, savoare; bucurie. **2.** entuziasm.

gusty ['gʌsti] *adj.* **1.** furtunos, impetuos. **2.** *fig.* ţâfnos, irascibil.

gut [gʌt] **I.** *s.* **1.** maţ. **2.** catgut. **3.** strună. **4.** *pl.* esenţă. **5.** *pl.* curaj; îndrăzneală. **II.** *vt.* **1.** a curăţi (de maţe). **2.** a distruge.

gutta-percha ['gʌtə'pəːtʃə] *s.* gutapercă.

gutter ['gʌtə] *s.* **1.** jgheab. **2.** rigolă. **3.** *fig.* mocirlă, viaţă imo-rală.

guttering ['gʌtəriŋ] *s.* material din care se fac jgheaburile.

gutter-snipe ['gʌtəsnaip] *s.* golan.

guttural ['gʌtrl] *adj.* gutural.

guy[1] [gai] *amer.* **1.** persoană. **2.** tip, individ (ciudat).

guy[2] [gai] **I.** *s.* odgon, parâmă, sart. **II.** *vt.* a fixa cu parâme.

guzzle ['gʌzl] *vt., vi.* **1.** a sorbi, a bea pe nerăsuflate. **2.** a mânca cu poftă.

gybe [dʒaib] *mar.* **I.** *vt.* a schimba pânzele. **II.** *vi.* a se întoarce prin schimbare de pânze.

gymkhana [dʒim'kɑːnə] *s.* *(în India)* **1.** loc pentru întreceri atletice. **2.** concurs atletic / sportiv. **3.** concurs hipic.

gym(nasium) [dʒim(neizjəm)] *s.* **1.** sală de gimnastică. **2.** gimnastică.

gymnast ['dʒimnæst] *s.* gimnast.

gymnastic [dʒim'næstik] **I.** *adj.* gimnastic; de gimnastică. **II.** *s. pl.* gimnastică.

gymnastics [dʒim'næstiks] *s.* gimnastică.

gyn(a)ecology [ˌgaini'kolədʒi] *s. med.* ginecologie.

gyp[1] [dʒip] **I.** *s.* **1.** servitor, camerist *(la universitățile Cambridge și Durham).* **2.** *amer. sl.* escroc, șarlatan. **II.** *vt. amer. sl.* a escroca, a pungăși.

gyp[2] [dʒip] *s. sl.* chelfăneală, bătaie, săpuneală. || *to give smb.* ~ a trage o chelfăneală cuiva; *(despre un dinte stricat)* a provoca dureri.

gypsum ['dʒipsəm] *s.* g(h)ips, ipsos.

gypsy ['dʒipsi] **I.** *s.* țigan(că). **II.** *adj.* țigănesc.

gyrate [dʒi'reit] *vi.* a se învârti, a se roti.

gyration [ˌdʒaiə'reiʃn] *s.* rotație; mișcare de rotație, girație.

gyro ['dʒairou] *s.* **1.** *fin.* (sistem bancar de) virament. **2.** *fam.* v. **gyroscope.**

gyroscope ['gaiərəskoup] *s.* giroscop.

gyve [dʒaiv] **I.** *s.* **1.** cătușă. **2.** *pl.* lanțuri. **II.** *vt.* a pune în lanțuri.

H

H [eitʃ] *s.* **1.** (litera) H, h. **2.** *muz.* nota si (natural). || *to drop one's h's* a vorbi incorect, (cu accent cockney, ca londonezii de baștină).

ha[1] [hɑː] *interj.* **1.** ha! **2.** ași!

ha[2] *abrev. hectare(s)* ha.

habeas corpus [ˌheibiəs 'kɔːpəs] *s. jur.* (lege *sau* principiu de) habeas corpus.

haberdasher ['hæbədæʃə] *s.* **1.** negustor de mărunțișuri. **2.** *amer.* negustor de galanterie bărbătească.

haberdashery ['hæbədæʃəri] *s.* **1.** prăvălie de mărunțișuri. **2.** mercerie. **3.** *amer.* galanterie (bărbătească).

habiliment [hə'bilimənt] *s. pl.* **1.** veșminte, haine *(oficiale, sacerdotale etc.).* **2.** *înv.* dichisuri, podoabe.

habit ['hæbit] **I.** *s.* **1.** obicei. **2.** nărav. **3.** obișnuință. **4.** veșmânt, îmbrăcăminte. || *to fall into a* ~ a căpăta un nărav. **II.** *vt.* a îmbrăca.

habitable ['hæbitəbl] *adj.* locuibil.

habitant[1] ['hæbitnt] *s. înv.* locuitor.

habitant[2] ['hæbitɔːŋ] *s. amer.* mic proprietar de pământ de origine franceză *(din Canada sau statul Louisiana).*

habitat ['hæbitæt] *s.* **1.** *zool., bot.* areal, habitat, arie de răspândire. **2.** *fig.* patrie; loc de baștină.

habitation [ˌhæbi'teiʃn] *s.* **1.** locuire, locuit. **2.** locuință.

habitual [hə'bitjuəl] *adj.* **1.** obișnuit. **2.** frecvent.

habitually [hə'bitjuəli] *adv.* de obicei.

habituate [hə'bitjueit] *vt.* a deprinde.

habitude ['hæbitjuːd] *s.* **1.** obișnuință. **2.** dispoziție. **3.** temperament.

habitué [hə'bitjuei] *s.* vizitator frecvent, oaspete obișnuit.

hacienda [ˌhæsi'endə] *s.* fermă, plantație *(în America Latină).*

hack [hæk] **I.** *s.* **1.** cal de povară *(și fig.).* **2.** *fig.* rob; negru *(care robește pentru altul).* **II.** *vt.* a ciopârți. **II.** *vi.* a tăia.

hacker ['hækə] *s.* **1.** târnăcop; topor de tăiat piatră. **2.** tăietor de piatră; salahor / muncitor care lucrează cu târnăcopul / toporul.

hackle ['hækl] *text.* **I.** *s.* darac, ragilă *(pentru in).* **II.** *vt.* a dărăci, a pieptăna cu ragila.

hackney ['hækni] **I.** *s.* cal de povară. **II.** *vt.* a banaliza.

hackney-coach ['hæknikoutʃ] *s.* birjă, trăsură de piață.

hackneyed ['hæknid] *adj.* banal; banalizat.

had [həd, hæd] *v. aux., v. mod., vt. trec. și part. trec. de la* **have.**

haddock ['hædək] *s. iht.* egrefin *(Gadus aeglefinus).*

Hades ['heidiːz] *s. mit.* iad, infern, Hades; Gheena.

Hadji ['hædʒi] *s. rel.* hagiu; pelerin.

hadn't ['hædnt] *prescurtare de la* **had not.**

haematite ['hiːmətait] *s. minr.* hematită.

haematology [ˌhiːmə'tɔlədʒi] *s. med.* hematologie.

haemoglobin [ˌhiːmou'gloubin] *s. fiziol.* hemoglobină.

haemophilia [ˌhiːmou'filiə] *s. med.* hemofilie.

haemorrhage ['hemɔridʒ] *s. med.* hemoragie.

haemorrhoids ['hemɔrɔidz] *s. pl. med.* hemoroizi, *fam.* trânji.

haft [hɑːft] **I.** *s.* **1.** plăsele; mâner *(de cuțit).* **2.** coadă, mâner *(de unealtă).* **II.** *vt.* a pune mâner / coadă *(unei scule).*

hag [hæg] *s.* **1.** vrăjitoare. **2.** babă (rea), baborniță.

haggard ['hægəd] *adj.* **1.** istovit. **2.** stors; supt.

haggle ['hægl] *vi.* **1.** (**with, over**) a se tocmi *(cu, pentru).* **2.** a se certa.

hagiography [ˌhægi'ɔgrəfi] *s. rel.* hagiografie.

hah [hɑː] *interj. (exprimă surpriza)* ha!

haha ['hɑː ˌhɑː] **I.** *interj.* ha-ha! hoho! **II.** *s.* râs, batjocură. || *to give smb. the* ~ a lua pe cineva în batjocură.

ha-ha ['hɑːˌhɑː] *s.* șanț de hotar cu gard mic; împrejmuire pentru grădini / parcuri.

haiku ['haiku:] *s.* (imitație engleză a unui) poem japonez de 17 silabe, haik(k)u.

hail [heil] I. s. 1. grindină *(şi fig.)*. 2. *fig.* ploaie. 3. lapoviţă. 4. salutare; strigăt de bun venit. || *within* ~ aproape. II. *vt.* 1. a arunca, a turna *(lovituri etc.)*. 2. a face să cadă *(lovituri etc.)*. 3. a saluta. 4. a striga, a chema. III. *vi.* 1. a cădea ca o grindină. 2.(from) a veni, a se trage (din, de la). || *it* ~s bate grindina; *he* ~s *from London* e originar din Londra,vine de la Londra. IV. *interj.* salut!. || *to be* ~- *fellow-well-met with smb.* a se bate pe burtă cu cineva.

hailstone ['heilstoun] s. grindină, piatră.

hailstorm ['heilstɔːm] s. furtună cu grindină.

hair [heə] s. 1. păr. 2. fir de păr. || *to put up one's* ~ a-şi face coafură montantă; *fig.* a se emancipa; *keep your* ~ *on* fii calm; *to lose one's*~ a cheli; a se enerva; a-şi pierde cumpătul; *to a* ~ exact; *not to turn a* ~ a fi neclintit; *to split* ~s a tăia firul în patru.

hairbreadth escape ['heəbredθ is'keip] s. scăpare ca prin urechile acului.

hairbrush ['heəbrʌʃ] s. perie de cap.

haircloth ['heəklɔθ] s. 1. material / stofă din fire de păr *(mai ales de cămilă sau de cal)*. 2. *bis.* haină de ascet *(din stofă aspră)*.

haircut ['heəkʌt] s. tunsoare.

hair-do ['heəduː] s. 1. coafură. 2. coafat.

hairdresser ['heədresə] s. 1. coafor; coafeză. 2. frizer.

hairless ['heəlis] adj. 1. pleşuv. 2. spân.

hairlike ['heəlaik] adj. ca părul, ca un fir de păr.

hairpin ['heəpin] s. agrafă *sau* ac de cap.

hair-splitting ['heəsplitiŋ] I. s. despicarea firului în patru. II. adj. 1. extrem de fin. 2. de / în amănunt; minuţios; care despică firul în patru.

hairy ['heəri] adj. păros.

hair('s) breadth ['heə(z)bredθ] s. 1. grosimea unui fir de păr. 2. picătură *(fig.)*. 3. amănunt.

hajji ['hædʒi] s. *rel.* hagiu, pelerin.

hake [heik] s. *iht.* varietate de peşte marin din genul *Merluccius*.

hakeem, hakim [hæ'kiːm] s. medic / judecător musulman.

halberd ['hælbəd] s. *mil., ist.* halebardă.

halcyon ['hælsiən] adj. *(d. zi, perioadă)* 1. liniştit. 2. senin.

hale¹ [heil] adj. 1. sănătos. 2. voinic.

hale² [heil] vt. *(înv.)* a târî, a trage cu forţa.

half [hɑːf] I. s. jumătate. || *to go halves* a face jumate-jumate. II. adv. pe jumătate. || *not* ~ *bad* foarte bun.

half-back ['hɑːf'bæk] s. *sport* mijlocaş.

half-baked ['hɑːf'beikt] adj. necopt *(şi fig.)*.

half-blood ['hɑːfblʌd] s. 1. frate vitreg; soră vitregă. 2. metis.

half-breed ['hɑːfbriːd] s. corcitură.

half-brother ['hɑːf,brʌðə] s. frate vitreg.

half-caste ['hɑːfkɑːst] s. metis.

half-crown ['hɑːf'kraun] s. *ist.* (monedă de) doi şilingi şi şase penny.

half-hearted ['hɑːf'hɑːtid] adj. 1. apatic, pasiv. 2. lipsit de entuziasm.

half-holiday ['hɑːf'hɔlədi] s. după-amiază liberă.

half hour [hɑːf'auə] s. jumătate de oră.

half-line ['hɑːf'lain] s. 1. emistih, jumătate de vers. 2. jumătate de rând.

half-mast ['hɑːf'mɑːst] adj., adv. în bernă.

half-pay ['hɑːf'pei] s. jumătate de salariu.

halfpenny ['heipni] s. jumătate de penny.

half-price ['hɑːf'prais] adv. 1. cu jumătate de preţ. 2. cu taxa pe jumătate.

half-seas-over ['hɑːfsiːz'ouvə] adj. cherchelit.

half-sister ['hɑːf,sistə] s. soră vitregă.

half-time ['hɑːf'taim] s. 1. jumătate de zi. 2. *sport* repriză.

half tone ['hɑːf'toun] s. 1. semiton. 2. *poligr.* autotipie.

half-way ['hɑːf'wei] I. adj. 1. (rămas) la jumătatea drumului. 2. incomplet. II. adv. 1. la jumătatea drumului. 2. în mijloc. || *to meet smb.* ~ a accepta un compromis; a ieşi în întâmpinarea cuiva *(mai ales fig.)*.

half-witted ['hɑːf'witid] adj. imbecil.

halibut ['hælibət] s. *iht.* peşte de mare din genul *Hippoglossus*.

halitosis [,hæli'tousis] s. *med.* halitoză, (h)alenă fetidă; miros rău al gurii.

hall [hɔːl] s. 1. sală. 2. hol. 3. sufragerie. 4. local. 5. conac.

hallelujah [,hæli'luːjə] s., interj. aleluia.

halliard ['hæljəd] s. *nav.* fungă.

hall-mark ['hɔːl'mɑːk] I. s. 1. marcaj *(la bijuterii)*. 2. marcă. 3. *fig.* ştampilă. 4. garanţie de cali-tate. II. *vt.* 1. a marca. 2. a însemna.

hallo [hə'lou] I. s. salut. II. interj. 1. alo! 2. bună (ziua). III. *vi.* a striga „alo!". a striga „hei!"; a striga pe / după cineva.

hallow ['hælou] I. s. sfânt. II. vt. a sfinţi.

Hallowe'en [,hælou'iːn] s. 1. *bis.* ajunul zilei tuturor sfinţilor (31 octombrie). 2. *amer.* sărbătoare a sperietorilor *(cu măşti, colinde şi pomeni)*.

hallucinate [hə'luːsi,neit] I. vt. a da halucinaţii *(cu dat.)*. II. vi. 1. a avea halucinaţii. 2. *fam.* a se înşela, a greşi.

hallucination [hə,luːsi'neiʃn] s. halucinaţie.

hallucinogen [hə'luːsinə,dʒen] s. *med., chim.* substanţă halucinogenă, halucinogen.

hallway ['hɔːlwei] s. *amer.* coridor, gang; antreu, vestibul.

halo ['heilou] I. s. 1. nimb. 2. halo. II. *vt.* a împodobi cu un nimb.

halogen ['hælə,dʒen] s. *chim.* halogen.

halt [hɔːlt] I. s. 1. oprire. 2. haltă. 3. staţie. II. *vt.* a opri. III. vi. 1. a se opri. 2. a face o haltă. 3. a şovăi. 4. a se poticni.

halter ['hɔːltə] s. 1. laţ. 2. juvăţ; ştreang. 3. căpăstru.

halting ['hɔːltiŋ] adj. 1. şchiop. 2. şovăielnic.

halve [hɑːv] vt. 1. a înjumătăţi. 2. a împărţi pe din două.

halves [hɑːvz] s. pl. de la **half**.

halyard ['hæljəd] s. *mar.* fungă.

ham [hæm] s. 1. şuncă. 2. coapsă. 3. fund, şezut. 4. cabotin *(şi* ~ **actor**). 5. radioamator. 6. cabotinism *(şi* ~ **acting**).

hamburger ['hæmbəːgə] s. 1. hamburger *(un fel de cârnat)*. 2. *amer.* chiftea; sandviş cu tocătură.

hamlet ['hæmlit] s. cătun.

hammer ['hæmə] I. s. 1. ciocan. 2. ciocănel. || *(to go at smth.)* ~ *and tongs* (a lucra) pe brânci (la ceva). **II.** *vt.* **1.** a ciocăni. **2.** a lovi. **3.** a ataca. **4.** a înfrânge. **5.** a produce. **III.** *vi.* **1.** a ciocăni. **2.** a bocăni.

hammerless ['hæmǝlis] *adj. (d. arme)* fără cocoș.

hammock ['hæmɔk] *s.* hamac.

hamper ['hæmpǝ] **I.** *s.* coșuleț. **II.** *vt.* **1.** a împiedica. **2.** a stânjeni.

hamster ['hæmstǝ] *s.* **1.** *zool.* hârciog (*Cricetus cricetus*). **2.** hamster, blană de hârciog.

hamstring ['hæmstriŋ] **I.** *s.* tendon. **II.** *vt. trec. și part. trec.* **hamstrung** ['hæmstrʌŋ] a paraliza.

hamstrung ['hæmstrʌŋ] *vt. trec. și part. trec. de la* **hamstring.**

hand [hænd] **I.** *s.* **1.** mână. **2.** palmă. **3.** *pl.* păstrare. **4.** *pl.* influență. **5.** sursă. **6.** muncitor. **7.** marinar. **8.** îndemânare. **9.** *(la cărți)* manșă; levată. **10.** ac, limbă (de ceas). **11.** parte. **12.** direcție. **13.** scris. **14.** caligrafie. **15.** semnătură. **16.** lat de palmă. || ~*s off!* jos mâna!; ~*(s) over fist* repede; ~*s up!* mâinile sus!; *at* ~ la îndemână; *to be* ~ *in glove with smb.* a fi prieten la cataramă cu cineva; a fi în cârdășie cu cineva; *by* ~ cu mâna; *to get the upper* ~ *of smb.* a depăși; a avea în palmă pe cineva; *to have one's* ~*(s) full* a fi foarte ocupat; *in* ~ la dispoziție; în stăpânire; *to keep one's* ~ *in* a-și menține antrenamentul; *to lay* ~*s on* a găsi; a apuca; *to lend a helping* ~ a da o mână de ajutor; *to live from* ~ *to mouth* a trăi de azi pe mâine; *on* ~ disponibil; *out of* ~ nestăpânit; *to play into smb.'s* ~*s* a face jocul cuiva; *to shake* ~*s with smb.* a da mâna cu cineva; *with a high* ~ arogant.

hand-bag ['hændbæg] *s.* **1.** sac de voiaj. **2.** poșetă.

hand-barrow ['hæn¡bærou] *s.* cărucioară.

handbill ['hændbil] *s.* **1.** manifest. **2.** reclamă.

hand-book ['hænbuk] *s.* manual.

hand breadth ['hænd bredθ] *s.* lățime de o palmă.

handcuff ['hænkʌf] **I.** *s.* cătușă. **II.** *vt.* a încătușa.

handful ['hænful] *s.* **1.** (cât încape într-o) mână. **2.** mână, pumn *(de oameni etc.).* **3.** om dificil *sau* turbulent. **4.** animal năravaș.

handhold ['hændhould] *s.* sprijin pentru mână *(la cățărat).*

handicap ['hændikæp] **I.** *s.* **1.** handicap. **2.** oprelişte. **3.** cursă cu handicap. **II.** *vt.* a handicapa.

handicraft ['hændikrɑːft] *s.* **1.** meșteșug. **2.** artizanat.

handicraftsman ['hændi¡krɑːftsmǝn] *s. pl.* **handicraftsmen** ['hændi¡krɑːftsmǝn] meseriaș, meșteșugar.

handily ['hændili] *adv.* **1.** convenabil. **2.** ușor.

handiwork ['hændiwɔːk] *s.* lucru de mână.

handkerchief ['hæŋkǝtʃif] *s.* **1.** batistă. **2.** batic.

handle ['hændl] **I.** *s.* **1.** mâner. **2.** manivelă. **3.** titlu. **4.** ajutor. **II.** *vt.* **1.** a mânui. **2.** a manipula. **3.** a trata. **4.** a stăpâni. **5.** a comanda. **6.** a conduce. **7.** a administra. **8.** a vinde.

handler ['hændlǝ] *s.* **1.** agent, intermediar. **2.** dresor; om care se ocupă de animale etc.

handless ['hændlis] *adj.* **1.** ciung. **2.** *reg.* stângaci, neîndemânatic.

hand-made ['hæn'meid] *adj.* lucrat manual.

hand maid(en) ['hænd¡meidn] *s. înv. sau fig.* servantă, servitoare, slujnică.

hand-organ ['hænd¡ɔːgǝn] *s.* flașnetă.

hand-out ['hændaut] *s.* **1.** dar; pomană. **2.** chilipir.

hand-picked ['hændpikt] *s.* **1.** *amer.* ales, selecționat; *sl.* de soi. || ~ *troops* trupe de elită. **2.** *tehn.* sortat cu mâna.

hand-rail ['hændreil] *s.* balustradă.

handsel ['hændsǝl] **I.** *s.* **1.** dar, cadou (de Anul Nou). **2.** arvună, avans. **3.** *fig.* plăcere / bucurie anticipată. **4.** gaj, amanet. **5.** saftea, inaugurare (a vânzărilor). **II.** *vt.* **1.** a dărui, a face cadou (de Anul Nou) (cu dat.). **2.** a arvuni (cuiva). **3.** a face safteaua (cuiva).

handshake ['hændʃeik] *s.* strângere de mână.

handsome ['hænsǝm] *adj.* **1.** chipeș, frumos. **2.** bine făcut, trupeș. **3.** impozant. **4.** mărinimos.

handsomely ['hænsǝmli] *adv.* **1.** frumos. **2.** cu generozitate.

handspike ['hændspaik] *s.* **1.** *mar.* manelă de cabestan. **2.** *constr.* pârghie.

handwork ['hændwɔːk] *s.* lucru de mână.

handwriting ['hænd¡raitiŋ] *s.* **1.** scris. **2.** caligrafie.

handy ['hændi] *adj.* **1.** îndemânatic. **2.** convenabil. **3.** la îndemână. || *it comes in* ~ cade tocmai bine.

hang [hæŋ] **I.** *s.* **1.** linie. **2.** ținută. **3.** felul în care cade (o rochie etc.). **4.** sens. || *not to care a* ~ a nu-i păsa defel. **II.** *vt. trec. și part. trec.* **1.**, **2.** *și* **3. hung** [hʌŋ] **1.** a atârna. **2.** aprinde. **3.** a pune în cui. **4.** a spânzura. || *to* ~ *up* a amâna; a întrerupe. **III.** *vi. trec. și part. trec.* **hung** [hʌŋ] **1.** a atârna. **2.** a spânzura. **3.** a rămâne. **4.** zăbovi, a întârzia. **5.** a șovăi. || *to* ~ *about / around* a nu se îndepărta; a pierde vremea; *to* ~ *by a hair* a fi nesigur; a fi în primejdie; *to* ~ *(up) on smb.'s lips* a sorbi cuvintele cuiva; a asculta cu religiozitate pe cineva; *to* ~ *over* a sta aproape de; a amenința; *to* ~ *together* a nu se despărți; a se îmbina; *let it go* ~ puțin îmi pasă.

hangar ['hæŋǝ] *s.* hangar.

hangdog ['hæŋdɔg] **I.** *s.* nemernic, ticălos. **II.** *adj.* umil, vinovat. || ~ *look / air* privire de câine bătut.

hanger ['hæŋǝ] *s.* **1.** umăr de haine. **2.** agățătoare.

hanger-on ['hæŋǝr'ɔn], *pl.* **hangers-on** ['hæŋǝz'ɔn] *s.* **1.** lingeblide, lingău, parazit, oaspete nepoftit. **2.** *mil. înv.* militar necombatant.

hanging ['hæŋiŋ] **I.** *s.* **1.** spânzurare. **2.** spânzurătoare. **3.** *pl.* draperii. **II.** *adj.* criminal.

hanging matter ['hæŋiŋ¡mætǝ] *s.* **1.** crimă capitală. **2.** faptă extrem de gravă.

hangman ['hæŋmǝn] *s. pl.* **hangmen** ['hæŋmǝn] călău.

hangover ['hæŋ¡ouvǝ] *s.* mahmureală.

hank [hæŋk] *s.* **1.** *text.* ghem; scul. **2.** *fam.* forță, constrângere. || *to get / have a* ~ *on / over smb.* a avea putere asupra cuiva, a avea pe cineva la mână.

hanker ['hæŋkǝ] *vi.* (**after, for**) a tânji după, a dori mult.

hankering ['hæŋkǝriŋ] *s.* (**after, for**) dor, dorință, poftă (de).

hanky ['hæŋki] *s. fam.* batistă, basma.

hanky-panky ['hæŋki¡pæŋki] *s.* **1.**

hocus-pocus, scamatorie, şar-
latanie. **2.** păcăleală, înşelă-
torie. **3.** uneltire, sforărie.

Hanseatic [ˌhænsiˈætik] *adj. ist.*
hanseatic.

hansel [ˈhɛnsl] **I.** *s.* **1.** dar, cadou.
2. avans; amanet. **3.** saftea. **II.**
vt. **1.** a face un cadou (*cuiva*).
2. a da arvună (*cuiva*).

hansom (cab) [ˈhænsɔm(kæb)] *s.*
birjă.

hap [hæp] *s.* întâmplare.

haphazard [ˈhæpˈhæzɔd] *adj.*
întâmplător.

hapless [ˈhæplis] *adj.* nenorocos.

haply [ˈhæpli] *adv.înv. poet.* **1.** din
întâmplare, întâmplător. **2.** po-
sibil, poate (că).

happen [ˈhæpn] *vi.* **1.** a se întâm-
pla. **2.** a se produce. **3.** a se ni-
meri.

happening [ˈhæpniŋ] *s.* **1.** întâm-
plare. **2.** eveniment.

happily [ˈhæpli] *adv.* **1.** din
fericire. **2.** fericit, în împrejurări
fericite. **3.** cu îndemânare; cu
noroc, cu succes, în mod
fericit. || *he lived ~ with his
wife* a dus-o / se împăca bine
cu soţia lui.

happiness [ˈhæpinis] *s.* **1.** fericire.
2. noroc.

happy [ˈhæpi] *adj.* **1.** norocos. **2.**
fericit. **3.** încântat. **4.** mulţumit,
satisfăcut. **5.** potrivit, nimerit.

happy-go-lucky [ˈhæpigoˌlʌki] *adj.*
1. vesel. **2.** lipsit de griji. **3.** în-
crezător în noroc.

harakiri [ˌhærəˈkiri] *s.* harachiri.

harangue [həˈræŋ] **I.** *s.* **1.** discurs.
2. predică (*fig.*). **II.** *vt., vi.* a ţine
o predică (*cuiva*).

harass [ˈhærəs] *vt.* **1.** a necăji. **2.** a
chinui. **3.** a hărţui.

harbinger [ˈhɑːbindʒə] *s.* vestitor,
crainic.

harbo(u)r [ˈhɑːbə] **I.** *s.* **1.** port. **2.**
fig. liman. **II.** *vt.* **1.** a adăposti.
2. a ocroti; a proteja. **3.** a as-
cunde. **4.** *fig.* a nutri, a în-
treţine. **III.** *vi.* **1.** a se refugia. **2.**
a se adăposti.

hard [hɑːd] **I.** *adj.* **1.** tare. **2.** ferm.
3. solid. **4.** puternic. **5.** greu,
dificil. **6.** musculos, voinic. **7.**
aspru. **8.** sever. **9.** rece (*fig.*)
10. *amer.* alcoolic. **11.** cumplit.
|| *~and fast* rigid; *~ of hear-
ing* (aproape) surd; *a ~ nut to
crack* o problemă grea; un caz
dificil; un om dificil; *as ~ as
nails* aprig; aspru; neîndurător;
împietrit. **II.** *adv.* **1.** (din) greu.
2. aspru. **3.** tare. **4.** aproape. **5.**

curând. **6.** prea mult. **7.** exa-
gerat. || *to look ~ at smb.* a
fixa pe cineva; *he is ~ up* e
sărac; e strâmtorat, n-are bani;
fig. duce lipsă (*de idei etc.*); *~
by* curând; aproape.

hard-bitten [ˈhɑːdbitn] *adj.* încă-
păţânat, îndărătnic; tenace,
energic.

hard-boiled [ˈhɑːdbɔild] *adj.* **1.** (*d.
ou*) fiert tare; răscopt. **2.** *fig.*
hârşit cu viaţa, împietrit, aspru;
tenace, tare.

hard cash [ˈhɑːdkæʃ] *s.* bani
gheaţă.

harden [ˈhɑːdn] *vt., vi.* **1.** a (se)
întări. **2.** a (se) oţeli.

hard-handed [ˈhɑːdˈhændid] *adj.*
1. (*d. mâini*) tare, bătătorit. **2.**
(*d. domnie, stăpânire*) aspru,
sever.

hard-headed [ˈhɑːdˈhedid] *adj.*
1. practic. **2.** materialist; in-
teresat. **3.** împietrit. **4.** *amer.*
încăpăţânat.

hard-hearted [ˈhɑːdˈhɑːtid] *adj.*
fără inimă.

hardihood [ˈhɑːdihud] *s.* **1.** în-
drăzneală. **2.** obrăznicie. **3.** re-
zistenţă; tenacitate.

hardiness [ˈhɑːdinis] *s.* **1.** în-
drăzneală, curaj. **2.** tărie, vi-
goare; rezistenţă, tenacitate.

hard labour [ˈhɑːdˈleibə] *s.* muncă
silnică.

hardly [ˈhɑːdli] *adv.* **1.** abia. **2.** cu
greu. **3.** sever, aspru. || *~ had
he returned when the tele-
phone rang* nici nu se întor-
sese bine / abia se întorsese că
a şi sunat telefonul.

hardness [ˈhɑːdnis] *s.* **1.** tărie,
soliditate. **2.** tărie (*a apei*). **3.**
fig. răbdare, tenacitate. **4.** in-
sensibilitate; cruzime. **5.** inco-
rigibilitate. **6.** dificultate (de în-
ţelegere); minte mărginită. **7.**
fig. sărăcie, mizerie; supărare,
necaz. **8.** urăţenie. **9.** asprime
(*în privire*). **10.** academism,
convenţionalism (*în artă*). **11.**
rar zgârcenie, calicie.

hard pan [ˈhɑːdˈpæn] *s. geol.* **1.**
strat, filon subteran. **2.** *amer.*
sol nesfărâmicios. **3.** *amer. fig.*
fundament, temelie; principii.
4. *amer. fig.* gradul cel mai de
jos. || *prices are at ~* preţurile
se menţin la cel mai scăzut
nivel.

hardshell [ˈhɑːdʃel] *adj.* **1.** (*d. mig-
dală*) cu coajă tare. **2.** (*d.
moluşte*) cu crustă tare. **3.**
amer. pol. strict, intransigent.

hardship [ˈhɑːdʃip] *s.* **1.** dificul-
tate. **2.** asprime. **3.** privaţiune.
4. suferinţă.

hard tack [ˈhɑːdˈtæk] *s. sl.* pesmet
marinăresc.

hardware [ˈhɑːdweə] *s.* **1.** articole
de fierărie şi menaj. **2.** *cib.*
hardware; aparatură.

hardwood [ˈhɑːdwud] *s.* (lemn de)
esenţă tare.

hardy [ˈhɑːdi] *adj.* **1.** tare. **2.** rezis-
tent. **3.** călit (*fig.*). **4.** îndrăzneţ.
5. îngâmfat.

hare [hɛə] *s. zool.* iepure (de
câmp) (*Lepus*). || *as mad as a
(March) ~* zăpăcit, nebun.

hare-bell [ˈhɛəˌbel] *s. bot.* cam-
panulă, clopoţel (*Campanula
rotundifolia*).

hare-brained [ˈhɛəbreind] *adj.* **1.**
zăpăcit, împrăştiat, aiurit. **2.**
pripit. **3.** nechibzuit.

harem [ˈhɛərəm] *s.* harem.

haricot [ˈhærikou] *s.* mâncare /
ghiveci de berbec (*cu legume*).

hark [hɑːk] *vi. înv.* a asculta.

harken [ˈhɑːkən] *vi.* **(to)** a asculta,
a fi atent (la).

harlequin [ˈhɑːlikwin] **I.** *s.* **1.** ar-
lechin; *fig.* caraghios, poznaş.
2. bufon. **II.** *adj.* pestriţ, bălţat,
ţipător (colorat). **III.** *vi.* a face
pe clovnul / caraghiosul. **IV.** *vt.*
a face să plece, a izgoni (*prin
farse*).

harlot [ˈhɑːlət] *s.* **1.** stricată, damă.
2. prostituată, femeie de stra-
dă.

harm [hɑːm] **I.** *s.* **1.** rău. **2.**
stricăciune, pagubă. **3.** atin-
gere. || *out of ~'s way* în
siguranţă. **II.** **1.** *vt.* a avaria. **2.**
a strica. **3.** a răni. **4.** a dăuna
(*cuiva*).

harmful [ˈhɑːmfl] *adj.* **1.** dăunător.
2. periculos.

harmless [ˈhɑːmlis] *adj.* **1.** inofen-
siv, care nu face nici un rău
nimănui. **2.** nevinovat.

harmlessly [ˈhɑːmlisli] *adv.* **1.**
fără vătămare / stricăciuni. **2.**
nevinovat, inocent.

harmlessness [ˈhɑːmlisnis] *s.* **1.**
candoare; inocenţă. **2.** caracter
inofensiv / benign.

harmonic [hɑːˈmɔnik] **I.** *s.* notă ar-
monică. **II.** *adj.* armonic.

harmonica [hɑːˈmɔnikə] *s.*
muzicuţă (de gură).

harmonics [hɑːˈmɔniks] *s. muz.*
teoria armoniei.

harmonious [hɑːˈmounjəs] *adj.* **1.**
armonios. **2.** melodios; dulce.

harmonium [hɑː'mouniəm] *s. muz.* armoniu, orgă de salon; filarmonică.

harmonize [hɑːmənaiz] *vt., vi.* (**with**) **1.** a (se) armoniza (cu). **2.** a (se) potrivi (cu). **3.** a (se) înțelege (cu).

harmony ['hɑːməni] *s.* **1.** armonie. **2.** potrivire. **3.** înțelegere.

harness ['hɑːnis] **I.** *s.* **1.** harnașament. **2.** hamuri. || *to die in* ~ a muri muncind / în activitate. **II.** *vt.* **1.** a înhăma. **2.** *fig.* a exploata *(un râu etc.).*

harp [hɑːp] **I.** *s.* harpă. **II.** *vi.:* *to* ~ *(and carp) on smth.* a bate capul cu ceva, a insista (la infinit), a o ține întruna.

harper ['hɑːpə] *s.* **1.** *muz.* harpist; harpistă. **2.** șiling irlandez.

harpoon [hɑː'puːn] **I.** *s.* harpon. **II.** *vt.* a prinde cu harponul.

harpsichord ['hɑːpsiˌkɔːd] *s. muz.* tip de clavecin, harpsicord.

harpy ['hɑːpi] *s.* **1.** *mit.* harpie, monstru rapace. **2.** *fig.* zgripțuroaică; scorpie. **3.** *fig.* jefuitor; lipitoare; lup; pasăre de pradă. **4.** *fig.* pasăre de noapte, femeie de localuri.

harquebus ['hɑːkwibəs] *s. ist., mil.* **1.** archebuză. **2.** archebuzier.

harridan ['hæridn] *s.* babornită.

harrier ['hæriə] *s.* **1.** câine de vânătoare (care hăituiește vânatul). **2.** *pl.* hăitași cu câini de vânătoare. **3.** *ornit.* (h)erete *(Circus).*

harrow ['hærou] **I.** *s.* grapă. **II.** *vt.* **1.** a grăpa. **2.** *fig.* a chinui.

Harrow ['hærou] *s.* **1.** oraș în Anglia. **2.** școală / liceu pentru fiii de bogătași.

harry ['hæri] *vt.* **1.** a jefui. **2.** a necăji. **3.** a hărțui.

harsh [hɑːʃ] *adj.* **1.** aspru. **2.** sever. **3.** sălbatic. **4.** supărător. **5.** discordant.

harshly ['hɑːʃli] *adv.* cu asprime; sever, crud.

harshness ['hɑːʃnis] *s.* **1.** tărie *(a corpurilor);* tărie, pătrunzime *(a mirosurilor);* acreală, causticitate *(la gust);* stridență *(la auz);* disonanță, nepotrivire *(la vedere).* **2.** brutalitate, grosolănie. **3.** asprime, cruzime.

hart [hɑːt] *s. zool.* cerb.

hartshorn ['hɑːtshɔːn] *s.* **1.** corn de cerb. **2.** *chim.* săruri *(de amoniac, folosite în caz de leșin).* **3.** soluție de amoniac.

harum-scarum ['hɛərəm'skɛərəm] *s.* în dezordine, alandala.

harvest ['hɑːvist] **I.** *s.* **1.** recoltă. **2.** seceriș. **3.** producție. **4.** rezultat. **II.** *vt.* **1.** a secera. **2.** a recolta.

harvester ['hɑːvistə] *s.* **1.** secerător. **2.** secerătoare, combină.

harvest moon ['hɑːvistmuːn] *s.* lună plină în preajma echinocțiului de toamnă.

has [həz, əz, z *forme slabe*, hæz *formă tare*] *pers. a III-a sing. prez. de la* **have**.

has-been ['hæzbin] *s. amer.* **1.** fost, edec, fosilă, ruginit, scăpătat, om care aparține complet trecutului. **2.** pierderea unei proprietăți anterioare. || *she is one of the ~s* e o frumusețe de odinioară; fost-ai lele cât ai fost.

hash [hæʃ] **I.** *s.* **1.** tocană. **2.** tocătură. **3.** *fig.* rasol. **4.** *fig.* mumie dezgropată. || *to make a* ~ *of a rasoli* / încurca un lucru; *to settle smb.'s* ~ a face cuiva de petrecanie. **II.** *vt.* **1.** a toca. **2.** *fig.* a rasoli. **3.** a încurca.

hasheesh, hashish ['hæʃiːʃ] *s.* hașiș.

hasn't ['hæznt] *prescurtare de la* **has not**.

hasp [hɑːsp] **I.** *s.* **1.** balama, țâțână. **2.** cataramă. **3.** încuietoare. **4.** scoabă. **5.** *text.* scul, jurubiță, mănunchi de fire. **II.** *vt.* a închide *(un geamantan etc.).*

hassle ['hæsl] *fam.* (**with**) **I.** *vi.* a se ciorovăi, a se certa (cu). **II.** *s.* ciondăneală, frecuș (cu).

hassock ['hæsək] *s.* **1.** pernită pentru îngenuncheat *(mai ales în biserică).* **2.** smoc de iarbă.

hast [hæst] *înv. ind. prez. pers. a II-a sing., prescurtare de la* **have**.

haste [heist] *s.* **1.** grabă. **2.** pripă.

hasten ['heisn] *vt., vi.* a (se) grăbi.

hastily ['heistili] *adv.* **1.** în grabă, grabnic; repede, în pripă. **2.** nesăbuit, fără chibzuință; precipitat, imprudent. || *to speak* ~ a vorbi fără să se gândească; *they* ~ *engaged in the war* au intrat în război în mod nesocotit. **3.** nerăbdător, cu nerăbdare.

hasty ['heisti] *adj.* **1.** grabnic. **2.** pripit. **3.** repezit. **4.** nechibzuit. **5.** iute; nervos.

hat [hæt] *s.* pălărie. || *my* ~! extraordinar!; *to talk through*

one's ~ a se lăuda; a spune prostii; a vorbi fără temei.

hat band ['hæt bænd] *s.* panglică de pălărie *(mai ales de doliu).*

hatch[1] [hætʃ] **I.** *s.* **1.** *nav.* tambuchi. **2.** trapă. **II.** *vt.* **1.** a scoate *(pui).* **2.** a cloci *(și fig.).* **III.** *vi.* **1.** a cloci. **2.** a ieși din găoace.

hatch[2] [hætʃ] *vt.* **1.** a hașura. **2.** a acoperi cu linii paralele. **II.** *s.* **1.** hașură. **2.** linii paralele.

hatchet ['hætʃit] *s.* baltag. || *to bury the* ~ a face pace, a se împăca.

hatching hen ['hætʃiŋ'hen] *s.* closcă.

hatchment ['hætʃmənt] *s.* **1.** blazon, stemă. **2.** placă comemorativă cu blazon, arme senioriale. **3.** semn distinctiv, marcă, insignă.

hatchway ['hætʃwei] *s. nav.* tambuchi.

hate [heit] **I.** *s.* **1.** ură. **2.** dușmănie. **II.** *vt.* **1.** a urî. **2.** a nu putea suferi. **3.** a regreta. || *I* ~ *you to go away* nu vreau să pleci; îmi pare rău că pleci.

hateful ['heitfl] *adj.* **1.** urăcios. **2.** dușmănos.

hatred ['heitrid] *s.* **1.** ură. **2.** ostilitate. **3.** neplăcere. **4.** antipatie.

hatter ['hætə] *s.* pălărier. || *as mad as a* ~ scos din minți.

hauberk ['hɔːbək] *s.* **1.** *ist. mil.* cămașă lungă de zale. **2.** *teatru* tunică medievală.

haughtily ['hɔːtili] *adv.* cu aroganță, disprețuitor; arogant, cu trufie / morgă.

haughtiness ['hɔːtinis] *s.* aroganță, semeție, morgă; orgoliu, trufie; dispreț.

haughty ['hɔːti] *adj.* semeț, arogant, trufaș.

haul [hɔːl] **I.** *s.* **1.** tragere. **2.** tracțiune. **3.** captură. **4.** pradă. **II.** *vt., vi.* a trage. || *to* ~ *smb. over the coals* a trage o săpuneală cuiva.

haulage ['hɔːlidʒ] *s.* transport, cărăușie.

haulier ['hɔːliə] *s.* camionagiu, cărăuș.

haulm [hɔːm] *s. agr.* tulpini de păioase, legume etc.

haunch [hɔːntʃ] *s. anat.* **1.** șold. **2.** coapsă.

haunt [hɔːnt] **I.** *s.* **1.** loc vizitat adesea. **2.** refugiu obișnuit. **II.** *vt.* **1.** a vizita adesea, a reveni la. **2.** *(d. stafii)* a bântui. **3.** a obseda. **4.** *(d. cuget)* a mustra.

hautboy ['ouboi] *s. muz.* oboi.

haute couture [,o:tku'tju:] *s.* **1.** croitorie de lux. **2.** tagma croitoreselor de lux. **3.** haine luxoase (de damă).

hauteur [ou'tɔːr] *s.* semeție, aroganță.

Havana [hɔ'vænə] *s.* **1.** capitala Cubei. **2.** havană, trabuc, țigară de foi. **3.** tutun cubanez.

have I. [hæv] *s.* **1.** șmecherie. **2.** escrocherie. || *the ~s and ~-nots* bogații și săracii. II. [hɔv,v] *v. aux. pentru formarea timpurilor perfecte; trec. și part. trec.* **had** [hæd] III. *v. mod.* [hɔv, hæv]: *to ~ (got) to* a trebui să. IV. [hæv] *vt. trec. și part. trec.* **had** [hæd] **1.** a avea. **2.** a poseda. **3.** a manifesta. **4.** a dovedi. **5.** a reține. **6.** a permite. **7.** a suporta. **8.** a lua. **9.** a primi. **10.** a obține. **11.** a consuma, a lua *(băutură, mâncare).* **12.** a trece prin. **13.** a se bucura de. **14.** a suferi. **15.** a zice; a susține. **16.** a înșela. || *~ at him!* atacă-l!; ia-l în primire!; *to ~ an axe to grind* a avea un interes; *to ~ a (good) cry* a plânge ca să se răcorească; *to ~ one's day* a-și trăi traiul; *to ~ dinner* a lua cina, a lua masa; a mânca; *to ~ to do with smb.* a avea de a face cu cineva; *~ done!* încetează!; *to ~ an eye for* a se pricepe la; *to ~ one's hands full* a avea mult de furcă; *to ~ smb. in* a pofti pe cineva; *let's ~ it out* hai să discutăm (deschis) / să dăm cărțile pe față; *~ it your own way* fie pe a ta; *to ~ a (good) time* a petrece (bine); *to ~ smb. up* a aduce pe cineva în fața justiției.

haven ['heivn] *s.* **1.** port. **2.** *fig.* liman.

have-not ['hævnɔt] *s.* sărac; om neavut.

haver ['heivə] I. *vi.* **1.** a trăncăni, a flecări. **2.** a ezita *(într-o conversație)*; a-și drege glasul. II. *s. (mai ales la pl.)* trăncăneală, flecăreală, vorbărie (goală).

havers ['hævəz] *interj. fam.* vax! aiurea! prostii!

haversack ['hævəsæk] *s. mil.* raniță.

havoc ['hævək] *s.* **1.** dezastru. **2.** ravagii. || *to play ~ with* a face ravagii în / printre.

haw [hɔː] I. *s.* mormăit. II. *vi.: to*

hum and ~ a mormăi; a se bâlbâi; a șovăi.

hawk [hɔːk] I. *s. ornit.* uliu *(Accipiter sp.).* II. *vt.* a vinde. **2.** a colporta *(și fig.).* III. *vi.* **1.** a vâna cu șoimi. **2.** a-și drege glasul.

hawker ['hɔːkə] *s.* vânzător ambulant.

hawk-eyed ['hɔːk,aid] *adj.* cu privirea ageră.

hawse [hɔːz] *s. mar.* **1.** nară / ochi de ancoră. **2.** poziția ancorei față de etrava navei *(spațiul dintre navă și ancoră).* || *sl. he has crossed my ~* mi s-a pus în cale, (mi) s-a împotrivit *(planurilor mele).*

hawser ['hɔːzə] *s. nav.* parâmă, odgon, cablu *(de oțel).*

hawthorn ['hɔːθɔːn] *s. bot.* gherghin, păducel *(Crataegus sp.).*

hay [hei] *s. bot.* fân.

haycock ['heikɔk] *s.* căpiță de fân.

hayfever ['hei'fiːvə] *s.* guturai de fân; alergie.

hayloft ['heilɔ(ː)ft] *s.* pod pentru depozitat fân; pătul.

haymaker ['hei,meikə] *s.* **1.** *agr.* cosaș, lucrător la fân. **2.** *pl.* dans popular iute.

hayrack ['heiræk] *s. agr.* capră de uscat fân.

hayrick ['heirik] *s.* căpiță / claie de fân.

hayseed ['heisiːd] *s.* **1.** sămânța de iarbă. **2.** fire de paie; zoană. **3.** *amer. sl.* om de la țară, țăran, fermier; țărănoi.

haystack ['heistæk] *s.* stog, claie, căpiță de fân. || *to look for a needle in a ~* a căuta acul în carul cu fân.

haywire ['heiwaiə] *adj. amer.* deranjat, atins la bilă, țicnit. || *to go ~* a se ticni; *(d. aparate, mecanisme etc.)* a o lua razna / a merge aiurea, a nu mai funcționa cum trebuie, a ieși pe dos, a fi dat peste cap; *his plans went ~* planurile i-au ieșit pe dos; *the engine went ~* motorul nu mai funcționa cum trebuie.

hazard ['hæzəd] I. *s.* **1.** noroc. **2.** șansă. **3.** risc. **4.** joc de noroc. || *at all ~s* cu orice risc. II. *vt.* **1.** a risca. **2.** a îndrăzni să facă *(o observație)* / să spună *(o vorbă).*

hazardous ['hæzədəs] *adj.* **1.** riscant. **2.** în voia soartei.

haze [heiz] *s.* **1.** aburul câmpiei.

2. ceață (ușoară). **3.** *fig.* amețeală; abureală *(după beție).*

hazel ['heizl] I. *s.* **1.** *bot.* alun *(Corylus avellana etc.).* **2.** alună. **3.** culoarea castanie. II. *adj.* **1.** castaniu. **2.** căprui.

hazel-nut ['heizlnʌt] *s.* alună.

hazy ['heizi] *adj.* **1.** cețos. **2.** vag, neclar.

HB *abrev. hard black (d. mină de creion)* HB, negru tare.

H-bomb ['eitʃbɔm] *s.* bombă cu hidrogen.

he [hi(ː)] I. *pron.* el. || *~ who* cel care. II. *particulă pt. masculin. de exemplu:* *~-goat* țap.

H.E. *abrev.* **1.** *high explosive* exploziv puternic. **2.** *His Eminence* Eminența Sa. **3.** *His Excellency* Excelența Sa.

head [hed] I. *s.* **1.** cap. **2.** căpățână. **3.** craniu. **4.** minte. **5.** conducător. **6.** șef. **7.** vârf. **8.** parte de sus. **9.** lac de acumulare. **10.** spumă *(la bere etc.).* **11.** *geogr.* cap. **12.** capitol. **13.** parte. **14.** criză; || *~ over heels* cu capul în jos; până peste cap; *to be off one's ~* a fi zăpăcit / nebun; *to come to a ~* a se coace; a atinge punctul culminant; *to eat one's ~ off* a consuma mai mult decât produci; *to give (a horse) his ~* a-i da (calului) frâu liber; *to go to the ~ of* a ameți; *to lay ~s together* a se consulta; *to make ~ or tail of smth.* a înțelege ceva; *to shake one's ~* a nega; *to take smth. into one's ~* a înțelege; *to talk smb.'s ~ off* a face cuiva capul calendar. II. *vt.* **1.** a lovi cu capul. **2.** a conduce. **3.** a călăuzi. III. *vi.* **1.** (for) a se îndrepta (spre). **2.** *(d. bube)* a se coace. **3.** *(fig.)* a atinge punctul culminant.

headache ['hedeik] *s.* durere de cap; migrenă.

head-dress ['heddres] *s.* ceea ce se poartă pe cap; pălărie; basma; bonetă.

header ['hedə] *s.* **1.** *constr.* cărămidă așezată perpendicular. **2.** *sport* plonjon cu capul înainte.

head gear ['hedgiə] *s.* **1.** pălărie, bonetă; broboadă; maramă. **2.** cască, coif.

heading ['hediŋ] *s.* titlu *(de ziar sau coloană).*

headland ['hedlənd] *s. geogr.* **1.** promontoriu. **2.** cap.

headless ['hedlis] *adj.* fără cap.

headlight ['hedlait] s. far (de automobil etc.).

headline ['hedlain] s. titlu (de articol).

headlong ['hedlɔŋ] I. adj. 1. de-a lungul. 2. cu capul înainte. 3. fig. pripit. II. adv. 1. cu capul înainte. 2. pripit. 3. aiurea. 4. nechibzuit.

headmaster ['hed'mɑːstə] s. director de şcoală.

headmistress ['hed'mistris] s. directoare de şcoală.

head-on ['hed'ɔn] adj., adv. frontal.

head-phones ['hedfounz] s. pl. rad. căşti; cască.

head-piece ['hedpiːs] s. 1. cap. 2. minte. 3. cască; coif.

headquarters ['hed'kwɔːtəz] s. 1. cartier general. 2. centru, centrală. 3. sediu.

headsman ['hedzmən] s. pl. **headsmen** ['hedzmən] 1. călău, gâde. 2. patron de balenieră.

headstall ['hedstɔːl] s. căpăstru.

headstone ['hedstoun] s. 1. arhit. piatră de temelie. 2. piatră de mormânt.

headstrong ['hedstrɔŋ] adj. încăpăţânat; voluntar.

headway ['hedwei] s. 1. progres. 2. înaintare.

heady ['hedi] adj. 1. încăpăţânat. 2. impetuos. 3. ameţitor, care ţi se urcă la cap. 4. emoţionant.

heal [hiːl] I. vt. 1. a vindeca. 2. a împăca. II. vi. a se vindeca.

healer ['hiːlə] s. 1. vindecător; doctor. 2. remediu, leac.

health [helθ] s. sănătate.

healthful ['helθfl] adj. 1. v. **healthy** 1., 2. 2. tămăduitor, vindecător. 3. tonic, salutar; salubru; sanitar.

healthfulness ['helθflnis] s. sănătate.

healthy ['helθi] adj. 1. sănătos. 2. salubru. 3. voinic.

heap [hiːp] I. s. 1. morman. 2. grămadă. 3. amestecătură. 4. mulţime. || ~s of times de mii de ori. II. vt. 1. a acumula. 2. a îngrămădi. 3. a încărca. 4. a umple. III. adv.: ~s foarte, mult.

hear [hiə] I. vt. trec. şi part. trec. **heard** [həːd] 1. a auzi. 2. a asculta. 3. a distinge. 4. a afla. II. vi. trec. şi part. trec. **heard** [həːd] 1. a auzi. 2. a avea auz bun. 3. a afla (de ceva). || not to ~ of a nu voi să audă de; ~! ~! bravo! aşa e!

heard [həːd] vt., vi. trec. şi part. trec. de la **hear**.

hearer ['hiərə] s. auditor, ascultător.

hearing ['hiəriŋ] s. 1. auz. 2. ascultare. 3. posibilitate de a auzi. 4. audiţie. 5. jur. audiere; şedinţă (a tribunalului etc.). || hard of ~ tare de ureche; out of ~ prea departe ca să poată auzi.

hearing aid ['hiəriŋeid] s. aparat auditiv / acustic (pentru surzi).

hearken ['hɑːkən] vi. v. **hark**.

hearsay ['hiəsei] s. 1. vorbe. 2. bârfă. 3. zvon. || from ~ din auzite.

hearse [həːs] s. dric.

heart [hɑːt] s. 1. inimă (şi fig.). 2. suflet. 3. curaj. 4. fig. centru, miez. 5. (la cărţi) cupă. || not to have the ~ to do it a nu te lăsa inima să faci un lucru; to take ~ a prinde curaj.

heartache ['hɑːteik] s. strângere de inimă, mare supărare; chin.

heart beat [hɑːtbiːt] s. 1. palpitaţie, bătaie de inimă. 2. fig. emoţie.

heart break [hɑːtbreik] s. durere copleşitoare.

heart-breaking ['hɑːt,breikiŋ] adj. 1. sfâşietor, care-ţi frânge inima. 2. chinuitor.

heart-broken ['hɑːt,broukn] adj. 1. cu inima zdrobită / sfâşiată. 2. distrus (fig.). 3. întristat.

heart-burn ['hɑːtbən] s. arsură (la stomac).

hearted ['hɑːtid] adj. 1. rar în formă de inimă. 2. în adj. compuse: kind ~ bun la suflet.

hearten ['hɑːtn] vt. 1. a încuraja. 2. a înveseli.

heartfelt ['hɑːtfelt] adj. 1. sincer. 2. profund. 3. cordial.

hearth [hɑːθ] s. 1. vatră; cămin. 2. fig. casă.

hearth-rug ['hɑːθrʌg] s. carpeta / covoraşul din faţa căminului.

hearthstone ['hɑːθstoun] s. plită de piatră în vatră sau în cuptor.

heartily ['hɑːtili] adv. 1. din inimă. 2. cu poftă. 3. total, absolut; foarte.

heartiness ['hɑːtinis] s. 1. sinceritate; cordialitate. 2. entuziasm, zel, râvnă. 3. forţă, vigoare, robusteţe.

heartless ['hɑːtlis] adj. 1. împietrit, fără inimă / suflet. 2. neînduprător.

heart-rending ['hɑːt,rendiŋ] adj. sfâşietor, dureros, înfricoşător.

heart-sick ['hɑːtsik] adj. 1. amărât, mâhnit, deprimat. 2. plin / chinuit de dor.

heart strings ['hɑːt striŋz] s. pl. 1. anat. înv. fibre cardiace. 2. fig. băierile inimii; sensibilitate, afect, coarda sensibilă.

hearty ['hɑːti] adj. 1. sincer. 2. profund. 3. solid, serios. 4. voinic. 5. optimist. 6. vesel; entuziast, de o veselie zgomotoasă. 7. viguros. 8. pofticios.

heat [hiːt] I. s. 1. căldură. 2. fierbinţeală. 3. fig. intensitate; zel. 4. sport serie. 5. pl. zool. călduri. II. vr., vi. 1. a (se) încălzi. 2. a (se) înfierbânta.

heated ['hiːtid] adj. şi fig. înfierbântat, aprins.

heater ['hiːtə] s. 1. sobă. 2. radiator. 3. boiler.

heath [hiːθ] s. 1. bărăgan. 2. ierburi.

heathen ['hiːðn] s., adj. păgân.

heathendom ['hiːðndəm] s. păgânitate, păgânime, lume păgână.

heathenish ['hiːðniʃ] adj. 1. păgânesc, de păgân, nelegiuit. 2. fam. necivilizat, incult; grosolan, barbar; sălbatic.

heathenism ['hiːðnizəm] s. 1. păgânism. 2. barbarie, asprime, sălbăticie.

heather ['heðə] s. bot. iarbă-neagră (Calluna vulgaris).

heathery [ˌheðəri] adj. acoperit cu iarbă neagră, ierbos.

heathy ['hiːθi] adj. v. **heathery**.

heave [hiːv] I. s. 1. ridicare. 2. umflare. 3. unduire. II. vt. 1. a ridica. 2. a urca cu greutate. 3. a scoate (mai ales: un oftat). || to ~ a sigh a geme; a ofta. III. vi. 1. a se ridica. 2. a undui. 3. a fi agitat. 4. a apărea.

heaven ['hevn] s. 1. cer. 2. paradis, rai. || to move ~ and earth a face tot posibilul.

heavenly ['hevnli] adj. ceresc, divin (şi fig.).

heavenward(s) ['hevnwɔːd(z)] adv. spre cer(uri).

heavily ['hevili] adv. 1. cu greutate, anevoie. 2. fig. agale, fără tragere de inimă; greoi, anevoios. 3. fig. cu amărăciune, abătut, trist. 4. fig. tare, puternic, grozav; amarnic; foarte mult. 5. foarte, extrem de. || ~ wooded bine / dens împădurit; ~ bearded cu barbă deasă.

heaviness ['hevinis] s. 1. greutate, apăsare, povară (şi *fig.).* **2.** stângăcie, neîndemânare. **3.** lipsă de vlagă, lâncezeală, moleşeală. **4.** depresiune, apăsare, mâhnire.

heavy ['hevi] I. *adj.* **1.** greu. **2.** greoi. **3.** abundent. **4.** încărcat. **5.** *(d. ploaie)* torenţială. II. *adv.* **1.** apăsător. **2.** greu.

heavy toll ['hevi'toul] *s.* **1.** bir, impozit greu. **2.** jertfă grea. **3.** victime numeroase.

heavy-weight ['heviweit] *s.* **1.** om greoi. **2.** (boxer de) categoria grea.

Hebe ['hi:bi:] *s. glumeţ* **1.** chelneriţă, fată care serveşte la bar. **2.** femeie în prima tinereţe.

Hebraic [hi'breik] *adj.* ebraic, evreiesc.

Hebrew ['hi:bru:] *s.* **1.** evreu. **2.** (limba) ebraică.

hecatomb ['hekatoum] *s.* măcel.

heckle ['hekl] *vt.* a hărţui cu întrebări.

hectic ['hektik] *adj.* **1.** aprins. **2.** înfierbântat. **3.** agitat. **4.** pasionat.

hectogram ['hektəgræm] *s.* hectogram.

hectolitre ['hektəli:tə] *s.* hectolitru.

hectometre ['hektəmi:tə] *s.* hectometru.

hector ['hektə] I. *s.* tiran, despot, persoană care terorizează pe alţii. II. *vt.* a tiraniza, a teroriza; a năpăstui. III. *vi.* a face pe tiranul.

hedge [hedʒ] I. *s.* gard viu. II. *vt.* **1.** a înconjura (cu un gard). **2.** a împrejmui. III. *vi.* **1.** a face un gard. **2.** *fig.* a se ascunde. **3.** a se eschiva.

hedgehog ['hedʒɔg] *s. zool.* arici (*Erinaceus europaeus*).

hedge row ['hedʒ rou] *s.* gard viu; gard.

hedonism ['hi:də,nizəm] *s.* hedonism; narcisism; epicureism.

heed [hi:d] I. *s.* **1.** atenţie. **2.** importanţă. II. *vt.* **1.** a băga în seamă. **2.** a da atenţie la. III. *vi.* a fi atent.

heedful [hi:dfl] *adj.* (of) cu grijă, cu băgare de seamă (la); prudent, precaut.

heedless ['hi:dlis] *adj.* (of) nepăsător (la, faţă de).

heehaw ['hi:,hɔ:] I. *s.* **1.** zbierat de măgar. **2.** râs zgomotos, hohot. II. *vi.* **1.** *(d. măgar)* a zbiera, a rage. **2.** *fig.* a hohoti, a se hăhăi; a râde zgomotos (şi vulgar).

heel [hi:l] I. *s.* **1.** călcâi *(şi fig.).* **2.**

toc (de pantof). || *~s over head* cu susul în jos; în mare grabă; *down at ~* scâlciat; neţesălat; *fig.* neglijent; *to come to ~* a fi ascultător / supus (ca un câine); *to cool one's ~s* a face anticameră; *to show a clean pair of ~s, to take to one's ~s* a o lua la sănătoasa. II. *adj.* ticălos, josnic, meschin. III. *vt.* **1.** a pune toc la. **2.** a face să se aplece. IV. *vi.* **1.** a se apleca. **2.** *nav.* a se carena. **3.** *nav.* a carena.

heeler [hi:lə] *s.* **1.** persoană care pune tocuri. **2.** cocoş de luptă. **3.** *amer. pol.* partizan servil / fără scrupule al unui partid politic, unealtă, coadă de topor; acolit; politician veros. **4.** *sl.* denunţător, turnător, spion. **5.** *sl.* hoţ, pungaş.

heft [heft] I. *s. amer.* greutate (la cântar). II. *vt.* a ridica în sus pentru a încerca greutatea. III. *vi.* a cântări, a atârna, a avea greutate.

hefty ['hefti] *adj.* **1.** voinic, zdravăn. **2.** viguros. **3.** mare.

hegemony [hi'gemoni] *s.* hegemonie.

hegira ['hedʒirə] *s. ist.* hegira, fuga lui Mahomed.

heifer ['hefə] *s.* juncă.

heigh [hei] *interj.* hei! ura!

heigh-ho ['hei'hou] *interj.* hai! hait!

height [hait] *s.* **1.** înălţime. **2.** culme *(şi fig.).* **3.** deal.

heighten ['haitn] *vt.* **1.** a înălţa. **2.** a spori.

heinous ['heinəs] *adj.* **1.** criminal. **2.** ticălos.

heir [ɛə] *s.* moştenitor *(şi fig.).*

heiress ['ɛəris] *s.* moştenitoare.

heirloom ['ɛəlu:m] *s.* moştenire / amintire de familie; suvenir.

held [held] *vt., vi.* trec. şi part. trec. de la **hold**.

helical ['helikl] *adj.* elicoidal, în spirală.

helices ['helisi:z] *s. pl.* de la **helix**.

helicopter ['helikəptə] *s.* elicopter.

heliograph ['hi:liou,grɑ:f] I. *s.* **1.** heliograf. **2.** aparat pentru heliogramă / fotogramă. II. *vt.* **1.** a transmite prin heliograf. **2.** a copia prin heliogramă / fotogramă.

heliotrope ['hi:liou,troup] *s.* **1.** *bot.* heliotrop (*Heliotropium*). **2.** culoare purpurie. **3.** parfum / mireasmă de heliotrop.

heliport ['heli,pɔ:t] *s. av.* eliport, aeroport pentru elicoptere.

helium ['hi:ljəm] *s. chim.* heliu(m).

helix ['hi:liks] *s. pl.* **helices** ['helisi:z] **1.** arc spiral / elicoid. **2.** *arhit.* volută.

hell [hel] I. *s.* **1.** iad. **2.** speluncă. || *go to ~!* du-te naibii! II. *interj.* drace!

hellebore ['helibɔ:] *s. bot.* **1.** spânz, iarba-nebunilor (*Helleborum purpurascens*). **2.** cutcurig (*Helleborus dodorus*).

Hellene ['heli:n] *s.* **1.** *ist.* elen, grec. **2.** grec *sau* grecoaică.

Hellenic [he'li:nik] I. *adj.* elen, grecesc. II. *s.* **1.** limba greacă. **2.** *pl.* opere, lucrări de elenistică.

Hellenism ['helinizəm] *s.* elenism, cultura greacă antică.

hellish ['heliʃ] *adj.* **1.** infernal, de iad. **2.** drăcesc. **3.** scârbos.

hello ['he'lou] *s., interj.* **1.** alo. **2.** bună (ziua)!

helm [helm] *s.* cârmă *(şi fig.).*

helmet ['helmit] *s.* **1.** *ist.* coif. **2.** cască (de protecţie). **3.** cască colonială. **4.** bonetă, pălăriuţă.

helmsman ['helmzmən] *s. pl.* **helmsmen** ['helmzmən] cârmaci.

helot ['helət] *s.* **1.** *ist.* ilot, sclav spartan. **2.** *fig.* paria; rob, sclav.

help [help] I. *s.* **1.** ajutor. **2.** soluţie. **3.** servitor(i), servitoare; femeie cu ziua. II. *vt.* **1.** a ajuta. **2.** a sprijini. **3.** a servi *(cu mâncare etc.).* **4.** a împiedica. || *I can't ~ it* n-am încotro. III. *vi.* **1.** a fi folositor. **2.** a contribui. IV. *vr.* a mânca; a se servi *(cu mâncare, băutură).* || *~ yourself!* poftim! ia! luaţi! serviţi-vă!

helper ['helpə] *s.* **1.** ajutor. **2.** *tehn.* ucenic, ajutor. **3.** locomotivă auxiliară / ajutătoare. **4.** *mine.* ajutor-miner; miner perforator.

helpful ['helpfl] *adj.* **1.** util. **2.** de mare ajutor. **3.** preţios.

helping ['helpiŋ] *s.* porţie (de mâncare).

helpless ['helplis] *adj.* **1.** neputincios. **2.** imobilizat. **3.** lipsit de ajutor.

helplessly ['helplisli] *adv.* iremediabil; straşnic, teribil. || *~ drunk* beat mort.

helplessness ['helplisnis] *s.* neputinţă.

helpmate ['helpmeit] *s.* **1.** tovarăş. **2.** ajutor.

helpmeet ['helpmi:t] *s.* v. **helpmate**.

helter-skelter ['heltə'skeltə] *adv.* talmeş-balmeş.

helve [helv] *s.* coadă / mâner de unealtă *(mai ales topor)* .

hem [hem] **I.** *s.* **1.** tiv. **2.** poale. **3.** *s.* ezitare, şovăială. **II.** *vt.* **1.** a tivi. **2.** a înconjura. **3.** a închide. **III.** *vi.* **1.** a tuşi (cu înţeles). **2.** a se bâlbâi. **IV.** *interj.* hm!

hematite ['hemətait] *s.* v. **haematite**.

hemisphere ['hemi,sfiə] *s.* emisferă.

hemispheric(al) [,hemi'sferik(əl)] *adj.* emisferic.

hemlock ['hemlɔk] *s.* bot. cucută *(Conium maculatum)*.

hemorrhage ['hemɔridʒ] *s.* v. **haemorrhage**.

hemp [hemp] *s.bot.* cânepă *(Cannabis sativa)*.

hempen ['hempn] *adj.* **1.** de cânepă. **2.** cânepiu.

hemstitch ['hemstitʃ] **I.** *s.* ajur. **II.** *vt.* a ajura.

hen [hen] **I.** *s.ornit.* **1.** găină. **2.** femelă *(la păsări)*. **II.** *particulă pentru feminin, de exemplu:* ~-sparrow vrabie.

henbane ['hen,bein] *s.* **1.** bot. măselariţă *(Hyoscyamus niger)*. **2.** narcotic extras din măselariţă.

hence [hens] *adv.* **1.** de aici (înainte). **2.** deci, prin urmare. **3.** de aceea.

henceforth ['hens'fɔ:], **henceforward** ['hens'fɔ:wəd] *adv.* pe / în viitor, de aici înainte.

henchman ['hentʃmən] *s.* *pl.* **henchmen** ['hentʃmən] *(d. soţ)* (ţinut) **1.** agent. **2.** om de încredere. **3.** acolit.

hen coop ['henku:p] *s.* coş pentru / cu găini, păsări.

henge ['hendʒ] *s.* *(în Anglia)* monument preistoric din lemn sau piatră, de exemplu Stonehenge.

hen house ['hen haus] *s.* coteţ de găini.

henna ['henə] **I.** *s.* henné, vopsea *(mai ales pentru păr)*. **II.** *vt.* a vopsi *(mai ales părul)* cu henné.

henpecked ['henpekt] *adj.* sub papuc.

hepatic [hi'pætik] *adj. med.* **1.** hepatic. **2.** bun pentru ficat, hepatic.

hepatitis [,hepə'taitis] *s. med.* hepatită.

hepta- *prefix* hepta-.

heptagon ['heptəgɔn] *s. geom.* heptagon.

heptarchy ['heptɑ:ki] *s. ist.* heptarhie, perioada celor şapte state anglo-saxone.

her [hɔ(:)] **I.** *adj.* ei, său, sa, săi, sale. || ~ *books* cărţile ei. **II.** *pron.* **1.** pe ea, o. **2.** ei. || *for* ~ pentru ea; *to* ~ ei.

herald ['herld] **I.** *s.* **1.** vestitor. **2.** herald. **II.** *vt.* a vesti.

heraldic [he'rældik] *adj.* heraldic.

heraldry ['herldri] *s.* heraldică.

herb [hɔ:b] *s.* **1.** iarbă. **2.** plantă (medicinală).

herbaceous [hɔ:'beiʃəs] *adj. bot.* ierbaceu, ierbos.

herbage ['hɔ:bidʒ] *s.* **1.** ierburi, buruieni. **2.** bot. măduvă. **3.** jur. (drept de) păşunat.

herbal ['hɔ:bl] **I.** *adj.* **1.** referitor la ierburi. **2.** ierbos. **II.** *s.* tratat despre ierburi / plante, manual de botanică.

herbalist ['hɔ:bəlist] *s.* **1.** specialist în ierburi / buruieni / plante, botanist. **2.** negustor de plante medicinale.

herbarium [hɔ:'bɛəriəm] *s.* **1.** ierbar. **2.** colecţie de plante.

herbicide ['hɔ:bi,said] *s. chim., agr.* ierbicid.

herbivorous [hɔ:'bivərəs] *adj. bot.* ierbivor.

Herculean [,hɔ:kju'li(:)ən] *adj.* **1.** referitor la Hercule. **2.** herculean, de o forţă uriaşă, extrem de voinic. **3.** titanic, chinuitor *(ca muncile lui Hercule)*.

herd [hɔ:d] **I.** *s.* **1.** turmă *(şi fig.)*. **2.** păstor. **II.** *vt., vi.* a păstori.

herdsman ['hɔ:dzmən] *s.* *pl.* **herdsmen** ['hɔ:dzmən] păstor.

here [hiə] **I.** *adj.* **1.** de aici. **2.** local. **II.** *adv.* **1.** aici. **2.** iată. **3.** acum. || ~ *and there* ici-colo; *it is neither ~ nor there* se potriveşte ca nuca în perete; ~ *it goes* iată!; ~ *is to...!* să bem pentru...! **III.** *interj.* (vino) aici!

hereabout(s) ['hiərə,baut(s)] *adv.* pe aici.

hereafter [hiər'ɑ:ftə] **I.** *s.* **1.** viitor. **2.** lumea cealaltă. **II.** *adv.* în viitor.

hereby [hiə'bai] *adv.* **1.** prin aceasta, pe calea aceasta; prin prezenta. || ~ *I promise* prin prezenta mă oblig. **2.** *înv.* în

apropiere, foarte aproape de aici.

hereditable [hi'reditəbl] *adj.* care poate fi moştenit / transmis prin moştenire, transmisibil.

hereditary [hi'reditri] *adj.* **1.** ereditar. **2.** moştenit.

heredity [hi'rediti] *s.* ereditate.

herein ['hiər'in] *adv.* aici, în cele de faţă; alăturat.

hereinafter [hiərin'ɑ:ftə] *adv. (într-un document)* după cum urmează (mai jos), după cele ce urmează.

hereinbefore [hiərinbi'fɔ:] *adv.* mai sus, mai înainte, anterior.

hereof [hiər'ɔv] *adv.* **1.** despre aceasta. **2.** de aici, din aceasta.

heresy ['herəsi] *s.* erezie.

heretic ['herətik] *s.* eretic.

heretical [hi'retikl] *adj.* eretic.

heretofore ['hiə'tu'fɔ:] *adv.* altădată, odinioară, înainte.

hereupon ['hiərə'pɔn] *adv.* **1.** la care. **2.** imediat după aceea.

herewith ['hiə'wió] *adv.* **1.** alăturat. **2.** cu această ocazie.

heritable ['heritəbl] *adj.* transmisibil (prin moştenire), care se poate moşteni, ereditar.

heritage ['heritidʒ] *s.* moştenire.

hermaphrodite [hɔ:'mæfrə,dait] **I.** *s.* **1.** biol. hermafrodit. **2.** fig. hibrid. **3.** mar. vas cu multiple întrebuinţări. **II.** *adj.* hermafrodit.

hermetic [hɔ:'metik] *adj.* ermetic.

hermetically [hɔ:'metikəli] *adv.* (în mod) ermetic.

hermit ['hɔ:mit] *s.* pustnic.

hermitage ['hɔ:mitidʒ] *s.* schit.

hernia ['hɔ:niə] *s. med.* hernie, *fam.* surpătură.

hero ['hiərou] *s.* erou.

heroic [hi'rouik] *adj.* **1.** eroic. **2.** monumental.

heroin(e) ['herouin] *s. chim., med.* heroină.

heroine ['heroin] *s.* **1.** eroină. **2.** heroină.

heroism ['heroizəm] *s.* eroism.

heron ['hern] *s. ornit.* bâtlan *(Ardeidae sp.)*.

herpes ['hɔ:pi:z] *s. med.* herpes.

herring ['heriŋ] *s. iht.* scrumbie *(Clupeidae sp.)*.

herring-bone ['heriŋboun] *adj.* în zigzag.

hers [hɔ:z] *pron.* al ei, a ei, ai ei, ale ei.

herself [hɔ(:)'self] *pron.* **1.** se. **2.** însăşi. **3.** singură. || *she hurt* ~ s-a lovit; *(all) by* ~ singură (singurică), fără ajutorul nimănui; *she has come to* ~ și-a revenit; *she is not* ~ nu e în apele ei.

hertz [hɔːts] *s. el.* hertz.

hesitant ['hezitnt] *adj.* șovăielnic.

hesitate ['heziteit] *vi.* a șovăi.

hesitation [,hezi'teiʃn] *s.* **1.** ezitare, șovăială. **2.** bâlbâială.

Hesperian [hes'piəriən] *adj. poet.* dinspre soare apune, apusean.

Hessian ['hesiən] *s. text.* **1.** pânză tare (de cânepă / iută). **2.** pânză de sac.

heterodox ['hetəroudɔks] *adj.* eterodox, neortodox.

heterodoxy ['hetərədɔksi] *s.* eterodoxie, părere diferită de cea general acceptată, erezie; nonconformism.

heterodyne ['hetərədain] **I.** *adj.* cu efect de heterodină. **II.** *vi.* a produce efectul de heterodină.

heterogeneous [,hetərə'dʒiːnjəs] *adj.* **1.** amestecat. **2.** eterogen.

heterosexual [,hetərou'seksjuəl] *adj., s. biol., med.* heterosexual.

het-up [he'tʌp] *adj.* excitat, stârnit, emoționat, tulburat; agitat, nerăbdător.

heuristic [hjuə'ristik] *adj. filoz.* euristic, (cu caracter) de descoperire / cercetare (practică).

hew [hjuː] *vt. part. trec.* **hewn** [hjuːn] **1.** a ciopli. **2.** a tăia.

hewn [hjuːn] *vt. part. trec. de la* **hew.**

hexa- *prefix* hexa-.

hexagon ['heksəgɔn] *s. geom.* hexagon.

hexagonal [hek'sægɔnəl] *adj. mat.* hexagonal.

hexagram ['heksə,græm] *s. geom.* hexagramă.

hexameter [hek'sæmitə] *s.* hexametru.

hey [hei] *interj.* hei!

heyday ['heidei] *s.* înflorire; floare. || *in the* ~ *of* în toiul *(cu gen.)*; în floarea *(cu gen.)*.

he'll [hiːl] *fam.* prescurtare de la **he will.**

he's [hiːz] *prescurtare de la* **he is** *sau* **he has.**

H.F. *abrev. high frequency* înaltă frecvență.

HGV *abrev. heavy goods vehicle* vehicul pentru transportul mărfurilor grele, *fam.* TIR.

hi [hai] *interj. amer.* **1.** hei! alo! **2.** bună! ura!

hiatus [hai'eitəs] *s.* **1.** hiat. **2.** lipsă.

hibernate ['haibə,neit] *vi.* a hiberna.

hibernation [,haibə(ː)neiʃn] *s.* **1.** hibernare, somn de iarnă. **2.** iernare. **3.** *fig.* inactivitate; retragere, izolare de lume.

Hibernian [hai'bəːniən] *adj., s. poet.* irlandez.

hibiscus [hai'biskəs] *s. bot.* zămoșiță *(Hibiscus).*

hiccough, hiccup ['hikʌp] **I.** *s.* sughiț. **II.** *vi.* a sughița.

Hick, hick [hik] *s. amer. fam.* țăranoi, mocofan; mitocan; provincial.

hickory ['hikəri] *s. bot.* nuc american, caria, hicori *(Carya).*

hid [hid] *vt., vi. trec. de la* **hide[1].**

hidalgo [hi'dælgou] *s.* hidalgo, cavaler; nobil spaniol.

hidden ['hidn] *vr., vi. part. trec. de la* **hide[1].**

hide[1] [haid] **I.** *vt. trec.* **hid** [hid], *part. trec.* **hidden** ['hidn] **1.** a ascunde. **2.** a acoperi. **3.** a tăinui. **4.** a ține ascuns. **II.** *vi. trec.* **hid** [hid], *part. trec.* **hidden** ['hidn] **1.** a se ascunde. **2.** a se refugia. **III.** *vr. trec.* **hid** [hid], *part. trec.* **hidden** ['hidn] **1.** a se ascunde. **2** a sta ascuns. **IV.** *s.* ascunzătoare.

hide[2] [haid] **I.** *s.* piele (netăbăcită). **II.** *vt.* a bate; a biciui.

hide-and-seek ['haidn'siːk] *s.* de-a v-ați ascunselea.

hidebound ['haidbaund] *adj.* **1.** îngust la minte, cu vederi înguste. **2.** fără orizont. **3.** închistat. **4.** dogmatic.

hideous ['hidiəs] *adj.* **1.** hidos. **2.** cumplit. **3.** oribil.

hideously ['hidiəsli] *adv.* hidos *etc.* v. **hideous.**

hideousness ['hidiəsnis] *s.* hidoșenie, sluțenie.

hiding ['haidiŋ] *s.* **1.** ascunzătoare. **2.** bătaie.

hiding-place ['haidiŋ'pleis] *s.* acunzătoare.

hie [hai] **I.** *vi. poet.* a se grăbi. **II.** *vt.* a grăbi.

hierarchy ['haiərɑːki] *s.* ierarhie.

hieratic [haiə'ratik] *adj.* **1.** *(d. scrierea veche egipteană)* hieratic, sacru. **2.** hieratic, sacerdotal, preoțesc; de sfânt.

hieroglyph ['haiərəglif] *s.* hieroglifă.

hieroglyphic ['haiərəglifik] *adj.* hieroglific.

hi-fi [hai'fai] *adj. muz.* de înaltă fidelitate.

higgledy-piggledy ['higldi'pigldi] *adj., adv.* cu susul în jos; alandala; de-a dura.

high [hai] **I.** *s.* **1.** cer. **2.** înaltul cerului. **II.** *adj.* **1.** înalt. **2.** acut. **3.** principal. **4.** important. **5.** mare. **6.** ridicat. **7.** *(d. timp)* înaintat. **8.** *(d. sunet)* ascuțit. **9.** înălțător, nobil. **III.** *adv.* **1.** sus. **2.** la înălțime. || *to run* ~ a fi agitat; a fi în fierbere.

highball ['hai,bɔːl] **I.** *s. amer. sl.* **1.** pahar înalt cu whisky, sifon și gheață. **2.** pocher jucat cu bile numerotate. **II.** *vi.* a rătăci în căutare de lucru.

high-born ['haibɔːn] *adj.* de neam mare, nobil.

high boy [hai bɔi] *s.* scrin *(pe picioare înalte).*

high-bred [haibred] *adj.* **1.** de origine / viță nobilă. **2.** distins, bine crescut / educat.

high-brow ['haibrau] *s., adj.* snob (intelectual).

high-flown ['haifloun] *adj.* pompos.

high-grade[1] [hai'greid] *adj.* **1.** de calitate superioară, de înaltă clasă. **2.** cu un procent ridicat; bogat fertil.

high grade[2] [hai'greid] *s.* ascensiune, urcare abruptă / prăpăstioasă.

high-handed ['hai'hændid] *adj.* **1.** arogant. **2.** arbitrar.

high hat [hai'hæt] *s. amer.* v. **high horse.**

high horse [hai'hɔːs] *s. fam.* îngâmfare. || *to ride the* ~ a-și da aere, a face pe grozavul.

high jump [hai'dʒʌmp] *s. sport* săritură în înălțime.

highland ['hailənd] *s.* regiune muntoasă.

highlight ['hailait] **I.** *s.* **1.** lumină puternică. **2.** *pl. fig.* centrul atenției. || *in the* ~(s) în centrul atenției. **II.** *vt.* **1.** a scoate în relief, a reliefa, a sublinia. **2.** a (i)lumina.

highly ['haili] *adj.* **1.** foarte (mult). **2.** onorabil. **3.** nobil.

high-minded ['hai'maindid] *adj.* **1.** însuflețit de sentimente nobile, elevat, nobil.

highness ['hainis] *s.* **1.** *fig.* înălțime; altitudine. **2.** *(ca titulatură)* alteță, înălțime.

high-pitched ['hai'pitʃt] *adj. (d. glas, sunet)* ascuțit, strident.

highroad ['hairoud] *s.* șosea.

high school [hai'skuːl] *s. amer.* școală medie / secundară.

high seas ['hai'siːz] *s. pl.* largul mării.
high-sounding [hai'saudiŋ] *adj.* răsunător, sonor, solemn.
high-spirited [hai'spiritid] *adv.* **1.** îndrăzneț, curajos, cutezător. **2.** violent, înfocat, pasionat. **3.** iritabil, iute.
high-strung ['haistrʌŋ] *adj.* **1.** (hiper / ultra) sensibil. **2.** nervos, încordat, cu nervii în furculiță. **3.** iritabil, țâfnos.
hight [hait] *poet. înv.* **I.** *vt.* **1.** a numi. **2.** a ordona, a porunci. **II.** *vi.* a fi numit, a se numi.
highway ['haiwei] *s.* **1.** șosea. **2.** cale *(și fig.).*
highwayman ['haiweimən] *s. pl.* **highwaymen** ['haiweimen] tâlhar.
hijack ['hai,dʒæk] *vt.* **1.** a prăda, a jefui *(călători, vehicule).* **2.** a fura; a smulge cu de-a sila. **3.** a sili, a forța. **4.** a deturna *(un avion etc.).*
hijacker ['hai,dʒækə] *s. amer. sl.* **1.** bandit, gangster *(care atacă pe contrabandiștii de băuturi alcoolice sau pe automobiliști).* **2.** persoană / terorist care deturnează un avion.
hike ['haik] **I.** *s.* **1.** plimbare. **2.** excursie. **3.** autostop. **4.** spor de salarii. **II.** *vi.* **1.** a se plimba. **2.** a face o excursie. **3.** a face autostop.
hilarious [hi'lɛriəs] *adj.* **1.** vesel. **2.** ilariant.
hilarity [hi'læriti] *s.* ilaritate, veselie, haz.
hill [hil] *s.* **1.** deal. **2.** movilă. **3.** mușuroi.
hillbilly [hil,bili] *s. amer.* locuitor al regiunilor de munte din sud; fermier din regiunile sudice de munte.
hillock ['hilək] *s.* **1.** movilă. **2.** măgură, deal.
hillside [hilsaid] *s.* coastă de deal, versant.
hilltop [hil'tɔp] *s.* vârf de deal.
hilly ['hili] *adj.* **1.** *(d. regiune)* deluros; muntos; *(d. teren)* accidentat; *(d. drum)* povârnit. **2.** *sl.* greu, dificil.
hilt [hilt] *s.* mâner *(de sabie etc.).* || *(up) to the ~* complet.
hilum ['hailəm] *s. bot., anat.* hil.
him [(h)im] *pron.* pe el, îl.
himself [him'self] *pron.* **1.** se. **2.** însuși. **3.** singur. || *he cut ~* s-a tăiat; *all by ~* singur (singurel); fără ajutor; *he is not ~* nu se simte bine; nu-i în apele lui.

hind [haind] **I.** *s.* căprioară. **II.** *adj.* **1.** din spate. **2.** de dinapoi, posterior.
hinder[1] ['haində] *adj.* **1.** din spate. **2.** de dinapoi, posterior.
hinder[2] ['hində] *vt.* **1.** a împiedica. **2.** a stânjeni.
hinderance ['hindərns] *s.* v. **hindrance**.
Hindi ['hindi] **I.** *s.* hindi, (limba) hindusă. **II.** *adj.* hindi, în limba hindusă.
hindmost ['hainmoust] *adj.* **1.** cel mai din spate. **2.** ultimul.
hindrance ['hindrns] *s.* **1.** obstacol. **2.** oprelişte.
Hindu ['hinduː] *s., adj.* **1.** hindus. **2.** indian.
Hinduism ['hindu,izəm] *s. rel.* hinduism.
Hindustani [,hindu'staːni] **I.** *s.* limbile hinduse. **II.** *adj.* **1.** hindustan. **2.** referitor la limbile hinduse.
hinge [hindʒ] **I.** *s.* **1.** balama. **2.** *fig.* esență. || *off the ~s* dezordonat; zăpăcit, aiurit. **II.** *vt.* a prinde în balamale. **III.** *vi.* **1.** a se ține în balamale. **2.** *fig.* a depinde.
hinny ['hini] *s.* catâr *sau* catârcă.
hint [hint] *s.* **1.** aluzie. **2.** sugestie. **II.** *vi.* **1.** (**at**) a face (o) aluzie (la). **2.** a sugera. **III.** *vt.* (**that**) a sugera; a insinua (că).
hinterland ['hintə,lænd] *s.* hinterland, interiorul țării.
hip[1] [hip] *s. bot.* măceașă, fruct de măceş / trandafir.
hip[2] [hip] *interj.* hip (hip, ura)!
hip[3] [hip] **I.** *s.* **1.** *anat.* șold. **2.** *arhit.* îmbucătură / îmbinare a acoperișului. || *to have smb. on the ~* *fig.* a strânge pe cineva cu ușa. **II.** *vt. arhit.* a prinde pantele acoperișului.
hip[4] [hip] *adj.* ultramodern, ultrainformat, la curent cu tot ce e nou / la modă; după ultimul răcnet al modei.
hipnosis [hip'nousis] *s.* hipnoză.
hipochondriac [,haipou'kɔndriæk] *adj., s.* ipohondru.
hipped [hipt] *adj. fam.* posomorât, melancolic.
hippie ['hipi] **I.** *s.* **1.** hippy. **2.** v. **hipster**. **II.** *adj.* hippy.
hippo ['hipou] *s.* v. **hippopotamus**.
Hippocratic oath [,hipə'krætik 'ouθ] *s. med.* jurământul lui Hipocrat, jurământul profesional al medicilor.
hippodrome ['hipə,droum] *s.* **1.** *înv.* hipodrom; *circ.* **2.** sală de

teatru / varieteu; sală de spectacol.
hippopotamus [,hipə'pɔtəməs], *pl.* şi **hippopotami** [,hipə'pɔtə-,mai] *s. zool.* hipopotam *(Hippopotamus).*
hippy ['hipi] *s., adj.* v. **hippie**.
hipster ['hipstə] *s. amer.* **1.** exaltat, maniac, pasionat *(de jazz, noutăți etc.).* **2.** toxicoman.
hire ['haiə] **I.** *s.* **1.** închiriere. **2.** angajare. **3.** salariu. **II.** *vt.* **1.** a închiria. **2.** a angaja. || *to ~ out* a da cu chirie.
hireling ['haiəliŋ] *s.* **1.** servitor. **2.** lacheu *(și fig.).* **3.** salariat.
hire-purchase ['haiə'pəːtʃəs] vânzare în rate.
hirsute ['həːsjuːt] *adj.* **1.** hirsut, păros. **2.** neîngrijit, nețesălat.
his [(h)iz] **I.** *adj.* lui, său, sa, săi, sale. **II.** *pron.* al lui, a lui, ai lui, ale lui.
Hispanic [hi'spænik] *adj.* hispanic; spaniol *sau* portughez; iberic.
hiss [his] **I.** *s.* șuierat. **II.** *vt., vi.* a fluiera.
hist [hist] *interj.* **1.** st!, tăcere! **2.** *(pentru a atrage atenția)* pst!
histamine ['histə,miːn] *s. chim., med.* histamină.
histology [his'tɔlədʒi] *s. med.* histologie.
historian [his'tɔːriən] *s.* istoric.
historic [his'tɔːrik] *adj.* **1.** de importanță istorică, epocal. **2.** istoric.
historical [his'tɔːrikl] *adj.* istoric, din istorie; real, adevărat.
historically [his'tɔrikəli] *adv.* (din punct de vedere) istoric, istoricește.
historicity [,histə'risiti] *s.* istoricitate, caracter istoric, realitate (istorică).
historiography [,histɔːri'ɔgrəfi] *s.* istoriografie.
history ['histri] *s.* istorie. || *to make ~* a face un lucru epocal.
histrion ['histriən] *s.* **1.** actor. **2.** cabotin, histrion.
histrionics [,histri'ɔniks] *s. pl. (cu verb la sing.)* **1.** cabotinism; actorie; teatru. **2.** mofturi, nazuri, capricii.
hit [hit] **I.** *s.* **1.** lovitură. **2.** atac. **3.** pocnitură. **4.** succes. **5.** șlagăr. **II.** *vt. inf., trec. şi part. trec.* **1.** a lovi. **2.** a pocni. **3.** a izbi. **4.** a nimeri. **5.** a jigni. || *to ~ the nail on the head* a nimeri în plin; *to ~ it off with smb.* a se

înțelege cu cineva. **III.** *vi. inf., trec. și part. trec.* 1. a lovi. 2. a da o lovitură. || *to ~(up) on* a nimeri; a găsi.

hitch [hitʃ] **I.** *s.* 1. hop. 2. salt. 3. obstacol . 4. încurcătură. **II.** *vt.* 1. **(to)** a ridica (de). 2. a sălta. 3.**(to)** a lega (de). **III.** *vi.* 1.**(to)** se agăța (de). 2. a se încurca.

hitch-hike ['hitʃhaik] *vi.* a merge cu autostopul, a face autostopul.

hither ['hiðə] *adv.* încoace.

hitherto ['hiðə'tu:] *adv.* până acum.

hitherward(s) ['hiðəwɔd(z)] *adv.* încoace.

Hitlerite ['hitlərait] *s., adj.* hitlerist.

Hittite ['hitait] **I.** *s.* 1. *ist.* hitit. 2. *sl.* boxer. **II.** *adj. ist.* hitit.

hive [haiv] **I.** *s.* 1. stup (*și fig.*). 2. *pl.* urticarie. **II.** *vt.* a pune în stup. **III.** *vi.* a trăi (ca) într-un stup.

hives [haivz] *s. pl. med. fam.* urticarie, blândă.

hm, Hm *abrev. Head Master* director de școală / liceu; *Head Mistress* directoare de școală / liceu; *Her / His Majesty('s)* maiestatea sa regele / regina.

H.M.I. *abrev. Her / His Majesty's Inspector (of Schools)* inspector (de școli).

H. M. S. *abrev. Her / His Majesty's Ship* vas (britanic) de război.

H. M. S. O. *abrev. Her / His Majesty's Stationery Office aprox.* Monitorul Oficial.

ho [hou] *interj.* hei! alo!

hoar [hɔ:] **I.** *s.* chiciură, promoroacă. **II.** *adj.* v. **hoary**.

hoard [hɔ:d] **I.** *s.* comoară; tezaur. **II.** *vt.* 1. a aduna. 2. a strânge. 3. a colecționa. 4. a îngrămădi.

hoarding ['hɔ:diŋ] *s.* 1. păstrare, tezaurizare. 2. stocare, strângere.

hoar-frost ['hɔ:'frɔst] *s.* promoroacă, chiciură.

hoarse [hɔ:s] *adj.* răgușit.

hoary ['hɔ:ri] *adj.* 1. alb, brumat. 2. coliliu; încărunțit. 3. bătrân. 4. venerabil. 5. secular.

hoax [houks] **I.** *vt.* 1. a mistifica, a păcăli (*pe cineva*). 2. a juca (*cuiva*) o farsă. **II.** *s.* 1. mistificare, șarlatanie, păcăleală. 2. farsă, glumă.

hob [hɔb] *s.* 1. cot, poliță (*la cămin*). 2. țăruș. 3. talpă (*la sanie*). 4. v. **hobnail**.

hobbit ['hɔbit] *s.* humanoid, ființă umanoidă imaginară (*inventată*

de romancierul J. R. Tolkien, 1892 – 1973).

hobble ['hɔbl] **I.** *s.* 1. șchiopătat. 2. pripon. **II.** *vt.* a priponi.

hobbledehoy ['hɔbldi'hɔi] *s.* tânăr stângaci, lălău.

hobby ['hɔbi] *s.* 1. distracție. 2. pasiune. 3. manie.

hobby-horse ['hɔbihɔ:s] *s.* 1. cal de lemn. 2. cal de bătaie, marotă. 3. *fig.* pasiune. 4. manie, obsesie.

hobgoblin ['hɔb,gɔblin] *s.* 1. spiriduș; drăcușor. 2. gogoriță.

hobnail ['hɔbneil] *s.* țintă (de bocanc).

hobnob ['hɔbnɔb] *vi.* (**with**) a se bate pe burtă (cu).

hobo ['houbou] **I.** *s.* 1. muncitor ambulant. 2. vagabond. **II.** *vi.* a vagabonda.

hock[1] [hɔk] *s.* vin alb din Germania, *aprox.* risling.

hock[2] [hɔk] *sl.* **I.** *vt.* a amaneta. **II.** *s.* amanet || *in ~* amanetat; (pus) la pârnaie; înglodat în datorii.

hockey ['hɔki] *s.* hochei.

hocus-pocus ['houkəs'poukəs] *s.* 1. păcăleală. 2. diversiune.

hod [hɔd] *s.* 1. *constr.* targă (*pentru mortar, cărămizi etc.*); samar (*pentru cărat cărămizi în spate*). 2. cuvă; varniță, ladă în care se stinge varul. 3. găleată sau ladă pentru cărbuni.

hodge-podge ['hɔdʒ ,pɔdʒ] *s.* v. **hotchpotch**.

hoe [hou] **I.** *s.* sapă. **II.** *vt., vi.* 1. a săpa. 2. a plivi.

hoe cake ['houkeik] *s. amer.* un fel de turtă de mălai.

hog [hɔg] *s.* 1. porc (îngrășat) (*și fig.*). 2. **(road hog)** șofer cu beția vitezei. || *to go the whole ~* a duce lucrurile până la capăt.

hogback ['hɔgbæk] *s.* 1. spinare încovoiată, spate adus, cocoașă. 2. creastă (*de deal, de munte*). 3. drum de creastă. 4. cocoașă, ridicătură (*a drumului*). 5. *iht.* pește cu spinarea încovoiată.

hoggin ['hɔgin] *s.* amestec de nisip și pietriș.

hoggish ['hɔgiʃ] *adj.* dezgustător, porcos, scârbos; lacom, hulpav; egoist; ordinar, josnic.

hogmanay [,hɔgmə'nei] *s. (cuvânt scoțian)* 1. revelion. 2. datini de Anul Nou / de sărbători. 3. colindat, colind. 4. colac *etc.* dat colindătorilor.

hogshead ['hɔgzhed] *s.* butoi.

hoick(out) [hɔik(ɔut)] *vt. sl.* a sălta, a umfla, a lua pe sus.

hoi polloi ['hɔi pə'lɔi] *s. peior.* pleavă, gloată, mulțime.

hoist [hɔist] **I.** *s.* 1. macara. 2. ridicare. **II.** *vt.* a ridica.

hoity-toity [,hɔiti'tɔiti] **I.** *interj.* hait(i)! ei, poftim! colac peste pupăză! hodoronc-tronc! **II.** *s. înv.* zăpăceală, aiureală, trăznaie. **III.** *adj.* 1. zăpăcit, trăsnit. 2. v. **haughty**.

hokum ['houkəm] *s. sl.* 1. teatru, cin. cârlig; gag. 2. sirop, dulcegărie, prostii (sentimentale).

hold [hould] **I.** *s.* 1. *nav.* cală. 2. magazie. 3. ținere, păstrare. 4. stăpânire, putere. 5. influență. **II.** *vt. trec. și part. trec.* **held** [held] 1. a ține. 2. a cuprinde; a conține. 3. a reține; a opri. 4. a susține. 5. a menține. 6. a deține; a avea. 7. a stăpâni. 8. a ocupa. 9. a avea în puterea sa. 10. a apăra. 11. a conduce. || *to ~ back* a reține, a ascunde; *to ~ forth* a oferi; *to ~ one's ground* a se ține tare; *to ~ in* a stăpâni; *to ~ off* a ține la distanță; *to ~ on* a o ține tot așa; a nu se da bătut; *to ~ out* a întinde; a oferi; *to ~ over* a amâna; a amenința cu; *to ~ together* a uni; *to ~ up* a arăta; a opri; a întârzia; a jefui. **III.** *vi. trec. și part. trec.* **held** [held] 1. a se ține. 2. a continua. 3. a dăinui; a ține. || *to ~ aloof* a se ține deoparte; a fi distant; *to ~ forth* a predica; *to ~ off* a sta deoparte; *~on!* ține-te bine! stai un moment!; *to ~ out* a rezista; *to ~ together* a rămâne uniți.

holder ['houldə] *s.* deținător.

holding ['houldiŋ] *s.* 1. proprietate. 2. (**~ company**) *ec.* mare companie care controlează societăți mai mici.

hold-up ['houldʌp] *s.* 1. atac banditesc. 2. jaf. 3. încurcătură de circulație.

hole [houl] **I.** *s.* 1. gaură. 2. scobitură. 3. hop. 4. încurcătură. 5. vizuină. || *to pick ~s in* a critica, a defăima; *in a ~* în încurcătură. **II.** *vt., vi.* a (se) găuri.

holiday ['hɔlidi] **I.** *s.* 1. sărbătoare. 2. vacanță. 3. concediu. || *on ~(s)* în vacanță. **II.** *adj.* 1. sărbătoresc. 2. de vacanță. 3. de odihnă.

holiday-maker ['hɔlədi,meikə] s. vilegiaturist; om în concediu.

holiday resort ['hɔlədiri'zɔːt] s. stațiune climaterică / de o- dihnă.

holiness ['houlinis] s. sfințenie. || His Holiness înalt Prea-Sfinția- Sa.

holla ['hɔlə] interj., s., vt., vi. v. **hollo(a)**.

Holland ['hɔlənd] s. 1. Olanda. 2. text. olandă. 3. pl. rachiu de cereale.

hollandaise (sauce) [,hɔlən'deiz (,sɔːs)] s. gastr. sos olandez.

Hollander ['hɔləndə] s. olandez.

holler ['hɔlə] vi. 1. a asmuți câinii; a striga / țipa (la câini). 2. a striga, a țipa.

hollo(a) ['hɔlou] I. interj. alo! (h)ei! II. s. strigăt(e), țipăt, țipete, urale, vociferări. III. vt. a striga (ceva). IV. vi. 1. a striga, a țipa, a urla (cât te ține gura). 2. a îndemna câinii (de vânătoare), a striga câinilor „săi!".

hollow ['hɔlou] I. s. 1. scobitură. 2. depresiune. 3. vâlcea. 4. găvan. 5. scorbură. II. adj. 1. scobit. 2. supt. 3. gol; găunos. 4. nesincer. III. vt. 1. a scobi. 2. a goli. IV; adv. 1. total. 2. strașnic.

holly ['hɔli] s. bot. ilice.(Ilex aq- vifolium)

hollyhock ['hɔlihɔk] s. bot. nalbă (Althaea rosea).

holm[1] [houm] s. 1. ostrov mic, insulă mică de râu. 2. mal jos (al unui râu); luncă, teren inun- dabil (de-a lungul unui râu); teren aluvionar, șes aluvial.

holm[2] [houm] s. bot. gorun, „stejar-verde", stejar de piatră (Quercus ilex).

holm tree ['houm('triː)] s. v. **holm**[2].

holocaust ['hɔləkɔːst] s. 1. holocaust, nimicire (prin foc). 2. măcel, masacru.

hologram ['hɔlə,græm] s. fiz., foto. hologramă.

holograph ['hɔlə,græf] I. adj. jur. olograf. II. s. document olo- graf. III. vt. a holografia, a în- registra / fotografia prin holo- grafie.

holster ['houlstə] s. toc de pistol.

holy ['houli] adj. 1. sfânt. 2. pios, evlavios.

Holy See ['houli'siː] s. Sfântul Scaun; Vaticanul.

holystone ['houli stoun] I. s. mar. gresie, piatră (de curățat pun-

tea vaselor), piatră de bricuit. II. vt. mar. a bricui (puntea).

Holy Writ ['houli'rit] s. (Sfânta) Scriptură, Biblia.

homage ['hɔmidʒ] s. omagiu. || to do sau pay ~ to a omagia.

Homburg, homburg ['hɔmbɔːg] s. (pălărie) Eden (cu panglică pe bor).

home [houm] I. s. 1. casă, cămin. 2. domiciliu. 3. familie. 4. viață domestică. 5. azil. 6. sport poartă. || at ~ acasă; nestânjenit. II. adj. 1. intern. 2. domestic. 3. pol. de Interne. III. adv. 1. acasă. 2. în țară. 3. la țintă. || to bring smth. ~ to smb. a convinge pe cineva de ceva; to drive smth. ~ a-și atinge ținta; a duce un lucru până la capăt.

homeless ['houmlis] adv. fără adăpost / casă / cămin.

homelike ['houmlaik] adj. ca la mama acasă; intim.

homely ['houmli] adj. 1. obișnuit. 2. familiar. 3. domestic. 4. simplu; plat. 5. amer. fără haz. 6. amer. urât.

home-made ['houm'meid] adj. 1. făcut în casă. 2. făcut în țară.

homemaker ['houm,meikə] s. amer. gospodină.

Home Office ['houm,ɔfis] s. Mini- sterul de Interne (britanic).

homer ['houmə] s. porumbel mesager.

Homeric [hou'merik] adj. homeric.

Home Secretary ['houm'sekrətri] s. Ministru de Interne (brita- nic).

homesick ['houmsik] adj. plin / cuprins de nostalgie / de dor de casă.

homesickness ['houmsiknis] s. nostalgie, dor de casă / țară.

homespun ['houmspʌn] I. s. stofă de casă (aspră). II. adj. 1. țesut de casă. 2. de casă. 3. simplu. 4. obișnuit.

homestead ['houmsted] s. 1. casă. 2. fermă. 3. gospodărie.

homesteader ['houmstedə] s. amer. colon(ist), concesionar al unui lot de pământ.

homeward ['houmwəd] adj., adv. spre casă.

homewards ['houmwədz] adv. către casă.

homicidal [,hɔmi'saidl] adj. 1. asasin, ucigător, ucigaș. 2. (d. alienați) atins de mania omuci- derii. || ~ maniac alienat / nebun stăpânit de mania sau de patima omuciderii.

homicide ['hɔmisaid] s. 1.

omucidere, crimă. 2. criminal, ucigaș.

homily ['hɔmili] s. predică (și fig.).

homing pigeon ['houmiŋ,pidʒin] s. porumbel mesager.

hominid ['hɔminid] zool. I. adj. din familia Hominidae. II. s. hominid.

hominoid ['hɔmi,nɔid] zool. I. adj. cvasiuman, antropomorf, antropoid. II. s. antropoid.

hominy ['hɔmini] s. aprox. mămă- ligă.

homoeopathic [,houmiə'pæθik] adj. homeopatic.

homoeopathy [,houmi'ɔpəθi] s. med. homeopatie.

homogeneous [,hɔmə'dʒiːnjəs] adj. omogen.

homogenize [hə'mɔdʒənaiz] vt. omogeniza.

homologous [hou'mɔləgəs] adj. 1. omolog. 2. corespunzător.

homology [hou'mɔlədʒi] s. omologie.

homonym ['hɔmənim] s. omonim.

homophone ['hɔməfoun] s. omofon.

homosexual [,houmou'seksjuəl] adj., s. homosexual.

Hon. abrev. v. **honourable**.

hone [houn] I. s. 1. piatră de ascuțit. 2. cute. II. vt. a ascuți.

honest ['ɔnist] adj. 1. cinstit. 2. sincer. 3. deschis. 4. curat.

honestly ['ɔnistli] adv. 1. onest, cinstit. 2. sincer, cu toată sin- ceritatea.

honesty ['ɔnisti] s. 1. cinste. 2. sinceritate.

honey ['hʌni] s. 1. miere. 2 iubit(ă); puișor (fig.). 3. fig. dul- ceață, blândețe.

honeycomb ['hʌnikoum] s. fa- gure.

honey dew ['hʌni,djuː] s. 1. bot. secreție zaharoasă a afidelor sau ciupercilor. 2. fig. am- brozie. 3. tutun îndulcit cu melasă.

honeyed ['hʌnid] adj. mieros (și fig.).

honeymoon ['hʌnimuːn] I. s. lună de miere. II. vi. a-și petrece luna de miere.

honeysuckle ['hʌni,sʌkl] s. bot. caprifoi (Lonicera sp.).

honk [hɔŋk] I. s. claxon. II. vi. a claxona.

hono(u)r ['ɔnə] I. s. 1. onoare; cinste. 2. pl. onoruri. 3. repu- tație. 4. distincție. 5. stimă. || Your Honour Onorată Curte. II. vt. 1. a onora. 2. a respecta.

hono(u)rable ['ɔnrəbl] I. s. 1.

nobil. **2.** deputat. **3.** demnitar. || *the Right Honourable Cooper* deputatul Cooper. **II.** *adj.* **1.** cinstit. **2.** onorabil.

honorarium [,ɔnɔ'rɛɔriɔm] *s.* plată onorifică, onorariu oferit (fără a fi solicitat).

honorary ['ɔnrɔri] *adj.* onorific.

honorific(al) [ɔnɔ'rifik(l)] *adj.* **1.** (plin) de respect, respectuos. **2.** deferent, de respect. **3.** onorific.

hooch [hu:tʃ] *s. sl.* pileală, băutură (*mai ales whisky*).

hood[1] [hud] **I.** *s.* **1.** glugă. **2.** acoperiş. **3.** capotă. **II.** *vt.* a acoperi.

hood[2] [hud] *s. sl.* v. **hoodlum.**

hoodlum ['hudlɔm] *s. sl.* **1.** huligan, bătăuş, cuţitar; criminal. **2.** golan, vagabond, copil al străzii.

hoodoo ['hu:du:] **I.** *s.* **1.** cobe, piază rea. **2.** ghinion, piază rea. **3.** *geol.* formaţiune stâncoasă de formă fantastică. **II.** *vt.* a aduce ghinion (*cu dat.*).

hoodwink ['hudwiŋk] *vt.* a păcăli, a îmbrobodi.

hoof [hu:f] *s. pl. şi* **hooves** [hu:vz] **1.** copită. **2.** *fig.* picior.

hook [huk] **I.** *s.* cârlig. || *by ~ or by crook* cu orice preţ. **II.** *vt.* **1.** a agăţa. **2.** a prinde. **3.** a pescui.

hooka(h) ['hukɔ] *s.* narghilea.

hooked [hukt] *adj.* **1.** încârligat. **2.** acvilin. **3.** cu cârlige. **4.** *sl.* căsătorit. **5.** *sl.* drogat. **6.** *sl.* obsedat.

hooked on ['hukt 'ɔn] *adj. sl.* v. **hooked 4., 5., 6.**

hooker ['hukɔ] *s.* **1.** agăţător; agăţătoare. **2.** *amer. sl.* sorbitură / gură de whisky. **3.** *amer. sl.* damă (ordinară), femeie de stradă.

hook-up ['hukʌp] **I.** *s.* **1.** (re)unire, împreunare; *tehn.* cuplaj, racord, conexiune. **2.** *el.* schemă sumară de conexiuni. **3.** *fam.* stabilire a contactului / a legăturii; uniune, alianţă. **4.** *rad. fam.* program comun, program pe posturi reunite. **II.** *vt. rad. fam.* a uni posturile.

hooligan ['hu:ligɔn] *s.* huligan.

hoop [hu:p] **I.** *s.* **1.** cerc. **2.** inel. **II.** *vt.* a prinde (*un butoi etc.*) în cercuri. **III.** *vi.* a striga.

hooping-cough ['hu:piŋkɔf] *s.* tuse măgărească.

hooray [hu:'rei] *interj., s., vi.* v. **hoorah.**

hoot [hu:t] **I.** *s.* **1.** strigăt

(dezaprobator); huiduială. **2.** vuiet. **II.** *vt.* a huidui. **III.** *vi.* **1.** a striga. **2.** a huidui. **3.** a vui.

hooter ['hu:tɔ] *s.* sirenă.

hoover ['hu:vɔ] **I.** *s.* aspirator de praf. **II.** *vt.* a curăţa cu aspiratorul.

hop [hɔp] **I.** *s.* **1.** hamei. **2.** ţopăială. **3.** salt. **4.** dans. **5.** escală. **II.** *vt.* **1.** a sări (peste). **2.** a omite. **3.** a evita. || *~ it!* pleacă! şterge-o! ia-o din loc! **III.** *vi.* **1.** a sări. **2.** a ţopăi. **3.** a pleca.

hope [houp] **I.** *s.* speranţă. || *beyond ~* de nesperat. **II.** *vt., vi.* **1.** a spera. **2.** a aştepta. || *to ~ against ~* a spera zadarnic.

hopeful ['houpfl] **I.** *s.* speranţă (*fig.*) **II.** *adj.* **1.** plin de speranţă. **2.** încrezător. **3.** promiţător; de viitor.

hopefully ['houpfuli] *adv.* **1.** optimist, cu curaj, cu toată nădejdea. **2.** în mod încurajator.

hopefulness ['houpfulnis] *s.* **1.** speranţă, încredere, optimism. **2.** semne bune, auspicii favorabile.

hopeless ['houplis] *adj.* **1.** deznădăjduit, disperat. **2.** fără perspective / speranţe. **3.** incurabil.

hopelessly ['houplisli] *adv.* fără speranţă; iremediabil.

hopelessness ['houplisnis] *s.* **1.** situaţie disperată / fără scăpare. **2.** disperare, deznădejde.

hopper[1] ['hɔpɔ] *s.* **1.** persoană / fiinţă care ţopăie. **2.** insectă care sare / ţopăie, mai ales purice *sau* lăcustă. **3.** (*în Australia*) cangur. **4.** *tehn.* pâlnie / bară de încărcare. **5.** buncăr; magazie; rezervor; siloz. **6.** *mar.* magazie de material dragat.

hopper[2] ['hɔpɔ] *s.* culegător de hamei.

hoppy ['hɔpi] *adj.* cu aromă de hamei.

hopscotch ['hɔpskɔtʃ] *s.* şotron.

horde [hɔ:d] *s.* **1.** hoardă. **2.** gloată.

horehound ['hɔ:,haund] *s.* **1.** *bot.* voronic, unguraş (*Marrubium vulgare*). **2.** suc de voronic. **3.** bomboană de tuse cu suc de voronic. **4.** plante medicinale înrudite cu voronicul (*familia Marrubium*).

horizon [hɔ'raizn] *s.* orizont (*şi fig.*).

horizontal ['hɔri'zɔntl] *adj.* orizontal.

horizontally [,hɔri'zɔntɔli] *adv.* orizontal.

hormone ['hɔ:moun] *s.* hormon.

horn [hɔ:n] *s.* **1.** corn. **2.** corniţă. **3.** obiect în formă de corn. **4.** obiect făcut din corn. || *to draw in one's ~s* a se închide în sine; a se retrage; *~ of plenty* cornul abundenţei.

hornbeam ['hɔ:nbi:m] *s. bot.* **1.** carpen comun (*Carpinus betulus*). **2.** cărpiniţă, grăbar (*Carpinus duinensis*). **3.** carpen-american (*Carpinus americana*).

hornblende ['hɔ:n,blend] *s. minr.* hornblendă.

horn book ['hɔ:n buk] *s.* **1.** *înv.* abecedar (*format dintr-o singură filă, acoperit cu o placă străvezie din corn şi conţinând pe lângă alfabet, numerele de la 0 la 9 şi rugăciunea „Tatăl Nostru")*. **2.** *fig.* abecedar, abc.

horned [hɔ:nd] *adj.* cornut, cu coarne.

hornet ['hɔ:nit] *s. entom.* gărgăun; viespe (*Vespidae sp.*). || *to bring a ~s' nest about one's ears* a stârni un viespar.

hornpipe ['hɔ:npaip] *s.* **1.** *muz.* instrument vechi de suflat. **2.** dans marinăresc.

horny ['hɔ:ni] *adj.* **1.** aspru. **2.** întărit.

horology [hɔ'rɔlɔdʒi] *s.* orologerie, ceasornicărie.

horoscope ['hɔrɔskoup] *s.* horoscop.

horrible ['hɔrɔbl] *adj.* **1.** groaznic. **2.** neplăcut.

horrid ['hɔrid] *adj.* **1.** îngrozitor. **2.** scârbos. **3.** insuportabil.

horrific [hɔ'rifik] *adj.* oribil, înfricoşător, înfiorător.

horrify ['hɔrifai] *vt.* **1.** a îngrozi. **2.** a şoca. **3.** a scandaliza.

horror ['hɔrɔ] *s.* **1.** groază. **2.** oroare.

horror-stricken ['hɔrɔstrikn] *adj.* îngrozit.

hors d'œuvre [ɔ:'dɔ:vɔ] *s.* gustare înaintea mesei, mezel, mizilic.

horse [hɔ:s] *s.* **1.** *zool.* cal (*Equus caballus*). **2.** cavalerie. **3.** *sport* capră (de sărit). **4.** suport. || *to ride the high ~* a face pe grozavul; *to eat like a ~* a mânca cât şapte; *to ~!* încălecaţi! pe cai!

horseback ['hɔːsbæk] s.: on ~ călare.

horse-chestnut [ˌhɔːs'tʃesnʌt] s. 1. castan (obişnuit). 2. castană (porcească).

horseflesh ['hɔːsfleʃ] s. 1. carne de cal. 2. cai.

horse fly ['hɔːsflai] s. entom. muscă-de-cal (Hippobosca e-quina).

horse hair ['hɔːsheə] s. păr de cal; text. roshar.

horse-laugh ['hɔːslɑːf] s. hohot de râs (grosolan, zgomotos).

horseman ['hɔːsmən] s. pl. **horse-men** ['hɔːsmən] 1. călăreţ. 2. cavalerist.

horsemanship ['hɔːsmənʃip] s. echitaţie.

horse-opera ['hɔːsˌɔpərə] s. amer. film cu cowboy, western.

horse play ['hɔːsplei] s. distracţie grosolană; glumă grosolană / de prost gust.

horse-power ['hɔːsˌpauə] s. cal putere.

horse-radish ['hɔːsˌrædiʃ] s. bot. hrean (Armoracia lapathifolia).

horse-shoe ['hɔːsʃuː] s. potcoavă.

horseshoer ['hɔːsˌʃuə] s. potco-var.

horsewhip ['hɔːswip] I. s. cravaşă. II. vt. a cravaşa.

horsewoman ['hɔːsˌwumən] s. pl. **horsewomen** ['hɔːsˌwimin] 1. amazoană. 2. călăreaţă.

hors(e)y ['hɔːsi] adj. 1. priceput la (curse de) cai. 2. turfist, pasionat de curse de cai. 3. (îmbrăcat) ca un jocheu; cu purtări de jocheu.

hortative ['hɔːtətiv], **hortatory** ['hɔːtətəri] adj. plin de sfaturi, care îndeamnă / sfătuieşte.

horticulture ['hɔːtikʌltʃə] s. horti-cultură.

horticulturist [ˌhɔːti'kʌltʃərist] s. horticultor.

hosanna [ho'zænə] s. osana.

hose [houz] I. s. 1. furtun. 2. tub. 3. ciorapi lungi. II. vt. 1. a stropi. 2. a uda (cu furtunul).

hosier ['houʒə] s. negustor de galanterie de damă.

hosiery ['houʒəri] s. 1. galanterie de damă. 2. ciorapi (de damă).

hospice ['hɔspis] s. 1. cămin (pentru călători). 2. azil (filan-tropic).

hospitable ['hɔspitəbl] adj. ospi-talier, primitor.

hospital ['hɔspitl] s. spital.

hospitality [ˌhɔspi'tæliti] s. ospi-talitate, caracter ospitalier.

hospitalize ['hɔspitəˌlaiz] vt. a spitaliza.

host[1] [houst] s. 1. gazdă. 2. han-giu. 3. hotelier. 4. proprietar. 5. turmă. 6. oaste.

host[2] [houst] s. bis. ostie, azimă de grijanie; anafură.

hostage ['hɔstidʒ] s. ostatic.

hostel ['hɔstl] s. cămin.

hostelry ['hɔstəlri] s. înv. han; mic hotel.

hostess ['houstis] s. 1. gazdă (femeie). 2. hangiţă.

hostile ['hɔstail] adj. 1. duşman. 2. duşmănos.

hostility [hɔs'tiliti] s. 1. duşmănie. 2. ostilitate.

hostler ['ɔslə] s. v. **ostler**.

hot [hɔt] I. adj. 1. fierbinte; foarte cald. 2. arzător. 3. iute. 4. violent. 5. proaspăt. || to get into ~ water a (se) băga într-un bucluc; to make a place too ~ for smb. a face cuiva viaţa im-posibilă; a sili pe cineva să-şi ia tălpăşiţa. II. adv. 1. fierbinte. 2. arzător. || to blow ~ and cold a fi schimbător; give it him ~ trage-i o săpuneală.

hotbed ['hɔtbed] s. 1. agr. pat cald. 2. fig. focar.

hot-blooded ['hɔt'blʌdid] adj. 1. pasionat. 2. nerăbdător.

hotchpotch ['hɔtʃˌpɔtʃ] s. 1. gastr. ghiveci. 2. fig. ames-tecătură, ghiveci. 3. potpuriu; varietăţi. 4. jur. fuziune a pro-prietăţilor.

hot dog [ˌhɔt 'dɔg] s. cârnat servit într-o pâinişoară despicată în două.

hotel [hou'tel] s. hotel.

hotel-keeper [hou'telˌkiːpə] s. hotelier.

hot-foot ['hɔt'fut] I. adv. repede, iute. II. vi. amer. fam. a merge iute / cu paşi repezi. || to ~ (it) after smb. a urmări în grabă pe cineva.

hothead ['hɔthed] s. 1. om pripit. 2. pl. capete înfierbântate.

hothouse ['hɔthaus] s. seră.

hotly ['hɔtli] adv. cu căldură, cu aprindere, cu înfocare, cu înflă-cărare.

hotspur ['hɔtspə(ː)] s. 1. om iras-cibil, fire iute / arţăgoasă. 2. zvăpăiat, zănatic.

Hottentot ['hɔtntɔt] s. 1. hotentot. 2. limba hotentotă.

hough [hɔk] s. anat. jaret; spaţiu popliteu.

hound [haund] I. s. 1. câine (de vânătoare). 2. fig. javră. II. vt. a hăitui.

hour ['auə] s. 1. oră, ceas. 2. pl. orar. 3. ocazie. || after ~s după orele de serviciu; to keep early ~s a se scula şi a se culca devreme.

hour-glass ['auəglɑːs] s. ceas de nisip, clepsidră.

hour-hand ['auəhænd] s. ac orar.

houri ['huəri] s. 1. mit. hurie, nimfă. 2. fig. frumuseţe, femeie frumoasă, vedetă, vampă.

hourly ['auəli] I. adj. 1. orar. 2. din oră în oră, la fiecare oră. 3. permanent. II. adv. 1. din oră în oră. 2. la orice oră.

house[1] [haus] s. 1. casă. 2. clădire. 3. locuinţă. 4. cămin. 5. sală (de spectacol). 6. firmă, casă de comerţ.

house[2] [hauz] vt. 1. a găzdui. 2. a da case la. 3. a adăposti. 4. a depozita.

house-agent ['hausˌeidʒnt] s. mi-sit de locuinţe.

house boat ['hausbout] s. casă plutitoare.

house-breaker ['hausˌbreikə] s. spărgător.

house fly ['hausflai] s. entom. muscă, musca domestică (Musca domestica).

household ['hausˌhould] s. 1. gospodărie. 2. familie.

householder ['hausˌhouldə] s. 1. cap de familie, gospodar. 2. ist. proprietar (mai ales ră-zeş).

housekeeper ['hausˌkiːpə] s. 1. gospodină. 2. menajeră.

housekeeping ['hausˌkiːpiŋ] s. 1. gospodărie. 2. gospodărire, economie menajeră.

houseless ['hauslis] adj. fără domiciliu; lipsit de adăpost.

housemaid ['hausmeid] s. ser-vitoare.

house-top ['haustɔp] s. acoperişul casei. || to cry from the ~(s) a striga în gura mare.

housewife[1] ['hauswaif] s. pl. **housewives** ['hauswaivz] 1. gospodină. 2. stăpâna casei.

housewife[2] ['hʌzif] s. cutie de lucru.

housewifery ['hauswifəri] s. eco-nomie domestică; cunoştinţe menajere, munci casnice.

housework ['hauswəːk] s. treburile gospodăriei.

housing ['hauziŋ] s. 1. locuinţă, adăpost. 2. locuinţe pentru po-pulaţie. 3. nişă (pentru statuie). 4. cazare. 5. tehn. lagăr.

hove [houv] vt., vi. trec. şi part. trec. de la **heave**.

hovel ['hɔvl] s. 1. colibă. 2. cocioabă.

hover ['hɔvə] vi. (**over**) 1. (d. păsări) a plana (deasupra, asupra). 2. a se agita. 3. a amenința, a pluti în aer (deasupra). 4. a șovăi.

hovercraft ['hɔvə,krɑ:ft] s. av., nav. vehicul / navă pe pernă de aer.

how [hau] adv. 1. cum. 2. prin ce mijloace. 3. în ce stare. 4. cum se poate. 5. cât. || ~ are you? ce mai faci?; ~ do you do? vă salut! bună ziua!; îmi pare bine de cunoștință!; ~ now? ei (bine)? ce mai nou?

howbeit ['hau'bi:it] I. adv. înv. totuși, oricum. II. conj. deși.

howdah ['haudə] s. șa cu baldachin (pe spinarea elefantului).

however [hau'evə] I. adv. ori(și)-cât. II. conj. 1. totuși. 2. în orice caz.

howe'er [hau'ɛə] adv., conj. poet. v. **however**.

howitzer ['hauitsə] s. mil. mortieră.

howl [haul] I. s. urlet. II. vt., vi. a urla.

howler ['haulə] s. 1. persoană / animal care urlă. 2. zool. maimuță sud-americană (Alouatia). 3. sl. greșeală; boacănă.

howsoever [,hausou'evə] adv. oricât de.

hoy [hɔi] interj. 1. aho! hei!. 2. zât!. 3. (pentru a mâna oile) bâr!

hoyden ['hɔidn] s. fată emancipată / gălăgioasă.

h.p. abrev. high pressure presiune ridicată; hire purchase (sistem de) cumpărare în rate; horse power cal putere.

H.Q. abrev. headquarters cartier general; stat major; sediu.

H.R.H. abrev. His sau Her Royal Highness Alteța Sa Regală.

H.T. abrev. high tension tensiune înaltă.

hub [hʌb] s. 1. butucul roții. 2. fig. centru.

hubble-bubble ['hʌbl'bʌbl], s. 1. babilonie, galimatie. 2. narghilea.

hubbub ['hʌbʌb] s. zarvă.

hubby ['hʌbi] s. fam. bărbățel.

hub of the earth ['hʌb ɔv ði'ɔ:θ] s.: the ~ buricul pământului.

huckle-back(ed) ['hʌkl,bæk(t)] adj. cocoșat, ghebos.

huckleberry ['hʌklberi] s. amer. 1. afină. 2. afin.

huckster ['hʌkstə] s. negustor (ambulant) de mărunțișuri.

huddle ['hʌdl] I. 1. s. învălmășeală. II. vt., vi. 1. a (se) învălmăși. 2. a (se) strânge.

hue ['hju:] s. 1. nuanță. 2. culoare.

hue-and-cry ['hju:ən'krai] s. 1. zarvă. 2. alarmă, goană (pentru prinderea unui fugar). 3. hărțuială. 4. fig. opoziție.

huff [hʌf] I. vt. 1. a teroriza. 2. a forța, a sili. 3. înv. a jigni, a supăra; a se purta urât cu. 4. a umfla. 5. (la jocul de dame) a lua (o piesă). II. vi. 1. a pufăi. 2. a se purta ca un terorist, a amenința pe toată lumea. III. s. 1. acces de furie, supărare, țâfnă. 2. (la jocul de dame) luarea unei piese.

hug [hʌg] I. s. îmbrățișare. II. vt. 1. a îmbrățișa. 2. a strânge. 3. a nutri.

huge [hju:dʒ] adj. uriaș.

hugely ['hju:dʒli] adv. enorm, foarte mult.

hugger-mugger ['hʌgə ,mʌgə] I. s. 1. taină, secret. 2. învălmășeală, încurcătură. II. adj. 1. secret, tainic, ascuns. 2. învălmășit, alandala. III. adv. 1. în taină, pe ascuns. 2. alandala, în dezordine, de-a valma. IV. vt. a ascunde, a ține ascuns; a trece sub tăcere. V. vi. 1. a umbla cu secrete, fam. a umbla cu șahărmahăr. 2. a încurca lucrurile.

huguenot ['hju:gənɔt] s. ist. Franței hughenot, calvinist.

hula hoop ['hu:lə'hu:p] s. hulahup (cerc mare pentru dansul havaian hula).

hulk [hʌlk] s. 1. corabie veche. 2. fig. matahală.

hulking ['hʌlkiŋ] adj. 1. mătăhălos. 2. greoi.

hull [hʌl] I. s. 1. coajă; păstaie. 2. carenă. II. vt. 1. a (des)coji. 2. a lovi cu o torpilă / bombă.

hullabaloo [,hʌləbə'lu:] s. zarvă.

hullo ['hʌ'lou] interj. 1. alo! 2. hei!

hum [hʌm] I. s. 1. zumzet. 2. fredonare (a unei melodii). 3. murmur. II. vt. 1. a zumzăi. 2. a murmura. 3. a fredona. III. vi. 1. a zumzăi. 2. a fi agitat. 3. a fredona. 4. a tuși, a-și drege glasul. || to ~ and haw a șovăi; a se bâlbâi.

human ['hju:mən] adj. omenesc, uman.

humane [hju'mein] adj. 1. milos, uman. 2. milostiv. 3. filantrop. 4. îndurător.

humanely [hju(:)'meinli] adv. omenos, uman, umanitar.

humanism ['hju:mənizəm] s. umanism.

humanist ['hju:mənist] 1. s. umanist. II. adj. umanist(ic).

humanitarian [hju,mæni'tɛəriən] I. s. filantrop. II. adj. umanitar, filantropic, caritabil.

humanitarianism [hju:mæni'tɛərianizəm] s. filoz. umanitarism.

humanity [hju'mæniti] s. 1. omenire. 2. omenie. 3. pl. umanistică.

humanize ['hju:mənaiz] vt., vr. a (se) umaniza.

humankind [,hju:mən'kaind] s. omenire.

humanly ['hju:mənli] adv. omenește, cât poate un om.

humble ['hʌmbl] I. adj. 1. umil, smerit. 2. modest. 3. obscur. || to eat ~ pie a-și pune cenușă în cap; a se umili. II. vt. a umili.

humble bee ['hʌmbl bi:] s. entom. bondar (Bombus).

humbleness ['hʌmblnis] s. umilință.

humbly ['hʌmbli] adv. 1. cu umilință, umil. 2. smerit. 3. modest.

humbug ['hʌmbʌg] I. s. 1. mistificare. 2. farsă. 3. impostură, păcăleală, înșelăciune. 4. impostor; farsor. II. vt. 1. a escroca / înșela pe cineva. 2. a înșela. III. vi. 1. a escroca / înșela pe cineva. 2. a fi un impostor. IV. interj. prostii!

humdinger ['hʌm,diŋə] s. fam. grozăvie, lucru strașnic / grozav.

humdrum ['hʌm,drʌm] adj. 1. monoton. 2. banal.

humerus ['hju:mərəs], pl. **humeri** ['hju:mə,rai] s. anat., zool. humerus, osul umărului.

humid ['hju:mid] adj. umed, jilav.

humidify [hju(:)'midifai] vt. rar a umezi, a umidia.

humidity [hju(:)'miditi] s. umezeală; met. higrometricitate (a atmosferei).

humidor ['hju:midɔ:] s. 1. text. umidificator. 2. amer. cutie de țigări (prevăzută cu umidificator).

humiliate [hju:'mili,eit] vt. a umili.

humiliation [hju(:),mili'eiʃn] s. umilire, înjosire, jignire; afront. || to suffer all sorts of ~s a suferi tot felul de umilințe.

humility [hju'militi] s. modestie, smerenie.

humming-bird ['hʌmiŋbə:d] s. ornit. pasărea-muscă, colibri (Trochilidae sp.).

hummock ['hʌmək] s. 1. movilă. 2. deal.

hummus ['huməs] s. gastr. pastă din boabe de năut şi ulei, asezonată cu lămâie şi usturoi.

humor ['hju:mə] amer. v. **humour**.

humorist ['hju:mərist] s. umorist.

humorous ['hju:mrəs] adj. comic.

humour ['hju:mə] I. s. 1. umor. 2. dispoziţie. II. vt. 1. a face pe plac (cuiva). 2. a mulţumi (pe cineva).

hump [hʌmp] I. s. 1. umflătură. 2. cocoaşă. II. vt. a cocoşa.

humpback ['hʌmpbæk] s. cocoşat.

hump-backed ['hʌmpbækt] adj. ghebos, gârbov, cocoşat.

humph [hʌmf] interj. aşi! vax!

humpty-dumpty ['hʌmpti'dʌmpti] s. 1. omuleţ, prichindel, făptură măruntă. 2. Humpty Dumpty hopa-mitică.

humus ['hju:məs] s. geol. humus, pământ vegetal.

Hun [hʌn] s. 1. (mai ales pl.) ist. hun. 2. fig. barbar. 3. sl. înv. neamţ.

hunch [hʌntʃ] I. s. 1. cocoaşă. 2. bucată. 3. bănuială, presimţire, idee, presentiment. II. vt. a cocoşa.

hunchback ['hʌntʃbæk] s. cocoşat.

hundred ['hʌndrəd] s., num. sută.

hundredfold ['hʌndrədfould] adv. însutit.

hundredth ['hʌndrədθ] I. s. sutime. II. num. al o sutălea.

hundredweight ['hʌndrədweit] s. jumătate de chintal, măsură de 50 sau 45 kg.

hung [hʌŋ] vt., vi. trec. şi part. trec. de la **hang**. II. 1, 2, 3. şi. III.

Hungarian [hʌŋ'gɛəriən] I. s. 1. ungur; unguroaică. 2. (limba) maghiară. II. adj. maghiar(ă).

hunger ['hʌŋgə] I. s. 1. foame. 2. poftă. 3. fig. dorinţă; dor. II. vi. 1. a flămânzi. 2. (for) a tânji (după).

hungry ['hʌŋgri] adj. 1. flămând. 2. (for) fig. însetat (de). || to go ~ a flămânzi.

hunk [hʌŋk] s. bucată mare.

hunt [hʌnt] I. s. 1. vânătoare. 2. hăituială. 3. căutare. II. vt. 1. a vâna. 2. a hăitui. 3. a căuta. 4. a alunga. III. vi. (for) a vâna.

hunter ['hʌntə] s. vânător.

hunting ['hʌntiŋ] s. vânătoare.

huntress ['hʌntris] s. vânătoreasă.

huntsman ['hʌntsmən] s. pl. **huntsmen** ['hʌntsmən] vânător.

hurdle ['hə:dl] I. s. 1. sport gard (de sărit). 2. fig. obstacol. II. vt. a sări peste (un obstacol) (şi fig.).

hurdler ['hə:dlə] s. 1. meşter tâmplar care face garduri. 2. sport alergător de garduri.

hurdy-gurdy ['hə:di,gə:di] s. flaşnetă.

hurl [hə:l] I. s. aruncare. II. vt. a arunca.

hurley ['hə:li] s. sport (în Irlanda) 1. variantă de hochei pe iarbă. 2. crosă folosită în acest sport.

hurly (burly) ['hə:li ('bə:li)] I. s. zarvă, agitaţie, gălăgie. II. adj. de-a valma, talmeş-balmeş.

hurrah [hu'rɑ:], **hurray** [hu'rei] I. vt. a ovaţiona. II. interj. ura!

hurricane ['hʌrikən] s. uragan; (şi fig.).

hurried ['hʌrid] adj. grăbit.

hurriedly ['hʌridli] adv. în grabă, în pripă.

hurry ['hʌri] I. s. grabă. || in a ~ grăbit; uşor. II. vt., vi. a (se) grăbi.

hurry-scurry ['hʌri 'skʌri] I. adv. alandala, brambura. II. s. confuzie, dezordine; busculadă. III. vi. a proceda în grabă; a alerga.

hurt [hə:t] I. 1. s. rană. 2. lovitură. 3. durere. 4. jignire. II. vt. inf., trec. şi part. trec. 1. a răni. 2. a strica. 3. a jigni. III. vi. inf., trec. şi part. trec. 1. a te durea. 2. a suferi.

hurtful ['hə:tfl] adj. 1. dureros. 2. dăunător.

hurtle ['hə:tl] vt., vi. a (se) arunca.

husband ['hʌzbənd] I. s. soţ. II. vt. a economisi, a administra chibzuit.

husbandman ['hʌzbəndmən] s. pl. **husbandmen** ['hʌzbəndmen] cultivator de pământ, agricultor; gospodar.

husbandry ['hʌzbəndri] s. 1. administrare chibzuintă. 2. administraţie. 3. economisire, chibzuială.

hush [hʌʃ] I. s. tăcere. II. vt. a face să tacă. || to ~ up a tăinui; a muşamaliza. III. vi. a tăcea. IV. interj. sst!

husk [hʌsk] I. s. 1. coajă. 2. pleavă. II. vt. a coji.

huskiness [hʌskins] s. asprime (a vocii), răguşeală.

husky ['hʌski] I. adj. 1. plin de coji. 2. scorţos, aspru, uscat. 3. (d. glas) înecat, răguşit, îngroşat (de emoţie etc.). 4. (d. cineva) cu glasul înecat / răguşit. 5. mare, voinic, zdravăn. II. s. 1. câine eschimos de sanie. 2. huidumă, matahală.

hussar [hu'zɑ:] s. ist. husar.

hussy ['hʌsi] s. 1. obrăznicătură. 2. ticăloasă; obraznică. 3. târâtură, fleandură.

hustings ['hʌstiŋz] s. pl. 1. campanie electorală. 2. ist. estradă pentru depunerea candidaturilor în alegeri. 3. ist. tribunal local.

hustle ['hʌsl] I. s. învălmăşeală. II. vt. a lua pe sus. III. vi. a se repezi, a se grăbi.

hut [hʌt] s. 1. colibă. 2. baracă.

hutch [hʌtʃ] s. 1. cuşcă / ţarc (mai ales pentru iepuri de casă). 2. colibă, bojdeucă. 3. vagonet, cărucior. 4. dulăpior, bufet.

huzza(h) [hu'zɑ:] 1. interj. s. ura! vivat! II. vt. a aclama.

hyaline ['haiəli(:)n] adj. 1. poet. (d. cer sau d. mare) cristalin, limpede. 2. med., geol. hialin, vitros, sticlos. 3. transparent, diafan.

hyacinth ['haiəsinθ] s. bot. zambilă (Hyacinthus).

hyaena [hai'i:nə] s. v. **hyena**.

hybrid ['haibrid] s., adj. hibrid.

hybridization [,haibridai'zeiʃn] s. biol., agr. hibridizare, bastardare.

hybridize ['haibridaiz] biol., agr. I. vt. a hibridiza. II. vi. a se hibridiza.

hydra ['haidrə] s. 1. hidră, monstru. 2. fig. racilă greu de înlăturat. 3. zool. şarpe de apă. 4. zool. polip (Hydra).

hydrangea [hai'dreindʒə] s. bot. hortensie (Hydrangea).

hydrant ['haidrənt] s. hidrant.

hydrate I. ['haidreit] s. chim. hidrat, hidroxid. II. ['hai,dreit] vt. a hidrata.

hydraulic [hai'drɔ:lik] adj. hidraulic.

hydraulics [hai'drɔ:liks] s. pl. hidraulică.

hydro ['haidrou] s. fam. 1. sanatoriu balnear. 2. staţiune balneară.

hydro- prefix hidro-.

hydrocarbon ['haidrou'kɑ:bən] s. chim. hidrocarbură.

hydrocephalus [,haidrou'sefələs] s. med. hidrocefalie.

hydrochloric ['haidrə'klɔrik] adj. chim. clorhidric.

hydrocyanic ['haidrousai'ænik] *adj. chim.* cianhidric.

hydrodynamics [,haidroudai 'næmiks] *s. pl. (cu verb la sing.)* hidrodinamică.

hydroelectric [,haidroui'lektrik] *adj.* hidroelectric.

hydrofluoric ['haidrouflu(:)'orik] *adj. chim.* fluorhidric.

hydrofoil ['haidrə'foil] *s. nav.* 1. aripă portantă / imersă / subacvatică. 2. navă cu aripi portante / imerse / subacvatice.

hydrogen ['haidridʒn] *s. chim.* hidrogen.

hydrogenate ['haidrədʒi,neit] *vt. chim.* a hidrogena.

hydrography [hai'drəgrəfi] *s.* 1. hidrografie. 2. apele pământului.

hydrolyse, hydrolyze ['haidrə,laiz] *vt. chim.* a descompune prin hidroliză, a hidroliza.

hydrolysis [hai'drəlisis] *s. chim.* hidroliză.

hydrometer [hai'drəmitə] *s. tehn.* hidrometru, densometru.

hydropathy [hai'drəpəθi] *s. med.* hidropatie, cură Knepp / de apă.

hydrophobia [,haidrə'foubjə] *s.* turbare.

hydroplane ['haidroplein] *s.* 1. hidroavion. 2. barcă cu motor.

hydroponicist [,haidrou'pɔnisist], **hydroponist** [hai'drɔpɔnist] *s.* specialist în hidroponică / în creșterea plantelor în soluții apoase.

hydrostatic(al) [,haidrou 'stætik(əl)] *adj.* hidrostatic.

hydrostatics [,haidrou'stætiks] *s. pl. folosit ca sing.* hidrostatică.

hydrous ['haidrəs] *adj. chim.* apos, care conține apă.

hydroxide [hai'drɔksaid] *s. chim.* hidroxid.

hyena [ha'i:nə] *s. zool.* hienă *(Hyaenidae sp.).*

hygiene ['haidʒi:n] *s.* igienă.

hygienic [hai'dʒi:nik] *adj.* igienic.

hygrometer [hai'grɔmitə] *s.* higrometru.

hygroscopic [,haigrə'skɔpik] *adj.* higroscopic.

hymen ['haimen] *s. anat.* himen.

hymeneal [,haime'ni(:)əl] *adj.* nupțial.

hymenopterous [,haimi'nɔptərəs] *adj. entom.* referitor la himenoptere.

hymn [him] I. *s.* 1. imn / cântec religios. 2. cântec de slavă / bucurie. II. *vt.* 1. a slăvi, a cânta. 2. a exprima, a da glas *(cu dat.).* III. *vi.* a cânta un cântec religios.

hymnal ['himnəl], **hymnary** ['himnəri] *s. bis.* carte de imnuri / cântece (religioase).

hymnology [him'nɔlədʒi] *s.* (compunere de) imnuri religioase.

hyoscine ['haiə,si:n] *s. chim., farm., med.* scopolamină.

hyper- *prefix* hiper- .

hyperbola [hai'pə:bələ] *s. geom.* hiperbolă.

hyperbole [hai'pə:bəli] *s. lit.* 1. hiperbolă. 2. exagerare.

hyperbolic(al) [,haipə(:)bɔlik(əl)] *adj.* hyperbolic, exagerat.

hyperborean [,haipə(:)bɔ(:) 'ri(:)ən] I. *adj. poet.* hiperborean, nordic. II. *s.* locuitor din nord, nordic.

hypercritical [,haipə'kritikəl] *adj.* sever, cusurgiu, cârcotaș.

hypermarket ['haipəmɔ:kit] *s.* supermagazin, supermarket.

hypersensitive ['haipə'sensitiv] *adj.* hipersensibil.

hypersonic ['haipə'sɔnik] *adj. av.* hipersonic.

hypertension [,haipə'tenʃən] *s. med.* hipertensiune arterială.

hypertrophy [hai'pə:trəfi] *s.* 1. hipertrofie. 2. complicație exagerată.

hyphen ['haifn] I. *s.* 1. cratimă, liniuță, trăsătură de unire. 2. scurtă pauză între silabe. II. *vt.* a scrie cu liniuță / cratimă.

hyphenate ['haifəneit] *vt.* a despărți cuvintele (la cap de rând); a scrie cu liniuță, cu cratimă.

hypnotic [hip'nɔtik] I. *adj.* 1. referitor la somn (artificial). 2. somnifer, soporific, de dormit. 3. hipnotic, referitor la hipnoză. II. *s.* 1. somnifer, soporific, medicament hipnotic. 2. medium *(persoană care poate fi hipnotizată).*

hypnotism ['hipnə,tizəm] *s.* 1. hip-

notism, practicarea hipnozei. 2. *med.* hipnoterapie; somnoterapie.

hypnotist ['hipnɔtist] *s.* hipnotizator.

hypnotize ['hipnə,taiz] *vt.* a hipnotiza.

hypo ['haipou] *s. chim.* hiposulfit / thiosulfit (de sodiu).

hypocaust ['haipəkɔ:st] *s. ist. arhit.* hipocaust.

hypochondria [,haipə'kɔndriə] *s. med.* ipohondrie.

hypocorism [,haipə'kɔ:rizəm] *s. lit. lingv.* diminutiv, nume / cuvânt de alint(are), vorbă de mângâiere.

hypocoristic [,hɔipəkɔ:'ristik] *adj. lit. lingv.* 1. diminutival, de alintare / mângâiere. 2. eufemistic.

hypocrisy [hi'pɔkrəsi] *s.* fățărnicie, ipocrizie.

hypocrite ['hipəkrit] *s.* 1. ipocrit. 2. mironosiță.

hypocritical [,hipə'kritikəl] *adj.* ipocrit, fățarnic, prefăcut.

hypodermic [,haipə'də:mik] I. *s.* injecție (subcutanată). II. *adj.* subcutanat.

hypostasis [hai'pɔstəsis] *s.* 1. *med.* congestie. 2. *filoz.* substanță, esență *(în metafizică).* 3. *rel.* întruchipare a lui Cristos, ipostazie.

hypotenuse [hai'pɔtinju:z] *s.* ipotenuză.

hypothermia [haipə'θə:miə] *s. med.* hipotermie.

hypothesis [hai'pɔθisis] *s.* ipoteză.

hypothetical [,haipə'θetik(l)] *adj.* ipotetic.

hyssop ['hisɔp] *s.* 1. *bot.* isop *(Hyssopus officinalis).* 2. *amer.* plantă din diferite specii înrudite cu menta. 3. *rel.* isop.

hysterectomy [,histə'rektəmi] *s. med.* histerectomie, extirpare a uterului.

hysteria [his'tiəriə] *s.* isterie *(și fig.).*

hysteric(al) [his'terik(l)] *adj.* isteric.

hysterics [his'teriks] *s. pl.* criză de nervi; *fam.* pandalii, isterical.

Hz *abrev. hertz* hertz.

I

I [ai] **I.** *s.* (litera) I, i. **II.** *pron.* eu.

iambic [ai'æmbik] **I.** *s.* **1.** iamb. **2.** vers iambic. **II.** *adj.* iambic.

iambus [ai'æmbəs] *s.* iamb.

I.A.T.A. *abrev.* International Air Transport Association Asociația Internațională de Transport Aerian.

I. B. A. *abrev.* Independent Broadcasting Authority Compania de radio independentă (în Anglia).

Iberian [ai'biəriən] **I.** *adj.* iberic, hispano-portughez. **II.** *s.* **1.** iberian. **2.** limba vechilor iberi.

ibex ['aibeks], *pl.* **ibexes** ['aibek siz], **ibices** ['aibisiz] *s. zool.* capră-sălbatică (Capra ibex).

ibidem ['ibidem] *adv.* ibidem, în același loc.

ibis ['aibis] *s. ornit.* ibis (Ibis).

ICBM *abrev.* Intercontinental Ballistic Missile rachetă balistică intercontinentală.

ice [ais] **I.** *s.* **1.** gheață. **2.** țurțure de gheață / ghețuș. **3.** înghețată. **4.** glazură. **5.** *fig.* răceală, aer glacial, primire rece. **6.** *sl.* diamante, bijuterii. || *to break the ~* a sparge gheața; *to cut no ~* a nu face nici o brânză. **II.** *vt.* **1.** a îngheța. **2.** a glasa. **3.** a răci.

ice-age ['aiseidʒ] *s.* epoca glaciară.

iceberg ['aisbə:g] *s.* aisberg.

iceboat ['aisbout] *s. nav.* **1.** iceboat, sanie cu pânze. **2.** spărgător de gheață.

icebound ['aisbaund] *adj.* **1.** înghețat. **2.** prins de ghețuri.

ice-box ['aisbɔks] *s.* **1.** răcitor. **2.** *amer.* frigider.

ice-breaker ['ais,breikə] *s.* spărgător de gheață.

ice cap ['ais kæp] *s.* **1.** învelis de gheață. **2.** gheață polară; calotă glaciară.

ice-cream ['aiskri:m] *s.* înghețată.

Icelandic [ais'lændik] **I.** *adj.* islandez. **II.** *s.* (limba) islandeză.

iceman ['aismən] *s. pl.* **aicemen** ['aismən] **1.** vânzător de înghețată. **2.** *amer.* negustor de gheață. **3.** *fam.* om cu sânge rece. **4.** *amer. sl.* hoț de bijuterii. **5.** *înv.* alpinist.

ichneumon [ik'nju:mən] *s. zool.* mangustă (Herpestes nyula).

ichthyology [,ikθi'ɔlədʒi] *s.* ihtiologie.

ichthyosaurus [,ikθiə'sɔ:rəs] *s.* ihtiozaur.

icicle ['aisikl] *s.* țurțure de gheață.

icily ['aisili] *adv.* glacial.

icing ['aisiŋ] *s.* glazură.

icon ['aikɔn] *s.* icoană.

iconoclast [ai'kɔnɔklæst] *s.* iconoclast.

iconography [,aikɔ'nɔgrəfi] *s.* iconografie.

icterus ['iktərəs] *s. med.* icter, gălbinare.

icy ['aisi] *adj.* **1.** înghețat. **2.** rece **3.** glacial (și *fig.*).

ID [ai'di] *prescurtare de la* **identification**.

I'd [aid] *prescurtare de la* **I had; I should; I would**.

id [id] **I.** *s. psih.* id, parte a minții care cuprinde impulsurile instinctive ale individului. **II.** *prescurtare de la* **idem.**

idea [ai'diə] *s.* **1.** idee. **2.** noțiune. **3.** gând. **4.** fantezie. **5.** *pl.* gărgăuni. || *the ~ of it!* auzi vorbă!

ideal [ai'diəl] *s., adj.* ideal.

idealism [ai'diəlizəm] *s.* **1.** idealism. **2.** imaginație.

idealist [ai'diəlist] *sl.* **1.** idealist. **2.** vizionar, visător.

idealistic [ai'diəlistik] *adj.* idealist.

idealize [ai'diəlaiz] *vt., vi.* a idealiza.

ideally [ai'diəli] *adv.* **1.** ca idee. **2.** ideal; perfect; desăvârșit.

identical [ai'dentikl] *adj.* identic.

identification [ai,dentifi'keiʃn] *s.* **1.** identificare, recunoaștere. **2.** *mil.* identificarea unităților inamicului.

identify [ai'dentifai] *vt.* a identifica.

identity [ai'dentiti] *s.* identitate.

ideograph ['idiəgrɑ:f] *s.* ideogramă.

ideology [,aidi'ɔlədʒi] *s.* ideologie.

ides [aidz] *s. pl., ist.* ide.

id est ['id'est] *conj.* adică, cu alte cuvinte, și anume.

idiocy ['idiəsi] *s.* tâmpenie.

idiom ['idiəm] *s.* **1.** expresie. **2.** limbă. **3.** dialect. **4.** limbaj.

idiomatic(al) [,idiə'mætik(l)] *adj.* **1.** frazeologic; cu expresii. **2.** idiomatic; de conversație.

idiosyncrasy [,idiə'siŋkrəsi] *s.* **1.** particularitate; ciudățenie; manie. **2.** *med.* idiosincrazie.

idiot ['idiət] *s.* idiot.

idiotic [,idi'ɔtik] *adj.* **1.** prostesc. **2.** idiot.

idle ['aidl] **I.** *adj.* **1.** trândav, leneș. **2.** fără ocupație. **3.** șomer. **4.** nefolosit. **5.** inutil. **6.** prostesc. **II.** *vt.* a irosi. **III.** *vi.* **1.** a pierde vremea. **2.** a trândăvi. **3.** a șoma.

idleness ['aidlnis] *s.* **1.** lene, trândăvie. || *of ~ comes no goodness* lenea nu duce la nimic bun; *~ is the key of beggary* lenea e cucoană mare care n-are de mâncare. **2.** răgaz, inactivitate; lipsă de lucru, șomaj. || *hours of ~* ceasuri de răgaz.

idler ['aidlə] *s.* pierde-vară.

idle talk ['aidl'tɔ:k] *s.* vorbe de clacă; vorbe goale.

idly ['aidli] *adv.* **1.** leneș, cu trândăvie. || *~ standing by* stând cu mâinile încrucișate. **2.** în van, zadarnic.

idol ['aidl] *s.* idol.

idolater [ai'dɔlətə] *s.* **1.** idolatru. **2.** admirator înfocat.

idolatrous [ai'dɔlətrəs] *adj.* **1.** admirativ. **2.** plin de adorație.

idolatry [ai'dɔlətri] *s.* idolatrie.

idolize ['aidɔlaiz] *vt.* a idolatriza.

idyl(l) ['idil] *s.* idilă.

idyllic(al) [ai'dilik(l)] *adj.* idilic.

i. e. ['ai'i:, 'ðæt'iz] *abrev* **id est** adică.

if [if] *conj.* **1.** dacă. **2.** chiar dacă. **3.** (ori)când. || *as ~* ca și cum; *only ~ I could!* o, de-aș putea!

igloo, iglu ['iglu:] *s.* **1.** iglu, colibă de gheață. **2.** cupolă.

igneous ['igniəs] *adj.* **1.** de foc, arzând, fierbinte. **2.** vulcanic; eruptiv.

ignite [ig'nait] *vt., vi.* a (se) aprinde.

ignition [igˈniʃn] s. 1. aprindere. 2. aprinzător. 3. auto. contact.

ignoble [igˈnoubl] adj. 1. rușinos. 2. josnic.

ignominious [ˌignəˈminiəs] adj. 1. rușinos. 2. necinstit.

ignominiously [ˌignəˈminiəsli] adv. neonorabil, necinstit; rușinos; josnic.

ignominy [ˌigˈnomini] s. rușine.

ignoramus [ˌignəˈreiməs] s. pl. **ignoramuses** [ˌignəˈreiməsiz] ignorant.

ignorance [ˈignrns] s. 1. ignoranță. 2. nesocotire.

ignorant [ˈignrnt] adj. 1. ignorant. 2. neștiutor. 3. stupid.

ignore [igˈno] vt. 1. a nesocoti. 2. a nu lua în seamă.

iguana [iˈgwaːnə] s. zool. iguană (șopârlă din familia Iguana).

iguanodon(t) [iˈgwaːnodon(t)] s. iguanodon, dinozaur fosil (Iguanodoni).

ikebana [ˌiːkəˈbaːnə] s. ikebana, arta japoneză a aranjării florilor.

ikon [ˈaikon] s. 1. imagine, efigie, chip. 2. statuie 3. bis. icoană 4. idol, obiect de idolatrie.

ilex [ˈaileks] s. bot. 1. stejar de piatră (Quercus ilex). 2. ilice (Ilex).

iliac [ˈiliˌæk] adj. anat. iliac.

Iliad [ˈiliəd] s. Iliada. || fig. an ~ of woes un lanț de nenorociri.

ilk [ilk] (cuvânt scoțian) I. s. fel, soi; neam; tagmă. II. pron. 1. același. 2. fiecare. III. adj. fiecare.

ill [il] I. s. 1. rău. 2. racilă. 3. ticăloșie. 4. nenorocire. II. adj. comp. **worse** [wɔːs], superl. **the worst** [ðəˈwɔːst] 1. rău. 2. bolnav. 3. ticălos. || to fall ~, to be taken ~ a se îmbolnăvi. III. adv. comp. **worse** [wɔːs], superl. **worst** [ˈwɔːst] 1. rău. 2. nefavorabil. 3. nepotrivit. 4. greu.

ill-advised [ˈiləˈvaizd] adj. 1. nechibzuit. 2. imprudent.

ill at ease [ˌilətˈiːz] adj. stingherit, stânjenit, care nu se simte la largul lui.

ill blood [ˈilˈblʌd] s. 1. dușmănie, ură. 2. rea-voință.

ill-bred [ˈilˈbred] adj. prostcrescut.

ill-disposed [ildisˈpouzd] adj. 1. înclinat spre rele; rău. 2. (**towards**) rău intenționat (față de). 3. indispus, supărat, fără chef; fără tragere de inimă.

illegal [iˈliːgl] adj. ilegal.

illegible [iˈledʒəbl] adj. neciteț.

illegitimacy [ˌiliˈdʒitiməsi] s. 1. nelegitimitate, ilegalitate. 2. nevalabilitate, nulitate. 3. stare de bastard.

illegitimate [ˌiliˈdʒitimit] adj. 1. nelegitim. 2. ilicit. 3. nejustificat.

ill-fated [ˈilˈfeitid] adj. 1. nenorocit. 2. nenorocos.

ill-feeling [ˈilˈfiːliŋ] s. resentiment(e).

ill-gotten [ˈilˈgotn] adj. dobândit prin mijloace necinstite.

ill-humoured [ˈilˈhjuːməd] adj. 1. nervos, prost dispus, țâfnos. 2. antipatic.

illiberal [iˈlibrl] adj. 1. intolerant. 2. meschin. 3. îngust la minte.

illicit [iˈlisit] adj. 1. ilegal. 2. nepermis. 3. ilicit.

illimitable [iˈlimitəbl] adj. nelimitabil, nemărginit.

illiteracy [iˈlitrəsi] amer. analfabetism.

illiterate [iˈlitrit] s., adj. 1. analfabet. 2. ignorant.

ill-mannered [ˈilˈmænəd] adj. nemanierat; grosolan, nepoliticos.

ill-natured [ˈilˈneitʃəd] adj. 1. nervos. 2. dezagreabil.

illness [ˈilnis] s. boală.

illogical [iˈlodʒikl] adj. 1. ilogic, nelogic. 2. nerezonabil.

ill-omened [ˈilˈoumend] adj. nefavorabil, de prost augur.

ill-starred [ˈilˈstaːd] adj. născut în zodie rea; nenorocos.

ill temper [ˈilˈtempə] s. 1. nervozitate. 2. caracter țâfnos, morocănos.

ill-tempered [ˈilˈtempəd] adj. iritabil, țâfnos, irascibil.

ill-timed [ˈilˈtaimd] adj. 1. nepotrivit. 2. inoportun, venit la un moment nepotrivit.

ill-treat [ˈilˈtriːt] vt. a maltrata.

illtreatment [ˌilˈtriːtmənt] s. tratament prost, maltratare.

illume [iˈljuːm] vt. poet. a (il)umina; a instrui; a lămuri.

illuminant [iˈluːminənt] I. s. 1. substanță care produce lumină. 2. aparat / corp de luminat; sursă de lumină. II. adj. iluminant, luminător, care luminează.

illuminate [iˈljuːmineit] vt. 1. a ilumina. 2. a împodobi. 3. a clarifica. 4. a învăța.

illumine [iˈljuːmin] vt. 1. a lumina. 2. a ilumina.

ill usage [ˈilˈjuːzidʒ] s. tratament abuziv; nedreptate, cruzime.

ill-use [ˈilˈjuːz] vt. 1. a maltrata. 2. a batjocori.

illusion [iˈluːʒn] s. 1. iluzie. 2. idee falsă.

illusionist [iˈluːʒənist] s. 1. filozof care neagă existența obiectivă. 2. iluzionist, scamator.

illusive [iˈluːsiv] adj. 1. iluzoriu. 2. înșelător.

illusory [iˈljuːsəri] adj. v. illusive.

illustrate [ˈiləstreit] vt. 1. a ilustra. 2. a explica.

illustration [ˌiləsˈtreiʃn] s. ilustrație.

illustrative [ˈiləstreitiv] adj. (**of**) grăitor / reprezentativ (pentru).

illustrator [ˈiləstreitə] s. 1. persoană care explică. 2. ilustrator (de carte etc.).

illustrious [iˈlʌstriəs] adj. ilustru.

ill-will [ˈilˈwil] s. 1. rea-voință. 2. ură; dușmănie.

image [ˈimidʒ] I. s. 1. imagine. 2. chip. II. vt. 1. a imagina. 2. a oglindi.

imagery [ˈimidʒri] s. 1. imagini. 2. figuri de stil. 3. imagistică.

imaginable [iˈmædʒinəbl] adj. imaginabil; de înțeles.

imaginary [iˈmædʒinəri] I. adj. 1. imaginar, închipuit. 2. ireal. II. s. mat. număr imaginar.

imagination [iˌmædʒiˈneiʃn] s. 1. imaginație. 2. închipuire.

imaginative [iˈmædʒinətiv] adj. 1. imaginativ, inventiv. 2. imaginativ, bazat pe imaginație. 3. fantezist, imaginar; închipuit.

imagine [iˈmædʒin] vt. a(-și) imagina.

imagines [iˈmeidʒiniːz] s. 1. imagine. 2. entom. imago (stadiul final al dezvoltării insectei).

imago [iˈmeigou] s. 1. entom. insectă adultă. 2. psih. imago, imagine a unei persoane îndrăgite din copilărie.

imam [iˈmaːm] s. imam, preot mahomedan.

imbalance [imˈbæləns] s. 1. dezechilibru. 2. econ. balanță de plăți deficitară.

imbecile [ˈimbisiːl] s., adj. idiot.

imbecility [ˌimbəˈsiliti] s. tâmpenie.

imbed [imˈbed] vt. 1. a incrusta, a încastra. 2. a fixa, a prinde; a înfige. 3. fig. a întipări, a fixa.

imbibe [imˈbaib] vt. 1. a îmbiba. 2. a absorbi.

imbricate *constr.* **I.** ['imbrikeit] *vt.* a aşeza prin suprapunere, a imbrica. **II.** ['imbrikit] *adj.* aşezat în formă de solzi de peşte, imbricat.

imbroglio [im'brouliou] *s.* încurcătură.

imbrue [im'bru:] *vt.* **1.** a păta; a mânji, a întina; a pângări. **2.** a îneca *(în sânge)*.

imbue [im'bju:] *vt.* **1.** a umple. **2.** a îmbiba.

imitable ['imitəbl] *adj.* imitabil.

imitate ['imiteit] *vt.* **1.** a imita. **2.** a copia.

imitation [‚imi'teiʃn] **I.** *s.* **1.** imitaţie. **2.** copie. **II.** *adj.* fals.

imitative ['imitətiv] *adj.* **1.** imitativ. **2.** onomatopeic.

imitator ['imiteitə] *s.* imitator.

immaculate [i'mækjulit] *adj.* **1.** nepătat. **2.** imaculat. **3.** ireproşabil.

immanent ['imənənt] *adj.* **1. (in)** permanent, imanent, remanent (în), inerent *(cu dat.)*. **2.** *filoz.* general, universal.

immaterial [‚imə'tiəriəl] *adj.* **1.** neimportant; irelevant. **2.** fără legătură. **3.** imaterial.

immature [‚imə'tjuə] *adj.* **1.** necopt. **2.** nedezvoltat.

immaturity [‚imə'tjuəriti] *s.* imaturitate.

immeasurable [i'meʒrəbl] *adj.* nemăsurat.

immeasurably [i'meʒərəbli] *adv.* infinit; fără măsură; incomparabil.

immediacy [i'mi:diəsi] *s.* **1.** caracter nemijlocit / direct. **2.** urgenţă, grabă; caracter imperios.

immediate [i'mi:djət] *adj.* **1.** imediat. **2.** direct.

immediately [i'mi:djətli] **I.** *adv.* **1.** imediat, îndată. **2.** urgent, neîntârziat. **II.** *conj.* (de) îndată ce. | | ~ he heard about it, he returned îndată ce află despre asta, se înapoie.

immemorial [‚imi'mɔ:riəl] *adj.* **1.** străvechi. **2.** uitat.

immense [i'mens] *adj.* uriaş.

immensely [i'mensli] *adv.* **1.** imens, enorm. **2.** *fam.* straşnic, colosal.

immensity [i'mensiti] *s.* imensitate, nemărginire.

immerse [i'mə:s] *vt.* **(in) 1.** a afunda, a (s)cufunda (în). **2.** a boteza (în). **3.** *şi fig.* a îngropa, a afunda (în). **4.** a îngloda (în), a băga (în).

immersion [i'mə:ʃn] *s.* **1.** (s)cufundare, afundare. **2.** imersiune. **3.** botez(are). **4.** îngropare, afundare. **5.** *fig.* înglodare. **6.** *fig.* absorbire, cufundare. **7.** băgare, vârâre.

immigrant ['imigrnt] *s.* imigrant.

immigrate ['imi‚greit] **I.** *vi.* **(into)** a imigra, a se stabili (într-o ţară). **II.** *vt.* a aduce *(un colonist, un emigrant)*.

immigration [‚imi'greiʃn] *s.* **1.** imigrare. **2.** (număr de) imigranţi.

imminence ['iminəns] *s.* **1.** iminenţă; apropiere. **2.** primejdie iminentă; ameninţare.

imminent ['iminənt] *adj.* **1.** iminent. **2.** ameninţător.

immobile [i'moubail] *adj.* nemişcat.

immobility [‚imou'biliti] *s.* imobilitate, nemişcare, înţepenire.

immobilize [i'moubi‚laiz] *vt.* **1.** a imobiliza. **2.** a fixa. **3.** *econ.* a retrage din circulaţie *(bani)*.

immoderate [i'mɔdrit] *adj.* **1.** excesiv. **2.** extrem. **3.** necumpătat.

immodest [i'mɔdist] *adj.* **1.** nelalocul lui. **2.** obraznic. **3** neruşinat. **4.** indecent; obscen.

immolate ['imou‚leit] *vt.* **1.** (to) , a sacrifica *(cu dat.)*. **2.** a omorî. **3.** a distruge.

immolation [‚imou'leiʃn] *s.* imolare, jertfă; înjunghiere *(pentru sacrificiu, jertfă)*, sacrificare, jertfire.

immoral [i'mɔrl] *adj.* **1.** imoral. **2.** ticălos.

immorality [‚imɔ'ræliti] *s.* **1.** imoralitate; destrăbălare. **2.** act imoral, viciu.

immortal [i'mɔ:tl] *s., adj.* nemuritor.

immortality [‚imɔ:'tæliti] *s.* nemurire, eternitate.

immortalize [i'mɔ:təlaiz] *vt.* a imortaliza.

immovable [i'mu:vəbl] **I.** *s.* bun imobiliar. **II.** *adj.* **1.** imobil. **2.** fix. **3.** neclintit.

immune [i'mju:n] *adj.* imun.

immunity [i'mju:niti] *s.* **(from) 1.** imunitate (la, faţă de). **2.** rezistent (la). **3.** scutire (de); exceptare (de la).

immunize ['imju:naiz] *vt.* a imuniza.

immure [i'mjuə] **I.** *vt.* **1.** a zidi, a înconjura cu un zid. **2.** a îngropa (într-un cavou). **3.** a întemniţa. **II.** *vi.* a se închide în casă / cameră.

immutable [i'mju:təbl] *adj.* **1.** imuabil. **2.** neschimbător.

imp [imp] *s.* drăcuşor.

impact ['impækt] *s.* **1.** influenţă. **2.** ciocnire. **3.** efect.

impair [im'pɛə] *vt.* **1.** a slăbi. **2.** a afecta.

impairment [im'pɛəmənt] *s.* **1.** deteriorare; alterare; stricăciune. **2.** diminuare.

impala [im'peilə] *s. zool.* antilopă impala *(Aepyceros melampus)*.

impale [im'peil] *vt.* **1. (upon / with)** a trage în ţeapă (pe, cu). **2.** a înţepa cu suliţa. **3.** *înv.* a înconjura cu un gard.

impalpable [im'pælpəbl] *adj.* **1.** impalpabil. **2.** insesizabil.

impanel [im'pænl] *vt.* v. **empanel**.

impart [im'pa:t] *vt.* **(to)** a împărtăşi *(cu dat.)*.

impartial [im'pa:ʃl] *adj.* **1.** imparţial. **2.** corect.

impassable [im'pa:səbl] *adj.* **1.** de netrecut. **2.** impracticabil.

impasse [æm'pa:s] *s.* **1.** fundătură. **2.** impas, situaţie fără ieşire.

impassible [im'pæsəbl] *adj.* impasibil, indiferent.

impassioned [im'pæʃnd] *adj.* **1.** pasionat. **2.** fierbinte *(fig.)*.

impassive [im'pæsiv] *adj.* impasibil, nepăsător, nemişcat.

impatient [im'peiʃnt] *adj.* **1.** nerăbdător. **2.** nervos. **3.** furios.

impatiently [im'peiʃəntli] *adv.* nervos, cu nerăbdare.

impeach [im'pi:tʃ] *vt.* **1.** a acuza *(de trădare etc.)*. **2.** a reproşa. **3.** a se plânge de.

impeachment [im'pi:tʃmənt] *s.* **1.** (punere sub) acuzaţie. **2.** reproş.

impeccable [im'pekəbl] *adj.* **1.** impecabil, ireproşabil. **2.** ferit de păcat / greşeală.

impecunious [‚impi'kjuniəs] *adj.* fără bani; sărac.

impedance [im'pi:dns] *s. fiz.* impedanţă.

impede [im'pi:d] *vt.* **1.** a împiedica. **2.** a stânjeni.

impediment [im'pedimənt] *s.* **1.** oprelişte. **2.** împiedicare.

impedimenta [im‚pedi'mentə] *s. pl.* **1.** piedici; poveri. **2.** *pl. mil.* efecte, bagaje.

impel [im'pel] *vt.* **1.** a împinge (înainte). **2.** a îndemna.

impend [im'pend] *vi.* **1.** a se apropia, a fi iminent. **2.** *to ~ over* a ameninţa, a atârna deasupra *(cu gen.)*.

impending [im'pendiŋ] *adj.* iminent, ameninţător.

impenetrable [im'penitrəbl] *adj.* impenetrabil.

impenitent [im'penitənt] *adj.* nepocăit, fără remuşcări, impenitent.

imperative [im'perətiv] **I.** *s.* **1.** imperativ. **2.** poruncă. **II.** *adj.* **1.** imperativ. **2.** obligatoriu. **3.** necesar; imperios.

imperator [,impə'reitɔ:] *s. ist.* imperator, împărat; comandant de oşti, căpetenie.

imperceptible [,impə'septəbl] *adj.* imperceptibil, insesizabil.

imperceptibly [impə'septəbli] *adv.* imperceptibil, pe nesimţite.

imperfect [im'pə:fikt] *adj.* **1.** imperfect; nedesăvârşit; defectuos. **2.** incomplet. **3.** *gram.* imperfect. **II.** *s. gram.* (timpul) imperfect.

imperfection [,impə'fekʃn] *adj.* **1.** imperfecţiune. **2.** lipsă.

imperfectly [im'pə:fiktli] *adv.* imperfect, incomplet; defectuos.

imperial [im'piəriəl] **I.** *adj.* **1.** imperial; august. **2.** *fig.* regesc, maiestuos. **3.** suveran, suprem. **4.** (folosit în imperiul) britanic. **II.** *s.* barbişon.

imperialism [im'piəriəlizəm] *s.* imperialism.

imperialist [im'piəriəlist] *s.* imperialist.

imperialistic [im'piəriəlistik] *adj.* imperialist.

imperil [im'peril] *vt.* a primejdui.

imperious [im'piəriəs] *adj.* **1.** imperios. **2.** poruncitor.

imperishable [im'periʃəbl] *adj.* nepieritor.

impermanent [im'pə:mənənt] *adj.* nepermanent, trecător, efemer.

impermeable [im'pə:miəbl] *adj.* **1.** impermeabil. **2.** *fig.* impenetrabil, inaccesibil.

impersonal [im'pə:snl] *adj.* **1.** impersonal. **2.** transcendental.

impersonally [im'pə:snli] *adv.* impersonal.

impersonate [im'pə:səneit] *vt.* **1.** a personifica. **2.** a întruchipa. **3.** a juca (un rol).

impersonation [im,pə:sə'neiʃn] *s.* **1.** personificare. **2.** interpretare a unui rol. **3.** impostură; uzurpare.

impersonator [im'pə:sneitə] *s.* **1.** persoană care întruchipează; creator al unui rol. **2.** impostor, uzurpator.

impertinence [im'pə:tinəns] *s.* impertinenţă.

impertinent [im'pə:tinənt] *adj.* **1.** obraznic. **2.** neimportant, irelevant.

imperturbable [,impə'tə:bəbl] *adj.* calm.

impervious [im'pə:vjəs] *adj.* **1.** impenetrabil. **2.** impermeabil. **3.** *fig.* neinfluenţabil.

impetigo [,impi'taigou] *s. med.* impetigo.

impetuosity [im,petju'ɔsiti] *s.* **1.** impetuozitate; elan; avânt. **2.** repeziciune; furie, violenţă.

impetuous [im'petjuəs] *adj.* impetuos.

impetuously [im'petjuəsli] *adv.* impetuos.

impetus ['impitəs] *s.* **1.** imbold. **2.** impuls.

impiety [im'paiəti] *s.* lipsă de pietate / respect.

impinge [im'pindʒ] *vi.: to ~ upon* **1.** a influenţa. **2.** a încălca.

impious [,im'paiəs, 'impiəs] *adj.* lipsit de pietate / respect.

impish ['impiʃ] *adj.* **1.** drăcesc. **2.** răutăcios.

implacable [im'pleikəbl] *adj.* **1.** implacabil. **2.** neiertător.

implant [im'plɑ:nt] *vt.* **1.** a implanta. **2.** a înrădăcina.

implement[1] ['implimənt] *s.* unealtă.

implement[2] [,impli'ment] *vt.* **1.** a aplica. **2.** a traduce în viaţă.

implicate ['implikeit] *vt.* a implica.

implication [,impli'keiʃn] *s.* **1.** implicaţie. **2.** amestec (într-un delict). **3.** sens, dedesubt. || *the ~ of events* sensul evenimentelor.

implicit [im'plisit] *adj.* **1.** implicit. **2.** total. **3.** absolut.

implicitly [im'plisitli] *adv.* **1.** implicit. **2.** orbeşte.

implied [im'plaid] *adj.* implicit, tacit.

implode [im'ploud] **I.** *vi.* a exploda în interior. **II.** *vt.* a face să explodeze în interior.

implore [im'plɔ:] *vt.* a implora.

imply [im'plai] *vt.* **1.** a implica. **2.** a sugera. **3.** a face aluzie la.

impolite [,impə'lait] *adj.* nepoliticos.

impolitic [im'pɔlitik] *adj.* **1.** lipsit de tact. **2.** nechibzuit, lipsit de înţelepciune.

imponderable [im'pɔndərəbl] **I.** *adj.* imponderabil. **II.** *s.* **1.** imponderabil. **2.** *pl.* elemente imponderabile, factori imprevizibili.

import[1] ['impɔ:t] *s.* **1.** import. **2.** marfă de import. **3.** lucru importat. **4.** însemnătate. **5.** semnificaţie.

import[2] [im'pɔ:t] *vt.* **1.** a importa. **2.** a însemna. **3.** a vrea să spună.

importance [im'pɔ:tns] *s.* importanţă.

important [im'pɔ:tnt] *adj.* **1.** important. **2.** care-şi dă importanţă.

importantly [im'pɔ:tntli] *adv. fam.* cu un aer de importanţă. || *to bear ~ upon smth.* a avea multă importanţă pentru ceva.

importation [impɔ:'teiʃn] *s.* import.

importer [im'pɔ:tə] *s.* importator.

importunate [im'pɔ:tjunit] *adj.* **1.** pisălog. **2.** supărător. **3.** urgent. **4.** imperios.

importune [im'pɔ:tju:n] *vt.* **1.** a deranja. **2.** a pisa.

impose [im'pouz] **I.** *vt.* **1.** a impune. **2.** a solicita. **II.** *vi.: to ~ upon* a înşela.

imposing [im'pouziŋ] *adj.* impunător.

imposition [,impə'ziʃn] *s.* **1.** impunere. **2.** impozit. **3.** înşelătorie. **4.** abuz de încredere.

impossibility [im,pɔsə'biliti] *s.* imposibilitate, neputinţă; lucru imposibil.

impossible [im'pɔsəbl] **I.** *adj.* **1.** imposibil. **2.** supărător. **3.** dificil. **II.** *interj.* exclus!; cu neputinţă!

impost ['impoust] *s.* **1.** taxă. **2.** impozit.

impostor [im'pɔstə] *s.* impostor.

imposture [im'pɔstʃə] *s.* impostură, înşelătorie; minciună.

impotence ['impətns] *s.* **1.** neputinţă; slăbiciune, decrepitudine. **2.** *med.* impotenţă.

impotency ['impətnsi] *s.* v. **impotence**.

impotent ['impətnt] *adj.* neputincios.

impound [im'paund] *vt.* **1.** a confisca. **2.** a lua cu japca.

impoverish [im'pɔvriʃ] *vt.* a sărăci.

impoverishment [im'pɔvriʃmənt] *s.* sărăcire; istovire, sleire.

impracticable [im'præktikəbl] *adj.* **1.** dificil. **2.** nerezonabil. **3.** inaplicabil.

impractical [im'præktikl] *adj. amer.* **1.** nepractic. **2.** ineficient; nepotrivit. **3.** inaplicabil; impracticabil.

imprecate ['imprikeit] vt. a blestema.

imprecation [,impri'keiʃn] s. 1. imprecaţie, blestem. 2. rostire a unor blesteme / imprecaţii.

impregnable [im'pregnəbl] adj. de necucerit.

impregnate ['impreg,neit] vt. 1. a fecunda. 2. a fertiliza, a face să sădească. 3. (with) a satura, a umple; a impregna (cu), a îmbiba. 4. (with) fig. a umple (de), a inculca, a inspira, a transmite (cu ac.).

impregnation [,impreg'neiʃn] s. 1. fecundare, concepţie. 2. text. impregnare, îmbibare. 3. biol. fecundare, însămânţare. 4. fertilizare.

impresario [,impre'sɑ:riou] s. pl. **impresarios** [,impre'sɑ:riouz] impresar.

impress[1] ['impres] s. 1. imprimare. 2. semn.

impress[2] [im'pres] vt. 1. a imprima. 2. a impresiona. 3. a-şi lăsa urma asupra (cu gen.).

impress[3] [im'pres] vt. 1. ist. a înrola cu de-a sila (în armată, marină), a lua cu arcanul (la oaste). 2. a rechiziţiona. 3. a folosi, a se servi de, a recurge la.

impressible [im'presəbl] adj. v. **impressionable**.

impression [im'preʃn] s. 1. impresie. 2. imprimare. 3. ediţie.

impressionable [im'preʃənəbl] adj. 1. impresionabil. 2. sentimental, care se îndrăgosteşte uşor. 3. maleabil, uşor de modelat.

impressionism [im'preʃə,nizəm] s. 1. impresionism. 2. critică impresionistă.

impressive [im'presiv] adj. impresionant.

impressment [im'presmənt] s. 1. recrutare silită (mai ales în marină). 2. rechiziţie (de alimente etc.).

imprimatur [,impri'meitə] s. 1. bun de tipar. 2. aprobare, autorizaţie.

imprint[1] ['imprint] s. 1. urmă. 2. amprentă.

imprint[2] [im'print] vt. 1. a imprima. 2. a tipări. 3. a întipări. 4. a lipi.

imprison [im'prizn] vt. a întemniţa.

imprisonment [im'priznmənt] s. 1. întemniţare, recluziune. 2. detenţie.

improbability [im,probə'biliti] s. improbabilitate; neverosimilitate.

improbable [im'probəbl] adj. 1. puţin probabil. 2. de necrezut.

impromptu [im'promptju:] I. s. 1. improvizaţie. 2. muz. impromptu. II. adj. 1. improvizat. 2. făcut pe moment. III. adv. ex abrupto, pe neaşteptate, în mod improvizat.

improper [im'propə] adj. 1. impropriu, nepotrivit, nelalocul său. 2. neadevărat, fals; incorect. 3. necuviincios.

improperly [im'propəli] adv. impropriu, nepotrivit. || auto. to overtake ~ a face o depăşire neregulamentară.

impropriety [,imprə'praiəti] s. 1. nepotrivire. 2. incorectitudine. 3. indecenţă.

improve [im'pru:v] I. vt. 1. a îmbunătăţi. 2. a valorifica. 3. a profita de. II. vi. 1. a se îmbunătăţi. 2. a se face bine. 3. a o duce mai bine cu sănătatea.

improvement [im'pru:vmənt] s. 1. îmbunătăţire. 2. ameliorare. 3. progres.

improvidence [im'providns] s. 1. neprevedere. 2. risipă.

improvident [im'providnt] adj. nechibzuit, mână spartă.

improvisation [,imprəvai'zeiʃn] s. improvizaţie.

improvise ['imprəvaiz] vt., vi a improviza.

imprudence [im'pru:dns] s. imprudenţă.

imprudent [im'pru:dnt] adj. 1. imprudent. 2. indiscret.

impudence ['impjudns] s. neobrăzare; îndrăzneală, impertinenţă.

impudent ['impjudnt] adj. 1. neruşinat. 2. obraznic.

impugn [im'pju:n] vt. a ataca; a contesta; a pune la îndoială. || jur. to ~ the character of a witness a ridica obiecţii privind moralitatea unui martor.

impulse ['impʌls] s. 1. impuls. 2. îndemn.

impulsion [im'pʌlʃn] s. impulsiune, avânt, elan, mişcare înainte.

impulsive [im'pʌlsiv] adj. 1. impulsiv. 2. motrice.

impulsively [im'pʌlsivli] adv. spontan.

impunity [im'pju:niti] adj. 1. impunitate. 2. libertate.

impure [im'pjuə] adj. 1. impur. 2. imoral.

impurity [im'pjuəriti] s. 1. impuritate, necurăţenie; murdărie. 2. pl. impurităţi. 3. pângărire. 4. dezmăţ; imoralitate. 5. vulgaritate.

imputation [,impjuteiʃn] s. 1. imputare, învinovăţire. 2. fig. pată, umbră. || to cast an ~ on smb.'s character a arunca o umbră / bănuială asupra reputaţiei cuiva. 3. insinuare.

impute [im'pju:t] vt. 1. a imputa. 2. a atribui.

in [in] I. s.: the ~s and the outs guvernul şi opoziţia; toate amănuntele. II. adj. 1. interior. 2. (d. bolnav) spitalizat. III. adv. 1. înăuntru. 2. acasă. 3. la destinaţie. 4. la putere. 5. la modă. 6. de găsit. || to be ~ for trouble a avea de furcă. IV. prep. 1. în. 2. la. 3. cu. || ~ all cu totul; ~ fact de fapt, în realitate; ~ so far as în măsura în care; ~ that întrucât; to write ~ ink a scrie cu cerneală.

in. abrev. inch(es) ţol(i).

inability [,inə'biliti] s. 1. incapacitate. 2. neputinţă.

inaccessible [,inæk'sesəbl] adj. inaccesibil.

inaccessibilty ['inæk,sesə'biliti] s. inaccesibilitate.

inaccuracy [in'ækjurəsi] s. 1. imprecizie; inexactitate. 2. greşeală, eroare.

inaccurate [in'ækjurit] adj. inexact, incorect; neconform cu realitatea.

inaction [in'ækʃn] s. 1. inerţie, letargie, torpoare. 2. lipsă de activitate; lene, trândăvie.

inactive [in'æktiv] adj. pasiv.

inactivity [,inæk'tiviti] s. inactivitate; inerţie; pasivitate.

inadequate [in'ædikwit] adj. 1. necorespunzător. 2. insuficient.

inadmissible [,inəd'misəbl] adj. inadmisibil.

inadvertent [,inəd'və:tnt] adj. nechibzuit.

inadvertently [,inəd'və:tntli] adv. neatent; neglijent.

inadvisable [,inəd'vaizəbl] adj. inoportun, nerecomandabil.

inalienable [in'eiljənəbl] adj. inalienabil.

inane [i'nein] adj. 1. stupid. 2. prostesc.

inanimate [in'ænimit] adj. 1. neînsufleţit, mort, fără viaţă (şi fig.). 2. stupid; plicticos.

inanition [,inə'niʃn] s. inaniţie.

inanity [i'næniti] *s.* **1.** gol, vid. **2.** prostie; absurditate; deşertăciune.

inapplicable [in'æplikəbl] *adj.* inaplicabil.

inapposite [in'æpəzit] *adj.* deplasat, nepotrivit; inoportun.

inappropriate [,inə'proupriit] *adj.* nepotrivit.

inapt [in'æpt] *adj.* **1.** nepotrivit. **2.** neîndemânatic.

inaptitude [in'æptitju:d] *s.* **1.** inaptitudine, nedibăcie, neîndemânare; incapacitate. **2.** neconformitate.

inarticulate [,ina:'tikjulit] *adj.* **1.** neclar. **2.** mut. **3.** *(d. vorbire etc.)* nearticulat.

inartistic [,ina:'tistik] *adj.* făcut fără artă / talent; inestetic.

inasmuch [inəz'mʌtʃ] *conj.:* ~ *as* întrucât.

inattention [,inə'tenʃn] *s.* neatenţie.

inattentive [,inə'tentiv] *adj.* neatent; neglijent; distrat.

inaudible [in'ɔ:dəbl] *adj.* **1.** neauzit. **2.** slab; imperceptibil; de neauzit.

inaugural [i'nɔ:gjurl] **I.** *s.* cuvânt de deschidere. **II.** *adj.* de deschidere, inaugural.

inaugurate [i'nɔ:gjureit] *vt.* **1.** a inaugura. **2.** a vernisa. **3.** a instala; a instaura. **4.** a deschide (oficial). **5.** a da în folosinţă; a pune în funcţiune.

inauguration [i,nɔ:gju'reiʃn] *s.* **1.** inaugurare. **2.** deschidere (oficială). **3.** intrare într-o funcţie; înscăunare.

inauspicious [,inɔ:s'piʃəs] *adj.* **1.** nefericit. **2.** de rău augur.

inboard ['inbɔ:d] *mar.* **I.** *adv.* în cala unui vapor. **II.** *adj.* interior. || ~ *cabin* cabină interioară.

inborn ['in'bɔ:n] *adj.* înnăscut.

inbred ['in'bred] *adj.* **1.** înnăscut, nativ. **2.** din familie.

inbreeding ['in'bri:diŋ] *s.* biol. endogamie.

inc. *abrev.* **1.** *incorporated.* unit, combinat. **2.** *increase.* creştere.

incalculable [in'kælkjuləbl] *adj.* **1.** nemăsurat. **2.** nesigur. **3.** capricios, imprevizibil.

incalculably [in'kælkjuləbli] *adv.* incalculabil, nemăsurat (de).

incandesce [,inkæn'des] **I.** *vi.* a fi incandescent, a arde. **II.** *vt.* a aduce la incandescenţă, a face să ardă.

incandescence [,inkæn'desns] *s.* **1.** incandescenţă; călire. **2.** fig.

aprindere, înflăcărare *(a sentimentelor).*

incandescent [,inkæn'desnt] *adj.* incandescent.

incantation [,inkæn'teiʃn] *s.* **1.** incantaţie. **2.** vrajă.

incapable [in'keipəbl] *adj.* **(of)** incapabil (de).

incapacitate [,inkə'pæsiteit] *vt.* **(for, from)** **1.** a reduce la neputinţă. **2.** a face incapabil (să, de a). **3.** *(mil.)* a scoate din linia de luptă. **4.** *(jur.)* a priva de un drept / de o capacitate legală.

incapacity [,inkə'pæsiti] *s.* **1.** incapacitate. **2.** neputinţă. **3.** jur. interdicţie, incapacitate.

incarcerate [in'ka:sə,reit] *vt.* a întemniţa, a închide; a încarcera.

incarceration [in,ka:sə'reiʃn] *s.* **1.** încarcerare, întemniţare. **2.** jur. recluziune, detenţie.

incarnadine [in'ka:nədain] **I.** *adj.* **1.** de culoarea cărnii. **2.** de culoarea sângelui, sângeriu; trandafiriu. **II.** *s.* culoarea cărnii. **III.** *vt* a colora / a vopsi în roşu-deschis.

incarnate[1] [in'ka:nit] *adj.* **1.** întruchipat. **2.** materializat.

incarnate[2] ['inka:neit] *vt.* **1.** a întruchipa. **2.** a întrupa. **3.** a concretiza.

incarnation [,inka:'neiʃn] *s.* **(of)** **1.** rel. incarnare, întrupare, personificare *(cu gen.).* **2.** concretizare, materializare *(cu gen.).*

incase [in'keis] *vt.* v. **encase.**

incautious [in'kɔ:ʃəs] *adj.* **1.** imprudent, neprecaut. **2.** pripit, repezit.

incendiarism [in'sendjərizəm] *s.* **1.** incendiere premeditată. **2.** fig. instigaţie; piromanie.

incendiary [in'sendjəri] **I.** *s.* **1.** incendiator, piroman. **2.** agitator. **II.** *adj.* **1.** incendiar. **2.** aţâţător.

incense[1] ['insens] *s.* **1.** tămâie. **2.** fig. tămâiere, linguşire.

incense[2] [in'sens] *vt.* **1.** a înfuria, a aţâţa. **2.** a tămâia *(şi fig),* a linguşi.

incentive [in'sentiv] *s.* stimulent.

inception [in'sepʃn] *s.* început, iniţiere.

incessant [in'sesnt] *adj.* **1.** neîncetat. **2.** repetat.

incessantly [in'sesntli] *adv.* fără încetare, continuu, neîncetat.

incest ['insest] *s.* incest.

incestuous [in'sestjuəs] *adj.* incestuos.

inch [intʃ] **I.** *s.* **1.** (măsură de un) ţol, inci(e) *(2,54 cm.).* **2.** firimitură. || *by* ~*es* treptat; *every* ~ total; *within an* ~ *of* cât pe-aci să. **II.** *vi.* a înainta puţin câte puţin.

inchoate [in'koueit] **I.** *adj.* **1.** incipient, în stadiul iniţial. **2.** nedezvoltat. **II.** *vt.* **1.** a începe, a iniţia. **2.** a da naştere la.

incidence ['insidns] *s.* **1.** frecvenţă. **2.** aplicaţie. **3.** incidenţă.

incident ['insidnt] **I.** *s.* **1.** incident. **2.** episod. **II.** *adj.* întâmplător. || ~ *to* legat de, corelat cu.

incidental [,insi'dentl] **I.** *s.* **1.** întâmplare. **2.** lucru secundar. **3.** amănunt neesenţial. **II.** *adj.* **1.** întâmplător. **2.** ocazional.

incidentally [,insi'dentli] *adv.* **1.** incidental, întâmplător. **2.** printre altele, din întâmplare. **3.** apropo, în treacăt fie spus.

incinerate [in'sinə,reit] *vt.* a incinera, a arde.

incinerator [in'sinə,reitə] *s.* crematoriu (de gunoi).

incipient [in'sipiənt] *adj.* **1.** incipient. **2.** iniţial.

incise [in'saiz] *vt.* **1.** a face o incizie în, a tăia. **2.** a grava, a imprima.

incision [in'siʒn] *s.* tăietură.

incisive [in'saisiv] *adj.* **1.** muşcător. **2.** vioi. **3.** ascuţit.

incisor [in'saizə] *s.* **1.** incisiv, dinte incisiv. **2.** tehn. cuţit.

incite [in'sait] *vt.* a aţâţa; a stârni.

incitement [in'saitmənt] *s.* **1.** incitare, provocare, stârnire. **2.** îndemn(are), încurajare.

incivility [insi'viliti] *s.* **1.** lipsă de politeţe / de (bună) cuviinţă. **2.** gest nepoliticos; nepoliteţe, necuviinţă *(în vorbă).*

inclemency [in'klemənsi] *s.* asprime, rigurozitate *(a climei etc.).*

inclement [in'klemənt] *adj.* aspru.

inclination [,inkli'neiʃn] *s.* **1.** înclinaţie. **2.** înclinare.

incline [in'klain] **I.** *s.* înclinare. **II.** *vt.* **1.** a înclina; a apleca. **2.** a atrage. **III.** *vi.* **1.** a se înclina. **2.** a tinde. **3.** a fi dispus.

inclose [in'klouz] *vt.* v. **enclose.**

inclosure [in'klouʒə] *s.* v. **enclosure.**

include [in'klu:d] *vt.* a cuprinde.

inclusion [in'klu:ʒn] *s.* **1.** includere, cuprindere. **2.** unire, alipire. **3.** incluziune.

inclusive [in'klu:siv] *adj.* cuprinzător. || ~ *of* inclusiv.

incognito [,inkɔg'niːtou] *adj., adv.* incognito.

incoherence [,inkou'hiərns] *s.* incoerenţă.

incoherent [,inko'hiərnt] *adj.* incoerent.

incombustible [,inkəm'bʌstəbl] *adj.* necombustibil, neinflamabil.

income ['inkəm] *s.* venit, câştig. || *earned* ~ venit de pe urma muncii; *private / unearned* ~ rentă; *person living on an unearned* ~ rentier.

incoming ['in,kʌmiŋ] **I.** *adj.* **1.** care intră / soseşte. **2.** în creştere / dezvoltare. **II.** *s.* venire, sosire.

incommensurable [,inkə'menʃərəbl] *adj.* **1.** incomensurabil. **2.** (with) incomparabil (cu).

incommensurate [,inkə'menʃrit] *adj.* **1.** nemăsurat. **2.** incomparabil. **3.** disproporţionat.

incommode [,inkə'moud] *vt.* **1.** a incomoda, a stingheri, a deranja. **2.** a tulbura, a importuna.

incommodious [,inkə'moudiəs] *adj.* **1.** incomod, neconvenabil. **2.** supărător, care deranjează.

incommunicable [,inkə'mjuːnikəbl] *adj.* **1.** incomunicabil, de neîmpărtăşit. **2.** necomunicativ.

incommunicado [,inkə,mjuːni'kɑːdou] *adj., adv.* (d. deţinuţi) fără mijloace de comunicare, la secret / carcera.

incomparable [in'kɔmprəbl] *adj.* (to) **1.** incomparabil (cu). **2.** fără pereche.

incompatibility ['inkɔm,pætə'biliti] *s.* (with, between) incompatibilitate (cu, între).

incompatible [,inkəm'pætəbl] *adj.* (with) incompatibil (cu).

incompetence [in'kɔmpitns] *s.* **1.** incompetenţă, nepricepere; incapacitate. **2.** *jur.* incompetenţă.

incompetency [in'kɔmpitnsi] *s.* v. **incompetence**.

incompetent [in'kɔmpitnt] *adj.* **1.** necompetent. **2.** necorespunzător.

incomplete [,inkəm'pliːt] *adj.* incomplet.

incomprehensible [in,kɔmpri'hensəbl] *adj.* de neînţeles.

incompressible [,inkəm'presəbl] *adj.* incompresibil, incomprimabil.

inconceivable [,inkən'siːvəbl] *adj.* **1.** de neconceput. **2.** uluitor.

inconclusive [,inkən'kluːsiv] *adj.* **1.** neconvingător. **2.** neconcludent.

incongruity [,inkɔŋ'gruːiti] *s.* **1.** incongruenţă; nepotrivire; inconvenienţă; contrazicere; contrast. **2.** absurditate.

incongruous [in'kɔŋgruəs] *adj.* **1.** nepotrivit. **2.** nefiresc.

inconsequence [in'kɔnsikwəns] *s.* **1.** incoerenţă. **2.** lipsă de importanţă / valoare / logică.

inconsequent [in'kɔnsikwənt] *adj.* **1.** dezlânat. **2.** incoerent. **3.** nelogic. **4.** neînsemnat, neimportant. **5.** irelevant.

inconsequential [in'kɔnsi'kwenʃl] *adj.* **1.** neimportant. **2.** nelogic.

inconsiderable [,inkən'sidrəbl] *adj.* infim, neînsemnat.

inconsiderate [,inkən'sidrit] *adj.* **1.** nechibzuit. **2.** neatent.

inconsistency [,inkən'sistnsi] *s.* (with) **1.** nepotrivire (cu, faţă de). **2.** neseriozitate. **3.** inconsecvenţă (faţă de).

inconsistent [,inkən'sistnt] *adj.* (with) **1.** inconsecvent (faţă de). **2.** contradictoriu. **3.** capricios. **4.** nepotrivit (cu). **5.** inconsistent.

inconsolable [,inkən'souləbl] *adj.* neconsolat.

inconspicuous [,inkən'spikjuəs] *adj.* **1.** modest; retras. **2.** minuscul. **3.** care nu-ţi sare în ochi.

inconstancy [in'kɔnstnsi] *s.* **1.** inconstanţă, instabilitate; variabilitate. **2.** neregularitate.

inconstant [in'kɔnstnt] *adj.* **1.** inconstant. **2.** schimbător.

incontestable [,inkən'testəbl] *adj.* incontestabil.

incontinence [in'kɔntinns] *s.* **1.** nereţinere. **2.** lipsă de cumpătare / reţinere, intemperanţă (mai ales sexuală), desfrâu. **3.** *med.* incontinenţă.

incontinent [in'kɔntinənt] *adj.* **1.** nestăpânit, necontrolat, fără măsură. **2.** desfrânat, destrăbălat. **3.** *med.* incontinent, care suferă de incontinenţă. **4.** (of) incapabil să păstreze (un secret etc.).

incontrovertible ['inkɔntrə'vəːtəbl] *adj.* indiscutabil.

inconvenience [,inkən'viːnjəns] **I.** *s.* **1.** lipsă de confort. **2.** necaz; supărare. **3.** inconvenienţă. **II.** *vt.* **1.** a supăra. **2.** a deranja. **3.** a necăji.

inconvenient ['inkən'viːnjənt] *adj.* **1.** supărător. **2.** nepotrivit. **3.** dezagreabil.

inconvertible [,inkən'vəːtəbl] *adj.* neschimbător.

incorporate[1] [in'kɔːprit] *adj.* **1.** unit. **2.** combinat.

incorporate[2] [in'kɔːpəreit] *vt., vi.* **1.** a (se) incorpora. **2.** a (se) integra. **3.** a (se) uni.

incorporation [in,kɔːpə'reiʃn] *s.* **1.** încorporare, unificare. **2.** *jur., com.* constituire (a unei asociaţii) în societate comercială / anonimă. **3.** ridicare (a unui oraş) la rangul de municipiu.

incorporeal [,inkɔː'pɔːriəl] *adj.* imaterial.

incorrect [,inkə'rekt] *adj.* **1.** nejust. **2.** nepotrivit.

incorrigible [in'kɔridʒəbl] *adj.* incorigibil.

incorruptible [,inkə'rʌptəbl] *adj.* **1.** incoruptibil. **2.** cinstit. **3.** nepieritor. **4.** neperisabil.

increase[1] ['inkriːs] *s.* **1.** creştere. **2.** spor. || *on the* ~ în creştere, crescând.

increase[2] [in'kriːs] *vt., vi.* **1.** a creşte. **2.** a spori.

increasingly [in'kriːsiŋli] *adv.* din ce în ce mai (bun etc.).

incredible [in'kredəbl] *adj.* **1.** de necrezut. **2.** surprinzător.

incredibly [in'kredəbli] *adv.* **1.** surprinzător. **2.** foarte, incredibil (de).

incredulous [in'kredjuləs] *adj.* (of) neîncrezător (în).

incredulously [in'kredjuləsli] *adv.* cu neîncredere / suspiciune, neîncrezător.

increment ['inkrimənt] *s.* **1.** sporire, creştere. **2.** spor, adaos. **3.** câştig.

incriminate [in'krimineit] *vt.* a acuza, a incrimina.

incrust [in'krʌst] *vt.* a încrusta.

incrustation [,inkrʌs'teiʃn] *s.* **1.** incrustaţie. **2.** crustă, înveliş tare. **3.** încetăţenire (a unui obicei etc.). **4.** *arhit.* faţadă de marmură.

incubate ['inkju,beit] **I.** *vt.* **1.** a cloci. **2.** a supune la incubaţie. **3.** a face să crească, a dezvolta. **II.** *vi.* **1.** a cloci (ouă), a sta clocşcă. **2.** a fi supus incubaţiei.

incubation [,inkju'beiʃn] *s.* **1.** clocire, incubaţie. **2.** *med.* (perioadă de) incubaţie. **3.** proliferare.

incubator ['inkjubeitə] *s.* incubator.

incubus ['iŋkjubəs] *s.* **1.** coşmar. **2.** strigoi. **3.** *fig.* obsesie.

inculcate ['inkʌlkeit] *vt.* **1.** a inculca. **2.** a imprima.

inculcation [ˌinkʌlˈkeiʃn] s. încul-
care, înrădăcinare; întipărire.

inculpate [ˈinkʌlˌpeit] vt. v. **in-
criminate.**

incumbent [inˈkʌmbənt] I. s.
paroh. II. adj. datorat. || it is ~
(up) on you e de datoria ta.

incumber [inˈkʌmbə] vt. v. **en-
cumber.**

incunabulum [ˌinkjuˈnæbjuləm],
pl. **incunabula** [ˌinkjuˈnæbjulə]
s. 1. incunabul. 2. fig. stadiul
de început (al unui lucru),
începuturi.

incur [inˈkəː] vt. 1. a înfrunta. 2.
a-și asuma. 3. a stârni, a
produce. 4. a-și atrage.

incurable [inˈkjuərəbl] I. s. bolnav
incurabil. II. adj. nevindecabil,
incurabil.

incurious [inˈkjuəriəs] adj. lipsit
de curiozitate, indiferent,
nepăsător.

incursion [inˈkəːʃn] s. incursiune.

indebted [inˈdetid] adj. (to)
îndatorat (cuiva).

indebtedness [inˈdetidnis] s. 1.
datorie; sumă datorată. || the
amount of my ~ cuantumul
datoriei / datoriilor mele. 2. fig.
recunoștință. || I must ac-
knowledge my ~ to my
predecessors trebuie să re-
cunosc tot ceea ce datorez
înaintașilor mei.

indecency [inˈdiːsnsi] s. inde-
cență; nerușinare. || jur. pu-
blic act of ~ atentat la bunele
moravuri / la morala publică.

indecent [inˈdiːsnt] adj. 1. neru-
șinat. 2. imoral. 3. obscen, in-
decent. 4. nepoliticos.

indecent assault [inˈdiːsntəˈsɔːlt]
s. jur. 1. atentat la pudoare. 2.
viol.

indecipherable [ˌindiˈsaifərəbl]
adj. indescifrabil; neciteț.

indecision [ˌindiˈsiʒn] s. neho-
tărâre.

indecisive [ˌindiˈsaisiv] adj. 1.
nehotărât, șovăielnic. 2. nesi-
gur, îndoielnic. 3. neconclu-
dent, neconvingător.

indeclinable [ˌindiˈklainəbl] adj.
lingv. indeclinabil.

indecorous [inˈdekərəs] adj. 1. in-
decent. 2. nepotrivit. 3. de
prost gust.

indecorum [ˌindiˈkɔːrəm] s. 1. in-
decență. 2 nepolitețe.

indeed [inˈdiːd] I. adv. 1.
într-adevăr. 2. foarte. II. in-
terj. 1. așa e! 2. nu, zău!

indefatigable [ˌindiˈfætigəbl] adj.
neobosit.

indefeasible [ˌindiˈfiːzəbl] adj. jur.
inalienabil, irevocabil.

indefensible [ˌindiˈfensəbl] adj. 1.
imposibil de apărat, care nu
mai poate fi apărat. 2. nefun-
damentat, lipsit de temei; de
neiertat.

indefinable [ˌindiˈfainəbl] adj. 1.
de nedefinit, imposibil de defi-
nit; indescriptibil. 2. inefabil;
vag.

indefinite [inˈdefinit] adj. 1. inde-
finit, nedefinit. 2. neprecis. 3.
nehotărât.

indefinitely [inˈdefinitli] adv. 1.
într-un mod care nu se poate
defini; imprecis, vag. 2. (în
mod) nelimitat, fără termen. ||
to postpone smth; ~ a amâna
ceva la infinit / nesfârșit; to
prolong a line ~ a prelungi o
linie la infinit.

indelible [inˈdelibl] adj. 1. de
neșters. 2. de neuitat.

indelible pencil [inˈdeliblˈpensl] s.
creion chimic.

indelicate [ˌinˈdelikit] adj. 1.
nerușinat. 2. ordinar.

indemnification [inˌdemnifiˈkeiʃn]
s. 1. despăgubire, compen-
sație. 2. garanție, asigurare.

indemnify [inˈdemnifai] vt. 1. a
apăra. 2. a compensa, a des-
păgubi. 3. a răsplăti.

indemnity [inˈdemniti] s. 1. asi-
gurare. 2. garanție. 3. compen-
sație; despăgubire.

indent [inˈdent] vt. 1. a dința. 2. a
cresta.

indentation [ˌindenˈteiʃn] s. 1.
zimțuire, crestare, dantelare. 2.
îmbucare (a două bârne). 3.
dinte, crestătură. 4. amprentă,
urmă (lăsată la apăsarea unui
corp străin). 5. poligr. alineat.

indenture [inˈdentʃə] I. s. contract
de ucenicie. II. vt. a da la
meserie, la ucenicie.

independence [ˌindiˈpendəns] s.
(of) independență (de, față de).

independency [ˌindiˈpendənsi] s.
1. stat independent / neatârnat,
țară de sine stătătoare. 2. bis.
independentism (autonomie a
bisericii locale în ceea ce pri-
vește problemele organiza-
torice). 3. rar v. **independence**.

independent [ˌindiˈpendənt] s.,
adj. (of) independent (de, față
de).

independently [ˌindiˈpendəntli]
adv. independent; separat. ||
they found their pleasure ~ ei
petreceau separat.

indescribable [ˌindiˈskraibəbl] adj.
de nedescris.

indestructibility [ˈindisˌtrʌktəˈbi-
liti] s. caracter indestructibil.
|| fiz. law of ~ of matter legea
conservării materiei.

indestructible [ˌindiˈstrʌktəbl] adj.
1. indestructibil; inexpugnabil.
2. de nezdruncinat. 3. fin. (d.
fonduri etc.) fix.

indeterminable [ˌindiˈtəːminəbl]
adj. 1. indeterminabil, de ne-
determinat. 2. interminabil, ne-
sfârșit. 3. iremediabil; de ne-
rezolvat.

indeterminate [ˌindiˈtəːmnit] adj.
1. nedeterminat, neprecizat. 2.
vag, nedefinit. 3. nerezolvat,
fără soluție; în suspensie.

index [ˈindeks] I. s. pl. și **indices**
[ˈindisiz] 1. indice. 2. index. 3.
indiciu; semn. II. vt. 1. a pune
indice la. 2. a pune la indice.

Indian [ˈindjən] s., adj. indian(ă).

Indian corn [ˈindjənkɔːn] s. bot.
amer. porumb (Zea mays).

Indian file [ˈindjənfail] s. șir in-
dian.

Indian ink [ˈindjəniŋk] s. tuș.

Indian summer [ˈindjənˈsʌmə]
s. toamnă târzie; toamnă
blândă.

India-rubber [ˌindjəˈrʌbə] s. 1.
gumă (de șters). 2. cauciuc.

indicate [ˈindikeit] vt. 1. a indica.
2. a prescrie. 3. a sugera.

indication [ˌindiˈkeiʃn] s. 1. in-
dicație. 2. semn.

indicative [inˈdikətiv] I. s. in-
dicativ. II. adj. 1. caracteristic.
2. grăitor. 3. indicator, care
indică.

indicator [ˈindikeitə] s. indicator.

indices [ˈindisiz] pl. de la **index**.

indict [inˈdait] vt. a pune sub
acuzație.

indictable [inˈdaitəbl] adj. con-
damnabil.

indictment [inˈdaitmənt] s. acu-
zație; acuzare, rechizitoriu; in-
criminare. || to bring in / lay
an ~ against smb. a intenta o
acțiune penală împotriva
cuiva; bill of ~ act de acuzare;
to find an ~ a pune sub
acuzare.

indifference [inˈdifrns] s. 1. in-
diferență. 2. pasivitate. || it is
a matter of ~ to me puțin îmi
pasă.

indifferent [inˈdifrnt] I. adj. 1. in-
diferent. 2. pasiv. 3. neutru. 4.
banal. II. adv. destul de, oa-
recum.

indifferently [in'difrəntli] *adv.* **1.** indiferent, nepăsător. **2.** mediocru, aşa şi-aşa, slăbuţ. **3.** *înv.* imparţial, obiectiv. || *to speak French ~ well* a vorbi cam prost franţuzeşte.

indigence ['indidʒəns] *s.* sărăcie, lipsă, mizerie.

indigenous [in'didʒinəs] *adj.* **1.** indigen. **2.** specific.

indigent ['indidʒnt] *adj.* sărac.

indigestible [,indi'dʒestəbl] *adj.* indigest, care nu poate fi digerat.

indigestion [,indi'dʒestʃn] *s.* indigestie.

indignant [in'dignənt] **(at, with)** *adj.* indignat, revoltat (de, faţă de). || *to feel highly ~ at* a fi extrem de indignat de ceva; *to make smb. ~* a indigna pe cineva; *to be highly ~ with smb.* a fi foarte revoltat împotriva cuiva; *we are ~ to hear that* am fost cuprinşi de indignare aflând că.

indignation [,indig'neiʃn] *s.* indignare.

indignity [in'digniti] *s.* **1.** insultă. **2.** umilinţă.

indigo ['indigou] *s.* (culoarea) indigo.

indirect [,ində'rekt] *adj.* **1.** indirect. **2.** ocolit.

indirection [,indi'rekʃn] *s.* înşelătorie, necinste. || *by ~* indirect, pe căi ocolite.

indirectly [,indai'rektli] *adv.* indirect.

indiscernible [,indi'sə:nəbl] *adj.* de nedesluşit, indistinct; greu de desluşit.

indiscipline [in'disiplin] *s.* indisciplină.

indiscreet [,indis'kri:t] *adj.* **1.** imprudent. **2.** neatent. **3.** neglijent.

indiscretion [,indis'kreʃn] *s.* **1.** discreţie. **2.** nechibzuială. **3.** nepoliteţe.

indiscriminate [,indis'kriminit] *adj.* **1.** la întâmplare. **2.** amestecat. **3.** fără discriminare / discernământ.

indiscriminately [,indis'kriminitli] *adj.* fără deosebire, fără distincţie; de-a valma.

indispensable [,indis'pensəbl] *adj.* indispensabil.

indispose [,indi'spouz] *vt.* **1.** a indispune, a tulbura. **2. (to, towards)** a inspira (cuiva) aversiune (faţă de); a tăia (cuiva) pofta (să, de a). 3. **(for)** a face

incapabil (să, de a). **4. (from)** a abate, a face să se abată (de la). **5.** *med.* a îmbolnăvi, a produce o indispoziţie (cu dat.).

indisposed [,indi'spouzd] *adj.* **1.** indispus, în toane proaste. **2.** *med.* indispus, suferind de o indispoziţie; uşor bolnav.

indisposition [,indispə'ziʃn] *s.* **1.** indispoziţie. **2.** ostilitate; aversiune; antipatie.

indisputable [,indis'pju:təbl] *adj.* indiscutabil.

indissoluble [,indi'səljubl] *adj.* **1.** indisolubil. **2.** nepieritor.

indistinct [,indis'tiŋt] *adj.* neclar.

indistinctness [,indis'tiŋktnis] *s.* neclaritate.

indistinguishable [,indis'tiŋgwiʃəbl] *adj.* de nedesluşit; care nu poate fi distins, insesizabil.

indite [in'dait] *vt.* **1.** a compune. **2.** a crea.

individual [,indi'vidjuəl] **I.** *s.* individ. **II.** *adj.* **1.** individual, particular. **2.** specific.

individualism [,indi'vidjuəlizəm] *s.* **1.** individualism. **2.** egoism.

individualist [,indi'vidjuəlist] *s. pol.* individualist.

individualistic [,indi,vidjuə'listik] *adj. pol.* individualist.

individuality [,indi,vidju'æliti] *s.* **1.** individualitate. **2.** particularitate. **3.** personalitate.

individualize [,indi'vidjuəlaiz] *vt.* **1.** a individualiza. **2.** a specifica. **3.** a caracteriza.

individually [,indi'vidjuəli] *adv.* **1.** individual; personal. **2.** pentru sine însuşi.

indivisible [,indi'vizəbl] *adj.* **1.** indivizibil. **2.** de nedespărţit. **3.** unit.

indoctrinate [in'dɔktrineit] *vt.* a îndoctrina.

Indo-European ['indo,juərə'piən] *s., adj.* indoeuropean(ă).

indolence ['indələns] *s.* **1.** indolenţă, lene, moliciune. **2.** *med.* insensibilitate (a unei tumori etc.).

indolent ['indələnt] *adj.* indolent.

indomitable [in'dɔmitəbl] *adj.* **1.** nestăpânit. **2.** neînfrânt.

indoor ['indɔ:] *adj.* **1.** interior. **2.** de interior. **3.** *sport.* de sală.

indoors ['in'dɔ:z] *adv.* în casă.

indorse [in'dɔ:s] *vt. com.* a andosa.

indorsement [in'dɔ:smənt] *s. fin.* andosament, andosare; gir.

indubitable [in'dju:bitəbl] *adj.* neîndoios.

induce [in'dju:s] *vt.* **1.** a determina. **2.** a influenţa. **3.** a pricinui.

inducement [in'dju:smənt] *s.* stimulent.

induct [in'dʌkt] *vt.* **1. (into)** a instala, a înscăuna (în); *jur.* a pune în posesie (cu gen.). **2. (into)** a atrage (în, la). **3. (into)** a iniţia (într-o ştiinţă etc.). **4.** *amer. mil.* a încorpora. **5.** *el.* a produce prin inducţie.

inductance [in'dʌktəns] *s. el.* inductanţă; reactanţă.

induction [in'dʌkʃn] *s.* **1.** inducţie. **2.** numire.

inductive [in'dʌktiv] *adj.* inductiv, bazat pe inducţie. **2.** *el.* de inducţie, inductor. **3.** *tehn.* de admisie / aspiraţie / absorbţie.

indue [in'dju:] *vt.* **1.** a îmbrăca. **2.** a înzestra. **3.** a dărui.

indulge [in'dʌldʒ] **I.** *vt.* **1.** a răsfăţa, a face pe plac (cu dat.), a face pe voia / placul (cu gen.). **2.** a se lăsa legănat de, a se consola cu (iluzii, visuri etc.). **3.** a tolera, a răbda, a înghiţi. **4.** *com.* a păsui. **5.** *bis.* a absolvi, a acorda o indulgenţă (cu dat.). **II.** *vi.* a trage la măsea. || *to ~ in* a îngădui, a permite (cu acuz.), a încuraja la; *vi.* a se deda la, a se lăsa târât de; a-şi permite să.

indulgence [in'dʌldʒns] *s.* **1.** indulgenţă. **2.** libertate. **3.** imoralitate. **4.** plăcere.

indulgent [in'dʌldʒnt] *adj.* indulgent, îngăduitor, blând.

indulgently [in'dʌldʒntli] *adv.* cu indulgenţă, cu toleranţă.

indurate ['indju,reit] **I.** *vt.* **1.** a întări, a învârtoşa. **2.** *med.* a indura, a întări; a bătători. **3.** *fig.* a căli, a fortifica. **II.** *vi.* **1.** a se împietri. **2.** *fig.* a se înrădăcina, a prinde rădăcină.

industrial [in'dʌstriəl] *adj.* industrial.

industrialism [in'dʌstriə,lizəm] *s.* industrialism.

industrialist [in'dʌstriəlist] *s.* industriaş, fabricant.

industrialize [in'dʌstriəlaiz] *vt.* a industrializa.

industrious [in'dʌstriəs] *adj.* **1.** muncitor. **2.** harnic, silitor.

industriously [in'dʌstriəsli] *adv.* cu sârguinţă, cu hărnicie, cu asiduitate.

industry ['indəstri] *s.* **1.** industrie. **2.** întreprindere. **3.** hărnicie.

inebriate[1] [i'ni:briit] **I.** *s.* beţiv. **II.** *adj.* beat, turmentat.

inebriate[2] [i'niːbrieit] *vt.* a îmbăta (şi *fig.*).

inebriety [ˌiniˈbraiəti] *s.* 1. alcoolism. 2. beţie, ebrietate.

inedible [inˈedibl] *adj.* necomestibil; de nemâncat.

ineducable [inˈedjukəbl] *adj.* needucabil.

ineffable [inˈefəbl] *adj.* inefabil.

ineffaceable [ˌiniˈfeisəbl] *adj.* (de) neşters, indelebil.

ineffective ['iniˈfektiv] *adj.* ineficace.

ineffectual [ˌiniˈfektjuəl] *adj.* 1. ineficace. 2. nereuşit.

inefficiency [ˌiniˈfiʃənsi] *s.* 1. ineficacitate, lipsă de efect. 2. incapacitate, nepricepere.

inefficient [ˌiniˈfiʃnt] *adj.* 1. ineficace. 2. incapabil.

inelastic [ˌiniˈlæstik] *adj.* 1. şi *fig.* lipsit de elasticitate / supleţe, rigid. 2. *fig.* lipsit de maleabilitate, inadaptabil, refractar. 3. *com.* ferm, constant, fără fluctuaţii.

inelasticity [ˌinilæsˈtisiti] *s.* 1. lipsă de elasticitate, rigiditate. 2. *fig.* rigiditate.

inelegant [inˈeligənt] *adj.* de prost gust.

ineligible [inˈelidʒəbl] *adj.* 1. care nu poate fi ales, ineligibil. 2. inapt, necalificat. 3. nepotrivit, inadecvat.

ineluctable [ˌiniˈlʌktəbl] *adj.* ineluctabil, inevitabil.

inept [iˈnept] *adj.* stupid.

ineptitude [iˈneptitjuːd] *s.* inepţie.

inequality [ˌiniˈkwɔliti] *s.* 1. inegalitate. 2. neregularitate.

inequitable [inˈekwitəbl] *adj.* inechitabil, nejust, nedrept.

inequity [inˈekwiti] *s.* nedreptate.

ineradicable [ˌiniˈrædikəbl] *adj.* imposibil de eradicat / stârpit.

inert [iˈnɔːt] *adj.* 1. inert. 2. greoi.

inertia [iˈnɔːʃə] *s.* inerţie.

inescapable [ˌiniˈskeipəbl] *adj.* inevitabil, ineluctabil; care se impune de la sine.

inessential [ˌiniˈsenʃəl] I. *adj.* 1. neesenţial, secundar. 2. neînsemnat, neglijabil. II. *s.* mărunţiş, fleac, lucru / fapt secundar.

inestimable [inˈestiməbl] *adj.* nepreţuit.

inevitability [iˌnevitaˈbiliti] *s.* inevitabilitate.

inevitable [inˈevitəbl] *adj.* 1. inevitabil. 2. nelipsit.

inevitableness [inˈevitəblnis] *s.* v. **inevitability**.

inevitably [inˈevitəbli] *adv.* inevitabil; fatalmente.

inexact [ˌinigˈzækt] *adj.* inexact; incorect.

inexcusable [ˌiniksˈkjuːzəbl] *adj.* de neiertat.

inexhaustible [ˌinigˈzɔːstəbl] *adj.* inepuizabil.

inexorable [inˈeksrəbl] *adj.* 1. necruţător; implacabil. 2. neabătut.

inexpedient [ˌiniksˈpiːdjənt] *adj.* nepotrivit.

inexpensive [ˌiniksˈpensiv] *adj.* ieftin.

inexperience [ˌiniksˈpiəriəns] *s.* lipsă de experienţă.

inexperienced [ˌiniksˈpiəriənst] *adj.* neexperimentat; ageamiu.

inexpert [inˈekspɔːt] *adj.* 1. nepriceput. 2. stângaci.

inexpiable [inˈekspiəbl] *adj.* 1. de neiertat. 2. de nealinat.

inexplicable [inˈeksplikəbl] *adj.* inexplicabil.

inexpressible [ˌiniksˈpresəbl] *adj.* inexprimabil.

inexpressive [ˌiniksˈpresiv] *adj.* 1. neexpresiv. 2. *înv.* v. **inexpressible**.

inextinguishable [ˌiniksˈtingwiʃəbl] *adj.* nestins (şi *fig.*). || ~ hope speranţă mereu vie.

in extremis [inikˈstriːmis] *adj.* 1. în agonie, pe moarte. 2. *fig.* chinuit la culme, în luptă cu mari greutăţi.

inextricable [inˈekstrikəbl] *adj.* de nerezolvat.

inextricably [inˈekstrikəbli] *adv.* la ananghie, (într-o situaţie) fără ieşire.

infallibility [inˌfæləˈbiliti] *s.*, *mai ales bis.* infailibilitate, neputinţă de a greşi.

infallible [inˈfæləbl] *adj.* infailibil.

infamous ['infəməs] *adj.* 1. ticălos, infam. 2. ruşinos. 3. abominabil.

infamy ['infəmi] *s.* ticăloşie, infamie.

infancy ['infənsi] *s.* copilărie.

infant ['infənt] I. *s.* 1. copil mic, bebe(luş). 2. minor. II. *adj.* 1. de copil. 2. infantil. 3. pentru copii.

infanta [inˈfæntə] *s. ist.* infantă (în Spania / Portugalia).

infanticide [inˈfæntiˌsaid] *s.* 1. infanticid, pruncucidere. 2. infanticid, pruncucigaş.

infantile ['infənˌtail] *adj.* 1. şi *fig.* infantil, pueril; copilăros. 2. referitor la copii / puericultură; infantil, de copil. 3. *fig.* incipient, embrionar, în faşă.

infantine ['infəntain] *adj.* v. **infantile**.

infantry ['infntri] *s.* infanterie.

infantryman ['infntrimən] *s.* infanterist.

infatuate [inˈfætjueit] *vt.* 1. a înnebuni. 2. a prosti.

infatuated [inˈfætjueitid] *adj.* îndrăgostit (nebuneşte).

infatuation [inˌfætjuˈeiʃn] *s.* 1. nebunie. 2. dragoste nebună.

infect [inˈfekt] *vt.* 1. a infecta. 2. a molipsi (şi *fig.*).

infection [inˈfekʃn] *s.* 1. infecţie. 2. influenţă.

infectious [inˈfekʃəs] *adj.* molipsitor (şi *fig.*).

infelicity [ˌinfiˈlisiti] *s.* 1. nefericire; soartă rea. 2. imperfecţiune; defect. 3. inoportunitate, caracter inoportun. 4. gafă. || *the work is marked by its infelicities* opera suferă prin imperfecţiunea stilului.

infer [inˈfɔː] *vt.* 1. (**from**) a deduce (din). 2. a sugera.

inference ['infrns] *s.* 1. (**from**) deducţie (din). 2. concluzie.

inferential [ˌinfəˈrenʃl] *adj.* 1. bazat pe deducţie / deducţii. 2. deductibil. || ~ *proofs* probe bazate pe deducţii.

inferior [inˈfiəriə] *s.*, *adj.* (**to**) inferior (cu *dat.*).

inferiority [inˌfiəriˈɔriti] *s.* (**to**) inferioritate (faţă de).

infernal [inˈfɔːnl] *adj.* infernal.

inferno [inˈfɔːnou] *s. pl.* **infernos** [inˈfɔːnouz] infern, iad.

infertile [inˈfɔːtail] *adj.* 1. nefertil, neroditor, sterp. 2. *fig.* infructuos.

infest [inˈfest] *vt.* 1. (**with**) a infesta (cu). 2. a umple.

infidel ['infidl] *s.*, *adj.* păgân.

infidelity [ˌinfiˈdeliti] *s.* 1. păgânism. 2. infidelitate.

infighting ['inˌfaitiŋ] *s.* 1. *sport* (*la box*) luptă strânsă / corp la corp. 2. *fig.* conflict intern (în sânul unei organizaţii etc.).

infiltrate ['infiltreit] *vt.*, *vi.* a (se) infiltra.

infiltration [ˌinfilˈtreiʃn] *s.* 1. infiltrare; infiltraţie. 2. *mil.* infiltrare, pătrundere. || *to advance by* ~ a se infiltra. 3. *med.* infiltrat.

infinite ['infinit] *s.*, *adj.* infinit.

infinitesimal [ˌinfiniˈtesiml] *adj.* infim.

infinitive [inˈfinitiv] *gram.* I. *s.* infinitiv. II. *adj.* infinitival.

infinitude [inˈfinitjuːd] *s.* infinitate.

infinity [in'finiti] s. **1. (of)** infinitate, puzderie (de). **2.** infinit. **3.** întindere nesfârşită, nemărginire.

infirm [in'fɔ:m] adj. **1.** firav, slab. **2.** bolnav.

infirmary [in'fɔ:məri] s. infirmerie.

infirmity [in'fɔ:miti] s. **1.** infirmitate. **2.** boală. **3.** slăbiciune.

in flagrante delicto [inflə'grænti di'liktou] adj. jur. prins în flagrant delict.

inflame [in'fleim] vt., vi. **1.** a (se) inflama. **2.** a (se) aprinde. **3.** a (se) stârni.

inflammable [in'flæməbl] adj. **1.** inflamabil. **2.** fig. uşor de stârnit. **3.** irascibil.

inflammation [,inflə'meiʃn] s. **1.** aprindere, inflamare. **2.** fig. înflăcărare, aprindere. **3.** med. inflamaţie, inflamare.

inflammatory [in'flæmətri] adj. **1.** inflamator. **2.** fig. aţâţător.

inflate [in'fleit] vt. a umfla (şi fig.).

inflated [in'fleitid] adj. **1.** umflat. **2.** fig. îngâmfat, infatuat. **3.** com. umflat, încărcat, mărit. **4.** fig. bombastic, emfatic.

inflation [in'fleiʃn] s. **1.** econ. inflaţie. **2.** umflare.

inflationism [in'fleiʃɔnizəm] s. econ. inflaţionism, politică infla-ţionistă.

inflect [in'flekt] vt. **1.** a îndoi. **2.** gram. a supune flexiunii.

inflection [in'flekʃn] s. v. **inflexion.**

inflexibility [in,fleksə'biliti] s. inflexibilitate (şi fig.).

inflexible [in'fleksəbl] adj. neclintit.

inflexion [in'flekʃn] s. **1.** îndoire. **2.** inflexiune. **3.** intonaţie.

inflict [in'flikt] vt. **(upon) 1.** a da (o lovitură) (cuiva). **2.** a aduce (cu dat.). **3.** a trimite (cuiva). **4.** a impune, a da (o pedeapsă etc.) (cu dat.).

infliction [in'flikʃn] s. **1.** cauzare (a unei pagube, dureri etc.). **2.** jur. aplicare (a amenzilor, pedepselor etc.). **3.** suferinţă, neplăcere. || the ~s put upon this people in the past suferinţele îndurate de acest popor în trecut.

inflorescence [,inflɔ:'resəns] s. **1.** bot. inflorescenţă. **2.** şi fig. înflorire.

inflow ['in,flou] s. v. **influx.**

influence ['influəns] **I.** s. influenţă. **II.** vt. a influenţa.

influential [,influ'enʃl] adj. **1.** influent. **2.** important.

influenza [,influ'enzə] s. gripă.

influx ['inflʌks] s. aflux.

infold [in'fould] vt. înv. v. **enfold.**

inform [in'fɔ:m] **I.** vt. **1.** a informa. **2.** a umple (de bucurie etc.). **3** a insufla, a inspira (un principiu etc.) cuiva. **II.** vi.: to ~ against a denunţa.

informal [in'fɔ:ml] adj. **1.** fără ceremonie / etichetă / protocol; neprotocolar. **2.** neoficial. **3.** de mică ţinută. **4.** ilicit.

informality [,infɔ:'mæliti] s. **1.** lipsă de ceremonie. **2.** caracter neoficial.

informally [in'fɔ:məli] adv. **1.** fără formalităţi. **2.** în afara regulilor / etichetei / protocolului; (în mod) neoficial. || the committee met ~ comitetul s-a întrunit neoficial. **3.** neprotocolar, neceremonios.

informant [in'fɔ:mənt] adv. **1.** informator **2.** sursă de informaţii. || I have it from a trustworthy ~ ştiu asta dintr-o sursă sigură. **3.** jur. reclamant. **4.** corespondent, observator. **5.** lingv. informant.

information [,infɔ'meiʃn] s. **1.** informaţii. **2.** ştiri.

informative [in'fɔ:mətiv], **informatory** [in'fɔ:mətəri] adj. (cu caracter) informativ.

informer [in'fɔ:mə] s. informator; turnător.

infraction [in'frækʃn] s. infracţiune.

infra-dig ['infrə'dig] adv. mai prejos de demnitatea (cu gen.), înjositor, degradant (pentru cineva).

infra-red ['infrə'red] adj. infraroşu.

infrastructure ['infrə,strʌktʃə] s. constr. infrastructură; temelie, fundaţie.

infrequent [in'fri:kwənt] adj. rar.

infrequently [in'fri:kwəntli] adv. rar; rareori. || not ~ destul de des.

infringe [in'frindʒ] **I.** vt. a încălca. **II.** vi.: to ~ upon a încălca.

infringement [in'frindʒmənt] s. (în)călcare, violare (a legii etc.). || ~ of a patent, ~ of copyright contrafacere.

infuriate [in'fjuərieit] **I.** vt. a înfuria, a mânia. **II.** adj. furios, mânios.

infuse [in'fju:z] vt. **1. (in, into)** a turna, a vărsa (în). **2.** fig. **(in, into)** a insufla, a inspira, a da

viaţă / curaj (cu dat.). **3. (in, into)** a inculca, a infiltra, a sugera (cu dat.). **4. (with)** şi fig. a îmbiba (cu), a umple (de). **5.** a face o infuzie / tizană / fiertură de / din, a macera.

infusible[1] [in'fju:zəbl] adj. care poate fi infuzat / infiltrat etc.

infusible[2] [in'fju:zəbl] adj. **1.** (d. metale) infuzibil, nefuzibil, greu fuzibil. **2.** ignifug, rezistent la foc, refractar. **3.** insolubil.

infusion [in'fju:ʒn] s. infuzie (şi fig.).

ingenious [in'dʒi:njəs] adj. ingenios, inventiv.

ingeniously [in'dʒi:niəsli] adv. **1.** ingenios, iscusit. **2.** spiritual.

ingénue ['ænʒeinju:] s. ingenuă.

ingenuity [,indʒi'nju:iti] s. **1.** ingenuozitate, inventivitate, spirit inventiv. **2.** iscusinţă, talent, pricepere. **3.** înv. inteligenţă, agerime, geniu. **4.** ingenuitate, candoare.

ingenuous [in'dʒenjuəs] adj. **1.** sincer. **2.** deschis. **3.** nevinovat.

ingest [in'dʒest] vt. a ingera, a îngurgita, a înghiţi.

ingle-nook ['ingl,nuk] s. colţul de lângă cămin; locul de lângă sobă.

inglorious [in'glɔ:riəs] adj. **1.** ruşinos, lipsit de glorie. **2.** obscur.

in-going ['in,gouiŋ] **I.** s. intrare, pătrundere. **II.** adj. **1.** care intră / pătrunde în sau spre (o cameră etc.); de intrare. **2.** pătrunzător. **3.** care vine / soseşte. **4.** pol. care intră în funcţie / se instalează, nou.

ingot ['iŋgət] s. lingou.

ingrain I. [in'grein] vt. a fixa, a imprima. **II.** adj. **1.** vopsit în culoare închisă / cărămizie. **2.** vopsit în fir / în fibră; vopsit trainic. **III.** ['ingrein] s. **1.** amer. fibră, fir, lână etc. vopsite înainte de prelucrare. **2.** supragreutate, cantitate suplimentară, surplus la cântar.

ingrained [in'greind] adj. **1.** vopsit / impregnat / imprimat în fibră / fir. **2.** fig. (adânc) înrădăcinat / întipărit. **3.** fig. înrăit, inveterat.

ingrate [in'greit] **I.** s. ingrat, nerecunoscător. **II.** adj. înv. **1.** arid, neprielnic, sterp. **2.** ingrat, nerecunoscător.

ingratiate [in'greiʃieit] vt.: to ~ oneself with a se băga pe sub pielea cuiva.

ingratitude [in'grætitju:d] *s.* lipsă de recunoştinţă, nerecunoştinţă.

ingredient [in'gri:djənt] *s.* **1.** ingredient. **2.** element component.

ingress ['ingres] *s.* intrare.

ingrowing ['in,grouiŋ] *adj.* **1.** *(d. unghie)* încarnat, care creşte în carne. **2.** care creşte în / spre interior.

ingrowth ['in,grouθ] *s.* creştere / dezvoltare înspre înăuntru.

inhabit [in'hæbit] *vt.* **1.** a locui. **2.** a ocupa.

inhabitant [in'hæbitnt] *s.* locuitor.

inhabitation [in,hæbi'teiʃn] *s.* **1.** şedere, domiciliere. **2.** *înv.* locuinţă, domiciliu. **3.** *înv.* locuitor.

inhalation [,inhə'leiʃn] *s.* **1.** *med.* inhalare, inhalaţie; aspirare. **2.** substanţă pentru inhalare.

inhale [in'heil] *vt., vi.* **1.** a inhala. **2.** a respira.

inharmonious [,inhɑ:'mouniəs] *adj.* **1.** *(d. un sunet, un acord)* nearmonios, discordant. **2.** *fig.* discordant, distonant, strident.

inhere [in'hiə] *vi.* **1.** **(in)** a fi inerent / propriu / intrinsec *(cu dat.).* **2. (in)** a se cuveni *(cuiva),* a fi de drept *(cu gen.).* **3.** a se subînţelege.

inherent [in'hiərənt] *adj.* **1. (in)** inerent, intrinsec *(cu dat.);* inseparabil, inalienabil. **2. (in)** inerent, propriu *(cu dat.).* | |*to be~ in blood* a fi în sânge.

inherit [in'herit] *vt., vi.* a moşteni.

inheritance [in'heritns] *s.* moştenire.

inhibit [in'hibit] *vt.* **1.** a inhiba. **2.** a opri. **3.** a ţine în frâu, a(-şi) stăpâni. **4.** a interzice.

inhibition [inhi'biʃən] *s.* **1.** inhibiţie. **2.** interdicţie.

inhospitable [in'hɔspitəbl] *adj.* **1.** neospitalier. **2.** ostil.

inhuman [in'hju:mən] *adj.* **1.** sălbatic. **2.** inuman. **3.** fără inimă.

inhumanity [,inhju:'mæniti] *s.* brutalitate, cruzime, barbarie.

inimical [i'nimikl] *adj.* **1.** ostil. **2.** dăunător.

inimitable [i'nimitəbl] *adj.* **1.** fără seamăn, fără pereche. **2.** de neimitat. **3.** extraordinar.

iniquitous [i'nikwitəs] *adj.* **1.** nedrept, injust, arbitrar. **2.** nelegiuit, infam, imoral. | | *an ~ deed* o crimă, o nelegiuire, o samavolnicie.

iniquity [i'nikwiti] *s.* **1.** nedreptate. **2.** ticăloşie.

initial [i'niʃl] **I.** *s.* iniţială. **II.** *adj.* iniţial. **III.** *vt.* **1.** a parafa. **2.** a aproba. **3.** a semna cu iniţiale.

initially [i'niʃəli] *adv.* iniţial, la început, mai întâi de toate, în primul rând.

initiate[1] [i'niʃiit] *s., adj.* iniţiat.

initiate[2] [i'niʃieit] *vt.* **1.** a iniţia. **2.** a începe.

initiative [i'niʃiətiv] *s.* **1.** iniţiativă. **2.** spirit întreprinzător.

inject [in'dʒekt] *vt.* a injecta.

injection [in'dʒekʃn] *s.* injecţie.

injector [in'dʒektə] *s.* **1.** *tehn.* injector, pompă de injecţie. **2.** persoană care face o injecţie.

injudicious [,indʒu'diʃəs] *adj.* **1.** nechibzuit, imprudent. **2.** lipsit de discernământ / înţelepciune.

injunction [in'dʒʌnʃn] *s.* **1.** poruncă, ordin; instrucţiuni. **2.** hotărâre judecătorească.

injure ['indʒə] *vt.* **1.** a strica. **2.** a jigni. **3.** a răni.

injurious [in'dʒuəriəs] *adj.* **1. (to)** păgubitor, dăunător, primejdios. | | *~ to the health* nociv / dăunător pentru sănătate. **2.** *(d. limbaj)* injurios, jignitor, ofensator. **3.** nedrept, injust. **4.** calomnios, defăimător.

injury ['indʒri] *s.* **1.** rană. **2.** rău. **3.** stricăciune. **4.** jignire.

injustice [in'dʒʌstis] *s.* nedreptate.

ink [iŋk] **I.** *s.* cerneală. | | *in ~* cu cerneală. **II.** *vt.* **1.** a scrie, a însemna cu cerneală. **2.** a păta cu cerneală.

ink horn ['iŋk hɔ:n] **I.** *s.* *înv.* călimară de corn. **II.** *adj.* *fig.* livresc, pedant, preţios. | | *~ term* termen livresc, expresie pedantă; *~ mate* scriitoraş pedant.

inkling ['iŋkliŋ] *s.* **1.** bănuială. **2.** idee vagă.

ink-pot ['iŋkpɔt] *s.* călimară.

inkstand ['iŋkstænd] *s.* **1.** călimară. **2.** garnitură de birou.

ink well ['iŋk wel] *s.* **1.** călimară îngropată în birou / pupitru. **2.** *poligr.* cutie de culori; jgheab de cerneală.

inky ['iŋki] *adj.* **1.** întunecos. **2.** murdar de cerneală.

inky ['iŋki] *adj.* **1.** de cerneală, ca cerneala. **2.** pătat / murdar de cerneală. | | *~ fingers* degete pătate / murdare de cerneală. **3.** *fig.* negru, întunecat. | |*~ black* negru ca smoala / ca un

hornar; *the night was ~ black* era întuneric beznă.

inlaid [in'leid] **I.** *adj.* încrustat. **II.** *vt. trec. şi part. trec. de la* **inlay**.

inland ['inlænd] **I.** *adj.* **1.** intern. **2.** interior. **3.** din ţară. **II.** *adv.* spre interiorul ţării.

in-law ['inlɔ:] *s.* rudă prin alianţă.

inlay[1] ['inlei] *s.* încrustare.

inlay[2] [in'lei] *vt.* a încrusta.

inlet ['inlet] *s.* golf, sân de mare.

inly ['inli] **I.** *adv. poet.* **1.** (în) interior, lăuntric, tainic, în suflet. **2.** profund, sincer, din inimă. **II.** *adj.* lăuntric, tainic.

inmate ['inmeit] *s.* **1.** pensionar *(al unui azil etc.).* **2.** locatar. **3.** locuitor.

in memoriam [in mə'mɔ:riæm] in memoriam.

inmost ['inmoust] *adj.* **1.** profund. **2.** ascuns.

inn [in] *s.* han.

innards ['inədz] *s. pl. fam.* **1.** măruntaie, maţe *(şi fig.).* **2.** mecanism, piese.

innate [i'neit] *adj.* **1.** înnăscut, congenital. **2.** inerent, ereditar. **3.** firesc, instinctiv. **4.** *fig.* de inerţie.

inner ['inə] *adj.* interior.

innermost ['inəmoust] *adj.* **1.** cel mai adânc. **2.** *fig.* cel mai adânc / tainic / intim. | | *in the ~ recesses of the woods* în inima pădurii; *the ~ recesses of the soul* ascunzişurile cele mai tainice ale sufletului; *our ~ thoughts* gândurile noastre cele mai tainice; *our ~ feelings* sentimentele noastre cele mai intime.

innervate ['inə:veit] *vt.* **1.** *anat.* a inerva. **2.** *fiziol.* a da energie nervoasă *(cu dat.),* a excita, a stimula *(un organ).*

inning ['iniŋ] *s.* **1.** *agr.* asanare *(a mlaştinilor, golfurilor etc.).* **2.** *geogr.* pământ aluvionar. **3.** *pl. sport* serviciu, rând *(la servit / bătut mingea);* repriză. **4.** *pl.* perioadă de guvernare / dominaţie / serviciu; mandat.

innings ['ininz] *s.* repriză *(la cricket etc.).*

innkeeper ['in,ki:pə] *s.* hangiu.

innocence ['inəsns] *s.* **1.** nevinovăţie. **2.** inocenţă.

innocent ['inəsnt] *s., adj.* **1.** nevinovat. **2.** neştiutor.

innocently ['inəsntly] *adv.* inocent, cu nevinovăţie.

innocuous [i'nɔkjuəs] *adj.* inofensiv.

innovate ['inoveit] *vi.* a face inovaţii.

innovation [,inou'veiʃn] *s.* **1.** inovare, reorganizare. **2.** inovaţie, schimbare *(într-o metodă, în politică, literatură etc.)*; spirit inovator. || *to make ~s (in)* a face inovaţii (în); *old people dislike ~s* oamenilor bătrâni nu le plac inovaţiile.

innovator ['inouveitə] *s.* inovator; reformator; persoană care are mania inovaţiilor.

Inns of Court ['inzəv'kɔːt] *s.* baroul londonez.

innuendo [,inju'endou] *s.* aluzie.

innumerable [i'nju:mrəbl] *adj.* nenumărat.

inoculate [i'nɔkjuleit] *vt.* a inocula *(şi fig.).*

inoffensive [,inə'fensiv] *adj.* inofensiv.

inoperative [in'ɔprətiv] *adj.* **1.** inoperant, ineficace, fără efect. **2.** inert, inactiv.

inopportune [in'ɔpətjuːn] *adj.* **1.** inoportun; deplasat, prost plasat. **2.** nepotrivit, nelalocul său. **3.** neplăcut, plicticos.

inordinate [i'nɔːdinit] *adj.* **1.** neobişnuit. **2.** excesiv.

inordinately [i'nɔːdinitli] *adv.* **1.** în mod neregulat / neorânduit. **2.** dezordonat, fără regulă, excesiv.

inorganic [,inɔː'gænik] *adj.* **1.** anorganic. **2.** nefiresc.

in-patient ['in'peiʃnt] *s.* bolnav internat, pacient spitalizat.

input ['in,put] *s.* **1.** *tehn.* admisie; intrare; absorbţie. **2.** *tehn.* energie / putere consumată. **3.** *tehn.* alimentare; furnizare. **4.** *el.* putere de alimentare.

inquest ['inkwest] *s.* anchetă.

inquietude [in'kwaii,tjuːd] *s.* **1.** agitaţie, tulburare. **2.** îngrijorare, nelinişte. **3.** *med.* agitaţie *(a corpului).*

inquire [in'kwaiə] **I.** *vt.* a întreba. **II.** *vi.* a pune întrebări. || *to ~ after* a întreba de; *to ~ for* a cere; *to ~ into* a cerceta, a ancheta.

inquirer [in'kwaiərə] *s.* **1.** solicitant. **2.** vizitator.

inquiring [in'kwaiəriŋ] *adj.* **1.** întrebător. **2.** curios.

inquiringly [in'kwaiəriŋli] *adv.* scrutător, iscoditor; cu un aer / pe un ton iscoditor. || *to look / glance ~ at smb.* a iscodi / a scruta cu privirea pe cineva.

inquiry [in'kwaiəri] *s.* **1.** întrebare. **2.** cercetare. **3.** anchetă.

inquisition [,inkwi'ziʃn] *s.* **1.** cercetare. **2.** anchetă. **3.** inchiziţie.

inquisitive [in'kwizitiv] *adj.* curios.

inquisitiveness [in'kwizitivnis] *s.* curiozitate indiscretă.

inquisitor [in'kwizitə] *s.* **1.** *ist.* inchizitor. **2.** *jur.* anchetator; judecător de instrucţie.

inquisitorial [inkwizi'tɔːriəl] *adj.* **1.** inchizitorial. **2.** iscoditor, indiscret.

inroad ['inroud] *s.* **1.** incursiune. **2.** atac *(şi fig.).*

inrush ['in,rʌʃ] *s.* **1.** năvală, potop, aflux. **2.** izbucnire, irupere; răbufnire. **3.** ruptură, rupere; prăbuşire. **4.** *tehn.* impuls, putere de pornire; demaraj.

insalubrious [,insə'luːbriəs] *adj.* insalubru, nesănătos; neigienic.

insane [in'sein] *adj.* **1.** nebun. **2.** dement. **3.** nesăbuit.

insanitary [in'sænitəri] *adj.* insalubru, neigienic, nesănătos.

insanity [in'sæniti] *s.* demenţă.

insatiable [in'seiʃiəbl] *adj.* **1.** nesăţios. **2.** nemulţumit.

insatiate [in'seiʃiit] *adj.* **1.** nesăţios. **2.** veşnic nemulţumit. **3.** nestăvilit, nestăpânit.

inscribe [in'skraib] *vt.* **1.** a înscrie. **2.** a scrie. **3.** a imprima. **4.** a dedica.

inscription [in'skripʃn] *s.* **1.** inscripţie. **2.** dedicaţie.

inscrutable [in'skruːtəbl] *adj.* **1.** nebănuit. **2.** indescifrabil.

insect ['insekt] *s.* **1.** insectă. **2.** gânganie.

insecticide [in'sekti,said] *s.* insecticid.

insectivorous [,insek'tivərəs] *adj.* *zool.* insectivor.

insecure [,insi'kjuərə] *adj.* **1.** nesigur. **2.** neserios.

insecurity [,insi'kjuəriti] *s.* nesiguranţă, instabilitate.

inseminate [in'semineit] *vt.* a însămânţa.

insensate [in'senseit] *adj.* **1.** nesăbuit, nebunesc, prostesc; nerealist. **2. (at)** insensibil (la). **3.** brutal, inuman.

insensibility [in,sensə'biliti] *s.* **1.** lipsă de sensibilitate. **2.** nesimţire.

insensible [in'sensəbl] *adj.* **1.** insensibil. **2.** toropit. **3.** insesizabil.

insensitive [in'sensitiv] *adj.* **1.** impalpabil. **2.** insensibil.

inseparable [in'seprəbl] *adj.* **1.** nedespărţit. **2.** inseparabil.

insert [in'sət] **I.** *s.* inserţi(un)e. **II.** *vt.* **1.** a insera. **2.** a potrivi.

insertion [in'səːʃn] *s.* **1.** inserare, inserţie; introducere. **2.** anunţ, informaţie *(într-un ziar etc.).* **3.** *poligr.* intercalare, inserţie; adaos. **4.** dantelă, podoabă *(adăugată la o haină).* **5.** *tehn.* garnitură; element de intercalaţie; căptuşeală. **6.** *anat., bot.* loc de inserţie.

inset[1] ['inset] *s.* **1.** inserţiune. **2.** intercalare. **3.** parte introdusă, insert (în).

inset[2] ['in'set] *vt.* a insera, a intercala.

inshore ['in'ʃɔː] **I.** *adv.* **1.** la ţărm, aproape de mal. **2.** spre ţărm / mal. **II.** *adj.* **1.** costier, de coastă. **2.** care se apropie de ţărm / mal.

inside ['in'said] **I.** *s.* **1.** interior. **2.** parte dinăuntru, lăuntru. || *~ out* întors pe dos. **II.** *adj.* **1.** interior. **2.** lăuntric. **III.** *adv.* **1.** înăuntru. **2.** în interior. || *~ of* în decurs de. **IV.** *prep.* **1.** înlăuntrul, în interiorul *(cu gen.).* **2.** în.

insider ['in'saidə] *s.* om dinăuntru.

insidious [in'sidjəs] *adj.* **1.** insidios. **2.** ascuns.

insight ['insait] *s.* **1.** perspicacitate. **2.** pătrundere psihologică.

insignia [in'signiə] *s. pl.* însemne, simbol *(al autorităţii etc.).*

insignificance [,insig'nifikəns] *s.* **1.** lipsă de semnificaţie / de importanţă. **2.** inconsistenţă.

insignificant [,insig'nifiknt] *adj.* **1.** neimportant. **2.** neinteresant.

insincere [,insin'siə] *adj.* nesincer.

insincerity [,insin'seriti] *s.* lipsă de sinceritate, ipocrizie, falsitate.

insinuate [in'sinjueit] **I.** *vt.* a insinua. **II.** *vr.* a se băga.

insinuation [in,sinju'eiʃn] *s.* **1.** insinuare, introducere *(a unui lucru în ceva);* pătrundere. **2.** insinuare, linguşire. **3.** insinuare, aluzie răutăcioasă.

insipid [in'sipid] *adj.* insipid *(şi fig.).*

insipidity [,insi'piditi] *s.* **1.** insipiditate, lipsă de gust. **2.** *fig.* insipiditate; lipsă de graţie / de vioiciune; lipsă de strălucire.

insist [in'sist] **I.** *vt.* **1.** a pretinde. **2.** a susţine. **II.** *vi.* **(on, upon)** a insista *(asupra unui lucru).* || *to ~ on* a solicita, a cere; a porunci (ca).

insistence [in,sistəns] s. insistenţă, perseverenţă. || in face of his ~ în faţa insistenţei lui; his ~ upon his innocence afirmaţia sa insistentă că este nevinovat. || ~ in doing smth. stăruinţa de a face ceva.

insistent [in'sistnt] adj. **1.** insistent. **2.** imperios. **3.** urgent.

insistently [in,sistəntli] adv. insistent, stăruitor. || to call ~ for action a cere de urgenţă o acţiune imediată.

in situ [in 'sitju:] adj., adv. **1.** med., arh. in situ. **2.** tehn. la locul de montaj / asamblare.

insobriety [,insou'braiiti] s. **1.** lipsă de sobrietate / cumpătare; patimă, exces. **2.** beţie, ebrietate.

insole ['in,soul] s. **1.** parte dinăuntru a tălpii. **2.** primul rând de talpă. **3.** branţ.

insolence [insələns] s. insolenţă, impertinenţă.

insolent ['inslənt] adj. **1.** obraznic. **2.** insultător.

insoluble [in'sɔljubl] adj. **1.** insolubil. **2.** de nerezolvat.

insolvency [in'sɔlvənsi] s. econ. insolvabilitate, încetare a plăţilor; jur. faliment, bancrută. || to be in a state of ~ a fi într-o stare falimentară.

insolvent [in'sɔlvnt] s., adj. econ. falit.

insomnia [in'sɔmniə] s. insomnie.

insomniac [in'sɔmni,æk] s. med. bolnav de insomnie.

insomuch [,insoʹmʌtʃ] adv. **(as)** în atare măsură (încât).

insouciant [in'su:sjənt] adj. nepăsător, impasibil; indiferent.

inspect [in'spekt] vt. **1.** a inspecta. **2.** a cerceta.

inspection [in'spekʃn] s. **1.** inspecţie; verificare, examinare (a unor titluri, documente); revizie (a unei maşini); control (al biletelor). || to be subject to a close ~ a supune unui examen amănunţit; on close ~ cercetând îndeaproape; at the first ~ la prima vedere; sanitary ~ inspecţie sanitară. **2.** mil. revistă. || to hold on ~ a trece în revistă; kit ~ inspectarea efectelor.

inspector [in'spektə] s. **1.** inspector. **2.** ofiţer de poliţie.

inspectorate [in'spektərit] s. inspectorat, corp de control.

inspiration [,inspə'reiʃn] s. inspiraţie.

inspire [in'spaiə] vt. **1.** a inspira. **2.** a însufleţi. **3.** a da aripi la.

inspired [in'spaiəd] adj. **1.** aspirat, inspirat. **2.** fig. inspirat, plin de inspiraţie, înaripat. **3.** (d. informaţie etc.) oficial, oficios.

inspirer [in'spairərə] s. inspirator (al unui articol, al unei lucrări etc.).

inspiring [in'spaiəriŋ] adj. **1.** inspirator, care te inspiră. **2.** însufleţitor, animator, înălţător.

inspirit [in'spirit] vt. a însufleţi.

inst. abrev. **1.** instant. pe loc. **2.** institute a institui. **3.** institution instituţie. **4.** institutional instituţional.

instability [,instə'biliti] s. **1.** nestatornicie. **2.** şubrezenie.

install [in'stɔ:l] vt. **1.** a instala. **2.** a instaura.

installation [,instə'leiʃn] s. **1.** instalare. **2.** instalaţie. **3.** utilaj.

instal(l)ment [in'stɔ:lmənt] s. **1.** rată. **2.** acont. **3.** fascicul. **4.** parte dintr-un foileton / serial.

instance ['instəns] I. s. **1.** exemplu. **2.** caz. **3.** cerere. || in the first ~ în primul rând; mai întâi (şi-ntâi); for ~ de exemplu / pildă. II. vt. a da ca exemplu, a exemplifica.

instant ['instnt] I. s. **1.** clipă. **2.** moment. || on the ~ imediat. II. adj. **1.** imediat. **2.** urgent. **3.** curent.

instantaneous [,instn'teinjəs] adj. instantaneu.

instanter [in'stæntə] adv. fam. imediat, de îndată.

instantly ['instntli] adv. **1.** imediat, la moment, numaidecât. **2.** înv. stăruitor, insistent.

instead [in'sted] adv. în schimb. || ~ of în loc de.

instep ['instep] s. **1.** scobitura piciorului / tălpii. **2.** căputa (la pantof).

instigate ['instigeit] vt. **(to)** a instiga (la).

instigation ['insti'geiʃn] s. **(to)** instigare, provocare (la). || ~ to murder instigare la crimă; at / by the ~ of smb. la instigaţia cuiva.

instigator ['instigeitə] s. **1.** instigator. **2.** aţâţător (al unei revolte etc.). || ~ of war aţâţător la război; ~ of a revolt aţâţător la o răscoală.

instil(l) [in'stil] vt. **1.** a introduce. **2.** a inculca.

instinct[1] ['instiŋt] s. instinct.

instinct[2] [in'stiŋt] adj. **1.** plin de.

2. însufleţit. || ~ with plin de; ~ with pleasure încântător.

instinctive [in'stiŋktiv] adj. instinctiv, inconştient.

instinctively [in'stiŋktivli] adv. instinctiv, din instinct, pe negândite, inconştient; fam. maşinal.

institute ['institju:t] I. s. institut. II. vt. **1.** a institui. **2.** a numi.

institution [,insti'tju:ʃn] s. **1.** instituire, stabilire; constituire. **2.** instituţie, ordine stabilită, practică intrată în obiceiuri. **3.** institut (de educaţie, de utilitate publică etc.);asociaţie; azil, ospiciu. **4.** (bis.) ordin (călugăresc).

instruct [in'strʌkt] vt. a instrui.

instruction [in'strʌkʃn] s. **1.** învăţătură. **2.** pl. instrucţiuni.

instructive [in'strʌktiv] adj. instructiv.

instructor [in'strʌktə] s. **1.** instructor. **2.** învăţător. **3.** fig. călăuză.

instrument ['instrumənt] s. **1.** instrument (şi fig.). **2.** contract.

instrumental [,instru'mentl] adj. **1.** folositor. **2.** esenţial. **3.** instrumental.

instrumentality [,instrumen'tæliti] s.mijloc. || by the ~ of prin intermediul (cu gen.); to do smth. through the ~ of smb. a face ceva cu ajutorul / cu concursul / prin intermediul cuiva.

instrumentation [,instrumen'teiʃn] s. **1.** muz. instrumentaţie. **2.** întrebuinţare / folosire a instrumentelor ştiinţifice sau chirurgicale. **3.** înv. v. **instrumentality.**

insubordinate [,insə'bɔ:dnit] adj. nesupus.

insubordination ['insə,bɔ:di'neiʃn] s. nesupunere.

insubstantial [,insəb'stænʃəl] adj. **1.** inconsistent, nesubstanţial. **2.** imaterial, fără substanţă. **3.** neîntemeiat, nejustificat. **4.** poet. ireal, iluzoriu.

insufferable [in'sʌfrəbl] adj. insuportabil.

insufficiency [,insə'fiʃnsi] s. insuficienţă.

insufficient [,insə'fiʃnt] adj. **1.** insuficient. **2.** necorespunzător.

insular ['insjulə] adj. insular.

insularity [,insju'læriti] s. izolare.

insulate ['insjuleit] vt. **1.** a izola. **2.** a separa.

insulation [,insju'leiʃn] s. **1.** **(from)** desprindere (a unei insule de continent). **2.** izolare (de). **3.** el. izolare (a unui cablu electric); izolament. || faulty ~

defect de izolare; *heat* ~ izo-
laţie termică. **4.** *cin.* insono-
rizare *(a aparatului de filmat
etc.)*.
insulator ['insjuleitə] *s.* izolator.
insulin ['insjulin] *s. med.* insulină.
insult[1] ['insʌlt] *s.* insultă.
insult[2] [in'sʌlt] *vt.* **1.** a insulta. **2.** a
jigni.
insuperable [in'sju:prəbl] *adj.* de
netrecut.
insupportable [,insə'pɔ:təbl] *adj.*
1. insuportabil, de neîndurat. **2.**
intolerabil, inacceptabil.
insurance [in'ʃuərns] *s.* **1.** asigu-
rare. **2.** asigurări. **3.** poliţă de
asigurare.
insure [in'ʃuə] *vt.* **1.** a asigura. **2.** a
garanta.
insurgent [in'sə:dʒnt] *s., adj.* in-
surgent, rebel.
insurmountable [,insə'mauntəbl]
adj. de netrecut.
insurrection [,insə'rekʃn] *s.* in-
surecţie.
insusceptible [,insə'septəbl] *adj.*
1. (of) nesusceptibil (de), inac-
cesibil (la, pentru). || ~ *of pity*
împietrit, nemilos. **2. (to)** insen-
sibil, nesimţitor (la).
intact ['intækt] *adj.* neatins.
intaglio [in'tɑ:liou] **I.** *s.* gravură
adâncită / scobită *(în metal)*;
piatră preţioasă cu gravură
scobită. **II.** *vt.* a scobi, a grava
(cu ajutorul acizilor).
intake ['inteik] *s.* **1.** *tehn.* admisie;
aspiraţie. **2.** înghiţitură. **3.**
înghiţire.
intangible [in'tændʒəbl] *adj.* **1.** de
neatins. **2.** abstract. **3.** imate-
rial.
integer ['intidʒə] *s.* **1.** întreg, tot.
2. *mat.* (număr) întreg.
integral ['intigrl] **I.** *s.* integrală. **II.**
adj. integral.
integrate ['intigreit] *vt.* **1.** a com-
pleta. **2.** a integra.
integration [,inti'greiʃn] *s.* **1.** între-
gire. **2.** *mat.* integrare.
integrity [in'tegriti] *s.* **1.** integri-
tate. **2.** cinste.
integument [in'tegjumənt] *s.* **1.**
amer. tegument. **2.** înveliş; aco-
perământ.
intellect ['intilekt] *s.* minte.
intellectual [,inti'lektjuəl] *s., adj.*
intelectual.
intellectualism ['inti'lektjuəlizəm]
s. filoz. intelectualism.
intellectually [,inti'lektjuəli] *adv.*
(din punct de vedere) intelec-
tual, pe plan intelectual.

intelligence [in'telidʒns] *s.* **1.** in-
teligenţă. **2.** înţelepciune. **3.** in-
formaţii. **4.** spionaj.
intelligent [in'telidʒnt] *adj.* in-
teligent.
intelligentsia [in,teli'dʒentsiə] *s.*
|| *the* ~ intelectualitatea, in-
telectualii, pătura cultă.
intelligible [in'telidʒbl] *adj.* **1.**
clar. **2.** distinct.
intemperance [in'temprns] *s.* **1.**
abuz *(mai ales de alcool)*; be-
ţie. **2.** exces, lipsă de cumpă-
tare.
intemperate [in'temprit] *adj.* **1.**
necumpătat, beţiv. **2.** desfrâ-
nat, depravat. **3.** exagerat, ex-
cesiv.
intend [in'tend] *vt.* a intenţiona.
intendant [intendənt] *s.* **1.** *mil.* in-
tendent, ofiţer din serviciul de
intendenţă. **2.** administrator,
controlor, inspector. || ~ *of
mines* inspector de mine.
intense [in'tens] *adj.* **1.** puternic,
intens. **2.** extrem. **3.** extremist.
intensely [in'tensli] *adv.* **1.** intens,
tare, puternic. **2.** extrem de,
grozav de; foarte; prea. || ~
lazy grozav de / foarte leneş. **3.**
cu ardoare; foarte agitat; cu
zel.
intensification [in,tensifi'keiʃn] *s.*
1. intensificare; întărire; încor-
dare. **2.** *foto.* intensificare *(a
unui negativ)*.
intensify [in'tensifai] *vt., vi.* a spo-
ri; a intensifica.
intensity [in'tensiti] *s.* intensitate.
intensive [in'tensiv] *adj.* **1.** intens.
2. întăritor.
intent [in'tent] **I.** *s.* **1.** intenţie. **2.**
scop. || *to all* ~*s and purpo-
ses* practic; în ansamblu. **II.**
adj. **(on, upon) 1.** atent, con-
centrat (asupra – *cu gen.*). **2.**
serios.
intention [in'tenʃn] *s.* **1.** intenţie.
2. scop.
intentional [in'tenʃənl] *adj.* **1.**
intenţionat. **2.** dorit.
intentness [in'tentnis] *s.* **1.** încor-
dare, atenţie încordată. **2.** râv-
nă, zel; ardoare.
inter[1] [in'tə:] *vt.* a îngropa.
inter[2] ['intə] *prefix* inter- .
interact [,intər'ækt] *vi.* a fi inter-
dependent / în interacţiune, a
se influenţa / a se condiţiona
reciproc.
interactive [,intər'æktiv] *adj.* inter-
activ, bazat pe interactivitate /
pe reacţii reciproce.
interbred [,intə'bred] *vt. vi. trec. şi
part. trec. de la* **interbreed.**

interbreed [,intə'bri:d] *biol. trec.
şi part. trec.* **interbred**
[,intə'bred] **I.** *vt.* a încrucişa. **II.**
vi. a se încrucişa.
intercalary day [in'tə:kələri,dei] *s.*
1. ziua de 29 februarie. **2.** *med.*
zi interfebrilă.
intercalate [intəkə'leit] *vt.* **(in)** a
intercala, a interpola (în).
intercede [,intə'si:d] *vi.* **(with)** a in-
terveni *(pe lângă cineva)*.
intercellular [intə'seljulə] *adj. biol.*
intercelular.
intercept [,intə'sept] *vt.* **1.** a inter-
cepta, a prinde. **2.** a intercepta,
a surprinde, a spiona, a con-
trola. **3.** a întrerupe, a tăia
(comunicaţiile). **4.** a împiedica,
a opri.
interception ['intə(:)'sepʃn] *s.* **1.**
interceptare *(a unei scrisori,
convorbiri telefonice etc.)*; cap-
tare. **2.** împiedicare, oprire,
reţinere. **3.** tăiere, întrerupere
*(a legăturilor, comunicaţiilor
etc.)*; barare, închidere *(a unui
drum)*.
intercession [,intə'seʃn] *s.* **1.** in-
tervenţie, pilă. **2.** pledoarie.
intercessor [intəsesə] *s.* **(with)**
persoană care intervine / care
face o intervenţie; persoană
care face demersuri (pe lângă,
la); mijlocitor; interpus; medi-
ator; apărător.
interchange[1] ['intə,tʃeindʒ] *s.*
schimb reciproc.
interchange[2] [,intə'tʃeindʒ] *vt., vi.*
a (se) schimba reciproc.
inter-city [,intə'siti] *adv.* **1.** inter-
oraşe. **2.** interurban.
intercollegiate contest ['intə(:)
kə'li:dʒiit 'kontest] *s. sport*
competiţia interuniversitară.
intercolonial ['intə(:)kə'louniəl]
adj. pol. intercolonial, între /
dintre colonii.
intercom ['intə,kɔm] *abrev. inter-
communication* interfon.
intercommunicate [,intə'kəmju:
ni,keit] *vi.* **1.** a fi în (inter)co-
municaţie / legătură, a comu-
nica *(unul cu celălalt)*. **2.** a
avea raporturi (reciproce).
intercommunication ['intə(:)kə-
,mju(:)ni'keiʃn] *s.* **1.** relaţii, ra-
porturi, legături (reciproce). **2.**
legătură, faptul de a comunica
/ de a fi în legătură unul cu al-
tul, comunicaţie reciprocă, in-
tercomunicaţie; schimb mutu-
al. **3.** discuţie (publică). **4.** *te-
lec.* interfon, telefon interior.
intercommunion [,intəkə'mju:

njən] s. 1. legătură intimă, relații strânse, comuniune sufletească. 2. interacțiune reciprocă.

interconnect [,intəkə'nekt] vt. a conexa, a lega între ele; a pune în legătură.

intercontinental [,intə,kɔnti'nentəl] adj. intercontinental.

intercourse ['intəkɔːs] s. 1. legătură. 2. comunicație. 3. relații.

interdenominational [,intədi,nɔmi'neiʃənl] adj. interconfesional.

interdependence [,intə(:)di'pendəns] adj. dependență reciprocă, interdependență.

interdependent [,intədi'pendənt] adj. interdependent.

interdict[1] ['intədikt] s. interzicere.

interdict[2] [,intə'dikt] vt. 1. a interzice. 2. a opri.

interdiction [,intə(:)'dikʃn] s. 1. interzicere, nepermitere; interdicție. 2. jur. interdicție (mai ales aceea sub care sunt puși alienații mintal). 3. rel. interdict.

interdisciplinary [,intə'disiplinəri] adj. interdisciplinar.

interest ['intrist] I. s. 1. (in) interes (pentru). 2. curiozitate (pentru). 3. econ. dobândă. 4. atracție (pentru). 5. scop. 6. profit. 7. protecție. 8. pl. întreprindere, firmă; trust. || at / with ~ cu dobândă (și fig.). II. vt. a interesa.

interested ['intristid] adj. (in) 1. interesat (de). 2. atent (la).

interesting ['intristiŋ] adj. interesant.

interfere [,intə'fiə] vi. 1. (in) a interveni, a mijloci, a face pe mijlocitorul (în); a lua parte (la). 2. (in, with) a se amesteca, a-și băga nasul (în), a se băga pe fir. 3. (d. cai) a se cosi. 4. fig (with). a interfera, a face interferență (cu). 5. a se lovi unul de altul, a fi în opoziție. || to ~ with a împiedica, a deranja, a stânjeni; a se opune (cu dat.); a contraveni (cu dat.), a veni în conflict cu; a dăuna (cu dat.), a vătăma.

interference [,intə'fiərəns] s. 1. intervenție; amestec. 2. piedică, obstacol. 3. amer. conflict pentru un brevet de invenție. 4. fiz. interferență. 5. rad. paraziți, perturbări; bruiaj. 6. (la cai) lovire a picioarelor unul de altul. 7. fiz. interferență.

interferon [,intə'fiərən] s. biol. in-

terferon, proteină de protecție a celulei.

interfuse [,intə'fjuːz] I. vt. (with) 1. a amesteca, a intercala (un lucru cu altul). 2. a îmbina (lucrurile). II. vi. (d. lucruri) a se amesteca, a se îmbina, a fuziona.

interim ['intərim] I. s. interimat. II. adj. interimar.

interior [in'tiəriə] I. s. 1. interior. 2. afaceri interne. II. adj. 1. interior. 2. intern.

interject [,intə'dʒekt] vt. a strecura, a intercala (o replică etc.).

interjection [,intə'dʒekʃn] s. interjecție.

interknit [,intə(:)'nit] I. vt. a împleti (unul într-altul, laolaltă). II. vi. a se împleti.

interlace [,intə'leis] vt., vi. a (se) împleti.

interlard ['intə'lɑːd] vt. a împăna (și fig.).

interleave [,intə'liːv] vt. a împăna (fig.).

interline [,intə'lain] vt. a scrie printre rândurile (unui text etc.).

interlinear [,intə'liniə] adj. scris printre rânduri.

interlink [,intə'liŋk] I. vt. 1. (with) a lega (de); a lega unul de altul. 2. fig. a pune în legătură, a lega, a conexa. 3. fig. a înlănțui. 4. tehn. a cupla. II. vi. a se lega (între ele / unul de altul).

interlock [,intə'lɔk] I. vt. 1. a lega, a îmbuca. 2. tehn. a conexa; a cupla, a angrena. 3. tehn. a sincroniza. II. vi. a se îmbuca, a se lega; a se împleti, a se încrucișa. 2. tehn. a se angrena, a (se) cupla.

interlocutor ['intə'lɔkjutə] s. interlocutor.

interlocutory [intə(:)ə'lɔkjutəri] adj. 1. cu caracter de discuție / de conversație; sub formă de dialog. 2. jur. interlocutoriu; provizoriu; preventiv.

interloper ['intəloupə] s. 1. intrus. 2. om băgăreț.

interlude [,intəluːd] s. 1. interludiu. 2. pauză.

intermarriage [,intə'mæridʒ] s. 1. căsătorie între rude, endogamie. 2. căsătorie între membrii unor caste / triburi diferite, căsătorie mixtă.

intermarry [,intə(:)'mæri] vi. 1. (with) (d. familii, triburi, clanuri, caste etc.) a se înrudi prin

căsătorie; a se amesteca prin căsătorii (cu). 2. jur. a contracta o căsătorie, a se căsători.

intermeddle [,intə(:)'medl] vi.: to ~ in / with a se amesteca în; a-și băga nasul în.

intermediary [,intə'miːdjəri] s., adj. intermediar.

intermediate [,intə'miːdjət] I. s. lucru intermediar. II. adj. intermediar.

interment [in'təːmənt] s. înhumare, înmormântare.

intermezzo [,intə'metsou] s. intermezzo.

interminable [in'təːmnəbl] adj. interminabil; la nesfârșit.

interminably [in'təːminəbli] adv. nelimitat, nemărginit, fără limite, interminabil; la nesfârșit.

intermingle [,intə'miŋgl] vt., vi. a (se) amesteca.

intermission [,intə'miʃn] s. pauză.

intermit [,intə(:)'mit] I. vt. 1. a întrerupe, a opri, a suspenda (pentru un timp). 2. a face (ceva) cu intermitențe. II vi. 1. a se întrerupe, a se opri (pentru un timp, momentan); 2. (d. puls) a fi intermitent. 3. a se repeta periodic / cu intermitență.

intermittent [,intə'mitnt] adj. intermitent.

intermittently [,intə(:)'mitəntli] adv. cu intermitențe, cu întreruperi.

intermix [,intə'miks] I. vt. a amesteca (între ei, unul cu altul). II. vi. a se amesteca (între ei, unul cu altul).

intermixture ['intə(:)mikstʃə] s. amestec, mixtură.

intern [in'təːn] I. s. intern (de spital). II. vt. a interna.

internal [in'təːnl] adj. 1. intern. 2. interior.

international [,intə'næʃənl] I. s. internațională. II. adj. internațional.

internationalism [,intə'næʃnəlizəm] s. internaționalism.

internationalist [,intə(:)'næʃənəlist] s. pol. internaționalist.

internationalize [,intə'næʃnəlaiz] vt. a internaționaliza.

international law [,intə'næʃnəl 'lɔː] s. drept internațional.

internationally [,intə(:)'næʃənəli] adv. pe plan internațional.

internecine [,intə'niːsain] adj. 1. pustiitor, distrugător. 2. sângeros, criminal. 3. dezastruos pentru ambele părți.

interpellate [in'təːpəleit] vt. a interpela.

interpellation [in,tə:pə'leiʃn] *s.* interpelare.

interpenetrate [,intə'peni,treit] **I.** *vt.* a pătrunde în / prin, a cuprinde, a se răspândi în / prin. **II.** *vi.* a se întrepătrunde, a pătrunde unul într-altul.

interpersonal [,intə'pə:sənl] *adj.* **1.** (d. relaţii) interuman, interpersonal, între oameni / persoane; social. **2.** sociabil, prietenos.

interplanetary [,intə'plænətəri] *adj.* interplanetar, în spaţiul cosmic / interplanetar; spaţial.

interplay ['intəplei] *s.* influenţă reciprocă.

Interpol ['intə,pɔl] *s.* Interpol, poliţie internaţională.

interpolate [in'tə:poleit] *vt.* **1.** a interpola. **2.** a insera.

interpolate [in'tə:pouleit] **I.** *vt.* **1.** a interpola; a intercala; a insera; a introduce. **2.** *mat.* a interpola. **II.** *vi.* a face o interpolare / interpolări.

interpolation [in'tə:pou'leiʃn] *s.* **1.** interpolare; interpolaţie; intercalare. **2.** *mat.* interpolare.

interpose [,intə'pouz] *vt., vi.* a (se) interpune.

interposition [in,tə:pə'ziʃn] *s.* **1.** punere între (două obiecte), faptul de a pune între (două obiecte). **2.** interpunere, mediere, mijlocire; intervenţie.

interpret [in'tə:prit] **I.** *vt.* **1.** a interpreta. **2.** a traduce. **II.** *vi.* a fi interpret.

interpretation [in,tə:pri'teiʃn] *s.* interpretare.

interpretative [in'tə:pritətiv] *adj.* **1.** interpretativ, cu caracter de interpretare; referitor la înţelegere / interpretare. **2.** care interpretează, care tălmăceşte.

interpreter [in'tə:pritə] *s.* **1.** interpret, tălmaci. || to act as ~ to smb. a face pe interpretul pe lângă cineva. **2.** interpret, tălmăcitor; comentator.

interpretive [in'tə:pritiv] *adj.* v. **interpretative**.

interregnum [,intə'regnəm], *pl.* şi **interregna** [,intə'regnə] *s.* **1.** şi *fig.* interregn(um). **2.** interval, răstimp, răgaz.

interrelated [intəri'leitid] *adj.* **(with)** interdependent / corelat (cu), în interdependenţă / corelaţie (cu).

interrelation ['intə(:)ri'leiʃn] *s.* corelaţie; interdependenţă; legătură.

interrelationship ['intə(:)ri 'leiʃən-ʃip] *s.* înrudire.

interrogate [in'terəgeit] *vt.* a întreba.

interrogation [in,terə'geiʃn] *s.* **1.** întrebare. **2.** interogare.

interrogative [,intə'rɔgətiv] *s., adj.* interogativ.

interrogator [in'terəgeitə] *s.* persoană care interoghează; examinator; anchetator.

interrogatory [,intə'rɔgətəri] **I.** *adj.* interogativ; întrebător. **II.** *s. jur.* interogatoriu; întrebare pusă în cadrul unui interogatoriu.

interrupt [,intə'rʌpt] *vt.* **1.** a întrerupe. **2.** a stânjeni.

interruption [,intə'rʌpʃn] *s.* **1.** întrerupere; oprire; pauză. || without ~ fără întrerupere, neîn-trerupt. **2.** întrerupere; împiedi-care; deranjare; tulburare.

intersect [,intə'sekt] *vt., vi.* a (se) intersecta.

intersection [,intə'sekʃn] *s.* **1.** (punct de) intersecţie. **2.** încrucişare de drumuri; răscruce.

interspace[1] ['intə(:),speis] *s.* spaţiu intermediar, interstiţiu, interval; interval de timp.

interspace[2] ['intə(:)'speis] *vt.* a distanţa; a spaţia; a rări.

intersperse [,intə'spə:s] *vt.* a răspândi, a presăra.

interstate [,intə,steit] *adj.* interstatal, între / dintre state.

interstellar [,intə'stelə] *adj.* astr. interstelar.

interstice [in'tə:stis] *s.* interstiţiu.

interstitial [,intə'stiʃəl] *adj.* interstiţial.

intertwine [,intə'twain] *vt., vi.* a (se) împleti.

intertwist [,intə(:)'twist] *vt.* a împleti.

interurban [,intə(:)r'ə:bən] **I.** *adj.* **1.** interurban. **2.** *ferov.* (tren, linie etc.) care deserveşte suburbiile unui oraş; suburban. **II.** *s.* mijloc de locomoţie / comunicaţie interurban.

interval ['intəvl] *s.* **1.** interval. **2.** pauză.

intervene [,intə'vi:n] *vi.* **1.** a interveni. **2.** a surveni. **3.** a se amesteca.

intervention [,intə'venʃn] *s.* intervenţie.

interview ['intəvju:] **I.** *s.* **1.** întrevedere. **2.** întâlnire. **3.** interviu. **4.** interviu, contact, convorbire (în vederea unei angajări). **II.** *vt.* a interviva.

interviewer ['intə,vju:ə] *s. jurnalistică* reporter care ia un interviu.

interweave [,intə'wi:v] **I.** *vt.* **1.** a întreţese, a împleti. **2.** a îmbina, a lega strâns unul de altul. **II.** *vi.* **1.** a se întreţese, a se împleti. **2.** a se îmbina, a se lega.

interwove [,intə'wouv] *vt., vi. part. trec. de la* **interweave**.

interwoven [,intə'wouv] *vt., vi. trec. de la* **interweave**.

intestate [in'testeit] *jur.* **I.** *adj.* ab intestat, (mort) fără testament. **II.** *s.* intestat, decedat care nu lasă testament.

intestinal [in'testinl] *adj.* intestinal.

intestine [in'testin] *s., adj.* intestin.

intimacy ['intiməsi] *s.* intimitate.

intimate[1] ['intimit] **I.** *s.* **1.** intim. **II.** *adj.* **1.** intim. **2.** profund. **3.** personal. **4.** familiar.

intimate[2] ['intimeit] *vt.* **1.** a anunţa, a vesti. **2.** a sugera. **3.** a lăsa să se înţeleagă. **4.** a comunica.

intimately ['intimitli] *adv.* intim; strâns; de aproape. || the question is ~ connected with chestiunea este strâns legată de / în strânsă legătură cu; I know him ~ îl cunosc îndeaproape.

intimation [,inti'meiʃn] *s.* **1.** anunţare, vestire. **2.** comunicare, anunţ, veste. **3.** sesizare. **4.** sugestie. **5.** aluzie.

intimidate [in'timideit] *vt.* a intimida.

intimidation [in,timideiʃn] *s.* intimidare. || *jur.* ~ of witnesses intimidare a martorilor.

into ['intu] *prep.* în, înăuntrul (cu verbe de mişcare sau fig.).

intolerable [in'tɔlrəbl] *adj.* insuportabil.

intolerably [in'tɔlrəbli] *adv.* insuportabil, inadmisibil (de).

intolerance [in'tɔlərəns] intoleranţă. || religious ~ intoleranţă religioasă; ~ towards criticism intoleranţă faţă de critică, respingere / neacceptare a criticii.

intolerant [in'tɔlrnt] *adj.* intolerant.

intonation [,intə'neiʃn] *s.* **1.** intonaţie. **2.** recitare.

intone [in'toun] *vt., vi.* a intona.

intoxicant [in'tɔksikənt] **I.** *s.* **1.** băutură alcoolică / spirtoasă. **2.** narcotic, drog. **II.** *adj.* îmbătător, ameţitor.

intoxicate [in'tɔksikeit] *vt.* **1.** a îmbăta. **2.** a excita. **3.** a into-xica. **4.** a stârni.

intoxication [in,tɔksi'keiʃn] s. **1.** beţie. **2.** emoţie. **3.** intoxicaţie.

intractable [in,træktəbl] adj. dificil (de mânuit).

intransigent [in'trænsidʒnt] adj. intransigent.

intransitive [in'trænsitiv] adj. intranzitiv.

intrauterine [,intrə'ju:tərain] adj. med. intrauterin.

intravenous [,intrə'vi:nəs] adj. med. intravenos.

intreat [in'tri:t] vt. v. **entreat**.

intrench [in'trentʃ] vt. v. **entrench**.

intrepid [in'trepid] adj. îndrăzneţ.

intrepidity [,intri'piditi] s. **1.** îndrăzneală. **2.** iniţiativă.

intricacy ['intrikəsi] s. complicaţie.

intricate ['intrikit] adj. complicat.

intrigue [in'tri:g] **I.** s. **1.** intrigă (împotriva cuiva). **2.** legătură amoroasă (ilicită); aventură; combinaţie; idilă. **II.** vt. a intriga, a face curios. **III.** vi. (a-gainst) **1.** a face intrigi; a unelti (împotriva – cu gen.). **2.** (with) a avea relaţii amoroase (cu).

intrinsic [in'trinsik] adj. intrinsec.

introduce [,intrə'dju:s] vt. **1.** a introduce. **2.** a prezenta. **3.** a băga.

introduction [,intrə'dʌkʃn] s. **1.** introducere. **2.** prezentare. **3.** inovaţie. **4.** prefaţă.

introductory [,intrə'dʌktri] adj. introductiv.

introspection [,intrə'spekʃn] s. **1.** introspecţie, autoanaliză; interiorizare. **2.** meditaţie, reculegere.

introvert I. [,intrə'və:t] vt. **1.** a întoarce înăuntru / spre interior. || to ~ one's mind / thoughts a se autoanaliza, a medita (la sine însuşi); a se reculege, a-şi aduna gândurile. **2.** med. a introverti, a întoarce pe dos. **II.** ['intrə,və:t] s. psih. introvertit, om închis în sine.

introverted ['intrə'və:tid] adj. interiorizat, meditativ, introvertit.

intrude [in'tru:d] **I.** vt. **1.** a deranja. **2.** a forţa. **3.** a aduce pe cap. **II.** vi. **1.** a fi un intrus. **2.** a se băga. **3.** a deranja, a importuna oamenii.

intruder [in'tru:də] s. **1.** intrus. **2.** nepoftit.

intrusion [in'tru:ʒn] s. **1.** deranj. **2.** tulburare, importunare.

intrusor [in'tru:sə] s. înv. v. **intruder**.

intrust [in'trʌst] vt. v. **entrust**.

intuition [,intju'iʃn] s. intuiţie.

intuitive [in'tjuitiv] adj. intuitiv.

inumerate [i'nju:mərət] adj. nul la matematică, care nu cunoaşte aritmetica elementară.

inundate ['inʌn,deit] vt. (**with**) **1.** a inunda, a îneca (în). **2.** fig. a asalta, a copleşi (cu).

inundation [,inʌn'deiʃn] s. inundare, potopire; inundaţie, potop.

inure [i'njuə] vt. a deprinde.

inutility [,inju(:)'tiliti] s. inutilitate, zădărnicie.

invade [in'veid] vt. **1.** a invada. **2.** a ataca (şi fig.). **3.** a încălca.

invader [in'veidə] s. **1.** invadator. **2.** intrus.

invalid¹ ['invəli:d] **I.** s. **1.** bolnav (cronic). **2.** infirm, slăbănog. **3.** invalid. **II.** adj. **1.** bolnav (cronic). **2.** infirm. **3.** invalid. **4.** pentru bolnavi.

invalid² [in'vælid] adj. **1.** lipsit de valabilitate, nevalabil. **2.** fără valoare.

invalidate [in'vælideit] vt. a anula.

invalidism ['invəlidizəm] s. invaliditate, infirmitate; sănătate şubredă.

invaluable [in'væljuəbl] adj. nepreţuit.

invariable [in'veəriəbl] adj. **1.** neschimbător. **2.** permanent.

invariably [in'veəriəbli] adv. **1.** permanent. **2.** mereu, neîncetat.

invasion [in'veiʒn] s. **1.** invazie. **2.** atac. **3.** încălcare.

invective [in'vektiv] s. **1.** insultă, invectivă. **2.** limbaj violent / agresiv.

inveigh [in'vei] vi.: to ~ against a ataca; a critica.

inveigle [in'vi:gl] vt. **1.** a ademeni. **2.** a prinde în cursă. **3.** a sili.

invent [in'vent] vt. a inventa.

invention [in'venʃn] s. **1.** invenţie. **2.** imaginaţie. **3.** născocire.

inventive [in'ventiv] adj. inventiv.

inventor [in'ventə] s. **1.** inventator, născocitor; descoperitor. **2.** peior. mincinos.

inventory ['invəntri] **I.** s. inventar. **II.** vt. a inventaria.

inverse ['in'və:s] s., adj. invers.

inversion [in'və:ʃn] s. **1.** inversiune. **2.** lucru inversat.

invert [in'və:t] vt. **1.** a inversa. **2.** a răsturna.

invertebrate [in'və:tibrit] s., adj. **1.** nevertebrat. **2.** fig. slăbănog.

inverted commas [in'və:tid'kɔməz] s. pl. ghilimele.

invest [in'vest] **I.** vt. **1.** a investi. **2.** a instala (într-o funcţie). **3.** mil. a împresura. **II.** vi. a face investiţii. || to ~ in a cumpăra; a cheltui pe.

investigable [in'vestigəbl] adj. care poate fi investigat.

investigate [in'vestigeit] vt. **1.** a cerceta. **2.** a ancheta.

investigation [in,vesti'geiʃn] s. **1.** cercetare. **2.** anchetă.

investigator [in'vestigeitə] s. cercetător, anchetator.

investiture [in'vestitʃə] s. **1.** investitură, instalare. **2.** decorare (a cuiva), remitere a unei decoraţii (cuiva). **3.** (with) investire (cu). **4.** jur. punere în posesie. **5.** poet. înveşmântare, îmbrăcare.

investment [in'vestmənt] s. **1.** investiţie. **2.** investire.

investor [in'vestə] s. com. persoană care face investiţii; acţionar; rentier. || small ~ mic rentier; ~ in stocks cumpărător de bunuri imobiliare.

inveterancy [in'vetərənsi] s. caracter înveterat; vechime; rădăcini adânci.

inveterate [in'vetrit] adj. **1.** înrădăcinat. **2.** înrăit.

invidious [in'vidiəs] adj. **1.** infamant, defăimător, jignitor. **2.** răutăcios, maliţios. **3.** supărător, neplăcut. **4.** ingrat; odios; urât. **5.** care stârneşte invidie. **6.** invidios, pizmaş.

invigilate [in'vidʒi,leit] vt. **1.** a sta de pază; a fi supraveghetor. **2.** şcolar a supraveghea candidaţii (la teză etc.).

invigorate [in'vigəreit] vt. **1.** a înviora. **2.** a întări.

invincible [in'vinsəbl] adj. invincibil.

inviolability [in,vaiələbiliti] s. inviolabilitate.

inviolable [in'vaiələbl] adj. **1.** sacru. **2.** de neatins.

inviolate [in'vaiəlit] adj. **1.** nepângărit. **2.** sacru.

invisibility [in,vizə'biliti] s. **1.** invizibilitate. **2.** ceea ce nu se poate vedea, nevăzutul.

invisible [in'vizəbl] adj. invizibil.

invisible ink [in'vizəbl'ink] s. cerneală simpatică.

invitation [,invi'teiʃn] s. invitaţie.

invite [in'vait] vt. **1.** a chema. **2.** a invita. **3.** a ruga. **4.** a solicita. **5.** a atrage. **6.** a cere.

inviting [in'vaitin] adj. **1.** ispititor. **2.** atrăgător.

invitingly [in'vaitinli] adv. atrăgător, îmbietor.

invocation [,invo'keiʃn] s. invocaţie.

invoice ['invɔis] **I.** s. factură. **II.** vt. a factura.

invoke [in'vouk] *vt.* a invoca.
involuntarily [invələntərili] *adv.* (în mod) involuntar.
involuntary [in'vɔləntri] *adj.* **1.** involuntar. **2.** (făcut) fără voie.
involute ['invə,luːt] **I.** *adj.* **1.** *biol.* involut. **2.** *mat.* de evolventă. **3.** *zool.* cu marginile încovoiate înainte. **II.** *s. mat.* evolventă.
involution [,invə'luːʃn] *s.* **1.** involuție. **2.** degenerescență. **3.** stagnare, nedezvoltare. **4.** *mat.* ridicare la putere. **5.** înfășurare. **6.** încurcătură, complicație.
involve [in'vɔlv] *vt.* **(in) 1.** a implica (în). **2.** a atrage, a absorbi (în). **3.** a cuprinde. **4.** a produce.
involved [in'vɔlvd] *adj.* **1. (in)** implicat, amestecat (în). **2. (with)** încurcat (cu *o femeie* etc.). **3.** legat de mâini și de picioare. **4.** înglodat în / grevat de datorii. **5.** încurcat, complicat. **6.** închis, necomunicativ; neexpansiv.
invulnerable [in'vʌlnrəbl] *adj.* invulnerabil (*și fig.*).
inward ['inwəd] *adj.* **1.** interior. **2.** intern. **3.** profund.
inwardly ['inwədli] *adv.* **1.** v. **inwards**. **2.** (*d. felul de a vorbi*) în șoaptă, încet, (aproape) neauzit. **3.** în sine, în interior.
inwardness ['inwədnis] *s.* **1.** natură interioară; intimitate. **2.** forță interioară, spiritualitate. **3.** semnificație interioară / intimă.
inwards ['inwədz] **I.** *s.* **1.** măruntaie. **2.** mate. **II.** *adv.* spre interior.
inweave ['in'wiv] *vt. trec.* **inwove** [in'wouv], *part. trec.* **inwoven** [in'wouvn] a întretese, a țese în.
inwove [in'wouv] *trec. de la* **inweave**.
inwoven ['in'wouvn] *part. trec. de la* **inweave**.
inwrought [,in'rɔːt] *adj.* **1.** încrustat, cu ornamente / podoabe întretesute. **2. (with)** ornamentat, împodobit (cu). **3. (with)** *fig.* legat (de), unit (cu).
iodide [aiədaid] *s. chim.* iodură.
iodine ['aiədiːn] *s.chim.* iod.
iodize ['aiədaiz] *vt.* **1.** *med.* a trata cu iod. **2.** *foto.* a prepara cu iod.
iodoform [ai'ɔdəfɔːm] *s. chim.* iodoform.
I.O.M. *abrev. Isle of Man* Insula Man.
ion ['aiən] *s. fiz.* ion.
Ionic [ai'ɔnik] **I.** *adj.* ionic; ionian.

II. *s.* **1.** dialect ionic. **2.** vers / metru ionic.
ionization ['aiənai'zeiʃn] *s. fiz., chim. med.* ionizare.
ionize ['aiə,naiz] **I.** *vt. fiz. etc.* a ioniza. **II.** *vi.* a se ioniza.
ionosphere [ai'ɔnə,sfiə] *s. astr.* ionosferă.
iota [ai'outə] *s.* iotă.
IOU ['aiou'juː] *s.* chitanță.
I.O.W. *abrev. Isle of Wight* Insula Wight.
I.P.A. *abrev.* **1.** *International Phonetic Alphabet* alfabetul fonetic internațional. **2.** *International Phonetic Association* Asociația Internațională a Foneticienilor.
ipso facto ['ipsou'fæktou] *adv.* prin însuși acest lucru / fapt, chiar prin aceasta.
I.Q. *abrev. intelligence quotient* coeficient / grad de inteligență.
I.R.A. *abrev. Irish Republican Army* IRA, Armata Republicană Irlandeză.
Iranian [i'reinjən] *s., adj.* iranian(ă).
irascible [i'ræsibl] *adj.* irascibil.
irate [ai'reit] *adj.* furios.
ire ['aiə] *poet.* **I.** *s.* mânie, supărare. **II.** *vt.* a mânia, a supăra.
ireful ['aiəful] *adj. poet.* plin de mânie, mânios, iritat.
iridaceous [iri'deiʃəs] *adj. bot.* din familia irișilor, stânjeneilor.
iridescence [,iri'desns] *s.* irizare (în culorile curcubeului).
iridescent [,iri'desnt] *adj.* irizat.
iridium [ai'ridiəm] *s.* iridiu.
iris ['airis] *s. bot.* **1.** iris. **2.** stânjenel.
Irish ['aiəriʃ] **I.** *s.* limba irlandeză. || *the ~* irlandezii. **II.** *adj.* irlandez.
Irishman ['aiəriʃmən] *s. pl.* **Irishmen** ['aiəriʃmən] irlandez.
Irishwoman ['aiəriʃ,wumən] *s. pl.* **Irishwomen** ['aiəriʃ,wimin] irlandeză.
irk [əːk] *vt.* a enerva.
irksome ['əːksəm] *adj.* **1.** enervant. **2.** plicticos.
iron ['aiən] **I.** *s.* **1.** fier. **2.** instrument de fier. **3.** fier de călcat. **4.** fier de frizat. **5.** *pl.* lanțuri. || *to have too many ~s in the fire* a fi băgat în prea multe.**II.** *adj.* de fier (*și fig.*). **III.** *vt.* **1.** a călca (rufe). **2.** a înlănțui.
iron bound ['aiən baund] *adj.* **1.** legat în fier, încercuit cu fier. **2.** *fig.* riguros, sever, aspru, de neclintit. **3.** (*d. un mal*) stâncos; drept, abrupt, inaccesibil.
ironclad ['aiənklæd] *s., adj.* cuirasat.

iron grey ['aiən 'grei] **I.** *adj.* de culoare gri-fer, cenușiu-închis. **II.** *s.* culoare gri-fer, cenușiu-închis.
ironic(al) [ai'rɔnik(l)] *adj.* ironic.
ironically [ai'rɔnikəli] *s.* caracter ironic, cu ironie.
ironmonger ['aiən,mʌŋgə] *s.* negustor de fierărie.
iron stone ['aiən stoun] *s.* minereu de fier.
ironwork ['aiənwɔːk] *s.* **1.** armătură. **2.** *pl.* uzină siderurgică.
irony ['aiərəni] *s.* ironie.
irradiate [i'reidieit] *vt.* **1.** a (i)radia. **2.** a lumina (*și fig.*).
irradiation [i,,reidi'eiʃn] *s.* **1.** iluminare, iluminație. **2.** luciu, lustru, (stră)lucire. **3.** răspândire de raze. **4.** *fiz.* emanați(une), iradiere, radiație. **5.** *med.* (tratament cu) raze.
irrational [i'ræʃənl] *adj.* **1.** irațional. **2.** prostesc.
irreclaimable [,iri'kleiməbl] *adj.* **1.** incorigibil. **2.** (*d. pământ*) nerecuperabil, necultivabil. **3.** (*d. bețivi* etc.) inveterat, înrăit.
irreconcilable [i'rekənsailəbl] *adj.* **1.** ireconciliabil. **2.** (de) neîmpăcat.
irrecoverable [,iri'kʌvrəbl] *adj.* **1.** iremediabil. **2.** nerecuperabil.
irredeemable [,iri'diːməbl] *adj.* nerecuperabil.
irreducible [,iri'djuːsəbl] *adj.* **1.** ireductibil. **2.** dificil, imposibil de mânuit.
irrefragable [i'refrəgəbl] *adj.* **1.** incontestabil, irecuzabil, irefutabil. **2.** *jur.* irefragabil.
irrefutable [i'refjutəbl] *adj.* de netăgăduit; incontestabil.
irregular [i'regjulə] *adj.* neregulat.
irregularity [i,regju'læriti] *s.* **1.** neregularitate. || *to commit irregularities* a comite nereguli / neregularități. **2.** încălcare, deviere. **3.** dezordine, indisciplină. || *~ of living* conduită dezordonată. **4.** neuniformitate; inegalitate. || *~ of ground* teren accidentat. **5.** *med.* aritmie, neregularitate (*a pulsului*) **6.** asimetrie, funcționare neregulată / dereglată (*a cilindrilor unui motor*).
irregularly [i'regjuləli] *adv.* neregulat; în dezordine; inegal.
irrelevance [i'relivəns] *s.* **(to) 1.** irelevanță, lipsă de importanță (pentru). **2.** lipsă de legătură (cu), irelevanță (pentru). **3.** inconsecvență. **4.** inaplicabilitate.

irrelevant [i'relivənt] *adj.* (**to**) **1.** irelevant (pentru). **2.** neinteresant. **3.** nelalocul lui.

irreligion [ˌiri'lidʒən] *s.* v. **irreligiousness**.

irreligious [ˌiri'lidʒəs] *adj.* **1.** nereligios; ateu. **2.** păgân.

irreligiousness [iri'lidʒəsnis] *s.* lipsă de religiozitate, necredinţă.

irremediable [ˌiri'mi:djəbl] *adj.* iremediabil.

irreparable [i'repərbl] *adj.* ireparabil.

irreplaceable [ˌiri'pleisəbl] *adj.* de neînlocuit.

irrepressible [ˌiri'presəbl] *adj.* de nestăpânit; imposibil de stăpânit / de ţinut în frâu.

irreproachable [ˌiri'proutʃəbl] *adj.* ireproşabil, fără cusur.

irresistible [ˌiri'zistəbl] *adj.* irezistibil.

irresistibly [ˌiri'zistəbli] *adv.* irezistibil.

irresolute [i'rezəlu:t] *adj.* **1.** nehotărât. **2.** şovăielnic.

irresolutely [i'rezəlju:tli] *adv.* nehotărît, şovăitor, şovăielnic, fără hotărâre, (în mod) nedecis.

irresolution [iˌrezə'lu:ʃn] *s.* **1.** nehotărâre. **2.** şovăială.

irrespective [ˌiris'pektiv] *adj.* neatent. || ~ *of* indiferent de; fără a ţine seama de.

irresponsibility ['iris,pɔnsə'biliti] *s.* iresponsabilitate, lipsă de răspundere.

irresponsible [ˌiris'pɔnsəbl] *adj.* **1.** iresponsabil. **2.** nedemn de încredere.

irretrievable [ˌiri'tri:vəbl] *adj.* nerecuperabil.

irreverence [i'revərəns] *s.* lipsă de respect, ireverenţă.

irreverent [i'revrnt] *adj.* nerespectuos.

irreversible [ˌiri'və:sibl] *adj.* **1.** ireversibil. **2.** irevocabil, inevitabil. **3.** ineluctabil; implacabil, de neîmblânzit.

irrevocable [i'revəkəbl] *adj.* **1.** irevocabil. **2.** definitiv.

irrevocably [i'revəkəbli] *adv.* irevocabil.

irrigable ['irigəbl] *adj.* v. **irigatable**.

irrigate ['irigeit] *vt.* **1.** a iriga. **2.** a drena.

irrigation [ˌiri'geiʃn] *s.* **1.** irigare; udare. **2.** *med.* spălătură (cu irigatorul); clizmă.

irritability [ˌiritəbyiliti] *s.* iritabilitate; irascibilitate, nervozitate.

irritable ['iritəbl] *adj.* **1.** iritabil, nervos. **2.** *med.* inflamabil.

irritant ['iritnt] *s., adj.* iritant.

irritate ['iriteit] *vt.* a irita.

irritation [ˌiri'teiʃn] *s.* **1.** iritare, mânie, furie.

irruption [i'rʌpʃn] *s.* irumpere, năvală.

is [z, s, iz] *pers. III sing. ind. prez. de la* **be** este, e.

isinglass ['aizɪŋglɑ:s] *s.* **1.** clei de peşte, ihtiocol. **2.** gelatină *(pentru jeleuri etc.)*.

isinglass fish ['aizɪŋglɑ:s'fiʃ] *s. iht.* morun.

Islam ['izlɑ:m] *s.* **1.** islam, lumea islamică / musulmană. **2.** popor islamic / musulman. **3.** islamism, mahomedanism.

Islamic [iz'læmik] *adj.* islamic.

island ['ailənd] *s.* insulă.

islander ['ailəndə] *s.* insular, locuitor al unei insule.

isle [ail] *s.* insulă *(mai ales în denumiri geografice)*.

islet ['ailit] *s.* ostrov.

isn't ['iznt] *prescurtare de la* **is not**.

isobar ['aisoubɑ:] *fiz., meteor. s.* izobară.

isolate ['aisəleit] *vt.* **1.** a izola. **2.** a separa.

isolation [ˌaisə'leiʃn] *s.* **1.** *med.* izolare, separare (a unui bolnav). **2.** izolare, singurătate.

isolationism [ˌaisə'leiʃəˌnizəm] *s.* *pol.* izolaţionism, separatism, politică de izolare.

isomer ['aisəmə] *s. chim.* izomer.

isosceles [ai'sɔsili:z] *adj. mat.* isoscel.

isotherm ['aisou,θə:m] *s. fiz.* izotermă.

isothermal [ˌaisou'θə:ml] *adj.* izotermic.

isotope ['aisə,toup] *s. chim.* izotop.

Israel ['izreiəl] *s.* **1.** popor izraelit. **2.** statul Izrael.

Israeli [iz'reili] *s., adj.* izraelian.

Israelite ['izr(e)iəlait] *I. s.* izraelit, evreu. *II. adj.* izraelit, evreiesc.

issuance ['isju(:)əns] *s.* **1.** ieşire; apariţie; editare; publicare. **2.** *amer.* eliberare (de brevet, permis de conducere etc.). **3.** *mil.* ~ *of orders* emitere de ordine. **4.** *econ.* emisiune, emitere (de acţiuni).

issue ['isju:] *I. s.* **1.** izvor. **2.** sursă. **3.** origine. **4.** scurgere. **5.** publicare. **6.** ediţie. **7.** număr *(de ziar etc.)*. **8.** problemă, chestiune. **9.** rezultat; urmare.

10. progenitură, urmaşi. || *to join* ~ *with* a se război cu; a polemiza cu; a se contrazice cu; *at* ~ în discuţie; în joc; în chestiune. *II. vt.* **1.** a publica. **2.** a emite. *III. vi.* **1.** a se scurge. **2.** a ţâşni. **3.** a curge.

isthmian ['isθmiən] *I. adj.* de istm. *II. s. înv.* locuitor dintr-un istm.

isthmus ['isməs] *s.* istm.

it [it] *I. s.* **1.** vermut italian. **2.** lucru potrivit / nimerit. *II. pron.* **1.** el, ea *(pentru substantive abstracte, neînsufleţite, obiecte, fenomene ale naturii, animale cu sex necunoscut, uneori şi pentru copii mici)*. **2.** aceasta. **3.** se. || ~ *is hot* e cald; ~ *is raining* plouă; ~ *is he who did it* el a făcut-o.

Italian [i'tæljən] *I. s.* italian; italiancă. **2.** (limba) italiană. *II. adj.* italian.

italic [i'tælik] *s., adj.* cursiv(ă).

italicize [i'tælisaiz] *vt.* **1.** a scrie cu litere cursive. **2.** *fig.* a sublinia.

itch [itʃ] *I. s.* **1.** mâncărime. **2.** râie. **3.** *fig.* nerăbdare. **4.** poftă. *II. vt.* a te mânca. *III. vi.* **1.** a avea mâncărime. **2.** a fi nerăbdător. || *to have an* ~*ing palm* a fi lacom de arginţi.

item ['aitem] *I. s.* **1.** articol. **2.** număr. *II. adv.* de asemenea.

itemize ['aitəmaiz] *vt.* a amănunţi, a detalia.

iterate ['itəreit] *vt.* a repeta.

iteration [ˌitə'reiʃn] *s.* repetare, repetiţie, reiterare.

itinerancy [i'tinərənsi] *s.* **1.** călătorie, voiaj, peregrinare. **2.** turneu, tur, vizită. **3.** vagabondaj.

itinerant [i'tinrnt] *adj.* ambulant.

itinerary [i'tinrəri] *s.* **1.** itinerar. **2.** jurnal de călătorie.

it's [its] *prescurtare de la* **it is** sau *de la* **it has**.

its [its] *adj.* său, lui, ei (v. **it**).

itself [it'self] *I. pron.* **1.** se. **2.** însuşi; însăşi. || *by* ~ singur; *in* ~ în sine; *of* ~ de la sine.

ITV *abrev. Independent Television* Televiziunea Independentă Britanică, canalul 4 BBC.

I.U.(C.)D. *abrev. intra-uterine (contraceptive) device* sterilet.

I've [aiv] *prescurtare de la* **I have**.

ivied ['aivid] *adj.* acoperit cu iederă.

ivory ['aivri] *I. s.* fildeş. *II. adj.* **1.** de fildeş. **2.** ivoriu, (alb) ca fildeşul.

ivy ['aivi] *s. bot.* iederă *(Hedera helix)*.

J

J [dʒei] *s.* (litera) J, j.

jab [dʒæb] **I.** *s.* ghiont, împunsătură. **II.** *vt.* **1.** a înghionti. **2.** a lovi. **3.** (**into**) a vârî, a băga cu de-a sila (în).

jabber ['dʒæbə] **I.** *s.* **1.** pălăvrăgeală. **2.** vorbărie nedeslușită; babilonie. **II.** *vi.* **1.** a pălăvrăgi. **2.** a vorbi neclar.

jabot ['ʒæbou] *s.* **1.** jabou *(garnitură).* **2.** *text.* pungă.

jacaranda [dʒækə'rændə] *s. bot.* jacaranda, palisandru *(Jacaranda).*

jacinth ['dʒæsinθ] *s.* **1.** *minr.* hiacint. **2.** *bot.* zambilă, iachintă *(Hyacinthus).*

jack, Jack [dʒæk] **I.** *s.* **1.** om. **2.** bărbat. **3.** marinar. **4.** lucrător. **5.** valet. **6.** vinci, cric. **7.** *el.* fișă; mufă; banană. **8.** steag. || *every man ~* toată lumea, cu mic cu mare. **II.** *vt.* a ridica.

jackal ['dʒækɔ:l] *s.* **1.** *zool.* șacal *(Canis aureus).* **2.** agent, lacheu *(fig.).*

jackanapes ['dʒækəneips] *s.* **1.** ștrengar. **2.** obraznic.

jackass ['dʒækæs] *s.* **1.** măgar. **2.** tâmpit.

jack-boot ['dʒækbu:t] *s.* cizmă înaltă (până la genunchi).

jackdaw ['dʒækdɔ:] *s. ornit.* stăncuță *(Corvus monedula).*

jacket ['dʒækit] *s.* **1.** jachetă. **2.** supracopertă. **3.** învelitoare. || *to dust smb.'s ~* a ciomăgi pe cineva.

Jack Frost ['dʒæk'frɔst] *s.* Moș Gerilă.

Jack-in-office ['dʒækin,ɔfis] *s.* birocrat, funcționar care își dă importanță.

jack-knife ['dʒæknaif] *s.* briceag.

jack-of-all-trades ['dʒækɔv':ɔl treidz] *s.* om bun la toate, factotum.

jack-o'-lantern ['dʒækə,læntə] *s.* flăcăruie.

jack rabbit ['dʒæk 'ræbit] *s., zool.* iepure mare din America de Nord *(Lepus campestris, Lepus callotis ș.a.).*

Jack Tar, jacktar ['dʒæk'tɑ:] *s.* marinar.

Jacobean [,dʒækə'bi:ən] *s., adj.* iacobit.

Jacobin ['dʒækəbin] *s., adj.* iacobin.

Jacobite ['dʒækəbait] *s., adj.* iacobit.

jade [dʒeid] **I.** *s.* **1.** mârțoagă; cal năravaș. **2.** persoană ordinară; cotoroanță, cloanță. **3.** *glumeț* pezevenchi, pungaș, lichea. **4.** jad. **II.** *vt.* **1.** a da pinteni (calului). **2.** a călări mult (calul); a obosi peste măsură (calul). **III.** *vi.* a (se) obosi, a se surmena.

jaded ['dʒeidid] *adj.* **1.** istovit. **2.** plictisit.

jadeite ['dʒeidait] *s. minr.* jadeit.

jag [dʒæg] **I.** *s.* **1.** colț de stâncă. **2.** ruptură. **II.** *vt.* a rupe.

jagged ['dʒæg] *adj.* **1.** dințat, zimțat; *(d. frunze)* crestat; rupt; inegal. **2.** *amer. sl.* beat.

jaguar ['dʒægjuə] *s. zool.* jaguar *(Panthera onca).*

jail [dʒeil] **I.** *s.* temniță. **II.** *vt.* a întemnița.

jail-bird ['dʒeilbɔ:d] *s.* ocnaș; deținut.

jailer ['dʒeilə] *s.* temnicer.

Jain [dʒain] *s.* jain, adept al jainismului *(în India).*

jalousie ['ʒæluzi:] *s.* jaluzea, stor.

jam [dʒæm] **I.** *s.* **1.** marmeladă, gem. **2.** dulceață. **3.** aglomerație. **4.** încurcătură de circulație. **II.** *vt.* **1.** a strivi. **2.** a strânge. **3.** a bloca. **4.** a strica. **5.** a bruia. **III.** *vi.* **1.** a se bloca. **2.** a se înțepeni.

Jamaica [dʒə'meikə] *s.* jamaică, rom.

jamb [dʒæm] *s.* **1.** glaf (de fereastră); pervaz. **2.** ușor. **3.** *ist.* pulpar *(parte de armură)* **4.** suport, proptea. **5.** *geol.* strat de piatră *(care întrerupe un filon mineral).*

jamboree [,dʒæmbə'ri:] *s.* **1.** *sl.* petrecere, chef; solemnitate. **2.** jamboree, adunare de cercetași.

jam session ['dʒæm,seʃn] *s.* concurs / concert de improvizații (de jazz).

Jane, jane [dʒein] *s. sl.* fată, femeie, muierușcă.

jangle ['dʒæŋgl] **I.** *s.* zornăit. **II.** *vt., vi.* a zornăi.

janissary ['dʒænisəri] *s. ist.* ienicer.

janitor ['dʒænitə] *s.* **1.** portar. **2.** îngrijitor.

January ['dʒænjuəri] *s.* ianuarie.

Janus-faced ['dʒeinəs,feist] *adj.* cu două fețe *(ca Ianus);* *fig.* cu două fețe, perfid.

Janus-headed ['dʒeinəs,hedid] *adj.* cu două capete *(ca Ianus).*

Jap [dʒæp] *s.* prescurtare de la **Japanese;** *fam.* japonez.

japan [dʒə'pæn] **I.** *s.* lac (japonez). **2.** obiecte lăcuite. **II.** *vt.* a lăcui.

Japanese [dʒæpə'ni:z] *s., adj.* japonez(ă).

jape [dʒeip] **I.** *vi.* a glumi; a râde, a-și bate joc. **II.** *vt.* **1.** a lua în râs / batjocură *(cu acuz.),* a face glume pe socoteala *(cu gen.).* **2.** *rar* a păcăli, a maimuțări, a imita. **II.** *s.* **1.** păcăleală. **2.** festă *(răutăcioasă),* renghi. **3.** glumă.

jar[1] [dʒɑ:] **I.** *s.* **1.** zdruncinătură. **2.** lovitură. **3.** zgârietură. **4.** neînțelegere; ceartă. **II.** *vt.* **1.** a izbi, a lovi. **2.** a zgâria *(și fig. azurul 'etc.).* **2.** a supăra, a enerva. **III.** *vi.* **1.** a nu se împăca. **2.** a fi supărător / enervant. || *it ~s on my nerves* mă calcă pe nervi.

jar[2] [dʒɑ:] *s.* **1.** borcan. **2.** *el.* butelie de Leyda. **3.** măsură pentru lichide (8 pinte = 4,54 l.).

jardinière [ʒɑ:di'njɛə] *s.* jardinieră, ghiveci.

jargon ['dʒɑ:gən] *s.* **1.** jargon. **2.** limbă străină. **3.** limbă stricată.

jarl [jɑ:l] *s. ist.* jarl, regișor *(în Evul Mediu scandinav).*

jarring ['dʒɑ:riŋ] *adj.* **1.** discordant. **2.** supărător. **3.** aspru.

jasmin(e) ['dʒæsmin] *s. bot.* iasomie *(Jasminum sp.).*

jasper ['dʒæspə] *s. minr.* jasp.

jaundice ['dʒɔ:ndis] **I.** *s.* **1.** icter. **2.** gelozie. **3.** invidie. **II.** *vt.* a face invidios.

jaunt [dʒɔːnt] I. s. plimbare. II. vi. a se plimba.

jaunty [dʒɔːnti] adj. 1. vioi. 2. vesel. 3. nepăsător; degajat.

Javanese [ˌdʒɑːvəˈniːz] I. adj. javanez, din Java. II. s. 1. javanez; javaneză. 2. limba javaneză.

javelin [ˈdʒævlin] s. sport suliță.

jaw [dʒɔː] I. s. 1. falcă. 2. pl. gură. 3. pl. fig. intrare. 4. pl. zool. și fig. clește. 5. vorbărie. 6. discurs, predică morală. II. vt. 1. a dădăci. 2. a dăscăli, a moraliza, a ocărî. III. vi. 1. a face morală. 2. a îndruga (la) verzi și uscate.

jaw bone [ˈdʒɔː boun] s. anat. osul maxilarului.

jay [dʒei] s. gaiță (și fig.).

jazz [dʒæz] I. s. 1. jaz. 2. dans. 3. gălăgie. 4. violență. II. adj. 1. violent. 2. țipător. 3. zgomotos. III. vt. 1. a cânta în stil de jaz. 2. a înviora. IV. vi. 1. a dansa jaz. 2. a fi vioi.

jealous [ˈdʒeləs] adj. 1. gelos. 2. pizmaș. 3. grijuliu, prudent.

jealousy [ˈdʒeləsi] s. 1. gelozie. 2. invidie.

jean [dʒiːn] s. 1. postav. 2. pl. pantaloni de salopetă; blugi, ginși.

jeep [dʒiːp] s. amer. 1. jeep. 2. av. avion mic de recunoaștere.

jeer [dʒiə] I. s. 1. ironie. 2. batjocură. II. vi. 1. a-și bate joc. 2. a râde.

jeeringly [ˈdʒiəriŋli] adv. batjocoritor, zeflemitor, în derâdere.

Jehovah [dʒiˈhouvə] s. rel. lehova.

jehu [ˈdʒiːhjuː] s. iron. vizitiu, birjar, căruțaș.

jejune [dʒiˈdʒuːn] adj. 1. fig. slab, sărăcăcios. 2. (d. sol) sterp, neroditor; uscat. 3. plicticos, insipid, fără spirit; lipsit de interes. 4. nemâncat.

jellied [ˈdʒelid] s. gastr. 1. (gătit) în aspic. 2. glazurat, îmbrăcat în jeleu / gelatină.

jelly [ˈdʒeli] s. 1. gelatină; piftie. 2. peltea.

jelly-fish [ˈdʒelifiʃ] zool. meduză (Hydrozoa sau Scyphozoa sp.).

jemmy [ˈdʒemi] s. 1. cizmă de călărie. 2. sl. cap, bostan. 3. sl. cap de berbec (mâncare).

jennet [ˈdʒenit] s. ponei (spaniol), căluț.

jenny [ˈdʒeni] s. înv. text. ring de filat.

jeopard [ˈdʒepəd] vt. v. **jeopardize**.

jeopardize [ˈdʒepədaiz] vt. a primejdui.

jeopardy [ˈdʒepədi] s. primejdie.

jerboa [dʒɜːˈbouə] s. zool. mic rozător african cu picioare lungi (Dispus aegypticus; Jaculus jaculus).

jeremiad [ˌdʒeriˈmaiəd] s. ieremiadă, plângere; cântec de jale; elegie.

Jericho [ˈdʒerikou] s. rel. Ierihon. || fam. go to ~ ! du-te la dracu'! || fam. I wish you were in ~ ! duce-te-ai unde și-a întărcat dracu' copiii!

jerk[1] [dʒɜːk] I. s. 1. smucitură. 2. zguduitură. 3. tâmpit. II. vt. 1. a zdruncina. 2. a smulge. III. vi. 1. a merge săltat. 2. a se zdruncina.

jerk[2] [dʒɜːk] vt. a tăia în fâșii lungi și a usca la soare; a face pastramă.

jerkin [ˈdʒɜːkin] s. ist. veston bărbătesc scurt (din piele); vestă, pieptar.

jerky [ˈdʒɜːki] adj. 1. ușuratic. 2. intermitent. 3. hurducat, zdruncinat, plin de hopuri. 4. prost, stupid. 5. slab, fără vigoare.

jeroboam [ˌdʒerəˈbouəm] s. 1. cupă mare, pocal. 2. sticlă mare de vin, carafă. 3. brit. oală de noapte, țucal.

jerrican [ˈdʒerikæn] s. v. **jerrycan**.

jerry [ˈdʒeri] s. sl. oală de noapte, țucal.

Jerry, jerry [ˈdʒeri] s. mil. sl. 1. neamț. 2. soldat german. 3. avion german.

jerry-built [ˈdʒeribilt] adj. șubred.

jerrycan [ˈdʒerikæn] s. bidon pentru apă sau benzină, canistră.

jersey [ˈdʒɜːzi] s. jerseu.

jess [dʒes] s., mai ales pl. 1. curea sau piedică legată de piciorul șoimului domesticit. 2. fig. fiare, lanțuri.

jessamine [ˈdʒesəmin] s. v. **jasmin(e)**.

jest [dʒest] I. s. 1. glumă. 2. anecdotă. 3. farsă. 4. obiect de batjocură. II. vi. a glumi (și fig.).

jester [ˈdʒestə] s. 1. bufon. 2. mucalit.

jesting [ˈdʒestiŋ] I. adj. glumeț. II. s. glumă. || ~ apart lăsând gluma la o parte.

Jesuit [ˈdʒezjuit] s. iezuit.

jet [dʒet] I. s. 1. jet, țâșnitură. 2. bec (de gaz etc.). 3. lignit. 4. av. reacție. 5. avion cu reacție. II. adj. 1. negru. 2. av. cu reacție. III. vt. a arunca. IV. vi. a țâșni.

jetsam [ˈdʒetsəm] s. 1. lest. 2. lucruri aruncate peste bord. 3. lucruri aduse de apă. 4. fig. vagabond.

jettison [ˈdʒetisn] I. s. aruncarea lestului peste bord. II. vt. a arunca peste bord (și fig.).

jetty [ˈdʒeti] s. 1. dig. 2. debarcader.

Jew [dʒuː] I. s. 1. evreu. 2. cămătar. 3. negustor. II. vt. 1. a păcăli. 2. a se tocmi cu.

jewel(le)ry [ˈdʒuːəlri] s. 1. bijuterii. 2. nestemate.

jewell [ˈdʒuːəl] s. 1. giuvaier; bijuterie. 2. piatră prețioasă. 3. (la ceasornic) rubin. 4. podoabă.

jeweller [ˈdʒuːələ] s. giuvaiergiu.

Jewess [ˈdʒuis] s. peior. evreică.

Jewish [ˈdʒuiʃ] adj. evreiesc.

Jewry [ˈdʒuəri] s. 1. evreime. 2. fam. evreii. 3. ghetou, cartier evreiesc.

jew's-harp [ˈdʒuːzˈhɑːp] s. drâmbă.

jib [dʒib] vi. 1. a se opri brusc; a se sprijini. 2. (d. cal) a se încăpățâna; a avea nărav; a fi fricos. 3. a se lăsa când pe un picior când pe altul (stând pe loc). 4. to ~ at a ezita să (faci ceva).

jib boom [ˈdʒib buːm] s. nav. baston de bompres.

jibe[1] [dʒaib] I. s. glumă. II. vi. a glumi.

jibe[2] [dʒaib] s. v. **gybe**.

jiffy [ˈdʒifi] s. moment.

jig [dʒig] I. s. muz. gigă. II. vi. a dănțui.

jigger [ˈdʒigə] s. 1. persoană care dansează giga. 2. muncitor care spală minereul; trior. 3. el. transformator de cuplaj. 4. mar. bate-pupa; palanc (al unei manevre). 5. nav. iolă cu velă. 6. păpușar. 7. ferăstrău cu pânză îngustă. 8. text. jigger. 9. roata olarului. 10. bridge (la biliard și pool). 11. fam. lucru, chestie; șmecherie. 12. sl. pârnaie, zdup. 13. sl. rablă (bicicletă etc.).

jiggery-pokery [ˈdʒigəriˈpoukəri] s. fam. absurditate; vorbe goale, nimicuri; moft, bagatelă.

jiggle [ˈdʒigl] vi. 1. a se legăna, a se clătina. 2. a se fuduli, a se umfla în pene.

jig-saw ['dʒigsɔ:] s. tehn. ferăstrău cu pânză îngustă.

jilt [dʒilt] I. s. 1. cochetă. 2. crai, don juan. II. vt. 1. a rupe logodna cu. 2. a părăsi (o iubită etc.).

Jim Crow ['dʒim'krou] I. s. 1; peior. negru, om de culoare. 2. discriminare rasială. II. adj. 1. rasist. 2. segregaţionist, de discriminare rasială.

Jim Crow car ['dʒim'krou'kɑ:] s. peior. vehicul pentru negri.

Jim Crowism ['dʒim 'krouizəm] s. amer. sl. discriminare rasială, rasism.

jimmy ['dʒimi] amer. I. s. 1. mine. cărucior pentru transportul cărbunelui. 2. rangă, drug de fier. 3. instrument cu care se deschide orice broască; şperaclu. 4. sl. cap, ţeastă. || sl. that's all ~ asta e curată nebunie. II. vt. a sparge sau a deschide cu o rangă.

jingle ['dʒiŋl] I. s. 1. clinchet. 2. zornăit. II. vt. 1. a face să sune (clopotele etc.). 2. a zornăi. III. vi. 1. a zornăi. 2. a produce un clinchet.

jingle-bells ['dʒiŋlbelz] s. zurgălăi (la sanie).

Jingo ['dʒiŋgou] s. şovin. || by ~ ! formidabil! pe legea mea! zău!

jingoism ['dʒiŋgoizəm] s. şovinism; extremism.

jink [dʒiŋk] s. 1. mai ales scoţian evaziune, fugă. 2. mai ales pl. petrecere, chef.

jinn(ee) ['dʒin(i:)], pl. **jinn** s. djin (duh din „O mie şi una de nopţi").

jinrik(i)sha [dʒin'rikʃə] s. ricşă.

jinx [dʒiŋks] I. s. piază rea. II. vt. 1. a aduce ghinion (cu dat.). 2. a încurca, a strica. 3. a deochia.

jitney ['dʒitni] s. 1. monedă măruntă. 2. autobuz popular. 3. tehn. maşină pentru remorcat.

jitters ['dʒitəz] s. pl. bâţâială, tremur(ici).

jiu-jitsu [dʒiu:'dʒitsu:] s. jiu-jitsu.

jo [dʒou] s. cuvânt scoţian 1. drăguţă, iubită, mândră. 2. drăguţ, iubit.

job [dʒɔb] I. s. 1. lucrare. 2. treabă. 3. sarcină. 4. slujbă; post. || on the ~ la treabă, pe teren; to be out of a ~ a şoma. II. vt. 1. a aranja. 2. a face afaceri. 3. a se ocupa de vânzări.

jobber ['dʒɔbə] s. 1. agent de bursă. 2. escroc. 3. angrosist. 4. lucrător, salahor.

jobbery ['dʒɔbəri] s. 1. samsarlâc, misiţie; speculă. 2. folosirea postului (a serviciului) pentru scopuri personale; abuz de încredere.

jobless ['dʒɔblis] adj. fără lucru.

jock [dʒɔk] s. 1. jocheu. 2. disc-jockey. 3. sl. penis.

jockey ['dʒɔki] I. s. 1. jocheu. 2. lucrător. II. vt. a păcăli.

jock-strap ['dʒɔkstræp] s. sport suspensor.

jocose [dʒɔ'kous] adj. glumeţ; vesel; jucăuş.

jocular ['dʒɔkjulə] adj. 1. glumeţ. 2. umoristic.

jocularity [,dʒɔkju'læriti] s. veselie, jovialitate.

jocund ['dʒɔkənd] adj. vesel.

Joe Blow ['dʒou 'blou] s. amer. mil. sl. soldat.

Joe Miller ['dʒou 'milə] s. 1. anecdotă învechită, glumă veche. 2. colecţie de glume sau anecdote învechite.

jog [dʒɔg] I. s. ghiont. II. vt. 1. a (în)ghionti. 2. a stârni. 3. a împinge.

joggle ['dʒɔgl] fam. I. vt. 1. a scutura uşor. 2. to ~ smth. out a scoate ceva prin uşoare scuturături. II. vi. a tremura; a fi scuturat. III. s. scuturătură.

John-a-dreams ['dʒɔnə,dri:mz] s. 1. visător. 2. leneş, trântor.

John Barleycorn ['dʒɔn 'bɑ:likɔ:n] s. personificare umoristică a orzului ca material din care se fabrică bere sau whisky.

John Bull [,dʒɔn'bul] s. peior., iron. 1. englezul (tipic). 2. naţiunea britanică.

John-Bullism [,dʒɔn 'bulizəm] s. peior., iron. 1. caracterul englezului. 2. trăsătură caracteristică a lui John Bull.

John Company ['dʒɔn ,kʌmpəni] s. ist. fam. Compania engleză a Indiilor (de est).

John Doe [,dʒɔn 'dou] s. jur. fam. reclamant imaginar într-un proces.

John-go-to-bed-at-noon ['dʒɔngou tə bed ət ,nu:n] s. bot. fam. 1. ţâţa-caprei (Tragopogon pratensis). 2. scânteiuţă (Anagallis arvensis).

John Hancock ['dʒɔn 'hænkɔk] s. amer. fam. autograf.

John-hold-my-staff ['dʒɔn 'hould-mai,stɑ:f] s. pop. lingău, parazit.

Johnny, johnny ['dʒɔni] s. 1. fam. tânăr, flăcău. 2. om fercheş, spilcuit.

Johnnycake ['dʒɔnikeik] s. lipie, turtă (în S.U.A., de porumb; în Australia, de grâu).

Johnny jumper ['dʒɔni ,dʒʌmpə] s. v. **Johnny-jump-up**.

Johnny-jump-up ['dʒɔni,dʒʌmp'ʌp] s. bot. trei-fraţi-pătaţi (Viola tricolor).

Johnny Raw [,dʒɔni rɔ:] s. sl. ageamiu; recrut.

John-o'-Groat('s House) ['dʒɔn ə,grout(shaus)] s. nordul Scoţiei. || from ~ to Land's End din nordul (şi) până în sudul Angliei; de la un capăt la altul (al ţării).

joie de vivre [ʒwɑ:də'vi:vr] s. bucuria de a trăi.

join [dʒɔin] I. s. îmbinare, încheietură. II. vt. 1. a îmbina. 2. a uni. 3. a intra / a se înscrie în. 4. a se înrola în (armată). 5. a ajunge din urmă. 6. a se uni cu. || to ~ the colours a intra în armată; I'll ~ you later vin şi eu mai târziu; to ~ issue with a se contrazice cu, a polemiza cu. III. vi. a se uni; a se asocia.

joiner ['dʒɔinə] s. 1. tâmplar de mobilă. 2. element / factor de legătură.

joinery ['dʒɔinəri] s. 1. tâmplărie. 2. mobilă.

joint [dʒɔint] I. s. 1. încheietură, articulaţie. 2. îmbinare. 3. pulpă (de vacă etc.). 4. cârciumă. II. adj. 1. comun; unic. 2. unit. 3. asociat. III. vt. 1. a îmbina. 2. a uni. 3. a desface în bucăţi, a dezmembra.

jointly ['dʒɔintli] adv. în comun.

joint-stock company [,dʒɔint'stɔk ,kʌmpəni] societate pe acţiuni.

jointure ['dʒɔintʃə] jur. I. s. 1. proprietate; partea văduvei din moştenire. 2. pensie viageră (pentru văduvă). II. vt. a fixa o pensie viageră (cuiva); a trece (o parte din moştenire) soţiei.

joist ['dʒɔist] s. tehn. grindă; bară; traversă metalică profilată.

jojoba [hou'houbə] s. bot. arbust oleaginos din deşertul nordamerican (Simmondsia californica).

joke [dʒouk] I. s. glumă II. vi. a glumi.

joker ['dʒoukə] s. 1. glumeţ. 2. individ. 3. (jolly) joker (la cărţi).

jollification [,dʒɔlifi'keiʃn] s. 1. chef. 2. petrecere. 3. serbare.

jollity ['dʒɔliti] s. 1. veselie. 2. petrecere.

jolly ['dʒɔli] I. *adj.* 1. vesel. 2. ameţit. 3. plăcut. II. *adv.* 1. foarte. 2. destul de. || ~ *good* bunişor, bun.

jolly boat ['dʒɔlibout] *s. mar.* iolă *(barcă mai mică decât cuterul).*

jolt [dʒoult] I. *s.* zdruncinătură, zguduitură. II. *vt.* a zdruncina. III. *vi.* a merge cu zguduituri.

Jonathan ['dʒɔnəθən] *s.* 1. mere ionatane *(varietate de mere de desert).* 2. (şi **Brother** ~) personificare a cetăţeanului tip din S.U.A.

jongleur [ʒɔ:ŋ'glɔ:] *s. ist.* cântăreţ rătăcitor din Evul Mediu, menestrel.

jonquil ['dʒɔŋkwil] *s.* 1. *bot.* narcisă-galbenă, coprină *(Narcissus).* 2. culoare galben pal.

Jordan almond ['dʒɔ:dn, ɑ:mənd] *s.* migdală *(importată din Malaya, întrebuinţată la dulciuri).*

josh [dʒɔʃ] *amer. sl.* I. *s.* glumă, festă; mistificare. II. *vt.* a batjocori, a mistifica, a lua în râs *(pe cineva).*

joss [dʒɔs] *s.* 1. idol chinezesc. 2. *sl.* succes, reuşită.

joss stick ['dʒɔsstik] *s.* beţişor aromat.

jostle ['dʒɔsl] I. *s.* ghiont. II. *vt.* 1. a îmbrânci. 2. a înghionti.

jot [dʒɔt] I. *s.* 1. notiţă. 2. însemnare. || *not a* ~ nici un pic. II. *vt.* a nota.

jotter ['dʒɔtə] *s.* bloc-notes, carnet.

joule [dʒu:l] *s. el.* joule.

jounce ['dʒauns] I. *vi.* a se lovi, a se zdruncina *(călărind repede),* a sălta în şa. II. *vt.* a zgudui, a zdruncina, a presa.

journal ['dʒɔ:nl] *s.* 1. ziar. 2. revistă. 3. jurnal *(cu însemnări).* 4. *tehn.* axă.

journalese [,dʒɔ:nə'li:z] *s.* stil gazetăresc; stil neglijent.

journalism ['dʒɔ:nəlizəm] *s.* gazetărie.

journalist ['dʒɔ:nəlist] *s.* ziarist.

journalistic [,dʒɔnə'listik] *adj.* gazetăresc.

journey ['dʒɔ:ni] I. *s.* călătorie. II. *vi.* a călători.

journeyman ['dʒɔ:nimən] *s. pl.* **journeymen** ['dʒɔ:nimən] 1. calfă. 2. salahor.

joust [dʒaust] I. *s. (şi pl.) ist.* duel cavaleresc *(călare),* turnir. II. *vi.* a se lupta în duel / turnir, a duela *(călare).*

Jove [dʒouv] *s.* Jupiter.

jovial ['dʒouviəl] *adj.* vesel; jovial.

joviality [,dʒouvi'æliti] *s.* jovialitate, veselie; sociabilitate.

jovially ['dʒouvjɔli] *adv.* vesel; jovial.

Jovian ['dʒouvjən] *adj.* 1. jupiterian. 2. referitor la planeta Jupiter.

jowl [dʒaul] *s.* 1. falcă (de jos). 2. obraz. || *cheek by* ~ *fig.* mână în mână; în cârdăşie; la cataramă.

joy [dʒɔi] I. *s.* bucurie. II. *adj.* 1. fericit. 2. îmbucurător.

joyful ['dʒɔiful] *adj.* vesel, bucuros; voios; fericit.

joyfully ['dʒɔifuli] *adv.* vesel, cu veselie, voios, *etc.* v. **joyful.**

joyless ['dʒɔilis] *adj.* 1. trist. 2. dezolant.

joyous ['dʒɔiəs] *adj.* vesel.

joyously ['dʒɔiəsli] *adv.* v. **joyfully.**

joyousness ['dʒɔiəsnis] *s.* veselie, bucurie, voie bună, plăcere.

joyride ['dʒɔiraid] *s.* plimbare cu automobilul (furat).

jubilant ['dʒu:bilənt] *adj.* triumfător.

jubilation [,dʒu:bi'leiʃn] *s.* veselie; jubilare, triumf.

jubilee ['dʒu:bili:] *s.* jubileu de 50 de ani.

Judaic [dʒu:'deiik] *adj.* iudaic, mozaic, ebraic, evreiesc.

Judaism ['dʒu:də,izəm] *s.* iudaism.

Judas ['dʒu:dəs] *s.* 1. iudă, trădător. 2. deschizătură în uşă *(pentru a spiona).*

judder ['dʒʌdə] *vi.* a tremura, a-i clănţăni dinţii.

judge [dʒʌdʒ] I. *s.* 1. judecător. 2. arbitru *(fig.).* II. *vt.* 1. a judeca. 2. a considera. 3. a presupune. III. *vi.* a judeca.

judg(e)ment ['dʒʌdʒmənt] *s.* 1. judecată. 2. sentinţă; hotărâre judecătorească. 3. osândă. 4. părere, opinie. 5. înţelepciune.

judicature ['dʒudikətʃə] *s.* 1. magistratură. 2. justiţie.

judicial [dʒu'diʃl] *adj.* 1. judecătoresc. 2. juridic. 3. drept, just.

judiciary [dʒu'diʃiəri] *s.* justiţie.

judicious [dʒu'diʃəs] *adj.* 1. înţelept. 2. cu judecată.

judiciously [dʒou'diʃəsli] *s.* judicios, cu judecată, înţelept, cu discernământ.

Judy ['dʒu:di] *s.* 1. personaj feminin în teatrul de păpuşi, soţia lui Punch. 2. *fam.* femeie ridicolă.

jug [dʒʌg] *s.* 1. urcior. 2. chiup. 3. închisoare.

Juggernaut ['dʒʌgənɔ:t] *s.* 1. *(mit. indiană)* Jaganata *(cea de-a opta incarnare a zeului Vişnu).* 2. *fig.* forţă implacabilă; credinţă oarbă.

juggins ['dʒʌginz] *s. sl.* prostănac, găgăuţă.

juggle ['dʒʌgl] *vi.* a jongla, a face jonglerii.

juggler ['dʒʌglə] *s.* jongler, scamator.

jugglery ['dʒʌglɔri] *s.* jonglerie, scamatorie.

Jugoslav ['ju:go,slɑ:v] *s.* iugoslav.

jugular ['dʒʌgjulə] *anat.* I. *adj.* jugular. II. *s.* venă jugulară.

juice ['dʒu:s] *s.* suc.

juicy ['dʒu:si] *adj.* 1. zemos. 2. suculent.

ju-jitsu [dʒu'dʒitsu] *s. sport.* judo; jiu-jitsu.

ju-ju ['dʒu:dʒu:] *s.* 1. farmec(e), descântec(e); conjurare. 2. amuletă, fetiş. 3. tabu.

jujube ['dʒu:dʒu:b] *s.* 1. *bot.* jujubă *(Zizyphus jujuba).* 2. tabletă medicinală cu gust special de jujubă.

ju-jutsu [dʒu:'dʒutsu:] *s. sport.* jiu-jitsu, judo.

juke-box ['dʒu:kbɔks] *s.* tonomat.

julep ['dʒu:lep] *s.* 1. julep *(sirop în care se pun ierburi aromate).* 2. băutură răcoritoare. 3. *amer.* băutură din whisky / coniac cu apă, zahăr şi mentă.

Julian ['dʒu:ljən] *adj.* iulian.

julienne [dʒu:li'en] I. *s. gastr.* supă Julienne *(cu zarzavaturi tăiate mărunt)* II. *adj.* tăiat mărunt.

juliet cap ['dʒu:liet kæp] *s.* tocă brodată purtată de mirese.

July [dʒu'lai] *s.* iulie.

jumble ['dʒʌmbl] I. *s.* 1. încurcătură. 2. amestec. II. *vt., vi.* 1. a (se) amesteca. 2. a (se) încurca.

jumbo ['dʒʌmbou] *s.* 1. elefant african gigant; *fam.* elefant. 2. om / animal mare şi greoi; uriaş, matahală. 3. *sl.* băftos, om norocos. 4. *nav.* trichentin de goeletă. 5. *constr.* cărucior de perforare.

jump [dʒʌmp] I. *s.* 1. săritură; salt. 2. zdruncinătură. II. *vt.* 1. a sări (peste). 2. a depăşi. 3. a lăsa la o parte. III. *vi.* 1. a sări; a sălta. 2. a tresări. 3. a se repezi. || *to* ~ *at an offer* a se grăbi să accepte o propunere; *to* ~ *out of the frying pan into the fire* a cădea din lac în puţ.

jumper ['dʒʌmpə] s. **1.** săritor. **2.** pulover, jerseu.

jumpy ['dʒʌmpi] adj. **1.** nerăbdător. **2.** nervos, agitat.

junction ['dʒʌŋʃn] s. **1.** conjunctură. **2.** joncţiune. **3.** nod (feroviar etc.).

juncture ['dʒʌntʃə] s. **1.** clipă, moment. **2.** conjunctură, situaţie. **3.** punct (fig.). **4.** cusătură, îmbinare.

June [dʒu:n] s. iunie.

jungle ['dʒʌŋgl] s. junglă (şi fig.).

junior ['dʒu:njə] I. s. **1.** junior. **2.** tânăr. **3.** student / elev în primii ani. II. adj. **1.** (d. fraţi) mai mic. **2.** mai tânăr. **3.** junior. **4.** inferior.

juniper ['dʒu:nipə] s. ienupăr.

junk [dʒʌŋk] s. **1.** gunoi. **2.** resturi. **3.** fleacuri. **4.** joncă.

Junker, junker ['jʊŋkə] s. **1.** iuncăr (tânăr din aristocraţia prusacă). **2.** fig. încrezut, închipuit.

junket ['dʒʌŋkit] I. s. **1.** lapte bătut. **2.** petrecere, chef, zaiafet. **3.** plimbare. **4.** banchet. II. vi. **1.** a petrece. **2.** a face o plimbare / excursie.

junkie ['dʒʌŋki] s. sl. toxicoman, morfinoman, drogat.

junta ['dʒʌntə] s. juntă.

junto ['dʒʌntou] s. clică, fracţiune politică; alianţă secretă; cabală.

Jurassic [dʒu'ræsik] geol. I. adj. jurasic. II. s. jurasic, perioadă jurasică.

juridical [dʒu'ridikl] adj. juridic, legal; judiciar.

jurisdiction [,dʒuəris'dikʃn] s. autoritate, jurisdicţie.

jurisprudence [,dʒuəris'pru:dns] s. jurisprudenţă. || medical ~ medicină judiciară.

jurist ['dʒuərist] s. jurist, jurisconsult; amer. avocat, om al legii.

juror ['dʒuərə] s. **1.** jurat. **2.** membru al unui juriu.

jury ['dʒuəri] s. **1.** juraţi. **2.** juriu.

juryman ['dʒuərimən] s. pl. **jurymen** [dʒuərimən] jurat.

just [dʒʌst] I. adj. **1.** drept, just. **2.** meritat. **3.** întemeiat. **4.** înţelept. II. adv. **1.** chiar. **2.** tocmai, exact. **3.** abia. **4.** cam. || ~ now adineauri; ~ about enough cam prea de ajuns.

justice ['dʒʌstis] s. **1.** justiţie. **2.** dreptate. **3.** judecată. **4.** justificare. **5.** judecător; magistrat. || to do ~ to a face dreptate (cuiva), a recunoaşte meritele

(cuiva); a onora (mâncarea, băutura); to do oneself ~ a corespunde aşteptărilor.

justiciary [dʒʌs'tiʃiəri] I. s. **1.** funcţionar judecătoresc. **2.** (ist. Angliei) justiţiar (judecător cu puteri absolute). II. adj. judiciar, judecătoresc.

justifiable ['dʒʌstifaiəbl] adj. justificabil, îndreptăţit, legitim; justificat.

justification [,dʒʌstifi'keiʃn] s. **1.** justificare, scuză. **2.** dreptate.

justify ['dʒʌstifai] vt. **1.** a îndreptăţi. **2.** a scuza.

justle ['dʒʌsl] vt, vi. v. **jostle**.

jut [dʒʌt] I. s. colţ; proeminenţă. II. vi. (out) a ieşi în afară, a fi proeminent.

jute [dʒu:t] s. iută.

juvenile [dʒu:vainil] I. s. **1.** tânăr. **2.** pl. cărţi pentru tineret. II. adj. **1.** de tineret. **2.** în rândurile tineretului.

juvenilia [dʒu:və'niliə] s. pl. opere de adolescenţă.

juxtapose [dʒʌkstəpouz] vt. a alătura, a juxtapune.

juxtaposition [,dʒʌkstəpə'ziʃn] s. alăturare, juxtapunere.

K

K [kei] s. litera K, k.

Kaf(f)ir ['kæfə] s. **1.** cafru. **2.** pl. fam. rente, acţiuni (în Africa de Sud).

kaftan ['kæftæn] s. caftan; halat oriental lung.

kaiser ['kaizə] s. kaiser, împărat.

kale [keil] s. **1.** bot. conopidă (Brassica napus). **2.** ciorbă de varză (proaspătă). **3.** supă de legume.

kaleidoscope [kə'laidəskoup] s. caleidoscop.

kaleidoscopic(al) [kə,laidə-'skopik(l)] adj. caleidoscopic.

kangaroo [,kæŋgə'ru:] s.zool. cangur (Macropodidae sp.).

Kantian ['kæntiən] filoz. I. adj. kantian. II. s. adept al filozofiei lui Kant.

kaolin ['keiəlin] s. minr. caolin.

kapok ['keipɔk] s. **1.** bot. capoc (Ceiba pentandra, Eriodendron

anfractuosum). **2.** text. capoc.

kappa ['kæpə] s. kappa (literă grecească).

karakul ['kærəkʌl] s. (oaie) caracul.

karate [kə'rɑ:ti] s. karate.

karma ['kɑ:mə] s. karma, destin (la budişti).

Kate [keit] s. amer. pop. femeie de moravuri uşoare.

katydid ['keitidid] s. entom. greiere nord-american (Cyrtophyllum concavum).

kauri ['kauri] s. bot. cauri (conifer din Noua Zeelandă) (Agathis australis).

kayak ['kaiæk] s. mar. caiac.

KBE abrev. Knight Commander of the Order of the British Empire Cavaler Comandant al Ordinului Imperiului Britanic.

kea ['keiə] s. ornit. papagal mare din Noua Zeelandă (Nestor

notabilis).

kedge [kedʒ] mar. I. vi. a se trage pe ancoră, a fi remorcat pe ancoră. II. s. ancoră mică de pupă.

kedgeree [,kedʒə'ri:] s. mâncare indiană din orez, ouă şi ceapă.

keel [ki:l] I. s. pântece de navă, chilă. II. vt., vi. a (se) răsturna.

keelson ['kelsn] s. nav. carlingă.

keen [ki:n] adj. **1.** ascuţit. **2.** acut. **3.** ager. **4.** puternic. **5.** entuziast. **6.** pasionat.

keenly ['ki:nli] adv. tăios, aspru; profund; viu. || the wind was blowing ~ bătea un vânt aspru; he was ~ criticized a fost aspru criticat; to be ~ interested in a arăta un interes viu pentru; to listen ~ a asculta cu atenţie.

keenness ['ki:nnis] s. **1.** ascuţime, caracter tăios (şi fig.). **2.**

asprime *(a frigului)*. **3.** grabă, ardoare, însufleţire. **4.** fineţe *(a auzului etc.)*; subtilitate.

keep [ki:p] **I.** *s.* **1.** hrană. **2.** întreţinere. **3.** donjon. || *for ~s* definitiv. **II.** *vt. trec. şi part. trec.* **kept** [kept] **1.** a păstra. **2.** a ţine. **3.** a deţine. **4.** a reţine. **5.** a întreţine. **6.** a susţine. **7.** a poseda. **8.** a administra. **9.** a respecta. **10.** a fi credincios faţă de. **11.** a apăra. **12.** a sărbători. **13.** a ascunde. || *to ~ at bay* a ţine în şah; *to ~ one's (own) counsel* a nu se sfătui cu nimeni; *to ~ early hours* a se culca devreme; *to ~ one's eyes skinned* a fi cu ochii în patru; *to ~ one's hair on* a fi calm; *to ~ one's hand in* a-şi menţine antrenamentul; *to ~ one's head* a nu-şi pierde capul; *to ~ smb. in the dark* a se ascunde de cineva; a tăinui cuiva adevărul; *to ~ in mind* a nu uita; *to ~ one's temper* a-şi păstra calmul; *to ~ up* a păstra, a menţine. **III.** *vi. trec. şi part. trec.* **kept** [kept] **1.** a rămâne. **2.** a stărui. **3.** a continua. **4.** a se menţine. **5.** a nu se strica. **6.** a ţine. || *to ~ clear of, to ~ off* a se ţine deoparte, a se feri; *to ~ out* a nu se amesteca.

keeper ['ki:pə] *s.* **1.** paznic. **2.** portar. **3.** îngrijitor.

keeping ['ki:piŋ] *s.* **1.** grijă, protecţie. **2.** apărare. **3.** înţelegere. **4.** conformitate. || *in ~ with* conform cu, după.

keepsake ['ki:pseik]*s.* suvenir.

keg [keg] *s.* butoiaş.

kelp [kelp] *s. bot.* vareh *(Macrocystis pyrifera)*.

kelpie ['kelpi] *s. mit.* scoţiană geniu marin răufăcător *(care atrage corăbiile şi le scufundă)*.

Kelt [kelt] *s.* celt.

ken [ken] *s.* **1.** cunoaştere. **2.** posibilităţi *(fig.)*.

kendo ['kendou] *s.* kendo *(scrimă japoneză cu săbii de bambus)*.

kennel ['kenl] **I.** *s.* **1.** vizuină. **2.** coteţ, cuşcă *(de câine)*. **3.** colibă, bordei. **II.** *vi.* a sta într-o cocioabă. **III.** *vt.* a băga *(un câine)* în coteţ.

Kentish ['kentiʃ] **I.** *adj.* din Kent. **II.** *s.* dialectul din Kent.

Kentuckian [ken'tʌkiən] **I.** *adj.* din Kentucky. **II.** *s.* locuitor din Kentucky.

kept [kept] *trec. şi part. trec. de la* **keep**.

kerb [kə:b] *s.* **1.** bordură *(de trotuar)*. **2.** refugiu *(pentru pietoni)*.

kerbstone ['kə:bstoun] *s.* bordură *(a trotuarului)*.

kerchief ['kə:tʃif] *s.* **1.** batic. **2.** basma.

kermes ['kə:miz] *s.* **1.** *entom.* insecta *Coccus illicis*. **2.** cârmâz *(vopsea roşie obţinută prin uscarea acestei insecte)*.

kern [kə:n] *s. poligr.* element prelungit peste corpul literei.

kernel ['kə:nl] *s.* **1.** sâmbure. **2.** miez *(de nucă)*, nucleu. *(şi fig.)* **3.** bob de cereală.

kerosene ['kerəsi:n] *s.* gaz (lampant), petrol.

kersey ['kə:zi] *s.* kirze *(ţesătură groasă pentru carâmbi.)*

kestrel [kestrl] *s. ornit.* vânturel *(Falco tinnunculus)*.

ketch [ketʃ] *s. mar.* keci.

ketchup ['ketʃəp] *s.* sos picant.

kettle ['ketl] *s.* **1.** ceainic. **2.** ibric. || *a pretty ~ of fish* mare încurcătură.

kettledrum ['ketldrʌm] *s.* tobă mare.

key [ki:] **I.** *s.* **1.** cheie *(şi fig.)*. **2.** poziţie dominantă / cheie. **3.** *muz.* cheie. **4.** clapă *(de pian etc.)*. **5.** *fig.* ton. **II.** *adj.* esenţial, cheie. **III.** *vt.: to ~ up fig.* a stimula, a aţâţa; *muz.* a acorda.

keyboard ['ki:bɔ:d] *s.* claviatură.

keyhole ['ki:houl] *s.* gaura cheii.

keynote ['ki:nout] *s.* **1.** *muz.* dominantă. **2.** *fig.* notă dominantă.

keystone ['ki:stoun] *s.* **1.** cheie de boltă *(şi fig.)*. **2.** bază.

KGB *abrev. ist.* K.G.B. *(securitatea sovietică)*.

khaki ['kɑ:ki] *s., adj.* kaki.

Khan [kɑ:n] *s.* han *(tătar etc.)*.

khedive [ki'di:v] *s. ist.* chediv *(vicerege turc al Egiptului)*.

kHz *abrev. kilohertz* kilohertz(i).

kick [kik] **I.** *s.* **1.** lovitură cu piciorul. **2.** *sport* şut. **3.** *fig.* emoţie; plăcere. **4.** stimulent. **5.** picanterie. **II.** *vt.* **1.** a lovi cu piciorul, a da cu piciorul în / la. **2.** a azvârli || *to~ up a row* a face scandal; *to ~ one's heels* a pierde vremea; *to ~ the bucket* a da ortul popii. **III.** *vi.* **1.** a da din picioare. **2.** a face opoziţie. **3.** a face scandal / tărăboi.

kick-off ['kik'ɔ:f] *s.* lovitură de deschidere *(la fotbal etc.)*.

kickshaw ['kikʃɔ:] *s. înv.* **1.** delicatesă, mâncare aleasă. **2.** fleac; bibelou.

kid [kid] **I.** *s.* **1.** ied. **2.** piele fină. **3.** copil; băieţel; fetiţă. **II.** *vt.* **1.** a trage pe sfoară. a păcăli. **2.** a-şi bate joc de. **III.** *vi.* a glumi.

kid-glove ['kid'glʌv] *s.* **1.** mănuşă de piele fină. **2.** manieră dulce, blândă; duhul blândeţii.

kidnap ['kidnæp] *vt.* a răpi.

kidnapper ['kidnæpə] *s.* răpitor / hoţ de copii; răpitor (de persoane).

kidney ['kidni] *s.* rinichi.

kill [kil] **I.** *s.* **1.** pradă, vânat. **2.** ucidere. **II.** *vt.* **1.** a omorî, a ucide. **2.** a tăia *(animale)*. **3.** a distruge. **4.** a nărui, a ruina. **5.** a amortiza, a atenua *(sunetele)*. || *to ~ off* a înlătura; *to ~ time* a omorî vremea; *to ~ two birds with one stone* a împuşca doi iepuri dintr-o lovitură; *to ~ with kindness* a copleşi cu amabilitatea.

killer [kilə] *s.* **1.** asasin. **2.** *iht.* delfin cu aripă ca sabia *(Orcinus orca)*. **3.** persoană grozavă, om de succes, vedetă, tip tare. **4.** lucru grozav *(ex. carte de succes)*.

killing ['kiliŋ] **I.** *adj.* **1.** ucigaş; ucigător. **2.** *fig.* seducător; cuceritor; irezistibil. || *fam. it is too ~ for words* să mori de râs (nu alta); *pop. to have a ~ time* a se speti (de prea multă muncă). **II.** *s.* **1.** ucidere, crimă. **2.** măcelărire. **3.** *fig.* masacru, carnaj.

kiln [kiln] *s.* cuptor *(de var etc.)*.

kilo. ['ki:lou] *s.* **1.** *abrev. kilogram(me)* kilogram. **2.** *abrev. kilometre* kilometru.

kilocycle ['kilousaikl] *s. el.* kilohertz, kilociclu.

kilogram(me) ['kilougræm] *s.* kilogram.

kilolitre ['kilou,li:tə] *s.* kilolitru.

kilometer, kilometre ['kilə,mi:tə] *s.* kilometru.

kiloton ['kilətʌn] *s. fiz.* kilotonă.

kilowatt ['kilouwɔt] *s. el.* kilowatt.

kilt [kilt] *s.* fustanela scoţienilor.

kimono [ki'mounu] *s.* kimono.

kin [kin] *s.* **1.** rubedenie. **2.** neam; neamuri. || *next of ~* rude apropiate.

kind [kaind] **I.** *s.* **1.** gen, chip, fel. **2.** fire. **3.** caracter, natură. || *to pay in ~* a plăti în natură; *something of the ~* aşa ceva; *nothing of the ~* nici vorbă de aşa ceva; câtuşi de puţin; *two of a ~* asemănători. **II.** *adj.* **1.** blând. **2.** dulce. **3.** prietenos. **4.** drăgăstos.

kindergarten ['kɪndə'gɑːtn] s. grădiniță (de copii).

kind-hearted ['kaind'hɑːtid] adj. **1.** bun (la inimă), de treabă. **2.** înțelegător.

kindle ['kindl] vt., vi a (se) aprinde (și fig.).

kindliness ['kaindlinis] s. **1.** bunătate. **2.** blândețe. **3.** amabilitate.

kindling ['kindliŋ] s. **1.** aprindere, încingere (a focului). **2.** fig. aprindere, ațâțare; stimulare. **3.** pl. amer. surcele de aprins focul.

kindly ['kaindli] **I.** adj. **1.** bun; binevoitor. **2.** amabil. **3.** bine. **II.** adv. cu bunătate, cu bunăvoință; favorabil, bine.

kindness ['kaindnis] s. **1.** bunătate. **2.** blândețe. **3.** amabilitate.

kindred ['kindrid] **I.** s. **1.** rude. **2.** rubedenii. **3.** înrudire. **II.** adj. **1.** înrudit. **2.** similar.

kine [kain] s. pl. înv. **1.** vite. **2.** vaci.

kinetic [ki'netik] adj. fiz. cinetic.

king [kiŋ] s. **1.** rege. **2.** magnat.

kingdom ['kiŋdəm] s. **1.** regat. **2.** regn. **3.** țară. **4.** domnie. || gone to ~ come dus pe lumea cealaltă.

kingfisher ['kiŋ,fiʃə] s. ornit. pescăruș-albastru (Alcedo ispida).

kingly ['kiŋli] adj. **1.** regesc. **2.** strălucitor. **3.** bogat.

kingship ['kiŋʃip] s. regalitate.

king's counsel ['kiŋz'kaunsl] s. avocat al statului.

kink [kiŋk] **I.** s. **1.** creț, buclă. **2.** întorsătură. **II.** vt., vi. a (se) suci, a (se) încreți.

kinky ['kiŋki] adj. (d. păr) creț; sârmos.

kinsfolk ['kinzfouk] s. **1.** neamuri. **2.** familie.

kinship ['kinʃip] s. **1.** înrudire. **2.** asemănare.

kinsman ['kinzmən] s. pl. **kinsmen** ['kinzmən] neam, rudă.

kinswoman ['kinz,wumən] s. pl. **kinswomen** [,kinz,wimin] rudă (femeie).

kiosk, kiosque [ki'ɔsk] s. chioșc (de ziare etc.).

kip [kip] **I.** s. fam. **1.** adăpost pentru noapte; azil. **2.** pat, culcuș. **II.** vi. fam. a dormi.

kipper ['kipə] s.iht. **1.** scrumbie afumată. **2.** somon.

kirk [kəːk] s. (cuvânt scoțian) biserică.

kirsch [kiəʃ] s. aprox. vișinată.

kirtle ['kəːtl] s. înv. **1.** fustă; rochie. **2.** scurtă; caftan.

kismet ['kizmet] s. soartă, destin.

kiss [kis] **I.** s. sărut. **II.** vt. **1.** a săruta. **2.** a atinge. || to ~ the dust a mușca țărâna; to ~ the rod a se supune disciplinei / tiraniei. **III.** vi. a se săruta.

kit [kit] s. echipament.

kitchen ['kitʃin] s. bucătărie.

kitchenette [,kitʃi'net] s. amer. bucătărioară (cu cămară).

kitchen-garden [,kitʃin'gɑːdn] s. grădină de legume.

kitchen-maid ['kitʃinmeid] s. ajutoare de bucătăreasă, fată la bucătărie.

kitchen-sink [,kitʃin'siŋk] s. chiuvetă de bucătărie.

kitchen-sink drama [,kitʃin'siŋk,drɑːmə] s. teatru dramă domestică contemporană (măruntă, sordidă).

kite [kait] s. **1.** zmeu (jucărie). **2.** ornit. uliu (Milvus milvus).

kith [kiθ] s. ~ and kin neamuri.

kitsch [kitʃ] s. artă kitsch.

kitten ['kitn] s. pisicuță.

kittiwake ['kitiweik] s. ornit. martinul-cu-trei-degete (Rissa tridactyla).

kitty ['kiti] s. **1.** pisoi, pisoiaș. **2.** (la jocul de cărți) caniotă.

kiwi(fruit) ['kiwi(fruːt) s. bot. kivi / kiwi.

kiwi(-kiwi) ['kiːvi ('kiːvi)] s. **1.** ornit. kiwi (Apteryx australis). **2.** kiwi av. sl. membru al personalului terestru al forțelor aeriene militare.

Klan [Klæn] s. v. **Ku-Klux-Klan.**

kleptomania [,kleptou'meiniə] s. cleptomanie.

knack [næk] s. **1.** pricepere, îndemânare. **2.** sl. șpil, secret.

knacker ['nækə] s. **1.** tăietor de cai; ecarisor, parlagiu. **2.** achizitor de dărâmături.

knapsack ['næpsæk] s. **1.** raniță. **2.** desagă. **3.** rucsac.

knapweed ['næpwiːd] s. bot. vinețele, floarea-grâului (Centaurea cyanus).

knave [neiv] s. **1.** ticălos. **2.** valet (la cărți).

knavery ['neivəri] s. **1.** necinste. **2.** ticăloșie.

knavish ['neiviʃ] adj. înșelător, șarlatanesc.

knead [niːd] vt. a frământa.

knee [niː] s. genunchi.

knee-cap ['niːkæp] s. rotulă.

knee-deep ['niːˈdiːp] adj. până la genunchi.

knee-high [,niːˈhai] adj. până la înălțimea genunchiului. || iron. ~ to a mosquito / grasshopper / duck de o șchioapă, mi-nuscul, până la genunchiul broaștei.

kneel [niːl] vi. trec. și part. trec. **knelt** [nelt] a îngenunchea.

kneeler ['niːlə] s. persoană îngenuncheată.

knell [nel] **I.** s. dangăt de clopot (funerar). **II.** vt. **1.** a anunța (moartea cuiva). **III.** vi. a suna trist.

knelt [nelt] vt. trec. și part. trec. de la **kneel.**

knew [njuː] vt., vi. trec. de la **know.**

knickerbockers ['nikəbokəz] s. pantaloni scurți.

knickers ['nikəz] s. pl. **1.** chiloți. **2.** pantaloni scurți.

knick-knack ['niknæk] s. **1.** podoabă, găteală. **2.** bibelou.

knife [naif] **I.** s. pl. **knives** [naivz] cuțit. **II.** vt. a înjunghia.

knight [nait] **I.** s. **1.** cavaler. **2.** cal (la șah). **II.** vt. a înnobila.

knight-errant ['nait'ernt] s. pl. **knights-errant** ['naits'ernt] cavaler rătăcitor.

knighthood ['naithud] s. calitatea de a fi cavaler. || he has been given a ~ a fost făcut cavaler; to decline a ~ a refuza titlul de cavaler.

knightliness ['naitlinis] s. **1.** îndatoririle unui cavaler. **2.** caracter de cavaler. **3.** aspect de cavaler.

knightly ['naitli] adj. cavaleresc, de cavaler.

knit [nit] **I.** vt. trec. și part. trec. **knit** [nit] sau **knitted** ['nitid] **1.** a împleti. **2.** a tricota. **3.** a uni. **4.** a lipi, a îmbina. **II.** vi. trec. și part. trec. **knit** [nit] sau **knitted** ['nitid] **1.** a se uni. **2.** a se îmbina.

knitted ['nitid] adj. **1.** împletit. **2.** (d. sprâncene) încruntat.

knitter ['nitə] s. **1.** text. tricoter, muncitor la tricotat. **2.** mașină de tricotat.

knitting ['nitiŋ] s. **1.** împletit; tricotat. **2.** tricotaj.

knitwear ['nitweə] s. tricotaje.

knives [naivz] s. pl. de la **knife.**

knob [nɔb] s. **1.** mâner rotund. **2.** umflătură.

knobbed [nɔbd] adj. **1.** cu umflături; noduros. **2.** cu delușoare. **3.** (d. un baston) cu măciulie.

knobbly ['nɔbli] *adj.* noduros; plin de umflături / protuberanțe.

knobkerrie ['nɔbkeri] *s.* băț cu măciulie, măciucă *(armă folosită de unele triburi sud-africane).*

knock [nɔk] **I.** *s.* **1.** lovitură. **2.** pocnitură. **II.** *vt.* **1.** a lovi. **2.** a izbi *(și fig.).* **3.** a trânti. **4.** a zdrobi; a izbi. || *to ~ down* a trânti de pământ; a răsturna; *to ~ together* a înjgheba; *to ~ up* a distruge; a istovi; a înjgheba. **III.** *vi.* **1.** a bate, a ciocăni. **2.** a se lovi. **3.** a se izbi, a se ciocni. || *to ~ about* a vagabonda.

knock-about ['nɔkə,baut] *adj.* **1.** de dârvală. **2.** improvizat.

knocker ['nɔkə] *s.* ciocănaș (de bătut în ușă).

knock-kneed ['nɔkniːd] *adj.* **1.** cosit. **2.** *(d. cai)* cu picioarele strâmbe, cu genunchii lipiți.

knock-out ['nɔkaut] *s.sport* cnocaut, scoatere din luptă.

knoll [noul] *s.* **1.** movilă. **2.** măgură.

knot [nɔt] **I.** *s.* **1.** nod. **2.** nucleu. **3.** grup. **II.** *vt., vi* a (se) înnoda.

knotted ['nɔtid] *adj.* **1.** *(d. o sfoară etc.)* cu noduri. **2.** v. **knotty**. **3.** *geol.* *(d. șisturi etc.)* cu noduli, cu concrețiuni.

knotty ['nɔti] *adj.* **1.** noduros. **2.** *fig.* dificil, încurcat.

know [nou] **I.** *s.: to be in the ~* a fi în cunoștință de cauză, a fi informat. **II.** *vt. trec.* **knew** [njuː],

part. trec. **known** [noun]**1.** a cunoaște. **2.** a ști. **3.** a recunoaște. **4.** a înțelege. **5.** a-și da seama de. **6.** a trece prin, a suferi. || *to ~ the ropes; to ~ a thing or two; to ~ what's what* a fi bine pus la punct, a ști totul, tot ce trebuie; *he ~s better than that* e destul de înțelept ca să n-o facă; *to make oneself ~n* a-și câștiga o reputație; *it's difficult to ~ him from his brother* e greu să-l deosebești de fratele lui. **III.** *vi. vt. trec.* **knew** [njuː], *part. trec.* **known** [noun] **1.** a fi știutor. **2.** a fi informat. **3.** a-și da seama. **4.** a se pricepe.

knowing ['nɔiŋ] *adj.* **1.** inteligent. **2.** ager. **3.** plin de înțeles. **4.** informat.

knowingly ['nɔiŋli] *adv.* **1.** cu bună știință. **2.** cu (sub)înțeles.

knowledge ['nɔlidʒ] *s.* **1.** cunoaștere. **2.** cunoștințe, învățătură. **3.** pricepere.

knowledgeable ['nɔlidʒəbl] *adj.* **1.** priceput. **2.** informat, în cunoștință de cauză.

known [noun] *vt., vi. part. trec.* de la **know**.

knuckle ['nʌkl] **I.** *s.* încheietură a degetelor. **II.** *vi.: to ~ under* a se supune, a ceda.

knurl [nəːl] **I.** *s.* **1.** nod, ciot; umflătură, protuberanța. **2.** crestătură; zimți. **3.** *tehn.* rolă de striere; moletă. **4.** *text.* um-

flătură. **II.** *vt. tehn.* a zimțui; a stria; a moleta.

koala [kou'ɑːlə] *s.* *zool.* koala *(Phascolarctus cinereus).*

kodak ['koudæk] aparat de fotografiat.

kohlrabi ['koul'rɑːbi] *s.bot.* gulie (Brassica oleracea gongylodes).

kopje ['kɔpi] *s.* *(cuvânt sud-african)* deluşor, movilă.

Koran [kɔ'rɑːn] *s. rel.* Coran.

Korean [kə'riən] *s., adj.* corean(ă).

kosher ['koufə] *adj.* *amer. fam.* cuşer, reglementar.

kowtow ['kau'tau] **I.** *s.* plecăciune. **II.** *vi.* a se ploconi.

Kraal [krɑːl] *s.* *(cuvânt sud-african)* kraal, sat african *(împrejmuit cu gard).*

Kremlin ['kremlin] *s. the ~* Kremlinul.

kudos ['kjuːdɔs] *s. fam.* **1.** glorie. **2.** merit.

Ku-Klux-Klan ['kjuːklʌks'klæn] *s.* Ku-Klux-Klan *(organizație rasistă din S.U.A)*

kukri ['kukri] *s.* *(în India)* cuțit mare încovoiat.

kulak [kuː'lɑːk] *s.* chiabur.

kümmel ['kuml] *s. gastr.* rachiu de anason / chimen, *aprox.* mastică.

kumquat ['kʌmkwɔt] *s.* varietate de portocală mică.

kung fu ['kʌŋ'fuː] *s.* kung fu *(artă marțială chineză).*

L

L [el] *s.* (litera) L, l.

la [lɑː] *s.* (nota) la.

lab [læb] *s. fam.* laborator.

label ['leibl] **I.** *s.* etichetă. **II.** *vt.* a eticheta.

labial ['leibiəl] *fon.* **I.** *adj.* labial. **II.** *s.* (consoană) labială.

labo(u)r ['leibə] **I.** *s.* **1.** muncă, activitate. **2.** sarcină. **3.** muncitori(me). **4.** clasa muncitoare. **5.** mișcarea laburistă. **6.** trudă. **7.** chin. **II.** *vt.* **1.** a lucra. **2.** a elabora. **III.** *vi.* **1.** a trudi, a munci. **2.** a se chinui. || *to ~ under a delusion* a avea o impresie greșită.

labo(u)rer ['leibərə] *s.* muncitor necalificat.

laboratory [lə'bɔrətri] **I.** *s.* laborator. **II.** *adj.* de laborator.

laborious [lə'bɔːriəs] *adj.* **1.** greu, laborios. **2.** complicat. **3.** harnic.

laboriously [lə'bɔːriəsli] *adv.* laborios, greu.

labour exchange ['leibər iks'tʃeindʒ] *s.* birou de plasare.

labour safety ['leibə,seifti] *s.* protecția muncii.

labour saving ['leibə ,seiviŋ] *s. econ.* **1.** economie de muncă. **2.** mărire a productivității muncii.

labour-saving device ['leibə,seiviŋ di'vais] *s.* aparat de uz casnic.

laburnum [lə'bəːnəm] *s. bot.* salcâm galben (Cytisus laburnum).

labyrinth ['læbərinθ] *s.* labirint.

labyrinthine [,læbə'rinθain] *adj.* **1.** labirintic, (ca) de labirint. **2.** *fig.* încurcat, complicat.

lace [leis] **I.** *s.* **1.** dantelă. **2.** ornament. **3.** șiret; șirag. **II.** *vt.* **1.** a încheia; a înnoda. **2.** a împodobi cu dantelă.

Lacedaemonian [,læsidi'mounian] *adj., s. ist.* spartan.

lacerate ['læsəreit] *vt.* **1.** a tăia. **2.** a răni *(și fig.).*

laceration [,læsə'reifn] *s.* **1.** rupere, sfâșiere. **2.** *fig.* sfâșiere, chin.

lachrymal ['lækriml] *adj.* **1.** *anat.* lacrimal. **2.** plin de lacrimi.

lachrymose ['lækrimous] *adj.* **1.** înlăcrimat, plin de lacrimi. **2.** plângăreţ.

lacing ['leisiŋ] *s.* **1.** şireturi, şnururi. **2.** şnuruire. **3.** bătaie, chelfăneală.

lack [læk] **I.** *s.* lipsă. **II.** *vt.* a fi lipsit de, a nu avea. **III.** *vi.* a lipsi.

lackadaisical [,lækə'deizikl] *adj.* **1.** sentimental. **2.** melancolic; apatic.

lackey ['læki] *s.* lacheu *(şi fig.).*

laconic [lə'kɔnik] *adj.* laconic.

lacquer ['lækə] **I.** *s.* **1.** lac, lustru. **2.** (obiecte de) lac. **II.** *vt.* a lăcui.

lacrosse [lə'krɔs] *s. sport* lacrosse *(joc asemănător hocheiului pe iarbă).*

lactation [læk'teiʃn] *s.* **1.** alăptare. **2.** lactaţie.

lacteal ['læktiəl] **I.** *adj.* **1.** de lapte, ca laptele; lăptos; lactat. **2.** *fiziol.* referitor la chil. **II.** *s. la pl. anat.* vase chiloase.

lactic ['læktik] *adj. chim.* lactic.

lactose ['læktous] *s. chim.* lactoză.

lacuna [lə'kju:nə], *pl.* **lacunae** [lə'kju:ni:] *sau* **lacunas** [lə'kju:nəz] *s.* **1.** lacună. **2.** depresiune; gol.

lacustrine [lə'kʌstrain] *adj. (d. plante etc.)* lacustru.

lacy ['leisi] *adj.* dantelat.

lad [læd] *s.* **1.** flăcău; tânăr. **2.** băiat.

ladder ['lædə] *s.* **1.** scară (mobilă); scăriţă. **2.** *fig.* trepte. **3.** fir dus (la ciorapi).

ladder truck ['lædətrʌk] *s.* (maşină cu) scară de pompieri.

lade [leid] *vt. part. trec. înv. poet.* **laden** [leidn] **1.** a încărca *(un vas)*; a îmbarca *(mărfuri)*. **2.** a goli, a scoate *(cu polonicul etc.)*. **3.** *fig.* a împovăra, a încărca. **II.** *vi. part. trec.înv. poet.* **laden** [leidn] a se încărca, a primi încărcătură. **III.** *s.* gură de râu; braţ de râu.

laden [leidn] *vt., vi., part. trec. de la* **lade.**

la-di-da ['lɑ:di'dɑ:] *sl.* **I.** *s.* **1.** fandosit. **2.** fandoseală. **II.** *adj.* fandosit; spilcuit. **III.** *vi.* a se fandosi.

ladies ['leidiz] *s. brit.* toaletă / closet pentru femei.

ladies' room ['leidizru:m] *s. amer.* v. **ladies.**

lading ['leidiŋ] *s.* încărcătură.

ladle ['leidl] **I.** *s.* polonic; linguroi. **II.** *vt.* **1.** a servi *(supa).* **2.** a oferi, a împărţi.

lady ['leidi] *s.* **1.** doamnă. **2.** soţie de lord. **3.** femeie. || *Our Lady* Maica Domnului.

lady-bird ['leidibə:d] *s. entom.* vaca domnului; buburuz(ă) *(Coccinella septempunctata).*

lady bug ['leidi bʌg] *s. amer.* v. **lady-bird.**

lady-doctor ['leidi'dɔktə] *s. pl.* **ladies-doctor** ['leidiz'dɔktə] doctoriţă.

lady's finger ['leidiz ,fiŋgə] *s.* **1.** *gastr.* langue-de-chat *(fursec).* **2.** *bot.* bame *(Anthylis vulneraria).*

lady-in-waiting ['leidiin'weitiŋ] *s. pl.* **ladies-in-waiting** ['leidiziη'weitiŋ] doamnă de onoare.

lady-killer ['laidi,kilə] *s.* seducător.

lady-like ['leidilaik] *adj. (d. femei)* elegant, nobil, aristocratic, plin de nobleţe.

lady love ['leidi lʌv] *s.* **1.** iubită, drăguţă. **2.** dragoste romantică.

ladyship ['leidiʃip] *s.* doamnă, soţie de lord.

lag[1] [læg] **I.** *s.* **1.** rămânere în urmă. **2.** decalaj. **3.** ocnaş. **II.** *vi.* a rămâne în urmă.

lag[2] [læg] **I.** *s.* **1.** doagă *(de butoi).* **2.** şipcă. **3.** pâslă *(pentru căptuşirea unui cazan).* **II.** *vt. tehn.* a căptuşi cu izolaţie termică.

laggard ['lægəd] *s.* **1.** codaş. **2.** leneş.

lagoon [lə'gu:n] *s.* lagună.

lah [lɑ:] *s. muz.* (nota) la.

laid [leid] *vt., vi. trec. şi part. trec.* de la **lay.**

lain [lein] *vi. part. trec. de la* **lie**[2].

lair [lɛə] *s.* vizuină.

laird [lɛəd] *s. (cuvânt scoţian)* moşier; lord.

laity ['leiiti] *s.* **1.** mireni. **2.** amatori.

lake [leik] *s. şi artă* lac.

lam [læm] *vt.* a bate *(cu nuiaua).*

lama ['lɑ:mə] *s.* lama *(călugăr budist).*

lamasery ['lɑ:məsəri] *s.* lamaserie.

lamb [læm] **I.** *s.* miel *(şi fig.).* **II.** *vi.* a făta.

lambent ['læmbənt] *adj.* **1.** *(d. flacără)* scânteietor; pâlpâitor; jucăuş; *(d. cer)* luminat. **2.** *fig.* scânteietor; radios. **3.** alunecos, lunecos.

lambkin ['læmkin] *s.* mieluşel.

lambskin ['læmskin] *s.* **1.** blană de miel. **2.** meşină.

lame [leim] **I.** *adj* **1.** şchiop. **2.** *(d. scuză, argument etc.)* firav, neconvingător. **3.** nesatisfăcător. **II.** *vt.* **1.** a face să şchiopăteze. **2.** *fig.* a slăbi, a istovi. **3.** *(fierărie)* a ţintui *(un cal).*

lame duck ['leim'dʌk] *s.* **1.** infirm. **2.** oropsit al soartei.

lamella [lə'melə] *pl.* **lamellae** [lə'meli:] *s.* lamelă, lamă.

lameness ['leimnis] *s.* **1.** şchiopătare, şchiopătat. **2.** *fig.* imperfecţiune; şubrezenie; netrăinicie.

lament [lə'ment] **I.** *s.* **1.** lamentare. **2.** bocet. **3.** elegie. **II.** *vt.* **1.** a plânge. **2.** a deplânge. **III.** *vi.* **1.** a se lamenta. **2.** a se plânge. **3.** a plânge; a boci.

lamentable ['læməntəbl] *adj.* **1.** lamentabil. **2.** regretabil.

lamentably ['læməntəbli] *adv.* lamentabil, jalnic.

lamentation [,læmen'teiʃn] *s.* **1.** lamentare, jelire. **2.** *(the) Lamentations* lamentaţiile lui Ieremia, ieremiade.

lamina ['læminə], *pl.* **laminae** ['læmini:] *s.* **1.** lamă (subţire), lamelă; foaie. **2.** *bot.* limb, frunză *(fără codiţă).*

laminate ['læmineit] *vt.* **1.** a lamina; a desface în straturi subţiri. **2.** a netezi, a aplatiza. **3.** a acoperi cu lame subţiri de metal. **II.** ['læminet] *adj.* laminat; cu lamele.

lamination [,læmi'neiʃn] *s.* laminare, stratificare; exfoliere.

lamp [læmp] *s.* lampă.

lamp-black ['læmpblæk] *s.* negru de fum.

lamplight ['læmplait] *s.* lumină de lampă. || *to work by ~* a lucra la lumina lămpii.

lamp-lighter ['læmplaitə] *s.* lampagiu.

lampoon [læm'pu:n] **I.** *s.* pamflet. **II.** *vt.* a satiriza.

lamp post ['læmp poust] *s.* stâlp de felinar. || *fam.* *between you and me and the ~* (strict) confidenţial, între noi, secret.

lamprey ['læmpri] *s. iht.* mreană cu nouă-ochi *(Petromyzon fluviatilis).*

lamp-shade ['læmpʃeid] *s.* abajur.

Lancastrian [læŋ'kæstriən] **I.** *adj.* lancastrian. **II.** *s.* lancastrian, locuitor din Lancaster.

lance [lɑ:ns] **I.** *s.* lance. **II.** *vt.* **1.** a lovi / străpunge cu lancea. **2.** a deschide *(un abces).*

lanceolate ['lænsiəlit] *adj. bot.* lanceolat.

lancer ['lɑ:nsə] *s.* 1. *mil.* lăncier, ulan; soldat din cavaleria u-şoară. 2. *pl.* lanciers *(dans vechi)*.

lancet ['lɑ:nsit] *s.* bisturiu, lanţetă.

land [lænd] I. *s.* 1. pământ. 2. uscat. 3. teritoriu. 4. teren. 5. ţară, tărâm. 6. moşie, proprietate. || *by* ~ pe uscat. II. *vt.* 1. a debarca, a aduce pe ţărm. 2. a aduce la destinaţie. 3. a prinde. 4. a câştiga. 5. a nimeri. 6. a atinge. 7. a plasa. III. *vi.* 1. a debarca. 2. a ateriza. 3. a nimeri.

land agent ['lænd¸eidʒnt] *s.* 1. arendaş. 2. misit de moşii.

landau ['lændɔ:] *s.* landou.

landed ['lændid] *adj.* 1. funciar. 2. latifundiar.

landgrave ['lændgreiv] *s. ist.* landgraf.

landholder ['lænd¸houldə] *s.* 1. proprietar de pământ. 2. *rar* arendaş.

landing ['lændiŋ] *s.* 1. debarcare. 2. aterizare. 3. debarcader. 4. palier. 5. coridor.

landing place ['lændiŋ pleis] *s.* 1. *mar.* loc de debarcare. 2. *av.* teren de aterizare.

landing-stage ['lændiŋsteidʒ] *s.* debarcader.

landlady ['læn¸leidi] *s.* 1. proprietăreasă. 2. hangiţă. 3. moşiereasă.

landless ['lændlis] *adj.* 1. fără pământ. 2. fără margini, ne-mărginit.

landlord ['lænlɔ:d] *s.* 1. moşier. 2. proprietar. 3. hangiu; câr-ciumar.

landlubber ['lænd¸lʌbə] *s. mar.* lo-cuitor de pe uscat; marinar de apă dulce; începător în ale marinei.

landmark ['lænmɑ:k] *s.* 1. piatră kilometrică. 2. jalon; reper. 3. *fig.* eveniment; piatră de hotar; cotitură. 4. treaptă *(fig.)*.

land of nod ['lændəv'nɔd] *s.* moş Ene.

landowner ['lænd¸ounə] *s.* proprietar de pământ, moşier.

landscape ['lænskeip] *s.* peisaj.

landslide ['lænslaid], **landslip** ['lænslip] *s.* 1. alunecare de teren. 2. *fig.* schimbare a opiniei publice, cotitură. 3. victorie / înfrângere electorală.

lane [lein] *s.* 1. uliţă. 2. fundătură. 3. alee. 4. interval. 5. rută. 6. *sport* culoar.

language ['læŋgwidʒ] *s. lingv.* 1. limbă. 2. limbaj. 3. exprimare. 4. vocabular. 5. jargon.

languid ['læŋgwid] *adj.* 1. plă-pând. 2. lânced.

languidly ['læŋgwidli] *adv.* 1. în-cet, domol. 2. plictisitor.

languish ['læŋgwiʃ] *vi.* 1. a lân-cezi. 2. a se ofili. 3. a privi ga-leş.

languor ['læŋgə] *s.* 1. slăbiciune, toropeală. 2. lâncezeală. 3. apatie.

languorous ['læŋgərəs] *adj.* 1. moale, moleşit; apatic, istovit. 2. chinuit. 3. *(d. atmosferă)* înă-buşitor. 4. galeş; languros; plin de dor.

lank [læŋk] *adj.* 1. deşirat, înalt şi slab, scheletic. 2. *(d. păr)* ne-ted, lins. 3. *(d. iarbă)* rar.

lanky ['læŋki] *adj.* deşirat.

lanoline ['lænolin] *s.* lanolină.

lantern ['læntən] *s.* 1. felinar, lan-ternă; ochi de sticlă, vizor. 2. *mar.* far. 3. *fig.* făclie. 4. *tehn.* roată dinţată cu fusuri.

lanyard ['lænjəd] *s. mar.* 1. saulă de siguranţă. 2. odgon pentru ridicarea greutăţilor.

lap [læp] I. *s.* 1. poale, poală. 2. genunchi. 3. lipăială. 4. sorbi-tură. 5. bălăceală. 6. zgomotul valurilor. 7. *sport* etapă; tur. II. *vt.* 1. a înveli, a înfăşura. 2. a li-păi; a sorbi. III. *vt.* 1. a se în-toarce (pe o parte). 2. a se în-doi. 3. a lipăi; a sorbi. 4. a se bălăci.

lap-dog ['læpdɔg] *s.* câine de salon.

lapel [lə'pel] *s.* rever (de haină).

lapidary ['læpidəri] I. *adj.* 1. săpat în piatră. 2. lapidar, concis. II. *s.* 1. expert în giuvaieruri. 2. gravor / şlefuitor de giuvaieruri.

lapis lazuli [¸læpis 'læzjulai] *s.* 1. *minr.* lapislazuli; lazurit. 2. azur, albastru-deschis.

Laplander ['læplændə] *s.* lapon.

Lapp [læp] I. *s.* 1. v. **Laplander**. 2. (limba) laponă. II. *adj.* lapon.

lappet ['læpit] *s.* 1. cută, fald. 2. volan; rever. 3. limbă de metal care acoperă gaura broaştei.

lapse [læps] I. *s.* 1. greşeală. 2. scăpare. 3. cădere. 4. decă-dere. 5. alunecare. 6. scurgere, trecere. 7. prescripţie. II. *vi.* 1. a cădea *(în greşeală, uitare etc.)*. 2. a aluneca. 3. a trece. 4. a decădea.

lapwing ['læpwiŋ] *s. ornit.* nagâţ *(Vanellus cristatus vanellus)*.

larboard ['lɑ:bəd] *nav.* I. *s.* babord. II. *adj.* de la babord.

larceny ['lɑ:sni] *s.* furtişag; furt.

larch [lɑ:tʃ] *s. bot.* zadă *(Larix sp.)*.

lard [lɑ:d] I. *s.* 1. untură. 2. *înv.* slănină, carne grasă de porc. II. *vt.* 1. a împăna *(şi fig.)*. 2. *fig.* a îmbogăţi; a umple.

larder ['lɑ:də] *s.* cămară.

large [lɑ:dʒ] I. *s.: at* ~ liber; în general; pe larg; în amănunt; la întâmplare. II. *adj.* 1. întins, mare. 2. mărinimos. 3. larg *(la inimă etc.)*. 4. cu vederi largi. 5. general. 6. nelimitat. III. *adv.* 1. în mare măsură. 2. cu exagerare. || *by and* ~ în general.

largely ['lɑ:dʒli] *adv.* 1. în mare măsură. 2. cu mărinimie.

largeness ['lɑ:dʒnis] *s.* 1. întin-dere, mărime, amploare. 2. ve-deri largi. 3. mărinimie, dărni-cie.

large scale [¸lɑ:dʒ'skeil] I. *s.* scară mare, amploare. || *on a* ~ pe scară mare / întinsă. II. *adj.* 1. amplu, de mari proporţii, de mare amploare. 2. la scară mare. 3. în mărime naturală.

largess(e) ['lɑ:dʒes] *s.* 1. dărnicie, largheţe. 2. dar, ofrandă.

largo ['lɑ:gou] *adv., s. muz.* largo.

lariat ['læriət] *amer.* I. *s.* 1. funie *(pentru priponit vitele la păs-cut)*. 2. arcan, lasso. II. *vt.* a prinde cu arcanul.

lark [lɑ:k] I. *s.* 1. *ornit.* ciocârlie *(Alauda arvensis)*. 2. veselie; distracţie. 3. chef. 4. şotie. II. *vi.* 1. a se distra. 2. a se juca. 3. a sări *(călare)* peste.

larkspur ['lɑ:kspə:] *s. bot.* nem-ţişor *(Delphinium sp.)*.

larrikin ['lærikin] I. *s.* (tânăr) hai-mana, huligan. II. *adj.* bătăuş; golan.

larva ['lɑ:və] *s.* larvă.

larval ['lɑ:vl] *adj.* larvar. || *in the* ~ *stage* în stare de larvă.

laryngeal [¸lærin'dʒi:əl] *adj.* 1. *anat.* laringian. 2. *fon.* laringal.

laryngitis [¸lærin'dʒaitis] *s. med.* laringită.

laryngotomy [¸lærin'gɔtəmi] *s. med.* laringotomie.

larynx ['læriŋks] *s. anat.* laringe.

lascar ['læskə] *s.* marinar indian / hindus.

lascivious [lə'siviəs] *adj.* lasciv.

laser ['leizə] *s. fiz.* laser.

laser printer ['leizə¸printə] *s. cib. tipo.* imprimantă-laser.

lash [læʃ] I. s. 1. geană. 2. (şfichi de) bici. 3. bătaie, biciuire. 4. satiră. II. vt. 1. a bate, a biciui (şi fig.). 2. a stârni. 3. a aţâţa. 4. aocări. 5. a lega. 6. a agita. III. vi. 1. a se bate. 2. a se agita. 3. a se repezi.

lashing ['læʃiŋ] s. 1. bătaie. 2. o-cară. 3. odgon, împletitură de funii. 4. pl. mulţime, grămadă.

lass [læs] s. 1. fetişcană. 2. domnişoară.

lassie ['læsi] s. (mai ales scoţian) copilă, fetişcană.

lassitude ['læsitjuːd] s. oboseală.

lasso ['læsou] I. s. laso. II. vt. a prinde cu lasoul.

last [lɑːst] I. s. 1. calapod. 2. încetare, sfârşit; capăt. || at ~ la urmă; în cele din urmă; în sfârşit. II. adj. superl. de la late. 1. ultim. 2. anterior, trecut. 3. definitiv. || ~ night aseară; ~ week săptămâna trecută; ~ August în august trecut. III. vi. 1. a dura, a ţine; a dăinui. 2. a ajunge, a ţine. || to ~ out a ţine suficient. II. adv. superl. de la late. 1. la urmă. 2. în cele din urmă. 3. ultima dată.

lasting ['lɑːstiŋ] adj. 1. permanent. 2. trainic.

lastly ['lɑːstli] adv. în fine, în cele din urmă; în concluzie.

last straw ['lɑːst'strɔː] s. 1. ultima picătură (fig.), picătura care face să se reverse paharul (fig.).

Last Supper ['lɑːst'sʌpə] s. rel. Cina cea de Taină.

last trump ['lɑːst'trʌmp] s. trâmbiţa judecăţii de apoi.

latch [lætʃ] I. s. 1. zăvor. 2. iale. II. vt. 1. a zăvorî. 2. a încuia. III. vi. a se închide.

latchet ['lætʃit] s. înv. şiret, şnur; nojiţă.

late [leit] I. adj. com. **later** ['leitə] sau **latter** ['lætə], superl. **the latest** [ðə'leitist] sau **the last** [ðə'lɑːst] 1. întârziat. 2. târziu. 3. anterior. 4. recent. 5. defunct. 6. fost. || to be ~ a întârzia; of ~ nu de mult. II. adv. com. **later** ['leitə] sau **latter** ['lætə], superl. **latest** ['leitist] sau **last** ['lɑːst] târziu.

lately ['leitli] adv. în ultima vreme; de curând.

lateness ['leitnis] s. 1. întârziere, zăbavă. 2. vreme înaintată, ceas înaintat. 3. dată recentă.

latent ['leitnt] adj. latent.

later ['leitə] I. adj. comp. de la late de mai târziu, ulterior. II. adv. comp. de la late ulterior, mai târziu. || ~ on mai târziu, pe urmă.

lateral ['lætrl] adj. lateral.

latest ['leitist] I. s. 1. ultima modă. 2. ultimele ştiri. || at (the) ~ cel mai târziu. II. adj. superl. de la late. cel mai recent.

latex ['leiteks], pl. **latices** ['læti siːz] s. bot. latex.

lath [lɑːθ] s. pl. **laths** [lɑːθs, lɑːðz] 1. leaţ. 2. drug. 3. ştachetă.

lathe [leið] s. tehn. strung.

lather ['lɑːðə] I. s. spumă (de săpun). II. vt. a săpuni. III. vi. 1. a se înspuma. 2. a face spume.

Latin ['lætin] I. s. 1. latin, latină. 2. limba latină. II. adj. latin.

Latinate ['lætineit] adj. latin, romanic, de origine latină; latinizat.

Latinize ['lætinaiz] I. vt. 1. a latiniza. 2. rel. a catoliciza. II. vi. a folosi latinisme.

latitude ['lætitjuːd] s. latitudine.

latitudinarian ['læti,tjuːdi'nɛəriən] I. adj. liber; cu vederi largi, tolerant. II. s. persoană tolerantă, liber cugetător.

latrine [lə'triːn] s. latrină.

latter ['lætə] adj. comp. de la late: the ~ 1. al doilea (pomenit). 2. ultimul din doi, acesta din urmă.

latterly ['lætəli] adv. 1. de curând, în ultima vreme. 2. către sfârşit, într-un târziu.

lattice ['lætis] s. 1. zăbrele, grilaj. 2. grătar.

lattice work ['lætiswɔːk] s. 1. constr. îmbrăcăminte cu şipci. 2. tehn. grătar, zăbrele.

laud [lɔːd] I. s. 1. laudă, elogiu. 2. pl. bis. slujbă de dimineaţă. 3. bis. osana. 4. imn de laudă. II. vt. a lăuda, a elogia; a înălţa osanale (cuiva).

laudable ['lɔːdəbl] adj. lăudabil.

laudanum ['lɔːdnəm] s. med. laudanum.

laudation [lɔː'deiʃn] s. proslăvire, laudă, elogiu.

laudatory ['lɔːdətri] I. adj. (plin) de laudă, elogios. II. s. laudă, proslăvire.

laugh [lɑːf] I. s. 1. râs. 2. râset, hohot. || to raise a ~ a stârni râsul; to have the ~ of smb. a învinge pe cineva. II. vt. 1. a exprima râzând. 2. a determina (prin râs). || to ~ smb. out of his habits a vindeca năravul cuiva prin batjocură. III. vi. 1. a

râde. 2. a hohoti. 3. a-şi bate joc. || to ~ at a-şi bate joc de; a râde de; to ~ in one's sleeve a râde pe înfundate, a râde pe sub mustaţă; to ~ on the wrong side of one's mouth a râde mânzeşte / albastru; a-i pieri râsul.

laughable ['lɑːfəbl] adj. 1. amuzant. 2. ridicol.

laughing ['lɑːfiŋ] I. s. râs. II. adj. vesel; râzător. || no ~ matter lucru grav.

laughing-stock ['lɑːfiŋstɔk] s. 1. cal de bătaie. 2. obiect de batjocură.

laughter ['lɑːftə] s. 1. râs. 2. hohot de râs.

launch [lɔːntʃ] I. s. 1. lansare. 2. barcă. 3. şalupă. II. vt. 1. a lansa (un vas; fig. un proiect). 2. a iniţia. 3. a începe. 4. a arunca, a lansa (un obiect). III. vi. 1. a se lansa. 2. a se arunca.

launcher ['lɔːntʃə] s. 1. tehn. rampă de lansare a rachetelor. 2. mil. lansator de rachete.

launder ['lɔːndə] I. vt. a spăla (rufe).II. vi. a fi lavabil, a se spăla (uşor).

launderette [,lɔːndə'ret] s. amer. (mic atelier de) spălătorie automată.

laundress ['lɔːndris] s. spălătoreasă.

laundry ['lɔːndri] s. 1. spălătorie. 2. rufe date la spălat.

laureate ['lɔːriit] s., adj. laureat. || Poet Laureate poetul curţii regale engleze; poet laureat.

laurel ['lɔrl] s. 1. bot. laur (Laurus sp.). 2. pl. lauri. 3. pl. victorie. 4. faimă.

lava ['lɑːvə] s. lavă.

lavatory ['lævətri] s. closet, toaletă.

lave [leiv] poet. I. vt. a spăla; a scălda, a uda. II. vi. a se spăla; a se scălda.

lavender ['lævində] s. 1. bot. levănţică (Lavandula vera). 2. albastru-vineţiu.

laver ['leivə] s. bot. vareg comestibil.

lavish ['læviʃ] I. adj. 1. generos. 2. abundent. II. vt. 1. a împărţi. 2. a răspândi. 3. a acorda.

lavishly ['læviʃli] adj. cu dărnicie.

law [lɔː] s. 1. lege. 2. autorităţi (mai ales poliţie). 3. justiţie. 4. (facultate de) drept. || I'll have the ~ of you am să te dau pe mâna autorităţilor; am să te reclam.

law-abiding ['lɔːˌbaidiŋ] *adj.* **1.** pașnic. **2.** legal. **3.** cu frica lui Dumnezeu.

law breaker ['lɔː ˌbreikə] *s.* infractor; criminal.

law-court ['lɔːˌkɔːt] *s.* tribunal.

lawful ['lɔːfl] *adj.* **1.** legal. **2.** legitim.

lawfully ['lɔːfuli] *adv.* legal, legitim.

lawless ['lɔːlis] *adj.* **1.** nelegiuit. **2.** nelegitim.

lawlessness ['lɔːlisnis] *s.* **1.** nelegiuire. **2.** anarhie.

law maker ['lɔːˌmeikə] *s.* legiuitor.

lawn [lɔːn] *s.* **1.** peluză. **2.** răzor. **3.** pajiște. **4.** gazon. **5.** *bis.* reverendă. **6.** rangul de episcop. **7.** *text.* batist.

lawn-mower ['lɔːnˌmoə] *s.* mașină de tuns iarba.

lawn-tennis [ˌlɔːn'tenis] *s.* tenis de câmp.

law-suit ['lɔːˌsjuːt] *s.* proces (civil).

lawyer ['lɔːjə] *s.* **1.** jurist. **2.** avocat. **3.** jurisconsult.

lax [læks] *adj.* **1.** neglijent. **2.** slobod; lejer. **3.** lipsit de griji. **4.** lipsit de constrângere. **5.** destins.

laxative ['læksətiv] *adj., s. med.* laxativ, purgativ.

laxity ['læksiti] *s.* **1.** lipsă de strictețe, caracter slobod, libertate. **2.** neglijență, nepăsare.

lay[1] [lei] *vi. trec. de la* **lie**[2].

lay[2] [lei] **I.** *s.* **1.** așezare. **2.** poziție. **3.** poezie. **4.** baladă (cântată). **II.** *adj.* **1.** laic, mirean. **2.** neprofesionist, amator; profan. **III.** *vt. trec. și part. trec.* **laid** [leid] **1.** a așeza, a pune. **2.** a întinde. **3.** (*d. păsări*) a oua. **4.** a înlătura. **5.** a liniști. **6.** a depune. **7.** a impune. **8.** a situa. **9.** a acoperi. **10.** a înveli. **11.** a da (*lovituri*). **12.** a pune la bătaie. **13.** a paria. **14.** *vulg.* a pune jos, a se culca cu. || *to ~ aside / by* a pune / lăsa la o parte; *to ~ smth. at smb.'s door* a acuza pe cineva de un lucru; *to ~ bare* a demasca; a dezgoli; *to ~ down* a întinde, a așeza; a depune (*armele*); a așterne; a așterne pe hârtie; a stabili, a formula; a hotărî; a prevedea; a plănui; *to ~ eyes on* a da cu ochii de; *to ~ hands on* a cuprinde; a apuca; a găbji; a violenta; a hirotonisi; *to ~ heads together* a se sfătui, a discuta; a plănui; *to ~ in* a face provizii de; *to ~ low* a

doborî; *to ~ off* a renunța la, a lăsa; *amer.* a concedia; *to ~ on* a întinde, a așterne, a instala; *to ~ open* a deschide; a expune; a dezvălui; a jupui; *to ~ out* a întinde; a expune; a pregăti; a doborî; a plănui, a planifica; *to ~ (great) store upon* a prețui; *to ~ smb. under a necessity* a sili pe cineva; *to ~ up* a stoca; a pune la pat. **IV.** *vi. trec. și part. trec.* **laid** [leid] a oua. **V.** *vr. trec. și part. trec.* **laid** [leid] **1.** a se așeza. **2.** a se întinde etc. || *to ~ oneself out* a se da peste cap.

layer ['leə] *s.* **1.** strat. **2.** parior. **3.** găină ouătoare.

layette [lei'et] *s.* trusoul nou-născutului.

lay figure [ˌlei 'figə] *s.* **1.** manechin (*al pictorului*). **2.** *fig.* personaj neverosimil. **3.** om lipsit de personalitate / de importanță; paiață.

layman ['leimən] *s. pl.* **laymen** ['leimən] **1.** mirean. **2.** profan.

lay-off ['leiɔːf] *s. amer.* **1.** concediere. **2.** șomaj.

lay-out ['leiaut] *s.* **1.** așezare. **2.** plan. **3.** *tipo.* tehnoredactare; aranjare în pagină.

lazar ['læzə] *s. înv.* **1.** lepros. **2.** cerșetor.

lazaret(to) [ˌlæzə'ret(ou)] *s.* **1.** leprozerie, lazaret. **2.** *mar.* carantină; vas în carantină. **3.** *mar. înv.* cămară (*pe vas*).

laze [leiz] *vi.* a trândăvi.

laziness ['leizinis] *s.* lene.

lazy ['leizi] *adj.* **1.** leneș. **2.** trândav.

lazy-bones ['leizibounz] *s.* trântor (*fig.*).

LEA *abrev. Local Education Authority* inspectorat școlar local.

leach [liːtʃ] *tehn.* **I.** *vt.* **1.** a filtra, a lixivia, a percola. **2.** a trata cu leșie. **II.** *s.* **1.** leșie. **2.** vas pentru lixiviere, percolator.

lead[1] [led] *s.* **1.** plumb. **2.** fir, sondă cu plumb. **3.** *pl.* armătură de plumb (*pentru vitrouri*). **4.** grafit. **5.** mină de creion.

lead[2] [liːd] **I.** *s.* **1.** conducere. **2.** călăuzire; indicație. **3.** frunte, întâietate. **4.** lesă. **5.** rol principal. **6.** protagonist. **7.** scoc de moară. **II.** *vt. trec. și part. trec.* **led** [led] **1.** a conduce. **2.** a călăuzi. **3.** a duce. **4.** a guverna. **5.** a sili (la), a determina. **6.** a influența. || *to ~ astray* a

duce pe o cale greșită; *to ~ smb. a dog's life* a face cuiva viața imposibilă; *to ~ the way* a o lua înainte; a fi în frunte. **III.** *vi. trec. și part. trec.* **led** [led] **1.** a duce. **2.** a conduce. **3.** a fi în frunte. || *to ~ up to* a pregăti.

leaden ['ledn] *adj.* **1.** de plumb. **2.** plumburiu; cenușiu. **3.** greoi, ca de plumb.

leader ['liːdə] *s.* **1.** conducător. **2.** editorial, articol de fond. **3.** ramură principală. **4.** avocat principal. **5.** *anat.* tendon.

leadership ['liːdəʃip] *s.* conducere.

leading ['liːdiŋ] *adj.* **1.** conducător. **2.** principal.

leading article [ˌliːdiŋ 'ɑːtikl] *s.* editorial; articol de fond.

leading man ['liːdiŋmæn] *s.* protagonist; prim balerin.

lead poisoning [ˌled'pɔizniŋ] *s. med* saturnism, intoxicație cu plumb.

leaf [liːf] *s. pl.* **leaves** [liːvz] **1.** frunză. **2.** foaie. || *in ~* înfrunzit; *to come into ~* a se înverzi; *to turn over a new ~* a începe o viață nouă; *to take a ~ out of smb.'s book* a urma exemplul cuiva.

leafage ['liːfidʒ] *s. poet.* frunziș.

leafless ['liːflis] *adj.* desfrunzit.

leaflet ['liːflit] *s.* manifest.

leafy ['liːfi] *adj.* **1.** cu frunze. || *~ shade* umbră, umbrar de frunze. **2.** în formă de frunză.

league [liːg] **I.** *s.* **1.** leghe (aprox. 4,5 km.). **2.** ligă. **3.** *sport* categorie. || *to be in ~ with* a fi în cârdășie cu; a fi complice cu. **II.** *vt., vi.* **1.** a (se) alia. **2.** a (se) federaliza.

leaguer[1] ['liːgə] *s.* aliat, confederat, membru al unei ligi.

leaguer[2] ['liːgə] **I.** *s. mil.* **1.** *înv.* tabără. **2.** *rar* asediu, încercuire. **II.** *vt.* a asedia, a împresura.

leak [liːk] **I.** *s.* **1.** spărtură. **2.** crăpătură. **3.** scurgere. **II.** *vi.* **1.** a se scurge. **2.** a avea o scurgere, a curge. **3.** *fig.* (*d. informații*) a se afla, a transpira; a se scurge.

leakage ['liːkidʒ] *s.* scurgere.

leaky ['liːki] *adj.* găurit, cu fisuri. || *fig. a ~ vessel* limbut, indiscret, gură-spartă.

leal [liːl] *adj.* (*mai ales scoțian*) leal, credincios; de încredere. || *the Land of the Leal* cerul; Scoția.

lean [li:n] **I.** *s.* **1.** carne macră. **2.** înclinație *(fig.).* **II.** *adj.* **1.** slab. **2.** *fig.* sărac. **3.** *(d. carne)* macră. **III.** *vt. trec. și part. trec.* **leant** [lent] **1.** a apleca. **2.** a înclina. **IV.** *vi. trec. și part. trec.* **leant** [lent] **1.** a se apleca. **2.** a se înclina. **3.** a se rezema. **4.** *fig.* a se bizui. **5.** a tinde.

leaning ['li:niŋ] *s.* **1.** înclinație. **2.** tendință.

leanness ['li:nnis] *s.* **1.** slăbiciune, înfățișare sfrijită. **2.** *fig.* sărăcie.

leant [lent] *vt., vi. trec. și part. trec. de la* **lean.**

lean-to ['li:ntu:] *s.* șopron.

leap [li:p] **I.** *s.* **1.** salt. **2.** țopăială. || *by* ~*s and bounds* iute; *a* ~ *in the dark* un salt în necunoscut. **II.** *adj.* bisect, bisextil. **III.** *vt., vi. trec. și part. trec.* **leapt** [lept] a sări.

leap-frog ['li:pfrɔg] *s.* (jocul) de-a capra.

leapt [lept] *vt., vi. trec. și part. trec. de la* **leap.**

leap year ['li:pjə] *s.* an bisect.

learn [lə:n] *vt., vi. trec. și part. trec.* **learnt** [lə:nt] **1.** a învăța, a studia. **2.** a afla; a auzi.

learned ['lə:nid] *adj.* învățat, erudit.

learner ['lə:nə] *s.* **1.** începător. **2.** învățăcel.

learning ['lə:niŋ] *s.* **1.** învățătură. **2.** cunoștințe. **3.** cultură; erudiție.

learnt [lə:nt] *vt., vi. trec. și part. trec. de la* **learn.**

lease [li:s] **I.** *s.* **1.** contract. **2.** concesiune. **3.** drepturi. **4.** perspectivă. **II.** *vt.* **1.** a închiria. **2.** a concesiona.

leasehold ['li:s hould] **I.** *s.* ținere în arendă *sau* cu chirie; proprietate luată în arendă *sau* cu chirie. **II.** *adj.* arendat; închiriat.

leash [li:ʃ] **I.** *s.* **1.** lesă. **2.** *fig.* frâu. || *to hold in* ~ a ține în lesă; *fig.* a ține legat. **II.** *vt.* **1.** a lega. **2.** a ține legat.

least [li:st] **I.** *s.* minimum. || *at* ~ cel puțin; *to say the* ~ *of it* în cazul cel mai bun; *not in the* ~ deloc. **II.** *adj. superl. de la* **little** cel mai puțin; cel mai mic. **III.** *adv. superl. de la* **little** cel mai puțin. || ~ *of all* câtuși de puțin; cel mai puțin.

leather ['leðə] **I.** *s.* piele *(lucrată).* **II.** *adj.* **1.** de piele. **2.** de marochinărie.

leathern ['leðən] *adj.* **1.** de piele. **2.** ca pielea, tare, solid.

leathery ['leðəri] *adj.* ca pielea, tare (ca talpa).

leave [li:v] **I.** *s.* **1.** permisiune. **2.** concediu. **3.** învoire; permisie. **4.** plecare. || *by your* ~ îmi permiteți; *to take French* ~ a o șterge englezește. **II.** *vt. trec. și part. trec.* **left** [left] **1.** a părăsi. **2.** a abandona. **3.** a renunța la. **4.** a lăsa. **5.** a încredința. **6.** a înmâna. **7.** a lăsa (moștenire). **8.** a lăsa să treacă. || *to* ~ *alone* a lăsa în pace; a lăsa la o parte; *to* ~ *behind* a lăsa în urmă; a uita; *to* ~ *smb. in the lurch* a părăsi pe cineva la nevoie; *to* ~ *out* a omite; *to* ~ *over* a amâna; *to* ~ *smb. to his own devices* a lăsa pe cineva să se descurce pe cont propriu; ~ *it to me* lasă-mă pe mine; dă-l pe mâna mea. **III.** *vi. trec. și part. trec.* **left** [left] **1.** a pleca. **2.** a porni. || *to* ~ *off* a înceta; a întrerupe.

leaven ['levn] **I.** *s.* **1.** drojdie. **2.** maia. **3.** *fig.* influență. **II.** *vt.* a pune la dospit.

leaves [li:vz] *s. pl. de la* **leaf.**

leavings ['li:viŋz] *s. pl.* resturi, deșeuri, rebuturi; gunoi.

lecher ['letʃə] *s.* desfrânat; destrăbălat; libertin.

lecherous ['letʃrəs] *adj.* **1.** pofticios. **2.** lasciv, lubric. **3.** afemeiat; libidinos.

lechery ['letʃəri] *s.* **1.** poftă (trupească). **2.** lascivitate; desfrâu.

lectern ['lektən] *s. bis.* strană; pupitru.

lecture ['lektʃə] **I.** *s.* **1.** *univ.* prelegere. **2.** conferință. **3.** lecție. **4.** *fig.* morală. || *to give smb. a* ~ a ține cuiva o predică; a face morală cuiva. **II.** *vt.* a ocărî. **III.** *vi.* **1.** a ține o lecție / prelegere. **2.** a conferenția.

lecturer ['lektʃrə] *s.* conferențiar.

led [led] *vt., vi. trec. și part. trec. de la* **lead**[2] **II, III.**

ledge [ledʒ] *s.* **1.** pervaz. **2.** tăpșan.

ledger ['ledʒə] *s.* registru (mare).

lee [li:] **I.** *s.* **1.** apărare. **2.** protecție. **II.** *adj.* **1.** protejat. **2.** apărat (de vânt).

leech [li:tʃ] *s. zool.* lipitoare *(și fig.) (Hirudinea sp.).*

leek [li:k] *s. bot.* praz *(Allium porrum).*

leer [liə] **I.** *s.* **1.** privire urâcioasă / scârboasă. **2.** rânjet. **II.** *vi.* a rânji.

leery ['liəri] *adj. fam.* viclean; șmecher. || *to be* ~ *of smb.* a bănui pe cineva.

lees [li:z] *s. pl.* drojdie (de cafea etc.). || *to drink a cup to the* ~ *fig.* a bea paharul până la fund.

leeward ['li:wəd] *mar.* **I.** *s.* partea dinspre vânt. **II.** *adj., adv.* (din)spre vânt.

leeway ['li:wei] *s.* **1.** *mar.* abatere din drum. **2.** *fig.* pierdere de vreme, timp irosit.

left [left] **I.** *s.* stânga (și *fig.*). **II.** *adj.* **1.** din stânga. **2.** de (la) stânga. **III.** *vt., vi. trec. și part. trec. de la* **leave. IV.** *adv.* la stânga.

left-hand ['lefthænd] *adj.* **1.** din stânga. **2.** cu stânga.

left-handed [,left'hændid] *adj.* **1.** stângaci (și *fig.*). **2.** fals.

leftover ['left ,ouvə] **I.** *adj.* rămas, lăsat. **II.** *s.* **1.** rămășiță, reziduu, deșeu. **2.** resturi (de mâncare).

leftwing ['left,wiŋ] **I.** *s.* aripa stângă. **II.** *adj.* de stânga.

leg [leg] *s.* **1.** picior, gambă. **2.** crac de pantalon. **3.** *sport* etapă. **4.** ajutor. || *to pull smb.'s* ~ a lua pe cineva peste picior; *to give smb. a* ~ *up* a ajuta pe cineva (să urce); *to stretch one's* ~*s* a face o plimbare; *to take to one's* ~*s* a o lua la sănătoasa; *on one's last* ~*s* cu un picior în groapă.

legacy ['legəsi] *s.* moștenire.

legal ['li:gl] *adj.* **1.** legal. **2.** juridic.

legalism ['li:gəlizəm] *s.* respectare strictă a legilor; legalitate.

legality [li'gæliti] *s.* legalitate.

legalize ['li:gəlaiz] *vt.* a legaliza, a autentifica.

legally ['li:gəli] *adv.* legal, juridic.

legal tender ['li:gl'tendə] *s.* monedă oficială, legală.

legate ['legit] *s.* **1.** nunțiu papal. **2.** trimis, împuternicit, ambasador. **3.** *(ist. Romei)* legat; guvernator.

legatee [,legə'ti:] *s.* moștenitor.

legation [li'geiʃn] *s.* legație.

legato [li'gɑːtou] *adj., adv., s. muz.* legato.

legend ['ledʒnd] *s.* legendă.

legendary ['ledʒndri] *adj.* legendar.

legerdemain ['ledʒədə'mein] *s.* **1.** scamatorie. **2.** înșelătorie. **3.** îndemânare, abilitate. **4.** diplomație (miraculoasă).

legged [legd] *adj. (în cuvinte compuse)* cu picioare(le)... . ||

two- ~ biped, cu două picioare.

leggings ['legiŋz] s. pl. jambiere.

leggy ['legi] adj. cu picioarele lungi.

Leghorn ['legho:n] s. 1. pai de Livorno. 2. pălărie de paie (italiană). 3. [le'go:n] leghorn (rasă de găini).

legibility [,ledʒi'biliti] s. lizibilitate.

legible ['ledʒəbl] adj. 1. lizibil, citeț. 2. clar.

legion ['li:dʒn] s. 1. legiune. 2. oaste. 3. mulțime.

legionary ['li:dʒənəri] I. adj. alcătuit din legiuni, aparținând unei legiuni. II. s. ist. legionar (soldat roman).

legislate ['ledʒisleit] vi. a legifera.

legislation [,ledʒis'leiʃn] s. legislație.

legislative ['ledʒislətiv] adj. legislativ, legiuitor.

legislator ['ledʒisleitə] s. legiuitor, membru al corpurilor legiuitoare.

legislature ['ledʒisleitʃə] s. corpuri legiuitoare.

legitimacy [li'dʒitiməsi] s. 1. legitimitate. 2. legalitate; îndreptățire, justificare.

legitimate I. [li'dʒitimit] adj. 1. legitim, legal, drept; îndreptățit. 2. (d. un copil) legitim. II. [li'dʒitimeit] vt. 1. a legaliza, a recunoaște ca legal. 2. a adopta, a înfia (un copil nelegitim, natural). III.[li'dʒitimit] s. 1. copil legitim. 2. domnitor etc. legitim / legal.

legitimatize [li'dʒitimətaiz] vt. v. **legitimate (II.2.)**

legitimist [li'dʒitimist] s. pol. legitimist, partizan al monarhiei ereditare.

legume ['legju:m] s. 1. bot. păstaie. 2. pl. legume.

leguminous [li'gju:minəs] adj. bot. leguminos, păstăios.

leis [leiz] s. ghirlandă de flori (cu care indigenii din sudul Pacificului îşi împodobesc gâtul).

leisure ['leʒə] s. 1. răgaz. 2. timp liber. || at ~ liber; fără treabă.

leisured ['leʒəd] adj. liber, fără ocupație; tihnit.

leisurely ['leʒəli] adj., adv. 1. fără grabă. 2. domol.

leit-motif, leit-motiv ['laitmou,ti:f] s. muz. laitmotiv.

lemming ['lemiŋ] s. zool. leming (Lemmus şi Dicrostonyx).

lemon ['lemən] s. 1. lămâie. 2. bot. lămâi (Citrus limonis).

lemonade [lemə'neid] s. limonadă.

lemon sole ['lemən soul] s. iht. varietate de plătică (Solea lascaris).

lemur ['li:mə] s. zool. lemur (Lemuroidea).

lend [lend] I. vt. trec. şi part. trec. **lent** [lent] 1. a da cu împrumut, a împrumuta (cuiva). 2. a da, a acorda. 3. a adăuga. II. vr. trec. şi part. trec. **lent** [lent] a se preta.

lender ['lendə] s. persoană care împrumută (cuiva).

length [leŋθ] s. 1. lungime. 2. măsură. 3. întregime. || at arm's ~ cât să-l atingi cu mâna; la distanță (fig.); (at) full ~ cât e de lung; în întregime, pe larg.

lengthen ['leŋθn] vt., vi. a (se) lungi.

lengthwise ['leŋθwaiz] adj., adv. în lung(ime).

lengthy ['leŋθi] adj. 1. prea lung. 2. plictisitor.

leniency ['li:niənsi] s. blândețe; indulgență.

lenient ['li:njənt] adj. 1. îngăduitor. 2. blând.

lenity ['leniti] s. 1. blândețe. 2. îngăduință.

lens [lenz] s. lentilă.

lent [lent] vt., vr. trec. şi part. trec. de la **lend**.

Lent [lent] s. postul Paştelui.

lentil ['lentil] s. bot. linte (Lens esculenta sau culinaris).

lento ['lentou] adv., s. muz. lento.

Leo ['li:ou], gen. **Leonis** [li'ounis] s. astr. Leul (constelația şi zodia).

leonine ['li:ənain] adj. 1. de leu, leonin. 2. metr. (vers) leonin.

leopard ['lepəd] s. leopard.

leotard ['liəta:d] s. teatru maiou de balerină.

leper ['lepə] s. lepros.

lepidopterous [lepi'dɔptərəs] adj. entom. lepidopter.

leprechaun ['leprəkɔ:n] s. spiriduş.

leprosy ['leprəsi] s. med. lepră.

leprous ['leprəs] adj., s. lepros.

Lesbian ['lezbiən] adj. 1. lesbian, din Lesbos. 2. lesbian.

lese-majesty ['li:z 'mædʒisti] s. 1. jur. lezmajestate. 2. ofensarea autorității de stat; crimă împotriva statului, înaltă trădare (de țară).

lesion ['li:ʒn] s. 1. leziune. 2. rană.

less [les] I. s. cantitate mai mică. II. adj. comp. de la **little** 1. mai puțin. 2. mai mic. 3. mai puțin important. III. adv. comp. de la **little** 1. în mai mică măsură. 2. mai puțin. IV. prep. 1. fără. 2. minus. 3. scăzând.

lessee [le'si:] s. 1. arendaş. 2. chiriaş.

lessen ['lesn] vt., vi. 1. a (se) micşora. 2. a (se) diminua.

lesser ['lesə] adj. 1. (mai) mic. 2. mai puțin important, minor.

lesson ['lesn] s. lecție.

lessor [le'sɔ:] s. jur. persoana care dă în arendă / cu chirie, proprietar.

lest [lest] conj. 1. ca nu cumva. 2. ca să nu. || ~ he should / might be late ca să nu întârzie.

let[1] [let] I. s. 1. închiriere. 2. chiriaş. II. vt. aux. pentru imperativ || ~'s go să mergem. III. vt. inf., trec. şi part. trec. 1. a lăsa; a permite. 2. a închiria; a da cu chirie. 3. a arenda. || to ~ alone a lăsa în pace / la o parte; to ~ be a lăsa în pace; to ~ down a coborî; a dezamăgi; a lăsa la ananghie; to ~ drop a scăpa; a da drumul la; to ~ go a lăsa liber; ~ me go (dă-mi drumul) să mă duc; not to ~ the grass grow a nu pierde vremea; to ~ in a primi (în casă); a păcăli; to ~ loose a elibera; a lăsa liber; to ~ off a descărca; a lăsa liber; a lăsa să scape; a scăpa; to ~ the cat out of the bag a dezvălui o taină; to ~ out a scăpa; a da drumul la; a lărgi; to ~ sleeping dogs lie a nu dezgropa morții, trecutul. IV. vi. (cuiva) a (se) închiria.

let[2] [let] înv. I. 1. vt. trec. şi part. trec. **letted** ['letid] sau **let** [let] a împiedica, a pune oprelişti (cu dat.). 2. a întârzia, a amâna (pe cineva). II. s. piedică, obstacol, stavilă.

let-down ['let 'daun] s. 1. regres, declin. 2. dezamăgire, decepție. 3. descurajare.

lethal ['li:θ(ə)l] adj. mortal.

lethargic(al) [le'θα:dʒik(l)] adj. 1. letargic. 2. inert, amorțit; nesimțitor; apatic; greu, adânc; de moarte.

lethargy ['leθədʒi] s. 1. letargie. 2. pasivitate.

Lethe ['li:)θi(:)] s. mit., poet. Letha, Lethe, uitare (personificare a uitării).

letted ['letid] *vt. trec. şi part. trec. de la* **let**[2].

letter ['letə] *s.* **1.** literă. **2.** scrisoare. **3.** *pl.* literatură. || *to the* ~ strict; ad litteram.

letter-box ['letəbɔks] *s.* **1.** cutie de scrisori. **2.** curier, corespondenţă.

lettered ['letəd] *adj.* învăţat, cu ştiinţă de carte.

lettering ['letəriŋ] *s.* **1.** gravare, tipărire, imprimare (cu litere); ştampilare. **2.** litere (scrise). **3.** inscripţie; titlu.

letter perfect ['letə 'pə:fikt] *adj.* **1.** *teatru* stăpân pe rol. **2.** extrem de corect.

Lettish ['letiʃ] **I.** *adj.* leton. **II.** *s.* (limba) letonă.

lettuce ['letis] *s. bot.* salată verde (*Lactuca sativa*).

leucocyte [l(j)u:kousait] *s. fiziol.* leucocită.

Levant [li'vænt] **I.** *s.* Levant, ţările Mediteranei răsăritene. **II.** *adj.* oriental, levantin.

Levantine ['levəntain] **I.** *s.* **1.** levantin. **2.** *mar.* vas care face comerţ cu Levantul. **3.** (mătase) levantină. **II.** *adj.* levantin.

levee[1] ['levi] *s.* **1.** primire, recepţie (*de către conducătorul unei ţări, mai ales dimineaţa*). **2.** întrunire la curte (*după-amiaza, numai pentru bărbaţi*). **3.** primire (*a oaspeţilor*).

levee[2] ['levi, lə'vi:] **I.** *s. amer.* **1.** zăgaz. **2.** chei. **3.** debarcader. **4.** *geol.* mal aluvionar al unui râu. **II.** *vt.* a îndigui.

level ['levl] **I.** *s.* **1.** nivel. **2.** întindere, suprafaţă. **3.** nivelă. || *on the* ~ cinstit; sincer. **II.** *adj.* **1.** întins. **2.** neted, orizontal. **3.** egal. **4.** echilibrat. **III.** *vt.* **1.** a nivela. **2.** a egaliza. **3.** a şterge de pe suprafaţa pământului. **4.** a pune orizontal. || *to* ~ *a gun at* a ameninţa cu puşca, pistolul etc., a ochi în.

lever ['li:və] *s.* pârghie (*şi fig.*).

leverage ['li:vəridʒ] *s.* **1.** *tehn., fiz.* acţiunea pârghiei. **2.** *tehn., fiz.* sistem de pârghii; mecanism cu pârghii. **3.** *fiz.* raportul dintre braţele pârghiei. **4.** *fig.* influenţă, mijloc de constrângere; proptea.

leveret ['levərit] *s. zool.* şoldan, vătui; iepuraş.

leviathan [li'vaiəθn] **I.** *s.* **1.** *rel.* leviatan; monstru marin. **2.** *fam.* monstru, dihanie; uriaş. **3.** vapor foarte mare. **4.** *fam.*

magnat, „rege". **II.** *adj.* gigantic, colosal.

levitate ['leviteit] **I.** *vt.* **1.** a face mai uşor (*luând din greutate*). **2.** a face să plutească în aer, a supune levitaţiei. **II.** *vi.* a se ridica (*prin levitaţie*).

levity ['leviti] *s.* uşurinţă; neseriozitate.

levy ['levi] **I.** *s.* **1.** percepere (*a impozitelor etc.*). **2.** taxe. **3.** contingent. **II.** *vt.* **1.** a ridica. **2.** a percepe, a strânge (impozite etc.).

lewd [lu:d] *adj.* **1.** obscen. **2.** lasciv. **3.** libidinos. **4.** porcos, vulgar.

lewdness ['lu:dnis] *s.* **1.** desfrâu, destrăbălare. **2.** prostituţie. **3.** vulgaritate, obscenitate, vorbire fără perdea.

lexical ['leksikl] *adj.* **1.** lexical. **2.** de dicţionar; de lexicon; de vocabular.

lexicographer [,leksi'kɔgrəfə] *s.* lexicograf, autor de dicţionare sau lexicoane.

lexicography [,leksi'kɔgrəfi] *s.* lexicografie.

lexicon ['leksikən] *s.* lexicon; dicţionar.

ley [lei] *s.* bucată de pământ acoperită temporar cu iarbă.

Leyden jar ['laidn dʒɑ:] *s. el.* butelie de Leyda, butelie electrică.

liability [,laiə'biliti] *s.* **1.** obligaţie. **2.** posibilitate. **3.** susceptibilitate. **4.** piedică. **5.** *pl.* datorii, debit; *econ.* pasiv.

liable ['laiəbl] *adj.* **1.** (**to**) supus (*cu dat.*). **2.** susceptibil (de). **3.** ameninţat (cu). **4.** pasibil (de). **5.** dator. || *to be* ~ *for* a fi răspunzător pentru.

liaise [li'eiz] *vi.* **1.** *to* ~ *with / between* a stabili o legătură cu / între. **2.** *to* ~ *with* a avea o legătură amoroasă cu.

liaison [li'eizɔn] *s.* **1.** *mil., etc.* legătură. **2.** legătură amoroasă, combinaţie.

liana [li'ɑ:nə] *s. bot.* liană.

liar ['laiə] *s.* mincinos.

Lias ['laiəs] *s. geol.* liasic, Lias.

libation [lai'beiʃn] *s.* **1.** libaţiune. **2.** *glumeţ* beţie, chef.

libel ['laibl] **I.** *s.* **1.** *înv.* pamflet, satiră. **2.** *şi jur.* calomnie (*în scris*). **3.** petiţie, jalbă. **II.** *vt.* a scrie / a publica un pamflet împotriva (*cuiva*); a calomnia, a defăima (*în scris*).

libellous ['laibələs] *adj.* defăimător, calomniator, bârfitor.

liberal ['librl] **I.** *s.* **1.** generos. **2.** liberal. **3.** om progresist. **II.** *adj.* **1.** generos. **2.** cu orizont larg. **3.** progresist. **4.** liberal.

liberalism ['libərəlizəm] *s. şi pol.* liberalism.

liberality [,libə'ræliti] *s.* **1.** generozitate. **2.** minte largă; concepţii largi, progresiste.

liberate ['libəreit] *vt.* a elibera.

liberation [,libə'reiʃn] *s.* **1.** (e)liberare, punere în libertate. **2.** *chim.* eliminare, degajare.

liberator ['libəreitə] *s.* eliberator, mântuitor, salvator.

libertarian [,libə'teəriən] *s. filoz.* partizan al doctrinei libertăţii de conştiinţă.

libertine ['libətain] *s.* libertin, stricat, depravat.

liberty ['libəti] *s.* **1.** libertate. **2.** îndrăzneală. **3.** alegere. **4.** *pl.* drepturi. || *at* ~ liber.

libidinous [li'bidinəs] *adj.* **1.** libidinos, desfrânat. **2.** pornografic.

libido [li'bi:dou] *s. psih.* libido.

Libra ['li:brə] *s. astr.* Balanţa (constelaţie şi zodie).

librarian [lai'breəriən] *s.* bibliotecar.

library ['laibrəri] *s.* bibliotecă.

libretto [li'bretou] *s. muz.* libret.

lice [lais] *s. pl. de la* **louse**.

licence ['laisns] *s. amer.* **license** **1.** permisiune. **2.** autorizaţie. **3.** (**driving** ~) carnet (de conducere). **4.** brevet. **5.** patent, licenţă.

license ['laisns] **I.** *s. amer.* v. **licence**. **II.** *vt.* **1.** a autoriza. **2.** a permite.

licensee [,laisən'si:] *s.* persoană cu autorizaţie / brevet / licenţă / concesiune.

licentiate [lai'senʃiit] *s.* licenţiat; posesorul unei diplome universitare.

licentious [lai'senʃəs] *adj.* licenţios.

licentiousness [lai'senʃəsnis] *s.* caracter licenţios; destrăbălare, imoralitate.

lichee ['li:tʃi:] *v.* **litchi**.

lichen ['laiken] *s. bot.* lichen (*Lichen sp., Usnea sp.*).

lich gate ['litʃgeit] *s.* poartă / intrare în cimitir (*cu acoperiş*).

licit ['lisit] *adj.* legal, licit.

lick [lik] **I.** *s.* **1.** lins. **2.** picătură. **II.** *vt.* **1.** a linge. **2.** a atinge. **3.** *fam.* a cafti, a bate. **4.** a învinge. || *to* ~ *into shape* a pune la punct; a învăţa cu răul; *to* ~ *the dust* a fi învins.

licking ['likiŋ] *s.* **1.** bătaie, papară. **2.** înfrângere. **3.** lingere.

lictor ['liktə] *s. ist.* lictor.

lid [lid] *s.* **1.** capac. **2.** pleoapă.

lied [li:d] *s.* lied.

lie[1] [lai] **I.** *s.* **1.** minciună. **2.** situație. **3.** așezare, poziție. || *to give the ~ to* a contrazice; *to give smb. the ~* a face mincinos. **II.** *vi.* aminți.

lie[2] [lai] *vi. trec.* **lay** [lei], *part. trec.* **lain** [lein] **1.** a sta întins. **2.** a sta culcat. **3.** a zăcea. **4.** a dormi. **5.** a se culca. **6.** a se afla. **7.** a se întinde. **8.** a constitui; a consta, a fi. || *to ~ back* a se rezema; *to ~ down* a se întinde; *to take an insult lying down* a primi o insultă cu brațele încrucișate; *to ~ in* a sta culcat; a fi lăuză; *to ~ over* a rămâne.

lief [li:f] **I.** *adv. înv.* bucuros, cu plăcere. **II.** *adj. înv.* **1.** drag, scump. **2.** gata, dispus. **III.** *s.* iubit, amant.

liege [li:dʒ] *ist.* **I.** *s.* **1.** vasal. **2.** stăpân. **II.** *adj.* **1.** vasal. **2.** stăpânitor.

liegeman ['li:dʒmən] *s. pl.* **liegemen** ['li:dʒmən] **1.** *ist.* vasal, supus. **2.** partizan, credincios.

lien [liən] *s. jur.* **1.** dreptul de a sechestra averea datornicului. **2.** zălog, garanție.

lieu [lju:] *s.*: *in ~ of* în loc de.

lieutenancy [lef'tenənsi] *s.* **1.** *mil.* grad de locotenent. **2.** locotenență.

lieutenant [le(f)'tenənt] *s.* **1.** locotenent. **2.** locțiitor.

lieutenant colonel [lef'tenənt 'kə:nəl] *s. mil.* locotenent-colonel.

lieutenant commander [lef'tenənt kə'mɑːndə] *s. mar.* căpitan de rangul trei, căpitan de corvetă.

life [laif] *s. pl.* **lives** [laivz] **1.** viață. **2.** existență. **3.** trai. **4.** energie. **5.** vioiciune. **6.** durată. || *to come to ~* a se învora; a învia; *to bring to ~* a aduce la viață; *to take one's own ~* a se sinucide; *for ~* până la moarte; *to have the time of one's ~* a petrece de minune; *expectation of ~* durată medie a vieții.

life-belt ['laifbelt] *s.* colac de salvare.

life blood ['laif blʌd] *s.* **1.** sânge. **2.** putere de viață, vitalitate. **3.** *fig.* suflet, motor *(al unei întreprinderi etc.)*.

life-boat ['laifbout] *s.* barcă de salvare.

life guard ['laif gɑːd] *s.* **1.** *mil.* gardă personală. **2.** angajat al punctelor de salvare pe apă.

life-jacket ['laif,dʒækit] *s.* vestă de salvare.

lifeless ['laiflis] *adj.* **1.** neînsuflețit. **2.** mort, fără viață *(fig.)*. **3.** plicticos.

lifelike ['laiflaik] *adj.* **1.** veridic. **2.** viu.

lifeline ['laiflain] *s.* odgon de salvare.

lifelong ['laiflɔŋ] *adj.* pe toată viața; de o viață (întreagă).

lifer ['laifə] *s. sl.* **1.** condamnat pe viață. **2.** condamnare pe viață.

life saver ['laif ,seivə] *s.* **1.** salvator. **2.** *fam.* înger păzitor.

life saving ['laif ,seiviŋ] *adj. mar.* salvator, de salvare.

life-size(d) ['laif'saiz(d)] *adj.* în mărime naturală.

lifetime ['laiftaim] *s.* viață.

life-work ['laif'wəːk] *s.* **1.** opera unei vieți. **2.** muncă de o viață întreagă.

lift [lift] **I.** *s.* **1.** ridicare. **2.** lift. **3.** ajutor. **4.** plimbare (cu mașina). || *to give smb. a ~* a duce pe cineva cu mașina; *fig.* a ajuta pe cineva. **II.** *vt.* **1.** a ridica. **2.** a înălța. **3.** a scoate. **4.** a șterpeli. **III.** *vi.* **1.** a se ridica. **2.** a se împrăștia, a se risipi.

lifter ['liftə] *s.* **1.** persoană care ridică. **2.** *tehn.* ridicător. **3.** *agr.* mașină de defrișat. **4.** *silvicultură* mașină de scos cioturi. **5.** *sl.* hoț, pungaș.

ligament ['ligəmənt] *s.* **1.** legătură *(mai ales fig.)*. **2.** *anat.* ligament.

ligature ['ligətʃə] **I.** *s.* **1.** *med.* ligatură *(a vaselor sanguine)*. **2.** *fig.* legătură. **3.** *poligr.* ligatură; literă dublă. **4.** *muz.* legato. **II.** *vt. med.* a face o ligatură a *(vaselor sanguine)*.

light [lait] **I.** *s.* **1.** lumină. **2.** vedere. **3.** flacără. **4.** lumânare. **5.** bec. **6.** cunoaștere. **7.** aspect. **8.** model. **9.** celebritate. **10.** reflector. **11.** luminător. **12.** *pl.* lumini *(fig.)*. || *in the ~ of* în lumina / prin prisma *(cu gen.)*, cu ajutorul *(cu gen.)*. **II.** *adj.* **1.** ușor, ușurel. **2.** luminos. **3.** mic. **4.** slab. **5.** neimportant. **6.** neserios. **7.** nechibzuit. **8.** fericit. **9.** fără grijă. **10.** ușor, imoral. || *to make ~ of* a lua în ușor; *~ in the head* ușuratic. **III.** *vt. trec. și part. trec.* **lit** [lit] **1.** a lumina. **2.** a ilumina. **3.** a aprinde. **IV.** *vi. trec. și part. trec.* **lit** [lit] **1.** a arde. **2.** a lumina. **3.** a se lumina. **4.** a ateriza. **5.** a se așeza. **6.** a nimeri.

lighten ['laitn] **I.** *vt.* **1.** a lumina. **2.** a ușura. **3.** a înveseli. **II.** *vi.* **1.** a (se) lumina. **2.** a fulgera. **3.** a se ușura. **4.** a se înveseli.

lighter[1] ['laitə] *s.* **1.** lampagiu. **2.** brichetă.

lighter[2] ['laitə] **I.** *s. mar.* șlep, șalandă; bac nepuntat. **II.** *vt.* a transporta (mărfuri) pe șlepuri. **III.** *vi.* a fi de transportat pe șlepuri.

light hand ['laithænd] *s.* **1.** îndemânare. **2.** *fig.* tact; abilitate.

light-headed ['lait'hedid] *adj.* **1.** zăpăcit. **2.** ușuratic.

light-hearted ['lait'hɑːtid] *adj.* **1.** vesel. **2.** fără griji. **3.** nepăsător.

lighthouse ['laithaus] *s.* far.

lighting ['laitiŋ] *s.* **1.** lumină; (i)luminare; iluminat. **2.** aprindere.

lightly ['laitli] **I.** *adv.* ușor, ușurel; puțin; de abia, cam. || *~ come ~ go* de haram am luat, de haram am dat; cum a venit așa s-a dus. **2.** cu inima ușoară; neserios; frivol. **3.** lesne, fără efort. || *to get off ~* a scăpa ieftin. **4.** fără socoteală, nechibzuit. || *to speak ~ of smth.* a vorbi cu ușurință despre ceva; *smth. not ~ to be ignored* ceva peste care nu se poate trece cu ușurință, ce nu poate fi ignorat. **II.** *vt. (cuvânt scoțian)* a disprețui, a desconsidera; a subestima; a trata superficial.

light-minded [lait 'maindid] *adj.* ușuratic; frivol; nechibzuit; superficial.

lightness[1] ['laitnis] *s.* lumină; senin; seninătate.

lightness[2] ['laitnis] *s.* **1.** greutate mică. || *~ of a feather* greutatea unei pene. **2.** ușurință, caracter lesnicios. || *~ of a task* sarcină ușoară. **3.** nestatornicie *(a firii sau caracterului)*. || *women's ~* nestatornicia femeilor. **4.** sprinteneală, iuțeală. **5.** agerime, iscusință, îndemânare. **6.** ușurință; grație. || *~ of touch* ușurință a mâinii *(unui dentist, chirurg etc.)*. **7.** voioșie. || *~ of heart* bună dispoziție.

lightning ['laitniŋ] *s.* fulger.

lightning-rod ['laitniŋrɔd] *s.* paratrăsnet.

lights [laits] *s. pl. gastr.* bojóci *(de oaie etc.); vulgar* bojoci *(la oameni).*

light ship ['laitʃip] *s. mar.* far plutitor; navă-far.

lightsome ['laitsəm] *adj. poet.* **1.** uşor, iute, sprinten. **2.** vesel, glumeţ. **3.** uşuratic, frivol. **4.** graţios.

light-weight ['laitweit] *s.* (boxer de) categorie uşoară.

ligneous ['lignɪəs] *adj.* **1.** *bot.* lemnos. **2.** *iron.* de lemn (Tănase); nesimţit(or).

lignite ['lignait] *s.* lignit.

lignum vitae ['lignəm 'vaiti:] *s. bot.* gaiac *(Guajacum officinale, Guajacum sanctum).*

likable ['laikəbl] *adj.* plăcut.

like [laik] **I.** *s.* **1.** lucru / om asemănător; seamăn. **2.** plăcere. **3.** înclinaţie. **4.** simpatie. || *the ~s of you* cei de o seamă cu tine; *and the ~* şi altele asemenea; *~s and dislikes* simpatii şi antipatii. **II.** *adj.* **1.** asemănător. **2.** caracteristic. **3.** dispus. || *I don't feel ~ (listening to) music* n-am chef de (ascultat) muzică. **III.** *vt.* **1.** a îndrăgi. **2.** a iubi. **3.** a-i plăcea. **4.** a ţine la. **5.** a prefera. || *I'd ~ to go* aş vrea să merg; *I ~ it* îmi place. **IV.** *prep.* ca (şi). || *he, ~ his brother* el, ca şi fratele lui; *~ blazes* straşnic; *~ hell!* pe dracu!; aiurea!

likeable ['laikəbl] *adj. v.* **likable**.

likelihood ['laiklihud] *s.* probabilitate.

likely ['laikli] **I.** *s.* **1.** probabilitate; lucru probabil. **II.** *adj.* **1.** probabil. **2.** posibil. **3.** acceptabil. **4.** de conceput. **5.** potrivit. **III.** *adv.* probabil.

liken ['laikn] *vt.* **1.** a compara. **2.** a asemui.

likeness ['laiknis] *s.* **1.** asemănare. **2.** copie. || *in the ~ of* după chipul şi asemănarea *(cu gen.).*

likewise ['laikwaiz] **I.** *adv.* asemenea. **II.** *conj.* de asemenea.

liking ['laikiŋ] *s.* **1.** simpatie. **2.** predilecţie.

lilac ['lailək] *s.* **1.** *bot.* liliac *(Syringa vulgaris).* **2.** liliachiu.

liliaceous [ˌlili'eiʃəs] *adj. bot.* liliaceu.

Lilliput ['lilipʌt] *s.* liliput.

Lilliputian [ˌlili'pju:ʃiən] **I.** *s.* liliputan, pitic; ciot. **II.** *adj.* liliputan, pitic, mărunţel.

lilt [lilt] **I.** *vt.* a cânta voios *(un cântec).* **II.** *vi.* a cânta cu însufleţire / veselie. **III.** *s.* **1.** cântec vesel / însufleţit. **2.** ritm, cadenţă *(de cântec, de vers).*

lily ['lili] *s. bot.* crin *(Lilium sp.).*

lily of the valley ['liliəvɔə'væli] *s. pl.* **lilies of the valley** ['liliz-əvɔə'væli] *bot.* lăcrămioară *(Comeallaria majalis).*

limb¹ [lim] *s.* **1.** *anat.* mână sau picior; membru. **2.** creangă, ramură. **3.** odraslă.

limb² [lim] *s. astr.* limb, bord *(al unui astru).*

limber¹ ['limbə] **I.** *adj.* **1.** mlădios, flexibil; pliant. **2.** îngăduitor, tolerant. **3.** prompt, îndemânatic. **II.** *vt.* a face mai flexibil; a îndupleca *(pe cineva).*

limber² ['limbə] *mil.* **I.** *s.* antetren *(al unui tun).* **II.** *vt.* a ataşa *(o piesă, antetrenul etc.)* la tun.

limbo ['limbou] *s.* **1.** *rel., poet.* intrarea / pragul iadului; purgatoriu *(şi fig.).* **2.** *înv.* iad. **3.** *sl.* puşcărie, închisoare. **4.** depozit de vechituri. **5.** *fig.* uitare.

lime¹ [laim] *s. bot.* chitră; lămâie *(Citrus aurantifolio).*

lime² ['laim] *s. bot.* tei *(Tilia sp.).*

lime³ [laim] **I.** *s.* **1.** var. **2.** *rar* clei. **II.** *vt.* **1.** a vărui. **2.** a trata cu var. **3.** a încleia. **4.** *fig.* a înşela, a păcăli.

lime juice ['laimdʒu:s] *s.* zeamă de citrice.

lime kiln ['laim kiln] *s.* cuptor pentru arderea varului.

limelight ['laimlait] *s.* luminile rampei *(şi fig.).*

limerick ['limərik] *s. lit.* poezie umoristică bazată pe absurdităţi *(alcătuită din cinci versuri).*

limestone ['laimstoun] *s.* calcar.

lime-tree ['laimtri:] *s. bot.* tei *(Tilia sp.).*

Limey ['laimi] *s. amer. sl.* (soldat) englez.

limit ['limit] **I.** *s.* **1.** limită. **2.** graniţă. || *that's the ~!* e nemaipomenit! asta le pune capac la toate! **II.** *vt.* **1.** a limita. **2.** a îngrădi.

limitation [ˌlimi'teiʃn] *s.* **1.** limită. **2.** limitare.

limitless ['limitlis] *adj.* nemărginit.

limn [lim] *vt. înv., poet.* **1.** a zugrăvi, a picta *(un tablou, un portret);* a reprezenta, a înfăţişa. **2.** a ilustra *(un manuscris).*

limousine ['limə,zi:n] *s. auto.* limuzină.

limp [limp] **I.** *s.* şchiopătat. **II.** *adj.* **1.** neputincios. **2.** ţeapăn. **3.** amorţit. **4.** mlădios, suplu. **5.** *(d. rufe)* moale, nescrobit; mototolit. **III.** *vi.* a şchiopăta.

limpet ['limpit] *s.* **1.** *zool.* specie de moluscă *(Patella, Hemaea).* **2.** *iron.* persoană care nu vrea în ruptul capului să plece dintr-un serviciu; edec.

limpid ['limpid] *adj.* limpede, clar *(şi fig.),* străveziu, diafan.

linage ['lainidʒ] *s. poligr.* **1.** numărul rândurilor de pe o pagină tipărită. **2.** plată după numărul rândurilor tipărite.

linchpin ['lintʃpin] *s.* **1.** cui de osie, cocoşel. **2.** *tehn.* fus; fuzetă; şplint.

linctus ['liŋktəs] *s. farm.* sirop de tuse.

linden-tree ['lindən(ˌtri:)] *s. bot.* tei *(Tilia sp.).*

line [lain] **I.** *s.* **1.** linie. **2.** fir. **3.** dungă. **4.** rând. **5.** vers. **6.** limită. **7.** zbârcitură. **8.** lizieră. **9.** *amer.* coadă, şir. **10.** undiţă. **11.** sfoară. **12.** funie. **13.** direcţie. **14.** curent. **15.** familie. **16.** ocupaţie; specialitate. **17.** *mil.* front. **18.** barăci. || *in ~ with* conform cu; de acord cu; *to toe the ~* a se supune ordinelor / instrucţiunilor / programului; *all along the ~* peste tot; pe toată linia; *hard ~s* soartă grea. **II.** *vt.* **1.** a linia. **2.** a căptuşi. **3.** a alinia. || *a street ~d with trees* o stradă cu copaci de o parte şi de alta; *to ~ one's purse / pocket* a se umple de bani.

lineage ['liniidʒ] *s.* **1.** genealogie. **2.** origine.

lineal ['liniəl] *adj.* în linie directă.

lineament ['liniəmənt] *s.* **1.** trăsătură, linie *(a feţei);* trăsătură caracteristică. **2.** trăsătură *(de caracter etc.).*

linear ['liniə] *adj.* liniar.

lineman ['lainmən] *s. pl.* **linemen** ['lainmən] **1.** liniar, instalator de linii *(telefonice etc.).* **2**; *ferov.* picher, liniar.

linen ['linin] *s.* **1.** pânză / pânzeturi de in. **2.** rufărie.

liner¹ ['lainə] *s.* **1.** transatlantic. **2.** avion de cursă lungă.

liner² ['lainə] *s.* **1.** *tehn.* cuzinet; manşon. **2.** *mil.* ţeavă de căptuşire. **3.** căptuşeală, garnitură.

linesman ['lainzmən] *s. pl.* **linesmen** ['lainzmən] **1.** *ferov.* picher. **2.** *sport* arbitru de tuşă.

line-up [lain 'ʌp] s. sport aşezare, poziţie; dispozitiv.

ling [liŋ] s. 1. iht. mihalţ-de-mare (Molva molva). 2. bot. bălărie, buruiană.

linger ['liŋgə] I. vt. 1. a continua. 2. a târî de azi pe mâine. II. vi. 1. a dăinui, a persista, a stărui, a rămâne. 2. a zăbovi, a întârzia. 3. a o lungi (fig.).

lingerie ['lænʒri:] s. 1. pânzeturi. 2. rufărie, lenjerie (în special lenjerie de damă).

lingo ['liŋgou] s. limbaj.

lingual ['liŋgwəl] adj. 1. anat. lingual. 2. lingv. lingual, de limbă.

linguist ['liŋgwist] s. lingvist.

linguistic [liŋ'gwistik] adj. lingvistic.

linguistics [liŋ'gwistiks] s. pl. (folosit ca sing.) lingvistică.

liniment ['linimənt] s. med. liniment, fricţiune.

lining ['lainiŋ] s. căptuşeală.

link [liŋk] I. s. 1. verigă. 2. măsură de lungime. 3. ruletă. 4. legătură. 5. pl. pajişte. 6. pl. teren de golf. 7. pl. butoni (de manşetă). II. vt. 1. a uni. 2. a lega. III. vi. 1. a se lega. 2. a se îmbina.

linkage ['liŋkidʒ] s. 1. sistem de verigi. 2. racord, legătură. 3. chim. legătură. 4. cib. lanţ cinematic. 5. el. înlănţuire. 6. tehn. mecanism cu pârghii.

Linnaean [li'ni:ən] adj. bot. privitor la Linné şi la clasificarea lui.

linnet ['linit] s. ornit. cânepar (Carduelis cannabina).

lino ['lainou] s., pl. **linos** linoleum.

linocut ['lainoukʌt] s. (stampă trasă pe) şablon de linoleum, linogravură.

linoleum [li'nouljəm] s. linoleum.

linotype ['lainotaip] s. linotip.

linseed ['linsi:d] s. sămânţa de in.

linseed-oil ['linsi:d'ɔil] s. ulei de in.

linsey-woolsey ['linzi'wulzi] I. s. 1. caragiu, ţesătură grosolană de in / bumbac. 2. lucru fără valoare. 3. înv. prostie, absurditate; bazaconii. II. adj. 1. pe jumătate din lână. 2. fig. aspru, grosolan; alcătuit din bucăţi care nu se potrivesc.

lint [lint] s. scamă.

lintel ['lintl] s. cadrul uşii / ferestrei.

lion ['laiən] s. 1. zool. leu (Felix leo). 2. fig. persoană simpatică. 3. eroul zilei. 4. obiectiv turistic. || the ~'s share partea leului; to see ~s of the town a face turul oraşului.

lioness ['lainis] s. leoaică.

lion-hearted ['laiən,hɔ:tid] adj. neînfricat, cu inimă de leu.

lionize ['laiənaiz] vt. a idolatriza, a adora.

lip [lip] s. 1. buză. 2. margine. 3. obrăznicie. || to hang on smb.'s ~s a sorbi cuvintele cuiva; a fi în admiraţia cuiva.

lip-service ['lip,sə:vis] s. 1. nesinceritate. 2. făţărnicie. || to give / pay ~ to a sprijini formal, numai în vorbe.

lip-stick ['lipstik] s. ruj de buze.

liquefaction [,likwi'fækʃn] s. lichefiere.

liquefy ['likwifai] I. vt. 1. a lichefia (un gaz, o substanţă). 2. fon. a muia (o consoană). II. vi. 1. (d. gaze) a se lichefia. 2. (d. uleiuri, substanţe vâscoase) a se fluidiza.

liqueur [li'kjuə] s. lichior.

liquid ['likwid] I. s. lichid. II. adj. 1. lichid. 2. transparent. 3. clar. 4. nestatornic.

liquidate ['likwideit] I. vt. a lichida. II. vi. a da faliment.

liquidation [,likwi'deiʃn] s. 1. lichidare, achitare (a unei datorii). 2. lichidare (a socotelilor). 3. desfiinţare (a unei societăţi). 4. fig. descotorosire; lichidare. 5. descurcare, desluşire.

liquidity [li'kwiditi] s. 1. stare lichidă. 2. limpezime (a privirii, atmosferei etc.). 3. econ. fin. (şi pl.) lichiditate, lichidităţi, bani lichizi.

liquidize ['likwidaiz] vt. a lichefia.

liquidizer ['likwidaizə] s. maşină de făcut piure de cartofi.

liquor ['likə] s. băutură alcoolică.

liquorice ['likəris] s. bot. lemndulce (Glycyrrhiza glabra).

lira ['liərə] pl. **lire** ['liəri] sau **liras** ['liərəz] s. liră (monedă italiană).

lisp [lisp] I. s. sâsâială. II. vt., vi. a sâsâi.

lissom(e) ['lisəm] adj. suplu.

list[1] [list] I. s. listă. II. vt. 1. a scrie pe listă. 2. a înşira.

list[2] [list] poet. I. vi. a asculta. II. vt. a asculta; a trage cu urechea la. III. s. înv. auz; ascultare, atenţie.

listen ['lisn] vi. a asculta. || to ~ in (to) a asculta (la) radio.

listener ['lisnə] s. ascultător.

listless ['listlis] adj. 1. placid. 2. neatent.

listlessly ['listlisli] adv. cu nepăsare / indiferenţă; apatic.

listlessness ['listlisnis] s. nepăsare, indiferenţă; apatie.

lit [lit] vt., vi. trec. şi part. trec. de la **light**.

litany ['litəni] s. bis. 1. rugăciune, litanie. 2. fam. pomelnic.

litchi ['li:tʃi:] s. bot. 1. specie de copac (Litchi chinensis). 2. fructul acestui copac.

liter ['li:tə] s. amer. litru.

literacy ['litrəsi] s. ştiinţă de carte.

literal ['litrl] adj. 1. literal. 2. exact. 3. îngust la minte.

literally ['litrli] adv. 1. exact. 2. pur şi simplu.

literary ['litrəri] adj. literar.

literate ['litərit] adj. cu (ştiinţă de) carte, cultivat, învăţat.

literati [,litə'rɑ:ti] s. pl. literaţi, erudiţi, învăţaţi; oameni de litere.

literature ['litritʃə] s. literatură.

litharge ['liθɑ:dʒ] s. 1. chim. litargă, oxid de plumb. 2. minr. masicot.

lithe [laið] adj. suplu.

litho ['laiθou] I. s., pl. **lithos** litografie. II. adj. litografic. III. vt. a litografia.

lithograph ['liθəgrɑ:f] poligr. I. s. litografie. II. vt. a litografia.

lithographer [li'θɔgrəfə] s. poligr. litograf.

lithographic [,liθə'græfik] adj. poligr. litografic; litografiat.

lithography [li'θɔgrəfi] s. litografie.

litigant ['litigənt] I. adj. litigios, în litigiu. II. s. parte litigantă.

litigate ['litigeit] I. vi. a se judeca, a fi în litigiu. II. vt. jur. a contesta.

litigation [,liti'geiʃn] s. litigiu; contestaţie; discuţie, ceartă. || in ~ în litigiu.

litigious [li'tidʒəs] adj. 1. litigios, disputat. 2. controversat.

litmus ['litməs] s. chim. turnesol.

litosphere ['liθousfiə] s. geol. litosferă.

litotes ['laitoti:z] s. litotă.

litre ['li:tə] s. litru.

litter ['litə] I. s. 1. litieră. 2. dezordine. 3. resturi; gunoaie. 4. aşternut de paie. 5. zool. pui abia fătaţi (purcei, căţei etc.). || no ~! păstraţi curăţenia! II. vt. 1. a deranja. 2. a lăsa în dezordine. III. vi. a făta.

little ['litl] I. s. 1. puţin. 2. nimic. 3. scurt timp. II. adj. comp. **less** [les], superl. **the least** [ðə'li:st] 1. mic; micuţ; puţin; puţintel. 2. mărunt. 3. neînsemnat. 4. meschin. || not a ~ suficient; prea mult. III. adv. comp. **less** [les], superl. **least** ['li:st] 1. puţin. 2. în mică măsură. 3. (în prop. negative) deloc; nicidecum. || ~ by ~ treptat, pas cu pas; not ~ foarte mult.

littleness ['litlnis] s. 1. micime, mărime neînsemnată. 2. meschinărie, josnicie. 3. lipsă de însemnătate.

littoral ['litərəl] I. adj. de litoral, de ţărm. II. s. litoral; regiune de coastă.

liturgy ['litədʒi] s. bis. 1. liturghie. 2. ritual, ceremonial.

livable ['livəbl] adj. 1. (d. case, odăi) locuibil. 2. (d. viaţă, evenimente) suportabil. 3. (d. oameni) cu care se poate convieţui.

live¹ [laiv] adj. 1. în viaţă, viu. 2. aprins, arzând. 3. vioi, activ. 4. important. 5. el. sub tensiune.

live² [liv] vi. 1. a trăi. 2. a locui. 3. a supravieţui. 4. a rămâne. || to ~ from hand to mouth a trăi de azi pe mâine; to ~ on the fat of the land a huzuri; to ~ through a trece prin; to ~ up to a corespunde la; a fi la înălţimea (cu gen.).

liveable ['livəbl] adj. 1. locuibil. 2. suportabil; cu care se poate trăi.

livelihood ['laivlihud] s. 1. mijloace de trai. 2. trai, existenţă.

liveliness ['laivlinis] s. 1. vioiciune. 2. vigoare.

livelong ['livlɔŋ] I. adj. 1. tot, întreg. 2. (d. timp) lung, care trece încet. 3. veşnic; trainic, de durată. II. s. bot. iarbă-grasă (Sedum).

lively ['laivli] adj. 1. vioi, viu. 2. activ. 3. vesel. 4. realist. || to make things ~ for smb. a pune pe cineva într-o situaţie grea.

liven ['laivn] I. (up) vt. a însufleţi, a înveseli. II. vi. a se anima, a se însufleţi.

liver¹ ['livə] s. ficat.

liver² ['livə] s. 1. om de viaţă; cheltuli; petrecăreţ. || loose ~ om destrăbălat. 2. rar vieţuitor, locuitor.

liveried ['livərid] adj. (îmbrăcat) în livrea. || ~ servant servitor în livrea.

liverish ['livəriʃ] adj. 1. hepatic, bolnav de ficat. 2. susceptibil, irascibil.

liverwort ['livəwə:t] s. bot. călbază, coada-rândunicii (Erythraea centaurium).

livery ['livəri] s. 1. livrea. 2. grajd.

lives [laivz] s. pl. de la **life**.

livestock ['laivstɔk] s. şeptel.

live wire [,laiv'waiə] s. 1. zvârlugă (fig.). 2. om (foarte) activ; argint viu (fig.).

livid ['livid] adj. livid.

living ['liviŋ] I. s. 1. trai; existenţă. 2. slujbă, funcţie. 3. parohie. II. adj. 1. viu. 2. activ. 3. veridic.

living-room ['liviŋrum] s. cameră de zi; cameră comună.

living wage [,liviŋ'weidʒ] s. salariu din care poţi trăi; minimum de trai.

lizard ['lizəd] s. zool. şopârlă (Lacerta).

Lizzie ['lizi] s. sl. maşină ieftină (mai ales Ford).

llama ['lɑ:mə] s. zool. lamă (Auchenia lama).

llano ['lɑ:nou] s. llano (pampas).

Lloyd's ['lɔidz] s. Lloyd's (companie britanică de asigurări).

lo [lou] interj. înv. iată! uite! ia seama!

loach [loutʃ] s. iht. 1. grindel (Cobitis barbatula). 2. mihalţ (Lota vulgaris).

load [loud] I. s. 1. încărcătură. 2. sarcină. || ~s of o mulţime (de). II. vt. 1. a încărca. 2. a măslui (zarurile) (şi fig.). III. vi. a se încărca.

loadstar ['loudstɑ:] s. stea călăuzitoare.

load-stone ['loudstoun] s. magnet (şi fig.).

loaf [louf] I. s. pl. **loaves** [louvz] 1. pâine; franzelă. 2. căpăţână de zahăr. 3. budincă. 4. plimbare. II. vt. a irosi (timpul). III. vi. 1. a vagabonda. 2. a pierde vremea.

loafer ['loufə] s. 1. vagabond. 2. pierde-vară.

loam [loum] I. s. 1. lut, pământ argilos; humă. 2. pământ fertil. 3. lut pentru cărămizi / modelat. II. vt. a tencui (un perete etc.) cu lut.

loamy ['loumi] adj. lutos, humos, argilos.

loan [loun] I. s. 1. împrumut. 2. credit. III. vt. amer. a da cu împrumut.

loath [louθ] adj. 1. fără chef, nedoritor. 2. refractar. || I am

~ to go nu sunt dispus / n-am chef să mă duc / tare nu m-aş duce.

loathe [louð] vt. 1. a detesta. 2. a nu putea suferi. || I ~ him to leave nu vreau să plece.

loathsome ['louðsəm] adj. 1. dezgustător. 2. scârbos. 3. nesuferit, urâcios.

lob [lɔb] I. vi. a merge greu. II. vt. a arunca în sus (mingea).

lobar ['loubə] adj. lobar.

lobate ['loubeit] adj. bot., zool. lobat.

lobby ['lɔbi] I. s. 1. hol (de hotel). 2. foaier. 3. sală, culoar. 4. (în Congresul S.U.A.). solicitanţi care contribuie la influenţarea parlamentarilor; (grup de) presiune. II. vt. a-i influenţa (pe parlamentari); a face presiuni (neoficiale) asupra (cu dat.).

lobbyist ['lɔbiist] s. pol. persoană care face trafic de influenţă, exercită presiuni.

lobe [loub] s. 1. anat., zool., bot. lob; alveolă; petală. 2. tehn. camă, lobă, ieşind; proeminenţă.

lobelia [lou'bi:liə] s. bot. lobelie (Lobelia crinus).

lobster ['lɔbstə] s. zool. homar (Homarus sp.).

lobworm ['lɔbwə:m] s. râmă, vierme (ca nadă sau momeală).

local ['loukl] I. s. 1. tren local, cursă. 2. (buletin de) informaţii locale. 3. filială. 4. sindicat local. II. adj. local.

locale [lou'kɑ:l] s. scenă, teatru (al acţiunii).

locality [lo'kæliti] s. 1. aşezare. 2. peisaj. 3. localitate.

localization [,loukəlai'zeiʃn] s. 1. localizare. 2. descentralizare.

localize ['loukəlaiz] vt. a localiza.

locate [lo'keit] vt. 1. a localiza. 2. a stabili poziţia (cu gen.). 3. a găsi (pe hartă).

location [lo'keiʃn] s. 1. aşezare. 2. situaţie. || to film on ~ a filma în decor natural / la faţa locului.

loch [lɔk] s. (cuvânt scoţian) lac; braţ de mare îngust; golf.

lock [lɔk] I. s. 1. buclă, cârlionţ, zuluf; şuviţă; pl. păr (al capului). 2. lacăt. 3. încuietoare. 4. ecluză. 5. smoc (de păr, lână, paie etc.). II. vt. 1. a închide. 2. a încuia. 3. a păstra (cu sfinţenie). 4. a fixa; a înţepeni. 5. a bloca. || to ~ up a băga la închisoare / la azil; a închide; a pune la păstrare. **III.** *vi.* **1.** a se încuia. **2.** a se închide.

locked jaw [ˌlɔkt'dʒɔː] *s. med. vet.* v. **lock jaw**.

locker ['lɔkə] *s.* dulăpior *(de vestiar)*.

locket ['lɔkit] *s.* medalion.

lock jaw ['lɔk dʒɔː] *s. med. vet.* trismus, tetanos.

lock-out ['lɔkaut] *s.* închiderea fabricii; grevă patronală.

locksmith ['lɔksmiθ] *s.* lăcătuş.

lock-up ['lɔkʌp] **I.** *s.* încuiere. **II.** *adj.* care se încuie.

locomotion [ˌloukə'mouʃn] *s.* locomoţie; deplasare.

locomotive ['loukəˌmoutiv] **I.** *adj.* locomotor. **II.** *s.* **1.** locomotivă. **2.** *pl. sl. înv.* picioare.

locum ['loukəm] *s.* înlocuitor, locţiitor.

locus ['loukəs] *pl.* **loci** ['lousai] *s.* **1.** loc; poziţie, scenă. **2.** *mat.* loc geometric al punctelor. **3.** *cib.* hodograf.

locust ['loukəst] *s. entom.* lăcustă *(şi fig.) (Pachytylus migratoria).*

locution [lou'kjuːʃn] *s.* **1.** locuţiune; expresie. **2.** mod de exprimare.

lode [loud] *s.* filon.

lodestar ['loudstɑː] *s.* **1.** steaua polară. **2.** principiu călăuzitor.

lodestone ['loudstoun] *s.* magnet.

lodge [lɔdʒ] **I.** *s.* **1.** căsuţa portarului. **2.** cabană. **3.** lojă *(masonică etc.).* **4.** vilă, casă la ţară. **II.** *vt.* **1.** a găzdui. **2.** a băga. **3.** a investi. **4.** a înainta *(autorităţilor).* **5.** a înmâna, a transmite. **III.** *vi.* **1.** a locui (cu chirie). **2.** a intra; a se băga.

lodgement ['lɔdʒmənt] *s.* **1.** locuinţă, apartament. **2.** *mil.* întărituri *(pe o poziţie cucerită).* **3.** *fig.* adăpost, loc.

lodger ['lɔdʒə] *s.* chiriaş.

lodging(s) ['lɔdʒiŋ(z)] *s. pl.* locuinţă (cu chirie).

loess ['loues] *s. geol.* loess.

loft [lɔft] *s.* **1.** podul casei. **2.** galerie. **3.** porumbar.

loftiness ['lɔːftinis] *s.* **1.** înălţime (mare). **2.** *fig.* măreţie, nobleţe *(a idealurilor etc.).* **3.** măreţie, demnitate. **4.** mândrie, semeţie; aroganţă.

lofty ['lɔfti] *adj.* **1.** înalt. **2.** nobil. **3.** distins. **4.** superior. **5.** trufaş.

log [lɔg] **I.** *s.* **1.** butuc; buştean. **2.** jurnal de bord. **II.** *vt.* **1.** a tăia (copaci). **2.** a trece în jurnalul de bord.

loganberry ['lougənberi] *s. amer. bot.* hibrid de zmeură şi mure.

logan-stone ['lougən stoun] *s.* piatră de dimensiuni mari, poziţionată astfel încât să poată fi mişcată uşor.

logarithm ['lɔgəriθ(ə)m] *s.* logaritm.

logarithmic(al) [ˌlɔgə'riθmik(l)] *adj. mat.* logaritmic.

log book ['lɔg buk] *s. mar., av.* jurnal de bord.

loggerhead ['lɔgəhed] *s.* prostovan, cap de lemn. || *to be at ~s (with)* a nu se înţelege (cu).

loggia ['lɔdʒiə] *s. arhit.* galerie deschisă, pridvor, loggia.

loggin ['lɔgiŋ] *s.* exploatare forestieră, tăiere de păduri.

logic ['lɔdʒik] *s.* **1.** logică. **2.** obligaţie.

logical ['lɔdʒikl] *adj.* logic.

logicality [ˌlɔdʒi'kæliti] *s.* v. **logicalness**.

logicalness ['lɔgikəlnis] *s.* caracter logic; logică.

logician [lou'dʒiʃən] *s.* logician.

logistics [lɔ'dʒistiks] *s. pl. (folosit ca sing.)* **1.** *mil.* logistică. **2.** *mat.* logistică; logică simbolică.

logo ['lougou] *s.* v. **logotype** 2.

logotype ['lɔgoutaip] *s.* **1.** *poligr.* logotip. **2.** emblemă, stemă, insignă; simbol.

log rolling ['lɔg ˌrouliŋ] *s. amer.* **1.** rostogolire a buştenilor. **2.** *fig.* tămâiere reciprocă, schimb de laude / osanale *(în presă);* servicii reciproce, schimb de servicii *(în politică).*

logwood ['lɔgwud] *s. bot.* lemn de băcan *(Haematoxylon campechianum);* lemn colorant.

loin [lɔin] *s.* **1.** muşchi, filé *(de vacă etc.).* **2.** *pl.* şale.

loin-cloth ['lɔinklɔθ] *s.* pânză purtată în jurul şalelor, şorţ.

loiter ['lɔitə] **I.** *vi.* **1.** a zăbovi; a rămâne în urmă; a se mocăi. **2.** a hoinări, a vagabonda. **II.** *vt.:* *to ~ away one's time* a trândăvi, a pierde vremea.

loiterer ['lɔitrə] *s.* vagabond, pierde-vară.

loll [lɔl] **I.** *vt.* **1.** a scoate *(limba).* **2.** a lăsa să atârne. **II.** *vi.* a pierde vremea.

lollipop ['lɔlipɔp] *s.* zahăr candel; acadea; *pl.* dulciuri, cofeturi.

lollop *vi. fam. (şi to ~ along)* a merge greoi; a se târî.

lolly ['lɔli] *s.* **1.** v. **lollipop**. **2.** *sl.* parale, biştari, bani.

Lombard ['lɔmbəd] *s.* **1.** *ist.* longobard. **2.** lombard, locuitor al Lombardiei. **3.** *înv.* bancher; zaraf.

Londoner ['lʌndənə] *s.* londonez, locuitor al Londrei.

lone [loun] *adj.* singuratic.

loneliness ['lounlinis] *s.* **1.** singurătate, izolare, sihăstrie. **2.** sentimentul de a fi părăsit, însingurare.

lonely ['lounli] *adj.* **1.** singur. **2.** singuratic. **3.** pustiu. **4.** trist.

loner ['lounə] *s. amer.* lup singuratic, persoană independentă; politician independent.

lonesome ['lounsəm] *adj.* **1.** singuratic, solitar; cuprins de dor; abandonat. **2.** pustiu, nelocuit, neumblat.

long [lɔŋ] **I.** *s.* lungime. **II.** *adj.* lung. || *in the ~ run* în cele din urmă. **III.** *vi.* **(for) 1.** a dori, a-i fi dor (de). **2.** a tânji (după).

long boat ['lɔŋ 'bout] *s. mar.* barcaz, şalupă.

long bow ['lɔŋ 'bou] *s. ist.* arc mare. || *fam. to draw / to pull the ~* a povesti verzi şi uscate, a face din ţânţar armăsar, a exagera.

long-distance ['lɔŋ'distəns] **I.** *adj.* îndepărtat, la mare distanţă. **II.** *vt.* a chema la telefon *(pe cineva)* din alt oraş sau din altă ţară, a avea o convorbire telefonică interurbană *sau* internaţională.

long-drawn ['lɔŋ'drɔːn] *adj.* prelung(it), de durată; tărăgănat.

longevity [lɔŋ'dʒeviti] *s.* longevitate, viaţă lungă.

long face ['lɔŋfeis] *s.* mutră plouată / mirată.

long-horn ['lɔŋ'hɔːn] **I.** *adj.* cu coarne lungi. **II.** *s.* bou sau vacă cu coarne lungi.

longing ['lɔŋiŋ] **I.** *s.* **(for)** dor (de). **II.** *adj.* doritor, plin de dor (de).

longitude ['lɔndʒitjuːd] *s.* longitudine.

longitudinal [ˌlɔndʒi'tjuːdinl] **I.** *adj.* longitudinal. **II.** *s.* **1.** *constr.* grindă longitudinală; element longitudinal al construcţiei. **2.** *av.* lonjeron. **3.** *mar.* carlingă laterală.

longitudinally [ˌlɔndʒi'tjuːdinəli] *adv.* longitudinal.

long jump ['lɔndʒʌmp] *s. sport.* săritură în lungime.

long-lived [ˌlɔŋ'livd] *adj.* care are viaţă lungă; de lungă durată.

Long Parliament [ˈlɔŋˈpɑːləmənt] *s.*: *the* ~ parlamentul lung *(în Anglia, între 1640-1650 şi 1659-1660).*

long-range [ˌlɔŋ ˈreindʒ] *adj.* **1.** *mil. etc.* cu rază mare de acţiune; cu parcurs lung. **2.** de mare înrâurire, de largă perspectivă. || ~ *thinking* gândire care vede departe, prevedere; ~ *policy* politică cu perspective îndepărtate.

longshoreman [ˈlɔŋʃɔːmən] *s. pl.* **longshoremen** [ˈlɔŋʃɔːmən] **1.** docher; hamal din port. **2.** pescar de pe litoral. **3.** om care trăieşte din ocupaţii de sezon la staţiunile de pe litoral.

long-sighted [ˌlɔŋˈsaitid] *adj.* **1.** presbit. **2.** *fig.* prevăzător.

long-standing [ˌlɔŋ ˈstændiŋ] *s., adj.* de lungă durată.

long-suffering [ˌlɔŋˈsʌfəriŋ] **I.** *adj.* care suferă mult, care înghite multe. **II.** *s.* răbdare, suferinţă; îngăduinţă extremă.

long-term [ˌlɔŋˈtɔːm] *adj.* pe termen lung, de durată.

long-time [ˌlɔŋˈtaim] *adj.* v. **longterm.**

longways [ˈlɔŋweiz] *adv.* în lung, de-a lungul.

long-winded [ˌlɔŋˈwindid] *adj.* plicticos.

loo [luː] *s.* **1.** numele unui joc de cărţi. **2.** *fam.* WC, closet.

loofah [ˈluːfə] *s. bot.* lufă *(Luffa aegyptica).*

look [luk] **I.** *s.* **1.** privire. **2.** înfăţişare. **3.** *pl.* aspect. **II.** *vt.* a privi. || *to* ~ *daggers at* a fulgera cu privirea; *to* ~ *over* a cerceta. **III.** *vi.* **1.** *to* ~ *up and down* a cântări din ochi; a privi. **2.** a se uita. **3.** a arăta; a părea. || *to* ~ *about* a se uita de jur împrejur; a căuta; *to* ~ *after* a îngriji; a se uita în urma; *to* ~ *ahead* a privi înainte *(şi fig.);* a se gândi la viitor; *to* ~ *back* a se uita înapoi; *fig.* a bate pasul pe loc; *to* ~ *down one's nose at* a privi cu dispreţ; *to* ~ *for* a căuta; a aştepta; *to* ~ *forward to* a aştepta cu nerăbdare; *to* ~ *into* a cerceta; *to* ~ *on* sau *upon* a considera; a vedea; a privi; *to* ~ *on the dark side of things* a vedea viaţa în negru; *to* ~ *out* a băga de seamă; *to* ~ *over* a cerceta; *to* ~ *round* a chibzui; *to* ~ *through* a străbate; a se ivi; *to* ~ *up* a ridica ochii / capul.

looker [ˈlukə] *s.* **1.** persoană care priveşte, spectator. **2.** *(mai ales* **good**-~) bărbat frumos / chipeş; femeie frumoasă / arătoasă.

looker-on [ˈlukərˈɔn] *s.* spectator, observator; *pl.* asistenţă, chibiţi *(la joc).* || **lookers-on see most of the game; lookers-on see more than players** cei din afară văd mai bine decât cei prinşi în joc.

looking [ˈlukiŋ] **I.** *s.* privire. **II.** *adj.* arătos.

looking-glass [ˈlukiŋglɑːs] *s.* oglindă.

look-out [ˈlukˈaut] *s.* **1.** pază. **2.** grijă. **3.** perspectivă.

loom [luːm] **I.** *s.* război de ţesut. **II.** *vi.* **1.** a se ivi. **2.** a apărea (neclar). **3.** a ameninţa.

loon [luːn] *s. ornit.* cufundar *(Gania sp.).*

loony [ˈluːni] *s. sl.* zănatic, smintit.

loop [luːp] **I.** *s.* **1.** laţ. **2.** inel. **3.** cerc. **4.** *av.* luping. **II.** *vt.* **1.** a lega. **2.** a înnoda. **III.** *vi.* a face un luping.

loop-hole [ˈluːphoul] *s.* **1.** deschizătură. **2.** *fig.* scăpare.

loose [luːs] **I.** *s.* **1.** libertate. **2.** distracţii. **II.** *adj.* **1.** liber. **2.** slobod. **3.** larg, care atârnă. **4.** slab. **5.** nefixat. **6.** vag. **7.** lipsit de constrângere. **8.** imoral. **9.** rar. **10.** dezlânat. **11.** stângaci. || *to have a* ~ *tongue* a vorbi prea mult; *to come* / *work* ~ a (se) slăbi; a se desface; *to have a screw* / *tile* ~ a-i lipsi o doagă; *to be at a* ~ *end* a fi în încurcătură; a nu avea ce face. **III.** *vt.* **1.** a dezlega. **2.** a slăbi. **3.** a slobozi.

loose-leaf [ˈluːsˌliːf] *adj. (d. albume etc.)* în foi mobile, cu foi libere.

loosely [ˈluːsli] *adv.* **1.** slobod. **2.** larg. **3.** în genere. **4.** vag.

loosen [ˈluːsn] *vt., vi.* a slăbi.

loose woman [ˌluːsˈwumən] *s. pl.* **loose women** [ˌluːsˈwimin] femeie de stradă, prostituată, lepădătură.

loot [luːt] **I.** *s.* pradă. **II.** *vt., vi.* a prăda.

lop[1] [lɔp] **I.** *vt.* a tunde, a curăţi de ramuri *(un copac).* **II.** *s.* ramuri tăiate.

lop[2] [lɔp] **I.** *vi.* **1.** *(d. urechi)* a atârna, a se pleoşti. **2.** *fam.* a avea o figură adormită / pleoştită. **3.** *to* ~ *about* a hoinări, a umbla haihui / brambura. **4.** *amer. to* ~ *down* a se lăsa să

cadă. **5.** *(d. animale)* a sări (în sus); a înainta prin salturi. **II.** *vt.* a lăsa să atârne *(urechile),* a pleoşti. **III.** *s.* pleoştire *(a urechilor).*

lope [loup] **I.** *vi. (mai ales d. animale)* a sări, a alerga, a face salturi. **II.** *s.* alergare (în salturi); sărituri; pas săltăreţ.

lop-sided [ˈlɔpˈsaidid] **I.** *s.* **1.** asimetric. **2.** strâmb. **II.** *adj.* strâmb, aplecat într-o parte / rână, povârnit; nesimetric.

loquacious [loˈkweiʃəs] *adj.* vorbăreţ.

loquacity [louˈkwæsiti] *s.* locvacitate, limbuţie.

lord [lɔːd] **I.** *s.* **1.** lord. **2.** stăpân. **3.** conducător. **4.** aristocrat. || *the Lord* Dumnezeu. **II.** *vt.* a stăpâni. || *to* ~ *it* a domni *(fig.),* a o duce împărăteşte.

lordling [ˈlɔːdliŋ] *s.* mic senior; *peior.* boiernaş.

lordly [ˈlɔːdli] *adj.* **1.** magnific. **2.** splendid. **3.** trufaş.

lordship [ˈlɔːdʃip] *s.* **1.** stăpânire; putere. **2.** autoritate. **3.** moşie. **4.** conac. || *Your Lordship* Înălţimea Voastră.

lore [lɔː] *s.* **1.** ştiinţă. **2.** înţelepciune.

lorgnette [lɔːˈnjet] *s.* **1.** lornietă. **2.** binoclu (de teatru).

lorn [lɔːn] *adj. poet.* părăsit, oropsit; nemângâiat, nefericit; singur, solitar.

lorry [ˈlɔri] *s.* camion.

lose [luːz] **I.** *vt. trec. şi part. trec.* **lost** [lost] **1.** a pierde. **2.** a scăpa. **3.** a irosi. **4.** a izgoni. **5.** a face să se piardă. || *to* ~ *colour* a păli; *to* ~ *countenance* a se pierde *(fig.);* *to* ~ *flesh* a slăbi; *to* ~ *one's way,* *to be lost* a se rătăci; *to* ~ *sight of* a pierde din vedere; *to* ~ *control of* a scăpa din mână; *it is lost upon him* n-are efect asupra lui; *to be lost* a fi mort / pierdut / insensibil. **II.** *vi. trec. şi part. trec.* **lost** [lost] **1.** *(d. ceas)* a rămâne în urmă. **2.** a pierde. **3.** a avea de pierdut. **III.** *vr. trec. şi part. trec.* **lost** [lost] a se pierde.

loser [ˈluːzə] *s.* **1.** învins. **2.** cel care pierde. **3.** păgubaş; păgubit.

losing [ˈluːziŋ] *adj.* **1.** pierdut. **2.** care pierde. **3.** nefavorabil. **4.** în pagubă.

loss [lɔs] *s.* **1.** pierdere. **2.** înfrângere. **3.** irosire. **4.** dezavantaj. || *to be at a* ~ a fi în încurcătură.

lost [lɔst] *vt., vi. trec. şi part. trec. de la* **lose**.

lot [lɔt] **I.** *s.* **1.** lot. **2.** cantitate (întreagă). **3.** mulţime. **4.** grup; bandă. **5.** soartă. **6.** *pl.* sorţi. **7.** teren, parcelă. || *a ~ of, ~s of* omulţime de; *to draw/cast ~s* a trage la sorţi. **II.** *adv.: a ~* foarte mult (*şi iron.*).

loth [louθ] *adj.* v. **loath**.

lotion [ˈlouʃn] *s.* **1.** *med.* preparat lichid, loţiune. **2.** *sl.* băutură (*alcoolică*). **3.** *înv.* spălare.

lottery [ˈlɔtəri] *s.* loterie (*şi fig.*).

lotto [ˈlɔtou] *s.*loto.

lotus [ˈloutəs] *s. bot.* lotus (*Nymphaea lotus*).

lotus-eater [ˈloutəsˌiːtə] *s.* **1.** pierde-vară. **2.** chefliu.

loud [laud] **I.** *adj.* **1.** sonor, tare. **2.** răsunător. **3.** zgomotos. **4.** ţipător (*şi fig.*). **II.** *adv.* (cu voce) tare.

loudly [ˈlaudli] *adv.* tare, puternic, răsunător, sonor; zgomotos, extravagant, ţipător; cu putere, cu forţă, cu zgomot. || *to call ~ for smth* a cere / a pretinde ceva în gura mare; *to knock ~ at the door* a bate cu putere în uşă; *she dresses very ~* se îmbracă ţipător / extravagant.

loudness [ˈlaudnis] *s.* **1.** putere, tărie (*a unui zgomot*); caracter zgomotos. **2.** *fiz.* intensitate auditivă. **3.** *telec.* impresie sonoră. **4.** extravaganţă, vulgaritate.

loud-speaker [ˈlaudˈspiːkə] *s.* megafon, difuzor.

lough [lɔk] *s.* **1.** lac. **2.** braţ de mare.

Louisianian [luːiziˈænian] **I.** *adj.* din (statul) Luisiana. **II.** *s.* locuitor din (statul) Luisiana.

lounge [laundʒ] **I.** *s.* **1.** trândăveală. **2.** hol (*de hotel etc.*). **3.** canapea. **4.** costum de oraş. **II.** *vi.* **1.** a pierde vremea. **2.** a se plimba.

lounge-chair [ˈlaundʒtʃɛə] *s.* şezlong.

lounge-suit [ˈlaundʒsjuːt] *s.* costum de mică ţinută, costum de oraş.

lour [ˈlauə] **I.** *s.* întunecare (*a cerului*); ameninţare (*a furtunii*). **II.** *vi.* v. **lower**[1] **II.**

louse [laus] *s. pl.* **lice** [lais] *entom.* păduche (*Pediculus sp.*).

lousy [ˈlauzi] *adj.* **1.** păduchios. **2.** împuţit. **3.** nenorocit, mizerabil.

lout [laut] *s.* **1.** mocofan. **2.** huidumă.

loutish [ˈlautiʃ] *adj.* grosolan, neşlefuit, neciopilit.

lovable [ˈlʌvəbl] *adj.* drăguţ, drăgălaş, atrăgător, plăcut, simpatic.

lovage [ˈlʌvidʒ] *s. bot.* leuştean (*Levisticum officinale*).

love [lʌv] **I.** *s.* **1.** dragoste. **2.** amor. **3.** pasiune. **4.** persoană scumpă. **5.** complimente. **6.** *sport* zero. **7.** scor alb. || *give my ~ to him* transmite-i complimente din partea mea; *not for ~ or money* cu nici un chip; *for the ~ of Heaven* pentru numele lui Dumnezeu; *there's no ~ lost between them* nu se pot suferi; *to be in ~ (with)* a fi îndrăgostit (de); *to fall in ~ (with)* a se îndrăgosti (de); *to make ~ to* a curta; a face dragoste cu. **II.** *vt.* **1.** a iubi. **2.** a adora. **3.** a savura. **4.** a-i plăcea foarte mult.

love-affair [ˈlʌvəˌfɛə] *s.* **1.** amor. **2.** legătură amoroasă; aventură.

love-child [ˈlʌvtʃaild] *s.* copil din flori.

Lovelace [ˈlʌvleis] *s.* crai, curtezan, desfrânat.

loveless [ˈlʌvlis] *adj.* **1.** neiubitor, care nu iubeşte. **2.** neiubit, care n-are parte de dragoste. **3.** (*d. o căsnicie etc.*) lipsit de dragoste.

love-lorn [ˈlʌvˌlɔːn] *adj.* **1.** tânjind de dor, bolnav de dragoste. **2.** părăsit / lăsat de fiinţa iubită.

lovely [ˈlʌvli] *adj.* **1.** frumos. **2.** atrăgător. **3.** încântător.

lover [ˈlʌvə] *s.* **1.** îndrăgostit. **2.** iubit. **3.** amant. **4.** iubitor, amator.

love-sick [ˈlʌvsik] *adj.* **1.** îndrăgostit nebuneşte. **2.** în călduri.

loving [ˈlʌviŋ] *adj.* iubitor.

loving kindness [ˈlʌviŋ ˈkaindnis] *s.* bunătate, afecţiune.

lovingly [ˈlʌviŋli] *adv.* iubitor, afectuos.

low [lou] **I.** *s.* muget. **II.** *adj.* **1.** jos; scund. **2.** umil. **3.** (*d. sunete*) încet. **4.** josnic. **5.** înapoiat. **6.** vulgar. **7.** slab. **8.** prost. **9.** de proastă calitate; de prost gust. **10.** ascuns. || *to be in ~ water* a fi la ananghie; a fi lefter. **III.** *vi.* a mugi. **IV.** *adv.* **1.** (în partea de) jos. **2.** ieftin. **3.** încet (ca sonoritate); cu voce joasă. **4.** ascuns. || *to lie ~* a sta întins; a sta ascuns; *to lay ~* a dărâma; a ucide; a pune la pat; *to bring ~* a umili; *to run ~* a fi pe sfârşite.

low-born [ˈlouˈbɔːn] *adj.* de origine umilă.

low-brow [ˈloubrau] **I.** *s.* om fără pretenţii. **II.** *adj.* fără pretenţii.

low-down [ˈlouˌdaun] **I.** *adj.* **1.** apropiat de sol; jos, scund. **2.** *fig.* josnic, necinstit; ruşinos. || *to play a ~ trick* a juca un renghi / o festă urâtă. **II.** *s. amer. fam.* **1.** informaţii. **2.** fapte.

lower[1] [ˈlouə] **I.** *adj.* **1.** inferior. **2.** de jos. **II.** *vt.* **1.** a coborî. **2.** a lăsa în jos. **3.** a slăbi. **4.** a umili. **5.** a ruşina. **6.** a degrada. **III.** *vi.* a coborî. **IV.** *vr.* **1.** a se degrada. **2.** a se înjosi.

lower[2] [ˈlouə] *s.* **1.** aer mohorât / posac ; aer ameninţător. **2.** înnorare, întunecare, mohorâre (*a cerului*). **3.** ameninţare.

lower middle classes [ˈlouəmidl ˈklɑːsiz] *s. pl.* mica burghezie.

lowland [ˈloulənd] *s.* **1.** teren jos, de şes. **2.** regiune de câmpie.

lowliness [ˈloulinis] *s.* **1.** caracter umil (*al naşterii etc.*). **2.** umilinţă; sfiiciune.

lowly [ˈlouli] *adj., adv.* modest, umil.

low relief [ˌlouriˈliːf] *s.* basorelief.

low-spirited [ˌlouˈspiritid] *adj.* deprimat, descurajat; abătut, mâhnit; posomorât, posac.

low-voiced [ˌlouˈvɔist] *adj.* **1.** cu voce(a) gravă. **2.** cu voce(a) joasă.

loyal [ˈlɔial] *adj.* loial, credincios, devotat.

loyalist [ˈlɔialist] *s.* **1.** *ist.* monarhist. **2.** supus credincios.

loyalty [ˈlɔialti] *s.* **1.** credinţă. **2.** obligaţie. **3.** lealitate.

lozenge [ˈlɔzindʒ] *s.* **1.** romb. **2.** tabletă.

LT *abrev. low tension* tensiune joasă.

lubber [ˈlʌbə] *s.* **1.** persoană neîndemânatică. **2.** *mar.* marinar neexperimentat.

lubberly [ˈlʌbəli] *adj.* **1.** stângaci; greoi. **2.** mătăhălos.

lubricant [ˈljuːbrikənt] *s.* unsoare, lubrifiant.

lubricate [ˈluːbrikeit] *vt.* a unge (*şi fig.*), a lubrifia.

lubrication [ˌljuːbriˈkeiʃən] *s. tehn.* gresare, ungere, uns (*al maşinilor*).

lubricator [ˈljuːbrikeitə] *s.* **1.** *tehn.* ungător, gresor. **2.** robinet, bidon de ulei. **3.** substanţă de uns.

lubricity [ljuːˈbrisiti] *s.* **1.** proprietate de a unge, onctuozitate. **2.** *fig.* abilitate de a scăpa / de a se eschiva / de a se sustrage. **3.** nestatornicie, nestabilitate. **4.** lascivitate, lubricitate.

lucent ['lju:snt] *adj.* **1.** luminos, lucitor. **2.** transparent; diafan.

lucerne [lu'sə:n] *s. bot.* lucernă *(Medicago saticea).*

lucid ['lu:sid] *adj.* **1.** clar. **2.** lucid.

lucidity [lju:'siditi] *s.* **1.** luminozitate. **2.** claritate; transparenţă. **3.** luciditate.

Lucifer ['lju:sifə] *s.* **1.** *poet.* luceafărul de dimineaţă, planeta Venus. **2.** Lucifer, satana. **3.** (~ **match**) *înv.* chibrit.

luck [lʌk] *s.* **1.** noroc. **2.** şansă. || *to be down on one's* ~ a nu avea noroc; *just my* ~! ghinionul meu (obişnuit)!; *out of* ~ fără noroc.

luckily ['lʌkili] *adv.* din fericire.

luckless ['lʌklis] *adj.* **1.** nenorocos, ghinionist; nefericit. **2.** vestitor de rele, nenorocos.

lucky ['lʌki] *adj.* **1.** norocos. **2.** aducător de noroc. **3.** fericit.

lucrative ['lu:krətiv] *adj.* rentabil.

lucre ['lu:kə] *s.* profit.

lucubration [,lju:kju(:)'breiʃən] *s.* **1.** muncă intelectuală, studiu intens *(noaptea).* **2.** operă literară cu caracter pedant *sau* cu efecte prea căutate.

ludicrous ['lu:dikrəs] *adj.* **1.** ridicol. **2.** absurd.

ludo ['lu:dou] *s.* joc de zaruri.

luff [lʌf] *mar.* **I.** *s.* **1.** margine de cădere, prova. **2.** gurnă *(şi* ~ *of the tackle)* palan(c) al sarturilor gabierului, palan(c) alunecător. || *to keep the* ~ a strânge vântul cât mai mult. **II.** *vi.* a veni în vânt.

lug [lʌg] *vt.* **1.** a trage. **2.** a târî.

luggage ['lʌgidʒ] *s.* bagaje.

lugger ['lʌgə] *s. mar.* lugher.

lugubrious [lu:'gju:briəs] *adj.* **1.** lugubru. **2.** sumbru.

lukewarm ['lju:kwɔ:m] *adj.* **1.** călduţ, potrivit *(şi fig.).* **2.** moderat, indiferent, nu prea zelos.

lull [lʌl] **I.** *s.* **1.** linişte. **2.** răgaz. **II.** *vt.* **1.** a legăna *(un copil).* **2.** a linişti. **3.** a alina.

lullaby ['lʌləbai] *s.* cântec de leagăn.

lumbago [lʌm'beigou] *s. med.* lumbago.

lumbar ['lʌmbə] *adj. anat.* lombar.

lumber ['lʌmbə] **I.** *s.* **1.** lemne. **2.** cherestea (neprelucrată). **3.** mobilă veche. **4.** balast. **II.** *vt.* **1.** a umple (cu mobile vechi).

2. a încărca inutil. **III.** *vi.* **1.** a tăia lemne. **2.** a sta în drum, a încurca circulaţia.

lumbering[1] ['lʌmbəriŋ] *s. amer. silvicultură* **1.** exploatare forestieră. **2.** comerţ cu lemne.

lumbering[2] ['lʌmbəriŋ] *adj.* care se mişcă cu greutate.

lumber jack ['lʌmbə dʒæk] *s. v.* **lumber** l.

lumberman ['lʌmbəmən] *s.* muncitor forestier.

lumber-room ['lʌmbərum] *s.* debara.

lumber-yard ['lʌmbəjɑːd] *s.* **1.** depozit de cherestea / lemne. **2.** *amer.* depozit / fabrică de cherestea.

luminary ['lju:minəri] *s.* **1.** astru, stea. **2.** *fig.* persoană luminată, far, luminător.

luminiscent [lu:mi'nəsnt] *adj.* luminescent.

luminosity [,lju:mi'nəsiti] *s.* luminozitate, strălucire.

luminous ['lu:minəs] *adj.* **1.** luminos. **2.** clar.

lump [lʌmp] **I.** *s.* **1.** bucată. **2.** bulgăr. **3.** umflătură. **4.** om greoi. || *in the* ~ în ansamblu; *a* ~ *in one's throat* un nod în gât. **II.** *vt.* **1.** a pune laolaltă. **2.** a înghiţi *(şi fig.).* **III.** *vi.* a se lipsi.

lumpish ['lʌmpiʃ] *adj.* **1.** greoi, nedibaci, stângaci. **2.** tâmpit, greu de cap.

lump sugar ['lʌmp,ʃugə] *s.* zahăr cubic / bucăţi.

lumpy ['lʌmpi] *adj.* plin de cocoloaşe / bulgări; cu movile. || ~ *sea* mare cu valuri mici, cu berbeci.

lunacy ['lu:nəsi] *s.* nebunie.

lunar ['lju:nə] *adj.* lunar, de lună. || *fig.* ~ *politics* speculaţii fără rezultat practic.

lunate ['lju:neit] *adj.* în formă de semilună.

lunatic ['lu:nətik] *s., adj.* nebun.

lunation [lju:'neiʃn] *s. astr.* lună sinodică (29 $^7/_4$ până la 29 $^5/_6$ zile).

lunch(eon) ['lʌntʃ(n)] **I.** *s.* dejun (frugal); masă frugală, uşoară. **II.** *vi.* a lua dejunul / o gustare.

lune [lju:n] *s. mat.* lunulă.

lung [lʌŋ] *s.* **1.** plămân. **2.** *fig.* spaţiu verde; parc.

lunge [lʌndʒ] **I.** *s.* **1.** alonjă, funie de manej. **2.** manej, pistă circulară de dresaj. **II.** *vt.* a antrena *(calul)* cu alonja în manej.

lupin ['lu:pin] *s. bot.* lupin, cafeluţe *(Lupinus albus).*

lupine ['lju:pain] *adj.* de lup.

lupus ['lju:pəs] *s. med.* lupus.

lurch[1] [lə:tʃ] **I.** *s.* **1.** legănare. **2.** mers clătinat, împleticit, pe două cărări, bălăbăneală. || *to leave in the* ~ a lăsa în încurcătură. **II.** *vi.* **1.** a se legăna. **2.** a se clătina; a se bălăbăni.

lurch[2] [lə:tʃ] **I.** *vi.* **1.** a se ţine ascuns / în umbră, a sta ascuns, a pândi. **2.** a recurge la subterfugii / pretexte, a umbla cu chichiţe / tertipuri. **II.** *s.* ascunziş, (loc de) pândă.

lure [ljuə] **I.** *s.* **1.** momeală. **2.** atracţie. **II.** *vt.* a momi, a ademeni.

lurid ['ljuərid] *adj.* **1.** strălucitor. **2.** ademenitor. **3.** senzaţional. **4.** scandalos.

lurk [lə:k] *vi.* **1.** a sta ascuns. **2.** a sta la pândă; a privi. **3.** a zăcea în întuneric.

lurker ['lə:kə] *s.* **1.** persoană ascunsă. **2.** spion, iscoadă.

luscious ['lʌʃəs] *adj.* delicios.

lush [lʌʃ] *adj.* luxuriant.

lust [lʌst] **I.** *s.* **1.** poftă. **2.** lascivitate, desfrâu. **3.** voluptate. **II.** *vi.: to* ~ *for / after* a pofti (la).

lustful ['lʌstfl] *adj.* **1.** pofticios. **2.** voluptuos. **3.** lasciv.

lustily ['lʌstili] *adv.* **1.** din răsputeri, din toate puterile. **2.** cât îl ţine gura.

lustre ['lʌstə] *s.* **1.** lustru. **2.** splendoare.

lustrous ['lʌstrəs] *adj.* strălucitor, lucios; lustruit.

lusty ['lʌsti] *adj.* viguros, puternic, robust; *fig.* înfloritor, prosper.

lute[1] ['lju:t] *muz.* **I.** *s.* lăută. **II.** *vi.* a cânta din lăută.

lute[2] ['lju:t] **I.** *s.* **1.** chit; mastic. **2.** *constr.* dreptar, netezitor. **II.** *vt.* a lipi cu mastic / chit.

Lutheran ['lju:θərən] *adj., s.* luteran.

luxuriance [lʌg'zjuəriəns] *s.* **1.** abundenţă, belşug. **2.** splendoare, pompă. **3.** bogăţie *(a imaginaţiei etc.).*

luxuriant [lʌg'zjuəriənt] *adj.* **1.** bogat. **2.** înflorit. **3.** luxuriant.

luxuriate [lʌg'zjuərieit] *vi.* **1.** *(d. vegetaţie)* a creşte bogat / luxuriant. **2.** a trăi în lux / opulenţă. **3.** a se desfăta; a savura. || *to* ~ *on choise wines* a savura vinuri alese; *to* ~ *in dreams* a se îmbăta cu vise; *he* ~*d in this new life* gusta cu pasiune această viață nouă.

luxurious [lʌgˈzjuəriəs] *adj.* **1.** luxos. **2.** extravagant.

luxuriously [lʌgˈzjuəriəsli] *adv.* **1.** în lux, în desfătare; luxos. **2.** voluptuos.

luxury [ˈlʌkʃri] *s.* **1.** lux. **2.** *înv.* luxurie, desfrâu.

LV *abrev.* luncheon vouchers bonuri de masă.

lycée [liˈsei] *s.* liceu *(în Franța etc.)*.

Lyceum [laiˈsi(ː)əm] *s.* **1.** *ist.* liceu *(grădina din Atena unde*

Aristotel preda filozofia). **2.** lyceum sală de curs. **3.** *amer.* asociație literară.

Lydian [ˈlidiən] *adj.*, *s.* lidian.

lye [lai] *s.* leșie.

lying [ˈlaiiŋ] **I.** *s.* **1.** minciună. **2.** înșelătorie. **II.** *adj.* **1.** culcat. **2.** mincinos. **3.** pasiv.

lying-in [ˈlaiiŋˈin] *s.* naștere, lăuzie.

lymph [limf] *s.* **1.** *fiziol.* limfă. **2.** *poet.* izvor de apă limpede.

lymphatic [limˈfætik] **I.** *adj.* **1.** *fiziol.* limfatic, debil. **2.** flegmatic. **II.** *s. pl. anat.* vase lim-

fatice.

lynch [lintʃ] *vt.* a linșa.

Lynch law [ˈlintʃlɔː] *s.* legea linșajului, linșaj.

lynx [liŋks] *s. zool.* linx, râs *(Lynx lynx).*

lyre [ˈlaiə] *s. muz.* liră.

lyric [ˈlirik] **I.** *s.* **1.** poezie lirică, poem. **2.** cântec. **3.** *pl.* text de cântec. **II.** *adj.* **1.** liric.

lyric(al) [ˈlirik(l)] *adj.* **1.** liric. **2.** sentimental. **3.** entuziast.

lyricist [ˈlirisist] *s.* **1.** poet liric. **2.** textier, autor de texte.

M

M [em] *s.* (litera) M, m.

ma [mɑː] *s.* mămică.

ma'am [mæm] *s.* coniță.

mac [mæk] *s. fam. abrev.* **1.** mackintosh impermeabil. **2.** macadam pavaj, macadam.

macabre [məˈkɑːbr] *adj.* **1.** macabru, oribil. **2.** sinistru.

macadam [məˈkædəm] *s.* pavaj, macadam.

macadamize [məˈkædəmaiz] *vt.* a macadamiza, a pava cu straturi de pietriș.

macaroni [ˌmækəˈrouni] *s. pl.* macaroane.

macaroon [ˌmækəˈruːn] *s.* pricomigdală.

macaw [məˈkɔː] *s. ornit.* ara, macao *(gen de papagali din America de Sud; Ara).*

Macedonian [ˌmæsiˈdouniən] *adj.*, *s.* macedonean.

mace¹ [meis] *s.* **1.** măciucă. **2.** buzdugan.

mace² [meis] *s.* nucșoară; condiment din coaja uscată a nucșoarei.

macerate [ˈmæsəreit] **I.** *vt.* **1.** a macera. **2.** a slăbi, a emacia. **II.** *vi.* a se macera.

machete [məˈtʃeti] *s.* cuțit *(în formă de sabie, folosit în America Centrală și de Sud).*

Machiavellian [ˌmækiəˈveliən] *pol. etc.* **I.** *adj.* machiavelic. **II.** *s.* machiavelic; intrigant lipsit de scrupule.

machination [ˌmækiˈneiʃn] *s.* mașinație, intrigă, uneltire.

machine [məˈʃiːn] *s.* **1.** mașină. **2.**

aparat. **3.** *fig.* robot. **4.** conducere.

machine-gun [məˈʃiːngʌn] **I.** *s.* mitralieră. **II.** *vt.* a mitralia.

machinery [məˈʃiːnəri] *s.* **1.** mașini. **2.** instalații. **3.** mașinărie. **4.** *fig.* aparat.

machinist [məˈʃiːnist] *s.* **1.** mecanic. **2.** lucrător.

machismo [məˈtʃizmou] *s.* virilitate, bărbăție; mândrie masculină, orgoliu bărbătesc.

Mach number [ˈmɑːk nʌmbə] *s. fiz.* numărul lui Mach.

macho [ˈmætʃou] *adj.* bărbătos, masculin / viril în mod ostentativ; care face pe eroul .

mack [mæk] *s.* v. **mac.**

mackerel [ˈmækrl] *s. iht.* macrou, scrumbie *(Scomber scomber).*

mackintosh [ˈmækintɔʃ] *s.* **1.** fulgarin; fâș. **2.** haină de ploaie, trenci.

macramé [məˈkrɑːmi] *s.* **1.** arta de a lucra în macramé. **2.** lucru de mână din macramé.

mad [mæd] *adj.* **1.** nebun. **2.** violent. **3.** turbat. **4.** nebunesc. || *as ~ as a hatter* sau *as ~ as a March hare* nebun de legat, zănatic; *to drive smb. ~* a înnebuni pe cineva.

madam [ˈmædəm] *s.* doamnă.

madame [məˈdɑːm], *pl.* **mesdames** [meiˈdɑːm] *s.* **1.** *(ca adresare)* stimată doamnă. **2.** doamna *(cuvânt însoțit de numele unei femei măritate; abrev. „Mme", pl. „Mmes").*

madcap [ˈmædkæp] *s.*, *adj.* trăsnit, aiurit.

madden [ˈmædn] *vt.* a scoate din minți.

madder [ˈmædə] *s.* **1.** *bot.* roibă *(Rubia tinctorum).* **2.** *chim.* lac de garanță.

madding [ˈmædiŋ] *adj. poet.* **1.** nebun, furios. **2.** înnebunitor.

made¹ [meid] *vt.*, *vi. trec. și part. trec. de la* **make.**

made² [meid] *adj.* **1.** pregătit, preparat *(din mai multe elemente sau ingrediente).* || ~ *dish* (fel de) mâncare din mai multe ingrediente. **2.** *(d.o poveste etc.)* inventat, ticluit. **3.** *(d. un cuvânt)* creat, inventat *(recent).* **4.** făcut, ajuns. **5.** *(d. un soldat)* instruit. **6.** *(d. om)* clădit, făcut.

Madeira [məˈdiərə] *s.* (vin de) Madera.

mademoiselle [ˌmædmwɑˈzel] *s.* domnișoară; domnișoara *(formă de adresare și titlu politicos pentru o femeie necăsătorită; abrev. „Mlle", pl. „Mlles").*

madhouse [ˈmædhaus] *s.* ospiciu, casă de nebuni.

madly [ˈmædli] *adv.* **1.** nebunește, ca nebun; ca nebunii. || *to work ~* a munci nebunește / ca un nebun. **2.** *fig.* nebunește, extraordinar, grozav; până peste cap || *to love smb. ~* a fi îndrăgostit nebunește / până peste urechi de cineva. **3.** prostește, (în mod) stupid.

madman [ˈmædmən] *s. pl.* **madmen** [ˈmædmən] nebun.

madness ['mædnis] *s.* **1.** nebunie, demenţă, scrânteală, sminteală. || *sheer* ~ nebunie curată; *in a fit of* ~ într-un acces de nebunie; *fig.* într-un moment de nebunie. **2.** prostie, tâmpenie. **3.** furie, turbare.

madonna [mə'dɔnə] *s.* **1.** madonă. **2.** *the Madonna* Madona, Sfânta Fecioară.

madrigal ['mædrigl] *s. lit., muz.* madrigal.

maelstrom ['meilstrɔm] *s.* **1.** vârtej. **2.** distrugere.

maestro [mɑː'estrou], *pl.* **maestri** [mɑː'estri] *şi* **maestros** [mɑː'estrouz] *s. muz.* maestru.

maf(f)ia ['mɑːfiə:] *s. muz.* mafia.

Mafioso [mæfi'ousou], *pl.* **Mafiosi** [mæfi'ousi] *s.* mafiot, membru al Mafiei.

magazine [ˌmægə'ziːn] *s.* **1.** revistă ilustrată, magazin ilustrat. **2.** magazie *(şi la puşcă)*.

Magdalen ['mægdəlin] *s.* **1.** *biblic the* ~ Maria Magdalena. **2.** *magdalen fig.* pocăită; prostituată care se pocăieşte.

magenta [mə'dʒentə] *s. chim.* fucsină *(colorant roşu de anilină)*.

maggot ['mægɔt] *s.* **1.** larvă. **2.** *fig. pl.* gărgăuni.

magic ['mædʒik] **I.** *s.* **1.** magie *(şi fig.)*. **2.** vrajă *(şi fig.)*. **II.** *adj.* **1.** magic. **2.** vrăjit.

magical ['mædʒikl] *adj.* magic; fermecat.

magician [mə'dʒiʃn] *s.* vrăjitor.

magisterial [ˌmædʒis'tiəriəl] *adj.* **1.** *jur.* judiciar, juridic; de magistrat. **2.** de magistru; autoritar; dictatorial.

magistracy ['mædʒistrəsi] *s.* **1.** magistratură. **2.** *fam. the* ~ magistraţii. **3.** magistrat.

magistrate ['mædʒistreit] *s.* **1.** magistrat. **2.** judecător. **3.** demnitar, înalt funcţionar.

Magna C(h)arta ['mægnə 'kɑːtə] *s.* **1.** *ist. Angliei* Marea Cartă a libertăţilor *(1215)*. **2.** lege de bază; constituţie.

magnanimity [ˌmægnə'nimiti] *s.* **1.** mărinimie, generozitate. **2.** orizont larg.

magnanimous [mæg'næniməs] *adj.* generos, mărinimos.

magnate ['mægneit] *s.* magnat.

magnesia [mæg'niːʃiə] *s.* **1.** *chim.* oxid de magneziu; magnezie. **2.** *poligr.* carbonat de magneziu.

magnesium [mæg'niːzjəm] *s.* magneziu.

magnet ['mægnit] *s.* magnet.

magnetic [mæg'netik] *adj.* magnetic *(şi fig.)*.

magnetism ['mægnitizəm] *s.* **1.** *fiz.* magnetism. **2.** hipnotism; mesmerism. **3.** proprietate magnetică. **4.** *fig.* magnetism, atracţie, farmec, vrajă; charisma.

magnetite ['mægnitait] *s. minr.* magnetit.

magnetization [ˌmægnitai'zeiʃn] *s.* **1.** *fiz.* magnetizare. **2.** magnetizare, hipnotizare.

magnetize ['mægnitaiz] *vt.* **1.** *fiz.* a magnetiza. **2.** a magnetiza, a hipnotiza. **3.** *fig.* a atrage; a fascina, a magnetiza.

magneto [mæg'niːtou] *s. fiz.* magneto, dinam.

magnificence [mæg'nifisns] *s.* **1.** splendoare, măreţie. **2.** *înv.* munificenţă, dărnicie. **3.** titlu acordat unui suveran sau înalt demnitar.

magnificent [mæg'nifisnt] *adj.* **1.** măreţ. **2.** excelent.

magnificently [mæg'nifisntli] *adv.* magnific, măreţ.

magnify ['mægnifai] *vt.* **1.** a mări. **2.** a exagera.

magnifying-glass ['mægnifaiiŋ 'glɑːs] *s.* lupă.

magniloquence [mæg'niləkwəns] *s.* emfază, exprimare bombastică / pompoasă; grandilocvenţă; fanfaronadă.

magnitude ['mægnitjuːd] *s.* **1.** mărime, magnitudine. **2.** importanţă.

magnolia [mæg'nouljə] *s.* magnolie.

magnum ['mægnəm] *s.* sticlă *(de vin sau spirt, cu un conţinut de 2,272 l.)*.

magpie ['mægpai] *s.* **1.** *ornit.* coţofană *(Pica pica)*. **2.** *fig.* gaiţă.

Magyar ['mægjɑː] *s., adj.* maghiar(ă).

maharaja(h) [ˌmɑːhə'rɑːdʒə] *s.* maharadjah.

maharishi [mɑːhə'riʃi] *s. rel.* mare ascet hindus.

mah-jong [mɑː'dʒɔŋ] *s.* joc chinezesc *(asemănător cu jocul de rummy)*.

mahogany [mə'hɔgəni] *s.* (lemn de) mahon.

Mahometan [mə'hɔmitən] *adj., s.* v. **Mohammedan**.

mahout [mə'haut] *s. (anglo-indian)* conducător de elefanţi.

maid [meid] *s.* **1.** fată în casă. **2.** fecioară. **3.** domnişoară.

maiden ['meidn] **I.** *s.* fecioară. **II.** *adj.* **1.** de fată. **2.** de fecioară. **3.** feciorelnic. **4.** neatins; virgin. **5.** imaculat. **6.** inaugural; de început.

maidenhair ['meidnhɛə] *s.* ferigă.

maidenhood ['meidnhud] *s.* virginitate.

maidenly ['meidnli] **I.** *adj.* **1.** virginal, fecioresc. **2.** binecrescut; modest; discret. **II.** *adv. rar* ca fetele, feciorelnic; cu modestie / pudoare.

maiden speech ['meidn'spiːtʃ] *s.* discurs de debut *(al unui deputat sau lord)*.

maiden voyage ['meidn,vɔidʒ] *s.* prima călătorie *(a unui vapor)*.

maid-servant ['meid,səvənt] *s.* servitoare; fată în casă.

mail ['meil] **I.** *s.* **1.** sac poştal. **2.** poştă. **3.** poştaş, factor poştal. **4.** *înv.* geantă; valiză. **II.** *vt.* a expedia *(scrisori, colete)* prin poştă.

mail-coach ['meilkoutʃ] *s.* diligenţă.

mail coat ['meilkout] *s.* tunică *sau* haină de zale.

mailman ['meilmən] *s. pl.* **mailmen** ['meilmən] poştaş, factor poştal.

maim [meim] *vt.* **1.** a mutila. **2.** a ciopârţi. **3.** a răni.

main [mein] **I.** *s.* **1.** conductă (principală). **2.** continent. **3.** mare. **4.** forţă. **5.** generalitate. || *in the* ~ în general / în linii mari. **II.** *adj.* **1.** principal. **2.** puternic.

mainland ['meinlənd] *s.* **1.** continent. **2.** uscat.

mainly ['meinli] *adv.* **1.** în special. **2.** în majoritate.

mainmast ['meinmɑːst] *s. mar.* arbore mare.

main sail [mein 'seil] *s. mar.* vela mare.

mainspring ['meinspriŋ] *s.* **1.** resort principal. **2.** *fig.* motiv fundamental.

mainstay ['meinstei] *s.* **1.** odgon. **2.** *fig.* reazem (principal).

maintain [men'tein] *vt.* **1.** a menţine. **2.** a susţine *(o opinie etc.)*. **3.** a întreţine *(familia etc.)*. **4.** a apăra. **5.** a sprijini.

maintenance ['meintinəns] *s.* **1.** întreţinere. **2.** susţinere.

maître d'hôtel ['metr dɔ'tel] *s.* **1.** maître d'hôtel. **2.** majordom.

maize [meiz] *s. bot.* porumb *(Zea mays)*.

majestic [mə'dʒestik] *adj.* **1.** maiestuos. **2.** măreţ.

majesty ['mædʒisti] *s.* maiestate.

majolica [mə'jolikə] *s.* majolică, faianță italiană.

major ['meidʒə] **I.** *s.* **1.** *mil.* maior. **2.** persoană majoră. **3.** senior. **4.** *univ.* specialitate principală. **II.** *adj.* **1.** major. **2.** principal.

major-domo ['meidʒə'doumou] *s.* majordom.

major general ['meidʒə 'dʒenrəl] *s. mil.* general de divizie; comandant de divizie.

majority [mə'dʒɔriti] *s.* **1.** majoritate. **2.** majorat. **3.** gradul de maior.

make [meik] **I.** *s.* **1.** fabricație; marcă. **2.** alcătuire. || *on the ~* hotărât să parvină, pus pe parvenire; lacom. **II.** *vt. trec. și part. trec.* **made** [meid] **1.** a face, a făuri. **2.** a construi. **3.** a crea. **4.** a alcătui. **5.** a elabora. **6.** a căpăta. **7.** a câștiga. **8.** a executa. **9.** a produce. **10.** a sili. **11.** a determina. **12.** a ajunge. **13.** a acoperi *(o distanță)*. **14.** a atinge. **15.** a se ridica la. **16.** a prinde *(un tren etc.)*. **17.** a avea o comportare de, a se purta ca, a face pe. || *to ~ believe* a pretinde; a se preface; a se juca de-a; *to ~ the best* sau *most of* a folosi din plin; *to ~ both ends meet* a o scoate la capăt; *to ~ certain* sau *sure* a (se) asigura; *to ~ do with smth.* a o scoate la capăt cu ceva; *to ~ a fool of* a face de râs; *to ~ smth. good* a îndeplini; a plăti; a compensa; *to ~ head or tail of smth.* a înțelege ceva; *to ~ light of* a lua în ușor; a lua în râs; *to ~ love to* a curta; a face dragoste cu; *to ~ one's mark* a se afirma; *to ~ much of* a profita de; a da importanță la; *to ~ out* a alcătui; a redacta; a înțelege; a descifra; a distinge; *to ~ over* a transfera; a transforma; *to ~ a pig of oneself* a se purta *sau* îmbăta ca un porc; *to ~ a place too hot for smb.* a sili pe cineva să plece; a face cuiva zile fripte; *to ~ things lively for smb.* a da cuiva de furcă; *to ~ up* a elabora; a transforma; a completa; a machia; a farda; a deghiza; a împăca; a forma; a alcătui; *to ~ up one's mind* a se hotărî. **III.** *vi. trec. și part. trec.* **made** [meid] **1.** a porni, a se îndrepta. **2.** a se mișca. **3.** a curge. **4.** a crește. || *to ~*

away a o șterge; *to ~ for* a se îndrepta către; a promova; a ataca; *to~ off* a fugi; *to ~ up* a se machia; a se farda; *to ~ up for* a înlocui; a compensa; *to ~ up to smb.* a se gudura pe lângă cineva.

make-believe ['meikbi,li:v] *s.* **1.** prefăcătorie. **2.** impostură. **3.** joacă.

maker ['meikə] *s.* **1.** creator. **2.** făuritor. **3.** fabricant.

makeshift ['meikʃift] *s.* **1.** expedient. **2.** înlocuitor temporar.

make-up ['meikʌp] *s.* **1.** machiaj. **2.** deghizare. **3.** fard. **4.** tehnoredactare. **5.** machetă. **6.** compoziție. **7.** fire.

making ['meikiŋ] *s.* **1.** fabricație. **2.** factură. **3.** *pl.* perspective. **4.** *pl.* caracter; stofă. || *to be the ~ of* a fi sursa succesului (cuiva); *to have the ~s of a great man* a avea stofă de om mare.

malachite ['mæləkait] *s. minr.* malahit.

maladjusted ['mælə'dʒʌstid] *adj.* neadaptat.

maladjustment ['mælə'dʒʌstmənt] *s.* **1.** ajustare defectuoasă; nepotrivire. **2.** *fig.* nepotrivire.

maladminister [mæləd'ministə] *vt.* a administra prost.

maladministration ['mæləd,mini-'streiʃn] *s.* administrație proastă.

maladroit [,mælə'drɔit] *adj.* **1.** neîndemânatic, nedibaci, stângaci. **2.** lipsit de tact.

malady ['mælədi] *s.* boală.

malaise [mæ'leiz] *s.* indispoziție.

malapert ['mæləpə:t] *adj., s. înv.* obraznic, impertinent, insolent, neobrăzat, nerușinat.

malapropism ['mæləprɔpizəm] *s.* **1.** întrebuințare greșită a cuvintelor abstracte sau străine *(după numele Doamnei Malaprop, din comedia „Rivalii" de R.B. Sheridan)*. **2.** cuvânt abstract sau străin, folosit greșit sau denaturat.

malaria [mə'lɛəriə] *s.* malarie.

malarial [mə'lɛəriəl] *adj.* malaric, paludic.

Malay [mə'lei] *s., adj.* malaiez(ă).

Malayan [me'leiən] *adj.* v. **Malay**.

malcontent ['mælkən,tent] *s., adj.* nemulțumit.

male [meil] **I.** *s.* mascul. **II.** *adj.* masculin.

malediction [,mæli'dikʃn] *s.* blestem, afurisenie, anatemă.

malefactor ['mælifæktə] *s.* răufăcător.

malevolence [mə'levələns] *s.* **1.** rea-voință (față de). **2.** pizmă, invidie.

malevolent [mə'levələnt] *adj.* **1.** rău. **2.** răuvoitor, rău intenționat.

malfeasance [mæl'fi:zns] *s.* **1.** *jur.* încălcare a legii, faptă culpabilă, infracțiune. **2.** faptă rea.

malformation [,mælfɔ:'meiʃn] *s.* malformație; structură anormală.

malice ['mælis] *s.* **1.** răutate. **2.** pică, dușmănie.

malicious [mə'liʃəs] *adj.* răutăcios.

maliciously [mə'liʃəsli] *adv.* **1.** cu răutate. **2.** răzbunător, cu ranchiună, din pizmă. **3.** răutăcios. **4.** *jur.* cu premeditare.

malign [mə'lain] **I.** *adj.* **1.** rău, dăunător. **2.** răutăcios. **II. 1.** *vt.* a bârfi (cu răutate); a vorbi de rău. **3.** a denigra, a calomnia.

malignant [mə'lignənt] *adj.* **1.** rău. **2.** malign.

malignity [mə'ligniti] *s.* **1.** răutate, rea-voință. **2.** dușmănie de moarte; ură de moarte. **3.** *înv.* nelegiuire, mârșăvie, infamie. **4.** *med.* caracter malign.

malinger [mə'liŋgə] *vi.* a face pe bolnavul; a chiuli, a se preface bolnav.

mall [mɔ:l] *s.* **1.** loc de plimbare, promenadă. **2.** mall *(joc cu bile)*. **3.** ciocan cu două capete pentru lovit bila la jocul de mall. **4.** *met.* baros. **5.** *the Mall* alee în parcul Sf. James (Londra).

mallard ['mæləd] *s.* **1.** *ornit.* rață-sălbatică *(Anas platyrhynchos)*. **2.** carne de rață-sălbatică.

malleability [,mæli'biliti] *s.* **1.** maleabilitate, ductibilitate, extensibilitate. **2.** *fig.* caracter îngăduitor / acomodabil.

malleable ['mæliəbl] *adj.* maleabil *(și fig.)*.

mallet ['mælit] *s.* ciocănaș.

malleus ['mæliəs] *pl.* **mallei** ['mæliai] *s. anat.* ciocan *(os al urechii interne)*.

mallow ['mælou] *s. bot.* nalbă *(Malva silvestris)*.

malmsey ['mɑ:mzi] *s.* vin tămâios mediteranean.

malnutrition ['mælnju'triʃn] *s.* proastă alimentație.

malodorous [mæ'loudərəs] *adj.* rău mirositor, cu miros / urât.

malpractice ['mæl'præktis] s. 1. practică necompetentă; incapacitate. 2. jur. acțiune ilegală, faptă delictuoasă. 3. jur. sustragere de bani, delapidare. 4. med. tratament greșit.

malt [mɔːlt] I. s. malț. II. vt. a prăji (grânele). III. vi. 1. a găti cu malț. 2. a se transforma în malț.

Maltese [mɔːl'tiːz] s., adj. maltez(ă).

Malthusian [mæl'θjuːzjən] s., adj. maltusian.

maltreat [mæl'triːt] vt. a maltrata.

maltreatment [mæl'triːtmənt] s. purtare urâtă (față de cineva).

maltster ['mɔ(ː)ltstə] s. lucrător la fabricarea malțului.

malversation [,mælvəː'seiʃn] s. 1. abuz (în serviciu). 2. însușire de bani publici, delapidare.

mam(m)a [mə'mɑː] s. mămica.

mamba ['mæmbə] s. zool. șarpe veninos din Africa de Sud (Dendraspis angusticeps).

Mameluke ['mæmiljuːk] s. 1. mil. mameluc. 2. mameluke mameluc, sclav (în țările mahomedane). 3. mameluke mil. sclav de război.

mammal ['mæml] s. mamifer(ă).

mammalian [mæ'meiliən] zool. I. adj. mamifer. II. s. mamifer.

mammary ['mæməri] adj. anat. mamar.

mammon ['mæmən] s. 1. avere. 2. bani. 3. zeul banului, (banul), ochiul dracului.

mammoth ['mæməθ] I. s. zool. mamut. II. adj. uriaș.

mammy ['mæmi] s. mămică. 2. guvernantă (negresă).

man [mæn] I. s. pl. men [men] 1. om. 2. bărbat. 3. soldat. 4. lucrător. 5. servitor. 6. piesă de șah etc. || to a ~; to the last ~ toți până la unul. II. vt. 1. a furniza cadre pentru; a încadra cu personal; a echipa. 2. mar. a arma.

man about town ['mænə,baut' taun] s. stâlp de cafenele.

manacle ['mænəkl] I. s. cătușă (și fig.). II. vt. a încătușa (și fig.).

manage ['mænidʒ] I. vt. 1. a conduce. 2. a stăpâni. 3. a administra. 4. a rezolva. 5. (cu inf. lung) a reuși, a izbuti (să). 6. a face față la. II. vi. 1. a face afaceri. 2. a o scoate la capăt; a se descurca, a face față. 3. a administra, a fi administrator.

manageable ['mænidʒəbl] adj. 1. (d. persoane) care poate fi condus / dirijat; supus, ascultător, docil; care poate fi dresat. 2. (d. caracter) acomodabil, îngăduitor, flexibil. 3. (d. o afacere) realizabil, fezabil. 4. (d. lucruri) manevrabil, ușor de mânuit.

management ['mænidʒmənt] s. 1. conducere. 2. administrație, gospodărire. 3. abilitate, iscusință. 4. șmecherie.

manager ['mænidʒə] s. 1. director. 2. conducător. 3. administrator. 4. gospodar.

managerial [,mænə'dʒiəriəl] adj. 1. directorial, de conducere. 2. (mai ales peior.) care face pe stăpânul, dictatorial.

mañana [mæn'jɑːnə] I. adv. fam. poimâra, la sfântu-așteaptă, într-un viitor neprecizat. II. s. fam. viitor incert.

man-at-arms ['mænət'ɑːmz] s. pl. **men-at-arms** ['menət'ɑːmz] mil. 1. soldat greu înarmat (în evul mediu). 2. soldat, luptător.

manatee [,mænə'tiː] s. zool. lamantin (Manatus).

man(o)euvre [mə'nuːvə] I. s. manevră (și fig.). II. vt. 1. a manevra. 2. a conduce. III. vi. 1. a face manevre. 2. a manevra.

Manchurian [mæn'tʃuəriən] I. adj. manciurian. II. s. 1. locuitor din Manciuria. 2. limba manciuriană.

mandarin ['mændərin] s. ist. 1. mandarin. 2. mandarină.

mandate ['mændeit] I. s. 1. mandat. 2. poruncă. II. vt. 1. a delega. 2. a mandata. 3. a acorda mandat pentru.

mandatory ['mændətri] I. s. mandatar. II. adj. 1. poruncitor. 2. obligatoriu. 3. constrâns, forțat.

mandible ['mændibl] s. zool. 1. falcă de jos (la mamifere și pești). 2. mandibulă (la insecte etc.).

mandolin(e) ['mændəlin] s. muz. mandolină.

mandragora [mæn'drægərə] s. v. **mandrake**.

mandrake ['mændreik] s. bot. mandragoră, mătrăgună (Mandragora officinalis).

mandrill ['mændril] s. zool. mandril (Mandrillus).

mane [mein] s. coamă.

man-eater ['mæn,iːtə] s. canibal.

manège [mæ'neiʒ] s. 1. manej, loc de dresare a cailor. 2. dresaj al cailor.

maneuver [mə'njuːvə] v. **manoeuvre**.

manful ['mænfl] adj. 1. hotărât. 2. îndrăzneț, viteaz. 3. viril, bărbătos.

manganese [,mæŋgə'niːz] s. mangan.

mange [meindʒ] s. vet. râie, scabie.

mangel(-wurzel) ['mæŋgl'wɔːzl] s. germ. bot. sfeclă furajeră (Beta vulgaris macrorhiza).

manger ['meindʒə] s. iesle. || like a dog in the ~ cum e câinele grădinarului (care nu mănâncă paiele, dar nici nu lasă pe altul să le mănânce).

mangle[1] ['mæŋgl] I. s. mașină de stors. II. vt. 1. a stoarce. 2. a ciopârți, a sfârteca. 3. a stâlci (și fig.).

mangle[2] ['mæŋgl] I. s. sul pentru netezit rufe, mângălău, calandru. II. vt. a călca (rufe), a mângălui.

mango ['mæŋgou], pl. **mango(e)s** [mæŋgouz] s. bot. 1. manghier, mangotier (Mangifera indica). 2. fruct de manghier, mango.

mangonel ['mæŋgənel] s. ist. balistă, mașină de aruncat pietre.

mangrove ['mæŋgrouv] s. bot. 1. manglier (Coccolaba uvifera). 2. fruct de manglier.

mangy ['meindʒi] adj. 1. râios. 2. murdar, soios. 3. nețesălat.

man-handle ['mæn,hændl] vt. 1. a pune în mișcare / a transporta, a deplasa prin forța brațelor. 2. fam. a brutaliza, a trata cu grosolănie.

Manhattan [mæn'hætn] s. 1. (cartier din) centrul New York-ului. 2. cocteil Manhattan (din whisky, vermut etc.).

manhole ['mænhoul] s. 1. trapă, deschizătură. 2. gură de canal.

manhood ['mænhud] s. 1. bărbăție. 2. bărbați. 3. maturitate.

mania ['meinjə] s. 1. manie. 2. nebunie.

maniac ['meiniæk] I. s. nebun. II. adj. maniac.

maniacal [mə'naiəkəl] adj. v. **maniac** II.

Manichaean [,mæni'kiːən] adj., s. v. **Manichean**.

Manichean [,mæni'kiːən] I. s. maniheist. II. adj. maniheist.

manicure ['mænikjuə] I. s. manichiură. II. vt. a face manichiura (cuiva).

manicurist ['mænikjuərist] s. manichiuristă.

manifest ['mænifest] I. *s. mar., com.* listă a încărcăturii. II. *adj.* 1. clar. 2. manifest, evident. III. *vt.* 1. a manifesta. 2. a arăta. 3. a exprima.

manifestation [ˌmænifes'teiʃn] *s.* manifestare.

manifestly ['mænifestli] *adv.* (în chip) manifest, clar, limpede. || *she is ~ wrong* e limpede că n-are dreptate.

manifesto [ˌmæni'festou] *s. pl.* **manifestoes** [ˌmæni'festouz] 1. manifest. 2. program.

manifold ['mænifould] I. *adj.* 1. variat. 2. multiplu. II. *vt.* a multiplica.

manikin ['mænikin] *s.* 1. manechin. 2. pitic, omuleț.

Manila [mə'nilə] *s.* 1. cânepă de Manilla. 2. țigară de foi de Manilla.

man in the street ['mæninðə'striːt] *s.* om de rând. || *the ~* omul de pe stradă.

manioc ['mæniɔk] *s.* 1. *bot.* manioc *(Jatroplia manihot)*. 2. lipie din făină de manioc.

manipulate [mə'nipjuleit] *vt.* 1. a manipula. 2. a mânui *(şi fig.)*. 3. a falsifica.

manipulation [məˌnipju'leiʃn] *s.* 1. manipulare, mânuire. 2. *fig.* maşinaţiune, înşelătorie. || *~ of the market* maşinaţie de bursă. 3. manevră *(şi fig.)*. || *wrong ~* manevră greşită.

manipulative [mə'nipjuleitiv] *adj.* de manipulare.

manipulator [mə'nipjuleitə] *s.* 1. *tehn.* manipulator. 2. *peior.* înşelător, pungaş.

mankind[1] [mæn'kaind] *s.* omenire, umanitate.

mankind[2] ['mænkaind] *s.* sexul tare, bărbaţii.

manlike ['mænlaik] *adj.* bărbătos.

manliness ['mænlinis] *s.* bărbăţie, virilitate; vitejie, curaj.

manly ['mænli] *adj.* 1. bărbătesc. 2. viteaz.

manna ['mænə] *s.* 1. *rel.* mană (cerească). 2. *fam.* manna, extras de mojdrean. 3. *bot.* frăsiniţă, mojdrean *(Fraxinus ornus)*.

mannequin ['mænikin] *s.* manechin.

manner ['mænə] *s.* 1. mod. 2. *fig.* cale. 3. manieră. 4. purtare. 5. *pl.* bună creştere, maniere. 6. stil. 7. fel, sort. || *in a ~ of speaking* ca să zic aşa; *all ~ of* tot felul de.

mannerism ['mænərizəm] *s.* 1. manierism. 2. particularitate.

mannerless ['mænəlis] *adj.* nepoliticos, rău crescut, necioplit, nemanierat.

mannerly ['mænəli] *adj.* binecrescut.

mannish ['mæniʃ] *adj.* bărbătesc.

manoeuvre [mə'nuːvə] I. *s.* 1. *mil.* manevră. 2. *fig.* intrigi, uneltiri. II. *vt.* a manevra, a pune în mişcare. III. *vi.* a face manevre.

manoeuvrer [mə'nuːvrə] *s.* 1. conducător de manevre *(militare etc.)*. 2. *fam.* intrigant.

man of fashion ['mænəv'fæʃn] *s.* arbitrul eleganţei.

man of letters ['mænəv'letəz] *s.* literat.

man of the world ['mænəvðə'wɔːld] *s.* om cu experienţă.

man of war [ˌmænə(v)'wɔː] *s.* cuirasat; vas de război.

manometer [mə'nɔmitə] *s. tehn.* manometru.

manor ['mænə] *s.* 1. conac. 2. moşie.

manor house ['mænə haus] *s.* conac.

manorial [mə'nɔːriəl] *adj.* seniorial.

man rope ['mæn roup] *s. nav.* strajă; balustradă.

mansard (roof) ['mænsɑːd (ruːf)] *s. constr.* acoperiş mansardat.

manse [mæns] *s.* casă parohială; *(în Scoţia)* prezbiteriu.

manservant ['mænˌsəːvnt] *s. pl.* **menservants** [men̩ˌsəːvnts] servitor, slujitor.

mansion ['mænʃn] *s.* 1. casă mare. 2. bloc.

manslaughter ['mænˌslɔːtə] *s.* omucidere.

mantel (piece) ['mæntl(piːs)] *s.* poliţa căminului.

mantelet ['mæntlit] *s.* 1. manta scurtă. 2. *mil. ist.* scut.

mantis ['mæntis], *pl.* **mantes** ['mæntiz] *s. entom.* călugăriţa *(Mantis religiosa)*.

mantle ['mæntl] I. *s.* 1. manta. 2. mantie. II. *vt.* 1. a înveli. 2. a acoperi. 3. a învălui. III. *vi.* a se acoperi.

mantrap ['mæntræp] *s.* capcană.

manual ['mænjuəl] I. *s.* 1. manual. 2. claviatură. II. *adj.* manual.

manufactory [ˌmænju'fæktri] *s.* 1. fabrică. 2. atelier.

manufacture [ˌmænju'fæktʃə] I. *s.* 1. fabricaţie. 2. *pl.* fabricate, produse industriale. II. *vt.* a fabrica *(şi fig.)*.

manufacturer [ˌmænju'fæktʃrə] *s.* fabricant.

manumission [ˌmænju'miʃn] *s. ist.* 1. dezrobire, eliberare *(din sclavie)*, emancipare *(a unui sclav)*. 2. document de eliberare *(din sclavie)*.

manure [mə'njuə] I. *s.* bălegar. II. *vt.* a îngrăşa *(pământul)*.

manuscript ['mænjuskript] *s.* manuscris.

Manx [mæŋks] I. *adj.* din insula Man. II. *s.* 1. dialect celtic vorbit în insula Man. 2. *pl.* locuitorii insulei Man.

many ['meni] I. *s.: the ~* 1. cei mulţi. 2. gloata. 3. publicul. II. *adj. comp.* **more** [mɔː], *superl.* **the most** [ðə'moust] mulţi, multe. || *as ~* tot atâţia; *~ a time* adesea; de multe ori; *one too ~* prea mulţi. III. *pron.* mulţi, multe.

many-sided ['meni'saidid] *adj.* multilateral.

Maori ['mauri] *s.* 1. maor. 2. limbă vorbită de maori.

map [mæp] I. *s.* 1. hartă. 2. plan. II. *vt.* 1. a pune *sau* indica pe hartă. 2. a plănui. 3. a trasa.

maple ['meipl] *s.* arţar.

maquette [mə'ket] *s.* machetă, schiţă.

mar [mɑː] *vt.* 1. a strica. 2. a dăuna la.

marabou ['mærəbuː] *s. ornit.* marabu *(Leptoptilus)*.

maraschino [ˌmærəs'kiːnou] *s.* maraschino, lichior de cireşe amare.

Marathon (race) ['mærəθɔn(reis)] *s.* cursă a maratonului, maraton.

maraud [mə'rɔːd] I. *vt.* a prăda, a jefui. II. *vi.* a comite jaf(uri).

marauder [mə'rɔːdə] *s.* 1. pirat, corsar. 2. jefuitor.

marauding [mə'rɔːdiŋ] I. *adj.* de jaf / pradă. II. *s.* jefuire, prădare.

marble ['mɑːbl] I. *s.* 1. marmură. 2. pietricică. II. *adj.* 1. de marmură. 2. împietrit.

marcasite ['mɑːkəsait] *s. minr.* marcasit.

marcel [mɑː'sel] I. *s.* ondulaţie *(la păr)*. II. *vt.* a ondula *(părul)*.

March [mɑːtʃ] *s.* martie.

march [mɑːtʃ] I. *s.* 1. marş. 2. mărşăluire. 3. înaintare. 4. margine. 5. graniţă. II. *vt.* a conduce (în marş). III. *vi.* 1. a merge în marş. 2. a mărşălui. 3. a înainta. 4. a se învecina.

marchioness ['mɑːʃnis] s. marchiză (titlu de nobleţe).

mare [mɛə] s. 1. iapă. 2. coşmar.

mare's nest ['mɛəznest] s. 1. cai verzi pe pereţi. 2. păcăleală.

margarine [ˌmɑːdʒəˈriːn] s. margarină.

marge [mɑːdʒ] s. fam. margarină.

margent ['mɑːdʒnt] s. înv. margine; tivitură.

margin ['mɑːdʒin] s. 1. margine. 2. chenar. 3. limită. 4. diferenţă.

marginal ['mɑːdʒinl] adj. marginal, de margine.

margrave ['mɑːgreiv] s. ist. marcgraf.

marguerite [ˌmɑːgəˈriːt] s. bot. margaretă (Anthemis).

marigold ['mærigould] s. bot. filimică; gălbenea (Calendula vulgaris).

marina [məˈriːnə] s. mar. port de ambarcaţii.

marinade [ˌmæriˈneid] gastr. I. s. marinată. II. vt. a marina (peşte, chiftele etc.)

marinate ['mærineit] vt. gastr. a marina.

marine [məˈriːn] I. s. 1. marină. 2. marinar. || tell that to the (horse) ~s asta să i-o spui lui mutu'. II. adj. 1. marin. 2. maritim.

mariner ['mærinə] s. marinar.

marionette [ˌmæriəˈnet] s. marionetă.

marish ['mæriʃ] I. s. mlaştină, baltă. II. adj. de baltă; mocirlos.

marital ['mæritl] adj. 1. matrimonial, marital, conjugal. 2. de soţ, al bărbatului.

maritime ['mæritaim] adj. maritim.

marjoram ['mɑːdʒərəm] s. măghiran.

mark [mɑːk] I. s. 1. semn; urmă; pată. 2. particularitate. 3. marcă; dovadă; simptom; semn. 4. şcolar notă. 5. ţintă. 6. distincţie. 7. standard. || wide of the ~ care nu-şi atinge ţinta; incorect; fără legătură; to miss the ~ a-şi greşi ţinta; to make one's ~ a se afirma, a se ilustra, a ajunge celebru; up to the ~ corespunzător, la înălţime, cum se cuvine, cum trebuie. II. vt. 1. a marca. 2. a însemna. 3. a nota (teze etc.). 4. a caracteriza. 5. a asculta cu atenţie. || to ~ off a separa; to ~ out a marca; a pune deoparte; to ~ time a bate pasul pe loc; to ~ up a spori.

Mark [mɑːk] s. rel. evanghelia după Marcu.

marked [mɑːkt] adj. 1. clar. 2. precis. 3. pronunţat. 4. remarcabil; proscris.

markedly ['mɑːkidli] adv. deosebit de, pronunţat. || he was ~ civil to us a fost deosebit de politicos faţă de noi.

marked man ['mɑːktˈmæn] s. om pus pe lista neagră.

marker ['mɑːkə] s. 1. persoană care marchează. 2. pontator; şcolar care notează prezenţa colegilor săi. 3. semn de carte. 4. amer. placă comemorativă; monument comemorativ. 5. marcaj (la munte). 6. agr. marcator.

market ['mɑːkit] I. s. piaţă. 2. târg. 3. afaceri. 4. vânzare, cumpărare. 5. cerere. || to bring one's eggs to the wrong ~ a-şi greşi planurile. II. vt.1. a vinde. 2. a duce la piaţă. III. vi. a se duce la piaţă.

marketable ['mɑːkitəbl] adj. 1. (d. o marfă etc.) vandabil, uşor de vândut. 2. de târg; de vânzare; destinat vânzării.

market-day ['mɑːkitdei] s. zi de târg.

marketing ['mɑːkitiŋ] I. s. 1. econ. (~ science) marketing, ştiinţa pieţii / eficienţei (economice). 2. comerţ, vânzare. 3. amer. târguieli, cumpărături. II. adj. econ. 1. de piaţă, comercial. 2. legat de marketing / de ştiinţa pieţii.

marketing science ['mɑːkitiŋˌsaiəns] s. v. **marketing**.

market place ['mɑːkit pleis] s. piaţă (locul unde se află piaţa).

market research [ˌmɑːkitriˈsəːtʃ] s. econ. cercetarea pieţii, marketing.

market town ['mɑːkittaun] s. târg, orăşel.

marking ['mɑːkiŋ] I. adj. marcator, de marcare. II. s. 1. însemnare, marcare. 2. tehn. reperare; trasare; însemnare; fixare. 3. econ. cotare (a valorilor la bursă). 4. pl. mărci, semne; pete (pe animale). 5. marcare (a metalelor preţioase). 6. pl. astr. accidente (de teren) (pe suprafaţa unei planete).

marksman ['mɑːksmən] s. pl. **marksmen** ['mɑːksmən] ţintaş, trăgător de elită.

marl [mɑːl] I. s. geol. marnă. II. vt. a fertiliza (pământul) cu marnă.

marmalade ['mɑːməleid] s. dulceaţă de citrice (mai ales de portocale).

marmoreal [mɑːˈmɔːriəl] adj. poet. de marmoră, ca marmora, marmorean.

marmoset ['mɑːməzet] s. zool. maimuţă mică din America de Sud (Midas).

marmot ['mɑːmət] s. zool. marmotă (Arctonys marmota).

marocain ['mærəkein] s. text. crep (mai ales de mătase).

maroon[1] [məˈruːn] I. adj. castaniu. II. s. 1. castaniu, culoare castanie. 2. petardă; artificii.

maroon[2] [məˈruːn] I. s. 1. mar. persoană părăsită pe o insulă pustie. 2. amer. fam. partidă de camping. II. vt. 1. a părăsi (pe cineva) pe o insulă pustie; 2. fig. a izola (de restul lumii, în urma unei inundaţii etc.). III. vi. 1. (d. sclavii negri) a fugi. 2. amer. a face camping. 3. înv. a hoinări.

marque [mɑːk] s. ist. represalii. || letter(s) of ~ licenţă pentru un vas corsar de a face acte de ostilitate.

marquee [mɑːˈkiː] s. 1. constr. marchiză. 2. cort mare.

marquess, marquis ['mɑːkwis] s. marchiz.

marquetry ['mɑːkitri] s. încrustaţie; intarsie.

marquisate ['mɑːkwizet] s. funcţie sau domeniu al unui marchiz.

marquise [mɑːˈkiːz] s. 1. marchiză (titlu de nobleţe). 2. v. **marquee** 1.

marquisette [ˌmɑːkiˈzet] s. text. marchizet (pânză fină).

marriage ['mæridʒ] s. 1. căsătorie. 2. nuntă.

marriageable ['mæridʒəbl] adj. de măritat, la vârsta măritişului.

marriage lines ['mæridʒlainz] s. certificat de căsătorie.

married ['mærid] adj. căsătorit.

marrow ['mærou] s. 1. măduvă. 2. fig. esenţă. 3. bot. dovlecel (Cucurbita pepa sp.).

marrowbone ['mærouboun] s. 1. anat. os medular. 2. fig. esenţă, miez, parte esenţială. 3. pl. glumeţ genunchi. || to bring smb. down on his ~s a face pe cineva să îngenuncheze, a supune pe cineva; to fall / to go / to get down on one's ~s a îngenunchea, a cădea în genunchi; sl. to ride in the ~ coach, to go by ~ *stage* a merge pe jos, a merge per pedes apostolorum. **4.** *pl. sl.* pumni.

marry ['mæri] **I.** *vt., vi.* a (se) căsători. **II.** *interj. înv.* **1.** zău! pe legea mea! **2.** ei / aşi / nu mai spune!

Mars [mɑ:z] *s.* Marte.

Marsala [mɑ:'sɑ:lə] *s.* vin de Marsala.

Marseillaise [,mɑ:sə'leiz] *s.* marsilieza.

marsh [mɑ:ʃ] *s.* mlaştină.

marshal ['mɑ:ʃl] **I.** *s.* **1.** mareşal. **2.** magistrat. **3.** maestru de ceremonii. **4.** *amer.* şerif. **II.** *vt.* **1.** a aranja. **2.** a pune în ordine. **3.** a conduce.

marsh mallow ['mɑ:ʃ ,mælou] *s. bot.* nalbă mare (*Althaea officinalis*).

marshy ['mɑ:ʃi] *adj.* mlăştinos.

marsupial [mɑ:'sju:piəl] *zool.* **I.** *adj.* cu pungă, cu marsupiu. **II.** *s.* marsupial.

mart [mɑ:t] *s.* **1.** piaţă. **2.** *înv., poet.* târg; bâlci. **3.** centru comercial; piaţă comercială (mondială).

Martello-tower [mɑ:'telou ,tauə] *s.* (în Anglia) turn de pază la marginea mării.

marten ['mɑ:tin] *s. zool.* jder (*Martes*).

martial ['mɑ:ʃl] *adj.* marţial.

Martial ['mɑ:ʃl] *adj. astr.* marţian, din Marte, de pe Marte.

Martian ['mɑ:ʃn] *adj.* marţian.

martin ['mɑ:tin] *s. ornit.* **1.** lăstun (*Delichon urbica*). **2.** rându-nică.

martinet [,mɑ:ti'net] *s.* **1.** persoană milităroasă; zbir. **2.** pedant.

Martini [mɑ:'ti:ni:] *s.* **1.** vermut Martini. **2.** cocteil cu vermut Martini.

martyr ['mɑ:tə] **I.** *s.* martir. **II.** *vt.* a martiriza.

martyrdom ['mɑ:tədəm] *s.* martiriu, calvar.

marvel ['mɑ:vl] **I.** *s.* minune. **II.** *vt., vi.* a (se) minuna.

marvellous, *amer.* **marvelous** ['mɑ:viləs] **I.** *adj.* minunat, uimitor, miraculos, extraordinar. **II.** *s.: the ~* miraculosul, extraordinarul.

marvellously ['mɑ:viləsli] *adv.* minunat, de minune.

Marxian ['mɑ:ksjən] *s., adj.* marxist.

Marxism ['mɑ:ksizəm] *s.* marxism.

Marxist ['mɑ:ksist] *s., adj.* marxist.

marzipan [,mɑ:zi'pæn] *s.* marţi-pan.

mascot ['mæskət] *s.* talisman, mascotă.

masculine ['mæskjulin] *adj.* masculin.

masculinity [,mæskju'liniti] *s.* masculinitate, bărbăţie, virilita-te.

maser ['meizə] *s. fiz.* maser (amplificator molecular).

mash [mæʃ] **I.** *s.* **1.** terci. **2.** pireu. **II.** *vt.* a terciui.

mask [mɑ:sk] **I.** *s.* mască. || *to throw off one's ~* a-şi da arama pe faţă. **II.** *vt., vi.* a (se) masca.

masochism ['mæzəkizəm] *s.* masochism.

mason ['meisn] *s.* **1.** zidar. **2.** francmason.

masonic [mə'sɔnik] *adj.* masonic, de francmasoni.

masonry ['meisnri] *s.* zidărie.

masque [mɑ:sk] *s.* **1.** mască. **2.** *teatru ist.* pantomimă, feerie.

masquer ['mæ:skə] *s.* mască, persoană mascată.

masquerade [,mæskə'reid] **I.** *s.* **1.** bal mascat. **2.** mascaradă. **II.** *vi.* **1.** a se deghiza / masca. **2.** a participa la o mascaradă.

mass[1] [mæs] **I.** *s.* **1.** masă (de oameni etc.). **2.** mulţime. **3.** amestec. **4.** învălmăşeală. **II.** *adj.* de masă. **III.** *vt., vi.* a (se) masa, a (se) îngrămădi.

mass[2] [mæs, mɑ:s] *s.* liturghie; mesă, slujbă religioasă.

massacre ['mæsikə] **I.** *s.* masacru. **II.** *vt.* a masacra.

massage ['mæsɑ:ʒ] **I.** *s.* masaj. **II.** *vt.* a masa.

masseur [mæ'sə:] *s.* masor.

masseuse [mæ'sə:z] *s.* maseuză.

massif ['mæsi:f] *s. geogr.* masiv (muntos).

massive ['mæsiv] *adj.* **1.** masiv. **2.** puternic.

mass media [mæs'mi:djə] *s. pl.* mass media, mijloace de informare în masă.

mass production ['mæsprə,dʌkʃn] *s.* producţie de masă, producţie pe scară industrială.

massy ['mæsi] *adj.* masiv, solid.

mast [mɑ:st] *s.* **1.** catarg. **2.** stâlp. || *to sail before the ~* a fi matroz de rând.

master ['mɑ:stə] *s.* **1.** stăpân. **2.** domn. **3.** conducător. **4.** căpitan de marină. **5.** profesor; învăţător. **6.** *univ. aprox.* doctor, titlu intermediar între licenţă şi doctorat. **7.** maistru.

8. maestru. || *to be one's own ~* a fi liber şi independent; *to be ~ of* a avea la dispoziţie. **II.** *vt.* **1.** a stăpâni. **2.** a căpăta. **3.** a mânui cu pricepere.

masterful ['mɑ:stəfl] *adj.* **1.** puternic. **2.** independent. **3.** autoritar.

masterly ['mɑ:stəli] *adj.* **1.** autoritar. **2.** măiestru.

Master of Arts ['mɑ:stərəv'ɑ:ts] *s.***1.** aprox. (titlu de) doctor în litere. **2.** doctorat, masterat.

masterpiece ['mɑ:stəpi:s] *s.* capodoperă.

mastership ['mɑ:stəʃip] *s.* **1.** conducere, autoritate, superioritate, direcţie; funcţie de director *sau* profesor. **2.** măiestrie.

mastery ['mɑ:stri] *s.* **1.** stăpânire. **2.** autoritate. **3.** pricepere.

mastic ['mæstik] *s.* **1.** mastică. **2.** mastic, sacâz. **3.** *bot.* pom de fistic (*Pistacia lentiscus*). **4.** (culoare) galben-deschis. **5.** adeziv.

masticate ['mæstikeit] *vt.* **1.** a mastica, a mesteca. **2.** a toca (mărunt), a fărâmi.

mastication [,mæsti'keiʃn] *s.* **1.** masticaţie. **2.** tocare.

mastiff ['mæstif] *s.* dulău.

mastodon ['mæstədɔn] *s.* mastodont.

mastoid ['mæstɔid] **I.** *adj. anat.* mastoid. **II.** *s. med. fam.* mastoidită.

masturbate ['mæstə,beit] *vi.* a se masturba, a practica masturbaţia / onanismul.

mat [mæt] **I.** *s.* **1.** rogojină. **2.** preş, ştergător. **3.** suport. **4.** încurcătură. **5.** chenar. **II.** *adj.* mat. **III.** *vt.* a acoperi cu rogojini. **IV.** *vi.* a se împleti. **2.** a se încurca.

matador ['mætədɔ:] *s.* matador.

match [mætʃ] **I.** *s.* **1.** chibrit. **2.** joc. **3.** meci. **4.** partidă (şi fig.). **5.** rival, pereche. **6.** adversar egal. **7.** potrivire. **8.** căsătorie. **9.** partidă potrivită (pentru căsătorie). **10.** pereche. || *to make a ~ of it* a aranja o căsătorie. **II.** *vt.* **1.** a opune. **2.** a pune la întrecere. **3.** a se potrivi cu. **4.** a corespunde la / pentru (sau cu dat.). **5.** a rivaliza cu. **6.** a egala. **7.** a căsători. **III.** *vi.* **1.** a se potrivi. **2.** a corespunde.

matchless ['mætʃlis] *adj.* **1.** fără pereche. **2.** neasemuit.

match-maker ['mætʃ,meikə] *s.* **1.**

peţitor; peţitoare. **2.** mijlocitor.

mate [meit] **I.** *s.* **1.** tovarăş. **2.** coleg. **3.** partener *(în căsătorie).* **4.** *mar.* şeful echipajului. **5.** ajutor. **6.** mat *(la şah).* **II.** *vt., vi.* **1.** a (se) căsători. **2.** a (se) împerechea. **3.** a da şah mat.

mater ['meitə] *s. (în limbajul şcolarilor)* mama.

material [mə'tiəriəl] **I.** *s.* **1.** material. **2.** subiect. **II.** *adj.* **1.** material. **2.** trupesc. **3.** important; esenţial.

materialism [mə'tiəriəlizəm] *s.* materialism.

materialist [mə'tiəriəlist] *s.* materialist.

materialistic [mə'tiəriəlistik] *adj.* materialist.

materialization [mə,tiəriəlai'zeiʃn] *s.* materializare.

materialize [mə'tiəriəlaiz] *vt., vi.* **1.** a (se) materializa. **2.** a (se) concretiza.

materially [mə'tiəriəli] *adv.* **1.** în mod vital / esenţial. **2.** fiziceşte, material.

maternal [mə'tə:nl] *adj.* matern.

maternity [mə'tə:niti] *s.* maternitate.

matey ['meiti] *adj.* sociabil, prietenos; familiar.

mathematical [,mæθi'mætikəl] *adj.* **1.** matematic. **2.** *(d. un profesor, o carte)* de matematică. **3.** de matematician. **4.** *fig.* matematic, exact.

mathematically [,mæθi'mætikəli] *adv.* matematic.

mathematicize [,mæθi'mætisaiz] **I.** *vt.* a privi / a considera din punct de vedere matematic. **II.** *vi.* a raţiona matematic.

mathematics [,mæθi'mætiks] *s.* matematică.

maths [mæθs] *s. pl. fam. abrev. mathematics* matematică.

matinée ['mætinei] *s.* matineu.

matriarch ['meitria:k] *s.* **1.** matriarh. **2.** *peior.* femeie care poartă pantaloni.

matriarchate [,meitri'a:kit], **matriarchy** ['meitria:ki] *s. ist. sau fig.* matriarhat.

matricide ['meitrisaid] *s.* matricid.

matriculate [mə'trikjuleit] **I.** *vt.* a primi la facultate. **II.** *vi.* a intra la facultate.

matriculation [mə,trikju'leiʃn] *s.* **1.** înscriere, admitere *(într-o facultate).* **2.** examen la sfârşitul studiilor secundare *(permiţând intrarea în facultate).* **3.** înregistrare, înmatriculare.

matrimonial [,mætri'mouniəl] *adj.* conjugal; marital; matrimonial.

matrimony ['mætriməni] *s.* căsătorie.

matrix ['meitriks] *s.* matriţă.

matron ['meitrn] *s.* **1.** matroană. **2.** menajeră. **3.** soră şefă *(la un spital).*

matronly ['meitrnli] **I.** *adj.* de matroană; venerabil. **II.** *adv.* ca o matroană.

matt [mæt] *adj.* mat.

matter ['mætə] **I.** *s.* **1.** materie. **2.** subiect. **3.** afacere. **4.** chestiune, problemă. **5.** lucru important. **6.** dificultate, greutate. **7.** *tipo.* zaţ. **8.** material(e). **9.** cantitate. **10.** măsură. **11.** substanţă, esenţă. **12.** *med.* puroi. || *as a ~ of fact* de fapt, în fond; *for that ~* cât despre asta; în privinţa asta; *it's no laughing ~* nu e nimic de râs în asta; *to make ~s worse* a înrăutăţi lucrurile; colac peste pupăză; *no ~* nu contează, nu face nimic; *no ~ how* indiferent (cum); *no ~ what* indiferent ce; *a ~ of (ten) days* chestie de (zece) zile; *what's the ~ (with him)?* ce-i (cu el)?; *is there anything the ~ with you?* vă supără ceva? vă doare ceva? **II.** *vi.* **1.** a conta. **2.** a avea importanţă. || *it doesn't ~* nu face nimic.

matter of course ['mætrəv'kɔ:s] *s.* lucru firesc / de la sine înţeles. || *as a ~* în firea lucrurilor; în mod firesc.

matting ['mætiŋ] *s.* rogojină.

mattock ['mætək] *s.* săpăligă.

mattress ['mætris] *s.* **1.** saltea. **2.** somieră.

mature [mə'tjuə] **I.** *adj.* **1.** matur. **2.** pus la punct. **3.** complet. **II.** *vt.* **1.** a maturiza. **2.** a coace. **III.** *vi.* **1.** a (se) coace. **2.** *com.* a fi scadent.

maturity [mə'tjuriti] *s.* **1.** maturitate; pârg; floare a vârstei, deplinătate a forţelor. || *to come to ~* a ajunge la maturitate, a se maturiza; a se pârgui. **2.** *econ.* scadenţă, termen.

matutinal [,mætju'tainl] *adj.* **1.** matinal, de dimineaţă. **2.** timpuriu.

maty [mæti] *adj.* v. **matey.**

maudlin ['mɔdlin] *adj.* **1.** siropos, dulceag. **2.** sentimental *(la beţie).*

maugre ['mɔ:gə] *prep. înv.* în ciuda / pofida *(cu gen.).*

maul [mɔ:l] **I.** *s.* mai (manual), ciocan de lemn. **II.** *vt.* **1.** a zdrobi, a schilodi, a stâlci *(mai ales în bătăi).* **2.** a se purta grosolan cu; a fi neîndemânatic cu. **3.** *fig.* a critica cu asprime, sever.

maulstick ['mɔ:lstik] *s. artă* baston de sprijinit braţul *(întrebuinţat de pictori pentru a ţine pensula).*

maunder ['mɔ:ndə] **I.** *vi.* **1.** a se mişca alene. **2.** a mormăi. **3.** a vorbi prostii. || *to ~ about / along* a umbla brambura / teleleu. **II.** *s.* **1.** pălăvrăgeală; trăncăneală, palavre, vorbe. **2.** *înv.* cerşetor.

Maundy Thursday ['mɔ:ndi 'θə:sdi] *s. rel.* Joia Mare.

mausoleum [,mɔ:zə'liəm], *pl.* **mausoleums** [,mɔ:zə'liəmz] *sau* **mausolea** [,mɔ:zə'li(:)ə] *s.* **1.** mausoleu. **2.** *peior.* construcţie monumentală / măreaţă.

mauve [mouv] *s., adj.* mov.

maverick ['mævərik] *amer.* **I.** *s.* **1.** vită (rătăcitoare) fără danga. **2.** hoinar, rătăcitor. **II.** *adj.* **1.** *pol.* liber, independent.. || *~ Republican* republican care nu se conformează directivelor partidului. **2.** nonconformist; nesupus; dizident. **3.** rătăcitor, stingher, răzleţ. || *a few ~ cabs* câteva taxiuri răzleţe. **III.** *vt.* a însemna *(o vită)* cu danga *(ilegal).*

mavis ['meivis] *s. ornit.* sturzcântător *(Turdus musicus).*

maw [mɔ:] *s. zool.* stomac.

mawkish ['mɔ:kiʃ] *adj.* dulceag, siropos.

maxilla [mæk'silə], *pl.* **maxillae** [mæk'sili:] *s. anat., zool.* maxilar, falcă *(mai ales falca de sus).*

maxillary [mæk'siləri] *adj., s. anat., zool.* maxilar.

maxim ['mæksim] *s.* maximă, precept.

maxima ['mæksimə] *s. pl.* de la **maximum.**

maximum ['mæksiməm] *s.pl.* **maxima** ['mæksimə] maxim(um).

may [mei] **I.** *v. aux. pt. formarea subjonctivului; trec.* **might** [mait]. || *I came so that I ~ meet him* am venit ca să-l întâlnesc. **II.** *v. mod. trec.* **might** [mait] **1.** a avea voie, a putea. **2.** a fi posibil. || *~ I smoke?* pot să fumez?; *she ~ come tonight* se (prea) poate să vină diseară; ~ *you be happy!* să fiți fericiți!

May [mei] *s.* **1.** (luna) mai. **2.** *fig.* tinerețe.

Maya ['mɑːiə] *s.* (civilizația *sau* limba) Maya.

maybe ['meibiː] *adv.* poate; eventual.

May Day ['mei'dei] *s.* întâi mai, unu mai; arminden.

May flower ['mei,flauə] *s.* v. **hawthorn**.

mayhem ['meihem] *amer.* **I.** *s. jur.* mutilare. **II.** *vt.* a mutila.

mayonnaise [,meə'neiz] *s.* maioneză.

mayor [mɛə] *s.* primar.

mayoralty ['mɛərlti] *s.* primărie.

mayoress ['mɛəris] *s.* **1.** primăreasă, soție de primar. **2.** primăreasă, femeie-primar.

maolole ['meipoul] *s.* stâlpul floraliilor, în jurul căruia se dansează de întâi mai.

mazarine [,mæzə'riːn] *s., adj.* albastru-violaceu.

maze [meiz] *s.* **1.** labirint. **2.** încurcătură.

mazurka [mə'zəːkə] *s.* mazurca *(dans polonez).*

mazy ['meizi] *adj.* **1.** ca în labirint. **2.** încurcat, confuz, încâlcit, sinuos.

MBE *abrev. Member of the Order of the British Empire* membru al Ordinului Imperiului Britanic.

MCC *abrev. Marylebone Cricket Club* Clubul de cricket Marylebone.

mead [miːd] *s.* mied (băutură).

meadow ['medou] *s.* **1.** pajiște. **2.** luncă.

meadow sweet ['medouswiːt] *s. bot.* crețușcă, spiree, taulă, tavalgă *(Spiraea).*

meadowy ['medoui] *adj.* **1.** de pajiște, de livadă. **2.** bogat în pajiști.

meager, meagre ['miːgə] *adj.* **1.** slab, anemic. **2.** sărac; sărăcăcios.

meal [miːl] **I.** *s.* **1.** mâncare, masă. **2.** cantitatea de lapte obținută la un singur muls. **3.** făină **II.** *vi.* a mânca.

meal-time ['miːltaim] *s.* ora mesei.

mealy ['miːli] *adj.* **1.** făinos. **2.** palid.

mean [miːn] **I.** *s.* **1.** medie. **2.** *pl.* mijloace; mijloc. **3.** *pl.* metodă. || *by* ~s *of* prin; cu ajutorul *(cu gen.); by all* ~s în orice caz; cu orice preț; *ways and*

~s căi și mijloace. **II.** *adj.* **1.** mijlociu, mediu. **2.** de mijloc. **3.** mediocru. **4.** meschin. **5.** josnic. **6.** egoist. **7.** mizerabil. **8.** umil. **9.** sărac. **10.** rău. **III.** *vt. trec. și part. trec.* **meant** [ment] **1.** a însemna, a vrea să spună. **2.** a se referi la. **3.** a intenționa. **4.** a destina. || *I* ~ adică; *I* ~ *you to go* vreau să pleci; *to* ~ *well by smb.* a avea intenții bune față de cineva.

meander [mi'ændə] **I.** *s.* **1.** meandră. **2.** sinuozitate. **II.** *vi.* **1.** a face meandre. **2.** a rătăci. **3.** a vorbi alandala.

meaning ['miːniŋ] **I.** *s.* înțeles. **II.** *adj.* **1.** plin de înțeles. **2.** intenționat.

meaningful ['miːniŋful] *adj.* semnificativ, cu înțeles, plin de înțeles.

meaningless ['miːniŋlis] *adj.* **1.** fără înțeles, lipsit de sens, fără noimă. **2.** (d. față) fără expresie, lipsit de expresie.

meanness ['miːnnis] *s.* **1.** lipsă de valoare; sărăcie. **2.** josnicie, mârșăvie, ticăloșie. **3.** platitudine.

means test ['miːnz'test] *s.* proba / dovada paupertății.

meant [ment] *vt. trec. și part. trec.* de la **mean.**

meantime ['miːn,taim] **I.** *s.: in the* ~ între timp. **II.** *adv.* între timp.

meanwhile ['miːn,wail] *adv.* între timp.

measles ['miːzlz] *s.* pojar.

measly ['miːzli] *adj.* **1.** *med.* de pojar. **2.** *(d. carne)* cu linți, cu viermi. **3.** *fam.* ieftin, fără valoare.

measurable ['meʒrəbl] *adj.* **1.** măsurabil. **2.** concret.

measure ['meʒə] **I.** *s.* **1.** măsură. **2.** grad. **3.** etalon. **4.** cantitate. **5.** lege. **6.** ritm. || *to give short* ~ a fura la cântar; *made to* ~ croit pe măsură; *to take smb.'s* ~ a măsura pe cineva; *fig.* a cântări pe cineva; *beyond* ~ peste măsură. **II.** *vt.* **1.** a măsura. **2.** a aprecia. **3.** a repartiza. || *to* ~ *swords with smb.* a se lua la întrecere cu cineva. **III.** *vi.* **1.** a face măsurători. **2.** a măsura.

measureless ['meʒəlis] *adj.* nemăsurat; nelimitat, incomensurabil.

measurement ['meʒəmənt] *s.* **1.** măsură. **2.** măsurătoare.

meat [miːt] *s.* **1.** carne *(ca aliment).* **2.** mâncare.

meaty ['miːti] *adj.* **1.** cărnos. **2.** substanțial.

mechanic [mi'kænik] *s.* mecanic.

mechanical [mi'kænikl] *adj.* **1.** mecanic. **2.** mașinal.

mechanically [mi'kænikli] *adv.* (în mod) mecanic / mașinal.

mechanician [,mekə'niʃn] *s.* **1.** constructor de mașini. **2.** mecanic.

mechanics [mi'kæniks] *s. pl. (cu verbul la sing.)* mecanică.

mechanism ['mekənizəm] *s.* **1.** mecanism. **2.** mecanicism.

mechanization [,mekənai'zeiʃn] *s.* mecanizare.

mechanize ['mekənaiz] *vt.* a mecaniza.

medal ['medl] *s.* medalie.

medallion [mi'dæljən] *s.* medalion.

meddle ['medl] *vi.* **1.** (in, with) a interveni, a se amesteca (în). **2.** (with) a umbla *(cu, la un lucru etc.).*

meddler ['medlə] *s.* băgăreț, om înfipt, persoană băgăreață.

meddlesome ['medlsəm] *adj.* băgăreț.

media ['miːdiə] *pl. de la* **medium** I.

medial ['miːdiəl] *adj.* medial, median, de mijloc, mediu.

median ['miːdiən] **I.** *adj.* medial. **II.** *s.* **1.** *mat.* meridiană. **2.** *anat.* arteră mediană; nerv median.

mediate[1] ['miːdiit] *adj.* indirect (legat).

mediate[2] ['miːdieit] *vt., vi.* a media.

mediation [,miːdi'eiʃn] *s.* mijlocire; intermediu. || *through the* ~ *of* prin intermediul *(cu gen.).*

mediator ['miːdieitə] *s.* mijlocitor, mediator, intermediar.

medical ['medikl] *adj.* **1.** medical. **2.** în medicină. **3.** de *sau* din domeniul medicinei.

medicament [me'dikəmənt] *s.* medicament.

medicate ['medikeit] *vt.* a face medicația cuiva; a trata; a vindeca prin medicamente.

medicinal [me'disinl] *adj.* medicinal.

medicine ['medsin] *s.* **1.** medicină. **2.** medicament. **3.** magie.

medieval [,medi'iːvl] *adj.* medieval.

mediocre [,miːdi'oukə] *adj.* mediocru.

mediocrity [,mi:di'ɔkriti] s. mediocritate.

meditate ['mediteit] vt., vi a chibzui.

meditation [,medi'teiʃn] s. meditaţie; contemplare.

meditative ['meditɔtiv] adj. 1. contemplativ. 2. meditativ.

Mediterranean [,meditɔ'reinjɔn] adj. mediteranean.

medium ['mi:djɔm] I. s. pl. şi **media** ['mi:djɔ] 1. mijloc (de informare etc.). 2. mediu (fizic sau spiritist). 3. medie. || **the media** mijloacele de informare (în masă), mass media; **through / by the ~ of** prin mijlocirea / intermediul (cu gen.), cu ajutorul (cu gen.). II. adj. mediu.

mediumistic [mi:diɔ'mistik] adj. referitor la spiritism / medium.

medlar ['medlɔ] s. bot. moşmon (Mespilus germanica).

medley ['medli] s. 1. amestec. 2. muz. potpuriu.

medulla [me'dʌlɔ] s. 1. anat. os medular. 2. anat. măduva spinării. 3. bot. măduvă.

medullary [me'dʌlɔri] adj. anat., bot. medular.

medusa [mi'dju:z], pl. **medusae** [mi'dju:zi:] sau **medusas** [mi'dju:zɔs] s. zool. meduză (Hydrozoa etc. sp.).

meed [mi:d] I. s. poet. 1. răsplată; plată; danie. 2. laudă. II. vt. înv. a răsplăti.

meek [mi:k] adj. 1. supus; blând. 2. cuminte.

meekly ['mi:kli] adv. 1. cu blândeţe. 2. cu umilinţă.

meekness ['mi:knis] s. 1. blândeţe, bunătate, moliciune. 2. sfiiciune, modestie, resemnare.

meerschaum ['miɔʃɔm] s. 1. spumă de mare. 2. pipă din spumă de mare.

meet¹ [mi:t] I. s. 1. întâlnire. 2. competiţie. II. vt. trec. şi part. trec. **met** [met] 1. a întâlni. 2. a cunoaşte. 3. a întâmpina. 4. a da de sau peste (din întâmplare). 5. a satisface. 6. a acoperi. 7. a atinge. || to ~ smb. half way a face concesii cuiva; to ~ a person's eye a încrucişa privirile cu cineva. III. vi. trec. şi part. trec. **met** [met] 1. a se întâlni (cu). 2. a se cunoaşte. 3. a se atinge. || to ~ with a întâmpina; a se întâlni; to make both ends ~ a o scoate la capăt.

meet² [mi:t] adj. înv. (mai ales în ~ **and proper**) potrivit, indicat, convenabil; propriu; corespunzător.

meeting ['mi:tiŋ] s. 1. întâlnire. 2. întrunire, miting. 3. şedinţă.

me¹ [mi(:)] pron. 1. pe mine, mă. 2. mie, îmi. 3. eu. || it's ~ eu sunt.

me² [mi:] s. muz. (nota) mi.

mega- ['megɔ] (prefix) mega-.

megabyte ['megɔbait] s. cib. megabait.

megalith ['megɔliθ] s. arh. megalit; dolmen, menhir.

megalomania ['megɔlou'meiniɔ] s. megalomanie; grandomanie.

megaphone ['megɔfoun] s. megafon.

meiosis [mai'ousis] s. lingv. lit. (specie de) meiosis, litotă.

melamine ['melɔmi:n] s. chim. melamină.

melancholia [,melɔn'kouliɔ] s. med. melancolie, ipohondrie, depresiune.

melancholic [,melɔn'kɔlik] adj. 1. melancolic, ipohondru. 2. înv. trist, deprimat, abătut, posomorât.

melancholy ['melɔnkɔli] I. s. melancolie. II. adj. melancolic.

mêlée ['melei] s. 1. învălmăşeală; încăierere; hărţuială. 2. mil. exerciţiu de cavalerie. 3. discuţie aprinsă şi dezordonată.

mellifluent [mɔ'lifluɔnt], **mellifluous** [me'lifluɔs] adj. 1. melodios, muzical. 2. dulce, mieros.

mellow ['melou] I. adj. 1. copt. 2. matur. 3. potrivit. 4. moale. 5. bogat. 6. roditor. 7. vesel. II. vt., vi. 1. a (se) coace. 2. a (se) muia.

mellowness ['melounis] s. 1. maturitate, pârg. 2. blândeţe (a caracterului). 3. dulceaţă (a sunetului). 4. caracter afânat (al solului).

melodeon [mi:'loudiɔn] s. muz. înv. 1. melodion. 2. acordeon.

melodic(al) [mi'lɔdik(l)] adj. melodic.

melodious [mi'loudiɔs] adj. 1. melodios; dulce, plăcut la auz. 2. muzical.

melodrama ['melɔ,drɑ:mɔ] s. melodramă (şi fig.).

melodramatic [,meloudrɔ'mætik] adj. melodramatic.

melody ['melɔdi] s. melodie.

melon ['melɔn] s. bot. pepene (galben) (Cucumis melo).

melt [melt] I. vt. 1. a topi. 2. a dizolva. 3. a muia. II. vi. 1. a se topi. 2. a se dizolva. 3. a dispărea. 4. a se muia. || to ~ into a se preface în.

melting ['meltiŋ] adj. 1. dulce. 2. sentimental.

melting-pot ['meltiŋpɔt] s. 1. creuzet, oală de topit. 2. fig. amalgam (rasial, social etc.). || to go into the ~ a se schimba radical.

melton ['meltɔn] s. text. molton (stofă de lână groasă).

member ['membɔ] s. 1. membru. 2. element.

membership ['membɔʃip] s. 1. calitate de membru. 2. număr de membri.

membrane ['membrein] s. membrană.

membraneous [mem'breiniɔs] adj. membranos, cu membrană.

membranous ['membrɔnɔs] adj. v. **membraneous.**

memento [me'mentou] s. avertisment.

memo ['memou] s. fam. abrev. memorandum 1. memorandum. 2. raport. 3. scrisoare comercială.

memoir ['memwɑ:] s. 1. memoriu. 2. memorii. 3. proces verbal.

memorable ['memrɔbl] adj. memorabil.

memoranda [,memɔ'rændɔ] pl. de la **memorandum.**

memorandum [,memɔ'rændɔm] s.pl. **memoranda** [,memɔ'rændɔ] 1. memorandum. 2. raport. 3. scrisoare comercială.

memorial [mi'mɔ:riɔl] I. s. pl. **memoranda** [,memɔ'rændɔ] 1. monument comemorativ. 2. memoriu. 3. pl. cronică. II. adj. comemorativ.

memorialize [mi'mɔ:riɔ,laiz] vt. 1. a prezenta / a adresa un memoriu (cuiva); a trimite o cerere / o petiţie (cuiva). 2. a comunica, a anunţa. 3. a comemora.

memorize ['memɔraiz] vt. 1. a memora. 2. a nota.

memory ['memɔri] s. 1. memorie. 2. amintire. 3. reputaţie.

memsahib ['memsɑ:(i)b] s. (în India) doamnă europeană; stăpână.

men [men] s. pl. de la **man.**

menace ['menɔs] I. s. 1. ameninţare. 2. primejdie. II. vt. a ameninţa.

menacingly ['menəsiŋli] *adv.* amenințător.

ménage [me'nɑːʒ] *s.* **1.** menaj, gospodărie. **2.** gospodărire, conducere a treburilor casnice. **3.** club; societate de binefacere *(în Anglia și Scoția)*. **4.** vindere de bunuri; vindere de haine / lucruri.

menagerie [mi'nædʒəri] *s.* menajerie.

mend [mend] **I.** *s.* **1.** reparație. **2.** cusătură. || *on the ~* în convalescență; (mergând) spre bine; în progres. **II.** *vt.* **1.** a repara. **2.** a cârpi, a stopa *(ciorapi etc.)*. **3.** a corecta, a îndrepta. **4.** a vindeca, a însănătoși. **5.** a iuți, a accelera. || *to ~ a fire* a pune lemne pe foc, a ațâța focul. **III.** *vi.* **1.** a se îmbunătăți. **2.** a se corija. **3.** a se înzdrăveni, a se însănătoși.

mendacious [men'deiʃəs] *adv.* mincinos.

mendacity [men'dæsiti] *s.* **1.** înclinare către minciună, obicei de a minți. **2.** falsitate.

mender ['mendə] *s.* reparator, cârpaci. || *invisible ~* stopeur.

mendicant ['mendikənt] **I.** *adj.* cerșetor, care cerșește. **II.** *s.* **1.** cerșetor. **2.** călugăr cerșetor.

menfolk ['menfouk] *s. pl.* bărbații.

menhaden [men'heidn] *s. iht.* hering american; *(Brevoortia tyrannus)*.

menhir ['menhiə] *s. arh.* menhir.

menial ['miːnjəl] **I.** *s.* slugă. **II.** *adj.* **1.** servil. **2.** umil.

meningitis [,menin'dʒaitis] *s.* meningită.

meniscus [mi'niskəs], *pl.* **menisci** [mi'nisai] *s.* **1.** menisc, luna în creștere; corp în formă de lună nouă. **2.** *anat.* menisc. **3.** *fiz.* menisc, lentilă concav-convexă.

menopause ['menəpɔːz] *s. med.* menopauză.

menses ['mensiːz] *s. pl. med.* menstruație.

menstrual ['menstruəl] *adj.* **1.** *astr.* lunar, care are loc o dată pe lună. **2.** *med.* menstrual, de menstruație.

menstruate ['menstrueit] *vi. med.* a avea menstruație.

menstruation [,menstru'eiʃn] *s. med.* menstruație, soroc.

mensurable ['menʃurəbl] *adj.* **1.** măsurabil, mensurabil. **2.** *muz., înv.* ritmat, cu ritm fix, precizat. **3.** onest, drept.

mensuration [,mensjuə'reiʃn] *s.* măsurare, măsurătoare.

mental ['mentl] *adj.* mintal.

mentality [men'tæliti] *s.* **1.** capacitate de gândire. **2.** mentalitate, mod de a gândi. **3.** stare de spirit, dispoziție; minte; caracter.

menthol ['menθɔl] *s. chim.* mentol.

mention ['menʃn] **I.** *s.* **1.** mențiune. **2.** referire. **II.** *vt.* **1.** a pomeni (de). **2.** a menționa. || *don't ~ it!* n-aveți pentru ce!

mentor ['mentɔː] *s.* **1.** mentor, sfătuitor luminat, consilier. **2.** învățat, dascăl; profesor, instructor.

menu ['menju] *s.* meniu.

meow [mi'au] **I.** *vt.* a mieuna, a miorlăi. **II.** *s.* mieunat, miorlăit.

MEP *abrev.* *Member of the European Parliament* membru al Parlamentului European.

mephitic(al) [me'fitik(əl)] *adj.* mefitic, rău mirositor, împuțit; otrăvitor.

mercantile ['məːkntail] *adj.* comercial.

mercenary ['məːsinri] *s., adj.* mercenar.

mercer ['məːsə] *s.* pânzar; negustor de textile / mercerie.

mercerize ['məːsəraiz] *vt. text.* a merceriza.

mercerized ['məːsəraizd] *adj. text.* mercerizat.

mercery ['məːsəri] *s.* mercerie; manufactură; comerțul cu mătăsuri și catifele.

merchandise ['məːtʃndaiz] *s.* marfă.

merchant ['məːtʃnt] **I.** *s.* *(mare)* negustor. **II.** *adj.* comercial.

merchantable ['məːtʃntəbl] *adj.* *(d. marfă)* vandabil.

merchantman ['məːtʃntmən] *s. pl.* **merchantmen** ['məːtʃntmən] vas comercial.

Mercian ['məːʃiən] *ist.* **I.** *adj.* din Mercia, referitor la Mercia *(regat din vechea Anglie)*. **II.** *s.* **1.** locuitor din Mercia. **2.** grai / dialect din Mercia.

merciful ['məːsifl] *adj.* îndurător.

mercifully ['məːsifuli] *adv.* **1.** cu milă; cu îndurare. **2.** cu compătimire. **3.** cu îngăduință / înțelegere.

merciless ['məːsilis] *adj.* **1.** neîndurător. **2.** sălbatic.

mercilessly ['məːsilisli] *adv.* fără milă; fără îndurare, lipsit de omenie, cu cruzime.

mercurial [mə'kjuəriəl] *adj.* **1.** ca Mercur. **2.** ca argintul viu. **3.** viu, vioi; ager. **4.** schimbător, inconstant.

mercury ['məːkjuri] *s., adj.* mercur.

Mercury ['məːkjuri] *s.* Mercur.

mercy ['məːsi] *s.* **1.** îndurare. **2.** milă. || *at the ~ of* în puterea *(cu gen.)*.

mere¹ [miə] *adj.* **1.** simplu. **2.** biet. || *he was a ~ child* era doar un copilaș.

mere² [miə] *s.* **1.** lac (mic), iaz, eleșteu; baltă. **2.** *înv.* limită, margine; graniță, hotar.

merely ['miəli] *adv.* **1.** numai. **2.** doar. **3.** pur și simplu.

meretricious [meri'triʃəs] *adj.* **1.** de prostituată, de curtezană. **2.** atrăgător, (stră)lucitor, de efect ieftin. **3.** înșelător, fals.

merganser [məː'gænsə] *s. ornit.* bodârlău-cu-ferăstrău *(Mergus merganser)*.

merge [məːdʒ] *vt., vi.* **1.** a (se) uni. **2.** a fuziona.

merger ['məːdʒə] *s.* **1.** *econ.* contopire, fuziune *(de întreprinderi)*. **2.** înghițire, absorbire. **3.** *jur.* extincție prin consolidare.

meridian [mə'ridiən] **I.** *s.* **1.** meridian. **2.** amiază. **3.** *fig.* culme. **II.** *adj.* **1.** al amiezii. **2.** suprem.

meringue [mə'ræŋ] *s. gastr.* bezea, mereng(ă) *(prăjitură)*.

merino [mə'riːnou] **I.** *s.* (lână) merinos; stofă de lână merinos. **II.** *adj.* de merinos.

merit ['merit] **I.** *s.* **1.** merit. **2.** valoare. **II.** *vt.* a merita.

meritocracy [meri'tɔkrəsi] *s. pol.* **1.** conducere ai cărei membri au fost aleși pe merit. **2.** societate condusă de oameni merituoși / de specialiști.

meritorious [,meri'tɔːriəs] *adj.* merituos.

merle [məːl] *s. ornit., poet., înv.* mierlă *(Turdus merula)*.

merlin ['məːlin] *s. ornit.* **1.** specie de șoim *(Falco aesalon)*. **2.** șoim-de-iarnă *(Falco columbarius)*.

mermaid ['məːmeid] *s.* sirenă *(în basme)*.

merman ['məːmæn] *s. pl.* **mermen** ['məːmæn] *mitol.* triton.

Merovingian [,merou'vindʒiən] **I.** *adj.* merovingian, aparținând dinastiei / epocii Merovingienilor *(sec. VI-VIII)*. **II.** *s. pl.* Merovingieni.

merry ['meri] adj. **1.** vesel. **2.** fericit. || to make ~ over smth. a face haz de ceva.

merry-go-round ['merigou,raund] s. **1.** căluşei. **2.** sens giratoriu. **3.** fig. vârtej.

merry maker ['meri,meikə] s. persoană care petrece, care se amuză; chefliu.

merry-making ['meri,meikiŋ] s. **1.** veselie. **2.** petrecere.

mesa ['meisə] s. geol. podiş înalt, terasă înaltă (în sud-vestul S.U.A.).

mescal ['meskæl] s. bot. mescal, cactus mic din Mexic (care produce un suc ameţitor) (Lophophora williamsii).

mescaline ['meskəli(:)n] s. chim. mescalină.

mesh [meʃ] I. s. **1.** ochi de plasă. **2.** plasă. **3.** fire (ale unei plase). II. vt. a prinde în plasă. III. vi. **1.** a se îmbina. **2.** a se angrena.

mesmeric [mez'merik] adj. mesmeric; hipnotic.

mesmerism ['mezmrizəm] s. **1.** hipnotism. **2.** letargie.

mesmerize ['mezməraiz] vt. **1.** a hipnotiza, a mesmeriza. **2.** fig. a fascina, a fermeca, a încânta.

mesolithic [mesou'liθik] adj. mezolitic.

mess [mes] I. s. **1.** încurcătură. **2.** murdărie. **3.** dezordine. **4.** porcărie. **5.** popotă. **6.** sală de mese. II. vt. **1.** a strica. **2.** a încurca. **3.** a deranja. **4.** a învălmăşi. III. vi. a lua masa (împreună). || to ~ about a face lucrurile de mântuială; a se juca (neglijent) cu lucrurile; a rasoli (treburile).

message ['mesidʒ] s. **1.** mesaj. **2.** anunţ. **3.** scrisoare. **4.** treabă. || to go on a ~ a pleca după o treabă.

messenger ['mesindʒə] s. **1.** mesager. **2.** curier.

Messiah [mi'saiə] s. Mesia, Mântuitorul.

Messianic [,mesi'ænik] adj. mesianic.

messieurs ['mesjə:z] s. pl. domni; domnilor.

messmate ['mesmeit] s. **1.** tovarăş de masă, comesean. **2.** mar. camarad / tovarăş pe acelaşi vapor. **3.** bot. specie australiană de eucalipt (Eucalyptus).

messuage ['meswidʒ] s. **1.** conac, fermă, vilă. **2.** jur. casă de locuit (înconjurată de pământ, cu dependinţe).

messy ['mesi] adj. **1.** murdar, soios. **2.** în dezordine; într-un hal fără de hal.

mestizo [mes'ti:zou] s. metis (mai ales născut din încrucişarea indienilor din America de Sud cu spaniolii).

met [met] vt., vi. trec. şi part. trec. de la **meet**.

metabolism [me'tæbəlizəm] s. **1.** biol., fiziol. metabolism. **2.** zool. metamorfoză.

metacarpus [,metə'ka:pəs] s. anat. metacarp.

metal ['metl] s. **1.** metal. **2.** piatră de pavaj. **3.** pl. şine de cale ferată.

metallic [mi'tælik] adj. metalic.

metalliferous [,metə'lifərəs] adj. metalifer, conţinând metal.

metalloid ['metəlɔid] s. chim. metaloid.

metallurgical [,metə'lə:dʒikl] adj. metalurgic.

metallurgist [me'tələdʒist] s. metalurgist.

metallurgy [me'tælədʒi] s. metalurgie.

metamorphic [,metə'mɔ:fik] adj. metamorfic, care ţine de metamorfoză.

metamorphose [,metə'mɔ:fouz] vt. **1.** a transforma; a schimba forma (cu gen.). **2.** a metamorfoza.

metamorphosis [,metə'mɔ:fəsis] s. metamorfoză.

metaphor ['metəfə] s. metaforă.

metaphoric(al) [,metə'fɔrik(l)] adj. metaforic, figurat.

metaphysical [,metə'fizikl] adj. **1.** metafizic. **2.** abstract.

metaphysician [,metəfi'ziʃn] s. metafizician.

metaphysics [,metə'fiziks] s. **1.** metafizică. **2.** teorie. **3.** abstracţiune.

metatarsal [,metə'ta:səl] anat. I. adj. metatarsial, metatars. II. s. (osul) metatars.

metatarsus [,metə'ta:səs] s. anat. (osul) metatars.

mete [mi:t] I. s. **1.** măsură. **2.** margine, limită, graniţă; bornă de frontieră. II. vt. **1.** a stabili prin măsurare (dimensiunile etc.); a măsura. **2.** a determina limitele sau valoarea (cu gen.) prin măsurare. **3.** to ~ out a reward a împărţi o recompensă; a da fiecăruia partea sa. III. vi. a măsura, a cântări (cu privire).

metempsychosis [,metempsi'kou-sis] pl. **metempsychoses** [,metempsi'kousi:z] s. metempsihoză, transmigrare a sufletelor.

meteor ['mi:tjə] s. meteor.

meteoric [,mi:ti'ɔrik] adj. **1.** meteoric (şi fig.). **2.** meteorologic.

meteorite ['mi:tjərait] s. meteorit.

meteorological [,mi:tiərə'lɔdʒikl] adj. meteorologic; atmosferic.

meteorologist [,mi:tiə'rɔlədʒist] s. meteorolog, observator al fenomenelor atmosferice.

meteorology [,mi:tiə'rɔlədʒi] s. meteorologie.

meter ['mi:tə] s. **1.** aparat de măsură. **2.** contor. **3.** amer. v. **metre.**

methane ['miθein] s. chim. metan.

methinks [mi'θinks] verb impersonal înv. mi se pare, cred.

method ['meθəd] s. **1.** metodă. **2.** ordine. **3.** aranjament.

methodical [mi'θɔdikl] adj. **1.** metodic. **2.** ordonat.

methodically [mi'θɔdikəli] adv. (în mod) metodic, cu metodă.

Methodism ['meθədizəm] s. rel. metodism.

methodology [,meθə'dɔlədʒi] s. metodică.

methought [mi'θɔ:t] înv. verb impersonal trec. de la **methinks** mi se părea, mi se păru, mi s-a părut.

meths [meθs] s. fam. alcool metilic, spirt din lemn (nepurificat).

methyl ['meθ(ə)l] s. chim. metil.

methyl alcohol [,meθəl'ælkəhɔl] s. alcool metilic, spirt denaturat.

methylated ['meθileitid] adj. metilic.

methylated spirit(s) ['meθileitid 'spirit(s)] s. spirt denaturat, alcool metilic.

methylene ['meθili:n] s. chim. metilen.

meticulous [mi'tikjuləs] adj. meticulos.

métier [me'tjei] s. **1.** profesie; ocupaţie, meserie. **2.** vocaţie.

metonymy [mi'tɔnimi] s. stil. metonimie.

metre ['mi:tə] s. **1.** metru. **2.** ritm, metrică, prozodie.

metric(al) ['metrik(l)] adj. metric, prozodic.

metronome ['metrənoum] s. muz. metronom.

metropolis [mi'trɔpəlis] s. **1.** metropolă. **2.** centru.

metropolitan [,metrə'pɔlitn] I. s. **1.** cetăţean al capitalei. **2.** (şi

~ **bishop**) mitropolit. **II.** *adj.* metropolitan.

mettle ['metl] *s.* **1.** curaj. **2.** bărbăție. **3.** vigoare.

mettlesome ['metlsəm] *adj.* **1.** viguros. **2.** viteaz. **3.** bătăios. **4.** combativ.

mew [mju:] **I.** *s.* **1.** pescăruș *(Larus canus).* **2.** mieunat. **II.** *vt., vi.* a mieuna.

mews [mju:z] *s. pl. (cu verbul la sing.)* **1.** grajd, grajduri (devenite locuințe). **2.** fundătură, intrare.

Mexican ['meksikn] *s., adj.* mexican(ă).

mezzanine ['mezəni(:)n] *s.* mezanin.

mezzo ['metsou] *adv.* *muz.* mezzo(soprană).

mezzo-soprano ['metsousə'prɑ: nou] *s. muz.* mezzo-soprană.

mezzotint ['metsoutint] **I.** *s.* mezzo-tinta; metodă de gravură prin arderea adâncă a plăcii. **II.** *vt.* a grava cu ajutorul procedeului mezzo-tinta.

mf *abrev. mezzo-forte muz.* mezzo-forte.

mg *abrev. milligram(s)* miligram(e).

Mgr. *abrev. Monseigneur, Monsignor* monsenior.

MI *abrev. Military Intelligence* serviciul militar de (contra)informații.

miaow [mi'au] **I.** *s.* mieunat. **II.** *vi.* a mieuna.

miasma [mi'æzmə] *s.* miasmă.

mica ['maikə] *s.* mica.

mice [mais] *s. pl. de la* **mouse**.

Michaelmas ['miklməs] *s.* **1.** ziua sfântului Mihail *(29 septembrie).* **2.** *bot.* aster-de-toamnă *(Aster).* **3.** toamnă.

Mickey ['miki] *s. fam.: to take the ~ out of* a-și bate joc de, a satiriza.

mickle ['mikl] **I.** *adj. (cuvânt scoțian) înv.* **1.** mare, întins. **2.** mult, numeros. **II.** *s.* cantitate mare. || *many a little makes a ~* din puțin se face mult; încetul cu încetul se face oțetul.

microbe ['maikroub] *s.* microb.

microbiology ['maikroubai'ɔlədʒi] *s.* microbiologie.

microchip ['maikroutʃip] *s. cib., el.* microcip.

microcomputer [maikroukəm-'pju:tə] *s. cib.* microcomputer.

microcosm ['maikrou,kɔzəm] *s.* microcosm.

microdot ['maikroudɔt] *s.* foto-grafie a unui document, redusă la dimensiuni foarte mici.

microfiche ['maikroufi:ʃ] *s.* micro-fișă.

microfilm ['maikroufilm] *s.* mi-crofilm.

microlight ['maikroulait] *s. av.* avion ușor.

micrometer [mai'krɔmitə] *s.* **1.** *fiz.* micrometru. **2.** *tehn.* elice micrometrică.

micron ['maikrɔn], *pl.* **micra** ['maikrə] *sau* **microns** ['maikrɔnz] *s. chim., fiz.* micron.

micro-organism [maikrou'ɔ:gə-nizəm] *s. biol.* microorganism.

microphone ['maikrəfoun] *s.* microfon.

microprocessor ['maikrouprou-sesə] *s. cib.* microprocesor.

microscope ['maikrəskoup] *s.* microscop.

microscopic(al) [,maikrəs'kɔpik(l)] *adj.* **1.** microscopic. **2.** *fig.* minuscul, extrem de mic.

microscopy [mai'krɔskəpi] *s. fiz.* microscopie.

microsurgery ['maikrousə:dʒəri] *s. med.* chirurgie sub micro-scop.

micturition [miktju'riʃn] *s. fiziol.* micțiune.

mid [mid] *adj.* de / din mijloc, de la jumătate. || *in ~ afternoon* în mijlocul după-amiezii.

midday ['middei] *s.* amiază.

midden ['midn] *s.* **1.** gunoi. **2.** bălegar.

middle ['midl] **I.** *s.* mijloc, centru. **II.** *adj.* **1.** mijlociu. **2.** de mijloc. **3.** mediu.

middle-aged ['midl'eidʒd] *adj.* între două vârste.

Middle Ages ['midl'eidʒiz] *s. pl.* Evul Mediu.

middle class(es) ['midl'klɑ:s(iz)] *s. pl.* burghezia. || *the lower ~* mica burghezie.

Middle East ['midl'i:st] *s.* Orientul Mijlociu.

middleman ['midlmən] *s. pl.* **middlemen** ['midlmən] **1.** *econ.* intermediar. **2.** foiletonist, autor de foiletoane.

middling ['midliŋ] **I.** *adj.* mediocru. **II.** *adv.* **1.** binișor. **2.** relativ.

middy ['midi] **1.** *fam. abrev.* **midshipman**. **2.** bluză confortabilă purtată peste fustă, bluză-marinar.

midge [midʒ] *s.* **1.** *entom.* mus-culiță *(mai ales din fam. Chiromidae).* **2.** *fig.* ființă măruntă, pitic.

midget ['midʒit] *s.* **1.** persoană mică de statură. **2.** pitic.

midheaven ['mid'hevn] *s. astr.* meridian ceresc.

midland ['midlənd] *s.* inima țării.

midnight ['midnait] *s.* miezul nopții. || *to burn the ~ oil* a lucra până noaptea târziu.

midriff ['midrif] *s. anat.* dia-fragmă. || *fam. to shake sau to tickle the ~* a face să se strice de râs.

midship ['midʃip] *s. mar.* **1.** mij-locul / partea centrală a unei nave. **2.** *abrev.* **midshipman**.

midshipman ['midʃipmən] *s. pl.* **midshipmen** ['midʃipmən] *mar.* aspirant; miciman.

midst [midst] *s. poet. lit.* mijloc.

midstream ['midstri:m] *s.* mijlocul apei *(al unui râu etc.).*

midsummer ['mid,sʌmə] *s.* **1.** mie-zul verii. **2.** noaptea de Sân-ziene.

midway ['mid'wei] **I.** *adj.* de mij-loc. **II;** *adv.* la mijloc.

mid-week ['midwi:k] *s.* **1.** mijlocul săptămânii. **2.** miercuri *(cuvânt folosit de quakeri).*

midwife ['midwaif] *s. pl.* **mid-wives** ['midwaivz] moașă.

midwifery ['midwifəri] *s.* **1.** *med.* obstetrică. **2.** moșit; meseria de moașă. **3.** *pl.* îngrijiri date lăuzei la naștere.

midwinter ['mid'wintə] *s.* **1.** mij-locul / toiul iernii. **2.** *astr.* solsti-țiu de iarnă *(22 decembrie).*

mien [mi:n] *s.* înfățișare; mină.

might [mait] **I.** *s.* putere. || *with ~ and main* cu toată puterea. **II.** *v. mod. trec. de la* **may**.

mightily ['maitili] *adv.* **1.** cu pu-tere / forță / vigoare. **2.** *fam.* strașnic; grozav (de); în cel mai înalt grad. || *I should be ~ pleased* aș fi grozav de mulțumit. **3.** *fam.* mult; foarte mult.

mighty ['maiti] **I.** *adj.* **1.** puternic. **2.** mare. **3.** strașnic. **II.** *adv.* foarte.

mignonette [minjə'net] *s. bot.* rozetă-mirositoare *(Reseda odorata).*

migraine ['maigrein] *s. med.* migrenă, durere de cap.

migrant ['maigrnt] **I.** *s.* **1.** pasăre migratoare; animal migrator. **2.** nomad. **II.** *adj.* migrator; nomad. || *~ worker* muncitor care lucrează în străinătate.

migrate [mai'greit] *vi.* **1.** a emigra. **2.** a migra.

migration [mai'greiʃn] s. 1. migraţiune; emigrare, pribegie. 2. strămutare.

migratory ['maigrətri] adj. migrator.

Mikado [mi:'ka:dou] s. mikado, împăratul Japoniei.

mike [maik] s. fam. microfon.

mil [mil] s. farm. mililitru.

milady [mi'leidi] s. milady (folosit mai ales în Franţa).

milch [miltʃ] I. adj. 1. de lapte. 2. blând. II. s. vacă cu lapte; fig. vacă de muls.

milch cow ['miltʃkau] s. vacă cu lapte.

mild [maild] adj. blând; dulce; slab. || to draw it ~ a o lăsa mai moale.

mildew ['mildju:] I. s. 1. mucegai. 2. bot. mălură, tăciune. II. vt., vi. a mucegăi.

mildly ['maildli] adv. 1. blând. 2. dulce. 3. uşor. 4. moderat. || to put it ~ (asta aşa) cu indulgenţă; şi când spun asta, nu spun decât un sfert; ca să mă exprim în termeni moderaţi.

mile [mail] s. (măsura de o) milă. || it's ~s better e mult mai bine.

mile [mail] s. milă (1609,3 m); măsură. || Admiralty ~ milă marină (engleză); air ~ milă aeriană (1852 m); geographical / sea / nautical ~ milă marină (1852 m); fig. ~s easier de o mie de ori mai uşor; mar. pl. to make short ~s a naviga repede.

mileage ['mailidʒ] s. 1. distanţă. 2. kilometraj. 3. cheltuieli de deplasare.

milestone ['mailstoun] s. 1. piatră indicatoare de mile (de-a lungul drumurilor) aprox. piatră kilometrică. 2. jalon (şi fig.); piatră de marcare / hotar.

milfoil ['milfɔil] s. bot. coada-şoricelului (Achillea millefolium).

milieu ['mi:ljə:] s. mediu (social).

militant ['militnt] I. s. activist. II. adj. 1. combativ. 2. războinic.

militarism ['militərizəm] s. militarism.

militarist ['militərist] s. 1. militarist. 2. strateg, cercetător al artei militare.

militarization ['militərai'zeiʃn] s. militarizare.

military ['militri] I. s.: the ~ armata, militarii. II. adj. militar.

militate ['militeit] vi. 1. a milita. 2. a activa. 3. a lupta.

militia [mi'liʃə] s. miliţie.

militiaman [mi'liʃəmən] s. pl. **militiamen** [mi'liʃəmən] miliţian.

milk [milk] I. s. lapte. || the ~ of human kindness omenie, blândeţe. II. vt. a mulge. III. vi. a da lapte.

milker ['milkə] s. 1. mulgător, mulgătoare. 2. maşină de muls. 3. vacă bună de lapte.

milkmaid ['milkmeid] s. 1. mulgătoare. 2. lăptăreasă.

milkman ['milkmən] s. pl. **milkmen** ['milkmən] lăptar.

milksop ['milksɔp] s. papă-lapte.

milk weed ['milk wi:d] s. bot. 1. ceara-albinei (genul Asclepias, în special A. syriaca). 2. laptele-cucului.

milk-white ['milkwait] adj. alb ca laptele.

milky ['milki] adj. lăptos.

Milky Way ['milki'wei] s. Calea Lactee.

mill [mil] I. s. 1. moară. 2. fabrică (în special textilă); amer. uzină (metalurgică etc.), oţelărie, fonterie. 3. râşniţă. 4. fig. viaţă grea. II. vt. 1. a măcina. 2. a produce. 3. a lamina. III. vi. a se învârti.

millenium [mi'leniəm] s. 1. mileniu. 2. epocă de aur.

millepede ['milipi:d] s. zool. miriapod.

miller ['milə] s. morar.

millesimal [mi'lesiml] I. adj. al miilea. II. s. miime, a mia parte.

millet ['milit] s. bot. mei (Panicum miliaceum).

milli- ['mili] prefix mili-.

milliard ['miljɑ:d] s. miliard.

milligram(me) ['miligræm] s. miligram.

millimetre ['mili,mi:tə] s. milimetru.

milliner ['milinə] s. modistă.

millinery ['milinri] s. 1. magazin de modă. 2. magazin de pălării (de damă). 3. articole de modă; galanterie de damă.

million ['miljən] s., num. milion.

millionaire [,miljə'neə] s. 1. milionar. 2. mare bogătaş.

millionth ['miljənθ] num., adj. al milionulea.

mill-pond ['milpɔnd] s. iazul morii.

mill-race ['milreis] s. jgheabul morii.

mill race ['mil reis] s. scoc de moară; canal de intrare în moară.

millstone ['milstoun] s. piatră de moară (şi fig.).

mime [maim] I. s. 1. mim. 2. mimă. II. vt., vi. a mima.

mimeograph ['mimiəgrɑ:f] I. s. şapirograf. II. vt. a şapirografia.

mimetic(al) [mi'metik(l)] adj. 1. mimetic, imitativ. 2. biol. mimetic.

mimic ['mimik] I. s. 1. mim. 2. imitator. II. adj. 1. de mimică. 2. imitativ, mimetic. III. vt. a imita.

mimicry ['mimikri] s. 1. mimică. 2. mimetism, imitaţie.

mimosa [mi'mousə] s. bot. mimoză (Mimosa pudica / sensitiva).

Min. abrev. 1. Minister ministru. 2. Ministry minister.

mina ['mainə] s. ornit. specie exotică de graur (Gracula religiosa).

minaret ['minəret] s. minaret.

minatory ['minətri] adj. ameninţător.

mince [mins] I. s. carne tocată. II. vt. 1. a toca. 2. a atenua. || not to ~ matters ca să spunem lucrurilor pe nume. III. vi. 1. a face pe delicatul. 2. a vorbi afectat, din vârful buzelor.

mincedmeat ['minstmi:t] s. tocătură.

mincemeat ['minsmi:t] s. umplutură de fructe (la prăjitură).

mincing ['minsiŋ] adj. de o delicateţe exagerată / afectată.

mind [maind] I. s. 1. minte. 2. înţelepciune. 3. părere. 4. memorie; spirit. 5. hotărâre. 6. capacitate. || a bit of one's ~ reproş, săpuneală; time out of ~ în vremuri imemoriale; to my ~ după părerea mea; după gustul meu; to be in two ~s a şovăi; to be of smb.'s, to be of one / a ~ a fi de acord (cu cineva); to be of the same ~ sau of one ~ a gândi la fel; to bear in ~ a nu uita; to call to ~ a-şi aminti; to go out of one's ~ a-i ieşi din minte; a fi dat uitării; to change one's ~ a se răzgândi; to give one's ~ to a se concentra asupra; I have half a ~ to go aş vrea să mă duc; to have smth. on one's ~ a fi obsedat / necăjit de ceva; not to know one's own ~ a nu şti singur ce vrea. II. vt. 1. a observa. 2. a păzi; a avea grijă de. 3. a da atenţie la (cu dat.). 4. a se feri de. 5. a obiecta la. 6. a nu putea suferi. || ~ your language! vorbeşte frumos!;

would you ~ opening the window? te superi dacă te rog să deschizi fereastra?, te rog deschide fereastra; *I shouldn't ~ a glass of beer* tare aş bea o halbă. **III.** *vi.* **1.** a se supăra. **2.** a fi atent. || *never ~!* nu te necăji! n-are importanţă! nu face nimic!; *~ you!* bagă de seamă!; *I don't ~* n-am nimic împotrivă; mi-e indiferent; aş vrea şi eu.

minded ['maindid] *adj.* **1.** înclinat. **2.** dispus. **3.** pătruns (*de o idee*).

minder ['maində] *s.* supraveghetor, îngrijitor.

mindful ['maindfl] *adj.* **1.** atent. **2.** pătruns (*de o idee etc.*).

mindless ['maindlis] *adj.* **1.** fără minte, prost, stupid. **2.** *~ (of)* uituc, neglijent (cu); zăpăcit, zănatic; care nu ţine seamă (de).

mind reading ['maind,ri:diŋ] *s.* citire a gândurilor; telepatie.

mind's eye ['maindzai] *s.* imaginaţie.

mine [main] **I.** *s.* **1.** mină (*de cărbuni etc.*). **2.** *mil.* mină (*şi fig.*). **II.** *pron.* al meu, a mea, ai mei, ale mele. **III.** *vt.* **1.** a săpa; a scobi. **2.** a mina. **3.** a submina. **IV.** *vi.* a scormoni pământul.

minefield ['mainfi:ld] *s.* câmp de mine.

mine-layer ['main,lɛə] *s.* vas puitor de mine.

miner ['mainə] *s.* **1.** miner. **2.** *mil.* pionier, genist.

mineral ['minrl] *s., adj.* mineral.

mineralogist [,minə'rælədʒist] *s.* mineralog.

mineralogy [,minə'rælədʒi] *s.* mineralogie.

minestrone [mini'strouni] *s.* *gastr.* supă de zarzavat cu paste făinoase sau orez.

mine-sweeper ['main,swi:pə] *s.* vas culegător de mine.

mingle ['miŋgl] *vt., vi.* a (se) amesteca.

mingy ['mindʒi] *adj. fam.* zgârcit, cărpănos; meschin.

mini- ['mini] *prefix* mini-.

mini ['mini] *s. fam.* **1.** fustă mini. **2.** tip de automobil mic.

miniature ['minjətʃə] *s.* miniatură.

miniaturist ['miniətʃuərist] *s.* miniaturist.

miniaturize ['miniətʃəraiz] *vt.* a miniaturiza.

minicab ['minikæb] *s.* taxi la comandă.

minim ['minim] *s.* **1.** minim; fărâmă; un pic; bagatelă, picătură. **2.** pitic, pigmeu. **3.** *farm.* a şaizecea parte dintr-o drahmă lichidă (*măsură de capacitate*). **4.** *muz.* doime.

minima ['minimə] *s. pl. de la* **minimum**.

minimal ['miniml] *adj.* minim; minimal.

minimize ['minimaiz] *vt.* a minimaliza.

minimum ['miniməm] *s. pl. şi* **minima** ['minimə], *adj.* minim.

mining ['mainiŋ] *s.* **1.** minerit. **2.** extracţie, exploatare (a ţiţeiului etc.).

minion ['minjən] *s. peior.* subordonat, servil.

minister ['ministə] **I.** *s.* **1.** (*mai ales* **cabinet** *~*) ministru. **2.** diplomat. **3.** slujitor (al bisericii), cleric, preot. **4.** agent, slugă. **II.** *vi.* a se ocupa.

ministerial [,minis'tiəriəl] *adj.* **1.** ministerial. **2.** guvernamental.

ministration [,minis'treiʃn] *s.* **1.** ajutor; îngrijire. **2.** *rel.* îngrijire (a sufletului).

ministry ['ministri] *s.* **1.** minister. **2.** guvern. **3.** cler.

miniver ['minivə] *s.* **1.** (blană de) hermină (*întrebuinţată la ceremonii*). **2.** *rar* blană de veveriţă.

mink [miŋk] *s. zool.* nurcă (*Mustela vison*).

minnow ['minou] *s.* **1.** *iht.* boiştean (*Phoxinus phoxinus*). **2.** *fig.* nimic, fleac.|| *a Triton among the ~s* în ţara orbilor chiorul e împărat. **3.** vârcolac (*de pescuit*).

Minoan [mi'nouən] *adj.* minoian; aparţinând perioadei minoiene a civilizaţiei greceşti şi cretane.

minor ['mainə] *s., adj.* minor.

minority [mai'nɔriti] *s.* minoritate.

minster ['minstə] *s.* **1.** biserică (*a unei mănăstiri*). **2.** catedrală.

minstrel ['minstrl] *s.* **1.** menestrel. **2.** colindător.

minstrelsy ['minstrlsi] *s.* **1.** arta menestrelilor; cântec al menestrelilor. **2.** cântece (*ale unui popor etc.*); balade; culegere de cântece *sau* balade. **3.** lăutari; orchestră.

mint [mint] **I.** *s.* **1.** mentă. **2.** monetărie. **3.** sumă mare. **4.** *fig.* sursă; izvor. **II.** *vt.* **1.** a bate (*monedă*). **2.** a născoci.

minuend ['minjuend] *s.* *mat.* descăzut.

minuet [,minju'et] *s. muz.* menuet.

minus ['mainəs] **I.** *s.* minus. **II.** *adj.* **1.** minus. **2.** negativ. **III.** *prep.* fără.

minuscule ['minəskju:l] **I.** *s.* literă mică, minusculă. **II.** *adj.* (*d. scriere*) minusculă.

minute[1] ['minit] *s.* **1.** minut. **2.** clipă. **3.** proces verbal; minută.

minute[2] [mai'nju:t] *adj.* **1.** amănunţit. **2.** minuţios.

minute-hand ['minithænd] *s.* minutar.

minutely[1] ['minitli] **I.** *adj.* de orice moment. **II.** *adv.* continuu, în fiecare clipă, în orice moment.

minutely[2] [mai'nju:tli] *adv.* minuţios, amănunţit, exact, de-a-fir-a-păr; detaliat.

minute man ['minit mæn] *s. pl.* **minute men** ['minit men] *amer.* **1.** *ist.* soldat al miliţiei populare (*în perioada războiului pentru independenţă 1775-1783*). **2.** om gata oricând să intre în acţiune.

minuteness ['mai'nju:tnis] *s.* **1.** micime; delicateţe; aspect gingaş. **2.** amănunţime. **3.** exactitate, minuţiozitate; caracter migălos.

minutiae [mɑ:i'nju:ʃii:] *s. pl.* mici amănunte, detalii.

minx [miŋks] *s.* **1.** obrăznicătură. **2.** fetişcană neserioasă.

miracle ['mirəkl] *s.* **1.** miracol. **2.** model.

miracle play ['mirəklplei] *s. ist.* miracol, dramă religioasă; patimile Mântuitorului etc.

miraculous [mi'rækjuləs] *adj.* miraculos.

mirage ['mirɑ:ʒ] *s.* miraj (*şi fig.*).

mire ['maiə] **I.** *s.* **1.** noroi. **2.** mlaştină. **3.** încurcătură. **II.** *vt.* a murdări cu noroi. **III.** *vi.* a se îngloda.

mirror ['mirə] **I.** *s.* oglindă (*şi fig.*). **II.** *vt.* a oglindi (*şi fig.*).

mirth [mə:θ] *s.* **1.** veselie. **2.** distracţie.

mirthful ['mə:θfl] *adj.* **1.** vesel, bine dispus; glumeţ, hazliu. **2.** desfătător, distractiv, amuzant.

mirthless ['mə:θlis] *adj.* trist.

miry ['maiəri] *adj.* **1.** mocirlos, mlăştinos, smârcos, murdar. **2.** *fig.* murdar, meschin.

misadventure [,misəd'ventʃə] *s.* **1.** nenorocire. **2.** necaz.

misalliance ['misə'laiəns] *s.* mezalianţă.

misanthrope ['miznθroup] *s.* mizantrop.

misanthropic(al) [,mizə-'θrɔpik(l)] adj. (de) mizantrop.

misanthropy [mi'zænθrəpi] s. mizantropie.

misapprehend ['mis,æpri'hend] vt. a înțelege sau a pricepe greșit, a greși în interpretare.

misapprehension ['mis,æpri'henʃn] s. înțelegere greșită / eronată; idee greșită, neînțelegere. || to be / labour under a ~ a înțelege greșit, a fi în eroare; a se lăsa indus în eroare.

misappropriate ['misə'prouprieit] vt. a deturna (fonduri).

misbegot(ten) ['misbi'gɔt(n)] adj. 1. nelegitim, din flori, bastard. 2. procurat pe căi ilegale.

misbehave ['misbi'heiv] vi., vr. a se purta rău.

misbehaviour ['misbi'heiviə] s. 1. purtare / conduită rea / proastă. 2. adulter.

misbeliever ['misbi'li:və] s. eretic, necredincios, păgân.

miscalculate ['mis'kælkjuleit] I. vt. a calcula greșit; a socoti greșit. II. vi. a se înșela în socoteli / calcule.

miscalculation ['mis,kælkju'leiʃn] s. calcul greșit; socoteală greșită; eroare.

miscall [mis'kɔ:l] vt. a (de)numi greșit.

miscarriage [mis'kærid3] s. 1. eșec. 2. eroare; greșeală. 3. pierdere. 4. avort spontan.

miscarry [mis'kæri] vi. 1. a eșua, a da greș. 2. a se pierde. 3. a avorta.

miscast ['mis'kɑ:st] vt. teatru 1. a repartiza greșit (roluri). 2. a distribui (cuiva) un rol nepotrivit.

miscegenation [misid3ə'neiʃn] s. încrucișare între rase.

miscellaneous [,misə'leinjəs] adj. amestecat.

miscellany [mi'seləni] s. miscelanea.

mischance [mis'tʃɑːns] s. nenorocire, ghinion, întâmplare nefericită; accident.

mischief ['mistʃif] s. 1. rău, ticăloșie. 2. stricăciune. 3. năzbâtie; poznă. 4. caracter jucăuș. 5. drăcușor.

mischief maker ['mistʃif,meikə] s. 1. zurbagiu, certăreț. 2. făcător de rele, răutăcios. 3. încurcă-lume; intrigant.

mischievous ['mistʃivəs] adj. 1. rău, ticălos. 2. dăunător. 3. afurisit. 4. poznaș.

misconceive ['miskən'si:v] I. vt. 1. a concepe prost / greșit. II. vi. (of) a-și face o idee greșită (despre).

misconception ['miskən'sepʃn] s. 1. concepție sau imagine greșită / eronată. 2. neînțelegere.

misconduct¹ [mis'kɔndʌkt] s. 1. purtare rea; abatere. 2. neglijență (în serviciu).

misconduct² ['miskən'dʌkt] I. vt. 1. a mânui greșit. 2. a dirija prost. II. vr. 1. a greși, a avea abateri. 2. a se purta rău.

misconstruction ['miskəns'trʌkʃn] s. 1. neînțelegere. 2. interpretare greșită.

misconstrue ['miskən'stru:] vt. 1. a interpreta greșit. 2. fig. a traduce prost / greșit.

miscount ['mis'kaunt] I. vt. a număra sau a socoti greșit (mai ales voturile). II. vi. a se înșela la socoteală. III. s. greșeală, socoteală greșită; fig. greșeală de apreciere.

miscreant ['miskriənt] s. 1. ticălos, mizerabil, lichea. 2. înv. eretic, necredincios.

misdeal [mis'di:l] I. vi. trec. și part. trec. **misdealt** [mis'delt] 1. a da / a împărți greșit (la jocul de cărți). 2. a greși la împărțirea cărților. 3. a acționa greșit. II. vt. trec. și part. trec. **misdealt** [mis'delt] a împărți greșit (cărțile de joc). III. s. 1. împărțire neechilibrată. 2. dona greșită.

misdealt [mis'delt] vt., vi. trec. și part. trec. de la **misdeal**.

misdeed ['mis'di:d] s. 1. ticăloșie. 2. crimă, nelegiuire.

misdemeano(u)r [,misdi'mi:nə] s. 1. nelegiuire. 2. ticăloșie; abatere. 3. contravenție.

misdirect ['misdai'rekt] vt. 1. a dirija sau a îndrepta greșit / prost. 2. a adresa greșit (o scrisoare). 3. jur. a induce în eroare (juriul).

misdoing ['mis'du:iŋ] s. fărădelege, nelegiuire.

misdoubt [mis'daut] înv. I. vt. 1. a pune la îndoială. 2. a bănui, a suspecta. II. s. 1. îndoială, suspiciune. 2. bănuială, presentiment, presimțire.

mise en scène [mi:ză'sein] s. 1. teatru punere în scenă. 2. înscenare. 3. fig. mediu, condiții externe; decor.

miser ['maizə] s. zgârcit.

miserable ['mizrbl] adj. 1. nenorocit. 2. sărac. 3. mizerabil.

miserably ['mizrəbli] adv. 1. jalnic, mizerabil, lamentabil. 2. oribil, îngrozitor.

miserere [,mizə'riəri] s. bis. Doamne miluiește, miserere (psalmul 51 din Biblie); rugăciune de îndurare.

misericord [mi'zerikɔ:d] s. rel. mizericordie, îndurare.

miserly ['maizəli] adj. zgârcit, avar, meschin.

misery ['mizəri] s. 1. mizerie. 2. sărăcie. 3. nenorocire. 4. supărare.

misfire ['mis'faiə] I. s. 1. rateu, împușcătură nereușită / ratată. 2. tehn. rateuri la aprindere. 3. auto. rateu. 4. mat. eroare de calcul, calcul eronat. II. vi. (d. o armă) a nu lua foc; (d. o bombă) a nu exploda.

misfit ['misfit] s. 1. lucru nepotrivit. 2. om nepotrivit. 3. inadaptabil.

misfortune [mis'fɔ:tʃn] s. nenorocire.

misgave [mis'geiv] vt. trec. de la **misgive**.

misgive [mis'giv] vt. trec. **misgave** [mis'geiv], part. trec. **misgiven** [mis'givn] 1. a prevesti. 2. a avertiza.

misgiven [mis'givn] vt. part. trec. de la **misgive**.

misgiving [mis'giviŋ] s. 1. îndoială. 2. neîncredere. 3. presimțire (rea).

misgovern ['mis'gʌvən] vt. a guverna prost; a conduce greșit.

misgovernment ['mis'gʌvənmənt] s. guvernare greșită / proastă.

misguide ['mis'gaid] vt. 1. a îndruma greșit. 2. a induce în eroare. 3. a trata prost; a corupe, a deprava.

mishandle ['mis'hændl] vt. 1. a mânui greșit, a manipula prost. 2. a trata fără considerație / respect, a desconsidera. 3. a dirija, a îndruma greșit.

mishap ['mishæp] s. ghinion, necaz.

mishear ['mis'hiə] vt. trec. și part. trec. **misheard** [mis'hə:d] a nu auzi bine, a auzi greșit.

misheard [mis'həd] trec. și part. trec. de la **mishear**.

misinform [misin'fɔ:m] vt. a dezinforma.

misinformation ['mis,infə'meiʃn] s. 1. dezinformare. 2. informații greșite.

misinterpret [misin'tə:prit] vt. a interpreta greșit.

misjudge ['mis'dʒʌdʒ] *vt., vi.* a judeca greşit; a subaprecia.

mislaid [mis'leid] *vt. trec. şi part. trec. de la* **mislay**.

mislay [mis'lei] *vt. trec. şi part. trec.* **mislaid** [mis'leid] **1.** a rătăci, a zăpăci, a pierde (un obiect). **2.** *rar* a pune într-un loc nepotrivit.

mislead [mis'li:d] *vt. trec. şi part. trec.* **misled** [mis'led] **1.** a duce pe o cale greşită. **2.** a înşela. **3.** a induce în eroare.

misled [mis'led] *vt. trec. şi part. trec. de la* **mislead**.

mislike [mis'laik] **I.** *vt. poet.* a nu-i plăcea. **II.** *s.* dezaprobare, lipsă de simpatie / afecţiune / afinitate.

mismanage ['mis'mænidʒ] *vt.* a administra prost / greşit.

mismanagement ['mis'mænidʒmənt] *s.* administraţie *sau* conducere proastă / rea.

misname [mis'neim] *vt.* a denumi / chema greşit.

misnomer ['mis'noumə] *s.* **1.** folosirea greşită a unui termen. **2.** termen impropriu / greşit.

misogynist [mai'sɔdʒinist] *s.* misogin.

misplace ['mis'pleis] *vt.* **1.** a pune unde nu trebuie, a zăpăci. **2.** a acorda (încredere etc.) cui nu trebuie.

misprint[1] ['misprint] *s.* greşeală de tipar.

misprint[2] [mis'print] *vt.* a tipări greşit.

mispronounce ['misprə'nauns] *vt.* a pronunţa greşit.

misquote ['mis'kwout] *vt.* a cita greşit.

misread[1] ['mis'ri:d] *vt. trec. şi part. trec.* **misread** [mis'red] **1.** a citi greşit. **2.** a interpreta, a tălmăci greşit.

misread[2] ['mis're:d] *vt. trec. şi part. trec. de la* **misread**.

misrepresent ['mis,repri'zent] *vt.* a deforma.

misrepresentation ['mis,reprizen'teiʃn] *s.* (re)prezentare *sau* relatare greşită / inexactă.

misrule ['mis'ru:l] *s.* **1.** proastă conduită, purtare rea; viaţă destrăbalată. **2.** guvernare proastă. **3.** anarhie, haos.

miss [mis] **I.** *s.* **1.** scăpare. **2.** eşec. **II.** *vt.* **1.** a nu atinge. **2.** a scăpa, a pierde, a nu prinde (un tren etc.). **3.** a-i fi dor de, a tânji după, a avea nostalgia (cu gen.). **4.** a întârzia la. **5.** a

omite. || *to ~ one's mark* a-şi greşi ţinta; a nu corespunde; *to ~ fire* a nu lua foc; a nu porni. **III.** *vi.* **1.** a-şi greşi ţinta. **2.** a cădea prost.

Miss [mis] *s.* domnişoară (folosit mai ales înaintea numelui).

missal ['misl] *s. rel. catolică* misal, carte de rugăciuni.

missel-thrush ['misl θrʌʃ] *s. ornit.* sturzul-de-vâsc; (Turdus viscivorus).

misshapen ['mis'ʃeipn] *adj.* diform.

missile ['misail] *s. mil.* **1.** proiectil. **2.** rachetă (balistică).

missing ['misiŋ] **I.** *adj.* absent, lipsă, rătăcit; dispărut. **II.** *s.* persoană dispărută.

mission ['miʃn] **I.** *s.* **1.** misiune (într-o ţară străină), delegaţie. **2.** *fig.* misiune, menire, scop, ţel (în viaţă). **3.** sarcină, misiune. **4.** activitate / acţiune de misionar. **II.** *vt.* a trimite cu o misiune. **III.** *vi.* a duce muncă de misionar.

missionary ['miʃnəri] **I.** *s.* misionar. **II.** *adj.* de misionar.

missis ['misiz] *s. fam.* **1.** coniţă; stăpână. **2.** nevastă, cucoană.

missive ['misiv] **I.** *adj.* trimis. **II.** *s.* misivă, scrisoare oficială, mesaj.

mis-spell ['mis'spel] *vt. trec. şi part. trec.* **miss-spelt** ['mis-'spelt] a scrie greşit.

mis-spelt ['mis'spelt] *trec. şi part. trec. de la* **mis-spell**.

misspend ['mis'spend] *vt. trec. şi part. trec.* **misspent** ['mis-'spent] **1.** a cheltui fără rost. **2.** *fig.* a irosi.

misspent ['mis'spent] *vt. trec. şi part. trec. de la* **misspend**.

mis-state ['mis'steit] *vt.* a denatura, a deforma.

mis-statement ['mis'steitmənt] *s.* afirmaţie *sau* mărturie incorectă / neadevărată / falsă.

missus ['misiz] *s. v.* **missis**.

mist [mist] **I.** *s.* ceaţă (şi fig.). **II.** *vt.* a înceţoşa. **III.** *vi.* **1.** (impersonal) a se lăsa ceaţa. **2.** a se înceţoşa.

mistake [mis'teik] **I.** *s.* **1.** greşeală. **2.** confuzie. **3.** accident. || *and no ~* fără doar şi poate. **II.** *vt. trec.* **mistook** [mis'tuk], *part. trec.* **mistaken** [mis'teikn] **1.** a greşi. **2.** a confunda; a înţelege greşit. || *there's no mistaking him* este imposibil să-l confunzi *sau* să nu-l

înţelegi. **III.** *vi. trec.* **mistook** [mis'tuk], *part. trec.* **mistaken** [mis'teikn] a greşi.

mistaken [mis'teikn] **I.** *adj.* **1.** greşit. **2.** rău înţeles. **II.** *vt. part. trec. de la* **mistake**.

mistakenly [mis'teikənli] *adv.* greşit, din greşeală.

mister [mistə] *s.* (mai ales prescurtat **Mr**.) domnul (Brown etc.).

mistime [mis'taim] *vt.* **1.** a spune / face ceva într-un moment nepotrivit; a nimeri prost. **2.** a calcula greşit (o lovitură).

mistletoe ['mistlou] *s. bot.* vâsc (Viscum album).

mistook [mis'tuk] *vt. trec. de la* **mistake**.

mistreat [mis'tri:t] *vt. amer. v.* **maltreat**.

mistress ['mistris] *s.* **1.** stăpână. **2.** (mai ales prescurtat **Mrs**. ['misiz]) doamnă. **3.** maestră. **4.** profesoară. **5.** iubită, stăpână a inimii (unui bărbat). **6.** amantă, metresă.

mistrial [mis'traiəl] *s. jur.* **1.** proces în care s-au strecurat erori. **2.** *amer.* proces neconcludent.

mistrust ['mis'trʌst] **I.** *s.* neîncredere. **II.** *vt.* **1.** a suspecta; a bănui. **2.** a nu avea încredere în.

mistrustful ['mis'trʌstful] *adj.* neîncrezător, bănuitor.

misty ['misti] *adj.* **1.** ceţos. **2.** înceţoşat. **3.** vag.

misunderstand ['misʌndə'stænd] *vt. trec. şi part. trec.* **misunderstood** ['misʌndəstud] a înţelege greşit.

misunderstanding ['misʌndə'stændiŋ] *s.* **1.** neînţelegere. **2.** dezacord.

misunderstood ['misʌndəstud] **I.** *adj.* neînţeles, înţeles greşit. **II.** *trec. şi part. trec. de la* **misunderstand**.

misuse[1] ['mis'ju:s] *s.* **1.** folosire greşită. **2.** abuz.

misuse[2] ['mis'ju:z] *vt.* **1.** a folosi greşit. **2.** a abuza de. **3.** a maltrata.

mite[1] [mait] *s.* **1.** bănuţ, para. **2.** sumă mică. **3.** obol modest, danie modestă. **4.** *fig.* lucru mic / neînsemnat. **5.** *fig.* pici, prichindel. **6.** *fam.* pic, bucăţica. || *not a ~* deloc.

mite[2] *s. entom.* căpuşă (Acarina sp.) (mai ales în brânză). || *cheese ~* căpuşă (de brânză) (Acarina).

mitigate ['mitigeit] *vt.* **1.** a
îmblânzi, a atenua. **2.** a înmuia.
3. a micşora, a diminua.

mitigation [,miti'geiʃn] *s.* **1.** re-
ducere, diminuare, atenuare. **2.**
îndulcire *(a unei pedepse)*;
alinare, calmare.

mitre ['maitə] **I.** *s.* **1.** *bis.* mitră. **2.**
fig. demnitate de episcop. **3.**
turban *(asiatic, grec, roman).*
4. *tehn.* îmbinare în unghi
ascuţit. **5.** *mat.* unghi de 45°. **6.**
defector, capac *(de sobă).* **II.**
vt. **1.** *bis.* a conferi mitra epis-
copală *(cuiva).* **2.** *bis.* a ridica
la un grad bisericesc ce dă
dreptul la purtarea mitrei. **3.**
tehn. a îmbina în unghi ascuţit.
III. *vi.* a se îmbina în unghi
ascuţit.

mitt(en) ['mit(n)] **1.** mitenă. **2.**
mănuşă cu un deget; mănuşă
groasă *(de sport).*

mix [miks] **I.** *vt.* **1.** a amesteca. **2.** a
pune laolaltă. **II.** *vi.* **1.** a se
amesteca. **2.** a veni în contact.
3. a fi laolaltă (în societate).

mixed [mikst] *adj.* **1.** amestecat. **2.**
mixt. **3.** învălmăşit. **4.** confuz.

mixer ['miksə] *s.* **1.** malaxor. **2.**
persoană sociabilă; om de
societate.

mixture ['mikstʃə] *s.* amestec,
amestecătură.

mix-up ['miks,ʌp] *s. fam.* **1.** încur-
cătură, harababură, zăpăceală.
2. încăierare.

miz(z)en ['mizn] *s.* mizenă.

mizzen mast ['mizn,ma:st] *s. mar.*
arbore artimon.

mnemonic [mni(:)'mɔnik] *adj.*
mnemotehnic, mnemonic.

mo [mou] *s. fam. abrev. de la mo-*
ment ||*half a ~!* (aşteaptă-mă)
un minut! într-un minut!

Moabite ['mouəbait] *adj., s. biblic.*
moabit.

moan [moun] **I.** *s.* geamăt. **II.** *vt.,*
vi. a geme.

moat [mout] *s.* şanţ (cu apă).

mob [mɔb] **I.** *s.* **1.** gloată. **2.**
oameni de rând. **3.** mulţime. **II.**
vi. a se îngrămădi.

mob cap ['mɔb,kæp] *s.* bonetă de
casă *(purtată de femei în sec.*
XVIII – XIX).

mobile ['moubail] *adj.* mobil.

mobility [mou'biliti] *s.* **1.** mobilita-
te, vioiciune, vivacitate. **2.** ne-
statornicie, schimbare. **3.** iri-
tabilitate, excitabilitate.

mobilization [,moubilai'zeiʃn] *s.* **1.**
mil. mobilizare. **2.** *fig.* mobiliza-
re, activizare.

mobilize ['moubilaiz] *vt., vi.* a (se)
mobiliza.

moccasin ['mɔkəsin] *s.* **1.**
mocasin *(încălţăminte a in-*
dienilor americani). **2.** *zool.*
şarpe veninos (Agkistrodon).

mock [mɔk] **I.** *s.* **1.** batjocură. **2.**
satiră. **II.** *adj.* **1.** comic. **2.**
simulat. **III.** *vt.* **1.** a-şi bate joc
de. **2.** a batjocori; a lua în
derâdere. **3.** a sfida. **4.** a
înfrânge. **5.** a păcăli. **IV.** *vi.: to*
~ at a lua în râs.

mocker ['mɔkə] *s.* **1.** batjocoritor,
zeflemisitor. **2.** amăgitor, înşe-
lător.

mockery ['mɔkəri] *s.* **1.** batjocură.
2. parodie.

mocking bird ['mɔkiŋbə:d] *s. ornit.*
pasăre cântătoare americană
care imită cântecul altor păsări
(Mimus polyglottos).

modal ['moudl] *adj.* **1.** *gram.,*
muz. modal. **2.** de mod, modal.

mode [moud] *s.* mod.

model ['mɔdl] **I.** *s.* **1.** model. **2.**
machetă. **3.** tipar. **II.** *adj.* mo-
del. **III.** *vt.* a modela. **IV.** *vi.* **1.** a
imita. **2.** a se modela.

modem ['moudəm] *s. cib.*
modem.

moderate[1] ['mɔdrit] *s., adj.*
moderat.

moderate[2] ['mɔdəreit] *vt., vi.* **1.** a
(se) modera. **2.** a (se) stăpâni.

moderation [,mɔdə'reiʃn] *s.* **1.**
moderaţie. **2.** cumpătare. **3.**
modestie.

moderator ['mɔdəreitə] *s.* **1.** ar-
bitru, mediator. **2.** *tehn.* regu-
lator de mişcare. **3.** preşedinte
de adunare. **4.** examinator la
un examen public. **5.** *bis.* pas-
tor care prezidează.

modern ['mɔdən] *s., adj.* modern.

modernism ['mɔdənizəm] *s.*
modernism.

modernist ['mɔdə(:)nist] *adj., s.*
modernist.

modernistic ['mɔdə(:)nistik] *adj.*
modernist.

modernity [mɔ'də:niti] *s.* **1.** actua-
litate, contemporaneitate,carac-
ter modern / actual. **2.** ceva
modern.

modernize ['mɔdənaiz] *vt.* a mo-
derniza.

modest ['mɔdist] *adj.* **1.** modest.
2. timid. **3.** cuminte. **4.** decent.
5. moderat.

modestly ['mɔdistli] *adv.* **1.** cu
modestie; sfios; fără pretenţii /
ifose. **2.** cuviincios, decent.

modesty ['mɔdisti] *s.* **1.** modestie.
2. timiditate. **3.** delicateţe. **4.**
decenţă.

modicum ['mɔdikəm] *s.* **1.** can-
titate mică *(de bani etc.),* porţie
mică *(de mâncare).* **2.** *peior.*
omuleţ; femeiuşcă.

modification [,mɔdifi'keiʃn] *s.* **1.**
schimbare, modificare. **2.**
lingv. metafonie, umlaut.

modifier ['mɔdifaiə] *s.* modifi-
cator.

modify ['mɔdifai] *vt.* **1.** a modifica.
2. a schimba. **3.** a modera. **4.** a
tempera.

modish ['moudiʃ] *adj.* **1.** la modă,
modern. **2.** *fam.* care se pră-
pădeşte după modă.

modiste [mou'di:st] *s.* modistă;
croitoreasă.

modulate ['mɔdjuleit] *vt., vi.* a (se)
modula.

modulation [,mɔdju'leiʃn] *s.* **1.**
modulaţie. **2.** *rar* melodie.

module ['mɔdju:l] *s.* **1.** *fiz., tehn.,*
arhit. modul. **2.** *înv.* plan,
desen.

modulus ['mɔdjuləs], *pl.* **moduli**
['mɔdjulai] *s. tehn., mat.* coefi-
cient; valoare absolută.

modus ['moudəs], *pl.* **modi**
['moudai] *s.* mod, manieră, fel,
gen; fel de viaţă.

modus vivendi ['mɔdəs vi(:)
'vendi] **1.** modus vivendi,
acord temporar *(între părţile*
care discută). **2.** mod de
viaţă.

mog [mɔg], **moggie** ['mɔgi] *s. sl.*
mâţa.

Mogul [mou'gʌl] **I.** *s.* **1.** *ist.* Mogul.
2. mongol. **3.** persoană sus-
pusă, importantă, potentat;
magnat. **4** *amer.* tip de
locomotivă *(la trenurile de*
marfă). **II.** *adj.* mongol.

mohair ['mou,hɛə] *s.* mohair.

Mohammedan [mo'hæmidn] *s.,*
adj. mahomedan.

Mohammedanism
[mou'hæmidənizəm] *s. rel.*
mahomedanism.

Mohawk ['mouhɔ:k] *s.* **1.** indian
din tribul Mohawk *(în America*
de Nord). **2.** limba Mohawk. **3.**
sport figură de patinaj. **4.** *v.*
Mohock.

Mohican ['mouikən] *s., adj.* mohican.

Mohock ['mouhɔk] *s. ist.* huligan,
tâlhar.

moiety ['mɔiəti] *s.* **1.** jumătate. **2.**
jumătate parte; parte. **3.** *iron.*
soţie; *rar* soţ.

moil [mɔil] **I.** *vi.* a trudi *(în*
noroi).|| *to toll and ~* a trudi
din greu. **II.** *vt.* **1.** a umezi, a
uda; a murdări; a tăvăli în

noroi. **2.** a obosi, a chinui. **III.** *s.* **1.** trudă, muncă grea. **2.** confuzie, dezordine. **3.** *fig.* chin, caznă.

moire [mwɑ:] *s. text.* **1.** moar *(ţesătură de mătase).* **2.** efect de moar.

moist [mɔist] *adj.* umed.

moisten ['mɔisn] *vt., vi.* a (se) umezi.

moisture ['mɔistʃə] *s.* umezeală.

moisturize ['mɔistʃəraiz] *vt.* a umezi, a hidrata.

moke [mouk] *s. sl.* **1.** *zool.* măgar. **2.** idiot, bou. **3.** *amer. peior.* negru.

molar ['moulə] **I.** *s.* măsea. **II.** *adj.* molar.

molasses [mə'læsiz] *s.* melasă.

mold [mould] *amer.* v. **mould.**

Moldavian [mɔl'deiviən] **I.** *adj.* moldovenesc, moldovean. **II.** *s.* moldovean.

Moldovan [mɔl'dɔv(ə)n] *adj.* modovenesc, din Basarabia / Republica Moldova.

mole [moul] *s.* **1.** neg. **2.** *zool.* cârtiţă *(Talpa europaea).* **3.** dig portuar.

molecular [mou'lekjulə] *adj.* molecular.

molecule ['mɔlikju:l] *s.* moleculă.

mole hill ['moul hil] *s.* **1.** muşuroi de cârtiţă. **2.** *fig.* obstacol uşor de trecut; fleac.

molest [mo'lest] *vt.* **1.** a necăji. **2.** a tulbura.

molestation [,moules'teiʃn] *s.* **1.** plictisire, necăjire; hărţuire. **2.** jignire. **3.** molestare, maltratare.

mollify ['mɔlifai] *vt.* **1.** a înmuia. **2.** a potoli.

mollusc, mollusk ['mɔləsk] *s.* moluscă.

molly-coddle ['mɔlikɔdl] **I.** *s.* **1.** papă-lapte. **2.** răsfăţat. **II.** *vt.* a răsfăţa.

molt *vt., vi.* v. **moult.**

molten ['moultn] *adj.* topit.

molybdenum [mɔ'libdinəm] *s. chim.* molibden.

moment ['moumənt] *s.* **1.** clipă. **2.** moment. **3.** importanţă. || *to the* ~ la fix; *at the* ~ pe atunci; acum, în momentul de faţă.

momentarily ['mouməntərili] *adv.* **1.** pentru o clipă. **2.** fiecare moment. **3.** dintr-o clipă în alta, din moment în moment.

momentary ['mouməntri] *adj.* **1.** momentan. **2.** imediat.

momentous [mo'mentəs] *adj.* foarte important.

momentum [mo'mentəm] *s.* **1.** (tendinţa de) mişcare. **2.** inerţie de mişcare. || *to gain* ~ a lua proporţii; a câştiga teren.

monachism ['mɔnəkizəm] *s.* călugărie; viaţă de călugăr.

monad ['mɔnæd] *s.* **1.** *filoz., biol.* monadă. **2.** *chim.* element monovalent.

monarch ['mɔnək] *s.* monarh.

monarchal [mɔ'nɑ:kəl] *adj.* v. **monarchical.**

monarchical [mɔ'nɑ:kikəl] *adj.* monarhic.

monarchist ['mɔnəkist] *s.* monarhist.

monarchy ['mɔnəki] *s.* monarhie.

monastery ['mɔnəstri] *s.* mănăstire.

monastic [mə'næstik] **I.** *adj.* mănăstiresc, călugăresc. **II.** *s.* călugăr.

Monday ['mʌndi] *s.* luni.

monetary ['mʌnitri] *adj.* monetar.

money ['mʌni] *s.* **1.** bani. **2.** avere. **3.** *pl. înv., jur. sau amer.* sume de bani; bănet. || *to coin* ~ a bate monedă; *fig.* a se îmbogăţi peste noapte; ~ *down* cu bani gheaţă; banii jos, banii pe masă.

money-bag ['mʌnibæg] *s.* **1.** avere. **2.** bogătaş.

moneyed ['mʌnid] *adj.* bogat, cu bani, cu capital.

money-grubber ['mʌni,grʌbə] *s.* **1.** avar, zgârcit. **2.** om, hrăpăreţ, lacom.

money-lender ['mʌni,lendə] *s.* cămătar.

money maker ['mʌni,meikə] *s.* **1.** persoană care câştigă bani. **2.** afacere bănoasă.

money-order ['mʌni,ɔ:də] *s.* mandat poştal.

monger ['mʌngə] *s.* vânzător, negustor *(mai ales în cuvinte compuse).* || *fish* ~ negustor / vânzător de peşte; traficant, colportor; *peior. news* ~ bârfitor zvonist; colportor.

Mongol ['mɔngɔl] *s., adj.* mongol.

Mongolian [mɔŋ'gouliən] **I.** *adj.* mongol. **II.** *s.* **1.** mongol. **2.** (limba) mongolă.

Mongoloid [mɔn'gɔlɔid] *adj.* mongoloid.

mongoose ['mɔŋgu:s] *s.* mangustă.

mongrel ['mʌŋgrl] *s., adj.* corcitură *(şi fig.).*

monies ['mʌniz] *s. pl. înv. amer.* v. **money.**

monism ['mɔnizəm] *s. filoz.* monism.

monition [mou'niʃn] *s.* **1.** înştiinţare, avertisment; premoniţie. **2.** *jur.* citaţie. **3.** *bis.* îndemn / avertizare în scris.

monitor ['mɔnitə] *s.* monitor.

monk [mʌŋk] *s.* călugăr.

monkey ['mʌŋki] **I.** *s.* **1.** *zool.* maimuţă. **2.** maimuţoi. **3.** copilaş. || *to get* / *put smb.'s* ~ *up* a scoate din pepeni pe cineva. **II.** *vi.* a se juca.

monkey-nut ['mʌŋkinʌt] *s.* alună americană (Arachis hypogeaea).

monkey-wrench ['mʌŋkirentʃ] *s. tehn.* cheie universală.

monkish [mʌŋkiʃ] *adj.* călugăresc, monahal.

mono- ['mɔnou] *prefix* mono-.

monochord ['mɔnoukɔ:d] *adj. fiz.* monocord.

monochromatic [,mɔnoukrou'mætik] *adj.* monocromatic, de o singură culoare.

monochrome ['mɔnəkroum] **I.** *s. poligr., artă* imagine monocromă. **II.** *adj.* monocrom.

monocle ['mɔnɔkl] *s.* monoclu.

monocotyledon ['mɔnou,kɔti'li:dən] *s. bot.* monocotiledon.

monocular [mə'nɔkjulə] **I.** *adj.* monocular, adaptat pentru un singur ochi. **II.** *s.* **1.** *fiz.* monocular. **2.** *med.* monoftalm.

monody ['mɔnədi] *s.* **1.** monodie, odă pentru o singură voce *(în tragediile antice greceşti).* **2.** cântec de jale, bocet. **3.** *muz.* monodie, compoziţie monodică.

monoecius [mə'ni:ʃəs] *s. biol.* hermafrodit.

monogamy [mɔ'nɔgəmi] *s.* monogamie.

monogram ['mɔnəgræm] *s.* monogramă.

monograph ['mɔnəgrɑ:f] *s.* monografie.

monolith ['mɔnəliθ] *s.* monolit.

monologue ['mɔnəlɔg] *s.* monolog.

monomania [,mɔnə'meinjə] *s. psih.* **1.** idee fixă, fixaţie. **2.** nebunie, manie.

monophonic [mɔnə'fɔnik] *adj.* monofonic.

monoplane ['mɔnəplein] *s. av.* monoplan.

monopolist [mə'nɔpəlist] *s.* monopolist.

monopolistic [mə,nɔpə'listik] *adj. econ.* monopolist.

monopolize [mə'nɔpəlaiz] *vt. econ. fig.* a monopoliza.

monopoly [mə'nɔpəli] **I.** *s.* monopol. **II.** *adj.* monopolist.

monorail ['mɔnoureil] *s.* **1.** cale ferată cu o singură şină, monorai. **2.** cale ferată suspendată (pe piloni); palan electric cu cărucior.

monosyllabic ['mɔnəsi'læbik] *adj. lingv.* monosilabic.

monosyllable ['mɔnə,siləbl] *s. lingv.* monosilabă.

monotheism ['mɔnəθiizəm] *s. rel.* monoteism.

monotheist ['mɔnou'θi:ist] *s. rel.* monoteist.

monotone ['mɔnətoun] **I.** *s.* **1.** monotonie. **2.** *muz.* melodie pe un singur ton. **II.** *vt., vi.* a recita, a citi *sau* a cânta pe acelaşi ton.

monotonous [mə'nɔtnəs] *adj.* monoton.

monotony [mə'nɔtni] *s.* monotonie.

monoxide [mɔ'nɔksaid] *s. chim.* monoxid.

monsieur [mə'sjə:], *pl.* **monsieurs** [mə'sjə:z] *s.* **1.** domnul; domnule. **2.** *peior.* francez, franţuz.

Monsignor [mɔn'si:njə] *s.* Monsenior, titlu acordat prelaţilor romano-catolici.

monsoon [mɔn'su:n] *s. meteor,* muson.

monster ['mɔnstə] *s.* monstru *(şi fig.).*

monstrance ['mɔnstrns] *s. bis. catolică* chivot, cupa în care se ţine Sfânta Împărtăşanie, ostensorium, monstranţă.

monstrosity [mɔn'strɔsiti] *s.* **1.** monstruozitate. **2.** monstru.

monstrous ['mɔnstrəs] **I.** *adj.* **1.** monstruos, groaznic; bestial, atroce. **2.** pocit, diform. **3.** imens, colosal, prodigios. **4.** absurd, fără sens. **II.** *adv. înv.* extraordinar, neobişnuit.

montage [mɔn'tɑ:ʒ] *s.* **1.** *cin.* montaj. **2.** fotomontaj.

month [mʌnθ] *s.* lună (a anului). || *this day ~* de azi într-o lună.

monthly ['mʌnθli] **I.** *s.* **1.** publicaţie lunară. **2.** *pl.* menstruaţie. **II.** *adj., adv.* lunar.

monument ['mɔnjumənt] *s.* monument *(şi fig.).*

monumental [,mɔnju'mentl] *adj.* **1.** monumental. **2.** important. **3.** uluitor.

moo [mu:] **I.** *s.* muget. **II.** *vi.* a mugi.

mooch [mu:tʃ] *vi.* a umbla haimana, a bate străzile.

mood [mu:d] *s.* **1.** *gram.* mod. **2.** dispoziţie, stare. **3.** toană, capriciu.

moodiness [mu:dinis] *s.* **1.** toane; proastă dispoziţie. **2.** dispoziţie schimbătoare.

moody ['mu:di] *adj.* **1.** capricios, cu toane. **2.** prost dispus. **3.** morocănos.

moon [mu:n] **I.** *s. astr.* **1.** lună. **2.** lumina lunii. || *once in a blue ~* din an în Paşte. **II.** *vt.:* *to ~ away* a irosi. **III.** *vi.:* *to ~ about* a pierde vremea.

moonbeam ['mu:nbi:m] *s.* rază de lună.

moonless ['mu:nlis] *adj.* fără lună.

moonlight ['mu:nlait] *s.* lumina lunii. || *~ night* noapte cu lună.

moonlighter ['mu:nlaitə] *s.* **1.** somnambul. **2.** om care lucrează noaptea. **3.** cumulard, om care are două slujbe. **4.** spărgător, hoţ (care dă lovituri noaptea).

moonlit ['mu:nlit] *adj.* luminat de lună.

moonshine ['mu:nʃain] *s.* **1.** lumina lunii. **2.** aiureală, vax, apă de ploaie.

moonshiner ['mu:n,ʃainə] *s. amer. sl.* **1.** contrabandist *(care transportă alcool noaptea).* **2.** alegător.

moonstruck ['mu:nstrʌk] *adj.* aiurit, zănatic.

moony ['mu:ni] *adj.* **1.** ca o lună. **2.** luminat de lună. **3.** distrat; gânditor. **4.** *fam.* afumat, cherchelit.

moor [muə] **I.** **1.***s.* landă, bărăgan; stepă ierboasă. **2.** ierburi. **II.** *vi. mar.* a amara, a acosta. **III.** *vt.* a priponi *(o barcă etc.).*

Moor [muə] *s.* maur.

moorings ['muəriŋz] *s. pl.* odgoane.

Moorish ['muəriʃ] *adj.* maur.

moorland ['muələnd] *s.* v. **moor I. 1.**

moose [mu:s] *s. zool.* elan-american (Alces americanus).

moot [mu:t] **I.** *s.* **1.** *ist.* adunare de cetăţeni liberi ai unui comitat (pentru discutarea problemelor privind întregul comitat); locul unde se ţine această adunare. **2.** *jur.* acţiune în justiţie; litigiu; acuzare. **II.** *adj.* disputat, discutabil, contestabil. **III.** *vt.* **1.** a pune în discuţie, a dezbate în justiţie. **IV.** *vi.* **1.** a argumenta, a pleda. **2.** *înv.* a se plânge.

mop [mɔp] **I.** *s.* **1.** şomoiog. **2.** smoc. **3.** pămătuf. **II.** *vt.* **1.** a şterge *(cu cârpa etc.).* **2.** a mătura. || *to ~ up* a bea (pe rupte); a termina; *to ~ the floor with smb.* a mătura podeaua cu cineva, a da cu cineva de pământ.

mope [moup] **I.** *s.* **1.** ciufut, morocănos. **2.** *pl.* toane rele; dispoziţie proastă. **II.** *vi.* **1.** a fi prost dispus. **2.** a bombăni.

moped ['mouped] *s.* motocicletă uşoară; motoretă.

moquette [mou'ket] *s. text.* mochetă.

moraine [mɔ'rein] *s. geol.* morenă.

moral ['mɔrl] **I.** *s.* **1.** învăţătură, morală. **2.** *pl.* etică, morală. **II.** *adj.* **1.** moral. **2.** etic. **3.** cumpătat.

moral certainty ['mɔrl'sə:tnti] *s.* un lucru de aşteptat.

morale [mɔ'rɑ:l] *s.* moral.

moralist ['mɔrəlist] *s.* **1.** moralist. **2.** om moral.

morality [mə'ræliti] *s.* **1.** morală. **2.** *teatru* moralitate, dramă medievală.

moralize ['mɔrəlaiz] **I.** *vt.* **1.** a aduce pe calea cea bună. **2.** a moraliza. **II.** *vi.* a ţine predici.

morally ['mɔrəli] *adv.* **1.** (pe plan) moral. **2.** moralmente; din punct de vedere etic. **3.** practic. **4.** probabil.

morass [mə'ræs] *s.* **1.** mlaştină *(şi fig.).* **2.** marasm.

moratorium [,mɔrə'tɔ:riəm] *s. pl. şi* **moratoria** [,mɔrə'tɔ:riə] moratoriu.

morbid ['mɔ:bid] *adj.* **1.** maladiv. **2.** morbid.

morbidity [mɔ:'biditi] *s.* **1.** stare bolnăvicioasă. **2.** morbiditate.

mordant ['mɔ:dnt] *adj.* **1.** muşcător. **2.** aspru.

more [mɔ:] **I.** *adj. comp. de la* **much** şi **many.** **1.** mai mult. **2.** mai mulţi. **3.** în plus. **4.** suplimentar. **5.** alt. **II.** *adv. comp. de la* **much. 1.** mai mult. **2.** pe deasupra, în plus. **3.** iarăşi. || *and what is ~* pe deasupra; ba mai mult (încă); *no ~* nu mai; niciodată; *to be no ~* a fi mort; *~ or less* mai mult sau mai puţin; aproximativ; *~ and ~* din ce în ce mai mult; *the ~ he has the ~ he wants* cu cât are mai mult, cu atât vrea mai mult.

morello [mə'relou] *s. bot.* **1.** (şi ~ **cherry**) vişin *(Prunus cerasus).* **2.** vişină. **3.** vişiniu, culoarea vişinie.

moreover [mɔ:'rouvə] *adj.* pe deasupra; pe lângă asta / acestea.

morganatic [,mɔ:gə'nætik] *adj.* morganatic.

morgue[1] [mɔ:g] *s.* **1.** morgă, casă mortuară. **2.** *amer.* arhivă *(de ziare etc.).*

morgue[2] [mɔ:g] *s.* morgă, aroganţă, mândrie.

moribund ['mɔ(:)ribʌnd] *adj., s.* muribund.

morion ['mouriɔn] *s. ist.* chivără, coif, cască.

Mormon ['mɔ:mən] *s.* mormon.

morn [mɔ:n] *s. poet.* dimineaţă.

morning ['mɔ:niŋ] **I.** *s.* dimineaţă. || *in the* ~ dimineaţa. **II.** *adj.* **1.** de dimineaţă. **2.** matinal.

morning-glory [,mɔ:niŋ'glɔ:ri] *s. bot.* zorea *(Ipomola sp.).*

morning star [,mɔ:niŋ'stɔ:] *s.* **1.** *astr.* luceafărul de dimineaţă.

Moroccan [mə'rɔkən] *adj., s.* marocan.

morocco [mə'rɔkou] *s.* marochin.

moron ['mɔ:rɔn] *s.* **1.** cretin. **2.** înapoiat.

morose [mə'rous] *adj.* **1.** morocănos. **2.** sumbru.

Morpheus ['mɔ:fju:s] *s.* Morfeu. || *fig. in the arms of* ~ în braţele lui Morfeu, adormit.

morphia ['mɔ:fjə] *s.* morfină.

morphine ['mɔfi:n] *s.* morfină.

morphologic(al) [,mɔ:fə'lɔdʒik(əl)] *adj., gram., biol.* morfologic.

morphology [mɔ:'fɔlədʒi] *s. gram., biol.* morfologie.

morris ['mɔris] *s.* **1.** (şi ~ **dance**) dans asemănător căluşarilor. **2.** ţintar.

morrow ['mɔrou] *s.* ziua de mâine.

Morse [mɔ:s] *s.* alfabetul Morse.

morsel ['mɔ:sl] *s.* **1.** bucăţică. **2.** înghiţitură.

mortal ['mɔ:tl] **I.** *s.* **1.** muritor. **2.** om. **II.** *adj.* **1.** muritor. **2.** mortal. **3.** *(d. păcat)* capital. **4.** până la moarte. **5.** de moarte. **6.** extrem.

mortality [mɔ:'tæliti] *s.* **1.** mortalitate. **2.** perisabilitate, caracter pieritor. **3.** omenire, muritori.

mortally ['mɔ:təli] *adv.* **1.** mortal, de moarte. || ~ *wounded* rănit mortal. **2.** *fam.* grozav (de), teribil (de).

mortar ['mɔ:tə] **I.** *s.* **1.** tencuială. **2.** mojar. **3.** mortieră. **II.** *vt.* a tencui.

mortar-board ['mɔ:təbɔ:d] *s.* **1.** *constr.* mala. **2.** *univ.* pălărie pătrată *(la Oxford).*

mort[1] [mɔ:t] *s. iht.* somon de trei ani.

mort[2] [mɔ:t] *s. sl.* mulţime, grămadă. || *I've a* ~ *things to do* am o grămadă de treburi de făcut.

mortgage ['mɔ:gidʒ] **I.** *s.* ipotecă. **II.** *vt.* **1.** a ipoteca. **2.** a angaja. **III.** *vr.* a se angaja.

mortgagee [,mɔ:gə'dʒi:] *s. jur.* creditor ipotecar.

mortgager ['mɔ:gidʒə] *s. jur.* datornic, debitor pe ipotecă.

mortician [mɔ:'tiʃn] *s. amer.* antreprenor de pompe funebre.

mortification [,mɔ:tifi'keiʃn] *s.* **1.** chin, mortificare. **2.** ruşine. **3.** umilinţă. **4.** jignire. **5.** abstinenţă. **6.** penitenţă. **7.** gangrenă.

mortify ['mɔ:tifai] **I.** *vt.* **1.** a jigni. **2.** a umili. **3.** a înfrânge. **4.** a face să sufere, a chinui, a mortifica. **II.** *vi.* **1.** a se gangrena. **2.** a putrezi.

mortise ['mɔ:tis] **I.** *s.* **1.** *tehn.* locaş; şanţ; canelură; scobitură. **2.** *fig.* aderenţă; fermitate. **II.** *vt.* **1.** *tehn.* a dăltui; a scobi. **2.** *tehn.* a fixa, a îmbuca *(două părţi)*; a îmbina cu cep, a ştemui; a morteza. **3.** a lega strâns, a fixa.

mortuary ['mɔ:tjuəri] **I.** *s.* **1.** capelă funerară. **2.** morgă. **II.** *adj.* mortuar.

Mosaic [mə'zeiik] *adj.* mozaic.

mosaic [mə'zeiik] *s.* mozaic.

moselle [mə'zel] *s.* vin de Mosella.

Moses ['mouziz] *s.* **1.** *ist.* Moise. **2.** *fig.* conducător, legislator. || *sl. Holy* ~! Sfinte Sisoe! Dumnezeule! **2.** *sl.* evreu, ovrei. **3.** *sl.* zaraf evreu.

Moslem ['mɔzlem] *s., adj.* musulman.

mosque [mɔsk] *s.* moschee.

mosquito [məs'ki:tou] *s.entom.* ţânţar *(Culicidae sp.).*

moss [mɔs] *s. bot.* muşchi.

moss back ['mɔs bæk] *s. amer.* **1.** *v.* **menhaden.** **2.** conservator extrem, retrograd.

moss-grown ['mɔsgroun] *adj.* acoperit de muşchi.

mossy ['mɔsi] *adj.* (ca) de muşchi.

most [moust] **I.** *s.* **1.** majoritate. **2.** maxim. || *at (the)* ~ cel mult; *to make the* ~ *of* a profita de.

II. *adj. superl. de la* **much** şi **many.** **1.** cel mai mult. **2.** cei mai mulţi. **3.** majoritatea. || *for the* ~ *part* în general, mai ales, îndeobşte. **III.** *adv. superl. de la* **much.** **1.** cel mai mult. **2.** foarte. **3.** cât se poate de. || ~ *interesting* cât se poate de interesant.

mostly ['moustli] *adv.* **1.** mai ales, în special. **2.** aproape tot.

mot [mou] *s.* **1.** moto, deviză. **2.** vorbă de duh, spirit.

MOT *abrev. Ministry of Transport* Ministerul Transporturilor. || ~ *test* revizie tehnică anuală.

mote [mout] *s.* **1.** picătură. **2.** fărâmiţă. **3.** fir *(de praf etc.).*

motel [mou'tel] *s.* motel; mic hotel.

moth [mɔθ] *s. entom.* molie *(Tinea sarcitella).*

moth-ball ['mɔθbɔ:l] *s.* bobiţă de naftalină.

moth-eaten ['mɔθ,i:tn] *adj.* **1.** ros de molii. **2.** demodat.

mother ['mʌðə] **I.** *s.* mamă. **II.** *adj.* matern. **III.** *vt.* a îngriji ca o mamă.

mother country ['mʌðə,kʌntri] *s.* patrie, metropolă.

motherhood ['mʌðəhud] *s.* maternitate *(fig.).*

mother-in-law ['mʌðərinlɔ:] *s. pl.* **mothers-in-law** ['mʌðəzinlɔ:] soacră.

motherland ['mʌðəlænd] *s.* patrie, ţară de origine / baştină.

motherless ['mʌðəlis] *adj.* orfan de mamă.

motherly ['mʌðəli] *adj.* matern.

mother-of-pearl ['mʌðrəv'pə:l] *s.* sidef.

mother tongue ['mʌðətʌŋ] *s.* limbă maternă.

mother wit ['mʌðəwit] *s.* **1.** bun simţ. **2.** înţelepciune. **3.** inteligenţă nativă.

mothy ['mɔθi] *adj.* cu molii, plin de molii.

motif [mou'ti:f] *s. pl.* **motifs** [mou'tifs] **1.** temă. **2.** motiv *(muzical sau artistic).*

motile ['moutil] *adj. biol.* înzestrat cu mobilitate / cu motilitate.

motion ['mouʃn] **I.** *s.* **1.** mişcare. **2.** gest. **3.** moţiune. **4.** *med.* scaun. || *to set in* ~ a stârni, a pune în mişcare. **II.** *vt.* **1.** a face semn *(cuiva).* || *he* ~*ed me to a chair* m-a poftit să mă aşez.

motionless ['mouʃnlis] *adj.* nemişcat.

motion-picture ['mouʃn,piktʃə] *s.* **1.** film. **2.** cinema(tografie).

motivate ['moutiveit] *vt.* a motiva.

motive ['moutiv] **I.** *s.* motiv. **II.** *adj.* motrice.

motley ['mɔtli] **I.** *s.* costum bălțat (de clovn). **II.** *adj.* **1.** bălțat. **2.** amestecat. **3.** variat.

motor ['moutə] **I.** *s.* **1.** motor. **2.** automobil. **II.** *adj.* motor, motrice. **III.** *vt.* a duce cu mașina. **IV.** *vi.* a merge cu mașina.

motor-bicycle ['moutə‚baisikl] *s.* motoretă.

motor-boat ['moutə‚bout] *s.* șalupă (cu motor).

motor-bus ['moutə‚bʌs] *s.* autobuz.

motorcade ['moutə‚keid] *s. amer.* coloană / șir de automobile.

motor-car ['moutə‚kɑ:] *s.* automobil.

motor-cycle ['moutə‚saikl] *s.* motocicletă.

motorist ['moutərist] *s.* automobilist.

motorize ['moutəraiz] *vt. tehn.* a motoriza.

motorman ['moutəmən] *s. pl.* **motormen** ['moutəmən] **1.** vatman. **2.** șofer de autobuz. **3.** mecanic de locomotivă electrică.

motor scooter ['moutə'sku:tə] *s.* scuter.

mottle ['mɔtl] **I.** *s.* **1.** pată; pete. **2.** partea de culoare dintr-un motiv decorativ. **3.** țesătură de lână pestriță. **II.** *vt.* **1.** a acoperi cu pete. **2.** a bălța, a împestrița; a colora. **3.** *poligr. etc.* a marmora.

mottled ['mɔtld] *adj.* **1.** stropit. **2.** cu picățele.

motto ['mɔtou] *s.* **1.** moto. **2.** deviză.

mouf(f)lon ['mu:flɔn] *s. zool.* oaie sălbatică din sudul Europei (Ovis musimon).

mould, *amer.* **mold** [mould] **I.** *s.* **1.** mulaj. **2.** formă. **3.** matriță (de turnat). **4.** mucegai. || cast in the same ~ aidoma. **II.** *vt.* **1.** a turna în forme. **2.** a modela. **3.** a forma (și fig.). **III.** *vi.* a se mucegăi.

mould board ['mould bɔ:d] *s.* **1.** *agr.* cormană la plug. **2.** *tehn.* placa ramei de formare.

moulder ['mouldə] *vi.* **1.** a se pulveriza, a se face praf, a se descompune. **2.** *fig.* a-și pierde moralul *sau* curajul; a se molești. **3.** *fig.* a trândăvi.

moulding ['mouldiŋ] *s.* **1.** modelare; mulare. **2.** mulaj. **3**; *pl.* stucaturi.

mouldy ['mouldi] *adj.* **1.** mucegăit (și fig.). **2.** vechi.

moult [moult] **I.** *vi.* a năpârli. **II.** *vt.* a schimba, a lepăda (penele, pielea). **III.** *s.* năpârlire.

mound [maund] *s.* **1.** movilă. **2.** cavou.

mount [maunt] **I.** *s.* **1.** munte. **2.** cal de călărie. **3.** afet. **4.** montură. **5.** cadru. **II.** *vt.* **1.** a urca (pe). **2.** a încăleca. **3.** a se urca pe. **4.** a pune pe cal. **5.** a monta. **6.** aduce. **7.** a purta. || *mil.* to ~ guard (over) a face / a fi de gardă (la).

mountain ['mauntin] **I.** *s.* **1.** munte (și fig.). **2.** morman. **II.** *adj.* de munte.

mountaineer [‚maunti'niə] *s.* **1.** muntean. **2.** alpinist.

mountaineering [‚maunti'niəriŋ] *s.* alpinism.

mountainous ['mauntinəs] *adj.* **1.** muntos. **2.** uriaș.

mountebank ['mauntibæŋk] *s.* **1.** șarlatan. **2.** jongler, scamator.

mounted ['mauntid] *adj.* călare.

Mountie ['maunti] *s. (canadian) fam.* polițist călare.

mounting ['mauntiŋ] *s.* **1.** montură. **2.** montaj.

mourn [mɔ:n] *vt., vi.* **1.** a boci. **2.** a jeli.

mourner ['mɔ:nə] *s.* **1.** *înv.* bocitoare. **2.** persoană (îndoliată) care se tânguiește, care jelește.

mournful ['mɔ:nfl] *adj.* **1.** trist. **2.** sumbru.

mournfully [mɔ:nfuli] *adv.* trist etc. v. **mournful.**

mourning ['mɔ:niŋ] **I.** *s.* **1.** doliu. **2.** supărare. **II.** *adj.* **1.** îndoliat. **2.** de doliu.

mouse [maus] *s. pl.* **mice** [mais] *zool.* șoarece (Mus musculus).

mouse-trap ['maustræp] *s.* **1.** cursă de șoareci. **2.** capcană. **3.** ungher.

mousse [mu:s] *s.* **1.** *mar.* mus. **2.** mâncare în aspic. **3.** prăjitură cu gelatină și spumă.

moustache [məs'tɑ:ʃ] *s.* mustață.

mouth[1] [mauθ] *s. pl.* **mouths** [mauðs] gură. || down in the ~ disperat; amărât.

mouth[2] [mauð] **I.** *vt.* **1.** a rosti. **2.** a pune în gură. **3.** a mesteca. **II.** *vi.* a ține discursuri. **1.** a conta. **2.** a avea importanță. || it doesn't ~ nu face nimic.

mouthful ['mauθful] *s.* **1.** îmbucătură. **2.** gură (de mâncare etc.).

mouth-organ ['mauθ‚ɔ:gən] *s.* muzicuță.

mouthpiece ['mauθpi:s] *s.* **1.** muștiuc. **2.** purtător de cuvânt.

movable ['mu:vəbl] **I.** *s.* bun mobil. **II.** *adj.* **1.** mobil. **2.** schimbător.

move [mu:v] **I.** *s.* **1.** mișcare. **2.** schimbare. **3.** măsură. **4.** acțiune. || on the ~ în mișcare; în acțiune. **II.** *vt.* **1.** a mișca. **2.** a muta. **3.** a determina. **4.** a propune. || to ~ house a se muta din casă; to ~ heaven and earth a se face luntre și punte; a se face pe dracul în patru. **III.** *vi.* **1.** a se mișca. **2.** a se muta. **3.** a înainta. **4.** a acționa; a progresa; a trece la fapte. **5.** a face o propunere.

movement ['mu:vmənt] *s.* **1.** mișcare. **2.** piesă în mișcare. **3.** *muz.* parte, mișcare (a unei simfonii etc.).

mover ['mu:və] *s.* **1.** *fig.* forță motrice, suflet, autor; motor; impuls. **2.** autor al unei propuneri. **3.** *tehn.* motor.

movie ['mu:vi] *s.* **1.** film. **2.** *pl.* cinema.

movie theatre ['mu:vi'θietr] *amer.* (sală de) cinema.

moving ['mu:viŋ] *adj.* mișcător.

moving picture ['mu:viŋ'piktʃə] *s.* **1.** film. **2.** *pl.* cinema.

mow [mou] **I.** *s.* **1.** căpiță. **2.** morman de fân, paie etc. **II.** *vt. trec.* **mew** [mju:], *part. trec.* **mown** [moun] **1.** a cosi. **2.** a ucide. **III.** *vi. trec.* **mew** [mju:], *part. trec.* **mown** [moun] a cosi.

mower ['mouə] *s.* cosaș.

mown [moun] *vt., vi., part. trec. de la* **mow.**

M.P. ['em'pi:] *s.* **1.** deputat. **2.** *amer.* poliția militară.

mp *abrev. mezzo-piano muz.* mezzo-piano.

m.p.g. *abrev. miles per gallon auto.* mile per galon, *aprox.* litri la suta de km.

m.p.h. *abrev. miles per hour* mile pe oră.

Mr. ['mistə] *s.: Mr. Brown* Dl. Brown.

Mrs. ['misiz] *s.: Mrs. Clarke* Dna. Clarke.

MS ['em'es] *s.* manuscris.

Ms *abrev. Miss / Mistress* domnișoara / doamna (urmat de nume).

MSS *abrev. manuscripts* manuscrise.

much [mʌtʃ] I. *adj. comp.* **more** [mɔ:], *superl.* **the most** [ðə'moust] mult. || *how* ~? cât? cu ce preţ?; *as* ~ *as* atâta cât; *that* ~ atâta. II. *adv. comp.* **more** [mɔ:], *superl.* **most** [moust] 1. mult. 2. în mare măsură; foarte. 3. mult mai. 4. aproape. || *not* ~ *of a singer* cântăreţ prost; *they are* ~ *of a size* sunt cam de aceeaşi mărime.

mucilage ['mju:silidʒ] *s.* mucilagiu, substanţă vegetală vâscoasă.

mucilaginous [,mju:si'lædʒinəs] *adj.* mucilaginos, vâscos.

muck [mʌk] I. *s.* 1. băligar. 2. murdărie. 3. oroare. || *to make a* ~ *of* a murdări; a strica. II. *vt.* a murdări. || *to* ~ *up* a strica; a încurca.

mucker ['mʌkə] I. *s.* 1. *sl.* cădere, eşec, nereuşită. || *to come a* ~ a se sparge; a da de belea. 2. măturător de stradă. II. *vt.* a băga în încurcătură, a vârî în belea. III. *vi.* a o păţi rău (de tot).

mucky ['mʌki] *adj.* 1. murdar. 2. greţos.

mucous ['mju:kəs] *adj. anat., zool.* 1. mucos. 2. mucilaginos.

mud [mʌd] *s.* 1. noroi. 2. nămol. 3. lut. 4. mâl. || *to throw* ~ *at* a împroşca cu noroi *(fig.)*.

mud-bath ['mʌdbɑ:θ] *s. pl.* **mud-baths** ['mʌdbɑ:θs] baie de nămol.

muddle ['mʌdl] I. *s.* 1. încurcătură. 2. învălmăşeală; dezordine. II. *vt.* 1. a încurca. 2. a lăsa în dezordine. 3. a zăpăci. III. *vi.* a încurca lucrurile.

muddle-headed ['mʌdl'hedid] *adj.* 1. confuz, cu mintea încâlcită. 2. zăpăcit, năuc.

muddy ['mʌdi] *adj.* 1. noroios. 2. mâlos. 3. murdar. 4. întunecat. 5. învălmăşit.

mudguard ['mʌdgɑ:d] *s. auto.* aripă.

muesli ['mu:zli] *s. gastr.* fulgi de ovăz / porumb cu fructe uscate şi nuci.

muezzin [mu(:)'ezin] *s.* muezin.

muff [mʌf] I. *s.* 1. manşon. 2. eşec. 3. mazetă, jucător prost. II. *vt.vi.* 1. *fam.* a (o) zbârci, a greşi. 2. a da greş, a o feşteli.

muffin ['mʌfin] *s.* 1. brioş(ă). 2. turtă, turtiţă. 3. corăbioară. 4. biscuit.

muffle ['mʌfl] *vt.* 1. a înfofoli. 2. a înfăşura. 3. a acoperi. 4. a estompa *(sunetele)*.

muffler ['mʌflə] *s.* 1. fular. 2. înveliş. 3. surdină, atenuator de sunete.

mufti ['mʌfti] *s.* haine civile.

mug [mʌg] *s.* 1. cană, halbă. 2. mutră. 3. ageamiu.

muggins ['mʌginz] *s.* 1. *sl.* tont, dobitoc. 2. numele unui joc de cărţi. 3. numele unui joc de domino.

muggy ['mʌgi] *adj.* 1. *(d. atmosferă)* cald, umed, înăbuşitor. 2. *(d. o sală)* cu aer închis, viciat.

mugwump ['mʌgwʌmp] *s. amer.* 1. *pol. sl.* membru al unui partid care înţelege să voteze independent. 2. *fam.* mare mahăr, ştab, grangur.

Muhammadan [,mou'hæmədn] *s., adj.* mahomedan.

mulatto [mju'lætou] *s.* mulatru.

mulberry ['mʌlbri] *s.* 1. dudă. 2. dud.

mulch [mʌltʃ] *agr.* I. *s.* 1. paie; frunze putrede. 2. pătură de băligar cu paie. II. *vt.* a acoperi *(rădăcinile plantelor)* cu gunoi.

mulct [mʌlkt] I. *s.* 1. amendă. 2. *to* ~ *smb. of* a priva / a lipsi pe cineva de.

mule[1] [mju:l] *s.* 1. *zool.* catâr *(şi fig.) (Equus mulus)*. 2. papuc de casă.

mule[2] [mju:l] *s.* 1. *bot.* hibrid. 2. *text.* selfactor, maşină de filat fire fine. 3. *tehn.* şablon. 4. *amer. auto.* tractor electric.

muleteer [,mju:li'tiə] *s.* conducător de catâri.

mulish ['mju:liʃ] *adj.* încăpăţânat.

mull [mʌl] *vt.* a fierbe *(vin etc.)*.

mullah ['mʌlə] *s. rel.* teolog mahomedan, preot musulman.

mullein ['mʌlin] *s. bot.* lumânărică *(Verbascum)*.

mullet ['mʌlit] *s. iht.* barbun *(Mugilidae / Mullidae)*.

mulligatawny [,mʌligə'tɔ:ni] *s. (anglo-indian)* supă de carne.

mullion ['mʌliən] *s. constr.* spros *(la uşă)*.

multi-colour(ed) [,mʌlti'kʌlə(d)] *adj.* multicolor.

multifarious [,mʌlti'fɛəriəs] *adj.* multiplu.

multiform ['mʌltifɔ:m] *adj.* multiform.

multilateral ['mʌlti'lætrl] *adj. (şi fig.)* multilateral.

multilingual [mʌlti'liŋgwəl] *adj.* poliglot, multilingv.

multimillionaire ['mʌltimiljə'nɛə] *s.* multimilionar.

multinational [mʌlti'næʃənl] I. *adj. (d. companii, firme etc.)* multinaţional, internaţional. II. *s.* companie multinaţională / internaţională.

multiple ['mʌltipl] *s., adj.* multiplu.

multiple shop ['mʌltiplʃɔp] *s.* magazin cu sucursale.

multiplicand [,mʌltipli'kænd] *s. mat.* deînmulţit.

multiplication [,mʌltipli'keiʃn] *s.* 1. *mat.* înmulţire, multiplicare. 2. creştere, sporire.

multiplicity [,mʌlti'plisiti] *s.* multiplicitate; mulţime; varietate; complexitate.

multiplier ['mʌltiplaiə] *s.* 1. *mat.* multiplicator; înmulţitor, factor. 2. *el.* rezistenţă suplimentară. 3. coeficient. 4. *fiz.* multiplicator electronic.

multiply ['mʌltiplai] *vt., vi.* a (se) înmulţi.

multi-purpose [mʌlti'pə:pəs] *adj.* cu multiplă întrebuinţare.

multi-stage ['mʌltisteidʒ] *adj.* cu mai multe trepte.

multitude ['mʌltitju:d] *s.* mulţime.

multitudinous [,mʌlti'tju:dinəs] *adj.* 1. numeros. 2. variat, divers. 3. imens, vast.

mum[1] [mʌm] I. *adj.* tăcut. II. *interj.* tăcere! mucles!

mum[2] [mʌm] *fam.* v. **mummy**[2]

mumble ['mʌmbl] I. *s.* mormăit. II. *vt., vi.* 1. a mormăi. 2. a molfăi.

Mumbo Jumbo ['mʌmbou 'dʒʌmbou] *s.* 1. *înv.* idol *sau* fetiş la unele triburi din Africa de Vest. 2. obiect de închinare superstiţioasă; persoană căreia i se aduc omagii nemeritate. 3. sperietoare, gogoriţă.

mummer ['mʌmə] *s.* 1. mim. 2. actor. 3. cabotin.

mummery ['mʌmɔri] *s.* 1. mimă. 2. caraghioslâc.

mummify ['mʌmifai] I. *vt.* a mumifica, a transforma în mumie. II. *vi.* a se preface în mumie, a se mumifica.

mummy[1] ['mʌmi] I. *s.* 1. mumie. 2. masă / mulţime informă. 3. cadavru disecat. II. *vt.* v. **mummify** I.

mummy[2] ['mʌmi] *s. fam.* mămică, mămiţică.

mumps [mʌmps] *s. (cu verb la sing.)* oreion.

munch [mʌntʃ] *vt., vi.* a molfăi.

mundane [mʌn'dein] *adj.* lumesc, pământesc.

municipal [mju'nisipl] *adj.* municipal.

municipality [mju,nisi'pæliti] *s.* municipalitate.

munificence [mju(:)'nifisns] *s.* munificenţă, liberalitate, dărnicie, generozitate.

munificent [mju'nifisnt] *adj.* mărinimos, generos.

muniment ['mju:nimənt] *s.* **1.** *rar* întărire, apărare. **2.** *pl.* acte, documente întărind privilegii, hrisoave; arhivă.

munition [mju'niʃn] **I.** *s.* armament. **II.** *vt.* a înarma.

mural ['mjuərl] **I.** *s.* pictură murală. **II.** *adj.* mural.

murder ['mə:də] *s.* crimă.

murderer ['mə:dərə] *s.* ucigaş, asasin, criminal.

murderess ['mə:dəris] *s.* ucigaşă, criminală, asasină.

murderous ['mə:drəs] *adj.* **1.** ucigător. **2.** ucigaş.

murk [mə:k] **I.** *s.* întuneric, întunecime, obscuritate. **II.** *adj.* întunecos, obscur.

murky ['mə:ki] *adj.* întunecat, trist, mohorât.

murmur ['mə:mə] **I.** *s.* murmur. **II.** *vt., vi.* a murmura.

murrain ['mʌrein] *s.* **1.** *înv.* ciumă. **2.** *vet.* epizootie.

muscadine ['mʌskədi:n] *s.* (vin) muscat.

muscat ['mʌskət] *adj. s.* v. **muscadine**.

muscatel [,mʌskə'tel] *s.* v. **muscadine**.

muscle ['mʌsl] *s.* **1.** *anat., zool.* muşchi. **2.** forţă fizică.

Muscovite ['mʌskəvait] **I.** *s.* **1.** moscovit. **3.** *rus.* **3.** *minr.* muscovit, mică potasică. **II.** *adj.* **1.** moscovit, din Moscova. **2.** rus.

muscular ['mʌskjulə] *adj.* muscular.

Muse [mju:z] *s.* muză.

muse [mju:z] *vi.* **1.** a medita. **2.** a fi dus pe gânduri.

museum [mju'ziəm] *s.* muzeu.

mush [mʌʃ] *s.* **1.** fiertură. **2.** terci.

mushroom ['mʌʃrum] *s.* **1.** *bot.* ciupercă (*Agaricus campestris*). **2.** *fig.* parvenit.

mushy ['mʌʃi] *adj.* **1.** spongios, poros; fără consistenţă. **2.** mălăieţ, răscopt.

music ['mju:zik] *s.* **1.** muzică. || *to set (a poem) to ~* a pune (o poezie) pe note; *to face the ~* a da piept cu criticii, cu realitatea; a înfrunta furtuna.

musical ['mju:zikl] **I.** *s.* **1.** operetă, comedie muzicală. **2.** film muzical. **II.** *adj.* **1.** muzical. **2.** amator de muzică, meloman.

musically ['mju:zikəli] *adv.* muzical.

music-hall ['mju:zikhɔ:l] *s.* teatru de revistă, varieteu.

musician [mju'ziʃn] *s.* **1.** muzicant. **2.** compozitor.

music-stand ['mju:zik,stænd] *s.* pupitru pentru note.

musk [mʌsk] *s.* mosc.

musket ['mʌskit] *s.* flintă.

musketeer [,mʌski'tiə] *s.* muşchetar.

musketry ['mʌskitri] *s.* tir, tragere la ţintă.

musk rat ['mʌsk,ræt] *s.* *zool.* şobolan / guzgan cu miros de mosc (*Fiber zibethicus*).

musky ['mʌski] *adj.* de mosc; cu mosc.

muslin ['mʌzlin] *s.* *text.* muselină.

muss [mʌs] **I.** *amer. s.* încurcătură, dezordine. **II.** *vt.* a răvăşi, a pune în dezordine.

mussel ['mʌsl] *s.* *zool.* midie.

Mussulman ['mʌslmən], *pl.* **Mussulmans** ['mʌslmənz] *sau* **Mussulmen** ['mʌslmən] *s.* musulman.

mussy ['mʌsi] *adj. amer. fam.* răvăşit; de-a valma; în dezordine.

must [mʌst] **I.** *s.* **1.** necesitate (imperioasă). **2.** must. **II.** *v. mod.* [məs(t), mʌst]. **1.** a trebui; a se vedea silit (să). **2.** a fi foarte probabil. **3.** a fi logic. || *he ~ have come* trebuie să fi venit; (mai mult ca) sigur că a venit; *he ~ spoil everything* nu poate până nu strică lucrurile.

mustache [məs'tɑ:ʃ] *s.* v. **moustache**.

mustachio [məs'tɑ:ʃiou] *s.* v. **moustache**.

mustang ['mʌstæŋ] *s.* cal sălbatic.

mustard ['mʌstəd] *s.* *bot.* muştar (*Brassica sp.*).

muster ['mʌstə] **I.** *s.* **1.** *mil. şi fig.* adunare. **2.** trecere în revistă. **II.** *vt., vi.* **1.** a (se) aduna. **2.** a (se) mobiliza.

musty ['mʌsti] *adj.* **1.** mucegăit (*şi fig.*). **2.** vechi.

mutability [,mjutə'biliti] *s.* **1.** nestatornicie. **2.** caracter schimbător.

mutable ['mju:təbl] *adj.* **1.** schimbător, variabil. **2.** *înv.* inconstant, nestatornic.

mutant ['mju:tnt] *biol.* **I.** *adj.* provenit dintr-o mutaţie (genetică). **II.** *s.* mutant.

mutation [mju:'teiʃn] *s.* **1.** schimbare, modificare, transformare. **2.** *biol.* mutaţie. **3.** *fon.* mutaţie.

mute [mju:t] **I.** *s.* **1.** mut. **2.** surdină. **3.** figurant. **II.** *adj.* mut. **III.** *vt.* **1.** a pune surdina la. **2.** a atenua. **3.** a-şi înăbuşi (*suspinele etc.*).

mutely ['mju:tli] *adv.* mut; în tăcere.

mutilate ['mju:tileit] *vt.* a mutila.

mutilation [,mju:ti'leiʃn] *s.* mutilare, trunchiere; schilodire.

mutineer [,mju:ti'niə] **I.** *s.* răsculat. **II.** *vi.* a se revolta, a se răzvrăti.

mutinous ['mju:tinəs] *adj.* rebel.

mutiny ['mju:tini] **I.** *s.* rebeliune. **II.** *vi.* a se răscula.

mutt [mʌt] *s. sl.* **1.** mediocritate. **2.** idiot, nebun. **3.** câine, potaie, şarlă.

mutter ['mʌtə] **I.** *vt.* **1.** a murmura, a bolborosi, a bâigui. **2.** a bombăni, a mormăi. || *to ~ an oath* a mormăi o înjurătură. **II.** *vi.* **1.** a mormăi, a bombăni, a bodogăni. **2.** a bolborosi, a bâigui. **3.** *poet.* (*d. tunet, trăsnet*) a bubui. **III.** *s.* **1.** murmur, mormăit, bolboroseală, bâiguit. **2.** bodogăneală, bombănit. **3.** bubuit îndepărtat (*al tunetelor*).

mutton ['mʌtn] *s.* carne de oaie *sau* berbec.

mutual ['mju:tjuəl] *adj.* **1.** reciproc. **2.** comun.

muzzle ['mʌzl] **I.** *s.* **1.** botniţă. **2.** gură de ţeavă. **II.** *vt.* **1.** a pune botniţă la (*cu dat.*). **2.** *fig.* a cenzura.

muzzy ['mʌzi] *adj.* ameţit, zăpăcit, îndobitocit; ameţit de băutură, cherchelit.

my [mai] **I.** *adj.* meu, mea, mei, mele. **II.** *interj.* vai (de mine)!

myna(h) ['mainə] *s.* v. **mina**.

mynheer [main'hiə] *s.* **1.** (*înaintea unui nume olandez*) domnul. **2.** olandez.

myopia [mai'oupiə] *s.* miopie.

myriad ['miriəd] **I.** *s.* **1.** miriadă, număr mare, incalculabil. **2.** (*ist. Greciei*) zece mii. **II.** *adj.* nenumărat, nesfârşit.

myrmidon ['mə:midn] *s. ist.* **1.** mirmidon. **2.** slujitor. || *~ of the law* poliţist, slujitor al legii. **3.** spadasin.

myrrh [mə:] *s.* smirnă.

myrtle ['mə:tl] *s. bot.* mirt (*Myrtus communis*).

myself [mai'self] *pron.* **1.** pe mine,

mă. **2.** însumi. **3.** eu. **4.**
(reflexiv) mă.

mysterious [mis'tiəriəs] *adj.* **1.**
misterios. **2.** de neînţeles;
obscur.

mysteriously [mis'tiəriəsli] *adv.*
misterios, tainic.

mystery ['mistri] *s.* **1.** mister. **2.**
tainǎ.**3.** *teatru* mister, dramă
religioasă medievală.

mystic ['mistik] **I.** *s.* mistic. **II.**
*adj.***1.** mistic. **2.** misterios.

mystical ['mistikəl] *adj.* mistic.

mysticism ['mistisizəm] *s.* mis-
ticism.

mystification [,mistifi'keiʃn] *s.* **1.**
înşelătorie. **2.** enigmă.

mystify ['mistifai] *vt.* **1.** a mistifica,
a înşela. **2.** a învălui în mister.

mystique [mis'ti:k] *s.* mistică.

myth [miθ] *s.* **1.** mit. **2.** legendă.

mythic(al) ['miθik(l)] *adj.* **1.** mito-
logic. **2.** imaginar. **3.** legendar.

mythologic(al) [,miθə'lɔdʒik(əl)]

adj. mitologic.

mythologist [mi'θɔlədʒist] *s.*
cunoscător în mitologie; autor
de mituri / legende.

mythologize [mi'θɔlədʒaiz] *vi.* **1.** a
relata mituri; a spune poveşti.
2. a studia, clasifica sau inter-
preta miturile.

mythology [mi'θɔlədʒi] *s.* mito-
logie.

myxomatosis [miksəmə'tousis] *s.*
med., vet. mixomatoză.

N

N [en] *s.* (litera) N, n.

nab [næb] *vt.* **1.** a aresta. **2.** a
prinde.

nabob ['neibɔb] *s.* **1.** *înv.* nabab,
vasal al Marelui Mogul. **2.** *fig.*
nabab, mare bogătaş.

nacre ['neikə] *s.* **1.** sidef. **2.** scoică
cu sidef.

nadir ['neidiə] *s.* **1.** *astr.* nadir. **2.**
fig. culme, punct culminant.

nag [næg] **I.** *s.* **1.** mârţoagă. **2.**
ponei. **3.** *iron.* nevastă. **II.** *vt.* **1.**
a necăji. **2.** a cicăli. **3.** a pisa; a
bate la cap. **III.** *vi.* a fi pisălog.

naiad ['naiæd], *pl.* **naiads** ['na-
iædz] *sau* **naiades** ['neiədi:z]
s. mit. naiadă.

nail [neil] **I.** *s.* **1.** unghie. **2.** cui. **3.**
piron. | | *to fight tooth and* ~ a
se lupta cu ghearele şi cu
dinţii; *to hit the right* ~ *on the
head* a nimeri în plin; *a* ~ *in
one's coffin* ceva care-ţi gră-
beşte moartea *(şi fig.)*; *as hard
as* ~ *s* călit; voinic; dat dra-
cului, afurisit. **II.** *vt.* **1.** a bate (în
cuie). **2.** a fixa; a înţepeni.| | *to
*~ *one's colours to the mast* a-şi
susţine cu tărie opiniile; *to* ~
smb. down a ţine pe cineva din
scurt, a trage pe cineva la
răspundere; a sili pe cineva
să-şi îndeplinească obliga-
ţiile.

nainsook ['neinsuk] *s. text.* nan-
suc *(pânză subţire de bum-
bac).*

naive [nɑ:'i:v] *adj.* **1.** naiv. **2.** ino-
cent.

naiveté [nɑ:'i:vtei] *s.* **1.** naivitate.
2. nevinovăţie.

naked ['neikid] *adj.* **1.** despuiat,
gol; nud. **2.** desfrunzit. | | *with
the* ~ *eye* cu ochiul liber.

nakedness ['neikidnis] *s.* goli-
ciune, nuditate.

namby-pamby ['næmbi'pæmbi] **I.**
adj. **1.** *(d. stil etc.)* afectat, ar-
tificios, căutat; *(d. persoane)*
manierat, afectat; fals senti-
mental; care face paradă. **II.** *s.*
persoană afectată *sau* fals sen-
timentală.

name [neim] **I.** *s.* **1.** nume. **2.**
reputaţie. **3.** celebritate. **4.**
figură celebră. **5.** insultă. | | *to
call smb.* ~*s* a insulta pe
cineva; a spune cuiva cuvinte
grele, vorbe de ocară. **II.** *vt.* **1.**
a numi. **2.** a boteza. **3.** a stabili.
4. a alege. **5.** a recunoaşte. | |
~ *the day* stabileşte ziua
(căsătoriei etc.); ~ *your price*
spune cât vrei.

nameless ['neimlis] *adj.* **1.** fără
nume. **2.** anonim. **3.** necunos-
cut. **4.** inefabil. **5.** ruşinos.

namely ['neimli] *adv.* adică, şi
anume.

namesake ['neimseik] *s.* tiz, per-
soană cu acelaşi nume.

nancy ['nænsi] *s. fam.* **1.** *(şi Miss
Nancy)* bărbat tânăr cu apu-
cături de femeie / fată mare /
domnişoară, fătălău. **2.** homo-
sexual.

nankeen [næn'ki:n] *s.* **1.** *text.*
nanchin. **2.** *pl.* pantaloni de
nanchin. **3.** galben pal. **4.**
porţelan de Nankin.

nankin [næn'kin] *s.* v. **nankeen**.

nanny ['næni] *s.* guvernantă.

nano- ['nænou] *prefix* nano-.

nap [næp] **I.** *s.* **1.** pui de somn;
aţipeală. **2.** *text.* puf. **3.** partea
păroasă a stofei, catifelei etc.
II. *vi.* a aţipi.

napalm ['neipɑ:m] *s.* napalm.

nape [neip] *s.* ceafă.

napery ['neipəri] *s. scoţian* al-
bituri de masă.

naphtha ['næfθə] *s.* petrol, ţiţei;
benzină grea; benzină solvent;
păcură.

naphthalene ['næfθəli:n] *s. chim.*
naftalină.

napkin ['næpkin] *s.* şerveţel.

Napoleonic [nə,pouli'ɔnik] *adj.*
napoleonian.

narcissism ['nɑ:sisizəm] *s. psih.*
narcisism.

narcissus [nɑ:'sisəs] *s. bot.* narci-
să *(Narcissus)*.

narcotic [nɑ:'kɔtik] *s., adj.* nar-
cotic *(şi fig.)*.

nard [nɑ:d] *s.* **1.** *bot.* nard *(Nar-
dostachys jatamansi)*. **2.** *farm.*
nard.

nark [nɑ:k] *s. sl.* copoi, agent de
poliţie.

narrate [næ'reit] *vt.* a povesti.

narration [nə'reiʃn] *s.* istorisire,
povestire, narare.

narrative ['nærətiv] **I.** *s.* **1.** poves-
tire. **2.** naraţiune, relatare. **II.**
adj. narativ.

narrator [nə'reitə] *s.* **1.** povestitor.
2. crainic *(la radio etc.)*.

narrow ['nærou] **I.** *s.* strâmtoare.
II. *adj.* **1.** îngust. **2.** limitat. **3.**
zgârcit. **4.** strict. **5.** dificil, pe
muchie de cuţit. **6.** obţinut cu
mare dificultate. **III.** *vt., vi.* a
(se) strâmta.

narrow gauge ['nærou 'geidʒ] *s.*
ferov. ecartament îngust, cale
îngustă.

narrowly ['nærouli] *adv.* **1.** într-un
spaţiu strâmt. **2.** strict, riguros;
minuţios, atent, îndeaproape.

3. de abia, cu greutate, ca prin urechile acului. || *he ~ missed the train* cât pe ce / puţin a lipsit să scape trenul.

narrow-minded ['nærou'maindid] *adj.* **1.** limitat *(fig.).* **2.** cu ochelari de cal *(fig.).*

narrowness ['nærounis] *s.* **1.** îngustime, caracter îngust; limitare, mărginire; insuficienţă; micime. **2.** caracter meticulos / amănunţit, meticulozitate.

narrow squeak ['nærou'skwi:k] *s.* **1.** victorie smulsă cu greu. **2.** scăpare ca prin urechile acului.

narwhal ['nɑ::wl] *s. zool.* narval *(Monodon monoceros).*

nasal ['neizl] I. *s.* sunet nazal. II. *adj.* nazal.

nasalize ['neizəlaiz] *vt.* a nazaliza.

nascent ['næsnt] *adj.* care ia naştere, care apare; în proces de formare.

nasturtium [nɔs'tə:ʃəm] *s. bot.* condurul doamnei, năsturel, măcriş de baltă *(Tropaeolum majus).*

nasty ['nɑ:sti] *adj.* **1.** scârbos. **2.** obscen. **3.** ticălos. **4.** afurisit. **5.** dificil, greu. **6.** antipatic. **7.** ameninţător, primejdios.

natal ['neitl] *adj.* natal.

nath(e)less ['neiθlis] *adv. înv.* cu toate acestea, totuşi.

nation ['neiʃn] *s.* **1.** naţiune. **2.** popor. **3.** ţară.

national ['næʃənl] I. *s.* cetăţean. II. *adj.* naţional.

nationalism ['næʃnəlizəm] *s.* naţionalism.

nationalist ['næʃnəlist] *s., adj.* naţionalist.

nationalistic [,næʃnə'listik] *adj.* naţionalist.

nationality [,næʃə'næliti] *s.* naţionalitate.

nationalization [,næʃnəlai'zeiʃn] *s.* **1.** naţionalizare. **2.** naturalizare.

nationalize ['næʃnəlaiz] *vt.* **1.** a naţionaliza. **2.** a transforma într-o naţiune.

nationally ['næʃnəli] *adv.* din punct de vedere naţional.

nation-wide ['neiʃnwaid] *adj.* naţional; al întregului popor; pe întreaga ţară.

native ['neitiv] I. *s.* **1.** băştinaş, localnic. **2.** vietate *sau* plantă specifică unei regiuni. II. *adj.* **1.** băştinaş; autohton. **2.** înnăscut. **3.** în stare naturală, nativ.

native-born ['neitiv bɔ:n] *adv.* **1.**

băştinaş, indigen. **2.** *(d. copiii europenilor)* născut în colonii.

nativity [nə'tiviti] *s.* naştere. || *the Nativity* Crăciunul.

natron ['neitrən] *s. chim.* carbonat de sodiu cristalizat; sodă cristalizată.

natter ['nætə] *vi.* **1.** a pălăvrăgi, a trăncăni. **2.** *dialectal* a se plânge, a se tângui.

natty ['næti] I. *adj.* **1.** spilcuit, elegant, îngrijit. **2.** îndemânatic, dibaci, agil.

natural ['nætʃrl] I. *s.* **1.** cretin. **2.** *muz.* becar. **3.** notă naturală. **4.** firesc, naturaleţe. II. *adj.* **1.** natural. **2.** original. **3.** veridic. **4.** obişnuit. **5.** firesc. **6.** înnăscut. **7.** *muz.* becar; natural.

naturalism ['nætʃərəlizəm] *s.* naturalism.

naturalist ['nætʃrəlist] *s.* naturalist.

naturalistic [,nætʃrə'listik] *adj.* naturalist.

naturalization [,nætʃrəlai'zeiʃn] **1.** *s.* naturalizare. **2.** aclimatizare *(a unei plante etc.).*

naturalize ['nætʃrəlaiz] I. *vt.* **1.** a naturaliza. **2.** a aclimatiza. **3.** a adapta. II. *vi., vt.* **1.** a (se) naturaliza. **2.** a (se) aclimatiza.

naturally ['nætʃrəli] *adv.* **1.** fireşte. **2.** în mod firesc. **3.** de la natură. **4.** în mod natural.

nature ['neitʃə] I. *s.* **1.** natură. **2.** fire. **3.** caracter. **4.** stare nativă. **5.** fel. || *to pay the debt of ~ a* muri; *in the course of ~* aşa cum e şi firesc; *in the ~ of* asemănător cu.

naturism ['neitʃərizəm] *s.* **1.** naturism, cultul naturii. **2.** *fam.* nudism. **3.** *filoz., artă* naturalism.

naturist ['neitʃərist] *s.* **1.** naturist, adept al cultului naturii. **2.** nudist.

naught [nɔ:t] *s.* nimic. || *to set at ~* a sfida, a înfrunta cu curaj; a nu se teme de; *to bring to ~ a* distruge.

naughty ['nɔ:ti] *adj.* **1.** *(d. copii)* rău. **2.** obraznic. **3.** afurisit. **4.** *(d. vorbă, glumă)* decoltat, deşuchiat.

nausea ['nɔ:sjə] *s.* greaţă *(şi fig.).*

nauseate ['nɔ:sieit] *vt.* a îngreţoşa.

nauseating ['nɔ:sieitiŋ] *adj.* greţos, scârbos.

nauseous ['nɔ:siəs] *adj.* v. **nauseating.**

nautical ['nɔ:tikl] *adj.* **1.** nautic. **2.** marin.

nautilus ['nɔ:tiləs] *s. zool.* nautilus *(Nautilus).*

naval ['neivl] *adj.* **1.** naval, de marină. **2.** marin.

nave [neiv] *s. arhit. bis.* naos.

navel ['neivl] *s. anat.* buric.

navigability [,nævigə'biliti] *s.* navigabilitate.

navigable ['nævigəbl] *adj.* **1.** navigabil. **2.** în stare de plutire.

navigate ['nævigeit] I. *vt.* **1.** a lansa pe apă. **2.** a cârmi *(şi fig.).* II. *vi.* a naviga.

navigation [,nævi'geiʃn] *s.* **1.** navigaţie. **2.** trafic maritim. **3.** flotă.

navigator ['nævigeitə] *s.* **1.** navigator. **2.** călător.

navvy ['nævi] *s.* **1.** săpător; salahor. **2.** excavator.

navy ['neivi] *s.* marină (militară).

navy blue ['neivi'blu:] *s.* bleumarin.

nay [nei] *adv.* **1.** nu. **2.** ba chiar; ba (mai mult) încă.

Nazarene [,næzə'ri:n] *adj.* nazarinean.

Nazi ['nɑ:tsi] *s., adj.* nazist.

Nazi(i)sm ['nɑ:ts(i)iz(ə)m] *s.* nazism, hitlerism.

N.C.O. ['en'si:'ou] *s.* **1.** subofiţer, gradat. **2.** plutonier.

Neanderthal man [ni'ændətɑ:l mæn] *s.: the ~* omul din Neanderthal.

neap tide ['ni:p taid] *s. mar.* maree de cuadratură.

near [niə] I. *adj. superl.* **the nearest** [ðə'niərist] *sau* **the next** [ðə'nekst] **1.** apropiat. **2.** strâns legat. **3.** econom, strâns la pungă. **4.** meschin. II. *vt.* a se apropia de. III. *vi.* a se apropia. IV. *adv. superl.* **the nearest** [ðə'niərist] *sau* **the next** [ðə'nekst] aproape. || *far and ~* peste tot; *~ at hand* la îndemână; aproape; *~ by* în apropiere; *to come ~ to do sau doing smth.* cât pe-aci să faci ceva. V. *prep.* aproape de.

nearly ['niəli] *adv.* **1.** aproape. **2.** cât pe-aci. **3.** foarte. || *not ~* câtuşi de puţin.

nearness ['niənis] *s.* apropiere.

near-sighted ['niə 'sait] *s.* vedere scurtă, miopie.

neat [ni:t] *adj.* **1.** curat. **2.** net. **3.** plăcut. **4.** de bun gust. **5.** elegant. **6.** corect. **7.** deştept. **8.** sec, fără sifon. || *as ~ as a new pin* nou-nouţ.

neath [ni:θ] *prep. înv., dialectal* sub; dedesubtul *(cu gen.).*

neatness ['ni:tnis] s. 1. simplitate; bun gust. 2. caracter îngrijit; 3. îndemânare, abilitate, dexteritate.

nebula ['nebjulə] s. pl. şi **nebulae** ['nebjuli:] 1. med. albeaţă (la ochi), uşoară opacitate a corneei. 2. (în cuarţ, substanţe chimice etc.) nor. 3. astr. nebuloasă. 4. pâclă, negură.

nebular ['nebjulə] adj. astr. nebular.

nebulous ['nebjuləs] adj. nebulos.

necessarily ['nesisrili] adv. neapărat.

necessary ['nesisri] I. s. (lucru) necesar. II. adj. 1. necesar. 2. esenţial. 3. obligatoriu.

necessitate [ni'sesiteit] vt. 1. a necesita. 2. a cere (imperios).

necessitous [ni'sesitəs] adj. 1. nevoiaş, sărac. 2. impus, cerut de împrejurări.

necessity [ni'sesiti] s. 1. necesitate. 2. obligaţie. 3. lucru necesar. 4. lucru esenţial. 5. sărăcie. || of ~ în mod necesar, inevitabil, neapărat.

neck [nek] I. s. 1. gât. 2. guler. 3. istm. || ~ and ~ la egalitate; ~ or nothing cu toate riscurile; pe viaţă şi pe moarte; to save one's ~ a scăpa (de pedeapsă); to get it in the ~ a o păţi rău. II. vt. 1. a giugiuli. 2. a mângâia; a pipăi.

neck band ['nek ˌbænd] s. guler (de cămaşă).

neckcloth ['nek ˌklɔ(:)θ] fular, cravată.

neckerchief ['nekətʃif] s. batic.

necking and petting ['nekiŋˌən'petiŋ] s. giugiuleală, mângâieri.

necklace ['neklis] s. colier, salbă etc.

necklet ['neklit] s. 1. colier (de perle etc.). 2. guler rotund de blană sau pene.

necktie ['nektai] s. cravată.

neck wear ['nek ˌweə] s. fam. cravate, gulere etc.

necromancer ['nekroumænsə] s. necromant, vrăjitor.

necromancy ['nekrouˌmænsi] s. necromanţie, magie, vrăjitorie.

necropolis [ne'krɔpəlis] s. necropolă, cimitir.

necrosis [ne'krousis] s. med. necroză.

nectar ['nektə] s. nectar (şi fig.).

nectarine ['nektrin] I. s. piersică (cu coaja subţire şi lucioasă). II. adj. poet. îmbătător ca nectarul.

NEDC abrev. National Economic Development Council Consiliul Naţional de Dezvoltare Economică.

née [nei] s. (d. femeie măritată) născută... (urmează numele de domnişoară).

need [ni:d] I. s. 1. nevoie. 2. necesitate. 3. sărăcie. 4. motiv. II. v. mod. 1. a trebui. 2. a fi obligat să. || you ~n't go nu e nevoie să pleci / să te duci. III. vt. 1. a necesita. 2. a avea nevoie de. 3. a-i lipsi.

needful ['ni:dfl] I. s. sl. bani, lovele. || to do the ~ a face ceea ce trebuie. II. adj. necesar.

needle ['ni:dl] s. ac (de cusut, de brad, de patefon etc.).

needle-like ['ni:dl laik] adj. aciform; ca acul.

needle point ['ni:dl 'pɔint] s. vârf de ac.

needless ['ni:dlis] adj. inutil.

needlessly ['ni:dlisli] adv. de prisos, inutil.

needlessness ['ni:dlisnis] s. inutilitate.

needlewoman ['ni:dl wumən] 1. cusătoreasă, lenjereasă. 2. persoană care lucrează cu acul. || she is a good ~ lucrează bine (cu acul).

needlework ['ni:dlwə:k] s. lucru de mână, cusut; broderie.

needs [ni:dz] adv. neapărat.

needy ['ni:di] adj. 1. sărac. 2. nevoiaş.

nefarious [ni'fɛəriəs] adj. 1. ticălos. 2. nelegiuit. 3. nefast.

negate [ni'geit] vt. 1. a nega, a tăgădui; a contrazice. 2. a nu lua în considerare; a respinge; a nu admite. 3. a anula.

negation [ni'geiʃn] s. 1. negaţie. 2. negare.

negative ['negətiv] I. s., adj. negativ. II. vt. 1. a nega. 2. a contracara. 3. a se opune la (sau cu dat.). 4. a dovedi mincinos. III. interj. amer. fam. nu! nici vorbă!

neglect [ni'glekt] I. s. 1. neglijare. 2. neglijenţă. II. vt. 1. a neglija. 2. a omite. 3. a uita.

neglectful [ni'glektfl] adj. 1. neglijent. 2. uituc. 3. lăsător.

negligé(e) ['negliˌʒei] I. s. 1. toaletă de casă. 2. neglijeu.

negligence ['neglidʒns] s. 1. neglijenţă. 2. dezordine. 3. delăsare.

negligent ['neglidʒənt] adj. neglijent, lipsit de grijă sau atenţie. || ~ in his dress neîngrijit îmbrăcat; || ~ in his duties neglijent la datorie.

negligible ['neglidʒəbl] adj. 1. neglijabil. 2. infim.

negotiable [ni'gouʃjəbl] adj. 1. fin. convertibil. 2. (d. un drum) practicabil.

negotiate [ni'gouʃieit] I. vt. 1. a negocia, a trata. 2. a discuta. 3. fin. a converti. 4. a străbate, a trece (peste). II. vi. 1. a negocia. 2. a discuta.

negotiation [niˌgouʃi'eiʃn] s. 1. negociere. 2. discuţie. 3. tratative.

negotiator [ni'gouʃieitə] s. negociator; mijlocitor, intermediar.

negress ['ni:gris] s. negresă.

negro, Negro ['ni:grou] s. negru.

Negroid ['ni:grɔid] I. adj. negroid. II. s. negroid, om cu trăsături asemănătoare unui negru.

negus ['ni:gəs] s. băutură din vin fiert cu apă şi zahăr.

neigh [nei] I. s. nechezat. II. vi. a necheza.

neighbo(u)r ['neibə] I. s. 1. vecin. 2. rel. seamăn. II. vt. a se învecina cu. III. vi. a se învecina.

neighbo(u)rhood ['neibəhud] s. 1. vecinătate. 2. cartier; mahala. 3. oamenii din mahala. 4. regiune. 5. apropiere.

neighbo(u)rly ['neibəli] adj. 1. bun, prietenos. 2. amabil.

neighbourliness ['neibəlinis] s. (raporturi de) bună vecinătate.

neither ['naiðə] I. adj. nici un, nici o (din doi). II. pron. nici unul, nici una (din doi). III. conj. nici. || neither...nor... nici...nici...

Nemean lion [ni'mi:ən 'laiən] s. mit. leul din Nemeea.

Nemesis ['nemisis] s. fig. 1. Nemesis, răzbunare. 2. răzbunătoare.

neolithic [ˌni(:)ou'liθik] adj. arh. neolitic.

neologism [ni(:)'ɔlədʒizəm] s. 1. lingv. neologism, cuvânt nou (introdus în limbă). 2. rel. doctrină nouă, (metodă de) reinterpretare.

neology [ni(:)'ɔlədʒi] s. 1. lingv. v. **neologism** 1. 2. lingv. folosirea neologismelor. 3. rel. v. **neologism** 2.

neon ['ni:ən] s. neon.

neon sign ['ni:ənsain] s. firmă cu neon.

neophyte ['ni(:)oufait] *s.* **1.** neofit, nou convertit la o credinţă *sau* doctrină. **2.** novice, începător, debutant.

Neozoic [,ni(:)ou'zouik] *s. geol.* neozoic, era neozoică.

nepenthe [ne'penθi] *s.* **1.** *poet.* băutură magică / leac care te face să uiţi durerea. **2.** ceva ce provoacă uitare sau liniştire, calmant. **3.** *bot.* nepenthe *(specie de plante din Asia Centrală şi Madagascar).*

nepenthes [ne'penθiz] *s.* v. **nepenthe** 1,2.

nephew ['nevju:] *s.* nepot *(de unchi).*

nephritic [ne'fritik] *adj. med.* renal, nefritic.

nephritis [ne'fraitis] *s. med.* nefrită.

nepotism ['nepətizəm] *s.* nepotism.

Neptune ['neptju:n] *s.* **1.** *fig.* mare; ocean. **2.** *astr.* Neptun.

Nereid ['niəriid] *s. pl.* nereidă; zână a mării, sirenă.

nerve [nə:v] **I.** *s.* **1.** nerv. **2.** curaj; îndrăzneală. **3.** tupeu; obrăznicie. **4.** muşchi. **5.** nervură. || *to have the ~ to do smth.* a avea tupeul / neruşinarea să faci ceva; *to lose one's ~* a-şi pierde curajul; *to strain every ~* a face cele mai mari eforturi. **II.** *vt.* **1.** a întări. **2.** a da curaj *(cu dat.).* **III.** *vi.* **1.** a prinde curaj. **2.** a se îmbărbăta.

nerveless ['nə:vlis] *adj.* **1.** moale. **2.** fără energie *sau* vigoare.

nervous ['nə:vəs] *adj.* **1.** nervos. **2.** agitat. **3.** speriat. **4.** viguros.

nervousness ['nə:vəsnis] *s.* **1.** nervozitate, agitaţie. **2.** timiditate.

nervure ['nə:vjuə] *adj.* **1.** *poet.* puternic, viguros. **2.** *sl.* îndrăzneţ; stăpân pe sine. **3.** *fam.* nervos, iritabil, enervat. **4.** *sl.* enervant.

nervy ['nə:vi] *adj.* **1.** nervos. **2.** agitat.

nescience ['nesiəns] *s.* **1. (of)** necunoaştere *(cu gen.).* **2.** *filoz.* agnosticism.

ness [nes] *s.* cap, promontoriu *(mai ales în denumiri geografice).*

nest [nest] **I.** *s.* **1.** cuib *(şi fig.).* **2.** cuibar. **3.** sinecură. **4.** ouă din cuibar. || *to feather one's ~* a face avere. **II.** *vi.* a se cuibări.

nestle ['nesl] **I.** *vt.* **1.** a ţine strâns. **2.** a aranja. **3.** a cocoli. **II.** *vi.* **1.** a se cuibări. **2.** a se lipi *(de cineva etc.).*

nestling ['nesliŋ] *s.* pui *(care stă încă în cuib).*

net [net] **I.** *s.* **1.** plasă. **2.** *fig.* capcană. **II.** *adj.* net, neto. **III.** *vt.* **1.** a prinde în plasă *(şi fig.).* **2.** a acoperi cu o plasă. **3.** a câştiga (net), a încasa.

nether ['neðə] *adj.* de jos.

Netherlander ['neðələndə] *s.* neerlandez, olandez.

nether world ['neðəwə:ld] *s.: the ~* iadul.

nett [net] *adj.* v. **net** II.

netting ['netiŋ] *s.* plasă; reţea.

nettle ['netl] **I.** *s. bot.* urzică *(Urtica sp.).* || *dead ~* urzică moartă *(Urtica alba).* **II.** *vt.* a urzica *(şi fig.).*

network ['netwə:k] *s.* **1.** reţea *(şi fig.).* **2.** plasă.

neural ['njuərl] *adj. anat.* neural, nervos.

neuralgia [nju'rældʒə] *s.* nevralgie.

neurasthenia [,njuərəs'θi:njə] *s.* neurastenie.

neuritis [nju'raitis] *s. med.* nevrită.

neurology [njuə'rolədʒi] *s. med.* neurologie.

neurosis [nju'rousis], *pl.* **neuroses** [nju'rousi:z] *s. med.* nevroză.

neuron ['njuːron] *s. anat.* **1.** sistemul cerebro-spinal. **2.** neuron; celulă nervoasă.

neurotic [nju'rotik] **I.** *s.* nevropat. **II.** *adj.* **1.** bolnav de nervi, nevvrozat. **2.** cu efect asupra nervilor.

neuter ['njuːtə] *s., adj. gram.* neutru.

neutral ['njuːtrl] *s., adj.* neutru.

neutrality [nju'træliti] *s.* neutralitate.

neutralization [,njuːtrə,lai'zeiʃn] *s.* **1.** neutralizare. **2.** declarare a neutralităţii.

neutralize ['njuːtrəlaiz] *vt.* a neutraliza.

neutron ['njuːtron] *s. fiz.* neutron.

never ['nevə] *adv.* **1.** niciodată. **2.** câtuşi de puţin; deloc. **3.** nu. || *well I ~ !* nemaipomenit!; *~ mind* nu-i nimic.

nevermore ['nevə'mɔ:] *adv.* niciodată (de acum înainte), nicicând.

nevertheless [,nevəðə'les] *adv., conj.* totuşi, cu toate acestea.

new [nju:] **I.** *adj.* **1.** nou. **2.** modern. **3.** proaspăt. **4.** curat. **5.** nepriceput. **II.** *adv.* de curând.

new-born ['njuː,bɔ:n] *adj.* nounăscut; regenerat.

new-comer ['njuː'kʌmə] *s.* nouvenit; necunoscut.

newel ['njuːəl] *s.constr.* **1.** pilastru din centrul unei scări în spirală. **2.** construcţie care susţine balustrada unei scări la cele două capete.

New Englander ['njuː'iŋgləndə] *s.* locuitor din Noua Anglie.

new-fangled [,njuː'fæŋgld] *adj.* **1.** de ultimă oră. **2.** ultra recent.

new-found ['njuː'faund] *adj.* nou descoperit.

Newfoundland [njuː'faundlənd] *s.* câine din rasa Terra Nova.

Newgate ['njuːgeit] *s. ist.* vestită închisoare în City (Londra).

Newgate bird ['njuːgeitbəd] *s. sl.* ocnaş, pensionar (al unei închisori), deţinut.

newly ['njuːli] *adv.* **1.** de curând. **2.** într-un fel nou, altfel.

Newmarket ['njuː'mɑːkit] *s.* **1.** un fel de pardesiu lung şi strâns pe talie. **2.** numele unui joc de cărţi.

news [njuːz] *s.* (cu verb la sing.) **1.** informaţii. **2.** veste, informaţie. **3.** radiojurnal. **4.** noutate. || *it's no ~ to me* ştiam de mult asta; *to break the ~ to smb.* a anunţa (cu menajamente) o veste (proastă).

news-agent ['njuːz,eidʒnt] *s.* chioşcar.

newsboy ['njuːzbɔi] *s.* vânzător de ziare.

newspaper ['njuːs,peipə] *s.* ziar.

newspaper man ['njuːs,peipəmæn] *s. pl.* **newspaper men** ['njuːs,peipəmæn] gazetar.

news print ['njuːz,print] *s.* hârtie de ziar.

news-reel ['njuːzriːl] *s.* **1.** jurnal de actualităţi. **2.** jurnal sonor.

news-room ['njuːzrum] *s.* **1.** sală de lectură pentru ziare. **2.** *rad.* cabina crainicilor.

news-stand ['njuːz stænd] *s.* **1.** chioşc de ziare. **2.** *amer.* v. **bookstall.**

newsy ['njuːzi] **I.** *adj.* **1.** *fam.* bogat în ştiri / noutăţi sau bârfeli. **2.** curios, dornic de noutăţi. **II.** *s. amer.* vânzător de ziare.

newt [njuːt] *s. zool.* salamandră de apă *(Triturus sp.).*

New World ['njuː'wɔ:ld] *s. the ~* Lumea Nouă, America.

New Year's Eve ['njuː'jə:z'i:v] *s.* ajunul Anului Nou; revelion.

next [nekst] **I.** *s.* **1.** scrisoarea următoare. **2.** următorul sosit. **II.** *adj. superl.* de la **near.** următorul, viitorul. || *~ year* la anul; *~ month* luna viitoare; *~*

door alături; ~ *door to* aproape de *(şi fig.); the* ~ *best* calitatea a II-a. **III.** *adv. superl.* de la **near 1.** data viitoare. **2.** pe urmă. **3.** mai. || *to come* ~ *a* veni la rând; *what will you do* ~ *?* ce-o să mai faci? **IV.** *prep.*: ~ *to* alături de; după; pe lângă; aproape. || ~ *to nothing* mai nimic.

nexus ['neksəs] *s.* legătură, relaţie, raport.

ne'er-do-well ['neədu‚wel] *s.* **1.** neisprăvit. **2.** mişel.

nib [nib] *s.* peniţă.

nibble ['nibl] **I.** *s.* **1.** morfoleală. **2.** ciuguleală. **3.** ronţăială. **II.** *vt.* **1.** a ciuguli. **2.** a ronţăi; a muşca bucăţele mici din. **III.** *vi.* **1.** a morfoli. **2.** *fig.* a şovăi.

niblick ['naiblik] *s. sport* băţ cu o mică măciulie *(pentru jocul de golf).*

nice [nais] *adj.* **1.** drăguţ. **2.** plăcut, agreabil. **3.** bun. **4.** frumos. **5.** de treabă. **6.** delicat; fin. **7.** cinstit. **8.** pretenţios. **9.** senin.

nicely ['naisli] *adv.* **1.** frumos. **2.** exact. **3.** cum se cuvine. **4.** bine.

Nicene [nai'si:n] *adj. ist.* din Nicea.

Nicene Council [nai'si:n ‚kaunsil] *s. rel.* sinodul din Nicea (325; 787).

nicety ['naisiti] *s.* **1.** delicateţe; fineţe. **2.** detaliu. || *to a* ~ perfect; până în cel mai mic amănunt; precis.

niche [nitʃ] *s.* **1.** nişă. **2.** *fig.* sinecură. **2.** post bun.

nick [nik] **I.** *s.* crestătură. || *in the* ~ *of time* tocmai la timp. **II.** *vt.* **1.** a cresta. **2.** a bifa.

nickel ['nikl] **I.** *s.* **1.** nichel. **2.** *amer.* monedă de cinci cenţi. **3.** fisă de telefon. **II.** *vt.* a nichela.

nickname ['nikneim] **I.** *s.* poreclă. **II.** *vt.* a porecli.

nicotine ['nikəti:n] *s. chim.* nicotină.

nicotinic acid [nikə'tinik æsid] *s. chim.* acid nicotinic.

nictitate ['niktiteit] *vi.* a clipi din ochi.

niece [ni:s] *s.* nepoată *(de unchi).*

nifty ['nifti] *amer.* **I.** *adj. sl.* **1.** cochet, elegant, sclivisit; stilat. **2.** de cea mai bună calitate. **II.** *s.* **1.** remarcă inteligentă. **2.** persoană agreabilă; lucru agreabil.

niggard ['nigəd] *s., adj.* **1.** zgârcit. **2.** meschin.

niggardly ['nigədli] *adj., adv.* meschin.

nigger ['nigə] *s.* **1.** negru. **2.** *perior.* cioroi *(fig.).* || *to work like a* ~ a trudi din greu.

niggle ['nigl] *vi.* a se ocupa cu fleacuri, a-şi pierde timpul cu nimicuri.

nigh [nai] *înv. poet.* **I.** *adv.* **1.** în apropiere, în preajmă. **2.** aproape. **II.** *prep.* lângă. **III.** *adj.* apropiat, alăturat. **IV.** *vi. înv.* a se apropia.

night [nait] **I.** *s.* **1.** noapte. **2.** seară (târzie). **3.** întuneric *(şi fig.).* || *by* ~ pe întuneric; *at* ~ la lăsarea întunericului; noaptea; seara (târziu); *last* ~ aseară; astă-noapte; *to make a* ~ *of it* a chefui până la ziuă. **II.** *adj.* **1.** de noapte, nocturn. **2.** seral.

night-bird ['naitbə:d] *s.* pasăre de noapte *(şi fig.).*

night-cap ['naitkæp] *s.* **1.** scufie. **2.** păhărel băut înainte de culcare.

night-club ['naitklʌb] *s.* local de noapte.

night-dress ['naitdres] *s.* cămaşă de noapte.

nightfall ['naitfɔ:l] *s.* căderea nopţii.

nightgown ['naitgaun] *s.* cămaşă de noapte (femeiască).

night hawk ['nait hɔ:k] *s.* **1.** *ornit.* caprimulg *(Caprimulgus europaeus).* **2.** prostituată, pasăre de noapte. **3.** birjar de noapte. **4.** *amer.* şofer de taxi care lucrează noaptea.

nightingale ['naitiŋgeil] *s. ornit.* privighetoare *(Luscinia luscinia).*

nightly ['naitli] **I.** *adj.* **1.** nocturn, de noapte. **2.** de fiecare noapte. **II.** *adv.* **1.** noapte, în timpul nopţii. **2.** în fiecare noapte.

nightmare ['naitmeə] *s.* coşmar *(şi fig.).*

night-school ['naitsku:l] *s.* şcoală serală.

nightshade ['naitʃeid] *s. bot.* zârnă *(Solanum nigrum).* || *black / common* ~ măselariţă, nebunariţă *(Hyoscyanus niger); deadly* ~ beladonă, mătrăgună *(Atropa belladona).*

night shirt ['naitʃə:t] *s.* cămaşă de noapte *(bărbătească).*

nightwalker ['nait‚wɔ:kə] *s.* somnambul.

night watch ['nait'wɔtʃ] *s.* gardă de noapte; persoană care face de gardă. || *in the* ~*es* în nopţile de veghe.

night-watchman ['nait'wɔtʃmən] *s. pl.* **night-watchmen** ['nait'wɔtʃ‚-mən] paznic de noapte.

nihilism ['naiilizəm] *s.* nihilism.

nil [nil] *s.* **1.** nimic. **2.** zero.

nimble ['nimbl] *adj.* **1.** iute. **2.** activ. **3.** ager (la minte).

nimbly ['nimbli] *adv.* agil, sprinten.

nimbus ['nimbəs] *s.* **1.** nimb. **2.** nor nimbus.

nincompoop ['ninkəmpu:p] *s.* zevzec, nătăfleaţă, fleţ.

nine [nain] *s., num.* nouă.

ninepins ['nainpinz] *s. pl.* popice.

nineteen ['nain'ti:n] *s., num.* nouăsprezece. || *to talk* ~ *to the dozen* a vorbi ca o moară stricată.

nineteenth ['nain'ti:nθ] *num.* al nouăsprezecelea.

ninetieth ['naintiiθ] *num.* al nouăzecilea.

ninety ['nainti] *s., num.* nouăzeci. || *the nineties* deceniul al zecelea *(al vieţii, al unui secol).*

ninny ['nini] *s.* găgăuţă, prostănac.

ninth [nainθ] *num.* al nouălea.

nip [nip] **I.** *s.* **1.** muşcătură. **2.** pişcătură. **3.** duşcă, înghiţitură (de alcool). || *there is a* ~ *in the air* pişcă gerul; miroase a iarnă. **II.** *vt.* **1.** a ciupi. **2.** a muşca. **3.** a distruge. **4.** a fura. || *to* ~ *off* a reteza; *to* ~ *in the bud* a înăbuşi în faşă. **III.** *vi.* **1.** a muşca, a ciupi. **2.** a fi muşcător. || ~ *along!* grăbeşte-te!; *to* ~ *in* a o lua înaintea cuiva; a se băga în vorbă.

nipper ['nipə] *s.* **1.** puşti, copilandru. **2.** *pl.* cleşte.

nipping ['nipiŋ] *adj.* **1.** muşcător. **2.** tăios. **3.** aspru. **4.** îngheţat.

nipple ['nipl] *s.* **1.** ţâţă. **2.** sfârcul sânului. **3.** biberon.

nippy ['nipi] **I.** *adj.* **1.** (d. vânt) aspru, tăios, înţepător. **2.** *fam.* dezgheţat, descurcăreţ, abil, priceput. **II.** *s. fam.* chelneriţă, ospătăriţă.

Nirvana [niə'va:nə] *s. rel.* nirvana.

nit [nit] *s.* lindine.

nitrate ['naitreit] *s.* nitrat.

nitre ['naitə] *chim.* **I.** *s.* salpetru, azotat de potasiu. **II.** *vt.* a nitra.

nitric ['naitrik] *adj.* azotic.

nitrification [‚naitrifai'keifn] *s. chim.* nitrificare.

nitrogen ['naitridʒən] *s.* azot.

nitrogenous [nai'trɔdʒinəs] *adj. chim.* azotic.

nitro-glycerine ['naitroglisə'ri:n] *s.* nitroglicerină.

nitrous ['naitrəs] *adj. chim.* azotos.

nitwit ['nitwit] *s. amer. sl.* sărac cu duhul; prostănac, neghiob.

nix [niks] **I.** *pron. sl.* nimic; nimeni.|| *for* ~*es* pe degeaba, gratis. **II.** *interj. sl.* şase! păzea!

Nizam[nai'zæm] *s.* **1.** Nizam *(titlul regilor din Haiderabad, India)*. **2.** *nizam sing. şi pl.* soldat în armata turcă.

NNE *abrev. north north-east* nord nord-est.

NNW *abrev. north north-west* nord nord-vest.

no [nou] **I.** *s. pl.* **noes** [nouz] **1.** negaţie. **2.** refuz. **3.** vot negativ. || *the noes have it* moţiunea, proiectul, propunerea s-a respins. **II.** *adj.* nici un, nici o. || ~ *smoking* fumatul interzis; ~ *doubt* fără îndoială; ~ *end of* foarte mulţi; ~ *one* nimeni; *in* ~ *time* imediat; ~ *wonder that* nu e de mirare că; *it's* ~ *go* n-are rost; ~ *such thing* nici vorbă de aşa ceva; nimic în genul ăsta; *by* ~ *means* în nici un caz; câtuşi de puţin; *he is* ~ *fool* nu e prost deloc; *ştie (el) ce face; there is* ~ *getting away* nu e nici o scăpare. **III.** *adv.* **1.** nu. **2.** deloc; câtuşi de puţin. || ~ *more* nu mai; niciodată; *whether or* ~ fie că da, fie că nu; ~ *sooner had he come than the telephone rang* nici n-a intrat bine pe uşă că a şi sunat telefonul; ~ *sooner said than done* zis şi făcut.

Noah's ark ['nouəzɑːk] *s.* arca lui Noe.

nob [nɔb] *s. argou* **1.** cap; căpăţână. **2.** ştab, boier, (mare) mahăr.

nobble ['nɔbl] *vt. sl.* **1.** a otrăvi *(un cal, pentru a-l face să piardă cursa).* **2.** a mitui; a-şi asigura bunăvoinţa *(cuiva).* **3.** a înşela. **4.** a fura, a şterpeli. **5.** a prinde *(un delincvent etc.).* **6.** a omorî, a ucide.

nobility [nɔ'biliti] *s.* **1.** nobleţe. **2.** nobilime.

noble ['noubl] **I.** *s.* nobil. **II.** *adj.* **1.** nobil *(şi fig.).* **2.** splendid. **3.** măreţ. **4.** uluitor.

nobleman ['nɔblmən] *s.* nobil, gentilom; pair *(în Anglia).*

nobleness ['noublnis] *s.* **1.** nobleţe (sufletească). **2.** generozitate, mărinimie. **3.** măreţie, grandoare.

noblesse oblige [nə'bles ɔ'bliːʒ] *s. (folosit ca expresie sau interj.)* noblesse oblige, privilegiul presupune responsabilitate.

nobody ['noubdi] **I.** *s.* oarecare. || *he is a* ~ e un tip oarecare; e un om obscur. **II.** *pron.* nimeni.

nock [nɔk] **I.** *s.* **1.** adâncitură, crestătură, scobitură *(la capătul arcului, pentru a fixa coarda).* **2.** *mar.* colţ de învergare. **II.** *vt.* **1.** a cresta, a scobi. **2.** a întinde coarda unui arc.

nocturnal [nɔk'təːnl] *adj.* nocturn.

nocturne ['nɔktəːn] *s.* **1.** *muz.* nocturnă. **2.** *artă* scenă *sau* efect de noapte.

nod [nɔd] **I.** *s.* **1.** semn din cap. **2.** încuviinţare (din cap). **3.** salut. **4.** poruncă. **5.** aţipeală, somnolenţă. **II.** *vt.* **1.** a încuviinţa (din cap). **2.** a spune printr-un gest, a face semn din cap. **III.** *vi.* **1.** a da din cap, a încuviinţa. **2.** a saluta. **3.** a moţăi. **4.** a se clătina.

nodding acquaintance ['nɔdiŋə-'kweintns] *s.* **1.** cunoştinţă din vedere / de bună ziua.

noddle ['nɔdl] **I.** *s. fam.* cap, dovleac, tărtăcuţă. **II.** *vt.* a da mereu din cap, a clătina capul.

noddy ['nɔdi] *s. sl.* prost, prostănac, neghiob.

node [noud] *s.* **1.** nod. **2.** nodul. **3.** umflătură.

nodule ['nɔdjuːl] *s.* **1.** nodul, nod. **2.** *med.* nodul, ganglion. **3.** *geol.* concreţiune, pungă; nodulă; geodă. **4.** *agr.* nodozitate.

noel [nou'el] *s.* **1.** colind(ă); cântec de Crăciun. **2.** *Noel* Crăciun.

noggin ['nɔgin] *s.* **1.** ulcică. **2.** cinzeacă *(măsură de capacitate pentru băuturi, egală cu 0,12 – 0,14l).*

Noh [nou] *s.* teatru No(h), teatru tradiţional japonez.

nohow ['nouhau] *adv. reg.* **1.** cu nici un chip, nicicum. **2.** prost dispus. || *I am feeling all* ~ nu mă simt în apele mele, nu-mi sunt boii acasă.

noise [nɔiz] **I.** *s.* zgomot. **II.** *vt.* **1.** a răspândi. **2.** a colporta.

noiseless ['nɔizlis] *adj.* **1.** fără zgomot. **2.** tăcut.

noiselessly ['nɔizlisli] *adv.* fără zgomot.

noisily ['nɔizili] *adv.* cu zgomot, zgomotos.

noisome ['nɔisəm] *adj.* **1.** dăunător. **2.** supărător. **3.** puturos. **4.** greţos.

noisy ['nɔizi] *adj.* zgomotos.

nomad ['nɔməd] *s.* nomad.

nomadic(al) [nou'mædik(əl)] *adj.*

1. nomad, migrator. **2.** hoinar, vagabond.

no man's land ['noumænzlænd] *s. mil.* ţara nimănui.

nom de plume ['nɔm də 'pluːm] *s.* pseudonim.

nomenclature [nou'menklətʃə] *s.* **1.** nomenclatură. **2.** terminologie. **3.** denumire, nume.

nominal ['nɔminl] *adj.* **1.** nominal. **2.** simbolic. **3.** mic.

nominalism ['nɔminəlizəm] *s. filoz.* nominalism.

nominalist ['nɔminəlist] *s. filoz.* nominalist.

nominally ['nɔminəli] *adv.* **1.** doar cu numele. **2.** simbolic.

nominate ['nɔmineit] *vt.* **1.** a propune *(un candidat).* **2.** a numi.

nomination [,nɔmi'neiʃn] *s.* **1.** numire. **2.** propunere (de candidaţi).

nominative ['nɔmnətiv] *s., adj.* nominativ.

nominee [,nɔmi'niː] *s.* candidat propus.

non- [nɔn] *prefix* ne-, non-.

nonage ['nounidʒ] *s.* imaturitate; minoritate.

nonagenarian [,nounədʒi'neəriən] *adj., s.* nonagenar.

non-belligerent ['nɔnbi'lidʒərnt] *adj.* nebeligerant.

nonce [nɔns] *s.: for the* ~ ad-hoc; momentan.

nonchalance ['nɔnʃələns] *s.* **1.** nepăsare, indiferenţă; răceală. **2.** lipsă de grijă, neglijenţă.

nonchalant ['nɔnʃlənt] *adj.* placid.

nonchalantly ['nɔnʃələntli] *adv.* nepăsător, cu indiferenţă.

non-combatant ['nɔn'kɔmbətnt] *s.* **1.** necombatant. **2.** civil.

non-commissioned ['nɔnkə'miʃənd] *adj.* fără gradul de ofiţer.

non-commissioned officer ['nɔnkə'miʃnd'ɔfisə] *s.* **1.** subofiţer, gradat. **2.** plutonier.

non-committal ['nɔnkə'mitl] *adj.* **1.** care nu te angajează (la nimic). **2.** prudent. **3.** vag.

non-conductor [,nɔn kən'dʌktə] *s. fiz.* rău conducător, neconductor, izolator.

nonconformist ['nɔnkən'fɔːmist] *s., adj.* **1.** neconformist. **2.** eretic. **3.** rebel.

nonconformity ['nɔnkən'fɔːmiti] *s.* **1.** nepotrivire. **2.** dezacord. **3.** non-conformism. **4.** erezie. **5.** eretici.

nondescript ['nɔndiskript] **I.** *s.* **1.** ciudăţenie. **2.** om ciudat. **II.** *adj.* **1.** ciudat. **2.** greu de definit.

none [nʌn] **I.** *pron.* **1.** nici unul. **2.** nimic. || ~ *of that!* încetează!; ~ *but* numai. **II.** *adv.* **1.** nu prea. **2.** deloc || ~ *the less* cu toate acestea; *he is ~ the worse for it* asta i-a folosit, n-a avut nimic de pierdut prin asta.

nonentity [no'nentiti] *s.* **1.** neființă. **2.** nulitate. **3.** neisprăvit.

non-essential ['noni'senʃəl] **I.** *adj.* neesențial, neimportant. **II. 1.** fleac, nimic, moft. **2.** persoană neînsemnată.

nonesuch ['nʌnsʌtʃ] *adj., s.* v. **nonsuch.**

non-fiction [,non'fikʃn] *s.* literatură nebeletristică, lucrări literare bazate pe realitate.

non-intervention ['non,intə(:)'venʃn] *s.* neintervenție.

non-metallic [nonmi'tælik] *adj.* nemetalic.

nonny ['noni] *s. sl.* prostovan, prostănac.

nonpareil ['nonpərel] **I.** *adj.* fără seamăn, fără pereche, incomparabil. **II.** *s.* **1.** ființă *sau* lucru incomparabil. **2.** *poligr.* corp de litere de 6 puncte; nonpareil.

non-partisan ['non,pa:ti'zæn] *s.* **1.** persoană care stă în afara partidelor. **2.** persoană imparțială / nepărtinitoare.

non-party [,non 'pa:ti:] *adj.* nepartinic.

non-payment ['non'peimənt] *s.* neplată, refuz de a plăti.

nonplus ['non'plʌs] *vt.* **1.** a ului. **2.** a pune în încurcătură.

non-resident ['non'rezidənt] **I.** *adj.* flotant, pasager, în trecere. **II.** *s.* persoană care nu locuiește într-o localitate; preot care nu are o parohie proprie sau venituri proprii.

nonsense ['nonsns] *s.* **1.** prostii. **2.** fleacuri. **3.** nonsens.

nonsensical [non'sensikl] *adj.* **1.** fără sens. **2.** stupid. **3.** aiurit.

non-sequitur [,non'sekwitə] *s.* **1.** *log., jur.* non sequitur, concluzie care nu derivă pe cale logică din premise. **2.** *jur.* aprox. decizie de neurmărire.

non-skid ['nonskid] **I.** *adj.* antiderapant. **II.** *s.* dispozitiv împotriva derapării roților.

non-starter [,non 'sta:tə] *s.* **1.** persoană fără importanță / neînsemnată. **2.** lucru / idee care nu merită atenție; fleac.

non-stick [non 'stik] *adj. gastr.* neaderent, care nu se lipește.

non-stop ['non'stop] *adj., adv.* fără

oprire, 24 de ore din 24.

nonsuch ['non-sʌtʃ] **I.** *adj.* v. **nonpareil** I. **II.** *s.* v. **nonpareil** II.1.

non-union ['non'ju:niən] **I.** *adj.* nesindicalist. || *to employ ~ labour* a angaja muncitori nesindicalizați. **II.** *s. med.* nesudură *(a unei fracturi).*

noodle[1] ['nu:dl] *s.* **1.** găgăuță. **2.** *pl.* tăiței.

noodle[2] ['nu:dl] *vt.* a acorda *(un instrument, executând cu titlu de încercare fragmente de arii).*

nook [nuk] *s.* **1.** colț. **2.** cotlon.

noon [nu:n] *s.* amiază.

noonday ['nu:ndei] *s.* amiază, miezul zilei, plină zi. || *(as) clear as ~* clar ca lumina zilei; *at ~* ziua în amiaza mare.

no one ['nouwʌn] *pron.* nimeni.

noontide ['nu:ntaid] *s.* v. **noonday.**

noose [nu:s] **I.** *s.* **1.** laț. **2.** ștreang. || *to put one's head in the ~* a-și băga capul în ștreang. **II.** *vt.* **1.** a prinde, a găbji. **2.** a înnoda *(un laț).*

nor [no:] *conj.* nici. || *neither... ~... nici...nici...; ~ can I* și nici (eu) n-aș putea.

Nordic ['no:dik] *s., adj.* nordic.

norm [no:m] *s.* **1.** normă. **2.** tipar. **3.** standard.

normal ['no:ml] *s., adj.* **1.** normal. **2.** firesc. **3.** obișnuit.

normally ['no:məli] *adv.* **1.** în mod firesc. **2.** normal. **3.** de obicei.

Norman ['no:mən] *s., adj.* normand.

Norse [no:s] **I.** *s.* **1.** norvegian(ă). **2.** scandinav(ă). **3.** (limba) scandinavă veche. **II.** *adj.* **1.** norvegian(ă). **2.** scandinav(ă).

Norseman ['no:smən] *s. pl.* **Norsemen** ['no:smən] *ist.* **1.** norvegian. **2.** vechi scandinav; viking.

North, north [no:θ] **I.** *s.* nord. **II.** *adj.* nordic, de nord. **III.** *adv.* spre nord.

north-east ['no:θ'i:st] **I.** *s.* nord-est. **II.** *adj.* de nord-est. **III.** *adv.* spre nord-est.

north-easterly [no:θ'i:stəli] **I.** *adj.* **1.** situat la nord-est. **2.** care suflă de la nord-est. **II.** *adv.* la nord-est, către nord-est.

north-eastern [no:θ'i:stən] *adj.* nord-estic.

north-eastward [no:θ'i:stwəd] **I.** *adv.* în direcția nord-est. **II.** *adj.* situat în direcția nord-est. **III.** *s.* nord-est.

northerly ['no:ðəli] *adj.* **1.** nordic. **2.** de nord.

northern ['no:ðən] *adj.* nordic.

northerner ['no:ðnə] *s.* nordic.

northern lights [,no:ðən'laits] *s.* aurora boreală.

northernmost ['no:ðənmoust] *adj.* cel mai nordic, de la extremitatea nordică.

Northman ['no:θmən] *s. pl.* **Northmen** ['no:θmən] **1.** nordic. **2.** scandinav. **3.** norvegian. **4.** viking.

North Star [,no:θ'sta:] *s.* Steaua Polară.

northward [,no:θ'wəd] *adj., adv.* spre nord.

north-west [,no:θ'west] **I.** *s.* nord-vest. **II.** *adj.* nord-vestic. **III.** *adv.* spre nord-vest.

north-westerly [,no:θ'westli] **I.** *adj.* nord-vestic. **II.** *adv.* în direcția nord-vest.

north-westward [no:θ'westwəd] **I.** *adv.* în direcția nord-vest. **II.** *adj.* situat în direcția nord-vest. **III.** *s.* nord-vest.

Norwegian [no:'wi:dʒən] *s.* **1.** norvegian(ă). **2.** (limba) norvegiană.

nose [nouz] **I.** *s.* **1.** nas *(și fig.).* **2.** *bot.* vârf. || *to follow one's ~* a merge drept înainte; *to keep one's ~ to the grindstone* a munci fără răgaz; *to pay through the ~* a plăti cât nu face; *to poke one's ~ into smth.* a-și băga nasul într-o chestiune; *to turn up one's ~ at* a strâmba din nas la; *as plain as the ~ on one's face* limpede ca lumina zilei. **II.** *vt.* **1.** a mirosi. **2.** a adulmeca. **3.** a căuta *(calea).* || *to ~ out* a descoperi; a mirosi. **III.** *vi.* **1.** a adulmeca. **2.** a se amesteca.

nose-dive ['nouzdaiv] *s.* picaj.

nosegay ['nouzgei] *s.* buchet.

nostalgia [nos'tældʒiə] *s.* nostalgie.

nostril ['nostrl] *s.* nară.

nostrum ['nostrəm] *s.* **1.** medicament brevetat. **2.** *fig.* panaceu, remediu universal. **3.** *peior.* plan politic utopic.

nosy ['nouzi] *adj. fam.* **1.** năsos. **2.** curios, iscoditor. **3.** urât mirositor. **4.** *(d. ceai)* aromat.

not [not] *adv.* nu. || *I believe ~* cred că nu; *as likely as ~* probabil; după câte știu eu; *once* adesea; *~ a few* destui; *~ to be thought of* nu intră în discuție; *~ that* nu că; *~ half bad* strașnic, grozav.

notable ['noutəbl] I. *s.* **1.** persoană importantă. **2.** *pl.* notabilități. II. *adj.* **1.** remarcabil. **2.** memorabil.

notably ['noutəbli] *adv.* **1.** în mod remarcabil, deosebit. **2.** îndeosebi; foarte.

notary ['noutəri] *s.* notar.

notation [no'teiʃn] *s.* **1.** notație. **2.** notare. **3.** notă.

notch [nɔtʃ] I. *s.* **1.** crestătură. **2.** *geogr.* chei. II. *vt.* a cresta.

note [nout] I. *s.* **1.** notă. **2.** notiță. **3.** însemnare. **4.** bilețel, scrisoare. **5.** comentariu. **6.** clapă (la pian etc.). **7.** bancnotă. **8.** poliță. **9.** semn, urmă. **10.** faimă. **11.** atenție. || *to strike the right ~* a vorbi în asentimentul tuturor; *to strike a false ~* a călca cu stângul; *take ~ of* fii atent la. II. *vt.* **1.** a nota. **2.** a observa. **3.** a da atenție la.

note-book ['noutbuk] *s.* caiet *sau* carnet de note.

note case ['noutkeis] *s.* **1.** portofel. **2.** portvizit.

noted ['noutid] *adj.* celebru.

note of exclamation ['noutəv-ˌeksklə'meiʃn] *s.* semn de exclamație.

note of interrogation ['noutəv-inˌterə'geiʃn] *s.* semn de întrebare.

note-paper ['noutˌpeipə] *s.* hârtie de scrisori.

noteworthy ['noutwəːði] *adj.* remarcabil.

nothing ['nʌθiŋ] I. *pron.* nimic. || *~ much* nu prea (mult); *for ~* gratis; degeaba; inutil; *to come to ~* a eșua; a da greș; *to make ~ of* a nu înțelege; a nu lua în seamă; a nu profita; *I have heard ~ of him* n-am primit nici o veste de la el; *to say ~ of* ca să nu mai vorbim de; pe lângă; *to think ~ of* a nu aprecia. II. *adv.* **1.** deloc. **2.** câtuși de puțin.

nothingness ['nʌθiŋnis] *s.* **1.** nimicnicie. **2.** neființă.

notice ['noutis] I. *s.* **1.** anunț. **2.** avertisment. **3.** aviz. **4.** observație. **5.** preaviz. **6.** notiță. **7.** recenzie; cronică. || *to take ~ of* a băga în seamă; *at short ~* pe nepregătite; fără preaviz; fără anunț prealabil. II. *vt.* **1.** a observa. **2.** a remarca. **3.** a fi politicos cu. **4.** a lua în seamă. **5.** a recenza. III. *vi.* **1.** a fi atent. **2.** a băga de seamă.

noticeable ['noutisəbl] *adj.* **1.** remarcabil. **2.** perceptibil.

noticeably ['noutisəbli] *adv.* vizibil, perceptibil, sensibil.

notifiable ['noutifaiəbl] *adj.* (d. unele boli infecțioase) care trebuie să fie înregistrat *sau* declarat.

notification [ˌnoutifi'keiʃn] *s.* **1.** notificare. **2.** informație. **3.** anunț.

notify ['noutifai] *vt.* **1.** a anunța. **2.** a declara (o naștere etc.).

notion ['nouʃn] *s.* **1.** noțiune. **2.** idee. **3.** habar. **4.** *pl. amer.* mercerie. || *to have no ~ of smth.* a nu avea habar de ceva.

notional ['nouʃnl] *adj.* **1.** *filoz.* speculativ, abstract. **2.** imaginar, închipuit, fantastic.

notoriety [ˌnoutə'raiəti] *s.* **1.** notorietate. **2.** faimă proastă.

notorious [no'tɔːriəs] *adj.* notoriu.

notorilously [nou'tɔːriəsli] *adv.* în mod notoriu.

notwithstanding [ˌnɔtwið'stændiŋ] I. *adv.* totuși. II. *prep.* în ciuda (cu gen.).

nougat ['nuːgɑː] *s.* nuga.

nought [nɔːt] I. *s.* **1.** nimic. **2.** zero. || *to come to ~* a se duce de râpă; *to bring to ~* a distruge; *to set at ~* a sfida; a înfrunta; a disprețui (primejdia etc.).

noun [naun] *s.* substantiv.

nourish ['nʌriʃ] *vt.* **1.** a hrăni. **2.** *fig.* a nutri.

nourishment ['nʌriʃmənt] *s.* hrană.

nous [naus] *s.* **1.** *filoz.* nous, intelect, rațiune. **2.** *fam.* bun simț; pricepere, istețime; simț practic.

nova ['nouvə], *pl.* **novae** ['nouviː] *sau* **novas** [nouvəz] *s.* **1.** *astr.* nova. **2.** noutate.

novel ['nɔvl] I. *s.* roman. II. *adj.* **1.** nou. **2.** neobișnuit.

novelette [ˌnɔvə'let] *s.* **1.** nuvelă, istorioară, roman scurt. **2.** *muz.* romanță.

novelist ['nɔvəlist] *s.* romancier.

novelty ['nɔvlti] *s.* noutate.

November [no'vembə] *s.* noiembrie.

novena [nə'viːnə] *s. rel.* novenă, rugăciuni în ritualul romano-catolic, ce durează nouă zile.

novice ['nɔvis] *s.* **1.** novice. **2.** începător.

noviciate [nou'viʃiit] *s.* **1.** *bis.* noviciat, perioadă de inițiere a novicilor. **2.** *bis.* noviciat; locul unde sunt inițiați novicii. **3.** *bis.* novice.

now [nau] I. *adv.* **1.** acum. **2.** imediat. **3.** apoi. || *by ~* între timp, până acum *sau* atunci; *up to ~, until ~* până acum ; *from ~ on* de acum înainte; *~ and*

again sau then când și când; *now... now...* când... când...; *just ~* adineauri; momentan. II. *conj.: ~ that* acum că; dat fiindcă.

nowadays ['nauədeiz] *adv.* **1.** în zilele noastre. **2.** acum. **3.** astăzi.

noway(s) ['nouwei(z)] *adv.* v. **nowise**.

nowhere ['nouweə] *adv.* nicăieri.

nowise ['nouwaiz] *adv.* cu nici un chip, în nici un caz, nicidecum.

noxious ['nɔkʃəs] *adj.* **1.** dăunător. **2.** otrăvit.

nozzle ['nɔzl] *s.* gură de furtun.

NSPCC *abrev.* *National Society for the Prevention of Cruelty to Children* Societatea națională de protecție/ocrotire a copiilor.

NSW *abrev.* *New South Wales* stat în Australia.

nuance [nju:'ɑːns] *s.* nuanță.

nub [nʌb] *s.* **1.** *rar* cucui. **2.** bucățică, bulgăre mic. **3.** *amer., fam.* poantă; sare (a unei istorisiri etc.).

nubile ['njuːbail] *adj.* **1.** (d. vârstă) nubil. **2.** (d. femei) nubilă; de măritat.

nuclear ['njuːkliə] *adj.* nuclear, atomic.

nucleate I. ['njuːklieit] *vt.* a organiza atomii. II. ['njuːkliit] *adj.* v. **nuclear**.

nuclei ['njuːkliai] *s. pl. de la* **nucleus**.

nucleus ['njuːkliəs] *s. pl.* **nuclei** ['njuːkliai] nucleu.

nude [njuːd] *s., adj.* nud.

nudge [nʌdʒ] I. *s.* ghiont. II. *vt.* a înghionti.

nudist ['njuːdist] *s.* nudist.

nugatory ['njuːgətri] *adj.* **1.** fără importanță, neînsemnat. **2.** nul, fără valoare; neeficace.

nugget ['nʌgit] *s.* pepită (de aur).

nuisance ['njuːsns] *s.* **1.** supărare. **2.** pacoste.

null [nʌl] *adj.* **1.** nul. **2.** depășit (fig.).

nullification [ˌnʌlifi'keiʃn] *s.* anulare, abrogare; suprimare, anihilare.

nullify ['nʌlifai] *vt.* a anula.

nullity ['nʌliti] *s.* **1.** *jur.* nulitate, invaliditate; caducitate (a unui legat etc.). || *to declare an act a ~* a declara un act nul. **2.** nulitate. || *a ~* o nulitate, un om fără valoare; *to shrink to ~* a se reduce la zero.

numb [nʌm] I. *adj.* **1.** amorțit. **2.** țeapăn. II. *vt.* **1.** a amorți. **2.** a copleși. **3.** a împietri.

number ['nʌmbə] I. s. număr. || *back* ~ număr vechi (de ziar); *iron.* om ruginit / demodat, lucru vechi, edec; *in* ~ ca *sau* la număr; *to the* ~ *of* în număr de; ~ *one* subsemnatul; interesul personal. II. *vt.* 1. a număra. 2. a se ridica la. 3. a socoti.

numberless ['nʌmbəlis] *adj.* nenumărat.

numbness ['nʌmnis] *s.* 1. paralizare, înțepenire. 2. toropeală. 3. amorțire, *(de frig).*

numeral ['nju:mrl] *s.* numeral.

numerate ['nju:mərət] *adj.* care cunoaşte elemente fundamentale de aritmetică.

numeration [nju:mə'reiʃn] *s.* numărătoare.

numerator ['nju:məreitə] *s.* numărător.

numerical [nju:'merikl] *adj.* numeric.

numerous ['nju:mrəs] *adj.* numeros.

numismatic [,nju:miz'mætik] *adj.* numismatic.

numismatics [,nju:miz'mætiks] *s. pl. (cu verbul la sing.)* numismatică.

numskull ['nʌmskʌl] *s.* tâmpit.

nun [nʌn] *s.* călugăriță.

nuncio ['nʌnʃiou] *s.* 1. nunțiu papal. 2. *înv.* sol, mesager.

nun-like ['nʌnlaik] *adj.* (ca) de călugăriță.

nunnery ['nʌnəri] *s.* 1. mănăstire (de maici). 2. călugărie. 3. călugărițe.

nuptial ['nʌpʃl] *adj.* nupțial.

nurse [nə:s] I. *s.* 1. dădacă. 2. guvernantă. 3. doică. 4. infirmieră, soră de caritate. 5. *fig.* patrie. II. *vt.* 1. a alăpta. 2. a îngriji. 3. a cocoli. 4. a nutri *(fig.).* 5. a da atenție la. || *to* ~ *a cold* a sta în casă pentru a-ți îngriji răceala.

nurseling ['nə:sliŋ] *s.* 1. copil de țâță. 2. pui (de animal). 3. răsad.

nurse maid ['nə:s meid] *s.* dădacă.

nursery ['nə:sri] *s.* 1. camera copiilor. 2. creşă. 3. crescătorie, pepinieră *(şi fig.).*

nurseryman ['nə:srimən] *s. pl.* **nurserymen** ['nə:srimən] grădinar *(într-o pepinieră).*

nursery rhymes ['nə:sri'raimz] *s.* poezii (absurde) pentru copii.

nursling ['nə:sliŋ] *s. v.* **nurseling.**

nurture ['nə:tʃə] I. *s.* 1. hrană. 2. învățătură. 3. îngrijire. II. *vt.* 1. a hrăni. 2. a îngriji. 3. a educa; a creşte.

nut [nʌt] *s.* 1.nucă. 2. alună. 3. piuliță. 4. cap. 5. filfizon. 6. nebun (v. **nuts**). || *a hard* ~ *to crack* o chestiune complicată; un tip dificil.

nutation [nju:'teiʃn] *s.* 1. înclinare a capului. 2. *astr.* nutație.

nut-brown ['nʌtbraun] *adj.* 1. maro, de culoarea alunei. 2. brunet, oacheş.

nut-cracker(s) ['nʌt,krækə(z)] *s.* spărgător de nuci.

nuthatch ['nʌthætʃ] *s. ornit.* 1. pasăre din familia *Sittidae.* 2. țiclean, țoi *(Sitta europaea).*

nutmeg ['nʌtmeg] *s.* nucşoară.

nutmeg tree ['nʌtmegtri:] *s. bot.* nucşoară *(Myristica fragrans).*

nutria ['nju:triə] *s. zool.* nutria *(Myocastor)*

nutrient ['nju:triənt] *adj.* nutritiv, hrănitor.

nutriment ['nju:trimənt] *s.* hrană; alimentație.

nutrition [nju'triʃn] *s.* 1. hrană. 2. hrănire.

nutritious [nju'triʃəs] *adj.* hrănitor.

nutritive ['nju:tritiv] I. *adj.* 1. hrănitor, nutritiv. 2. de nutriție, de alimentare. II. *s.* element nutritiv.

nuts [nʌts] *adj., sl.* 1. țicnit. 2. înnebunit. || *to be* ~ *on* a fi mort după.

nutshell ['nʌtʃel] *s.* coajă de nucă. || *in a* ~ în câteva cuvinte.

nutter ['nʌtə] *s. sl.* nebun, țăcănit, aiurit.

nutting ['nʌtiŋ] *s.* culesul nucilor *sau* al alunelor. || *to go* ~ a se duce la cules de nuci *sau* alune.

nutty ['nʌti] *adj.* 1. cu gust de nucă. 2. trăsnit, țicnit.

nux vomica [,nʌks 'vɔmikə] *s. bot.* turta-lupului *(Strychnos nux vomica).*

nuzzle ['nʌzl] I. *vt.* (d. câini etc.) a adulmeca, a mirosi. II. *vi.* 1. (d. câini etc.) a adulmeca, a mirosi. 2. a râma; a scormoni cu botul. 3. **(into)** a-şi băga nasul (în). 4. a se cuibări; a se aciuia; a-şi face culcuşul.

nylon ['nailən] I. *adj.* (de) nailon;. II. *s.* 1. nailon. 2. *pl.* ciorapi de nailon.

nymph [nimf] *s.* nimfă.

nympho ['nimfou] *s. amer.* nimfomană, femeie veşnic nesătulă.

nymphomaniac [,nimfou'meiniək] *s. med.* nimfomană, femeie care suferă de insatisfacție sexuală.

nymphomania [,nimfou'meiniə] *s. med.* nimfomanie.

NZ *abrev. New Zeeland* Noua Zeelandă.

O

O [ou] I. *s.* (litera) O,o. II. *interj.* 1. a!; oh!. 2. vai!

oaf [ouf] *pl.* **oafs** [oufs] *sau* **oaves** [ouvz] *s.* 1. *mit.* copil de iele. 2. copil diform *sau* idiot. 3. idiot, prostănac; bleg.

oak [ouk] *s. bot.* stejar *(Quercus).*

oaken ['oukn] *adj.* de stejar.

oakum ['oukəm] *s.* câlți.

oar [ɔ:] *s.* 1. vâslă. 2. vâslaş. || *to rest on one's* ~s a lăsa jos uneltele; a se opri din lucru.

oarlock ['ɔ:lɔk] *s. amer. mar.* furchet, furcă.

oarsman ['ɔ:zmen], *pl.* **oarsmen** ['ɔ:zmən] *s.* vâslaş.

oasis [ou'eisis], *pl.* **oases** [ou'eisi:z] *s.* oază *(şi fig.).*

oat(s) [out(s)] *s.* ovăz. || *to sow one's wild* ~s a-şi face de cap în tinerețe.

oaten ['outn] *adj.* 1. de ovăz; de făină de ovăz. 2. de pai de ovăz.

oath [ouθ] *s. pl.* **oaths** [ouðz] 1. jurământ. 2. promisiune. 3. înjurătură. 4. blestem.

oatmeal ['outmi:l] *s.* 1. fulgi de ovăz. 2. fiertură (de cereale).

obbligato [ɔbli'gɑ:tou] *s. muz.* obligato.

obduracy ['ɔbdjurəsi] *s.* îndărătnicie, încăpățânare; inflexibilitate, neînduplecare; asprime; îndârjire.

obdurate ['ɔbdjurit] *adj.* **1.** încăpăţânat. **2.** împietrit.

OBE *abrev. Officer of the Order of the British Empire* Ofiţer al Ordinului Imperiului Britanic.

obedience [ə'bi:djəns] *s.* **1.** supunere. **2.** ascultare.

obedient [ə'bi:djənt] *adj.* **1.** ascultător. **2.** supus.

obediently [ə'bi:diəntli] *adj.* ascultător, supus. || *(în scrisori)* yours ~ al dumneavoastră supus.

obeisance [o'beisns] *s.* **1.** plecăciune. **2.** *fig.* omagiu.

obelisk ['ɔbilisk] *s.* obelisc.

obelus ['ɔbiləs], *pl.* **obeli** ['ɔbilai] *s.* semn *(care indică un cuvânt apocrif sau face trimitere la o notă marginală).*

obese [ou'bi:s] *adj.* obez, gras; burtos, pântecos.

obesity [ou'bi:siti] *s.* obezitate, grăsime.

obey [ə'bei] **I.** *vt.* **1.** a asculta de. **2.** a se supune la. **3.** a executa. **II.** *vi.* a fi supus.

obfuscate ['ɔbfʌskeit] *vt.* **1.** a întuneca *(mintea, lumina).* **2.** a zăpăci, a ului.

obituary [ə'bitjuəri] **I.** *s.* necrolog. **II.** *adj.* necrologic.

object[1] ['ɔbdʒikt] *s.* **1.** obiect. **2.** subiect. **3.** scop. **4.** *gram.* complement.

object[2] [əb'dʒekt] **I.** *vt.* a obiecta. **II.** *vi.* **1.** a obiecta (la). **2.** a protesta. **3.** a se revolta. **4.** a avea oroare (de).

objectify [əb'dʒektifai] *vt.* a obiectiva; a concretiza.

objection [əb'dʒekʃn] *s.* **1.** obiecţie. **2.** supărare. **3.** împotrivire. **4.** obstacol.

objectionable [əb'dʒekʃnəbl] *adj.* **1.** criticabil, care ridică obiecţii; nepotrivit. **2.** neplăcut. **3.** nedorit. **4.** nesuferit. **5.** condamnabil.

objective [əb'dʒektiv] **I.** *s.* **1.** obiectiv. **2.** (cazul) obiectiv *sau* acuzativ. **II.** *adj.* **1.** obiectiv. **2.** real. **3.** impersonal.

objector [əb'dʒektə] *s.* **1.** protestatar; persoană care obiectează. || *conscientious* ~ bărbat care (din motive etice) refuză să facă serviciul militar.

objurgate ['ɔbdʒə:geit] *vt.* a mustra, a dojeni.

objurgation [,ɔbdʒə:'geiʃn] *s.* mustrare, dojană.

oblate ['ɔbleit] **I.** *s.* persoană dedicată vieţii monahale. **II.** *adj.* **1.** *bis.* dedicat vieţii monahale. **2.** turtit *(la poli).*

oblation [ə'bleiʃn] *s.* **1.** *bis.* jertfă, ofrandă *(lui Dumnezeu).* **2.** *bis.* jertfirea pâinii şi vinului la slujbă. **3.** danie, dar.

obligate ['ɔbligeit] *vt.* **1.** a obliga *sau* a lega prin contract. **2.** *fam.* a sili, a constrânge.

obligation [ɔbli'geiʃn] *s.* obligaţie.

obligatory [ɔ'bligətri] *adj.* obligatoriu.

oblige [ə'blaidʒ] *vt.* **1.** a obliga *(şi fig.).* **2.** a fi amabil cu. **3.** a îndatora.

obliging [ə'blaidʒiŋ] *adj.* îndatoritor.

oblique [ə'bli:k] *adj.* oblic.

obliquity [ə'blikwiti] *s.* oblicitate, înclinare.

obliterate [ə'blitəreit] *vt.* **1.** a distruge. **2.** a şterge. **3.** a îndepărta.

oblivion [ə'bliviən] *s.* uitare. || *to fall / to sink into* ~ a fi uitat; a cădea în desuetudine.

oblivious [ə'bliviəs] *adj.* **1.** neatent. **2.** uituc. || *to be* ~ *of* a uita de.

oblong [ɔ'blɔŋ] **I.** *s.* dreptunghi. **II.** *adj.* alungit.

obloquy ['ɔblɔkwi] *s.* **1.** defăimare; calomnie, bârfeală. **2.** ocară, necinste; reputaţie proastă.

obnoxious [əb'nɔkʃəs] *adj.* **1.** nesuferit. **2.** supărător. **3.** neplăcut. **4.** scârbos. **5.** dăunător.

oboe ['oubou] *s. muz.* oboi.

obscene [əb'si:n] *adj.* **1.** obscen. **2.** indecent. **3.** imoral.

obscenity [əb'si:niti] *s.* obscenitate, pornografie, neruşinare.

obscure [əb'skjuə] **I.** *adj.* **1.** neclar. **2.** întunecos. **3.** obscur. **4.** umil. **II.** *vt.* **1.** a întuneca. **2.** a ascunde.

obscurity [əb'skjuəriti] *s.* **1.** întuneric. **2.** neclaritate.

obsequies ['ɔbsikwiz] *s. pl.* **1.** funeralii. **2.** înmormântare.

obsequious [əb'si:kwiəs] *adj.* servil, slugarnic, obscevios.

obsequiousness [əb'si:kwiəsnis] *s.* slugărnicie, servilitate.

observable [əb'zə:vəbl] *adj.* **1.** observabil. **2.** perceptibil. **3.** remarcabil.

observance [əb'zə:vns] *s.* **1.** respectare. **2.** sărbătorire. **3.** ceremonie.

observant [əb'zə:vnt] *adj.* (**of**) **1.** atent, respectuos (faţă de). **2.** cu respectul *(legii etc.).*

observation [,ɔbzə'veiʃn] *s.* **1.** observaţie; remarcă. **2.** observare, supraveghere.

observational [,ɔbzə(:)'veiʃnl] *s.* **1.** de observaţie. **2.** bazat pe observaţie. **3.** cuprinzând observaţii.

observatory [əb'zə:vətri] *s.* observator *(astronomic etc.).*

observe [əb'zə:v] **I.** *vt.* **1.** a respecta. **2.** a sărbători. **3.** a ţine. **4.** a asculta de. **5.** a observa. **6.** a studia. **II.** *vi.* a sta în contemplaţie.

observer [əb'zə:və] *s.* **1.** observator *(persoană).* **2.** cel care respectă *(legea etc.).*

obsess [əb'ses] *vt.* a obseda.

obsession [əb'seʃn] *s.* obsesie.

obsidian [əb'sidiən] *s. minr.* obsidian, sticlă vulcanică.

obsolescence [,ɔbsə'lesns] *s.* **1.** învechire, cădere în desuetudine, ieşire din uz. **2.** *biol.* atrofiere.

obsolescent [ɔbsə'lesnt] *adj.* **1.** *lingv. etc.* pe cale de a ieşi din uz, pe cale de dispariţie. **2.** desuet, demodat.

obsolete ['ɔbsəli:t] *adj.* **1.** demodat. **2.** *lingv. etc.* ieşit din uz, învechit. **3.** uzat. **4.** *biol.* atrofiat.

obstacle ['ɔbstəkl] *s.* obstacol.

obstetric(al) [əb'stetrik(l)] *adj.* obstetric; de mamoş.

obstetrician [ɔbste'triʃn] *s.* obstetrician; mamoş, moaşă.

obstetrics [əb'stetriks] *s. pl. (folosit ca sing.) med.* obstetrică.

obstinacy ['ɔbstinəsi] *s.* **1.** încăpăţânare, perseverenţă.

obstinate ['ɔbstinit] *adj.* **1.** încăpăţânat. **2.** hotărât. **3.** perseverent. **4.** persistent.

obstinately ['ɔbstinitli] *adv.* cu încăpăţânare, cu îndărătnicie.

obstreperous [əb'strepərəs] *adj.* **1.** zgomotos, gălăgios. **2.** neastâmpărat, nedisciplinat.

obstruct [əb'strʌkt] *vt.* **1.** a bloca, a obstrua. **2.** a împiedica. **3.** a opri.

obstruction [əb'strʌkʃn] *s.* **1.** obstrucţie. **2.** piedică. **3.** împiedicare.

obstructive [əb'strʌktiv] **I.** *adj.* **1.** care astupă, blochează . **2.** *pol.* obstrucţionist. **II.** *s.* **1.** *pol.* obstrucţionist. **2.** obstacol, piedică; obstrucţie.

obstrusive [əb'tru:siv] *adj.* băgăreţ.

obtain [əb'tein] I. *vt.* a obține. II. *vi.* 1. a fi la modă. 2. a se menține. 3. a câștiga teren.

obtainable [əb'teinəbl] *adj.* disponibil.

obtaining [əb'teiniŋ] *adj.* 1. curent. 2. la modă. 3. în creștere; din ce în ce mai frecvent. 4. care câștigă teren.

obtrude [əb'truːd] *vt.* 1. a forța. 2. a băga (ceva) pe gât cu de-a sila (cuiva).

obtrusive [əb'truːsiv] *adj.* inoportun, supărător; băgăreț.

obtuse [əb'tjuːs] *adj.* obtuz.

obverse ['ɔbvəːs] I. *s.* 1. efigie (a unei monede, medalii) 2. revers, cealaltă latură a unei chestiuni. II. *adj.* 1. din față, exterior. 2. celălalt.

obviate ['ɔbvieit] *vt.* 1. a îndepărta. 2. a eluda. 3. a preveni; a o lua înainte (cu dat.).

obvious ['ɔbviəs] *adj.* evident.

obviously ['ɔbviəsli] *adv.* clar, limpede, vădit.

obviousness ['ɔbvjəsnis] *s.* caracter vădit / limpede / evident.

OC *abrev.* Officer Commanding ofiter comandant.

ocarina [,ɔkə'riːnə] *s. muz.* ocarină.

occasion [ə'keiʒn] I. *s.* 1. prilej. 2. motiv. || *on this ~* cu această ocazie; *to rise to the ~* a face față (onorabil) situației; *to take ~ to say* a profita de prilej pentru a spune. II. *vt.* 1. a prilejui. 2. a produce.

occasional [ə'keiʒənl] *adj.* 1. întâmplător. 2. ocazional.

occasionally [ə'keiʒnəli] *adv.* ocazional, câteodată; sporadic; eventual.

Occident ['ɔksidnt] *s.* 1. occident, vest.

occidental [,ɔksi'dentl] *adj.* occidental, vestic, de apus / vest.

occipital [ɔk'sipitl] *adj. anat.* occipital.

occiput ['ɔksipʌt] *s. anat.* occiput.

occlude [ə'kluːd] *vt.* 1. a astupa, a închide (pori, un orificiu). 2. a îngrădi, a închide (o trecere); a exclude. 3. *chim.* a absorbi (gaze).

occlusion [ə'kluːʒən] *s.* 1. astupare. 2. *chim.* absorbție (de gaze). 3. *med.* ocluziune.

occult [ə'kʌlt] *adj.* 1. ascuns. 2. misterios. 3. supranatural.

occupancy ['ɔkjupənsi] *s.* 1. ocupare; luare în posesie. 2.

jur. posesiune în virtutea dreptului primului ocupant.

occupant ['ɔkjupənt] *s.* ocupant.

occupation [,ɔkju'peiʃn] *s.* ocupație.

occupational [,ɔkju(ː)'peiʃnl] *adj. amer.* profesional, de profesie.

occupier ['ɔkjupaiə] *s.* 1. ocupant. 2. locatar. 3. arendaș.

occupy ['ɔkjupai] *vt.* a ocupa.

occur [ə'kəː] *vi.* 1. a se întâmpla. 2. a se produce. 3. a surveni. 4. a se afla. || *it occurred to him that* i-a trecut prin minte că.

occurrence [ə'kʌrns] *s.* 1. întâmplare. 2. eveniment.

ocean ['ouʃn] *s.* ocean (și fig.).

Oceanian [,ouʃi'einiən] I. *adj.* al Oceaniei. II. *s.* locuitor al Oceaniei.

oceanic ['ouʃi'ænik] *adj.* 1. oceanic, de ocean. 2. *Oceanic* v. **Oceanian**.

oceanography [,ouʃiə'nɔgrəfi] *s.* oceanografie.

ocelot ['ousilɔt] *s. zool.* ocelot, pisică-tigru (Felis pardalis).

ochre ['oukə] *s.* 1. *geol.* ocru; limanit. 2. (culoare) ocru.

o'clock [ə'klɔk] *adv.* oră (anumită). || *four ~* ora patru.

octagon ['ɔktəgən] *s.* octogon.

octagonal [ɔk'tægənəl] *adj. geom.* octogonal.

octahedron ['ɔktə'hedrn], *pl.* **octahedrons** ['ɔktə'hedrnz] *sau* **octahedra** ['ɔktə'hedrə] *s.* octaedru.

octave *s.* 1. ['ɔktiv] *muz.* octavă. 2. *metr.* octavă, opt versuri. 3. grup de opt (lucruri etc.). 4. octavă, ultima paradă în scrimă. 5. *bis.* octavă, săptămâna care urmează unei sărbători; a opta zi după o sărbătoare. 6. butoi cu vin (de aproximativ 60 litri).

octavo [ɔk'teivou] *s. poligr.* format în octavo.

octet(te) [ɔk'tet] *s.* 1. *muz.* octet. 2. *metr.* opt versuri (mai ales primele opt versuri dintr-un sonet).

octroi ['ɔktrwɑː] *s.* 1. *ist.* acciz. 2. vama orașului. 3. vameși.

October [ɔk'toubə] *s.* octombrie.

octogenarian [,ɔktoudʒi'nɛəriən] I. *adj.* octogenar. II. *s.* octogenar, persoană de 80 de ani.

octopus ['ɔktəpəs] *s. zool.* caracatiță (Octopus sp.).

ocular ['ɔkjulə] *adj.* ocular.

oculist ['ɔkjulist] *s.* doctor de ochi, oculist.

odd [ɔd] *adj.* 1. impar. 2. desperecheat. 3. suplimentar; în plus. 4. întâmplător. 5. sporadic. 6. ciudat. || *~ man out* cel rămas fără pereche; *thirty ~ years* peste 30 de ani.

oddity ['ɔditi] *s.* ciudățenie.

odd jobs ['ɔdd 'ʒɔbz] *s. pl.* 1. munci, lucrări diverse. 2. treburi mărunte.

oddly ['ɔdli] *adv.* ciudat, straniu *sau* caraghios. || *~ enough* oricât de ciudat s-ar părea.

odds [ɔdz] *s. pl.* 1. șanse. 2. raport de forțe. 3. argumente pro și contra. 4. diferență *sau* proporție la pariuri etc. 5. handicap. || *~ and ends* resturi; mărunțișuri, fleacuri; amestecătură; *it makes no ~* nu e mare diferență; n-are importanță; *what's the ~?* ce contează?; *to be at ~s with* a fi certat cu.

ode [oud] *s.* odă.

odious ['oudjəs] *adj.* 1. oribil. 2. urâcios. 3. odios.

odo(u)r ['oudə] *s.* 1. miros. 2. reputație. 3. favoare.

odoriferous [,oudə'rifərəs] *adj.* 1. înmiresmat, parfumat, îmbălsămat. 2. mirositor.

odorous ['oudərəs] *adj.* v. **odoriferous**.

Odyssey ['ɔdisi] *s.* odisee.

Oedipus ['iːdipəs] *s. fig.* Oedip, dezlegător de enigme.

o'er ['ouə] *adv., prep. poet.* v. **over**.

oesophagus [iː'sɔfəgəs], *pl.* **oesophagi** [iː'sɔfəgai] *sau* **oesophaguses** [iː'sɔfəgəsiz] *s. anat.* esofag.

of [əv,ɔv] *prep.* 1. al, a, ai, ale. 2. de. 3. din. 4. de (la). 5. din (partea). 6. la.

off [ɔ(ː)f] I. *adj.* 1. din afară. 2. lateral. 3. în plus. 4. din dreapta. 5. gata. 6. stins. 7. plecat. 8. improbabil. 9. stricat. 10. bolnav. 11. liber. 12. liniștit. II. *adv.* 1. deoparte; la distanță. 2. la o parte. 3. pe de lături. 4. desprins. 5. *teatru* v. **offstage**. 6. *cin.* din off, din afara cadrului; fără să fie văzut. || *on and ~* din când în când; intermitent. III. *prep.* 1. de pe. 2. de la. 3. alături de. 4. mai puțin de. || *~ duty* (în timpul) liber; când nu e de serviciu; *~ the mark* alături de țintă (și fig.); *~*

colour veştejit; arătând prost; ~ *one's head* ţicnit.

offals ['ɔflz] *s. pl.* **1.** gunoi. **2.** deşeuri. **3.** resturi.

offence [ə'fens] *s.* **1.** infracţiune. **2.** delict. **3.** crimă. **4.** ofensă; jignire. **5.** supărare. **6.** atac, o-fensivă. || *to take* ~ a se ofen-sa.

offend [ə'fend] **I.** *vt.* **1.** a supăra. **2.** a jigni. **3.** a ofensa. **4.** a necăji. **II.** *vi.* **1.** a greşi. **2.** a comite o infracţiune.

offender [ə'fendə] *s.* infractor.

offensive [ə'fensiv] **I.** *s.* **1.** ofen-sivă. **2.** atac. **II.** *adj.* **1.** supă-rător. **2.** dezagreabil. **3.** jignitor. **4.** ofensiv.

offensiveness [ɔ:'fensivnis] *s.* **1.** caracter supărător / neplăcut. **2.** caracter jignitor / ofensator.

offer ['ɔfə] **I.** *s.* **1.** ofertă. **2.** propunere. **II.** *vt.* **1.** a oferi. **2.** a propune. **3.** a întinde. **4.** a acorda. **5.** a da. **6.** a încerca. **7.** a manifesta. || *to* ~ *battle / resistance* a se împotrivi, a opune rezistenţă. **III.** *vi.* **1.** a se produce. **2.** a se prezenta. **IV.** *vr.* a se oferi.

offering ['ɔfriŋ] *s.* **1.** oferire. **2.** dar. **3.** ofertă. **4.** contribuţie. **5.** pomană. **6.** jertfă.

offertory ['ɔfətri] *s.* **1.** ofertoriu. **2.** colectă *(în timpul slujbei).*

offhand ['ɔ:'hænd] **I.** *adj.* **1.** im-provizat. **2.** nepoliticos; repezit. **II.** *adv.* **1.** pe nepregătite. **2.** im-provizat. **3.** repezit.

office ['ɔfis] *s.* **1.** serviciu; slujbă. **2.** instituţie. **3.** birou. **4.** guvernământ. || *to take* ~ a veni la putere; a intra în ser-viciu.

office-boy ['ɔfisbɔi] *s.* băiat de serviciu.

office-holder ['ɔfis,houldə] *s.* **1.** funcţionar. **2.** demnitar. **3.** ofiţer.

officer ['ɔfisə] **I.** *s.* **1.** funcţionar; persoană oficială, demnitar. **2.** *mil.* ofiţer; *pl.* ofiţeri, cadre ofiţereşti. || ~ *of the day* ofiţer de serviciu; *billeting* ~ ofiţer cu încartiruirea. **3.** *(mai ales police* ~*)* poliţist, sergent (de stradă). **4.** *mar.* secund. **II.** *vt. (mai ales la part. trec.)* **1.** *mil.* a prevedea cu cadre ofiţereşti. **2.** a coman-da, a conduce.

official [ə'fiʃl] **I.** *s.* **1.** demnitar. **2.** funcţionar. **II.** *adj.* **1.** oficial. **2.** ceremonios.

officialese [ə,fiʃə'li:z] *s. fam.* stil sau limbaj oficial.

officially [ə'fiʃəli] *adv.* oficial.

officiate [ə'fiʃieit] *vi.* a oficia.

officious [ə'fiʃes] *adj.* serviabil.

offing ['ɔfiŋ] *s.* largul mării. || *in the* ~ aproape de ţărm; *fig.* în perspectivă (apropiată).

offset ['ɔ:fset] **I.** *s. poligr.* tipar înalt, ofset. **II.** *vt.* **1.** a compen-sa. **2.** a contrabalansa.

offshoot ['ɔ:fʃu:t] *s.* mlădiţă *(şi fig.).*

off-shore ['ɔ:fʃɔ:] *adj., adv.* **1.** dinspre ţărm. **2.** în larg, departe de ţărm. **3.** peste ocean.

offside ['ɔ:f'said] *adj., adv. sport* **1.** dincolo de apărători. **2.** în / din ofsaid.

offspring ['ɔ:fspriŋ] *s.* **1.** odraslă. **2.** progenitură. **3.** copii.

offstage ['ɔf'steidʒ] *adj., adv. teatru* în / din culise.

oft [ɔ(:)ft] *adv. înv., poet.* adesea, deseori.

often ['ɔ:fn, 'ɔft(ə)n] *adv.* adesea, de multe ori.

oft-times ['ɔ(:)ftaimʒ] *adv. poet.* v. **often.**

ogee ['oudʒi:] *s.* **1.** *arhit.* ciubuc, mulură. **2.** linie în formă de S.

ogive ['oudʒaiv] *s.* **1.** *arhit.* ogivă; boltă ogivală. **2.** *mil.* vârf de proiectil. **3.** *statistică* curbă de frecvenţă.

ogle [ougl] **I.** *vt.* **1.** a sorbi din ochi. **2.** a ochi. **II.** *vi.* a face ochi dulci.

ogre ['ougə] *s.* căpcăun *(şi fig.).*

oh [ou] **I.** *interj. (exprimă nenumărate atitudini)* oh! ah! vai! a! of! **II.** *s.* (un) oh! ah! **III.** *vi.* a exclama „oh"! „ah"! *etc.*

ohm [oum] *s. el.* ohm.

OHMS *abrev. On Her / His Majesty's Service* în serviciul Majestăţii Sale.

oho [o'hou] *interj.* aha!

oil [ɔil] **I.** *s.* **1.** ulei. **2.** untdelemn. **3.** ţiţei, petrol. **4.** *pl. artă* ulei, culori. || *to pour* ~ *on the flames* a turna gaz peste foc; *to strike* ~ a da de petrol; *fig.* a se îmbogăţi peste noapte. **II.** *vt.* a unge (cu ulei). || *to* ~ *the wheels fig.* a unge carul; *to* ~ *a person's palm* a unge / a mitui pe cineva.

oil-cake ['ɔilkeik] *s.* turtă de floarea soarelui.

oil-can ['ɔilkæn] *s.* **1.** bidon de ulei. **2.** pompă de ulei.

oil-cloth ['ɔilklɔθ] *s.* **1.** muşama. **2.** linoleum.

oil-colours ['ɔil,kʌləz] *s. pl. artă* culori în ulei.

oiler ['ɔilə] *s.* **1.** tanc petrolier. **2.** pompă de ulei.

oil-field ['ɔilfi:ld] *s.* teren petro-lifer.

oil-painting ['ɔil'peintiŋ] *s.* pictură în ulei.

oilskin ['ɔilskin] *s.* **1.** muşama. **2.** pânză impermeabilă. **3.** haine impermeabile.

oil-well ['ɔilwel] *s.* puţ petrolifer; sondă.

oily ['ɔili] *adj.* **1.** uleios. **2.** murdar. **3.** *fig.* mieros, onctuos.

ointment ['ɔintmənt] *s.* unsoare, alifie.

O.K. ['ou'kei] *interj.* bine! bun! (e) în regulă! s-a făcut!

okay *interj., adj.* v. **O.K.**

okra ['ɔkrə] *s. bot.* **1.** plantă cu păstăi comestibile, originară din Africa *(Hibiscus esculen-tus).* **2.** păstăile acestei plante.

old [ould] **I.** *s.* vechime, trecut. || *the* ~ bătrânii. **II.** *adj. comp.* **older** *sau* **elder** (vezi), *superl.* **the oldest** *sau* **the eldest** (vezi). **1.** vechi. **2.** bătrân. **3.** trecut. **4.** demodat. **5.** învechit; de demult. **6.** înrăit, înveterat.

old age [,ould'eidʒ] *s.* bătrâneţe.

olden ['ouldn] *adj.* **1.** trecut. **2.** de demult.

old-fashioned [,ould'fæʃnd] *adj.* demodat, învechit, de modă veche.

Old Glory [,ould'glɔri] *s.* steagul american.

oldie ['ouldi] *s.* persoană în vârstă; lucru vechi.

oldish ['ouldiʃ] *adj.* **1.** bătrâior, destul de bătrân. **2.** cam vechi.

old-line [,ould'lain] *adj.* **1.** conser-vator. **2.** tradiţional.

old maid [,ould'meid] *s.* fată bătrână.

old man [,ould'mæn] *s.* **1.** bătrân. **2.** prieten. **3.** şef. **4.** căpitanul vasului. **5.** soţ.

old masters [,ould'mɑ:stəz] *s. pl.* **1.** marii pictori. **2.** picturi cele-bre (din istorie).

old soldier [,ould'souldʒə] *s.* **1.** vulpe bătrână *(fig.).* **2.** sticlă goală.

oldster ['ouldstə] *s. fam.* persoană în vârstă, moş; babă.

old-time [,ould 'taim] *adj.* de altădată; demodat, învechit.

old-timer [,ould 'taimə] *s. fam.* **1.**

persoană care a îmbătrânit în concepțiile de altădată. **2.** locuitor vechi.

old wives' tale [,ould'waivzteil] *s.* **1.** poveste băbească. **2.** superstiție.

old woman [ould'wumən] *s.* **1.** bătrână. **2.** nevastă. || *the* ~ nevastă-mea, consoarta.

Old World I. [,ould 'wɔːld] *s.* Lumea veche *(Europa, Asia, Africa).* II. *adj.* **1.** din lumea veche *(Europa, Asia, Africa).* **2.** *old world* vechi, de când lumea; străvechi; demodat.

oleander [,ouli'ændə] *s. bot.* oleandru *(Nerium sp.).*

olefin ['ouləfin] *s. chim.* olefină.

olester [ouli'æstə] *s. bot.* măslin sălbatic, salcie mirositoare, răchițică *(Elaeagnus angustifolia).*

O level [ou 'levəl] *abrev. Ordinary Level (în Anglia)* examen de absolvire a școlii primare *(cel mai de jos nivel de pregătire pentru care se eliberează un certificat de absolvire).*

olfactory [ɔl'fæktəri] I. *adj.* olfactiv. II. *s.* **1.** organ olfactiv, nas. **2.** miros.

oligarch ['ɔligɑːk] *s.* oligarh.

oligarchic(al) [,ɔli'gɑːkik(l)] *adj.* oligarhic.

oligarchy ['ɔligɑːki] *s.* oligarhie.

olive ['ɔliv] I. *s.* **1.** *bot.* măslin *(Olea europaea).* **2.** măsline. **3.** culoarea oliv. II. *adj.* **1.** măsliniu. **2.** oliv.

Olympiad [o'limpiæd] *s.* olimpiadă.

Olympian [ou'limpiən] I. *adj.* **1.** olimpian. **2.** grandios, impunător; plin de condescendență. II. *s.* olimpian, zeu grec.

Olympic [o'limpik] I. *adj.* olimpic. II. *s. pl.* olimpiadă, jocuri olimpice.

Olympic games [o'limpik'geimz] *s. pl.* jocuri olimpice, olimpiadă.

OM *abrev. (member of) the Order of Merit* (membru al) Ordinul(ui) de Merit.

omega ['oumigə] *s.* omega *(ultima literă din alfabetul grec) (și fig.).*

omelet(te) ['ɔmlit] *s.* omletă.

omen ['oumen] I. *s.* **1.** semn *(mai ales rău).* **2.** prevestire. II. *vt.* a (pre)vesti, a fi semn de.

ominous ['ɔminəs] *adj.* **1.** prevestitor de rău. **2.** nefavorabil. **3.** amenințător.

ominously ['ɔminəsli] *adv.* sinistru; neliniștitor, amenințător.

omission [o'miʃn] *s.* omisiune.

omit [o'mit] *vt.* **1.** a omite. **2.** a uita.

omni ['ɔmni] *(element de compunere)* omni-.

omnibus ['ɔmnibəs] I. *s.* **1.** omnibuz. **2.** autobuz. II. *adj.* **1.** variat. **2.** divers.

omnibus volume ['ɔmnibəs 'vɔljum] *s.* **1.** varia. **2.** volum cu conținut variat. **3.** selecție.

omnipotence [ɔm'nipətns] *s.* atotputernicie, omnipotență.

omnipotent [ɔm'nipətənt] *adj.* atotputernic, omnipotent.

omnipresence [,ɔmni'prezəns] *s.* omniprezență, ubicuitate.

omnipresent ['ɔmni'prezənt] *adj.* omniprezent, prezent pretutindeni, ubicuu.

omniscience [ɔm'nisiəns] *s.* atotștiință, cunoaștere a tuturor lucrurilor, omniscient.

omniscient [ɔm'nisiənt] *adj.* atotștiutor, omniscient.

omnivorous [ɔm'nivrəs] *adj.* **1.** omnivor. **2.** *fig.* ultrareceptiv.

on [ɔn] I. *adv.* **1.** înainte. **2.** în continuare. **3.** mai departe. **4.** aprins. **5.** în funcție. **6.** pe șine. **7.** anunțat. **8.** *(d. film, piesă)* pe afiș, pe ecrane. || *come* ~ haide(ți)!; ~ *and off* din când în când; ~ *and* ~ la nesfârșit; *to have nothing* ~ a fi dezbrăcat; *what's* ~? ce se petrece aici? ce program e?; *ce (film)* rulează? II. *prep.* **1.** pe. **2.** asupra *(cu gen.).* **3.** deasupra *(cu gen.).* **4.** la *(data de).* **5.** despre. **6.** lângă. **7.** împotriva *(cu gen.).* **8.** în. || ~ *time* punctual; ~ *the sly* în taină; pe furiș; șmecherește; ~ *no account* sub nici un motiv; *to sit* ~ *a committee* a fi membru într-un comitet, a face parte dintr-o comisie.

onager ['ɔnəgə], *pl.* **onagers** ['ɔnəgəz] *sau* **onagri** ['ɔnəgrai] *s. zool.* onagaș, măgar-sălbatic *(Equus onager).*

once [wʌns] I. *s.* dată. || *at* ~ imediat; *for (this)* ~ de data aceasta. II. *adv.* **1.** o dată. **2.** odinioară; cândva; || ~ *more / again* din nou; *all at* ~ deodată; laolaltă; ~ *in a while* când și când; *more than* ~ adeseori; *not* ~ niciodată; ~ *and for all* o dată pentru totdeauna; definitiv. III. *conj.* îndată ce.

on-coming ['ɔn,kʌmiŋ] I. *s.* **1.** venire. **2.** apropiere. **3.** invazie. II. *adj.* **1.** care se apropie. **2.** care înaintează.

OND *abrev. Ordinary National Diploma* diplomă națională obișnuită.

one [wʌn] I. *pron.* **1.** cineva. **2.** unul; una. **3.** același. **4.** se. || ~ *cannot do better* nu se poate face mai bine; ~ *another* unul pe altul; reciproc. II. *num.* **1.** unul; una. **2.** vreunul; || ~ *by* ~ unul câte unul; *I for* ~ eu, unul; *for* ~ *thing* în primul rând.

one-celled ['wʌn 'seld] *adj. biol.* unicelular, monocelular.

one-horse(d) ['wʌn 'hɔːs(t)] *adj.* **1.** cu un (singur) cal. **2.** de un cal putere. **3.** *sl.* sărăcăcios; fără importanță, neînsemnat.

one-legged ['wʌn 'legd] *adj.* **1.** cu un singur picior. **2.** *fig.* unilateral; inegal.

one-man ['wʌn 'mæn] *adj.* **1.** pentru o singură persoană, de un singur om. **2.** executat de un singur om. **3.** individual, personal.

oneness ['wʌnnis] *s.* unitate, unire; identitate; asemănare. **2.** singularitate.

one-piece ['wʌnpiːs] *adj.* dintr-o singură bucată.

onerous ['ɔnərəs] *adj.* **1.** împovărător. **2.** apăsător.

oneself [wʌn'self] *pron.* **1.** se. **2.** însuși.

one-sided ['wʌn'saidid] *adj.* unilateral.

onetime ['wʌntaim] *adj.* fost, de pe vremuri.

one-way ['wʌn 'wei] *adj. (d. stradă etc.)* cu sens unic.

ongoing ['ɔn,gouiŋ] I. *s.* **1.** progres, dezvoltare. **2.** *pl.* acțiuni; purtare. II. *adj. (și* **on-going)** **1.** în curs / desfășurare. **2.** în progres / dezvoltare. **3.** continuu, neîntrerupt.

onion ['ʌnjən] *s. bot.* ceapă *(Allium cepa).*

onlooker ['ɔn,lukə] *s.* **1.** spectator. **2.** privitor.

only ['ounli] I. *adj.* **1.** singur. **2.** unic. **3.** cel mai potrivit. II. *adv.* **1.** numai. **2.** pur și simplu. **3.** chiar. || ~ *just* numai și numai; *if* ~ numai dacă, o dacă! III. *conj.* **1.** numai că. **2.** afară doar de faptul că.

o.n.o. *abrev. or near offer* sau o ofertă asemănătoare.

onomatopoeia [ˌɔnomæto'piːə] s. onomatopee.

onrush ['ɔnrʌʃ] s. **1.** năvălire. **2.** năvală.

onset ['ɔnset] s. **1.** invazie. **2.** atac. **3.** năvală.

onshore ['ɔnʃɔː] adv. spre / către ţărm.

onslaught ['ɔnslɔːt] s. atac.

onto ['ɔntu] prep. pe.

ontology [ɔn'tɔlədʒi] s. filoz. ontologie.

onus ['ounəs] s. **1.** povară; sarcină; îndatorire; obligaţie. **2.** tehn. sarcină.

onward ['ɔnwəd] adj., adv. înainte.

onwards ['ɔnwəːdz] adv. înainte, mai departe; în continuare.

onyx ['ɔniks] s. minr. onix.

oodles ['uːdlz] s. pl. fam. puzderie; grămadă, berechet.

oof [uːf] s. sl. bani, bistari, avere.

oolite ['oulait] s. **1.** geol. oolit. **2.** minr. calcar oolitic.

ooze [uːz] **I.** s. mâl. **II.** vt. **1.** a emite. **2.** a scoate. **III.** vi. **1.** a se scurge. **2.** a se prelinge.

oozy ['uːzi] adj. **1.** nămolos, noroios. **2.** umed.

opacity [ou'pæsiti] s. **1.** opacitate; impermeabilitate, impenetrabilitate. **2.** întunecime; obscuritate, întuneric. **3.** fig. obscuritate; lipsă de claritate (în gândire); lipsă de inteligenţă, prostie.

opal ['oupl] s. opal.

opalescent [ˌoupə'lesənt] adj. opalescent, multicolor.

opaline ['oupəliːn] **I.** s. **1.** sticlă lăptoasă. **2.** minr. opalin. **II.** ['oupəlain] adj. v. **opalescent.**

opaque [o'peik] adj. **1.** opac. **2.** întunecos. **3.** tâmpit.

ope [oup] poet. **I.** vt. a deschide. **II.** adj. deschis, descuiat.

OPEC ['oupek] abrev. Organization of Petroleum Exporting Countries Organizaţia ţărilor exportatoare de petrol.

open ['oupn] **I.** s. deschidere. || in the ~ în aer liber; to come into the ~ a vorbi pe şleau. **II.** adj. **1.** deschis. **2.** sincer. **3.** liber. **4.** neacoperit. **5.** expus. **6.** desfăcut. **7.** gol. **8.** public. **9.** nerezolvat. || with ~ hands generos; with ~ arms cu entuziasm; to lay oneself ~ to a se expune la. **III.** vt. **1.** a deschide. **2.** a iniţia. **3.** a întinde. **4.** a începe; to ~ out a întinde; to ~ up a deschide larg. **IV.** vi. **1.** a se deschide. **2.** a începe. **3.** a se zări. || to ~ on to (d. fereastră etc.) a da spre.

open-air ['oupn'ɛə] adj. în aer liber.

open door [ˌoupn'dɔː] **I.** s. **1.** uşă / intrare deschisă (pentru toţi). **2.** econ. acces liber (pentru toate ţările). **II.** open-door adj. econ. liber, al uşilor deschise.

open-door policy [ˌoupn'dɔːˌpɔlisi] s. politică a libertăţii comerţului.

opener ['oupnə] s. **1.** deschizător. **2.** instrument de deschis.

open-faced [ˌoupn'feist] adj. cu faţa deschisă.

open-handed [ˌoupn'hændid] adj. mărinimos, darnic.

open-hearted [ˌoupn'haːtid] adj. **1.** sincer. **2.** generos.

opening ['oupniŋ] **I.** s. **1.** deschidere. **2.** deschizătură. **3.** introducere. **4.** poziţie iniţială. **5.** început, inaugurare. **II.** adj. **1.** de început. **2.** inaugural, de deschidere.

openly ['oupnli] adv. deschis, făţiş, pe faţă; în public; fără înconjur, pe şleau.

open-minded [ˌoupn'maindid] adj. **1.** lipsit de prejudecăţi. **2.** cu un orizont larg.

open-mouthed [ˌoupn'mauðd] adj. **1.** cu gura deschisă / căscată. **2.** lacom, avid, nesăţios. **3.** cu gura mare, gălăgios, zgomotos.

openness ['oupnnis] s. **1.** poziţie expusă (a unei regiuni etc.). **2.** candoare; francheţe, sinceritate. **3.** mărinimie, dărnicie, generozitate.

open shop [ˌoupn'ʃɔp] s. amer. întreprindere care oferă condiţii egale de salarizare muncitorilor sindicalizaţi şi nesindicalizaţi.

open weather [ˌoupn'weðə] s. vreme bună, frumoasă.

open work ['oupn wəːk] s. **1.** text. ajur. **2.** mine. exploatare la zi.

operable ['ɔprəbl] adj. **1.** practicabil, posibil. **2.** med. etc. operabil, care poate fi operat.

opera[1] ['ɔprə] s. operă (lirică).

opera[2] ['ɔprə] pl. de la **opus.**

opera-glasses ['ɔprəglaːsiz] s. pl. binoclu de teatru.

opera-hat ['ɔprəhæt] s. clac, joben.

opera-house ['ɔprəhaus] s. (teatru de) operă.

operate ['ɔpəreit] **I.** vt. **1.** a mânui. **2.** a conduce. **3.** a pune în funcţiune. **II.** vi. **1.** a opera. **2.** a funcţiona. **3.** a lucra. **4.** a conlucra.

operatic [ˌɔpə'rætik] adj. de operă.

operating-theatre ['ɔpəreitiŋ ˌθiətə] s. med. sală de operaţie.

operation [ˌɔpə'reiʃn] s. **1.** operaţie. **2.** funcţionare. **3.** vigoare. || in ~ în funcţiune; în vigoare; to come into ~ a intra în funcţiune / vigoare.

operative ['ɔpritiv] **I.** s. **1.** muncitor. **2.** mecanic. **II.** adj. **1.** operativ. **2.** eficient. **3.** în vigoare. **4.** operatoriu.

operator ['ɔpəreitə] s. **1.** operator. **2.** telefonistă, centralistă.

operetta [ˌɔpə'retə] s. operetă.

ophidian [ɔ'fidiən] zool. **I.** adj. ofidian. **II.** s. ofidian; şarpe.

ophthalmia [ɔf'θælmiə] s. med. oftalmie, conjunctivită.

ophthalmic [ɔf'θælmik] adj. med. oftalmic.

ophthalmology [ˌɔfθæl'mɔlədʒi] s. med. oftalmologie.

ophthalmoscope [ˌɔf'θælmouskoup] s. med. oftalmoscop.

opiate ['oupiit] s. **1.** sedativ. **2.** somnifer.

opine [o'pain] vt. a opina, a fi de părere (că).

opinion [ə'pinjən] s. **1.** părere, opinie. **2.** opinie publică. **3.** apreciere. || in my ~ după părerea mea.

opinionated [ə'pinjəneitid] adj. **1.** încăpăţânat. **2.** care ţine la părerea lui.

opium ['oupjəm] s. opiu.

opium den ['oupjəmden] s. tavernă de opiomani.

opossum [ə'pɔsəm] s. zool. oposum (Didelphis virginiana). || to play ~ sau possum a face pe mortul în păpuşoi.

opponent [ə'pounənt] **I.** s. adversar; oponent; rival. **II.** adj. opus, antagonist.

opportune ['ɔpətjuːn] adj. **1.** oportun. **2.** potrivit.

opportunism [ˌɔpə'tju(ː)nizm] s. oportunism.

opportunist [ˌɔpə'tjuːnist] s. oportunist.

opportunity [ˌɔpə'tjuːniti] s. **1.** prilej favorabil. **2.** şansă.

opposable [ə'pouzəbl] adj. **(to)** opozabil, care poate fi opus (cu dat.); care poate fi pus în faţa (cu gen.).

oppose [ə'pouz] vt. **1.** a se

împotrivi la. **2.** a compensa. **3.** a pune împotrivă.

opposite ['ɔpəzit] **I.** *s.* opus, contradictoriu. **II.** *adj.* **1.** opus, contrariu. **2.** de vizavi, de peste drum. | | *the house ~ (to ours)* casa de vizavi.

opposite number ['ɔpəzit,nʌmbə] *s.* **1.** perechea opusă. **2.** element corespunzător. **3.** omolog *(persoană)*.

opposition [,ɔpə'ziʃn] *s.* **1.** împotrivire. **2.** opoziție.

oppress [ə'pres] *vt.* **1.** a asupri. **2.** a apăsa. **3.** a chinui.

oppression [ə'preʃn] *s.* **1.** asuprire. **2.** nedreptate. **3.** acțiune arbitrară. **4.** apăsare.

oppressive [ə'presiv] *adj.* **1.** apăsător. **2.** aspru. **3.** chinuitor. **4.** asupritor.

oppressor [ə'presə] *s.* **1.** asupritor. **2.** tiran.

opprobrious [ə'proubriəs] *adj.* **1.** injurios, insultător. **2.** rușinos, infam, înjositor.

opprobrium [ə'proubriəm] *s.* rușine, ocară, necinste, oprobriu.

oppugn [ɔ'pju:n] *vt.* **1.** a obiecta la sau împotriva *(cu gen.)*, a contrazice, a pune la îndoială. **2.** *rar* a ataca; a lupta împotriva *(cu gen.)*. **3.** a se opune *(cu dat.)*, a rezista *(cu dat.)*.

opt [ɔpt] *vi. to ~ for* a opta, a se decide (pentru).

optic ['ɔptik] **I.** *adj.* optic, al ochiului; vizual. **II.** *s. iron.* ochi.

optical ['ɔptikl] *adj.* optic.

optician [ɔp'tiʃn] *s.* optician.

optics ['ɔptiks] *s. pl.* (folosit ca sing.) optică.

optimal ['ɔptiml] *adj.* optim.

optimism ['ɔptimizəm] *s.* **1.** optimism. **2.** veselie.

optimist ['ɔptimist] **I.** *s.* optimist. **II.** *adj. rar* v. **optimistic**.

optimistic [,ɔpti'mistik] *adj.* **1.** optimist. **2.** încurajator.

optimum ['ɔptiməm], **I.** *s. pl.* **optima** ['ɔptimə] *sau* **optimums** ['ɔptiməmz] condiție optimă. **II.** *adj.* optim, cel mai bun.

option ['ɔpʃn] *s.* **1.** opțiune. **2.** alegere. **3.** drept de preferință.

optional ['ɔpʃənl] *adj.* facultativ.

opulence ['ɔpjuləns] *s.* **1.** bogăție. **2.** abundență.

opulent ['ɔpjulənt] *adj.* **1.** bogat. **2.** abundent. **3.** luxuriant.

opus ['oupəs] *s. pl.* **opera** ['oup(ə)rə] opus, lucrare.

or [ɔ:] *conj.* sau. | | *either ... ~ ...* sau...sau..., fie...fie..., *whether*

... ~ *not* fie că...fie că nu; ~ *else* căci altfel; *a hundred ~ so* cam 100; *there ~ somewhere* cam pe acolo (pe undeva).

oracle ['ɔrəkl] *s.* oracol.

oracular [ɔ(:)'rækjulə] *adj.* **1.** oracular, profetic. **2.** dogmatic; dictatorial. **3.** echivoc, ambiguu. **4.** neclar, obscur.

oral ['ɔ:rl] *adj.* **1.** oral. **2.** verbal. **3.** vorbit. **4.** *anat.* oral, referitor la gură.

orang ['ɔræŋ] *s.* v. **orang-outan(g)**.

orange ['ɔrindʒ] **I.** *s.* **1.** portocală. **2.** *bot.* portocal (*Citrus sinensis*). **3.** portocaliu. **II.** *adj.* **1.** de portocală. **2.** portocaliu.

Orange ['ɔrindʒ] *s. ist.* dinastia de Orania.

orangeade ['ɔrindʒ'eid] *s.* oranjadă.

orang-outan(g) ['ɔ:rəŋ'u:tæŋ] *s. zool.* urangutan (*Pongo pygmaeus*).

orate [ɔ'reit] *vi. iron.* **1.** a ține un discurs interminabil. **2.** a face pe oratorul, a vorbi pompos / sforăitor.

oration [ɔː'reiʃn] *s.* **1.** orație. **2.** vorbire. **3.** urare.

orator ['ɔrətə] *s.* orator.

oratoric(al) [,ɔrə'tɔrik(l)] *adj.* oratoric; retoric.

oratorio [,ɔrə'tɔ:riou] *s.* oratoriu.

oratory ['ɔrətri] *s.* **1.** oratorie. **2.** retorică. **3.** capelă.

orb [ɔ:b] **I.** *s.* **1.** glob, sferă. **2.** *poet.* astru, stea, sferă *(cerească)*. **3.** *poet.* ochi. **4.** *mat., astr.* sferă; orbită; cerc; rotație. **5.** *astr.* corp ceresc. **6.** *astr.* zonă de influență *(a unei planete etc.)*. **7.** *fig.* lume, tot organizat. **8.** *înv.* pământ *(planetă)*. **II.** *vt.* **1.** a da formă rotundă / sferică *(cu dat.)*. **2.** *poet.* a încinge, a înconjura. **III.** *vi. rar* **1.** a se mișca în cerc. **2.** a se rotunji, a deveni rotund.

orb(it) ['ɔ:b(it)] *s.* orbită.

orbicular [ɔ:'bikjulə] *adj.* orbicular, circular, sferic.

orbital ['ɔ:bitəl] *adj.* orbital.

Orcadian [ɔ:'keidiən] **I.** *adj.* din insulele Orkney. **II.** *s.* locuitor al insulelor Orkney.

orchard ['ɔ:tʃəd] *s.* livadă.

orchardist ['ɔ:tʃədist] *s.* v. **orchardman**.

orchardman ['ɔ:tʃədmən] *s. pl.* **orchardmen** ['ɔ:tʃədmən] pomicultor.

orchestra ['ɔ:kistrə] *s.* **1.** orchestră. **2.** fosa orchestrei. **3.** fotolii de orchestră.

orchestral [ɔ:'kestrl] *adj.* orchestral.

orchestra stalls ['ɔ:kistrəstɔ:lz] *s. pl.* teatru fotolii (de orchestră); rezervat.

orchestrate ['ɔ:kistreit] *vt., vi.* a orchestra.

orchestration [,ɔ:kes'treiʃn] *s.* orchestrare.

orchid ['ɔ:kid] *s. bot.* orhidee *(Orchidaceae sp.)*.

ordain [ɔ:'dein] *vt.* **1.** a hirotonisi. **2.** a hotărî. **3.** a predestina. **4.** a stabili.

ordeal [ɔ:'di:l] *s.* **1.** chin, tortură. **2.** calvar. **3.** *ist.* verificarea nevinovăției prin tortură.

order ['ɔ:də] **I.** *s.* **1.** ordin. **2.** aranjament. **3.** sistem. **4.** orânduire; rânduială. **5.** disciplină. **6.** poruncă, ordin. **7.** *(mil. și com.)* comandă. **8.** mandat. **9.** cerere. **10.** scop. **11.** clasă. **12.** *pl.* autoritate ecleziastică. **13.** *pl.* haina preoției. | | *in ~* ordonat; *out of ~* dezordonat; stricat; în dezordine; *by ~ of* dinordinul *(cu gen.)*; *on ~* la cerere; *made to ~* de comandă; *in ~ to* pentru a; *in ~ that* ca să; *to take ~s* a intra în rândurile clerului, a se hirotonisi. **II.** *vt.* **1.** a porunci, a ordona. **2.** a comanda. **3.** a cere. **4.** a ordona; a rândui. **5.** a aranja. **6.** a conduce. | | *to ~ smb. about* a pune pe cineva la treabă; a ține pe cineva numai în ordine; *to ~ dinner* a alege meniul, a comanda mâncarea.

orderly ['ɔ:dəli] **I.** *s.* **1.** *mil.* ordonanță. **2.** sanitar. **3.** ofițer de ordonanță. **II.** *adj.* **1.** ordonat. **2.** în ordine. **3.** aranjat. **4.** liniștit. **5.** disciplinat.

orderly officer ['ɔ:dəli,ɔfisə] *s.* ofițer de serviciu.

ordinal ['ɔ:dinl] **I.** *s.* numeral ordinal. **II.** *adj.* ordinal.

ordinance ['ɔ:dinəns] *s.* **1.** ordin, decret, ordonanță. **2.** ceremonie, rit.

ordinarily ['ɔ:dinərili] *adv.* **1.** obișnuit. **2.** normal. **3.** de obicei.

ordinary ['ɔ:dnəri] **I.** *s.* **1.** normal, cotidian, condiții obișnuite. **2.** *bis.* tipic, rânduială, ritual. **3.** meniu fix / obișnuit, masă obișnuită. **4.** cârciumă obișnuită. | | *in ~* obișnuit; titular; în serviciu permanent / *mil.* regulat; *professor in ~ univ.* profesor titular; *out of the* ~ extraordinar; rar; excepţional. **II.** *adj.* **1.** obişnuit. **2.** normal. **3.** comun; ordinar. **4.** mediu. **5.** de rând.

ordinary level [ˌɔːdnəri'levl] *s.* v. **O level**.

ordinate ['ɔːdinit] *s. mat.* ordonată.

ordination [ˌɔːdi'neiʃn] *s. bis.* hirotonisire.

ordnance ['ɔːdnəns] *s.* **1.** artilerie (grea). **2.** arsenal.

ordure ['ɔːdjuə] *s.* **1.** excremente; băligar; gunoi; murdărie. **2.** *fig.* murdărie, destrăbălare. **3.** *fig.* vulgaritate, limbaj murdar.

ore [ɔː] *s.* minereu.

organ ['ɔːgən] *s.* **1.** organ. **2.** instrument. **3.** ziar. **4.** *muz. etc.* orgă. **5. (barrel** ~) flaşnetă.

organdie ['ɔːgəndi] *s. text.* organdi.

organ-grinder ['ɔːgənˌgraində] *s.* flaşnetar.

organic [ɔː'gænik] *adj.* organic.

organically [ɔː'gænikəli] *adv.* organic.

organism [ɔː'gənizəm] *s.* organism.

organist ['ɔːgənist] *s.* organist.

organization [ˌɔːgənai'zeiʃn] *s.* **1.** organizare. **2.** organizaţie.

organize ['ɔːgənaiz] *vt., vi.* a (se) organiza.

organizer ['ɔːgənaizə] *s.* organizator.

orgasm ['ɔːgæzm] *s.* **1.** *fiziol.* orgasm. **2.** paroxism *(de furie).*

orgy ['ɔːdʒi] *s.* orgie.

oriel ['ɔːriəl] *s. arh.* **1.** balcon închis. **2.** adâncitură; alcov. **3.** bovindou.

orient ['ɔːriənt] **I.** *s.* orient. **II.** *adj.* oriental. **III.** *vt.* a orienta.

oriental [ˌɔːri'entl] *s., adj.* oriental.

orientalist [ˌɔːri'entəlist] *s.* orientalist.

orientate ['ɔːrienteit] *vt.* a orienta (către răsărit).

orientation [ˌɔːrien'teiʃn] *s.* orientare, orientaţie.

orienteering [ˌɔːriən'tiəriŋ] *s. sport* orientare turistică.

orifice ['ɔːrifis] *s.* **1.** orificiu. **2.** deschizătură.

origami [ori'gɑːmi] *s.* origami, artă japoneză de a face figurine din hârtie, prin împăturire.

origanum [ou'rigənəm] *s. bot.* măghiran *(Origanum).*

origin ['ɔridʒin] *s.* **1.** origine. **2.** început.

original [ə'ridʒənl] **I.** *s.* (om) original. **II.** *adj.* **1.** original. **2.** iniţial; originar.

originality [əˌridʒi'næliti] *s.* originalitate.

originally [ə'ridʒənəli] *adv.* **1.** (în mod) original. **2.** la origine.

originate [ə'ridʒineit] **I.** *vt.* **1.** a iniţia. **2.** a inventa. **3.** a lansa. **4.** a produce. **II.** *vi.* a începe. || *to* ~ *in* sau *from* a se trage din; a decurge din; a proveni din.

originator [ə'ridʒineitə] *s.* **1.** autor. **2.** iniţiator, promotor.

oriole ['ɔːrioul] *s. ornit.* grangur(e) *(Oriolus oriolus).*

orison ['ɔrizən] *s. (mai ales pl.), poet.* rugăciune.

ormolu ['ɔːmɔluː] *s.* **1.** *met.* aliaj de cupru, plumb şi cositor pentru aurit; bronz întrebuinţat pentru mobilă; praf de aur pentru aurire. **2.** bronz aurit. **3.** mobilă decorată cu bronz aurit etc.

ornament ['ɔːnəmənt] **I.** *s.* podoabă; ornament. **II.** *vt.* a împodobi.

ornamental [ˌɔːnə'mentl] *adj.* ornamental.

ornamentation [ˌɔːnəmen'teiʃn] *s.* **1.** împodobire. **2.** ornamentaţie.

ornate [ɔː'neit] *adj.* **1.** împodobit. **2.** înflorit *(fig.).*

ornithological [ˌɔːniθə'lɔdʒikl] *adj.* ornitologic.

ornithologist [ˌɔːni'θɔlədʒist] *s.* ornitolog.

ornithology [ˌɔːni'θɔlədʒi] *s.* ornitologie.

orotund ['ɔroutʌnd] *adj.* **1.** sonor. **2.** bombastic, pompos, pretenţios.

orphan ['ɔːfn] **I.** *s., adj.* orfan. **II.** *vt.* a lăsa orfan.

orphanage ['ɔːfənidʒ] *s.* orfelinat.

Orphic ['ɔːfik] *adj.* **1.** *ist.* orfic. **2.** *şi orphic* profetic; tainic, mistic.

orrery ['ɔrəri] *s. astr.* planetariu.

orris-root ['ɔris 'ruːt] *s. bot.* rădăcina-de-micşunea (rădăcina plantei *Iris florentina*).

orthodox ['ɔːθədɔks] *adj.* **1.** ortodox. **2.** convenţional. **3.** aprobat. **4.** obişnuit.

orthodoxy ['ɔːθədɔksi] *s.* **1.** ortodoxie. **2.** conformism.

orthographic(al) [ˌɔːθə'græfik(l)] *adj.* ortografic.

orthography [ɔː'θɔgrəfi] *s.* ortografie.

orthopaedic [ˌɔːθou'piːdik] *adj. med.* ortopedic.

orthopaedics ['ɔːθoupiːdiks] *s. (folosit ca sing.) med.* ortopedie.

ortolan ['ɔːtələn] *s.* **1.** *ornit.* ortolan *(Emberiza hortulana).*

OS *abrev.* **1.** *Ordinary Seaman* marinar necalificat. **2.** *Ordinance Survey (în Anglia)* Direcţia cartografică de stat. **3.** *outsize* măsură mare.

oscar ['ɔːskə] *s. amer.* **1.** revolver, pistol. **2.** manechin *(pentru încercarea paraşutelor).* **3.** statuetă de aur decernată de Academia cinematografică din Hollywood, pentru realizări artistice remarcabile.

oscilator ['ɔsileitə] *s.* **1.** *fiz., telec.* oscilator. **2.** *telec.* heterodină.

oscillate ['ɔsileit] **I.** *vt.* a balansa. **II.** *vi.* a oscila *(şi fig.).*

oscillation [ˌɔsi'leiʃn] *s.* oscilaţie.

osier ['ouʒiə] *s.* **1.** *bot.* răchită, mlajă, lozie *(Salix viminalis).* **2.** (nuiele de) răchită.

osmosis [ɔz'mousis] *s.* osmoză.

osmotic [ɔz'mɔtik] *adj. fiz.* osmotic, de osmoză.

osprey ['ɔspri] *s. ornit.* **1.** vulturde-mare *(Pandion haliaetus).* **2.** egretă.

osseous ['ɔsiəs] *adj.* **1.** osos. **2.** de os.

ossification [ˌɔsifi'keiʃn] *s.* osificare.

ossify ['ɔsifai] **I.** *vt.* a osifica. **II.** *vi.* **1.** a se osifica, a se calcifica. **2.** a se împietri. **3.** *fig.* a se anchiloza.

ostensible [ɔs'tensəbl] *adj.* **1.** aparent. **2.** prefăcut, nesincer. **3.** de ochii lumii, de faţadă.

ostensibly [ɔs'tensəbli] *adv.* după spusele cuiva; după cât se pare, în aparenţă.

ostentation [ˌɔsten'teiʃn] *s.* **1.** ostentaţie. **2.** prefăcătorie.

ostentatious [ˌɔsten'teiʃəs] *adj.* **1.** ostentativ. **2.** ţipător.

ostentatiously ['ɔsten'teiʃəsli] *adv.* **1.** ostentativ, cu ostentaţie. **2.** cu fast / pompă.

osteopathy [ˌɔsti'ɔpəθi] *s. med.* osteopatie.

ostler ['ɔslə] *s.* grăjdar.

ostracism ['ɔstrəsizəm] *s.* ostracizare.

ostracize ['ɔstrəsaiz] *vt.* **1.** *ist.* a ostraciza. **2.** *fig.* a ostraciza, a surghiuni.

ostrich ['ɔstritʃ] *s.* struţ *(Struthio camelus).* || *to have the digestion of an* ~ a avea (un) stomac de struţ.

other ['ʌðə] I. *adj.* 1. alt. 2. diferit. 3. suplimentar. || *the ~ one* celălalt; *the ~ day* deunăzi; *some day or ~* cândva; *every ~ Thursday* din joi în joi, joia din două în două săptămâni; *every ~ day* din două în două zile; *on the ~ hand* pe de altă parte; *it was none ~ than Smith* era chiar Smith. II. *pron.* 1. altul. 2. un altul; *among ~s* printre altele; printre alții; *the ~* celălalt; *you cannot tell one from the ~* e greu să-i deosebești; *one after the ~* pe rând; unul după altul; *each ~* unul pe altul; reciproc; unul altuia. III. *adv.* altfel.

otherwise ['ʌðəwaiz] *adv.* 1. altfel. 2. în caz contrar. 3. în alte privințe. 4. făcând abstracție de asta / de toate acestea.

otiose ['ouʃious] *adj.* 1. inutil, fără rost. 2. *rar* neocupat, trândav.

otter ['ɔtə] *s. zool.* vidră, lutră *(Lutrinae sp.).*

Ottoman ['ɔtəmən] *s., adj.* otoman.

OU *abrev.* 1. *Open University* universitate deschisă. 2. *Oxford University* universitatea Oxford.

oubliette [,u:bli'et] *s.* închisoare subterană, temniță sub pământ.

ouch [autʃ] *interj.* au!

ought [ɔ:t] *v. mod.* 1. a se cuveni. 2. a avea obligația (morală) de a; a fi dator să. 3. a fi probabil să.

ounce ['auns] *s.* 1. uncie (28,35 gr.). 2. *fig.* dram.

our ['auə] *adj.* nostru.

Our Lady ['auə'leidi] *s.* Maica Domnului.

Our Lord ['auə'lɔ:d] *s.* Dumnezeu (Tatăl), Tatăl nostru. || *the prayer of ~~* (rugăciunea) Tatăl nostru.

ours ['auəz] *pron.* al nostru.

ourself [,auə'self] *pron.* v. **ourselves** *(folosit mai ales cu pluralul maiestății).*

ourselves [auə'selvz] *pron.* 1. ne. 2. înșine. 3. noi. || *by ~* singuri (singurei).

ousel ['u:zl] *s. ornit.* v. **ouzel**.

oust [aust] *vt.* a izgoni.

out[1] [aut] I. *s.: the ins and the ~s* guvernul și opoziția; detaliile. II. *vt.* a face knock out. III. *vi.* a ieși la iveală. IV. *adv.* 1. afară. 2. pe sfârșite. 3. în relief. 4. departe. 5. terminat, sfârșit. 6. limpede. 7. răspicat; (cu voce)

tare. 8. greșit. || *~ and away* de departe; *~ and ~* complet; extrem; *~ of* din (pricina); *~ of work* șomer; *~ of breath* cu sufletul la gură; *~ of control / hand* scăpat de sub control; *~ of one's mind* nebun, dement.

out[2] [aut] *(element de compunere)* din; extern; în exces; depășind.

out-and-out ['autənd'aut] I. *adj.* desăvârșit, absolut, categoric, intransigent. || *he is an ~ liar* e un mincinos fără pereche, minte de îngheață apele. II. *adv.* cu desăvârșire; absolut; categoric.

outback ['autbæk] I. *adv.* în interior. II. *adj.* din interior. III. *s. the ~* interiorul.

outbade [aut'beid] *vt. trec. de la* **outbid**.

outbalance [aut'bæləns] *vt.* 1. a cântări mai mult decât. 2. a întrece, a depăși; a fi superior *(cu dat.).*

outbid [aut'bid] *vt. trec.* **outbade** [aut'beid], *part. trec.* **outbidden** [aut'bidn] a depăși *(la licitație).*

outbidden [aut'bidn] *vt. part. trec. de la* **outbid**.

outboard ['autbɔ:d] *mar.* I. *adv.* peste bord; dincolo de bord. II. *adj.* de peste bord, de dincolo de bord.

outbound ['aut'baund] *adj.* 1. *mar.* (d. un vas) care pleacă într-o călătorie îndepărtată / în străinătate. 2. (d. marfă) care trebuie să fie expediat / descărcat.

outbrave [aut'breiv] *vt.* 1. a întrece în vitejie. 2. a sfida, a brava. 3. a fi mai elegant decât.

outbreak ['autbreik] *s.* 1. izbucnire. 2. acces.

outbuild [aut 'bild] *vt. trec. și part. trec.* **outbuilt** [aut'bilt] a construi / a clădi mai bine / mai trainic decât.

outbuildings ['aut,bildiŋz] *s.* acareturi, dependințe.

outbuilt [aut 'bilt] *vt. trec. și part. trec. de la* **outbuild**.

outburst ['autbə:st] *s.* 1. izbucnire. 2. explozie.

outcast ['autkɑ:st] *s.* 1. surghiunit. 2. paria. 3. apatrid.

outclass [aut'klɑ:s] *vt.* a depăși.

outcome ['autkʌm] *s.* rezultat.

outcrop ['autkrɔp] I. *s.* 1. *geol.* descoperire; afloriment. 2. *fig.* urmare, consecință. II. *vi. geol.* a ieși la suprafață, a se descoperi.

outcry ['autkrai] *s.* 1. țipăt. 2. alarmă. 3. exclamație (de deza-probare).

outdated ['aut'deitid] *adj.* învechit, demodat, depășit.

outdid [aut'did] *vt. trec. de la* **outdo**.

outdistance [aut'distns] *vt.* a lăsa în urmă.

outdo [aut'du:] *vt. trec.* **outdid** [aut'did], *part. trec.* **outdone** [aut'dʌn] a întrece.

outdone [aut'dʌn] *vt. part. trec. de la* **outdo**.

outdoor ['autdɔ:] *adj.* 1. exterior. 2. în aer liber.

outdoors ['aut'dɔ:z] *adv.* afară, în aer liber.

outer ['autə] *adj.* exterior, din afară.

outermost ['autəmoust] *adj.* cel mai îndepărtat de centru / de mijloc; exterior; extrem.

outface [aut'feis] *vt.* a înfrunta.

outfall ['autfɔ:l] *s.* 1. gură (de râu). 2. cădere de apă, cascadă. 3. șanț, jgheab; conductă, canal de scurgere.

outfield ['autfi:ld] *s.* 1. câmp îndepărtat. 2. *sport* partea terenului cea mai îndepărtată de jucătorul care apără țărușul *(la cricket).*

outfit ['autfit] I. *s.* 1. echipament. 2. instrumentar. 3. instalație. II. *vi.* a echipa.

outfitter ['autfitə] *s.* furnizor *(de echipament etc.)*

outflank ['aut'flæŋk] *vt.* 1. *mil.* a lua prin flanc, a învălui *(inamicul).* 2. *fig.* a fi mai șmecher decât, a duce de nas.

outflow ['autflou] *s.* 1. scurgere. 2. izbucnire.

outgo [aut'gou] *s.* 1. cheltuială. 2. ieșire.

outgoing ['aut,goiŋ] I. *s.* cheltuială. II. *adj.* 1. care pleacă. 2. care iese (din funcție etc.). 3. fost. 4. demisionar.

outgrew [aut'gru] *vt. trec. de la* **outgrow**.

outgrow [aut'grou] *vt. trec.* **outgrew** [aut'gru:], *part. trec.* **outgrown** [aut'groun] 1. a depăși. 2. a lăsa în urmă. 3. a se dezbăra de. || *he has ~n his clothes* i-au rămas hainele mici.

outgrown [aut'groun] *vt. part. trec. de la* **outgrow**.

outgrowth ['autgrouθ] *s.* 1. dezvoltare. 2. consecință. 3. excrescență. 4. produs.

outhouse ['authaus] *s. (mai ales pl.)* acaret, dependinţă.

outing ['autiŋ] *s.* plimbare.

outland ['aut,lænd] **I.** *înv., poet.* străin, din altă ţară; venetic. **II.** *s.* străin *(din altă ţară)*; venetic.

outlandish [aut'lændiʃ] *adj.* **1.** ciudat. **2.** neobişnuit. **3.** nefiresc. **4.** exotic.

outlast [aut'lɑ:st] *vt.* **1.** a depăşi. **2.** a supravieţui *(cuiva)*.

outlaw ['autlɔ:] **I.** *s.* proscris; haiduc. **II.** *vt.* a proscrie, a interzice, a scoate / a pune în afara legii.

outlawry ['autlɔ:ri] *s.* haiducie.

outlay ['autlei] *s.* cheltuială.

outlet ['autlet] *s.* **1.** ieşire. **2.** scăpare. **3.** debuşeu.

outline ['autlain] **I.** *s.* **1.** contur. **2.** punctaj. **3.** schiţă. **4.** linii generale. **II.** *vt.* **1.** a schiţa. **2.** a contura.

outlive [aut'liv] *vt.* a supravieţui *(cu dat.)*.

outlook ['autluk] *s.* **1.** concepţie (generală). **2.** perspectivă *(şi fig.)*.

outlying ['aut,laiiŋ] *adj.* **1.** periferic. **2.** îndepărtat.

outmanoeuvre [,autmə'nu:və] *vt.* **1.** a manevra cu mai multă iscusinţă decât. **2.** a fi mai şmecher / mai şiret decât.

outmatch [aut'mætʃ] *vt.* a întrece, a devansa.

outmoded [aut'moudid] *adj.* demodat, ieşit din modă.

outnumber [aut'nʌmbə] *vt.* **1.** a depăşi numericeşte. **2.** a covârşi.

out-of-date ['autəv'deit] *adj.* demodat; învechit.

out-of-door(s) ['autəv'dɔ:(z)] *adj.* exterior, în aer liber; de afară.

out of doors [,autəv'dɔ:z] *adv.* v. **outdoors.**

out-of-the-way ['aut ɔv ðə'wei] *adj.* **1.** *(d. o casă etc.)* depărtat, izolat, retras. **2.** necunoscut, neştiut. **3.** ciudat, straniu. **4.** *(d. preţ)* excesiv, exorbitant.

out-patient ['aut,peiʃnt] *s.* bolnav cu tratament ambulatoriu.

outpost ['autpost] *s.* avanpost.

outpour ['autpɔ:] **I.** *s.* **1.** revărsare; scurgere. **2.** rupere de nori. **II.** *vt.* a revărsa.

output ['autput] *s.* **1.** *tehn.* producţie; productivitate; capacitate de producţie; randament;

volum al producţiei; debit. **2.** producţie; produs.

outrage **I.** *s.* ['autridʒ] **1.** insultă. **2.** ultraj. **3.** atac. **4.** crimă *(mai ales fig.)*. **5.** încălcare. **6.** izbucnire. **II.** *vt.* [aut'reidʒ] **1.** a răni. **2.** a supăra. **3.** a jigni. **4.** a insulta. **5.** a încălca.

outrageous [aut'reidʒəs] *adj.* **1.** scandalos. **2.** înspăimântător. **3.** extrem. **4.** neruşinat.

outrageously [aut'reidʒəsli] *adv.* **1.** peste măsură, exagerat. **2.** revoltător; ruşinos.

outran [aut'ræn] *vt. trec. de la* **outrun.**

outré ['u:trei] *adj.* **1.** care întrece măsura *(bunei cuviinţe etc.)*. **2.** excentric, extravagant.

outridden [aut'ridn] *part. trec. de la* **outride.**

outride [aut'raid] *vt. trec.* **outrode** [aut'roud], *part. trec.* **outridden** [aut'ridn] **1.** a călări mai repede sau mai departe decât. **2.** a întrece, a depăşi, a i-o lua înainte (cuiva).

outrider ['aut,raidə] *s.* **1.** călăreţ care însoţeşte o trăsură. **2.** comis-voiajor.

outrigger ['aut,rigə] *s.* **1.** *mar.* outrigger *(barcă cu furchete ce se pot scoate)*. **2.** *mar.* baston de bompres. **3.** *el.* consolă; brăţară. **4.** *av.* lonjeron. **5.** *tehn.* calaj.

outright **I.** *adj.* ['autrait] **1.** total. **2.** categoric. **3.** clar. **4.** deschis. **II.** *adv.* [aut'rait] *adv.* **1.** direct. **2.** pe faţă. **3.** dintr-o dată. **4.** total.

outrode [aut'roud] *vt. trec. de la* **outride.**

outrun [aut'rʌn] *vt. inf. şi part. trec.* a întrece; a depăşi.

outsell [aut'sel] *vt. trec. şi part. trec.* **outsold** [aut'sould] **1.** *(d. comercianţi)* a întrece în vânzări *(un concurent)*. **2.** *(d. marfă)* a se vinde mai bine / repede decât *(o alta)*.

outset ['autset] *s.* început.

outshine ['aut'ʃain] **I.** *vt. trec. şi part. trec.* **outshone** [aut'ʃɔn] a întrece în strălucire, a eclipsa. **II.** *vi. trec. şi part. trec.* **outshone** [aut'ʃɔn] a străluci, a luci.

outshone [aut'ʃɔn] *vt., vi. trec. şi part. trec. de la* **outshine.**

outside [aut'said] **I.** *s.* **1.** partea din afară. **2.** exterior. **3.** înfăţişare. **4.** lumea exterioară. **5.** extrem. **6.** extremitate. **7.** limită. || *at the (very)* ~ cel mult. **II.** *adj.* **1.** exterior. **2.** din afară. **3.**

în aer liber. **4.** extrem. **5.** larg. **6.** generos. **7.** suplimentar. **III.** *adv.* **1.** afară. **2.** pe din afară. **3.** în aer liber. **4.** în exterior. **IV.** *prep.* **1.** dincolo de. **2.** afară din. **3.** în afară de.

outsider ['aut'saidə] *s.* **1.** persoană din afară. **2.** intrus; persoană nedorită. **3.** *sport* concurent care câştigă, fără a fi favorit.

outskirts ['autskə:ts] *s. pl.* **1.** suburbii. **2.** periferie *(şi fig.)*.

outsmart ['aut'smɑ:t] *vt. amer.* a fi mai şmecher decât, a păcăli.

outspoken [aut'spoukn] *adj.* **1.** deschis. **2.** sincer. **3.** fără ascunzişuri.

outspread ['aut'spred] *adj.* întins.

outstanding [aut'stændiŋ] *adj.* **1.** remarcabil, deosebit, ieşit din comun. **2.** nerezolvat. **3.** restant. **4.** neplătit.

outstay [aut'stei] *vt.* a depăşi *(în timp)*. || *to* ~ *one's welcome* a deveni un oaspete supărător, a sta prea mult pe capul cuiva; a se eterniza într-un loc.

outstretched [aut'stretʃt] *adj.* întins.

outstrip [aut'strip] *vt.* **1.** a depăşi. **2.** a întrece.

outvote [aut'vout] *vt.* a învinge în alegeri.

outward ['autwəd] **I.** *adj.* **1.** exterior. **2.** din străinătate. **II.** *adv.* **1.** în afară. **2.** în / spre exterior.

outward-bound ['autwədbaund] *adj.* cu destinaţia în exterior.

outwardly ['autwədli] *adj.* **1.** aparent. **2.** superficial.

outwards ['autwədz] *adv.* **1.** în afară. **2.** în / spre exterior.

outwear [aut'wɛə] *vt. trec.* **outwore** [aut'wɔ:], *part. trec.* **outworn** [aut'wɔ:n] **1.** a depăşi *(în timp)*. **2.** a uza. **3.** a roade.

outweigh [aut'wei] *vt.* a depăşi *(în greutate sau importanţă)*.

outwit [aut'wit] *vt.* a păcăli; a fi mai deştept decât.

outwore [aut'wɔ:] *vt. trec. de la* **outwear.**

outwork ['autwə:k] *s.* fortificaţie exterioară.

outworn [aut'wɔ:n] *vt. part. trec. de la* **outwear.**

ouzel ['u:zl] *s. ornit.* **1.** mierlă *(Turdus merula)*. **2.** mierlă-gulerată *(Turdus torquatus)*.

ova ['ouvə] *s. pl. de la* **ovum.**

oval ['ouvl] *s., adj.* oval.

ovarian [ou'vɛəriən] *adj. anat.* ovarian.

ovary ['ouvəri] *s. anat., bot.* ovar.

ovation [ɔ'veiʃn] *s.* ovaţie.

oven ['ʌvn] *s.* cuptor.

over[1] ['ouvə] I. *adj.* 1. de sus, superior. 2. exterior, din afară. 3. terminat, încheiat. 4. gata. || *it's all ~ (with him)* s-a sfârşit (cu el). II. *adv.* 1. invers. 2. peste, deasupra. 3. pe deasupra. 4. mai sus. 5. dincolo. 6. încă o dată. 7. foarte. 8. prea. || *~ again* iarăşi; *left ~* rămas; *come ~* vino încoace; vino pe la mine; *to look ~* a controla. III. *prep.* 1. peste. 2. deasupra *(cu gen.)*. 3. mai sus de. 4. mai târziu de. || *~ and above* peste, în plus faţă de; *~ the weekend* până săptămâna viitoare.

over[2] ['ouvə] *(element de compunere)* de sus, din afară, superior, excesiv.

overact ['ouvr'ækt] I. *vt. teatru* a şarja *(un rol)*. II. *vi.* a şarja.

over-active ['ouvræktiv] *adj.* prea activ.

overall ['ouvərɔ:l] I. *s.* 1. halat *(de doctor, dentist)*. 2. *pl.* salopetă. II. *adj.* 1. general, global. 2. total.

overarch ['ouvə'ɑ:tʃ] I. *vt.* a se bolti deasupra, a forma o boltă deasupra *(cu gen.)*. II. *vi.* a se bolti, a forma o boltă.

overate [ouvər'et] *vt., vi., vr. trec. de la* **overeat**.

overawe [,ouvər'ɔ:] *vt.* a înspăimânta.

overbalance [,ouvə'bæləns] I. *vt.* 1. a răsturna. 2. a compensa. II. *vi.* a se răsturna.

overbear [,ouvə'bɛə] I. *vt. trec.* **overbore** [,ouvə'bɔ:], *part. trec.* **overborne** [,ouvə'bɔ:n] 1. a fi mai puternic decât; a înăbuşi, a reprima. 2. a fi mai important decât, a cântări mai mult decât. II. *vi. trec.* **overbore** [,ouvə'bɔ:], *part. trec.* **overborne** [,ouvə'bɔ:n] a fi prea rodnic, a da prea mult rod.

overbearing [,ouvə'bɛəriŋ] *adj.* 1. arogant. 2. tiran.

overboard ['ouvəbɔ:d] *adv.* peste bord.

overbold ['ouvə'bould] *adj.* 1. pripit; nechibzuit, aventuros; 2. arogant, obraznic.

overbook [ouvə 'buk] *vt.* a vinde mai multe bilete decât locurile existente *(la un spectacol, la un avion)*.

overbore [,ouvə'bɔ:] *vt., vi. trec. de la* **overbear**.

overborne [,ouvə'bɔ:n] *vt., vi. part. trec. de la* **overbear**.

overburden [,ouvə'bə:dn] *vt.* 1. a supraîncărca. 2. a copleşi.

overcame [,ouvə'keim] *vt. trec. de la* **overcome**.

overcast ['ouvəkɑ:st] *adj.* 1. întunecat. 2. noros. 3. trist.

overcharge ['ouvə'tʃɑ:dʒ] I. *s.* 1. preţ piperat. 2. suprataxă. 3. suprasarcină. 4. supraîncărcătură. II. *vt.* 1. a supraîncărca. 2. a specula. 3. a încărca în mod exagerat *(un cont etc.)*.

overcloud [,ouvə'klaud] *vt., vi.* 1. a (se) înnora. 2. a (se) întuneca *(şi fig.)*.

overcoat ['ouvəkout] *s.* 1. pardesiu. 2. demiu. 3. palton.

overcome [,ouvə'kʌm] *vt. inf. şi part. trec., trec.* **overcame** [,ouvə'keim] 1. a învinge. 2. a covârşi.

overcrowd [,ouvə'kraud] *vt.* a supraaglomera.

overdevelop ['ouvədi'veləp] *vt. foto.* a ţine (un film) prea mult în developant.

overdid [,ouvə'did] *vt. trec. de la* **overdo**.

overdo [,ouvə'du:] *vt. trec.* **overdid** [,ouvə'did], *part. trec.* **overdone** [,ouvə'dʌn] 1. a exagera. 2. a frige prea tare.

overdone [,ouvə'dʌn] *vt. part. trec. de la* **overdo**.

overdose ['ouvədous] *s.* supradoză *(de droguri etc.)*.

overdraft ['ouvədrɑ::ft] *s.* 1. *econ.* sumă cu care s-a depăşit contul în bancă. 2. *econ.* depăşire a contului în bancă. 3. *tehn.* injectare a aerului deasupra grătarului.

overdraw ['ouvə'drɔ:] I. *vt. trec.* **overdrew** [,ouvə'dru:], *part. trec.* **overdrawn** [,ouvə'drɔ:n] 1. a exagera. 2. a-şi depăşi *(contul la bancă)*. II. *vi. trec.* **overdrew** [,ouvə'dru:], *part. trec.* **overdrawn** [,ouvə'drɔ:n] a emite cecuri fără acoperire.

overdrawn ['ouvə'drɔ:n] *vt. part. trec. de la* **overdraw**.

overdress ['ouvədres] *vt., vi.* a (se) împopoţona.

overdrew ['ouvə'dru:] *vt. trec. de la* **overdraw**.

overdrive ['ouvə'draiv] I. *vt. trec.* **overdrove** [,ouvə'drouv], *part. trec.* **overdriven** [,ouvə'drivn] 1. a munci, a extenua, a istovi.

2. a goni *(un cal)*. 3. a împinge prea departe *(o glumă etc.)*. II. *s. tehn.* supraturaţie.

overdriven ['ouvə'drivn] *vt. part. trec. de la* **overdrive**.

overdrove ['ouvə'drouv] *vt. trec. de la* **overdrive**.

overdue ['ouvə'dju:] *adj.* 1. întârziat. 2. datorat demult.

overeat ['ouvər'i:t] *vt., vi., vr. trec.* **overate** [ouvər'et], *part. trec.* **overeaten** ['ouvər'i:tn] a mânca prea mult.

overeaten ['ouvər'i:tn] *vt., vi., vr. part. trec. de la* **overeat**.

over-estimate[1] ['ouvərestimit] *s.* 1. deviz exagerat. 2. apreciere exagerată.

over-estimate[2] ['ouvər'estimeit] *vt.* a supraestima.

overexpose ['ouvriks'pouz] *vt. foto.* a expune prea mult.

overfed ['ouvə'fed] *vt., vi. trec. şi part. trec. de la* **overfeed**.

overfeed ['ouvə'fi:d] I. *vt. trec. şi part. trec.* **overfed** ['ouvə'fed] a supraalimenta. II. *vi. trec. şi part. trec.* **overfed** [,ouvə'fed] a se supraalimenta.

overfish [ouvə'fiʃ] *vt.* a pescui *(într-un lac etc.)* până la depopularea lui.

overflew [,ouvə'flu:] *trec. de la* **overflow**.

overflow[1] ['ouvəflou] *s.* 1. surplus. 2. abundenţă. 3. inundaţie.

overflow[2] [,ouvə'flou] I. *vt. trec.* **overflew** [,ouvə'flu:], *part. trec.* **overflown** [,ouvə'floun] 1. a inunda. 2. a trece dincolo de. II. *vi. trec.* **overflew** [,ouvə'flu:], *part. trec.* **overflown** [,ouvə'floun] 1. a da pe dinafară. 2. a se revărsa. 3. a abunda.

overflown ['ouvə'floun] *part. trec. de la* **overflow**.

overfulfilment ['ouvəful'filmənt] *s.* depăşire, îndeplinire înainte de termen.

overgrew [ouvə'gru:] *vt., vi. trec. de la* **overgrow**.

overgrow ['ouvə'grou] I. *vt. trec.* **overgrew** [ouvə'gru:], *part. trec.* **overgrown** [ouvə'groun] 1. a năpădi, a invada, a umple. 2. a acoperi. II. *vi. trec.* **overgrew** [ouvə'gru:], *part. trec.* **overgrown** [ouvə'groun] a creşte exagerat.

overgrown [ouvə'groun] *vt., vi. part. trec. de la* **overgrow**.

overgrowth ['ouvəgrouθ] *s.* **1.** creştere exagerată. **2.** bălării.

overhand ['ouvəhænd] *adj.* (d. o lovitură etc.) (dat) de sus.

overhang[1] ['ouvəhæŋ] *s.* parte care atârnă; proeminenţă.

overhang[2] ['ouvə'hæŋ] **I.** *vt. trec. şi part. trec.* **overhung** [ouvə'hʌŋ] **1.** a ameninţa. **2.** a atârna deasupra. **II.** *vi. trec. şi part. trec.* **overhung** [ouvə'hʌŋ] **1.** a fi ameninţător. **2.** a atârna (ameninţător).

overhaul[1] ['ouvəhɔ:l] *s.* **1.** revizie generală. **2.** cercetare.

overhaul[2] [,ouvə'hɔl] *vt.* **1.** a revizui. **2.** a ajunge din urmă.

overhead ['ouvəhed] **I.** *s.* (cheltuieli de) regie. **II.** *adj.* **1.** aerian. **2.** deasupra capului. **3.** *com.* de regie. **II.** *adv.* ['ouvə'hed] **1.** deasupra. **2.** pe deasupra.

overhear [,ouvə'hiə] *vt. trec. şi part. trec.* **overheard** [ouvə'hɔ:d] **1.** a auzi din întâmplare *sau* trăgând cu urechea. **2.** a surprinde (o conversaţie etc.).

overheard [,ouvə'hɔ:d] *vt. trec. şi part. trec. de la* **overhear.**

overhung [ouvə'hʌŋ] *vt., vi. trec. şi part. trec. de la* **overhang.**

over-indulge [ouvrin'dʌldʒ] **I.** *vt., vi.* a(-şi) permite prea multe. **II.** *vr.* a se desfăta.

over-indulgence ['ouvrin'dʌldʒns] *s.* **1.** lipsă de cumpătare. **2.** desfrâu, destrăbălare.

overjoyed [,ouvə'dʒɔid] *adj.* încântat.

overkill ['ouvəkil] *s.* distrugeri / masacre excesive; nimicire inutilă.

overladen [ouvə'leidn] *adj.* supraîncărcat.

overlaid [ouvə'leid] *vt. trec. şi part. trec. de la* **overlay.**

overlain [ouvə'lein] *vt. part. trec. de la* **overlie.**

overland [ouvə'lænd] *adj., adv.* pe uscat.

overlap [,ouvə'læp] **I.** *vt.* a se suprapune peste. **II.** *vi.* a se suprapune.

overlay I. ['ouvə'lei], *vt. trec. şi part. trec.* **overlaid** [ouvə'leid] **1.** a pune, a întinde peste, a acoperi, a da cu (vopsea etc.). **2.** *vt. trec. de la* **overlie. II.** ['ouvəlei] *s.* **1.** acoperământ; strat acoperitor; cuvertură. **2.** cravată.

overleaf ['ouvə'li:f] *adv.* pe contrapagină, pe verso.

overleap ['ouvə'li:p] **I.** *vt. trec. şi part. trec.* **overleapt** ['ouvə'lept] **1.** a sări peste (şi fig.). **2.** a omite, a ignora. **II.** *vr. trec. şi part. trec.* **overleapt** ['ouvə'lept] a se întrece pe sine.

overleapt ['ouvə'lept] *vt., vr. trec. şi part. trec. de la* **overleap.**

overlie [,ouvə'lai] *vt. trec.* **overlay** ['ouvə'lei], *part. trec.* **overlain** ['ouvə'lein] **1.** a se întinde pe, peste *sau* mai sus de, a zăcea pe; a acoperi. **2.** a înăbuşi (copilul) în timpul somnului.

overload[1] ['ouvəloud] *s.* încărcătură prea mare.

overload[2] ['ouvə'loud] *vt.* a supraîncărca.

overlong ['ouvə'lɔŋ] *adj.* prea lung, exagerat de lung.

overlook [,ouvə'luk] *vt.* **1.** a scăpa din vedere. **2.** a trece cu vederea. **3.** a scuza. **4.** a supraveghea. **5.** a domina (cu privirea).

overlord ['ouvəlɔ:d] **I.** *s.* suzeran; domnitor; domn. **II.** *vt.* a domina, a stăpâni.

overly ['ouvəli] *adv. amer.* peste măsură, exagerat.

overman ['ouvəmæn], *pl.* **overmen** ['ouvəmen] *s.* **1.** supraveghetor; comandant. **2.** arbitru. **3.** supraom.

overmaster ['ouvə'mɑ:stə] *vt.* a stăpâni, a supune.

overmatch ['ouvə'mætʃ] **I.** *vt.* a fi mai puternic / mai dibaci decât; a bate, a înfrânge. **II.** *s.* adversar prea puternic.

over-much ['ouvə'mʌtʃ] *adv.* peste măsură; prea mult, prea.

overnight ['ouvə'nait] *adj., adv.* peste noapte.

overpaid ['ouvə'peid] *vt. trec. şi part. trec. de la* **overpay.**

overpass ['ouvə'pɑ:s] *vt.* **1.** a trece de, peste, dincolo de. **2.** a răzbate, a răzbi prin (greutăţi etc.). **3.** a întrece; a o lua înaintea (cu gen.).

overpay ['ouvə'pei] *vt. trec. şi part. trec.* **overpaid** ['ouvə'peid] a plăti prea mult (pentru).

overplus ['ouvəplʌs] *s.* surplus, excedent.

overpopulation ['ouvə,pɔpju'leiʃən] *s.* suprapopulare.

overpower [,ouvə'pauə] *vt.* **1.** a depăşi (numericeşte). **2.** a covârşi. **3.** a afecta.

over-produce [ouvəprə'dju:s] *vt.* a produce (o marfă etc.) în cantităţi prea mari.

overproduction ['ouvəprə'dʌkʃn] *s.* supraproducţie.

overran [ouvə'ræn] *vt. trec. de la* **overrun.**

overrate ['ouvə'reit] *vt.* a supraestima.

overreach [,ouvə'ri:tʃ] **I.** *vt.* a depăşi. **II.** *vr.* a nu face faţă.

overridden [,ouvə'ridn] *vt. part. trec. de la* **override.**

override [,ouvə'raid] *vt. trec.* **overrode** [,ouvə'roud], *part. trec.* **overridden** [,ouvə'ridn] **1.** a călca în picioare. **2.** a istovi. **3.** a nesocoti.

overrider [ouvə'raidə] *s.* tampon pe bara de protecţie la autoturisme.

overrode [,ouvə'roud] *vt. trec. de la* **override.**

overrule [,ouvə'ru:l] *vt.* **1.** a anula. **2.** a nesocoti. **3.** a submina.

overrun [,ouvə'rʌn] *vt. inf. şi part. trec., trec.* **overran** [ouvə'ræn] **1.** a invada. **2.** a covârşi. **3.** a depăşi.

oversaw [ouvə'sɔ:] *vt. trec. de la* **oversee.**

oversea(s) ['ouvə'si:(z)] **I.** *adj.* **1.** în / din străinătate. **2.** (de) peste mări şi ţări. **II.** *adv.* **1.** în străinătate. **2.** peste mări. **3.** extern; pentru străinătate; pentru ţări îndepărtate.

oversee [ouvə'si:] *vt. trec.* **oversaw** ['ouvə'sɔ:], *part. trec.* **overseen** [ouvə'si:n] a supraveghea.

overseen [ouvə'si:n] *vt. part. trec. de la* **oversee.**

overseer ['ouvəsiə] *s.* **1.** supraveghetor. **2.** contramaistru.

overset ['ouvə'set] *inf. şi part. trec.* **I.** *vt.* **1.** a răsturna; a răsturna ordinea (cu gen.). **2.** a zădărnici. **II.** *vi.* a răsturna.

overshadow ['ouvəʃædou] *vt.* **1.** a umbri, a adumbri. **2.** *fig.* a umbri, a eclipsa. **3.** a întuneca (o bucurie etc.). **4.** *rar* a apăra, a adăposti.

overshoe ['ouvəʃu:] *s.* **1.** şoşon. **2.** galoş.

overshoot ['ouvə'ʃu:t] *vt. trec. şi part. trec.* **overshot** ['ouvə'ʃɔt] a trage / ţinti prea departe.

overshot ['ouvə'ʃɔt] *vt. trec. şi part. trec. de la* **overshoot.**

overside ['ouvəsaid] *mar.* **I.** *adj.* care se încarcă peste bord. **II.** *adv.* peste bord.

oversight ['ouvəsait] *s.* **1.** neglijenţă. **2.** omisiune; scăpare. **3.** supraveghere. **4.** grijă.

oversleep ['ouvə'sli:p] **I.** *vt. trec. şi part. trec.* **overslept** ['ouvə-'slept] a dormi mai târziu de (ora dorită). **II.** *vi., vr. trec. şi part. trec.* **overslept** ['ouvə-'slept] a dormi prea mult.

overslept ['ouvə'slept] *vt., vi. trec. şi part. trec. de la* **oversleep.**

overspend [ouvə'spend] *vi. trec. şi part. trec.* **overspent** [ouvə-'spent] a cheltui prea mult, a arunca banii.

overspent [ouvə'spent] *vi. trec. şi part. trec. de la* **overspend.**

overspill ['ouvə'spil] *s.* **1.** ceea ce s-a vărsat. **2.** ceea ce prisoseş-te, prisos, excedent, surplus. **3.** surplus de populaţie (care emigrează).

overspread [ouvə'spred] *vt. trec. şi part. trec.* **overspred** [ouvə-'spred] a acoperi; a cuprinde; a se răspândi peste / în; a se ex-tinde.

overspred [ouvə'spred] *vt. trec. şi part. trec. de la* **overspread.**

overstate ['ouvə'steit] *vt.* a exa-gera.

overstatement ['ouvə'steitmənt] *s.* exagerare, afirmaţie exage-rată.

overstay ['ouvə'stei] *vt.* a depăşi în timp.

overstep ['ouvə'step] *vt.* a depăşi.

overstock ['ouvə'stok] **I.** *vt.* a face depozite prea mari; a umple, a ticsi cu mărfuri (o prăvălie, piaţa); a aproviziona cu mărfuri peste trebuinţă; **II.** *s.* surplus (de mărfuri).

overstrain[1] ['ouvə'strein] *s.* **1.** în-cordare / efort prea mare. **2.** is-tovire.

overstrain[2] ['ouvə'strein] *vt., vr.* a (se) încorda prea mult.

overstrung ['ouvə'strʌŋ] *adj.* (d. nervi etc.) încordat peste măsură, prea încordat.

oversubscribed [ouvəsəb'skraibd] *adj. econ., fin.* (d. acţiuni) in-suficiente ca număr, care nu fac faţă cererii.

overt [ou'və:t] *adj.* **1.** deschis. **2.** public.

overtake [ouvə'teik] *vt. trec.* **over-took** [ouvə'tuk], *part. trec.* **overtaken** [ouvə'teikn] **1.** a ajunge din urmă. **2.** a sur-prinde; a covârşi.

overtaken [ouvə'teikn] *vt. part. trec. de la* **overtake.**

overtax ['ouvə'tæks] *vt.* **1.** a suprasolicita. **2.** a impune la prea mult.

overthrew [ouvə'θru:] *vt. trec. de la* **overthrow.**

overthrow[1] ['ouvəθrou] *s.* **1.**

răsturnare. **2.** înfrângere. **3.** nimicire.

overthrow[2] [ouvə'θrou] *vt. trec.* **overthrew** [ouvə'θru:], *part. trec.* **overthrown** [ouvə'θroun] **1.** a răsturna. **2.** a înfrânge.

overthrown [ouvə'θroun] *vt. part. trec. de la* **overthrow.**

overtime ['ouvətaim] **I.** *s.* **1.** ore suplimentare. **2.** plată supli-mentară. **II.** *adv.* suplimentar.

overtone ['ouvətoun] *s.* **1.** *muz.* ar-monie superioară. **2.** *lingv. şi fig.* nuanţă. **3.** *pl.* nuanţe, cono-taţii, conotaţie; (implicaţii în) subtext.

overtook [ouvə'tuk] *vt. trec. de la* **overtake.**

overtop [ouvə'top] *vt.* **1.** a se ri-dica deasupra (cu gen.), a do-mina. **2.** *fig.* a întrece, a eclip-sa.

overtrump [ouvə'trʌmp] *vt.* a juca un atu mai mare decât, a avea cărţi mai bune decât; a bate (la cărţi).

overture ['ouvətjuə] *s.* **1.** uvertură. **2.** *pl.* oferte, avansuri *(fig.).* **3.** *pl.* propuneri.

overturn [ouvə'tə:n] *vt., vi.* a (se) răsturna.

overview ['ouvəvju:] *s.* privire ge-nerală / sumară; prezentare ge-nerală / de ansamblu, rezumat.

overweening [ouvə'wi:niŋ] *adj.* arogant, trufaş; înfumurat. || ~ *ambition* ambiţie nemă-surată.

overweight ['ouvə'weit] **I.** *s.* greutate suplimentară. **II.** *adj.* **1.** care depăşeşte greutatea admisă; excedentar, în surplus. **2.** prea gras, supraponderal.

overweighted ['ouvə'weitid] *adj.* supraîncărcat.

overwhelm [ouvə'welm] *vt.* **1.** a covârşi, a copleşi. **2.** a nimici. **3.** a stăpâni.

overwhelming ['ouvr'welmiŋ] *adj.* **1.** covârşitor, copleşitor. **2.** irezistibil.

overwork[1] ['ouvəwə:k] *s.* **1.** supra-solicitare. **2.** muncă prea multă, istovire.

overwork[2] ['ouvə'wə:k] *vt., vi.* a (se) istovi.

overwrought ['ouvə'rɔ:t] *adj.* **1.** is-tovit. **2.** nervos. **3.** surescitat.

oviduct ['ouvidʌkt] *s. anat.* canal oviduct.

oviform ['ouvifɔ:m] *adj.* în formă de ou, ovoid.

ovine ['ouvain] *adj.* ovin, de oaie.

oviparous [ou'vipərəs] *adj.* ovipar.

ovipositor [ouvi'pozitə] *s. zool.* ovipozitor *(organ tubular pen-tru depunerea ouălor la in-secte).*

ovoid ['ouvoid] *adj.* ovoid, în formă de ou.

ovulate ['ovjuleit] *vi. fiziol.* a ovula.

ovum ['ouvəm], *pl.* **ova** ['ouvə] *s. biol.* ovum.

ow [ou] *interj. (de durere)* au!

owe [ou] **I.** *vt.* a datora *(şi fig.).* **II.** *vi.* a fi dator.

owing ['oiŋ] *adj.* **1.** datorat. **2.** res-tant. || ~ *to* din pricina *(cu gen.).*

owl [aul] *s. ornit.* bufniţă *(şi fig.)* *(Strigiformes sp.).*

owlet ['aulit] *s. ornit.* pui de bufniţă.

owlish ['auliʃ] *adj.* **1.** (ca) de buf-niţă. **2.** pompos, solemn. **3.** prost.

own [oun] **I.** *s.* **1.** proprietate. **2.** iniţiativă personală. || *to be on one's* ~ a fi independent; a fi singur; *to come into one's* ~ a-şi căpăta drepturile; *to hold one's* ~ a nu se da bătut, a se ţine tare; a fi demn. **II.** *adj.* propriu; personal. || *to be one's* ~ *master* a nu depinde de nimeni; a fi singur stăpân (în ţara lui). **III.** *vt.* **1.** a măr-turisi. **2.** a recunoaşte. **3.** a poseda. **IV.** *vi.* a se recunoaşte (vinovat etc.). || *to* ~ *up to smth.* a recunoaşte o faptă.

owner ['ounə] *s.* proprietar.

ownership ['ounəʃip] *s.* propri-etate.

ox [oks] *s. pl.* **oxen** ['oksn] *zool.* **1.** bou *(Bos taurus).* **2.** bovină; bivol; bizon. **3.** *fig. (pl.* **oxes** ['oksiz]*)* bou, imbecil, dobitoc.

oxalic acid [ok'sælik 'æsid] *s. chim.* acid oxalic.

oxen ['oksn] *s. pl. de la* **ox.**

Oxford shoes ['oksfəd ʃu:z] *s. pl.* botine / bocanci cu şiret.

oxidation [oksi'deiʃn] *s. chim.* oxidare.

oxide ['oksaid] *s.* oxid.

oxidize ['oksidaiz] *vt., vi.* a (se) oxida.

oxigen ['oksidʒn] *s.* oxigen.

oxygenate [ok'sidʒineit] *vt. chim.* **1.** a oxigena. **2.** a oxida.

oxymoron [oksi'mo:ron] *s. lingv., lit.* oximoron, contradicţie apa-rentă.

oyes [ou'jes] *interj.* ascultaţi! (in-terjecţie prin care un strigător public cere să se facă linişte înainte de a anunţa ceva).

oyez [ou'jez] *v.* **oyes.**

oyster ['oistə] *s. zool.* stridie *(Ostreidae sp.).* || *as dumb / solitary as an* ~ închis în sine.

oz [auns] *s.* uncie, uncii *(prescur-tare pentru* **ounce(s)).**

ozone ['ouzoun] *s.* ozon.

P

P [pi:] *s.* (litera) P, p.
pa [pɑ:] *s.* tăticu.
PA *abrev.* **1.** *personal assistant* asistent personal. **2.** *public address* discurs public.
pabulum ['pæbjuləm] *s. fig.* hrană. || *mental* ~ hrană spirituală.
pace [peis] **I.** *s.* **1.** pas. **2.** ritm. || *at a rapid* ~ repede. **II.** *vt.* **1.** a măsura. **2.** a regla *(cu paşii).* **3.** a stabili pasul la. **III.** *vi.* **1.** a păşi. **2.** a se plimba.
pachyderm ['pækidə:m] *s. zool.* pachiderm.
pacific [pə'sifik] *adj.* **1.** pacific. **2.** paşnic.
pacification [,pæsifi'keiʃn] *s.* pacificare, împăciuire, liniştire.
pacificist [pə'sifisist] *s.* v. **pacifist**.
pacifism ['pæsifizəm] *s.* pacifism.
pacifist ['pæsifist] *s.* pacifist.
pacify ['pæsifai] *vt.* **1.** a linişti. **2.** a pacifica.
pack¹ [pæk] **I.** *s.* **1.** pachet. **2.** legătură; boccea. **3.** haită *(de lupi etc. şi fig.).* **4.** bandă. **5.** recoltă. **6.** pereche de cărţi. **II.** *vt.* **1.** a împacheta. **2.** a ambala. **3.** a pune în geamantan. **4.** a pune la cutie. **5.** a umple. **6.** a îngrămădi. **7.** a căptuşi. **8.** a aranja *(fig.).* || *to* ~ *off* a expedia, a trimite la plimbare; *to* ~ *up* a pune în geamantan. **III.** *vi.* **1.** a face bagajele. **2.** a ambala. **3.** a împacheta. **4.** a se îngrămădi.
pack² [pæk] *vt.* a alege sau a forma *(un juriu)* astfel încât să se obţină deciziile dorite.
package ['pækidʒ] **I.** *s.* **1.** pachet. **2.** împachetare, ambalare. **3.** ansamblu, totalitate. **II.** *adj.* general, de ansamblu, global. || ~ *agreement / deal* înţelegere de ansamblu, acord global / de ansamblu. **III.** *vt.* a împacheta, a ambala, a înveli.
package holiday / tour ['pækidʒ-,holədi / ,tuə] *s.* vacanţă organizată de o agenţie de turism; tur / sejur organizat.

packer ['pækə] *s.* **1.** împachetator; ambalator, muncitor la ambalaj. **2.** *amer.* fabricant *sau* exportator de produse alimentare *(mai ales carne).* **3.** măsluitor *(la jocul de cărţi).*
packet ['pækit] *s.* **1.** pachet. **2.** pachebot.
packet boat ['pækitbout] *s.* pachebot.
packing ['pækiŋ] *s.* **1.** împachetare. **2.** ambalaj. **3.** căptuşeală.
packthread ['pækθred] *s.* sfoară *(de legat).*
pact [pækt] *s.* pact.
pad¹ [pæd] **I.** *s.* **1.** căptuşeală *(matlasată).* **2.** umplutură. **3.** teanc *(de hârtii).* **4.** tuşieră. **5.** *zool.* perniţă *(de la labă).* **II.** *vt.* **1.** a căptuşi. **2.** a matlasa. **3.** a umple.
pad² [pæd] **I.** *s.* **1.** *sl.* drum, cale. **2.** cal blând *(de călărie).* **II.** *vt.* a vagabonda pe, a rătăci pe. **III.** *vi.* a vagabonda, a rătăci; a merge, a umbla.
padding ['pædiŋ] *s.* **1.** căptuşeală groasă. **2.** molton. **3.** maculatură. **4.** umplutură.
paddle ['pædl] **I.** *s.* **1.** vâslă; padelă. **2.** lopăţică. **II.** *vt.* a împinge cu vâslele. || *to* ~ *one's own canoe* a fi independent, a se bizui numai pe sine. **III.** *vi.* **1.** a vâsli *(cu padela).* **2.** a umbla prin apă. **3.** a se bălăci.
paddle wheel ['pædlwi:l] *s.* **1.** *mar.* roată cu zbaturi. **2.** *tehn.* roată cu cupe *(la turbina Pelton).*
paddock ['pædək] *s.* **1.** ţarc. **2.** padoc *(de cai de curse).*
Paddy ['pædi] *s. fam.* irlandez. || *amer. to come* ~ *over smb.* a trage pe sfoară pe cineva.
paddy¹ ['pædi] *s.* orez.
paddy² ['pædi] *s. fam.* mânie, furie, turbare.
padlock ['pædlɔk] **I.** *s.* lacăt. **II.** *vt.* **1.** a încuia. **2.** a pune lacăt la.
padre ['pɑ:dri] *s.* **1.** *fam.* preot al regimentului *sau* pe vas. **2.** preot catolic.

padrone [pæ'drouni], *pl.* **padroni** [pæ'drouni] *s.* **1.** *mar.* căpitan. **2.** patron *(al micilor cerşetori, al cântăreţilor ambulanţi, al lucrătorilor emigranţi).* **3.** hangiu.
paean ['pi:ən] *s. poet.* imn de laudă.
pagan ['peigən] *s., adj.* păgân.
paganism ['peigənizəm] *s.* păgânism.
page¹ [peidʒ] **I.** *s.* pagină *(şi fig.).* **II.** *vt.* a pagina.
page² [peidʒ] **I.** *s.* **1.** paj. **2.** băiat de serviciu. **II.** *vt.* **1.** a escorta în calitate de paj, a servi drept paj *(cuiva).* **2.** *amer.* a chema cu voce tare *(clienţii din restaurant, hotel, bar).*
pageant ['pædʒnt] *s.* **1.** manifestaţie. **2.** procesiune. **3.** car alegoric. **4.** spectacol (medieval) în aer liber.
pageantry ['peidʒntri] *s.* **1.** spectacol măreţ, pompă, fast. **2.** *fig.* paradă, spectacol fără conţinut; ficţiune, bluf.
pager ['peidʒə] *s. telec.* pager, bleeper *(mic telefon ori semnalizator portativ).*
paginate ['pædʒineit] *vt.* a pagina; a numerota *(paginile).*
pagoda [pə'goudə] *s.* **1.** pagodă. **2.** pagodă *(veche monedă indiană de aur).*
pah [pɑ:, pf, phɑ:] *interj.* ei, aş! da de unde! bah!
paid [peid] *vt., vi. trec. şi part. trec. de la* **pay.**
pail [peil] *s.* găleată.
pailfull ['peilfl] *s.* (o) găleată, (o) căldare (plină).
pain [pein] **I.** *s.* **1.** durere. **2.** efort. **3.** pedeapsă. || *under* ~ *of* sub pedeapsa cu. **II.** *vt.* a chinui. **III.** *vi.* **1.** a suferi. **2.** a se chinui.
painful ['peinfl] *adj.* **1.** dureros. **2.** neplăcut. **3.** penibil.
painfully ['peinfuli] *adv.* dureros; penibil.
painless ['peinlis] *adj.* fără dureri.
painstaking ['peinz,teikiŋ] *adj.* **1.** silitor, care-şi dă osteneala. **2.** muncitor, serios, harnic.

paint [peint] I. *s.* **1.** culoare. **2.** vopsea. II. *vt.* **1.** a vopsi. **2.** a picta. **3.** a descrie. || *to ~ the town red* a-şi face de cap, a o ţine numai în chefuri. III. *vi.* a picta.

paintbrush ['peintbrʌʃ] *s.* pensulă, penel.

painter ['peintə] *s.* **1.** pictor. **2.** zugrav.

painting ['peintiŋ] *s.* **1.** pictură (artă). **2.** tablou. **3.** zugrăveală, zugrăvit. **4.** vopsitorie.

pair [pɛə] I. *s.* pereche. || *in ~s* perechi-perechi. II. *vt., vi.* **1.** a (se) împerechea. **2.** a (se) căsători.

pajamas [pə'dʒɑːməz] *s.* pijama.

Pakistani [ˌpɑːkis'tɑːni] *s., adj.* pakistanez.

pal [pæl] I. tovarăş. **2.** prieten *(la toartă)*. II. *vi.* a se împrieteni.

palace ['pælis] *s.* palat.

paladin ['pælədin] *s. ist.* paladin; cavaler rătăcitor; erou legendar.

palais (de danse) ['pælei(də-'dɑːns)] *s.* sală de dans.

palanquin, palankeen [pælən-'kiːn] *s.* palanchin.

palatable ['pælətəbl] *adj.* **1.** bun la gust. **2.** acceptabil; care poate fi mâncat.

palatal ['pælətl] I. *adj.* **1.** *anat.* al palatului, al cerului gurii. **2.** *fon.* palatal. II. *s. fon.* (consoană) palatală.

palate ['pælit] *s.* **1.** cerul gurii. **2.** gust.

palatial [pə'leiʃl] *adj.* **1.** de palat, ca un palat. **2.** măreţ, impozant, magnific, splendid.

palatinate [pə'lætinit] *s. ist.* palatinat.

palatine[1] ['pælətain] *s.* **1.** *Palatine, Count / Earl Palatine* conte palatin; *County Palatine* palatinat. **2.** pelerină scurtă de blană.

palatine[2] ['pælətain] *anat.* I. *adj.* al palatului, al cerului gurii. II. *s. pl.* oasele palatului.

palaver [pə'lɑːvə] I. *s.* **1.** discuţie. **2.** vorbărie. **3.** tratative. II. *vi.* a flecări, a trăncăni. **2.** a duce tratative, a negocia.

pale[1] [peil] I. *adj.* palid. II. *vi.* a păli.

pale[2] [peil] *s.* **1.** scândură. **2.** gard, îngrăditură. **3.** par, stâlp. **4.** *fig.* graniţă, limită, margini. ||*beyond the ~* scos din rândul oamenilor, ostracizat; în afara societăţii.

pale-face ['peilˌfeis] *s.* faţă palidă *(numele dat albilor de către Pieile Roşii).*

paleography [ˌpæli'ɔɡrəfi] *s.* paleografie.

paleolithic(al) [ˌpæliou'liθik(l)] *adj.* paleolitic.

paleontology [ˌpæliɔn'tɔlədʒi] *s.* paleontologie.

paleozoic [ˌpæliou'zouik] *geol.* I. *adj.* paleozoic. II. *s.* era paleozoică, paleozoic.

palette ['pælit] *s.* artă paletă.

palfrey ['pɔl(ː)fri] *s. înv., poet.* bidiviu, armăsar *(de călărie).*

palimpsest ['pælimpsest] *adj., s.* palimpsest.

palindrome ['pælindroum] *s.* palindrom *(cuvânt sau vers ce se citeşte la fel de la cap la coadă sau de la coadă la cap).*

paling ['peiliŋ] *s.* gard (din ostreţe).

palisade [ˌpæli'seid] *s.* **1.** palisadă. **2.** gard. **3.** creastă.

pall[1] [pɔːl] *s.* **1.** linţoliu. **2.** *fig.* văl.

pall[2] [pɔːl] *vi.: to ~ on / upon* a-şi pierde farmecul (pentru), a nu mai prezenta interes (pentru).

palladium[1] [pə'leidiəm], *pl* . **palladia** [pə'leidiə] *s. fig.* scut, apărare.

palladium[2] [pə'leidiəm] *s. chim.* paladiu.

pallet[1] ['pælit] *s.* saltea de paie.

pallet[2] ['pælit] *s.* **1.** *tehn.* diblu; paletă, aripă *(a roţii hidraulice, a elicei);* placă rotativă *(a olarului).*

palliasse [pæl'jæs] *s.* saltea de paie.

palliate ['pælieit] *vt.* **1.** a îmblânzi. **2.** a atenua. **3.** a scuza.

palliation [ˌpæli'eifn] *s.* **1.** îmblânzire. **2.** atenuare. **3.** scuză.

palliative ['pæliətiv] *s., adj.* paliativ.

pallid ['pælid] *adj.* palid, fără culoare.

pallium ['pæliəm], *pl.* **pallia** ['pælie] *s.* **1.** *ist., rel.* palium. **2.** *zool.* palium *(al moluştelor).*

pallor ['pælə] *s.* paloare.

palm [pɑːm] I. *s.* **1.** palmă; interiorul mâinii. **2.** mână. **3.** *bot.* palmier *(Palmae sp.).* **4.** frunză de palmier. **5.** *fig.* lauri. II. *vt.* **1.** a trece, a înmâna. **2.** a strecura.

palmar ['pælmə] *adj.* palmar, al palmei.

palmate ['pælmeit] *adj. bot., ornit.* palmat.

palmer ['pɑːmə] *s.* **1.** *ist.* pelerin. **2.** călugăr pelerin. **3.** *entom.*

omidă păroasă; *amer.* larva fluturelui *(Dichomeris ligulellus).*

palmer worm ['pɑːmə'wɔːm] *s.* v. **palmer 3.**

palmetto, Palmetto [pæl'metou] *s. bot.* palmier pitic *(Chamaerops humilis).*

palmist(er) ['pɑːmist(ə)] *s.* chiromant, ghicitor în palmă.

palmistry ['pɑːmistri] *s.* chiromanţie.

palm-tree ['pɑːmtriː] *s. bot.* palmier *(Palmae sp.).*

palmy ['pɑːmi] *adj.* **1.** *poet.* bogat în palmieri. **2.** *fig.* fericit; înfloritor; glorios. || *~ days* perioadă de înflorire.

palp [pælp] *s. entom.* antenă.

palpable ['pælpəbl] *adj.* palpabil.

palpably ['pælpəbli] *adv.* palpabil, sensibil.

palpate ['pælpeit] *vt.* a palpa.

palpitate ['pælpiteit] *vi.* a palpita.

palpitation [ˌpælpi'teifn] *s.* **1.** palpitaţie, bătaie de inimă. **2.** palpitaţie, emoţie.

palsy ['pɔːlzi] *s. fam.* paralizie, dambla.

palter ['pɔ(ː)ltə] *vi.* **1.** a fi nesincer; a avea o atitudine dubioasă / echivocă; a vorbi în doi peri. || *to ~ with facts* a se eschiva de la adevăr; a deforma / a denatura faptele.**2.** a se tocmi. **3.** a nu lua în serios un subiect.

paltry ['pɔːltri] *adj.* **1.** mic, mărunt, prăpădit. **2.** meschin. **3.** mizerabil.

pampas ['pæmpəs] *s. pl.* pampas.

pamper ['pæmpə] *vt.* **1.** a răsfăţa. **2.** a îndopa.

pamphlet ['pæmflit] *s.* **1.** broşură (ştiinţifică *sau* polemică / critică). **2.** *rar* pamflet.

pamphleteer [ˌpæmfli'tiə] I. *s.* **1.** autor de broşuri polemice; pamfletar. **2.** *peior.* scrib, scriitoraş. II. *vi.* **1.** a scrie pamflete. **2.** a polemiza.

pan[1] [pæn] I. *s.* **1.** tigaie; cratiţă; tingire. **2.** *tehn.* castron mic, farfurioară. **3.** *tehn.* covată; cadă. **4.** taler (de balanţă). **5.** adâncitură, vale; *geol.* albie, depresiune. **6.** ochi de apă; băltoacă. **7.** sloi de gheaţă. II. *vt.* **1.** a pregăti *sau* a servi într-o tigaie etc. **2.** *fig.* a face harcea-parcea, a critica sever. **3.** *min.* a spăla *(nisipul aurifer).* III. *vi. min.* a spăla nisipul aurifer.

pan² [pæn] *cin.* I. *vt.* a mişca, a muta (aparatul de filmat), a roti panoramic. II. *vi.* a mişca / a muta / a roti aparatul de filmat.

panacea [ˌpænəˈsiə] *s.* panaceu.

panache [pəˈnæʃ] *s.* 1. panaş. 2. *fig.* pompă, lux; aere, fumuri.

panama (hat) [ˌpænəˈmɑː(hæt)] *s. (pălărie)* panama.

Pan-American [ˈpæn əˈmerikən] *adj.* panamerican.

pan('s) pipe [ˈpæn(z)paip] *s.* nai.

pancake [ˈpænkeik] I. *s.* 1. clătită. || *(as) flat as a* ~ complet plat, turtit ca lipia. 2. *av.* aterizare abruptă / verticală. 3. soi de piele artificială. II. *vi. av.* a ateriza prin coborâre abruptă.

panchromatic [pænkrəˈmætik] *adj. foto.* pancromatic.

pancreas [ˈpænkriəs] *s. anat.* pancreas.

pancreatic [ˌpænkriˈætik] *adj. anat.* pancreatic.

panda [ˈpændə] *s. zool.* urs panda *(Ailurus fulgens).*

pandemic [pænˈdemik] I. *adj.* 1. *med.* pandemic. 2. universal, general. II. *s. med.* pandemie, epidemie generală.

pandemonium [ˌpændiˈmounjəm] *s.* 1. infern, iad. 2. măcel.

pander [ˈpændə] *vi.* a fi codoş, a face pe codoşul, a codoşi.

panderer [ˈpændərə] *s.* codoş, mijlocitor.

pane [pein] *s.* 1. geam. 2. ochi de geam.

panegyric [ˌpæniˈdʒirik] I. *s.* panegiric, proslăvire, laudă excesivă. II. *adj.* panegiric, de proslăvire.

panegyrist [ˌpæniˈdʒirist] *s.* panegirist, autor de imnuri de laudă, lăudător.

panel [ˈpænl] I. *s.* 1. panou. 2. lambriu. 3. tablou; fotografie. 4. cadru. 5. listă. 6. grup de oameni. 7. juriu. 8. comitet. II. *vt.* a îmbrăca în panouri.

panelling [ˈpænəliŋ] *s.* 1. împărţire *(a unui zid)* în panouri. 2. lambrisare *(a unui perete)*. 3. lambriu, placaj. || *walls lined with wooden* ~ pereţi îmbrăcaţi în placaj de lemn.

pang [pæŋ] *s.* 1. junghi *(şi fig.)*. 2. strângere de inimă; chin, durere.

pangolin [pæŋˈgoulin] *s. zool.* furnicar *(Manis).*

panhandle [ˈpænˌhændl] I. *s.* 1. toartă *(a cratiţei)*; coadă *(de tigaie)*. 2. *amer.* Panhandle

ban-dă îngustă şi lungă de teritoriu între două state. II. *vt. fam.* a cerşi. III. *vi.* a cere de pomană; a se milogi.

panic [ˈpænik] I. *s.* 1. panică. 2. nesiguranţă. II. *adj.* panicard.

panicky [ˈpæniki] *adj. fam.* 1. de panică. 2. cuprins de panică. 3. făcut sub imboldul panicii, inspirat de panică. 4. *(d. ziare etc.)* alarmist.

panicle [ˈpænikl] *s. bot.* panicul(ă).

panic-stricken [ˈpænikˌstrikn] *adj.* cuprins de panică.

panjandrum [pənˈdʒændrəm] *s. peior.* mare demnitar.

pannier [ˈpæniə] *s.* 1. coş; paner. 2. coş pe spate *(pentru culegătorii de struguri)*. 3. coş de samar *(pentru vite de povară)*. 4. farmacie portativă. 5. cheson *(pentru construcţii subacvatice)*. 6. *înv.* crinolină, malacof.

pannikin [ˈpænikin] *s.* 1. cană de tablă; strachină; crăticioară. 2. *sl.* cap, căpăţână, dovleac.

panoply [ˈpænəpli] *s.* 1. panoplie. 2. *fig.* arsenal.

panorama [ˌpænəˈrɑːmə] *s.* panoramă *(şi fig.)*.

panoramic [ˌpænəˈræmik] *adj.* panoramic, de panoramă.

pansy [ˈpænzi] *s.* 1. *bot.* panseluţă *(Viola tricolor)*. 2. fătălău. 3. homosexual.

pant [pænt] I. *s.* gâfâit. II. *vt.* a rosti gâfâind. III. *vi.* 1. a gâfâi. 2. *fig.* a tânji.

pantaloon [ˌpæntəˈluːn] *s.* 1. clovn. 2. *pl. înv.* pantaloni.

pantheistic(al) [ˌpænθiˈistik(əl)] *adj.* panteist.

pantheism [ˈpænθiizəm] *s.* panteism.

Pantheon [pænˈθiːən] *s.* panteon.

panther [ˈpænθə] *s. zool.* 1. panteră *(Felis pardus)*. 2. leopard *(Panthera pardus)*. 3. puma *(amer.) (Panthera concolor)*. 4. jaguar *(amer.) (Panthera onca)*.

panties [ˈpæntiz] *s. fam.* chiloţi lungi *(de copil sau femeieşti)*.

pantile [ˈpæntail] *s.* 1. ţiglă olandeză, olan flamand *(în formă de S)*. 2. *pl.* pavaj olandez în carouri. 3. *sl.* joben, cilindru. 4. *mar. sl.* pesmet.

pantomime [ˈpæntəmaim] *s.* pantomimă.

pantomimic(al) [ˌpæntəˈmimik(l)] *adj.* 1. de pantomim; de pantomimă. 2. *teatru* de feerie.

pantry [ˈpæntri] *s.* cămară.

pants [ˈpænts] *s. pl.* 1. izmene, chiloţi. 2. *amer.* pantaloni.

pap¹ [pæp] I. *s.* 1. terci *(şi fig.)*. 2. *amer. fam.* venituri provenite dintr-un serviciu de stat. II. *vt.* a transforma în pastă, a terciui.

pap² [pæp] I. *s.* 1. *înv.* sfârc de sân. 2. *geogr.* mamelon. 3. *tehn.* butuc, bucşă. 4. *amer. fam.* tătic.

papa [pəˈpɑː] *s.* tătic.

papacy [ˈpeipəsi] *s.* papalitate.

papal [ˈpeipl] *adj.* papal.

papaw [pəˈpɔː] *s. bot.* v. **papaya**.

papaya [pəˈpaiə] *s.* 1. arborele-de-pepeni *(Carica papaya)*. 2. fructul acestui copac.

paper [ˈpeipə] I. *s.* 1. hârtie. 2. document. 3. act (de identitate). 3. ziar. 4. bancnotă. 5. lucrare ştiinţifică, comunicare. 6. eseu. 7. teză. 8. întrebări de examen. II. *vt.* a tapeta.

paper back [ˈpeipəbæk] *s.* 1. carte broşată. 2. roman ieftin.

paper-hanger [ˈpeipəˌhæŋə] *s.* tapetar, lucrător de tapete.

paper-knife [ˈpeipənaif] *s.* coupe-papier, cuţit pentru hârtie.

paper-weight [ˈpeipəweit] *s.* presse-papiers, bibelou care ţine hârtiile pe birou.

papery [ˈpeipəri] *adj.* 1. subţire ca hârtia. 2. asemănător hârtiei.

papier mâché [ˈpæpiei ˈmɑːʃei] *s.* papier mâché, mucava.

papilla [pəˈpilə] *pl.* **papillae** [pəˈpili(ː)] *s. anat.* papilă.

papillary [pəˈpiləri] *adj.* papilar.

papist [ˈpeipist] *s.* papistaş.

papoose [pəˈpuːs] *amer.* copil de Piei Roşii.

paprika [ˈpæprikə] *s.* paprica; ardei iute.

papyrus [pəˈpaiərəs] *s.* papirus.

par [pɑː] *s.* 1. egalitate. 2. paritate. 3. medie.

parable [ˈpærəbl] *s.* parabolă, pildă.

parabola [pəˈræbələ] *s. mat.* parabolă.

parabolic(al) [ˌpærəˈbɔlik(l)] *adj.* 1. parabolic, prin parabole. 2. *mat.* parabolic.

paracetamol [pærəˈsiːtəmɔl] *s. farm.* paracetamol.

parachute [ˈpærəʃuːt] *s.* paraşută.

parachutist [ˈpærəʃuːtist] *s.* paraşutist.

parade [pəˈreid] I. *s.* 1. paradă. 2. trecere în revistă. 3. demonstraţie. 4. teren de paradă. 5. promenadă. II. *vt.* 1. a trece în revistă. **2.** a face paradă de. **III.** *vi.* **1.** a face pe grozavul. **2.** a mărşălui (ca la paradă).

paradigm ['pærədaim] *s.* **1.** tipar, model, exemplu. **2.** *gram.* paradigmă.

paradise ['pærədais] *s.* paradis.

paradox ['pærədɔks] *s.* paradox.

paradoxical [,pærə'dɔksikl] *adj.* **1.** paradoxal; original; neaşteptat, neobişnuit **2.** înclinat spre afirmaţii paradoxale.

paraffin ['pærəfin] *s.* **1.** parafină. **2.** gaz lampant.

paragon ['pærəgən] *s.* model.

paragraph ['pærəgrɑ:f] *s.* paragraf.

parakeet ['pærəki:t] *s. ornit.* (diverse specii de) papagal, mic, cu coadă lungă.

parallax ['pærəlæks] *s. astr.* paralaxă.

parallel ['pærəlel] **I.** *s.* **1.** paralelă. **2.** corespondent. **3.** comparaţie. **II.** *adj.* **1.** paralel. **2.** corespunzător. **3.** identic. **III.** *vt.* a face o paralelă cu.

parallelism [,pærəlelizəm] *s.* paralelism.

parallelogram [,pærə'leləgræm] *s.* paralelogram.

parallelopiped [,pærələ'lɔpiped] *s.* paralelipiped.

paralyse ['pærəlaiz] *vt.* a paraliza (şi *fig.*).

paralysis [pə'rælisis] *s.* **1.** paralizie. **2.** inerţie.

paralytic [,pærə'litik] *s., adj.* paralitic.

paramedical [pærə'medikl] *adj.* complementar medicinii.

parameter [pə'ræmitə] *s. tehn.* parametru; constantă; factor; indice.

paramilitary [,pærə'militri] *adj.* paramilitar.

paramount ['pærəmaunt] *adj.* **1.** suprem. **2.** cel mai înalt.

paramour ['pærəmuə] *s.* **1.** concubină. **2.** amantă.

paranoia [,pærə'nɔiə] *s. med.* paranoia.

paranormal [pærə'nɔ:ml] *adj.* paranormal.

parapet ['pærəpit] *s.* parapet.

paraphernalia [,pærəfə'neiljə] *s. pl.* **1.** catrafuse. **2.** accesorii. **3.** avere. **4.** acareturi. **5.** anexe. **6.** umplutură. **7.** mărunţişuri.

paraphrase ['pærəfreiz] **I.** *s.* parafrază. **II.** *vt., vi.* a parafraza.

paraplegia [,pærə'pli:dʒiə] *s. med.* paraplegie.

parapsychology [pærəsai'kɔlədʒi] *s.* parapsihologie.

paraquat ['pærəkwɔt] *s. chim.* ierbicid cu acţiune rapidă.

parasite ['pærəsait] *s.* parazit.

parasitic(al) [,pærə'sitik(l)] *adj.* parazit.

parasitism ['pærəsaitizəm] *s.* parazitism.

parasol [,pærə'sɔl] *s.* umbreluţă de soare.

paratrooper ['pærə,tru:pə] *s. mil.* paraşutist, soldat dintr-o unitate de paraşutişti.

paratroops ['pærətru:ps] *s. pl. av., mil.* trupe paraşutate / de paraşutişti.

paratyphoid ['pærə'taifɔid] *s. med.* paratifoidă.

parboil ['pɑ:bɔil] *vt.* **1.** a lăsa să dea numai într-un clocot, a fierbe pe jumătate. **2.** *fig.* a arde (la soare etc.).

parcel ['pɑ:sl] **I.** *s.* **1.** pachet. **2.** parcelă. | | *part and* ~ parte integrantă. **II.** *vt.* a parcela.

parch [pɑ:tʃ] *vt., vi.* **1.** a (se) usca. **2.** a (se) prăji.

parchment ['pɑ:tʃmənt] *s.* **1.** pergament. **2.** hârtie pergament.

pard[1] [pɑ:d] *s. zool. înv., poet.* leopard, panteră (Felis pardus).

pard[2] [pɑ:d] *s. amer. sl.* tovarăş, camarad; asociat.

pardon ['pɑ:dn] **I.** *s.* **1.** iertare. **2.** graţiere. **3.** indulgenţă. **4.** îngăduinţă. | | *I beg your* ~ scuzaţi! poftim? **II.** *vt.* **1.** a ierta. **2.** a graţia. **3.** a trece cu vederea.

pardonable ['pɑ:dnəbl] *adj.* **1.** scuzabil. **2.** *jur.* care se poate graţia.

pardoner [pɑ:dnə] *s. bis. ist.* vânzător de indulgenţe.

pare [peə] *vt.* **1.** a tăia (o unghie etc.). **2.** a curăţa, a descoji (legume, fructe etc.).

paregoric [,pærə'gɔrik] *med. farm.* **I.** *adj.* calmant. **II.** *s.* calmant.

parent ['peərnt] *s.* **1.** părinte. **2.** strămoş. **3.** *fig.* sursă, cauză.

parentage ['peərntidʒ] *s.* **1.** paternitate *sau* maternitate. **2.** origine, naştere.

parental [pə'rentl] *adj.* părintesc.

parenthesis [pə'renθisis] *s. pl.* **parentheses** [pə'renθisi:z] **1.** paranteză (şi *fig.*). **2.** întâmplare.

parenthetic(al) [,pærn'θetik(l)] *adj.* **1.** între paranteze. **2.** incident(al).

parenthood ['peərənthud] *s.* calitate de părinte; paternitate; maternitate.

par excellence [pɑ:r'eksəlɑ:ns] *adv.* prin excelenţă; mai ales.

parget ['pɑ:dʒet] *constr.* **I.** *vt.* **1.** a împodobi (un zid) cu stucatură. **2.** a tencui. **II.** *s.* **1.** stucatură. **2.** tencuială; gips, ipsos.

pariah ['pæriə] *s.* paria.

Parian ['peəriən] **I.** *adj.* de Paros. **II.** *s.* porţelan de Paros.

parietal [pə'raiitl] *adj. bot., med.* parietal.

paring ['peəriŋ] *s.* **1.** tăiere. **2.** *pl.* bucăţele (de unghie, hârtie etc.) tăiate; coji; resturi. **3.** talaş.

Paris doll ['pæris dɔl] *s.* manechin.

Paris green ['pærisgri:n] *s. chim.* verde de Paris.

parish ['pæriʃ] *s.* **1.** parohie. **2.** district. **3.** cartier. **4.** enoriaşi. | | *to go on the* ~ a rămâne calic; a ajunge la sapă de lemn.

parish clerk [,pæriʃ'klɑ:k] *s.* intendent parohial.

parishioner [pə'riʃnə] *s.* **1.** enoriaş. **2.** locuitor din cartier.

parish register ['pæriʃ,redʒistə] *s.* registrul stării civile.

Parisian [pə'riziən] *s., adj.* parizian.

parity ['pæriti] *s.* **1.** egalitate. **2.** paritate. **3.** asemănare.

park [pɑ:k] **I.** *s.* parc. **II.** *vt.* **1.** a parca. **2.** a îngrădi.

parkin ['pɑ:kin] *s. gastr.* (în Scoţia) turtă dulce din făină de ovăz.

parking lot ['pɑ:kiŋlɔt] *s.* parcare.

parkway ['pɑ:kwei] *s. amer.* alee, bulevard.

parky ['pɑ:ki] *adj. fam.* (d. vreme) răcoros.

parlance ['pɑ:ləns] *s.* limbă; vorbire, grai; limbaj.

parley ['pɑ:li] **I.** *s.* negocieri. **II.** *vi.* a negocia.

parliament ['pɑ:ləmənt] *s.* parlament.

parliamentarian ['pɑ:ləmen'teəriən] **I.** *adj.* parlamentar. **II.** *s.* **1.** parlamentar. **2.** *ist.* partizan al guvernării parlamentare (în timpul Revoluţiei burgheze din sec. al XVII-lea). **3.** cunoscător al practicilor parlamentare, politician experimentat. **4.** persoană însărcinată cu respectarea regulilor în parlament.

parliamentary [,pɑ:lə'mentri] *adj.* **1.** parlamentar. **2.** democratic.

parlour, *amer.* **parlor** ['pɑ:lə] *s.* **1.** salonaş. **2.** hol. **3.** cameră de han. **4.** vorbitor. **5.** *amer.* magazin *sau* atelier.

parlo(u)rmaid ['pɑːləmeid] *s.* servitoare.

parlo(u)r stunts ['pɑːləstʌnts] *s. pl.* **1.** jocuri de salon. **2.** trucuri amuzante.

parlous ['pɑːləs] **I.** *adj.* **1.** *lit.* primejdios. **2.** *înv., reg.* răutăcios; hâtru. **3.** *înv., reg.* surprinzător de, grozav de *(deștept etc.).* **II.** *adv. înv., reg.* extrem; teribil, grozav de.

Parmesan [ˌpɑːmiˈzæn] *s.* parmezan.

Parnassus [pɑːˈnæsəs] *s.* **1.** *mit.* Parnas. **2.** *înv.* culegere de poezii.

parochial [pəˈroukjəl] *adj.* **1.** parohial. **2.** *fig.* limitat, îngust.

parody ['pærədi] **I.** *s.* parodie. **II.** *vt.* a parodia.

parole [pəˈroul] *s.* **1.** cuvânt de onoare. **2.** promisiune. || *freed on* ~ eliberat condiționat.

parotid [pəˈrɔtid] *anat.* **I.** *adj.* de parotidă. **II.** *s.* parotidă.

parotid gland [pəˈrɔtid ˌglænd] *s. anat.* v. **parotid** II.

paroxysm ['pærəksizəm] *s.* **1.** paroxism. **2.** acces.

parquet ['pɑːkei] *s.* parchet.

parrakeet ['pærəkiːt] v. **parakeet.**

parricide ['pærisaid] *s.* **1.** crimă de paricid. **2.** (criminal) paricid. **3.** trădător de patrie. **4.** trădare de patrie.

parrot ['pærət] *s. ornit.* papagal *(și fig.) (Psittacous).*

parry ['pæri] **I.** *s.* parare. **II.** *vt.* a para.

parse [pɑːz] *vt.* a analiza gramatical / sintactic.

Parsee [pɑːˈsiː] *s. rel.* pars *(partizan al doctrinei lui Zoroastru în India).*

parsimonious [ˌpɑːsiˈmounjəs] *adj.* zgârcit.

parsimony ['pɑːsiməni] *s.* **1.** zgârcenie. **2.** chibzuială, economie *(și fig.).*

parsing ['pɑːziŋ] *s. lingv.* analiză sintactică / gramaticală.

parsley ['pɑːsli] *s. bot.* pătrunjel *(Petroselinum arvense).*

parsnip ['pɑːsnip] *s. bot.* păstârnac *(Pastinaca sativa).*

parson [pɑːsn] *s.* popă, preot (de țară).

parsonage ['pɑːsnidʒ] *s.* presbiteriu, casă parohială.

part [pɑːt] **I.** *s.* **1.** parte. **2.** fragment. **3.** cotă. **4.** merit. **5.** fascicol. **6.** piesă. **7.** *teatru, film* rol. **8.** episod *(al unui serial).* || ~ *and parcel* parte integrantă;

for the most ~ în general; în marea majoritate; *in* ~ în amănunt; parțial; printre altele; *to play a* ~ a juca un rol; *fig.* a juca teatru; *on the* ~ *of* din partea *(cu gen.); to take* ~ *in* a participa *sau* contribui la; *to take smth. in good* ~ a nu o lua în nume de rău, a nu se supăra de ceva. **II.** *vt.* **1.** a despărți. **2.** a separa. **3.** a pieptăna cu cărare. || *to* ~ *company* a se despărți; a nu fi de acord. **III.** *vi.* a se despărți. || *to* ~ *with smth.* a se despărți de; a ceda; a renunța la.

partake [pɑːˈteik] **I.** *vt. trec.* **partook** [pɑːˈtuk], *part. trec.* **partaken** [pɑːˈteikn] a împărtăși. **II.** *vi. trec.* **partook** [pɑːˈtuk], *part. trec.* **partaken** [pɑːˈteikn]: *to* ~ *of* a se înfrupta din; a se împărtăși din; a participa la.

partaken [pɑːˈteikn] *vt., vi. part. trec. de la* **partake.**

partaker [pɑːˈteikə] *s.* părtaș, participant. || *we were wholehearted* ~s *in their sorrow* (noi) am luat parte din toată inima la nenorocirea lor.

parterre [pɑːˈteə] *s.* **1.** parter. **2.** peluză de iarbă.

Parthenon ['pɑːθinɔn] *s.* Partenon.

Parthian ['pɑːθiən] *adj. ist.* al parților. || *a* ~ *shaft / shot / arrow* ripostă finală, ripostă dată în momentul plecării.

partial ['pɑːʃl] *adj.* **1.** parțial. **2.** fragmentar. **3.** părtinitor. || *to be* ~ *to smth.* a ține la ceva, a-i plăcea ceva, a fi înclinat spre ceva *(băutură, etc.).*

partiality [ˌpɑːʃiˈæliti] *s.* **1.** părtinire. **2.** prejudecată. **3.** înclinație.

partially ['pɑːʃəli] *adv.* **1.** parțial. **2.** incomplet. **3.** cu părtinire.

participant [pɑːˈtisipənt] *s.* **(in)** participant (la).

participate [pɑːˈtisipeit] *vi.* **(in)** a participa (la).

participation [pɑːˌtisiˈpeiʃn] *s.* **(in)** **1.** participare (la). **2.** participație (la).

participator [pɑːˈtisipeitə] *s.* **(in)** participant, părtaș (la). || *to be* ~ *in a crime* a fi părtaș la o crimă.

participle ['pɑːtsipl] *s. lingv.* participiu.

particle ['pɑːtikl] *s. lingv.* particulă.

parti-colo(u)red ['pɑːtiˌkʌləd] *adj.* **1.** bălțat. **2.** multicolor.

particular [pəˈtikjulə] **I.** *s.* **1.** detaliu. **2.** articol. **II.** *adj.* **1.** specific; distinct. **2.** special. **3.** exact. **4.** dificil. || *in* ~ în special, mai ales; în mod deosebit.

particularity [pəˌtikjuˈlæriti] *s.* **1.** exactitate. **2.** particularitate. **3.** minuțiozitate.

particularize [pəˈtikjuləraiz] *vt., vi.* a enumera.

particularly [pəˈtikjuləli] *adv.* **1.** îndeosebi, în special, mai ales; foarte. || *more* ~ îndeosebi, mai ales. **2.** în particular, individual. || *generally and* ~în general și în particular. **3.** amănunțit, detaliat.

parting ['pɑːtiŋ] **I.** *s.* **1.** despărțire. **2.** (pieptănătură cu) cărare. **II.** *adj.* de sau la despărțire.

partisan ['pɑːtizæn] *s.* partizan.

partition [pɑːˈtiʃn] **I.** *s.* **1.** despărțitură. **2.** compartiment. **3.** glasvand. **II.** *vt.* **1.** a despărți. **2.** a separa. **3.** a împărți.

partitive ['pɑːtitiv] **I.** *adj.* **1.** *gram.* partitiv. **2.** fracționar, parțial. **II.** *s.* partitiv.

partly ['pɑːtli] *adv.* **1.** parțial. **2.** în oarecare măsură.

partner ['pɑːtnə] **I.** *s.* **1.** partener. **2.** tovarăș. **3.** părtaș. **II.** *vt.* **(with)** **1.** a fi partener *sau* părtaș (cu). **2.** a întovărăși. **3.** a se întovărăși (cu).

partnership ['pɑːtnəʃip] *s.* **1.** tovărășie. **2.** întovărășire.

partook [pɑːˈtuk] *vt., vi. trec. de la* **partake.**

partridge ['pɑːtridʒ] *s. ornit.* potârniche *(Perdix perdix).*

part-time ['pɑːtˈtaim] **I.** *adj.* **1.** temporar. **2.** parțial. **3.** extrabugetar. **II.** *adv.* **1.** temporar. **2.** parțial.

part-time worker ['pɑːttaim 'wɔːkə] *s.* șomer parțial; angajat cu jumătate de normă.

parturition [ˌpɑːtjuˈriʃn] *s.* **1.** *med.* facere, naștere. **2.** *fig.* creație, zămislire.

party ['pɑːti] **I.** *s.* **1.** partid. **2.** grup. **3.** petrecere. **4.** partidă. **5.** **(to)** parte *(la un contract, tratat etc.).* **6.** detașament, echipă. **7.** persoană. **II.** *adj.* partinic, de partid.

parvenu ['pɑːvənjuː] *s.* parvenit.

pas [pɑː] *s.* **1.** prioritate, precădere. || *to give the* ~ a da întâietate; *to take the* ~ *of* a avea prioritate asupra. **2.** pas (la dans). || ~ *de deux* dans în doi, număr de balet executat de doi balerini.

paschal ['pɑːskl] *adj.* pascal, de Paşte.

pasha ['pɑːʃə] *s. ist.* paşă.

pasque flower ['pæsk,flauə] *s. bot.* dediţel *(Anemone pulsatilla).*

pass [pɑːs] **I.** *s.* **1.** trecere. **2.** notă de trecere, reuşită *(la un examen).* **3.** situaţie. **4.** pasă. **5.** permis. **6.** trecătoare. **7.** atac. **8.** avans *(fig.).* || to make a ~ at smb. a se da la cineva. **II.** *vt.* a trece pe lângă. **2.** a trece (dincolo) de. **3.** a trece, a traversa. **4.** a petrece. **5.** a face să treacă. **6.** a răspândi. **7.** a strecura. **8.** a aproba. **9.** a adopta. **10** a trece în revistă. **11.** a întrece. **12.** a acorda. **13.** a promite. || to ~ judgment on a judeca; to ~ off a strecura; a răspândi; to ~ oneself off as a se da drept; to ~ the time of day a da binețe. **III.** *vi.* **1.** a trece. **2.** a se strecura. **3.** a se scurge. **4.** a se transforma. **5.** a circula. **6.** a fi acceptat. **7.** a fi aprobat. **8.** a dispărea. **9.** a se întâmpla. **10.** a spune pas. **11.** *sport* a pasa. || to ~ away a trece în lumea drepţilor; a dispărea; to ~ by a nu observa; a trece cu vederea; to ~ by the name of a trece drept; to ~ for a fi cunoscut ca, a trece drept; to ~ off a slăbi; a descreşte; a se petrece; to ~ out a leşina; to ~ over a nesocoti; to~ through a trece prin; to come to ~ a se întâmpla.

passable ['pɑːsəbl] *adj.* **1.** pasabil, acceptabil. **2.** mediocru.

passage ['pæsidʒ] *s.* **1.** trecere. **2.** călătorie. **3.** pasaj. **4.** trecătoare. **5.** coridor. **6.** întâmplare. || bird of ~ pasăre călătoare *(şi fig.).*

passage-way ['pæsidʒwei] *s.* **1.** coridor. **2.** pasaj. **3.** trecătoare.

pass book ['pɑːsbuk] *s. econ.* carnet de conturi; carnet pentru înscrierea mărfii luate pe credit.

passé ['pɑːsei] *adj.* **1.** trecut. **2.** învechit, demodat.

passementerie [pæs'mentri] *s.* pasmanterie, ceaprazărie.

passenger ['pæsindʒə] *s.* pasager.

passer ['pɑːsə] *s.* **1.** v. **passer-by**. **2.** controlor al fabricatelor / mărfurilor.

passer-by ['pɑːsə'bai] *s. pl.* **passers-by** ['pɑːsəz'bai] trecător.

passerine ['pæsərain] *ornit.* **I.** *adj.* **1.** care aparţine familiei *Passeres* . **2.** ca vrabia, de vrabie; de mărimea vrabiei. **II.** *s.* pasăre din familia *Passeres.*

passim ['pæsim] *adv.* passim, în diferite pasaje.

passing ['pɑːsiŋ] **I.** *s.* **1.** trecere. **2.** petrecere. **II.** *adj.* **1.** trecătoare. **2.** întâmplător.

passion ['pæʃn] *s.* **1.** pasiune, patimă. **2.** (acces de) furie.

passionate ['pæʃənit] *adj.* **1.** pătimaş; pasionat. **2.** intens; fierbinte. **3.** irascibil.

passionately ['pæʃənitli] *adv.* **1.** pătimaş, cu pasiune / patimă. **2.** cu ardoare.

passion-flower ['pæʃn,flauə] *s. bot.* floarea patimilor, ceasornic *(Passiflora sp.).*

passionless ['pæʃnlis] *adj.* fără pasiune, rece, nepărtinitor.

Passion play ['pæʃn plei] *s. ist. bis.* dramă religioasă, moralitate.

passive ['pæsiv] **I.** *s.* pasiv. **II.** *adj.* **1.** pasiv. **2.** supus.

passively ['pæsivli] *adv.* pasiv, indiferent.

passiveness ['pæsivnis] *s.* v. **passivity**.

passivity [pæ'siviti] *s.* **1.** pasivitate, indiferenţă. **2.** inerţie; inactivitate.

passover ['pɑːs,ouvə] *s.rel.* **1.** Paştele evreiesc. **2.** mielul pascal.

passport ['pɑːspɔːt] *s.* **1.** paşaport. **2.** *fig.* paspartu, cheia succesului.

password ['pɑːswɔd] *s.* **1.** cuvânt de ordine. **2.** parolă.

past [pɑːst] **I.** *s., adj.* trecut. **II.** *adv.* pe alături. **III.** *prep.* **1.** pe lângă. **2.** dincolo de. **3.** mai presus de, trecut de. **4.** incapabil de. ||~ bearing insuportabil, de neîndurat.

pasta ['pæstə] *s. gastr.* **1.** paste făinoase. **2.** fel de mâncare cu paste făinoase.

paste [peist] **I.** *s.* **1.** pastă. **2.** lipici, pap. **3.** ştras. **II.** *vt.* a lipi. || to ~ up a afişa; a lipi.

pasteboard ['peistbɔːd] **I.** *s.* carton. **II.** *adj.* **1.** de carton. **2.** *fig.* şubred.

pastel [pæstl] **I.** *s.* **1.** cretă colorată. **2.** *artă* pastel. **3.** culori pastel. **II.** *adj.* (în) pastel.

pastern ['pæstəːn] *s.* chişiţă *(la cal).*

pasteurization [,pæstərai'zeiʃn] *s.* pasteurizare.

pasteurize ['pæstəraiz] *vt.* a pasteuriza.

pastiche [pæs'tiːʃ] *s. muz. şi fig.* **1.** potpuriu, amestec. **2.** pastişă, imitaţie.

pastil(le) [pæs'tiːl] *s.* **1.** lumânare afumată. **2.** pastilă.

pastime ['pɑːstaim] *s.* **1.** distracţie, amuzament; mijloc de a-şi pierde vremea. **2.** joc distractiv.

past master ['pɑːst'mɑːstə] *s.* (mare) maestru, expert *(fig.).*

pastor ['pɑːstə] *s.* pastor.

pastoral ['pɑːstrl] **I.** *s.* pastorală. **II.** *adj.* **1.** pastoral. **2.** de păşune. **3.** de pastor.

pastorate ['pɑːstərit] *s. bis.* **1.** păstorire, pastorit. **2.** funcţie de pastor. **3.** *(colectiv)* pastori.

pastry ['peistri] *s.* **1.** patiserie. **2.** plăcinte. **3.** plăcintă.

pastry-cook ['peistrikuk] *s.* plăcintar.

pasturage ['pɑːstjuridʒ] *s.* **1.** păşune. **2.** furaj.

pasture ['pɑːstʃə] **I.** *s.* **1.** păşune. **2.** imaş. **II.** *vt.* **1.** a duce la păşune. **2.** a paşte. **III.** *vi.* a paşte.

pasty I. ['pæsti] *s.* pateu, plăcintă *(cu carne).* **II.** ['peisti] *adj.* **1.** de cocă, de aluat; de consistenţa aluatului, ca aluatul; cleios. **2.** palid, galben (la faţă), gălbejit.

pat [pæt] **I.** *s.* **1.** mângâiere. **2.** atingere. **3.** bătaie uşoară *(pe umăr etc.).* **4.** ciocănit. **II.** *adj.* **1.** clar. **2.** şablon, standard. **III.** *vt.* **1.** a mângâia. **2.** a bate, a atinge uşurel. || to ~ on the shoulder / back a mângâia; a felicita. **IV.** *vi.* **1.** a bate pe cineva pe umăr. **2.** a ciocăni. **V.** *adv.* **1.** tocmai la timp. **2.** la ţanc. **3.** totdeauna gata.

Pat [pæt] *s. fam.* irlandez.

patch [pætʃ] **I.** *s.* **1.** petic. **2.** cârpeală. **3.** pată. **4.** strat, răzor. **II.** *vt.* **1.** a cârpi. **2.** a repara. **3.** a împăca. | to ~ up a cârpi; a închega; a reconcilia.

patchwork ['pætʃwɔːk] *s.* **1.** cârpăceală. **2.** cârpeală *(şi fig.).*

patchy ['pætʃi] *adj.* peticit, cârpit; pestriţ.

pate [peit] *s.* căpăţână, dovleac.

patella [pə'telə] *s; pl.* **patellae** [pə'teliː] *anat.* rotulă.

paten ['pætn] *s.* **1.** *bis.* patenă,

farfurioară plată pentru sfânta împărtăşanie. **2.** disc metalic, placă metalică.

patent ['peitnt] **I.** s. **1.** patent. **2.** licenţă. **3.** autorizaţie. **4.** privilegiu. **5.** carnet *(de şofer etc.)*. **II.** adj. **1.** clar. **2.** evident. **3.** patentat. **4.** ingenios. **5.** original.

patentee [ˌpeitn'tiː] s. posesor al unui brevet *sau* al unei patente.

patent leather ['peitnt'leðə] s. piele de lac. || ~ ~ *shoes* pantofi de lac.

patently ['peitəntli] adv. evident, clar, limpede.

pater ['peitə] s. fam. părinte, tată, babacu'.

paterfamilias ['peitəfə'miliæs], pl. **patresfamilias** ['peitəz fə'miliəs] s. *glumeţ* tată de familie.

paternal [pə'təːnl] adj. **1.** părintesc. **2.** după tată.

paternalism [pə'təːnəlizəm] s. îngrijire părintească; grijă exagerată.

paternity [pə'təːniti] s. **1.** paternitate. **2.** sursă.

paternoster ['pætə'nɔstə] s. **1.** tatăl nostru *(rugăciune)*. **2.** farmec. **3.** (şirag de) mătănii. **4.** undiţă cu cârlige la diferite intervale. **5.** constr. paternoster, ascensor cu funcţionare continuă.

path [pɑːθ] s. pl. **paths** [pɑːðz] **1.** cărare, potecă. **2.** cale *(şi fig.)*.

pathetic [pə'θetik] adj. **1.** patetic. **2.** emoţional.

pathetically [pə'θetikli] adv. (în mod) patetic.

pathless ['pɑːθlis] adj. **1.** neumblat, neexplorat. **2.** necunoscut, virgin.

pathogen ['pæθədʒen] s. microb patogen.

pathological [ˌpæθə'lɔdʒikl] adj. **1.** patologic. **2.** maladiv.

pathologist [pə'θɔlədʒist] s. patolog.

pathology [pə'θɔlədʒi] s. patologie.

pathos ['peiθɔs] s. **1.** patos. **2.** pasiune.

pathway ['pɑːθwei] s. **1.** potecă. **2.** cale.

patience ['peiʃns] s. **1.** răbdare. **2.** rezistenţă. **3.** perseverenţă. **4.** silinţă. **5.** bot. ştevie *(Rumex patientia)*. || to be out of ~ with, to have no ~ with a-şi pierde răbdarea cu; a nu mai suporta.

patient ['peiʃnt] **I.** s. pacient, bolnav. **II.** adj. răbdător.

patina ['pætinə] s. *artă* patină.

patio ['pætiou] s. patio, curte interioară.

patois ['pætwɑː] s. lingv. grai; dialect.

patriarch ['peitriɑːk] s. patriarh *(şi fig.)*.

patriarchal [ˌpeitri'ɑːkl] adj. **1.** patriarhal. **2.** venerabil.

patriarchate ['peitriɑːkit] s. **1.** ist. rel. patriarhat. **2.** înv. rel. patriarhie.

patriarchy ['peitriɑːki] s. **1.** ist. patriarhat *(sistem de guvernare)*. **2.** rel. patriarhie.

patrician [pə'triʃn] s., adj. **1.** ist. patrician. **2.** aristocrat.

patriciate [pə'triʃiit] s. ist. patriciat.

patricide ['pætrisaid] s. patricid.

patrimonial [ˌpætri'mouniəl] adj. jur. **1.** patrimonial. **2.** moştenit, ereditar.

patrimony ['pætriməni] s. **1.** patrimoniu. **2.** avere. **3.** proprietate. **4.** moştenire.

patriot ['peitriət] s. patriot.

patriotic [ˌpætri'ɔtik] adj. patriotic.

patriotically [ˌpætri'ɔtikəli] adv. patriotic.

patriotism ['pætriətizəm] s. patriotism.

patristic [pə'tristik] adj. rel. patristic, al Părinţilor Bisericii.

patristics [pə'tristiks] s. pl. *(folosit ca sing.)* rel. patristică, patrologie.

patrol [pə'troul] **I.** s. patrulă. **II.** vt. **1.** a păzi. **2.** a patrula prin. **III.** vi. a patrula.

patrolman [pə'troulmən] s. pl. **patrolmen** [pə'troulmən] amer. poliţist.

patrology [pə'trɔlədʒi] s. rel. patristică, patrologie.

patron ['peitrn] s. **1.** patron. **2.** susţinător, sprijinitor. **3.** client obişnuit.

patronage ['pætrənidʒ] s. **1.** patronaj. **2.** aer protector. **3.** protecţie. **4.** clientelă.

patroness ['peitrənis] s. protectoare.

patronize ['pætrənaiz] vt. **1.** a patrona. **2.** a trata de sus. **3.** a frecventa.

patronizingly ['pætrənaiziŋli] adv. (cu un aer) protector.

patronymic [ˌpætrə'nimik] **I.** adj. **1.** *(d. nume)* patronimic, al tatălui *sau* al strămoşului. **2.** *(d.*

sufixe sau prefixe) patronimic, care arată originea. **II.** s. patronimic, nume derivat din cel al tatălui *sau* al strămoşului.

patten ['pætn] s. **1.** sandală de lemn. **2.** constr. postament, baza unei coloane; fundaţie în elevaţie. **3.** ferov. talpa şinei.

patter ['pætə] **I.** s. **1.** ciocănit. **2.** răpăit, bătaie *sau* târâit (al ploii). **3.** lipăit, mers grăbit *(al copiilor)*; tropăit. **4.** repetiţie. **5.** flecăreală, trăncăneală. **6.** jargon. **II.** vt. **1.** a repeta. **2.** a recita. **III.** vi. **1.** *(d. ploaie)* a răpăi, a bate *sau* a târâi. **2.** *(d. copii)* a lipăi, a merge cu paşi mici şi repezi; a tropăi. **3.** a vorbi repede. **4.** a ciocăni.

pattern ['pætən] **I.** s. **1.** model. **2.** tipar. **3.** şablon. **4.** desen. **II.** vt. **1.** a împodobi cu un desen *sau* chenar. **2.** a imita. **3.** a lua drept model pentru. **4.** a modela **5.** a standardiza.

patty ['pæti] s. pateu; plăcintă.

paucity ['pɔsiti] s. **1.** puţinătate. **2.** sărăcie. **3.** lipsă.

Paul Jones ['pɔːl 'dʒounz] s. dans de societate în cadrul căruia partenerii se schimbă foarte des.

Paul Pry ['pɔːl'prai] s. om băgăreţ; (om) indiscret.

paunch [pɔːntʃ] s. **1.** burtă, pântec (mare). **2.** burduhan.

pauper ['pɔːpə] s. **1.** sărac. **2.** cerşetor.

pauperism ['pɔːpərizəm] s. sărăcie, paupertate, pauperism.

pauperize ['pɔːpəraiz] vt. **1.** a pauperiza, a sărăci.

pause [pɔːz] **I.** s. **1.** pauză. **2.** răgaz. || to give ~ to a lăsa răgaz (cu dat.). **II.** vi. **1.** a face o pauză. **2.** a se opri.

pave [peiv] vt. **1.** a pava. **2.** a pietrui. **3.** fig. a acoperi. || to ~ the way for a pregăti terenul (pentru).

pavement ['peivmənt] s. **1.** pavaj, caldarâm. **2.** trotuar.

pavilion [pə'viljən] s. **1.** pavilion. **2.** cort mare.

paving ['peiviŋ] s. pavaj.

pavlova [pæv'louvə] s. gastr. tort Pavlova.

paw [pɔː] **I.** s. labă. **II.** vt. **1.** a zgâria. **2.** a lovi cu laba *sau* copita. **3.** a umbla stângaci cu. **4.** a pipăi grosolan *(o femeie)*. **III.** vi. a da din picior.

pawky ['pɔːki] *adj. (cuvânt scoţian)* 1. şiret, viclean. 2. poznaş, hazliu.

pawl [pɔːl] I. *s.* 1. *tehn.* clichet, declic. 2. închizător, clapă, clanţă. 3. *mar.* castanietă, clichetul discului cabestanului. II. *vt.* 1. a opri cu ajutorul piedicii. 2. *mar.* a fixa cu castanieta.

pawn [pɔːn] I. *s.* 1. pion *(şi fig.).* 2. amanet. II. 1. a amaneta. 2. a risca. 3. a pune chezaş.

pawnbroker ['pɔːn,broukə] *s.* cămătar care ţine o casă de amanet.

pawnshop ['pɔːnʃɔp] *s.* munte de pietate, casă de amanet.

pawpaw [pə'pɔː] *s.* v. **papaya.**

pax [pæks] I. *s.* 1. pace. 2. *bis.* crucifix *(care se sărută în timpul slujbei).* 3. *bis.* sărutul păcii *(în timpul slujbei).* II. *interj. sl. şcolar* linişte! şase!

pay [pei] I. *s.* 1. plată. 2. leafă, salariu. 3. salarizare. 4. onorariu. 5. răsplată. 6. soldă. || *in the ~ of* în solda *(cu gen.).* II. *vt. trec. şi part. trec.* **paid** [peid] 1. a plăti. 2. a achita. 3. a acorda, a da. 4. a răsplăti. 5. a face *(vizite, complimente, curte).* || *to ~ smb. off* a concedia pe cineva *(plătindu-i salariul);* a-i face cuiva socoteala; a-şi plăti datoriile la cineva. || *to ~ smb. out* a pedepsi, a se răzbuna pe cineva. || *to ~ back* a achita. || *to ~ the piper* a finanţa afacerea. || *to ~ one's way* a nu rămâne dator. || *to ~ the debt of nature* a muri. || *to ~ a visit to smb.* a face o vizită cuiva. III. *vi. trec. şi part. trec.* **paid** [peid] 1. a plăti. 2. a renta. || *to ~ in kind* a plăti în natură || *to ~ through the nose* a plăti cât nu face.

payable ['peiəbl] *adj.* 1. plătibil. 2. profitabil. 3. scadent.

pay-day ['peidei] *s.* ziua salariului.

payee [pei'iː] *s. com.* beneficiar, persoană care primeşte banii.

payer ['pɔiə] *s.* plătitor, platnic.

paying guest [,peiiŋ'gest] *s.* chiriaş *(în pensiune).*

pay-master ['pei,mɑːstə] *s.* 1. *mil. etc.* casier. 2. *fig., fam.* patron, boss.

payment ['peimənt] *s.* 1. plată. 2. recompensă *(răsplată).* 3. pedeapsă.

paynim ['peinim] *înv.* I. *s.* păgân. II. *adj.* (de) păgân, păgânesc.

pay roll ['peiroul] *s. amer.* v. **pay sheet.**

pay-sheet ['peiʃiːt] *s.* 1. stat de plată / salarii. 2. fond de salarii.

PC *abrev.* 1. *Police Constable* agent de poliţie, poliţist. 2. *Privy Councillor* consilier particular. 3. *personal computer* calculator (personal), computer.

pea [piː] *s.* 1. *bot.* mazăre *(Pisum sativum).* 2. bob de mazăre. || *as like as two ~s* semănând ca două picături de apă.

peace [piːs] *s.* 1. pace . 2. tratat de pace. 3. linişte. 4. tihnă. || *to keep the ~* a nu tulbura ordinea; *to break the ~* a tulbura pacea *sau* ordinea; *at~* împăcat; paşnic; liniştit; *to hold one's ~* a tăcea.

peaceable ['piːsəbl] *adj.* 1. paşnic. 2. liniştit.

peaceably ['piːsəbli] *adv.* împăciuitor.

peaceful ['piːsfl] *adj.* 1. paşnic. 2. liniştit. 3. tihnit.

peacefully ['piːsfli] *adv.* paşnic; liniştit; împăciuitor.

peacefulness ['piːsflnis] *s.* pace, linişte.

peacemaker ['piːs,meikə] *s.* 1. împăciuitor, pacificator. 2. *glumeţ* revolver. 3. *glumeţ* vas de război.

peacepipe ['piːspaip] *s.* pipa păcii *(la pieile roşii);* simbol al păcii.

peach[1] [piːtʃ] *s.* 1. piersică. 2. fată frumoasă.

peach[2] [piːtʃ] *vt., vi. sl.* a denunţa, a turna, a pârî la poliţie *(pe cineva).*

peacock ['piːkɔk] *s. ornit.* păun *(Pava cristatus).*

peafowl ['piː,faul] *s. ornit.* păun *sau* păuniţă *(Pava cristatus).*

peahen ['piː,hen] *s. ornit.* păuniţă.

pea jacket ['piː,dʒækit] *s. mar.* haină scurtă de postav.

peak [piːk] I. *s.* 1. vârf. 2. culme. 3. cozoroc. II. *vi.* a se ofili.

peaked [piːkt] *adj.* 1. cu vârf. 2. cu cozoroc. 3. slab; ofilit. 4. prăpădit.

peaky ['piːki] *adj.* ofilit.

peal [piːl] I. *s.* 1. zvon / sunet de clopote. 2. bubuitură *(de tunet).* 3. hohot *(de râs).* II. *vt.* a face să răsune. III. *vi. (d. clopote)* a răsuna.

peanut ['piːnʌt] I. *s. bot.* alună americană, arahidă *(Arachis*

hypogaea). II. *adj.* mărunt, neînsemnat.

pear [peə] *s. bot.* 1. pară. 2. păr *(Pyrus communis).*

pearl [pɔːl] *s.* 1. perlă. 2. nestemată. 3. lacrimă.

pearl-barley ['pɔːl,bɑːli] *s.* arpacaş.

pearl-diver ['pɔːl,daivə] *s.* căutător *sau* pescuitor de perle.

pearly ['pɔːli] I. *adj.* 1. ca perla, ca mărgăritarul; ca sideful, sidefiu, sidefat. 2. împodobit / bogat în perle. II. *s.* 1. *pl.* nasturi de sidef. 2. *pl. fam.* uniformă de paradă *(cu nasturi de sidef)* a zarzavagiilor ambulanţi *(în Anglia).*

peasant ['peznt] I. *s.* ţăran. II. *adj.* ţărănesc.

peasantry ['pezntri] *s.* ţărănime.

pease pudding ['piːz pudiŋ] *s. gastr.* budincă de mazăre.

pea-shooter ['piː,ʃuːtə] *s.* puşcoace, puşcoci *(jucărie).*

peat [piːt] *s. geol.* turbă.

peat-bog ['piːtbɔg] *s.* turbărie.

pebble ['pebl] *s.* pietricică; *pl.* pietriş, prundiş.

pebbly ['pebli] *adj.* 1. acoperit / aşternut cu pietriş; prunduit. 2. *fiz.* grăunţos, granulos.

pecan [pi'kæn] *s. bot.* pecan *(Carya olivae formis / illinoensis).*

pec(c)ary ['pekəri] *s. amer. zool.* pecari *(Pescari angulatus, Dicotyles şi Toyassu pecari).*

peccadillo [,pekə'dilou] *s.* 1. greşeală. 2. păcat neînsemnat / mărunt.

peck [pek] I. *s.* 1. baniţă. 2. mulţime. 3. ciocănit *(cu ciocul).* 4. sărutare, pupătură. II. *vt.* 1. a lovi cu ciocul. 2. a găuri. 3. a ciuguli. III. *vi.*1. a ciuguli. 2.a da cu ciocul.

pecker ['pekə] *s.* 1. *ornit.* ciocănitoare *(Picidae sp.).* 2. *fam.* nas; bot. || *keep your ~ up!* fii vesel! capul sus!.

peckish ['pekiʃ] *adj. sl.* flămând, înfometat. || *to be* sau *to feel~* a-i fi foame, a-i chiorăi maţele de foame.

pectoral ['pektərl] I. *adj.* 1. *anat.* pectoral. 2. *med.* pentru (bolile de) piept. 3. *bis.* purtat pe piept. 4. subiectiv, personal. II. *s.* 1. *anat.* muşchi pectoral. 2. *iht.* aripioară pectorală. 3. *bis.* cruce mare de purtat pe piept. 4. *ist.* pectoral, platoşă 5. *ist., bis.* pectoral, podoabă pentru piept. **6.** *med.* sirop pectoral.

peculate ['pekjuleit] *vi.* a delapida; a se înfrupta din banii statului.

peculation [,pekju'leiʃn] *s.* **1.** delapidare. **2.** corupție.

peculiar [pi'kju:ljə] *adj.* **1.** specific, particular. **2.** individual. **3.** special. **4.** ciudat.

peculiarity [pi,kju:li'æriti] *s.* **1.** specific, particularitate. **2.** individualitate. **3.** ciudățenie. **4.** originalitate.

peculiarly [pi'kju:ljəli] *adv.* **1.** personal. **2.** numai pentru sine. **3.** îndeosebi, mai ales. **4.** în mod ciudat, curios.

pecuniary [pi'kjuniəri] *adj.* **1.** pecuniar, financiar. **2.** *jur.* pasibil de amendă.

pedagogic(al) ['pedə'gɔdʒik(l)] *adj.* pedagogic, referitor la învățământ.

pedagogue ['pedəgɔg] *s.* **1.** profesor. **2.** învățător. **3.** pedagog.

pedagogy ['pedəgɔgi] *s.* pedagogie.

pedal ['pedl] **I.** *s.* pedală. **II.** *vt.* a împinge cu pedalele. **III.** *vi.* a pedala.

pedant ['pednt] *s.* pedant.

pedantic [pi'dæntik] *adj.* pedant.

pedantry ['pedntri] *s.* pedanterie.

peddle ['pedl] **I.** *vt.* **1.** a vinde cu amănuntul. **2.** a colporta. **II.** *vi.* **1.** a face comerț (ambulant). **2.** a se ocupa de fleacuri.

peddler ['pedlə] *v.* **pedlar.**

pedestal ['pedistl] *s.* piedestal.

pedestrian [pi'destriən] **I.** *adj.* **1.** pedestru. **2.** *fig.* prozaic, plicticos, mediocru. **II.** *s.* **1.** pieton. **2.** *sport* alergător, participant la alergări.

pedicure ['pedikjuə] *s.* **1.** pedichiură. **2.** chiropod.

pedigree ['pedigri:] **I.** *s.* **1.** genealogie. **2.** origine. **II.** *adj.* *(d. animale)* **1.** de rasă. **2.** de reproducție.

pediment ['pedimənt] *s.* *arhit.* fronton.

pedlar ['pedlə] *s.* **1.** telal; negustor ambulant. **2.** negustor de mărunțișuri.

pedometer [pi'dɔmitə] *s.* *mine. etc.* pedometru, podometru.

peduncle [pi'dʌŋkl] *s.* *bot., anat., zool.* peduncul.

pee [pi:] *fam.* **I.** *vi.* a urina, a face pipi. **II.** *s.* urină, pipi. || to take ~ a face pipi, a se ușura.

peek [pi:k] *vi.* **1.** a iscodi. **2.** a se iți.

peel [pi:l] **I.** *s.* coajă *(a fructelor etc.).* **II.** *vt.* **1.** a coji. **2.** a desface. **III.** *vi.* **1.** a se coji. **2.** a se desface. **3.** a se dezbrăca, a se dezgoli.

peeling ['pi:liŋ] *s.* **1.** coajă, pieliță. **2.** sloi desprins. **3.** cojire.

peelings ['pi:liŋz] *s.* *pl.* coji *(de legume etc.).* || potato ~ coji de cartofi.

peep [pi:p] **I.** *s.* **1.** ochire. **2.** ocheadă. **3.** ivire. **4.** chițăit. **5.** ciripit. **II.** *vi.* **1.** a iscodi. **2.** a-și băga nasul. **3.** a se ivi. **4.** a se iți. **5.** a chițăi. **6.** a ciripi.

peeper ['pi:pə] *s.* **1.** curios, iscoditor. **2.** *sl.* ochi, felinar, geam.

peephole ['pi:phoul] *s.* vizor, vizetă.

peep of day ['pi:pəv'dei] *s.* zori, îngânatul zilei cu noaptea.

peep show ['pi:p,ʃou] *s.* **1.** *înv.* cinescop, kinescop. **2.** spectacol privit prin gaura cheii. **3.** exhibiție pornografică; sex show.

peer [piə] **I.** *s.* **1.** egal, pereche, seamăn. **2.** nobil. **3.** pair, lord. **4.** membru al Camerei lorzilor. **II.** *vi.* **1.** a străpunge cu privirea (întunericul etc.). **2.** a se iți. **3.** a se ivi.**4.** a face pair, a înnobila. **5.** a fi pe aceeași treaptă cu, a fi de același rang cu.

peerage ['piəridʒ] *s.* **1.** Camera lorzilor. **2.** rangul de pair. **3.** arhondologie, almanahul nobilimii.

peeress ['piəris] *s.* soția unui pair / lord, lady.

peerless ['piəlis] *adj.* **1.** neasemuit. **2.** fără pereche.

peeve [pi:v] **I.** *vt.* a enerva, a supăra. **II.** *vi.* a se enerva, a se supăra. **II.** *s.* necaz, supărare; lucru neplăcut, enervant.

peeved [pi:vd] *adj.* **1.** furios. **2.** nervos, enervat.

peevish ['pi:viʃ] *adj.* **1.** țâfnos. **2.** plângăreț.

peevishness ['pi:viʃnis] *s.* **1.** fire artăgoasă, fel de a fi artăgos, țâfnă. **2.** toane, capricii, bombăneală.

peewit ['pi:wit] *s.* *ornit.* **1.** nagâț *(Vanellus vanellus).* **2.** pescăruș-râzător *(Larus ridibundus).*

peg [peg] **I.** *s.* **1.** țăruș. **2.** scoabă. **3.** cui. **4.** cuier. **5.** pretext. **6.** băutură. || a square ~ in a round hole un om cu totul nepotrivit *(pentru postul lui);* to take smb. down a ~ or two a (mai) tăia cuiva din nas. **II.** *vt.* **1.** a fixa *(cu un țăruș).* **2.** a

delimita. **3.** a ține fix. **4.** a stabili. || to ~ down a țintui, a nu lăsa să scape *sau* să schimbe subiectul. **III.** *vi.:* to ~ at a ținti în; to ~ out a muri; a se duce de râpă.

Pegasus ['pegəsəs] *s.* **1.** *mit.* Pegas, cal înaripat. **2.** *astr.* Pegas. **3.** *fig.* geniu poetic; inspirație.

peg-top ['pegtɔp] *s.* sfârlează.

pejorative ['pi:dʒrətiv] *adj.* peiorativ, depreciativ.

peke [pi:k] *s.* *fam.* câine pechinez.

pekin(g)ese [,pi:kiŋ'i:z] *s.* pechinez.

pelagic [pe'lædʒik] *adj.* marin, oceanic, pelagic, de pe mare sau ocean; în larg; de larg. || ~ sealing vânătoare de foci în larg.

pelargonium [,pelə'gouniəm] *s.* *bot.* mușcată *(Pelargonium).*

pelf [pelf] *s.* **1.** *peior.* bani, gologani, bani la ciorap; avere. **2.** *înv.* avere dobândită ilicit; câștig ilicit, ciubuc.

pelican ['pelikən] *s.* *ornit.* pelican *(Pelecanus sp.).*

pelisse [pe'li:s] *s.* **1.** (haină de) blană; șubă. **2.** mantie, pelerină de damă / copii. **3.** tunică de husar cu blană; dolman.

pellagra [pe'lægrə] *s.* *med.* pelagră.

pellet ['pelit] *s.* **1.** ghemotoc *sau* cocoloș de hârtie. **2.** alică. **3.** pilulă.

pellicle ['pelikl] *s.* peliculă; pieliță, cojiță; membrană.

pell-mell ['pel'mel] **I.** *adj.* **1.** pus de-a valma. **2.** în dezordine. **II.** *adv.* de-a valma. **2.** în dezordine, alandala, talmeș-balmeș.

pellucid [pe'lju:sid] *adj.* transparent *(și fig.).*

pelmet ['pelmit] *s.* galerie sau cornișă mică ascunzând inelele draperiilor.

pelota [pe'loutə] *s.* *sport* pelota bască; pelotă.

pelt [pelt] **I.** *s.* **1.** blană. **2.** piele de animal. **3.** bombardare. **4.** grindină. **5.** potop *sau* grindină de lovituri. || at full ~ în plină viteză. **II.***vt.* a bombarda. **III.** *vi.* **1.** a cădea *(ca grindina).* **2.** *amer. fam.* a se grăbi.

peltry ['peltri] *s.* piei.

pelvic ['pelvik] *adj.* *anat.* pelvic, pelvian, al bazinului.

pelvis ['pelvis], *pl.* **pelves** ['pelvi:z] *s.* *anat.* bazin, pelvis, centură pelviană.

Pembroke table ['pembruk ˌteibl] s. masă cu tăblii care se întind.

pemmican ['pemikən] s. 1. pastramă. 2. carne sărată.

pen[1] [pen] I. s. 1. ţarc; ocol. 2. curte. 3. stână. 4. peniţă; pană. 5. condei (şi fig.). 6. stilou; toc. II. vt. 1. a închide (în ţarc). 2. a împrejmui. 3. a scrie. || to ~ up a închide (în ţarc, închisoare etc.).

pen[2] [pen] s. ornit. lebădă femelă.

penal ['pi:nl] adj. penal.

penalize ['pi:nəlaiz] vt. 1. a pedepsi. 2. a penaliza. 3. a handicapa.

penal servitude ['pi:nl'sə:vitju:d] s. jur. 1. temniţă grea. 2. întemniţare, detenţiune.

penalty ['penlti] s. pedeapsă.

penance ['penəns] s. rel. 1. pocăinţă. 2. penitenţă; pedeapsă autoimpusă. || to do ~ a se pocăi; a face penitenţă.

penates [pe'neiti:z] s. pl. ist., rel. penaţi, zeii casei / ai familiei.

pence [pens] s. pl. de la **penny** (ca valoare).

penchant ['pentʃənt] s.: ~ for înclinaţie, slăbiciune (pentru).

pencil ['pensl] I. s. creion. II. vt. a scrie cu creionul.

pencil-case ['penslkeis] s. penar.

pencilled ['pensld] adj. 1. frumos desenat. 2. arcuit.

pendant ['pendənt] I. s. 1. pandantiv. 2. steag. II. adj. 1. care atârnă. 2. nerezolvat. 3.pendinte.

pendent ['pendənt] adj. v. **pendant** II.

pending ['pendiŋ] I. adj. 1. nehotărât. 2. nerezolvat. 3. pendinte. II. prep. 1. în timpul (cu gen.). 2. până la (pronunţarea sentinţei, aprobare etc.).

pendragon [pen'drægən] s. ist. Ţării Galilor prinţ, şef.

pendulous ['pendjuləs] adj. 1. (d. un cuib) suspendat, atârnat; (d. o floare) aplecat. 2. care se leagănă, care oscilează. 3. (d. buze, ramuri) care atârnă. 4. (d. urechi) bleg.

pendulum ['pendjuləm] s. pendulă.

Penelope [pi'neləpi] s. fig. soţie credincioasă.

penetrable ['penitrəbl] adj. penetrabil, care poate fi pătruns; permeabil.

penetrate ['penitreit] vt. 1. a pătrunde în. 2. a străpunge. 3. a înţelege. 4. a se răspândi.

penetrating ['penitreitiŋ] adj. 1. pătrunzător. 2. subtil. 3. ascuţit. 4. ager.

penetration [ˌpeni'treiʃn] s. 1. pătrundere. 2. perspicacitate. 3. agerime.

penetrative ['penitrətiv] adj. 1. pătrunzător (şi fig.) 2. de pătrundere, de infiltrare.

penguin ['peŋgwin] s. ornit. pinguin (Spheniscidae sp.).

pen-holder ['penˌhouldə] s. toc, condei.

penicillin [ˌpeni'silin] s. penicilină.

peninsula [pi'ninsjulə] s. peninsulă.

peninsular [pi'ninsjulə] adj. peninsular.

penis ['pi:nis] s., pl. **penes** ['pi:niz] anat. penis, membru bărbătesc / viril.

penitence ['penitns] s. 1. pocăinţă, penitenţă. 2. căinţă.

penitent ['penitnt] s., adj. pocăit.

penitential [ˌpeni'tenʃl] bis. I. adj. de (po)căinţă, de penitenţă. II. s. carte de rugăciuni pentru iertarea păcatelor.

penitentiary [ˌpeni'tenʃəri] I. s. 1. şcoală de corecţie. 2. amer. închisoare. II. adj. 1. penitent. 2. penitenciar.

pen-knife ['pennaif] s. briceag.

penman ['penmən] s. pl. **penmen** ['penmən] 1. scriitor. 2. caligraf.

penmanship ['penmənʃip] s. 1. caligrafie. 2. artă / măiestrie literară.

pen-name ['penneim] s. pseudonim (literar).

pennant ['penənt] s. fanion.

penniless ['penilis] adj. 1. lefter, fără un ban în buzunar. 2. sărac lipit pământului.

pennon ['penən] s. 1. fanion. 2. steag.

penny ['peni] s. 1. pl. **pence** [pens] penny, a suta parte dintr-o liră sterlină. 2. ist. (monedă de 1) penny, a 12-a parte dintr-un şiling. || to turn an honest ~ a scoate bani prin muncă; a ~ for your thoughts la ce te gândeşti?; ~-wise and pound-foolish ieftin la făină şi scump la tărâţe.

pennyroyal [peni'rɔil] s. bot. 1. purecariţă (Mentha pulegium). 2. amer. hedeomă (Hedeoma pulegioides).

pennyworth ['peniˌwə:θ] s. marfă (în valoare) de 1 penny.

penology [pi:'nɔlədʒi] s. 1. penologie, studiul penalităţilor. 2. criminologie.

pension[1] ['penʃn] I. s. (şi old-age ~) pensie. II. vt. a pensiona.

pension[2] ['pɑ:ŋsiɔ:ŋ] s. 1. pensiune, mic hotel. 2. pensiune completă, regim de pensiune.

pensionable ['penʃnəbl] adj. 1. (d. persoane) care are dreptul la pensionare. 2. (d. o rană etc.) care dă dreptul la pensionare. 3. (d. venituri) susceptibil de reţinere pentru pensie.

pensionary ['penʃnəri] I. adj. 1. de pensie; constând dintr-o pensie. 2. (d. persoane) pensionat, în retragere. 3. (d. spadasini etc.) năimit, plătit. II. s. 1. pensionar. 2. năimit, om de încredere plătit.

pensioner ['penʃənə] s. pensionar.

pensive ['pensiv] adj. 1. gânditor, dus pe gânduri. 2. melancolic.

pensively ['pensivli] adv. 1. pe gânduri, gânditor, visător. 2. (cu un aer) îngrijorat.

pent [pent] I. trec. şi part. trec. de la **pen**[1] II.

pentacle ['pentəkl] s. v. **pentagram**.

pentagon ['pentəgən] s. pentagon. || the Pentagon Ministerul de Război al S.U.A.

pentagonal [pen'tægənl] adj. geom. pentagonal.

pentagram ['pentəgræm] s. pentagramă (magică).

pentameter [pen'tæmitə] s. metr. pentametru.

Pentateuch ['pentətju:k] s. rel. pentateuc; primele cinci cărţi ale Vechiului Testament.

pentathlon [pen'tæθlən] s. sport pentatlon.

Pentecost ['pentikɔst] s. rel. Rusalii.

penthouse ['penthaus] s. 1. anexă, şopron. 2. mansardă; acoperiş. 3. apartament (elegant, cu multe ferestre) construit pe acoperişul unui bloc.

penultimate [pi'nʌltimit] adj. penultim.

penumbra [pi'nʌmbrə] s. penumbră.

penurious [pi'njuəriəs] adj. 1. sărăcăcios. 2. meschin. 3. zgârcit.

penury ['penjuri] s. 1. lipsă. 2. sărăcie.

peon ['pi:ən] s. 1. infanterist. 2. poliţist indigen. 3. însoţitor. 4. mesager, sol.

peony ['pi:əni] s. bot. bujor (Paeonia).

people ['pi:pl] I. s. 1. *(ca plural de la* **man** *şi* **woman***)* lume, oameni. 2. popor. 3. naţiune. 4. plebe. || ~'s popular; *my* ~ ai mei; familia mea. II.*vt.* a popula.

pep [pep] s. 1. energie, vigoare, zel. 2. vioiciune, entuziasm, veselie.

pepper ['pepə] I. s. 1. piper. 2. *bot.* ardei. 3. *fig.* sare şi piper, haz. II. *vt.* 1. a pipera. 2. *fig.* a bombarda.

pepper-and-salt ['pepran'so:lt] *s.* stofă pepit.

pepper-box ['pepəbɔks] *s.* solniţă de piper.

peppermint ['pepəmint] *s.* mentă.

peppery ['pepəri] *adj.* 1. piperat. 2. nervos.

peppy ['pepi] *adj. amer. fam.* 1. *(d. persoane)* entuziast, activ, energic, plin de iniţiativă / de viaţă; vesel, voios. || *a* ~ *chap* un băiat de viaţă. 2. *(d. motor)* nervos, capricios. 3. *(d. publicitate)* picant, original.

pepsi(-cola) ['pepsi('koulə)] *s.* (sticlă de) pepsi (cola).

pepsin ['pepsin] s. fiziol., chim. pepsină.

peptic ['peptik] I. *adj.* fiziol. digestiv, de digestie. II. *s.* 1. *pl. glumeţ* organele digestive. 2. *fam.* medicament care ajută la digestie.

peptone ['peptoun] s. fiziol., chim. peptonă.

per [pə:] prep. 1. prin, cu; prin intermediul. 2. conform. 3. pe, de, la.

peradventure [,pə:rəd'ventʃə] *înv.* I. *adv.* posibil, poate. II. *s. rar* nesiguranţă; îndoială.

perambulate [pə'ræmbjuleit] I. *vt.* 1. a face ocolul *(cu gen.),* a parcurge. 2. a cutreiera, a colinda. 3. a inspecta, a vizita *(un teritoriu).* 4. a plimba *(un copil)* cu căruţul. II. *vi.*a se plimba.

perambulation [pə,ræmbju'leiʃn] *s.* 1. cutreierare, colindare. 2. inspecţie. 3. ocol *(al hotarelor),* delimitare. 4. promenadă, plimbare.

perambulator [pə'ræmbjuleitə] s. cărucior de copil.

percale [pə:'keil] s. text. percal.

perceive [pə:'si:v] *vt.* 1. a observa. 2. a înţelege. 3. a percepe.

per cent [pə'sent] *adv.* la sută.

percentage [pə'sentidʒ] *s.* 1. procentaj. 2. proporţie.

percept ['pə:sept] s. filoz. 1. obiect / rezultat al perceperii. 2. percepţie, percepere.

perceptible [pə'septəbl] *adj.* 1. perceptibil. 2. sensibil.

perceptibly [pə(:)'septəbli] *adv.* (în mod) perceptibil, sensibil.

perception [pə'sepʃn] s. 1. pătrundere. 2. percepţie.

perceptive [pə(:)'septiv] *adj.* perceptiv.

perch [pə:tʃ] I. s. 1. cocoţare. 2. loc de cocoţat. 3. (vârf de) prăjină. 4. poziţie sigură. 5. măsură de o prăjină. 6. *iht. pl.* ~ biban *(Perca fluviatilis).* II. *vt.,vi.* a (se)cocoţa.

perchance [pə(:)'tʃɑ:ns] *adv.* înv. 1. din întâmplare. 2. poate.

percipient [pə(:)'sipiənt] I. *adj.* 1. capabil să perceapă, să înţeleagă. 2. conştient; sensibil. II. *s.* subiect al unei telepatii.

percolate ['pə:kəleit] I. *vt.* 1. a filtra, a strecura. 2. a pătrunde prin, a se strecura prin *(nisip etc.).* 3. *fig.* a limpezi, a purifica. 4. *chim.* a extrage prin dizolvare, a spăla. II. *vi.* 1. a se strecura, a se filtra. 2. *fig.* a se infiltra, a se insinua.

percolator ['pə:kəleitə] s. 1. strecurătoare. 2. filtru.

percussion [pə:'kʌʃn] s. 1. percuţie. 2. instrument de percuţie. 3. zguduire.

perdition [pə:'diʃn] s. 1. perdiţie. 2. osândă.

peregrination [,perigri'neiʃn] *s.* călătorie.

peregrin(e) ['perigri(:)n] I. *adj.* înv. străin; exotic. II. *s.* şoim călător *(Falco peregrinus).*

peremptory [pə'remtri] *adj.* 1. peremptoriu. 2. dogmatic. 3. poruncitor.

perennial [pə'renjəl] I. *s.* plantă perenă. II. *adj.* 1. peren. 2. etern. 3. care durează tot anul.

perfect[1] ['pə:fikt] I. *s.* perfect. II. *adj.* 1. perfect. 2. exact. 3. total.

perfect[2] [pə'fekt] *vt.* 1. a îmbunătăţi. 2. a perfecţiona.

perfection [pə'fekʃn] s. 1. perfecţiune. 2. perfecţionare. 3. culme.

perfectly ['pə:fiktli] *adv.* perfect, desăvârşit; cu desăvârşire, pe deplin, excelent.

perfidious [pə'fidjəs] *adj.* perfid.

perfidy(ousness) ['pə:fidiəsnis] *s.* v. **perfidy**.

perfidy ['pə:fidi] s. perfidie; trădare; viclenie. || *an act / a piece of* ~ o perfidie.

perforate ['pə:fəreit] I. *vt.* a perfora. II. *vi.* a pătrunde.

perforation [,pə:fə'reiʃn] s. 1. perforare, pătrundere. 2. perforaţie *(şi med.)* 3. *anat.* orificiu. 4. dantelură.

perforce [pə'fɔ:s] *adv.* 1. neapărat. 2. cu forţa.

perform [pə'fɔ:m] I. *vt.* 1. a îndeplini; a săvârşi. 2. a prezenta. 3. a executa *(o lucrare muzicală etc.).* 4. a juca *(un rol, o piesă).* II. *vi.* 1. a da spectacole. 2. a se produce în public.

performance [pə'fɔ:məns] s. 1. îndeplinire, realizare. 2. spectacol. 3. performanţă.

perfume[1] ['pə:fju:m] s. parfum.

perfume[2] [pə'fju:m] *vt.* a parfuma.

perfumery [pə'fju:məri] s. parfumerie.

perfunctoriness [pə'fʌntərinis] s. 1. caracter superficial / formal / de mântuială. 2. superficialitate. 3. automatism, caracter maşinal.

perfunctory [pə'fʌntri] *adj.* 1. superficial. 2. formal, de mântuială / formă. 3. de ochii lumii (făcut ca să fie). 4. maşinal, automat.

pergola ['pə:gələ] *s.* pergola.

perhaps [pə'hæps; præps] *adv.* (se prea) poate.

peri ['piəri] s. 1. *mit.* duh bun, zână. 2. femeie frumoasă, frumuseţe, fată frumoasă. || *as fair as a* ~ de o frumuseţe divină.

perianth ['periænθ] *s. bot.* periant.

pericardium [,peri'kɑ:diəm], *pl.* **pericardia** [,peri'kɑ:diə] *s.* pericard.

perigee ['peridʒi:] s. astr. perigeu.

perihelion [,peri'hi:liən], *pl.* **perihelia** [,peri'hi:liə] *s.* astr. periheliu.

peril ['peril] I. s. 1. primejdie. || *at one's* ~ pe propriul său risc. II. *vt.* a primejdui.

perilous ['periləs] *adj.* periculos.

perilously ['periləsli] *adv.* primejdios. || *he came* ~ *near breaking his neck* cât pe ce să-şi frângă gâtul.

perimeter [pə'rimetə] s. perimetru.

period ['piəriəd] s. 1. perioadă. 2. propoziţie (lungă). 3. frază. 4. punct. 5. *fiziol.* menstruaţie, period, ciclu. || *to put a* ~ *to* a sfârşi.

periodic [,piəri'ɔdik] *adj.* **1.** periodic. **2.** *(d. stil)* retoric.

periodical [,piəri'ɔdikl] *s.*, *adj.* periodic.

periodically [,piəri'ɔdikəli] *adv.* periodic; din timp în timp; din când în când; la intervale regulate.

periodicity [,piəriə'disiti] *s.* **1.** periodicitate. **2.** *el.* frecvenţă, periodicitate.

peripatetic [,peripə'tetik] **I.** *adj.* **1.** ambulant, peripatetic. **2.** vagabond. **II.** *s.* **1.** *ist. filoz.* peripateticism, aristotelism. **2.** rătăcitor, călător, vântură-lume. **3.** negustor ambulant. **4.** pieton.

peripatetics [,peripə'tetiks] *s. pl.* *(cu verb la sing.)* umblet, călătorie (pe jos); cutreierare.

peripheral [pə'rifərl] *adj.* periferic.

periphery [pə'rifəri] *s.* periferie.

periphrasis [pə'rifrəsis], *pl.* **periphrases** [pə'rifrəsi:z] *s.* perifrază, circumlocuţiune.

periscope ['periskoup] *s.* periscop.

perish ['periʃ] **I.** *vt. rar* a ucide. **II.** *vi.* a pieri, a muri.

perishable ['periʃəbl] **I.** *adj.* **1.** pieritor, trecător. **2.** alterabil. **II.** *s. pl.* alimente alterabile, mărfuri alterabile.

perished ['periʃt] *adj.* **(with) 1.** pierit, mort *(de foame etc.).* **2.** extenuat, istovit, frânt. **3.** înghețat, rebegit (de frig).

peristalsis [,peri'stælsis] *s.* fiziol. peristaltism.

peristaltic [,peri'stæltik] *adj.* fiziol. peristaltic.

peritonaeum [,peritou'ni(:)əm], *pl.* **peritonaea** [,peritou'ni(:)ə] *s.* anat. peritoneu.

peritoneal [,peritou'ni(:)əl] *adj.* anat. de peritoneu, al peritoneului.

peritonitis [,peritə'naitis] *s. med.* peritonită.

periwig ['periwig] *s.* perucă.

periwinkle ['periwiŋkl] *s.* **1.** *bot.* pervincă, saschiu, brebenoc *(Vinca).* **2.** *zool.* scoică comestibilă *(Litorina).*

perjure ['pə:dʒə] *vt.* a jura strâmb.

perjury ['pə:dʒri] *s.* sperjur.

perk[1] [pə:k] *vt., vi.* **1.** a (se) înviora. **2.** a (se) înveseli.

perk[2] [pə:k] *s. sl.* v. **perquisite**.

perk[3] [pə:k] *vt.* a filtra *(cafeaua).*

perky ['pə:ki] *adj.* **1.** vioi; vesel. **2.** obraznic.

perm[1] [pə:m] *s.* permanent *(coafură).*

perm[2] [pə:m] **I.** *s.* permutare. **II.** *vt.* a permuta.

permanence ['pə:mənəns] *s.* permanenţă; stabilitate.

permanency ['pə:mənənsi] *s.* **1.** v. **permanence**. **2.** lucru permanent, stabil. **3.** uniformitate, constanţă, imobilitate.

permanent ['pə:mənənt] *adj.* permanent.

permeable ['pə:miəbl] *adj.* permeabil.

permanganate [pə(:)'mæŋgəneit] *s. chim.* permanganat.

permeability [,pə:miə'biliti] *s.* permeabilitate.

permeate ['pə:mieit] **I.** *vt.* **1.** a pătrunde. **2.** a se infiltra în. **II.** *vi.* a se infiltra.

Permian [,pə:miən] *adj. geol.* Permian.

permissible [pə'misəbl] *adj.* permis.

permission [pə(:)'miʃən] *s.* permisiune, îngăduire, îngăduinţă.

permissive [pə(:)'misiv] *adj.* **1.** îngăduitor, permisiv, tolerant, indulgent. **2.** cu vederi largi; liberal, deschis la minte. **3.** facultativ, la alegere.

permit[1] ['pə:mit] *s.* autorizaţie.

permit[2] [pə'mit] *vt., vi.* a permite.

permutation [,pə:mju(:)'teiʃn] *s. mat.* permutare.

pernicious [pə:'niʃəs] *adj.* **1.** mortal, fatal, grav, periculos. **2.** dăunător. **3.** *înv.* ticălos, rău.

pernickety [pə'nikiti] *adj.* **1.** greu de mulţumit, dificil, cusurgiu, mofturos. **2.** pedant, migălit. **3.** *fig.* delicat; critic, dificil.

peroration [,perə'reiʃn] *s.* **1.** peroraţie, încheiere a unui discurs. **2.** rezumat.

peroxide [pə'rɔksaid] **I.** *s.* apă oxigenată. **II.** *adj.* oxigenat.

perpendicular [,pə:pn'dikjulə] **I.** *s.* perpendiculară. **II.** *adj.* **1.** perpendicular. **2.** vertical. **3.** abrupt.

perpetrate ['pə:pitreit] *vt.* **1.** a comite. **2.** a săvârşi.

perpetration [,pə:pi'treiʃn] *s.* **1.** săvârşire, făptuire, comitere *(a unei crime sau gafe etc.).* **2.** crimă, delict, nelegiuire.

perpetrator ['pə:pitreitə] *s.* autor *(al unei crime).*

perpetual [pə'petjuəl] *adj.* **1.** neîncetat. **2.** etern.

perpetually [pə'petjuəli] *adv.* perpetuu; fără încetare, încontinuu.

perpetuate [pə'petjueit] *vt.* **1.** a perpetua. **2.** a imortaliza.

perpetuation [pə(:),petju'eiʃn] *s.* perpetuare.

perpetuity [,pə:pi'tju(:)iti] *s.* **1.** perpetuitate, veşnicie. **2.** posesiune pe termen nelimitat. **3.** rentă viageră.

perplex [pə'pleks] *vt.* **1.** a buimăci, a încurca. **2.** a ului. **3.** a zăpăci.

perplexity [pə'pleksiti] *s.* **1.** buimăceală, încurcătură. **2.** dilemă.

perquisite ['pə:kwizit] *s.* câştig suplimentar.

perry ['peri] *s.* cidru de pere.

persecute ['pə:sikju:t] *vt.* **1.** a persecuta. **2.** a chinui.

persecution [,pə:si'kju:ʃn] *s.* persecuţie.

persecutor ['pə:sikju:tə] *s.* persecutor, prigonitor.

perseverance [,pə:si'viərns] *s.* perseverenţă, stăruinţă, neclintire.

persevere [,pə:si'viə] *vi.* **1.** a persevera. **2.** a persista.

persevering [,pə:si'viəriŋ] *adj.* perseverent.

Persian ['pə:ʃn] **I.** *s.* **1.** persan. **2.** (limba) persană. **3.** pisică persană. **II.** *adj.* persan.

persiflage [,pɛəsi'flɑ:ʒ] *s.* persiflare, luare în râs; zeflemire.

persimmon [pə:'simən] *s. bot.* varietate de prună; culoare de prună.

persist [pə'sist] *vi.* **1.** a persista. **2.** a continua. **3.** a stărui.

persistence [pə(:)'sistns] *s.* stăruinţă, persistenţă, îndârjire.

persistency [pə(:)'sistənsi] *s.* v. **persistence**.

persistent [pə'sistnt] *adj.* **1.** persistent. **2.** stăruitor, repetat. **3.** durabil, de durată.

persistently [pə(:)'sistntli] *adv.* persistent, stăruitor, cu perseverenţă.

person ['pə:sn] *s.* persoană.

persona [pə:'sounə] *s. psih.* persona, personalitate *(aşa cum este ea percepută din afară).*

personable ['pə:sənbl] *adj.* **1.** frumos, atrăgător (la chip), chipeş. **2.** trupeş, bine făcut.

personage ['pə:snidʒ] *s.* personaj.

personal ['pə:snl] **I.** *s.* articol biografic. **II.** *adj.* personal.

personality [,pə:sə'næliti] *s.* **1.** personalitate. **2.** *pl.* atacuri personale.

personalize ['pə:snəlaiz] vt. a personifica.

personally ['pə:snli] adv. personal, în persoană; în ceea ce mă privește.

personate ['pə:sneit] vt. **1.** a juca rolul, a reprezenta (un personaj alegoric). **2.** a se da drept (cineva).

personification [pə(:),sɔnifi'keiʃn] s. personificare, întruchipare.

personify [pə:'sɔnifai] vt. **1.** a personifica. **2.** a întruchipa.

personnel [,pə:sə'nel] s. personal, cadre.

perspective [pə'spektiv] s. perspectivă.

perspicacious [,pə:spi'keiʃəs] adj. **1.** ager. **2.** perspicace.

perspicacity [,pə:spi'kæsiti] s. perspicacitate, pătrundere, agerime.

perspicuity [,pə:spi'kju(:)iti] s. **1.** claritate, luciditate. **2.** transparență; limpezime.

perspicuous [pə'spikjuəs] adj. **1.** limpede, clar. **2.** transparent.

perspiration [,pə:spə'reiʃn] s. **1.** transpirație, sudoare, nădușeală. **2.** transpirare, asudare, sudație.

perspire [pəs'paiə] vi. a transpira.

persuade [pə'sweid] vt. **1.** a convinge. **2.** a determina.

persuasion [pə'sweiʒn] s. **1.** convingere, persuasiune. **2.** putere de convingere. **3.** sectă. **4.** grup.

persuasive [pə(:)'sweisiv] **I.** adj. convingător, persuasiv. **II.** s. motiv, îndemn, imbold.

persuasively [pə(:)'sweisivli] adv. pe un ton de persuasiune / convingere.

pert [pə:t] adj. obraznic.

pertain [pə:'tein] vi.: to ~ to a corespunde la; a fi legat de.

pertinacious [,pə:ti'neiʃəs] adj. **1.** hotărât. **2.** persistent.

pertinacity [,pə:ti'næsiti] s. **1.** îndărătnicie, încăpățânare. **2.** stăruință, insistență.

pertinent ['pə:tinənt] adj. **1.** potrivit. **2.** util. **3.** interesant.

perturb [pə'tə:b] vt. a tulbura.

perturbation [,pə:tə:'beiʃn] s. **1.** deranjare, tulburare; neliniște; perturbație **2.** deranj.

peruke [pə'ru:k] înv. **I.** s. perucă. **II.** vi. a purta perucă.

perusal [pə'ru:zl] s. **1.** citire (atentă), lectură. **2.** examinare, cercetare.

peruse [pə'ru:z] vt. a citi sau cerceta cu atenție.

Peruvian [pə'ru:viən] adj. s. peruan.

pervade [pə'veid] vt. **1.** a cuprinde. **2.** a umple. **3.** a pătrunde (în).

perverse [pə'və:s] adj. **1.** pervers. **2.** ticălos. **3.** afurisit. **4.** potrivnic.

perverseness [pə(:)'və:snis] s. perversitate, răutate.

perversion [pə'və:ʃn] s. **1.** perversiune. **2.** pervertire, mutilare.

pervert[1] ['pə:və:t] s. **1.** pervers. **2.** renegat.

pervert[2] [pə'və:t] vt. **1.** a perverti. **2.** a deforma. **3.** a corupe.

pervious ['pə:viəs] adj. **1.** permeabil. **2.** fig. accesibil (ideilor); susceptibil, supus (influenței etc.).

peseta [pə'seitə] s. peseta (monedă).

pesky ['peski] adj. amer. sl. plictisitor, nesuferit, imposibil; blestemat, afurisit, al naibii.

peso ['peisou] s. peso (monedă).

pessimism ['pesimizəm] s. pesimism.

pessimist ['pesimist] s. pesimist.

pessimistic(al) [,pesi'mistik(əl)] adj. pesimist.

pessimistically [,pesi'mistikli] adv. pesimist, cu pesimism, în negru.

pest [pest] s. **1.** ciumă (și fig.). **2.** pestă. **3.** pacoste.

pester ['pestə] vt. **1.** a necăji. **2.** a deranja (fig.).

pest house ['pesthaus] s. spital pentru ciumați; lazaret.

pestiferous [pes'tifrəs] adj. **1.** care răspândește epidemii. **2.** fig. vătămător, dăunător, primejdios.

pestilence ['pestiləns] s. **1.** ciumă. **2.** molimă.

pestilent ['pestilənt] adj. **1.** molipsitor. **2.** mortal. **3.** supărător. **4.** imoral.

pestilential [,pesti'lenʃl] adj. **1.** corupător. **2.** insuportabil.

pestle ['pesl] **I.** s. pisălog, pistil (folosit în mojar). **II.** vt. a pisa (în mojar).

pet [pet] **I.** s. **1.** animal de casă. **2.** favorit. **3.** țâfnă, supărare. **II.** vt. a giuguli.

petal ['petl] s. petală.

petard [pe'tɑ:d] s. **1.** petardă. **2.** plesnitoare.

peter (out) ['pi:tə(aut)] vi. a fi pe sfârșite, a-și da duhul (și fig.).

petersham ['pi:təʃəm] s. **1.** pantaloni / haină de postav. **2.** panglică ripsată.

petiole ['petioul] s. bot. pețiol.

petite [pə'ti:t] adj. (d. o femeie) mică, minionă.

petition [pi'tiʃn] **I.** s. **1.** petiție. **2.** cerere. **3.** rugăminte. **II.** vt. a solicita. **III.** vi. a face o petiție.

petitioner [pi'tiʃənə] s. **1.** petiționar, solicitant. **2.** jur. reclamant.

pet name ['petneim] s. diminutiv, alintare.

petrel ['petrl] s. ornit. petrel (Procellariidae sp.).

petrifaction [,petri'fækʃn] s. **1.** pietrificare. **2.** împietrire. **3.** fosilă. **4.** uluială.

petrify ['petrifai] **I.** vt. **1.** a împietri. **2.** a paraliza. **II.** vi. a se împietri (și fig.).

petrodollar [,petrou'dɔlə] s. fin. petrodolar.

petrol ['petrl] s. benzină auto.

petroleum [pi'trouljəm] s. țiței.

petticoat ['petikout] s. jupon.

petticoat government ['petikout 'gʌvnmənt] s. domnia femeilor.

pettifogger ['petifɔgə] s. **1.** (avocat) chițibușar. **2.** om cârcotaș, cârciogar.

pettifogging ['petifɔgiŋ] adj. **1.** șicanator. **2.** meschin.

pettish ['petiʃ] adj. supărăcios.

petty ['peti] adj. **1.** mic. **2.** mărunt. **3.** meschin.

petty bourgeois [pe,tibuə'ʒwɑ:] s., adj. mic burghez.

petulance ['petjuləns] s. **1.** susceptibilitate, nervozitate, caracter supărăcios / nervos / cu toane. **2.** arțag, toane, nervi.

petulant ['petjulənt] adj. **1.** irascibil. **2.** cârcotaș.

petunia [pi'tju:niə] s. **1.** bot. petunie (Petunia). **2.** violet-închis, purpuriu.

pew [pju:] s. **1.** strană. **2.** jilț.

pewit ['pi:wit] s. ornit. **1.** nagâț (Vanellus vanellus). **2.** pescăruș-râzător (Larus ridibundus).

pewter ['pju:tə] s. **1.** aliaj de cositor și plumb; aprox. alpaca. **2.** vase din aliaj de cositor și plumb.

peyote [pei'outi] s. **1.** bot. cactus mexican (Lophophora), v. și **mescal**. **2.** mescalină.

phaeton ['feitn] s. faeton.

phagocyte ['fægəsait] s. fiziol. fagocită.

phalanx ['fælæŋks], pl. **phalanxes** ['fælæŋksiz] sau **phalanges** ['fælændʒiz] s. **1.** mil., anat. falangă. **2.** falanster.

phallus ['fæləs], *pl.* **phalli** ['fælai] *s.* falus.

phantasm ['fæntæzəm] *s.* fantasmă.

phantasmagoria [,fæntæzmə'gɔ(:)riə] *s.* fantasmagorie.

phantasy ['fæntəsi] *s.* fantezie.

phantom ['fæntəm] *s.* **1.** fantomă. **2.** iluzie.

Pharaoh ['fɛərou] *s. ist.* faraon.

Pharisee ['færisi] *s.* **1.** fariseu. **2.** fățarnic.

pharmaceutic(al) [,fɑ:mə'sju:tik(l)] *adj.* farmaceutic.

pharmacist ['fɑ:məsist] *s.* **1.** *amer.* farmacist. **2.** droghist.

pharmacology [,fɑ:mə'kɔlədʒi] *s.* farmacologie.

Pharmacopeia [,fɑ:məkə'pi:ə] *s.* farmacopee.

pharmacy ['fɑ:məsi] *s.* farmacie.

pharyngeal [,færin'dʒiəl] *adj. anat.* faringeal.

pharynx ['færiŋks] *s. anat.* faringe.

phase ['feiz] *s.* fază.

pheasant ['feznt] *s.* fazan.

phenix ['fi:niks] *s. v.* **phoenix.**

phenol ['fi:nol] *s. chim.* fenol.

phenomenal [fi'nɔminl] *adj.* fenomenal.

phenomenon [fi'nɔminən], *pl.* **phenomena** [fi'nɔminə] *s.* fenomen *(și fig.)*; fapt / caz neobișnuit. || *infant* ~ copil minune.

phew [fju:] *interj.* pfui! rușine!

phial ['fail] *s.* **1.** sticluță. **2.** fiolă.

philander [fi'lændə] *vi.* **1.** a flirta. **2.** a umbla după femei.

philanderer [fi'lændərə] *s.* amorez, crai(don).

philanthropist [fi'lænθrəpist] *s.* filantrop.

philanthropy [fi'lænθrəpi] *s.* **1.** filantropie. **2.** (instituție de) binefacere.

philantropic(al) [,filən'θrɔpik(əl)] *adj.* filantrop(ic).

philately [fi'lætəli] *s.* filatelie.

philharmonic [,filhɑ:'mɔnik] **I.** *adj.* **1.** meloman. **2.** filarmonic. **II.** *s.* **1.** meloman. **2.** concert. **3.** (orchestră) filarmonică.

Philistine ['filistain] *s.* **1.** filistin. **2.** dușman al culturii.

philologic(al) [,filə'lɔdʒik(əl)] *adj.* filologic.

philologist [fi'lɔlədʒist] *s.* filolog.

philology [fi'lɔlədʒi] *s.* filologie.

Philomela [,filou'mi:lə] *s. poet.* filomela, privighetoare.

philosopher [fi'lɔsəfə] *s.* filozof.

philosopher's stone [fi'lɔsəfəz 'stoun] *s.* piatra filozofală.

philosophic(al) [,filə'sɔfik(əl)] *adj.* filozofic.

philosophically [,filə'sɔfikəli] *adv.* filozofic.

philosophize [fi'lɔsəfaiz] *vi.* a filozofa.

philosophy [fi'lɔsəfi] *s.* **1.** filozofie. **2.** stoicism. **3.** resemnare, calm.

philtre, philter ['filtə] *s.* filtru (de dragoste).

phlegm [flem] *s.* **1.** flegmă *(și fig.).* **2.** placiditate.

phlegmatic [fleg'mætik] *adj.* **1.** calm. **2.** placid.

phlox [flɔks] *s. bot.* flox *(Phlox).*

phobia ['foubiə] *s.* fobie.

Phoebus ['fi:bəs] *s. poet.* Phebus, soarele.

Phoenician [fi'niʃian] **I.** *adj.* fenician. **II.** *s.* **1.** fenician. **2.** (limba) feniciană.

phoenix ['fi:niks] *s.* pasărea fenix *(și fig.).*

phone [foun] **I.** *s.* **1.** telefon. **2.** *lingv.* sunet. **II.** *vt., vi.* a telefona.

phonetic [fo'netik] *adj.* fonetic.

phonetics [fo'netiks] *s. pl.* **1.** fonetică. **2.** pronunțare.

phon(e)y ['founi] *adj.* **1.** fals. **2.** falsificat.

phonic ['founik] *adj. fon.* **1.** al sunetului, acustic. **2.** vocalic.

phonograph ['founəgrɑ:f] *s.* **1.** fonograf. **2.** *amer.* gramofon, patefon, picup.

phonographic [,founə'græfik] *adj.* fonografic.

phonology [fou'nɔlədʒi] *s.* fonologie, știința sunetelor.

phony ['founi] *adj. amer. sl.* **1.** mincinos, fals. **2.** suspect.

phosgene ['fɔzdʒi:n] *s. chim.* fosgen.

phosphate ['fɔsfeit] *s. chim.* fosfat.

phosphated [,fɔs'feitid] *adj. chim.* fosfatat.

phosphatic [fɔs'fætik] *adj.* fosfatic; fosfatat.

Phosphor ['fɔsfə] *s. poet.* luceafărul.

phosphoresce [fɔsfə'res] *vi.* a fi fosforescent, a străluci, a lumina.

phosphorescence [,fɔsfə'resns] *s.* fosforescență, strălucire, lumină.

phosphorescent [,fɔsfə'resnt] *adj.* fosforescent.

phosphoric [fɔs'fɔrik] *adj.* **1.** fosforescent. **2.** *chim.* fosforic.

phosphorous ['fɔsfərəs] *adj. chim.* fosforos.

phosphorus ['fɔsfərəs] *s. chim.* fosfor.

photo ['foutou] **I.** *s.* fotografie. **II.** *vt.* a fotografia.

photoelectric cell [,foutoui'lektrik 'sel] *s.* celulă fotoelectrică.

photogenic [,foutou'dʒenik] *adj.* luminos, care produce, emite *sau* răspândește lumină.

photograph ['foutəgrɑ:f] **I.** *s.* fotografie. || *to have one's* ~ *taken, to sit for one's* ~a se fotografia. **II.** *vt.* a fotografia. **III.** *vi.* a fotografia, a ieși în fotografii. || *to* ~ *well* a fi fotogenic; *I always* ~ *badly* nu sunt fotogenic.

photographer [fə'tɔgrəfə] *s.* fotograf (profesionist).

photographic [,foutə'græfik] *adj.* fotografic.

photography [fət'ɔgrəfi] *s.* fotografie.

photogravure [,foutəgrə'vjuə] **I.** *s.* fotogravură, heliogravură. **II.** *vt.* a heliografia.

photolithography [,foutouli'θɔgrəfi] *s.* fotolitografie.

photometer [fou'tɔmitə] *s.* fotometru.

photoplay ['foutouplei] *s.* film (dramatic).

photosynthesis [,foutou'sinθəsis] *s. bot.* fotosinteză.

phrase [freiz] **I.** *s.* **1.** expresie, locuțiune. **2.** maximă. **3.** *muz.* frază. **II.** *vt.* a exprima.

phraseology [,freizi'ɔlədʒi] *s.* frazeologie; limbă, stil.

phrenetic [fri'netik] *adj.* **1.** frenetic. **2.** fanatic.

phrenology [fri'nɔlədʒi] *s.* frenologie.

phthisis ['θaisis] *s.* tuberculoză (pulmonară).

phut [fʌt] *adj.* fâs. || *it's gone* ~ s-a dezumflat; s-a dus de râpă.

phylactery [fi'læktəri] *s.* **1.** *rel.* filacterie. **2.** talisman, amuletă.

phylum ['failəm] *s., pl.* **phyla** ['failə] *bot., zool.* filum, încrengătură.

physic ['fizik] **I.** *s.* **1.** *înv.* doctorie. **2.** *pl.* fizică. **II.** *vt.* a doftorici.

physical ['fizikl] *adj.* fizic.

physically ['fizikəli] *adv.* fizicește, din punct de vedere fizic.

physician [fi'ziʃn] *s.* doctor.

physicist [,fizisist] *s.* **1.** fizician. **2.** materialist.

physics ['fiziks] *s. pl.* fizică.

physiognomy [ˌfizi'ɔnəmi] s. 1. fizionomie; înfățișare. 2. față.

physiographic(al) [ˌfiziou'græfik(l)] adj. fiziografic.

physiography [ˌfizi'ɔgrəfi] s. fiziografie, geografie fizică.

physiologic(al) [ˌfiziə'lɔdʒik(əl)] adj. fiziologic.

physiologist [ˌfizi'ɔlədʒist] s. fiziolog.

physiology [ˌfizi'ɔlədʒi] s. fiziologie.

physique [fi'ziːk] s. 1. fizic. 2. înfățișare.

pi [pai, piː] s. 1. pi (literă grecească). 2. mat. π (3,1415926).

pia mater [piə 'meitə] s. anat. pia mater.

pianist ['pjænist] s. pianist.

piano ['pjænou] I. s. 1. pian. 2. pasaj cântat piano. II. adj., adv. piano.

pianoforte [ˌpjænou'fɔːti] s. muz. piano(forte).

piaster [pi'æstə] s. piastru (monedă).

piazza [pi'ædzə] s. 1. piață (în Italia). 2. amer. verandă. 3. arhit. înv. arcade.

pibroch ['piːbrɔk] s. muz. 1. variațiuni pentru cimpoi. 2. cimpoi.

picador ['pikədɔ:] s. picador.

picalilli [pikə'lili] s. gastr. murături (în muștar și oțet).

picaresque [ˌpikə'resk] adj. picaresc.

piccaninny ['pikənini] I. s. țânc, plod; negrișor (mai ales peior. pentru copii de negri și indigeni sud-africani sau australieni). II. adj. micuț, mărunt, cât o șchioapă.

piccolo ['pikəlou] s. muz. piculină.

pick [pik] I. s. 1. târnăcop. 2. sulă. 3. scobitoare. 4. alegere. 5. fig. floare, elită. II. vt. 1. a culege. 2. a ridica de jos. 3. a alege. 4. a nimeri. 5. a căuta. 6. a desface. 7. a fura. 8. a scoate. 9. a ciuguli. 10. a ciupi. || to ~ holes in a critica; to ~ one's way a se strecura cu grijă; to ~ smb.'s pocket a buzunări pe cineva; to ~ off a ciuguli; a împușca pe rând; to ~ out a selecta; to ~ up a deșteleni; a ridica; a câștiga; to ~ a lock a forța un lacăt; to ~ a quarrel with smb. a căuta ceartă cuiva; to have a bone to ~ with smb. a avea pică pe cineva. III. vi. 1. a ciuguli. 2. a fura. 3. a șterpeli; || to ~ at smb. a reproșa cuiva; to ~ up a se întrema; to ~ up with a se împrieteni cu.

pick-a-back ['pikəbæk] adv. în spinare, pe spate; pe umeri.

pickax(e) ['pikæks] s. târnăcop.

picker ['pikə] s. 1. tehn. unealtă ascuțită; târnăcop. 2. mine. ciocan de claubaj; daltă de miner. 3. trior. 4. culegător; culegător de bumbac. 5. text. bătător; mașină bătătoare.

pickerel ['pikrl] s. iht. știucă mică (Esox niger).

picket ['pikit] I. s. 1. țăruș. 2. stâlp (de gard). 3. pichet. II. vt. 1. a bate în țăruși. 2. a fixa. 3. a staționa (soldați). 4. a înconjura. 5. a păzi. III. vi. 1. a forma pichete. 2. a sta de gardă (în cadrul pichetelor).

picking ['pikiŋ] s. 1. culegere. 2. furtișag. 3. pl. pradă. 4. pl. firimituri, rămășițe.

pickle ['pikl] I. s. 1. saramură. 2. zeamă de murături. 3. fig. încurcătură. 4. pl. murături. II. vt. a pune la murat sau saramură.

pickpocket ['pikˌpɔkit] s. hoț de buzunare.

pick-up ['pikʌp] s. 1. braț sau doză de picup. 2. auto. camionetă, furgonetă. 3. întremare.

picnic ['piknik] I. s. picnic. II. vi. a petrece la un picnic.

picot ['piːkou] s. ochi de dantelă formând marginea acesteia.

pictography [pik'tɔgrəfi] s. pictografie.

pictorial [pik'tɔːriəl] I. s. magazin ilustrat. II. adj. 1. pictural. 2. ilustrat.

picture ['piktʃə] I. s. 1. tablou. 2. poză; ilustrație. 3. pictură. 4. fig. cadră. 5. imagine. 6. întruchipare. 7. descriere. 8. film. 9. amintire. || he is the very ~ of his father seamănă leit cu taică-său. II. vt. 1. a(-și) imagina. 2. a descrie. 3. a zugrăvi. 4. a portretiza.

picture-book ['piktʃəbuk] s. carte cu poze.

picture gallery ['piktʃə 'gæləri] s. galerie de pictură / tablouri; muzeu de artă.

picture-postcard ['piktʃə'pouskɑːd] s. carte poștală; ilustrată.

picturesque [ˌpiktʃə'resk] adj. 1. pitoresc. 2. original. 3. expresiv.

picturesqueness [ˌpiktʃə'resknis] s. (caracter) pitoresc.

piddle ['pidl] vi. 1. înv. a nu fi serios, a se ocupa cu fleacuri, cu nimicuri. 2. fam. a urina, a face pipi.

piddling ['pidliŋ] adj. neînsemnat, fără importanță, de nimic.

pidgin English ['pidʒin'iŋgliʃ] s. engleză stricată (vorbită în porturile Asiei).

pie[1] [pai] s. 1. plăcintă. 2. budincă. 3. pateu. || to have a finger in the ~ a avea un amestec într-o chestiune.

pie[2] [pai] s. ornit. coțofană (Pica pica).

piebald ['paibɔːld] I. s. cal bălțat. II. adj. bălțat.

piece [piːs] I. s. 1. bucată. 2. element. 3. articol. 4. armă de foc. 5. cantitate || to break to ~s a se face bucăți; of a ~ with conform cu; corespunzător cu; a ~ of news o veste; a ~ of information o informație. II. vt. 1. a pune laolaltă. 2. a îmbina. 3. a închega. III. vi. a lua o gustare (între mese).

piecemeal ['piːsmiːl] adj., adv. treptat.

piece-work ['piːswəːk] s. (muncă în) acord.

pied [paid] adj. 1. bălțat. 2. multicolor.

pier [piə] s. 1. dig. 2. picior de pod. 3. stâlp.

pierce [piəs] I. vt. 1. a străpunge. 2. a pătrunde (în). 3. a găuri. II. vi. 1. a fi pătrunzător. 2. a pătrunde.

piercing ['piəsiŋ] adj. 1. (d. voce) ascuțit, pițigăiat. 2. (d. privire, minte) pătrunzător.

pierrot ['piərou] s. teatru pierrot.

pietà [pjei'tɑː]s. artă pietà; coborârea (lui Isus) de pe cruce.

pietism ['paiətizəm] s. 1. pietism. 2. bigotism; ipocrizie.

piety ['paiəti] s. 1. evlavie, cucernicie, pietate. 2. respect față de părinți.

piffle ['pifl] sl. I. vi. 1. a flecări, a trăncăni. 2. a acționa necugetat, a proceda necugetat sau prostește. II. s. flecăreală, trăncăneală.

pig [pig] I. s. 1. porc. 2. carne de porc. 3. mitocan. 4. lingou de fontă. || to make a ~ of oneself a mânca la fel ca un porc. II. vi. a trăi ca porcii.

pigeon ['pidʒin] I. s. 1. porumbel. 2. sport taler. 3. fig. fraier. II. vt. a trage pe sfoară.

pigeonhole ['pidʒinhoul] I. s. 1. firidă. 2. casetă. II. vt. 1. a sorta. 2. a pune la dosar.

piggery ['pigeri] s. 1. cocină. 2. crescătorie de porci.

piggish ['pigiʃ] *adj.* 1. porcesc. 2. murdar. 3. lacom.

piggy (wiggy) ['pigi('wigi)] *s.* 1. purceluş. 2. ţurcă *(joc.)*.

pig-headed ['pig'hedid] *adj.* căpăţânos.

pig iron ['pig‚aiən] *s.* fontă (brută).

pigment ['pigmənt] *s.* 1. pigment. 2. culoare.

pigmy ['pigmi] *s.* pigmeu.

pigskin ['pigskin] *s.* 1. piele de porc. 2. *amer. sl.* minge de fotbal. 3. *sl.* şa.

pigsty ['pigstai] *s.* cocină *(şi fig.)*.

pigtail ['pigteil] *s.* codiţă *(pieptănătură)*.

pigwash ['pigwɔʃ] *s.* lături.

pike [paik] *s.* 1. *iht.* ştiucă *(Esox lucius)*. 2. suliţă. 3. barieră. 4. pisc.

pikeman ['paikmən] *s. pl.* **pikemen** ['paikmən] miner.

piker ['paikə] *s. amer.* 1. jucător prudent *(la bursă)* 2. laş, fricos.

pikestaff ['paik‚stɑːf] *s.* lemnul suliţei. || *(as) plain as a ~* clar ca lumina zilei.

pilaf(f) ['pilæf] *s.* pilaf.

pilaster [pi'læstə] *s. arhit.* pilastru.

pilau [pi'lau] *s.* pilaf.

pilchard ['piltʃəd] *s. iht.* specie de sardea *(Sardinia pilchardus)*.

pile [pail] I. *s.* 1. stâlp. 2. pilon. 3. morman. 4. rug. 5. ansamblu arhitectonic. 6. mulţime. 7. pilă electrică. 8. caiet. 9. păr moale. 10. părul stofei. II. *vt.* 1. a bate în ţăruşi. 2. a îngrămădi. 3. a încărca. III. *vi.* a se îngrămădi.

piles [pailz] *s. pl.* hemoroizi.

pilfer ['pilfə] *vt., vi.* a şterpeli.

pilgrim ['pilgrim] *s.* 1. pelerin. 2. călător.

pilgrimage ['pilgrimidʒ] I. *s.* pelerinaj. II. *vi.* a merge în pelerinaj.

Pilgrim Fathers ['pilgrim ‚fɑːðəz] *s. pl.* ist „Părinţii Pelerini" *(puritanii englezi care au colonizat America de Nord în 1620)*.

pill¹ [pil] 1. *s.* pilulă, hap. || *~ a ~ to cure an earthquake* o jalnică jumătate de măsură; *fig. to gild the ~* a îndulci pilula; *fig. a bitter / hard ~ to swallow* o pilulă amară, o situaţie neplăcută. 2. *sl.* glonte, bombă; minge. 3. minge de balotaj. 4. *pl.* biliard. 5. *sl.* om nesuferit. 6. *sl.* doctor. II. *vt.* 1. a da / a prescrie pilule *(cuiva)*. 2. a face pilule din. 3. *sl.* respinge candidatura *(cuiva)*.

pill² *vt.* 1. *înv.* a prăda, a jefui. 2. *fam.* a înşela, a duce.

pillage ['pilidʒ] I. *s.* 1. jaf. 2. pradă. II. *vt., vi.* a prăda.

pillar ['pilə] *s.* 1. stâlp. 2. pilon *(şi fig.)*. || *driven from ~ to post* purtat de la Ana la Caiafa.

pillar-box ['piləbɔks] *s.* cutie poştală.

pillared ['piləd] *adj.* prevăzut cu stâlpi; susţinut de stâlpi.

pill-box ['pilbɔks] *s.* 1. cutie de medicamente. 2. cazemată.

pillion ['piliən] *s.* 1. *ist.* perniţă de şa *(pentru un al doilea călăreţ)*. 2. şa de femeie. 3. locul din spate, portbagaj *(la motocicletă)*.

pillory ['piləri] I. *s.* stâlpul infamiei *(şi fig.)*. II. *vt.* 1. a pune la stâlpul infamiei *(şi fig.)*. 2. a condamna.

pillow ['pilou] I. *s.* pernă *(de dormit)*. II. *vt.* 1. a odihni pe pernă. 2. a sluji drept pernă pentru.

pillow-case ['piloukeis] *s.* faţă de pernă.

pilot ['pailət] I. *s.* 1. pilot. 2. călăuză. II. *vt.* a pilota.

pilotage ['pailətidʒ] *s.* 1. *mar., av.* pilotaj. || *~ proper* navigaţie. 2. taxe de pilotaj. 3. *fig.* îndrumare, conducere.

pimento [pi'mentou] *s.* 1. ardei (iute). 2. paprica.

pimp [pimp] I. *s.* codoş, peşte. II. *vi.* a face meseria de codoş, a codoşi.

pimpernel ['pimpənel] *s. bot.* scânteiuţă, ochişor.

pimple ['pimpl] *s.* coş *(pe faţă)*.

pin [pin] I. *s.* 1. ac *(cu gămălie, de pălărie, de cap, de siguranţă, de cravată)*. 2. bigudiu. 3. ţăruş. 4. popic. 5. *pl.* picioare. || *~s and needles* amorţeală; *as neat as a new ~* nou nouţ. II. *vt.* 1. a fixa. 2. a ţintui. 3. a înţepeni. || *to ~ one's faith on* sau *to* a se bizui numai pe; *to ~ smb. down to a promise etc.* a sili pe cineva să-şi ţină promisiunea etc.

pinafore ['pinəfɔː] *s.* şorţ; şorţuleţ.

pince-nez ['pænsnei] *s.* pince-nez, ochelari.

pincers ['pinsəz] *s. pl.* cleşte.

pinch [pintʃ] I. *s.* 1. ciupit(ură). 2. o mână *(de tutun etc.)*. 3. strânsoare. 4. asuprire. || *at a ~* la strâmtoare; *if it comes to the~* în caz de nevoie. II. *vt.* 1. a ciupi. 2. a strânge. 3. a apăsa. 4. a aresta. III. *vi.* 1. a

strânge. 2. a fi zgârcit. || *that's where the shoe ~es* asta-i buba.

pinchbeck ['pintʃ‚bek] *s.* 1. tombac, aliaj de cupru şi zinc. 2. bijuterie falsă, imitaţie.

pin-cushion ['pin‚kuʃin] *s.* perniţă de ace.

pine [pain] I. *s.* pin. II. *vi.* 1. a se ofili. 2. a tânji.

pineal ['piniəl] *adj. anat.* pineal.

pineapple ['pain‚æpl] *s. bot.* ananas *(Ananas sativus)*.

ping [piŋ] I. *s.* şuierat *(de gloanţe)*. 2. bâzâit *(de ţânţar)*. II. *vi.* 1. a şuiera. 2. a bâzâi.

ping-pong ['piŋpɔŋ] *s.* tenis de masă, ping-pong.

pinhole [‚pin'houl] *s.* 1. deschizătură foarte mică. 2. por.

pinion ['pinjən] I. *s.* 1. pinion. 2. încheietură. 3. pană. 4. aripă. II. *vt.* 1. a fixa, a înţepeni. 2. a tăia aripile *(cu dat.)*.

pink [pink] I. *s.* 1. roz. 2. splendoare. 3. culme. 4. garoafă. || *in the ~* splendid. II. *adj.* roz. III. *vt.* a găuri.

pinky ['piŋki] *adj.* roz, trandafiriu.

pinnace ['pinis] *s. mar.* 1. barcă mare. 2. *ist.* corabie cu două catarge, pinasă.

pinnacle ['pinikl] *s.* 1. turnuleţ. 2. culme *(şi fig.)*.

pinnate ['pineit] *adj. bot., zool.* asemănător unei pene.

pinny ['pini] *s.* şorţuleţ.

pint [paint] *s.* 1. jumătate de litru. 2. halbă.

pintle ['pintl] *s.* 1. *tehn.* cui; bulon; cep; pivot; ax vertical. 2. *mar.* ţâţână.

pin wheel ['pin wiːl] *s. tehn.* roată cu ştifturi.

piny ['paini] *adj.* de pin(i); acoperit cu pini.

pioneer [‚paiə'niə] I. *s.* pionier. II. *vt.* 1. a deschide. 2. a explora. III. *vi.* a face pionierat.

pious ['paiəs] *adj.* pios, religios.

pip [pip] I. *s.* 1. sâmbure *(de măr, portocală, strugure etc.)*. 2. punct la cărţi. 3. tresă *(de ofiţer)*. 4. melancolie. II. *vt.* 1. a pocni. 2. a ucide.

pipe [paip] I. *s.* 1. ţeavă. 2. conductă. 3. fluier. 4. flaut. 5. pipă. 6. butoi. 7. *pl.* cimpoi. II. *vt.* 1. a cânta din fluier. 2. a rosti cu glas subţire. 3. a chema. 4. a pune instalaţiile casnice la. 5. a împodobi. III. *vi.* 1. a cânta din fluier. 2. a vorbi subţirel. 3. a şuiera.

piper ['paipə] s. 1. fluieraş. 2. cimpoier.

pipette [pi'pet] s. pipetă.

piping ['paipiŋ] I. s. 1. fluierat. 2. ţevărie, instalaţii. 3. podoabe. II. adj. subţirel.

pipit ['pipit] s. ornit. fâsă (Anthus sp.)

pipkin ['pipkin] s. 1. oală de pământ. 2. ciubăr (de lemn).

pippin ['pipin] s. bot. soi de măr.

piquancy ['pi:kənsi] s. 1. gust picant. 2. fig. parte picantă sau nostimă; farmec.

piquant ['pi:kwnt] adj. picant.

pique [pi:k] I. s. 1. pică. 2. supărare. II. vt. 1. a aţâţa. 2. a supăra. III. vr. a se mândri (cu ceva).

piquet ['pi'ket] s. pichet (joc de cărţi).

piracy ['paiərəsi] s. 1. piraterie. 2. plagiat.

piranha [pi'rɑːnə] s. iht. piranha, peşte carnivor din America de Sud (Serrasalmus).

pirate ['paiərit] I. s. 1. pirat. II. vt. a publica un text fără permisiunea autorului.

piratic(al) [pai'rætik(əl)] adj. de pirat(erie). || ~ edition ediţie pirat / tipărită fără autorizaţia autorului.

pirouette [,piru'et] I. s. 1. piruetă. II. vi. a face piruete; a face o piruetă.

piscatorial [,piskə'tɔːriəl] adj. 1. de pescuit. 2. de pescar.

Pisces ['pisi:z] s. pl. astr. Peştii (constelaţie şi semn în zodiac).

pisciculture ['pisikʌltʃə] s. piscicultură.

piscine I. [pi'si:n] s. piscină. II. ['pisain] adj. de peşte, al peştilor.

pish [piʃ] interj. vax!

pismire ['pismaiə] s. înv. entom. furnică.

piss [pis] sl. I. vt. 1. a urina pe. 2. a elimina odată cu urina. II. vi. a urina. II. s. urină.

pistachio [pis'tɑːʃiou] s. 1. fistic. 2. culoarea fisticului.

pistil ['pistil] s. pistil.

pistillate ['pistileit] adj. bot. cu pistil.

pistol ['pistl] s. pistol.

piston ['pistən] s. piston.

pit [pit] I. s. 1. groapă. 2. gaură. 3. mină. 4. teatru stalul II, parter. 5. scobitură. 6. ciupitură de vărsat. II. vt. 1. a îngropa. 2. a scobi. 3. a aţâţa (pe unul împotriva altuia).

pita ['pi:tə] s. amer. gastr. (un fel de) lipie.

pit-a-pat ['pitə'pæt] s., adv. tic-tac.

pitch [pitʃ] I. s. 1. aşezare. 2. loc. 3. înălţime. 4. aruncare. 5. intensitate, încordare. 6. pantă. 7. legământ. 8. smoală. || as dark as ~ întuneric beznă. II. vt. 1. a fixa. 2. a înţepeni. 3. a arunca. 4. muz. a acorda. 5. a smoli. || to ~ one's tent a se instala. III. vi. 1. a cădea la pământ. 2. a arunca. 3. a se legăna. 4. a se rostogoli. || to ~ in a se apuca serios de treabă; to ~ into a se năpusti asupra (cu gen.).

pitch and toss ['pitʃən'tɔs] s. 1. rişcă. 2. dat cu banul.

pitch-black ['pitʃ,blæk] adj. negru ca smoala.

pitch-blende ['pitʃ,blend] s. minr. 1. pehblendă. 2. oxid de uraniu nativ.

pitch-dark ['pitʃ,dɑːk] I. s. întuneric beznă. II. adj. întunecos ca iadul.

pitcher ['pitʃə] s. 1. cană. 2. ulcior.

pitchfork ['pitʃfɔːk] I. s. furcă. II. vt. a arunca (cu furca).

pitchy ['pitʃi] adj. 1. ca smoala, ca de smoală. 2. cătrănit, smolit. 3. negru ca smoala, ca păcura, întunecos, sumbru.

piteous ['pitiəs] adj. jalnic.

pitfall ['pitfɔːl] s. 1. capcană. 2. primejdie. 3. greşeală.

pith [piθ] s. 1. măduvă. 2. şira spinării. 3. esenţă. 4. vigoare.

pithy ['piθi] adj. 1. cu miez / conţinut; plin de sevă / vigoare. 2. viguros, energic, robust. 3. concis şi plin de conţinut.

pitiable ['pitiəbl] adj. jalnic, vrednic de milă.

pitiful ['pitifl] adj. 1. milos. 2. jalnic.

pitiless ['pitilis] adj. 1. neîndurător. 2. nemilos.

pittance ['pitns] s. câştig minim.

pituitary body [pi'tjuːitəri ,bɔdi] s. anat. hipofiză.

pity ['piti] I. s. 1. milă. 2. păcat. 3. jale. || to have sau take ~ on a se înduioşa de, a ţi se face milă de; out of ~ din milă; it's a ~ ! (e) păcat!. II. vt. a compătimi.

pityingly ['pitiiŋli] adv. compătimitor, cu milă / compătimire.

pivot ['pivət] I. s. pivot (şi fig.). II. vt., vi. a (se) rezema pe.

pivotal ['pivətl] adj. 1. servind ca pivot. 2. fig. central, cardinal, de bază.

pixie, pixy ['pixi] s. 1. zână. 2. spiriduş.

pizza ['pi:tsə] s. gastr. pizza.

pizzicato [,pitsi'kɑːtou] adj., adv., s. muz. pizzicato.

placable ['plækəbl] adj. uşor de împăcat, conciliant; blând, iertător.

placard ['plækəd] I. s. 1. afiş. 2. placardă. II. vt. a afişa.

placate [plə'keit] vt. 1. a linişti. 2. a împăca.

place [pleis] I. s. 1. loc. 2. poziţie. 3. localitate. 4. casă; local. 5. locaş. 6. slujbă, serviciu. 7. îndatorire, obligaţie. 8. pasaj (dintr-un text). 9. rang, clasificare. 10. spaţiu. 11. moşie. 12. piaţă. || in ~ la locul său, potrivit; to take ~ a se ţine, a se întâmpla; a se produce; out of ~ deplasat. II. vt. 1. a pune. 2. a aranja. 3. a plasa. 4. a numi, a instala. 5. a situa. 6. a localiza. 7. a cântări (fig.). 8. a categorisi. 9. a clasifica. 10. a transmite. || to ~ confidence in smb. a acorda cuiva încredere.

placenta [plə'sentə], pl. **placentas** [plə'sentəz] sau **placentae** [plə'sentii] s. 1. anat. placenta. 2. bot. capsulă cu seminţe.

place of call ['pleisəv'kɔːl] s. loc frecventat.

placer ['pleisə] s. zăcământ aurifer (în albia unui râu).

placid ['plæsid] adj. 1. placid. 2. calm.

placidity [plæ'siditi] s. 1. placiditate, indiferenţă. 2. fire blajină / blândă / liniştită etc. 3. blândeţe, linişte, calm; seninătate.

placidly ['plæsidli] adv. placid; cu calm, liniştit.

placket ['plækit] s. 1. buzunar (la fustă). 2. tăietură (în fustă).

plagiarism ['pleidʒərizəm] s. plagiat.

plagiarist ['pleidʒiərist] s. plagiator.

plagiarize ['pleidʒəraiz] vt. a plagia.

plague [pleig] I. s. 1. ciumă. 2. năpastă. 3. pacoste. || ~ on it! dracu să-l ia!. II. vt. 1. a necăji. 2. a chinui. 3. a năpăstui.

plaice [pleis] s. iht. cambulă (Pleuronectes platessa).

plaid [plæd] s. pled.

plain [plein] I. s. câmpie. II. adj. 1. limpede. 2. simplu. 3. cinstit. 4. sincer. 5. neatrăgător; fără farmec. 6. urât. || as ~ as the nose on one's face limpede ca bună ziua.

plain clothes ['pleinklouŏz] s. haine civile. || in ~ în civil.

plain clothes man ['pleinklouŏz-,mən], s. pl. **plain clothes men** ['pleinklouŏz,mən] agent sau polițist în civil; detectiv.

plainness ['pleinnis] s. 1. simplitate (a vieţii, a toaletei etc.). 2. claritate, lipsă de echivoc; caracter clar / lămurit.

plain sailing ['plein,seiliŋ] s. mers liniştit, ca pe roate.

plainsman ['pleinzmən] s. pl. **plainsmen** ['pleinzmən] om de la şes, câmpean.

plaint [pleint] s. 1. plângere. 2. acuzaţie.

plaintiff ['pleintif] s. reclamant.

plaintive ['pleintiv] adj. 1. plângăreţ. 2. trist.

plaintively ['pleintivli] adv. (pe un ton) plângător, tânguios, jalnic.

plait [plæt] I. s. 1. coadă (coafură). 2. împletitură. II. vt. a împleti (coadă etc.).

plan [plæn] I. s. 1. plan; proiect. 2. plan; hartă. II. vt. 1. a plănui. 2. a planifica.

planchette [plæn'ʃet] s. amer. planşetă.

plane [plein] I. s. 1. geom. plan. 2. suprafaţă dreaptă. 3. nivel, plan. 4. bot. platan. 5. rindea. 6. avion. 7. aripă de avion. II. vt. a da la rindea. III. vi. a plana.

planer ['pleinə] s. 1. tehn. raboteză. 2. rabotor, lucrător la raboteză. 3. fier de călcat (de voiaj). 4. poligr. bătătoare. 5. constr. mal. 6. mine. scândură de semnalizare acustică.

planet ['plænit] s. planetă.

plane-tree ['pleintri:] s. bot. platan (Platanus sp.).

planetarium [,plæni'teəriəm], pl. **planetariums** [,plæni'teəriəms] şi **planetaria** [,plæni'teəriə] s. astr. planetariu.

planetary ['plænitəri] adj. 1. planetar, al planetelor. 2. din orbita unei planete; fig. care se află în afara unei influenţe. 3. pământesc; din întreaga lume. 4. rătăcitor, nestatornic.

plank [plæŋk] I. s. 1. scândură (groasă). 2. platformă politică.

II. vt. a podi, a acoperi cu scânduri.

planking ['plæŋkiŋ] s. duşumea.

plankton ['plæŋktən] s. zool. plancton.

planner ['plænə] s. 1. proiectant; planificator. 2. autor (al unei crime etc.).

plant [pla:nt] I. s. 1. plantă. 2. răsad. 3. instalaţii tehnice. 4. uzină. 5. escrocherie. II. vt. 1. a planta. 2. a înfige. 3. a stabili.

plantain ['plæntin] s. bot. 1. bananier (Musa paradisiaca). 2. patlagină (Plantago sp.).

plantation [plæn'teiʃn] s. 1. plantaţie. 2. colonizare. 3. colonie.

planter ['pla:ntə] s. 1. plantator. 2. maşină de plantat.

plant louse ['pla:nt laus] s. entom. păduche de frunze / plante.

plaque [pla:k] s. placă (comemorativă).

plash [plæʃ] I. s. plescăit. II. vt. a stropi. III. vi. a plescăi.

plashy ['plæʃi] adj. mlăştinos, mocirlos.

plasma ['plæzmə] s. 1. fiz. plasmă. 2. minr. plasmă, calcedoniu verde.

plaster ['pla:stə] I. s. 1. tencuială. 2. plasture. 3. oblojeală. 4. ghips. II. vt. 1. a tencui. 2. a acoperi. 3. a aplica un plasture; a obloji. 4. a pune în ghips. 5. a îmbăta.

plasterer ['pla:stərə] s. constr. tencuitor.

plaster of Paris ['pla:strəv'pæris] s. ghips, alabastru.

plastic ['plæstik] I. s. material plastic. II. adj. 1. plastic. 2. maleabil (şi fig.).

plasticine ['plæstisi:n] s. plastilină.

plasticity [plæs'tisiti] s. plasticitate, maleabilitate.

plastron ['plæstrən] s. 1. plastron. 2. ist. platoşă de oţel. 3. zool. (la broasca ţestoasă) carapace abdominală.

plat[1] [pla:] s. 1. petic de pământ, parcelă, teren. 2. mine. rampa puţului, rampă subterană.

plat[2] s. v. **plait** (1).

plat[3] s. plan sau fotografie în proiecţie orizontală.

plat[4] [plæt] s. (fel de) mâncare.

plate [pleit] I. s. 1. farfurie (întinsă). 2. tavă; platou. 3. blid. 4. tacâmuri. 5. platoşă. 6. foaie de metal. 7. planşă. 8. placă (fotografică, dentară etc.) 9. sport cupă. II. vt. 1. a acoperi

(cu plăci, platoşă, blindaj etc.). 2. a sufla (cu aur sau argint).

plateau ['plætou] s. geogr. platou.

plateful ['pleitful] s. conţinutul unei farfurii.

platen ['plætn] s. 1. poligr. maşină tighel. 2. car (la maşina de scris). 3. tehn. placă, masă, plită.

platform ['plætfo:m] s. 1. platformă (şi pol.). 2. estradă. 3. peron.

plating ['pleitiŋ] s. 1. galvanoplastie. 2. aur doublé.

platinum ['plætinəm] s. platină.

platitude ['plætitju:d] s. platitudine. 2. stupiditate.

Platonic [plə'tɔnik] I. adj. a lui Platon; platonic. II. s. 1. discipol al lui Plato. 2. pl. fam. conversaţie platonică, relaţii platonice.

Platonism ['pleitənizəm] s. filoz. platonism.

Platonist ['pleitənist] adj. filoz. platonist, platonician.

platoon [plə'tu:n] s. pluton.

platter ['plætə] s. 1. înv. farfurie sau blid de lemn. 2. înv. scândură pentru pâine. 3. disc (de patefon).

platypus ['plætipəs] s. zool. ornitorinc (Ornithorynchus).

plaudits ['plɔ:dits] s. pl. 1. aplauze. 2. aprobare.

plausibility [,plɔ:zə'biliti] 1. plauzibilitate; caracter verosimil. 2. arta de a inspira încredere.

plausible ['plɔ:zəbl] adj. 1. plauzibil. 2. demn de crezare.

play [plei] I. s. 1. joc. 2. joacă; distracţie. 3. joc de noroc. 4. teatru piesă. 5. libertate de mişcare, acţiune. 6. rândul de jos. || to come into ~ a intra în joc (fig.); to bring into ~ a pune în acţiune. II. vt. 1. a juca cu. 2. a juca (un joc, o carte, o minge). 3. a cânta (la un instrument). 4. a face (o farsă etc.). 5. a folosi (un reflector etc.). || to ~ a game a juca corect (fig.), a te supune regulilor; to ~ havoc a face ravagii; to ~ smb. off (against another) a se servi de cineva (împotriva altuia); to ~ (o)possum a face pe mortul în păpuşoi; to ~ a part a juca un rol; fig. a juca teatru; to ~ second fiddle (to smb.) a trece pe planul doi; to ~ tricks with a înşela; a strica. III. vi. 1. a (se) juca. 2. a se distra. 3. a se preface. 4. a juca jocuri de noroc. **5.** a fi actor. **6.** a cânta *(la un instrument)* **7.** a se mişca alene. **8.** a se descărca. **9.** a avea libertate de mişcare. || *to ~ ducks and drakes with* a irosi; *to ~ fast and loose* a se juca precum pisica cu şoarecele; *to ~ the fool* a face pe nebunul; *to ~ foul* a se purta urât; a juca incorect; *to ~ into smb.'s hands* a face jocul cuiva; *it is ~ed out* s-a sfârşit; *to ~ up to smb.* a ajuta, a flata *sau* încuraja pe cineva; *to ~ upon words* a face jocuri de cuvinte.

play-bill ['pleibil] *s.* afiş (teatral).

play-boy ['pleibɔi] *s.* **1.** ştrengar. **2.** tânăr (frivol) din societatea bogată; petrecăreţ; băiat de viaţă.

player ['pleə] *s.* **1.** jucător. **2.** instrumentist. **3.** actor.

play fellow ['plei,felou] *s.* prieten din copilărie; tovarăş de joc / joacă.

playful ['pleifl] *adj.* **1.** jucăuş. **2.** glumeţ.

playfully ['pleifuli] *adv.* jucăuş, vesel.

playgoer ['pleigoə] *s.* **1.** mare amator de teatru, spectator pasionat. **2.** *pl.* public de teatru.

playground ['pleigraund] *s.* teren de joacă.

playhouse ['pleihaus] *s.* **1.** teatru. **2.** *amer.* casa păpuşilor.

playingcard ['pleiiŋkɑːd] *s.* carte de joc.

playmate ['pleimeit] *s.* tovarăş de joacă.

plaything ['pleiθiŋ] *s.* jucărie *(şi fig.).*

playwright ['pleirait] *s.* dramaturg.

plaza ['plɑːzə] *s.* **1.** piaţă deschisă *(în oraşe).* **2.** *amer.* centru comercial, supermagazin.

plea [pliː] *s.* **1.** pledoarie. **2.** rugăminte. **3.** scuză. **4.** discuţie.

pleach [pliːtʃ] *vt.* a împleti *(mai ales crengi).*

plead [pliːd] **I.** *vt.* **1.** a susţine. **3.** a aduce *(o scuză).* **II.** *vi.* **1.** a pleda. **2.** a se apăra. **3.** a se ruga. || *to ~ guilty (to)* a se recunoaşte vinovat (de).

pleader ['pliːdə] *s.* **1.** apărător, avocat. **2.** *(fig.)* apărător, susţinător.

pleading ['pliːdiŋ] **I.** *s.* pledoarie. **II.** *adj.* rugător.

pleasance ['plezəns] *s. înv. poet.* **1.** plăcere, desfătare, încântare. **2.** grădină, parc.

pleasant ['pleznt] *adj.* **1.** plăcut. **2.** încântător.

pleasantly ['plezntli] *adv.* plăcut, afabil, curtenitor.

pleasantness ['plezntnis] *s.* **1.** farmec *(al unui ţinut etc.)* **2.** curtenie, gentileţe; prietenie.

pleasantry ['plezntri] *s.* **1.** glumă. **2.** umor. **3.** joacă.

please [pliːz] **I.** *vt.* **1.** a încânta. **2.** a face pe plac *(cu dat.).* || *~ yourself!* fă cum vrei!. **II.** *vi.* **1.** a fi dispus. **2.** a dori. || *(if you)~!* vă rog!

pleased [pliːzd] *adj.* **1.** încântat. **2.** mulţumit.

pleasing ['pliːziŋ] *adj.* **1.** încântător. **2.** agreabil.

pleasurable ['pleʒrəbl] *adj.* încântător.

pleasure ['pleʒə] *s.* **1.** plăcere. **2.** dorinţă. **3.** *pl.* distracţii. || *to take ~ in smth.* a-ţi plăcea să faci un lucru.

pleasure-ground ['pleʒəgraund] *s.* parc de distracţii.

pleat [pliːt] **I.** *s.* **1.** cută. **2.** pliseu. **II.** *vt.* a plisa.

pleb [pleb] *sl.* v. **plebeian** I.

plebeian [pli'biːən] **I.** *s.* plebeu. **II.** *adj.* **1.** ordinar. **2.** de rând.

plebiscite ['plebisit] *s.* plebiscit.

plebs [plebz] *s.: the ~ (ist. Romei)* plebea, plebeii.

pledge [pledʒ] **I.** *s.* **1.** gaj. **2.** angajament, promisiune. **3.** garanţie, chezăşie. **II.** *vt.* **1.** a pune chezăşie. **2.** a amaneta, a lăsa amanet. **3.** a angaja. **4.** a toasta pentru.

Pleiads ['plaiəds] *sau* **Pleiades** ['plaiədiːz] *s.* **1.** *the ~ astr.* Pleiadele. **2.** *sing. Pleiad fig.* pleiadă *(şapte personalităţi sau obiecte marcante).*

plenary ['pliːnəri] *adj.* **1.** deplin. **2.** plenar.

plenipotentiary [,plenipə'tenʃri] *s., adj.* plenipotenţiar.

plenitude ['plenitjuːd] *s.* **1.** deplinătate, desăvârşire, plenitudine; apogeu. **2.** belşug, abundenţă.

plenteous ['plentiəs] *adj. (mai ales poet.)* **1.** îmbelşugat, abundent, bogat. **2.** rodnic.

plentiful ['plentifl] *adj.* **1.** abundent. **2.** vast.

plentifully ['plentifuli] *adv.* din belşug, din abundenţă.

plenty ['plenti] **I.** *s.* **1.** mulţime. **2.** abundenţă. || *in ~* din abundenţă. **II.** *pron.* mulţi, multe. **III.** *adv.* **1.** foarte. **2.** mult.

pleonasm ['pliːə,næzm] *s. lingv.* pleonasm.

plethora ['pleθərə] *s.* **1.** *med.* pletoră. **2.** *fig.* abundenţă excesivă, surplus.

plethoric [ple'θɔrik] *adj.* **1.** pletoric *(şi fig.).* **2.** greoi, bombastic, umflat.

pleura ['pluərə] *s. anat.* pleură.

pleural ['pluərəl] *adj. anat.* pleural.

pleurisy ['pluərisi] *s. med.* pleurezie. || *wet ~* pleurezie purulentă.

plexus ['pleksəs] *s.* **1.** *anat.* plex *(al nervilor etc.).* **2.** reţea, împletire; complicaţie, încurcătură.

pliable ['plaiəbl] *adj.* **1.** pliant. **2.** flexibil. **3.** influenţabil.

pliancy ['plaiənsi] *s.* **1.** flexibilitate, supleţe. **2.** docilitate, caracter ascultător / supus.

pliant ['plaiənt] *adj.* **1.** flexibil. **2.** docil; maleabil. **3.** supus.

pliers ['plaiəz] *s. pl.* **1.** cleşte. **2.** pensă.

plight [plait] **I.** *s.* **1.** situaţie grea. **2.** mizerie. **3.** angajament. **II.** *vt.* **1.** a angaja. **2.** a promite.

plimsolls ['plimslz] *s.* pantofi de tenis.

plinth [plinθ] *s.* **1.** *arhit.* plintă, baza coloanei. **2.** *tehn.* soclu de coloană. **3.** *constr.* pervaz de pardoseală.

plod [plɔd] **I.** *vi.* **1.** a înainta cu greu. **2.** a trudi. **II.** *vt.: to ~ one's way* a merge cu greu.

plodder ['plɔdə] *s.* persoană care munceşte din greu; truditor.

plonk [plɔŋk] *vt.* **1.** a pocni, a plesni. **2.** a trânti, a arunca, a azvârli.

plop [plɔp] **I.** *s.* **1.** plici, pleosc *(zgomotul apei lovită de un corp care cade).* **2.** cădere (în apă). **II.** *adv.* **1.** făcând plici, pleosc. **2.** deodată, subit, neaşteptat. **III.** *interj.* plici! pleosc! bâldâbâc!. **IV.** *vi.* a cădea în apă. **V.** *vt.* a arunca *sau* a împinge în apă.

plot [plɔt] **I.** *s.* **1.** parcelă. **2.** teren. **3.** lot. **4.** complot. **5.** plan. **6.** subiect, intrigă, acţiune. **II.** *vt.* **1.** a plănui. **2.** a complota. **3.** a parcela. **III.** *vi.* a complota.

plotter ['plɔtə] **1.** *s.* conspirator, intrigant. **2.** dispozitiv pentru a calcula mecanic triunghiurile; trasator. **3.** *mar.* echer de navigaţie.

plough ['plau] **I.** *s.* **1.** plug. **2.** ogor. **II.** *vt.* **1.** a ara. **2.** a-şi croi *(drum).* **3.** a trânti *(un candidat).* || *to ~ up* a deşteleni. **III.** *vi.* **1.** a ara. **2.** a cădea la examen. **3.** a-şi croi drum.

plough(-)man ['plaumən] *s. pl.* **plough(-)men** ['plaumən] plugar.

plough-share ['plauʃɛə] *s.* fier de plug.

plover ['plʌvə] *s. ornit.* fluierar *(Charadriidae) .*

plow [plau] *s. amer.* v. **plough.**

ploy [plɔi] *s. dialectal* **1.** expediţie. **2.** ocupaţie; post; muncă. **3.** poznă; întâmplare.

pluck [plʌk] **I.** *s.* **1.** smulgere. **2.** smucitură. **3.** curaj; tupeu. **4.** tărie de caracter. **II.** *vt.* **1.** a smulge. **2.** a trage. **3.** a culege. **4.** a jecmăni. **5.** a trânti *(un candidat).* || *to ~ up courage* a-şi lua inima în dinţi. **III.** *vi.: to ~ at* a apuca; a trage de.

plucky ['plʌki] *adj.* curajos, inimos, viteaz.

plug [plʌg] **I.** *s.* **1.** dop; astupuş. **2.** *el.* priză; fişă. **3.** bucată. **II.** *vt.* **1.** a astupa. **2.** a pune în priză. **3.** a omorî. **4.** a lovi. **III.** *vi.: to ~ away at smth.* a munci pe rupte la ceva.

plum [plʌm] *s.* **1.** prună. **2.** *bot.* prun *(Prunus domestica).* **3.** floare *fig.* **4.** fată bună *sau* frumuşică. **5.** sinecură. **6.** răsplată (dorită).

plumage ['plu:midʒ] *s.* penaj, pene.

plumb [plʌm] **I.** *s.* fir de plumb. **II.** *adj.* **1.** vertical. **2.** adevărat. **3.** drept. **4.** total. **III.** *vt.* **1.** a măsura *(cu firul cu plumb).* **2.** *fig.* a sonda. **3.** a înţelege. **IV.** *adv.* **1.** vertical. **2.** exact. **3. (to)** drept, direct (la).

plumbago [plʌm'beigou] *s.* **1.** grafit. **2.** plombagină.

plumber ['plʌmə] *s.* instalator *(de apă şi canal).*

plumbing ['plʌmiŋ] *s.* instalaţii tehnico-sanitare.

plum-cake ['plʌmkeik] *s.* chec / budincă cu stafide.

plume [plu:m] **I.** *s.* pană *(de pălărie).* **II.** *vt.* **1.** a împodobi cu pene. **2.** a-şi netezi *(penele).* **III.** *vr.* **(on, upon)** a se împăuna (cu).

plumelet ['plʌmlit] *s.* pană mică.

plummet ['plʌmit] *s.* **1.** (fir cu) plumb. **2.** greutate prinsă de undiţă. **3.** *fig.* greutate apăsătoare; obstacol de neînvins.

plummy ['plʌmi] *adj.* **1.** bogat în prune. **2.** *fam.* straşnic, grozav.

plump [plʌmp] **I.** *adj.* **1.** rotund. **2.** dolofan; durduliu. **3.** direct. **II.** *vt.* **1.** a rotunji. **2.** a trânti. **III.** *vi.* **1.** a se rotunji. **2.** a cădea. **IV.** *adv.* **1.** direct. **2.** brusc.

plumpness ['plʌmpnis] *s.* grăsime, forme durdulii / dolofane.

plum-pudding ['plʌm,pudiŋ] *s.* budincă de Crăciun *(cu stafide şi alte fructe).*

plum-tree ['plʌm,tri:] *s. bot.* prun.

plumule ['plumju:l] *s.* **1.** pană mică, peniţă. **2.** *bot.* tijă embrionară.

plumy ['plu:mi] *adj.* **1.** acoperit / împodobit cu pene. **2.** de pene **3.** ca o pană.

plunder ['plʌndə] **I.** *s.* **1.** jaf. **2.** pradă. **II.** *vt., vi.* a prăda, a jefui.

plunderer ['plʌndərə] *s.* jefuitor, prădător, tâlhar, spoliator.

plunderous ['plʌndərəs] *adj.* prădalnic, de jaf, spoliator.

plunge [plʌndʒ] **I.** *s.* **1.** plonjon. **2.** atac. **3.** încercare. || *to take the ~* a face pasul hotărâtor, a se avânta, a risca. **II.** *vt.* **1.** a arunca. **2.** a băga. **3.** a înfige. **III.** *vi.* **1.** a se arunca. **2.** a se năpusti. **4.** a risca.

plunger ['plʌndʒə] *s.* **1.** *sl.* speculant. **2.** *sl.* cavalerist. **3.** *tehn.* (piston) plonjor. **4.** *tehn.* bară *sau* dop de presiune. **5.** *telec.* sondă. **6.** *rar* scafandru.

plunk [plʌŋk] **I.** *vi.* **1.** a cădea greoi *sau* pe neaşteptate. **2.** a răzbuna. **3.** *amer. sl.* a trage cu arma, a împuşca. **II.** *vt.* a lăsa să cadă greoi. **III.** *s.* **1.** *fam.* lovitură puternică / zdravănă. **2.** *amer. sl.* dolar.

pluperfect ['plu:'pə:fikt] *s. gram.* mai mult ca perfectul.

plural ['pluərl] *s., adj.* plural.

pluralism ['pluərəlizəm] *s.* cumul *(de funcţii).*

pluralist ['pluərəlist] *s.* cumulard.

plurality [plu'ræliti] *s.* **1.** pluralitate. **2.** majoritate; număr mare. **3.** cumul *(de funcţii).*

plus [plʌs] **I.** *s.* plus. **II.** *adj.* **1.** suplimentar, în plus. **2.** *el.* pozitiv. **III.** *prep.* plus.

plus-fours ['plʌs'fɔ:z] *s. pl.* pantaloni de golf.

plush [plʌʃ] *s.* **1.** *text.* pluş. **2.** *pl.* pantaloni cu multe pliuri.

plutocracy [plu'tɔkrəsi] *s.* **1.** plutocraţie. **2.** aristocraţie financiară.

plutocrat ['plu:tə,kræt] *s.* plutocrat.

Plutonian [plu'touniən] *adj.* **1.** plu-tonic, al infernului. **2.** *geol.* plu-tonic, de adâncime.

plutonium [plu:'touniəm] *s. chim.* plutoniu.

pluvial ['plu:viəl] **I.** *adj.* **1.** de ploaie. **2.** *geol.* cauzat de ploaie. **II.** *s. bis., înv.* haină lungă preoţească.

ply [plai] **I.** *s.* **1.** pliu. **2.** mănunchi de fire. **II.** *vt.* **1.** a trudi. **2.** a îndeplini. **3.** a asalta. **4.** a aproviziona (cu). **5.** a oferi. **6.** a folosi. **III.** *vi.* **1.** a face naveta. **2.** a circula.

ply-wood ['plaiwud] *s.* placaj.

PM *abrev. Prime Minister* prim ministru.

pneumatic [nju'mætik] *adj.* pneumatic.

pneumonia [nju'mounjə] *s.* pneumonie.

poach [poutʃ] **I.** *vt.* a vâna fără permis(iune). **II.** *vi.* **1.** a face braconaj. **2.** *fig.* a lua cuiva pâinea de la gură.

poached eggs ['poutʃtegz] *s.* ochiuri în apă *(româneşti).*

poacher[1] [poutʃə] *s.* braconier.

poacher[2] *s.* tigaie pentru prepararea ochiurilor româneşti.

pock [pɔk] *s.* ciupitură de vărsat.

pocket ['pɔkit] **I.** *s.* **1.** buzunar. **2.** pungă. **3.** bani. **4.** cavitate. || *to pick smb.'s ~* a buzunări pe cineva; *to be (a few shillings etc.) out of ~* a pierde (câţiva şilingi etc.). **II.** *vt.* **1.** a băga în buzunar. **2.** a-şi însuşi. || *to ~ one's pride* a-şi călca pe inimă, a trece peste propria mândrie.

pocket-book ['pɔkitbuk] *s.* **1.** agendă (de buzunar). **2.** portmoneu, porte-feuille.

pocketful ['pɔkitful] *s.* (un) buzunar (plin).

pocket knife ['pɔkit naif] *s.* cuţit de buzunar, briceag.

pocket-money ['pɔkit,mʌni] *s.* bani de buzunar.

pock mark ['pɔk ma:k] *s.* semn / urmă / ciupitură de vărsat.

pock marked ['pɔk,ma:kt] *adj.* ciupit de vărsat.

pod [pɔd] **I.** *s.* păstaie. **II.** *vt.* a curăţa *(fasole sau mazăre).*

podgy ['pɔdʒi] *s.* **1.** îndesat. **2.** gras.

podium ['poudiəm], *pl.* **podiums** ['poudiəmz] *sau* **podia** ['poudaiə] *s.* podium, estradă.

poem ['poim] *s.* 1. poezie. 2. poem.

poesy ['pouizi] *s. înv.* poezie.

poet ['poit] *s.* poet.

poetaster ['poui'tæstə] *s.* poetastru, poet slab.

poetess ['pouitis] *s.* poetă.

poetic(al) [po'etik(l)] *adj.* poetic.

poetic diction [po'etik'dikʃn] *s.* limbaj poetic.

poetry ['poitri] *s.* versuri, lirică.

pogo ['pougou] *s.* piciorong cu arc.

poignancy ['poinənsi] *s.* 1. iuțime, usturime. 2. durere, suferință; violență a sentimentelor; emoție *(exprimată sau trăită).*

poignant ['poinənt] *adj.* 1. ascuțit. 2. mușcător.

poinsettia [poin'setiə] *s. bot.* plantă decorativă *(Euphorbia pulcherrima).*

point [point] **I.** *s.* 1. vârf. 2. ascuțiș. 3. punct, chestiune. 4. *geogr.* cap. 5. element. 6. esență. 7. poantă. 8. scop. 9. eficacitate, rost. 10. indice. 11. măsură. 12. macaz. || *beside the ~* fără legătură, inutil; *to the ~* relevant; *a case in ~* un exemplu potrivit; *at all ~s* total; în toate privințele; *not to put too fine a ~ on it* a vorbi pe șleau; *to come to the ~* a veni la chestiune; *to make a ~* a se mândri cu; a insista asupra *(cu gen.).* **II.** *vt.* 1. a indica. 2. a îndrepta. 3. a ascuți. 4. a sublinia. || *to ~ out* a scoate în relief. **III.** *vi.* 1. a atrage atenția. 2. a arăta (către).

point-blank [,point'blæŋk] *adj., adv.* 1. direct. 2. brusc.

pointed ['pointid] *adj.* 1. ascuțit. 2. direct. 3. sever.

pointer ['pointə] *s.* 1. câine de vânătoare. 2. indicator; indice. 3. băț pentru indicarea pe hartă etc.

pointless ['pointlis] *adj.* 1. tocit. 2. fără sens. 3. *sport* nul.

point of conscience ['pointəv-'konʃns] *s.* chestiune de conștiință.

point of order [,pointəv'ɔ:də] *s.* chestiune de procedură.

point of the compass [,pointəv-θə'kʌmpəs] *s.* punct cardinal.

pointsman ['pointsmən] *s. pl.* **pointsmen** ['pointsmən] 1. acar. 2. sergent de stradă. 3. agent de circulație.

poise [poiz] **I.** *s.* 1. echilibru *(și fig.).* 2. stăpânire. 3. ținută. **II.** *vt.* 1. a echilibra. 2. a ține. **III.** *vi.* 1. a sta în echilibru. 2. a pluti în aer. 3. a sta locului.

poison ['poizn] **I.** *s.* otravă *(și fig.).* **II.** *adj.* 1. otrăvit. 2. otrăvitor. **III.** *vt.* 1. a otrăvi *(și fig.).* 2. a perverti. 3. a distruge.

poisoner ['poiznə] *s.* 1. otrăvitor. 2. criminal, ucigaș.

poison-gas ['poizngæs] *s.* gaz otrăvitor / toxic.

poisonous ['poiznəs] *adj.* 1. otrăvitor, nociv. 2. scârbos. 3. insuportabil. 4. imoral.

poke [pouk] **I.** *s.* 1. ghiont. 2. împunsătură. **II.** *vt.* 1. a împinge. 2. a înghionti. 3. a băga; || *to ~ fun at* a râde de; *to ~ one's nose in* a-și băga nasul în. **III.** *vi.* 1. a se băga. 2. a bâjbâi, a căuta.

poker ['poukə] **I.** *s.* 1. vătrai. 2. (joc de) pocher. 3. aparat de pirogravat. 4. *iron.* sceptru. 5. leneș, trântor. **II.** *vt.* a pirograva.

poker face ['poukəfeis] *s.* față / figură impenetrabilă / fără expresie (ca a unui jucător de pocher).

poker-work ['poukəwə:k] *s.* gofraj.

poky ['pouki] *adj.* 1. îngust, strâmt; sărăcăcios. 2. *(d. o ocupație etc.)* neînsemnat, mărunt.

pol [pol] *s. amer. fam. peior.* politician.

Polack, polack ['poulæk] *s. amer. sl. peior.* polonez, leah.

polar ['poulə] *adj.* 1. polar. 2. diametral opus. 3. magnetic.

polarity [pou'læriti] *s. fiz. fig.* polaritate.

polarization [,poulərai'zeiʃn] *s. fiz.* polarizare, polarizație.

polarize ['pouləraiz] **I.** *vt.* 1. *fiz.* a polariza. 2. a da un sens arbitrar *(unui cuvânt).* 3. a da directive arbitrare *(cuiva).* **II.** *vi. fiz.* a polariza.

polarizer ['pouləraizə] polarizz(at)or.

pole [poul] **I.** *s.* 1. pol. 2. opus, antonim. 3. stâlp. 4. prăjină *(și sport.).* **II.** *vt.* a împinge cu prăjina.

Pole [poul] *s.* polonez(ă).

pole-axe ['poulæks] **I.** *s.* topor. **II.** *vt.* a doborî.

polecat ['poulkæt] *s. zool.* dihor *(Mustela putorius).*

polemic [po'lemik] **I.** *s.* 1. polemică. 2. polemist. **II.** *adj.* polemic.

polemical [po'lemikəl] *adj. v.* **polemic. II.**

polenta [pə'lentə] *s.* polenta, mămăligă de mălai *sau* grâu.

pole star ['poulsta:] *s.* 1. steaua polară 2. *fig.* stea călăuzitoare, ghid; centru de atracție.

pole-vault ['poulvo:lt] *s. sport.* săritură cu prăjina.

police [pə'li:s] **I.** *s.* 1. poliție. 2. polițiști. **II.** *vt.* 1. a administra. 2. a teroriza, a tiraniza.

police-constable [pə'li:s'kʌnstəbl] *s.* sergent de stradă.

police court [pə'li:sko:t] *s.* judecătorie de instrucție; cameră de punere sub acuzare.

policeman [pə'lismən] *s. pl.* **policemen** [pə'lismən] polițist, gardian.

police station [pə'li:s,steiʃn] *s.* secție de poliție.

policy ['polisi] *s.* 1. politică. 2. tactică. 3. simț practic. 4. viclenie. 5. poliță de asigurare. 6. *amer.* joc de noroc.

poliomyelitis ['poulioumaiə'laitis] *s. med.* poliomielită.

polish ['poliʃ] **I.** *s.* 1. lustru. 2. luciu. 3. cremă de ghete. 4. pastă de lustruit. **II.** *vt.* a lustrui *(și fig.).* **III.** *vi.* a se lustrui.

Polish ['pouliʃ] **I.** *adj.* polonez. **II.** *s.* (limba) polonă, poloneză.

polite [pə'lait] *adj.* 1. politicos. 2. binecrescut. 3. rafinat.

politely [pə'laitli] *adv.* politicos, curtenitor.

politeness [pə'laitnis] *s.* politețe.

politic ['politik] *adj.* 1. prudent. 2. înțelept. 3. diplomat. 4. viclean.

political [pə'litikl] *adj.* politic.

politically [pə'litikəli] *adj.* din punct de vedere politic, politicește.

politician [,poli'tiʃn] *s.* politician.

politicize [pə'litisaiz] **I.** *vi.* 1. a face pe omul politic. 2. a face politică; a lua parte la o acțiune politică. 3. a discuta politică. **II.** *vt.* a politiza.

politics ['politiks] *s. pl.* 1. (viață / activitate) politică. 2. arenă politică.

polity ['politi] *s.* 1. organizare de stat; regim politic; formă de guvernământ. 2. stat. 3. politică.

polk [polk] *vi. înv.* a dansa polca.

polka ['polkə] *s.* 1. polcă *(dans).*

2. jachetă strâmtă împletită, polcă.

poll [poul] **I.** *s.* **1.** cap *(de om).* **2.** listă electorală. **3.** voturi. **4.** *pol.* alegeri. **5.** *(pol.) (mai ales pl.)* urnă, urne. **6.** sondaj de opinie. **II.** *vt.* **1.** a reteza la vârf. **2.** a primi *(voturi).* **3.** a supune la vot. **III.** *vi.* a vota. | | *to ~ labour* a vota cu laburiştii.

pollack ['pɔlək] *s. iht.* merlan *(Gadus pollachius).*

pollard ['pɔləd] **I.** *s.* **1.** pom cu vârful retezat. **2.** animal fără coarne; cerb căruia i-au căzut coarnele. **3.** făină de tărâţe. **II.** *vt.* a reteza vârful *(unui pom).*

pollen ['pɔlin] *s.* polen.

pollinate ['pɔlineit] *vt. bot.* a poleniza.

pollination [,pɔli'neiʃn] *s.* polenizare.

pollock ['pɔlək]*s.* v. **pollack.**

pollster ['poulstə] *s.* sociolog, persoană însărcinată cu efectuarea sondajelor de opinie.

pollute [pə'luːt] *vt.* **1.** a murdări. **2.** *fig.* a corupe. **3.** a pângări.

pollution [pə'luːʃn] *s.* **1.** murdărie, poluare. **2.** pângărire, spurcare. **3.** *fiziol.* poluţie.

Polly ['pɔli] *s.* nume propriu pentru un papagal domestic.

polo ['poulou] *s.sport.* polo.

polonaise [,pɔlə'neiz] *s.* **1.** poloneză, polcă *(dans).* **2.** rochie cu fusta crăpată de la talie în jos.

polony [pə'louni] *s. gastr.* salam polonez.

poltergeist ['pɔltə,gaist] *s.* poltergeist, strigoi; duh rău.

poltroon [pɔl'truːn] *s.* laş, poltron.

polyandry ['pɔliændri] *s.* poliandrie.

polyanthus [,pɔli'ænθəs] *s. bot.* **1.** ţâţa-vacii *(Primula elation).* **2.** zarnacadea *(Narcisus tazetta).*

polychromatic ['pɔlikrou'mætik] *adj.* policrom, multicolor.

polychrome ['pɔlikroum] **I.** *adj.* v. **polychromatic. II.** *s.* policrom; statuie policromă; vas policrom.

polyclinic [pɔli'klinik] *s. med.* policlinică; spital policlinic / general.

polygamist [pɔ'ligəmist] *s.* poligam.

polygamy [pɔ'ligəmi] *s.* poligamie.

polyglot ['pɔliglɔt] *s. adj.* poliglot.

polygon ['pɔligən] *s. mat.* poligon.

polygonal [pɔ'ligənəl] *adj.* poligonal.

polyhedron ['pɔli'hedrn], *pl.* **polyhedra** ['pɔli'hedrə] *sau* **polyhedrons** ['pɔli'hedrnz] *s. geom.* poliedru.

polymath ['pɔlimæθ] *s.* savant, intelectual având cunoştinţe în domenii variate; erudit.

polymer ['pɔlimə] *s. chim.* polimer.

polyp ['pɔlip] *s.* polip.

polyphonic [,pɔli'fɔnik] *adj.* **1.** *muz.* polifonic. **2.** care constă din mai multe sunete; pe mai multe voci. **3.** *fon.* (d. o literă) care corespunde mai multor sunete.

polystyrene [pɔli'stairiːn] *s. chim.* polistiren.

polysyllabic ['pɔlisi'læbik] *adj.* polisilabic.

polysyllable ['pɔli,siləbl] *s.* cuvânt polisilabic.

polytechnic [,pɔli'teknik] **I.** *s.* politehnică. **II.** *adj.* politehnic.

polytheism ['pɔliθi(:)izm] *s. rel.* politeism.

polyunsaturated [pɔliʌn'sætʃəreitid] *adj. chim.* (poli)ne-saturat.

polyurethane [pɔli'juəriθein] *s. chim.* poliuretan.

pomade [pə'mɑːd] **I.** *s.* pomadă. **II.** *vt.* a pomăda.

pomander [pə'mændə] *s.* **1.** bulină aromată *(ca amuletă împotriva molimelor).* **2.** pandantiv de argint / aur *(în care se purta această bulină).*

pomatum [pə'meitəm] *s.* **1.** pomadă. **2.** alifie.

pomegranate ['pɔm,grænit] *s.* rodie.

Pomeranian [,pɔmə'reiniən] **I.** *adj.* pomeranian. **II.** *s. zool.* şpiţ *(câine).*

pommel ['pʌml] **I.** *s.* **1.** mâner de sabie. **2.** oblânc. **II.** *vt.* a bate, a ciomăgi.

pommy ['pɔmi] *s. sl.* (în Australia şi Noua Zeelandă) englez, britanic.

pomp [pɔmp] *s.* **1.** pompă, splendoare. **2.** paradă.

Pompeian [pɔm'pi(:)ən] *adj.* din Pompei.

pom-pom[1] ['pɔmpɔm] *s. mil.* tun de 37-40 mm, cu tir rapid *(mai ales pe vase de război).*

pom-pom[2] ['pɔmpɔm] *s.* v. **pom-pon.**

pompon ['pɔːmpɔːŋ] *s.* pompon.

pomposity [pɔm'pɔsiti] *s.* **1.** îngâmfare; fast, lux. **2.** emfază, stil bombastic.

pompous ['pɔmpəs] *adj.* **1.** pompos. **2.** bombastic.

ponce [pɔns] *sl.* **I.** *s.* peşte, întreţinut. **II.** *vi.* a trăi ca un peşte *(întreţinut de prostituate);* a fi proxenet, a codoşi.

poncho ['pɔntʃou] *s.* poncio, pelerină *(purtată în America de Sud).*

pond [pɔnd] *s.* eleşteu.

ponder ['pɔndə] *vt., vi.* **1.** a chibzui. **2.** a considera.

ponderable ['pɔndrəbl] **I.** *adj.* **1.** ponderabil, care poate fi cântărit. **2.** care poate fi prevăzut; apreciabil. **II.** *s. pl.* elemente ponderabile *sau* previzibile.

ponderous ['pɔndrəs] *adj.* **1.** greoi. **2.** apăsător. **3.** obositor.

pone [poun] *s.* **1.** pâine / turtă de mălai. **2.** un fel de cozonac.

pong [pɔŋ] *sl.* **I.** *s.* putoare, duhoare. **II.** *vi.* a puţi.

pongee [pɔn'dʒiː] *s. text.* pongé.

poniard ['pɔniəd] **I.** *s.* pumnal. **II.** *vt.* a înjunghia cu un pumnal.

pontiff ['pɔntif] *s.* **1.** Papa *(de la Roma).* **2.** episcop, arhiereu, prelat. **3.** mare preot, pontif.

pontifical [pɔn'tifikl] **I.** *s.* anteriu de episcop. **II.** *adj.* pontific.

pontificate [pɔn'tifikeit] *s.* pontificat.

pontoon [pɔn'tuːn] *s.* **1.** ponton, pod de vase; bac. **2.** vas cu fundul plat. **3.** plută *(pentru determinarea vitezei apei).* **4.** joc de cărţi. **5.** *constr.* cheson. **II.** *vt.* a trece *(un râu)* pe pod de vase.

pony ['pouni] **I.** *s.* **1.** ponei, căluţ. **2.** *sl.* 25 lire sterline. **3.** *amer.* juxtă; fiţuică. **4.** *amer.* păhărel de lichior. **II.** *adj. tehn.* auxiliar, ajutător. **III.** *amer. sl. vt., vi.* a plăti, a achita.

pooch [puːtʃ] *s. amer. sl.* javră, potaie; câine.

pood [puːd] *s.* pud *(=16,36 kg.).*

poodle ['puːdl] *s.* pudel.

pooh [puː] **I.** *a* respinge. **II.** *interj.* pfui! pfuu ! ei aş ! ce prostie !

pooh-pooh [puː,puː] **I.** *interj.* v. **pooh. II.** *vt.* **1.** a trata cu dispreţ. **2.** a respinge cu dispreţ. **3.** a nesocoti, a neglija.

pool [puːl] **I.** *s.* **1.** baltă. **2.** eleşteu. **3.** joc de noroc, *aprox.* pronosport. **4.** câştig la joc, pariuri sportive. **5.** fond comun. **6.** trust, cartel. **II.** *vt.* a uni, a pune laolaltă, a achita.

pool room ['puːl,ru(ː)m] *s. amer.* tripou, local de jocuri de noroc.

poop [pu:p] *s. mar.* pupă.

poor [puə] **I.** *s.: the* ~ sărăcimea. **II.** *adj.* **1.** sărac. **2.** umil. **3.** modest. **4.** slab. **5.** de proastă calitate.

poor house ['puə haus] *s.* azil pentru săraci.

poorly ['puəli] **I.** *adj.* prost. **II.** *adv.* sărăcăcios.

pop¹ [pɔp] **I.** *s.* **1.** pocnitură. **2.** împușcătură. **3.** băutură efervescentă. **4.** amanet. **II.** *vt.* **1.** a face să pocnească. **2.** a pocni (din). **3.** a băga. **4.** a pune amanet, a amaneta. **5.** a coace *(porumb).* || *to* ~ *the question to* a cere de nevastă. **III.** *vi.* **1.** a pocni. **2.** a crăpa. **3.** a se băga. || *to* ~ *off* a o șterge; a muri. **IV.** *adv.* hodoronc tronc.

pop² [pɔp] **I.** *s. fam.* **1.** concert popular. **2.** melodie pop. **3.** șlagăr. **II.** *adj.* (*d. o bucată de muzică ușoară*) de largă circulație.

pop³ [pɔp]*s. fam.* tăticu(țu).

pop corn ['pɔp kɔ:n] *s. amer.* floricele (de porumb).

pope [poup] *s.* **1.** papă. **2.** popă.

popery ['poupəri] *s.* papalitate.

pop-gun ['pɔpgʌn] *s.* pușcoci; pușcoace.

popinjay ['pɔpindʒei] *s.* **1.** papagal. **2.** *fig.* filfizon, fante, pupăză.

popish ['poupiʃ] *adj. peior.* papistășesc.

poplar ['pɔplə] *s. bot.* plop *(Populus alba).*

poplin ['pɔplin] *s. text.* poplin.

poppadam ['pɔpədəm] *s. gastr.* un fel de biscuit indian.

poppet ['pɔpit] *s.* **1.** *înv. dialectal* păpușă. **2.** *înv. dialectal* drăguță, iubită. **3.** *tehn.* sabot de apărare. **4.** *tehn.* supapă cu disc *sau* cu taler. **5.** *mar.* capac de damă.

poppy ['pɔpi] *s. bot.* mac *(Papaver).*

poppy cock ['pɔpi kɔk] *s. amer. sl.* fleac, nimic, prostie.

populace ['pɔpjuləs] *s.* **1.** mulțime. **2.** gloată. **3.** norod.

popular ['pɔpjulə] *adj.* **1.** popular, simpatizat. **2.** admirat.

popularity [,pɔpju'læriti] *s.* popularitate.

popularize ['pɔpjuləraiz] *vt.* a populariza.

popularly ['pɔpjuləli] *adv.* popular.

populate ['pɔpjuleit] *vt.* a popula.

population [,pɔpju'leiʃn] *s.* populație.

populous ['pɔpjuləs] *adj.* **1.** aglomerat. **2.** populat.

populousness ['pɔpjuləsnis] *s.* populație densă; densitate a populației.

porcelain ['pɔ:slin] *s.* porțelan.

porch [pɔ:tʃ] *s.* pridvor, verandă.

porcupine ['pɔ:kjupain] *s. zool.* porc spinos *(Hystris cristata).*

pore [pɔ:] **I.** *s.* por. **II.** *vi.* a medita; || *to* ~ *over* a studia.

pork [pɔ:k] *s.* carne de porc.

porker ['pɔ:kə] *s.* porc *(de tăiat).*

pornography [pɔ:'nɔgrəfi] *s.* pornografie.

porosity [pɔ:'rɔsiti] *s.* porozitate, calitatea de a fi poros.

porous ['pɔ:rəs] *adj.* poros.

porphyry ['pɔ:firi] *s. mineral.* porfir.

porpoise ['pɔ:pəs] *s. zool.* delfin *(Delphinus etc.).*

porridge ['pɔridʒ] *s.* **1.** fulgi *(de ovăz).* **2.** terci *(de cereale).*

porringer ['pɔrindʒə] *s.* bol, blid.

port¹ [pɔ:t] **I.** *s.* **1.** port *(la mare).* **2.** *fig.* liman. **3.** *nav.* hublou, ferestruică de vapor. **4.** *nav.* babord. **5.** vin de Porto. **6.** ținută. || *any* ~ *in a storm* foamea n-alege, ci dă de-a dreptul. **II.** *vt.* a cârmi la stânga.

port² [pɔ:t] **1.** *ist.* poartă, portal. **2.** *tehn.* orificiu, gaură, deschidere.

port³ [pɔ:t] **I.** *vt. mil.* a purta *(arma)* diagonal, cu țeava *sau* tăișul lipit de umărul stâng *(pentru trecerea în revistă);* a prezenta (arma). **II.** *s. mil.* poziție pentru trecere în revistă.

portable ['pɔ:təbl] *adj.* portabil.

portage ['pɔ:tidʒ] **I.** *s.* **1.** transport. **2.** costul transportului, transport. **3.** transport de ambarcații de la un râu la altul *(pentru a evita o cascadă etc.).* **4.** salariul matrozilor în timpul staționării vasului în port. **II.** *vt.* a transporta de la un râu la altul.

portal ['pɔ:tl] *s.* **1.** portal. **2.** poartă.

portcullis [pɔ:t'kʌlis] *s.* grilaj cu țepi *(la intrarea unei fortărețe).*

Porte [pɔ:t] *s.* *(și the Sublime* ~*) ist.* Înalta / Sublima Poartă *(denumire a imperiului otoman).*

portend [pɔ:'tend] *vi.* a prevesti.

portent ['pɔ:tent] *s.* **1.** semn rău. **2.** surpriză. **3.** prevestire.

portentous [pɔ:'tentəs] *adj.* **1.** prevestitor de rău. **2.** extraordinar. **3.** pompos.

porter ['pɔ:tə] *s.* **1.** hamal. **2.** conductor de tren. **3.** portar. **4.** bere neagră tare.

porterage ['pɔ:tridʒ] *s.* **1.** hamalâc; transportul încărcăturii. **2.** taxa, plata hamalului.

porter house ['pɔ:tə haus] *s. amer.* berărie; restaurant.

portfolio [pɔ:t'fouljou] *s.* **1.** servietă. **2.** portofoliu.

porthole [pɔ:thoul] *s. nav.* hublou, ferestruică de vapor.

portico ['pɔ:tikou] *s. arhit.* portic, galerie.

portière [pɔ:'tjɛ] *s.* portieră, draperie.

portion ['pɔ:ʃn] **I.** *s.* **1.** porțiune. **2.** parte. **3.** porție. **4.** soartă. **II.** *vt.* **1.** a împărți. **2.** a parcela.

Portland ['pɔ:tlənd] *s.* **1.** ciment Portland **2.** închisoarea Portland.

Portland cement ['pɔ:tlənd si'ment] *s. constr.* ciment Portland.

portly ['pɔ:tli] *adj.* **1.** corpolent, mătăhălos. **2.** impunător, impozant.

portmanteau [pɔ:t'mæntou] *s.* **1.** valiză cu două părți, geamantan. **2.** sac de voiaj. **3.** hibrid.

portmanteau word [pɔ:t'mæntou(u) ,wə:d] *s. lingv.* hibrid.

portrait ['pɔ:trit] *s.* **1.** portret. **2.** imagine.

portraiture ['pɔ:tritʃə] *s.* **1.** portretistică. **2.** portret. **3.** descriere; înfățișare.

portray [pɔ:'trei] *vt.* **1.** a portretiza. **2.** a descrie.

portrayal [pɔ:'treəl] *s.* (of) portretizare, decriere *(cu gen.).*

portress ['pɔ:tris] *s.* portăreasă.

Portuguese ['pɔ:tju'gi:z] **I.** *s.* portughez. || *the* ~ portughezii. **II.** *adj.* portughez.

pose [pouz] **I.** *s.* atitudine, poză *(și fig.).* **II.** *vt.* **1.** a pune. **2.** a supune. **III.** *vi.* a poza *(și fig.).*

poser ['pouzə] *s.* problemă *sau* întrebare grea.

poseur [pou'zə:] *s.* poseur, prefăcut.

posh [pɔʃ] *adj. sl.* elegant, șic; grozav, clasa întâi.

posit ['pɔzit] *vt.* **1.** a afirma (pe bază de argumente); a enunța. **2.** a pune, a așeza, a plasa.

position [pə'ziʃn] **I.** *s.* **1.** poziție. **2.** situație. **3.** atitudine. **4.** slujbă. **5.** rang. **II.** *vt.* a situa.

positive ['pɔzitiv] **I.** *s.* pozitiv. **II.** *adj.* **1.** pozitiv. **2.** precis. **3.** sigur (pe sine); încrezător.

positively ['pɔzətivli] adv. desigur, indiscutabil, hotărât, categoric, fără îndoială; pur şi simplu.

positivism ['pɔzitivizm] s. filoz. pozitivism.

positron ['pɔzitrɔn] s. fiz. pozitron.

posse ['pɔsi] s. 1. jur. gardă civilă (cetăţeni care pot fi adunaţi de şerif pentru înăbuşirea unei dezordini). 2. ist. poteră, detaşament (de poliţie). 3. mulţime. 4. posibilitate; putinţă.

possess [pə'zes] vt. 1. a poseda. 2. a stăpâni. 3. a ocupa. || to be ~ed of a deţine, a avea.

possession [pə'zeʃn] s. 1. posesie. 2. proprietate. 3. pl. avere. 4. stăpânire.

possessive [pə'zesiv] s., adj. posesiv.

possessiveness [pə'zesivnis] s. sete de stăpânire / posesiune; caracter posesiv.

possessor [pə'zesə] s. posesor, stăpân.

posset ['pɔsit] s. băutură făcută din lapte cald cu vin sau bere şi mirodenii (doctorie împotriva răcelii).

possibility [,pɔsə'biliti] s. posibilitate.

possible ['pɔsəbl] I. s. 1. posibil. 2. eventualitate. II. adj. 1. posibil. 2. previzibil. 3. normal.

possibly ['pɔsəbli] adv. 1. eventual. 2. cumva. 3. posibil. 4. poate.

possum ['pɔsəm] s. amer. zool. fam. v. **opossum** || to play ~ with smb. a înşela pe cineva, a trage pe sfoară pe cineva.

post [poust] I. s. 1. stâlp. 2. prăjină. 3. bară. 4. post. 5. trâmbiţă. 6. poştă. II. vt. 1. a fixa. 2. a afişa. 3. a acoperi cu afişe. 4. a anunţa. 5. a posta. 6. a plasa. 7. a expedia; a pune (o scrisoare) la cutie. || well ~ed bine informat. III. adv. repede.

postage ['poustidʒ] s. taxă poştală.

postage-stamp ['poustidʒstæmp] s. timbru poştal.

postal ['poustl] I. s. amer. carte poştală. II. adj. poştal.

post-boy ['poustbɔi] s. poştaş, factor poştal.

post-card ['poustkɑːd] s. carte poştală.

post-chaise ['poustʃeiz] s. diligenţă.

post-date ['poust'deit] vt. a postdata.

poster ['poustə] s. afiş.

poste restante ['poust'restɑːnt] adj. post-restant.

posterior [pɔs'tiəriə] I. s. 1. spate. 2. dos; fund. II. adj. posterior.

posterity [pɔs'teriti] s. 1. progenitură. 2. posteritate.

postern ['pɔstəːn] s. uşă, poartă din dos; intrare de serviciu.

post-free ['poust'friː] adj. 1. scutit de taxe poştale. 2. inclusiv taxa de expediţie.

post-graduate ['pous'grædjuit] I. s. univ. aspirant, absolvent care urmează un curs de specializare. II. adj. postuniversitar.

postgraduate ['poust'grædjuit] I. adj. postuniversitar. II. s. postuniversitar; aspirant; doctorand.

post-haste ['poust'heist] adv. repede, expres.

post-haste ['poust'heist] I. adv. în mare grabă / viteză. II. s. grabă mare, viteză.

posthumous ['pɔstjuməs] adj. postum.

postil(l)ion [pɔs'tiljən] s. surugiu.

post-impressionism ['poustim-'preʃnizəm] s. artă post-impresionism.

postman ['pousmən] s. pl. **postmen** ['poustmən] poştaş, factor.

postmark ['poustmɑːk] I. s. ştampila poştei. II. vt. a ştampila scrisori.

postmaster ['pous,mɑːstə] s. diriginte de poştă.

Postmaster-General ['poust,mɑːstə'dʒenrl] s. Ministrul poştelor.

post-mortem ['poust'mɔːtem] I. s. autopsie. II. adj. post-mortem.

post-natal [poust'neitl] adj. postnatal.

post-office ['poust,ɔfis] s. 1. oficiu poştal. 2. poştă.

postpone [pous'poun] vt. a amâna.

postponement [poust'pounmənt] s. amânare.

postscript ['pousskript] s. postscriptum.

postulant ['pɔstjulənt] s. rel. postulant, aspirant.

postulate ['pɔstjuleit] vt. 1. a cere. 2. a presupune. 3. a necesita.

posture ['pɔstʃə] s. 1. postură. 2. atitudine (şi fig.). 3. situaţie.

post-war ['poust'wɔː] adj. postbelic.

posy ['pouzi] s. 1. înv. deviză, vers (gravat pe inel etc.). 2. buchet de flori (de câmp).

potable ['poutəbl] I. adj. (mai ales glumeţ, d. o băutură) potabil, băubil, de băut. II. s. pl. băuturi.

potash ['pɔtæʃ] s. 1. potasiu. 2. potasă. 3. leşie.

potassium [pə'tæsjəm] s. potasiu.

potation [pou'teiʃn] s. 1. băut, actul de a bea. 2. înghiţitură, duşcă. 3. pl. fam. pileală, chef, tras la măsea.

potato [pə'teitou] s. bot. cartof (Solanum tuberosum).

pot-belly ['pɔt,beli] s. 1. burtă mare. 2. burtos.

poteen [pɔ'tiːn] s. whisky irlandez.

potency ['poutənsi] s. forţă, putere; vigoare, eficacitate.

potent ['poutnt] adv. 1. puternic. 2. convingător.

potentate ['poutnteit] s. potentat.

potential [pə'tenʃl] s., adj. 1. potenţial. 2. eventual.

potentiality [pə,tenʃi'æliti] s. potenţialitate; posibilitate.

potentially [pə'tenʃəli] adv. potenţial, virtual.

pot[1] [pɔt] I. s. 1. oală. 2. cratiţă. 3. ceainic. 4. persoană importantă. 5. premium. 6. câştig. 7. sumă mare. || to keep the ~ boiling a o scoate la capăt (cu banii); to go to ~ a se duce de râpă. II. vt. 1. a conserva. 2. a răsădi. 3. a împuşca.

pot[2] [pɔt] s. sl. marijuana, drog.

pot-hat ['pɔt'hæt] s. pălărie melon, gambetă.

potheen [pɔ'θiːn] s. v. **poteen**.

pother ['pɔðə] I. s. 1. nor de praf sau de fum (înăbuşitor). 2. gălăgie, tărăboi, scandal. 3. caz de suferinţă, de durere. II. vt. a nelinişti, a irita; a zăpăci. III. vi. a face caz de durere ; a se agita.

pot-herb ['pɔt həːb] s. 1. verdeaţă, zarzavat. 2. mirodenie.

pot-hole ['pɔthoul] s. 1. gaură. 2. groapă.

pot hook ['pɔthuk] s. 1. cârlig deasupra căminului. 2. pl.: ~s and hangers cârlige şi bastonaşe (pentru a învăţa scrisul).

pot-house ['pɔthaus] s. cârciumă.

potion ['pouʃn] s. poţiune, doză (de doctorie lichidă sau otravă).

pot-luck ['pɔtlʌk] s. mâncarea de pe foc sau care se găseşte prin casă.

pot pourri [pou'puri(:)] *s.* **1.** amestec de aromate. **2.** *lit., muz.* potpuriu.

potsherd ['pɔtʃɔ:d] *s.* ciob.

potshot ['pɔt.ʃɔt] *s.* foc tras la întâmplare.

pottage ['pɔtidʒ] *s. înv.* **1.** supă; ciorbă. **2.** tocană.

potter ['pɔtə] **I.** *s.* olar. **II.** *vt.* a irosi. **III.** *vi.* **1.** a pierde vremea. **2.** a se învârti fără rost; a se afera. **3.** a-și găsi de lucru.

potter's field ['pɔtəzfi:ld] *s.* cimitirul săracilor.

pottery ['pɔtəri] *s.* **1.** olărit. **2.** olărie. **3.** oale.

pottle ['pɔtl] *s.* **1.** *înv.* cană *(de o jumătate de galon = 2,27 l)*. **2.** coșuleț de răchită *(pentru fructe)*.

potty ['pɔti] *adj.* **1.** mic; neînsemnat. **2.** *fam.* trăsnit, țicnit.

pouch [pautʃ] **I.** *s.* **1.** pungă. **2.** buzunar. **II.** *vt.* **1.** a face pungă. **2.** a pune în buzunar. **III.** *vi.* a se umfla.

poulterer ['poultrə] *s.* crescător de păsări.

poultice ['poultis] **I.** *s.* cataplasmă. **II.** *vt.* a obloji.

poultry ['poultri] *s.* păsări domestice.

pounce [pauns] **I.** *s.* atac brusc. **II.** *vi.* a se năpusti *(și fig.)*.

pound[1] [paund] **I.** *s.* **1.** funt, livră *(453 gr.)*. **2.** liră sterlină *(100 de penny; înv. 20 de șilingi)*. **3.** țarc. **II.** *vt.* **1.** a zdrobi. **2.** a pisa. **3.** a măcina. **4.** a băga în țarc. **III.** *vi.* a tropăi.

pound[2] [paund] **I.** *s.* **1.** serviciu de ecarisaj. **2.** vârșă. **3.** bazin, rezervor, parte a canalului între două ecluze. **II.** *vt.* **1.** a duce *(animale)* la serviciul de ecarisaj. **2.** a reține *(apa)*; a ridica un stăvilar *(pe cursul unei ape)*.

poundage ['paundidʒ] *s. fin.* **1.** procent pe fiecare liră sterlină. **2.** taxă vamală *(calculată după greutate)*. **3.** *înv.* comision.

pounder ['paundə] *s.* **1.** lucru care cântărește una *sau (în cuvinte compuse)* mai multe livre. **2.** *mil.* tun cu ghiulea de una *sau (în cuvinte compuse)* mai multe livre. **3.** lucru care valorează o liră *sau (în cuvinte compuse)* mai multe lire. **4.** persoană care posedă *sau* plătește una *sau (în cuvinte compuse)* mai multe lire.

pound sterling ['paund,stɔ:liŋ] *s.* liră sterlină.

pour [pɔ:] **I.** *s.* ploaie torențială. **II.** *vt.* **1.** a turna. **2.** a vărsa. **3.** a revărsa. **4.** a scoate (la iveală). **5.** a depăna *(o poveste)*. || to ~ cold water on a răcori, a domoli *(entuziasmul etc.)*; to ~ oil in troubled water sau on the flames a turna gaz peste foc. **III.** *vi.* **1.** a curge. **2.** a ploua cu găleata *(și fig.)*. || it never rains but it ~s ori nu e nici unul, ori sunt prea mulți; o nenorocire nu vine niciodată singură.

pout [paut] **I.** *s.* bot, strâmbătură. **II.** *vi.* a face bot.

pouter ['pautə] *s. ornit.* rasă de porumbel cu gușa mare.

poverty ['pɔvəti] *s.* **1.** sărăcie. **2.** lipsă.

poverty-stricken ['pɔvəti,strikn] *adj.* sărac lipit pământului.

powder ['paudə] **I.** *s.* **1.** pudră. **2.** praf de pușcă. **II.** *vt., vi.* a (se) pudra.

powdery ['paudəri] *adj.* **1.** prăfuit. **2.** pudrat.

power ['pauə] *s.* **1.** putere. **2.** capacitate. **3.** energie (electrică). **4.** autoritate. || the ~s above soarta, puterile cerești / providențiale.

powerful ['pauəfl] *adj.* puternic.

powerfully ['pauəfuli] *adv.* cu putere, cu forță; tare; energic.

power house ['pauə,haus] *s.* centrală electrică.

powerless ['pauəlis] *adj.* neputincios.

power policy ['pauə,pɔlisi] *s.* politică de forță, politica forței.

powwow ['pauwau] **I.** *s.* **1.** vraci, vrăjitor *(la indienii din America de Nord)*. **2.** sfat, ceremonie magică *(la indienii din America de Nord)*. **3.** *amer. fam.* întrunire politică; larmă. **II.** *vi.* **1.** a fi vraci, vrăjitor; a face vrăjitorie, farmece. **2.** a trata, a duce tratative, a discuta.

pox [pɔks] *s. med.* **1.** vărsat *(de vânt, negru etc.)*. **2.** *înv., fam.* sifilis.

p.p. *abrev. per pro* prin intermediar.

pp *abrev. pianissimo* pianissimo.

PPS *abrev.* **1.** *Parliamentary Private Secretary* secretar parlamentar particular. **2.** *post postscriptum* post postscriptum.

p&p *abrev. postage and packing* taxe poștale și ambalaj.

practicability [,præktikə'biliti] *s.* **1.** posibilitatea de a executa / de a face ceva; înfăptuire. **2.** practicabilitate.

practicable ['præktikəbl] *adj.* realizabil.

practical ['præktikl] *adj.* practic.

practicality [prækti'kæliti] *s.* **1.** caracter practic *(al unui proiect etc.)*. **2.** spirit practic.

practical joke ['præktikl'dʒouk] *s.* festă, farsă.

practically *adv.* **1.** ['præktikəli] practic, din punct de vedere practic. **2.** de fapt, în realitate. || ~ speaking la drept vorbind, de fapt. **3.** ['præktikli] aproape. || ~ no changes aproape fără schimbări.

practice ['præktis] *s.* **1.** practică. **2.** clientelă *(a unui medic sau avocat)*. **3.** antrenament. **4.** șmecherie. || to put into ~ a aplica; out of ~ neantrenat, lipsit de antrenament; ieșit din mână.

practician [præk'tiʃn] *s.* practician.

practise ['præktis] *vt., vi.* **1.** a practica. **2.** a exersa. **3.** a experimenta. || to ~ smth. on smb. a încerca pe pielea cuiva.

practitioner [præk'tiʃnə] *s.* **1.** practicant (profesionist). **2.** medic (practicant).

praetor ['pri:tə] *s. ist. Romei* pretor.

praetorian [pri(:)'tɔ:riən] *adj., s. ist. Romei* pretorian.

pragmatic [præg'mætik] *adj.* pragmatic.

pragmatism ['prægmætizəm] *s.* **1.** pragmatism. **2.** pedanterie.

prairie ['preəri] *s.* prerie, stepă.

praise [preiz] **I.** *s.* **1.** laudă. **2.** cult. **II.** *vt.* **1.** a lăuda. **2.** a adora. || to ~ to the skies a ridica în slăvi.

praiseworthy ['preiz,wə:ði] *adj.* merituos, lăudabil.

praline ['prɑ:li:n] *s.* pralină.

pram [præm] *s.* cărucior de copil.

prance [prɑ:ns] **I.** *s.* cabrare. **II.** *vi.* **1.** a se cabra. **2.** a face pe grozavul. **3.** a se zbengui.

prank [præŋk] **I.** *s.* **1.** joc; zburdălnicie; zbenguială. **2.** capriciu. **3.** festă, renghi. **II.** *vt.* a se grozăvi.

prate [preit] **I.** *s.* vorbărie. **II.** *vt., vi.* a flecări, a trăncăni.

prater ['preitə] *s.* flecar, guraliv.

prattle ['prætl] **I.** *s.* vorbe goale. **II.** *vt., vi.* a flecări; a ciripi *(fig.)*.

prawn [prɔːn] I. s. zool. crevete (Pandalus sp., Peneus sp. etc.). II. vi. a pescui crevete.

pray [prei] vt., vi. a (se) ruga.

prayer [prɛə] s. 1. rugăciune. 2. rugăminte. 3. petiție.

prayer book ['prɛə buk] s. 1. carte de rugăciuni. 2. mar. piatră de bricuit.

prayerful ['prɛəful] adj. 1. cucernic, evlavios, pios. 2. de rugăciune.

preach [priːtʃ] I. vt. a propovădui. II. vi. a ține predici.

preacher ['priːtʃə] s. predicator.

preachment [priːtʃmənt] s. peior. predică, morală.

preamble [priː'æmbl] s. 1. preambul. 2. prefață.

prearrange ['priːə'reindʒ] vt. a aranja dinainte.

prebend ['prebənd] s. 1. bis. prebendă, venitul unui canonic. 2. pământ sau impozit care constituie prebende.

prebendary ['prebəndri] s. bis. canonic.

precarious [pri'kɛəriəs] adj. 1. nesigur. 2. riscant. 3. primejdios.

precaution [pri'kɔːʃn] s. precauție.

precautionary [pri'kɔːʃnəri] adj. de precauție. || ~ measures măsuri de precauție.

precede [pri'siːd] vt. 1. a preceda. 2. a depăși (ca importanță).

precedence [pri'siːdns] s. 1. întâietate, prioritate; precădere. 2. superioritate. 3. importanță mai mare. 4. ierarhie.

precedent[1] ['president] s. precedent.

precedent[2] [pri'siːdnt] adj. 1. anterior. 2. precedent.

preceding [pri(ː)'siːdiŋ] adj. precedent, dinainte.

precentor [pri(ː)'sentə] s. bis. dirijor de cor.

precept ['priːsept] s. 1. precept. 2. ordin.

preceptor [pri'septə] s. preceptor, profesor.

preceptress [pri'septris] s. preceptoare, profesoară.

precession [pri'seʃn] s. astr. precesie.

precinct ['priːsiŋt] s. 1. incintă. 2. zonă, district. 3. graniță.

preciosity [,preʃi'ɔsiti] s. prețiozitate, rafinament; afectare (în stil, limbă).

precious ['preʃəs] adj. prețios. 2. fam. strașnic. 3. fam. afurisit, dat dracului.

precipice ['presipis] s. prăpastie (și fig.).

precipitance [pri'sipitns] s. pripă, precipitare.

precipitate[1] [pri'sipitit] I. s. 1. precipitat. 2. precipitație. II. adj. 1. precipitat. 2. pripit.

precipitate[2] [pri'sipiteit] vt., vi. a (se) precipita.

precipitation [pri,sipi'teiʃn] s. 1. precipitare, pripire; pripă. 2. chim. precipitare. 3. pl. meteor. precipitații.

precipitous [pri'sipitəs] adj. 1. povârnit. 2. abrupt.

précis ['preisiː] s. expunere scurtă; rezumat.

precise [pri'sais] adj. 1. precis. 2. corect. 3. minuțios.

precisely [pri'saisli] adv. 1. exact, precis, cu precizie. 2. exact, întocmai, așa e (ca răspuns).

preciseness [pri'saisnis] s. 1. precizie, exactitate. 2. meticulozitate.

precision [pri'siʒn] s. 1. precizie. 2. corectitudine.

preclude [pri'kluːd] vt. 1. a exclude. 2. a împiedica.

precocious [pri'kouʃəs] adj. precoce.

precocity [pri'kɔsiti] s. precocitate; coacere, maturizare timpurie.

precognition ['priːkɔg'niʃn] s. filoz. etc. cunoaștere anticipată.

preconceive ['priːkən'siːv] vt. a concepe dinainte; a anticipa judecata asupra (cu gen.).

preconceived ['priːkən'siːvd] adj. preconceput.

preconception ['priːkən'sepʃn] s. prejudecată, idee preconcepută.

preconcert ['priːkən'sɔːt] vt. a pune la cale, a plănui dinainte; a se înțelege asupra (cu gen.).

pre-condition [priːkən'diʃn] s. condiție preliminară, premiză.

precursor [pri(ː)'kəːsə] s. precursor, premergător.

predacious [pri(ː)'deiʃəs] adj. 1. de pradă; răpitor. 2. animal de pradă; pasăre răpitoare.

pre-date [priː'deit] vt. a antedata.

predatory ['predətri] adj. jefuitor, prădător, de jaf, de pradă, răpitor.

predecease [priːdi'siːs] vi., vt. a muri înainte (de).

predecesor ['priːdisesə] s. 1. predecesor. 2. antecedent.

predestinate [pri(ː)'destineit] vt. v. **predestine**.

predestination [pri,desti'neiʃn] s. predestinare.

predestine [pri'destin] vt. a predestina.

predetermine [priːdi'təːmin] vt. 1. a predestina. 2. a determina.

predicable ['predikəbl] log. I. adj. predicabil. II. s. categoremă.

predicament [pri'dikəmənt] s. 1. situație grea. 2. încurcătură, complicație, dilemă.

predicate ['predikit] I. s. predicat. II. adj. predicativ.

predication [,predi'keiʃn] s. log. predicare, afirmare. 2. gram. predicație. || verb of incomplete ~ verb cu predicație incompletă.

predict [pri'dikt] vt. a prezice.

prediction [pre'dikʃn] s. 1. prezicere, prorocire, prevestire. 2. mil. determinare; calculele pentru tragere.

predilection [,priːdi'lekʃn] s. predilecție.

predispose ['priːdis'pouz] vt. a predispune.

predisposition ['priː,dispə'ziʃn] s. înclinație, predispoziție.

predominance [pri'dɔminəns] s. predominație, preponderență.

predominant [pri'dɔminənt] adj. 1. predominant. 2. dominant. 3. suprem.

predominate [pri'dɔmineit] vi. 1. (over) a domina, a prevala, a predomina (asupra). 2. a predomina, a fi elementul dominant / principal, a fi predominant.

pre-eminence [pri(ː)'eminəns] s. preeminență, superioritate.

preeminent [pri'eminənt] adj. 1. superior. 2. predominant.

pre-eminently [pri(ː)'eminəntli] adv. în primul rând, cu precădere.

pre-empt [pri(ː)'empt] vt. econ., jur. 1. a cumpăra înaintea altora. 2. a lua în posesiune înaintea altora. 3. amer. a ocupa (teren) pentru a dobândi dreptul de preempțiune.

pre-emption [pri'empʃn] s. 1. preempțiune. 2. prioritate.

pre-emptive [pri'emptiv] adj. 1. jur. prioritar, care prevalează, care are prioritate / drept de preempțiune. 2. mil. menit să prevină atacul inamic.

preen [priːn] I. vt. 1. a netezi. 2. a aranja. II. vr. 1. a se făli, a se împăuna. 2. a face pe grozavul.

pre-exist ['pri:ig'zist] *vi.* a preexista, a exista înainte.

pre-existent ['pri:ig'zistnt] *adj.* preexistent.

prefab ['pri:fæb] *fam.* I. *adj. abrev.* prefabricat. II. *s.* casă, clădire prefabricată.

prefabricate ['pri:'fæbrikeit] *vt.* a prefabrica.

preface ['prefis] I. *s.* prefață. II. *vt.* 1. a prefața. 2. a precede.

prefatorial [,prefə'tɔ:riəl] *adj.* v. **prefatory**.

prefatory ['prefətri] *adv.* introductiv, preliminar; ca prefață, cu caracter de prefață.

prefect ['pri:fekt] *s.* 1. prefect. 2. monitor *(la școală)*.

prefecture ['pri:fektjuə] *s.* prefectură.

prefer [pri'fə:] *vt.* 1. a prefera. 2. a întinde. 3. a înainta.

preferable ['prefrəbl] *adj.* preferabil.

preferably ['prefrəbli] *adv.* de preferință, cu deosebire.

preference ['prefrns] *s.* 1. preferință. 2. prioritate.

preferential [,prefə'renʃl] *adj.* preferențial.

preferment [pri'fə:mənt] *s.* 1. promovare. 2. înaintare.

prefigure [pri'figə] *vt.* 1. a prevedea. 2. a prezice.

prefix ['pri:fiks] *s.* prefix.

pregnancy ['pregnənsi] *s.* 1. graviditate; sarcină. 2. semnificație. 3. profunzime.

pregnant ['pregnənt] *adj.* 1. însărcinată, gravidă. 2. pregnant. 3. important.

prehensile [pri'hensail] *adj. zool.* *(d. membre, coadă)* care poate apuca, prinde, strânge.

prehistoric ['pri:his'tɔrik] *adj.* preistoric.

prejudge ['pri:'dʒʌdʒ] *vt.* a condamna dinainte.

prejudice ['predʒudis] I. *s.* 1. prejudecată. 2. prejudiciu. || *to the ~ of* în dauna *(cu gen.)*. II. *vt.* a prejudicia.

prejudicial [,predʒu'diʃl] *adj.* dăunător.

prelacy ['preləsi] *s. bis.* 1. episcopat. 2. *the ~* prelații, arhiereii, episcopii. 3. conducerea episcopală a bisericii.

prelate ['prelit] *s.* prelat.

preliminary [pri'limnəri] *s., adj.* preliminar.

prelude ['prelju:d] I. *s.* preludiu *(și fig.)*. II. *vt.* a preceda.

premature [,premə'tjuə] *adj.* prematur.

premedication [pri:medi'keiʃn] *s. med.* premedicație.

premeditation [pri(:),medi'teiʃn] *s.* premeditare.

premiership ['premiəʃip] *s.* funcțiunea / demnitatea de prim-ministru, președinția consiliului de miniștri.

pre-menstrual [pri:'menstruəl] *adj.* premenstrual.

premier ['premjə] *s.* premier.

première [prə'mjeə] *s.* *teatru* premieră.

premise ['premis] *s.* 1. premisă. 2. *pl.* local, incintă, sediu.

premiss ['premis] *s.* v. **premise** 1.

premium ['pri:mjəm] *s.* 1. primă. 2. premiu. 3. onorariu. 4. excedent.

premonition [,pri:mə'niʃn] *s.* presimțire.

premonitory [pri'mɔnitri] *adj.* 1. care avertizează, prevestitor, premergător.

prentice ['prentis] *s. înv.* ucenic. || *to try one's ~ hand at* a-și încerca puterile la / cu.

pre-natal ['pri:'neitl] *adj.* prenatal, dinaintea nașterii.

preoccupation [pri,ɔkju'peiʃn] *s.* 1. preocupare. 2. distracție.

preoccupied [pri'ɔkjupaid] *adj.* preocupat.

preoccupy [pri(:)'ɔkjupai] *vt.* 1. a ocupa înaintea altuia. 2. a preocupa, a absorbi, a concentra atenția *(cuiva)*.

preordain ['pri:ɔ:'dein] *vt.* a stabili dinainte.

prep [prep] *s.* 1. pregătire. 2. școală pregătitoare. 3. an preparator.

prepaid ['pri:'peid] *vt. trec. și part. trec. de la* **prepay**.

preparation [,prepə'reiʃn] *s.* 1. pregătire. 2. preparare. 3. preparat *(farmaceutic etc.)*.

preparatory [pri'pærətri] *adj.* pregătitor. || *~ to* înaintea; în vederea.

prepare [pri'peə] *vt., vi.* a (se) prepara.

preparedness [pri'peədnis] *s.* pregătire.

prepay ['pri:'pei] *vt.* 1. a plăti anticipat. 2. a franca, a timbra.

preponderance [pri'pɔndrəns] *s.* preponderență, predominare.

preponderant [pri'pɔndrənt] *adj.* preponderent.

preponderate [pri'pɔndəreit] *vi.* 1. (over) a întrece în greutate. 2.

(over) a avea preponderență *(asupra.)* 3. *(d. talerul cântarului)* a coborî.

preposition [,prepə'ziʃn] *s.* prepoziție.

prepossess [,pri:pə'zes] *vt.* 1. a influența. 2. a impresiona. 3. a inspira.

prepossessing [,pri:pə'zesiŋ] *adj.* 1. atrăgător. 2. plăcut.

prepossession [,pri:pə'zeʃn] *s.* 1. impresie bună. 2. predilecție.

preposterous [pri'pɔstrəs] *adj.* 1. nefiresc. 2. stupid. 3. ridicol.

prepuce ['pri:pju:s] *s. anat.* preput.

prerequisite ['pri:'rekwizit] *s.* condiție esențială.

prerogative [pri'rɔgətiv] *s.* 1. privilegiu. 2. preferință. 3. atribut.

presage I. ['presidʒ] *s.* semn, prevestire. II. [pri'seidʒ] *vt.* 1. a prevesti. 2. a presimți, a avea o presimțire.

presbyter ['prezbitə] *s. bis.* 1. membru al consiliului parohial. 2. preot, pastor.

presbyterian [,prezbi'tiəriən] *s., adj.* presbiterian.

Presbyterianism [,prezbi'tiəriənizəm] *s. rel.* prezbiterianism.

presbytery ['prezbitri] *s.* 1. sanctuar. 2. presbiteriu. 3. parohie catolică.

preschool [pri:'sku:l] I. *adj.* preșcolar. || *~ child* copil de vârstă preșcolară. II. *s.* un fel de grădiniță preșcolară.

prescience ['presiəns] *s.* prevederea viitorului, preștiință.

prescient ['presiənt] *adj.* prevăzător, care prevede, care știe dinainte.

prescribe [pris'kraib] *vt.* 1. a prescrie. 2. a porunci. 3. a dicta.

prescript ['pri:skript] *s.* prescripție, ordonanță, hotărâre.

prescription [pris'kripʃn] *s.* 1. poruncă. 2. rețetă (medicală).

prescriptive [pris'kriptiv] *adj.* 1. prescriptiv, (cu caracter) de prescripție. 2. *jur.* bazat pe dreptul de prescripție *sau* pe un obicei vechi dobândit *sau* stabilit prin prescripție.

presence ['prezns] *s.* 1. prezență. 2. înfățișare. || *~ of mind* prezență de spirit.

presentable [pri'zentəbl] *adj.* prezentabil, aspectuos.

presentation [,prezən'teiʃn] *s.* 1. prezentare. 2. expoziție. 3. spectacol.

presentation copy [,prezən'teiʃn, kɔpi] s. exemplar gratuit.

present-day ['prezntdei] adj. actual, prezent.

present[1] ['preznt] I. s. 1. prezent. 2. persoană prezentă. 3. cadou. || for the ~ deocamdată. II. adj. 1. prezent; actual, contemporan. 2. (aşezat după subst.) de faţă, prezent.

present[2] [pri'zent] vt. 1. a dărui. 2. a oferi. 3. a prezenta. 4. a arăta. 5. a ţinti.

presentiment [,pri'zentimənt] s. presimţire, presentiment.

presently ['prezntli] adv. îndată.

presentment [pri'zentmənt] s. 1. prezentare. 2. dăruire.

preservation [,prezə'veiʃn] s. 1. păstrare. 2. ocrotire.

preservative [pri'zə:vətiv] I. s. 1. prezervativ; antiseptic, măsură de apărare. 2. substanţă întrebuinţată în conservarea alimentelor. II. adj. 1. prezervativ; care apără. 2. care conservă.

preserve [pri'zə:v] I. s. 1. conservă. 2. pl. dulceţuri. 3. rezervaţie. II. vt. 1. a păstra. 2. a apăra.

pre-shrink ['pri:ʃriŋk] vt. text. a trata (fibrele, materialul) pentru a intra la apă în timpul fabricaţiei.

preside [pri'zaid] vi. 1. a oficia. 2. a cânta (la pian, orgă etc.). || to ~ over / to a prezida.

presidency ['prezidnsi] s. prezidenţă, preşedinţie.

president ['prezidnt] s. 1. preşedinte (de comitet, republică etc.). President of the Board of Agriculture Ministrul agriculturii. 2. director (al unui colegiu); rector (al universităţii în S.U.A.). 3. amer. director (al unei bănci etc.). 4. ist. guvernator (al unei colonii). 5. ministru. 6. şef. || ~ of the Board of Trade Ministrul comerţului; ~ of the Board of Education Ministrul învăţământului.

president elect ['prezidnt i'lekt] s. preşedinte ales, dar care nu şi-a preluat încă funcţia.

press [pres] I. s. 1. presă. 2. dulap în perete (de haine). 3. tipografie; tiparniţă. || in the ~ sub tipar. II. vt. 1. a presa. 2. a stoarce. 3. a strânge. 4. a forţa. 5. a pune cu insistenţă (o problemă). 6. mil. a încorpora. 7. a rechiziţiona. || to ~ an argument home a arăta valoarea

unui argument; to be ~ed for time a nu avea timp, a fi presat de timp. III. vi. 1. a insista. 2. a fi urgent, a necesita urgenţă; a fi presant. 3. a se grăbi. 4. a se îngrămădi. || to ~ for smth. a insista pentru ceva, a solicita insistent.

press-clipping ['pres,klipiŋ] s. tăietură de presă.

pressing ['presiŋ] adj. 1. urgent. 2. presant. 3. insistent.

pressman ['presmən] s. pl. **pressmen** ['presmən] 1. tipograf. 2. reporter. 3. ziarist.

pressure ['preʃə] s. 1. presiune, apăsare. 2. influenţă. || to bring ~ to bear upon smb. a exercita presiuni asupra cuiva.

pressure gauge ['preʃəgeidʒ] s. manometru.

prestidigitation ['presti,didʒi-'teiʃn] s. prestidigitaţie.

prestidigitator [,presti'didʒiteitə] s. prestidigitator.

prestige [pres'ti:ʒ] s. prestigiu.

prestigious [pres'tidʒəs] adj. prestigios.

presto ['prestou] adj., adv., s. muz. presto. || hey ~, pass! hocus-pocus!

presumable [pri'zju:məbl] adj. 1. rezonabil. 2. probabil, uşor de presupus.

presumably [pri'zju:məbli] adv. pare-se; după cât se pare; după cât se poate presupune.

presume [pri'zju:m] I. vt. 1. a presupune. 2. a lua drept bună. 3. a îndrăzni (să). II. vi.: to ~ upon smb. a profita de amabilitatea cuiva; a deveni prea intim cu cineva, a-şi lua nasul la purtare cu cineva.

presuming [pri'zju:miŋ] adj. îndrăzneţ.

presumption [pri'zʌmʃn] s. 1. presupunere. 2. prezumţie. 3. îndrăzneală.

presumptive [pri'zʌmptiv] adj. prezumtiv, presupus; bănuit.

presumptuous [pri'zʌmtjuəs] adj. 1. îndrăzneţ. 2. arogant. 3. încrezut.

presuppose [,pri:sə'pouz] vt. a necesita, a presupune.

presupposition [,pri:sʌpə'ziʃn] s. presupunere, supoziţie, bănuială.

pre-tax [pri:'tæks] adj. (d. venituri, salariu) brut.

pretence [pri'tens] s. 1. pretenţie. 2. ostentaţie. 3. pretenţii, aere. 4. înşelătorie. 5. prefăcătorie.

|| under false ~s în mod fals.

pretend [pri'tend] I. vt. 1. a pretinde. 2. a simula. 3. a se juca de-a. II. vi. 1. a se preface. 2. a simula. 3. a se juca.

pretender [pri'tendə] s. pretendent.

pretense [pri'tens] s. amer. v. **pretence**.

pretension [pri'tenʃn] s. pretenţie.

pretentious [pri'tenʃs] adj. 1. pretenţios. 2. afectat, nefiresc, prefăcut.

preterite ['pretrit] s. gram. preterit, trecut perfect.

preternatural [,pri:tə'nætʃrl] adj. 1. supranatural. 2. nefiresc. 3. extraordinar.

pretext ['pri:tekst] s. pretext.

prettiness ['pritinis] s. drăgălăşenie.

pretty ['priti] I. s. 1. drăguţ; drăguţă. 2. pl. haine frumoase. II. adj. 1. drăguţ; frumos. 2. drăgălaş. 3. strălucit. 4. mărişor. 5. bunişor. III. adv. 1. bine. 2. destul de; cam. || ~ much multişor; binişor.

pretty penny ['priti,peni] s. sumă frumuşică.

prevail [pri'veil] vi. 1. a triumfa. 2. a fi răsplătit sau predominant. || to ~ on smb. a convinge pe cineva.

prevalence ['prevləns] s. 1. prevalare, preponderenţă, precumpănire. 2. predominare; propagare, răspândire, extensiune.

prevalent ['prevələnt] adj. 1. predominant; foarte răspândit. 2. obişnuit, curent.

prevaricate [pri'værikeit] vi. 1. a vorbi evaziv. 2. a evita precizările. 3. a se eschiva de la un răspuns.

prevarication [pri,væri'keiʃn] s. ocolire a adevărului, atitudine evazivă; echivoc; tergiversare; minciună.

prevent [pri'vent] vt. a împiedica.

preventable [pri(:)'ventəbl] adj. evitabil, care poate fi împiedicat, care poate fi oprit.

preventative [pri(:)'ventətiv] adj., s. v. **preventive**.

prevention [pri'venʃn] s. împiedicare.

preventive [pri'ventiv] I. adj. 1. med. preventiv, profilactic. 2. anticoncepţional. 3. care luptă împotriva contrabandei. II. s. 1. măsură preventivă, mijloc profilactic. 2. mar. paza coastelor.

preview ['pri:'vju:] *s.* avanpre-
mieră.
previous ['pri:vjəs] *adj.* **1.** anterior.
2. precedent. **3.** pripit. || ~ *to*
înainte de; anterior *(cu gen.)*.
previously ['pri:viəsli] *adv.* an-
ticipat, (mai) înainte, în
prealabil, dinainte. || *two
months* ~ cu două luni (mai)
înainte.
prevision [pri'viʒn] *s.* previziune.
pre-war ['pri:'wɔ:] *adj.* antebelic.
prey [prei] **I.** *s.* **1.** pradă *(la
vânătoare etc.)*. **2.** victimă. **II.**
vt. **1.** a prăda. **2.** a jefui. **3.** a
obseda. **4.** a afecta. **III.** *vi.: to* ~
upon a se năpusti asupra *(cu
gen.)*; a chinui.
price [prais] **I.** *s.* **1.** preț. **2.**
sacrificiu. **3.** valoare. **4.** cotă *(la
pariuri)*. || *every man has his*
~ cu bani cumperi pe oricine;
what ~? cât costă? ce preț a-
re? cum se poate obține? *(fig.)*
cum rămâne cu? **II.** *vt.* a
prețălui, a evalua.
priceless ['praislis] *adj.* **1.**
neprețuit. **2.** nostim.
prick [prik] **I.** *s.* **1.** țeapă. **2.**
înțepătură *(și fig.)*. **3.** *fam.*
penis. || *the* ~*s of conscience*
remușcări. **II.** *vt.* **1.** a înțepa. **2.**
a găuri. **3.** a ciuli. || *to* ~ *up a*
ciuli. **III.** *vi.* a înțepa.
prickle ['prikl] **I.** *s.* **1.** spin. **2.**
țeapă. **3.** înțepătură. **4.** mâncă-
rime. **II.** *vt.* a înțepa. **III.** *vi.* a
simți mâncărime.
prickly ['prikli] *adj.* **1.** plin de țepi.
2. înțepător.
pride [praid] **I.** *s.* **1.** mândrie. **2.**
demnitate. **3.** splendoare. || *to
take* ~ *in* a se mândri cu. **II.** *vt.*
1. a se mândri. **2.** a se
împăuna.
prideful [praidful] *adj.* cuvânt
scoțian mândru.
prie-dieu [pri:'dju:] *s.* (pupitru cu)
scăunel de rugăciune.
priest [pri:st] *s.* preot.
priestcraft [pri:stkra:ft] *s.* **1.** pu-
tere clericală; amestec al cleru-
lui în treburile laice; uneltiri ale
clerului. **2.** obscurantism cleri-
cal. **3.** clericalism.
priestess ['pri:stis] *s.* preoteasă.
priesthood ['pri:sthud] *s.* **1.** pre-
oție. **2.** cler.
priestly [pri:stli] *adj.* cleric, preo-
țesc; care se cuvine unei fețe
bisericești.
priest-ridden ['pri:st,ridn] *adj.*
dominat de cler, de biserică.
prig [prig] *s.* **1.** pedant, pisălog. **2.**

impostor, ipocrit. **3.** om care
pozează, pozeur. **4.** om for-
malist, care-și dă importanță. **5.**
înv. hoț.
priggish ['prigiʃ] *adj.* **1.** pedant. **2.**
încântat de sine.
prim [prim] **I.** *adj.* **1.** curat. **2.**
decent. **3.** politicos. **II.** *vt.* a
aranja.
primacy ['praiməsi] *s.* **1.** prioritate,
întâietate. **2.** *bis.* primat.
prima facie ['praimə 'feiʃii] *adv.* la
prima vedere.
primal [praiml] *adj.* **1.** principal,
esențial, fundamental. **2.** pri-
mar, inițial, primordial. **3.** *mat.*
primitiv, fundamental.
primarily ['praimerili] *adv.* **1.** în
primul rând, înainte de toate. **2.**
inițial, la început.
primary ['praiməri] **I.** *s.* **1.** element
esențial. **2.** grund, fond,
culoare de bază. **3.** *amer.*
întrunire preelectorală. **II.** *adj.*
1. primar. **2.** primitiv, inițial **3.**
elementar. **4.** fundamental, de
bază. **5.** principal.
primate ['praimeit] *s.* primat, ar-
hiepiscop.
prime [praim] **I.** *s.* **1.** început. **2.**
tinerețe. **3.** perioadă de înflo-
rire. **4.** *fig.* floare, înflorire. **5.**
număr prim. || *in the* ~ *of
one's life* în floarea vârstei. **II.**
adj. **1.** prim. **2.** principal. **3.** pri-
mar. **4.** fundamental. **III.** *vt.* **1.** a
arma. **2.** a umple. **3.** a hrăni. **4.**
a aproviziona.
prime cost ['praimkɔst] *s.* preț de
cost; cost de producție.
primer ['praimə] *s.* **1.** abecedar. **2.**
manual elementar. **3.** capsă
(cu explozibil).
primeval [prai'mi:vl] *adj.* **1.** antic,
preistoric. **2.** *(d. pădure)*
neexplorat, virgin.
primitive ['primitiv] **I.** *s.* artist *sau*
tablou primitiv. **II.** *adj.* **1.** pri-
mitiv. **2.** simplu.
primly ['primli] *adv.* afectat.
primness ['primnis] *s.* **1.** afectare,
sclifosire, izmeneală. **2.**meticu-
lozitate de aranjare *(a unei gră-
dini)*.
primogeniture [,praimou'dʒeni-
tjuə] *s.* primogenitură, prim
născut.
primordial [prai'mɔ:djəl] *adj.* **1.**
primordial. **2.** preistoric.
primrose ['primrouz] *s.* *bot.*
primulă *(Primula veris)*.
primula ['primjulə] *s.* *bot.* primulă
(Primula veris).
primus ['praiməs] *s.* primus.

prince [prins] *s.* **1.** prinț. **2.** dom-
nitor. **3.** *fig.* rege.
Prince Charming ['prins'tʃɑ:miŋ]
s. Făt-Frumos.
princedom [prinsdəm] *s.* *v.* **prin-
cipality**.
princely ['prinsli] *adj.* princiar.
princess [prin'ses] *s.* prințesă.
principal ['prinsəpl] **I.** *s.* **1.** direc-
tor. **2.** șef. **3.** partener prin-
cipal. **4.** autor. **5.** capital
(inițial). **II.** *adj.* principal.
principality [,prinsi'pæliti] *s.* **1.**
principat. **2.** demnitate de
prinț.
principally ['prinsəpli] *adv.* în spe-
cial, mai cu seamă, mai ales; în
mare majoritate.
principle ['prinsəpl] *s.* **1.** prin-
cipiu. **2.** principialitate. **3.**
esență. **4.** bază. || *on* ~ din
principiu; *in* ~ principial.
principled ['prinsipld] *adj.* prin-
cipial, de principii, cu principii
solide, sănătoase.
prink [priŋk] **I.** *vt.* **1.** *(și to* ~ *up)* a
dichisi, a împopoțona. **2.** *(d.
păsări) to* ~ *its feathers* a-și
curăța penele. **II.** *vi.* **1.** a-și lua
aere, a-și da ifose. **2.** a se
împopoțona, a se dichisi.
print [print] **I.** *s.* **1.** tipar, tipo-
grafie. **2.** tipărituri. **3.** urnă. **4.**
ștampilă. **5.** gravură. **6.** *foto.*
copie. **7.** hârtie de ziar. **8.**
amer. ziar. || *out of*~ epuizat;
in ~ publicat; disponibil, de
găsit. **II.** *vt.* **1.** a tipări. **2.** a
publica. **3.** a imprima. **4.** a
copia. **III.** *vi.* a se ocupa de
tipografie.
printer ['printə] *s.* **1.** tipograf. **2.**
(informatică) imprimantă.
printing ['printiŋ] *s.* tipar, tipă-
ritură.
printing-press ['printiŋpres] *s.* **1.**
tiparniță. **2.** tipografie.
printless ['printlis] *adj.* fără urmă.
prior ['praiə] **I.** *s.* stareț. **II.** *adj.* **1.**
anterior. **2.** mai important. || ~
to înainte de.
prioress ['praiəris] *s.* stareță.
priority [prai'ɔriti] *s.* prioritate.
priory ['praiəri] *s.* stăreție.
prism ['prizəm] *s.* prismă.
prismatic [priz'mætik] *adj.* **1.** pris-
matic. **2.** strălucitor.
prison ['prizn] *s.* **1.** închisoare. **2.**
detențiune. **3.** constrângere.
prisoner ['priznə] *s.* **1.** deținut. **2.**
prizonier *(și fig.)*.
pristine ['pristain] *adj.* **1.** antic,
foarte vechi; primitiv, primar. **2.**
de odinioară, de altădată.

prithee ['priði(:)] *interj. înv.* te rog (*I pray thee*).

privacy ['praivəsi] *s.* **1.** intimitate. **2.** singurătate. **3.** secret.

private ['praivit] **I.** *s.* soldat. **II.** *adj.* **1.** personal, particular. **2.** intim. **3.** secret. **4.** (*ca inscripţie*) intrarea oprită.

privateer [,praivə'tiə] **I.** *s.* pirat (*sprijinit de guvern*). **II.** *vi.* a face piraterie.

privately ['praivitli] *adv.* **1.** în taină. **2.** la ureche.

privation [prai'veiʃn] *s.* **1.** privaţiune. **2.** lipsă. **3.** *pl.* greutăţi; mizerie.

privatize ['praivətaiz] *vt.* a privatiza.

privet ['privit] *s. bot.* lemn câinesc (*Ligustrum vulgare*).

privilege ['privilidʒ] **I.** *s.* **1.** privilegiu. **2.** favoare. **II.** *vt.* a privilegia.

privileged ['privilidʒd] *adj.* privilegiat, avantajat; drept în plus, imunitate. | | ~ *from smth.* scutit de ceva printr-un privilegiu; *to be* ~ *to do smth.* a avea privilegiul de aface ceva.

probationary [prə'beiʃnri] *adj.* (*d. o perioadă etc.*) de probă, de încercare, de stagiu; *bis.* de noviciat.

privy ['privi] *adj.* **1.** secret. **2.** personal. | | *to be* ~ *to smth.* a fi informat de ceva.

Privy Council ['privi,kaunsl] *s.* Consiliu de coroană.

Privy Purse ['privipə:s] *s.* (*în Anglia*) listă civilă (*a coroanei britanice*).

prize[1] [praiz] **I.** *s.* **1.** premiu. **2.** primă. **3.** răsplată. **4.** pradă (*de război*). **II.** *vt.* **1.** a preţui. **2.** a stima.

prize[2] [praiz] **I.** *vt.* a ridica ceva cu ajutorul unei pârghii. **II.** *s.* **1.** pârghie; apăsare cu ajutorul unei pârghii. **2.** punct de sprijin (*pentru o pârghie, pentru exercitarea unei apăsări*).

prize-fight ['praiz,fait] *s.* **1.** meci de box. **2.** luptă (*cu premii*).

pro [prou] **I.** *s.*: ~*s and cons* (argumente) pentru / pro şi contra. **II.** *adv.* pentru şi contra.

probability [,prɔbə'biliti] *s.* **1.** probabilitate. **2.** posibilitate; | | *in all* ~ după toate probabilităţile.

probable ['prɔbəbl] *adj.* probabil.

probate **I.** ['proubeit] *s.* **1.** *jur.* validare, legalizare, certificare (*a unui testament*). **2.** testament prevăzut cu o formulă executorie; copie legalizată a unui testament. **II.** [prou'beit] *vt. jur.* a legaliza, a autentifica (*un testament*).

probation [prə'beiʃn] *s.* **1.** verificare. **2.** stagiu (*de candidat*), angajament provizoriu. **3.** eliberare provizorie. | | *on* ~ (*d. ucenic sau funcţionar*) angajat de probă; (*deţinut*) eliberat provizoriu / condiţionat, în libertate provizorie.

probationer [prə'beiʃnə] *s.* **1.** prac-ticant. **2.** candidat. **3.** persoană supusă la probă. **4.** deţinut eliberat provizoriu / condiţionat.

probe [proub] **I.** *s. med.* sondă. **II.** *vt.* a sonda (*şi fig.*).

probity ['proubiti] *s.* **1.** cinste. **2.** bunătate.

problem ['prɔbləm] *s.* **1.** problemă. **2.** dificultate.

problematic(al) [,prɔbli'mætik(l)] *adj.* **1.** problematic; îndoielnic, nesigur. **2.** *log.* problematic, care nu este în mod necesar adevărat. **3.** (*d. o chestiune*) discutabil.

proboscis [prə'bɔsis] *s.* **1.** *zool.* proboscidiu, trompă (*de elefant, de tapir etc.*); *entom.* proboscidă, organ în formă de trompă. **2.** *fam. iron.* nas (*mare*).

procedure [prə'si:dʒə] *s.* **1.** procedură. **2.** procedeu, operaţie, metodă.

proceed [prə'si:d] *vi.* **1.** a înainta. **2.** a continua. **3.** a se ivi. **4.** a se naşte. **5.** a promova. **6.** a face proces; | | *to* ~ *against smb.* a da pe cineva în judecată.

proceeding [prə'si:diŋ] *s.* **1.** purtare. **2.** *pl.* acţiune în justiţie. **3.** *pl.* dezbateri. **4.** *pl.* procese verbale; dare de seamă. **5.** *pl.* anale, buletin (*al academiei etc.*).

proceeds ['prousi:dz] *s. pl.* venit, sume încasate (*în numerar*), bani încasaţi (*dintr-o vânzare etc.*); beneficii (*ale unei opere de caritate*). | | ~ *of the sale of goods* sumă încasată prin vânzarea unor mărfuri; *gross* ~ totalul încasărilor, venit global, venit brut.

process **I.** ['prouses] *s.* **1.** proces. **2.** procedeu. **II.** [prə'ses] *vt.* **1.** *tehn.* a prelucra. **2.** a da în judecată.

process cheese ['prousestʃi:z] *s.* brânză topită.

procession [prə'seʃn] *s.* procesiune.

processional [prə'seʃənl] **I.** *adj.* care se referă la un cortegiu, la o procesiune. **II.** *s.* (*bis. catolică*) **1.** carte rituală pentru procesiuni. **2.** imn bisericesc cântat la procesiuni.

processor ['prousesə] *s.* (micro)procesor.

processionary [prə'seʃnəri] **I.** *adj. bis.* procesional, de procesiune, în procesiune. | | *entom.* ~ *caterpillar* omidă primejdioasă care năpădeşte în valuri. **II.** *s. v.* **processioner** 2.

processioner [prə'seʃnə] *s.* **1.** participant la un cortegiu / la o procesiune. **2.** *v.* **processional** ll. **3.** *amer.* hotarnic.

proclaim [prə'kleim] *vt.* **1.** a proclama. **2.** a anunţa. **3.** a dezvălui. **4.** a interzice.

proclamation [,prɔklə'meiʃn] *s.* **1.** proclamare, anunţare publică, încunoştinţare, vestire; strigare publică; publicare (*a strigărilor*). | | *to make / to issue a* ~ a da o proclamaţie; *to make a* ~ *of smth.* a divulga ceva; *to make smth. known by public* ~ a anunţa ceva prin strigare publică. **2.** proclamaţie, declaraţie oficială.

proclivity [prə'kliviti] *s.* înclinaţie.

procrastinate [pro'kræstineit] *vt.* a amâna.

procrastination [prou,kræsti-'neiʃn] *s.* amânare, tărăgănare, temporizare, întârziere, zăbavă. | | ~ *is the thief of time* nu lăsa pe mâine ce poţi face astăzi.

procreate ['proukrieit] *vt.* (*şi fig.*) a procrea, a zămisli, a da naştere.

procreation [,proukri'eiʃn] *s. şi fig.* procreare, zămislire, naştere.

proctor ['prɔktə] *s.* **1.** *univ.* cestor. **2.** procuror.

proctorial [prɔk'tɔ:riəl] *adj.* **1.** (*la universităţile Oxford şi Cambridge*) care se referă la proctori (*la membrii executivi ai consiliului de disciplină.*) **2.** *jur.* care se referă la avocaţi (*în faţa unui tribunal special sau bisericesc*); care se referă la procurorul regelui.

procurable [prə'kjuərəbl] *adj.* care poate fi procurat / găsit /

obţinut / dobândit / achiziţionat; accesibil, de vânzare.

procuration ['prɔkju'reiʃn] *s.* **1.** administraţie *sau* conducere a treburilor prin procură. **2.** *jur.* procură. **3.** *bis.* obligaţie de a face inspecţii *(a unui episcop).* **4.** obţinere, procurare. **5.** comision plătit *(unui agent)* pentru obţinerea unui împrumut.

procurator ['prɔkjureitə] *s.* **1.** procuror. **2.** magistrat.

procurer [prə'kjuərə] *s.* codoş, mijlocitor, peşte.

procuress [prə'kjuəres] *s.* codoaşă, mijlocitoare.

prod [prɔd] **I.** *s.* ghiont. **II.** *vt.* **1.** a înghionti. **2.** a aţâţa.

prodigal ['prɔdigl] *s., adj.* risipitor.

prodigality [,prɔdi'gæliti] *s.* **1.** abundenţă. **2.** mărinimie. **3.** risipă.

prodigious [prə'didʒəs] *adj.* **1.** uriaş. **2.** uluitor.

prodigy ['prɔdidʒi] *s.* **1.** minune. **2.** raritate.

produce[1] ['prɔdju:s] *s.* **1.** produs. **2.** rezultat.

produce[2] [prə'dju:s] **I.** *vt.* **1.** a produce. **2.** a scoate. **3.** a arăta. **4.** a crea. **II.** *vi.* **1.** a crea. **2.** a produce.

producer [prə'dju:sə] *s.* **1.** producător. **2.** *teatru* regizor (principal).

product ['prɔdəkt] *s.* **1.** produs. **2.** rezultat.

production [prə'dʌkʃn] *s.* producţie.

productive [prə'dʌktiv] *adj.* **1.** productiv. **2.** abundent.

productivity [,prɔdʌk'tiviti] *s.* productivitate; rentabilitate.

proem ['prouem] **I.** *s.* **1.** prefaţă, introducere, cuvânt înainte. **2.** prolog, început, preludiu. **II.** *vt.* a prefaţa.

prof [prɔf] *s. fam. abrev.* profesor.

profanation [,prɔfə'neiʃn] *s.* **1.** profanare, spurcare, sacrilegiu. **2.** desconsiderare, discreditare, înjosire.

profane [prə'fein] **I.** *adj.* profan. **II.** *vt.* a profana.

profanity [prə'fæniti] *s.* **1.** caracter profan *(al unei scrieri etc.);* caracter nelegiuit *(al unei acţiuni etc.).* **2.** blasfemie.

profess [prə'fes] **I.** *vt.* **1.** a declara. **2.** a afirma. **4.** a susţine. **4.** a profesa, a exercita *(o profesie).* **5.** a preda *(o materie).* **II.** *vi.* **1.** a se călugări. **2.** a fi practicant religios.

professed [prə'fest] *adj.* **1.** declarat. **2.** mărturisit. **3.** pretins.

profession [prə'feʃn] *s.* **1.** profesi(un)e. **2.** declaraţie. **3.** jurământ religios.

professional [prə'feʃnl] **I.** *s.* **1.** liber profesionist. **2.** jucător profesionist. **3.** om de meserie, profesionist. **II.** *adj.* **1.** profesional. **2.** profesionist.

professionalism [prə'feʃnəlizm] *s.* **1.** profesionalism. **2.** *sport* profesionism.

professor [prə'fesə] *s.* profesor (universitar).

professorial [,prɔfe'sɔ:riəl] *adj.* profesoral, de profesor. || ~ *chair* catedră de profesor.

professorship [prə'fesəʃip] *s.* profesorat, catedră *(în învăţământul superior).* || *to be appointed to a* ~ *(of)* a fi numit la o catedră (de), a fi numit profesor (de).

proffer ['prɔfə] **I.** *s.* ofertă. **II.** *vt.* a oferi; a întinde.

proficiency [prə'fiʃnsi] *s.* **1.** *înv.* progres. **2.** (in) îndemânare, dibăcie, pricepere, abilitate, uşurinţă, experienţă, capacitate, forţă, competenţă *(în).* || ~ *of the piano* stăpânire a pianului; *to reach / to attain a stage of* ~ a ajunge la competenţă.

proficient [prə'fiʃnt] *s., adj.* expert.

profile ['proufi:l] **I.** *s.* profil. **II.** *vt.* a arăta din profil.

profit ['prɔfit] **I.** *s.* profit; câştig. **II.** *vt.* **1.** a câştiga. **2.** a aduce *(ca profit).* **III.** *vi.* **(by) 1.** a profita, a beneficia (de). **2.** a se folosi (de).

profitable ['prɔfitəbl] *adj.* **1.** rentabil. **2.** util.

profitably ['prɔfitəbli] *adv.* avantajos, lucrativ, profitabil, cu profit, cu câştig. || *to lay out one's money* ~ a-şi investi banii cu profit; *to use one's time* ~ a-şi folosi timpul cu profit; *to study* ~ a studia cu folos.

profiteer [,prɔfi'tiə] **I.** *s.* profitor, speculant. **II.** *vi.* a stoarce profituri.

profiterole [prə'fitəroul] *s. gastr.* profiterol.

profitless['prɔfitlis] *adj.* inutil, care nu aduce profit / câştig / folos.

profligacy ['prɔfligəsi] *s.* **1.** nelegiuire, ticăloşie, nemernicie, destrăbălare, desfrânare. **2.** risipă, cheltuială nebunească; abundenţă; orgie. || *a real* ~ *of pictures* o adevărată orgie de tablouri.

profligate ['prɔfligit] *s., adj.* **1.** risipitor. **2.** destrăbălat.

pro forma [prou 'fɔ:mə] *loc. adv., loc. adj.* de formă, provizoriu || ~ *invoice* factură pro forma / provizorie.

profound [prə'faund] *adj.* **1.** profund. **2.** intens. **3.** serios.

profoundly [prə'faundli] *adv.* profund, adânc, foarte, extrem de. || ~ *dark* întuneric beznă.

profundity [prə'fʌnditi] *s.* adâncime, profunzime *(a unei prăpastii, a unei ştiinţe etc.).*

profuse [prə'fju:s] *adj.* **1.** abundent. **2.** generos.

profusely [prə'fju:sli] *adv.* din abundenţă, excesiv. || *to apologize* ~ a nu mai conteni cu scuzele; *to perspire* ~ a transpira din abundenţă.

profusion [prə'fju:ʒn] *s.* **1.** abundenţă. **2.** risipă.

progenitor [prou'dʒenitə] *s.* **1.** strămoş, străbun. **2.** *fig.* predecesor, precursor, înaintaş.

progeny ['prɔdʒini] *s.* **1.** progenitură. **2.** odraslă. **3.** descendenţi.

prognosis [prɔg'nousis] *s.* **1.** *med.* pronostic. **2.** prognoză, previziune.

prognostic [prɔg'nɔstik] **I.** *adj.* (mai ales *med.*) de pronostic, de previziune, prevestitor. **II.** *s.* **1.** pronostic, prognoză, previziune. **2.** *med.* semn, simptom.

prognosticate [prɔg'nɔstikeit] *vt.* a prezice, a pronostica.

prognostication [prɔg,nɔsti'keiʃn] *s.* **1.** pronosticare, prezicere, prevestire, presentiment, presimţire. **2.** v. **prognostic**.

prognosticator [prɔg'nɔstikeitə] *s.* prezicător, proroc, profet; ghicitor; ursitor.

program(me) ['prougræm] **I.** *s.* **1.** program. **2.** spectacol. **3.** plan. **II.** *vt.* **1.** a programa. **2.** a plănui.

progress[1] ['prougress] *s.* **1.** progres. **2.** dezvoltare. **3.** înaintare.

progress[2] [prə'gres] *vi.* **1.** a progresa. **2.** a se dezvolta.

progression [prə'greʃn] *s.* **1.** progresie. **2.** progres.

progressive [prə'gresiv] I. *s.* progresist. II. *adj.* 1. progresist. 2. progresiv, treptat.

progressively [prə'gresivli] *adv.* 1. progresiv. 2. treptat, gradat, încetul cu încetul.

prohibit [prə'hibit] *vt.* a interzice.

prohibition [,proi'biʃn] *s.* 1. interzicere. 2. prohibiție *(a alcoolului)*.

prohibitionist [,proui'biʃnist] *s.* 1. prohibiționist, partizan al protecționismului *(în comerț).* 2. *amer. pol.* **Prohibitionist** protecționist, partizan al interzicerii băuturilor alcoolice. || ~ *countries* țări în care vânzarea băuturilor alcoolice este interzisă.

prohibitive [prə'hibitiv] *adj.* prohibitiv.

prohibitory [prə'hibitəri] *adj.* v. **prohibitive**.

project[1] ['prɔdʒekt] *s.* proiect; plan.

project[2] [prə'dʒekt] I. *vt.* a proiecta; a plănui. II. *vi.* a ieși în afară.

projectile [prə'dʒektail] I. *s.* proiectil. II. *adj.* 1. de proiectare. 2. proiectabil.

projection [prə'dʒekʃn] *s.* 1. proiectare. 2. proiecție. 3. proeminență.

projectionist [prə'dʒekʃnist] *s.* *cin.* operator de cinema.

projector [prə'dʒektə] *s.* 1. proiectant. 2. proiector.

prolapse ['proulæps] I. *s. med.* prolaps. II. *vi. med. (d. un organ)* a se lăsa.

prolate ['prouleit] *adj.* 1. *geom.* alungit, oblong, prelung. 2. larg răspândit.

prolegomena [,proule'gɔminə] *s. pl.* **prolegomene**, introducere, cuvânt înainte *(la o lucrare).*

proletarian [,proule'teəriən] *s., adj.* proletar.

proletariat [,proule'teəriət] *s.* proletariat.

proliferate [prou'lifəreit] *vi.* 1. *biol.* a prolifera, a se înmulți. 2. *(d. cunoștințe)* a se răspândi.

prolific [prə'lifik] *adj.* 1. prolific. 2. fertil.

prolix ['prɔliks] *adj.* 1. încurcat, prolix. 2. plicticos.

prolixity [prou'liksiti] *s.* prolixitate.

prolog(ue) ['proulɔg] *s.* prolog *(și fig.).*

prolong [prə'lɔŋ] *vt.* 1. a prelungi. 2. a extinde.

prolongation [,proulɔŋ'geiʃn] *s.* 1. prelungire. 2. prelungitor.

prom [prɔm] *s.* concert de promenadă *sau* estradă.

promenade [,promi'nɑːd] I. *s.* promenadă. II. *vi.* a se plimba.

Promethean [prə'miːθiən] *adj. mit.* prometeic. || ~ *fire* foc prometeic.

prominence ['prɔminəns] *s.* 1. proeminență. 2. ridicătură.

prominent ['prɔminənt] *adj.* 1. ieșit în afară, proeminent, pronunțat. || ~ *cheek-bones* pomeți ieșiți în afară; ~ *nose* nas proeminent; ~ *features* trăsături pronunțate; *to be* ~ a reieși. 2. proeminent, marcant, de seamă, de vază. || *to hold a very* ~ *position* a ocupa o poziție foarte marcantă; *to play / to take a* ~ *part in smth.* a juca un rol important în ceva. 3. convex; în relief.

promiscuity [,prɔmis'kjuː(ː)iti] *s.* 1. eterogenitate, amestecătură, confuzie, neorânduială. 2. promiscuitate *(între cele două sexe).* 3. viață mizeră / în promiscuitate.

promiscuous [prə'miskjuəs] *adj.* 1. amestecat. 2. imoral; desfrânat; depravat; frivol. 3. încurcat, dezordonat; alandala, la întâmplare.

promise ['prɔmis] I. *s.* 1. făgăduială. 2. perspectivă. II. *vt.* 1. a promite. 2. a vesti. III. *vi.* a fi promițător.

promising ['prɔmisiŋ] *adj.* promițător.

promissory ['prɔmisəri] *adj.* care conține o promisiune *sau* o obligație. || ~ *of smth.* care promite / făgăduiește ceva.

promissory note ['prɔmisəri nout] *s. fin.* poliță, cambie.

promontory ['prɔməntri] *s.* promontoriu.

promote [prə'mout] *vt.* 1. a promova. 2. a susține.

promoter [prə'moutə] *s.* 1. inițiator, autor *(al unui proiect);* fondator *(al unei societăți);* promotor. 2. autor de proiecte năstrușnice. 3. *chim.* promotor, activator, accelerator. 4. *constr.* beneficiar, proprietar.

promotion [prə'mouʃn] *s.* 1. înaintare; promovare. 2. *econ.* reclamă; acțiune / acțiuni de sporire / promovare a vânzărilor.

promotional [prə'mouʃnl] *adj.* 1. de promovare. 2. *econ.* publicitar; pentru sporirea vânzărilor.

prompt [prɔmt] I. *s. (la teatru, școală)* 1. suflat. 2. replică suflată. II. *adj.* prompt. III. *vt.* 1. a sufla *(cuvinte, replici).* 2. a împinge. 3. a îndemna. 4. a sugera.

prompter ['prɔmtə] *s.* sufler.

promptitude ['prɔmptitjuːd] *s.* 1. promptitudine, repeziciune, iuțeală, grabă *(în executarea unui lucru).* 2. *(mai ales ec.)* punctualitate.

promptly ['prɔmtli] *adv.* prompt, cu promptitudine, iute, rapid; pe loc, imediat. || *your orders will be executed* ~ ordinele dumneavoastră vor fi îndeplinite prompt; *to pay* ~ a plăti în numerar / cu bani gheață; a plăti la termen.

proms [prɔmz] *s. pl.* (stagiune de) concerte de promenadă *sau* estradă.

promulgate ['prɔməlgeit] *vt.* 1. a promulga. 2. a răspândi.

promulgation [,prɔməl'geiʃn] *s.* 1. promulgare, proclamare, publicare *(a unei legi, a unui decret)* 2. răspândire *(a unei idei, doctrine),* anunțare *(a unei știri).*

prone [proun] *adj.* 1. înclinat *(și fig.).* 2. cu fața în jos.

prong [prɔŋ] I. *s.* 1. furcă. 2. dinte de furcă. II. *vt.* a lua cu furca.

pronoun ['prounaun] *s.* pronume.

pronounce [prə'nauns] I. *vt.* 1. a pronunța. 2. a rosti. 3. a anunța. 4. a declara. II. *vi.* 1. se declara. 2. a se pronunța.

pronounced [prə'naunst] *adj.* 1. pronunțat. 2. precis.

pronouncement [prə'naunsmənt] *s.* 1. hotărâre, sentință; declarație. 2. pronunțare, rostire.

pronto ['prɔntou] *adv. amer. sl.* imediat, pe loc, îndată.

pronunciation [prə,nʌnsi'eiʃn] *s.* pronunție, accent, pronunțare *(a unui cuvânt, a unei limbi).*

proof [pruːf] I. *s.* 1. dovadă. 2. probă. 3. examen. 4. etalon. 5. șpalt. II. *adj.* 1. impermeabil. 2. de netrecut. 3. refractar. III. *vt.* a face impermeabil *sau* de nepătruns.

proof-reader ['pruːf,riːdə] *s. poligr.* corector.

prop [prop] I. *s.* 1. proptea *(și fig.).* 2. reazem *(și fig.).* II. *vt.* 1. a sprijini. 2. a propti, a susține.

propaganda [,prɔpə'gændə] s. **1.** propagandă. **2.** campanie de propagandă.

propagandism [prɔpə'gændizəm] s. propagandă, activitate propagandistică.

propagandist [prɔpə'gændist] s. propagandist.

propagate ['prɔpəgeit] I. vt. **1.** a răspândi. **2.** a propaga. **3.** a transmite. II. vi. **1.** a se răspândi. **2.** a se reproduce.

propane ['proupein] s. chim. propan.

propel [prə'pel] vt. **1.** a împinge. **2.** a mâna înainte.

propellant [prə'pelənt] s. forţă motrice.

propeller [prə'pelə] s. elice.

propensity [prə'pensiti] s. înclinaţie, tendinţă.

proper ['prɔpə] adj. **1.** corespunzător; propriu. **2.** corect. **3.** decent. **4.** cum se cuvine. **5.** propriu-zis.

properly ['prɔpəli] adv. **1.** cum se cuvine. **2.** serios. **3.** complet.

propertied ['prɔpətid] adj. înstărit, avut.

property ['prɔpəti] s. **1.** proprietate. **2.** avere. **3.** pl. recuzită.

property-man ['prɔpətimən] s. pl. **property-men** ['prɔpətimən] recuziter.

prophecy ['prɔfisi] s. profeţie.

prophesy ['prɔfisai] vt., vi. a proroci.

prophet ['prɔfit] s. profet, proroc.

prophetess ['prɔfitis] s. profetesă.

prophetic(al) [prə'fetik(l)] adj. profetic.

prophylactic [,prɔfi'læktik] adj. **1.** profilactic. **2.** preventiv.

prophylaxis [,prɔfi'læksis] s. med. profilaxie.

propinquity [prə'piŋkwiti] s. a-propiere (în spaţiu, în timp), vecinătate. **2.** înrudire. **3.** afinitate (a ideilor).

propitiate [prə'piʃieit] vt. **1.** a potoli, a împăciui, a linişti. **2.** fig. a linguşi, a se pune bine cu.

propitiation [prə,piʃi'eiʃn] s. **1.** împăcare, îmblânzire, îmbunare. **2.** rel. jertfă.

propitiatory [prə'piʃiətri] adj. **1.** împăciuitor. **2.** linguşitor. **3.** destinat să capteze bunăvoinţa.

propitious [prə'piʃəs] adj. favorabil, propice.

proponent [prə'pounənt] s. **1.** amer. persoană care face o propunere, care propune. **2.** autor sau susţinător, partizan, adept (al unei doctrine).

proportion [prə'pɔːʃn] I. s. **1.** proporţie. **2.** măsură. II. vt. **1.** a proporţiona. **2.** a împărţi egal.

proportionable [prə'pɔːʃnəbl] adj. rar proporţional, în proporţie; proporţionat.

proportional [prə'pɔːʃənl] adj. proporţional.

proportionate [prə'pɔːʃnit] adj. proporţionat.

proportioned [prə'pɔːʃnd] adj. proporţionat. || well ~ bine proporţionat.

proposal [prə'pouzl] s. **1.** propunere. **2.** ofertă. **3.** (~ of marriage) cerere în căsătorie. **4.** plan.

propose [prə'pouz] I. vt. **1.** a propune. **2.** a oferi. **3.** a intenţiona. II. vi. (to) a cere mâna (cuiva). **2.** a face o cerere în căsătorie.

proposition [,prɔpə'ziʃn] s. **1.** afirmaţie. **2.** propunere. **3.** teoremă.

propound [prə'paund] vt. **1.** a propune (un tratat de pace), a e-mite (o idee); a pune (o chestiune, o problemă), a expune (un program). **2.** jur. a supune (un testament) spre confirmare.

proprietary [prə'praiətri] adj. **1.** de proprietate. **2.** brevetat.

proprietor [prə'praiətə] s. **1.** proprietar. **2.** deţinătorul unui patent.

proprietress [prə'praiətris] s. proprietară, stăpână, posesoare, patroană.

propriety [prə'praiəti] s. **1.** decenţă. **2.** convenţii (morale, sociale). **3.** morală convenţională. **4.** reguli de comportare în societate. **5.** corectitudine.

props [prɔps] s. recuzită (teatrală).

propulsion [prə'pʌlʃn] s. propulsie.

prorate [prou'reit] vt. (mai ales amer.) a împărţi, a repartiza proporţional.

prorogue [prə'roug] I. vt. a proroga (parlamentul), a amâna. II. vi. (d. parlament) a se proroga.

prosaic [pro'zeiik] adj. **1.** prozaic. **2.** banal.

proscenium [pro'siːnjəm] s. avanscenă.

proscribe [pro'skraib] vt. **1.** a proscrie. **2.** a scoate în afara legii. **3.** a interzice.

proscription [prous'kripʃn] s. **1.** proscriptiv, proscriere. **2.** scoatere în afara legii, surghiunire, exilare.

prose [prouz] I. s. **1.** proză. **2.** caracter prozaic, lipsă de poezie, banalitate, parte prozaică. II. vi. a ţine predici.

prosecute ['prɔsikjuːt] vt. **1.** a urmări în justiţie. **2.** a continua.

prosecution [,prɔsi'kjuːʃn] s. **1.** urmărire în justiţie. **2.** acuzare. **3.** procuror; ministerul public.

prosecutor ['prɔsikjuːtə] s. **1.** acuzator. **2.** procuror.

proselyte ['prɔsilait] s. prozelit.

proselytism ['prɔsilitizəm] s. prozelitism.

proselytize ['prɔsilitaiz] I. vt. a converti. II. vi. a face prozeliţi / prozelitism.

prosily ['prouzili] adv. plicticos.

pro-slavery [prou'sleivəri] ist. S.U.A. I. adj. sclavagist. || the ~ States statele sclavagiste. II. s. sprijinire a sclaviei.

prosody ['prɔsədi] s. prozodie, versificaţie.

prospect[1] ['prɔspekt] s. perspectivă.

prospect[2] [prɔs'pekt] vt., vi. a prospecta.

prospective [prɔs'pektiv] adj. **1.** viitor. **2.** probabil, potenţial.

prospector [prɔs'pektə] s. **1.** ec. speculant. **2.** geol. prospector.

prospectus [prɔs'pektəs] s. prospect.

prosper ['prɔspə] vi. a prospera.

prosperity [prɔs'periti] s. **1.** prosperitate, propăşire. **2.** pl. rar timpuri fericite.

prosperous ['prɔsprəs] adj. prosper, înfloritor.

prostate ['prɔsteit] s. anat. prostată.

prostitute ['prɔstitjuːt] I. s. prostituată. II. vt. a prostitua (şi fig.).

prostitution [,prɔsti'tjuːʃn] s. **1.** prostituţie. **2.** prostituare (şi fig.).

prostrate[1] ['prɔstreit] adj. **1.** cu capul în ţărână. **2.** fig. învins. **3.** istovit.

prostrate[2] [prɔs'treit] I. vt. **1.** a trânti la pământ. **2.** a înfrânge. **3.** a zdrobi. II. vr. **1.** a se trânti la pământ. **2.** a se ploconi.

prostration [prɔs'treiʃn] s. **1.** prostraţie. **2.** deprimare. **3.** istovire.

prosy ['prouzi] *adj.* 1. plicticos. 2. monoton. 3. fără haz.

protagonist [pro'tægənist] *s.* protagonist.

protean [prou'ti:ən] *adj.* 1. asemenea lui Proteu, proteic. 2. variat, divers; schimbător, variabil.

protect [prə'tekt] *vt.* a apăra, a proteja.

protection [prə'tekʃn] *s.* 1. protecție. 2. apărător. 3. protecționism *(vamal)*.

protectionist [prə'tekʃənist] *s. ec.* protecționist; partizan al protecției.

protective [prə'tektiv] *adj.* protector.

protector [prə'tektə] *s.* 1. protector. 2. apărător. 3. apărare.

protectorate [prə'tektərit] *s.* 1. protectorat, stat semisuveran. 2. protectorat, funcție de protector.

protectress [prə'tektris] *s.* protectoare, apărătoare, ocrotitoare, patroană *(a artelor etc.)*.

protégé ['prouteʒei] *s.* protejat.

proteid ['prouti:d] *s. chim.* proteidă.

protein ['prouti:n] *s. chim.* proteină, albumină.

pro tem [prou'tem] *abrev. pro tempora* deocamdată, pentru moment, provizoriu.

protest[1] ['proutest] *s.* protest.

protest[2] [prə'test] I. *vt.* a afirma, a susține. II. *vi.* a protesta.

Protestant ['protistnt] *s., adj.* protestant.

Protestantism ['protistəntizəm] *s. bis.* protestantism.

protestation [,proutes'teiʃn] *s.* 1. afirmație. 2. protest.

Proteus ['proutju:s] *s. fig.* cameleon, fire proteică / schimbătoare.

protocol ['proutəkol] *s.* protocol; tratat.

proton ['prouton] *s.* proton.

protoplasm ['proutəplæzəm] *s.* protoplasmă.

protoplasmic [,proutə'plæzmik] *adj.* protoplasmic.

prototype ['proutətaip] *s.* prototip.

protozoan [,proutə'zouən] *biol.* I. *adj.* privitor la protozoare, despre protozoare. II. *s.* protozoar.

protract [prə'trækt] *vt.* 1. a prelungi. 2. a tergiversa.

protractor [prə'træktə] *s.* raportor *(pentru unghiuri)*.

protrude [prə'tru:d] *vi.* a ieși în afară.

protuberance [prə'tju:bərəns] *s.* 1. ieșitură, proeminență, protuberanță. 2. *(și solar ~)* protuberanță solară.

protuberant [prə'tju:brnt] *adj.* 1. holbat. 2. umflat.

proud [praud] I. *adj.* 1. mândru. 2. orgolios. 3. trufaș. 4. de invidiat. 5. splendid. II. *adv.* cu mândrie.

prove [pru:v] I. *vt.* 1. a dovedi. 2. a verifica. II. *vi., vr.* a se dovedi.

provenance ['provinəns] *s.* obârșie, proveniență.

Provençal [,provən'sa:l] *fr.* I. *adj.* provensal, din Provence. II. *s.* 1. (limba) provensală. 2. provensal, locuitor din Provence.

provender ['provində] I. *s.* 1. nutreț, furaj. 2. *iron.* hrană, mâncare. II. *vt.* a hrăni *(animale)*.

proverb ['provəb] *s.* 1. proverb. 2. lucru proverbial.

proverbial [prə'və:biəl] *adj.* proverbial; notoriu.

provide [prə'vaid] I. *vt.* 1. a furniza. 2. a aduce. 3. a prevedea. II. *vi.*: *to ~ for* a întreține; a susține.

provided [prə'vaidid] I. *adj.* înzestrat, dotat. || *well ~* bine înzestrat, care are de toate. II. *conj.*: *~ that* cu condiția ca.

providence ['providns] *s.* 1. cumpătare. 2. economie. 3. providență.

provident ['providnt] *adj.* 1. grijuliu. 2. econom. 3. prevăzător.

providential [,provi'denʃl] *adj.* providențial.

province ['provins] *s.* 1. provincie. 2. domeniu *(și fig.)*.

provincial [prə'vinʃl] *s., adj.* provincial.

provincialism [prə'vinʃlizəm] *s.* 1. provincialism. 2. patriotism local.

provision [prə'viʒn] I. *s.* 1. prevedere. 2. grijă. 3. pregătire. 4. clauză. 5. *pl.* provizii. II. *vt.* a aproviziona.

provisional [prə'viʒnl] *adj.* provizoriu.

provision merchant [prə'viʒn ,mə:tʃnt] *s.* băcan.

proviso [prə'vaizou] *s. jur., econ.* clauză (contractuală).

provocation [,provə'keiʃn] *s.* 1. provocare. 2. supărare. 3. pacoste.

provocative [prə'vokətiv] *adj.* 1. provocator. 2. ațâțător. 3. supărător.

provoke [prə'vouk] *vt.* 1. a stârni. 2. a ațâța. 3. a enerva. 4. a provoca.

provoking [prə'voukiŋ] *adj.* 1. enervant. 2. supărător.

provost ['provəst] *s.* 1. director *(de colegiu)*. 2. magistrat. 3. primar.

provost marshal ['provəst ,ma:ʃəl] *s. mil.* 1. comandant al poliției militare. 2. ofițer de poliție *(militară)*. 3. *ist.* funcționar militar cu atribuții judiciare și de poliție.

prow [prau] *s.* proră.

prowess ['prauis] *s.* 1. curaj. 2. îndemânare. 3. faptă de arme.

prowl [praul] I. *s.* pândă. II. *vi.* 1. a sta la pândă. 2. a se învârti după pradă.

prox. *abrev. proximo* următor.

proximate ['proksimit] *adj.* 1. proxim. 2. următor.

proximately ['proksimitli] *adv.* 1. imediat; fără intermediar, nemijlocit. 2. aproximativ.

proximity [prok'simiti] *s.* apropiere.

proximo ['proksimou] *adv.* următor.

proxy ['proksi] *s.* 1. procurist. 2. delegat, mandatar. 3. procură. || *by ~* prin procură *sau* delegație; prin mandatar.

prude [pru:d] *s.* 1. persoană (de o moralitate) afectată, de o decență exagerată; mironosiță.

prudence ['pru:dns] *s.* 1. prudență; cumințenie; înțelepciune. 2. prevedere, precauție. 3. cunoștințe, știință.

prudent ['pru:dnt] *adj.* 1. prudent. 2. chibzuit.

prudential [pru:'denʃl] I. *adj.* care implică prudență; dictat de prudență. II. *s. pl.* 1. considerațiuni de prevedere. 2. *amer.* chestiuni de administrație locală.

prudery ['pru:dəri] *s.* moralitate exagerată *sau* afectată.

prudish ['pru:diʃ] *adj.* exagerat *(în domeniul moralei)*.

prune [pru:n] I. *s.* 1. prună uscată. II. *vt.* 1. a reteza ramurile la *(copaci)*. 2. *fig.* a curăța *(de balast)*.

prurience ['pruəriəns] *s.* 1. lascivitate, desfrânare. 2. *rar* poftă; curiozitate bolnăvicioasă.

prurient ['pruəriənt] *adj.* 1. obscen, lasciv. 2. ațâțător.

Prussian ['prʌʃn] *s.*, *adj.* prusac.

prussic acid ['prʌsik 'æsid] *s. chim.* acid prusic.

pry [prai] **I.** *vt.* **1.** a ridica. **2.** a sparge. **II.** *vi.* a-şi băga nasul unde nu-i fierbe oala, a se amesteca.

prying ['praiiŋ] *adj.* curios, indiscret.

psalm [sɑːm] *s.* psalm.

psalmist ['sɑːmist] *s.* psalmist.

psalmody ['sælmədi] *s.* **1.** psalmodiere, recitare de psalmi. **2.** psalmi.

psalter ['sɔ(ː)ltə] *s.* psaltire.

psaltery ['sɔ(ː)ltəri] *s. muz.* psalterion *(vechi instrument muzical cu coarde).*

pseudonym ['sjuːdənim] *s.* pseudonim.

pseudonymous [sjuː'dɔniməs] *adj.* (sub) pseudonim.

pshaw [pʃ, pʃɔː] *interj.* pfui!

psyche ['saiki] *s.* suflet; viaţă sufletească, viaţă psihică.

psychiatrist [sai'kaiətrist] *s.* psihiatru.

psychiatry [sai'kaiətri] *s.* psihiatrie.

psychic ['psaikik] **I.** *adj.* v. **psychical. II.** *s.* **1.** medium *(spiritist).* **2.** psihic. **3.** *pl. (folosit la sing.)* psihologie; metapsihică.

psychical ['saikikl] *adj.* psihic.

psychoanalysis [ˌsaikoə'næləsis] *s.* psihanaliză.

psychologic(al) [ˌsaikə'lɔdʒik(l)] *adj.* psihologic.

psychologist [psai'kɔlədʒist] *s.* psiholog.

psychology [sai'kɔlədʒi] *s.* psihologie.

psychoneurosis [saikounjuə'rousis] *s. med.* psihonevroză.

psychopath ['saikopæθ] *s.* bolnav de nervi.

psychosis [sai'kousis], *pl.* **psychoses** [sai'kousiːz] *s.* psihoză.

psychosurgery [saikou'sɔːdʒəri] *s. med.* psihochirurgie.

ptarmigan ['tɑːmigən] *s. ornit.* potârniche-de-tundră, ptarmigan *(Lagopus mutus).*

pterodactyl [ˌpterou'dæktil] *s. zool.* pterodactil.

Ptolemaic [ˌtɔli'meiik] *adj.* ptolemeic.

ptomaine ['toumein] *s. med.* ptomaină.

ptyalin ['ptaiəlin] *s. biol., chim.* ptialină.

pub [pʌb] *s.* **1.** cârciumă, berărie, bodegă. **2.** cafenea.

puberty ['pjuːbə(ː)ti] *s.* pubertate.

pubes ['pjuːbiz] *s. anat.* regiune pubiană; pubis.

pubescent [piu(ː)'besnt] *adj.* **1.** puber, ajuns la pubertate. **2.** *bot., zool.* care se acoperă cu perişori, cu pufuleţ.

pubic ['pjuːbik] *adj. anat.* pubian.

public ['pʌblik] **I.** *s.* **1.** public. **2.** naţiune. **3.** cârciumă. **II.** *adj.* **1.** public. **2.** naţional. **3.** social; obştesc.

publican ['pʌblikən] *s.* **1.** hangiu. **2.** cârciumar.

publication [ˌpʌbli'keiʃn] *s.* **1.** publicare. **2.** publicaţie.

public house ['pʌblik'haus] *s.* cârciumă, berărie.

publicist ['pʌblisist] *s.* publicist.

publicity [pʌb'lisiti] *s.* reclamă, publicitate.

publicize ['pʌblisaiz] **I.** *vi.* a face reclamă. **II.** *vt.* **1.** a face reclamă pentru. **2.** a da publicităţii.

public school ['pʌblik'skuːl] *s.* **1.** şcoală particulară *(pentru copii bogaţi)*; şcoală aristocratică. **2.** *amer.* şcoală comunală (gratuită).

public servant ['pʌblikˌsɔːvnt] *s.* funcţionar (public).

public-spirited ['pʌblik'spiritid] *adj.* patriotic.

publish ['pʌbliʃ] *vi.* **1.** a publica. **2.** a anunţa.

publisher ['pʌbliʃə] *s.* editor.

publishing house ['pʌbliʃiŋhaus] *s.* editură.

puce [pjuːs] *s., adj.* roşu-brun.

Puck [pʌk] *s.* **1.** Puck, spiriduş, spirit glumeţ *(în folclorul englez).* **2.** *fig.* copil zburdalnic.

pucker ['pʌkə] **I.** *s.* creţ. **II.** *vt.* a încreţi. **III.** *vi.* a se zbârci.

pudding ['pudiŋ] *s.* **1.** budincă. **2.** cârnaţi.

puddle ['pʌdl] **I.** *s.* **1.** băltoacă. **2.** noroi. **3.** lut. **II.** *vt.* **1.** a frământa. **2.** a acoperi cu lut. **III.** *vi.* a se bălăci.

puddling ['pʌdliŋ] *s.* **1.** *met.* pudlaj. **2.** v. **puddle** I, 3.

pudenda [pjuː'dendə] *s.* organe genitale, părţi ruşinoase *(mai ales femeieşti).*

pudgy ['pʌdʒi] *adj.* scurt şi îndesat.

puerile ['pjuərail] *adj.* pueril, copilăros.

puerility [pjuə'riliti] *adj.* puerilitate; copilărie.

puerperal [pju(ː)'ɔːprl] *adj. med.* puerperal.

puff [pʌf] **I.** *s.* **1.** pufăit. **2.** suflare,

răsuflare. **3.** puf. **4.** reclamă deşănţată. **II.** *vt.* **1.** a pufăi. **2.** a sufla. **3.** a lăuda exagerat, a face reclamă *(cu dat.).* || *to ~ away* a alunga; *to ~ up* a umfla; a se umfla în pene. **III.** *vi.* **1.** a sufla. **2.** a respira. **3.** a pufăi. **4.** a se înălţa.

puff-box ['pʌfbɔks] *s.* pudrieră.

puffin ['pʌfin] *s. ornit.* pasăre nordică acvatică *(Mormon arctica).*

puffy ['pʌfi] *adj.* **1.** *(d. vânt)* cu răbufniri. **2.** umflat. || *to be ~ under the eye* a avea pungi sub ochi. **3.** gâfâitor. **4.** gras. **5.** *(d. mâneci, pantaloni)* bufant.

pug [pʌg] **I.** *s.* mops. **II.** *adj. (d. nas)* cârn, pe nas.

pugilism ['pjuːdʒilizəm] *s.* box, pugilism.

pugilist ['pjuːdʒilist] *s.* boxer, pugilist.

pugnacious [pʌg'neiʃəs] *adj.* combativ.

pugnacity [pʌg'næsiti] *s.* combativitate, caracter bătăios.

pug-nosed ['pʌgnouzd] *adj.* (cu nasul) cârn.

puisne ['pjuːni] **I.** *adj.* **1.** *jur.* mai tânăr; inferior în rang. **2.** posterior; subsecvent. **II.** *s. jur.* judecător / magistrat de rang inferior.

puissance ['pjuː(ː)isns] *s. înv., poet.* putere, forţă.

puissant ['pjuː(ː)isnt] *adj. înv., poet.* puternic; influent; autoritar.

puke [pjuːk] **I.** *vi.* a vomita. **II.** *vt.* **1.** a vomita. **2.** a pricinui greaţă *sau* vomitare. **III.** *s.* **1.** vomare, vărsare. **2.** vomitiv, emetic. **3.** *Puke amer. sl.* locuitor din Missouri.

pukka ['pʌkə] *adj. sl.* **1.** clasa-ntâi, a'ntâia, straşnic. **2.** autentic, veritabil.

pulchritude ['pʌlkritjuːd] *s.* frumuseţe.

pule [pjuːl] *vi. (d. copii, căţei etc.)* a scânci, a geme.

pull [pul] **I.** *s.* **1.** tragere, tracţiune. **2.** forţă. **3.** efect. **4.** mâner. **5.** avantaj. **6.** influenţă. **II.** *vt.* a trage, a târî; a împinge. || *to ~ down* a dărâma; a slăbi; a deprima; *to ~ a face* a face mutre; *to ~ smb.'s leg* a lua pe cineva peste picior; *to ~ off* a duce la bun sfârşit; *to ~ out* a smulge; *to ~ round* a însănătoşi; *to ~ through* a scoate din impas; a însănătoşi;

to ~ to pieces a dărâma; to ~ one's weight a vâsli puternic; fig. a-şi da toată osteneala; to ~ wires a trage sforile. **III.** vi. **1.** a trage. **2.** a vâsli. || to ~ round a-şi reveni după boală; to ~ through a o scoate la capăt; a se face bine; to ~ together a-şi uni forţele; to ~ up a se opri; a trage la scară. **IV.** vr.: to ~ oneself together a-şi veni în fire; a se întrema.

pullet ['pulit] s. pui de găină, găinuşă (tânără), puicuţă.

pulley ['puli] s. scripete.

Pullman (car) ['pulmən (kɑː)] s. vagon pulman (de dormit sau salon).

pullover ['pul,ouvə] s. pulover.

pullulate ['pʌljuleit] vi. **1.** (d. muguri, seminţe) a încolţi, a înmuguri, a germina. **2.** a mişuna.

pulmonary ['pʌlmənəri] adj. **1.** anat. pulmonar. **2.** (d. oameni) de tip pulmonar; cu plămânii bine dezvoltaţi. **3.** (d. animale) prevăzut cu plămâni.

pulmotor ['pʌl,moutə] s. amer. fam. aparat pentru respiraţie artificială, plămân artificial.

pulp [pʌlp] **I.** s. **1.** pulpă (de fructe etc.). **2.** pastă de hârtie. **3.** carne (moale). **4.** masă cărnoasă. || to beat sau reduce to a ~ a bate rău. **II.** vt. **1.** a face praf. **2.** a zdrobi.

pulpit ['pulpit] s. **1.** amvon. **2.** fig. cler. **3.** fig. carieră preoţească.

pulpy ['pʌlpi] adj. **1.** (d. fructe) cărnos, cu pulpă. **2.** moale, flasc.

pulsar ['pʌlsɑː] s. astr. pulsar.

pulsate [pʌl'seit] **I.** vt. a zgudui (şi fig.). **II.** vi. **1.** a pulsa. **2.** fig. a vibra.

pulsation [pʌl'seiʃn] s. pulsaţie.

pulse [pʌls] **I.** s. **1.** puls (şi fig.). **2.** legume cu păstăi. || to feel the ~ a pipăi pulsul. **II.** vi. a pulsa.

pulverize ['pʌlvəraiz] **I.** vt. **1.** a pulveriza. **2.** a pulveriza, a stropi (o culoare etc.). **3.** fig. a nimici, a face praf. **II.** vi. **1.** a se pulveriza, a se transforma în praf. **2.** a se vaporiza.

puma ['pjuːmə] s. zool. puma (Felis concolor).

pumice (stone) ['pʌmis(stoun)] s. piatră ponce.

pummel ['pʌml] vt. a bate cu pumnii, a lua în ghionturi.

pump [pʌmp] **I.** s. **1.** pompă. **2.**

cişmea. **3.** pantof uşor de bal (fără toc, mai ales de lac). **II.** vt. **1.** a pompa. **2.** a smulge, a stoarce (informaţii). || to ~ smb.'s hand a scutura mâna cuiva. **III.** vi. a pompa.

pumpernickel ['pʌmpənikl] s. gastr. pâine neagră germană.

pumpkin ['pʌmkin] s. bot. dovleac (Cucurbita pepo maxima).

pun [pʌn] **I.** s. joc de cuvinte. **II.** vi. a face jocuri de cuvinte.

punch [pʌntʃ] **I.** s. **1.** punct. **2.** energie. **3.** cleşte de perforat. **4.** pumn (puternic). **II.** vt. a perfora. **2.** a lovi puternic cu pumnul.

Punch [pʌntʃ] s. **1.** om încântat de sine (în folclor). **2.** personaj din teatrul de păpuşi, marionetă. **3.** ziar umoristic englez. || as pleased as ~ în culmea fericirii, foarte mulţumit.

Punch and Judy show ['pʌntʃ ən'dʒuːdi,ʃou] s. teatru de păpuşi.

puncheon[1] ['pʌntʃn] s. înv. butoi (de 72-100 galoane).

puncheon[2] s. **1.** proptea / suport de lemn. **2.** rar poanson, perforator. **3.** amer. ţandără; despicătură.

puncher ['pʌntʃə] s. **1.** perforator. **2.** amer. cow-boy. **3.** tehn. perforator; matriţer; ciocan de găurit pneumatic. **4.** mine. haveză de şoc; utilaj de găurire. **5.** poligr. ştanţă.

Punchinello [,pʌntʃi'nelou] s. **1.** ţăndărică (în teatrul italian). **2.** fam. bondoc, om rotofei, om scurt şi gros.

punchy ['pʌntʃi] adj. viguros, puternic.

punctilio [pʌŋk'tiliou] s. **1.** amănunt. **2.** formalitate. **3.** politeţe. **4.** protocol, etichetă.

punctilious [pʌŋk'tiljəs] adj. **1.** meticulos, pedant. **2.** ceremonios, protocolar.

punctual ['pʌŋtjuəl] adj. **1.** punctual. **2.** scrupulos.

punctuality ['pʌŋktju'æliti] s. punctualitate, exactitate.

punctuate ['pʌŋtjueit] vt. **1.** a puncta. **2.** a pune punctuaţia la (un text).

punctuation [,pʌŋktju'eiʃn] s. punctuaţie.

puncture ['pʌŋktʃə] **I.** s. **1.** înţepătură. **2.** gaură. **3.** pană de cauciuc. **II.** vt. **1.** a înţepa; a găuri. **2.** a strica. **3.** fig. a distruge. **III.** vi. a i se sparge un cauciuc.

pundit ['pʌndit] s. **1.** (în India) pandit, învăţat brahman. **2.** iron. învăţat, savant.

pungency ['pʌndʒnsi] s. picanterie, gust condimentat / pipărat.

pungent ['pʌndʒnt] adj. **1.** picant. **2.** înţepător. **3.** ascuţit.

Punic ['pjuːnik] **I.** s. (limba) punică, cartagineză. **II.** adj. **1.** punic, cartaginez. **2.** viclean, perfid.

punish ['pʌniʃ] vt. **1.** a pedepsi. **2.** a bate.

punishable ['pʌniʃəbl] adj. pasibil de pedeapsă, de pedepsit, de penalizat.

punishment ['pʌniʃmənt] s. **1.** pedeapsă. **2.** înfrângere.

punitive ['pjuːnitiv] adj. de pedeapsă, represiv, (cu caracter) punitiv.

punk [pʌŋk] amer. **I.** s. **1.** lemn putred; iască. **2.** amer. sl. pâine. **3.** prostie. **4.** sl. boboc, tânăr necopt. **5.** stilul punk. **6.** tânăr pieptănat (şi îmbrăcat) în stil punk. **7.** amer. sl. huligan, bătăuş; (tânăr) nelegiuit / delincvent. || to talk a lot of ~ a vorbi numai prostii. **II.** adj. **1.** de calitate inferioară, fără valoare. **2.** (d. lemn) putred. **3.** bolnav, nesănătos, rău. **4.** (în stil) punk.

punka(h) ['pʌŋkə] s. evantai mare cu mâner sau atârnat.

punnet ['pʌnit] s. coş de nuiele (pentru fructe, legume).

punster ['pʌnstə] s. calamburist, om care face jocuri de cuvinte.

punt[1] [pʌnt] **I.** s. **1.** ponton. **2.** barcă cu fundul lat. **3.** pariu. **II.** vi. a paria (sume mari).

punt[2] **I.** vt. (la fotbal) a lovi (mingea) cu piciorul. **II.** s. (la fotbal) lovitură cu piciorul.

puny ['pjuːni] adj. **1.** slab. **2.** pirpiriu. **3.** prăpădit.

pup [pʌp] s. **1.** căţeluş. **2.** pui de vulpe, lup etc. **3.** fanfaron. || to sell smb. a ~ a păcăli pe cineva.

pupa ['pjuːpə], pl. **pupae** ['pjuːpiː] s. pupă, crisalidă.

pupal ['pjuːpəl] adj. de pupă / nimfă / crisalidă.

pupil ['pjuːpl] s. **1.** elev. **2.** anat. pupilă.

puppet ['pʌpit] s. **1.** marionetă. **2.** persoană uşor de manevrat / manipulat.

puppet-show ['pʌpitʃou] s. teatru de marionete.

puppy ['pʌpi] *s.* **1.** căţeluş *(pui).* **2.** pui de vulpe, lup etc. **3.** tânăr încrezut şi prost crescut.

purblind ['pə:blaind] *adj.* **1.** miop, lovit de orbul găinilor *(şi fig.).* **2.** greoi la minte.

purchase ['pə:tʃəs] **I.** *s.* **1.** cumpărare. **2.** achiziţie. **3.** cumpărătură. **4.** valoare. **5.** avantaj. **II.** *vt.* **1.** a cumpăra. **2.** a achiziţiona. **3.** a obţine.

purchaser ['pə:tʃəsə] *s.* cumpărător.

purchasing power ['pə:tʃəsiŋ 'pauə] *s.* putere de cumpărare.

purdah ['pə:dɑ:] *s.* **1.** *(în India)* purda *(perdea de separaţie pentru femei).* **2.** *fig.* separarea femeilor de rang *(obicei indian).* **3.** ţesătură vărgată pentru perdele.

pure [pjuə] *adj.* **1.** pur. **2.** distinct. **3.** curat *(la suflet).* **4.** simplu. **5.** perfect.

purée ['pjuərei] *s.* pireu.

purely ['pjuəli] *adv.* **1.** curat. **2.** total. **3.** pur şi simplu.

pureness ['pjuənis] *s.* v. **purity**.

purgative ['pə:gətiv] *s.*, *adj.* purgativ.

purgatorial [,pə:gə'tɔ:riəl] *adj. rel.* **1.** de ispăşire, de purificare. **2.** de purgatoriu.

purgatory ['pə:gətri] *s.* **1.** purgatoriu. **2.** iad.

purge [pə:dʒ] **I.** *s.* **1.** purgativ. **2.** epurare. **II.** *vt.* **1.** a curăţi. **2.** a epura.

purification [,pjuərifi'keiʃn] *s.* purificare.

purify ['pjuərifai] **I.** *vt.* **1.** (of, from) a purifica, a curăţi *(de).* **2.** *bis.* a curăţi *(ritual).* **3.** *tehn.* a epura. **II.** *vi.* a se purifica, a se curăţi.

purist ['pjuərist] *s.* purist.

Puritan ['pjuəritn] *s.*, *adj.* puritan.

puritanic(al) [,pjuəri'tænik(l)] *adj.* puritan.

Puritanism ['pjuəritənizəm] *s.* puritanism.

purity ['pjuəriti] *s.* **1.** puritate. **2.** nevinovăţie.

purl[1] [pə:l] **I.** *s.* **1.** gâlgâit. **2.** murmur *(al unui pârâu etc.).* **II.** *vi.* **1.** a gâlgâi. **2.** a bolborosi. **3.** a murmura.

purl[2] [pə:l] **I.** *s.* **1.** fir răsucit *(pentru brodat).* **2.** şpiţ, colţişor *(la dantelă).* **II.** *vt.* **1.** a face colţişori la *(o dantelă).* **2.** *(la tricotare)* a face ochiuri pe dos la *(un pulover etc.).*

purlieu ['pə:lju:] *s.* **1.** fâşie de teren la marginea unei păduri. **2.** limită, margine. **3.** *pl.* împrejurimi, regiune periferică. **4.** *pl.* străzi *sau* cartiere murdare *(ale unui oraş).*

purlieus ['pə:lju:z] *s. pl.* periferie.

purlin ['pə:lin] *s. constr.* pană.

purloin [pə:'lɔin] *vt.* a şterpeli.

purple ['pə:pl] **I.** *s.* **1.** vineţiu. **2.** purpuriu. **3.** purpură. **II.** *adj.* **1.** vineţiu. **2.** vânăt. **3.** purpuriu. **4.** roşu.

purport ['pə:pət] **I.** *s.* **1.** sens. **2.** scop. **3.** semnificaţie. **II.** *vt.* **1.** a susţine, a pretinde. **2.** a sugera. **3.** a vrea să însemne.

purpose ['pə:pəs] **I.** *s.* **1.** scop. **2.** hotărâre. **3.** folos. **4.** rezultat, efect. || *on* ~ intenţionat; folositor; relevant; la chestiune; *to no* ~ fără rezultat. **II.** *vt.* **1.** a intenţiona. **2.** a-şi propune.

purposeful ['pə:pəsfl] *adj.* **1.** hotărât. **2.** semnificativ.

purposeless ['pə:pəslis] *adj.* fără scop / ţel / ţintă; inutil, fără rost.

purposely ['pə:pəsli] *adv.* intenţionat.

purposive ['pə:pəsiv] *adj.* **1.** *(d. un organ etc.)* care serveşte unui scop, care îndeplineşte o funcţie. **2.** intenţionat, deliberat. **3.** *(d. o persoană etc.)* hotărât, decis.

purr [pə:] *vi.* **1.** *(d. pisică)* a toarce. **2.** a murmura (calin, drăgăstos).

purse [pə:s] **I.** *s.* **1.** pungă. **2.** fonduri. **3.** bani. **4.** avere. **5.** răsplată. **6.** câştig. **II.** *vt.* a pungi; a încreţi.

purse-proud ['pə:s,praud] *adj.* mândru de averea sa / de banii săi.

purser ['pə:sə] *s. mar.* contabil / casier pe un vapor.

purse-strings ['pə:sstriŋz] *s. pl.* baierele pungii.

pursuance [pə'sjuəns] *s.* **1.** mărire. **2.** îndeplinire.

pursuant to [pə'sju(:)ənt tə] *prep.* în conformitate cu, conform cu *(sau cu dat.),* potrivit cu *(sau cu dat.).* || ~ *a former decision* în conformitate cu o decizie anterioară.

pursue [pə'sju:] *vt.* **1.** a urma. **2.** a urmări. **3.** a continua.

pursuer [pə'sjuə] *s.* urmăritor.

pursuit [pə'sju:t] *s.* **1.** urmărire. **2.** ocupaţie. **3.** profesie.

pursuivant ['pə:sivənt] *s. poet.* însoţitor. || *his* ~s persoanele din suita sa, suita sa.

pursy ['pə:si] *adj. fam.* **1.** cu respiraţia grea / scurtă, cu năduf. **2.** gras, corpolent, burtos. **3.** fudul, trufaş, îngâmfat. **4.** *fam.* cu punga plină, cu bani, cu parale, plin de bani, bogat. **5.** v. **purse-proud**. **6.** pipernicit. **7.** încreţit, cu creţuri.

purulent ['pjuərjulənt] *adj. med.* purulent.

purvey [pə:'vei] *vt.* a furniza.

purveyor [pə:'veə] *s.* furnizor.

purview ['pə:vju:] *s.* **1.** *jur.* parte a unui statut *sau* a unei legi care conţine hotărârea însăşi; cuprins; text; articole. **2.** sferă, domeniu *(de acţiune);* limite; întindere.

pus [pʌs] *s.* puroi.

push [puʃ] **I.** *s.* **1.** împingere. **2.** împinsătură. **3.** energie. **4.** hotărâre. || *at a* ~ la ananghie; când eşti strâns cu uşa; la nevoie; *to get the* ~ a fi dat afară; *to make a* ~ a face un efort; a da un atac. **II.** *vt.* **1.** a împinge. **2.** a forţa. || *to* ~ *one's way* a da din coate *(şi fig.);* *to* ~ *smth. through* a duce un lucru la bun sfârşit; *to be* ~*ed for time* a fi presat de timp. **III.** *vi.* *to* ~ *along sau off* a porni, a pleca.

push-cart ['puʃkɑ:t] *s.* **1.** cărucioară. **2.** cărucior *(de copil).*

pusher ['puʃə] *s.* arivist.

pushing ['puʃiŋ] **I.** *adj.* **1.** întreprinzător, descurcăreţ; răzbătător, energic. **2.** indiscret. **3.** obraznic; agresiv. **II.** *s.* **1.** împingere, brânci. **2.** activitate comercială.

pusillanimous [,pju:si'læniməs] *adj.* **1.** timid. **2.** slab. **3.** fricos.

puss [pus] *s.* **1.** pisică *(şi fig.).* **2.** *fam.* drăguţă.

pussy ['pusi] *s.* **1.** pisicuţă. **2.** mâţişor *(de salcie).* **3.** fetişcană, femeiuşcă. **4.** *vulg.* moacă, faţă. **5.** *vulg.* fleoancă, gură. **6.** *vulg.* vulvă, organe genitale femeieşti.

pussyfoot ['pusifut] **I.** *vi.* **1.** a se furişa ca o pisică. **2.** *amer. sl.* a proceda cu băgare de seamă / cu prudenţă. **3.** *amer.* a da răspunsuri echivoce *(mai ales în politică).* **II.** *s. pl.* **1.** mâţă blândă. **2.** *sl.* prohibiţionist; antialcoolic.

pustular ['pʌstjulə] *adj. med.* pustulos, cu pustule, cu buburiţe.

pustulate [ˈpʌstjuleit] *vi. med.* a forma pustule, a se acoperi de pustule.

pustule [ˈpʌstjuːl] *s. med.* pustulă.

put [put] **I.** *vt. inf., trec. şi part. trec.* **1.** a pune. **2.** a aşeza. **3.** a scrie. **4.** a exprima. **5.** a duce. **6.** a arunca. **7.** a evalua. || *to ~ about* a cârmi; a răspândi; a necăji; *to ~ across* a duce la bun sfârşit; *to ~ aside* a pune la o parte; *to ~ away* a lăsa deoparte, a strânge *(bani)*; a scăpa de; *to ~ back* a pune înapoi, a da înapoi *(ceasul)*; *to ~ by* a economisi; *to ~ down* a lăsa jos; a înăbuşi *(fig.)*; a umili; a nota, a înscrie, a micşora; *to ~ to an end* a curma; a face să înceteze; *to ~ forth* a emite; a scoate, a publica; *to ~ forward* a propune; a înainta; *to ~ one's foot down* a pune piciorul în prag; *to ~ one's foot in it* a o scrânti; *to ~ in* a instala; a propune; a supune; a trece, a strecura; a ridica; *to ~ in force* a pune în vigoare; *to ~ smth. in hand* a începe; *to ~ in practice* a aplica; *to ~ off* a amâna; a scăpa de; a împiedica; *to ~ on* a-şi pune, a se îmbrăca cu; a adopta; a căpăta; a pune înainte *(ceasul)*; a pune în scenă; *to ~ on flesh* a se îngrăşa; *to ~ out* a stinge; a scoate; a tulbura; a manifesta; a întinde; a produce; *to ~ a new face on things* a schimba faţa lucrurilor; *to ~ spokes in smb.'s wheels* a pune cuiva beţe-n roate; *to ~ a stop to a* curma; a înceta; a face să înceteze; *to ~ through* a îndeplini; a da, a pune în legătură *(telefonică)*; *to ~ to death* a omorî; *to ~ to the sword* a trece prin foc şi sabie; *to ~ together* a alcătui; a pune laolaltă; a aduna; *to ~ up* a ridica; a înălţa; a mări; a pune deoparte; a găzdui, a adăposti; a clădi; a născoci; a propune;

a manifesta; *to ~ up a good fight* a se lupta din răsputeri; *to ~ smb. up to* a informa pe cineva de; a aţâţa pe cineva la; *to ~ smth. upon smb.* a păcăli pe cineva cu ceva; *to be hard ~ to it* a fi în mare încurcătură; *not to ~ too fine a point on it* ca să vorbim pe şleau. **II.** *vi. inf., trec. şi part. trec.*: *to ~ about* a schimba direcţia; *to ~ away* a pleca; *to ~ back* a se întoarce; *to ~ in* a intra; *to ~ in for* a solicita *(o slujbă etc.)*; *to ~ off* a porni; *to ~ out* a porni *(în larg)*; *to ~ up* a se acomoda; a se instala; a rămâne *(peste noapte etc.)*; *to ~ up with* a suporta, a se deprinde cu.

putative [ˈpjuːtətiv] *adj. (d. tată etc.)* presupus, prezumptiv, pretins.

put-off [ˈputɔ(ː)f] *s. amer.* **1.** pretext, scuză *(pentru a nu face ceva)*. **2.** subterfugiu. **3.** amânare.

put-on [ˈputɔn] *s. amer.* **1.** minciună politicoasă, pretext. **2.** vorbe goale, vorbărie, bancuri.

putrefaction [ˈpjuːtriˈfækʃn] *s.* putrefacţie.

putrefy [ˈpjuːtrifai] **I.** *vt.* a face să putrezească, a descompune. **II.** *vi. (d. un cadavru etc.)* a putrezi, a se descompune; *(d. ţesuturi etc.)* a se infecta; a se cangrena; *(d. suflete etc.)* a se corupe.

putrescent [pjuːˈtresnt] *adj.* **1.** în putrefacţie. **2.** descompus. **3.** rău mirositor.

putrid [ˈpjuːtrid] *adj.* **1.** în putrefacţie. **2.** descompus. **3.** rău mirositor. **4.** scârbos.

putridity [pjuːˈtriditi] *s.* putreziciune, putrefacţie, descompunere.

putt [pʌt] **I.** *vt.* a trimite *(mingea)* în gaură *(la golf)*. **II.** *s.* lovitură care trimite mingea în gaură *(la golf)*.

puttee [ˈpʌti] *s.* moletieră.

putter [ˈpʌtə] *s.* **1.** persoană care

pune *(întrebări)*. **2.** hamal, încărcător. **3.** *mine.* vagonetar.

putty [ˈpʌti] **I.** *s.* **1.** chit. **2.** abraziv. **3.** liant. **II.** *vt.* a chitui.

put-up job [ˌputʌpˈdʒɔb] *s.* aranjament, treabă aranjată; înscenare, treabă pusă la cale.

puzzle [ˈpʌzl] **I.** *s.* **1.** încurcătură. **2.** enigmă. **3.** problemă. **4.** joc enigmistic. **5.** puzzle, joc de combinare a unor bucăţele pentru a reconstitui o figură. **II.** *vt.* **1.** a zăpăci. **2.** a pune în încurcătură. || *to ~ out* a rezolva.

puzzlement [ˈpʌzlmənt] *s.* **1.** încurcătură. **2.** dilemă.

PVC *abrev. polyvinyl chloride* PVC, policlorură de vinil.

pyaemia [paiˈiːmiə] *s. med.* piemie, infecţie purulentă.

pygmy [ˈpigmi] **I.** *s.* pigmeu *(şi fig.)*. **II.** *adj.* neînsemnat.

pyjamas [pəˈdʒɑːməz] *s. pl.* pijama.

pylon [ˈpailon] *s.* pilon.

pyorrhea [ˌpaiəˈriə] *s. med.* pioree.

pyramid [ˈpirəmid] *s.* piramidă.

pyre [ˈpaiə] *s.* rug.

pyrethrum [paiˈriːθrəm] *s.* **1.** *bot.* crizantemă *(Chrysanthemum coccineum; Chrysanthemum cinerariaefolium)*. **2.** insecticid extras din această plantă.

Pyrex [ˈpaireks] *s.* pirex.

pyriform [ˈpirifɔːm] *adj.* piriform.

pyrites [paiˈraitiːz] *s.* pirită.

pyromania [ˌpairouˈmeiniə] *s. med.* piromanie, mania de a incendia.

pyrotechnics [ˌpairoˈtekniks] *s. pl.* **1.** pirotehnică. **2.** foc de artificii *(şi fig.)*.

Pyrrhic [ˈpirik] *adj. ist.* al lui Pirus; ca Pirus.

python [ˈpaiθn] *s.* **1.** *zool.* piton. **2.** *fig.* demon.

pyx [piks] **I.** *s.* **1.** *bis.* artofor. **2.** casetă *(în care sunt ţinute monedele de aur şi de argint care urmează a fi controlate)*. **3.** *mar.* habitaclul busolei. **II.** *vt.* a verifica, a controla *(monedele)*.

Q

Q¹ [kju:] s. (litera) Q, q.
Q² abrev. Queen Regina.
Q. C. abrev. Queen's Counsel **1.** avocat (al statului). **2.** procuror.
Q.E.D. abrev. quod erat demonstrandum ceea ce era de demonstrat.
Q.M.S. abrev. de la Quarter Master Sergeant plutonier de intendenţa.
qr. abrev. **1.** quarter sfert, pătrat, cart. **2.** quire top de hârtie; coală de tipar.
qt. abrev. **1.** quantity cantitate. **2.** quart un sfert de galon.
qua [kwei] prep. ca, în calitate de; (luat) drept.
quack [kwæk] **I.** s. **1.** măcăit. **2.** şarlatan. **3.** vraci. **II.** adj. **1.** fals, pretins. **2.** prefăcut. **3.** şarlatanesc. **4.** ignorant. **III.** vi. **1.** a măcăi. **2.** a flecări. **3.** a practica medicina empirică, a trata cu leacuri băbeşti. **4.** a fi impostor, şarlatan.
quackery ['kwækəri] s. şarlatanie, impostură.
quad [kwɔd] poligr. **I.** s. cvadrat, spaţii, albitură. **II.** vt. a umple cu albitură sau cu cvadrate.
quadrangle ['kwɔ,dræŋgl] s. **1.** dreptunghi. **2.** curte interioară.
quadrangular [kwɔ'dræŋgjulə] adj. cu patru laturi, patrulater, tetragonal.
quadrant ['kwɔdrənt] s. **1.** astr. cvadrant, sfert de arc. **2.** nav. sector de cârmă.
quadraphonic [kwɔdrə'fɔnik] adj. care foloseşte patru canale pentru transmiterea sunetului.
quadrate ['kwɔdrit] **I.** adj. **1.** pătrat; cu patru laturi; zool. || ~ bone os pătrat (al capului). **2.** înv. fig. potrivit, corespunzător. **II.** s. **1.** geom. pătrat. **2.** mat. pătrat, puterea a doua. **3.** astr. cvadratură. **4.** zool. os pătrat. **III.** [kwɔ'dreit] vt. geom. a reduce (o suprafaţă etc.) la un pătrat echivalent. || to ~ the circle a face cvadratura cercului; a face să corespundă ceva cu altceva; a împărţi în patru părţi egale. **IV.** vi. (with, to) a cadra (cu), a corespunde (cu dat.).

quadratic [kwɔ'drætik] **I.** adj. **1.** pătrat, pătratic. **2.** mat. de gradul doi. **II.** s. mat. ecuaţie pătratică, de gradul al doilea.
quadrature ['kwɔdrətʃə] s. mat. cvadratură. || ~ of the circle cvadratura cercului.
quadrennial [kwɔ'dreniəl] adj. **1.** cvadrienal, de patru ani. **2.** din patru în patru ani.
quadrilateral [,kwɔdri'lætrl] **I.** s. patrulater. **II.** adj. cu patru laturi, cvadrilateral.
quadrille [kwɔ'dril] s. cadril.
quadroon [kwɔ'dru:n] s. progenitură a unui alb şi a unei mulatre.
quadruped ['kwɔdruped] s. patruped.
quadruple ['kwɔdrupl] **I.** s. împătrit. **II.** adj. cvadruplu. **III.** vt., vi. a (se) împătri.
quadruplet ['kwɔdruplit] s. **1.** grup de patru. **2.** pl. patru gemeni.
quadruplicate I. [kwɔ'dru:plikeit] adj. cvadruplu, împătrit. **II.** [kwɔ'dru:plikit] s. **1.** cvadruplu. || in ~ în patru exemplare. **2.** pl. patru exemplare. **III.** [kwɔ'dru:pli,keit] vt. **1.** a împătri, a înmulţi cu patru. **2.** a multiplica sau a scrie în patru exemplare.
quaff [kwɔf] vt. **1.** a sorbi. **2.** a da pe gât, a trage o duşcă.
quag(mire) ['kwæg(maiə)] s. **1.** mlaştină. **2.** marasm. **3.** încurcătură.
quail [kweil] **I.** s.ornit. pl. quail [kweil] prepeliţă, pitpalac (Coturnix). **II.** vi. **1.** a se da înapoi (de spaimă). **2.** a se feri. || to ~ before sau to a tremura, a-l apuca tremurul, a fi cuprins de frică (în faţa).
quaint [kweint] adj. **1.** ciudat, bizar. **2.** excentric.
quaintly [kweintli] adv. ciudat, curios; pitoresc.
quake [kweik] **I.** s. **1.** cutremur. **2.** tremur; fior. **II.** vi. **1.** a tremura. **2.** a se cutremura.
Quaker ['kweikə] **I.** s. rel. quaker, adept al sectei tremurătorilor. **II.** adj. sobru, simplu.

qualification [,kwɔlifi'keiʃn] s. **1.** calificare. **2.** pricepere. **3.** limitare, restricţii; moderare, modalizare, nuanţă, modificare. || without (any) ~ categoric; fără limitări sau nuanţări.
qualified ['kwɔlifaid] adj. **1.** calificat, competent, apt, talentat. || well ~ bine calificat. **2.** modificat, restrâns. **3.** gram. calificat.
qualify ['kwɔlifai] **I.** vt. **1.** a califica. **2.** a modifica, a limita. **3.** a determina. **4.** a prezenta, a descrie. **II.** vi. **1.** a se califica. **2.** a reuşi.
qualitative ['kwɔlitətiv] adj. calitativ.
quality ['kwɔliti] s. **1.** calitate. **2.** valoare. **3.** merit. **4.** nivel. **5.** proprietate, atribut. **6.** rang, cin (înalt). **7.** lumea bună.
qualm [kwɔ:m] s. **1.** remuşcare; scrupul. **2.** îndoială.
qualmish ['kwɔ:miʃ] adj. **1.** care suferă de greaţă. **2.** îngreţoşat. **3.** neliniştit; indispus. **4.** scrupulos.
quandary ['kwɔndəri] s. **1.** îndoială. **2.** dilemă.
quango ['kwæŋgou] s. pol. corp administrativ numit de guvern.
quanta ['kwɔntə] pl. de la **quantum.**
quantify ['kwɔnti,fai] vt. **1.** mat. a cuantifica. **2.** a determina sub raport cantitativ.
quantitative ['kwɔntitətiv] adj. cantitativ.
quantity ['kwɔntiti] s. **1.** cantitate. **2.** mărime; proporţie. **3.** număr. **4.** lungime (a unui sunet). **5.** pl. abundenţa.
quantum ['kwɔntəm], pl. **quanta** ['kwɔntə] s. **1.** cuantum, mărime, total. **2.** fiz. cuantă. **3.** fig. fam. porţie, parte.
quarantine ['kwɔrənti:n] **I.** s. carantină (şi fig.). **II.** vt. a supune la carantină.
quark [kwɔ:k] s. fiz. quark, componentă ipotetică a particulelor elementare.
quarrel ['kwɔrl] **I.** s. **1.** ceartă. **2.** neînţelegere. **3.** motiv de supărare, plângere. || to pick a

~ *with smb.* a căuta prilej de ceartă cu cineva. **II.** *vi.* **1.** a se certa. **2.** a fi nemulţumit.

quarrelsome ['kwɔrlsəm] *adj.* **1.** certăreţ. **2.** nervos.

quarry ['kwɔri] **I.** *s.* **1.** pradă *(şi fig.).* **II.** *vt.* **1.** a săpa. **2.** a exploata *(un zăcământ etc.).* **3.** a căuta; a dezgropa.

quart [kwɔ:t] *s.* quart, (măsură de circa un) litru.

quarter ['kwɔ:tə] **I.** *s.* **1.** sfert. **2.** pătrat. **3.** pătrime. **4.** trimestru. **5.** punct cardinal. **6.** *amer.* 25 de cenţi. **7.** sursă *(de informaţii etc.).* **8.** cartier. **9.** *pl.* locuinţă. **10.** *pl.* cantonament, cazarmă. **11.** îndurare. **12.** *mar.* pupă. **13.** măsură de 12 kg. **14.** 8 buşeli. || *from every* ~ din toate părţile; *at close* ~*s* foarte aproape. **II.** *vt.* **1.** a împărţi în patru. **2.** a încartirui.

quarterday ['kwɔ:tədei] *s.* început de trimestru; zi de plată trimestrială; ziua câştigurilor, scadenţă.

quarter deck ['kwɔ:tədek] *s.* **1.** *mar.* puntea din spate. **2.** ofiţerii de pe un vas.

quartering ['kwɔ:təriŋ] *s.* **1.** împărţire *sau* tăiere în patru; hăcuire, ciopârţire, măcelărire. **2.** *ist.* sfâşiere *sau* ciopârţire în patru *(a unui condamnat).* **3.** *mil.* (în)cartiruire, cantonare. **4.** *nav.* repartizare a posturilor (de luptă). **5.** *constr.* căprioreală. **6.** *mine.* colectare a pieselor.

quarterly ['kwɔ:təli] **I.** *adj.* **1.** dintr-un sfert; de / pe un sfert. **2.** trimestrial; de trei luni. **II.** publicaţie trimestrială. **III.** *adv.* trimestrial, o dată la trei luni.

quartermaster ['kwɔ:tə,mɑ:stə] *s.* **1.** *mil.* ofiţer de administraţie; intendent. **2.** *mar.* timonier (şef).

quarter right ['kwɔ:tə,rait] *interj. mil.* jumătate la dreapta!

quarter sessions ['kwɔ:tə,seʃənz] *s. pl. jur.* şedinţă / sesiune trimestrială a judecătorilor de pace.

quaterstaff ['kwɔ:tə,stɑ:f] **1.** bâtă *(cu două capete, de 1,8 - 2,4 m lungime).* **2.** scrimă cu bâta.

quartet(te) [kwɔ:'tet] *s.* **1.** cvartet. **2.** grup de patru persoane.

quarto ['kwɔ:tou] *s.* **1.** format in cvarto. **2.** ediţie in cvarto.

quartz [kɔ:ts] *s.* cuarţ.

quartzite ['kwɔ:tsait] *s. minr.* cuarţit.

quasar ['kweizɑ:r] *s. astr.* quasar.

quash [kwɔʃ] *vt.* **1.** a anula. **2.** a nimici. **3.** a stinge.

quasi ['kwɑ:zi, 'kweizai] **I.** *adj.* cvasi, semi. **II.** *adv.* aproape.

quasia ['kwɔʃə] *s. bot.* **1.** arbore exotic *(Quasia amara).* **2.** aprox. chinină.

quaternary ['kwɔtənæri] **I.** *adj.* cuaternar. **II.** *s.* set *sau* garnitură de patru obiecte.

quatrain ['kwɔtrein] *s. metr.* catren.

quatrefoil ['kætrə,fɔil] *s. bot.* trifoi cu patru foi.

quaver ['kweivə] **I.** *s.* **1.** tremur. **2.** tremolo. **3.** *muz.* pătrime. **II.** *vt.* **1.** a zgudui. **2.** a cânta tremurat. **III.** *vi.* **1.** a tremura. **2.** a vorbi *sau* cânta tremurat. **3.** a fremăta.

quay [ki:] *s.* chei.

quean [kwi:n] *s.* **1.** târfă, dezmăţată. **2.** *peior.* muiere. **3.** *(în Scoţia)* fată, fetişcană.

queasy ['kwi:zi] *adj.* **1.** greţos *(şi fig.).* **2.** prea delicat, mofturos.

queen [kwi:n] *s.* **1.** regină *(şi fig.).* **2.** zeiţă. **3.** *(la cărţi)* damă.

Queen's Counsel [,kwi:nz'kaunsl] *s.* **1.** avocat (al statului). **2.** procuror.

queenly ['kwi:nli] *adj.* **1.** maiestuos. **2.** ca de regină. **3.** generos.

queer [kwiə] **I.** *s.* homosexual. **II.** *adj.* **1.** ciudat, straniu. **2.** dubios. **3.** suspect. **4.** excentric, trăsnit. **5.** homosexual. || *in Queer Street* la ananghie. **III.** *vt.* a strica, a deranja.

quell [kwel] *vt.* a înăbuşi, a potoli *(o răscoală etc.).*

quench [kwentʃ] *vt.* **1.** a stinge. **2.** a răci. **3.** a distruge, a nărui.

quenchless ['kwentʃlis] *adj. poet.* (de) nestins; (de) nepotolit.

quern [kwə:n] *s.* **1.** moară acţionată cu mâna. **2.** râşniţă.

querulous ['kweruləs] *adj.* **1.** plângăreţ, plângăcios; miorlăit. **2.** mofturos, veşnic nemulţumit; protestatar; cârcotaş.

query ['kwiəri] **I.** *s.* **1.** întrebare. **2.** problemă. **3.** (semn de) întrebare. **II.** *vt.* **1.** a întreba. **2.** a chestiona.

quest [kwest] **I.** *s.* **1.** căutare. **2.** cercetare. **3.** lucru căutat; || *in* ~ *of* în căutare de. **II.** *vi.* a căuta.

question ['kwestʃn] **I.** *s.* **1.** întrebare. **2.** problemă. **3.** semn de întrebare. **4.** interogatoriu. **5.** anchetă. **6.** ceartă, dispută. **7.** obiecţie. **8.** îndoială. || *in* ~ în chestiune; *out of the* ~ imposibil; *to put the* ~ a pune chestiunea la vot; *to call in* ~ a pune la îndoială. **II.** *vt.* **1.** a întreba. **2.** a interoga. **3.** a pune la îndoială. **III.** *vi.* a se întreba.

questionable ['kwestʃənəbl] *adj.* **1.** îndoielnic. **2.** dubios.

questioningly ['kwestʃəniŋli] *adv.* întrebător.

question-mark ['kwestʃnmɑ:k] *s.* semn de întrebare.

questionnaire [,kwestiə'neə] *s.* chestionar.

queue [kju:] **I.** *s.* coadă *(la pâine etc.).* **II.** *vi.* a face coadă.

quibble ['kwibl] **I.** *s.* **1.** joc de cuvinte. **2.** eschivare de la un răspuns. **II.** *vi.* **1.** a se eschiva de la un răspuns. **2.** a glumi.

quiche [ki:ʃ] *s. gastr.* plăcintă cu umplutură sărată sau picantă.

quick [kwik] **I.** *s.* **1.** carne vie. **2.** *fig.* inimă. || *the* ~ *and the dead* viii şi morţii. **II.** *adj.* **1.** rapid, iute. **2.** vioi, activ. **3.** prompt. **4.** ager. **5.** grăbit, pripit. **6.** viu. **III.** *adv.* iute, repede, rapid; cât ai bate din palme.

quicken ['kwikn] *vt., vi.* a (se) grăbi.

quicklime ['kwiklaim] *s.* var nestins.

quickly ['kwikli] *adv.* **1.** repede, iute; prompt. **2.** îndată.

quick march [,kwik 'mɑ:tʃ] *s. interj. mil.* pas alergător(!).

quickness ['kwiknis] *s.* **1.** iuţeală, rapiditate; grabă, pripă. || ~*of temper* irascibilitate. **2.** agerime, isteţime, vioiciune, inteligenţă. **3.** vitalitate. **4.** *(rar)* bruscheţe, repezeală.

quicksand ['kwiksænd] *s.* **1.** nisip mişcător. **2.** *fig.* capcană; primejdie.

quickset [kwikset] *s.* **1.** butaş *(mai ales de păducel).* **2.** gard viu *(din mărăcini).*

quicksilver ['kwik,silvə] *s.* mercur, argint viu.

quick-tempered [kwik'tempəd] *adj.* **1.** iute la mânie, irascibil. **2.** aprins, înfocat.

quick-witted ['kwik'witid] *adj.* ager la minte.

quid [kwid] *s.* **1.** tutun de mestecat. **2.** *fam.* liră sterlină.

quiddity ['kwiditi] *s.* **1.** esenţă, caracteristică; specific. **2.** chiţibuş, tertip, subterfugiu.

quid pro quo [kwid prou 'kwou] quid pro quo, serviciu contra serviciu; compensaţie.

quiescence [kwaiˈesns] s. linişte, calm, repaus.

quiescent [kwaiˈesnt] adj. 1. pasiv. 2. tăcut. 3. nemişcat. 4. liniştit.

quiet [ˈkwaiət] I. s. 1. linişte, tăcere. 2. nemişcare. 3. tihnă; odihnă. 4. pasivitate, calm. || on the ~ în taină. II. adj. 1. liniştit, calm. 2. tăcut. 3. fără zgomot. 4. paşnic. 5. ascuns, tainic. III. vt., vi. a (se) linişti.

quieten [ˈkwaiətən] vt., vi. a (se) linişti.

quietism [ˈkwaiəˌtizm] s. 1. rel., filoz. chietism. 2. calm, linişte sufletească.

quietly [ˈkwaiətli] adv. 1. liniştit, calm. 2. simplu, discret, sobru; pe tăcute. || to get married ~ a se căsători în cadru intim / fără ceremonie. || to slip ~ away a se îndepărta fără zgomot.

quietness [ˈkwaiətnis] s. 1. linişte, repaus, calm. 2. sobrietate (în ţinută etc.) 3. fig. caracter paşnic.

quietude [ˈkwaiitjuːd] s. 1. linişte, calm. 2. tihnă.

quietus [kwaiˈiːtəs] s. lit. rar 1. clipă din urmă, sfârşit: lovitură de graţie. || to get one's ~ a muri. || to give smb. his / the ~ a se descotorosi / a scăpa pentru totdeauna de cineva. 2. calmant. 3. înv. chitanţă. 4. înv. concediere, demitere.

quiff [kwif] s. fam. buclă (pe frunte).

quill [kwil] s. 1. pană de gâscă. 2. zool. ţeapă (a porcului spinos etc.).

quill-driver [ˈkwilˌdraivə] s. 1. contopist, scrib. 2. gazetar.

quillet[1] [ˈkwilit] s. rar tertip, chichiţă.

quillet[2] [ˈkwilit] s. ţeavă (mică).

quilt [kwilt] I. s. plapumă; cuvertură (groasă). II. vt. a matlasa.

quilting [ˈkwiltiŋ] s. text matlasare, tighelire, pichet.

quin [kwin] s. fam. unul din cei cinci gemeni născuţi (de o femeie).

quince [kwins] s. 1. bot. gutui (Cydonia vulgaria). 2. gutuie.

quincentenary [ˌkwinsenˈtiːnəri], **quingentenary** [ˌkwindʒenˈtiːnəri] I. s. cvincentenar, aniversare de 500 de ani. II. adj. de cinci sute de ani.

quinine [kwiˈniːn] s. bot., farm. chinină.

Quinquagesima (Sunday) [ˌkwiŋkwəˈdʒesimə (ˌsʌndi)] s. bis. ultima duminică înainte de postul mare; aprox. Lăsata Secului.

quinquennial [kwinˈkweniəl] adj. 1. cincinal. 2. care se întâmplă o dată la cinci ani.

quinsy [ˈkwinzi] s. med. fam. gâlci, amigdalită; anghină.

quint [kwint] s. 1. muz. cvintă. 2. [kint] cvintă (cinci cărţi de aceeaşi culoare la pichet, pocher). 3. [kwint] cvintă (a cincea figură sau poziţie în scrimă). 4. muz. coarda mi (la vioară).

quintal [ˈkwintl] s. chintal.

quintessence [kwinˈtesns] s. 1. chintesenţă. 2. model.

quintet(te) [kwinˈtet] s. 1. cvintet. 2. grup de cinci.

quintuplet [ˈkwintjuplit] s. 1. grup de cinci. 2. membru al unui grup de cinci gemeni; pl. cinci gemeni.

quip [kwip] I. s. 1. glumă. 2. observaţie caustică / sarcastică. 3. joc de cuvinte. II. vi. a glumi, a face glume (sarcastice).

quire [ˈkwaiə] s. 1. testea (de hârtie). 2. fascicul. 3. două duzini. 4. cor. || in ~ s în fascicule.

quirk [kwəːk] s. 1. glumă, festă. 2. înflorituri. 3. echivoc.

quirt [kwəːt] amer. I. s. harapnic. II. vt. a plesni cu harapnicul, a biciui.

quisling [ˈkwizliŋ] s. pol. quisling, colaboraţionist, trădător.

quit[1] [kwit] I. adj. 1. liber. 2. scăpat de. 3. chit. II. vt. 1. a părăsi, a lăsa. 2. a abandona. || ~ doing that nu mai fă aşa. III. vi. apleca.

quit[2] [kwit] I. adj. 1. chit, împăcat. 2. scăpat, debarasat. || to get ~ of one's debts. a scăpa de datorii; he was ~ for a cold in the head a scăpat de răceală. II. vt. amer. (trec. şi part. trec. **quit** [kwit] sau **quitted** [ˈkwitid]) a părăsi, a lăsa. || to ~ hold of smth. a da drumul la ceva (din mână); to ~ a house a se muta, a părăsi casa, a pleca din casă. 2. amer. a părăsi, a abandona (munca, serviciul). 3. poet. a plăti, a achita; (rar) a şterge, a scuti de (o datorie). || to ~ love with hate a răsplăti dragostea cu / prin ură; death ~ s all scores moartea încheie toate socotelile. III. vi. înv. a se comporta;

~ you like men purtaţi-vă ca oamenii. IV. s. demisie.

quitch (grass) [kwitʃ(ˌgrɑːs)] s. bot. pir (Triticum repens).

quite [kwait] I. adv. 1. complet. 2. pe de-a-ntregul. 3. foarte. 4. destul de relativ. || ~ a few destul. II. interj. chiar aşa.

quits [kwits] adj. 1. chit. 2. egal.

quittance [ˈkwitns] s. chitanţă.

quitter [ˈkwitə] s. amer., fam. om lipsit de perseverenţă, (om) delăsător.

quiver [ˌkwivə] I. s. 1. tolbă de săgeţi. 2. tremur. II. vt. a face să tremure. III. vi. a tremura.

qui vive [ˌkiːˈviːv] s. to be on the ~ a fi în alertă, a alarma, a fi cu ochii în patru.

quixotic [kwikˈsɔtik] adj. 1. utopic. 2. donchişotesc.

quiz [kwiz] I. s. 1. întrebare. 2. interogatoriu. 3. concurs. II. vt. 1. a interoga. 2. a necăji, a tachina.

quizzical [ˈkwizikl] adj. 1. ciudat, enigmatic. 2. comic. 3. neîncrezător, întrebător. 4. ironic, şăgalnic.

quod [kwɔd] s. fam. închisoare, zdup.

quoin [kɔin] s. 1. colţ. 2. pană. 3. opritoare.

quoits [kɔits] s. pl. joc cu inele aruncate pe un ţăruş.

quondam [ˈkwɔndæm] adj. de odinioară, de altădată, fost, vechi.

quorate [ˈkwɔːreit] adj. (d. o şedinţă, întrunire) al cărei cvorum este constituit.

quorum [ˈkwɔːrəm] s. quorum.

quota [ˈkwoutə] s. cotă; normă.

quotable [ˈkwoutəbl] adj. 1. care merită să fie citat. 2. fin. cotat la bursă.

quotation [kwoˈteiʃn] s. 1. citat. 2. fin. cotă. 3. deviz.

quotation marks [kwoˈteiʃnmɑːks] s. pl. ghilimele.

quote [kwout] I. vt. 1. a cita. 2. a menţiona. II. vi. a deschide ghilimele.

quotes [kwouts] s. pl. ghilimele.

quoth [kwouθ] vt. pers. III. sing. înv. zise, spuse.

quotidian [kwouˈtidiən] înv. I. adj. 1. cotidian, zilnic. 2. banal, comun. II. s. med. temperatură, febră zilnică.

quotient [ˈkwouʃnt] s. mat. cât, rezultatul împărţirii.

qv abrev. quod vide vezi, v.

qy abrev. query v. **query**.

R

R [ɑː] s. (litera) R, r.

R. abrev. 1. rabbi rabin. 2. radius geom. rază; anat. radius. 3. railway cale ferată. 4. rand ramă; chenar. 5. real real. 6. registered as trade mark marcă înregistrată. 7. Republican republican. 8. Rex Majestatea Sa (Regele). 9. river râu. 10. rook tură (la şah). 11. royal v. royal. 12. rouble rublă.

r. abrev. 1. rain ploaie. 2. range v. range. 3. rare v. rare. 4. rector rector. 5. red roşu. 6. right v. right. 7. roentgen roentgen.

RA, R. A. abrev. 1. Regular Army armata regulată. 2. right ascension ascensiune dreaptă. 3. Royal Academician membru al Academiei Regale de arte. 4. Royal Academy Academia Regală de arte. 5. Royal Artillery artileria britanică.

rabbet ['ræbit] tehn. I. s. 1. şanţ, jgheab, canelură; scobitură, îmbucătură. 2. falţ; cercevea. II. vt. fălţui, a îmbina cu falţ.

rabbi ['ræbai] s. rabin.

rabbinic(al) [ræ'binik(l)] adj. rabinic.

rabbit ['ræbit] I. s. 1. zool. iepure (de casă) (Oryctolagus / Lepus cuniculus). 2. mazetă, jucător prost. II. vi. a vâna iepuri.

rabble ['ræbl] s. 1. gloată, adunătură. 2. drojdia societăţii.

Rabelaisian [ræbə'leiziən] adj. rabelaisian.

rabid ['ræbid] adj. 1. turbat. 2. nebunesc.

rabies ['reibiːz] s. turbare.

R. A. C. abrev. 1. Royal Armoured Corps trupele motorizate britanice. 2. Royal Automobile Club clubul automobilistic britanic.

raccoon [rə'kuːn] s. v. racoon.

race [reis] I. s. 1. cursă. 2. întrecere. 3. curent. 4. canal, şanţ. 5. rasă, neam. 6. familie. 7. categorie. II. vt. 1. a goni. 2. a participa la (curse). III. vi. a alerga (într-o cursă).

race course ['reis ˌkɔːs] s. pistă de curse; hipodrom, turf.

race horse ['reis ˌhɔːs] s. cal de curse.

raceme [rə'siːm] s. bot. racem.

racer ['reisə] s. 1. armăsar (pentru alergări). 2. barcă sau maşină de curse.

racial ['reiʃl] adj. rasial.

racialism ['reiʃəlizəm] s. rasism.

racily ['reisili] adv. 1. puternic. 2. viu.

racing ['reisiŋ] I. s. 1. alergări. 2. curse (de cai). II. adj. de (la) curse.

racism ['reisizəm] s. mai ales amer. rasism.

rack¹ [ræk] I. s. 1. grătar. 2. cuier. 3. plasă (pentru bagaje). 4. roată (pentru tortură). 5 distrugere. II. vt. 1. a tortura (pe roată). 2. fig. a chinui. 3. a jefui. || to ~ one's brains a-şi stoarce creierii.

rack² [ræk] I. s. 1. raft; etajeră; suport (pt. scule). 2. rastel. 3. iesle 4. tehn. cremalieră. II. vt. 1. a aşeza pe rastel, pe poliţă, în cuier etc. 2.a pune (fân) în iesle. 3. a lega (vitele) la iesle.

racket ['rækit] s. 1. rachetă (de tenis, pt. mers pe zăpadă etc.). 2. gălăgie, scandal. 3. zarvă. 4. şmecherie. 5. escrocherie. 6. corupţie. 7. afaceri. || to stand the ~ a plăti paguba, a acoperi cheltuielile (şi fig.).

racketeer [ˌræki'tiə] s. amer. 1. profitor (de război). 2. escroc. 3. afacerist.

rackety ['rækiti] adj. 1. zgomotos, gălăgios. 2. petrecăreţ, chefliu.

raconteur [ˌrækɔn'təː] s. (bun) povestitor (de anecdote etc.).

racoon [rə'kuːn] s. zool. raton, ursuleţ spălător (Procyon lotor).

racquet ['rækit] s. rachetă (de tenis).

racy ['reisi] adj. 1. cu urme ale originii. || ~ of the soil cu specificul locului; care îşi trădează originea, care îşi arată provenienţa. 2. cu gust particular; cu miros caracteristic; (d. vin) aromat, cu buchet. || a ~ anecdote o anecdotă savuroasă; amer. o anecdotă picantă. 3. (d. persoane) în vervă, plin de vervă. 4. (d.

animale) de rasă. 5. amer. lasciv; scabros.

R. A. D. A. abrev. Royal Academy of Dramatic Art Academia Regală de Artă Dramatică.

radar ['reidɑː] s. radar.

raddle ['rædl] I. s. culoare roşcată. II. vt. 1. a vopsi în roşu. 2. a farda violent; a vopsi, a sulemeni.

radial ['reidiəl] adj. radial, cu raze; în formă de stea

radian ['reidiən] s. geom. radian.

radiance ['reidjəns] s. strălucire.

radiant ['reidjənt] adj. 1. strălucitor. 2. strălucit.

radiate ['reidieit] I. adj. 1. radial. 2. iradiant. II. vt. a iradia. III. vi. 1. a radia. 2. a străluci.

radiantly ['reidiəntli] adv. cu un aer radios.

radiate ['reidieit] I. vt. a (i)radia, a emite, a emana (căldură, lumină). 2. fig. a radia. || to ~ health a fi sănătos tun, a deborda de sănătate. 3. a emite, a radiodifuza. II. vi. 1. a răspândi raze. 2. (d. străzi, linii etc.) a pleca din acelaşi centru. II. six avenues ~ from the square şase străzi pleacă din piaţă. 3. a radia (de fericire, de bucurie). III. adj. radial, în raze.

radiation [ˌreidi'eiʃn] s. 1. fiz. (i)radiaţie. 2. fig. strălucire.

radiator ['reidieitə] s. radiator.

radical ['rædikl] I. s. 1. radical. 2. progresist. II. adj. 1. radical. 2. progresist.

radicalism ['rædikəˌlizm] s. pol. radicalism.

radically ['rædikəli] adv. 1. radical, fundamental. 2. la început, iniţial.

radicle ['rædikl] s. 1. chim. radical. 2. bot. radiculă. 3. anat. ramificaţie iniţială.

radio ['reidiou] I. s. radio. II. vt., vi. a transmite (prin radio).

radioactive ['reidio'æktiv] adj. radioactiv.

radioactivity [ˌreidiouæk'tiviti] s. radioactivitate.

radio-carbon [reidiou'cɑːbən] s. izotop de carbon radioactiv.

radiogram ['reidiogræm] s. 1. radiografie. 2. telegramă radio. 3. radio cu picup.

radiograph ['reidiou,grɑːf] I. s. radiografie. II. vt. a radiografia, a supune radiografiei.

radiology [,reidi'ɔlədʒi] s. med. radiologie.

radiophone ['reidioufoun] s. radiotelefon; fotofon.

radioscopy [,reidi'ɔskəpi] s. med. radioscopie.

radio set ['reidioset] s. aparat de radio.

radio-telegraphy [,reidiouti'legrəfi] s. telec. radiotelegrafie.

radio-telephone ['reidiou 'telifoun] telec. I. s. radiotelefon. II. vt. a radiotelefona.

radio-telephony [,reidiouti'lefəni] s. telec. radiotelefonie.

radiotherapy [,reidiou'θerəpi] s. med. 1. radiumterapie. 2. radioterapie, roentgenterapie.

radish ['rædiʃ] s. bot. ridiche (Raphanus sativus).

radium ['reidjəm] s. radium.

radius ['reidjəs] pl. **radii** ['reidiai] s. 1. geom. rază. 2. fig. domeniu. 3. rază de acțiune.

radix ['reidiks], pl. și **radices** ['reidi,siːz] s. 1. mat. bază (a unui sistem logaritmic etc.). 2. izvor, sursă. 3. mat., chim., lingv. înv. radical, rădăcină. 4. v. **radicle** 2,3.

R.A.F. ['ɑːrei'ef] s. Royal Air Force aviația militară britanică.

raffia ['ræfiə] s. bot. rafie (Raphia ruffia).

raffish ['ræfiʃ] adj. destrăbălat, depravat.

raffle ['ræfl] I. s. tombolă, loterie (mai ales filantropică). II. vi. a juca la loterie, la tombolă. III. vt. a pune (obiecte) la loterie, la tombolă.

raft [rɑːft] I. s. plută. II. vt. a duce cu pluta. III. vi. a merge cu pluta.

rafter ['rɑːftə] s. 1. plutaș. 2. grindă.

rag[1] [ræg] I. s. 1. cârpă. 2. zdreanță. 3. ziar prost, fițuică (fig.). 4. firimituri. 5. gălăgie, scandal. 6. muzică zgomotoasă. II. vt. 1. a necăji. 2. a ironiza. 3. a ocărî.

rag[2] [ræg] constr. I. s. calcar dur; piatră de construcție. II. vt. a concasa, a măcina, a sfărâma.

ragamuffin ['rægə,mʌfin] s. 1. zdrențăros. 2. golan.

rage [reidʒ] I. s. 1. furie. 2. nebunie. 3. pasiune. 4. modă.

II. vi. 1. a urla. 2. a se manifesta violent. 3. a bântui.

ragged ['rægid] adj. 1. aspru. 2. colțuros. 3. nețesălat. 4. zdrențăros. 5. cârpăcit.

raggedness ['rægidnis] s. 1. zdrențuire (a unei haine etc.). 2. inegalitate, asperitate, asprime. 3. lipsă de ansamblu (a unei echipe, orchestre etc.) 4. fig. inegalitate (a unui roman etc.).

raglan ['ræglən] s., adj. raglan.

ragout [ræ'guː] s. tocană; ostropel.

ragtag ['rægtæg] s.: ~ and bobtail pleavă, drojdia societății.

ragtime ['rægtaim] s. jazz sincopat.

ragweed ['rægwiːd] s. bot. 1. rugină (Senecio jacobaea). 2. amer. orice plantă din genul Ambrocia.

(')rah [rɑː] interj. prescurtare de la **hurrah** ura! || amer. sl. ~-~ boys studenți pierde-vară.

raid [reid] I. s. 1. incursiune. 2. raid. 3. razie. 4. jaf. II. vt. 1. a bântui. 2. a invada. 3. a jefui; a da iama (prin), a face jaf (în). 4. a face o razie / descindere (în) III. vi. 1. a face o incursiune. 2. a face o razie.

rail[1] [reil] I. s. 1. balustradă. 2. șină. 3. suport (pentru prosop etc.); || by ~ cu trenul; off the ~s deraiat (și fig.). II. vt. 1. a critica. 2. a batjocori; a ocărî. 3. a monta bare la.

rail[2] [reil] s. ornit. cârstei, cristei (Rallus).

railer ['reilə] s. 1. persoană care rostește invective / care insultă. 2. zeflemist, mucalit.

railing ['reiliŋ] s. 1. gard (din bare). 2. ocară. 3. batjocură.

raillery ['reiləri] s. 1. ironie, zeflemea, batjocură. 2. tachinerie.

railroad ['reilroud] s. amer. cale ferată.

railway ['reil,wei] I. s. cale ferată. II. vi. 1. a merge cu trenul. 2. a construi o cale ferată.

raiment ['reimnt] s. poet. veșmânt, îmbrăcăminte, haină.

rain [rein] I. s. ploaie (și fig.); || the ~s sezonul ploios; ~ or shine pe orice vreme; și pe vreme bună și pe vreme rea. II. vt. 1. a turna (ceva) din abundență / ca un potop. 2. a trimite din abundență. III. vi. 1. a ploua. 2. a cădea (ca ploaia). 3. a curge șiroaie. || it never ~s but it pours când nu e nici

unul, când sunt prea mulți; o nenorocire nu vine niciodată singură.

rainbow ['reinbou] s. curcubeu.

raincoat ['reinkout] s. fulgarin, trenci, haină de ploaie.

rainfall ['reinfɔːl] s. 1. ploaie (torențială). 2. (cantitate de) precipitații.

rain-gauge ['reingeidʒ] s. pluviometru.

rain storm ['rein ,stɔːm] s. ploaie cu vânt, vijelie, furtună.

rain water ['rein ,wɔtə] s. apă de ploaie.

rainy ['reini] adj. ploios.

raise [reiz] I. s. amer. spor de salariu. II. vt. 1. a înălța, a ridica. 2. a clădi. 3. a stârni. 4. a înainta. 5. a spori. 6. a îmbunătăți. 7. a crește, a îngriji (copii, plante). 8. a înjgheba. 9. a aduna (bani, fonduri). || to ~ hell a stârni un scandal cumplit; to ~ one's voice against a protesta împotriva (cu gen.).

raisin ['reizn] s. stafidă.

raison d'être [rei'zɔŋ 'detr] rațiune de-a fi.

raj ['rɑːdʒ] s. (în India) dominație; suveranitate; autoritate. || the British ~ dominația britanică.

raja(h) ['rɑːdʒə] s. rajah.

rake[1] [reik] I. s. 1. greblă. 2. crai, depravat, destrăbălat. 3. pantă. II. vt. 1. a grebla. 2. a strânge. 3. a cerceta. || to ~ up a stârni; a reînvia. III. vi. 1. a grebla. 2. a strânge. 3. a duce o viață desfrânată.

rake[2] I. vi. a se abate de la verticală, a fi sau a sta înclinat. II. vt. a înclina, a apleca. III. s. înclinare, aplecare. 2. înclinație, deviere, abatere de la verticală; unghi de degajare, de înclinare.

rake-off ['reikɔːf] s. amer. sl parte din câștig care rămâne mijlocitorului, comision.

rakish ['reikiʃ] adj. 1. arătos. 2. elegant. 3. imoral, stricat, desfrânat.

rallentando [,rælen'tændou] s., adj., adv. muz. rallentando.

rally ['ræli] I. s. 1. strângere. 2. adunare. 3. însănătoșire. 4. revenire. 5. miting. II. vt. 1. a strânge. 2. a aduna. 3. fig. a mobiliza. 4. a ironiza. 5. a tachina. III. vi. 1. a se strânge. 2. a se însănătoși. 3. a-și reveni.

ram [ræm] I. s. berbec. II. vt. 1. a zdrobi. 2. a izbi. 3. a înfige. 4. a băga.

R.A.M. *abrev. Royal Academy of Music* Academia Regală de Muzică, Conservatorul Regal.

Ramadan [ˌræməˈdɑːn] *s.* Ramazan *(la musulmani).*

ramble [ˈræmbl] **I.** *s.* hoinăreală. **II.** *vi.* **1.** a hoinări. **2.** a îndruga verzi şi uscate. **3.** a divaga, a bate câmpii.

rambler [ˈræmblə] *s.* **1.** hoinar, excursionist; haimana; vagabond. || *night* ~ chefliu de noapte. **2.** *fam.* palavragiu, vorbă-lungă. **3.** plantă târâtoare, mai ales trandafir agăţător.

rambling [ˈræmbliŋ] **I.** *s.* **1.** hoinăreală, vagabondaj. **2.** divagaţie, abatere de la subiect. **II.** *adj.* **1.** fără ţintă. **2.** hoinar, vagabond. **3.** dezorganizat. **4.** neregulat. **5.** dezlânat, divagant.

R.A.M.C. *abrev. Royal Army Medical Corps* medicii militari, serviciul sanitar al armatei.

ramekin [ˈræməkin] *s.* prăjitură / budincă de brânză cu firimituri de pâine şi ouă.

ramification [ˌræmifiˈkeiʃn] *s.* ramificaţie *(şi fig.).*

ramify [ˈræmifai] *vi.* a se ramifica, a se bifurca.

ramp[1] [ræmp] *s.* **1.** rampă. **2.** furie.

ramp[2] [ræmp] *sl.* **I.** *s.* **1.** hoţ; escroc. **2.** escrocherie. **II.** *vt.* **1.** a şantaja. **2.** a prăda, a jefui.

rampage **I.** [ˈræmp(e)idʒ] *s.* **1.** furie, mânie, iritare. || *to be on the* ~ a face scandal, tărăboi, a face pe nebunul. **2.** gesturi demente, nebuneşti, de apucat. **3.** *pop.* pungăşie, escrocherie. **II.** [ræmˈpeidʒ] *vi.* a fi turbat, a se purta ca un nebun, apucat.

rampant [ˈræmpənt] *adj.* **1.** furios. **2.** răspândit. **3.** în floare.

rampart [ˈræmpɑːt] *s.* meterez *(şi fig.).*

ramrod [ˈræmˌrɔd] *s.* **1.** *mil.* vergea *(de armă)*; îndesător *(la tun).* **2.** *tehn.* baghetă; sondă. **3.** *fig.* lucru (prea) rigid.

ramshackle [ˈræmˌʃækl] *adj.* şubred.

ran [ræn] *vt., vi. trec. de la* **run.**

ranch [rɑːntʃ] **I.** *s.* fermă de animale. **II.** *vi.* a lucra la o fermă de animale.

rancher [ˈrɑːntʃə] *s.* proprietarul unei ferme de animale.

ranchman [ˈræntʃmən] *s. pl.* **ranchmen** [ˈræntʃmən] *v.* **rancher.**

rancid [ˈrænsid] *adj.* rânced *(şi fig.).*

ranco(u)r [ˈræŋkə] *s.* ranchiună, pică.

rancorous [ˈræŋkərəs] *adj.* ranchiunos; rău.

rand [rænd] *s.* **1.** ramă *(de pantof)*; chenar, bordură. **2.** *înv.* margine, capăt, extremitate. **3.** *geogr.* podiş, platou. **4.** măsură de 1800 iarzi (=1630 m.)

random [ˈrændəm] **I.** *s.:* *at* ~ la întâmplare. **II.** *adj.* făcut la întâmplare.

randy [ˈrændi] *reg.* **I.** *adj.* **1.** zgomotos, gălăgios, ţipător. **2.** grosolan, mitocănesc. **3.** *fam.* aţâţat, excitat, lasciv. **II.** *s.* **1.** cerşetor, calic insistent, pisălog. **2.** caţă, femeie cicălitoare. **3.** fetişcană zburdalnică.

ranee [ˈrɑːni] *s. ist.* regină hindusă; soţie *sau* văduvă de maharajah.

rang [ræŋ] *vt., vi. trec de la* **ring.**

range [reindʒ] **I.** *s.* **1.** rând, şir. **2.** distanţă. **3.** bătaie *(a unei arme).* **4.** întindere. **5.** domeniu. **6.** limite. **7.** sortiment. **8.** *mil.* poligon. **9.** maşină de gătit, plită, aragaz. **II.** *vt.* **1.** a aranja. **2.** a pune ordine. **3.** a colinda, a umbla prin. **4.** a bate *(drumurile etc.).* **III.** *vi.* **1.** a umbla. **2.** a hoinări. **3.** a se întinde. **4.** a varia, a diferi.

ranger [ˈreindʒə] *s.* **1.** paznic de păduri. **2.** jandarm. **3.** *amer. mil.* membru al unui detaşament de comando.

rangy [ˈreindʒi] *adj. amer.* **1.** sprinten, ager. **2.** înalt şi zvelt, muşchiulos. **3.** vast, întins; spaţios. **4.** rătăcitor, nomad, vagabond. **5.** muntos.

rani [ˈrɑːni] *s. v.* **ranee.**

rank [ræŋk] **I.** *s.* **1.** rând, şir. **2.** rang, cin. **3.** *mil.* grad. **4.** categorie. || *the* ~s *sau the* ~ *and file* oamenii de rând; *mil.* trupă; *to rise from the* ~s a fi ridicat la rangul de ofiţer; a promova. **II.** *adj.* **1.** *(d. plante)* des, nerărit. **2.** încâlcit. **3.** grosolan. **4.** puturos. **5.** *fig.* cras. **III.** *vt.* **1.** a rândui. **2.** a categorisi. **3.** a considera. **IV.** *vi.* **1.** a se plasa. **2.** **(with)** a fi clasat *sau* considerat (alături de, la paritate / egalitate cu).

rankle [ˈræŋkl] *vi.* **1.** *(d. rană)* a supura. **2.** *fig.* a nu se vindeca, a persista.

ransack [ˈrænsæk] *vt.* **1.** a scotoci. **2.** a jefui.

ransom [ˈrænsəm] **I.** *s.* **1.** răscumpărare. **2.** preţul răscumpărării. **3.** *fig.* compensaţie, plată. **II.** *vt.* **1.** a răscumpăra *(şi fig.).* **2.** a elibera în schimbul unei sume de bani.

rant [rænt] **I.** *s.* **1.** vorbărie. **2.** retorică. **3.** peroraţie. **II.** *vi.* a perora, a vorbi bombastic / pompos. **III.** *vt.* a declama (pompos).

ranunculus [rəˈnʌŋkjuləs], *pl.* şi **ranunculi** [rəˈnʌŋkjuˌlai] *s. bot.* piciorul cocoşului *(Ranunculus ficaria).*

rap[1] [ræp] **I.** *s.* bătaie uşoară *(cu încheieturile degetelor).* **II.** *vt.* a lovi. **III.** *vi.* a bate *(cu încheieturile degetelor).*

rap[2] [ræp] *s.* **1.** *ist.* monedă falsă de jumătate de penny. || *it is not worth a* ~ nu face o para chioară *sau* nici *(cât)* o ceapă degerată; *not a* ~ deloc, câtuşi de puţin. **2.** bucăţică, mărunţiş, cantitate foarte mică. || *I don't care a* ~ nu-mi pasă nici cât negru sub unghie.

rap[3] [ræp] *s.* muzică rap.

rapacious [rəˈpeiʃəs] *adj.* **1.** rapace. **2.** lacom. **3.** *(d. animale / păsări)* de pradă, răpitor.

rapaciousness [rəˈpeiʃəsnis] *s.* lăcomie, rapacitate.

rapacity [rəˈpæsiti] *s. v.* **rapaciousness.**

rape[1] [reip] **I.** *s.* **1.** *bot.* rapiţă *(Brassica aleracea).* **2.** viol. **3.** răpire. **II.** *vt.* **1.** a viola. **2.** a răpi.

rape[2] [reip] *s. tehn.* raşpel, răzătoare.

rape[3] [reip] *s.* **1.** tescovină *(folosit pt. oţet).* **2.** vas pentru făcut oţet.

rapid [ˈræpid] **I.** *adj.* **1.** repede, iute, abrupt. **2.** *sl.* viu, însufleţit, plin de viaţă. **II.** *s.* **1.** *(mai ales pl.)* vârtej, vâltoare, volbură, repeziş; *pl.* praguri *(de râu).* **2.** evadat, fugar.

rapid-fire [ˈræpid ˈfaiə] *s. mil.* tragere în vijelie / rafală.

rapidity [rəˈpiditi] *s.* repeziciune, iuţeală. || *mil.* ~ *of fire* viteză de tragere; debit de foc.

rapidly [ˈræpidli] *adv.* rapid, cu repeziciune, iute.

rapier [ˈreipjə] **I.** *s.* sabie lungă *(folosită la duel).* **II.** *adj.* ascuţit.

rapine [ˈræpain] *s.* **1.** jefuire, jaf. **2.** răpire.

rapist [ˈreipist] *s. amer.* **1.** tâlhar, bandit, jefuitor. **2.** violator, siluitor.

rapport [ræ'pɔːr] s. 1. raport, relaţie. 2. proporţie, raport. 3. relaţie, comunicare cu un medium (la spiritism).

rapprochement [ræ'prɔʃmɑːŋ] s. pol. apropiere.

rapscallion [ræp'skæljən] s. pop. ticălos, nemernic.

rapt [ræpt] adj. 1. vrăjit. 2. cufundat.

raptorial [ræp'tɔːriəl] I. adj. v. **rapacious** 1. II. s. pasăre răpitoare, de pradă.

rapture ['ræptʃə] s. 1. încântare. 2. extaz. || to go into ~s a se extazia; a fi încântat la culme.

rapturous ['ræptʃrəs] adj. 1. entuziast. 2. entuziasmat.

rare [reə] I. adj. 1. rar. 2. puţin; puţintel. 3. preţios. 4. minunat. 5. nefript, (aproape) crud. II. adv. straşnic.

rarebit ['reəbit] s. plăcintă (făcută din pâine, brânză topită şi bere).

rarefy ['reəriˌfai] I. vt. 1. a rarefia; a rări. 2. a dilua. 3. fig. a rafina, a lustrui. II. vi. a se rarefia.

rarely ['reəli] adv. 1. rar, rareori. 2. teribil (de).

rareness ['reənis] s. v. **rarity**.

raring ['reəriŋ] adj. fam. entuziast, nerăbdător, exuberant. || to be ~ to a arde de nerăbdare să.

rarity ['reəriti] s. raritate.

rascal ['rɑːskl] s. 1. ticălos. 2. pungaş (şi fig.).

rascally ['rɑːskəli] adj. ticălos, mârşav.

rase [reiz] vt. v. **raze**.

rash [ræʃ] I. s. med. urticarie; erupţie. II. adj. 1. pripit. 2. nesăbuit.

rasher ['ræʃə] s. feliuţă (de slănină etc.).

rashly ['ræʃli] adv. 1. în grabă, pripit. 2. imprudent, nechibzuit; nesăbuit.

rashness ['ræʃnis] s. 1. pripă, grabă. 2. îndrăzneală, semeţie. 3. nesocotinţă, nechibzuinţă; nesăbuinţă.

rasp [rɑːsp] I. s. 1. pilă, raşpilă. 2. sunet aspru. II. vt. 1. a pili. 2. a aspri. 3. a enerva. 4. a zgâria (urechile). III. vi. 1. a pili. 2. a suna aspru.

raspberry ['rɑːzbri] s. bot. zmeură (Rubus idaeus).

Rastafarian [ˌræstə'feəriən] I. s. membru al unei secte a negrilor, originară din Jamaica. II. adj. privitor la această sectă.

rat [ræt] I. s. 1. zool. şobolan (Rattus sp.). 2. laş. || like a

drowned ~ ud leoarcă; ~s! vax! II. vi. 1. a prinde şobolani. 2. a dezerta.

ratafia [ˌrætə'fiə] s. 1. un fel de cruşon. 2. un fel de pricomigdală.

ratchet ['rætʃit] s. 1. piedică (la roţile dinţate). 2. roată dinţată.

rate [reit] I. s. 1. ritm. 2. viteză. 3. proporţie. 4. raport. 5. valoare. 6. taxă. 7. grad, categorie. 8. fin. rată (de schimb etc.). || at any ~ în orice caz. II. vt. 1. a aprecia, a evalua. 2. a ocărî. III. vi. 1. a valora. 2. a vorbi urât.

rateable ['reitəbl] adj. 1. evaluabil, estimabil. 2. impozabil; taxabil, supus taxelor.

ratepayer ['reitˌpeiə] s. contribuabil.

rate-setter ['reitˌsetə] s. normator.

rath [ræθ] adj. 1. matinal; timpuriu. 2. grăbit, impetuos.

rathe [reiθ] adj. v. **rath**.

rather ['rɑːðə] I. adv. 1. (than) mai degrabă (decât). 2. într-o oarecare măsură. 3. destul (de). II. interj. oho (şi încă cum)!

ratification [ˌrætifi'keiʃən] s. jur. ratificare, comprimare, omologare.

ratify ['rætifai] vt. a ratifica.

rating ['reitiŋ] s. 1. evaluare. 2. clasificaţie. 3. categorie. 4. valoare. 5. ocară.

ratio ['reiʃiou] s. raport, proporţie.

ratiocinate [ˌræti'ɔsiˌneit] vi. a raţiona; a argumenta.

ratiocination [ˌrætiɔsi'neiʃn] s. raţionament.

ration ['ræʃn] I. s. raţie. || to be put on ~s a fi raţiona(liza)t. II. vt. a raţiona(liza).

rational ['ræʃənl] I. s. 1. fiinţă raţională. 2. cantitate raţională. II. adj. 1. raţional. 2. înţelept.

rationale [ˌræʃə'nɑːl] s. 1. raţiune de a fi, de a exista. 2. analiză raţională; expunere, explicare raţională; argumentare.

rationalism ['ræʃənəˌlizəm] s. filoz. raţionalism.

rationalist ['ræʃnəlist] s., adj. raţionalist.

rationalistic [ˌræʃnə'listik] adj. raţionalist.

rationality [ˌræʃən'æliti] s. 1. raţionalitate, facultatea de a judeca. 2. minte, raţiune, judecată. 3. caracter raţional, temeinicie.

rationalize ['ræʃnəlaiz] vt. 1. a judeca raţional. 2. a raţiona(liza).

ratlin(e) ['rætlin] s. nav. grijea.

ratsbane ['rætsbein] s. otravă, şoricioaică.

rattan [ræ'tæn] s. bot. 1. trestie indiană (Daemonorops). 2. baston (de trestie).

rattle ['rætl] I. s. 1. sunătoare (jucărie). 2.cârâitoare; zbârnâitoare. 3. clopoţel (al şarpelui). 4. horcăit. 5. hârâit. 6. zornăit. 7. gălăgie. II. vt., vi. 1. a zornăi. 2. a trăncăni. 3. a hârâi. 4. a horcăi. || death('s) ~ horcăit de moarte.

rattle-box ['rætlbɔks] s. sunătoare, (jucărie).

rattler ['rætlə] s. 1. (om) gălăgios; (om) guraliv, flecar, vorbăreţ. 2. fam. trăsură veche, hodoroagă. 3. amer. tren. 4. zool. şarpe-cu-clopoţei (Crotalus). 5. întâmplare neobişnuită / senzaţională. 6. fam. lovitură zdravănă. 7. cal câştigător la curse; cal excelent. 8. băiat de zahăr; persoană extraordinară. 9. amer. sl. cravată subţire.

rattle-snake ['rætlsneik] s. zool. crotal, şarpe cu clopoţei (Crotalus).

rattle trap ['rætl træp] I. s. trăsură hodorogită. 2. flecar, limbut. 3. sl. gură, bot, clanţă, fleancă. 4. bibelouri, fleacuri, catrafuse. II. adj. 1. huruitor, zornăitor. 2. hodorogit.

rattling ['rætliŋ] I. adj. 1. zbârnâitor. 2. rapid. 3. grozav. II. adv. 1. straşnic. 2. foarte.

raucous ['rɔːkəs] adj. aspru; răguşit.

ravage ['rævidʒ] I. s. 1. distrugere. 2. pl. ravagii. II. vt. 1. a jefui 2. a distruge. III. vi. a face ravagii.

rave [reiv] vi. 1. a aiura. 2. a bântui cu furie. 3. a vorbi entuziast.

ravel ['rævl] I. s. 1. nod. 2. încurcătură. II. vt. 1. a încurca. 2. a descurca. 3. a deznoda.

raven[1] ['reivn] I. s. ornit. corb (Corvus corax). II. adj. negru ca pana corbului, corbiu.

raven[2] ['rævn] I; vt. 1. a ataca, a se năpusti asupra (cu gen.); a devora. 2. a prăda, a jefui. II. vi. a umbla după pradă; a trăi ca un animal de pradă.

ravening ['reivəniŋ] adj. răpitor, rapace, vorace.

ravenous ['rævinəs] adj. 1. înfometat. 2. flămând (ca un lup).

ravin ['rævin] s. poet. 1. pradă. 2. jaf, tâlhărie.

ravine [rə'viːn] s. 1. râpă. 2. vâlcea.

raving ['reiviŋ] I. s. 1. aiureală. 2. pl. elucubrații. II. adj., adv. nebun.

ravioli [‚rævi'ouli] s. gastr. ravioli, colțunași cu carne.

ravish ['ræviʃ] vt. 1. a răpi. 2. a silui, a viola. 3. a vrăji.

ravisher ['ræviʃə] s. 1. răpitor, hoț. 2. siluitor, violator.

ravishing ['ræviʃiŋ] I. adj. încântător, fermecător, captivant. II. s. v. **ravishment**.

ravishment ['ræviʃmənt] s. 1. siluire, viol. 2. răpire, furt, pradă. 3. fig. fermecare, încântare, exaltare.

raw [rɔ:] I. s. 1. punct dureros. 2. carne vie. II. adj. 1. crud, necopt. 2. nepriceput. 3. (d. piele) vie; jupuită. 4. (d. rană) nevindecată.

raw-boned [‚rɔ:'bound] adj. numai pielea și oasele.

ray[1] [rei] I. s. 1. rază (și fig.). 2. iht. calcan (Raia). II. vi. a radia.

ray[2] [rei] s. muz. (nota) re.

rayon ['reiən] s. mătase artificială.

raze [reiz] vt. a rade (de pe fața pământului).

razor ['reizə] s. brici.

razor back ['reizə bæk] s. amer. porc sau cal cocoșat.

razor-blade [reizəbleid] s. lamă de ras.

razz [ræz] amer. sl. I. vt. a tachina, a necăji. II. s. to get the ~ for fair a fi luat peste picior.

razzle ['ræzl] s. sl. chef, petrecere.

razzle-dazzle ['ræzl 'dæzl] fam. I. s. chef, petrecere. || to go on the ~ a o ține numai în chefuri, în petreceri. 2. agitație, forfotă. 3. călușei. II. vt. 1. a îmbăta, a ameți. 2. a păcăli, a înșela.

razzmatazz [‚ræzmə'tæz] s. fam. fig. spectacol zgomotos, bâlci, circ.

R. & D. abrev. Research and Development (departamentul de) cercetare și dezvoltare.

R. C. abrev. 1. Red Cross Crucea Roșie. 2. Roman Catholic romano-catolic. 3. reinforced concrete beton armat.

R. C. A. abrev. 1. Royal College of Art Colegiul Regal de Artă. 2. Radio Corporation of America Corporația americană de radio.

R. C. M. abrev. Royal College of Music Colegiul Regal de Muzică.

R.C.S. abrev. 1. Royal College of Science Colegiul Regal de Științe. 2. Royal College of Surgeons Colegiul Regal de

Chirurgie. 3. Royal Corp of Signals trupele britanice de transmisiuni.

rd abrev. 1. v. **road**. 2. v. **rod**. 3. v. **round**.

R.E. abrev. Royal Engineers trupele britanice de pionieri; trupele de geniu.

re[1] [rei] prep. (în corespondență, mai ales comercială) cu privire la, în legătură cu; în privința (cu gen.).

re[2] [ri:] s. muz. (nota) re.

re- prefix re- (exprimând repetiția).

reach [ri:tʃ] I. s. 1. atingere. 2. întindere. 3. rază de acțiune. 4. meandră. II. vt. 1. a atinge. 2. a sosi la. 3. a da. 4. a ajunge la; a pune mâna pe. III. vi. 1. a se întinde. 2. a ajunge. || to ~ out (for smth.) a întinde mâna (după ceva).

react [ri'ækt] vi. a reacționa.

reaction [ri'ækʃn] s. 1. reacție. 2. reacțiune.

reactionary [ri'ækʃnəri] s., adj. reacționar.

reactivate [ri'æktiveit] vt. a reactiva.

reactive [ri'æktiv] adj. reactiv, cu caracter de reacție.

reactor [ri'æktə] s. el. reactor, bobină de șoc.

read[1] [ri:d] I. s. citire. II. vt. trec. și part. trec. read [red] 1. a citi. 2. a citi în (stele etc.). 3. a studia. 4. a afla (din ziare). 5. a ghici, a înțelege. 6. (d. instrumente) a indica. 7. a interpreta.|| to ~ out a citi (cu glas) tare; to ~ through a citi până la capăt. III. vi. trec. și part. trec. read [red] 1. a citi. 2. a se citi. 3. a studia. 4. a afla. || to ~ between the lines a citi printre rânduri; to ~ for the bar a studia dreptul; to ~ on a citi mai departe; it ~s well e o lectură agreabilă.

read[2] [red] I. adj. citit. II. vt., vi. trec. și part. trec. de la **read**[1].

readable ['ri:dəbl] adj. 1. interesant. 2. lizibil.

readdress ['ri:ə'dres] vt. a pune o nouă adresă pe (o scrisoare).

reader ['ri:də] s. 1. cititor. 2. univ. lector; conferențiar. 3. redactor (de editură). 4. manual. 5. antologie.

readership ['ri:dəʃip] s. cititori, public, audiență, numărul de cititori ai unui ziar, ai unei publicații etc.

readily ['redili] adv. 1. ușor. 2. cu dragă inimă. 3. imediat.

readiness ['redinis] s. 1. pregătire. 2. promptitudine. 3. bunăvoință.

reading ['ri:diŋ] I. s. 1. lectură. 2. lecturi. 3. cultură. 4. indicație (a unui instrument). 5. interpretare. II. adj. 1. studios. 2. amator de lectură.

reading-lamp ['ri:diŋlæmp] s. lampă de masă.

reading-room ['ri:diŋru:m] s. sală de lectură.

readjust ['ri:ə'dʒʌst] vt. 1. a rearanja. 2. a reprofila. 3. a adapta. 4. a readapta. 5. a corecta.

readjustment ['ri:ə'dʒʌstmənt] s. 1. reparare, îndreptare, transformare. 2. reajustare; reglare; reorganizare.

ready ['redi] adj. 1. pregătit. 2. dispus. 3. gata. 4. rapid. 5. prompt. 6. la îndemână.

ready-made ['redi'meid] adj. 1. (de) gata. 2. copiat. || ~ clothes haine de gata.

ready money ['redi'mʌni] s. bani gheață / peșin, sl. cash.

ready reckoner ['redi'reknə] s. tabele de calculat.

reaffirm ['ri:ə'fə:m] vb. a reafirma, a confirma din nou.

reagent [ri:'eidʒnt] s. 1. reactiv. 2. reacție.

real [riəl] I. adj. 1. real. 2. jur. funciar, imobiliar. II. adv. 1. (cu) adevărat. 2. strașnic.

real estate ['riəl i'steit] s. proprietate imobiliară / funciară.

realism ['riəlizəm] s. realism.

realist ['riəlist] s. realist.

realistic [riə'listik] adj. 1. realist. 2. practic.

reality [ri'æliti] s. 1. realitate. 2. veridicitate.

realization [‚riəlai'zeiʃn] s. 1. înțelegere. 2. realizare, îndeplinire.

realize ['riəlaiz] I. vt. 1. a înțelege. 2. a-și da seama de. 3. a îndeplini, a realiza. 4. a vinde. II. vi. a-și da seama.

really ['riəli] adv. 1. într-adevăr. 2. fără doar și poate. 3. (interog.) oare? zău?

realm [relm] s. 1. regat. 2. fig. tărâm.

realtor ['riəltə] s. amer. misit de proprietăți, agent imobiliar / de vânzări-cumpărări.

realty ['ri:əlti] s. proprietate imobiliară.

ream [ri:m] s. top de hârtie.

reamer ['ri:mə] s. 1. tehn. alezor, zencuitor, instrument de găurit. 2. mine. instrument / unealtă de lărgit.

reanimate [ri'ænimeit] vt. 1. a reanima. 2. a însufleți.

reap [ri:p] I. vt. 1. a secera. 2. a recolta. 3. fig. a culege. II. vi. a secera.

reaper ['ri:pə] s. 1. secerător. 2. secerătoare. 3. combină.

reappear ['ri:ə'piə] vi. a reapărea.

reappearance ['ri(:)ə'piərəns] s. reapariție.

reappoint ['ri(:)ə'pɔint] vt. a reintegra (într-un post etc.).

rear [riə] I. s. 1. spate, dos. 2. urmă. 3. ariergardă. || to take in the ~ a ataca prin spate. II. vt. 1. a creşte, a hrăni. 2. a îngriji. 3. a ridica. 4. a clădi. III. vi. a se cabra.

rear-admiral [,riə'ædmrl] s. contraamiral.

rear-guard ['riəga:d] s. ariergardă.

rearm [ri:'a:m] I. vt. a reînarma. II. vi., vr. a se reînarma.

rearmament [ri:'a:məmənt] s. reînarmare.

rearmost ['riəmoust] adj. cel din urmă.

rearrange ['ri:ə'reindʒ] vt. 1. a rearanja. 2. a restabili.

rearrangement ['ri(:)ə'reindʒmnt] s. rearanjare, aranjare din nou, aranjament nou.

rearward ['riəwəd] I. adv. îndărăt, înapoi. II. adj. din dos, din spate, din urmă. III. s. mil. ariergardă.

rearwards ['riəwədz]adv. v. **rearward** I.

reason ['ri:zn] I. s. 1. judecată, raţiune. 2. înţelepciune. 3. cauză. || it stands to ~ e la mintea omului; to listen to ~ a se lăsa convins; in ~ rezonabil. II. vt. 1. a raţiona. 2. a convinge. || to ~ out a elabora. III. vi. 1. a raţiona. 2. a gândi. 3. a argumenta.

reasonable ['ri:znəbl] adj. 1. rezonabil. 2. chibzuit. 3. raţional, înzestrat cu judecată. 4. drept. 5. moderat.

reasonableness ['ri:znəblnis] s. 1. caracter chibzuit; caracter rezonabil; cuminţenie; înţelepciune. 2. caracter acceptabil / suportabil; caracter moderat. 3. caracter echitabil; dreptate, justeţe.

reasonably ['ri:znəbli] adv. 1. cuminte, cugetat, chibzuit, rezonabil. 2. acceptabil, admisibil. 3. echitabil; just, drept.

reasoner ['ri:zənə] s. persoană cu judecată sănătoasă; om care ştie să raţioneze; gânditor, cugetător. || he is a subtle ~ raţionează subtil; are spirit critic.

reasoning ['ri:zniŋ] I. s. 1. raţionament. 2. judecată. 3. argumente. II. adj. 1. raţional. 2. înzestrat cu judecată.

reassemble ['ri(:)ə'sembl] I. vt. 1. a pune din nou laolaltă; a îmbina din nou; a întruni din nou; a convoca din nou. 2. tehn. a reasambla, a monta din nou. II. vi. a se întruni din nou; a se redeschide.

reassert ['ri(:)ə'sə:t] vt. a reafirma, a afirma din nou.

reassurance [,ri(:)ə'ʃuərəns] s. 1. com. reasigurare. 2. asigurări (date cuiva), vorbe liniştitoare / mângâietoare; 3. faptul de a asigura din nou (pe cineva). 4. faptul de a linişti din nou (pe cineva).

reassure [,ri:ə'ʃuə] vt. a linişti, a da asigurări (cuiva), a asigura.

rebarbative [ri'ba:bətiv] adj., lit. respingător, rebarbativ.

rebate[1] ['ri:beit] s. 1. rabat. 2. reducere.

rebate[2] ['ræbit, ri'beit] v. **rabbet**.

rebel[1] ['rebl] I. s. 1. răzvrătit. 2. rebel. II. adj. rebel.

rebel[2] [ri'bel] vi. a se răzvrăti. 2. a protesta.

rebellion [ri'beljən] s. răzvrătire.

rebellious [ri'beljəs] adj. rebel.

rebirth ['ri:'bə:θ] s. renaştere.

rebound [ri'baund] I. s. ricoşeu. II. vi. 1. a ricoşa. 2. a sări din nou. 3. a da înapoi. 4. a se reface.

rebuff [ri'bʌf] I. s. 1. ripostă. 2. refuz (categoric). II. vt. a respinge.

rebuild ['ri:'bild] vt. trec. şi part. trec. **rebuilt** ['ri:'bilt] a reclădi, a reconstrui, a reface.

rebuilt ['ri:'bilt] trec. şi part. trec. de la **rebuild**.

rebuke [ri'bju:k] I. s. 1. reproş. 2. admonestare. 3. ocară. II. vt. a ocărî, a admonesta.

rebus ['ri:bəs] s. rebus.

rebut [ri'bʌt] vt. a respinge.

rebutment [ri'bʌtmənt] s. jur. respingere / refutare; combatere; răsturnare; dovedirea netemeiniciei (cu gen.).

rebuttal [ri'bʌtl] s. v. **rebutment**.

recalcitrant [ri'kælsitrənt] adj. recalcitrant.

recall [ri'kɔ:l] I. s. rechemare. II. vt. 1. a rechema. 2. a reaminti (de). 3. a evoca. 4. a ţine minte. 5. a anula.

recant [ri'kænt] vt. 1. a-şi retrage (o declaraţie). 2. a retracta.

recantation [,ri:kæn'teiʃn] s. 1. retractare. 2. dezicere, dezaprobare.

recap ['ri:,kæp] I. vt. 1. a reface capul sau învelişul (cu dat.). 2. a reşapa (anvelope). 3. fam. a recapitula, a revizui. II. s. fam. recapitulare, revizuire.

recapitulate [,ri:kə'pitjuleit] vt., vi. a recapitula.

recapitulation ['ri:kə,pitju:'leiʃn] s. recapitulare.

recapture ['ri:'kæptʃə] I. s. prindere. II. vt. 1. a recăpăta. 2. a prinde (din nou).

recast ['ri:'ka:st] I. s. remodelare. II. inf., trec. şi part. trec. vt. 1. a remodela. 2. a preface.

recce ['reki] mil. sl. I. s. (misiune de) recunoaştere. II. vt. a recunoaşte (terenul). III. vi. a face o recunoaştere.

recede [ri'si:d] vi. 1. a se retrage, a da înapoi. 2. a scădea. 3. a se şterge.

receipt [ri'si:t] I. s. 1. chitanţă. 2. primire. 3. reţetă (mai ales culinară). 4. pl. încasări. II. vt. a da chitanţă pentru.

receivable [ri'si:vəbl] adj. care poate fi primit; de primit.

receive [ri'si:v] I. vt. 1. a primi. 2. a cuprinde. 3. a accepta. II. vt. a primi.

received [ri'si:vd] adj. acceptat.

receiver [ri'si:və] s. 1. primitor. 2. tăinuitor. 3. premiat. 4. tehn. receptor.

receivership [ri'si:vəʃip] s. calitatea de destinatar; calitatea de încasator.

recent ['ri:snt] adj. recent.

recently ['ri:sntli] adv. recent, nu de mult; de curând, de puţină vreme. || it happened ~ aceasta mi s-a întâmplat recent; as ~ as yesterday nu mai departe de ieri; a law ~ adopted o lege de curând adoptată.

receptacle [ri'septəkl] s. 1. bot. receptacul. 2. recipient, vas. 3. fig. loc de adunare, de concentrare, de îngrămădire. 4. el. priză de curent.

reception [ri'sepʃn] s. 1. primire. 2. recepţie.

receptionist [ri'sepʃənist] s. 1. recepţioner. 2. secretar de cabinet. 3. soră de cabinet (a unui dentist etc.).

receptive [ri'septiv] adj. receptiv.

receptivity [risep'tiviti] s. 1. receptivitate. 2. tehn. capacitate de absorbire sau asimilare.

recess [ri'ses] I. s. 1. pauză, răgaz. 2. sărbătoare, cotlon; ascunziş. 4. nişă. II. vt. 1. a ascunde. 2. a retrage. 3. a împinge înapoi.

recession [ri'seʃn] s. **1.** retragere. **2.** amânare. **3.** scobitură. **4.** nişă. **5.** econ. recesiune, criză.

recessive [ri'sesiv] adj. **1.** care dă înapoi, care se retrage, care se îndepărtează. **2.** regresiv; descendent.

recharge ['ri:tʃɑːdʒ] vt. a reîncărca, a încărca din nou.

recherché [rə'ʃeəʃei] adj. căutat, ultrarafinat; artificial.

recidivism [ri'sidivizəm] s. jur. recidivism.

recidivist [ri'sidivist] s. jur. recidivist.

recipe ['resipi] s. reţetă (culinară sau farmaceutică).

recipient [ri'sipiənt] s. **1.** primitor. **2.** premiat.

reciprocal [ri'siprəkl] s., adj. reciproc.

reciprocally [ri'siprəkəli] adv. reciproc; unul pe altul.

reciprocate [ri'siprəkeit] I. vt. a răspunde la. II. vi. (to) a fi complementar (cu).

reciprocation [ri,siprə'keiʃn] s. reciprocitate.

reciprocity [,resi'prɔsiti] s. reciprocitate.

recital [ri'saitl] s. **1.** recital. **2.** recitare. **3.** povestire.

recitation [,resi'teiʃn] s. **1.** recitare. **2.** povestire.

recitative [,resitə'ti:v] s. recitativ.

recite [ri'sait] vt., vi. **1.** a recita. **2.** a povesti.

reciter [ri'saitə] s. **1.** recitator, declamator; povestitor. **2.** culegere de texte pentru declamat.

reck [rek] I. vt. (mai ales poetic, numai în construcţii negative sau interogative) **1.** a stânjeni, a deranja. **2.** a preocupa, a privi, a-i păsa de. || it ~s me not asta nu mă priveşte; asta nu mă supără; I ~ not my health puţin îmi pasă de sănătatea mea. II. vi. (of, whether; who; that) a-i păsa (de; dacă; cine; că). || he ~ed not of the danger nu-i pasă de primejdie; I ~ not whether nu-mi pasă dacă, mi-e tot una dacă; I ~ not who mi-e tot una cine.

reckless ['reklis] adj. **1.** nepăsător. **2.** nesăbuit. **3.** nechibzuit. **4.** dement, nebunesc.

reckon ['rekn] I. vt. **1.** a socoti. **2.** a calcula. **3.** a număra. II. vi. **1.** a socoti; a calcula. **2.** a conta, a se bizui. || to ~ on a se baza sau bizui pe; to ~ with a ţine seama de; a pune la socoteală, a ţine seama de, a se socoti cu.

recklessness ['reklisnis] s. **1.** nepăsare, indiferenţă. **2.** imprudenţă; nesocotinţă, nechibzuinţă, necugetare. **3.** îndrăzneală.

reckoning ['rekəniŋ] s. **1.** socoteală. **2.** calcul. **3.** răfuială. || to be out in one's ~s a greşi socotelile; a ieşi prost la socoteală.

reclaim [ri'kleim] vt. **1.** a recupera. **2.** a îndrepta. **3.** a revendica.

reclamation [,reklə'meiʃn] s. **1.** revendicare. **2.** recuperare.

recline [ri'klain] I. vt. a se bizui pe. II. vi. **1.** a se apleca. **2.** a se lăsa pe spate. **3.** a se culca.

recluse [ri'klu:s] s. pustnic.

recognition [,rekəg'niʃn] s. recunoaştere.

recognizable ['rekəg,naizəbl] adj. de recunoscut, recognoscibil.

recognizance [ri'kɔgnizns] s. **1.** obligaţie. **2.** amendă.

recognize ['rekəgnaiz] vt. a recunoaşte (ceva sau pe cineva cunoscut).

recoil [ri'kɔil] I. s. **1.** recul. **2.** ricoşeu. **3.** oroare. II. vi. **1.** a (se) da înapoi. **2.** a avea recul. **3.** a avea efect.

recollect [,rekə'lekt] I. vt. **1.** a-şi aminti. **2.** a-şi recăpăta (calmul, curajul etc.). II. vi. a-şi aminti. III. vr. a-şi reveni, a se reculege.

recollection [,rekə'lekʃn] s. amintire.

recommend [,rekə'mend] vt. **1.** a recomanda. **2.** a încredinţa. **3.** a lăuda. **4.** a face cinste (cu dat.).

recommendation [,rekəmen'deiʃn] s. **1.** recomandare; recomandaţie. || letter of ~ scrisoare de recomandare. **2.** favoare, stimă. **3.** pl. tehn. reguli călăuzitoare.

recompense ['rekəmpəns] I. s. recompensă. II. vt. a (re)compensa.

reconcile ['rekənsail] I. vt. a împăca. II. vr. a se împăca.

reconcilement ['rekənsailmnt] s. **1.** înţelegere, aranjament, aplanare. **2.** fig. armonie.

reconciliation [,rekənsili'eiʃn] s. v. **reconcilement**.

recondite ['rekəndait] adj. **1.** ascuns. **2.** obscur. **3.** modest.

recondition [,ri:kən'diʃn] vt. **1.** a recondiţiona; a restaura. **2.** a regenera. **3.** a îndrepta, a corecta.

reconnaissance [ri'kɔnisns] s. mil. recunoaştere.

reconnoitre [,rekə'nɔitə] I. vt. mil. a recunoaşte (terenul). II. vi. a face o recunoaştere.

reconquer ['ri:kɔŋkər] vt. a recuceri.

reconsider [,ri:kən'sidə] vt. **1.** a reanaliza, a reconsidera. **2.** a chibzui din nou.

reconstitute [ri:'kɔnstitju:t] vt. a reconstrui, a reorganiza.

reconstitution [ri:kɔnsti'tju:ʃn] s. **1.** reconstrucţie, reorganizare. **2.** biol. regenerare (a ţesuturilor etc.).

reconstruct [,ri:kən'strʌkt] vt. a reconstrui; a reface; a restaura.

reconstruction ['ri:kəns'trʌkʃn] s. **1.** reconstrucţie. **2.** reconstruire. **3.** restaurare.

record¹ ['rekɔ:d] I. s. **1.** proces verbal. **2.** arhivă. **3.** document. **4.** urmă. **5.** semn. **6.** autobiografie. **7.** dosar. **8.** record. **9.** disc (de patefon). || on ~ (în mod) oficial; off the ~ (în mod) neoficial; to have a good ~ a avea un dosar sau palmares bun; to break a ~ a bate un record. II. adj. record.

record² [ri'kɔ:d] vt. **1.** a înregistra. **2.** a nota. **3.** a indica. **4.** a înscrie.

recorder [ri'kɔdə] s. **1.** secretar; cel care scrie procesele verbale. **2.** cronicar. **3.** înregistrator. **4.** magnetofon. II. adj. înregistrator; de înregistrat; cu scriere, imprimare sau înregistrare automată.

recording [ri'kɔːdiŋ] I. s. **1.** înregistrare. **2.** imprimare, înregistrare. **3.** relatare, povestire.

record-player ['rekɔ:dpleə] s. picup.

recount [ri'kaunt] vt. a povesti, a relata.

re-count [ri'kaunt] I. vt. a socoti, a număra din nou. II. s. renumărare, repetare a unei numărători.

recoup [ri'ku:p] vt. a compensa.

recourse [ri'kɔ:s] s. **1.** recurgere, apel. **2.** resursă.

recover [ri'kʌvə] I. vt. **1.** a recăpăta. **2.** a reprimi. **3.** a recupera. **4.** a(-şi) regăsi. II. vi. **1.** a se reface. **2.** a se însănătoşi; a se îndrepta. **3.** a-şi reveni. III. vr. a-şi reveni.

recovery [ri'kʌvəri] s. **1.** însănătoşire, vindecare. **2.** refacere, redresare. **3.** recăpătare. **4.** recuperare.

recreant ['rekriənt] **I.** *s. poet.* **1.** fricos, laş, mişel. **2.** trădător. **II.** *adj. poet.* mişel, ticălos, laş, fricos.

re-create [,riːkri'eit] *vt.* a recrea.

recreation [,rekri'eiʃn] *s.* **1.** distracţie. **2.** recreaţie.

recreative ['rekrieitiv] *adj.* **1.** înviorător, întăritor, tonic. **2.** recreativ, distractiv, amuzant.

recriminate [ri'krimi,neit] *vi.* a se învinui reciproc.

recrimination [ri,krimi'neiʃn] *s.* **1.** contraacuzaţie. **2.** învinuire, acuzaţie.

recross ['riː'krɔs] *vt.* a străbate din nou.

recrudesce [,riːkruː'des] *vi.* (d. boală etc. şi fig.) a reapărea, a reizbucni; (d. focar etc.) a se reaprinde; a avea o recrudescenţă.

recrudescence [,riːkruː'desns] *s.* recrudescenţă.

recruit [ri'kruːt] **I.** *s.* **1.** recrut. **2.** prozelit. **3.** acolit. **II.** *vt.* **1.** a recruta. **2.** a reface. **III.** *vi.* a se reface.

rectal ['rektəl] *adj. anat.* rectal.

rectangle ['rek,tæŋgl] *s.* dreptunghi.

rectangular [rek'tæŋgjulə] *adj. geom.* dreptunghiular.

rectification [,rektifi'keiʃn] *s.* **1.** rectificare, îndreptare. **2.** *chim.* rectificare, purificare. **3.** *el.* detecţie, redresare. **4.** *rad.* detectare.

rectify ['rektifai] *vt.* **1.** a îndrepta. **2.** a rectifica.

rectilinear [,rekti'liniə] *adj.* în linie dreaptă.

rectitude ['rektitjuːd] *s.* corectitudine, cinste.

rector ['rektə] *s.* **1.** preot (anglican). **2.** paroh. **3.** *univ.* rector.

rectorship ['rektəʃip] *s.* titlu *sau* funcţia de rector.

rectory ['rektəri] *s.* **1.** casă parohială; prezbiteriu. **2.** parohic. **3.** venitul parohiei. **4.** preoţie, slujbă de preot.

rectum ['rektəm], *pl.* **recta** ['rektə] *s. anat.* rect.

recumbent [ri'kʌmbənt] *adj.* **1.** aplecat. **2.** culcat.

recuperate [ri'kjuːpreit] **I.** *vt.* **1.** a recupera. **2.** a(-şi) reface. **3.** a recăpăta. **II.** *vi.* **1.** a-şi reveni. **2.** a se reface.

recuperation [ri,kjuːpə'reiʃn] *s.* **1.** vindecare, însănătoşire. **2.** *tehn.* recuperare, regenerare.

recuperative [ri'kjuːpəreitiv] *adj.* **1.** recuperativ, întăritor, tonic.

2. *tehn.* recuperativ, care se reface.

recur [ri'kəː] *s.* **1.** a reveni. **2.** a se repeta.

recurrence [ri'kʌrns] *s.* **1.** revenire. **2.** reapariţie. **3.** *med.* recidivă, recurenţă, repetiţie.

recurrent [ri'kʌrənt] *adj.* **1.** periodic, repetat; frecvent. **2.** *med. etc.* recurent. **3.** *tehn.* de rapel, de revenire, de reluare.

recurve [ri'kəːv] **I.** *vt.* a încovoia, a îndoi (în jos, înapoi). **II.** *vi.* a fi încovoiat, a fi îndoit (în jos, înapoi).

recusant ['rekjuzənt] *s., adj. înv.* neconformist, dizident.

recycle [ri:'saikl] *vt.* a recicla, a refolosi (deşeuri).

red [red] **I.** *s.* **1.** roşu. **2.** comunist. **II.** *adj.* **1.** roşu. **2.** comunist. || *to see* ~ a vedea roşu; *to paint the town* ~ a-şi face de cap; *to become~ in the face* a roşi.

redaction [ri'dækʃn] *s.* **1.** redactare; reeditare. **2.** ediţie revizuită.

redan [ri'dæn] *s.* redan, fortificaţie.

red-blooded [,red'blʌdid] *adj. amer.* viguros, robust, puternic; energic; îndrăzneţ, curajos.

redbreast ['redbrest] *s. ornit.* măcăleandru (Erithacus rubecula).

redcap ['redkæp] *s. fam.* **1.** soldat din poliţia militară. **2.** comisionar (într-o gară).

redcoat ['redkout] *s. ist.* soldat britanic.

red currant [,red 'kʌrənt] *s. bot.* **1.** coacăz (Ribes). **2.** coacăză.

redd [red] *vt. înv.* **1.** a aranja, a pune în ordine, a ordona. **2.** a curăţa, a face curăţenie în. **3.** a pieptăna.

redden ['redn] *vt., vi.* a (se) înroşi.

reddish ['rediʃ] *adj.* roşiatic.

redeem [ri'diːm] *vt.* **1.** a răscumpăra. **2.** a recupera. **3.** a îndeplini. **4.** a compensa. **5.** a izbăvi.

redeemer [ri'diːmə] *s.* **1.** răscumpărător, salvator. **2.** *the Reedeemer* Mântuitorul.

redemption [ri'demʃn] *s.* **1.** îndeplinire. **2.** izbăvire. **3.** răscumpărare.

redeploy [,riːdi'plɔi] *vt.* **1.** a redistribui (sarcinile). **2.** a repartiza din nou (muncitorii etc.). **3.** *mil.* a reorganiza, a reamplasa (trupele etc.).

red-haired ['red'heəd] *adj.* cu părul roşu.

red-handed ['red'hændid] *adj., adv.* (prins) asupra faptului.

red-headed ['red 'hedid] *adj.* cu părul roşu.

redherring ['red'heriŋ] *s.* **1.** *iht.* scrumbie. **2.** *fig.* (mijloc de) diversiune.

red-hot ['red 'hɔt] *adj.* **1.** roşu ca focul, roşu-aprins; înroşit la foc; incandescent. **2.** *fig.* aprins, înfuriat, violent.

rediffusion [,riːdi'fjuːʒn] *s. tel.* **1.** retransmisie, retransmitere (prin cablu). **2.** radioficare.

rediscover [,riːdis'kʌvə] *vt.* a redescoperi.

rediscovery [,riːdis'kʌvəri] *s.* redescoperire.

redistribution ['riː,distri'bjuːʃn] *s.* redistribuire, nouă împărţire, reîmpărţire.

red lead ['redled] *s.* miniu (de plumb).

red light [,red'lait] *s.* **1.** stop. **2.** semnal de primejdie. || ~ *district* cartier rău famat, cartierul bordelurilor.

redness ['rednis] *s.* roşeaţă, roşeală; incandescenţa la roşu.

redolent ['redolənt] *adj.* **1.** parfumat. **2.** sugestiv. **3.** evocator.

redouble [ri'dʌbl] *vt.* **1.** a îndoi. **2.** a înteţi.

redoubt [ri'daut] *s.* redută.

redound [ri'daund] *vi.* **1.** (to) a servi, a contribui (la). **2.** (on, upon, to) a se răsfrânge, a se repercuta.

redoutable [ri'dautəbl] *adj.* **1.** redutabil, de temut. **2.** viteaz.

redraw ['riː'drɔː] **1.** *vt.* a proiecta din nou. **2.** *vi.* (on / upon) a emite o tratã reciprocă asupra. **II.** *vi.* (on / upon) a emite o tratã reciprocă asupra.

redress [ri'dres] **I.** *s.* **1.** compensare. **2.** îndreptare. **3.** răscumpărare. **II.** *vt.* **1.** a îndrepta. **2.** a răscumpăra. **3.** a redresa.

redskin ['redskin] *s.* (indian) piele roşie.

red tape ['red'teip], **red tapism** ['red'teipizəm] *s.* birocraţie.

reduce [ri'djuːs] **I.** *vt.* **1.** a reduce. **2.** a micşora. **3.** a coborî. **II.** *vi.* a face cură de slăbire.

reduced circumstances [ri'djuːst 'səːkəmstənsiz] *s.* **1.** sărăcie. **2.** scăpătare.

reducible [ri'djuːsəbl] *adj.* reductibil, care se poate micşora.

reduction [ri'dʌkʃn] *s.* **1.** reducere. **2.** micşorare. **3.** fotografie micşorată.

redundance [ri'dʌndns] *s.* **1.** prisos, surplus. **2.** supraabundenţă. **3.** caracter superfluu, inutilitate.

redundancy [ri'dʌndənsi] *s.* **1.** pleonasm, tautologie. **2.** prisos, surplus, excedent. **3.** *scoţian* supraabundenţă. **4.** *cib.* redundanţă.

redundant [ri'dʌndnt] *adj.* **1.** supraabundent. **2.** suplimentar. **3.** inutil, superfluu.

reduplicate [ri'dju:pli,keit] **I.** *vt.* a repeta, a relua *(o muncă)*. **II.** *adj.* dublat.

reduplication [ri,dju:pli'keiʃn] *s.* **1.** dublare. **2.** repetiţie.

redwing ['redwiŋ] *s. ornit.* specie de mierlă *(Turdus iliacus)*.

red-wood ['redwud] *adj.* nebun de legat.

re-echo [ri(:)'ekou] **I.** *s.* ecou. **II.** *vt.* **1.** a repeta, a răsfrânge *(un sunet)*. **2.** *vi.* a răsuna. || *to make the air ~ with one's cries* a face să răsune văzduhul de strigăte(le sale).

reed [ri:d] *s.* **1.** *bot.* stuf; trestie. **2.** stufăriş. **3.** *muz.* ancie. **4.** fluier. **5.** paie pentru acoperiş.

reedy ['ri:di] *adj.* **1.** subţire ca o trestie. **2.** plin de stuf. **3.** *muz.* ascuţit.

reef[1] [ri:f] *s.* **1.** recif. **2.** stâncă. **3.** filon, vână *(de minereu)*.

reef[2] [ri:f] **I.** *s. nav.* terţarolă. || *to let out a ~* a da drumul unei terţarole. *fig.* a da drumul la curea, a se face comod; *to take in a ~* a lua o terţarolă. *fig.* a acţiona cu prudenţă; a întări disciplina. **II.** *vt.* **1.** *nav.* a strânge *(o terţarolă)*. **2.** *fig.* a restrânge, a reduce. **III.** *vi.* a smuci zăbala calului, a îndemna calul.

reefer ['ri:fə] *s.* **1.** *nav.* matelot care strânge pânzele; aspirant de marină. **2.** haină groasă la două rânduri. **3.** *amer. sl.* ţigară cu marijuana. **4.** *sl.* hoţ de buzunare. **5.** *fam.* frigider; vagon frigorific.

reek [ri:k] **I.** *s.* **1.** iz. **2.** miros. **II.** *vi.* **1.** a mirosi. **2.** a duhni.

reel [ri:l] **I.** *s.* **1.** mosor. **2.** bobină. **3.** rolă. **4.** rilă, şanţ *(pe un disc)*. **5.** dans vesel scoţian. **6.** legănare, clătinat. **II.** *vt.* **1.** a înfăşura pe mosor. **2.** a bobina. **III.** *vi.* **1.** a dansa. **2.** a se legăna. **3.** a fi ameţit. **4.** a se învârti.

reelect [,ri:i'lekt] *vt.* a realege.

reembark ['ri:im'bɑːk] **1.** *vt.* a reîmbarca. **II.** *vi.* a se reîmbarca.

reenact [,ri:i'nækt] *vt.* **1.** a repune în vigoare, a restabili *(o lege)*. **2.** a reconstitui.

reenforcement ['ri:in'fɔːsmənt] *s.* **1.** întărire, proptea. **2.** *amer. mil. (mai ales pl.)* întăriri. **3.** *constr.* întăriri. **4.** armătură *(a betonului armat)*. întăritură, sprijin.

re-engagement ['ri:in'geidʒmənt] *s.* reangajare.

reenter ['ri(:)'entə] **I.** *vi.* **1.** a reintra. || *teatru ~ Macbeth* reintră Macbeth *(pe scenă)*. **2.** *(d. un instrument într-o orchestră)* a-şi face intrarea, a intra. || *to ~ for an examination* a se prezenta din nou la examen. **II.** *vt.* **1.** a reintra în. || *he never ~ed that house* n-a mai pus niciodată piciorul în această casă; *to ~ an employment* a reintra într-un serviciu. **2.** a reînscrie *(un articol într-un cont)*. **3.** *(în gravură)* a reface cu dalta *(o trăsătură etc.)*.

re-entrant [ri:'entrnt] **I.** *adj. (despre un unghi, o curbă)* care intră. **II.** *s.* intrând *(la o fortificaţie)*.

re-entry ['ri:'entri] *s.* **1.** *av., astr.* reintrare în atmosfera terestră *(a unei nave cosmice etc.)*. **2.** *jur.* reintrare, repunere în posesie *sau* în drepturi.

re-establish ['ri:is'tæbliʃ] *vt.* a restabili. || *com. to ~ one's affairs* a se reface *(după o criză)*; *mil. to ~ one's line* a restabili linia frontului; *to~ one's health* a se însănătoşi.

reestablishment ['ri:is'tæbliʃmənt] *s.* **1.** restabilire; restaurare; reintegrare. **2.** însănătoşire.

reeve[1] [ri:v] *vt. nav.* **1.** a trece *(un odgon etc.)* prin verigă, prin deschizătură, prin inel etc. **2.** *(d. navă)* a-şi croi drum printre *(bancuri etc.)*.

reeve[2] [ri:v] *s.* **1.** *ist.* prim magistrat *(al unui oraş)*; consilier municipal; preşedintele consiliului comunal *(în Canada)*. **2.** administrator; arendaş. **3.** *bis.* epitrop.

ref [ref] *s. fam.* v. **referee** I.

refection [ri'fekʃn] *s.* **1.** gustare, prânz. **2.** băutură răcoritoare. **3.** împrospătare *(a forţelor, a spiritului)*.

refectory [ri'fektri] *s.* **1.** trapeză, sală de mese *(la mănăstire)*. **2.** sufragerie, cantină, sală de mese *(într-un colegiu etc.)*.

refer [ri'fə:] **I.** *vt.* **1.** a atribui. **2.** a trimite. **3.** a îndrepta. **II.** *vi.: to ~ to* **1.** a se referi la. **2.** a face aluzie la. **3.** a recurge la.

referee [,refə'ri:] **I.** *s.* arbitru. **II.** *vt.*, *vi.* a arbitra.

reference ['refrns] *s.* **1.** referire. **2.** referinţă. **3.** indicaţie. **4.** legătură.

reference book ['refrnsbuk] *s.* **1.** lucrare documentară, de informaţie, de referinţă. **2.** material documentar.

reference library ['refrns'laibrəri] *s.* bibliotecă documentară / de consultare *(fără secţie de împrumut)*.

referendum [,refə'rendəm] *s. pol.* referendum, plebiscit.

referral [ri'fə:rəl] *s.* trimitere *(la o instanţă superioară, la un medic specialist etc.)*.

refill[1] ['ri:fil] *s.* rezervă *(de pix, stilou etc.)*.

refill[2] [ri'fil] **I.** *vt.* **1.** a umple. **2.** a reumple. **3.** a face plinul *(unui rezervor etc.)*. **II.** *vi. auto.* a face plinul.

refine [ri'fain] **I.** *vt.* a rafina. **II.** *vi.* a se rafina. || *to ~ upon* a îmbunătăţi; a folosi subtil.

refined [ri'faind] *adj.* **1.** *(d. aur)* fin, purificat. **2.** *(d. zahăr, ulei, alcool etc.)* rafinat. **3.** *(d. un gust, o purtare etc.)* delicat, rafinat. **4.** *(d. o persoană)* distins, cultivat.

refinement [ri'fainmənt] *s.* **1.** rafinament. **2.** subtilitate.

refiner [ri'fainə] *s.* **1.** *met.* cuptor pentru rafinare. **2.** *mine.* (meşter) rafinor. **3.** persoană care purifică *(gustul, limbajul etc.)*.

refinery [ri'fainəri] *s.* rafinărie.

refit ['ri:fit] **I.** *s.* **1.** reparaţie. **2.** reutilare. **II.** *vt.* **1.** a reutila. **2.** a repara, a reface.

reflate [ri:'fleit] *vt. econ.* a produce o inflaţie după o deflaţie.

reflation [ri'fleiʃn] *s. econ.* reflaţie, inflaţie după deflaţie.

reflect [ri'flekt] **I.** *vt.* **1.** a oglindi. **2.** a reflecta. **3.** a ilustra. **4.** a exprima. **II.** *vi.* a reflecta.

reflection [ri'flekʃn] *s.* **1.** reflecţie. **2.** resfrângere. **3.** *fig.* umbră. **4.** reflectare.

reflective [ri'flektiv] *adj.* **1.** care reflectă, care răsfrânge. **2.** care meditează, care chibzuieşte.

reflector [ri'flektə] *s.* **1.** *fiz., tehn.* reflector. **2.** imagine reflectată, reflecţie, reflectare. **3.** *sl.* oglinda folosită de trişori pentru a vedea cărţile adversarului.

reflex ['ri:fleks] **I.** *s.* **1.** reflecţie. **2.** reflectare. **3.** reflex. **II.** *adj.* **1.** reflex. **2.** introspectiv.

reflexion [ri'flekʃn] v. **reflection**.

reflexive [ri'fleksiv] s., adj. reflexiv.

reflux ['ri:flʌks] s. reflux.

reforest ['ri:'fɔrist] vt. a reîmpăduri; a planta din nou (o pădure).

reform[1] [ri'fɔ:m] I. s. 1. reformă. 2. îndreptare. II. vt., vi. 1. a (se) reforma. 2. a (se) îndrepta.

re(-)form[2] I. vt. 1. a forma din nou (o trupă etc.). 2. a reforma, a preface, a transforma. II. vi. mil. a se reforma, a se regrupa.

reformation [ˌrefə'meiʃn] s. 1. reformă. 2. reformare.

reformatory [ri'fɔ:mətri] I. s. şcoală de corecţie. II. adj. care tinde spre reformă sau îndreptare.

reformer [ri'fɔ:mə] s. reformator.

reformist [ri'fɔ:mist] s. reformist.

refract [ri'frækt] vt. fiz. 1. a refracta. 2. pas. a se refracta.

refraction [ri'frækʃn] s. fiz. refracţie.

refractive [ri'fræktiv] adj. fiz. care se refractă, refractant, refringent.

refractor [ri'fræktə] s. fiz. corp refractant; refractor.

refractory [ri'fræktri] adj. refractor.

refrain [ri'frein] I. s. refren. II. vt. a înfrâna. III. vi. 1. a se stăpâni. 2. a se opri.

refrangible [ri'frændʒibl] adj. refractabil, care se refractă.

refresh [ri'freʃ] vt. 1. a întări. 2. a întrema. 3. a răcori. 4. a reîmprospăta.

refresher [ri'freʃə] I. s. 1. băutură răcoritoare. 2. lucru care înviorează, care răcoreşte. 3. reamintire, rememorare. 4. curs recapitulativ. 5. jur. onorar suplimentar al avocatului. II. adj. recapitulativ.

refreshment [ri'freʃmənt] s. 1. întărire. 2. întremare. 3. trataţie. 4. pl. gustare; de-ale gurii.

refreshment-room [ri'freʃmentru:m] s. bufet.

refrigerate [ri'fridʒəreit] vt. 1. a răci. 2. a îngheţa.

refrigeration [riˌfridʒə'reiʃn] s. răcire, refrigerare; congelare; frigotehnică.

refrigerator [ri'fridʒəreitə] s. 1. frigider. 2. răcitor.

refrigerent [ri'fridʒərənt] I. adj. răcoritor; refrigerent. II. s. 1. med. febrifug. 2. tehn. răcitor. 3. tehn. refrigerent.

refuel ['ri:'fjuəl] vi. a alimenta cu combustibil; auto., av. a face plinul (de benzină sau ulei).

refuge ['refju:dʒ] s. refugiu.

refugee [ˌrefju:'dʒi:] s. refugiat.

refulgent [ri'fʌldʒnt] adj. strălucitor, sclipitor, splendid.

refund [ri:'fʌnd] I. s. rambursare, plată. II. vt. 1. a rambursa. 2. a acoperi. 3. a plăti.

refurbish [ri:'fɔ:biʃ] vt. 1. a lustrui sau a poliza din nou; a da un nou luciu (cu dat.). 2. fig. a înnoi, a renova. 3. a pune la punct, a cizela.

refurnish ['ri:'fɔ:niʃ] vt. a remobila.

refusal [ri'fju:zl] s. 1. refuz. 2. respingere.

refuse[1] ['refju:s] s. gunoi. 2. resturi. 3. deşeuri.

refuse[2] [ri'fju:z] vt., vi. a refuza.

refutation [ˌrefju(:)'teiʃn] s. combatere, dezminţire, respingere.

refute [ri'fju:t] vt. 1. a respinge. 2. a infirma.

regain [ri'gein] vt. 1. a recupera. 2. a recăpăta. 3. a ajunge din nou la.

regal ['ri:gl] adj. v. **royal**.

regale [ri'geil] I. vt. 1. a cinsti sau a onora regeşte. 2. a încânta, a desfăta; a fermeca. II. vi. a benchetui; a chefui. III. s. 1. banchet, ospăţ. 2. regal, delicatese.

regalia [ri'geilijə] s. pl. 1. sceptru. 2. însemne (ale regalităţii, francmasonilor etc.).

regard [ri'gɑ:d] I. s. 1. consideraţie. 2. atenţie. 3. stimă. 4. simpatie. 5. legătură. 6. privinţă. 7. privire (insistentă). 8. pl. complimente. || in sau with ~ to în privinţa. II. vt. 1. a privi (şi fig.). 2. a considera. 3. a da atenţie la (cu dat.). || as ~ s în ceea ce priveşte; cât despre.

regardful [ri'gɑ:dfl] adj. 1. atent. 2. plin de consideraţie.

regarding [ri'gɑ:diŋ] prep. cu privire la.

regardless [ri'gɑ:dlis] adj. 1. neatent. 2. neglijent. || ~ of indiferent de.

regatta [ri'gætə] s. regată, concurs de canotaj.

regency ['ri:dʒnsi] s. regenţă.

regenerate[1] [ri'dʒenərit] adj. 1. refăcut. 2. renăscut. 3. îmbunătăţit.

regenerate[2] [ri'dʒenəreit] I. vt. 1. a regenera. 2. a îndrepta. II. vi. 1. a renaşte. 2. a se regenera.

regeneration [riˌdʒenə'reiʃn] s. 1. renaştere, reînnoire spirituală.

2. regenerare. 3. tehn., chim. re-acţie.

regent ['ri:dʒnt] s., adj. regent.

reggae ['regei] s. muz. reggae, stil de muzică originar din Caraibe, în care accentele subsidiare sunt puternic marcate.

regicide ['redʒiˌsaid] s., adj. regicid.

regime [rei'ʒi:m] s. regim.

regimen ['redʒimen] s. regim (medical), dietă.

regiment ['redʒment] I. s. 1. regiment. 2. fig. contingent, număr mare. II. vt. 1. a disciplina. 2. a organiza.

regimental [ˌredʒi'mentl] I. s. uniformă. II. adj. regimental.

regimentation ['redʒimen'teiʃn] s. 1. înregimentare; formare de regimente. 2. formare de grupe. 3. afiliere.

region [ri:dʒn] s. 1. regiune. 2. domeniu.

regional ['ri:dʒnl] adj. 1. regional; de ţinut. 2. local.

register ['redʒistə] I. s. 1. registru. 2. com. maşină de casă. 3. contor. II. vt. 1. a înregistra. 2. a nota. 3. a indica. 4. a trimite recomandat. III. vi. a (se) înregistra.

registrar [ˌredʒis'trɑ:] s. 1. arhivar. 2. ofiţerul stării civile.

registration [ˌredʒis'treiʃn] s. 1. înregistrare. 2. înscriere.

registry ['redʒistri] s. 1. arhivă. 2. oficiul stării civile. 3. înregistrare.

Regius professor ['ri:dʒiəs prə'fesə] s. şef de catedră la Oxford sau Cambridge (numit de rege)

regress[1] ['ri:gres] s. regres.

regress[2] [ri'gres] vi. a da înapoi, a se retrage, a regresa.

regression [ri'greʃn] s. întoarcere, retragere, regresie.

regressive [ri'gresiv] adj. 1. regresiv. 2. reacţionar.

regret [ri'gret] I. s. 1. regret. 2. remuşcare. 3. pl. refuz. II. vt. 1. a regreta. 2. a deplânge.

regretful [ri'gretfl] adj. 1. trist. 2. plin de regret (sau căinţă).

regretfully [ri'gretfuli] adv. cu regret.

regrettable [ri'gretəbl] adj. regretabil.

regular ['regjulə] I. s. 1. soldat. 2. călugăr. II. adj. 1. regulat. 2. obişnuit. 3. cum se cuvine. 4. corespunzător. 5. adevărat. 6. total.

regularity [ˌregju'læriti] s. 1. regularitate. 2. ordine, simetrie. 3. continuitate.

regularize ['regjuləraiz] vt. a regla, a regula.

regularly ['regjuləli] adv. **1.** regulat. **2.** mereu. **3.** cum trebuie. **4.** complet.

regulate ['regjuleit] vt. a regla, a regula.

regulation [,regju'leiʃn] s. **1.** reglare. **2.** aranjare. **3.** reglementare. **4.** dispoziţie (legală).

regulator ['regjuleitə] s. **1.** reglor, reglementator. **2.** tehn. regulator, egalizator, compensator. **3.** cronometru.

regulus ['regjuləs], pl. **reguli** ['regjulai] s. **1.** regişor, rege mic. **2.** Regulus astr. Regulus, stea din constelaţia Leului. **3.** înv. regulus, substanţă metalică reductilă.

regurgitate [ri'gə:dʒi,teit] I. vt. **1.** a regurgita; a vomita. **2.** a vărsa sau a turna la loc. II. vi. a vomita; a regurgita. **2.** a se revărsa.

rehabilitate [,ri:ə'biliteit] vt. **1.** a restabili. **2.** a reface. **3.** a reabilita.

rehabilitation ['ri:hə,bili'teiʃn] s. **1.** reabilitare. **2.** remontare. **3.** reconstrucţie, refacere, restaurare.

rehash ['ri:'hæʃ] I. s. **1.** cârpăceală. **2.** lucru refăcut. II. vt. **1.** a reface (pe ici pe colo), a remania. **2.** fig. a reîncălzi.

rehearsal [ri'hə:sl] s. repetiţie (pentru un spectacol).

rehearse [ri'hə:s] I. vt. teatru, muz. a repeta, a face repetiţii cu. II. vi. a face repetiţii.

reheat ['ri:'hi:t] vt. a reîncălzi; a fierbe din nou.

Reich [raik] s. Reich(ul german), Imperiul german.

reign [rein] I. s. **1.** domnie. **2.** stăpânire, putere. II. vi. **1.** a domni. **2.** a stăpâni.

reimburse [,ri:im'bə:s] vt. **1.** a rambursa. **2.** a plăti.

rein [rein] I. s. frâu (şi fig.); hăţuri. || to draw (the) ~ a strânge hăţurile; to give (free) ~ to a da frâu liber (cu dat.); to hold the ~ a fi stăpân. II. vt. **1.** a înfrâna. **2.** a ţine în frâu.

reincarnation [,ri:inkɑ:'neiʃn] s. reîncarnare.

reindeer ['reindiə] s. ren.

reinforce [,ri:in'fɔ:s] vt. a întări.

reinforced concrete [,ri:in'fɔ:st'kɔnkri:t] s. beton armat.

reinforcement [,ri:in'fɔ:smənt] s. întărire.

reinstate ['ri:insteit] vt. **1.** a restabili. **2.** a restaura.

reinstatement ['ri:in'steitmənt] s. repunere, reintegrare (în situaţia anterioară, în drepturi).

reinvest ['ri:in'vest] vt. **1.** a îmbrăca din nou, a acoperi din nou. **2.** fin. a reinvesti.

reissue ['ri:'isju:] I. s. **1.** retipărire. **2.** ediţie nouă. II. vt. a retipări, a reedita.

reiterate [ri:'itəreit] vt. a repeta, a relua.

reject [ri'dʒekt] vt. **1.** a respinge. **2.** a arunca, a lepăda. **3.** med. a elimina, a scoate; a defeca.

rejection [ri'dʒekʃn] s. **1.** respingere. **2.** refuz, neacceptare. **3.** rebutare.

rejoice [ri'dʒɔis] I. vt. a înveseli, a bucura. II. vi. **1.** a se bucura. **2.** a fi încântat. || to ~ in sau at smth. a se bucura de ceva, a savura ceva.

rejoicing [ri'dʒɔisiŋ] s. **1.** fericire. **2.** veselie. **3.** pl. chef, petrecere.

rejoin [ri'dʒɔin] I. vt. **1.** a reveni la (bază etc.). **2.** a reintra în (armată etc.). II. vi. **1.** a reveni. **2.** a răspunde. **3.** a replica.

rejoinder [ri'dʒɔində] s. **1.** răspuns. **2.** replică (şi fig.).

rejuvenate [ri'dʒu:vineit] vt., vi. a întineri.

rejuvenation [ri,dʒu:vi'neiʃn] s. **1.** reîntinerire. **2.** refacere, reînnoire.

rekindle ['ri:'kindl] vt. a reaprinde, a aprinde din nou.

relaid [ri:'leid] vt., vi. trec. şi part. trec. de la **relay**.

relapse [ri'læps] I. s. **1.** recădere. **2.** recidivă. II. vi. **1.** a recădea. **2.** a-şi relua (un nărav etc.); a se reapuca de (băut etc.).

relate [ri'leit] I. vt. **1.** a relata. **2.** a lega. || to be ~d to a se înrudi cu. II. vi. a fi în legătură.

related [ri'leitid] adj. **1.** istorisit, narat, relatat, descris. **2.** (to) legat, asociat, raportat (la). **3.** înrudit.

relation [ri'leiʃn] s. **1.** relatare. **2.** legătură. **3.** rudă, rubedenie. **4.** rudenie. **5.** relaţie.

relationship [ri'leiʃnʃip] s. **1.** înrudire. **2.** relaţie. **3.** legătură.

relative ['relətiv] I. s. rudă. II. adj. **1.** relativ. **2.** reciproc.

relatively ['relətivli] adv. relativ, în mod relativ.

relativity [,relə'tiviti] s. **1.** relativitate. **2.** caracter relativ.

relax [ri'læks] I. vt. **1.** a slăbi. **2.** a relaxa. **3.** a micşora (exigenţa etc.). II. vi. **1.** a se destinde. **2.** a slăbi. **3.** a se îmblânzi.

relaxation [,ri:læk'seiʃn] s. **1.** relaxare, destindere. **2.** slăbire, înmuiere. **3.** distracţie; divertisment. **4.** jur. scutire de pedeapsă sau amendă.

relay ['ri:lei] I. s. **1.** ştafetă. **2.** schimb (de lucrători etc.). **3.** rezervă. **4.** tehn. releu. II. vt., vi. a retransmite.

release [ri'li:s] I. s. **1.** eliberare. **2.** izbăvire. **3.** slobozire. **4.** producţie (cinematografică etc.). II. vt. **1.** a elibera. **2.** a slobozi. **3.** a remite. **4.** a publica. **5.** a comunica. **6.** a da în vileag. **7.** a produce sau a distribui (un film etc.).

relegate ['religeit] vt. **1.** a arunca. **2.** a împinge. **3.** a trimite.

relent [ri'lent] vi. **1.** a se îmblânzi, a se îndupleca. **2.** a se arăta mai îndurător, mai milos sau mai binevoitor. **3.** a se înduioşa. || he did not ~ a fost de neînduplecat.

relentless [ri'lentlis] adj. **1.** necruţător, neîndurător. **2.** nemilos.

relevance ['relivəns] s. importanţă, însemnătate; relevanţă.

relevancy ['relivənsi] s. potrivire, raport, relaţie.

relevant ['relivənt] adj. **1.** important. **2.** interesant. **3.** legat (de chestiunea în cauză), la chestiune.

reliability [ri,laiə'biliti] s. încredere, siguranţa; trăinicie.

reliable [ri'laiəbl] adj. **1.** demn de încredere. **2.** pe care te poţi bizui, de nădejde.

reliance [ri'laiəns] s. şi fig. sprijin, suport, nădejde, reazem.

relic ['relik] s. **1.** relicvă. **2.** pl. moaşte. **3.** amintire, suvenir.

relict ['relikt] s. **1.** geol., biol. relicvă, relict. **2.** înv. văduvă.

relief [ri'li:f] s. **1.** uşurare. **2.** alinare. **3.** bucurie. **4.** schimbare (în bine). **5.** ajutor(are). **6.** eliberare. **7.** izbăvire. **8.** schimb (de muncitori etc.). **9.** relief (şi fig.).

relieve [ri'li:v] vt. **1.** a uşura. **2.** a alina. **3.** a elibera. **4.** a schimba (garda, pe cineva în post). **5.** a concedia. || to ~ nature a se uşura.

religion [ri'lidʒn] s. **1.** religie (şi fig.). **2.** canon. **3.** călugărie.

religious [ri'lidʒəs] I. s. călugăr; călugăriţă. II. adj. **1.** religios. **2.** pios, cucernic; cu frica lui Dumnezeu.

religiously [ri'lidʒəsli] *adv.* **1.** pios, evlavios, cucernic. **2.** din punct de vedere religios.

relinquish [ri'liŋkwiʃ] *vt.* **1.** a părăsi. **2.** a renunța la.

reliquary ['relikwəri] *s.* relicvariu, raclă pentru moaște *(sfinte)*.

relish ['reliʃ] **I.** *s.* **1.** plăcere. **2.** savoare. **3.** poftă. **4.** stimulent. **5.** entuziasm. **6.** gust. **II.** *vt.* a savura. **III.** *vi.* **1.** (**of**) a mirosi (a). **2.** a avea gust (de).

reload [,ri:'loud] *vt.* a încărca din nou, a reîncărca.

relocate [,ri:lou'keit] **I.** *vt.* **1.** a relocaliza; a restabili așezarea *(unui lucru)*; a da de urma. **2.** a muta într-o locuință nouă. **3.** a muta (în altă slujbă), a detașa. **II.** *vi.* **1.** a-și schimba domiciliul *sau* locuința. **2.** a-și schimba slujba *sau* locul de muncă.

reluctance [ri'lʌktəns] *s.* **1.** aversiune. **2.** opoziție. **3.** încăpățânare. **4.** dezgust. **5.** șovăială.

reluctant [ri'lʌktənt] *adj.* **1.** plin de aversiune. **2.** șovăitor. **3.** încăpățânat. **4.** refractar; dificil. **5.** fără tragere de inimă, lipsit de orice dorință.

reluctantly [ri'lʌktəntli] *adv.* **1.** în silă. **2.** fără tragere de inimă.

relume [ri'lju:m] *vt.* **1.** a reaprinde. **2.** a (i)lumina din nou.

rely [ri'lai] *vi.*: to ~ on **1.** a se bizui pe; a miza pe. **2.** a avea încredere în; a se baza pe.

remain [ri'mein] **I.** *s.* rămășiță. **II.** *vi.* **1.** a rămâne. **2.** a continua.

remainder [ri'meində] *s.* **1.** rest. **2.** rămășiță.

remains [ri'meinz] *s. pl.* resturi, rămășițe, urme, vestigii, opere postume. || *human* ~ oseminte.

remake **I.** *vt.* [ri:'meik] a reface, a relua. **II.** *s.* ['ri:meik] **1.** *cin.* remake, versiune nouă (a unui film). **2.** refacere, lucru refăcut.

remand [ri'mɑ:nd] **I.** *s. jur.* prevenție. **II.** *vt.* a reține preventiv.

remark [ri'mɑ:k] **I.** *s.* **1.** observație, remarcă. **2.** comentariu. **II.** *vt.* **1.** a remarca, a observa. **2.** a spune, a declara.

remarkable [ri'mɑ:kəbl] *adj.* **1.** remarcabil. **2.** extraordinar.

remarkably [ri'mɑ:kəbli] *adv.* remarcabil, deosebit, în cel mai înalt grad; minunat de, uimitor de.

remarriage ['ri:'mæridʒ] *s.* recăsătorire; nouă căsătorie.

remarry ['ri:'mæri] *vt., vi.* a se recăsători (cu).

R.E.M.E. *mil. abrev.* Royal Electrical and Mechanical Engineers (trupe de) geniști, mecanici și electricieni.

remedial [ri'mi:diəl] *adj.* **1.** vindecător, curativ. **2.** care remediază, care corectează. **3.** *tehn.* de întreținere; de reparație.

remedy ['remidi] **I.** *s.* remediu. **II.** *vt.* a remedia.

remember [ri'membə] **I.** *vt.* **1.** a nu uita. **2.** a ține minte. **3.** a-și aminti. || ~ *me to your wife* transmite-i complimente soției. **II.** *vi.* **1.** a ține minte. **2.** a avea memorie bună. **3.** a-și aminti.

remembrance [ri'membrns] *s.* **1.** amintire, memorie. **2.** *pl.* salutări, complimente. **3.** suvenir.

remembrancer [ri'membrnsə] *s.* **1.** *înv.* suvenir, amintire. **2.** *înv.* carnet de note / însemnări.

remind [ri'maind] *vt.* (**of**) a aminti (de). || *to* ~ *smb. of smth.* a-i aminti cuiva de ceva.

reminder [ri'maində] *s.* **1.** memorandum. **2.** lucru care-ți amintește.

reminisce [,remi'nis] *vi. rar* a se lăsa în voia amintirilor, a povesti amintiri.

reminiscence [,remi'nisns] *s.* **1.** reminiscență. **2.** *pl.* amintiri literare.

reminiscent [,remi'nisnt] *adj.* **1.** evocator. **2.** plin de amintiri.

remiss [ri'mis] *adj.* **1.** neglijent. **2.** neatent.

remission [ri'miʃn] *s.* **1.** iertare. **2.** achitare, stingere (a unei datorii). **3.** micșorare. **4.** retragere (a unei pretenții).

remissness [ri'misnis] *s.* neglijență; nepăsare, lipsă de grijă; moliciune; tărăgănare.

remit [ri'mit] **I.** *vt.* **1.** a remite; a transmite. **2.** a trimite. **3.** a amâna. **4.** a ierta. **5.** a anula. **6.** a renunța la. **7.** a slăbi. **II.** *vi.* a trimite bani *(acasă etc.)*.

remittance [ri'mitns] *s.* **1.** plată. **2.** bani. **3.** stipendiu.

remittent [ri'mitənt] **I.** *adj.* intermitent, discontinuu; recurent. **II.** *s. med.* febră recurentă.

remnant ['remnənt] *s.* rămășiță; rest.

remodel ['ri:'mɔdl] *vt.* a remodela.

remonstrance [ri'mɔnstrns] *s.* **1.** reproș. **2.** obiecție. **3.** admonestare.

remonstrant [ri'mɔnstrənt] *adj., s.* protestatar, potrivnic, opozant.

remonstrate ['remənstreit] *vi.* **1.** (**against**) a protesta (împotriva). **2.** a se certa. || *to* ~ *with smb.* a ocărî pe cineva.

remorse [ri'mɔ:s] *s.* **1.** remușcare. **2.** căință. || *without* ~ fără milă.

remorseful [ri'mɔ:sfl] *adj.* pocăit.

remorseless [ri'mɔ:slis] *adj.* **1.** nemilos. **2.** sălbatic.

remote [ri'mout] *adj.* **1.** îndepărtat. **2.** izolat. **3.** *fig.* străin. **4.** slab. **5.** puțin probabil.

remotely [ri'moutli] *adv.***1.** departe. **2.** de departe, din depărtare. **3.** vag, slab, nedeslușit.

remoteness [ri'moutnis] *s.* depărtare; caracter îndepărtat.

remould [ri:'mould] *vt.* **1.** a remodela, a reforma. **2.** *auto.* a reface striurile *sau* relieful *(unei anvelope)*.

remount[1] [ri:'maunt] **I.** *vt.* **1.** a urca / a sui din nou *(o scară etc.)*. **2.** a încăleca din nou. **II.** *vi.* **1.** a se urca / se sui din nou *(pe o scară etc.)*. **2.** a încăleca din nou.

remount[2] [ri:'maunt] **I.** *vi.* a remonta *(cavaleria)*. **II.** *s.* **1.** cal de schimb / olac / rezervă. **2.** *mil.* remontă.

removable [ri'mu:vəbl] *adj.* **1.** care poate fi îndepărtat, concediat etc. **2.** mobil; detașabil.

removal [ri'mu:vl] *s.* **1.** îndepărtare. **2.** mutare.

remove [ri'mu:v] **I.** *s.* **1.** distanță. **2.** interval. **3.** grad de rudenie. **II.** *vt.* **1.** a îndepărta. **2.** a muta. **3.** a lua. **4.** a(-și) scoate *(mănușile, ochelarii etc.)*. **5.** a concedia. **6.** a elimina. || *to* ~ *mountains* a urni munții din loc; a face minuni. **III.** *vi.* a pleca, a se muta. **IV.** *vr.* a pleca.

removed [ri'mu:vd] *adj.* **1.** (*d. rude*) (în)depărtat. || *a cousin twice* ~ văr de-al doilea. **2.** (în)depărtat.

remover [ri'mu:və] *s.* **1.** *tehn. etc.* decapant. **2.** *com.* expeditor. **3.** persoană *sau* lucru care înlătură ceva.

remunerate [ri'mju:nəreit] *vt.* **1.** a plăti, a remunera. **2.** a răsplăti.

remuneration [ri,mju:nə'reiʃn] *s.* plată, răsplată, remunerație, retribuție, salariu, retribuire, salarizare.

remunerative [ri'mju:nrətiv] *adj.* **1.** rentabil. **2.** mănos.

renaissance [rə'neisns] *s.* **1.** renaștere, reînnoire. **2.** *the Renaissance* Renașterea, epoca / perioada Renașterii.

renal ['ri:nl] *adj. anat., med.* renal; nefritic, referitor la rinichi.

renascence [ri'næsns] *s.* renaştere, reînviere.

renascent [ri'næsnt] *adj.* care renaşte, care reînvie, care îşi revine.

rend [rend] *vt. trec. şi part. trec.* **rent** [rent] **1.** a smulge. **2.** a sfâşia. **3.** a despica.

render ['rendə] *vt.* **1.** a reda, a transmite. **2.** a face, a interpreta. || *to ~ an account of* a descrie, a justifica.

rendezvous ['rɔndivu:] **I.** *s.* **1.** întâlnire, rendez-vous. **2.** (loc de) întâlnire. **II.** *vi.* a da *sau* a avea o întâlnire.

rendition [ren'diʃn] *s.* **1.** interpretare. **2.** redare.

renegade ['renigeid] *s.* renegat.

reneg(u)e [ri'ni:g] *vi.* a nu-şi ţine cuvântul, a da înapoi.

renew [ri'nju:] *vt.* **1.** a reînnoi. **2.** a relua. **3.** a continua. **4.** a spori.

renewal [ri'nju:əl] *s.* reînnoire.

rennet ['renit] *s.* cheag (*şi zool.*).

renounce [ri'nauns] *vt.* **1.** a renunţa la. **2.** a abandona. **3.** a abdica de la.

renouncement [ri'naunsmənt] *s.* **1.** renunţare. **2.** renegare, repudiere, lepădare.

renovate ['renoveit] *vt.* **1.** a reînnoi. **2.** a renova.

renovation [,renou'veiʃn] *s.* refacere, reparare; reconstrucţie, renovare.

renown [ri'naun] *s.* renume, faimă.

renowned [ri'naund] *adj.* renumit, vestit, faimos.

rent[1] [rent] **I.** *s.* **1.** ruptură. **2.** gaură. **3.** spărtură. **4.** fisură (*şi fig.*). **5.** dezbinare. **6.** rentă. **7.** chirie. **II.** *vt.* a închiria, a da *sau* a lua cu chirie. **III.** *vi.* a (se) închiria.

rent[2] [rent] *vt. trec. şi part. trec. de la* **rend**.

rental ['rentəl] *s.* **1.** arendă; cuantumul arendei *sau* rentei funciare, chirie. **2.** închiriere. **3.** *amer.* casă etc. închiriată. **4.** listă a arendaşilor.

renter ['rentə] *s.* **1.** locatar, chiriaş. **2.** fermier. **3.** *cin.* distribuitor de filme.

rentier ['rã'tje:] *s.* rentier, persoană care trăieşte din dividende.

renunciation [ri,nʌnsi'eiʃn] *s.* **1.** (of) renunţare (*la un drept etc.*). **2.** repudiere (*cu gen.*). **3.** lepădare de sine.

reoccupy ['ri:'ɔkjupai] *vt.* a reocupa.

reopen ['ri:'oupn] *vt., vi.* a (se) redeschide.

rep[1] [rep] *s. fam.* reprezentant (*mai ales comercial);* comis voiajor.

rep[2] [rep] *s. fam.* **1.** teatru *sau* trupă teatrală cu repertoriu variat. **2.** trupă *sau* companie teatrală care joacă în turneu (*fără sală proprie*).

repaid [ri:'peid] *vt., vi. trec. şi part. trec. de la* **repay**.

repair [ri'pɛə] **I.** *s.* **1.** stare (bună). **2.** reparaţie. **3.** posibilitate de folosire. || *out of ~* stricat; *in good ~* în stare bună; *under ~* în reparaţie. **II.** *vt.* **1.** a repara. **2.** a îndrepta. **III.** *vi.* a se întoarce.

reparable ['repərəbl] *adj.* reparabil.

reparation [,repə'reiʃn] *s.* **1.** reparaţie. **2.** compensaţie. **3.** *pl.* despăgubiri (*de război etc.*).

repartee [,repɑ:'ti:] *s.* **1.** replică (spirituală). **2.** conversaţie spirituală; arta conversaţiei.

repass ['ri:'pɑ:s] **I.** *vt.* a trece / a străbate / a traversa din nou. **II.** *vi.* a trece din nou.

repast [ri'pɑ:st] *s.* masă (solemnă); banchet; praznic.

repatriate [ri:'pætrieit] *vt.* a repatria.

repay [ri:'pei] **I.** *vt. trec. şi part. trec.* **repaid** [ri:'peid] **1.** a răsplăti. **2.** a restitui, a da înapoi. **II.** *vi. trec. şi part. trec.* **repaid** [ri:'peid] a se plăti de o obligaţie, a se achita.

repayment [ri(:)'peimənt] *s.* plată, răsplată; recompensă.

repeal [ri'pi:l] **I.** *s.* **1.** *jur.* anulare. **2.** *jur.* abrogare. **3.** retragere. **II.** *vt.* **1.** a abroga. **2.** a anula. **3.** a revoca. **4.** a retrage.

repeat [ri'pi:t] **I.** *s.* **1.** repetiţie. **2.** *muz.* da capo. **II.** *vt., vi.* a (se) repeta.

repeatedly [ri'pi:tidli] *adv.* **1.** adesea. **2.** de mai multe ori. **3.** regulat. **4.** (în mod) repetat.

repeater [ri'pi:tə] *s.* **1.** cel care *sau* ceea ce (se) repetă. **2.** ceas cu repetiţie. **3.** puşcă cu repetiţie. **4.** *mat.* fracţie periodică. **5.** *telec.* amplificator; repetor. **6.** *el.* releu, emiţător. **7.** *mar.* repetitor. **8.** *text.* conducător de bucle. **9.** *automatică* repetor. **10.** *amer. pol. sl.* cel care votează (*ilegal*) de mai multe ori la alegeri.

repel [ri'pel] *vt.* **1.** a respinge. **2.** a scârbi.

repellent [ri'pelnt] *adj.* **1.** respingător. **2.** scârbos.

repent [ri'pent] **I.** *vt.* a regreta. **II.** *vi.* **1.** a se căi. **2.** a regreta.

repentance [ri'pentəns] *s.* **1.** regret; căinţă. **2.** pocăinţă.

repentant [ri'pentənt] *adj.* care se căieşte, penitent.

repeople [ri:'pi:pl] *vt.* a repopula.

repercussion [,ri:pə'kʌʃn] *s.* **1.** repercusiune. **2.** efect. **3.** ricoşeu.

repertoire ['repətwɑ:] *s.* repertoriu (artistic).

repertory ['repətri] *s.* repertoriu.

repertory theatre ['repətri,θiətə] *s.* teatru care menţine mai multe piese în repertoriu.

repetition [,repi'tiʃn] *s.* **1.** repetiţie. **2.** repetare.

repine [ri'pain] *vi.* **1.** a plânge. **2.** a suspina.

replace [ri'pleis] *vt.* a înlocui.

replacement [ri'pleismnt] *s.* **1.** înlocuire, substituire. **2.** *tehn.* schimbare; reînnoire. **3.** *tehn.* piesă de schimb.

replant ['ri:'plɑ:nt] *vt.* a replanta, a planta din nou.

replay [ri:'plei] **I.** *vt. sport* a rejuca, a juca din nou. **II.** ['ri:,plei] *s.* **1.** rejucare (*a unui meci*), reluare. **2.** *tehn.* reluare (*a unei faze, la TV*).

replenish [ri'pleniʃ] *vt.* **1.** a umple. **2.** a aproviziona.

replenishment [ri'pleniʃmənt] *s.* (re)umplere, completare; reaprovizionare.

replete [ri'pli:t] *adj.* **1.** (with) plin (de). **2.** bine aprovizionat, abundent.

repletion [ri'pli:ʃn] *s.* saturare; supraîncărcare. || *to eat to ~* a mânca pe săturate; a se ghiftui.

replica ['replikə] *s.* reproducere, copie (*a unei opere de artă*).

replicate ['repli,keit] *vt. artă* a face o copie sau o reproducere după; a copia.

reply [ri'plai] **I.** *s.* răspuns. **II.** *vt.* a răspunde la. **III.** *vi.* **1.** a răspunde. **2.** a fi responsabil.

report [ri'pɔ:t] **I.** *s.* **1.** relatare. **2.** zvon. **3.** reputaţie. **4.** declaraţie. **5.** raport. **6.** ştire. **7.** pocnet, pocnitură. **II.** *vt.* **1.** a relata. **2.** a raporta. **3.** a nota. **III.** *vi.* **1.** a raporta. **2.** a face relatări (*în presă*). **3.** a se prezenta. **IV.** *vr.* a se prezenta.

reported speech [ri'pɔ:tid'spitʃ] *s. gram.* vorbire indirectă.

reporter [ri'pɔ:tə] *s.* reporter.

repose [ri'pouz] **I.** *s.* odihnă, repaus. **II.** *vt.* **1.** a odihni. **2.** a sprijini. **III.** *vi.* **1.** a se odihni. **2.** a se întinde. **3.** a se bizui.

repository [ri'pɔzitri] *s.* **1.** loc. **2.** local. **3.** depozit.

repossess [ˌri:pə'zes] **I.** *vt.* **1.** a repune în posesia *(cu gen.).* || *to ~ smb. of smth.* a repune pe cineva în posesia a ceva. **2.** a intra din nou în posesia / stăpânirea *(cu gen.).* **II.** *vr.* || *to ~ oneself of smth.* a reintra în posesia *(cu gen.).*

repp [rep] *s. text.* rips.

reprehend [ˌrepri'hend] *vt.* **1.** a mustra, a dojeni. **2.** a blama, a ține de rău; a critica.

reprehensible [ˌrepri'hensəbl] *adj.* condamnabil.

reprehension [ˌrepri'henʃn] *s.* **1.** blam. **2.** mustrare, dojană.

represent [ˌrepri'zent] *vt.* **1.** a reprezenta. **2.** a înfățișa.

representation [ˌreprizen'teiʃn] *s.* **1.** reprezentare, închipuire, imaginare. **2.** reprezentare *(a unei piese de teatru)*; interpretare *(a unui rol)*. **3.** pol. reprezentare. || *proportional ~* reprezentare proporțională. **3.** reproș; observație. **4.** expunere *(de fapte).* || *to make false ~s* a deforma *sau* a ascunde adevărul.

representational [ˌreprizen'teiʃnl] *adj.* reprezentațional, realist, figurativ.

representative [ˌrepri'zentətiv] **I.** *s.* **1.** reprezentant. **2.** *amer.* deputat, membru al Camerei Reprezentanților. **II.** *adj.* reprezentativ, tipic.

repress [ri'pres] *vt.* **1.** a stăpâni. **2.** a reprima, a înăbuși *(fig.).*

repression [ri'preʃn] *s.* **1.** reprimare, înăbușire. **2.** represiune.

repressive [ri'presiv] *adj.* **1.** represiv, înăbușire *(fig.).* **2.** apăsător.

reprieve [ri'pri:v] **I.** *s.* **1.** *jur.* anulare *(a unei execuții).* **2.** *jur.* suspendare. **3.** răgaz. **II.** *vt.* **1.** a suspenda execuția *(cuiva).* **2.** a da răgaz *(cuiva).* **3.** a elibera *(de o primejdie etc.).*

reprimand ['reprimɑ:nd] **I.** *s.* mustrare, admonestare. **II.** *vt.* a mustra.

reprint [ˌri:'print] *vt.* a retipări; a reedita *(fără modificări).*

reprisals [ri'praizlz] *s. pl.* represalii.

reproach [ri'proutʃ] **I.** *s.* **1.** reproș. **2.** blam. **3.** rușine. **II.** *vt.* a reproșa, a imputa.

reproachful [ri'proutʃfl] *adj.* **1.** plin de reproș. **2.** blamabil. **3.** rușinos.

reproachfully [ri'proutʃfuli] *adv.* cu reproș, pe un ton de reproș.

reprobate **I.**['reproubeit] *vt.* a dezaproba, a blama, a condamna. **II.**['reproubeit] *adj.* imoral, desfrânat; *(bis.)* excomunicat. **III.** ['reprəˌbeit] *s.* desfrânat, nemernic; ticălos.

reprobation [ˌreprə'beiʃn] *s.* **1.** dezaprobare. **2.** osândă.

reproduce [ˌri:prə'dju:s] *vt., vi.* a (se) reproduce.

reproducible [ˌri:prə'dju:səbl] *adj.* care poate fi reprodus.

reproductive [ˌri:prə'dʌktiv] *adj.* reproducător, de reproducere.

reproduction [ˌri:prə'dʌkʃn] *s.* reproducere.

reproof [ri'pru:f] *s.* **1.** ocară. **2.** reproș. **3.** admonestare.

reprove [ri'pru:v] *vt.* **1.** a certa, a ocărî. **2.** a admonesta, a mustra.

reptile ['reptail] *s.* reptilă.

reptilian [rep'tiliən] **I.** *s.* reptilă, târâtoare. **II.** *adj.* (ca) de reptilă.

republic [ri'pʌblik] *s.* **1.** republică. **2.** asociație.

republican [ri'pʌblikən] **I.** *adj.* republican. **II.** *s.* **1.** republican. **2.** *Republican* membru al partidului republican în S.U.A.

republicanism [ri'pʌblikənizəm] *s.* republicanism; spirit republican.

republication ['ri:ˌpʌbli'keiʃən] *s.* republicare, reeditare.

republish ['ri:'pʌbliʃ] *vt.* a republica, a reedita.

repudiate [ri'pju:dieit] *vt.* **1.** a respinge. **2.** a renega.

repudiation [riˌpju:di'eiʃən] *s.* **1.** repudiere, negare, tăgăduire. **2.** repudiere, divorț. **3.** refuz de a plăti o datorie *sau* de a îndeplini o obligație.

repugnance [ri'pʌgnəns] *s.* **1.** **(for, against, to)** repulsie, aversiune (față de, pentru). **2.** (auto)contrazicere; inconsecvență. **3.** incompatibilitate.

repugnant [ri'pʌgnənt] *adj.* **1.** respingător. **2.** scârbos. **3.** refractar. **4.** potrivnic.

repulse [ri'pʌls] **I.** *s.* **1.** respingere. **2.** ripostă. **3.** ocară. **II.** *vt.* a respinge.

repulsion [ri'pʌlʃn] *s.* repulsie.

repulsive [ri'pʌlsiv] *adj.* **1.** respingător, scârbos. **2.** contrar.

repurchase ['ri:'pə:tʃəs] *vt.* a cumpăra din nou. **II.** *s.* cumpărare din nou.

reputable ['repjutəbl] *adj.* **1.** respectabil, onorabil. **2.** care se bucură de o reputație bună; vrednic de stimă, stimabil.

reputation [ˌrepju'teiʃn] *s.* reputație, faimă.

repute [ri'pju:t] **I.** *s.* reputație (bună). **II.** *vt.: he is ~d to be wise* are reputația unui înțelept.

reputed [ri'pju:tid] *adj.* celebru, vestit.

reputedly [ri'pju:tidli] *adv.* după cât spune lumea, după cum se zice.

request [ri'kwest] **I.** *s.* **1.** cerere. **2.** rugăminte. || *in great ~* foarte căutat. **II.** *vt.* **1.** a cere, a solicita. **2.** a ruga.

requiem ['rekwiem] *s.* recviem.

require [ri'kwaiə] *vt.* **1.** a cere, a pretinde. **2.** a porunci. **3.** a solicita. **4.** a necesita.

requirement [ri'kwaiəmənt] *s.* **1.** cerință. **2.** necesitate.

requisite ['rekwizit] **I.** *s.* lucru necesar. **II.** *adj.* necesar.

requisition [ˌrekwi'ziʃn] **I.** *s.* **1.** cerere. **2.** necesitate. **3.** rechiziție. **II.** *vt.* **1.** a necesita. **2.** a rechiziționa.

requital [ri'kwaitl] *s.* **1.** (răs)plată. **2.** răzbunare.

requite [ri'kwait] *vt.* **1.** a (răs)plăti. **2.** a se răzbuna pe.

re-read ['ri:'ri:d] *vt. trec. și part. trec.* **re-read** ['ri:'red] a reciti; a citi din nou.

reredos ['riədɔs] *s. bis.* ornamentație, decorație a altarului; *aprox.* catapeteazmă.

resale ['ri:ˌseil] *s.* revindere, revânzare *(a unui obiect cumpărat).*

rescind [ri'sind] *vt. jur.* a anula, a abroga, a revoca.

rescript ['ri:skript] *s.* **1.** act, răspuns oficial al unui împărat sau papă. **2.** ordin *sau* decret oficial. **3.** document scris.

rescue ['reskju:] **I.** *s.* **1.** salvare; ajutor. **2.** persoană salvată. **II.** *vt.* **1.** a elibera. **2.** a salva.

rescuer ['reskjuə] *s.* salvator; (e)liberator.

research [ri'sə:tʃ] **I.** *s.* cercetare. **II.** *vi.* a face cercetări.

researcher [ri'sə:tʃə] *s.* cercetător; investigator.

reseat ['ri:'si:t] **I.** *vt.* **1.** a reînscăuna, a reașeza. **2.** a face un fund la *(un scaun etc.).* **3.** a aranja; a mobila cu noi scaune *(un teatru etc.)* **II.** *vr.* a se așeza din nou.

resemblance [ri'zembləns] *s.* asemănare.

resemble [ri'zembl] *vt.* a asemăna cu.

resent [ri'zent] *vt.* 1. a detesta. 2. a nu putea suporta / suferi.

resentful [ri'zentfl] *adj.* 1. refractar. 2. scârbit.

resentfully [ri'zentf(u)li] *adv.* cu resentiment / ranchiună.

resentment [ri'zentmənt] *s.* 1. resentiment; silă. 2. pică, ciudă, antipatie.

reservation [,rezə'veiʃn] *s.* 1. rezervă. 2. rezervare. 3. rezervaţie, ţarc. 4. bilet. 5. cameră. 6. loc reţinut, rezervare *(la un spectacol, în hotel, tren etc.).*

reserve [ri'zə:v] **I.** *s.* 1. rezervă. 2. îngrăditură, rezervaţie. 3. restricţie. 4. demnitate. **II.** *vt.* 1. a rezerva. 2. a reţine *(locuri, bilete etc.).*

reserved [ri'zə:vd] *adj.* I. rezervat, reţinut. 2. păstrat, pus de o parte. || ~ *seats* locuri reţinute; *(în publicistică) all rights* ~ toate drepturile rezervate. 3. rezervat, tăcut, retras, închis, nesociabil, necomunicativ.

reservist [ri'zə:vist] *s. mil.* rezervist.

reservoir ['rezəvwɑ:] *s.* 1. rezervor *(de lichid).* 2. sursă *(şi fig.).*

reset [,ri:'set] *vt. inf., trec. şi part. trec.* 1. a repune, a pune din nou; a restabili. 2. a potrivi *(ceasul).*

resettlement ['ri:'setlmənt] *s.* recolonizare.

reshuffle [ri:'ʃʌfl] **I.** *vt.* 1. a remania *(guvernul etc.).* 2. a regrupa, a reface. **II.** *s.* 1. remaniere (guvernamentală). 2. regrupare.

reside [ri'zaid] *vi.* 1. a locui. 2. a se afla. 3. a consta. 4. a se găsi.

residence ['rezidns] *s.* 1. domiciliu, locuinţă. 2. rezidenţă. 3. reşedinţă. 4. domiciliere.

resident ['rezidnt] **I.** *s.* 1. locuitor. 2. rezident. **II.** *adj.* 1. băştinaş; localnic. 2. care locuieşte în instituţie, intern.

residential [rezi'denʃl] *adj.* 1. de locuit. 2. domiciliar. 3. referitor la domiciliu.

residual [ri'zidjuəl] **I.** *s.* reziduu. **II.** *adj.* 1. rămas. 2. restant.

residuary [ri'zidjuəri] *adj.* rezidual.

residue ['rezidju:] *s.* 1. reziduu. 2. rămăşiţă.

residuum [ri'zidjuəm], *pl.* **residua** [ri'zidjuə] 1. rest, rămăşiţă. 2. *chim.* reziduu; sediment, drojdie, depunere, precipitat. 3. *mat.* rest rămas după scădere.

resign [ri'zain] **I.** *vt.* 1. a părăsi, abandona, a renunţa la. 2. a demisiona din *(serviciu etc.).* 3. a încredinţa. 4. a lăsa. **II.** *vi.* a demisiona. **III.** *vr.* (**to**) a se resemna *(în faţa – cu gen.).*

resignation [,rezig'neiʃn] *s.* 1. demisie. 2. (**to**) resemnare (faţă de).

resigned [ri'zaind] *adj.* 1. (**to**) resemnat (faţă de). 2. demisionar.

resignedly [ri'zainidli] *adv.* cu resemnare, resemnat.

resilience [ri'zilijəns] *s.* rezilienţă, elasticitate *(şi fig.).*

resilient [ri'ziljənt] *adj.* 1. *fiz.* rezilient, elastic. 2. ager. 3. activ. 4. optimist.

resiliency [ri'zilijənsi] *s.* v. **resilience**.

resin ['rezin] *s.* răşină.

resinous [ri'rezinəs] *adj.* răşinos.

resist [ri'zist] **I.** *vt.* 1. a se împotrivi la *(sau cu dat.).* 2. a refuza. **II.** *vi.* a rezista.

resistance [ri'zistns] *s.* rezistenţă.

resistant [ri'zistnt] *adj.* 1. rezistent. 2. potrivnic.

resistent [ri'zistənt] *adj.* v. **resistant**.

resistless [ri'zistlis] *adj.* 1. irezistibil, căruia nu i se poate rezista. 2. *poet.* invincibil, neînfrânt, nebiruit; neclintit, nestrămutat, ferm. 3. fără apărare, lipsit de apărare; incapabil de a rezista / de a opune rezistenţă. 4. care nu se opune, care nu se împotriveşte.

resistor [ri'zistə] *s. el.* rezistor.

resoluble [ri'zɔljubl] *adj.* 1. *chim.* solubil; disociabil. 2. *fig.* rezolvabil.

resolute ['rezəlju:t] *adj.* 1. hotărât, decis. 2. neclintit, ferm.

resolutely ['rezəlju:tli] *adv.* ferm, decis, hotărât, cu hotărâre / fermitate / dârzenie.

resolution [,rezə'lu:ʃn] *s.* 1. hotărâre, decizie. 2. rezoluţie. 3. fermitate.

resolvable [ri'zɔlvəbl] *adj.* 1. rezolvabil. 2. reductibil. 3. anulabil.

resolve [ri'zɔlv] **I.** *s.* 1. hotărâre. 2. fermitate. **II.** *vt.* 1. a hotărî. 2. a rezolva. 3. a desparţi. 4. a dizolva. **III.** *vi.* 1. a (se) hotărî. 2. a se dizolva.

resolved [ri'zɔlvd] *adj.* 1. hotărât, decis; ferm, neclintit; dârz. 2. (care a fost) hotărât.

resonance ['reznəns] *s.* rezonanţă.

resonant ['reznənt] *adj.* 1. răsunător. 2. de rezonanţă.

resonate ['rezə,neit] *vi.* (**with**) a răsuna (de).

resonator ['rezəneitə] *s. el., fiz.* rezonator; cavitate rezonantă.

resort [ri'zɔ:t] **I.** *s.* 1. recurgere. 2. resursă. 3. adăpost. 4. staţiune climaterică. **II.** *vi.: to ~ to* a recurge la; a se duce la *(mare, munte).*

resound [ri'zaund] **I.** *vt.* 1. a reproduce *(ca un ecou),* a repeta *(un sunet).* 2. a avea răsunet *(şi fig.).*

resounding [ri:'zaundiŋ] *adj.* răsunător.

resource [ri'sɔ:s] *s.* resursă.

resourceful [ri'sɔ:sfl] *adj.* 1. plin de resurse. 2. inventiv.

resourcefulness [ri'sɔ:sflnis] *s.* resurse, posibilităţi, mijloace; ingeniozitate, inventivitate.

respect [ri'spekt] **I.** *s.* 1. respect. 2. *pl.* complimente, omagii. 3. atenţie. 4. privinţă. || *to pay one's ~s to smb.* a face *(cuiva)* o vizită de curtoazie; *with ~ to, in ~ of* cu privire la. **II.** *vt.* 1. a respecta. 2. a trata cuviincios. 3. a se purta politicos cu.

respectability [ri,spektə'biliti] *s.* caracter respectabil *sau* onorabil.

respectable [ri'spektəbl] *adj.* 1. respectabil. 2. onorabil. 3. convenţional.

respectful [ri'spektfl] *adj.* respectuos.

respectfully [ri'spektfuli] *adv.* cu respect, plin de respect. || *yours ~* al dv. respectuos *(la încheierea unei scrisori).*

respecting [ri'spektiŋ] *prep.* în privinţa *(cu gen.),* cu privire la.

respective [ri'spektiv] *adj.* respectiv.

respectively [ri'spektivli] *adv.* respectiv.

respiration [,respə'reiʃn] *s. fiziol., bot.* respiraţie.

respirator [,respə'reitə] *s.* 1. mască de gaze. 2. mască de praf, respirator.

respiratory [ris'paiərətri] *adj.* respirator.

respire [ri'spaiə] **I.** *vi.* 1. a respira, a răsufla. 2. *fig.* a răsufla, a respira uşurat. **II.** *vt.* a respira.

respite ['respait] I. s. răgaz. II. vt. 1. a da răgaz *(cuiva)*. 2. a uşura, a alina.

resplendent [ris'plendənt] adj. 1. strălucitor *(şi fig.)*. 2. strălucit.

respond [ri'spɔnd] vi. 1. a răspunde, a reacţiona. 2. a suferi o influenţă.

respondent [ri'spɔndənt] s. jur. pârât.

response [ri'spɔns] s. 1. răspuns. 2. ecou *(fig.)*. 3. refren. 4. reacţie.

responsability [ri,spɔnsə'biliti] s. 1. responsabilitate, răspundere. || *post of* ~ post de răspundere; *position of* ~ situaţie de răspundere; *on one's own* ~ pe proprie răspundere. 2. îndatorire, datorie, obligaţie, atribuţie. || *to take the* ~ *of smth., to accept* ~ *for smth.* a-şi lua / a-şi asuma răspunderea unui lucru; *to assume a* ~ a-şi lua / a-şi asuma o răspundere; *the* ~ *rests with you* răspunderea e a dumitale; *the* ~ *that is laid upon me / that falls on me* răspunderea care îmi revine / incumbă.

responsible [ri'spɔnsəbl] adj. 1. responsabil, răspunzător. 2. demn de încredere. 3. plin de răspundere.

responsive [ri'spɔnsiv] adj. 1. corespunzător. 2. înţelegător, plin de înţelegere. 3. afectuos.

respray [ri:'sprei] vt. a revopsi *(mai ales un automobil)*.

rest[1] [rest] I. s. 1. tihnă. 2. odihnă. 3. pauză. 4. răgaz. 5. odihnă de veci. 6. adăpost. 7. loc de şezut. 8. rest. 9. rămăşiţă. || *to go to* ~ a se culca; *to be laid to* ~ a fi îngropat; *at* ~ în repaus; mort; *to set at* ~ a linişti; *for the* ~ cât despre celelalte, în rest. II. vt. 1. a opri. 2. a odihni. 3. a sprijini. III. vi. 1. a se opri. 2. a se odihni. 3. a rămâne. 4. a se încrede. || *to* ~ *on* a se sprijini pe; a se opri asupra *(cu gen.)*; *to* ~ *on one's oars* a nu mai vâsli; *fig.* a-şi acorda un răgaz; *it* ~*s with him to decide* rămâne să hotărască el; totul depinde de el.

rest[2] [rest] s. ist. suport pentru lance de atac.

restate [ri:'steit] vt. a reafirma.

restaurant ['restrɔːŋ] s. restaurant.

restaurateur [,restərə'təː] s. patron de restaurant.

rest-cure ['restkjuə] s. cură de odihnă.

restful ['restfl] adj. 1. odihnitor, liniştitor. 2. liniştit, tihnit.

resting place ['restiŋ pleis] s. 1. loc de odihnă. || *fig. one's last* ~ loc de veci, mormânt. 2. podestru, refugiu *(al scării)*.

restitution [,resti'tjuːʃn] s. 1. restituire. 2. compensaţie. 3. despăgubire. 4. reintegrare.

restive ['restiv] adj. 1. neodihnit. 2. neastâmpărat. 3. nerăbdător. 4. năravaş

restless ['restlis] adj. 1. neastâmpărat. 2. nestatornic. 3. fără odihnă. || *a* ~ *night* o noapte de nesomn, o noapte nedormită.

restlessly ['restlisli] adv. 1. neliniştit, agitat. || *to turn smth. over* ~ *in one's mind* a frământa o problemă în minte. 2. nervos, febril. || *to turn over* ~ *in one's bed* a se zvârcoli în pat.

restlessness ['restlisnis] s. 1. nelinişte, agitaţie; insomnie; turbulenţă, neastâmpăr. 2. nervozitate, febră.

restock ['riː'stɔk] vt. 1. a prăsi din nou cu peşte *(un eleşteu)*; a răsădi cu arbori *(o pădure)*. 2. a reaproviziona *(un magazin)*; a reîmprospăta *(un stoc de mărfuri)*.

restoration [,restə'reiʃn] s. 1. restituire, înapoiere *(de bunuri)*; remitere, înmânare. || *jur.* ~ *of goods taken in distraint* ·ordin de ridicare a sechestrului. 2. restaurare *(a unui monument)*; reconstituire *(a unui text. etc.)*; reparare *(a unei construcţii)*. 3. reintegrare, numire din nou *(a unui funcţionar)*. 4. restabilire, refacere *(a sănătăţii)*. 5. reînscăunare.

restorative [ris'tɔrətiv] s., adj. med. tonic, fortifiant, întăritor.

restore [ris'tɔː] vt. 1. a înapoia. 2. a reda. 3. a restaura. 4. a reintegra. 5. a relua. 6. a reface, a întări.

restorer [ris'tɔːrə] s. 1. restaurator. 2. tonic, fortifiant.

restrain [ris'trein] vt. 1. a restrânge. 2. a ţine în frâu. 3. a închide *(un nebun etc.)*.

restrained [ris'treind] adj. stăpânit, reţinut, moderat.

restraint [ris'treint] s. 1. restricţie, încorsetare. 2. recluziune. 3. stăpânire. 4. limite.

restrict [ris'trikt] vt. a limita; a restrânge.

restriction [ris'trikʃn] s. 1. restricţi(un)e. || *to set / to place* ~*s on smth.* a pune restricţii pe

ceva. 2. restrângere, limitare, reducere. || ~ *of expenditure* reducere de cheltuieli

restrictive [ris'triktiv] adj. 1. restrictiv. 2. limitativ.

result [ri'zʌlt] I. s. rezultat. II. vi. a rezulta. || *to* ~ *in* a avea drept rezultat.

resultant [ri'zʌltnt] I. s. rezultantă. II. adj. 1. care rezultă. 2. derivat.

resume [ri'zjuːm] vt. 1. a(-şi) relua. 2. a reîncepe. 3. a rezuma.

résumé ['rezjuːmei] s. 1. rezumat. 2. *amer.* curriculum vitae.

resumption [ri'zʌmʃn] s. reluare; reîncepere.

resurface [ri'sɔːfis] I. vt. *(şi fig.)* a readuce la suprafaţă. II. vi. *(şi fig.)* a reveni, a ieşi din nou la suprafaţă / iveală.

resurgent [ri'sɔːdʒnt] adj. 1. *(d. speranţă etc.)* reînviat, renăscut. 2. restabilit *(după eşec etc.)*. 3. ameliorat, îmbunătăţit. 4. rebel, răsculat; revoluţionar.

resurrect [,rezə'rekt] I. vt. 1. a reînvia. 2. a dezgropa. II. vi. a învia; a reînvia.

resurrection [,rezə'rekʃn] s. 1. înviere; reînviere. 2. dezgropare.

resuscitate [ri'sʌsiteit] vt. a aduce la viaţă.

resuscitation [ri,sʌsi'teiʃn] s. reînviere, reanimare; renaştere, resuscitare.

retail[1] ['riːteil] I. s. comerţ cu amănuntul. II. adj., adv. com. cu amănuntul, en detail.

retail[2] [riː'teil] vt. 1. a vinde cu amănuntul. 2. a colporta. 3. a face negustorie *(cu amănuntul)*.

retailer [ri(:)'teilə] s. *(negustor)* detailist, negustor cu bucata. || *fam.* ~ *of news* colportor de veşti / ştiri.

retain [ri'tein] vt. 1. a reţine. 2. a opri. 3. a păstra. 4. a angaja.

retainer [ri'teinə] s. 1. slujitor. 2. angajare. 3. angajament.

retake ['riː'teik] I. vt. trec. **retook** ['riː'tuk], part. trec. **retaken** ['riː'teikn] 1. a relua, a apuca din nou, a pune iar mâna / stăpânire pe *(un oraş, o fortificaţie etc.)*; a prinde din nou *(un prizonier evadat etc.)*. 2. cin. a turna din nou *(o scenă)*. II. s. cin. refotografiere.

retaken ['riː'teikn] vt. part. trec. de la **retake**.

retaliate [ri'tælieit] I. vi. 1. (**on, upon**) a se răzbuna *(pe cineva)*. 2. a replica. 3. a contraataca, a recurge la represalii. II.

vt. **(on)** a răzbuna; a plăti (cuiva) cu aceeaşi monedă.

retaliation [ri,tæli'eiʃn] s. represalii, revanşă. || to inflict / to exercise ~ a uza de / a recurge la represalii; in ~, by way of ~ ca / drept represalii, the law of ~ legea talionului.

retaliatory [ri'tæliətəri] adj. de represalii, represiv, punitiv. || ~ measures măsuri represive / punitive.

retard [ri'tɑːd] I. vt. a întârzia, a ţine în loc. II. vi. 1. înv. a întârzia, a sosi târziu. 2. (d. ceas) a rămâne în urmă. III. s. întârziere.

retardation [,riːtɑː'deiʃn] s. 1. întârziere. 2. muz. încetinire (a mişcării). 3. fiz. încetinire, întârziere; moderare.

retch [riːtʃ] vi. 1. a râgâi. 2. a vărsa.

retell ['riːtel] vt. trec. şi part. trec. **retold** ['riːtould] a spune din nou, a repeta; a repovesti.

retention [ri'tenʃn] s. 1. reţinere. 2. înfrângere. 3. oprire.

retentive [ri'tentiv] adj. 1. (d. memorie) bun. || ~ of detail care reţine toate amănuntele. 2. păstrător. 3. anat. retentiv.

rethink I. [,riː'θiŋk] vt. trec. şi part. trec. **rethought** [,riː'θɔːt] a regândi; a reconsidera. II. ['riː-,θiŋk] s. reconsiderare; regândire.

reticence ['retisns] s. 1. reticenţă. 2. tăcere.

reticent ['retisnt] adj. 1. reticent. 2. rezervat, tăcut.

reticulate I. [ri'tikjulit] adj. reticulat. II. [ri'tikjuleit] vt. a acoperi cu o reţea (o suprafaţă). III. [ri'tikjuleit] vi. a căpăta formă reticulară, a forma o reţea.

reticule ['retikjuːl] s. 1. reticul. 2. înv. poşetă, pungă.

retina ['retinə] s. retină.

retinue ['retinjuː] s. suită, alai.

retire [ri'taiə] vt., vi. a (se) retrage.

retired [ri'taiəd] adj. 1. retras. 2. izolat. 3. la pensie, pensionat / pensionar.

retired pay [ri'taiəd'pei] s. pensie.

retirement [ri'taiəmnt] s. 1. singurătate, izolare, pustnicie. 2. retragere. 3. mil. repliere. 4. pensionare. 5. sport abandonare, retragere (din concurs etc.). 6. econ. scoatere, retragere din circulaţie sau de pe piaţă.

retiring [ri'taiəriŋ] adj. 1. retras. 2. modest. 3. de pensionare; pe cale de a se pensiona.

retold ['riːtould] vt. trec. şi part. trec. de la **retell**.

retook ['riːtuːk] vt. trec. de la **retake**.

retort[1] [ri'tɔːt] I. s. replică (promptă, spirituală, vioaie). II. vt. 1. a răspunde la (sau cu dat.). 2. a riposta la (sau cu dat.).

retort[2] [ri'tɔːt] chim. I. s. retortă. II. vt. a distila în retortă.

retouch [ri'tʌtʃ] I. vt. 1. a retuşa. 2. a corecta; a stiliza. II. s. retuş; retuşare.

retrace [ri'treis] vt. 1. a urmări (până la origine). 2. a relua. 3. a(-şi) reaminti. 4. a parcurge din nou; a reface. || to~ one's steps a face cale întoarsă.

retract [ri'trækt] I. vt. 1. a(-şi) retrage. 2. a retracta. II. vi. a retracta.

retractable [ri'træktəbl] adj. 1. escamotabil. 2. rabatabil. 3. anulabil.

retractile [ri'træktail] adj. zool. retractil.

retraction [ri'trækʃn] s. retragere, tragere înapoi (a ghearelor, a limbii etc.).

retractor [ri'træktə] s. anat. muşchi retractor.

retread [ri'tred] auto. I. vt. a reşapa, a recauciuca (o anvelopă). II. s. reşapare.

retreat [ri'triːt] I. s. 1. retragere. 2. semnal de retragere. 3. loc de retragere. II. vi. a se retrage (şi fig.).

retrench [ri'trentʃ] I. vt. 1. a reduce, a restrânge. 2. a tăia, a cenzura (un pasaj etc.). 3. mil. a fortifica. II. vi. a face economii, a-şi reduce cheltuielile.

retrenchment [ri'trentʃmənt] s. 1. reducere, micşorare (de cheltuieli); economie. || policy of ~ politică de economie / de austeritate / de restrângeri bugetare. 2. suprimare, tăiere (a unui pasaj literar). 3. mil. şanţ de apărare; poziţie întărită.

retrial [ri'traiəl] s. jur. rejudecare.

retribution [,retri'bjuːʃn] s. 1. răsplată. 2. retribuţie.

retrieval [ri'triːvəl] s. recuperare; refacere; restabilire

retrieve [ri'triːv] vt. 1. a recupera (informaţii, date etc.). 2. a recăpăta. 3. a îndrepta. 4. a salva. 5. (d. câini) a aporta (vânatul).

retriever [ri'triːvə] s. câine de aport.

retroactive [,retro'æktiv] adj. 1. retroactiv. 2. retrospectiv.

retrograde ['retrougreid] I. adj. 1. retrograd. 2. în declin. 3. în ruină. II. vi. 1. a (se) da înapoi. 2. a rămâne în urmă.

retrogress [,retrou'gres] vi. 1. (şi mat.) a regresa. 2. a merge îndărăt / înapoi. 3. a se înrăutăţi; a se agrava.

retrogression [,retrou'greʃn] s. 1. astr. mişcare retrogradă. 2. mat. regres (al unei curbe). 3. med. retrocesiune (a unei erupţii). 4. tehn. mişcare de recul.

retrogressive [,retrou'gresiv] adj. 1. retrograd. 2. reacţionar. 3. înapoiat.

retro-rocket ['retrou,rɔkit] s. av. retrorachetă.

retrospect ['retrouspekt] I. s. 1. privire retrospectivă. || to consider smth. in ~ a privi ceva retrospectiv. 2. ~ to trimitere / referire la (o lucrare etc.). II.vi. to ~ on a privi retrospectiv; to ~ to a se referi / a se raporta la.

retrospection [,retro'spekʃn] s. 1. retrospecţie. 2. amintire.

retrospective [,retrou'spektiv] adj. 1. retrospectiv. 2. jur. (cu efect) retroactiv.

retroussé [rə'truːsei] adj. (d. nas) cârn.

retry [ri'trai] vt. 1. a încerca din nou, a pune din nou la încercare. 2. jur. a rejudeca, a repune pe rol.

return [ri'təːn] I. s. 1. întoarcere. 2. răsplată. 3. beneficiu. 4. raport. 5. pl. rezultate (electorale). || by ~ cu poşta următoare; in ~ for drept compensaţie pentru, în schimbul (cu gen.). II. adj. 1. de înapoiere. 2. (de) revanşă. 3. dus şi întors. III. vt. 1. a înapoia. 2. a declara, a proclama. 3. a produce, a aduce. 4. pol. a alege, a vota; a proclama ales (un candidat). || to ~ thanks a mulţumi.

Reuben ['ruːbin] s. 1. Ruben. 2. amer. fam. grobian, mojic.

reunion [riː'juːnjən] s. 1. reunire. 2. reuniune.

reunite [,riːjuː'nait] I. vt. 1. a reuni; a pune la loc, a (a)lipi. 2. fig. a aduna, a strânge. 3. a reconcilia. II. vi. 1. a se reuni, a se realipi. 2. a se reconcilia.

rev. abrev. 1. revenue v. **revenue.** 2. reverend v. **reverend.** 3. reverse v. **reverse.** 4. review v. **review.** 5. reviewed v. **reviewe.** 6. revised v. **revise.**

7. *revision* v. **revision. 8.** *revolution* v. **revolution.**

Rev. *abrev. Reverend* reverend.

revaluation ['riːvælju(ː)'eiʃn] *s.* reevaluare.

revamp [riːˈvæmp] *vt.* **1.** a încăputa *(un pantof).* **2.** *fig. fam.* a cârpi, a petici. **3.** *tehn.* a reutila, a reamenaja, a reechipa parţial. **4.** a renova, a restructura.

Revd. *abrev.* v. **Rev.**

reveal [riˈviːl] *vt.* a dezvălui.

reveille [riˈvæli] *s. (mai ales mil.)* deşteptare, semnal de deşteptare.

revel ['revl] **I.** *s.* **1.** petrecere. **2.** orgie. **3.** distracţie. **II.** *vi.* **1.** a petrece. **2.** a chefui. **3.** a face orgii. || *to ~ in* a savura.

revelation [ˌreviˈleiʃn] *s.* **1.** revelaţie, descoperire, dezvăluire, destăinuire. || *what a ~!* ce surpriză! **2.** *rel. the Revelation, (the Book of) Revelations* Apocalipsa / Apocalipsul Sfântului Ioan.

reveller ['revələ] *s.* petrecăreţ, comesean vesel; om de chefuri / petreceri / viaţă.

revelry ['revlri] *s.* **1.** chef, chefuri. **2.** orgie, orgii.

revenge [riˈvendʒ] **I.** *s.* **1.** răzbunare. **2.** revanşă. **II.** *vt., vr.* a (se) răzbuna.

revengeful [riˈvendʒfl] *adj.* răzbunător.

revenue ['revinjuː] *s.* **1.** venit. **2.** percepţie.

reverberate [riˈvɔːbreit] **I.** *vt.* a răsfrânge, a reflecta. **II.** *vi.* a se răsfrânge, a reverbera.

reverberation [riˌvɔːbəˈreiʃn] *s.* **1.** reverberaţie, răsfrângere, reflectare, repercusiune; ecou. **2.** bubuit (de tunet).

revere [riˈviə] *vt.* **1.** a respecta. **2.** a adora.

reverence ['revrns] **I.** *s.* **1.** reverenţă. **2.** respect. || *his ~* sfinţia sa (preotul); *your ~* sfinţia voastră. **II.** *vt.* a respecta.

reverend ['revrnd] *adj.* venerabil. || *the ~ father* preotul, sfinţia sa.

reverent ['revrnt] *adj.* reverenţios, respectuos.

reverential [ˌrevəˈrenʃl] *adj.* v. **reverent.**

reverently ['revrntli] *adv.* reverenţios, respectuos, cu respect.

reverie ['revəri] *s.* visare.

revers [rəˈviə] *s.* rever *(din altă stofă).*

reversal [riˈvɔːsl] *s.* **1.** întoarcere.

2. răsturnare. **3.** anulare. **4.** *jur.* casare.

reverse [riˈvɔːs] **I.** *s.* **1.** revers. **2.** opus. **3.** răsturnare. **4.** înfrângere. **5.** necaz. **6.** pierdere. **7.** marşarier. **II.** *adj.* opus. **III.** *vt.* **1.** a inversa. **2.** a întoarce; *auto.* a pune în marşarier. **3.** a răsturna. **4.** a anula; a casa; a revoca. **5.** a da înapoi. **IV.** *vi.* a (se) da înapoi, a merge (cu spa-tele).

reversible [riˈvɔːsibl] *adj.* **1.** reversibil. **2.** *(d. ţesături)* cu desen / model pe amândouă feţele. **3.** *tehn.* reversibil, reversiv, convertibil. **4.** *jur. (d. un decret, o sentinţă)* revocabil, anulabil.

reversion [riˈvɔːʃn] *s.* **1.** restituire. **2.** lucru înapoiat. **3.** înapoiere. **4.** revenire.

revert [riˈvɔːt] *vi.* **(to) 1.** a reveni (la). **2.** a se întoarce (la). **3.** a se referi (din nou) (la).

review [riˈvjuː] **I.** *s.* **1.** revedere. **2.** revistă. **3.** inspecţie. **4.** trecere în revistă. **5.** recenzie. **6.** v. **revue.** || *under ~* în cauză, recenzat, analizat. **II.** *vt.* **1.** a revedea. **2.** a reconsidera. **3.** a inspecta. **4.** a trece în revistă. **5.** a recenza. **6.** a analiza.

reviewer [riˈvjuːə] *s.* recenzent; critic (literar).

revile [riˈvail] **I.** *vt.* **1.** a ocărî, a insulta. **2.** a ponegri. **II.** *vi.* **(against)** a injuria, a profera insulte (împotriva).

revise [riˈvaiz] **I.** *s.* **1.** copie corectată. **2.** pagină *(de revizie);* contra-revizie. **II.** *vt.* a revizui.

revision [riˈviʒn] *s.* **1.** revizie. **2.** revizuire.

revisionism [riˈviʒənizm] *s. pol.* revizionism.

revisit ['riːˈvizit] *vt.* a vizita din nou, a revizita; a face o nouă vizită *(cu dat.);* a revedea.

revisory [riˈvaizəri] *adj.* de revizie sau control.

revival [riˈvaivl] *s.* **1.** înviere; reînviere. **2.** renaştere.

revivalism [riˈvaivəlizm] *s.* mişcare de renaştere spirituală / religioasă.

revivalist [riˈvaivəlist] *s.* adept al unei mişcări de renaştere spirituală / religioasă.

revive [riˈvaiv] **I.** *vt.* **1.** a învia; a reînvia. **2.** a (re)aduce la viaţă. **3.** *fig.* a dezgropa. **II.** *vi.* **1.** a învia; a reînvia. **2.** a renaşte.

revivify [riˈviviˌfai] *vt.* a reînvia, a reanima, a reînsufleţi.

revocable ['revəkəbl] *adj.* revocabil; amovibil.

revocation [ˌrevəˈkeiʃn] *s.* re-

vocare, abrogare, anulare. || *~ of smb.'s driving licence* retragerea permisului de conducere al cuiva.

revoke [riˈvouk] *vt.* **1.** a revoca. **2.** a anula.

revolt [riˈvoult] **I.** *s.* **1.** răscoală. **2.** revoltă. **II.** *vt., vi.* a (se) revolta.

revolting [riˈvoultiŋ] *adj.* **1.** revoltător, scandalos. **2.** răsculat, răzvrătit. **3.** supărător, insuportabil.

revolution [ˌrevəˈluːʃn] *s.* **1.** revoluţie. **2.** rotaţie, învârtire.

revolutionary [ˌrevəˈluːʃnəri] *s., adj.* revoluţionar.

revolutionist [ˌrevəˈluːʃnist] *s.* revoluţionar.

revolutionize [ˌrevəˈluːʃnaiz] *vt.* a revoluţiona.

revolve [riˈvolv] **I.** *vt.* **1.** a învârti. **2.** a chibzui, a medita la. **II.** *vi.* **1.** **(round, around)** a se învârti *(în jurul – cu gen.).* **2.** a se schimba pe rând.

revolver [riˈvolvə] *s.* revolver.

revue [riˈvjuː] *s.* (teatru de) revistă.

revulsion [riˈvʌlʃn] *s.* **1.** schimbare totală (a sentimentelor). **2.** revirimentul.

reward [riˈwɔːd] **I.** *s.* răsplată. **II.** *vt.* a răsplăti.

rewind [riːˈwaind] *vt. trec. şi part. trec.* **rewound** [riːˈwound] **1.** a întoarce *(ceasul).* **2.** *text.* a depăna. **3.** *el.* a rebobina.

re-wire [riːˈwaiə] *vt.* a reface instalaţia electrică *(a unei case).*

rewound [riːˈwaund] *vt. trec. şi part. trec. de la* **rewind.**

re-write ['riːˈrait] *vt. trec.* **re-wrote** ['riːˈrout], *part. trec.* **re-written** ['riːˈritn] a scrie din nou; a modifica / a schimba pe alocuri *(un articol).*

Reynard ['renəd] *s. lit.: ~ the Fox* Jupân Rănică (Vulpoiul).

R.H.A. *abrev. Royal Horse Artillery* artileria tractată *sau* hipomobilă (britanică).

rhapsodize ['ræpsəˌdaiz] *vt.* a compune, a scrie sub formă de rapsodie.

rhapsody ['ræpsədi] *s.* rapsodie.

Rhenish ['riːniʃ] **I.** *adj.* renan, de Rin. **II.** *s. (şi ~ wine)* vin de Rin.

rheostat ['riəstæt] *s. el.* **1.** reostat, potenţiometru. **2.** rezistenţă reglabilă.

rhesus ['riːsəs] *s. zool.* maimuţă înrudită cu macacul *(Macaca mulat(t)a).*

rhetoric ['retərik] *s.* retorică, oratorie.

rhetorical [ri'tɔrikl] *adj.* **1.** retoric, de retorică. || ~ *question* întrebare retorică. **2.** *(d. stil etc.)* emfatic, umflat, bombastic, retoric.

rhetorician [ˌretə'riʃn] *s.* **1.** *ist.* retor, profesor de retorică. **2.** bun orator / vorbitor *(versat în retorică)*. **3.** *peior.* retor, frazeolog.

rheum [ruːm] *s.* **1.** *med.* catar; coriză; guturai. **2.** *pl. med.* boli reumatice; reumatism. **3.** *înv. poet.* lacrimă. **4.** *înv.* salivă.

rheumatic [ru'mætik] **I.** *s.* **1.** reumatic. **2.** *pl.* reumatism. **II.** *adj.* reumatic.

rheumatism ['ruːmətizəm] *s. med.* reumatism.

rheumatoid ['ruːməˌtɔid] *adj. med.* reumatismal, reumatic, reumatoid.

rhinestone ['rain,stoun] *s.* **1.** piatră de Rin. **2.** *fam.* piatră (prețioasă) falsă, strass; diamant fals.

rhino ['rainou] *s. zool. fam.* rinocer.

rhinoceros [rai'nɔsrəs] *s. zool.* rinocer *(Rhinocerotidae sp.)*.

rhizome ['raizoum] *s. bot.* rizom.

Rhode Island Red ['roud 'ailənd red] *s. zool.* găină din rasa Rhode Island.

rhodium ['roudiəm] *s.* **1.** *chim.* rodiu. **2.** *(și* ~ *wood)* bot. lemn de trandafir. || *oil of* ~ esență de lemn de trandafir.

rhododendron [ˌroudə'dendrən] *s. bot.* rhododendron, smârdar *(Rhododendron sp.)*.

rhomb(us) ['rɔmb(əs)] *s.* romb.

rhomboid ['rɔmbɔid] *adj. geom.* romboid.

rhubarb ['ruːbɑːb] *s. bot.* rabarb(ur)ă, revent *(Rheus officinale)*.

rhyme [raim] **I.** *s.* **1.** rimă. **2.** *pl.* versuri, poezie. || *without* ~ *or reason* fără sens. **II.** *vt., vi.* a rima.

rhymester ['raimstə] *s. peior.* versificator prost; poet prost, poetastru.

rhythm ['riðəm] *s.* ritm.

rhythmic(al) ['riðmik(l)] *adj.* ritmic.

rib [rib] **I.** *s.* **1.** *anat.* coastă. **2.** creastă. **3.** nervură. **4.** dungă. **II.** *vt.* **1.** a dunga. **2.** a cresta.

ribald ['ribld] **I.** *s.* gură spurcată, om care spune măscări. **II.** *adj.* **1.** obscen. **2.** scârbos, desfrânat.

ribaldry ['ribldri] *s.* **1.** grosolănie. **2.** porcării, obscenități; pornografie.

riband ['ribənd] *s.* panglică.

ribbing ['ribiŋ] *s. constr.* schelet *(de grinzi)*; întăritură *(prin bolți secundare)*.

ribbon ['ribən] *s.* **1.** panglică. **2.** bandă, șiret.

ribonucleic acid [ˌraibounju:'kli:ik 'æsid] *s. chim.* acid ribonucleic, ARN.

rice [rais] *s. bot.* orez *(Oryza sativa)*.

rich [ritʃ] **I.** *s.: the* ~ bogații. **II.** *adj.* **1.** bogat. **2.** costisitor. **3.** generos. **4.** fertil. **5.** abundent. **6.** plin. **7.** *(d. mâncare)* grea, sățioasă. **8.** plăcut. **9.** amuzant. **10.** fericit.

riches ['ritʃiz] *s. pl.* **1.** avere, bogăție, avuții. || *to roll in* ~ a se scălda în bani, a fi putred de bogat. **2.** lucruri de preț, mari valori. **3.** abundență, bogăție. **4.** *înv.* podoabe.

richly ['ritʃli] *adv.* **1.** bogat, luxos, somptuos. **2.** copios, abundent. **3.** pe deplin, din plin, întru totul, pe de-a-ntregul.

richness ['ritʃnis] *s.* **1.** bogăție, avuție; abundență. **2.** rodnicie, fertilitate *(a pământului)*. **3.** somptuozitate; măreție; lux, pompă. **4.** strălucire, vioiciune *(a unei culori etc.)*. **5.** amploare *(a vocii etc.)*. **6.** valoare alimentară, bogăție în substanțe nutritive.

rick[1] [rik] *s.* căpiță.

rick[2] [rik] **I.** *s.* **1.** torticolis. **2.** scrântire, luxație, (ră)sucire. **II.** *vt.* a-și scrânti, a-și luxa, a-și suci *(gâtul)*.

rickets ['rikits] *s. pl.* **1.** *(folosit la sing.)* med. rahitism. **2.** înmuiere a oaselor. **3.** picioare rahitice, crăcănate *(la copii)*.

rickety ['rikiti] *adj.* **1.** rahitic. **2.** șubred.

ricksha(w) ['rikʃɔː] *s.* ricșă.

ricochet ['rikəʃei] **I.** *s.* ricoșare, ricoșeu. **II.** *vi.* a ricoșa. **III.** *vt.* a face să ricoșeze.

rid [rid] **I.** *vt. inf., trec. și part. trec.* a elibera. || *to get* ~ *of* a scăpa de; a îndepărta; a elimina. **II.** *vr. inf., trec. și part. trec.* a scăpa.

riddance ['ridns] *s.* scăpare. || *good* ~ *(of a bad bargain)* bine c-am scăpat.

ridden ['ridn] **I.** *adj.* **1.** călărit. **2.** asuprit. **3.** dominat, stăpânit. **4.** obsedat. **II.** *vt., vi. part. trec. de la* ride.

ridder ['ridə] *s.* eliberator.

riddle ['ridl] **I.** *s.* **1.** ghicitoare, cimilitură. **2.** enigmă. **3.** sită mare. **II.** *vt.* **1.** a rezolva *(o enigmă)*. **2.** a cerne. **3.** a găuri, a ciurui. **III.** *vi.* a vorbi în cimilituri.

ride [raid] **I.** *s.* **1.** călătorie *(călare, cu trenul, cu autobuzul)*. **2.** plimbare. **3.** alee. **II.** *vt. trec.* **rode** [roud], *part. trec.* **ridden** [ridn] **1.** a călări (pe). **2.** a mâna, a duce. **3.** a pluti pe. **4.** a alerga, a parcurge, a străbate. **5.** a duce în spinare. || *to* ~ *down* a urmări; *to* ~ *to death* a obosi, a istovi, a epuiza; *to* ~ *the high horse* a face pe grozavul. **III.** *vi. trec.* **rode** [roud], *part. trec.* **ridden** [ridn] **1.** a călări. **2.** a călători. **3.** a merge în cârcă *sau* în spinare. **4.** a pluti. **5.** a cântári. || *to* ~ *roughshod over* a călca în picioare; *the ground* ~*s soft* pământul e moale *(sub copitele calului)*.

rider ['raidə] *s.* **1.** călăreț. **2.** clauză suplimentară, codicil.

riderless ['raidəlis] *adj.* fără călăreț.

ridge [ridʒ] **I.** *s.* **1.** creastă. **2.** cumpăna apelor. **II.** *vt., vi.* a văluri.

ridicule ['ridikjuːl] **I.** *s.* **1.** ridicol. **2.** batjocură. **II.** *vt.* a ridiculiza.

ridiculous [ri'dikjuləs] *adj.* **1.** ridicol. **2.** absurd.

ridiculously ['ri'dikjuləsli] *adv.* ridicol.

riding ['raidiŋ] *s.* **1.** călărie. **2.** district.

riding-habit ['raidiŋ,hæbit] *s.* costum de călărie.

rife [raif] *adj.* **1.** răspândit. **2.** abundent, numeros. **3.** în floare.

riff [rif] *s. amer. fam.* frază muzicală *sau* laitmotiv care revine adesea într-o bucată de muzică de jaz.

riffle ['rifl] **I.** *s.* **1.** vad, apă mică; porțiune vălurită *(a unui pârău)*. **II.** *vt.* **1.** a văluri. **2.** a răsfoi *(o carte)*. **3.** a împărți, a da *(cărțile)*. **III.** *vi. to* ~ *through* a frunzări, a citi pe sărite *(o carte)*.

riff-raff ['rifræf] *s.* **1.** gloată, plebe. **2.** drojdia societății, lepădături.

rifle ['raifl] **I.** *s.* **1.** carabină. **2.** pușcă. **3.** ghint. **4.** *pl.* infanterie; pușcaș. **II.** *vt.* **1.** a scotoci. **2.** a jefui. **3.** a ghintui.

rifleman ['raiflmən] *s. pl.* **riflemen** ['raiflmən] puşcaş *(de elită)*, carabinier.

rifle-range ['raiflreindʒ] *s.* **1.** bătaia puştii. **2.** poligon de tragere.

rifle-shot ['raiflʃɔt] *s.* **1.** împuşcătură. **2.** puşcaş de elită. **3.** bătaia puştii.

rift [rift] **I.** *s.* **1.** spărtură. **2.** despicătură. **II.** *vt.* a despica.

rig [rig] **I.** *s.* **1.** *nav.* velatură, greement. **2.** toaletă; ţinută; îmbrăcăminte. **3.** echipament. **4.** instalaţie; utilaj. **5.** înfăţişare. **6.** măsluire, înşelătorie. **II.** *vt.* **1.** *mar.* a arma. **2.** a echipa. **3.** a aranja (dinainte), a truca, a măslui. **4.** a îmbrăca.

rigged ['rigd] *adj.* **1.** *mar.* great, cu velatură. **2.** măsluit, trişat.

rigger ['rigə] *s.* **1.** *mar.* marinar care greează; gabier. **2.** *tehn.* roată de curea. **3.** *amer.* palisadă *(ridicată în jurul unui imobil în construcţie pentru apărarea pietonilor).*

rigging ['rigiŋ] *s.* **1.** *tehn.* echipare, instalare. **2.** *nav.* velatură, greement. **3.** măsluire, falsificare.

right [rait] **I.** *s.* **1.** drept. **2.** dreptate. **3.** dreapta *(şi pol.).* || *to be in the* ~ a avea dreptate; *by* ~s pe bună dreptate; *by* ~ *of* datorită *(cu dat.).* **II.** *adj.* **1.** drept. **2.** just. **3.** corect. **4.** îndreptăţit. **5.** exact. **6.** potrivit. **7.** corespunzător. **8.** sănătos; bine. **9.** pe mâna dreaptă. **10.** din dreapta. **11.** deasupra *(cu gen.).* || ~ *you are!* ai dreptate; *all* ~! ~ *oh!*; bine! bravo!; *on the* ~ *side of* 50 sub 50 de ani; *to be* ~a avea dreptate; *to be* ~ *in the head, to be in one's* ~ *mind* a fi în toate minţile; *to do the* ~ *thing by smb.* a-şi face datoria faţă de cineva. **III.** *vt.* **1.** a îndrepta. **2.** a corecta. **3.** a pune drept. **IV.** *adv.* **1.** drept. **2.** direct. **3.** just. **4.** corect. **5.** complet. **6.** perfect. **7.** de-a dreptul. **8.** foarte. **9.** la dreapta. || ~ *about* la dreapta împrejur; complet; ~ *away* sau *off* chiar acum; direct; ~ *and left* din toate părţile.

right-angle ['rait 'æŋgl] *s. geom.* unghi drept.

righteous ['raitʃəs] *adj.* **1.** just. **2.** justificat. **3.** cinstit.

righteousness ['raitʃəsnis] *s.* **1.** dreptate, virtute. **2.** justeţe *(a unei sentinţe etc.).* **3.** act de dreptate.

rightful ['raitfl] *adj.* **1.** îndreptăţit. **2.** drept, just. **3.** legal. **4.** cuvenit. **5.** bun.

rightfully ['raitfuli] *adv.* legitim; pe drept.

right-hand ['raithænd] *adj.* **1.** din dreapta. **2.** de dreapta. **3.** folositor. **4.** de încredere.

right-handed ['rait'hændid] *adj.* **1.** dreptaci. **2.** spre dreapta. **3.** de la stânga la dreapta. **4.** bine făcut.

rightly ['raitli] *adv.* **1.** drept. **2.** chiar, tocmai. **3.** perfect. **4.** (aşa) cum trebuie, cum se cuvine; în mod just, corect.

right-minded ['rait'maindid] *adj.* **1.** bine intenţionat; corect, cinstit. **2.** cu o judecată dreaptă şi sănătoasă; echilibrat; înţelept.

right of way ['raitɔv'wei] *s.* **1.** drept de circulaţie. **2.** prioritate.

rigid ['ridʒid] *adj.* **1.** ţeapăn, rigid. **2.** sever. **3.** strict.

rigidity [ri'dʒiditi] *s.* **1.** rigiditate. **2.** rezistenţă. **3.** dârzenie. **4.** severitate; intransigenţă.

rigidly ['ridʒidli] *adv.* rigid, cu rigiditate; aspru, cu asprime.

rigmarole ['rigməroul] *s.* aiureală.

rigo(u)r ['rigə] *s.* **1.** rigoare. **2.** severitate. **3.** strricteţe. **4.** asprime.

rigor mortis ['rigə'mɔːtis] *s. med.* rigiditate cadaverică.

rigorous ['rigərəs] *adj.* **1.** sever. **2.** riguros. **3.** aspru.

rigorously ['rigərəsli] *adv.* riguros, cu străşnicie; cu precizie.

rile [rail] *vt.* a supăra, a irita, a necăji.

rill [ril] **I.** *s.* **1.** râuleţ, pârâiaş. **2.** *reg.* rigolă. **3.** *astr.* şanţ *sau* vale pe suprafaţa unei planete. **II.** *vi.* (*d. pârâu*) a curge (murmurând). **III.** *vt.* a lăsa urme de scurgere pe, a şiroi pe.

rim [rim] *s.* **1.** obadă, jantă *(a roţii).* **2.** ramă *(de ochelari etc.).*

rime [raim] *s.* **1.** poezie / baladă. **2.** *pl.* versuri. **3.** promoroacă, chiciură.

rind [raind] *s.* **1.** coajă. **2.** piele. **3.** suprafaţă.

ring¹ [riŋ] **I.** *s.* **1.** inel. **2.** cerc. **3.** belciug. **4.** ring. **5.** ţarc, împrejmuire. **6.** grup, bandă. **7.** grup, clică (de agenţi de pariuri sau bursă etc.). **8.** loc de negocieri (la bursă). **9.** cartel, sindicat patronal. **10.** *fig.* nuanţă. **11.** cearcăn *(la ochi).* **II.** *vt.* **1.** a încercui. **2.** a înconjura. **3.** a pune un inel *sau* o verigă la.

ring² [riŋ] **I.** *s.* **1.** sunet. **2.** sonerie. **3.** răsunet. **II.** *vt. trec.* **rang**

[ræŋ], *part. trec.* **rung** [rʌŋ] a suna din, a face să sune, a bate *(copitele).* || *to* ~ *down* a coborî *(cortina); to* ~ *in* a saluta cu bucurie *(Anul nou);* a anunţa; *to* ~ *off* a închide telefonul; *to* ~ *up* a suna *(pe cineva)* la telefon; a ridica *(cortina).* **III.** *vi.* **1.** a suna. **2.** a răsuna. **3.** a ţiui. || *to* ~ *off* a închide telefonul.

ringed ['riŋd] *adj.* **1.** încercuit; închis într-un inel. **2.** *bot., zool.* inelat. **3.** în cercuri; inelat; compus din inele. **4.** logodit. **5.** *(d. ochi)* încercănat, cu cearcăne.

ringer ['riŋə] *s.* **1.** clopotar. **2.** clopoţel *(de telefon).* **3.** *amer. fam. to be a dead* ~ *for smb.* a fi aidoma cu cineva, a semăna leit cu cineva.

ring-finger ['riŋ'fiŋgə] *s.* (deget) inelar.

ringleader ['riŋliːdə] *s.* căpetenie *(a unei bande etc.).*

ringlet ['riŋlit] *s.* **1.** ineluş. **2.** zuluf.

rink [riŋk] *s.* (*şi* **skating-**~) patinoar.

rinse [rins] **I.** *s.* clătire. **II.** *vt.* **1.** a clăti. **2.** a spăla. **3.** a înghiţi.

riot ['raiət] **I.** *s.* **1.** dezordine. **2.** tulburare. **3.** abundenţă. **4.** izbucnire. **5.** destrăbălare. || *to run* ~ a-şi face de cap. **II.** *vi.* **1.** a-şi face de cap. **2.** a duce o viaţă destrăbălată *sau* dezordonată. **3.** a participa la o răscoală, la tulburări.

rioter ['raiətə] *s.* **1.** revoltat, răsculat. **2.** petrecăreţ, chefliu.

riotous ['raiətəs] *adj.* **1.** turbulent. **2.** dezordonat. **3.** scandalagiu. **4.** destrăbălat.

rip [rip] **I.** *s.* **1.** mârţoagă. **2.** secătură, lepădătură. **3.** prostituată. **4.** curent *(al apei).* **5.** sfâşiere. **6.** tăietură. **II.** *vt.* **1.** a spinteca. **2.** a tăia. **3.** a despica. **III.** *vi.* **1.** a se sfâşia, a se rupe. **2.** a merge înainte.

RIP *abrev.* *requiescat in pace* odihnească-se în pace, fie-i ţărâna uşoară.

riparian [rai'pɛəriən] **I.** *adj.* **1.** riveran. **2.** de pe litoral, de pe coastă. **II.** *s.* proprietar riveran.

ripe [raip] *adj.* **1.** copt. **2.** matur. **3.** tocmai bun. **4.** gata. || *of* ~ *age* sau *years* matur.

ripen ['raipn] *vt., vi.* **1.** a (se) coace. **2.** a (se) maturiza.

ripeness ['raipnis] *s.* maturitate.

riposte [ri'pɔst] **I.** *s.* ripostă. **II.** *vi.* a riposta, a da o ripostă.

ripping ['ripiŋ] *adj.*, *adv. fam.* straşnic, grozav, a-ntâia.

ripple ['ripl] I. *s.* 1. val mic; *pl.* vălurele. 2. ondulaţie. II. *vt.* 1. a văluri. 2. a undui. III. *vi.* a se ondula.

rip saw ['rip sɔ:] *s. tehn.* ferăstrău de spintecat.

rise [raiz] I. *s.* 1. ridicare. 2. spor. 3. creştere. 4. *fig.* naştere. 5. sursă. 6. origine. 7. ridicătură. || *to give ~ to* a stârni; a sugera. II. *vi. trec.* **rose** [rouz], *part. trec.* **risen** ['rizn] 1. a se ridica. 2. a se ivi. 3. a se trezi. 4. a se da jos din pat. 5. a se scula. 6. a răsări. 7. a se înălţa. 8. a apărea la suprafaţă. 9. a prospera. 10. a se ridica la luptă. 11. a izvorî. || *to ~ to the occasion* a face faţă situaţiei; *to ~ from the ranks* a ajunge din gradat ofiţer (fără şcoală).

risen ['rizn] *vi. part. trec. de la* **rise**.

riser ['raizə] *s.: an early ~* om care se scoală devreme.

risible ['rizibl] *adj.* 1. pus pe râs, veşnic amuzat. 2. caraghios, ridicol. 3. derizoriu.

rising ['raiziŋ] I. *s.* 1. ridicare. 2. creştere. 3. răscoală. 4. înviere; reînviere. II. *adj.* 1. crescând. 2. în dezvoltare. 3. ascendent. 4. de viitor.

risk[risk] I. *s.* risc. II. *vt.* a risca.

risky ['riski] *adj.* 1. riscant. 2. primejdios. 3. riscat.

risotto [ri'zɔtou], *pl.* **risottos** [ri'zɔtouz] *s. gastr.* rizoto, pilaf italienesc *(făcut cu supă, carne, ceapă şi legume).*

risqué [ris'kei] *adj. (d. glumă etc.)* picant, deocheat, decoltat.

rissole ['risoul] *s. gastr.* chifteluţă.

rite [rait] *s.* 1. rit. 2. ritual.

ritual ['ritjuəl] *s.*, *adj.* ritual.

ritualism ['ritjuə,lizəm] *s. bis.* ritualism.

ritualistic [,ritjuə'listik] *adj.* ritualist, de ritual.

rivage ['rividʒ] *s. înv., poet.* ţărm, mal.

rival ['raivl] I. *s.* rival. II. *vt.* 1. a rivaliza cu. 2. a egala, a concura *(pe cineva).*

rivalry ['raivlri] *s.* 1. rivalitate. 2. concurenţă.

rive [raiv] I. *vt.* 1. a despica. 2. a desprinde. 3. a desface. II. *vi.* 1. a se sfâşia. 2. a se desface.

riven ['rivn] *vt., vi. part. trec. de la* **rive**.

river ['rivə] *s.* 1. râu. 2. fluviu *(şi fig.).*

river bank ['rivə ,bæŋk] *s.* mal / ţărm de râu *sau* fluviu.

river-bed ['rivəbed] *s.* albie de râu.

riverside ['rivəsaid] I. *s.* mal / ţărm de râu. II. *adj.* riveran, de râu.

rivet ['rivit] I. *s.* nit. II. *vt.* 1. a nitui. 2. *fig.* a fixa. 3. a ţintui. 4. a concentra. 5. a atrage.

rivulet ['rivjulit] *s.* râuleţ, pârâiaş.

R.M. *abrev.* 1. *Resident Magistrate* magistrat stabil. 2. *Royal Mail* poşta britanică. 3. *Royal Marines* trupele din marina militară britanică.

R.N. *abrev.* 1. *amer. registered nurse* infirmieră calificată. 2. *Royal Navy* marina britanică.

R.N.A. *abrev. ribonucleic acid* ARN.

roach [routʃ] *s.* 1. *iht.* babuşcă *(Rutilus rutilus).* 2. gândac *(de bucătărie).*

road [roud] *s.* 1. drum. 2. cale. 3. şosea. || *on the ~* în călătorie; călător; *by ~* pe şosea; *to get in smb.'s ~* a sta în calea cuiva; *get out of my ~* dă-te la o parte.

road-house ['roudhaus] *s.* han.

roadie ['roudi] *s. sl.* sunetist, tehnician de sunet, angajat al unei formaţii muzicale, care se ocupă cu instalarea echipamentului în timpul turneelor.

road-metal ['roud,metl] *s.* piatră de pavaj.

roadside ['roudsaid] I. *s.* (cărare din) marginea drumului. II. *adj.* de pe drum.

roadstead ['roudsted] *s. mar.* radă.

roadster ['roudstə] *s.* 1. maşină decapotabilă. 2. automobil sport.

roadway ['roudwei] *s.* parte carosabilă.

roam [roum] I. *vt.* a cutreiera, a străbate. II. *vi.* a hoinări, a vagabonda.

roan [roun] *adj. (d. cal)* dereş.

roar [rɔ:] I. *s.* 1. urlet, răget. 2. uruit. 3. zgomotos. 4. zarvă. 5. hohot. II. *vt.* a urla, a răcni. III. *vi.* 1. a urla. 2. a rage, a mugi. 3. a hohoti.

roaring['rɔ:riŋ] I. *s.* 1. urlet, răget. 2. muget. 3. uruit. II. *adj.* 1. zgomot. 2. furtunos. 3. vioi. 4. activ. || *the ~ 20s* deceniul furtunos, deceniul prohibiţiei alcoolului în SUA (1920-1930).

roast [roust] I. *s.* friptură. II. *vt.* 1. a frige. 2. a prăji. III. *vi.* 1. a se prăji. 2. a se frige.

rob [rɔb] *vt.* 1. a jefui. 2. a fura. 3. a răpi. || *to ~ Peter to pay Paul* a lua de la unul ca să plăteşti altuia.

robber ['rɔbə] *s.* 1. tâlhar. 2. bandit.

robbery ['rɔbəri] *s.* tâlhărie, jaf.

robe [roub] I. *s.* 1. robă. 2. rochie. 3. halat, capot. II. *vt., vi.* a (se) îmbrăca.

robin ['rɔbin] *s. ornit.* măcăleandru, prihor *(Erithacus rubecola).*

robot ['roubət] *s.* robot.

robust [rə'bʌst] *adj.* 1. robust. 2. viguros.

robustious [rə'bʌstʃəs] *adj.* 1. robust. 2. furios, violent. 3. zgomotos, turbulent. 4. necioplit. 5. expansiv. 6. *(d. climat)* aspru.

robustness [rə'bʌstnis] *s.* vigoare, putere, tărie.

roc [rɔk] *s. lit.* pasărea Roc *(din poveştile orientale).*

rock [rɔk] I. *s.* 1. rocă. 2. stâncă. 3. piatră. 4. legănat. 5. *mar.* tangaj. 6. *muz.* (muzică) rock. || *on the ~s* eşuat, naufragiat; lefter; fără bani; *(d. băuturi)* cu gheaţă. II. *vt.* a legăna. III. *vi.* 1. a se legăna. 2. *mar.* a face tangaj.

rock-bound ['rɔk ,baund] *adj.* înconjurat de stânci.

rocker ['rɔkə] *s.* balansoar.

rockery ['rɔkəri] *s.* grădină alpină.

rocket ['rɔkit] I. *s. av., mil., astr.* rachetă. II. *vi.* a merge fulgerător.

rocketry ['rɔkitri] *s. mil.* 1. tehnica rachetelor, a proiectilelor teleghidate. 2. totalitatea rachetelor.

rocking-chair ['rɔkintʃeə] *s.* balansoar.

rocking-horse ['rɔkinhɔ:s] *s.* căluţ de lemn.

rock salt ['rɔk ,sɔ:lt] *s.* sare brută.

rocky[1] ['rɔki] *adj.* 1. stâncos. 2. tare. 3. şubred.

rocky[2] ['rɔki] *adj.* instabil, nestabil; care se leagănă, care se clatină.

rococo [rə'koukou] *s.*, *adj.* rococo.

rod [rɔd] *s.* 1. vergea, nuia. 2. mănunchi de vergi. 3. băţ, baghetă. 4. prăjină. 5. tijă. 6. *agr.* măsură de 5 m, prăjină. 7. bătaie. || *to kiss the ~* a se supune (umil) pedepsei.

rode [roud] *vt., vi. trec. de la* **ride**.

rodent ['roudnt] *s., adj.* rozător.

rodeo ['roudi,ou] *s. amer.* **1.** strângere a vitelor pentru însemnare. **2.** rodeo, întrecere *sau* spectacol de cowboy.

roe [rou] *s.* **1.** icre. **2.** *zool.* căprioară.

roebuck ['roubʌk] *s. zool.* căprior *(bărbătuşul căprioarei).*

roentgen ['rɔntjən] *s. fiz.* roentgen.

Roentgen rays ['rɔntjən,reiz] *s. pl.* raze Roentgen, raze X.

rogation [rou'geiʃn] *s.* **1.** *bis.* rugăciune; litanie. **2.** *ist. Romei* lege supusă aprobării poporului.

roger ['rɔdʒə] **I.** *s. sl.* regulat, copulaţie; amor. **II.** *vt. sl.* a regula, a se culca cu. **III.** *vi. sl.* **(with)** a se regula, a se culca (cu). **IV.** *interj.* **1.** *av.* (trec pe) recepţie! am primit mesajul! am înţeles! în regulă! **2.** *sl.* s-a marcat! în regulă! s-a făcut! gata!

Roger ['rɔdʒə] *s.* dans rustic englez.

rogue [roug] *s.* **1.** pungaş *(şi glumeţ).* **2.** escroc. **3.** vagabond. **4.** ticălos.

roguery ['rougəri] *s.* **1.** ticăloşie. **2.** pungăşie. **3.** farsă, ştrengărie.

roguish ['rougiʃ] *adj.* **1.** viclean. **2.** pungaş. **3.** ştrengar.

roister ['rɔistə] *vi.* a face tărăboi.

role [roul] *s.* rol.

roll [roul] **I.** *s.* **1.** rulou. **2.** sul. **3.** cilindru. **4.** rolă. **5.** legănat. **6.** bubuit *(de tunet).* **7.** listă. **8.** registru; catalog. **9.** chiflă; corn. || *to call the ~* a striga catalogul; a face apelul. **II.** *vt.* **1.** a rula. **2.** a învârti. **3.** a suci; a răsuci. **4.** a rostogoli, a legăna. **5.** a sufleca. **6.** a întinde (cu sucitorul). **7.** a da peste cap *(ochii).* **8.** a amâna. **III.** *vi.* **1.** a se desfăşura. **2.** a se rostogoli. **3.** a veni. **4.** a se răsuci. **5.** a undui. **6.** a-şi da ochii peste cap. || *to ~ in* a veni (ca un) puhoi; a se bălăci; a se scălda; *to ~ up* a se aduna.

roll-call ['roulkɔ:l] *s.* **1.** strigarea catalogului. **2.** facerea prezenţei; apel *(şi mil.).*

roller ['roulə] *s.* **1.** rulou. **2.** sul. **3.** compresor.

roller skate ['roulə skeit] *s.* patină cu rotile.

roller skating ['roulə,skeitiŋ] *s.* patinaj pe patine cu rotile, skating.

rollick ['roulik] **I.** *s.* **1.** sucire. **2.** rulare. **3.** bubuit. **II.** *adj.* **1.** răsucit. **2.** care se suceşte. **3.** unduitor.

rollicking ['rɔlikiŋ] **I.** *s.* zburdălnicie, zbenguială. **II.** *adj.* vesel, exuberant; de o veselie zgomotoasă

rolling-mill ['rouliŋmil] *s.* laminor.

rolling-pin ['rouliŋpin] *s.* sucitor.

rolling-stock ['rouliŋstɔk] *s.* material rulant.

roly-poly [,rouli'pouli] **I.** *s.* **1.** ruladă cu dulceaţă. **2.** *fam.* copil dolofan; om rotofei. **3.** *reg.* prăpădit, neisprăvit, om de nimic. **II.** *adj.* grăsuţ,plinuţ.

Rom [rɔm] *s.* ţigan, rom.

Roma ['rɔmə] *s. pl. de la* **Rom.**

Roman ['roumən] *s., adj.* roman.

Roman-Catholic ['roumən'kæðəlik] *s., adj.* (romano)catolic.

romance [rə'mæns] *s.* **1.** *lit.* roman medieval (cavaleresc). **2.** roman sentimental. **3.** roman exotic *sau* de aventuri. **4.** idilă; feerie. **5.** romantism. **6.** aventură sentimentală, idilă. **7.**exagerare.

Romance [rə'mæns] *adj.* **I.** romanic. **II.** *s. fam.* limbile romanice.

romancer ['roumænsə] *s.* **1.** *ist.* autor de romane cavalereşti. **2.** povestitor *sau* autor de istorii fictive. **3.** mincinos, palavragiu.

Romanesque [,roumə'nesk] *adj.* **1.** *(d. stil)* romanesc. **2.** provensal, din Provence. **3.** romanesc, romantic, romanţios; fantastic.

Romanian [rou'meinjən] **I.** *s.* **1.** român; româncă. **2.** (limba) română. **II.** *adj.* românesc, român.

Romanic [rou'mænik] *adj., s.* v. **Romance.**

Romanist ['roumənist] *s.* **1.** catolic; papistaş. **2.** romanist, cercetător al Romei antice *sau* al dreptului roman.

Romanize ['roumə,naiz] **I.** *vt.* **1.** a romaniza, a latiniza. **2.** *rel.* a converti la catolicism. **3.** *poligr.* a scrie cu litere romane *sau* drepte. **II.** *vi.* **1.** a folosi expresii *sau* citate latineşti. **2.** a trece *sau* a converti la catolicism.

romantic [rə'mæntik] *s., adj.* romantic.

romantically [rə'mæntikəli] *adv.* romantic.

romanticism [rə'mæntisizəm] *s.* romantism.

romanticist [rə'mæntisist] *s.* romantic.

romanticize [rə'mænti,saiz] **I.** *vt.* a exagera, a dramatiza. **II.** *vi.* a deveni romanţios.

Romany ['rɔməni] *s.* **1.** ţigan. **2.** ţigănime. **3.** (limba) ţigănească.

Romish ['roumiʃ] *adj. peior.* papistaş.

romp [rɔmp] **I.** *s.* **1.** (copil) ştrengar. **2.** năzbâtie, ştrengărie. **II.** *vi.* **1.** a face ştrengării. **2.** a zburda.

romper[1] ['rɔmpə] *s.* barboteză.

romper[2] ['rɔmpə] *s. (mai ales pl.)* şorţuleţ-combinezon *(pentru copii).*

rondeau ['rɔndou], *pl. şi* **rondeaux** ['rɔndouz] *s. lit.* rondel.

rondel ['rɔndl] *s.* v. **rondeau.**

rondo ['rɔndou] *s. muz.* rondo.

rood [ru:d] *s.* **1.** nuia, vargă; băţ (de undiţă). **2.** *rel.* cruce, crucifix. **3.** măsură de lungime egală cu 5,5 iarzi *(5,029m).* **4.** măsură de suprafaţă egală cu 1/4 de acru *(10,117 ari).* **5.** petic de pământ. **6.** toiag; ciomag, bâtă.

roof [ru:f] **I.** *s.* **1.** acoperiş. **2.** cupolă. || *the ~ of the mouth* cerul gurii. **II.** *vt.* a acoperi.

roofless ['ru:flis] *adj.* **1.** fără acoperământ (deasupra capului). **2.** fără adăpost.

rook [ruk] **I.** *s.* **1.** corb. **2.** trişor. **3.** tură *(la şah).* **II.** *vt.* **1.** a trişa; a păcăli. **2.** a înşela *(la preţ).*

rookery ['rukəri] *s.* colonie de ciori, pinguini etc.

rookie ['ruki] *s. sl.* recrut, răcan.

room [ru(:)m] **I.** *s.* **1.** cameră. **2.** spaţiu. **3.** prilej, posibilitate. **4.** *pl.* camere mobilate; apartament; garsonieră. **II.** *vi.* a locui.

roomer ['ru:mə] *s. amer.* chiriaş, locatar.

roomful ['ru:mfl] *s.* odaie plină *(de persoane, obiecte etc.);* cameră întreagă.

room-mate ['ru(:)m meit] *s.* tovarăş de cameră.

roomy ['ru(:)mi] *adj.* spaţios.

roost [ru:st] **I.** *s.* **1.** băţ pe care dorm găinile. **2.** coteţ. **II.** *vi.* a se culca.

rooster ['ru:stə] *s.* cocoş.

root[1] [ru:t] **I.** *s.* **1.** rădăcină. **2.** origine. **3.** *pl.* legume. **4.** plantă (legumicolă). || *to take ~* a prinde rădăcini *(şi fig.);* *to strike at the ~ of smth.* a smulge răul din rădăcină; a lovi în temeliile unui lucru. **II.** *vt.* **1.** a sădi, a planta. **2.** a înrădăcina. **3.** a stabili, a fixa.

|| *to* ~ *out* sau *up* a dezrădăcina; a smulge *(şi fig.)*. **III.** *vi.* **1.** a prinde rădăcini *(şi fig.)*. **2.** a scurma. **3.** a scotoci. **4.** a scormoni.

root² [ru:t] **I.** *vt. sl.* a da un picior în fund / în spate *(cu dat.)*. **II.** *vi. amer. sl.* a pune o pilă, a face o intervenţie.

rooted ['ru:tid] *adj.* **1.** înrădăcinat. **2.** întemeiat.

rooter ['ru:tə] *s.* **1.** (animal) râmător. **2.** *(şi* ~ *out / up)* lucrător care dezrădăcinează / care scoate din rădăcină. **3.** *amer. sl. sport* suporter, fan, spectator entuziast *(care aplaudă şi stimulează jocul şi jucătorii).*

rootlet ['ru:tlit] *s. bot.* radiculă, radicelă.

rope [roup] **I.** *s.* **1.** funie, frânghie. **2.** şirag. **3.** ştreang. || *the* ~*s* ringul de box; situaţia; chiţibuşurile; *to give smb.* ~ a lăsa cuiva mâna liberă; *to know the* ~*s* a şti toate amănuntele, dedesubturile etc. **II.** *vt.* **1.** a lega. **2.** a înlănţui. || *to* ~ *in* a închide; a pune la treabă.

rope-dancer ['roup,dɑːnsə] *s.* dansator pe sârmă.

ropy ['roupi] *adj.* **1.** ca o frânghie, ca o funie. **2.** *(d. băuturi)* vâscos, care se întinde. **3.** *(d. alimente)* stricat, alterat. **4.** *fam.* prost, mizerabil, stricat, de proastă calitate.

Roquefort ['rɔkfɔː] *s.* (brânză) Roquefort.

rorqual ['rɔːkwəl] *s. zool.* **1.** rorqual *(specie de hienă) (Physalus antiquorum)*. **2.** specie de balenă cu aripioară dorsală *(Balaenoptera sp.)*.

rosaceous [rou'zeiʃəs] *adj.* **1.** *bot.* rozaceu. **2.** ca trandafirul.

rosary ['rouzəri] *s.* **1.** mătănii. **2.** parc de trandafiri.

rose [rouz] **I.** *s.* **1.** trandafir *(şi fig.)*. **2.** (culoare) roz. || *no* ~ *without a thorn* nu este pădure fără uscături; *a bed of* ~*s* o situaţie minunată; *under the* ~ în taină; nelegitim. **II.** *adj.* roz, trandafiriu. **III.** *vi. trec. de la* **rise**.

rosé ['rouzei] *s.* vin rosé, roze.

roseate ['rouzi,eit] *adj.* **1.** *(şi fig.)* trandafiriu, roz. **2.** *fig.* optimist, voios.

rosebud ['rouzbʌd] *s.* boboc de trandafir *(şi fig.)*.

rose bush ['rouz ˌbuʃ] *s.* tufă de trandafiri.

rosemary ['rouzməri] *s.* rozmarin.

rosette [ro'zet] *s.* **1.** cocardă. **2.** rozetă.

rose water ['rouz ˌwɔːtə] *s.* **1.** apă de trandafiri. **2.** *fig.* compliment, amabilitate, curtoazie.

rosewood ['rouzwud] *s.* lemn de trandafir.

Rosicrucian [ˌrouzi'kruːʃən] *s. ist.* membru al unei societăţi secrete din sec. al XVII-lea; membru al unor societăţi secrete din sec. al XIX-lea.

rosin ['rɔzin] *s.* sacâz.

RoSPA *abrev. Royal Society for the Prevention of Accidents* Societatea britanică de prevenire a accidentelor.

roster ['rɔstə] **I.** *s.* **1.** *nav., mil.* listă de serviciu; foaie cuprinzând ordinele de serviciu. **2.** listă (de nume); registru. **II.** *vt.* a înregistra, a înscrie pe listă; a trece în registru.

rostrum ['rɔstrəm] *s.* tribună (pentru oratori).

rosy ['rouzi] *adj.* trandafiriu *(şi fig.)*.

rot [rɔt] **I.** *s.* **1.** putreziciune. **2.** stricăciune. **3.** putregai. **4.** paraziţi vegetali. **5.** prostii. **II.** *vt.* **1.** a face să putrezească. **2.** a necăji. **III.** *vi.* **1.** a putrezi *(şi fig.)*. **2.** a spune prostii.

rota ['routə] *s.* **1.** programare prin rotaţie; servicii programate prin rotaţie. || *according to a* ~ prin rotaţie. **2.** *muz.* rondo. **3.** flaşnetă.

rotary ['routəri] *adj.* rotitor.

rotate [ro'teit] *vt., vi.* a (se) roti.

rotation [ro'teiʃn] *s.* **1.** rotire, învârtire. **2.** rotaţie.

rotation of crops [ro'teiʃnəv-'krɔps] *s. agr.* asolament.

rotator [rou'teitər] *s.* **1.** *nav.* elice. **2.** *zool.* rotifer.

rotatory ['routətri] **I.** *adj.* **1.** circular, de învârtire. **2.** *anat.* (d. muşchi) rotator. **3.** *fiz.* alternant, alternativ. **4.** *zool.* rotifer.

rote [rout] *s.: by* ~ pe de rost.

rotifer ['rɔtifə] *s. zool.* rotifer.

rotiferal [rou'tifrl] *adj. zool.* rotifer.

rotisserie [rou'tisəri:] *s.* **1.** rotiserie. **2.** rotisor.

rotor ['routə] *s.* **1.** *tehn.* rotor. **2.** *nav.* corn de rotaţie.

rotten ['rɔtn] *adj.* **1.** putred. **2.** stricat. **3.** imoral. **4.** nenorocit. **5.** prăpădit, mizerabil.

rotten borough ['rɔtn 'bʌrə] *s. ist.* târg părăsit.

rottenness ['rɔtnnis] *s.* **1.** putrezire, putreziciune. || *med.* ~ *of*

the bones carie osoasă. **2.** *fig.* corupţie, depravare.

rotter ['rɔtə] *s.* **1.** nenorocit. **2.** ticălos; pierde-vară.

rotund [rou'tʌnd] *adj.* **1.** plin, gras. **2.** sonor, răsunător. **3.** *(d. stil, discurs etc.)* bombastic, umflat, emfatic. **4.** *rar* rotund, sferic, globular.

rotunda [rou'tʌndə] *s. arhit.* rotondă.

rotundity [rou'tʌnditi] *s.* **1.** rotunzime, sfericitate, formă globulară. **2.** *iron.* corpolenţă.

rouble ['ruːbl] *s.* rublă.

roué ['ruːei] *s.* crai(don), berbant *(mai ales bătrân)*; ţap bătrân; destrăbălat.

rouge [ruːʒ] **I.** *s.* ruj. **II.** *vt., vi.* a (se) ruja.

rough [rʌf] **I.** *s.* **1.** asprime. **2.** dificultate. **3.** golan, huligan. **4.** stare brută. **5.** ciornă. || *to take the* ~ *with the smooth* a lua lucrurile cum sunt; a te deprinde şi cu greul; ~ *and tumble* bătaie generală; *(d. haine)* de dârvală; *in the* ~ neşlefuit, nelustruit, în stare brută. **II.** *adj.* **1.** aspru. **2.** colţuros, zgrunţuros. **3.** zgomotos. **4.** violent. **5.** imperfect. **6.** brut. **7.** aproximativ. **8.** stângaci. **9.** nepoliticos. **10.** dificil, plin de privaţiuni. **III.** *vt.* a înăspri. || *to* ~ *it* a o scoate (cu greu) la capăt; a duce o viaţă de privaţiuni. **IV.** *adv.* aspru.

roughage ['rʌfidʒ] *s.* **1.** *agr.* furaj grosier, ordinar. **2.** *gastr., med.* alimente greu digerabile.

rough copy ['rʌf ˌkɔpi] *s.* ciornă.

rough customer ['rʌf ˌkʌstəmə] *s.* zurbagiu, scandalagiu.

rough diamond ['rʌf 'daiəmənd] *s.* **1.** diamant neşlefuit. **2.** *fig.* brânză bună în burduf de câine.

roughen ['rʌfən] **I.** **1.** *vt.* a înăspri, a face aspru. **2.** *poligr.* a decapa. **II.** *vi.* a se înăspri, a deveni aspru.

rough-hew ['rʌf'hjuː] *vt.* **1.** a tăia sau a prelucra grosolan *(piatră, lemn etc.)*. **2.** a schiţa, a ciopli în forme aproximative *(o statuie etc.)*.

rough-house ['rʌfhaus] *sl.* **I.** *vi.* a face scandal; a lua parte la un scandal. **II.** *s.* scandal.

roughly ['rʌfli] *adv.* **1.** aspru. **2.** aproximativ. || ~ *speaking* în mare, în linii mari.

rough-neck ['rʌfnek] s. 1. huligan. 2. zurbagiu. 3. gangster.

roughness ['rʌfnis] s. asprime.

roughshod ['rʌfʃɔd] adj. 1. brutal. 2. cu potcoavele pilite.

rough-spoken ['rʌf'spoukn] adj. 1. sincer; brutal. 2. nedus la biserică (fig.).

roulette [ru'let] s. (joc la) ruletă.

Roumanian [ru'meinjən] s., adj. v. **Romanian**.

round [raund] I. s. 1. bucată rotundă. 2. rotunjime. 3. rundă. 4. șir. 5. cerc, ciclu. 6. rond. 7. dans, horă. 8. salvă. || to make sau go one's ~s a-și face rondul. II. adj. 1. rotund. 2. în cerc. 3. ciclic. 4. complet. 5. continuu. 6. puternic. 7. deschis. 8. clar. 9. adevărat. 10. plin. III. vt. 1. a rotunji. 2. a înconjura. 3. a vizita. 4. a inspecta. || to ~ off sau out a rotunji; a termina; to ~ up a aduna laolaltă; a rezuma. IV. vi. a se rotunji. || to ~ upon smb. a se năpusti asupra cuiva (și fig.). V. adv. 1. de jur împrejur. 2. în cerc. 3. de la unul la altul. 4. prin toată casa. 5. pe ocolite. 6. încoace. || all ~ de jur împrejur; all the year ~ tot anul; ~ and ~ de mai multe ori în șir; to go~ a ajunge pentru toți. VI. prep. 1. în jurul (cu gen.). 2. de jur împrejurul (cugen.). || I showed him ~ the house l-am plimbat prin toată casa; i-am arătat toată casa.

roundabout ['raundəbaut] I. s. 1. căluşei. 2. sens giratoriu. II. adj. ocolit, indirect.

roundel ['raundl] s. 1. rondelă; obiect rotund; disc; cerc. 2. ist. scut mic rotund. 3. tavă rotundă. 4. arhit. fereastră rotundă. 5. lit. rondel.

roundelay ['raundi,lei] s. înv. 1. rondo; cântec scurt cu refren. 2. ciripit, cântec (al păsărilor). 3. dans în cerc.

rounders ['raundəz] s.sport. oină.

round game ['raund'geim] s. joc la care pot participa toți (cei de față).

roundhead ['raundhed] s. 1. „Roundhead" ist. cap rotund (poreclă dată partizanilor lui Cromwell). 2. tehn. cap semirotund.

roundhouse ['raundhaus] s. 1. înv. cameră de arest. 2. nav. ruf, superstructură conţinând cabine. 3. ferov. depou.

roundly ['raundli] adv. 1. în cerc. 2. tare. 3. sever. 4. clar, categoric, de la obraz.

roundness ['raundnis] s. rotunjime.

round-up ['raund,ʌp] s. 1. amer. strângere a vitelor (pentru marcare, numărătoare etc.). 2. razie. 3. dare de seamă, cronică, trecere în revistă; rezumatul știrilor.

roundworm ['raundwɔːm] s. zool. limbric (Ascaris lumbricoides).

rouse [rauz] I. vt. 1. a stârni. 2. a trezi. 3. a aţâţa, a excita (și sexual). II. vi. 1. a se trezi. 2. a se stârni.

rout [raut] I. s. 1. ceată, gloată (zgomotoasă). 2. dezordine. || to put to ~ a pune pe fugă. II. vt. 1. a înfrânge. 2. a pune pe fugă; a provoca derută printre. 3. a scoate (din bârlog), a stârni. III. vi. a râma, a scormoni.

route [ruːt] s. 1. rută. 2. cale.

routine [ruː'tiːn] I. s. 1. obișnuinţă. 2. rutină. 3. monotonie. 4. regularitate. II. adj. 1. monoton. 2. regulat. 3. banal.

rove[1] [rouv] vi. 1. a rătăci. 2. a se împrăştia.

rove[2] [rouv] I. s. 1. tehn. șaibă. 2. text. fir răsucit. II. vt. text. a răsuci.

rove[3] [rouv] vt. trec. de la **reeve**[1].

roven [rouv] vt. part. trec. de la **reeve**[1].

rover ['rouvə] s. 1. călător. 2. cercetaş. 3. ist. pirat, corsar.

row[1] [rou] I. s. 1. șir, rând. 2. linie. 3. vâslit. 4. plimbare cu barca. II. vt. a împinge (vâslind). III. vi. a vâsli.

row[2] [rau] I. s. 1. scandal, gălăgie. 2. ceartă, dispută (și domestică). 3. ocară; || to kick up a ~ a face scandal. II. vt. a ocărî. III. vi. a face gălăgie, a stârni scandal; a se certa.

rowan ['rauən] s. bot. scoruş de munte, sorb (Sorbus aucuparia).

row boat ['rou ,bout] s. barcă cu vâsle; şalupă cu vâsle.

rowdy ['raudi] s., adj. scandalagiu.

rowel ['rawəl] I. s. 1. rozetă (la pinteni). 2. rondelă sau disc de piele (pentru eliminarea sudorii calului). II. vt. 1. a da pinteni (calului), a îndemna (calul) cu rozeta pintenului. 2. a pune (unui cal) rondela / discul pentru eliminarea sudorii.

rowlock ['rɔlək] s. mar. furchet.

royal ['rɔil] adj. 1. regesc; regal. 2. grandios.

royalist ['rɔiəlist] s., adj. 1. monarhist, regalist. 2. amer. reacţionar, retrograd, conservator.

royalty ['rɔilti] s. 1. regalitate. 2. monarhie. 3. familie regală. 4. pl. drepturi de autor.

r.p.m. abrev. revolutions per minute rotaţii / turaţii pe minut.

R.S.M. abrev. Regimental Sergeant Major aprox. plutonier major de intendenţă.

R.S.P.C.A. abrev. Royal Society for the Prevention of Cruelty to Animals Societatea pentru protecţia animalelor.

R.S.V. abrev. repondez s'il vous plaît vă rugăm să răspundeţi (dacă acceptaţi sau nu invitaţia).

R.S.V.P. abrev. Revised Standard Version (of the Bible) versiunea standard revăzută (a Bibliei).

Rt. Hon. abrev. Right Honourable (distinsul) deputat.

Rt. Rev(d). abrev. Right Reverend aprox. Sfinţia Sa.

rub [rʌb] I. s. 1. frecare. 2. frecuş. 3. dificultate.|II. vt. 1. a freca, a lustrui. 2. a spăla. || to ~ off sau out a șterge; to ~ up a lustrui; fig. a împrospăta; to ~ shoulders with a se întâlni în societate cu. III. vi. a (se) freca.

rubato [ruː'baːtou] muz. I. adj. rubato. II. s. pl. **rubatos** [ruː'baː touz] sau **rubati** [ruː'baː ti] stil rubato; pasaj cântat în stil rubato.

rubber ['rʌbə] I. s. 1. cauciuc. 2. gumă (de şters). 3. pl. galoşi. 4. rober (la cărţi). II. vt. a cauciuca.

rubberneck ['rʌbənek] s. 1. băgăreţ. 2. turist, vizitator.

rubbish ['rʌbiʃ] s. 1. resturi. 2. gunoi. 3. prostii.

rubble ['rʌbl] s. dărâmături, moloz.

rubella [ruː'belə] s. med. rubeolă.

rubicund ['ruːbikənd] adj. rumen, roşcovan; rubicond.

ruble ['ruːbl] s. v. **rouble**.

rubric ['ruːbrik] I. s. 1. rubrică. 2. alineat, paragraf. 3. minr. pământ roşu. II. adj. 1. scris sau tipărit cu roşu. 2. (d. zi) de sărbătoare. 3. împărţit în rubrici.

ruby ['ruːbi] I. s. rubin. II. adj. rubiniu.

ruche [ruːʃ] s. volan, volănaş de dantelă; ornament de dantelă.

ruck[1] [rʌk] I. s. cută, creţ, fald. II. vt. a încreţi, a plisa.

ruck[2] [rʌk] *s.* mulţime, gloată; oameni de rând. || *to get out of ~* a parveni (în viaţă); a ieşi din anonimat, a deveni cineva.

rucksack ['ruksæk] *s.* rucsac.

ruction ['rʌkʃn] *s. sl.* ceartă, sfadă.

rudder ['rʌdə] *s.* cârmă *(şi fig.).*

ruddiness ['rʌdinis] *s.* roşeaţă / rumeneală a obrajilor.

ruddy ['rʌdi] *adj.* 1. roşu. 2. rotofei. 3. plesnind de sănătate.

rude [ru:d] *adj.* 1. nepoliticos. 2. aspru, brutal. 3. violent. 4. imperfect. 5. primitiv, barbar. 6. colţuros. 7. neţesălat.

rudely ['ru:dli] *adv.* 1. nepoliticos. 2. violent. 3. aspru; crud. 4. grosolan.

rudiment ['ru:dimənt] *s.* rudiment.

rudimental [,ru:di'mentl] *adj.* rudimentar.

rudimentary [,ru:di'mentri] *adj.* 1. rudimentar. 2. elementar.

rue[1] [ru:] I. *s.* 1. regret. 2. milă. II. *vt.* 1. a regreta. 2. a se căi pentru.

rue[2] [ru:] *s. bot.* rută, virnanţ *(Ruta graveoleus).*

rueful ['ru:fl] *adj.* 1. trist. 2. plin de regret. 3. plin de compătimire. 4. întristat.

ruefully ['ru:fuli] *adv.* 1. cu tristeţe; jalnic. 2. *înv.* cu milă.

ruff[1] [rʌf] *s.* 1. penaj de la gât. 2. guler plisat / încreţit / gofrat cu zorzoane.

ruff[2] [rʌf] I. *s. (la jocul de cărţi)* tăiere *(cu atu).* II. *vt.* a tăia *(cu atu).*

ruffed [rʌft] *adj. (d. păsări, animale)* gulerat, colier.

ruffian ['rʌfjən] *s.* 1. bătăuş, mardeiaş, cuţitar, terorist. 2. bandit.

ruffle ['rʌfl] I. *s.* 1. dantelă; volan. 2. vălurele. 3. agitaţie. II. *vt.* 1. a încreţi, a plisa *(un guler).* 2. a agita, a tulbura. III. *vi.* 1. a se tulbura. 2. a face vălurele.

rufous ['ru:fəs] *adj.* roşcovan; arămiu; brun-roşcat.

rug [rʌg] *s.* 1. carpetă. 2. pătură. 3. ţol.

rugby ['rʌgbi] *s.* rugbi.

rugged ['rʌgid] *adj.* 1. aspru. 2. colţuros. 3. necioplit. 4. sincer. 5. robust, rezistent.

rugger ['rʌgə] *s. fam.* rugbi.

ruin [ruin] I. *s.* 1. ruină. 2. decădere (morală). 3. faliment. 4. nenorocire. II. *vt.* 1. a ruina. 2. a distruge *(şi fig. – viaţa unei femei).* 3. a deprava ,a strica (o femeie).

ruinous ['ruinəs] *adj.* 1. ruinător. 2. dezastruos. 3. ruinat.

rule [ru:l] I. *s.* 1. regulă, lege. 2. dispoziţie. 3. tradiţie. 4. stăpânire, domnie. 5. regim. 6. hotărâre judecătorească. 7. linie, riglă. || *as a ~* în general. II. *vt.* 1. a stăpâni. 2. a guverna, a conduce. 3. *jur.* a hotărî, a declara. 4. a linia. || *to ~ off* a exclude; *to~ the roast* sau *roost* a fi în fruntea bucatelor. III. *vi.* a fi stăpân.

ruler ['ru:lə] *s.* 1. conducător, stăpânitor. 2. domnitor, voievod. 3. riglă, linie.

ruling ['ru:liŋ] I. *s.* 1. conducere, guvernare. 2. hotărâre judecătorească. II. *adj.* 1. conducător, dominant. 2. la putere.

rum [rʌm] I. *s.* 1. rom. 2. *amer.* băutură alcoolică. II. *adj.* 1. ciudat, bizar. 2. trăsnit.

Rumanian [ru'meinjən] *s., adj.* v. **Romanian.**

rumba ['rʌmbə] *s.* (dansul) rumba.

rumble ['rʌmbl] I. *s.* 1. duduit. 2. bubuit. II. *vt.* 1. a conduce în mare viteză. 2. a face să duduie. III. *vi.* 1. a dudui. 2. a bubui. 3. a hurui.

rumbustious [rʌm'bʌstjəs] *adj. fam.* zgomotos, gălăgios; scandalagiu.

ruminant ['ru:minənt] *s., adj.* rumegător.

ruminate ['ru:mineit] 1. *vi.* a rumega. 2. a medita.

rumination [,ru:mi'neiʃn] *s.* 1. *zool.* rumegare. 2. reflectare, meditare.

rummage ['rʌmidʒ] I. *s.* 1. răvăşeală. 2. scormoneală. 3. vechituri. II. *vt., vi.* 1. a scormoni. 2. a răvăşi || *to ~ out* a scoate la iveală.

rummy ['rʌmi] *s.* remi, rummy.

rumo(u)r ['ru:mə] I. *s.* zvon. II. *vt.* 1. a lansa *(un zvon).* 2. a şopti.

rump [rʌmp] *s.* 1. posterior; noadă, şezut; târtiţă *(la păsări);* crupă *(la cai).* 2. *fam.* rest, rămăşiţă *(dintr-un partid etc.).*

rumple ['rʌmpl] *vt.* 1. a încreţi. 2. a şifona.

rumpus ['rʌmpəs] *s. fam.* vacarm, tărăboi; zarvă, scandal, zgomot; vuiet, gălăgie. || *to have a ~ with smb.* a se certa cu cineva; *to pick up a ~* a face scandal.

run [rʌn] I. *s.* 1. alergare. 2. plimbare. 3. călătorie. 4. serie (de evenimente). 5. fermă; stână. 6. teren vast. 7. turmă; cârd. 8. curent, tendinţă. 9. conducere.

10. scurgere. || *at a ~* deodată; în fugă; *on the ~* fugărit; grăbit; *to have a ~ for one's money* dai un ban, dar stai în faţă; *in the long~*în cele din urmă. II. *vt. trec.* **ran** [ræn], *part. trec.* **run** [rʌn] 1. a conduce. 2. a administra. 3. a risca. 4. a face. 5. a pune la treabă *sau* alergătură. 6. a băga. 7. a duce.|| *to ~ the show* a conduce, a fi şef; *to ~ errands* sau *messages* a face comisioane; *to ~ the gauntlet* a trece (pe cineva) prin furcile caudine, a pune pe cineva la mare încercare; a chinui; *to ~ smb. close* a strânge pe cineva cu uşa; *to ~ one's eyes on* a-şi arunca ochii pe; *to ~ down* a defăima; a găsi *(d. vehicule)* a călca; *to ~ in* a roda, a dresa; *to ~ up* a înălţa; a aduna *(o coloană de cifre).* III. *vi. trec.* **ran** [ræn], *part. trec.* **run** [rʌn] 1. a alerga, a fugi. 2. a se grăbi. 3. *(d.vehicule)* a merge; a face curse. 4. a se mişca. 5. a se învârti. 6. a curge. 7. a deveni. 8. a se răspândi. 9. a se întinde. 10. a trece. 11. a se petrece. 12. a ajunge. 13. a candida.14. a se spune. 15. a suna. 16. a se încurca. 17. a desface. || *cut and ~* dai şi fugi; *to ~ about* a umbla de colo până colo; *to ~ across smb.* a întâlni pe cineva; *to~ after smb.* a alerga sau a se ţine după cineva; *to ~ against smb.* a se ciocni de cineva; a întâlni pe cineva; *to ~ at* a ataca, a se năpusti la; *to ~ away* a fugi; *to ~ away with* a fura; a fugi cu; a-l lua (ceva) pe dinainte; a se pripi cu *(o concluzie etc.);* *to ~ down* a se opri; a înceta să mai funcţioneze; a fi istovit; *to ~ high* a fi în floare *sau* fierbere; *to ~ in* a veni; *to ~ into* a se ciocni de; a face, a realiza; *to ~ low* a scădea; *to ~ off* a pleca (repede); a curge, a (se) scurge; *to~ on* a se îmbina; a vorbi întruna; *to ~ out* a nu ajunge, a fi insuficient; *I have ~ out of ink* mi s-a terminat cerneala; *to ~ over* a da pe dinafară; a parcurge, a trece în revistă; *to ~ riot* a-şi face de cap; a creşte peste măsură; *to ~ short* a fi pe sfârşite; *to ~ short of* a isprăvi, a nu mai avea; *to ~ through* a termina; a parcurge; *to ~ to* a ajunge la *sau* pentru; *to ~ up* a se urca;

to ~ up against a se ciocni de; to ~ upon a nimeri; a lovi; to ~ wild a înnebuni; a fi neglijat; a se înțepeni.

runabout ['rʌnəbaut] s. **1.** hoinar. **2.** mașină (mică), automobil.

runagate ['rʌnəgeit] s. înv. haimana, vagabond.

runaway ['rʌnəwei] s., adj. fugar.

rune [ru:n] s. **1.** lingv. rună. **2.** poem scandinav (mai ales finlandez). **3.** pl. poet. stihuri; poezie; vers.

rung [rʌŋ] **I.** s. **1.** bară, treaptă a unei scărițe. **2.** spiță. **II.** vt., vi. trec. și part. trec. de la **ring**.

runic ['ru:nik] adj. runic.

runlet¹ ['rʌnlit] s. râulet, pârâiaș, gârliță.

runlet² ['rʌnlit] s. înv. butoi de vin.

runnel ['rʌnl] s. **1.** râulet, pârâu. **2.** canal (de scurgere), rigolă. **3.** viroagă, vâlcea.

runner ['rʌnə] s. **1.** fugar. **2.** curier. **3.** talpă (de sanie). **4.** mlădiță. **5.** plantă agățătoare.

runner-up ['rʌnər'ʌp] s. concurent care împarte locul I cu învingătorul; câștigător ex-aequo.

running ['rʌniŋ] **I.** s. fugă. **II.** adj. **1.** fugar. **2.** în fugă. **3.** neîntrerupt. **4.** curent, curgător. **5.** purulent. **III.** adv. la rând, una după alta.

running board ['rʌniŋbɔ:d] s. scara automobilului, a trenului etc.

running fire ['rʌniŋfaiə] s. **1.** tir repetat. **2.** fig. critici severe.

running knot ['rʌniŋ'nɔt] s. nod marinăresc.

runny ['rʌni] adj. **1.** lichid. **2.** înlăcrimat; care plânge.

runt [rʌnt] s. **1.** animal (domestic) pipernicit. **2.** fam. bondoc, pitic; fam. prâslea. **3.** mârțoagă, cal deșelat. **4.** țărănoi, mojic.

runway ['rʌnwei] s. **1.** auto., av. pistă. **2.** potecă. **3.** drum.

rupee [ru:'pi:] s. fin. rupie (indiană).

rupture ['rʌptʃə] **I.** s. **1.** ruptură (și fig.). **2.** hernie. **II.** vt., vi. a (se) rupe.

ruptured ['rʌptʃəd] adj. fam. boșorog(it), suferind de hernie.

rural ['ruərl] adj. rural.

ruse [ru:z] s. șiretlic, vicleșug.

rush [rʌʃ] **I.** s. **1.** goană, alergătură. **2.** modă. **3.** manie generală. **4.** aflux. **5.** bot. pipirig; papură (Juncus sp., Scirpus lacustris). **II.** vt. **1.** a repezi. **2.** a trimite în grabă. **3.** a grăbi. **4.** a înșela la preț. **5.** a lua cu asalt. **6.** a face, a executa repede. || to ~ smb. off his feet a convinge pe cineva luându-l repede. **III.** vi. **1.** a alerga. **2.** a se repezi. **3.** a se pripi. || to ~ to a conclusion a trage o concluzie pripită; to ~ into print a se pripi să tipărească (ceva).

rush light ['rʌʃlait] s. **1.** lumânare cu muc de trestie. **2.** fig. lumină slabă, sclipire slabă. **3.** sărăcie de spirit. **4.** ratat, om de nimic.

rushy ['rʌʃi] adj. **1.** plin de stuf. **2.** ca stuful.

rusk [rʌsk] s. pesmet; biscuit.

russet ['rʌsit] **I.** s. **1.** roșu. **2.** (măr) roșu. **II.** adj. roșiatic.

Russian ['rʌʃn] **I.** s. **1.** rus; rusoaică. **2.** (limba) rusă. **II.** adj. rus, rusesc.

rust [rʌst] **I.** s. **1.** rugină. **2.** fig. ramoleală, îmbătrânire. **3.** lipsă de antrenament. **II.** vi. **1.** a (se) rugini. **2.** a (se) istovi. **3.** a (se) ramoli, a îmbătrâni.

rustic ['rʌstik] **I.** s. țăran; țărănoi. **II.** adj. **1.** rustic, rural. **2.** simplu. **3.** grosolan.

rusticate ['rʌstikeit] **I.** vi. a se retrage sau a locui la țară. **II.** vt. a rusticiza.

rusticity [rʌs'tisiti] s. simplitate; stângăcie; maniere rustice.

rustiness ['rʌstinis] s. ruginire (și fig.).

rustle ['rʌsl] **I.** s. **1.** fâșâit. **2.** foșnet. **II.** vt. a face să foșnească sau să fâșâie. **III.** vi. **1.** a foșni. **2.** a fâșâi.

rustler ['rʌslə] s. amer. sl. **1.** hoț de vite. **2.** persoană care nu pierde nici un moment.

rustless ['rʌstlis] adj. inoxidabil; care nu ruginește.

rustling ['rʌsliŋ] s. **1.** foșnet. **2.** fâșâit.

rusty ['rʌsti] adj. **1.** ruginit. **2.** demolat. **3.** demodat. **4.** slab. **5.** uzat. **6.** învechit. **7.** decolorat. **8.** arțăgos. || to turn ~ a se acri.

rut¹ [rʌt] **I.** s. **1.** făgaș; urmă. **2.** fig. rutină; închistare. **II.** vt. **1.** a brăzda. **2.** a face făgașuri în.

rut² [rʌt] **I.** s. rut; (perioadă de) împerechere. **II.** vi. (d. animale) a se împerechea.

ruth [ru:θ] s. milă, îndurare.

ruthless ['ru:θlis] adj. **1.** neînturător, nemilos. **2.** sălbatic, aspru.

ruthlesseness ['ru:θlisnis] s. cruzime, asprime, lipsă de milă.

ruthlessly ['ru:θlisli] adv. neîndurător, fără milă.

R. V. abrev. Revised Version versiune revizuită (a Bibliei).

rye [rai] s. **1.** bot. secară (Secale cereale). **2.** secărică (rachiu).

S

S [es] s. (litera) S, s.

Sabbatarian [ˌsæbə'tɛəriən] s. **1.** păzitor (al îndatoririlor religioase); (la evrei) cel care respectă sabatul. **2.** ist. rel. anabaptist care respectă sâmbăta.

sabbath ['sæbəθ] s. **1.** Sabbath sabat, sâmbăta (la evrei); duminica (la protestanți). **2.** sabatul vrăjitoarelor.

sabbatic(al) [sə'bætik(l)] **I.** adj. **1.** rel. de sâmbătă (la evrei); de

duminică (la protestanți). **2.** amer. univ. (d. an) liber (pentru studii). **II.** s.amer. univ. an liber (pentru studii) al cadrelor didactice.

sable ['seibl] s. zool. **1.** herminâ (Mustela zibellina). **2.** samur (Mustela zibellina).

sabot ['sæbou] s. **1.** sabot, gheată din lemn. **2.** (artilerie) sabot (de proiectil).

sabotage ['sæbətɑ:ʒ] **I.** s. sabotaj.

II. vt. a sabota.

saboteur [sæbə'tə:] s. fig. **1.** sabotor. **2.** diversionist.

sabre ['seibə] **I.** s. sabie. **II.** vt. **1.** a înarma cu o sabie. **2.** a tăia / a răni cu sabia.

sac [sæk] s. biol. pungă, săculeț.

saccharin(e) ['sækərin] s. zaharină.

sacerdotal [ˌsæsə'doutl] adj. sacerdotal, preoțesc.

sachem ['seitʃəm] s. **1.** şef indian. **2.** persoană importantă. **3.** a-mer. sforar (politic); pop. om cu influenţă.

sachet ['sæʃei] s. săculeţ, pache-ţel (în care se păstrează pudră parfumată).

sack[1] [sæk] I. s. **1.** sac. **2.** fam. concediere. **3.** jaf. || to get the ~ fam. a fi concediat. II. vt. **1.** a ambala într-un sac. **2.** fam. a concedia. **3.** a jefui.

sack[2] [sæk] s. înv. vin sec.

sackcloth ['sækkləθ] s. pânză de sac.

sackcoat ['sækkout] s. sacou, sur-tuc.

sacking ['sækiŋ] s. **1.** ambalare / punere în saci. **2.** pânză de sac. **3.** sl. concediere, dare afa-ră.

sacral ['seikrl] adj. **1.** legat de ri-tualul religios, sacru. **2.** anat. sacral.

sacrament ['sækrəmənt] s. sacra-ment.

sacramental [,sækrə'mentl] adj. **1.** sacramental, sfinţit. **2.** luat sub jurământ.

sacred ['seikrid] adj. **1.** sfânt. **2.** sacru. **3.** religios. **4.** solemn.

sacrifice ['sækrifais] I. s. **1.** sacri-ficiu, jertfă. **2.** pierdere. II. vt., vi. a (se) jertfi.

sacrificial [,sækri'tiʃl] adj. **1.** de sacrificiu, de jertfă. **2.** com. (d. o vânzare) în pierdere.

sacrilege ['sækrilidʒ] s. sacri-legiu.

sacrilegious [,sækri'lidʒəs] adj. profanator.

sacrist(an) ['sækrist(n)] s. bis. catolică **1.** sacristan. **2.** copist (de muzică religioasă).

sacristy ['sækristi] s. bis. sacris-tie.

sacrosanct ['sækrousæŋkt] adj. sacrosanct, sfânt.

sacrum ['seikrəm], pl. **sacrums** ['seikrəmz] sau **sacra** ['seikrə] s. anat. osul sacral, sacrum.

sad [sæd] adj. **1.** trist. **2.** întunecat. **3.** ruşinos.

sad iron ['sæd ,aiən] s. fier de căl-cat.

sadden ['sædn] vt., vi. a (se) întrista.

saddle ['sædl] I. s. **1.** şa. **2.** spi-nare. II. vt. **1.** a înşeua. **2.** a în-cărca (cu o sarcină).

saddle bag ['sædl bæg] s. desagă care se poartă la şa.

saddle bow ['sædl bou] s. oblânc de şa.

saddler ['sædlə] s. şelar.

sadism ['sædizəm] s. sadism.

sadistic [sæ'distik] adj. sadic.

sadly ['sædli] adv. trist, cu tristeţe.

sadness ['sædnis] s. tristeţe.

safe [seif] I. s. **1.** seif, casă de bani. **2.** răcitor. II. adj. **1.** sin-gur. **2.** neprimejdios; infensiv. **3.** în siguranţă, la adăpost; li-niştit. **4.** precaut. **5.** demn de încredere. **6.** incontestabil. || ~ and sound teafăr, sănătos; în deplină siguranţă; to be on the ~ side ca nu cumva să greşim.

safe conduct [seif 'kɔndəkt] I. s. salvconduct. || letter of ~ bilet de liberă trecere. II. vt. a da (cuiva) un bilet de liberă tre-cere / un salvconduct.

safeguard ['seifgɑ:d] I. s. **1.** ga-ranţie. **2.** ocrotire. **3.** salvcon-duct. II. vt. **1.** a apăra, a ocroti. **2.** a salvgarda.

safe keeping [seif 'ki:piŋ] s. pă-strare sigură. || to be in ~ a fi în siguranţă.

safely ['seifli] adv. **1.** teafăr. || to arrive ~ a ajunge cu bine; to put smth; ~ away a pune ceva la loc sigur. **2.** cu siguranţă, fără îndoială. || I can ~ say that pot să spun cu toată certi-tudinea că.

safety ['seifti] s. **1.** siguranţă. **2.** linişte. **3.** protecţie.

safety lamp ['seifti læmp] s. mine. lampă de siguranţă.

safety-match ['seiftimætʃ] s. chi-brit (cu fosforul pe cutie).

safety-pin ['seiftipin] s. ac de si-guranţă.

safety razor ['seifti,reizə] s. aparat de ras.

safety valve ['seifti vælv] s. **1.** supapă / ventil de siguranţă. **2.** fig. ieşire, eşapament. || to sit on the ~ a împiedica func-ţionarea supapei de siguranţă; a sili / presa să tacă; a sili opinia publică să tacă.

saffron ['sæfrn] I. s. şofran. II. adj. galben (ca şofranul).

sag [sæg] I. s. **1.** scobitură. **2.** că-dere. **3.** scădere. II. vi. **1.** a co-borî. **2.** a scădea. **3.** a se pră-buşi. **4.** a atârna.

saga ['sɑ:gə] s. epopee, saga.

sagacious [sə'geiʃəs] adj. **1.** în-ţelept. **2.** practic.

sagacity [sə'gæsiti] s. agerime, perspicacitate, inteligenţă.

sagamore ['sægəmɔ:] s. v. sa-chem.

sage [seidʒ] I. s. **1.** înţelept. **2.** bot. salvie. II. adj. înţelept.

sagely ['seidʒli] adv. **1.** judicios, înţelept, cu înţelepciune. **2.** fam. pe un ton savant.

sago ['seigou] s. sagu.

sahib ['sɑ:hib] s. **1.** sahib, euro-pean. **2.** sahib, domnule (titlu cu care indienii se adresează europenilor).

said [sed] I. vt., vi. trec. şi part. trec. de la **say**. II. adj. **1.** spus, rostit. **2.** sus menţionat, mai sus / înainte pomenit.

sail [seil] I. s. **1.** pânză (de cora-bie). **2.** corabie, vas. **3.** călă-torie pe apă. || in full ~ cu toate pânzele sus; under ~ în plină cursă. II. vt. **1.** a traversa (o mare). **2.** a conduce (o co-rabie). III. vi. **1.** a naviga. **2.** a călători pe apă. **3.** fig. a se mişca. || to ~ into a ataca; to ~ before the mast a sluji ca matroz.

sail boat ['seil bout] s. v. **sailing boat**.

sail cloth ['seil klɔθ] s. pânză pentru vele.

sailing ['seiliŋ] s. **1.** navigaţie. **2.** plecare.

sailing boat ['seiliŋbout] s. vas / corabie cu pânze.

sailor ['seilə] s. **1.** marinar. **2.** pa-sager. || to be a good ~ a nu suferi de rău de mare.

sainfoin ['sænfɔin] s. bot. spar-cetă (Onobrychis viciifolia).

saint [seint] s. sfânt, sfântă.

saintly ['seintli] adj. **1.** sfânt. **2.** pios, evlavios.

saith [seθ] înv. pers. a III-a sing. ind. prez. de la **say**.

sake [seik] s.: for my ~ de dragul sau hatârul meu; for con-science' ~ pentru liniştirea conştiinţei; for goodness' ~ ! pentru numele lui Dumnezeu!

sal [sæl] s. înv. chim. sare.

sal amoniac [,sæl ə'mouniæk] s. chim. clorură de amoniu, ţipi-rig.

salaam [sə'lɑ:m] I. s. fam. sala-malec, temenea. II. vi. a face salamalecuri / temenele a-dânci.

salable ['seiləbl] adj. v. **saleable**.

salacious [sə'leiʃəs] adj. **1.** (d. persoane) pofticios, libidinos. **2.** (d. glume, vorbe etc.) ob-scen, deocheat, decoltat.

salad ['sæləd] s. **1.** salată. **2.** bot. lăptucă, salată verde.

salad days ['sælədeiz] s. pl. vârstă necoaptă, imaturitate.

salamander ['sælə,mændə] s. zool. salamandră (Salamandra maculosa).

salaried ['sælərid] s. 1. salariat. || high-~ officials funcţionari bine plătiţi. 2. (d. un post) retribuit.

salary ['sæləri] s. salariu (de funcţionar).

sale [seil] s. 1. vânzare. 2. marfă. 3. licitaţie. 4. ofertă. 5. pl. solduri.

saleable ['seiləbl] adj. 1. (d. o marfă) vandabil. 2. (d. preţ) rezonabil, moderat.

saleslady ['seilz,leidi] s. amer. v. **saleswoman**.

salesman ['seilzmən] s. pl. **salesmen** ['seilzmən] 1. vânzător. 2. amer. comis-voiajor.

salesmanship ['seilzmənʃip] s. com. abilitatea de a vinde. || his ~ is good este un bun comerciant.

saleswoman ['seilz,wumən] s. pl. **saleswomen** ['seilz,wimin] vânzătoare (în magazin).

salicylic acid [,sæli'silik 'æsid] s. chim. acid salicilic.

salient ['seiljənt] adj. 1. proeminent. 2. remarcabil. 3. izbitor.

saline I. adj. ['seilain] sărat, salin. II. s. [sə'li:n] 1. sare amară. 2. salină.

saliva [sə'laivə] s. salivă.

salivary ['sælivəri] (d. glande etc.) salivar.

salivate ['sæliveit] I. vi. a saliva. II. vt. a face să saliveze.

sallow ['sælou] adj. 1. smead. 2. palid, galben la faţă.

sally ['sæli] I. s. 1. glumă, spirit. 2. satiră, şarjă. 3. atac. II. vi. 1. a ataca. 2. a ieşi.

sally port ['sæli pɔ:t] s. uşă tainică de ieşire, poartă de ieşire (la fortăreţe, fortificaţii).

salmagundi [,sælmə'gʌndi] s. 1. mâncare făcută din carne tocată, ouă, ceapă. 2. fig. amestecătură, talmeş-balmeş.

salmon ['sæmən] s. iht. somon (Tratta salar).

salon ['sælɔ:ŋ] s. 1. salon (aristocratic sau literar). 2. expoziţie.

saloon [sə'lu:n] s. 1. cârciumă. 2. amer. prăvălie.

saloon keeper [sə'lu:n ,ki:pə] s. amer. birtaş, cârciumar.

salsify ['sælsifi] s. bot. barbacaprei (Tragopogon major).

salt [sɔ:lt] I. s. sare (şi fig.). || the ~ of the earth floarea naţiunii; with a grain of ~ sub beneficiu de inventar. II.adj. (şi fig.) sărat. III. vt. 1. a săra. 2.a pune la saramură.

SALT abrev. Strategic Arms Limitation Talks negocieri pentru limitarea armelor strategice.

salt-cellar ['sɔ:lt,selə] s. solniţă.

salting ['sɔ:ltiŋ] s. 1. sărare. 2. vet. imunizare (a cailor). 3. pl. păşune udată de apa mării.

saltness ['sɔltnis] s. salinitate (a apei mării etc.).

saltpetre, salt-peter ['sɔ:lt,pi:tə] s. salpetru.

salt water ['sɔlt wɔ:tə] I. s. 1. apă sărată; apă de mare. 2. pl. izvor de apă sărată. II. adj. de apă sărată. || ~ fish peşte de mare / de apă sărată.

salty ['sɔ:lti] adj. sărat.

salubrious [sə'lu:briəs] adj. salubru, sănătos.

salubrity [sə'lju:briti] s. 1. salubritate, sănătate. 2. caracter salubru.

saluki [sə'lu:ki] s. zool. saluki, varietate de ogar.

salutary ['sæljutəri] adj. (to) salutar, folositor (pentru).

salutation [,sælju'teiʃn] s. salut, salutare. || ~ of a letter partea introductivă a unei scrisori.

salute [sə'lu:t] I. s. 1. salut(are). 2. mil. onor. II. vt., vi. a saluta.

salvage ['sælvidʒ] I. s. 1. salvare. 2. recuperare. 3. obiecte recuperate. II. vt. a salva, a recupera.

salvation [sæl'veiʃn] s. 1. salvare. 2. adăpost.

Salvationist [sæl'veiʃənist] s. membru al Armatei Salvării.

salve [sælv] I. s. 1. alifie. 2. balsam (şi fig.). II. vt. a alina.

salver ['sælvə] s. tăviţă.

salvo ['sælvou] s. pl. şi **salvoes** ['sælvouz] 1. salvă. 2. ropot (de aplauze).

sal volatile [,sæl və'lætəli] s. (sare de) amoniac, săruri (volatile).

Sam [sæm] s. prescurtare de la **Samuel**. || fam. Uncle ~ unchiul Sam; Statele Unite; americanii; fam. to stand ~ a achita singur o notă de plată; a fi fraier; upon my ~ pe cuvânt de onoare.

samara ['sæmərə] s. bot. samară.

same [seim] I. adj. 1. acelaşi. 2. identic. 3. neschimbat. || at the ~ time în acelaşi timp, pe de altă parte; totuşi. II. pron. 1. acesta. 2. acelaşi. || all the ~ în orice caz; it's all the ~ to me mi-e indiferent.

sameness ['seimnis] s. 1. (with) asemănare, identitate (cu). 2. uniformitate, invariabilitate.

samite ['sæmait] s. text. înv. brocart de lamé, stofă ţesută cu fir.

Sammy ['sæmi] s. 1. diminutiv de la **Samuel**. 2. sl. (şi simple ~) prostănac, nătâng. 3. mil. fam. soldat american (în primul război mondial).

samovar [,sæmou'vɑ:] s. samovar.

sampan ['sæmpæn] s. şampan, barcă chinezească (acoperită).

samphire ['sæmfaiə] s. bot. anason-de-mare (Crittimum maritimum).

sample ['sɑ:mpl] I. s. mostră, specimen (şi fig.). II. vt. 1. a lua eşantioane din. 2. a degusta.

sampler ['sæmplə] s. 1. eşantion / model de broderie (pe canava). 2. tehn. model, şablon.

samurai ['sæmurai] s. samurai.

sanatorium [,sænə'tɔ:riəm] s. pl. şi **sanatoria** [,sænə'tɔ:riə] sanatoriu.

sanctify ['sæŋtifai] vt. a sfinţi.

sanctimonious [,sæŋti'mouniəs] adj. 1. ipocrit. 2. de mironosiţă.

sanction ['sæŋʃn] I. s. 1. permisiune. 2. aprobare. 3. sancţiune. II. vt. 1. a aproba. 2. a permite.

sanctity ['sæŋtiti] s. 1. sfinţenie. 2. religiozitate. 3. pl. ritual religios.

sanctuary ['sæŋktjuəri] s. 1. sanctuar. 2. adăpost. 3. altar.

sanctum ['sæŋktəm] s. 1. sanctuar. 2. fam. cabinet / birou particular, cabinet de studiu.

sand [sænd] I. s. 1. nisip. 2. pl. plajă. || to build on ~ a clădi (castele) pe nisip. II. vt. 1. a sabla. 2. a presăra cu nisip.

sandal ['sændl] s. sandală.

sandal (wood) ['sændl (wud)] s. (lemn de) santal.

sand bag ['sænd bæg] I. s. sac cu nisip. II. vt. 1. a proteja (o clădire etc.) cu saci de nisip. 2. a sili, a constrânge.

sand bank ['sænd bæŋk] s. banc de nisip.

sand-bar ['sænbɑ:] s. banc de nisip.

sand box ['sænd bɔks] s. (ladă) cu nisip; nisipelniţă.

sandglass ['sænglɑ:s] s. clepsidră, ceas de nisip.

sand hill ['sænd hil] s. dună de nisip.

sandman ['sændmæn] s. pl. **sandmen** ['sændmæn] 1. vânzător de nisip mărunt (abraziv). 2. fam. Moş Ene.

sandpaper ['sæn,peipə] s. glaspapir.

sandpiper ['sæn,paipə] s. ornit. pietroşel (Tringoides sau Actitis hypoleucus).

sandstone ['sænstoun] s. gresie.

sandstorm ['sænstɔːm] s. simun, furtună de nisip.

sandwich ['sænwidʒ] s. sandviş.

sandwich-man ['sænwidʒmən] s. pl. **sandwich-men** ['sændwidʒmən] om afiş, reclamă vie.

sandy ['sændi] adj. **1.** nisipos. **2.** gălbui.

sane [sein] adj. **1.** sănătos (la minte). **2.** înţelept.

sang [sæŋ] vt., vi. trec. de la **sing.**

sang-froid ['sãːŋˈfrwaː] s. sânge rece, imperturbabilitate.

sanguinary ['sæŋgwinəri] adj. **1.** sângeros. **2.** sălbatic.

sanguine ['sæŋgwin] adj. **1.** roşu (la faţă). **2.** optimist. **3.** vesel.

sanhedrin ['sænidrin] s. ist. sanhedrin, Sfatul Înţelepţilor (la iudei).

sanitarian [ˌsæniˈtɛəriən] adj., s. fam. sanitar.

sanitarium [ˌsæniˈtɛəriəm] s. amer. sanatoriu.

sanitary ['sænitri] adj. **1.** sanitar. **2.** curat.

sanitation [ˌsæniˈteiʃn] s. salubritate.

sanitize ['sænitaiz] vt. a curăţa, a asana, a steriliza, a salubriza.

sanity ['sæniti] s. **1.** minte sănătoasă, sănătate mintală. **2.** înţelepciune.

sank [sæŋk] vt., vi. trec. de la **sink.**

sans [sænz] prep. poet. fără. || ~ teeth ştirb, fără dinţi.

sanscrit ['sænskrit] I. adj. sanscrit. II. s. limba sanscrită.

Santa (Claus) [ˌsæntə('klɔːz)] s. **1.** Moş Crăciun. **2.** Moş Nicolae.

sap [sæp] I. s. **1.** sevă (şi fig.). **2.** vigoare. **3.** tranşee. II. vt. **1.** a săpa. **2.** a submina. **3.** a slăbi.

sapid ['sæpid] adj. gustos, savuros.

sapidity [sə'piditi] s. gust, savoare.

sapience ['seipiəns] s. **1.** înv. iron. înţelepciune. **2.** pedanterie.

sapient ['seipiənt] adj. **1.** înv. înţelept, savant. **2.** pedant.

sapless ['sæplis] adj. fără vlagă.

sapling ['sæpliŋ] s. **1.** puiet, răsad. **2.** flăcău.

saponification [səˌpɔnifi'keiʃn] s. chim. saponificare.

sapper ['sæpə] s. mil. **1.** genist. **2.** fam. the sappers geniul.

sapphire ['sæfaiə] s. safir.

sappy ['sæpi] adj. **1.** plin de sevă. **2.** energic. **3.** gogoman.

saprophyte ['sæprəfait] s. biol. saprofit.

saraband ['særəbænd] s. muz. şi fig. sarabandă.

Saracen ['særəsn] s. ist. sarazin.

saracenic [ˌsærə'senik] adj. ist., arhit. (de) sarazin.

sarcasm ['saːkæzəm] s. sarcasm, ironie muşcătoare.

sarcastic [saː'kæstik] adj. **1.** sarcastic. **2.** batjocoritor.

sarcastically [saː'kæstikəli] adv. sarcastic, ironic.

sarcophagus [saː'kɔfəgəs], pl. **sarcophagi** [saː'kɔfəgai] s. sarco-fag.

sardine [saː'diːn] s. iht. sardea (Alosa sardina).

sardonic [saː'dɔnik] adj. sardonic; batjocoritor.

sardonyx ['saːdəniks] s. minr. sardonix, agată.

sargasso [saː'gæsou], pl. **sargassos** [saː'gæsouz] şi **sargassoes** s. bot. sargasă, algă (din mările tropicale).

sarge [saːdʒ] s. fam. v. **sergeant.**

sari ['saːri] s. sari.

sarong [sə'rɔŋ] s. sarong (îmbrăcăminte a indigenilor din Malayezia).

sarsaparilla [ˌsaːsəpə'rilə] s. bot. salce (Sarsaparilla).

sarsenet ['saːsnit] s. text. tafta florentină.

sartorial [saː'tɔriəl] adj. de croitor, de croitorie.

sash[1] [sæʃ] s. **1.** eşarfă. **2.** cingătoare. **3.** şal. **4.** fular. **5.** bentiţă, bandă.

sash[2] [sæʃ] s. cercevea de fereastră; cadru mobil de fereastră.

sassafras ['sæsəfræs] s. bot. dafin american (Sassafras variifolium).

sassenach ['sæsənæk] s. (cuvânt scoţian, irlandez) englez.

sat [sæt] vt., vi. trec. şi part. trec. de la **sit.**

Satan ['seitn] s. satana.

satanic [sə'tænik] adj. satanic, diabolic. || his Satanic Majesty diavolul.

satchel ['sætʃl] s. **1.** geantă, sacoşă; ghiozdan (de şcolari); tolbă. **2.** cobur.

sate [seit] vt. înv. lit. a sătura.

sateen [sæ'tiːn] s. text. satin de bumbac.

satellite ['sætəlait] s. satelit.

satiate ['seiʃieit] vt. **1.** a sătura. **2.** a satisface. **3.** a umple.

satiety [sə'taiəti] s. saţ.

satin ['sætin] s. satin.

satiny ['sætini] adj. (mătăsos) ca atlazul, satinat.

satire ['sætaiə] s. satiră.

satiric(al) [sə'tirik(l)] adj. **1.** satiric. **2.** sarcastic, ironic.

satirist ['sætərist] s. scriitor satiric.

satirize ['sætiraiz] vt. a satiriza.

satisfaction [ˌsætis'fækʃn] s. **1.** satisfacţie. **2.** mulţumire.

satisfactory [ˌsætis'fæktri] adj. mulţumitor.

satisfy ['sætisfai] I. vt. **1.** a satisface. **2.** a mulţumi. **3.** a convinge. **4.** a dovedi. **5.** a plăti. II. vi. **1.** a fi satisfăcător. **2.** a fi convingător. III. vr. **1.** a se convinge. **2.** a se declara mulţumit.

satrap ['sætrəp] s. înv. ist. satrap.

saturate ['sætʃəreit] vt. **1.** a satura. **2.** a umple. **3.** a îmbâcsi.

saturation [ˌsætʃə'reiʃn] s. **1.** saturare, saturaţie; impregnare. **2.** chim., fiz. saturare, saturaţie.

Saturday ['sætədi] s. sâmbătă.

Saturn ['sætən] s. astr. Saturn.

saturnalia [ˌsætə'neiliə] s. pl. **1.** ist. Saturnalia saturnalii. **2.** fam. (folosit ca sing.) desfrâu, orgie.

saturnine ['sætənain] adj. **1.** sumbru. **2.** grav. **3.** cu plumb; de plumb.

satyr ['sætə] s. satir.

sauce [sɔːs] s. **1.** sos. **2.** obrăznicie.

saucepan ['sɔːspən] s. sosieră.

saucer ['sɔːsə] s. farfurioară.

saucily ['sɔːsili] adv. **1.** impertinent, obraznic. **2.** ştrengăreşte. **3.** cu cochetărie.

saucy ['sɔːsi] adj. **1.** obraznic. **2.** neserios.

sauerkraut ['sauəkraut] s. **1.** gastr. varză acră. **2.** iron. neamţ, german.

saunter ['sɔːntə] I. s. plimbare. II. vi. a umbla agale; a se plimba.

saurian ['sɔːriən] s. saurian.

sausage ['sɔsidʒ] s. **1.** cârnat. **2.** salam.

sauté ['soutei] I. s. sote. II. vt. a face sote din.

savage ['sævidʒ] s., adj. sălbatic.

savagely ['sævidʒli] adv. furios, feroce, sălbatic.

savageness ['sævidʒnis] s. **1.** sălbăticie, barbarie. || to live in ~ a trăi în stadiu de sălbăticie. **2.** ferocitate, brutalitate.

savagery ['sævidʒri] s. **1.** sălbăticie. **2.** barbarie.

savanna(h) [sə'vænə] s. savană. **2.** prerie.

savant ['sævənt] s. savant.

save [seiv] I. vt. **1.** a salva. **2.** a cruţa. **3.** a economisi. **4.** a apăra. **5.** a izbăvi. II. vi. a economisi, a pune bani de parte. III. prep. înv. fără, cu excepţia (cu gen.). IV. conj. înv. în afară de cazul când.

saver ['seivə] *s.* **1.** salvator. **2.** om chibzuit / econom. || *to be a ~ (of money)* a fi econom; a face economii.

saving ['seiviŋ] **I.** *s.* **1.** economie, (depuneri la casa de) economii, economii personale *(de material, bani etc.).* **2.** scăpare. **II.** *adj.* **1.** econom. **2.** izbăvitor. **3.** compensator. **III.** *prep.* **1.** fără. **2.** făcând abstracție de. || *~ your presence* iertat să-mi fie. **IV.** *conj.* în afară de cazul când.

saviour ['seivjə] *s. rel.* mântuitor. || *Our Saviour* Mântuitorul (Nostru Isus Hristos).

savo(u)r ['seivə] **I.** *s.* gust, savoare. **II.** *vt.* a gusta, a savura. **III.** *vi.* a mirosi *(a ceva).*

savo(u)ry ['seivri] **I.** *s.* **1.** desert, dulce. **2.** cimbru *(Satureja)* **II.** *adj.* gustos.

savoy [sə'vɔi] *s.* **1.** *bot.* varză-creață; *fam.* conopidă alb *(Brassica obracea).* **2.** biscuit (mic și ușor).

savvy ['sævi] *vi. sl.* a înțelege, a ști; a pricepe. || *~?* te-ai prins?

saw[1] [sɔ:] **I.** *s.* **1.** ferăstrău. **2.** zicală. **3.** *(fig.).* clișeu. **II.** *vt. trec. și part. trec.* **sawn** [sɔ:n] a tăia cu ferăstrăul. || *to ~ the air* a face gesturi mari. **III.** *vi. trec. și part. trec.* **sawn** [sɔ:n] a ferăstrui, a tăia cu ferăstrăul.

saw[2] [sɔ:] *vt., vi. trec. de la* **see**.

sawbuck ['sɔ:,bʌk] *s. amer.* **1.** *tehn.* capră de tăiat lemne. **2.** *sl.* hârtie de 10 dolari. **3.** *sl.* condamnare la zece ani închisoare.

sawdust ['sɔ:dʌst] *s.* **1.** rumeguș. **2.** talaș.

sawhorse ['sɔ:hɔ:s] *s.* capră *(de tăiat lemne).*

saw mill ['sɔ: mil] *s. tehn.* ferăstrău mecanic, joagăr, gater.

sawn [sɔ:n] *vt., vi. part. trec. de la* **saw**.

sawyer ['sɔ:jə] *s.* **1.** tăietor de lemne *(cu ferăstrăul).* **2.** *fam.* persoană distinsă / importantă. **3.** *amer.* trunchi de copac *(care plutește pe Mississippi).*

saxe [sæks], **saxe-blue** [sæks blu:] *s.* gri-albăstrui.

saxifrage ['sæksifridʒ] *s. bot.* **1.** iarba-surzilor *(Saxifraga aizoon).* **2.** ochii-șoarecelui *(Saxifraga adscendens).*

Saxon ['sæksn] *s., adj.* saxon.

Saxony ['sæksəni] *s. (tip de)* stofă de lână.

saxophone ['sæksəfoun] *s.muz.* saxofon.

say [sei] **I.** *s.* **1.** părere, cuvânt (de spus). **2.** influență. || *to have no ~ in the matter* a nu avea mare competență *sau* influență; a nu avea cuvântul decisiv într-o chestiune. **II.** *vt. trec. și part. trec.* **said** [sed] **1.** a zice. **2.** a spune, a rosti. **3.** a afirma. **III.** *vi. trec. și part. trec.* **said** [sed] a spune, a zice. || *that is to ~* adică; *I ~ !* hei! păi!; *I dare ~* cred (că), sunt de părere (că).

saying ['seiiŋ] *s.* **1.** spusă, vorbă. **2.** zicătoare, dicton. || *as the ~ is / goes* cum se zice. **3.** explicație, lămurire. || *it goes without ~* se înțelege de la sine; *there is no ~* e greu / imposibil de spus.

scab [skæb] **I.** *s.* **1.** crustă, zgaibă. **2.** râie. **3.** spărgător de grevă. **4.** nemernic. **II.** *adj.* **1.** al spărgătorilor de grevă. **2.** trădător. **III.** *vi.* a juca un rol de spărgător de grevă, a sparge unitatea greviștilor.

scabbard ['skæbəd] *s.* teacă.

scabies ['skeibii:z] *s. med.* râie, scabie.

scabious ['skeibiəs] **I.** *adj.* râios, scabios. **II.** *s. bot.* mușcatul-dracului *(Scabiosa).*

scabrous ['skeibrəs] *adj.* **1.** *(mai ales bot., zool.)* cu asperități; zgrunțuros. **2.** *fig.* scabros, dezgustător.

scaffold ['skæfld] *s.* **1.** eșafod. **2.** spânzurătoare. **3.** schelă. **4.** tribună; estradă.

scaffolding ['skæfldiŋ] *s.* **1.** schelărie. **2.** eșafodaj.

scalawag ['skæləweg] *s. v.* **scallawag**.

scald [skɔ:ld] **I.** *s.* arsură. **II.** *vt.* **1.** a opări. **2.** a frige.

scale [skeil] **I.** *s.* **1.** platan (de balanță). **2.** *pl.* balanță, cântar. **3.** solz. **4.** crustă. **5.** *și muz.* gamă, scară. **6.** sortiment. || *to hold the ~s even* a judeca drept; *to turn sau tip the ~(s)* a întoarce balanța *(în favoarea cuiva); to remove the ~s from smb.'s eyes* a deschide ochii cuiva. **II.** *vt.* **1.** a cântări. **2.** a curăța (de solzi). **3.** a urca, a escalada. || *to ~ up* a mări. **III.** *vi.* **1.** a se coji. **2.** a cădea. **3.** a cântări, a trage, a avea greutate de.

scalene ['skeili:n] **I.** *adj.* scalen, cu laturile neegale; oblic. **II.** *s.* triunghi scalen.

scallawag ['skæləweg] *s.* vagabond, haimana.

scallion [skæliən] *s. bot.* hagină *(Allium ascalonicum).*

scallop ['skɔləp] **I.** *s.* **1.** *zool.* moluscă din familia *Pectinidae.* **2.** cochilie de scoică. **3.** veselă de bucătărie în formă de scoică. **4.** *pl.* fel de mâncare servit în scoici. **5.** escalop; șnițel natur. **6.** feston. **II.** *vt.* a decupa la margine în zig-zag.

scallywag ['skæliweg] *s. v.* **scallawag**.

scalp [skælp] **I.** *s.* **1.** scalp, pielea de pe țeastă. **2.** *fig.* trofeu. **II.** *vt.* a scalpa.

scalpel ['skælpl] *s.* bisturiu; scalpel.

scaly ['skeili] *adj.* **1.** solzos. **2.** râios. **3.** *sl.* ordinar, grosolan. **4.** *pop.* sărac. **5.** *geol.* foliform, solzos.

scamp [skæmp] **I.** *s.* **1.** ștrengar. **2.** derbedeu, secătură. **II.** *vt.* a rasoli, a da peste cap.

scamper ['skæmpə] *vi.* a o șterge.

scampi ['skæmpi] *s. pl. zool., gastr.* crevete mari.

scan [skæn] *vt.* **1.** a studia, a cerceta. **2.** a scruta. **3.** a scanda. **4.** *tehn. cib.* a scana, a baleia.

scandal ['skændl] *s.* **1.** scandal. **2.** scandalizare. **3.** cancan, bârfeală (răutăcioasă).

scandalize ['skændəlaiz] *vt.* **1.** a scandaliza, a șoca. **2.** a fi spre rușinea *(cuiva);* a profana. **3.** a calomnia, a jigni.

scandalmonger ['skændl,mʌŋgə] *s.* bârfitor, (colportor de) bârfă.

scandalous ['skændələs] *adj.* **1.** scandalos. **2.** infamant. **3.** infam.

Scandinavian [,skændi'neiviən] *s., adj.* scandinav.

scanner ['skænə] *s. tehn. cib.* scanner, baleior.

scanning ['skæniŋ] *s.* **1.** lectură rapidă *sau* atentă. **2.** *tehn.* scanare, baleiere. **3.** scandare *(a versurilor).*

scansion ['skænʃn] *s.* scandare.

scant [skænt] **I.** *adv. înv.* **1.** abia, doar. **2.** cu economie. **II.** *s.* lipsă; *fig.* strâmtoare. **III.** *vt.* a limita; a fi zgârcit la. **IV.** *adj. v.* **scanty**.

scanty ['skænt(i)] *adj.* **1.** insuficient. **2.** sărac, puțin(tel). **3.** *(d. îmbrăcăminte)* sumar.

scantiness ['skæntinis] *s.* sărăcie; raritate; insuficiență. || *the ~ of her attire* ținuta ei sumară.

scantling ['skæntliŋ] *s.* **1.** *înv.* mostră, eşantion. **2.** cantitate minimală. || ~ *a* ~ *(of)* foarte puţin (din). **3.** *tehn.* schiţă, crochiu. **4.** şablon, tipar. **5.** *tehn.* scândură subţire; lemn cu profil în pătrat. **6.** colţar; riglă. **7.** *mine.* lemn de mină subţire.

scape[1] [skeip] *s. bot.* tulpină, cotor.

scape[2] [skeip] **I.** *vt., vi.* v. **escape.** **II.** *s.* **1.** evadare, fugă. **2.** ocazie de fugă. **3.** toane; capriciu. **4.** infamie; delict. || ~*s of wit* scânteieri de spirit, idei spirituale.

scape[3] [skeip] *s.* peisaj.

scapegoat ['skeipgout] *s.* ţap ispăşitor.

scapegrace ['skeipgreis] *s.* **1.** ştrengar (buclucaş), păcală. **2.** nemernic, păcătos.

scapula ['skæpjulə], *pl.* **scapulae** ['skæpjuli:] *s. anat.* omoplat.

scapular ['skæpjulə] **I.** *adj. anat.* scapular. **II.** *s.* **1.** haină de lucru a călugărilor. **2.** *med.* faşă pentru umăr. **3.** *pl. ornit.* pene de la umăr.

scar[1] [skɑ:] **I.** *s.* **1.** cicatrice. **2.** *fig.* urmă nefastă. **2.** faleză, pantă abruptă, prăpastie. **II.** *vt.* **1.** a lăsa urme adânci în. **2.** a însemna.

scarab ['skærəb] *s. entom.* scarabeu *(Scaraboeus).*

scarce [skeəs] *adj.* **1.** insuficient. **2.** puţin(tel), sărac. **3.** rar. || *to make oneself* ~ a o şterge; a chiuli.

scarcely ['skeəsli] *adv.* **1.** abia. **2.** nici măcar. **3.** cu chiu cu vai.

scarcity ['skeəsiti] *s.* **1.** lipsă. **2.** criză. **3.** insuficienţă.

scare [skeə] **I.** *s.* **1.** panică, alarmă. **2.** spaimă, groază. **II.** *vt.* **1.** a speria. **2.** a alunga.

scarecrow ['skeəkrou] *s.* sperietoare (de ciori).

scarf[1] [skɑ:f] *s. pl.* **scarves** [skɑ:vz] **1.** eşarfă. **2.** fular, şal. **3.** broboadă.

scarf[2] [skɑ:f] *s.* încheietură a unor bucăţi de lemn.

scarify ['skeərifai] *vt.* **1.** *med.* a scarifica, a cresta *(pielea).* **2.** *agr.* a afâna cu scarificatorul. **3.** *fig.* a critica *(la sânge).* **4.** *constr.* a dezagrega.

scarlatina [,skɑ:lə'ti:nə] *s. med.* scarlatină.

scarlet ['skɑ:lit] *s., adj.* stacojiu.

scarlet fever ['skɑ:lit,fi:və] *s.* scarlatină.

scarp [skɑ:p] *s.* **1.** pantă abruptă. || *arhit.* ~ *of a roof* înclinaţia unui acoperiş. **2.** *mil.* escarpă.

scarper ['skɑ:pə] *vi. sl.* a fugi, a scăpa.

scary ['skeəri] *adj.* **1.** *amer., fam.* groaznic. **2.** fricos; timid.

scat [skæt] **I.** *interj.* zât! câţ! **II.** *vt.* a alunga *(pisicile)* strigând „zât"!

scathe ['skeið] *înv.* **I.** *vt.* **1.** a satiriza, a ironiza. **II.** *s. reg.* daună, vătămare. || *without* ~ nevătămat, integru; *one does the* ~, *and another has the harm* unul face, altul trage.

scatheless ['skeiðlis] *adj.* **1.** neatins. **2.** nepedepsit, cu faţa curată.

scathing ['skeiðiŋ] *adj.* aspru; sever.

scatology [skə'tɔlədʒi] *s.* scatologie.

scatter ['skætə] *vt., vi.* a (se) împrăştia.

scatter-brained ['skætəbreind] *adj.* zăpăcit, distrat, aiurit.

scavenge ['skævindʒ] *vt.* **1.** a lua gunoiul de pe *(stradă)*, a mătura *(străzile)*. **2.** *tehn.* a purja *(un cilindru)*; a spăla, a baleia. **3.** *mil.* a curăţa cu peria *(un tun)*.

scavenger ['skævindʒə] *s.* gunoier; măturător de stradă.

scenario [si'nɑ:riou] *s.* scenariu.

scene [si:n] *s.* **1.** scenă *(dintr-un film, de pe stradă etc.).* **2.** episod. **3.** scandal. **4.** tablou, scenă. **5.** vedere, peisaj. **6.** decor. || *behind the* ~*s* în culise.

scenery ['si:nəri] *s.* **1.** decor. **2.** peisaj.

scenic ['si:nik] *adj.* **1.** scenic; de scenă. **2.** dramatic. **3.** teatral. **4.** *(d. tablouri)* care prezintă un incident. **5.** împodobit cu panouri publicitare. || ~ **railway** montagne russe.

scent [sent] **I.** *s.* **1.** parfum. **2.** miros. **3.** urmă (adulmecată). **4.** *fig.* pistă. **5.** adulmecare. || *off the* ~, *on a wrong* ~ pe o pistă greşită; *on smb.'s* ~ pe urmele cuiva. **II.** *vt.* **1.** a mirosi *(şi fig.).* **2.** a bănui. **3.** a parfuma.

scentless ['sentlis] *adj.* **1.** fără miros. **2.** *(d. un teren)* fără urme de vânat.

sceptic ['skeptik] *s.* sceptic.

sceptical ['skeptikl] *adj.* sceptic.

scepticism ['skeptisizəm] *s.* scepticism.

sceptre ['septə] *s.* sceptru *(şi fig.).*

schedule ['ʃedju:l] **I.** *s.* **1.** program. **2.** orar. **3.** plan. **4.** listă; || *ahead of* ~ înainte de termen; *according to* ~ conform planului. **II.** *vt.* **1.** a programa. **2.** a aranja. **3.** a stabili.

schematic [ski'mætik] *adj.* **1.** schematic. **2.** exemplar.

schematize ['ski:mətaiz] **I.** *vt.* a schematiza, a sistematiza printr-o schemă. **II.** *vi.* a schiţa.

scheme [ski:m] **I.** *s.* **1.** plan, stratagemă. **2.** schemă. **3.** proiect. **4.** imaginaţie. **5.** complot. **6.** intenţie rea. **II.** *vt.* a pune la cale *(o ticăloşie).* **III.** *vi.* a maşina, a pune la cale ticăloşii.

schemer ['ski:mə] *s.* intrigant.

scherzo ['skeətsou] *s. pl. şi* **scherzi** ['skeətsi] *muz.* scherzo.

schism ['sizəm] *s.* **1.** dezbinare. **2.** schismă.

schismatic(al) [siz'mætik(l)] *adj., s.* schismatic.

schist [ʃist] *s. minr.* şist.

schizo ['skitsou] *adj. sl.* schizofrenic, sărit de pe fix.

schmaltz ['ʃmɔ:lts] **I.** *s. amer. fam.* **1.** muzică sentimentală. **2.** sentimentalism, dulcegărie. **3.** afectare, farmec căutat. **II.** *adj.* siropos, dulceag, sentimental.

schnap(s) [ʃnæp(s)] *s.* rachiu *(mai ales rachiu de ienupăr olandez).*

scholar ['skɔlə] *s.* **1.** învăţat, cărturar, savant. **2.** *înv.* şcolar.

scholarly ['skɔləli] **I.** *adj.* savant, erudit. || *a* ~ *translation* o traducere savantă; *a very* ~ *man* un om cu cunoştinţe vaste. **II.** *adv. înv.* cărturăreşte, savant.

scholarship ['skɔləʃip] *s.* **1.** bursă. **2.** învăţătură, erudiţie.

scholastic [skə'læstik] *adj.* **1.** scolastic. **2.** şcolar; educativ.

scholasticism [skə'læstisizəm] *s.* **1.** scolastică. **2.** pedanterie.

scholiast ['skouliæst] *s.* comentator *(al autorilor antici)*, scoliast.

school [sku:l] **I.** *s.* **1.** şcoală. **2.** învăţătură. **3.** cultură. **II.** *vt.* **1.** a da la şcoală. **2.** a educa.

schoolbook ['sku:lbuk] *s.* manual şcolar.

school-boy ['sku:lbɔi] *s.* elev.

school-fellow ['sku:l,felou] *s.* coleg de şcoală.

school-girl ['sku:lgə:l] *s.* elevă.

schoolhouse ['sku:lhaus] *s.* **1.** clădire a şcolii. **2.** *(în şcolile de stat din Anglia)* casa directorului şi internatul.

schooling ['sku:liŋ] *s.* **1.** învăţământ, predare. **2.** disciplină şcolară. **3.** taxă şcolară. **4.** dresare a unui cal.

school-ma'am ['sku:lmɑ:m] s. 1. învățătoare. 2. profesoară (pedantă). 3. guvernantă. 4. femeie (demodată și) autoritară; femeie jandarm.

schoolman ['sku:lmən] s. pl. **schoolmen** ['sku:lmən] 1.înv. erudit, cărturar, scolastic. 2. amer. profesor.

schoolmarm ['sku:lmɑ:m] s. v. **school-ma'am**.

schoolmaster ['sku:l,mɑ:stə] s. învățător.

school mate [sku:l,meit] s. coleg de școală.

schoolmistress ['sku:l,mistris] s. învățătoare.

schoolroom [sku:lru:m] s. clasă; sală de studii.

schoolteacher ['sku:l,ti:tʃə] s. învățător.

schooner ['sku:nə] s. 1. goeletă. 2. amer. căruță cu coviltir.

schottische [ʃɔ'ti:ʃ] s. dans asemănător cu polka.

sciatic [sai'ætik] I. adj. sciatic. II. s. nervul sciatic.

sciatica [sai'ætikə] s. med. sciatică.

science ['saiəns] s. 1. știință. 2. cunoștințe. 3. îndemânare.

scientific [saiən'tifik] adj. 1. științific. 2. sistematic. 3. rațional.

scientifically [,saiən'tifikli] adv. științific.

scientist ['saiəntist] s. savant, învățat.

scilicet ['s(a)iliset] adv. înv. adică, va să zică.

scimitar ['simitə] s. iatagan.

scintilla [sin'tilə] s. scânteie; fig. pic, urmă. || not a ~ of truth nici un pic de adevăr.

scintillate ['sintileit] vi. a scânteia.

scintillation [,sinti'leiʃn] s. sclipire, scânteiere (a stelelor etc.) 2. scânteie. 3. fiz. scintilație.

scion ['saiən] s. 1. lăstar. 2. poet. odraslă, vlăstar.

scissors ['sizəz] s. pl. foarfeci.

sclera ['skliərə] s. anat. sclerotică; albul ochiului.

sclerosis [skliə'rousis], pl. **scleroses** [skliə'rousi:z] s. med. scleroză.

sclerotic [skliə'rɔtik] I. adj. sclerotic. II. s. v. **sclera**.

scoff [skɔf] I. s. 1. ironie. 2. (obiect de) batjocură. II. vi. a-și bate joc. III. vt. a lua în râs / în bătaie de joc, a ironiza, a zeflemisi.

scoffer ['skɔfə] s. zeflemisitor, batjocoritor.

scold [skould] I. s. 1. femeie cicălitoare, cață. 2. gură rea. II. vt.,

vi. 1. a ocărî. 2. a cicăli, a bate la cap.

sconce [skɔns] I. s. 1. adăpost, acoperiș. 2. mil. redută, fort. 3. acoperământ de cap; cască. 4. fam. cap, căpățână; fig. minte. 5. sl. amendă (ușoară). 6. mar. sloi de gheață. 7. gura sobei. II. vt. înv. a amenda (un student).

scone [skɔn] s. plăcintă (de ovăz sau grâu) pregătită cu lapte.

scoop [sku:p] I. s. 1. linguroi. 2. căuș. 3. fig. lovitură (norocoasă). 4. reportaj senzațional. II. vt. 1. a scoate. 2. a găsi. 3. a săpa. 4. a pune mâna pe (ceva senzațional).

scoot [sku:t] I. s. fugă precipitată. II. vi. fam. amer. a o rupe la fugă.

scooter ['sku:tə] s. 1. trotinetă. 2. (și motor ~) scuter.

scope [skoup] s. 1. înțelegere. 2. proporții. 3. domeniu. 4. tehn. diapazon. 5. rar scop, intenție.

scopolamine [skou'pɔləmi(:)n] s. chim. scopolamină.

scorch [skɔtʃ] I. s. arsură. II. vt. 1. a arde. 2. a jigni. III. vi. 1. a se frige. 2. a merge iute ca fulgerul.

scorcher ['skɔtʃə] s. fam. 1. zi caniculară. 2. discurs fulminant. 3. replică usturătoare. 4. persoană vioaie / care aleargă toată ziua; argint-viu.

score [skɔ:] I. s. 1. (însemnare pe) răboj. 2. scor. 3. situație. 4. motiv. 5. privință. 6. douăzeci. 7. partitură. || on the ~ of din pricina (cu gen.); dată fiind; on that ~ din acest motiv; în această privință; ~s of people zeci de oameni; three ~ and ten șaptezeci. II. vt. 1. a înregistra. 2. a nota. 3. a trece pe un răboj. 4. a marca (un punct). 5. a orchestra. || to ~ a success a înregistra o victorie. III. vi. 1. a marca scorul. 2. a însemna socoteala (pe răboj). 3. a marca un punct.

scoria ['skɔ:riə], pl. **scoriae** ['skɔ:rii] s. zgură, scorie.

scorn [skɔ:n] I. s. 1. dispreț. 2. obiect al disprețului. II. vt. a disprețui. || to ~ to do smth. a considera ceva mai prejos de demnitatea sa.

scorner ['skɔ:nə] s. disprețuitor, batjocoritor, zeflemist.

scornful ['skɔ:nfl] adj. 1. disprețuitor. 2. batjocoritor.

scornfully ['skɔ:nfuli] adv. disprețuitor, batjocoritor.

scorpion ['skɔ:pjən] s.zool. scorpion (Scorpionidae sp.).

Scot [skɔt] s. scoțian; scoțiană.

scotch[1] [skɔtʃ] vt. a răni ușor, a cresta.

Scotch[2] [skɔtʃ] I. s. 1. (limba) scoțiană. 2. whisky scoțian. || the ~ scoțienii. II. adj. scoțian(ă).

Scoth tape ['skɔtʃ,teip] I. s. bandă adezivă / de lipit, scoci. II. vt. a lipi cu scoci.

scot-free ['skɔt'fri:] adj. 1. cu fața curată. 2. fără pedeapsă.

Scotland Yard ['skɔtlənd'jɑ:d] s. poliția londoneză.

Scots [skɔts] I. adj. scoțian. II. s. dialectul scoțian.

Scotsman ['skɔtsmən] s. pl. **Scotsmen** ['skɔtsmən] scoțian.

Scottish ['skɔtiʃ] I. s. (limba) scoțiană. II. adj. scoțian.

scoundrel ['skaundrl] s. ticălos.

scour ['skauə] I. s. curățire. II. vt. 1. a cutreiera. 2. a curăța, a freca bine. 3. a alunga.

scourer ['skauərə] s. 1. curățitor, persoană care curăță. 2. med. purgativ puternic. 3. tâlhar de drumul mare.

scourge [skə:dʒ] I. s. 1. bici. 2. fig. flagel. II. vt. 1. a bate. 2. a chinui.

scouse [skaus] sl. I. adj. din Liverpool, privitor la Liverpool. II. s. 1. locuitor al orașului Liverpool. 2. dialectul din Liverpool.

scout[1] [skaut] I. s. 1. cercetaș. 2. avion de recunoaștere. II. vi. a cerceta.

scout[2] [skaut] vt. a respinge cu dispreț; a refuza să ia în considerație.

Scouter ['skautə] s. conducător într-o organizație de cercetași.

scout master ['skaut,mɑ:stə] s. șef al unui grup de cercetași.

scow [skau] s. 1. amer. mar. șalandă, șlep; luntre largă / turtită. 2. mine. screper-ladă.

scowl [skaul] I. s. căutătură încruntată, urâtă. II. vi, vt. a privi urât.

scrabble ['skræbl] I. s. 1. scărmănare. 2. mâzgălire. 3. joc distractiv (cu litere și cuvinte). II. vt. 1. a scărmăna (lână). 2. a mâzgăli. 3. to ~ up / together a strânge în grabă. III. vi. 1. a mâzgăli. 2. fam. a se încăiera.

scrag [skræg] s. 1. os. 2. slăbătură.

scraggy ['skrægi] adj. 1. osos. 2. slăbănog; numai pielea și oasele.

scram [skræm] I. *vi. amer. fam.* a o şterge, a o lua din loc. II. *interj. amer.* cară-te! pleacă! valea!

scramble ['skræmbl] I. *s.* 1. târât. 2. bătaie. 3. ceartă. 4. învălmăşeală. II. *vi.* 1. a se căţăra. 2. a se târî. 3. a se bate.

scrambled (**eggs**) ['skræmbld (egz)] *s. pl.* jumări, scrob, jumări de ouă.

scrap [skræp] I. *s.* 1. bucăţică. 2. rest(uri). 3. bătaie. 4. tăieturi din ziare. || *not a ~* nici o firimitură. II. *vt.* a arunca la gunoi. III. *vi.* a se bate.

scrap book [skræp buk] *s.* album cu tăieturi din ziare.

scrape [skreip] I. *s.* 1. hârşâit. 2. hârşâială. 3. zgârietură. 4. strat subţire. 5. situaţie încurcată. 6. încurcătură, bucluc. II. *vt.* 1. a curăţa, a freca. 3. a zgâria. 4. a hârşâi, scârţâi. 5. a aduna (cu mare greutate). || *to ~ a living* a o duce foarte greu. III. *vi.* 1. a se freca. 2. a scârţâi, a hârşâi. || *to ~ along* a o scoate cu greu la capăt; *to bow and ~* a face temenele (stângace).

scraper ['skreipə] *s.* răzătoare.

scrapings ['skreipiŋz] *s. pl.* 1. resturi. 2. răzături, pilitură, şpan.

scrap iron ['skræp‚aiən] *s.* fier vechi.

scrappy ['skræpi] *adj.* 1. fragmentar. 2. neînchegat. 3. format din resturi.

scratch [skrætʃ] I. *s.* 1. zgârietură. 2. zgaibă. 3. mâncărime. 4. nimic, zero. || *to start from ~* a porni de la zero; a înjgheba o gospodărie fără nici un ajutor. II. *vt.* 1. a zgâria, a juli. 2. a scărpina. 3. a scobi. 4. a mâzgăli. || *to ~ one's head* a fi în încurcătură; *to ~ out* a scrie. III. *vi.* 1. a scârţâi. 2. a se scărpina. 3. a se retrage. 4. a scurma.

scratchy ['skrætʃi] *adj.* 1. (d. desen) mâzgălit. 2. *muz.* nesigur, inegal. *a ~ performance* o execuţie inegală. 3. (d. peniţă) care scârţâie. 4. (d. stofă) aspru. 5. (d. femei) răutăcios.

scrawl [skrɔ:l] I. *s.* mâzgăleală. II. *vt., vi.* a mâzgăli.

scrawny ['skrɔ:ni] *adj.* slab; deşirat.

scream [skri:m] I. *s.* 1. ţipăt, strigăt ascuţit. 2. persoană *sau* situaţie amuzantă / cu haz. II. *vt.* a ţipa. III. *vi.* a striga, a ţipa. 2. a chicoti.

screamingly ['skri:miŋli] *adv.* grozav / straşnic de *(amuzant etc.)*.

scree [skri:] *s.* grohotiş.

screech [skri:tʃ] I. *s.* 1. ţipăt (înfiorător). 2. ţipăt de cucuvaie. II. *vi.* a ţipa (sinistru); a scârţâi.

screed [skri:d] I. *s.* 1. bucată ruptă, cârpă. 2. fâşie lungă (de pământ); *fig.* ceva tărăgănat. 3. *constr.* stâlp-reper, martor (la tencuială). 4. *text.* cardă manuală. 5. *sl.* articol prost scris. 6. *fam.* lepădătură. II. *vt.* 1. a rupe. 2. a recita tare; a spune pentru sine cu voce tare.

screen [skri:n] I. *s.* 1. paravan. 2. ecran. 3. plasă. 4. sită mare, ciur. 5. *foto.* diafragmă. II. *vt.* 1. a apăra. 2. a asculta. 3. a ecraniza. 4. a cerne. 5. a separa, a alege.

screw [skru:] I. *s.* 1. şurub. 2. elice. 3. constrângere; strângere a şurubului. 4. zgârcit. 5. *vulg. amer.* regulat, coit, sex. || *to have a ~ loose* a fi ţicnit. II. *vt.* 1. a înşuruba. 2. a fixa cu şuruburi. 3. a stoarce. 4. a răsuci. 5. *vulg. amer.* a regula, a avea contact sexual cu. || *to ~ up one's face* a se strâmba; *to ~ up one's courage* a-şi lua inima în dinţi. III. *vi.* 1. a se răsuci. 2. a fi zgârcit. IV. *interj. vulg.* cară-te! valea!

screw driver [skru:‚draivə] *s. tehn.* şurubelniţă.

screwy ['skru:i] *adj.* 1. înghesuit, îngrămădit. 2. *fam.* zgârcit.

scribble ['skribl] I. *s.* 1. mâzgăleală. 2. însemnare făcută în pripă. II. *vt., vi.* 1. a mâzgăli. 2. a nota în grabă.

scribbler ['skriblə] *s.* 1. conţopist. 2. scrib.

scribe [skraib] *s.* 1. conţopist. 2. copist. 3. autor.

scrim [skrim] *s. text.* 1. pânză groasă de in / de casă. 2. reţea, plasă *(pentru perdele)*.

scrimmage ['skrimidʒ] *s.* 1. încurcătură; învălmăşeală. 2. *sport* grămadă.

scrimp [skrimp] I. *vt.* a da *(bani etc.)* cu ţârâita. II. *vi.* a fi zgârcit / calic. III. *s.* zgârcit, calic, zgârie-brânză.

scrip[1] [skrip] *s. înv.* traistă, desagă (de cerşetor, pelerin, călător).

scrip[2] [skrip] *s.* 1. bucată de hârtie; fiţuică. 2. *com.* chitanţă; certificat; obligaţiune *(eliberată provizoriu de o bancă)*.

script [skript] *s.* 1. scriere de mână. 2. *poligr.* scriere cursivă. 3. *poligr.* manuscris. 4. *jur.* original. 5. *teatru* manuscris. 6. *amer. cin.* scenariu.

script-girl ['skript'gɔ:l] *s. cin.* secretară de platou.

scriptural ['skriptʃərl] *adj.* biblic, referitor la scriptură.

scripture ['skriptʃə] *s.* 1. 1. (şi *Holy Scripture / the Scriptures*) Sfânta Scriptură, Biblia. 2. citat biblic. 3. carte sfântă a unei comunităţi necreştine. || *Mohammedan ~s* Coran. 4. *înv.* inscripţie. II. *adj.* biblic.

scrivener ['skrivnə] *înv.* 1. notar, copist. 2. samsar, vânzător de haine vechi; cămătar, agent de bursă.

scrofula ['skrɔfjulə] *s. med.* scrofulă, gâlci.

scroll [skroul] *s.* sul de hârtie *sau* pergament.

scrotum ['skroutəm], *pl.* **scrota** ['skroutə] *s. anat.* scrot.

scrouge [skru:dʒ] *fam.* I. *s.* înghesuială. II. *vi.* a se înghesui *(într-un colţ)*. III. *vt.* 1. a stoarce. 2. a înghesui. 3. a sili, a zori.

scrounge [skraundʒ] *vt.* a smulge / a stoarce prin viclenie.

scrub [skrʌb] I. *s.* 1. arbust. 2. teren acoperit de arbuşti. 3. arbuşti, tufişuri. 4. (om *sau* animal) pitic. 5. frecare; spălare (cu peria). 6. om de nimic, zero. II. *vt.* a freca (cu peria). III. *vi.* a spăla podelele (cu peria).

scrubber ['skrʌbə] *s. tehn.* 1. scruber, epurator de gaze (cu apă). 2. răzuitoare; şaber, racletă. 3. *sl.* amatoare de jaz, fanatică a muzicii de jaz.

scrubby ['skrʌbi] *adj.* 1. pipernicit, pitic. 2. nul, fără valoare, anost. 3. răutăcios.

scruff [skrʌf] *s.* ceafă.

scruffy ['skrʌfi] *adj.* 1. murdar; neţesălat. 2. dezordonat. 3. plin de mătreaţă. 4. murdar / plin de zgură *sau* scame.

scrum [skrʌm] *s. sport* v. **scrummage**.

scrum-half ['skrʌm‚hɑ:f] *s. sport* (la rugby) mijlocaş care aruncă mingea la grămadă.

scrummage ['skrʌmidʒ] *s. sport* grămadă (la rugby).

scrumptious ['skrʌmʃəs] *adj.* straşnic, grozav, pe cinste.

scrunch [skrʌntʃ] I. *vt.* 1. a sfărâma mestecând. 2. a zdrobi, a sfărâma. 3. a mototoli, a face ghem. **II.** *vi.* a plesni; a scârţâi, a fi crocant.

scruple ['skru:pl] **I.** *s.* **1.** scrupul. **2.** dram, măsură infimă de greutate *(1,295 grame).* **3.** greutate infimă. **II.** *vi.* a avea scrupule.

scrupulous ['skru:pjuləs]*adj.* **1.** scrupulos. **2.** grijuliu. **3.** ireproşabil.

scrupulously ['skru:pjuləsli] *adv.* scrupulos, cu scrupulozitate.

scrutinize ['skru:tinaiz] *vt.* **1.** a scruta. **2.** a cerceta (cu luare aminte).

scrutiny ['skru:tini] *s.* **1.** scrutare. **2.** cercetare. **3.** scrutin.

scuba ['sku:bə] *s.* aparat pentru respiraţia sub apă.

scud [skʌd] **I.** *vi.* **1.** a fugi, a alerga *(repede, în linie dreaptă).* **2.** *mar.* a naviga în sensul vântului. **II.** *s.* **1.** fugă precipitată; zbugheală. **2.** nori mânaţi de vânt. **3.** rafale (de vânt). **4.** *(cuvânt scoţian, irlandez)* palmă, plesnitură. **5.** *mine.* intercalaţie de argilă.

scuff [skʌf] **I.** *vi.* **1.** a târşi picioarele *(în mers).* **2.** *amer.* (d. *ciorapi etc.)* a se uza. **II.** *vt.* a şterge, a răzui, a curăţa *(zăpada etc.).*

scuffle ['skʌfl] **I.** *s.* încăierare. **II.** *vi.* a se încăiera.

scull [skʌl] **I.** *s.* vâslă mică; vâslă de cârmit. **II.** *vi.* a vâsli. **III.** *vt.* a face *(barca)* să înainteze vâslind.

scullery ['skʌləri] *s.* bucătărie auxiliară, bucătărioară.

scullion ['skʌliən] *s. înv.* ajutor de bucătar / bucătăreasă; fata de la bucătărie.

sculptor ['skʌlptə] *s.* sculptor.

sculpture ['skʌlptʃə] **I.** *s.* **1.** sculptură. **2.** încrustaţie *(pe scoici etc.).* **II.** *vt.* **1.** a sculpta; a cizela; a încrusta. **2.** a împodobi cu sculpturi.

scum [skʌm] *s.* **1.** spumă (de la supă). **2.** murdărie. **3.** *fig.* drojdia societăţii, scursori.

scupper ['skʌpə] **I.** *s. mar.* gaură pentru scurgerea apei. **II.** *vt. sl. amer.* **1.** a ataca / omorî prin surprindere. **2.** a scufunda *(un vapor).*

scurf [skə:f] *s.* **1.** coajă *(pe piele);* mătreaţă. **2.** scamă; zgură. **3.** încrustaţie *(într-un metal).* **4.** *sl.*

decăzut, epavă. **5.** *med.* descuamare,cojire.

scurrilous ['skʌriləs] *adj.* **1.** batjocoritor, insultător. **2.** grosolan. **3.** obscen, porcos, cazon. **4.** mincinos. **5.** josnic.

scurry ['skʌri] **I.** *s.* **1.** grabă. **2.** aversă, ploaie torenţială. **II.** *vi.* a se grăbi.

scurvy ['skə:vi] **I.** *s.* scorbut. **II.** *adj.* **1.** scârbos. **2.** josnic.

scut [skʌt] *s.* coadă scurtă, codiţă *(de iepure, cerb etc.).*

scutch [skʌtʃ] **I.** *vt.* a meliţa, a bate *(cânepa, bumbacul, inul etc.).* **II.** *s.* **1.** meliţă. **2.** ciocan, mai de zidărie. **3.** *text.* volant *(la bătător).*

scutcheon ['skʌtʃn] *s.* **1.** blazon. **2.** *înv.* scut.

scutter ['skʌtə] *fam.* **I.** *vi.* a fugi, a o tuli. **II.** *s.* fugă, goană, tuleală.

scuttle[1] ['skʌtl] *s.* căldare de cărbuni.

scuttle[2] ['skʌtl] **I.** *vi.* a fugi ; a o tuli. **II.** *s.* **1.** fugă, goană. **2.** zbugheală, tuleală.

scythe [saið] **I.** *s.* coasă. **II.** *vt., vi.* a cosi.

Scythian ['siðiən] *s., adj.* scit.

SE *abrev. South-East(ern)* (de) sud-est.

sea [si:] *s.* mare; ocean *(şi fig.).* || *on the* ~ pe mare; în valuri; la mare; *beyond the* ~(s) peste nouă mări şi nouă ţări; *on the high* ~s în largul mării; *at* ~ pe mare; *fig.* în încurcătură; *to put (out) to* ~ a porni în larg; *half* ~s *over* beat mort.

seaboard [si:bɔ:d.] *s.* ţărm de mare.

sea-borne [si:bɔ:n] *adj.* **1.** transportat pe mare. **2.** *econ.* (d. *mărfuri)* colonial; de peste mări.

sea breeze [si: bri:z] *s. mar.* briză de mare.

sea captain ['si:kæptən] *s.* **1.** căpi-tan de marină comercială. **2.** *poet.* comandant / marinar vestit.

sea coast ['si:koust] *s.* litoral, ţărm, coastă.

sea-cow ['si:'kau] *s. zool.* morsă *(Odobenus rosmarus).*

sea-dog ['si:dɔg] *s.* **1.** marinar, lup de mare. **2.** *zool.* focă *(Squalidae etc.).*

sea-farer ['si:,fɛərə] *s. înv.* călător (pe mare), navigator.

seafaring [si:,fɛəriŋ] **I.** *adj.* care călătoreşte pe mare; navigant. **II.** *s.* navigaţie, traversarea mărilor.

sea fight [si: fait] *s.* bătălie navală.

sea food ['si: fu:d] *s.* peşti / scoici comestibile de apă sărată, fructe de mare.

sea girt ['si: gə:t] *adj. (poet., d. o insulă etc.)* înconjurat / împresurat de mare.

sea-going ['si:,goiŋ] *adj.* maritim.

sea green ['si: 'gri:n] *s., adj.* verde-albăstrui *(ca marea).*

sea-gull ['si:gʌl] *s. ornit.* pescăruş *(Laridae sp.).*

sea-horse ['si:hɔ:s] *s. zool.* cal de mare *(Hippocampus).*

seal [si:l] **I.** *s.* **1.** focă. **2.** piele de focă. **3.** sigiliu, pecete *(şi fig.).* **4.** ştampilă. **5.** gir. **6.** garanţie, promisiune. **7.** semn. || *under my hand and* ~ cu iscălitura şi sigiliul meu. **II.** *vt.* **1.** a sigila, a pune sigiliul pe. **2.** a pecetlui. **3.** a închide. **4.** a rezolva; a încheia.

sealed book ['si:ld buk] *s.* **1.** carte ferecată *(fig.).* **2.** lucru neînţeles.

sea legs ['si: legz] *s. pl. fam.* picioare de marinar; abilitatea de a merge pe puntea unui vas care se clatină.

sealer ['si:lə] *s.* **1.** vânător de foci. **2.** corabie a vânătorilor de foci.

sea level ['si: ,levl] *s.* nivelul mării.

sea lion ['si: 'laiən] *s. zool.* focă cu coamă, leu de mare *(Eumetopias jubata).*

sea lord [si: lɔ:d] *s.* lord al Amiralităţii.

seal-skin ['si:lskin] *s.* **1.** piele de focă. **2.** haină de piele de focă, îmbrăcăminte de marinar.

Sealyham ['si:liəm] *s. zool.* varietate de terier.

seam [si:m] **I.** *s.* **1.** cusătură. **2.** dungă *(la ciorap).* **3.** creţ. **4.** îmbucare, îmbinare. **5.** filon, vână *(de minereu sau cărbune).* **II.** *vt.* **1.** a îmbina. **2.** a brăzda.

seaman ['si:mən] *s. pl.* **seamen** ['si:mən] marinar.

seamanship [si:mənʃip] *s.* ştiinţa navigaţiei; pricepere marinărească.

sea mew [si: mju] *s. v.* **sea gull**.

seamless ['si:mlis] *adj.* fără dungă *sau* cusătură.

seamstress ['semstris] *s.* cusătoreasă, lenjereasă.

seamy ['si:mi] *adj.* cu cusături, cu tivituri.

séance ['seiɑns] *s.* şedinţă (de spiritism).

seaplane ['si:plein] *s.* hidroavion.

seaport ['si:pɔ:t] *s.* port maritim.

sear [siə] I. *adj.* 1. uscat, veștejit. 2. istovit. II. *vt.* 1. a ofili, a veșteji. 2. a usca, a arde. 3. a împietri.

search [səːtʃ] I. *s.* 1. cercetare. 2. căutare. 3. percheziție. II. *vt.* 1. a cerceta. 2. a examina. 3. a percheziționa. 4. a pătrunde în. || *to ~ one's heart* a-și face analiza conștiinței. III. *vi.* a face cercetări.

searcher [səːtʃə] *s.* 1. cercetător, explorator. 2. vameș. 3. *med.* sondă.

searching ['səːtʃiŋ] I. *adj.* 1. pătrunzător. 2. cercetător, iscoditor. II. *s.* percheziție (corporală).

searchingly [səːtʃiŋli] *adv.* cercetător, pătrunzător, scrutător; sistematic.

searchlight ['səːtʃlait] *s.* reflector.

searchparty ['səːtʃ,pɑːti] *s.* echipă de salvare.

search-warrant ['səːtʃ,wɔrnt] *s.* mandat / ordin de percheziție.

sea rover ['siː ,rouvə] *s. mar.* 1. corsar, pirat. 2. (vas) corsar.

seascape ['siːskeip] *s.* peisaj marin.

sea serpent ['siː,səːpənt] *s.* 1. monstru marin *(legendar)*. 2. *zool.* șarpe de mare *(Hydrophidae)*.

seashore ['siːʃɔː] *s.* 1. litoral, țărmul mării. 2. plajă.

seasick ['siːsik] *adj.* care suferă de rău de mare.

seasickness ['siːsiknis] *s.* rău de mare.

seaside ['siːsaid] *s.* litoral, coasta mării.

season ['siːzn] I. *s.* 1. anotimp. 2. sezon. 3. stagiune. 4. moment potrivit. 5. perioadă, timp. || *in ~* în plin sezon, la momentul potrivit; *out of ~* într-un moment nepotrivit. II. *vt.* 1. a potrivi. 2. a pregăti bine. 3. a condimenta. 4. a asezona, a pigmenta *(fig.)*. 5. a găti cu mirodenii.

seasonable ['siːznəbl] *adj.* 1. potrivit, corespunzător. 2. plăcut. 3. nimerit.

seasonal ['siːzənl] *adj.* sezonier.

seasoning ['siːzniŋ] *s.* 1. condiment. 2. asezonare. 3. picantrie.

season-ticket ['siːzn'tikit] *s.* abonament.

seat [siːt] I. *s.* 1. scaun, bancă; (loc de) ședere. 2. șezut, fund. 3. turul pantalonilor. 4. loc. 5. capitală, centru. 6. reședință;

cetate de scaun. 7. mandat (parlamentar). 8. local. 9. conac. 10. ținută (călare). || *take a ~* stai jos; *to take one's ~* a-și lua locul (cuvenit); a se așeza. II. *vt.* 1. a așeza. 2. *(d. sală, stadion etc.)* a cuprinde *(spectatori)*; a avea locuri pentru, a avea o capacitate de. 3. a pune bazoane la. || *be ~ed* luați loc. III. *vr.* a se așeza.

seating ['siːtiŋ] *s.* 1. repartizare / alocare de locuri. 2. *tehn.* soclu; batiu; fundament. 3. *tehn.* montare, ajustare. 4. fund / tur (de pantaloni).

sea urchin ['siː,əːtʃin] *s. zool.* arici-de-mare *(Echinus)*.

sea wall ['siː ,wɔːl] *s.* dig *(maritim)*.

seaward(s) ['siːwəd(z)] *adv.* către mare, în direcția mării.

sea way ['siː ,wei] *s. mar.* 1. rută / cale maritimă. 2. înaintare a vaporului. 3. mare furtunoasă / agitată. || *in a heavy ~* pe o mare furtunoasă.

seaweed ['siːwiːd] *s. bot.* algă.

seaworthy ['siː,wəːði] *adj.* 1. *mar.* navigabil. 2. plutitor.

sebaceous [si'beiʃəs] *adj. fiziol.* sebaceu.

sec [sek] *s. fam.* secundă. || *half a ~ !* o clipă!

sécateur(s) ['sekətə(z)] *s.* secator, foarfeci de grădină.

secede [si'siːd] *vi.* **(from)** *(d. un stat)* a se retrage *(dintr-o alianță etc.)*; a se despărți / separa.

secession [si'seʃn] *s.* despărțire, secesiune, separație.

secessionist [si'seʃənist] *s.* secesionist, separatist.

seclude [si'kluːd] *vt.* a izola.

secluded [si'kluːdid] *adj.* 1. singuratic. 2. de pustnic.

seclusion [si'kluːʒn] *s.* izolare.

second ['seknd] I. *s.* 1. secundă; clipă. 2. secund. 3. al doilea (clasat). 4. lucru de calitatea a doua. 5. ziua de doi a lunii. II. *adj.* 1. al doilea. 2. de calitatea a doua. 3. secundar. 4. suplimentar. || *in the ~ place* în al doilea rând; *upon ~ thoughts* dacă mă gândesc mai bine; *razgândindu-mă*; *~ to none* fără rival. III. *vt.* 1. a ajuta, a seconda. 2. a sprijini *(o candidatură)*. IV. *adv.* 1. în al doilea rând. 2. pe locul doi. V. *num.* al doilea.

secondary ['sekndri] *adj.* secundar.

second-best ['sekndbest] *adj.* 1.de calitatea a doua. 2. al doilea ca valoare.

second class ['seknd 'klɑːs] de clasa *sau* calitatea a doua.

second-hand ['seknd'hænd] I. *s.* secundar *(la ceas)*. II. *adj.*, *adv.* 1. de ocazie. 2. de la a doua mână. 3. din auzite.

second lieutenant ['seknd lef'tenənt] *s. mil.* sublocotenent.

secondly ['sekndli] *adv.* în al doilea rând.

second-rate ['seknd'reit] *adj.* 1. de calitatea a doua. 2. inferior.

secrecy ['siːkrisi] *s.* 1. taină. 2. discreție. || *in ~* pe ascuns.

secret ['siːkrit] I. *s.* 1. secret. 2. motiv ascuns. 3. mister, enigmă. || *to keep a ~* a păstra o taină; *to let smb. into a ~* a împărtăși cuiva o taină. II. *adj.* 1. secret. 2. ascuns.

secretarial [,sekrə'tɛəriəl] *adj.* de secretariat.

secretariat(e) [,sekrə'tɛəriət] *s.* secretariat.

secretary ['sekrətri] *s.* 1. secretar; secretară. 2. ministru.

Secretary of State ['sekrətriəv' steit] *s.* 1. secretar de stat; ministru. 2. *amer.* ministru de externe.

secretaryship ['sekrətriʃip] *s.* secretariat.

secrete [si'kriːt] *vt.* a secreta.

secretion [si'kriːʃn] *s.* 1. ascundere. 2. secreție.

secretive [si'kriːtiv] *adj.* secretos.

secretiveness [si'kriːtivnis] *s.* caracter secret.

secretly ['siːkritli] *adv.* 1. în secret, în taină, pe ascuns. 2. în șoaptă, șoptit.

secretory [si'kriːtəri] *adj. fiziol.* secretant, de secreție, care secretă.

sect [sekt] *s.* 1. sectă. 2. grup.

sectarian [sek'tɛəriən] I. *s.* 1. membru al unei secte. 2. om sectar. II. *adj.* sectar.

sectarianism [sek'tɛəriənizəm] *s.* sectarism.

sectary ['sektəri] *adj.* sectar, sectant.

section ['sekʃn] *s.* 1. secțiune. 2. secție. 3. parte. 4. categorie. 5. capitol, paragraf *(dintr-o scriere)*.

sectional ['sekʃənl] *adj.* 1. de secționare. 2. secționat, segmentat. 3. demontabil, separabil.

sectionalism ['sekʃənəlizəm] *s. amer.* regionalism.

sector ['sektə] s. sector.

secular ['sekjulə] adj. laic, secular.

secularism ['sekjulərizəm] s. doctrină preconizând învăţământul laic; scepticism religios.

secularization [,sekjulərai'zeiʃn] s. secularizare.

secularize ['sekjuləraiz] vt. 1. a seculariza. 2. a laiciza.

secure [si'kjuə] I. adj. 1. sigur, liniştit. 2. în siguranţă. 3. bine fixat. II. vt. 1. a(-şi) asigura. 2. a apăra. 3. a fixa bine. 4. a face rost de.

securely [si'kjuəli] adv. sigur, la loc sigur, în siguranţă, ferit.

security [si'kjuəriti] s. 1. siguranţă. 2. garanţie. 3. pl. titluri de proprietate.

sedan [si'dæn] s. 1. lectică. 2. limuzină.

sedate [si'deit] adj. 1. calm, liniştit. 2. grav. 3. aşezat, serios. 4. demn.

sedately [si'deitli] adv. 1. calm, liniştit. 2. serios, cu seriozitate. 3. cu gravitate, (pe un ton) grav sau demn.

sedation [si'deiʃn] s. med. sedare.

sedative ['sedətiv] s., adj. sedativ.

sedentary ['sedntri] adj. sedentar.

sedge [sedʒ] s. bot. rogoz (Carex sp.).

sediment ['sedimənt] s. sediment.

sedimentary [,sedi'mentəri] adj. sedimentar.

sedition [si'diʃn] s. 1. rebeliune, răzmeriţă. 2. agitaţie subversivă, aţâţare.

seditious [si'diʃəs] adj. 1. aţâţător, răzvrătit, rebel. 2. care face agitaţie subversivă, subversiv.

seduce [si'djuːs] vt. 1. a seduce. 2. a atrage.

seducer [si'djuːsə] s. seducător.

seduction [si'dʌkʃn] s. 1. seducţie. 2. ispită.

seductive [si'dʌktiv] adj. seducător; amăgitor.

sedulous ['sedjuləs] adj. 1. perseverent. 2. muncitor.

see [siː] I. s. scaun (episcopal sau papal). II. vt. trec. **saw** [sɔː], part. trec. **seen** [siːn] 1. a vedea. 2. a zări. 3. a înţelege. 4. a cunoaşte. 5. a trece prin. 6. a se ocupa de. 7. a primi. 8. a vizita. 9. a consulta (un doctor etc.). 10. a întovărăşi, a conduce. 11. a afla. 12. a lăsa. 13. a asista la. 14. a-şi închipui. || to ~ the back of smb. a scăpa de cineva; he has ~n better days a scăpătat; a

îmbătrânit; s-a uzat; as I ~ it după părerea mea; to ~ the last of smth. a vedea terminat ceva; to ~ off a conduce (la gară etc.); to ~ over a cerceta, a inspecta; to ~ stars a vedea stele verzi; to ~ the sun a fi în viaţă; to ~ things a avea halucinaţii; to ~ smth. through a duce ceva la bun sfârşit. III. vi. trec. **saw** [sɔː], part. trec. **seen** [siːn] 1. a vedea, a avea văz (bun). 2. a căuta să afli adevărul. 3. a înţelege. 4. a se gândi. || ~! priveşte! you ~ ştii, înţelegi; as far as I can ~ după cât îmi pot da seama; to ~ about smth. a avea grijă de ceva; a întreba de; to ~ after a avea grijă de; to~ eye to eye with a se înţelege cu; to ~ for oneself a vedea cu proprii săi ochi; to ~ into a se ocupa de, a repara; I ~ through your game văd eu unde bateţi.

seed [siːd] I. s. 1. sămânţă. 2. sâmbure. 3. germene, sursă. 4. moştenitori. || to run sau go to ~ a îmbătrâni (şi fig.). II. vt. 1. a semăna. 2. a planta. III. vi. 1. a face seminţe. 2. a lăsa să-i cadă seminţele. 3. a însămânţa.

seeder ['siːdə] s. semănătoare.

seedless ['siːdlis] adj. 1. fără sămânţă. 2. fără sâmburi.

seedling ['siːdliŋ] s. 1. răsad. 2. puiet.

seedsman ['siːdzmən] s. pl. **seedsmen** ['siːdzmən] 1. vânzător / negustor de seminţe. 2. semănător.

seed time [siːd taim] s. 1. sezonul semănatului. 2. fig. perioadă de germinare.

seedy ['siːdi] adj. 1. plin de seminţe. 2. ponosit. 3. dărâmat; ofilit.

seeing ['siːiŋ] conj. având în vedere. || ~ that dat fiind că, întrucât.

seek [siːk] I. vt. trec. şi part. trec. **sought** [sɔːt] 1. a căuta, a cerceta. 2. a cere. 3. a încerca. || to ~ out a descoperi. II. vi. trec. şi part. trec. **sought** [sɔːt] 1. a face cercetări. 2. a căuta. || to ~ for sau after a căuta.

seeker [siːkə] s. cercetător, căutător.

seem [siːm] vi. a părea. || it ~s to me mi se pare.

seeming ['siːmiŋ] adj. aparent.

seemingly ['siːmiŋli] adv. aparent, după cât de pare.

seemly ['siːmli] adj. 1. potrivit, cuvenit. 2. cuviincios.

seen [siːn] vt., vi. part. trec. de la **see**.

seep [siːp] vi. 1. a se infiltra. 2. a se prelinge, a se scurge.

seepage ['siːpidʒ] s. 1. infiltrare; scurgere. 2. umezeală, igrasie. 3. geol. infiltraţie (de petrol). 4. tehn. percolare.

seer [siə] s. profet, clarvăzător.

seersucker ['siəsʌkə] s. text. material indian de bumbac (în dungi albastre şi albe).

seesaw ['siːsɔː] I. s. 1. leagăn, scrânciob. 2. legănare. II. vi. a se da în leagăn.

seethe [siːð] vi. a fierbe (şi fig.).

segment ['segmənt] I. s. segment, bucată. II. vt., vi. 1. a (se) segmenta. 2. a (se) fracţiona.

segregate ['segrigeit] I. vt. 1. a separa. 2. a izola. 3. a face discriminări împotriva (cu gen.). II. vi. 1. a face discriminări. 2. a se despărţi.

segregation [,segri'geiʃn] s. 1. despărţire. 2. segregaţie, separare. 3. discriminare.

seigneur [sei'njɔː] s. ist. senior, stăpân feudal.

seine [sein] I. s. setcă, năvod. II. vt., vi. a pescui cu setca / cu năvodul.

seismic ['saizmik] adj. seismic.

seismograph ['saizməgrɑːf] s. seismograf.

seismography [saiz'mɔgrəfi] s. seismografie.

seismology [saiz'mɔlədʒi] s. seismologie.

seize [siːz] I. vt. 1. a prinde, a apuca. 2. a confisca. 3. a profita de. 4. a se repezi la. 5. a cuprinde, a ocupa. || he was ~ed with madness l-a apucat nebunia. II. vi.: to ~ upon an idea a se agăţa de o idee.

seizure ['siːʒə] s. 1. confiscare. 2. apucare. 3. acces.

seldom ['seldəm] adv. rar(eori).

select [si'lekt] I. adj. 1. select. 2. snob. 3. exclusivist. 4. foarte bun. II. vt. a alege.

selection [si'lekʃn] s. 1. selecţie. 2. culegere.

selective [si'lektiv] adj. selectiv.

selector [si'lektə] s. 1. selector. 2. sport selecţioner.

selectman [si'lektmən] s. pl. **selectmen** [si'lektmən] amer. membru al municipalităţii (în statele din Noua Anglie).

selenium [si'liːniəm] s. chim. seleniu.

self [self] **I.** *s. pl.* **selves** [selvz] **1.** eu, ego. **2.** persoană, ființă. **3.** fire. **4.** interese personale. **II.** *adj.* de sine; auto...

self-abuse [,self'əbju:s] *s.* **1.** masturbare. **2.** înjosire de sine.

self-assertion [,self'əsə:ʃn] *s.* **1.** aplomb, îndrăzneală. **2.** insistență.

self-assertive [,self'əsə:tiv] *adj.* băgăreț, îndrăzneț.

self assurance [,self'əʃuərns] *s.* încredere în sine, aplomb.

self-centred [,self'sentrəd] *adj.* egocentric, preocupat de sine.

self-command [,self'kəmɑ:nd] *s.* autocontrol, stăpânire de sine.

self-complacence [,self'kəmpleisəns], **self-complacency** [,self-'kəmpleisənsi] **1.** mulțumire de sine. **2.** autoliniștire.

self-complacent [,self'kəmpleisnt] *adj.* mulțumit de sine; îngăduitor cu sine însuși.

self-conceit [,self'kənsi:t] *s.* îngâmfare, trufie.

self-confidence [,self'kɔnfidns] *s.* încredere în sine.

self-confident [,self'kɔnfidnt] *adj.* care se încrede (prea mult) în sine, încrezător.

self-conscious [,self'kɔnʃəs] *adj.* **1.** timid; complexat. **2.** șovăitor. **3.** intimidat, stânjenit.

self-consciousness [,self'kɔnʃəsnis] *s.* **1.** *filoz.* conștiință de sine. **2.** jenă, stinghereală.

self-contained [,self'kənteind] *adj.* **1.** stăpânit, închis în sine. **2.** suficient. **3.** bine garnisit.

self-control [,self'kɔntroul] *s.* stăpânire de sine, autocontrol.

self-defence [,self'difens] *s.* **1.** autoapărare; legitimă apărare. **2.** box.

self-denial [,self'dinail] *s.* **1.** altruism. **2.** abnegație; jertfă de sine.

self-denying [,self'dinaiŋ] *adj.* **1.** altruist. **2.** plin de abnegație.

self-destruction [,self'distrʌkʃn] *s.* sinucidere.

self-determination [,self'ditə:mi'neiʃn] *s.* **1.** autodeterminare. **2.** independență (și fig.). **3.** gândire independentă, originalitate.

self-devotion [,self'divouʃn] *s.* devotament, dăruire de sine.

self-educated [,self'edjukeitid] *adj.* autodidact.

self-evident [,self'evidənt] *adj.* evident, vădit, care sare în ochi, care se înțelege de la sine.

self-governing [,self'gʌvəniŋ] *adj.* independent, neatârnat, care se conduce / guvernează singur.

self-government [,self'gʌvnmənt] *s.* **1.** autoguvernare; independență. **2.** administrație proprie. **3.** gospodărie chibzuită. **4.** stăpânire (de sine).

self-help [,self'help] *s.* bizuire pe propriile resurse.

self-importance [,self'impɔ:tns] *s.* îngâmfare, trufie.

self-important [,self'impɔ:tnt] *adj.* înfumurat, care-și dă importanță.

self-indulgence [,self'indʌldʒns] **1.** destrăbălare. **2.** viață de plăceri. **3.** amoralitate, sibaritism.

self-interest [,self'intrist] *s.* egoism.

selfish ['selfiʃ] *adj.* egoist, interesat.

selfishly ['selfiʃli] *adv.* (în mod) egoist, (în mod) interesat.

selfishness ['selfiʃnis] *s.* egoism; iubire de sine.

selfless ['selflis] *adj.* **1.** altruist. **2.** plin de abnegație.

selflessness [,self'lisnis] *s.* abnegație, dăruire de sine, altruism.

self-love [,self'lʌv] *s.* **1.** egoism, iubire de sine. **2.** vanitate, orgoliu.

self-made [,self'meid] *adj.* **1.** autodidact. **2.** parvenit prin merite proprii. **3.** făcut cu mâna lui.

self-made man [,self'meid'mæn] *s.* **1.** om care a răzbit prin propriile sale puteri. **2.** autodidact.

self-neglect [,self'niglekt] *s.* **1.** neglijență. **2.** înfățișare neîngrijită.

self-pity [,self'piti] *s.* autocompătimire.

self-possesion [,self'pəzeʃn] *s.* calm, sânge rece, prezență de spirit.

self-possessed [,self'pəzest] *adj.* **1.** calm. **2.** stăpânit.

self-preservation [,self'prezə-'veiʃn] *s.* instinct de conservare.

self-reliance [,self'rilaiəns] *s.* încredere în propriile mijloace.

self-reliant [,self'rilaiənt] *adj.* încrezător în sine, sigur pe sine.

self-respect [,self'rispekt] *s.* **1.** demnitate. **2.** amor-propriu. **3.** respect pentru propria persoană.

self-restraint [,self'ristreint] *s.* cumpătare, rezervă.

self-righteous [,self'raitʃəs] *adj.* **1.** mulțumit / plin de sine, încrezut. **2.** ipocrit.

self-sacrifice [,self'sækrifais] *s.* **1.** altruism. **2.** sacrificiu de sine. **3.** abnegație.

self-sacrificing [,self'sækrifaisiŋ] *adj.* **1.** altruist. **2.** plin de abnegație, de spirit de sacrificiu.

self-same [,self'seim] *adj.* **1.** (absolut) același. **2.** identic.

self-satisfaction [,self'sætis-'fækʃn] *s.* **1.** mulțumire de sine. **2.** îngâmfare.

self-satisfied [,self'sætisfaid] *adj.* mulțumit de sine, suficient.

self-seeker [,self'si:kə] *s.* **1.** egoist. **2.** carierist, parvenit.

self-seeking [,self'si:kiŋ] **I.** *s.* carierism. **II.** *adj.* carierist.

self-service [,self'sə:vis] *s.* autoservire.

self-servicing [,self'sə:visiŋ] *adj.* cu autoservire.

self-styled [,self'staild] *adj.* pretins, așa-zis, autointitulat.

self-sufficiency [,self'səfiʃnsi] *s.* **1.** independență materială. **2.** îndestulare. **3.** suficiență, înfumurare.

self-sufficient [,self'səfiʃnt] *adj.* **1.** suficient (în sine), îndestulător. **2.** încrezut. **3.** încăpățânat.

self-sufficing [,self'səfaisiŋ] *adj.* v. **self-sufficient.**

self-supporting [,self'səpɔ:tiŋ] *adj.* care se întreține singur, independent (material).

self-taught [,self'tɔ:t] *adj.* autodidact.

self-will [,self'wil] *s.* încăpățânare, îndărătnicie.

self-willed [,self'wild] *adj.* **1.** încăpățânat. **2.** capricios.

sell [sel] **I.** *s.* **1.** dezamăgire. **2.** înșelăciune. **II.** *vt. trec. și part. trec.* **sold** [sould] **1.** a vinde. **2.** *fig.* a vinde, a trăda (un secret, țara). **3.** a escroca cu. || to ~off sau out a lichida; a vinde la solduri; to be sold out a fi epuizat; to ~ up a vinde la licitație; to ~ smb. a pup a înșela pe cineva; he is sold on music e mare meloman. **III.** *vi. trec. și part. trec.* **sold** [sould] **1.** a face vânzări. **2.** a vinde. **3.** (d. mărfuri) a se vinde (bine). || it ~s like hot cakes se vinde ca pâinea caldă.

seller ['selə] *s.* **1.** vânzător. **2.** lucru care se vinde.

Seltzer(-water) ['seltsə 'wɔ:tə] *s.* apă gazoasă.

selvage, selvedge ['selvidʒ] *s.* tiv.

selves [selvz] *s. pl. de la* **self.**

semaphore ['seməfɔ:] *s.* semafor.

sematic [si'mætik] *adj.* sematic,

(d. culoare, semn) care avertizează inamicii *sau* atrage atenția.

semantic(al) [si'mæntik(ə)l] *adj.* semantic.

semantics [si'mæntiks] *s. pl. (folosit ca sing.)* lingv. semantică, semasiologie.

semblance ['semblns] *s.* **1.** asemănare. **2.** aparență.

semen ['si:men] *s. fiziol.* spermă.

semester [si'mestə] *s.* semestru.

semi- [semi] *(element de compunere)* semi-.

semi-annual ['semi'ænjuəl] *adj.* bianual, semianual.

semi-circle ['semi,sə:kl] *s.* semicerc.

semi-colon ['semi'koulən] *s.* punct și virgulă.

semi-detached [,semidi'tætʃt] *adj. (d. case)* lipită de altă casă printr-unul din ziduri.

semi-detached houses ['semidi,tætʃt'hauziz] *s. pl.* case lipite (spate în spate), locuințe ieftine.

semi-final ['semi'fainl] *s.* semifinală.

seminal ['seminəl] *adj.* **1.** seminal, spermatic. **2.** *biol.* embrionar, germinal. **3.** *fig.* rodnic, fecund, fertil.

seminar ['seminɑ:] *s.* seminar (universitar).

seminarist ['seminərist] *s. rel.* seminarist.

seminary ['seminəri] *s.* seminar teologic (catolic).

semi-official ['semiə'fiʃl] *adj.* semioficial.

semi-permeable [semi'pə:miəbl] *adj.* semipermeabil.

semiquaver ['semi,kweivə] *s. muz.* șaisprezecime.

Semite ['si:mait] *s.* semit.

Semitic [si'mitik] *adj.* semit.

semitone ['semitoun] *s. muz.* semiton.

semi-trailer [semi'treilə] *s. auto.* semiremorcă.

semi-tropical ['semi'trɔpikl] *adj.* semitropical.

semivowel ['semi'vauəl] *s. lingv.* semivocală.

semolina [,semə'li:nə] *s.* griș.

sempiternal [,sempi'tə:nl] *adj. rel.* veșnic, etern.

sempstress ['semstris] *s.* cusătoreasă.

senate ['senit] *s.* **1.** senat. **2.** senat, consiliu al unei universități.

senator ['senətə] *s.* senator.

senatorial [,senə'tɔ:riəl] *adj.* senatorial, de senator.

send [send] **I.** *vt. trec. și part. trec.* **sent** [sent] **1.** a trimite. **2.** a emite. **3.** a face. || *to* ~ *away* a trimite (departe); a concedia; *to* ~ *down* a elimina; a scădea; *to* ~*forth* sau *out* a emite; *to* ~ *in* a trimite *(la un concurs etc.); to* ~ *off* a trimite (la plimbare); a conduce *(la gară etc.); to* ~ *up* a trimite; a ridica; *to* ~ *word* a trimite vorbă. **II.** *vi. trec. și part. trec.* **sent** [sent]: *to* ~ *for the doctor* a chema doctorul.

sendal ['sendl] *s.* țesătură de mătase medievală *(folosită pentru haine scumpe).*

sender ['sendə] *s.* expeditor.

send-off ['send,ɔːf] *s.* adio; rămas bun.

senescent [si'nesnt] *adj.* **1.** îmbătrânit, bătrân. **2.** *poet. (d. lună)* în descreștere.

seneschal ['seniʃl] *s. ist.* seneșal.

senile ['si:nail] *adj.* senil.

senility [si'niliti] *s.* senilitate, bătrânețe.

senior ['si:njə] **I.** *s.* **1.** persoană mai în vârstă. **2.** superior. **3.** elev mai mare. **II.** *adj.* **1.** senior. **2.** mai mare. **3.** superior. **4.** mai vârstnic.

seniority [,si:ni'ɔriti] *s.* **1.** bătrânețe. **2.** vechime (în muncă). **3.** grad superior.

senna ['senə] *s.* **1.** *bot.* siminichie *(Cassia acutifolia).* **2.** *med.* foi uscate de siminichie *(folosite ca laxativ).*

sennight ['senait] *s. înv.* săptămână. || *today* ~ peste o săptămână; acum o săptămână.

sensation [sen'seiʃn] *s.* senzație.

sensational [sen'seiʃənl] *adj.* senzațional.

sensationalism [sen'seiʃənəlizəm] *s.* **1.** *(peior., în literatură)* gust pentru senzațional. **2.** senzualism, epicureism. **3.** *fiziol.* senzualism.

sense [sens] **I.** *s.* **1.** simț. **2.** sentiment. **3.** înțelegere. **4.** înțelepciune, bun simț. **5.** sens, înțeles. **6.** părere generală. **7.** *pl.* fire. || *it doesn't make* ~ n-are nici un înțeles; *can you make any* ~ *of it?* înțelegi ceva din asta? **II.** *vt.* **1.** a simți. **2.** a-și da seama de. **3.** a presimți.

senseless ['sensɪs] *adj.* **1.** inconștient, în nesimțire. **2.** prostesc. **3.** fără sens.

sensibility [,sensi'biliti] *s.* **1.** sensibilitate. **2.** înțelegere. **3.** finețe.

sensible ['sensəbl] *adj.* **1.** înțelept, rezonabil. **2.** (cu simț) practic.

3. sensibil. **4.** conștient. **5.** considerabil. **6.** palpabil.

sensitive ['sensitiv] *adj.* **1.** sensibil *(și fig.).* **2.** firav. **3.** (ușor) impresionabil. **4.** susceptibil. || *he is very* ~ *about it* e foarte susceptibil în această privință. **5.** senzorial, senzitiv. **6. (to)** sensibil; susceptibil (la). **7.** *med.* senzitiv, senzorial. **8.** fluctuant, instabil. **9.** *tehn.* sensibil, fin, precis.

sensitiveness ['sensitivnis] *s. v.* **sensitivity.**

sensitive plant ['sensitiv'plɑ:nt] *s.* **1.** *bot.* mimoză *(Mimosa sensitiva).* **2.** *fig.* persoană ultrasensibilă.

sensitivity ['sensi'tiviti] *s.* sensibilitate.

sensor ['sensə] *s.* instrument de măsură.

sensory ['sensəri] *adj.* senzorial.

sensual ['sensjuəl] *adj.* **1.** senzual, voluptos. **2.** trupesc, carnal. **3.** grosolan.

sensualist ['sensjuəlist] *s.* **1.** persoană senzuală / voluptuoasă / înclinată spre plăceri. **2.** *fiziol.* senzualist.

sensuality [,sensju'æliti] *s.* senzualitate, înclinație spre plăceri.

sensuous ['sensjuəs] *adj.* senzorial, senzual.

sent [sent] *vt., vi. trec. și part. trec. de la* **send.**

sentence ['sentəns] **I.** *s.* **1.** sentință. **2.** osândă. **3.** propoziție independentă. **4.** frază. || *to pass a* ~ a da o sentință; *to serve a* ~ a ispăși o condamnare / o pedeapsă. **II.** *vt.* **1.** a condamna. **2.** a da un verdict aspru *(cu gen.).*

sententious [sen'tenʃəs] *adj.* **1.** sentențios. **2.** moralizator.

sentient ['senʃnt] *adj.* sensibil.

sentiment ['sentimənt] *s.* **1.** sentiment. **2.** sentimentalism. **3.** părere; punct de vedere.

sentimental [,senti'mentl] *adj.* **1.** sentimental. **2.** sensibil. **3.** afectuos.

sentimentalism [,senti'mentəli zəm] *s.* sentimentalism.

sentimentalist [,senti'mentəlist] *s.* **1.** sentimentalist. **2.** sentimental.

sentimentality [,sentimen'tæliti] *s.* sentimentalism.

sentinel ['sentinl] *s. mil.* santinelă.

sentry ['sentri] *s. mil.* santinelă.

sepal ['sepəl] *s. bot.* sepală.

separable ['seprəbl] *adj.* separabil.

separate¹ ['seprit] *adj.* **1.** separat. **2.** despărțit. **3.** distinct. **4.** izolat.

separate² ['sepəreit] *vt., vi.* a (se) separa.

separation [,sepə'reiʃn] *s.* **1.** despărțire. **2.** separare.

separatist ['seprətist] *s.* separatist.

separator ['sepəreitə] *s.* separator.

sepia ['si:pjə] *s.* culoarea sepia.

sepoy ['si:pɔi] *s.* cipai, soldat indian în armata britanică.

sepsis ['sepsis] *s. med.* sepsis, stare septică.

sept [sept] *s.* clan, trib *(mai ales în Irlanda).*

septa ['septə] *s. pl.* de la **septum.**

September [səp'tembə] *s.* septembrie.

septet(te) [sep'tet] *s.* **1.** *muz.* septet. **2.** grup de șapte (persoane *sau* obiecte).

septic ['septik] *adj. med.* septic.

septicaemia [,septi'si:miə] *s. med.* septicemie.

septuagenarian [,septjuədʒi'nɛəriən] **I.** *adj.* septuagenar, între 70 și 80 de ani. **II.** *s.* septuagenar, bătrân între 70 și 80 de ani.

septuagesima [,septjuə'dʒesimə] *s.bis.* postul și săptămâna Paștelui.

Septuagint ['septjuədʒint] *s. ist. rel.* **1.** septuaginta, versiunea elină a Vechiului Testament. **2.** grup de 70 de cărturari care au tradus Vechiul Testament în elină.

septum ['septəm], *pl.* **septa** ['septə] *s.* **1.** *anat.* septum. **2.** *tehn.* șicană, perete despărțitor.

sepulchral [si'pʌlkrl] *adj.* **1.** sepulcral, mormântal. **2.** cavernos. **3.** solemn. **4.** sumbru.

sepulchre ['sepəlkə] **I.** *s.* sepulcru, mormânt; *(mai ales)* cavou în stâncă, piatră *sau* cărămidă. || *biblic white / painted ~* ipocrit, fățarnic. **II.** *vt.* a așeza în mormânt / în cavou, a înmormânta.

sepulture ['sepəltʃə] *s.* **1.** înmormântare, îngropare, punere în mormânt.

sequel ['si:kwl] *s.* urmare, continuare *(a unui roman etc.).*

sequence ['si:kwəns] *s.* **1.** succesiune. **2.** secvență. || *the ~ of tenses* corespondența timpurilor.

sequent ['si:kwənt] *adj.* următor, rezultativ.

sequential [si'kwenʃl] *adj.* **1.** succesiv *(în timp)*; care decurge. **2.** *mat.* secvențial.

sequester [si'kwestə] **I.** *vt.* **1.** a sechestra. **2.** a confisca. **II.** *vr.* **1.** a se retrage. **2.** a se izola.

sequestrate [si'kwestreit] *vt., vr.* **1.** a (se) retrage (în singurătate). **2.** *jur.* a sechestra.

sequestration [,si:kwes'treiʃn] *s.* **1.** separare, izolare *(de societate etc.).* **2.** sechestrare, confiscare, sechestru.

sequin ['si:kwin] *s. ist.* țechin.

sequoia [si'kwɔiə] *s. bot.* sequoia *(Welingtonia gigantea).*

sera ['siərə] *pl.* de la **serum.**

seraglio [se'rɑ:liou] *s.* serai.

seraph ['serəf] *s. pl.* și **seraphim** ['serəfim] serafim.

seraphic [se'ræfik] *adj.* îngeresc, serafic.

seraphim ['serəfim] *s. pl.* de la **seraph.**

Serb [sə:b] *s. v.* **Serbian.**

Serbian ['sə:bjən] **I.** *s.* **1.** sârb; sârboaică. **2.** limba sârbă. **II.** *adj.* sârb; sârbesc.

sere [siə] *adj.* uscat, ofilit, veștejit.

serenade [,seri'neid] **I.** *s.* serenadă. **II.** *vi.* a cânta o serenadă.

serene [si'ri:n] *adj.* **1.** calm. **2.** senin. **3.** tihnit.

serenity [si'reniti] *s.* **1.** seninătate, calm, liniște. **2.** *(folosit ca titlu)* înălțime, alteță, luminăție.

serf [sə:f] *s.* **1.** iobag. **2.** *fig.* rob.

serfdom ['sə:fdəm] *s.* **1.** iobăgie. **2.** feudalism.

serge [sə:dʒ] *s.* **1.** gabardină. **2.** serj.

sergeant ['sɑ:dʒnt] *s.* **1.** *mil.* sergent. **2.** *mil.* plutonier (major). **3.** ofițer de poliție.

serial ['siəriəl] **I.** *s.* roman foileton. **II.** *adj.* **1.** în serie. **2.** serial; (publicat în) foileton.

serially ['siəriəli] *adv.* **1.** în serie. **2.** (în) foileton.

series ['siəri:z] *s.* **1.** serie. **2.** serii.

serif ['serif] *s. poligr.* piciorus, cârlig *(la litere).*

serious ['siəriəs] *adj.* **1.** grav. **2.** solemn. **3.** serios. **4.** sincer.

seriously ['siəriəsli] *adv.* **1.** (în mod) serios, (în mod) grav. || *to be ~ ill* a fi grav bolnav; *~ wounded* grav rănit; *mil. the ~ wounded* răniții grav. **2.** (în mod) serios, fără (nici o) glumă. || *I speak ~* vorbesc serios; *you take the matter too ~* prea o iei în serios; *he takes such matters ~* cu astfel de chestiuni nu se glumește; *but*

~, what will you do? nu zău, fără glumă, ce ai (de gând) să faci?

seriousness ['siəriəsnis] *s.* **1.** seriozitate. **2.** gravitate. || *in all ~* vorbind foarte serios.

serjeant(-at-arms) ['sɑ:dʒnt(ət 'ɑ:mz)] *s. pl.* **sergeants(-at-arms)** ['sɑ:dʒnts(ət'ɑ:mz)] **1.** cestor *(în parlament).* **2.** agent de ordine.

sermon ['sə:mən] *s.* predică *(și fig.).*

sermonize ['sə:mənaiz] *vt.* a ține o predică *(cu dat.),* a moraliza.

serous ['siərəs] *adj. fiziol.* seros.

serpent ['sə:pnt] *s. zool.* șarpe *(și fig.).*

serpentine ['sə:pntain] *adj.* **1.** viclean. **2.** dubios. **3.** în serpentină.

serrate ['serit] **I.** *adj.* dințat, ferăstruit, ca de ferăstrău. **II.** *vt.* a zimțui, a dința.

serrated [se'reitid] *adj.* dințat, zimțat.

serried ['serid] *adj.* unul lângă altul, strâns, lipit; *(d. soldați etc.)* umăr la umăr. || *in ~ ranks* în rânduri strânse.

serum ['siərəm] *s. pl.* și **sera** ['siərə] ser.

servant ['sə:vnt] *s.* **1.** servitor. **2.** slugă. **3.** fată în casă. **4.** angajat. **5.** slujitor.

serve [sə:v] **I.** *s. sport* serviciu. **II.** *vt.* **1.** a servi. **2.** a sluji *(cu dat.).* **3.** a asculta (de). **4.** a fi de folos *(cu dat.).* **5.** a furniza, a aproviziona. **6.** a trata. **7.** a îndeplini. **8.** a ispăși *(o pedeapsă).* **9.** a executa *(un serviciu).* **10.** a înmâna. **11.** a transmite. || *to ~ two masters* a juca la două nunți, a face joc dublu; *to ~ time* sau *a term* a ispăși o condamnare. **III.** *vi.* **1.** a servi. **2.** a sluji, a fi în serviciu. **3.** a fi folositor *sau* satisfăcător.

server ['sə:və] *s.* **1.** servitor; chelner. **2.** tavă. **3.** *(bis. catolică)* ministrant. **4.** *sport* jucător care servește *(mingea).*

service ['sə:vis] **I.** *s.* **1.** serviciu. **2.** folos. **3.** amabilitate. **4.** slujbă. **5.** *auto. etc.* întreținere. **II.** *vt.* **1.** a servi. **2.** *auto. etc.* a întreține.

serviceable ['sə:visəbl] *adj.* **1.** folositor, bun. **2.** serviabil, amabil. **3.** durabil, de folosință îndelungată.

serviette [,sə:vi'et] *s.* șervețel.

servile ['sə:vail] *adj.* **1.** servil. **2.** slugarnic.

servility [sə:'viliti] s. **1.** servilism, slugărnicie; linguşire, linguşiri. **2.** fig. lipsă de originalitate. **3.** înv. sclavie, robie.

serving man ['sə:viŋ 'mən] s. pl. **serving men** ['sə:viŋ'mən] înv. servitor, slujitor, slugă.

servitor ['sə:vitə] s. **1.** înv. servitor, slugă; însoţitor. **2.** discipol; partizan.

servitude ['sə:vitju:d] s. **1.** robie. **2.** (**penal** ~) detenţiune, întemniţare.

sesame ['sesəmi] s. bot. susan (Sesamum indicum). || open ~ ! sesam, deschide-te!

sesqui- ['seski] element de compunere exprimând o mărime şi jumătate.

sessile ['sesail] adj. bot. sesil.

session ['seʃn] s. **1.** sesiune. **2.** şedinţă.

set [set] I. s. **1.** serviciu (complet de obiecte). **2.** garnitură; set. **3.** echipament. **4.** grup, societate. **5.** tehn. aparat (de radio, TV etc.); agregat. **6.** aşezare. **7.** curent, tendinţă. **8.** decor. **9.** cin. platou de filmare. **10.** răsad. **11.** terminare. **12.** apus (de soare). II. adj. **1.** aşezat. **2.** fix(at). **3.** bine stabilit. III. vt. inf., trec. şi part. trec. **1.** a aşeza. **2.** a pune. **3.** a întinde. **4.** a aţâţa, a pune la cale (pe cineva). **5.** a potrivi, a aranja. **6.** a stabili. **7.** a fixa (un preţ etc.). **8.** a monta (pietre preţioase). **9.** a înţepeni. **10.** a pune pe muzică, a transpune în muzică. || to ~ about sau afloat a lansa, a răspândi; to ~ aside a pune sau a lăsa la o parte; to ~ at defiance a sfida; to ~ at naught a-şi bate joc de; a nesocoti; to ~ at rest a linişti; to ~ back a da înapoi; to ~ by a pune la o parte; to ~ down a lăsa jos; to ~ eyes on a da cu ochii de; a zări; a vedea (prima dată); to ~ the fashion a lansa moda; to ~ forth a explica, a face cunoscut; to ~ free a elibera; a descătuşa; to ~ off a face să explodeze, a porni; a reliefa; a scoate în evidenţă; a separa; a pune în contrast; to ~ on a aţâţa; to ~ on fire, to ~ fire to a incendia; to ~ one's cap at a boy a face ochi dulci unui băiat; to ~ one's hand sau name to a semna; to ~ one's teeth a scrâşni din dinţi; a fi hotărât; to ~ one's teeth on edge a strepezi dinţii; a enerva; to ~ out a declara; a

împodobi; a etala; to ~ the pace a determina ritmul; a da exemplu; to ~ right(s) a aranja; to ~ things to rights a pune lucrurile la punct; a îndrepta; a aranja situaţia; to ~ (great) store by smth. a pune (mare) preţ pe ceva; to ~ the Thames on fire a face ceva grozav; a descoperi America; to ~ up a înfiinţa; a instala; a instaura; a stabili; a înainta, a propune; a aproviziona; a exersa; a culege. IV. vi. **1.** a apune. **2.** a porni. **3.** a se apuca. **4.** a se înţepeni. **5.** a se coace, a se maturiza. **6.** a se scurge. **7.** a veni. **8.** a sta bine. || to ~ about one's work; to ~ to work a se pune pe treabă; a se apuca de ceva; to ~ forth, off, forward sau out a o porni; to ~ on a înainta (la atac); to ~ on smb. a ataca.

set-back ['setbæk] s. **1.** oprelişte. **2.** piedică. **3.** eşec.

set-square ['set,skweə] s. echer.

settee [se'ti:] s. canapeluţă.

setter ['setə] s. **1.** câine de vânătoare. **2.** fixator.

setting ['setiŋ] s. **1.** cadru. **2.** decor. **3.** montură.

settled ['setld] adj. **1.** stabil. **2.** permanent. **3.** liniştit. **4.** fix.

settle[1] ['setl] I. vt. **1.** a rezolva. **2.** a stabili. **3.** a hotărî. **4.** a reglementa. **5.** a plăti, a achita (o datorie etc.). **6.** a coloniza. **7.** a linişti. **8.** a face să se aşeze, a sedimenta. **9.** a lăsa moştenire.|| to ~ smb.'s hash a face de petrecanie cuiva; to have an account to ~ with smb. a avea o socoteală sau o răfuială cu cineva. II. vi. **1.** a se stabili. **2.** a se aşeza. **3.** a-şi rezolva treburile. **4.** a se instala. **5.** a-şi plăti datoriile. **6.** a se sedimenta. **7.** a se tasa. || to ~ upon a se hotărî asupra (cu gen.); a alege; to ~ in a se instala (într-o casă nouă).

settle[2] ['setl] s. bancă (cu spătar înalt şi braţe).

settlement ['setlmənt] s. **1.** stabilire (a unui popor într-o ţară etc.), colonizare. **2.** instalare (a cuiva într-o casă etc.). **3.** (s)cufundare, tasare (a pământului). **4.** mil. amplasare (a unei piese). **5.** limpezire (a unui lichid). **6.** reglementare, rezolvare. **7.** stabilire, fixare (a unei date). **8.** (la bursă) lichidare. **9.** acord, înţelegere. **10.** fin. achitare, plată (a unei datorii).

settler ['setlə] s. colonist.

seven ['sevn] s., num. şapte.

sevenfold ['sevnfould] adv. de şapte ori, înşeptit.

seventeen ['sevn'ti:n] s., num. şaptesprezece.

seventeenth ['sevn'ti:nθ] num. al şaptesprezecelea.

seventh ['sevnθ] I. s. şeptime. II. num. al şaptelea. || in the ~ heaven în al nouălea cer.

seventieth ['sevntiiθ] num. al şaptezecilea.

seventy ['sevnti] s., num. şaptezeci.

seventy five ['sevnti 'faiv] s. mil. tun francez de 75 mm.

sever ['sevə] I. vt. **1.** a despica. **2.** a despărţi. II. vi. a se despărţi.

several ['sevrl] adj., pron. mai mulţi.

severally ['sevrəli] adv. înv. **1.** separat. **2.** individual. **3.** unul câte unul.

severance ['sevərns] s. **1.** despărţire. **2.** separaţie.

severe [si'viə] adj. **1.** aspru. **2.** sever. **3.** exigent. **4.** auster; simplu.

severely [si'viəli] adv. sever, strict; aspru, tăios, crunt, înverşunat. || to leave / to let ~ alone a ignora, a nu băga în seamă dinadins (în semn de dezaprobare); glumeţ a se încumeta (să facă un lucru foarte greu).

severity [si'veriti] s. **1.** severitate. **2.** asprime.

sew [sou] vt., vi. trec. şi part. trec. **sewn** [soun] a (se) coase.

sewage ['sju:idʒ] s. **1.** canalizare. **2.** murdărie, deşeuri, ape uzate.

sewerage ['sjuəridʒ] s. v. sewage.

sewer[1] ['sjuə] s. canal (colector).

sewer[2] ['souə] s. cel care coase.

sewing ['souiŋ] s. **1.** cusut. **2.** îmbrăcăminte; rufărie.

sewing-machine ['souiŋmə,ʃi:n] s. maşină de cusut.

sewn [soun] vt., vi. part. trec. de la sew.

sex [seks] s. **1.** sex. **2.** sexualitate. **3.** viaţă sexuală / amoroasă. **4.** amor. **5.** probleme sexuale.

sexagenarian [,seksədʒi'neəriən] adj., s. sexagenar.

Sexagesima [,seksə'dʒesimə] s. a doua duminică înainte de postul Paştelui.

sex appeal ['seks ə'pi:l] s. nuri, farmec, vino-ncoace.

sexism ['seksizəm] s. sexism, discriminare sexuală.

sexless ['sekslis] adj. **1.** fără sex. **2.** fără sentimente materne. **3.** insensibil.

sextant ['sekstnt] *s.* sextant.

sextet(te) [seks'tet] *s.* sextet.

sexton ['sekstn] *s.* paracliser.

sextuple ['sekstjupl] *adj.* înşesit, de şase ori mai mare.

sextuplet ['sekstjuplit] *s.* fiecare nou-născut dintr-un grup de şase gemeni.

sexual ['seksjuəl] *adj.* sexual.

sexuality [seksju'æliti] *s. biol.* sexualitate.

sexy ['seksi] *adj.* 1. erotic, sexual, sexy. 2. excitant, provocator, sexy. 3. cu sex-appeal, nurlie.

shabby ['ʃæbi] *adj.* 1. ponosit, u-zat; vechi. 2. sărăcăcios. 3. prost îmbrăcat. 4. meschin, josnic.

shack [ʃæk] *s.* 1. colibă. 2. baracă.

shackie ['ʃækl] *vt.* 1. a înlănţui. 2. a încătuşa (şi fig.).

shackles ['ʃæklz] *s. pl.* 1. lanţuri. 2. cătuşe.

shad [ʃæd] *s. iht.* specii de scrumbie (Alosa vulgaris).

shade [ʃeid] **I.** *s.* 1. umbră; răcoare. 2. loc umbros. 3. parte întunecată. 4. abajur. 5. jaluzea, oblon. **II.** *vt.* 1. a umbri. 2. a grada. 3. a nuanţa.

shading ['ʃeidiŋ] *s.* 1. nuanţă. 2. umbră.

shadow ['ʃædou] **I.** *s.* 1. umbră (a cuiva, a unui obiect). 2. umbră; întunecime. 3. urmă. **II.** *vt.* 1. a întuneca. 2. a urmări, a fila.

shadowgraph ['ʃædougrɑːf] *s.* 1. siluetă; umbră chinezească. 2. med. radiografie.

shadowy ['ʃædoui] *adj.* 1. umbros. 2. neclar, întunecat.

shady ['ʃeidi] *adj.* 1. răcoros; umbros. 2. fig. dubios.

shaft [ʃɑːft] *s.* 1. săgeată. 2. tehn. arbore; ax. 3. tijă. 4. puţ (de mină). 5. horn.

shag [ʃæg] *s. înv.* 1. hălăciugă de păr aspru; blană păroasă şi aspră. 2. stofă grosolană păroasă. 3. mahorcă, tutun inferior.

shaggy ['ʃægi] *adj.* 1. aspru. 2. lăţos, neteşalat.

shagreen [ʃæ'griːn] *s.* 1. (piele de) şagrin. 2. piele de rechin folosită pentru ras şi lustruit. 3. poligr. şagren.

shah [ʃɑː] *s.* şahul Persiei / Iranului.

shake [ʃeik] **I.** *s.* 1. zguduire, clătinat. 2. moment. 3. strângere de mână. 4. pl. folos. **II.** *vt. trec.* **shook** [ʃuk], *part. trec.* **shaken** ['ʃeikn] 1. a zgudui. 2. a clăti-na. 3. a cutremura. 4. a zgâlţâi.

5. a agita. || *to ~ hands with smb.* a da mâna cu cineva; *to ~ one's head* a clătina din cap, a nega; *to ~ one's finger at a* dezaproba *sau* avertiza; *to ~ one's fist at* a ameninţa cu pumnul; *to ~ one's sides with laughing* a muri de râs. **III.** *vi., vr. trec.* **shook** [ʃuk], *part. trec.* **shaken** ['ʃeikn] 1. a (se) zgudui. 2. a (se cu)tremura. || *to ~ in one's boots* a muri de frică.

shakedown ['ʃeik,daun] *s.* pat improvizat.

shaken ['ʃeikn] *vt., vi. part. trec. de la* **shake**.

shaker ['ʃeikə] *s.* 1. dispozitiv pentru scuturat, clătinat. 2. vas de făcut cocteiluri, shaker.

Shakespearian [ʃeiks'piəriən] *adj.* shakespearian.

shakily ['ʃeikili] *adv.* 1. şubred; nesigur; clătinându-se. 2. cu voce tremurândă. 3. cu o mână tremurătoare.

shako ['ʃækou], *pl.* **shakos** *sau*

shakoes ['ʃækouz] *s. mil.* chipiu, chivără.

shaky ['ʃeiki] *adj.* 1. şubred. 2. slab, prăpădit. 3. tremurător.

shale [ʃeil] *s.* 1. geol. şist argilos, argilă şistoasă, marnă. 2. mine. rocă argiloasă în lamele.

shal(l)ot [ʃə'lɔt] *s. bot.* hasme (Allium ascalonicum).

shall [ʃ(ə)l, ʃæl] **I.** *v. aux. pentru viitor.* **II.** *v. mod. trec.* **should** [ʃ(ə)d] 1. a trebui. 2. a fi obligat. 3. a avea ordin să; || *you ~ leave now!* îţi poruncesc să pleci,chiar acum!; *what ~ I do?* ce să mă fac? *~ we have coffee?* (nu) vrei să bem o cafea?

shallop ['ʃæləp] *s. poet.* barcă, luntre; lotcă, şalupă.

shallow ['ʃælou] **I.** *s.* vad. **II.** *adj.* 1. puţin adânc. 2. fig. superficial.

shalt [ʃælt] *înv. pers. a II-a sing. prez. de la v.* **shall**.

sham [ʃæm] **I.** *s.* 1. imitaţie; fals. 2. înşelătorie. 3. prefăcătorie. **II.** *adj.* 1. fals. 2. imitat. 3. prefăcut. 4. făţarnic. **III.** *vt.* a simula. **IV.** *vi.* a se preface, a simula.

shambles ['ʃæmblz] *s. pl. (folosit şi ca sing.)* abator; *fig.* teatru al unui măcel.

shambolic [ʃæm'bɔlik] *adj. fam.* dezorganizat, haotic.

shame [ʃeim] **I.** *s.* 1. ruşine. 2. păcat *(fig.).* 3. nenorocire. || *~*

on you! sau for ~ ! să-ţi fie ruşine!; *what a ~ !* ce păcat! **II.** *vt.* 1. a ruşina. 2. a face de râs; || *I ~d him into apologizing* l-am silit să-şi ceară scuze.

shamefaced ['ʃeimfeist] *adj.* 1. ruşinos. 2. timid, modest. 3. ne-ruşinat.

shamefacedly [ʃeim'feisidli] *adv.* ruşinos; ruşinat.

shameful ['ʃeimfl] *adj.* ruşinos, infam, scandalos, odios.

shameless [ʃeimlis] *adj.* neru-şinat, neobrăzat.

shamefully ['ʃeimfuli] *adv.* ruşi-nos.

shamelessly [ʃeimlisli] *s. adv.* fără ruşine, fără obraz, cu neo-brăzare, neobrăzat.

shammer ['ʃæmə] *s.* 1. prefăcut, simulant, înşelător. 2. făţarnic; farsor, şarlatan.

shammy ['ʃæmi] *s.* piele de că-prioară.

shampoo [ʃæm'puː] **I.** *s.* 1. şampon. 2. spălat pe cap. **II.** *vt.* 1. a şampona. 2. a spăla părul.

shamrock ['ʃæmrɔk] *s.* 1. bot. trifoi (Trifolium repens). 2. emblema Irlandei.

shandy ['ʃændi] *s. gastr.* băutură (obţinută dintr-un amestec de bere şi limonadă).

shanghai [ʃæn'hai] *vt. sl.* a forţa (pe cineva) să se înroleze marinar (de obicei prin înşelăciune).

shank [ʃæŋk] **I.** *s.* 1. picior, gambă; tibie, fluierul piciorului; ţurloi. 2. tulpină, tijă, codiţă (de floare). 3. mâner (de unealtă). 4. coadă (de lingură, cheie etc.). 5. partea îngustă din mijlocul tălpii încălţămintei. 6. mar. fusul ancorei. 7. tehn. oală de turnare. 8. amer. fam. rest, rămăşiţă. 9. poligr. corp de literă. **II.** *vi. (d. flori).* || *to ~ off* a se veşteji, a cădea.

shantung [ʃæn'tʌŋ] *s.* şantung.

shan't [ʃɑːnt] *v. aux.; v. mod. neg. de la v.* **shall**.

shanty ['ʃænti] *s.* 1. cocioabă, colibă. 2. cântec marinăresc.

shape [ʃeip] **I.** *s.* 1. formă. 2. figură. 3. siluetă. || *in ~* întruchipat, în carne şi oase; *in the ~ of* sub forma (cu gen.); *in any ~ or form* cum o fi; *cât(uşi)* de puţin. **II.** *vt.* 1. a modela. 2. a forma, a alcătui. **III.** *vi.* 1. a prinde chip *sau* formă. 2. a se concretiza.

shapeless ['ʃeiplis] adj. 1. inform, diform. 2. dezordonat, imprecis.

shapely ['ʃeipli] adj. 1. arătos. 2. bine format. 3. sculptural.

shard [ʃɑːd] s. ciob.

share [ʃɛə] I. s. 1. porție. 2. cotă (parte). 3. fin. acțiune. 4. fier de plug. II. vt. 1. a împărți. 2. a distribui. 3. a împărtăși. III. vi. 1. a împărți. 2. a face parte egală.

shareholder ['ʃɛə,houldə] s. (mic) acționar.

shark [ʃɑːk] s. 1. rechin (și fig.). 2. escroc. 3. student foarte bun.

sharp [ʃɑːp] I. s. muz. diez. II. adj. 1. muz. diez. 2. ascuțit. 3. a-brupt. 4. aspru. 5. acru. 6. pătrunzător. 7. intens. 8. mușcător. 9. isteț. 10. dubios. 11. necinstit. 12. viu, vioi. III. adv. 1. brusc. 2. muz. prea sus. 3. punctual. 4. fix. || at five o'clock ~ la cinci fix; look ~ ! mișcă-te mai repede! grăbește-te!

sharpen ['ʃɑːpn] vt., vi. 1. a (se) ascuți. 2. a (se) intensifica.

sharpener ['ʃɑːpnə] s. ascuțitor; ascuțitoare.

sharper ['ʃɑːpə] s. 1. trișor. 2. escroc.

sharply ['ʃɑːpli] adv. 1. clar, net. 2. brusc, pe neașteptate. 3. repede, iute. 4. cu atenție, atent. 5. fig. tăios, aspru.

sharpness ['ʃɑːpnis] s. 1. ascuțit, tăiș; ascuțime. 2. fig. exactitate, precizie, acuratețe. 3. severitate, asprime, rigoare, strășnicie. || ~ of cold ger / frig pătrunzător. 4. asprime, strășnicie, duritate (a cuvintelor etc.). 5. violență, ascuțime, acuitate (a durerii). 6. durere acută / ascuțită. 7. nesaț, lăcomie. || ~ of the stomach foame de lup. 8. putere de pătrundere, agerime, perspicacitate. 9. dibăcie, agilitate, vivacitate, sprinteneală. 10. șiretenie, șiretlic. 11. telec. claritate a imaginii, șarf.

sharp shooter ['ʃɑːpʃuːtə] s. bun țintaș, trăgător de elită.

shatter ['ʃætə] I. vt. 1. a sfărâma. 2. a sparge. 3. fig. a nărui. 4. a zdrobi. 5. a zdruncina. II. vi. a se sfărâma.

shave [ʃeiv] I. s. 1. ras, bărbierit. 2. risc, pericol iminent. 3. apropiere foarte mare (de o primejdie). || it was a close ~ m-a bărbierit foarte apăsat; am

scăpat ca prin urechile acului. II. vt. 1. a bărbieri, a rade. 2. a tăia (subțire). 3. a se freca de, a se atinge de. III. vi. a se bărbieri, a se rade.

shaven ['ʃeivn] adj. bărbierit, ras.

shaver ['ʃeivə] s. 1. client al bărbierului. 2. flăcău.

Shavian ['ʃeivjən] adj. referitor la sau asemănător cu Bernard Shaw.

shaving ['ʃeiviŋ] s. 1. bărbierit. 2. talaș.

shaving-brush ['ʃeiviŋbrʌʃ] s. pensulă / pămătuf de ras.

shawl [ʃɔːl] s. șal.

shay [ʃei] s. pop. v. **chaise**.

she [ʃi(ː)] I. pron. ea. II. particulă pentru feminin, ex.: ~ wolf lupoaică.

sheaf [ʃiːf] s. pl. **sheaves** [ʃiːvz] 1. snop. 2. teanc. 3. mănunchi.

shear [ʃiə] I. vt. part. trec. **shorn** [ʃɔːn] 1. a tunde (oile). 2. fig. a păcăli. 3. a tăia. II. vi. part.trec. **shorn** [ʃɔːn] a tunde oile.

shearer ['ʃiərə] s. 1. tunzător (de oi). 2. foarfecă mecanică.

shears [ʃiəz] s. pl. foarfeci mari.

sheath [ʃiːθ] s. pl. **sheaths** [ʃiːðz] 1. teacă. 2. învelitoare.

sheathe [ʃiːð] vt. 1. a pune în teacă. 2. a acoperi. || to ~ the sword a face pace.

sheaves [ʃiːvz] s. pl. de la **sheaf**.

she'll ['ʃiːl] prescurtare de la **she will**.

shebeen [ʃiˈbiːn] s. berărie, cârciumă clandestină.

shed [ʃed] I. s. 1. adăpost. 2. șopron. II. vt. inf., trec. și part. trec. 1. a vărsa (lacrimi, sânge). 2. a emite. 3. a scutura. 4. a lăsa să cadă.

sheen [ʃiːn] s. 1. lustru. 2. strălucire.

sheep [ʃiːp] s. 1. oaie. 2. oi. 3. fig. prostovan. 4. fig. enoriași.

sheep-cot ['ʃiːpkɔt], **sheep cote** ['ʃiːp ,kout] s. stână.

sheep-dog ['ʃiːpdɔg] s. câine ciobănesc.

sheepfold ['ʃiːpfould] s. stână, ocol.

sheepish ['ʃiːpiʃ] adj. 1. timid. 2. încurcat. 3. stângaci.

sheepman ['ʃiːpmən] s. pl. **sheepmen** ['ʃiːpmən] crescător de oi, oier.

sheep-run ['ʃiːprʌn] s. crescătorie de oi.

sheep-skin ['ʃiːpskin] s. 1. blană de oaie. 2. piele de oaie. 3. pergament. 4. amer. diplomă de absolvire.

sheer[1] [ʃiə] I. adj. 1. pur. 2. veritabil. 3. total. 4. subțire, fin; diafan; perpendicular. II. adv. perpendicular.

sheer[2] [ʃiə] I. vi. mar. a se legăna, a se clătina. || to ~ off a ieși în larg(ul mării); to ~ up / alongside a trage la chei. II. s. mar. 1. selatură, ambardee. 2. formă, linie (a unui vapor).

sheet anchor ['ʃiːt ,æŋkə] s. 1. ancoră de rezervă. 2. fig. unica / ultima speranță.

sheet[1] [ʃiːt] s. 1. cearșaf. 2. foaie. 3. coală. 4. întindere. 5. ziar; || three ~s in the wind beat turtă.

sheet[2] [ʃiːt] I. s. mar. școtă. II. vt. mar. a fixa (pânza) cu școta.

sheeting ['ʃiːtiŋ] s. 1. foi / table aranjate în ordine. 2. pânză (de cearșaf etc.). 3. mine., constr. blindaj.

sheet iron ['ʃiːt ,aiən] s. met. tablă de oțel (subțire).

sheik(h) [ʃeik] s. 1. șeic. 2. amer., fam. amorez, don juan, crai(don).

shekel ['ʃekl] s. 1. ist. măsură de greutate și monedă de argint la evrei. 2. sl. parale, bani, lovele.

sheldrake ['ʃeldreik] s. ornit. cufundar (Todorna vulpansea).

shelf [ʃelf] s. pl. **shelves** ['ʃelvz] poliță, raft. || to be on the ~ a fi pus la index; a rămâne fată bătrână.

shell [ʃel] I. s. 1. coajă. 2. găoace. 3. carapace. 4. scoică. 5. obuz. II. vt. 1. a coji. 2. a dezghioca. 3. a bombarda (cu artileria). III. vi. a ieși din ou.

shellac [ʃəˈlæk] s. șerlac.

sheller ['ʃelə] s. 1. (d. persoane) curățitor de coajă (de fasole etc.). 2. (mașină) curățitoare (de fasole, mazăre etc.); mașină de curățat (porumb etc.). 3. fam. țap ispășitor.

shellfish ['ʃelfiʃ] s. moluscă (cu carapace).

shell shock ['ʃel ,ʃɔk] s. med. psihoză traumatică, comoție cerebrală (în urma exploziei unui obuz). || suffering from ~ șocat de explozie / bombe, suferind de comoție.

shelly ['ʃeli] adj. 1. (d. teren) scorțos, zgrunțuros. 2. geol. cu scoici, cu cochilii. 3. (d. calcar etc.) de scoică. || ~ bed piatră de calcar conținând scoici.

shelter ['ʃeltə] I. s. 1. adăpost. 2. refugiu. 3. apărare. II. vt., vi. a (se) adăposti.

shelve [ʃelv] vt. **1.** a pune pe raft. **2.** a lăsa la o parte, a amâna (o hotărâre). **3.** a concedia.

shepherd [ˈʃepəd] I. s. păstor (şi fig.). II. vt. **1.** a păstori. **2.** a călăuzi.

shelves [ʃelvz] s. pl. de la **shelf**.

shepherdess [ˈʃepədis] s. păstoriţă.

Sheraton [ˈʃerətn] s. sheraton (stil de mobilă din sec. XVIII).

sherbet [ˈʃəːbət] s. suc de fructe.

sheriff [ˈʃerif] s. **1.** şerif. **2.** prefect de poliţie.

sherry [ˈʃeri] s. vin de Xeres.

Shetland horse [ˈʃetlənd hɔːs] s. ponei, căluţ.

shew [ʃou] vt., vi. înv. v. **show**.

shewed [ʃoud] vt., vi. înv. trec. de la **shew**.

shewn [ʃoun] vt., vi. înv. part. trec. de la **shew**.

shibboleth [ˈʃibəleθ] s. **1.** principiu fundamental. **2.** piatră de încercare.

shield [ʃiːld] I. s. **1.** scut (şi fig.). **2.** apărătoare. **3.** ecran de protecţie. **4.** carapace. **5.** amer. insignă de poliţist. II. vt. **1.** a apăra. **2.** a scăpa (de pedeapsă).

shift [ʃift] I. s. **1.** schimb de lucrători. **2.** schimb. **3.** schimbare. **4.** expedient. **5.** şmecherie. || to make a ~ a se descurca cum poate. II. vt. **1.** a schimba. **2.** a trece (asupra altuia). III. vi. **1.** a o scoate la capăt. **2.** a se descurca cum poate.

shiftless [ˈʃiftlis] adj. **1.** lipsit de prevedere, neprevăzător. **2.** leneş. **3.** nedescurcăreţ; neajutorat.

shiftlessness [ˈʃiftlisnis] s. **1.** lene, lipsă de energie. **2.** lipsă de resurse / de iniţiativă, ineficacitate. **3.** zădărnicie (a unei acţiuni).

shifty [ˈʃifti] adj. **1.** înşelător, viclean, escroc. **2.** dubios. **3.** nestatornic. **4.** (d. ochi) jucăuşi, care joacă în cap.

shillelagh [ʃiˈleili] s. (cuvânt irlandez) bâtă, măciucă.

shilling [ˈʃiliŋ] s. ist. şiling (a douăzecea parte dintr-o liră sterlină).

shilly-shally [ˈʃiliˌʃæli] I. s. **1.** şovăială, nehotărâre. **2.** zăbavă, întârziere. II. vi. a şovăi. **1.** a zăbovi.

shim [ʃim] tehn. I. s. **1.** pană (de fixare), şaibă, suport; bară de reglaj. **2.** adaos, inserţie, lamelă. II. vt. a pune o pană la, a şaibă la.

shimmy [ˈʃimi] s. **1.** tremura(at). **2.** muz. shimmy, dans tremurat. **3.** tehn. oscilaţie.

shimmer [ˈʃimə] I. s. licărire. II. vi. **1.** a licări. **2.** a străluci.

shin [ʃin] I. s. anat. tibie, fluierul piciorului, ţurloi. II. vt. **1.** a lovi cu piciorul; a îmboldi (calul). **2.** a urca, a escalada. III. vi. **1.** (şi to ~ up) a se căţăra, a se urca. **2.** amer. a bate drumurile, a umbla din poartă-n poartă (după împrumuturi).

shin bone [ˈʃin ˌboun] s. v. **shin** I.

shindig [ˈʃindig] s. amer. fam. petrecere, chef; festivitate.

shindy [ˈʃindi] s. **1.** fam. scandal. **2.** v. **shinding**.

shine [ʃain] I. s. **1.** luciu; strălucire. **2.** lumină. II. vt. trec. şi part. trec. **shone** [ʃɔn] a lustrui. III. vi. trec. şi part. trec. **shone** [ʃɔn] a străluci (şi fig.).

shiner [ˈʃainə] s. **1.** sl. monedă de aur, galben. **2.** pl. bani, parale. **3.** amer. vânătaie la ochi. **4.** fam. lustragiu. **5.** pl. tehn. puncte / locuri luminoase (în hârtie).

shingle [ˈʃiŋgl] I. s. **1.** pietriş. **2.** şindrilă. **3.** păr tăiat scurt. II. vt. **1.** a acoperi cu şindrilă. **2.** a tunde scurt.

shingles [ˈʃiŋglz] s. pl. med. pecingine, zona zoster.

shinny [ˈʃini] s. joc asemănător cu hocheiul.

shinty [ˈʃinti] s. sport joc asemănător cu hocheiul.

shiny [ˈʃaini] adj. **1.** strălucitor. **2.** lucios. **3.** lustruit.

ship [ʃip] I. s. **1.** vas, navă; corabie; vapor. **2.** aeronavă; || on board ~ pe vapor. II. vt. **1.** a expedia (cu vaporul). **2.** a transporta. **3.** a pune în funcţie. **4.** a angaja (echipajul). || to ~ off a trimite (departe). III. vi. a se angaja în marină.

ship's company [ˈʃips'kʌmpni] s. echipaj, marinari.

ship-biscuit [ˈʃip'biskit] s. pesmet marinăresc.

shipboard [ˈʃipbɔːd] s.: || on ~ pe bord, pe vas.

ship-broker [ˈʃipˌbroukə] s. agent de navlosire.

ship builder [ˈʃip ˌbildə] s. constructor naval / de vapoare.

ship-building [ˈʃipˌbildiŋ] s. construcţii navale.

ship-canal [ˈʃipəˌnæl] s. canal navigabil.

ship-chandler [ˈʃipˌtʃɔːndlə] s. agent de aprovizionare a vaselor.

shipload [ˈʃiploud] s. încărcătura (totală a) vasului.

shipmaster [ˈʃipˌmɑːstə] s. căpitan de vas comercial.

shipmate [ˈʃipmeit] s. tovarăş de echipaj.

shipment [ˈʃipmənt] s. **1.** cantitate. **2.** expediere.

shipowner [ˈʃipˌounə] s. armator.

shipper [ˈʃipə] s. **1.** expeditor. **2.** exportator.

shipping [ˈʃipiŋ] s. **1.** marină. **2.** expediţie, transport pe apă.

shipshape [ˈʃipʃeip] adj., adv. aranjat, pus la punct.

ship worm [ˈʃip wəːm] s. zool. moluscă (pătrunde în lemnul vaselor) (Teredinidae).

shipwreck [ˈʃiprek] I. s. **1.** naufragiu. **2.** epavă (şi fig.). **3.** ruină. II. vt. **1.** a face să naufragieze. **2.** a ruina. || to be ~ed a naufragia.

shipyard [ˈʃipjɑːd] s. şantier naval.

shir(r) [ʃəː] amer. I. s. **1.** fir de cauciuc ţesut într-un material; ţesătură elastică. **2.** creţuri (la un material). II. vt. a încreţi (un material).

shire [ʃaiə] s. comitat, judeţ.

shirk [ʃəːk] I. vt. a evita, a se eschiva de la. II. vi. a se eschiva, a se feri (de muncă etc.), a chiuli.

shirker [ˈʃəːkə] s. chiulangiu.

shirt [ʃəːt] s. **1.** cămaşă. **2.** bluză.

shirt-front [ˈʃəːtfrʌnt] s. pieptar, plastron.

shirting [ˈʃəːtiŋ] s. pânză / material pentru cămăşi.

shirt sleeves [ˈʃəːt ˌsliːvz] s. pl. mâneci de la cămaşă. || in one's ~ în cămaşă şi vestă (fără haină).

shirt waist [ˈʃəːt weist] s. amer. bluză de damă.

shirty [ˈʃəːti] adj. sl. supărat, mânios.

shiver [ˈʃivə] I. s. tremur; fior. II. vi. a tremura; a fi cuprins de fiori.

shivery [ˈʃivəri] adj. **1.** fragil, care se sparge uşor. **2.** tremurător, înfiorat, palpitând, cuprins de frisoane.

shoal [ʃoul] I. s. **1.** vad. **2.** apă mică. **3.** banc de nisip. **4.** pl. primejdii ascunse. **5.** mulţime. **6.** banc de peşti. II. adj. puţin adânc. III. vi. **1.** a merge în cârduri. **2.** (d. apă) a scădea.

shock [ʃɔk] I. s. **1.** lovitură, izbitură. **2.** şoc (nervos etc.). **3.**

faliment. || a ~ of hair o claie de păr, un păr zburlit. II. vt. 1. a lovi. 2. a şoca.

shocker [ˈʃɔkə] s. 1. lucru izbitor. 2. roman poliţist sau de groază.

shocking [ˈʃɔkiŋ] adj. 1. şocant. 2. dezgustător. 3. supărător. 4. oribil. 5. îngrozitor.

shod [ʃɔd] vt. trec. şi part. trec. de la **shoe**.

shoddy [ˈʃɔdi] I. s. 1. stofă proastă. 2. fig. lucru prost. II. adj. grosolan, de proastă calitate.

shoe [ʃuː] I. s. 1. pantof. 2. potcoavă. || to shake in one's ~s a muri de frică. II. vt. trec. şi part. trec. **shod** [ʃɔd] 1. a potcovi. 2. a încălţa.

shoeblack [ˈʃuːblæk] s. lustragiu.

shoehorn [ˈʃuːhɔːn] s. limbă de pantof, încălţător.

shoe-lace [ˈʃuːleis] s. şiret de pantof.

shoemaker [ˈʃuːˌmeikə] s. pantofar.

shoemaking [ˈʃuːˌmeikiŋ] s. cizmărie (ca meserie).

shoe-string [ˈʃuːstriŋ] s. şiret de pantof.

shogun [ˈʃouguːn] s. ist. şogun, comandant şef japonez.

shone [ʃɔn] vt., vi. trec. şi part. trec. de la **shine**.

shoo [ʃuː] I. vt. a alunga (păsările). II. interj. hâş!

shook [ʃuk] vt., vi. trec. de la **shake**.

shoot [ʃuːt] I. s. 1. lăstar. 2. lăstăriş. 3. grup de vânători. 4. vânătoare. 5. jgheab. II. vt. trec. şi part. trec. **shot** [ʃɔt] 1. a împuşca. 2. a trage cu arcul sau cu arma în. 3. a omorî. 4. a trece (o cataractă). 5. a fotografia; a filma. || to ~ dice a juca zaruri; to ~ a bolt a trage zăvorul. III. vi. trec. şi part. trec. **shot** [ʃɔt] 1. a trage (cu o armă de foc sau cu arcul). 2. a împuşca. 3. a declanşa. 4. a ţâşni. 5. a creşte. 6. a se mişca repede. 7. a şuta. 8. a filma; a fotografia. || to ~ away a trage mereu; to ~ ahead a progresa vertiginos.

shooter [ˈʃuːtə] s. 1. puşcaş, ţintaş, arcaş, trăgător, vânător. 2. revolver. || six ~ revolver cu şase focuri. 3. sl. vizită de condoleanţe. 4. sport mingea care loveşte (la crichet).

shooting [ˈʃuːtiŋ] s. 1. împuşcare. 2. vânătoare.

shooting-range [ˈʃuːtiŋreindʒ] s. poligon de tragere.

shooting-star [ˈʃuːtiŋstɑː] s. stea căzătoare.

shop [ʃɔp] I. s. 1. magazin, prăvălie. 2. atelier. || to talk ~ a vorbi chestiuni de serviciu. II. vt. a face cumpărături.

shop assistant [ˈʃɔpəˌsistənt] s. vânzător sau vânzătoare de prăvălie.

shop girl [ʃɔp gəːl] s. vânzătoare (în magazin).

shop-hours [ˈʃɔpˌauəz] s. pl. orarul magazinelor.

shopkeeper [ˈʃɔpˌkiːpə] s. negustor, mic comerciant.

shoplifter [ˈʃɔpˌliftə] s. hoţ care fură din magazine.

shopman [ˈʃɔpmən] s. pl. **shopmen** [ˈʃɔpmən] 1. negustor. 2. vânzător.

shopper [ˈʃɔpə] s. client, cumpărător.

shopping [ˈʃɔpiŋ] s. târguieli, cumpărături.

shop steward [ˈʃɔpstijuəd] s. delegat de atelier.

shop stewards' committee [ˈʃɔpstijuədzkəˈmiti] s. comitet de întreprindere.

shop window [ˈʃɔˈwindou] s. vitrină (de magazin).

shore[1] [ʃɔː] s. ţărm.

shore[2] [ʃɔː] I. s. reazem, suport (şi constr.). II. vt. a sprijini, a susţine.

shoreless [ˈʃɔːlis] adj. poet. neţărmurit, fără hotare.

shoreward [ˈʃɔːwəd] I. adv. v. **shorewards**. II. adj. spre ţărm.

shorewards [ˈʃɔːwədz] adv. în direcţia ţărmului, spre ţărm.

shorn [ʃɔːn] vt., vi. part. trec. de la **shear**.

short [ʃɔːt] I. s. 1. film de scurt metraj. 2. pl. şort, pantaloni scurţi. 3. silabă scurtă. II. adj. 1. scurt. 2. insuficient. 3. concis. 4. urgent. || to be ~ of a nu ajunge la; a nu avea destul; for ~ pe scurt; in ~ în două vorbe; to make ~ work of a lichida (din două vorbe); to give ~ weight a fura la cântar. III. adv. 1. deodată. 2. brusc, imediat. || ~ of doing it cât p-aci să; dacă n-o face; to fall ~ of a nu izbuti să; a nu ajunge pentru.

shortage [ˈʃɔːtidʒ] s. (of) lipsă, penurie (de).

shortcake [ˈʃɔːtkeik] s. prăjitură fărâmicioasă din aluat fraged.

short-circuit [ˈʃɔːtˈsəːkit] I. s. scurtcircuit. II. vt. a scurtcircuita.

shortcoming [ˈʃɔːtkʌmiŋ] s. lipsă, deficienţă.

short cut [ˈʃɔːtˈkʌt] s. scurtătură, drum mai scurt.

shorten [ˈʃɔːtn] vt., vi. a (se) scurta.

shorter short story [ˈʃɔːtə ˈʃɔːtˈstɔːri] s. schiţă, povestire.

shorthand [ˈʃɔːthænd] s. stenografie.

short-handed [ˌʃɔːtˈhændid] adj. care duce lipsă de mână de lucru; cu personal insuficient.

shorthorn [ˈʃɔːthɔːn] s. rasă de vite cu coarne(le) scurte.

short hours [ˈʃɔːtˈauəz] s. pl. 1. săptămână de lucru redusă. 2. şomaj parţial. || to be on ~ a fi şomer parţial.

short-lived [ˈʃɔːtˈlivd] adj. trecător, efemer, de scurtă durată.

shortly [ˈʃɔːtli] adv. 1. curând. 2. pe scurt. 3. brusc. 4. nepoliticos, grosolan.

shortness [ˈʃɔːtnis] s. 1. scurtime, lungime mică. 2. muz., gram. scurtime, spaţiu redus. 3. statură mică, micime. || ~ of waist statură mică. 4. slăbiciune, imperfecţiune. ~ of memory memorie slabă; lipsă de memorie.

shorts [ʃɔːts] s. pl. v. **short** I, 2.

short-sighted [ˈʃɔːtˈsaitid] adj. 1. miop, cu vederea scurtă. 2. fig. neprevăzător, nesocotit, uşuratic, fluşturatic.

short story [ˈʃɔːtˈstɔːri] s. nuvelă.

short-tempered [ˈʃɔːtˈtempəd] adj. 1. nervos. 2. irascibil.

short-term [ˈʃɔːtˈtəːm] adj. cu / pe termen scurt.

short time [ˈʃɔːtˈtaim] s. 1. săptămână de lucru redusă. 2. şomaj parţial.

short ton [ˈʃɔːtˈtʌn] s. măsură de 900 kg.

short-winded [ˈʃɔːtˈwindid] adj. 1. fără suflu. 2. gâfâitor.

shot [ʃɔt] I. s. 1. împuşcătură. 2. şut. 3. lovitură. 4. săgeată (şi fig.). 5. trăgător, ţintaş. 6. bătaia puştii etc. 7. alice. 8. sport greutate. 9. încercare. 10. fotografie. 11. cin. secvenţă. 12. injecţie. || off like a ~ ca fulgerul. II. vt., vi. trec. şi part. trec. de la **shoot**.

shot-gun [ˈʃɔtgʌn] s. puşcă de vânătoare.

should [ʃ(ə)d, ʃud] I. v. aux. pentru condiţional şi viitor în trecut. II. v. mod. trec. de la **shall**.

shoulder [ˈʃouldə] I. s. 1. umăr. 2. obiect în formă de umăr. || to put one's ~ to the wheel a pune umărul, a se pune pe treabă; straight from the ~ direct, pe șleau. II. vt. 1. a pune pe umăr. 2. a încărca în spinare. 3. a împinge cu umărul. 4. a-și asuma.

shoulder-blade ['ʃouldəbleid] s. anat. omoplat.

shoulder-strap ['ʃouldəstræp] s. 1. umărar. 2. bretea, bridă. 3. tresă. 4. mil. diagonală.

shout [ʃaut] I. s. 1. strigăt. 2. țipăt. II. vt., vi. a striga, a țipa.

shove ['ʃʌv] I. s. 1. împingere. 2. împinsătură. 2. ghiont. II. vt. a împinge. III. vi. 1. a se împinge. 2. a-și croi drum. 3. a o porni.

shovel ['ʃʌvl] I. s. 1. lopată. 2. lopățică. II. vt. 1. a lua sau încărca cu lopata. 2. a curăța (zăpada).

shovelful ['ʃʌvlful] s. (cât încape într-o) lopată.

shoveller ['ʃʌvələ] s. 1. mine. miner încărcător. 2. ornit. rață-lopătar (Spatula clypeata).

show [ʃou] I. s. 1. arătare, indicare. 2. manifestare. 3. expoziție. 4. spectacol. 5. scenă, peisaj. 6. aspect (fals). 7. ostentație. 8. întreprindere, acțiune. 9. prilej (favorabil).|| by ~ of hands prin ridicare de mâini; to be on ~ a fi expus, etalat; to put up a good ~ a face față cu cinste; a se preface de minune; to give the (whole) ~ away a arăta ːc.te dedesubturile. II. vt. part. trec. **shown** [ʃoun] 1. a arăta. 2. a indica. 3. a manifesta, a dovedi. 4. a conduce. 5. a sublinia. || to ~ fight a opune rezistență; a fi bătăios; to ~ smb. the door ~.a da pe cineva afară; to ~ off a etala; to ~ up a demasca; to ~ the white feather a-și dovedi lașitatea, a se arăta laș. III. vi. part. trec. **shown** [ʃoun] 1. a se arăta. 2. a se vedea. || to ~ off a face pe grozavul; to ~ up a apărea, a fi vizibil.

show boat [ʃou ‚bout] s. amer. teatru plutitor (pe Mississippi etc.).

show-case ['ʃoukeis] s. vitrină (mobilă).

show-down ['ʃoudaun] s. explicație, discuție lămuritoare.

shower ['ʃauə] I. s. 1. ploaie torențială, aversă de ploaie. 2. duș. 3. izbucnire. 4. abundență. II. vt. 1. a inunda cu. 2. a vărsa un potop de (ocări etc. asu-

pra cuiva). 3. a uda. III. vi. 1. a cădea ca o ploaie. 2. a ploua (ca vara).

showery ['ʃauəri] adj. ploios, cu averse.

show girl ['ʃou,gəːl] s. dansatoare de cabaret / varieteu.

showing [ʃouiŋ] s. 1. demonstrare, expunere. 2. indiciu.

showman [ʃoumən] s. pl. **showmen** ['ʃoumən] 1. proprietarul. 2. saltimbanc, paiață, clovn, măscărici.

showmanship ['ʃoumənʃip] s. arta punerii în scenă.

shown [ʃoun] vt., vi. part. trec. de la **show**.

show room [ʃou ‚ruːm] s. 1. sală de expoziție. 2. sală / cameră unde se expun mărfurile.

showy ['ʃoui] adj. 1. arătos. 2. împopoțonat. 3. ostentativ.

shrank [ʃræŋk] vt., vi. trec. de la **shrink**.

shrapnel ['ʃræpnl] s. șrapnel.

shred [ʃred] I. s. 1. zdrențăros. 2. ruptură. 3. bucățică. 4. fărâmă. II. vt. a zdrențui.

shrew [ʃruː] s. femeie afurisită, scorpie.

shrewd [ʃruːd] adj. 1. isteț. 2. iute. 3. îndemânatic, abil.

shrewdly ['ʃruːdli] adv. cu perspicacitate, cu agerime, isteț, subtil.

shrewdness ['ʃruːdnis] s. pătrundere, perspicacitate, finețe, ascuțime a minții.

shrewish ['ʃruːiʃ] adj. certăreț, artăgos.

shriek [ʃriːk] I. s. țipăt. II. vt., vi. a țipa.

shrift [ʃrift] s. înv. spovedanie, confesiune. || short ~ termen scurt între sentință și execuția pedepsei; to give short ~ to (smb.) a condamna pe cineva acordând un termen scurt până la executarea pedepsei.

shrike [ʃraik] s. ornit. sfrâncioc, lupul-vrăbiilor (Lanius excubitor).

shrill [ʃril] adj. ascuțit; pătrunzător.

shrimp [ʃrimp] s. zool. crevetă (Crangon vulgaris).

shrine [ʃrain] s. 1. chivot. 2. raclă. 3. altar.

shrink [ʃriŋk] I. vt. trec. **shrunk** [ʃrʌnk], part. trec. **shrunk** [ʃrʌnk] și **shrunken** ['ʃrʌnkn] a face ceva să se strângă. II. vi. trec. **shrunk** [ʃrʌnk], part. trec. **shrunk** [ʃrʌnk] și **shrunken** ['ʃrʌnkn] 1. a se strânge. 2. a

se micșora. 3. a intra la apă. 4. a se da înapoi. || he doesn't ~ from anything nu ezită niciodată; nu se dă înapoi de la nimic, e în stare de orice.

shrinkage ['ʃriŋkidʒ] s. 1. micșorare. 2. strâmtare, intrare la apă.

shrive [ʃraiv] I. vt. înv. a spovedi, a asculta confesiunea (cuiva), a absolvi / ierta de păcate. II. vr. a se spovedi, a-și mărturisi păcatele.

shrivel ['ʃrivl] I. vi. a se zbârci, a se încreți, a se veșteji. II. vt. 1. a contracta, a încreți, a usca. 2. tehn. a freta.

shrivelled ['ʃrivld] adj. 1. încrețit. 2. zbârcit. 3. ofilit.

shriven ['ʃrivn] vt., vr. part. trec. de la **shrive**.

shroud [ʃraud] I. s. 1. lințoliu, giulgiu. 2. strat de zăpadă. II. vt. 1. a înfășura (într-un lințoliu). 2. a învălui.

shrove [ʃrouv] vt., vr. trec. de la **shrive**.

Shrove-Tuesday ['ʃrouv'tjuːzdi] s. rel. ziua spovedaniei (marțea).

shrub [ʃrʌb] s. 1. arbust. 2. tufiș.

shrubbery ['ʃrʌbəri] s. tufișuri, boschete.

shrug [ʃrʌg] I. s. dare din umeri. II. vi.: to ~ one's shoulders a da din umeri.

shrunk [ʃrʌŋk] vt., vi. trec. și part. trec. de la **shrink**.

shrunken ['ʃrʌŋkn] I. adj. 1. încrețit. 2. strâns. 3. smochinit. II. vt., vi. part. trec. de la **shrink**.

shudder ['ʃʌdə] I. s. tremur; fior. II. vi. 1. a tremura. 2. a se înfiora.

shuffle ['ʃʌfl] I. s. 1. târșâit. 2. împărțirea cărților de joc. 3. înșelăciune. II. vt. 1. a(-și) târî (picioarele). 2. a pune / a încălța / a îmbrăca în grabă. 3. a se eschiva de la. 4. a înșela. 5. a face, a da (cărțile). 6. a amesteca (lucrurile). III. vi. 1. a merge greu. 2. a târî picioarele. 3. a se eschiva. 4. a face cărțile. 5. a lâncezi.

shun [ʃʌn] vt. a evita.

'shun [ʃən] interj. mil. drepți!

shunt [ʃʌnt] I. vt. 1. a muta (de pe linie). 2. a schimba; a trece (în altă parte). 3. a concedia. II. vi. a se muta.

shut [ʃʌt] I. vt. inf., trec. și part. trec. 1. a închide. 2. a prinde. 3. a încercui. || to ~ down a închide definitiv; to ~ in a înconjura; to ~ off a stinge; a ostraciza; to ~ out a lăsa pe dinafară; *to ~ up* a fereca; a face să tacă. **II.** *vi. inf., trec. şi part. trec.* a se închide. || *to ~ off* a se stinge; *to ~ up* a tăcea din gură.

shut-in [ˈʃʌtˈin] *s. amer.* bolnav (cronic, ţintuit la pat).

shutter [ˈʃʌtə] *s.* **1.** oblon. **2.** *pl.* jaluzele. **3.** *foto.* diafragmă. || *to put up the ~s* a trage obloanele.

shuttle [ˈʃʌtl] **I.** *s.* suveică. **II.** *vi.* a merge încolo şi încoace.

shuttlecock [ˈʃʌtlkɔk] *s.* volant, fluturaş pentru jocul battledore (un fel de tenis).

shy [ʃai] **I.** *s.* **1.** aruncare. **2.** încercare. **II.** *adj.* **1.** timid. **2.** fricos. **3.** şovăielnic. **III.** *vi.* **1.** a se răsuci. **2.** a se da la o parte. **3.** a se cabra (şi fig.). **IV.** *fam. vt.* a azvârli / a arunca (o piatră etc.).

Shylock [ˈʃailɔk] *s.* cămătar hain / rău (erou din "The Merchant of Venice" de Shakespeare).

shyly [ˈʃaili] *adv.* timid, cu sfială.

shyster [ˈʃaistə] *s. fam.* avocat necinstit, jurist de mâna a doua.

si [si:] *s. muz.* (nota) si.

Siamese [ˌsaiəˈmiːz] **I.** *adj.* siamez, din Siam. **II.** *s.* **1.** siamez. **2.** limba siameză.

Siberian [saiˈbiəriən] *adj.*, *s.* siberian.

sibilant [ˈsibilənt] **I.** *s.* consoană şuierătoare. **II.** *adj.* şuierător.

sibyl [ˈsibil] *s.* sibilă, prezicătoare.

sibylline [ˈsiˈbilain] *adj.* sibilin, profetic.

sic [sik] *adv.* sic, aşa.

Sicilian [siˈsiliən] *adj.*, *s.* sicilian.

sick [sik] **I.** *s.: the ~* bolnavii. **II.** *adj.* **1.** bolnav. **2.** indispus. **3.** *amer.* îngreţoşat, pe punctul de a voma. **4.** scârbit. **5.** supărat. || *to fall ~* a se îmbolnăvi; *to be ~ for* a tânji după; *I'm going to be ~* îmi vine să vărs; *to be ~ (and tired) of* a fi scârbit *sau* sătul de.

sickbed [ˈsikbed] *s.* **1.** pat de boală / de bolnav. **2.** căpătâiul bolnavului.

sicken [ˈsikn] **I.** *vt.* a scârbi. **II.** *vi.* **1.** a cădea *sau* a fi bolnav. **2.** a se ofili. **3.** a se scârbi.

sickle [ˈsikl] *s.* seceră.

sickleave [ˈsikliːv] *s.* concediu de boală.

sick-list [ˈsiklist] *s.: on the ~* bolnav.

sickly [ˈsikli] *adj.* **1.** bolnăvicios. **2.** slab. **3.** greţos.

sick man [ˈsikmən] *s. pl.* **sick men** [ˈsikmən] bolnav.

sickness [ˈsiknis] *s.* **1.** boală. **2.** indispoziţie. **3.** greaţă.

side [said] **I.** *s.* **1.** parte. **2.** latură. **3.** faţă. **4.** faţetă. **5.** catetă. **6.** jumătate. **7.** partid. || *on all ~s* din toate părţile; pretutindeni; *on the wrong ~ of fifty* trecut (bine) de cincizeci de ani; *~ by ~* alături, umăr la umăr; *to take ~s with smb.* a lua partea cuiva; *not to take ~s* a nu se pronunţa; *(on the) off ~ sport.* dincolo de fundaşi, în ofsaid. **II.** *adj.* **1.** lateral. **2.** lăturalnic. **III.** *vi.: to ~ with smb.* a fi de partea cuiva; a sprijini pe cineva.

side arms [ˈsaid ˌɑ:mz] *s. mil.* arme albe.

side-board [ˈsaidbɔːd] *s.* bufet, servantă.

side-car [ˈsaidkɑː] *s. auto.* ataş (la motocicletă).

side-long [ˈsaidlɔŋ] *adj., adv.* **1.** lateral. **2.** oblic.

sidereal [saiˈdiəriəl] *adj.* sideral.

side-slip [ˈsaid ˌslip] **I.** *s.* **1.** alunecare într-o parte. **2.** *av.* zbor pe aripă, glisadă. **3.** ramură (de copac). **4.** copil nelegitim, bastard. **5.** *teatru* culise, parte marginală a scenei unde se aranjează decorurile. **II.** *vi.* **1.** a aluneca. **2.** *av.* a zbura pe aripă, a glisa, a face o glisadă.

side step [ˈsaidstep] **I.** *s.* pas lateral; eschivă. **II.** *vt.* a evita. **III.** *vi.* a se feri.

side-track [ˈsaidtræk] **I.** *s.* ferov. linie laterală. **II.** *vt.* **1.** a trage pe linie moartă (şi fig.). **2.** a abate de la ţelul propus.

side-view [ˈsaidvjuː] *s.* vedere laterală *sau* din profil.

side-walk [ˈsaidwɔːk] *s.* **1.** *amer.* trotuar. **2.** potecă din marginea drumului.

sideways [ˈsaidweiz] *adj., adv.* **1.** lateral. **2.** într-o parte.

siding [ˈsaidiŋ] *s.* **1.** linie secundară. **2.** linie moartă.

sidle [ˈsaidl] *vi.* **1.** a merge într-o parte, ferindu-se. **2.** a se strecura.

siege [siːdʒ] *s.* asediu.

sienna [siˈenə] *s.* (culoare) siena.

sierra [siˈerə] *s.* lanţ de munţi, cordilieră.

siesta [siˈestə] *s.* siestă.

sieve [siv] *s.* sită.

sift [sift] **I.** *vt.* **1.** a cerne (şi fig.). **2.** a da prin sită. **3.** a cerceta cu multă grijă. **4.** a selecta. **II.** *vi.* a trece prin sită.

sifter [ˈsiftə] *s.* **1.** *met.* ciocan de selectare. **2.** *mine.* ciocan de claubaj.

sigh [sai] **I.** *s.* **1.** oftat. **2.** suspin. **3.** foşnetul vântului. **II.** *vt.* a spune oftând. **III.** *vi.* **1.** a ofta. **2.** a suspina. || *to ~ for* a tânji după.

sight [sait] **I.** *s.* **1.** vedere, văz. **2.** privelişte. **3.** părere, judecată. **4.** punct de atracţie. **5.** obiectiv turistic. **6.** *mil.* cătare. **7.** cantitate (mare). || *by ~* din vedere; *to catch ~ of* a da cu ochii de; *to lose ~ of* a scăpa din vedere; a nu mai vedea; *in ~ of* aproape; *out of ~* departe; *within ~* cât vezi cu ochii; la vedere; *not by a long ~* câtuşi de puţin. **II.** *vt.* **1.** a zări. **2.** a da cu ochii de; a observa.

sightless [ˈsaitlis] *adj.* orb.

sightly [ˈsaitli] *adj.* **1.** vizibil. **2.** arătos, plăcut la vedere, frumos. **3.** impunător, măreţ.

sightseeing [ˈsaitˌsiːiŋ] *s.* **1.** plimbare, vizită turistică. **2.** vizitarea unui oraş, turul oraşului.

sightseer [ˈsaitˌsiə] *s.* excursionist, turist, vizitator curios.

sign [sain] **I.** *s.* **1.** semn. **2.** indicaţie. **3.** firmă. **4.** tăbliţă. **II.** *vt.* **1.** a semna. **2.** a semnaliza. **III.** *vi.* **1.** a se iscăli. **2.** a face semne. || *to ~ on sau up* a se angaja, a se înrola; *to ~ off* a închide emisiunea.

signal [ˈsignl] **I.** *s.* semnal. **II.** *adj.* **1.** important. **2.** remarcabil. **III.** *vt., vi.* a semnaliza.

signal-box [ˈsignlbɔks] *s.* cabină de semnalizare.

signalize [ˈsignəlaiz] *vt.* a marca, a face remarcabil, a distinge.

signatory [ˈsignətri] **I.** *adj.* semnatar (al unui document etc.). || *the ~ powers to the treaty* puterile semnatare ale tratatului. **II.** *s.* semnatar, parte semnatară (a unui document etc.). || *joint ~* cosemnatar.

signature [ˈsignitʃə] *s.* autograf, semnătură.

sign-board [ˈsainbɔːd] *s.* firmă.

signet [ˈsignit] *s.* pecete.

significance [sigˈnifikəns] *s.* **1.** importanţă. **2.** semnificaţie. **3.** sens. **4.** subînţeles.

significant [sigˈnifikənt] *adj.* **1.** semnificativ, cu înţeles. **2.** important, însemnat.

significantly [sigˈnifikəntli] *adv.* semnificativ, cu înţeles.

signification [ˌsignifiˈkeiʃn] *s.* **1.** semnificaţie. **2.** anunţare.

signify ['signifai] I. vt. 1. a anunţa. 2. a însemna. II. vi. a avea importanţă.

signor ['si:njɔ:] s. (cuvânt italian) înv. lit. senior.

sign-post ['sainpoust] s. indicator rutier.

Sikh [si:k] s. (cuvânt anglo-indian) sikh, locuitor din Punjab.

silage ['sailidʒ] I. s. 1. siloz. 2. cereale însilozate. II. vt. a însiloza.

silence ['sailəns] I. s. 1. tăcere. 2. linişte. II. vt. 1. a linişti. 2. a reduce la tăcere. 3. a alina.

silencer ['sailənsə] s. 1. tehn. amortizor de zgomot. 2. muz. surdină. 3. fam. argument decisiv; replică usturătoare. 4. auto. tobă de eşapament.

silent ['sailənt] adj. 1. tăcut. 2. mut. 3. liniştit.

silently ['sailəntli] adv. pe tăcute, fără zgomot.

silhouette [,silu'et] s. siluetă.

silica ['silikə] s. siliciu, cuarţ.

silicate chim. I. ['silikit] s. silicat. II. [,sili'keit] vt. a trata cu silicaţi.

siliceous [si'liʃəs] adj. chim. silicos.

silicon ['silikən] s. chim. siliciu.

silicosis [,sili'kousis] s. med. silicoză.

silk [silk] I. s. mătase. II. adj. de mătase.

silken ['silkn] adj. 1. de mătase. 2. mătăsos.

silk hat ['silk'hæt] s. joben.

silk stocking ['silk ,stɔkiŋ] I. s. ciorap de mătase. II. adj. amer. elegant, la modă. || the ~s section cartierul la modă într-un oraş.

silkworm ['silkwɔ:m] s. vierme de mătase.

silky ['silki] adj. 1. mătăsos. 2. mieros.

sill [sil] s. 1. pervaz. 2. prag.

silliness ['silinis] s. prostie, neghiobie.

silly ['sili] s., adj. prost, nătâng.

silo ['sailou] s. siloz.

silt [silt] I. s. mâl. II. vt., vi. a (se) mâli.

Silurian [sai'ljuəriən] geol. I. adj. silurian. II. s. perioadă siluriană.

silvan ['silvn] adj. 1. păduros, împădurit; silvic. 2. rustic, rural.

silver ['silvə] I. s. 1. argint. 2. argintiu. II. adj. 1. de argint. 2. argintiu. III. vt. a arginta. IV. vi. 1. a căpăta culoarea argintului. 2. a încărunţi.

silver-gilt ['silvəgilt] I. adj. din argint aurit. II. s. argint aurit.

silver-plate ['silvə'pleit] s. argintărie, tacâmuri de argint.

silver-plated ['silvəpleitid] adj. argintat; placat cu argint.

silversmith ['silvəsmiθ] s. argintar.

silverware ['silvə,wεə] s. argintărie de masă, veselă argintată / de argint.

silvery ['silvəri] adj. argintiu.

simian ['simiən] I. adj. simian, de maimuţă. II. s. zool. maimuţă (Simida).

similar ['similə] adj. similar; la fel, aidoma.

similarity [,simi'læriti] s. asemănare.

similarly ['similəli] adv. în mod similar, în chip asemănător.

simile ['simili] s. comparaţie (ca figură de stil).

similitude [si'militju:d] s. 1. asemănare. 2. comparaţie.

simmer ['simə] I. vt. a fierbe (la foc mic). II. vi. 1. a fierbe la foc mic. 2. fig. a clocoti, a fierbe (de indignare).

simnel ['simnl] s. gastr. tort de fructe şi pastă de migdale.

simony ['saiməni] s. ist., bis. simonie, corupţie, târg cu rangurile bisericeşti.

simoom [si'mu:m] s. simun.

simp [simp] s. amer. sl. prost, nătărău, nătăfleaţă.

simper ['simpə] I. s. zâmbet prostesc. II. vi. 1. a zâmbi prosteşte. 2. a face pe mironosiţa.

simple ['simpl] adj. 1. simplu. 2. simplist. 3. sincer, deschis. 4. umil.

simple-hearted ['simpl'ha:tid] adj. naiv, credul, candid.

simple-minded ['simpl'maindid] adj. v. **simple-hearted**.

simpleness ['simplnis] s. v. **simplicity**.

simpleton ['simpltn] s. prostovan, găgăuţă.

simplicity [sim'plisiti] s. 1. simplitate. 2. uşurinţă. 3. sinceritate. 4. prostie.

simplification [,simplifi'keiʃn] s. simplificare.

simplify ['simplifai] vt. a simplifica.

simplistic [sim'plistik] adj. simplist.

simply ['simpli] adv. 1. (pur şi) simplu. 2. doar.

simulacrum [,simjə'leikrəm] s. pl. şi **simulacra** [,simjə'leikrə] simulacru, prefăcătorie; pretext.

simulate ['simjuleit] vt. 1. a simula. 2. a imita.

simultaneous [,siml'teinjəs] adj. simultan.

sin [sin] I. s. 1. păcat. 2. imoralitate. II. vi. a păcătui.

since [sins] I. adv. 1. de atunci. 2. între timp. || long ~ cu mult timp în urmă. II. prep. 1. (începând) de la. 2. din (în timp). III. conj. de când.

sincere [sin'siə] adj. 1. sincer. 2. simplu.

sincerely [sin'siəli] adv. cu sinceritate. || yours ~ al dumneavoastră / al tău devotat (formulă de încheiere a scrisorilor, mai ales oficiale).

sincerity [sin'seriti] s. sinceritate. || in all ~ cu toată sinceritatea, cu mâna pe conştiinţă.

sine [sain] s. mat. sinus.

sinecure ['sainikjuə] s. sinecură.

sinecurist ['sainikjuərist] s. sinecurist, om care ocupă o sinecură.

sinew ['sinju:] s. 1. tendon. 2. muşchi. 3. nerv. 4. pl. energie. 5. pl. resorturi.

sinewy ['sinjui] adj. 1. vânjos, viguros. 2. vânos. 3. tare.

sinful ['sinfl] adj. păcătos.

sing [siŋ] I. vt. trec. **sang** [sæŋ], part. trec. **sung** [sʌŋ] 1. a cânta (din gură). 2. a cânta în versuri. 3. a lăuda. || to ~ smb.'s praises a ridica pe cineva în slăvi(le cerului). II. vi. trec. **sang** [sæŋ], part. trec. **sung** [sʌŋ] 1. a cânta (din gură). 2. a bâzâi. 3. a scrie versuri.

singe [sindʒ] I. s. arsură. II. vt. a arde, a pârli. III. vi. a se frige, a se pârli.

singer ['siŋə] s. cântăreţ; cântăreaţă.

Singhalese [,siŋgə'li:z] I. adj. ceylonez, din Sri Lanka. II. s. locuitor din Sri Lanka.

singing ['siŋiŋ] s. cânt, cântare; canto.

singing-bird [,siŋiŋ'bə:d] s. pasăre cântătoare.

single ['siŋgl] I. s. sport joc de simplu (la tenis etc.). II. adj. 1. singur. 2. simplu. 3. sincer, direct. III. vt. 1. a alege. 2. a selecţiona. 3. a izola. 4. a scoate în relief.

single combat ['siŋgl'kɔmbæt] s. duel.

single-handed ['siŋgl'hændid] I. adj. 1. ciung. 2. (d. o lucrare) făcută fără ajutor din afară. 3. (d. arme, instrumente etc.) care se manevrează cu o singură mână. II. adv. singur, fără ajutor din afară.

single-hearted ['siŋgl ‚hɑ:tid] *adj.* **1.** sincer, deschis, franc. **2.** devotat preocupărilor sale.

single-minded ['siŋgl‚maindid] *adj.* v. **single-hearted.**

singleness ['siŋglnis] *s.* unitate.

singlet ['siŋglit] *s.* **1.** flanelă de corp. **2.** tricou de sport. **3.** vestă necăptuşită.

singleton ['siŋgəltn] *s.* **1.** *(la whist sau bridge)* singleton. **2.** lucru singur / nedublat / fără pereche, unicat.

singly ['siŋgli] *adv.* **1.** separat. **2.** (de unul) singur.

sing-song ['siŋsɔŋ] *s.* **1.** melodie, cântare monotonă. **2.** ison.

singular ['siŋgjulə] **I.** *s.* singular. **II.** *adj.* **1.** singular. **2.** deosebit. **3.** ciudat.

singularity [‚siŋgju'læriti] *s.* **1.** singularitate. **2.** ciudăţenie.

singularly ['siŋgjuləli] *adv.* **1.** cu deosebire, în special. **2.** *gram.* la singular. **3.** (în mod) ciudat, bizar.

sinister ['sinistə] *adj.* **1.** sinistru. **2.** ameninţător.

sink [siŋk] **I.** *s.* **1.** chiuvetă. **2.** *fig.* oficină, vizuină. **II.** *vt. trec.* **sank** [sæŋk], *part. trec.* **sunk** [sʌŋk] **1.** a scufunda. **2.** a săpa. **3.** a ascunde. **4.** a da uitării. **5.** a investi *(capital).* **III.** *vi. trec.* **sank** [sæŋk], *part. trec.* **sunk** [sʌŋk] **1.** a se scufunda. **2.** a se duce la fund. **3.** a coborî. **4.** a se prăbuşi, a cădea. **5.** a scădea. **6.** a se scobi. **7.** a pătrunde; a intra.

sinker ['siŋkə] *s.* **1.** plumb *(la undiţă).* **2.** *mar.* ancoră *(a unei mine).* **3.** *mine.* miner *(în frontul de înaintare).* **4.** *sl.* gogoaşă, clătită *(necoaptă bine).*

sinless ['sinlis] *adj.* **1.** nevinovat. **2.** neprihănit.

sinner ['sinə] *s.* păcătos.

Sinn Fein ['ʃin'fein] *s.* mişcarea irlandeză de eliberare naţională.

Sino- ['sainou] *prefix* sino-, referitor la China / chinezi / cultura chineză.

sinology [si'nɔlədʒi] *s.* sinologie.

sinter ['sintə] **I.** *s.* **1.** *tehn.* scorie, ţunder. **2.** *geol.* sinter. **3.** *constr.* travertin. **II.** *vt.* a sinteriza, a aglomera. **III.** *vi.* a se îngrămădi, a se aglomera.

sinuosity [‚sinju'ɔsiti] *s.* **1.** sinuozitate. **2.** şerpuire, cotitură.

sinuous ['sinjuəs] *adj.* **1.** sinuos. **2.** întortocheat. **3.** şubred.

sinus ['sainəs] *s. anat.* sinus.

Sioux [su:] *s.* trib de indieni care trăiau odinioară în America de Nord.

sip [sip] **I.** *s.* sorbitură. **II.** *vt., vi.* **1.** a sorbi. **2.** a bea înghiţitură cu înghiţitură.

siphon ['saifn] **I.** *s.* sifon *(aparat).* **II.** *vt. tehn.* a sifona.

sir [sə:] *s.* **1.** *(înaintea unui nume de botez)* baronet; cavaler. **2.** *(ca formă de adresare)* domnule.

sirdar ['sə:dɑ:] *s. (cuvânt persan)* **1.** comandant şef *(în Orient).* **2.** *ist.* comandant şef al armatei anglo-egiptene.

sire ['saiə] **I.** *s.* **1.** sire, maiestate. **2.** tată. **3.** strămoş. **II.** *vt.* a zămisli, a fi tatăl *(cu gen.).*

siren ['saiərin] *s.* sirenă.

sirloin ['sə:lɔin] *s.* filé de muşchi.

sirocco [si'rɔkou] *s.* simun.

sirrah ['sirə] *s. înv. peior.* **1.** omule! băiete! jupâne! || come, ~ host, some ale! hai, hangiule, adu bere! **2.** puşlama, ticălos.

sirup ['sirəp] *s.* sirop.

sis [sis] *s. fam.* soră.

sisal ['saisl] *s. text.* sisal, fibre din diverse plante folosite la fabricarea frânghiilor.

siskin ['siskin] *s. ornit.* scatiu *(Carduelis spinus).*

sissy ['sisi] *s. peior.* **1.** fătălău, bărbat efeminat, homosexual. **2.** fricos, laş; timid. **3.** soră, surioară.

sister ['sistə] *s.* **1.** soră. **2.** *bis.* maică.

sisterhood ['sistəhud] *s.* **1.** dragoste de soră; relaţie dintre surori. **2.** asociaţie feminină.

sister-in-law ['sistəinlɔ:] *s. pl.* **sisters-in-law** ['sistəzinlɔ:] cumnată.

sisterly ['sistəli] *adj.* (ca) de soră. || a ~ kiss un sărut de soră.

sit [sit] **I.** *vt. inf., trec. şi part. trec.* **1.** a sta pe *(cal etc.).* **2.** a se prezenta la *(un examen).* **II.** *vi. inf., trec. şi part. trec.* **1.** a şedea, a sta jos. **2.** a cloci. **3.** *(d. haină, obiceiuri)* a se potrivi, a veni, a şedea. **4.** a fi apăsător. **5.** a face parte, a fi membru *(dintr-o comisie).* || to ~ down a se aşeza; to ~ out a rămâne până la sfârşit; a nu dansa; to ~ up a sta în capul oaselor; a citi în pat *(până noaptea târziu);* to ~ up and take notice a ciuli urechile *(fig.);* a se stârni *(fig.);* to make smb' ~ up a pune pe cineva la treabă; a speria pe cineva.

sitar [si'tɑ:] *s. muz.* sitar, instrument muzical indian.

sitcom ['sitkɔm] *s. teatru* comedie de situaţie.

site [sait] *s.* **1.** poziţie, aşezare. **2.** teren, loc. **3.** şantier.

sith [siθ] *înv. poet.* **I.** *conj.* **1.** de când. **2.** fiindcă. **II.** *adv.* de atunci *(încoace).*

sit-down ['sitdaun] *s.* **1.** şedere, odihnă pe scaun. **2.** (şi ~ strike) greva braţelor încrucişate.

sit-in (strike) *s.* v. **sit-down 2.**

sitter ['sitə] *s.* **1.** persoană aşezată; călător care stă pe banchetă. **2.** cloşcă. **3.** *sl.* treabă uşoară; chestiune necomplicată.

sitting ['sitiŋ] *s.* **1.** şedere. **2.** şedinţă, pozare *(pentru un pictor).*

sitting-room ['sitiŋrum] *s.* cameră de zi.

situate ['sitjueit] *vt.* a situa; a aşeza.

situated ['sitjueitid] *adj.* **1.** *(d. persoane)* situat. || this is how I'm ~ iată în ce situaţie mă aflu; how is he ~ financially? care este situaţia lui financiară? **2.** *(d. lucruri)* aşezat, plasat. || pleasantly ~ house casă frumos aşezată.

situation [‚sitju'eiʃn] *s.* **1.** situaţie. **2.** slujbă.

six [siks] **I.** *s.* numărul şase; || at ~es and sevens talmeş balmeş. **II.** *num.* şase; || ~ of one and half a dozen of the other exact acelaşi lucru; ce mi-e baba Rada, ce mi-e Rada baba.

sixfold ['siksfould] *adv.* de şase ori, înşesit.

sixpence ['sikspəns] *s.* **1.** *înv.* monedă de argint de 6 penny. || *fam.* I haven't a ~ n-am nici un ban / chior / gologan. **2.** şase penny *(ca valoare).* || it doesn't matter a ~ nu face nici două parale, nu merită atenţie.

sixpenny ['sikspəni] *adj.* **1.** care costă şase penny. **2.** *fig.* de două parale, ieftin

six-shooter ['siks'ʃu:tə] *s.* revolver cu şase gloanţe.

sixteen ['siks'ti:n] *s. num.* şaisprezece.

sixteenth ['siks'ti:nθ] **I.** *s.* şaisprezecime *(şi muz.).* **II.** *num.* al şaisprezecelea.

sixth [siksθ] **I.** *s.* şesime. **II.** *num.* al şaselea.

sixtieth ['sikstiiθ] *num.* al şaizecilea.

sixty ['siksti] I. s. 1. şaizeci. 2. pl. deceniul al şaptelea. II. num. şaizeci.

size[1] [saiz] I. s. 1. mărime. 2. dimensiune. 3. categorie. 4. număr (la pantofi etc.). II. vt. a aranja după mărime. || to ~ up a cântări din ochi, a aprecia.

size[2] [saiz] s. 1. tehn. clei. 2. text scrobeală.

sizeable ['saizəbl] adj. fam. de mărime considerabilă; destul de mare.

sizing[1] ['saiziŋ] s. 1. clasare după mărime. 2. calibrare. 3. verificare a formatului.

sizing[2] ['saiziŋ] s. 1. încleiere; apretare, scrobire. 2. clei.

sizzle ['sizl] I. s. sfârâit. II. vi. a sfârâi.

S.J. abrev. Society of Jesus Societatea lui Iisus.

skald [skɔːld] s. chelbe.

skate [skeit] I. s. patină. II. vi. a patina.

skater ['skeitə] s. patinator.

skating-rink ['skeitiŋriŋk] s. patinoar.

skedaddle [ski'dædl] vi. fam. a o şterge.

skein [skein] s. scul de lână.

skeleton ['skelitn] s. 1. schelet (şi fig.). 2. schiţă. 3. secret. || a ~ in the cupboard; the family ~ secret (ruşinos) de familie.

skeleton key ['skelitn'kiː] s. şperaclu.

skep [skep] s. 1. coş de nuiele cu capac. 2. stup de albine din nuiele sau paie.

skeptic ['skeptik] s., adj. sceptic.

skerry ['skeri] s. recif, stâncă (pe fundul mării).

sketch [sketʃ] I. s. 1. schiţă. 2. fig. caricatură (ambulantă), om ridicol. II. vt. a schiţa. III. vi. a face schiţe.

sketchy ['sketʃi] adj. 1. schiţat. 2. incomplet.

skew [skjuː] I. s. oblicitate, poziţie piezişă. II. adj. (d. ziduri etc.) oblic. III. adv. oblic.

skewbald ['skjuːbɔːld] adj. (d. cai) bălţat.

skewer ['skjuə] I. s. frigare. II. vt. a pune în frigare.

ski [skiː] I. s. schi. II. vi. a schia.

skid [skid] I. s. 1. derapaj. 2. piedică (la roate). II. vi. a derapa.

skied [skiːd] vi. trec. şi part. trec. de la **ski**.

skier ['skiːə] s. schior.

skiff [skif] s. schif.

skilful ['skilfl] adj. abil; îndemânatic; expert.

skill [skil] s. 1. îndemânare; iscusinţă. 2. pricepere.

skilled [skild] adj. 1. priceput; iscusit. 2. calificat.

skillet ['skilit] s. tigaie mică.

skilly ['skili] s. zeamă lungă.

skim [skim] I. vt. 1. a lua crema sau caimacul de pe, a smântâni. 2. a trece uşor peste. 3. a citi la repezeală; a frunzări. II. vi. a trece ca gâsca prin apă.

skimmer[1] ['skimə] s. 1. lingură de spumuit, lingură găurită pentru luat spuma. 2. separator. 3. persoană care lucrează cu un separator. 4. fam. cititor superficial / care se mulţumeşte să răsfoiască o carte. 5. av. hidroavion.

skimmer[2] ['skimə] vi. 1. a străluci, a luci, a sclipi. 2. a se mişca repede, a se agita.

skim-milk ['skim'milk] s. lapte smântânit.

skimp [skimp] I. vt. a da cu zgârcenie. II. vi. 1. a se zgârci, a se arăta meschin. 2. a numără bucăţelele.

skimpy ['skimpi] adj. 1. insuficient. 2. prea scurt. 3. prea mic.

skin [skin] I. s. 1. piele (netăbăcită). 2. ten. 3. burduf. 4. coajă (de măr etc.). 5. caimac; || by the ~ of one's teeth atârnând de un fir de păr, ca prin urechile acului. II. vt. a jupui (şi fig.).

skin-deep [skin'diːp] adj. (d. emoţii) superficial; (d. răni) la supra-faţă, uşor, superficial.

skinflint ['skinflint] s. avar.

skinful ['skinfl] s. fam. atât cât încape într-un burduf. || to have a ~ a se îmbăta.

skinner ['skinə] s. 1. pielar. 2. blănar; vânzător de blănuri. 3. jupuitor de animale.

skinny ['skini] adj. 1. descărnat, slab, numai pielea şi oasele. 2. zgârcit, meschin.

skip[1] [skip] I. s. 1. săritură. 2. ţopăială. II. vt. 1. a sări (peste). 2. a trece cu vederea, a omite; a lăsa la o parte. III. vi. 1. a sări, a ţopăi. 2. a fugi.

skip[2] [skip] s. 1. mine. schip de extracţie, cupă. 2. vagonet. 3. cutie cu mostre (a comis-voiajorului).

skipper ['skipə] s. căpitan (de vas comercial, de avion, de echipă sportivă).

skipping-rope ['skipiŋroup] s. coardă (de sărit).

skirl [skɔːl] I. s. 1. strigăt ascuţit. 2. sunet de cimpoi. II. vi. 1. a

scoate un sunet ca de cimpoi. 2. a cânta din cimpoi. III. vt. a face (cimpoiul) să scoată sunete ascuţite.

skirmish ['skɔːmiʃ] I. s. 1. încăierare. 2. ambuscadă. II. vi. a duce lupte de hărţuială.

skirt [skɔːt] I. s. 1. fustă. 2. fig. femeie. 3. pl. margine. II. vt. a înconjura.

skirting ['skɔːtiŋ] s. 1. margine, bordură. 2. stofă de fustă. 3. arhit. plintă.

skit [skit] I. s. 1. săritură; ţopăială. 2. fereală. 3. batjocură. 4. satiră, parodie; schiţă satirică, scheci. 5. mulţime, grămadă. 6. pop. diaree, cufureală. II. vt. a satiriza, a parodia.

skitter [skitə] I. vi. 1. (d. păsări de apă) a zbura atingând apa. 2. a fugi, a alerga. II. vt. amer. a pescui trăgând undiţa de-a lungul apei.

skittish ['skitiʃ] adj. 1. (d. cai) vioi; sperios. 2. (d. femei) făşneaţă, capricioasă; fluşturatică.

skittle ['skitl] I. s. popic. II. vt. 1. a arunca. 2. a irosi.

skive [skaiv] I. vt. 1. a răzui (piei). 2. a tăia pieziş. 3. a lustrui, a poliza (un diamant etc.). II. s. tehn. piatră abrazivă cu praf de diamant.

skivvy ['skivi] s. fam. slujnică; fată de serviciu.

skua ['skjuə] s. ornit. lup-de-mare (Stercorarius).

skulduggery [skʌl'dʌɡəri] s. înşelătorie, lipsă de scrupule.

skulk [skʌlk] vi. 1. a se furişa, a se ascunde. 2. a chiuli.

skull [skʌl] s. craniu (de mort). || fig. thick ~ cap pătrat.

skull-cap [skʌl kæp] s. 1. bonetă, calotă. 2. bot. gura-lupului (Scutellaria altissima).

skullduggery [skʌl'dʌɡəri] s. v. **skulduggery**.

skunk [skʌŋk] I. s. 1. zool. soi de dihor din America de Nord (Mephitis mephitis). 2. sconcs, blană de dihor. 3. fam. ticălos, nemernic. II. vt. amer. sl. a bate măr.

sky [skai] s. 1. cer. 2. bolta cerului. 3. pl. atmosferă, climă, vreme.

Skye [skai] s. terier scoţian.

skyey ['skaii] adj. al cerului, ceresc; ca albastrul cerului.

sky-high ['skai'hai] adv. până la cer.

skylark ['skailɔːk] s. ornit. ciocârlie (Alauda arvensis).

skylight ['skailait] s. constr. lucarnă.

sky-line ['skailain] *s.* **1.** linia orizontului. **2.** siluetă *(a unui oraş etc.)*.

sky-rocket ['skai,rɔkit] **I.** *vt.* a arunca în sus, a proiecta în aer. **II.** *vi. amer. (d. preţuri, producţie etc.)* a se ridica vertiginos, a creşte rapid. **II.** *s.* rachetă.

sky sail ['skai 'seil] *s. mar.* contrarânduinică, velă triunghiulară, floc.

sky-scraper ['skai,skreipə] *s.* zgârie-nori.

skyward ['skaiwəd] *adj., adv.* către cer.

skywards ['skaiwədz] *adv.* spre cer.

slab [slæb] *s.* lespede.

slack[1] [slæk] **I.** *s.* **1.** sezon mort; stagnare. **2.** *pl.* pantaloni largi. **II.** *adj.* **1.** încet. **2.** leneş, moale. **3.** lejer, liber. **4.** pasiv. **5.** *econ.* (care merge) prost, într-o perioadă moartă / slabă, care lâncezeşte. || *business is ~* afacerile merg prost / lucrurile nu se mişcă. **III.** *vi.* a lenevi.

slack[2] [slæk] *s.* praf de cărbune.

slacken ['slækn] **I.** *vt.* **1.** a încetini. **2.** a slăbi. **3.** a lăsa liber *sau* lejer. **II.** *vi.:* *to ~ up, off* **1.** a se destinde. **2.** a o lăsa mai moale.

slacker ['slækə] *s.* **1.** leneş, chiulangiu. **2.** codaş.

slackness ['slæknis] *s.* **1.** lipsă de energie. **2.** neglijenţă. **3.** lenevie; trândăvie. **4.** slăbire *(a energiei, disciplinei etc.)*. **5.** destindere *(a muşchilor, frânghiei etc.)*. || *~ of figure* moleşire, slăbiciune fizică. **6.** *com.* stagnare, marasm, lipsă de activitate.

slag [slæg] *s.* zgură.

slain [slein] *vt. part. trec. de la* **slay**.

slake [sleik] *vt.* **1.** a potoli *(setea)*. **2.** a mulţumi. **3.** a stinge *(varul)*.

slalom ['slɑːləm] *s. sport* slalom.

slam[1] [slæm] **I.** *s.* **1.** bufnitură. **2.** pocnitură. **3.** lovitură. **II.** *vt.* **1.** a trânti *(uşa etc.)*. **2.** a bufni. **3.** a lovi. **III.** *vi.* **1.** a se trânti. **2.** a bufni.

slam[2] [slæm] *(la bridge)* **I.** *s.* şlem. **II.** *vi.* a face şlem.

slander ['slɑːndə] **I.** *s.* calomnie; defăimare. **II.** *vt.* a calomnia, a defăima.

slanderer ['slɑːndərə] *s.* calomniator, defăimător.

slanderous ['slɑːndərəs] *adj.* calomnios, defăimător.

slang [slæŋ] **I.** *s. lingv.* argou. **II.** *vt.* a ocărî.

slangy ['slæŋi] *adj. lingv.* argotic, (legat) de argou / slang; în argou / slang.

slant [slɑːnt] **I.** *s.* **1.** pantă. **2.** *amer.* idee. **II.** *vt., vi.* a (se) înclina.

slanting ['slɑːntiŋ] *adj.* oblic.

slantingly ['slɑːntiŋli] *adv.* pieziş, oblic; în diagonal.

slantwise ['slɑːntwaiz] *adv.* oblic; într-o parte.

slap [slæp] **I.** *s.* **1.** palmă. **2.** lovitură *(şi fig.)*. **II.** *vt.* a pălmui. || *to ~ down* a trânti. **III.** *adv.* **1.** direct. **2.** tocmai.

slap-dash ['slæpdæʃ] *adj.* **1.** neglijent. **2.** aiurit. **3.** *(d. masă, petrecere etc.)* improvizat, făcut la repezeală.

slapstick ['slæpstik] *s.* umor ieftin / grosolan, clovnerie.

slap-up ['slæpʌp] *adj.* **1.** straşnic, grozav. **2.** la modă.

slash [slæʃ] **I.** *s.* **1.** lovitură. **2.** rană, tăietură. **3.** şliţ; despicătură. **II.** *vt.* **1.** a tăia. **2.** a răni. **3.** a despica. **4.** a biciui *(şi fig.)*.

slat [slæt] *s.* **1.** stinghie, şipcă de jaluzele; traversă *(de pat)*. **2.** *pl. sl.* coaste. **3.** *av.* volet; eleron.

slate [sleit] **I.** *s.* **1.** placă *(de ardezie)*. **2.** *pol.* tăbliţă. **3.** *amer. pol.* listă de candidaţi; || *to start with a clean ~* a face tabula rasa, a porni de la zero. **II.** *vt.* **1.** a acoperi cu ţiglă. **2.** a ocărî. **3.** *amer. pol.* a propune drept candidat.

slattern ['slætən] *s.* femeie şleampătă, otreapă.

slatternly ['slætənli] *adj.* şleampăt, neîngrijit.

slaughter ['slɔːtə] **I.** *s.* **1.** masacru. **2.** măcelărie. **II.** *vt.* **1.** a tăia, a sacrifica *(animale)*. **2.** a masacra.

slaughterer ['slɔːtərə] *s.* parlagiu.

slaughter-house ['slɔːtəhaus] *s.* abator *(şi fig.)*.

Slav [slɑːv] *s., adj.* slav(ă).

slave [sleiv] **I.** *s.* rob *(şi fig.)*. || *a ~ to drink* un alcoolic înrăit. **II.** *vi.* **1.** a robi. **2.** a trudi.

slave-driver ['sleiv,draivə] *s.* **1.** paznic de sclavi. **2.** *fig.* stăpân aspru.

slaver ['sleivə] **I.** *s.* **1.** proprietar de sclavi. **2.** negustor de sclavi. **3.** corabie pentru transportul robilor. **4.** bale. **II.** *vi.* a-i curge balele.

slavery ['sleivəri] *s.* **1.** sclavagism. **2.** sclavie, robie *(şi fig.)*.

Slavic ['slɑːvik] *adj.* v. **Slavonic**.

slavish ['sleiviʃ] *adj.* **1.** de rob, de sclav. **2.** servil.

Slavonic [slə'vɔnik] **I.** *s.* **1.** slavonă, slavă veche; slavoneşte. **2.** limba slavă. **II.** *adj.* slav(on).

slaw [slɔː] *s.* salată de varză tăiată *(şi coleslaw)*.

slay [slei] *vt. înv. trec.* **slew** [sluː], *part. trec.* **slain** [slein] a ucide.

slayer ['sleiə] *s. amer.* asasin, ucigaş.

sleazy ['sliːzi] *adj.* **1.** soios, murdar, neglijent, şleampăt, jalnic. **2.** ţipător, strident, de prost gust.

sled [sled], sledge, [sledʒ] **I.** *s.* sanie. **II.** *vt.* a transporta cu sania. **III.** *vi.* a se da cu sania.

sledge hammer ['sledʒ ,hæmə] *s.* baros, ciocan mare.

sleek [sliːk] *adj.* **1.** lucios. **2.** neted. **3.** alunecos. **4.** mieros. **5.** onctuos.

sleep [sliːp] **I.** *s.* somn. **II.** *vt. trec. şi part. trec.* **slept** [slept] **1.** a găzdui. **2.** a alunga *(oboseala etc.)* dormind. **III.** *vi. trec. şi part. trec.* **slept** [slept] a dormi. || *to ~ the clock round* a dormi o zi întreagă; *to ~ like a top / log* a dormi buştean.

sleeper ['sliːpə] *s.* **1.** *ferov.* traversă. **2.** *ferov.* vagon de dormit. **3.** persoană care doarme.

sleepily ['sliːpili] *adv.* cu un aer adormit.

sleepiness ['sliːpinis] *s.* **1.** somnolenţă. **2.** apatie, indolenţă, letargie. **3.** porţiune răscoaptă *(a unui fruct)*.

sleeping ['sliːpiŋ] *adj.* adormit.

Sleeping Beauty ['sliːpiŋ'bjuːti] *s. lit.* Frumoasa din pădurea adormită.

sleeping-car ['sliːpiŋkɑː] *s. ferov.* vagon de dormit.

sleeping-partner ['sliːpiŋ'pɑːtnə] *s. econ.* comanditar.

sleeping-sickness ['sliːpiŋsiknis] *s. med.* boala somnului.

sleepless ['sliːplis] *adj.* **1.** neadormit. **2.** neobosit. **3.** *(d. noapte)* fără somn, de nesomn, de veghe.

sleeplessness ['sliːplisnis] *s.* insomnie.

sleep walker ['sliːp,wɔːkə] *s.* somnambul; somnambulă.

sleepy ['sliːpi] *adj.* **1.** somnoros. **2.** adormit.

sleet [sliːt] *s.* măzăriche; lapoviţă.

sleety ['sliːti] *adj.* cu lapoviţă.

sleeve [sliːv] *s.* mânecă.

sleeveless ['sliːvlis] *adj.* fără mâneci.

sleigh [slei] *s.* sanie *(mai ales cu cai)*.

sleight (of hand) [sleit(əv'hænd)] *s.* **1.** îndemânare. **2.** prestidigitaţie.

slender ['slendə] *adj.* 1. zvelt. 2. subțire(l). 3. puțintel.

slept [slept] *vt., vi. trec. și part. trec. de la* **sleep**.

sleuth (hound) ['slu:θ('haund)] *s.* copoi *(și fig.)*.

slew[1] [slu:] *vt. trec. de la* **slay**.

slew[2] [slu:] I. *vt.* a învârti, a întoarce. II. *vi.* a se întoarce, a pivota. III. *s.* întoarcere, pivotare.

slice [slais] I. *s.* 1. felie. 2. bucată. 3. *sport* minge tăiată. II. *vt.* 1. a tăia *(felii)*. 2. *sport* a tăia *(o minge)*.

slick [slik] *adj.* 1. lucios. 2. lunecos. 3. fățarnic. 4. viclean. 5. dibaci, abil, priceput. 6. perfect, de prima calitate.

slicker ['slikə] *s.* 1. *amer.* manta impermeabilă, haină din mușama. 2. *pop.* pungaș, escroc. 3. *agr.* târșitoare.

slid [slid] *vt., vi. trec. și part. trec. de la* **slide**.

slide [slaid] I. *s.* 1. lunecuș. 2. alunecare. 3. tobogan. 4. dispozitiv, fotografie. 5. lamelă. 6. *tehn.* sertar. II. *vt. trec. și part. trec.* **slid** [slid] 1. a face să alunece. 2. a împinge. III. *vi. trec. și part. trec.* **slid** [slid] 1. a aluneca. 2. a se da pe gheață. 3. a se strecura. 4. a trece. || *to ~ over a subject* a trece ușor peste un subiect.

slide-rule ['slaidru:l] *s.* riglă de calcul.

slight [slait] I. *s.* 1. mojicie. 2. ofensă. 3. desconsiderare. II. *adj.* 1. ușurel. 2. subțire. 3. fără importanță. || *not the ~est idea* nici cea mai vagă idee; câtuși de puțin. III. *vt.* a desconsidera. 2. a ofensa, a face un afront *(cuiva)*.

slightingly ['slaitiŋli] *adv.* disprețuitor.

slightly ['slaitli] *adv.* 1. ușor. 2. oarecum, într-o oarecare măsură. 3. subțirel. 4. firav.

slily ['slaili] *adv.* cu viclenie, șiret, pe ascuns.

slim [slim] I. *adj.* 1. subțirel. 2. mic. 3. insuficient. 4. viclean. II. *vi.* a ține / face cură de slăbire, a slăbi.

slime [slaim] *s.* clisă, noroi.

slimy ['slaimi] *adj.* 1. murdar *(de noroi)*. 2. *fig.* perfid.

sling[1] [sliŋ] I. *s.* 1. laț. 2. bandă. 3. praștie. 4. aruncare. II. *vt. trec. și part. trec.* **slung** [slʌŋ] 1. a arunca. 2. a împroșca. 3. a atârna. 4. a pune pe umăr. || *to ~ mud at smb.* a împroșca pe cineva cu noroi.

sling[2] [sliŋ] *s.* băutură din gin, apă, zahăr și lămâie.

slinger ['sliŋə] *s.* 1. aruncător cu praștia. 2. aruncător *(al unei pietre etc.)*.

slingshot ['sliŋʃət] *s. amer.* praștie.

slink [sliŋk] *vi. trec. și part. trec.* **slunk** [slʌŋk] a se furișa.

slinky ['sliŋki] *adj.* 1. sinuos. 2. suplu, subțire. 3. care se mulează pe corp.

slip [slip] I. *s.* 1. alunecare. 2. scăpare, greșeală. 3. față de pernă. 4. mlădiță *(și fig.)*. 5. fițuică, bilet. 6. bucățică *(de hârtie etc.)*. 7. fișă. 8. *amer.* combinezon. || *a ~ of a girl* o fetișcană numai atâtica. II. *vt.* 1. a îmbrăca în grabă. 2. a strecura. 3. a slobozi. III. *vi.* 1. a aluneca. 2. a scăpa. 3. a cădea. 4. a se strecura. 5. a trece.

slip-knot ['slipnɔt] *s.* nod marinăresc.

slipper ['slipə] *s.* 1. papuc de casă. 2. *înv.* condur.

slippery ['slipəri] *adj.* 1. alunecos. 2. *fig.* dubios. 3. necinstit. || *he is as ~ as an eel* îți scapă printre degete.

slippy ['slipi] *adj. sl.* lunecos. || *to look / to be ~* a se grăbi.

slipshod ['slipʃɔd] *adj.* 1. neglijent. 2. murdar. 3. dezordonat.

slit [slit] I. *s.* 1. deschizătură. 2. despicătură. 3. șliț. II. *vt. inf., trec. și part. trec.* 1. a tăia. 2. a despica.

slither ['sliðə] *vi.* a aluneca.

sliver ['slivə] I. *s.* ciob. II. *vt.* a sparge.

slob [slɔb] *s.* 1. nămol; lut. 2. om care strică o treabă; cârpaci.

slobber ['slɔbə] I. *s.* 1. bale. 2. *fig.* dulcegărie. II. *vt.* a îmbăla. III. *vi.* 1. a-i curge balele. 2. a da în istericale. 3. a plânge.

sloe [slou] *s. bot.* porumbă *(Prunus spinosa)*.

slog [slɔg] I. *vt.* a lovi puternic. II. *vi.* 1. a izbi, a lovi. 2. a lucra, a toci cu îndârjire. III. *s.* 1. lovitură puternică. 2. *fam.* muncă serioasă; toceală.

slogan ['slougən] *s.* lozincă, slogan.

sloop [slu:p] *s.* 1. *nav.* goeletă. 2. barcaz, șalupă, slup.

slop [slɔp] I. *s.* 1. polițist. 2. *pl.* zeamă lungă; mâncăruri lichide. 3. *pl.* lături. 4. *pl.* haine de gata. II. *vt.* a vărsa *(un lichid)*. III. *vi.* 1. a da pe dinafară. 2. a plânge.

slope [sloup] I. *s.* pantă. II. *vi.* a fi înclinat în pantă.

sloppy ['slɔpi] *adj.* 1. umed. 2. apos. 3. murdar. 4. plin de noroi. 5. neglijent. 6. siropos, dulceag.

slosh [slɔʃ] I. *s.* 1. zloată, mocirlă, apăraie. 2. noroi. 3. v. **slush**. 4. mers / bălăceală prin apă / zăpadă topită. 5. poșircă, băutură slabă, apă chioară. 6. plescăit, stropitură. 7. pocnitură, lovitură, scatoalcă. II. *vi.* 1. a merge prin mocirlă *sau* apă. 2. a se bălăci (în mocirlă). 3. *(d. apă)* a plescăi. III. *vt. tehn.* a unge.

slot [slɔt] I. *s.* 1. deschizătură. 2. șanț. II. *vt.* a face o deschizătură.

sloth[1] [slouθ] *s.* 1. lene. 2. trândăvie.

sloth[2] [slouθ] *s. zool.* leneș *(Bradypus)*.

slothful ['slouθfl] *adj.* leneș, trândav.

slot-machine ['slɔtməʃi:n] *s. com.* automat *(pentru vânzarea bomboanelor, băuturilor, etc.)*.

slouch [slautʃ] I. *s.* 1. ședere într-o rână. 2. leneș. II. *vi.* a merge bălăbănindu-se; a se legăna, a se bălăbăni.

slouch-hat ['slautʃ'hæt] *s.* pălărie cu borurile mari.

slough[1] [slau] *s.* mlaștină.

slough[2] [slʌf] I. *s.* 1. piele lepădată *(de șarpe)*. 2. coajă. 3. *med.* foliere, jupuire. II. *vi.* 1. *(d. reptile)* a năpârli. 2. *(d. coaja rănii)* a cădea.

Slovak ['slouvæk] *s., adj.* slovac(ă).

sloven ['slʌvn] *s.* 1. persoană murdară / nepieptănată / neîngrijită. 2. *fam.* nespălat, mojic.

Slovene ['slouvi:n] *s., adj.* sloven.

slovenly ['slʌvnli] *adj.* neîngrijit, neglijent, șleampăt.

slow [slou] I. *adj.* 1. lent, încet. 2. care cere mult timp. 3. greoi, greu. 4. cu efect întârziat. 5. plicticos. || *my watch is ~* ceasul meu rămâne în urmă, mi-a rămas ceasul în urmă. II. *vt., vi.* a încetini. III. *adv.* încet. || *go ~* micșorați viteza, încetiniți; ai grijă.

slow fox ['sloufɔks] *s. muz.* slow.

slowly ['slouli] *adv.* încet, alene, fără grabă. || *drive ~!* la pas!

slowness ['slounis] *s.* încetineală, ritm lent; tărăgăneală, întârziere.

slow train ['slou'trein] *s.* (tren) personal, tren de persoane.

slow worm ['slouwɔ:m] *s. zool.* şarpele de sticlă (*Anguis fragilis*).

sludge [slʌdʒ] *s.* **1.** moină. **2.** noroi.

slue [slu:] *vt., vi.* v. **slew**².

slug¹ [slʌg] *s.* **1.** limax, melc. **2.** glonţ.

slug² [slʌg] *vt., vi.* a izbi, a lovi puternic.

sluggard ['slʌgəd] *s.* leneş.

sluggish ['slʌgiʃ] *adj.* **1.** trândav. **2.** greoi.

sluggishness ['slʌgiʃnis] *s.* lene, trândăvie, puturoşenie.

sluice [slu:s] **I.** *s.* **1.** scurgere. **2.** ecluză. **3.** troacă. **4.** şteamp. **5.** spălătură. **II.** *vt.* a spăla. **III.** *vi.* a se scurge.

slum [slʌm] **I.** *s.* **1.** locuinţă sărăcăcioasă. **2.** mahala. **II.** *vi.* a face vizite filantropice.

slumber ['slʌmbə] **I.** *s.* **1.** somn. **2.** toropeală. **II.** *vt.* **1.** a irosi (*timpul*) dormind. **III.** *vi.* a dormita.

slumbersuit ['slʌmbə,sju:t] *s.* pijama (*de damă sau de copil*).

slumb(e)rous ['slʌmb(ə)rəs] *adj.* **1.** somnoros, toropit. **2.** adormitor, toropitor. **3.** *fig.* (d. loc) patriarhal, tihnit, potolit, adormit.

slump [slʌmp] **I.** *s.* **1.** criză economică. **2.** declin. **II.** *vi.* **1.** a se prăbuşi, a cădea. **2.** a se lăsa moale.

slung [slʌŋ] *vt. trec. şi part. trec.* de la **sling**.

slunk [slʌŋk] *vi. trec. şi part. trec.* de la **slink**.

slur [slɔ:] **I.** *s.* **1.** reproş. **2.** mormăială. **3.** pronunţare neclară, nedesluşită, estompare a sunetelor. **II.** *vt.* **1.** a mormăi, a pronunţa neclar. **2.** a trece repede peste. **III.** *vi.* a mormăi, a pronunţa nedesluşit.

slurp [slɔ:p] *vi.* a mânca / a bea cu zgomot.

slurry ['slʌri] *s.* **1.** *geol.* mâl, noroi. **2.** *mine.* şlam. **3.** *constr.* suspensie, lapte de ciment.

slush [slʌʃ] *s.* **1.** noroi. **2.** moină. **3.** *amer. fam.* dulcegărie, sentimentalism dulceag.

slut [slʌt] *s.* **1.** femeie murdară / şleampătă / nespălată; lepădătură; târâtură; scârbă. **2.** *fam.* (*rar*) târfă, prostituată. **3.** *zool.* căţea.

sly [slai] **I.** *s.:* on the ~ în taină. **II.** *adj.* **1.** viclean. **2.** afurisit. **3.** zburdalnic.

slyly ['slaili] *adv.* v. **slily.**

smack¹ [smæk] **I.** *s.* **1.** iz, miros. **2.** urmă. **3.** pocnitură. **4.** lovitură. **5.** plescăit. || a ~ on the lips o sărutare, un ţocăit; a ~ in the eye o lovitură (*fig.*); o decepţie. **II.** *vt.* **1.** a pocni. **2.** a plescăi. || to ~ one's lips a plescăi; a-şi linge buzele (*şi fig.*). **III.** *vi.* **1.** (**of**) a avea iz (de). **2.** a mirosi (a ceva).

smack² [smæk] *s. nav.* pescador, vas mic de pescuit, cu un singur catarg.

smacker ['smækə] *s. sl.* **1.** ţocăit, sărutare zgomotoasă. **2.** palmă, scatoalcă. **3.** lucru grozav, colosal.

small [smɔ:l] **I.** *s.:* the ~ of one's back şale; the ~ of one's hand găvanul palmei. **II.** *adj.* **1.** mărunt, mic; prea mic. **2.** insuficient. **3.** neimportant.|| on the ~ side cam micuţ; in a ~ way pe scară mică; într-o măsură redusă. **III.** *adv.:* to sing ~ a fi modest.

small beer ['smɔ:l,biə] *s.* **1.** bere slabă. **2.** *fig. fam.* om neînsemnat. || to be ~ a nu avea valoare; to think no ~ of oneself a se crede (grozav), a avea o părere prea bună despre sine.

small fry ['smɔ:l'frai] *s.* **1.** peştişori, plevuşcă. **2.** *fig.* plevuşcă, oameni mărunţi.

small hours ['smɔ:l'auəz] *s. pl.* ore mici (*după miezul nopţii*).

smallish ['smɔ:liʃ] *adj.* destul de mic, cam mic.

smallness ['smɔ:lnis] *s.* **1.** micime. **2.** puţinătate.

smallpox ['smɔ:lpɔks] *s. med.* variolă, vărsat.

small talk ['smɔ:ltɔ:k] *s.* **1.** taclale, şuetă. **2.** fleacuri, nimicuri.

smarmy ['smɑ:mi] *adj. pop.* mieros, dulceag.

smart¹ [smɑ:t] **I.** *s.* **1.** durere vie. **2.** înţepătură, junghi. **3.** chin. **II.** *adj.* **1.** dureros, aspru. **2.** rapid. **3.** deştept, spiritual. **4.** abil. **5.** obraznic. **6.** elegant. **7.** strălucitor. **8.** scump. **III.** *vi.* **1.** a suferi o durere. **2.** a fi dureros. **3.** a se chinui. || to ~ for smth. a trage ponoasele de pe urma unui lucru.

smart alec(k) ['smɑ:t'ælik] *s.* unul care face pe deşteptul.

smarten ['smɑ:tn] **I.** *vt.:* to ~ up a curăţa. **II.** *vi., vr.:* to ~ up a se face elegant, a se dichisi.

smartness ['smɑ:tnis] *s.* **1.** vioiciune (a spiritului); inteligenţă,

isteţime. **2.** şiretenie. **3.** eleganţă, şic.

smash [smæʃ] **I.** *s.* **1.** prăbuşire; ruină. **2.** ciocnire. **3.** accident. **4.** *sport* bombă. || to go to ~ a se duce de râpă. **II.** *vt.* **1.** a sfărâma. **2.** a distruge. **3.** a sparge. **4.** a zdrobi. **5.** *sport* a trage (o bombă). || to ~ up a face praf. **III.** *vi.* **1.** a se sparge. **2.** a se ciocni. **IV.** *adv.* cu zgomot.

smashing ['smæʃiŋ] *adj.* grozav, uluitor, straşnic.

smattering ['smætriŋ] *s.* cunoştinţe superficiale, spoială (*fig.*).

smear [smiə] **I.** *s.* **1.** pată. **2.** *biol. med.* frotiu. **II.** *vt., vi.* a (se) păta.

smell [smel] **I.** *s.* **1.** miros. **2.** mirosire. **II.** *vt. trec. şi part. trec.* **smelt** [smelt] **1.** a mirosi. **2.** a simţi, a adulmeca. || to ~ a rat a mirosi ceva dubios. **III.** *vi.trec. şi part. trec.* **smelt** [smelt] **1.** a avea miros (bun sau rău). **2.** a mirosi. **3.** a avea iz. **4.** a adulmeca.

smelling-bottle ['smeliŋ,bɔtl] *s.* sticluţă cu săruri.

smelling-salts ['smeliŋsɔ:lts] *s. pl. med.* săruri (de amoniac) (*folosite pentru înviorare*).

smelly ['smeli] *adj. fam.* rău mirositor.

smelt¹ [smelt] *vt., vi. trec. şi part. trec. de la* **smell.**

smelt² [smelt] *s. iht.* epernus, barbun (*Osmerus*).

smelt³ [smelt] *met.* **I.** *vt.* a topi. **II.** *vi.* a se topi.

smelter ['smeltə] *s. met.* topitor.

smilax ['smailæks] *s. bot.* salce, plantă căţărătoare din genul *Smilax.*

smile [smail] **I.** *s.* **1.** zâmbet. **2.** *pl.* favoruri. || to be all ~s a fi surâzător. **II.** *vi.* a zâmbi.

smilingly [smailiŋli] *adv.* zâmbitor, surâzător.

smirch [smɔ:tʃ] **I.** *s.* pată (şi fig.). **II.** *vt.* a păta (şi fig.).

smirk [smɔ:k] **I.** *s.* zâmbet superior. **II.** *vi.* a zâmbi îngâmfat.

smite [smait] *vt. trec.* **smote** [smout], *part. trec.* **smitten** ['smitn] **1.** a lovi, a izbi. **2.** a afecta. **3.** a vrăji. || he was smitten by her l-a fermecat; s-a îndrăgostit de ea (la prima vedere).

smith [smiθ] *s.* **1.** fierar (şi **blacksmith**). **2.** potcovar. **3.** meşteşugar în prelucrarea metalelor (v. **goldsmith, silversmith**)

smithereens ['smiðə'ri:nz] *s. pl.* bucăţele.

smithy ['smiði] *s.* atelier de fierărie *sau* potcovărie.

smitten ['smitn] **I.** *vt. part. trec. de la* smite. **II.** *adj.* (**with**, **by**) fermecat, vrăjit (de).

smock (frock) ['smɔk ('frɔk)] *s.* **1.** salopetă. **2.** barboteză.

smog [smɔg] *s.* ceaţă deasă (amestecată cu fum).

smoke [smouk] **I.** *s.* **1.** fum. **2.** fumat. **3.** ţigară. || *it ended in ~* praful s-a ales de ea. **II.** *vt.* **1.** a fuma. **2.** a afuma. **3.** a înnegri, a murdări. **4.** a alunga cu fum. **III.** *vi.* **1.** a fuma. **2.** a afuma, a scoate fum.

smoke-dried [‚smouk'draid] *adj.* (*d. alimente*) afumat.

smokeless ['smouklis] *adj.* fără fum.

smoker ['smoukə] *s.* **1.** fumător. **2.** compartiment pentru fumători.

smoke-screen ['smoukskri:n] *s.* perdea de fum.

smoke stack ['smouk ‚stæk] *s.* **1.** coş de uzină. **2.** coş de locomotivă.

smoking ['smoukiŋ] *s.* fumat.

smoking-room ['smoukiŋ‚rum] *s.* fumoar.

smoky ['smouki] *adj.* **1.** afumat. **2.** plin de fum. **3.** care scoate fum.

smolder ['smouldə] *amer.* v. **smoulder.**

smooth [smu:ð] **I.** *s.* **1.** parte netedă *sau* uşoară (*a unui lucru*). **2.** netezire. **II.** *adj.* **1.** neted. **2.** lucios. **3.** întins. **4.** drept. **5.** uşor. **6.** fără efort. **7.** nesincer. **8.** egal. **9.** fără zdruncinături. **III.** *vt.* **1.** a netezi. **2.** a întinde. **3.** a uşura. **IV.** *vi.* a se linişti.

smooth bore ['smu:θ ‚bɔ] *s. mil.* ţeavă neghintuită, ţeavă lisă.

smooth-faced ['smu:ðfeist] *adj.* **1.** neted, fără asperităţi. **2.** (*d. faţă*) neted, (proaspăt) ras. **3.** spân (fără barbă sau mustăţi). **4.** tânăr imberb. **4.** *fig.* nesincer. **5.** afabil, mieros.

smoothing-iron ['smu:ðiŋ‚aiən] *s.* fier de călcătorie.

smoothness ['smu:ðnis] *s.* **1.** netezime, caracter plan / plat. **2.** calm (*al mării etc.*). **3.** mers lin; bună funcţionare. **4.** *tehn.* planeitate, suprafaţă şlefuită, şlif.

smooth-spoken ['smu:ð'spoukn] *adj.* mieros.

smooth-tempered ['smu:ð'tempəd] *adj.* calm.

smorgasbord ['smɔ:gəsbɔ:d] *s.* *gastr.* aperitive din bucătăria suedeză.

smote [smout] *vt. trec. de la* smite.

smother ['smʌðə] **I.** *s.* nor (*de fum, praf etc.*). **II.** *vt.* **1.** a înăbuşi. **2.** a stinge. **3.** a umple. **III.** *vi.* a se sufoca.

smoulder ['smouldə] **I.** *s.* foc mocnit. **II.** *vi.* a mocni (*şi fig.*).

smudge ['smʌdʒ] **I.** *s.* pată; murdărie. **II.** *vt., vi.* **1.** a (se) păta. **2.** a (se) mânji.

smug [smʌg] *adj.* **1.** mulţumit (de sine), încântat de sine însuşi. **2.** satisfăcut.

smuggle ['smʌgl] **I.** *vt.* a strecura (prin contrabandă). **II.** *vi.* a face contrabandă.

smuggler ['smʌglə] *s.* contrabandist.

smugness ['smʌgnis] *s.* încântare de sine, automulţumire.

smut [smʌt] **I.** *s.* **1.** murdărie. **2.** pată. **3.** *bot.* mălură, tăciune. **4.** obscenitate, pornografie, porcării. **II.** *vt.* **1.** a păta. **2.** *bot.* a umple de tăciune.

smutty ['smʌti] *adj.* **1.** murdar. **2.** obscen, porcos.

snack [snæk] *s.* gustare.

snack bar ['snækbɑ:] *s.* bufet expres.

snaffle ['snæfl] **I.** *s.* dârlog, frâu fără zăbale. **II.** *vt.* **1.** a pune frâul; a ţine în frâu. **2.** *sl.* a se face stăpân pe ceva; a şterpeli ceva.

snag [snæg] *s.* **1.** colţ de stâncă. **2.** ciot (*şi fig.*).

snail [sneil] *s.* melc. || *at a ~'s pace* (încet) ca melcul.

snake[1] [sneik] *s.* şarpe (*şi fig.*). || *a ~ in the grass* un duşman perfid, ascuns.

snake[2] [sneik] *vt.* **1.** *amer.* a răsuci, a încolăci (*frânghii, lanţuri*). **2.** *to ~ in / out* a trage înăuntru / afară.

snaky ['sneiki] *adj.* **1.** de şarpe, şerpesc. **2.** sinuos, şerpuit, cotit. **3.** *fig.* perfid, viclean.

snap [snæp] **I.** *s.* **1.** muşcătură. **2.** pocnitură; trosnet. **3.** energie. **4.** instantaneu. **II.** *vt.* **1.** a muşca. **2.** a hăpăi. **3.** a pocni. **4.** a fotografia instantaneu. || *to ~ smb.'s head off* a tăia capul cuiva; *to ~ one's fingers at a* a da cu tifla (*cu dat.*). **III.** *vi.* **1.** a da să muşte. **2.** a pocni, a trosni.

snapdragon ['snæp‚drægn] *s. bot.* gura leului.

snappish ['snæpiʃ] *adj.* **1.** muşcător. **2.** repezit.

snappy ['snæpi] *adj.* **1.** muşcător. **2.** repezit. **3.** iute, rapid. || *make it ~* grăbeşte-te, dă-i bătaie.

snapshot ['snæpʃɔt] *s.* instantaneu.

snare [snɛə] **I.** *s.* **1.** capcană. **2.** ispită. **II.** *vt.* **1.** a prinde în capcană. **2.** a ispiti.

snarl[1] [snɑ:l] **I.** *s.* **1.** mârâit. **2.** ameninţare. **II.** *vt.* a mârâi. **III.** *vi.* **1.** a-şi arăta colţii. **2.** a mârâi.

snarl[2] [snɑ:l] **I.** *vt.* **1.** a încurca. **2.** a lucra (*metalul*) prin lovirea cu un ciocan. **II.** *vi.* a se amesteca, a se încurca. **III.** *s.* amer. încurcătură.

snatch [snætʃ] **I.** *s.* **1.** apucare. **2.** smulgere. **3.** fragment, crâmpeie. **4.** asalt. || *in ~es* pe apucate. **II.** *vt.* **1.** a apuca. **2.** a smulge. **III.** *vi.*: *to ~ at* a da să apuce.

sneak [sni:k] **I.** *s.* **1.** laş. **2.** om de nimic. **3.** pârâtor. **II.** *vt.* a şterpeli. **III.** *vi.* **1.** a se furişa. **2.** a pârî.

sneakers ['sni:kəz] *s. pl. amer.* pantofi de sport *sau* de gimnastică.

sneaking ['sni:kiŋ] *adj.* **1.** secret. **2.** furiş.

sneaky ['sni:ki] *adj.* v. **sneaking.**

sneer [sniə] **I.** *s.* **1.** zâmbet dispreţuitor. **2.** ironie. **II.** *vi.* **1.** a rânji (dispreţuitor). **2.** a vorbi ironic.

sneeze [sni:z] **I.** *s.* strănut. **II.** *vi.* a strănuta.

snick [snik] **I.** *vt.* **1.** a tăia / a cresta uşor. **2.** a lovi (*mingea*) uşor. **II.** *s.* tăietură, crestătură.

snicker ['snikə] **I.** *s.* chicot. **II.** *vi.* a chicoti.

snide [snaid] *sl.* **I.** *adj.* fals, contrafăcut. **II.** *s.* **1.** monedă falsă. **2.** bijuterie falsă.

sniff [snif] **I.** *s.* **1.** pufăit. **2.** adulmecare. **II.** *vt.* **1.** a mirosi. **2.** a adulmeca. **III.** *vi.* **1.** a pufni. **2.** a adulmeca. **3.** a mirosi. **4.** a trage pe nas. **5.** a batjocori.

snifter ['sniftə] *s. sl.* păhărel, cantitate mică de băutură alcoolică.

snigger ['snigə] **I.** *s.* chicotit. **II.** *vi.* a chicoti.

snip [snip] **I.** *s.* tăietură. **II.** *vt.* **1.** a reteza. **2.** a tăia.

snipe [snaip] **I.** *s. ornit.* becaţă (*Capella sp.*). **II.** *vt.* a împuşca pe la spate. **III.** *vi.* a trage pe furiş.

sniper ['snaipə] *s.* **1.** franctiror. **2.** lunetist, trăgător de elită.

snippet ['snipit] *s.* bucăţică, fragment; extras (literar).

snitch [snitʃ] *s. pop.* **1.** nas. **2.** informator, agent.

snivel ['snivl] **I.** *s.* **1.** miorlăială. **2.** scheunat. **II.** *vi.* **1.** a se miorlăi. **2.** a scheuna.

snob [snɔb] *s.* snob.

snobbery ['snɔbəri] *s.* snobism.

snobbish ['snɔbiʃ] *adj.* snob.

snood [snu:d] *s.* fileu, plasă pentru păr.

snook [snu:k] *s. sl.* rădăcina nasului. || *to cock / to make / to cut a ~ at* a da cu tifla *(cuiva)*.

snooker ['snu:kə] *s.* (un fel de) biliard.

snoop [snu:p] *vi.* **1.** a spiona. **2.** a-şi băga nasul peste tot.

snooty ['snu:ti] *adj. sl.* snob; îngâmfat, înfumurat.

snooze [snu:z] **I.** *s.* aţipeală. **II.** *vi.* a aţipi.

snore [snɔ:] **I.** *s.* sforăit. **II.** *vi.* a sforăi.

snort [snɔ:t] **I.** *s.* fornăială. **II.** *vi.* **1.** a fornăi. **2.** a vorbi dispreţuitor.

snorter ['snɔ:tə] *s. sl.* **1.** lucru care stârneşte mirarea, grozăvie. **2.** *fam.* vânt tare, furtună puternică.

snot [snɔt] *s. fam.* **1.** muci. **2.** mucos.

snotty ['snɔti] **I.** *s. nav.* miciman. **II.** *adj.* **1.** mucos. **2.** ţâfnos.

snout [snaut] *s.* **1.** bot, rât. **2.** *peior.* nas. **3.** bot, vârf. **4.** *tehn.* ajutaj.

snow [snou] **I.** *s.* **1.** zăpadă. **2.** ninsoare. **3.** *pl.* troiene. **4.** cocaină. **II.** *vi.* **1.** a înzăpezi. **2.** *fig.* a turna *(favoruri etc.)*. **III.** *vi.* **1.** a ninge. **2.** a veni în valuri.

snowball ['snoubɔ:l] *s.* bulgăre de zăpadă.

snow bank ['snou bæŋk] *s.* troian, nămete.

snow-bound ['snoubaund] *adj.* înzăpezit.

snow drift ['snoudrift] *s.* troian, nămete.

snowdrop ['fsnoudrɔp] *s. bot.* ghiocel *(Galanthus nivalis)*.

snowfall ['snoufɔ:l] *s.* zăpadă (abundentă).

snowflake ['snoufleik] *s.* fulg de zăpadă.

snow-shoe ['snouʃu:] *s.* rachetă *(pentru mers pe zăpadă)*.

snowstorm ['snoustɔ:m] *s.* viscol.

snow-white ['snou,wait] **I.** *adj.* alb ca zăpada. **II.** *s. chim.* alb de zinc. **2.** *Snow-White* Albă ca Zăpada.

snowy ['snoui] *adj.* **1.** înzăpezit. **2.** nins. **3.** cu *sau* de ninsoare. **4.** imaculat.

SNP *abrev. Scottish National Party* Partidul Naţional Scoţian.

Snr. *abrev. senior* senior.

snub [snʌb] **I.** *s.* ripostă, punere la punct. **II.** *adj.* cârn. **III.** *vt.* **1.** a da peste nas *(cuiva)*. **2.** a jigni.

snubby ['snʌbi] *adj. v.* **snub II.**

snub-nosed ['snʌb,nouzd] *adj.* cârn.

snuff [snʌf] **I.** *s.* **1.** tabac *(de prizat)*. **2.** muc de lumânare. **II.** *vt.* **1.** a reteza mucul de la *(o lumânare)*, a mucări. **2.** a stinge. **3.** a priza *(tabac)*. **III.** *vi.* a priza tabac. || *to ~ out* a muri.

snuff box [snʌf bɔks] *s.* tabacheră cu tutun de prizat.

snuffers ['snʌfəz] *s. pl.* mucări, mucarniţă.

snuffle ['snʌfl] **I.** *s.* **1.** fârnâit. **2.** *pl.* guturai. **II.** *vi.* a (se) fârnâi.

snug [snʌg] *adj.* **1.** instalat comod (la căldurică). **2.** bine aranjat, confortabil. **3.** călduros.

snuggle ['snʌgl] **I.** *vt.* a strânge în braţe. **II.** *vi.* a se cuibări.

snugness ['snʌgnis] *s.* **1.** confort, comoditate. **2.** sentiment de confort.

so [sou] **I.** *adv.* **1.** astfel. **2.** aşa (de), atât de. || *~ (and)* aşa şi aşa; *Mr. So and So* domnul Cutare; *I was ~ lucky as to catch the last bus* am avut norocul să prind ultimul autobuz; *~ far* deocamdată; *~ long* la revedere; *~ long as it doesn't hurt* atâta vreme cât nu te doare; *not ~ much as say hallo* nici măcar nu mi-a zis bună ziua; *~ many* atâţia; atâtea; *~ much ~ that* în aşa măsură încât; *and ~ on and forth* şi aşa mai departe; *~ it was* chiar aşa a şi fost; *forty or ~* (cam) vreo patruzeci; *~ to say* ca să zic aşa. **II.** *conj.* **1.** aşadar, de aceea. **2.** va să zică. || *~ that* încât; ca să; *~ that's that* şi cu asta basta; *as to* pentru a.

soak [souk] **I.** *s.* **1.** (în)muiere. **2.** udare. **II.** *vt.* **1.** a uda (până la piele). **2.** a (în)muia. **3.** a bate; a căsăpi. **4.** a păcăli. || *to ~ up* a absorbi. **III.** *vi.* **1.** a se uda de tot. **2.** a se umple. **3.** a trage la măsea. || *to ~ through* a pătrunde *(şi fig.)*.

soaker ['soukə] *s.* **1.** aversă, udeală. **2.** beţivan.

soap [soup] **I.** *s.* **1.** săpun. **II.** *vt.* **1.** a săpuni. **2.** a flata.

soap-bubble ['soup,bʌbl] *s.* băşică de săpun.

soap opera ['soup,ɔprə] *s.* program (prost) publicitar la radio *sau* televiziune.

soap stone [soup stoun] *s.* **1.** *minr.* steatit. **2.** *chim.* sapanit.

soap suds ['soupsʌdz] *s. pl.* clăbuci, spumă de săpun.

soapy [soupi] *adj.* **1.** plin de săpun. **2.** ca de săpun. **3.** unsuros. **4.** linguşitor. **5.** mieros.

soar [sɔ:] *vi.* **1.** a se înălţa *(spre cer)*. **2.** a zbura în înaltul cerului. **3.** a creşte, a se ridica.

sob [sɔb] **I.** *s.* suspin; oftat. **II.** *vt.* a spune printre suspine. || *to ~ one's heart out* a plânge de ţi se rupe inima. **III.** *vi.* **1.** a suspina; a ofta. **2.** a plânge.

sober ['soubə] **I.** *adj.* **1.** treaz. **2.** sobru. **3.** calm, liniştit. **4.** prudent. **II.** *vt.* **1.** a linişti. **2.** a trezi (la realitate). **III.** *vi.* **1.** a se linişti. **2.** a se trezi (din beţie).

sober-minded ['soubə'maindid] *adj.* înţelept, cu capul între umeri.

soberness ['soubənis] *s. v.* **sobriety.**

sobriety [sə'braiəti] *s.* **1.** moderaţie, cumpătare, sobrietate; temperanţă. **2.** înţelepciune; seriozitate, gravitate; calm.

sobriquet ['sɔbrikei] *s.* poreclă.

sob-stuff ['sɔbstʌf] *s.* **1.** literatură siropoasă. **2.** filme melodramatice, siropoase.

so-called ['sou'kɔ:ld] *adj.* **1.** aşa-zis. **2.** pretins.

soccer ['sɔkə] *s.* fotbal.

sociability [,souʃə'biliti] *s.* sociabilitate.

sociable ['souʃəbl] *adj.* **1.** sociabil. **2.** prietenos.

social ['souʃl] **I.** *s.* **1.** reuniune. **2.** şezătoare. **II.** *adj.* **1.** social. **2.** în societate. **3.** sociabil. **4.** prietenos.

socialism ['souʃlizəm] *s.* socialism.

socialist ['souʃlist] *s., adj.* socialist.

socialistic ['souʃlistik] *adj.* socialist.

socialite ['souʃlait] *s. amer.* om de societate.

socialization [,souʃlai'zeiʃn] *s.* socializare.

socialize ['souʃlaiz] *vt.* **1.** a socializa. **2.** a naţionaliza.

socially ['souʃli] *adv.* **1.** în societate. **2.** social(mente).

society [sə'saiəti] *s.* **1.** societate. **2.** tovărăşie. **3.** înalta societate.

sociological [,sousiə'lɔdʒikəl] *adj.* sociologic.

sociologist [,sousi'ɔlɔdʒist] *s.* sociolog.

sociology [,sousi'olodʒi] *s.* sociologie.

sock[1] [sɔk] **I.** *s.* **1.** şosetă. **2.** ciorap bărbătesc. **3.** *sl.* lovitură;

sock[2] [sɔk] *sl.* **I. 1.** *vt.* a bate, a trage o chelfăneală. **2.** *vt.* a pocni, a lovi. || *to ~ it to* a lua la trei-păzeşte. **II.** *s.* lovitură, scatoalcă, chelfăneală.

sockdolager [,sɔk'dɔlədʒə] *s. fam.* **1.** lovitură decisivă / de graţie. **2.** punct final.

socket ['sɔkit] *s.* **1.** dulie; fasung. **2.** găvan, gaură. **3.** *anat.* orbită.

Socratic(al) [sɔ'krætik(l)] *adj.* socratic.

sod [sɔd] *s.* **1.** gazon, iarbă. **2.** brazdă, glie, pământ.

soda ['soudə] *s.* **1.** sifon. **2.** sodă. **3.** sodiu.

soda-fountain ['soudə,fauntin] *s.* chioşc *sau* stand de răcoritoare.

soda jerk ['soudə'dʒəːk] *s.* barman, vânzător *(la un stand de răcoritoare).*

soda-water ['soudə,wɔːtə] *s.* sifon, apă gazoasă.

sodden ['sɔdn] *adj.* **1.** ud (până la piele). **2.** beat turtă; abrutizat de băutură. **3.** buhăit, moale. **4.** păstos, tescuit.

sodium ['soudjəm] *s.* sodiu.

sodomite ['sɔdəmait] *s.* sodomist, homosexual.

sodomy ['sɔdəmi] *s.* pederastie; sodomie.

soever [sou'evə] *adv.* (de întărire; folosit mai ales în compuşi – howsoever, whatsoever): *in what place ~* în orice loc ar fi; *how great ~ it may be* oricât ar fi de mare.

sofa ['soufə] *s.* canapea.

soffit ['sɔfit] *s.* **1.** *arhit.* sufită; scafă, plafonul unei cornişe. **2.** *constr.* intrados.

soft [sɔft] **I.** *adj.* **1.** moale. **2.** neted. **3.** dulce; blând. **4.** prostuţ. **5.** slab. **6.** uşor. **II.** *s. cib.* (partea de) soft.

soft-boiled [sɔft'bɔild] *adj. (d. ou)* fiert moale.

soft drink ['sɔft'driŋk] *s.* **1.** băutură slabă. **2.** băutură nealcoolică / *(mai ales)* răcoritoare.

soften ['sɔfn] *vt., vi.* a (se) muia.

softener ['sɔ(ː)fnə] *s.* **1.** alinător, mângâietor. **2.** *med.* calmant.

soft-headed ['sɔft'hedid] *adj.* tâmpit, bătut în cap.

soft-hearted ['sɔft'hɑːtid] *adj.* **1.** bun la inimă. **2.** tandru. **3.** iertător.

soft-minded ['sɔft'maindid] *adj.* ramolit, rablagit.

softness ['sɔftnis] *s.* **1.** moliciune. **2.** blândeţe.

soft-spoken ['sɔft,spoukn] *adj.* **1.** cu voce blândă. **2.** blând.

soft-wood ['sɔftwud] *s.* lemn de esenţă moale.

soggy ['sɔgi] *adj.* ud leoarcă.

soh [sou] *v.* **sol.**

soil [sɔil] **I.** *s.* sol, pământ. **II.** *vt.* a murdări. **2.** a mânji *(şi fig.).* **III.** *vi.* a (se) murdări *sau* mânji *(şi fig.).*

soirée ['swɑːrei] *s.* serată.

sojourn ['sɔdʒəːn] **I.** *s.* **1.** şedere. **2.** vizită. **II.** *vi.* a sta, a rămâne.

sol [sɔl] *s. muz.* sol.

sola ['soulə] *s. bot.* plantă din estul Indiei, din a cărei fibră se fabrică pălării, jucării, veste pentru înot *(Aescynomene aspera).*

solace ['sɔlis] **I.** *s.* consolare, mân-gâiere. **II.** *vt.* a consola.

solan ['soulən] *s. ornit.* gâscă-de-mare *(Sula bassana).*

solar ['soulə] *adj.* solar.

solarium [sou'lɛəriəm], *pl.* **solaria** [sou'lɛəriə] *s.* solariu.

sold [sould] *vt., vi. trec. şi part. trec. de la* **sell.**

solder ['sɔldə] **I.** *s.* **1.** cositor de lipit. **2.** lipitură; cositorire. **3.** *fig.* unire, fuziune. **II.** *vt.* a lipi *(metale).*

soldier ['souldʒə] **I.** *s.* militar, soldat; războinic. **II.** *vi.* a servi în armată.

soldierlike ['souldʒəlaik] *adj.* v. **soldierly.**

soldierly ['souldʒəli] *adj.* **1.** soldă-ţesc, ostăşesc. **2.** milităros; marţial.

soldiery ['souldʒəri] *s.* **1.** trupă. **2.** armată.

sole [soul] **I.** *s.* **1.** talpă. **2.** *iht.* limbă de mare. **II.** *adj.* **1.** singur. **2.** unic. **III.** *vt.* a tălpui.

solecism ['sɔlisizəm] *s.* greşeală *(în vorbire),* solecism.

solely ['soulli] *adv.* numai.

solemn ['sɔləm] *adj.* **1.** grav. **2.** important.

solemnity [sə'lemniti] *s.* **1.** solemnitate. **2.** ceremonie, gravitate.

solemnize ['sɔləmnaiz] *vt.* **1.** a sfinţi. **2.** a celebra *(o cununie);* a da un caracter solemn *(unui eveniment).*

solemnly ['sɔləmli] *adv.* solemn, cu solemnitate; grav, serios.

solenoid ['soulinɔid] *s. el.* solenoid.

sol-fa ['sɔl'fɑː] *muz.* **I.** *s.* **1.** solfegiu. **2.** solfegiere. **II.** *vt., vi.* a solfegia.

solicit [sə'lisit] *vt.* a solicita.

solicitation [sə,lisi'teiʃn] *s.* solicitare, cerere; apel.

solicitor [sə'lisitə] *s.* **1.** jurisconsult, avocat de contencios. **2.** solicitant.

solicitous [sə'lisitəs] *s.* **1.** atent. **2.** grijuliu.

solicitously [sə,lisi'təsli] *adv.* cu solicitudine, cu grijă.

solicitude [sə'lisitjuːd] *s.* **1.** grijă. **2.** solicitudine.

solid ['sɔlid] **I.** *s.* **1.** solid. **2.** *pl.* hrană solidă. **II.** *adj.* **1.** solid. **2.** întreg. **3.** *(d. aur etc.)* masiv. **4.** solidar. **5.** unanim. **6.** monolit. **7.** neîntrerupt.

solidarity [,sɔli'dæriti] *s.* solidaritate.

solidity [sɔ'liditi] *s.* **1.** soliditate, trăinicie. **2.** *jur.* solidaritate.

soliloquize [sɔ'liləkwaiz] *vi.* a vorbi (de unul) singur.

soliloquy [sə'liləkwi] *s.* monolog.

solitaire [,sɔli'tɛə] *s.* **1.** solitar *(briliant mare).* **2.** solitar, joc de cărţi pentru o singură persoană. **3.** *amer.* pasienţă. **4.** *rar* pustnic, anahoret.

solitary ['sɔlitri] *adj.* **1.** solitar, singuratic; singur. **2.** izolat.

solitary confinement ['sɔlitri kən'fainmənt] *s.* regim celular, regim de celulă.

solitude ['sɔlitjuːd] *s.* singurătate.

solo ['soulou] **I.** *s.* solo. **II.** *adj., adv.* de unul singur.

soloist ['soulɔist] *s.* solist.

solstice ['sɔlstis] *s.* solstiţiu.

solubility [,sɔlju'biliti] *s.* **1.** solubilitate. **2.** posibilitate de rezolvare *(a unei probleme).*

soluble ['sɔljubl] *adj.* **1.** solubil. **2.** rezolvabil.

solute ['sɔljuːt] *chim.* **I.** *adj.* în soluţie. **II.** *s.* substanţă dizolvată.

solution [sə'luːʃn] *s.* **1.** soluţie. **2.** rezolvare. **3.** dizolvare.

solve [sɔlv] *vt.* a rezolva.

solvency ['sɔlvənsi] *s. econ.* solvabilitate.

solvent ['sɔlvnt] **I.** *s.* solvent. **II.** *adj.* **1.** solvabil. **2.** solvent.

somatic(al) [sou'mætik(l)] *adj. anat.* somatic.

somber, sombre ['sɔmbə] *adj.* **1.** sumbru. **2.** întunecos. **3.** trist.

sombrero [sɔm'brɛərou] *s.* sombrero *(pălărie cu boruri late).*

some [s(ə)m, sʌm] **I.** *adj.* **1.** [səm] nişte, puţin, puţină; câtva, câtăva. **2.** [səm] nişte; puţini, puţine; câţiva, câteva. **3.** [səm] vreun, vreo; anumit, anumită; anume. **4.** [sʌm] anumiţi, anumite; unii, unele.

5. [sʌm] oarecare; nu ştiu care. **6.** *amer. fam.* straşnic, grozav, teribil. || ~ *day* într-o bună zi *(în viitor);* ~ *flowers! amer.* (vai) ce flori frumoase! ~ *other time* (cândva) odată; într-un fel sau altul; *have* ~ *cake!* luaţi o felie de tort; *will you have* ~ *more jam?* nu mai vreţi (puţină) dulceaţă?; *he went to* ~ *place in the country* s-a dus undeva la ţară; *he wrote it* ~ *years ago* a scris-o acum câţiva ani; *may I have* ~ *water, please?* puteţi să-mi daţi un pahar cu apă? **II.** *pron.* [sʌm] **1.** câţiva, câteva. **2.** unii, unele; o parte. **3.** *(partitiv)* ceva, câtva; parte.|| ~ *more* încă puţin; încă (ceva); ~ *of us* unii dintre noi, parte din noi; ~ *of the finest passages* unele din cele mai frumoase pasaje; *take* ~*!* ia şi tu (puţin)!; *all summer and* ~ *of the autumn* toată vara şi o parte din toamnă. **III.** *adv.* [sʌm] **1.** cam, vreo, circa, aproximativ. **2.** *amer.* într-o oarecare măsură, puţin; şi încă cum. || *there were* ~ *fifty of them* erau vreo cincizeci.

somebody ['sʌmbədi] *pron.* cineva.

somehow ['sʌmhau] *adv.* **1.** oarecum. **2.** cumva; într-un fel *sau* altul.

someone ['sʌmwʌn] *pron.* cineva.

somersault ['sʌməsɔːlt] **I.** *s.* tumbă. **II.** *vi.* a face tumba.

something ['sʌmθiŋ] **I.** *pron.* ceva. **II.** *adv.* oarecum.

sometime ['sʌmtaim] **I.** *adj.* fost. **II.** *adv.* cândva, demult.

sometimes ['sʌmtaimz] *adv.* uneori; din când în când.

somewhat ['sʌmwɔt] **I.** *pron.* ceva. **II.** *adv.* **1.** oarecum. **2.** într-o oarecare măsură.

somewhere ['sʌmwɛə] *adv.* undeva.

somewhile ['sʌm,wail] *adv. poet.* **1.** cândva, odinioară. **2.** câtva timp, un timp.

somnambulism [som'næmbjulizəm] *s.* somnambulism.

somnambulist [som'næmbjulist] *s.* somnambul.

somnolence ['somnələns] *s.* somnolenţă.

somnolent ['somnələnt] *adj.* **1.** somnolent. **2.** adormit.

son [sʌn] *s.* fiu; băiat.|| *my* ~ băiete, fiule.

sonar ['sonə] *s. tehn.* sonar.

sonata [sə'nɑːtə] *s. muz.* sonată.

song [soŋ] *s.* **1.** cântec. **2.** poezie. **3.** cânt, cântare.

song-bird ['soŋbəːd] *s.* pasăre cântătoare.

song-book ['soŋbuk] *s.* carte de cântece.

songster ['soŋstə] *s.* **1.** cântăreţ. **2.** poet. **3.** pasăre cântătoare.

sonnet ['sonit] *s. lit.* sonet.

sonneteer [,soni'tiə] *s.* **1.** sonetist. **2.** *peior.* scribălău, poetastru.

sonny ['sʌni] *s. interj.* băiete.

son of a bitch ['sʌnəvə'bitʃ] *s.* ticălos, porc, măgar.

sonorous [sə'nɔːrəs] *adj.* **1.** sonor. **2.** răsunător. **3.** strălucitor (fig.).

soon [suːn] *adv.* **1.** curând. **2.** devreme. **3.** cu plăcere. || *as* ~ *as* de îndată ce; *no* ~*er had he arrived than he wrote to me* nici n-a sosit bine că mi-a şi scris; ~*er or later* mai curând sau mai târziu; *I'd* ~*er die* mai bine mor, prefer să mor.

soot [suːt] **I.** *s.* funingine. **II.** *vt.* a murdări.

sooth [suːθ] *s. înv.* adevăr; realitate. || *in (good)* ~ într- adevăr, în realitate; ~ *to say* la drept vorbind.

soothe [suːð] *vt.* **1.** a linişti, a împăca. **2.** a alina.

soother [suːðə] *s.* **1.** biberon, tetină. **2.** persoană care calmează / linişteşte. **3.** linguşitor, flateur, lingău.

soothingly ['suːðiŋli] *adv.* blând, dulce.

soothsayer ['suːθ,seiə] *s.* prezicător; ghicitoare.

soothsaying [suːθseiŋ] *s.* prezicere, profeţie.

sooty ['suːti] *adj.* **1.** negru. **2.** murdar.

sop [sop] **I.** *s.* pâine muiată *(în sos).* **II.** *vt.* **1.** a muia (pâine în sos etc.). **2.** a şterge (apa).

sophism ['sofizəm] *s.* sofism.

sophist ['sofist] *s.* sofist.

sophisticate [sə'fistikeit] *vt.* **1.** a denatura; a induce în eroare. **2.** a falsifica; a altera. **3.** a complica inutil.

sophisticated [sə'fistikeitid] *adj.* **1.** complicat. **2.** rafinat.

sophistication [sə,fisti'keiʃn] *s.* **1.** sofistică. **2.** falsificare, alterare, denaturare.

sophistic(al) [sə'fistik(l)] *adj.* sofistic.

sophistry ['sofistri] *s.* sofism.

sophomore ['sofəmɔː] *s.* **1.** student în anul II. **2.** *fig.* semidoct.

soporific [,sopə'rifik] *s., adj.* somnifer.

sopping ['sopiŋ] *adj.* (ud) leoarcă.

soppy ['sopi] *adj.* **1.** ud leoarcă. **2.** *fig.* siropos.

soprano [sə'prɑːnou] *s.* **1.** voce de soprano. **2.** soprană.

sorcerer ['sɔːsrə] *s.* vrăjitor.

sorceress ['sɔːsris] *s.* vrăjitoare.

sorcery ['sɔːsri] *s.* vrăjitorie, vrăji.

sordid ['sɔːdid] *adj.* **1.** murdar, soios. **2.** dezgustător, sordid. **3.** cumplit. **4.** josnic.

sordidness ['sɔːdidnis] *s.* **1.** murdărie. **2.** josnicie, caracter sordid.

sore [sɔː] **I.** *s.* **1.** bubă. **2.** punct dureros *(şi fig.).* **II.** *adj.* **1.** dureros. **2.** trist. **3.** supărat. **4.** cumplit. || *to be* ~ a durea; a fi furios; *my eyes are* ~ mă dor ochii.

sorely ['sɔːli] *adv.* groaznic, teribil; foarte.

soreness [sɔːnis] *s.* **1.** sensibilitate, inflamaţie, durere. **2.** iritabilitate, enervare. **3.** necaz, amărăciune.

sorghum ['sɔːgəm] *s. bot.* sorg *(Sorghum saccharatum).*

sorority [sə'rɔriti] *s.* **1.** comunitate de femei *sau* fete. **2.** *amer.* club universitar feminin.

sorrel ['sɔrl] **I.** *s.* **1.** măcriş. **2.** (cal) roib. **II.** *adj.* **1.** *(d. cal)* roib. **2.** roşiatic.

sorrow ['sorou] *s.* **1.** supărare. **2.** necaz. **3.** regret.

sorrowful ['sorəfl] *adj.* **1.** trist. **2.** nefericit.

sorrowfully ['sorəfuli] *adv.* cu tristeţe, cu mâhnire.

sorry ['sori] *adj.* **1.** supărat; mâhnit. **2.** plin de regret. **3.** trist. **4.** slab; sărăcăcios, mizerabil. || ~*?* poftim? cum aţi spus?; *I am* ~ scuzaţi; îmi cer scuze; îmi pare rău, regret; *you'll be* ~ o să-ţi pară rău.

sort [sɔːt] **I.** *s.* **1.** fel, gen. **2.** clasă. **3.** manieră, mod. **4.** model. || *all of a* ~ toţi o apă; *after a* ~ într-o oarecare măsură; ~ *of* cam, oarecum; *out of* ~*s* indispus. **II.** *vt.* a sorta, a alege. **III.** *vi.* a se potrivi.

sortie ['sɔːti] *s.* **1.** *mil.* misiune; atac *(al unei trupe împresurate).* **2.** *av.* misiune, raid.

SOS ['es'ou'es] *s.* SOS, apel disperat.

so-so ['sousou] *adj.* aşa şi aşa; nici prea prea, nici foarte foarte.

sot [sot] *s.* beţivan.

sottish ['sotiʃ] *adj.* **1.** prostit, îndobitocit. **2.** beţiv, alcoolic.

sotto voce ['sotou 'voutʃei] *adv. muz.* sotto voce, încet, cu voce înceată / slabă.

sou [suː] *s. înv.* franc, bănuţ.

sough [sau] I. *s.* 1. foşnet. 2. şoaptă. II. *vi.* a foşni.

sought [sɔːt] *vt., vi.* trec. şi part. trec. de la **seek**.

souk [suːk] *s.* bazar, piaţă în ţările musulmane.

soul [soul] *s.* suflet.

soulful ['soulfl] *adj.* 1. sentimental. 2. însufleţit, animat. 3. inimos, cordial. 4. emoţionat, expresiv.

soulless ['soullis] *adj.* 1. egoist. 2. hain, fără inimă.

sound [saund] I. *s.* 1. sunet. 2. istm. 3. *iht.* băşică cu aer. II. *adj.* 1. sănătos. 2. voinic, robust. 3. în stare bună. 4. solid. 5. înţelept. 6. serios. 7. eficace. III. *vt.* 1. a suna din, a face să răsune. 2. a verifica. 3. a sonda. 4. a măsura. 5. *fig.* a iscodi. IV. *vi.* 1. a răsuna. 2. a suna. 3. a sonda, a măsura. V. *adv.* 1. serios. 2. bine; profund. || *he is ~ asleep* doarme dus.

sounder ['saundə] *s. mar.* sondor, aparat de sondat acustic.

sound-film ['saundfilm] *s.* film sonor.

sounding ['saundiŋ] *s.* 1. sondare. 2. măsurătoare.

soundless ['saundlis] *adj.* mut; tăcut.

soundly ['saundli] *adv.* 1. sănătos. 2. profund.

soundness ['saundnis] *s.* 1. sănătate. 2. soliditate.

sound-proof ['saundpruːf] I. *adj.* izolat fonic, capitonat. II. *vt.* a izola fonic.

sound-wave ['saundweiv] *s.* undă sonoră.

soup [suːp] *s.* supă.

sour ['sauə] I. *adj.* acru (şi fig.). II. *vt., vi.* a (se) acri.

source [sɔːs] *s.* sursă, izvor.

sourly ['sauəli] *adv.* acru, cu acreală.

sourness ['sauənis] *s.* 1. acreală, acrime. 2. acritură. 3. ţâfnă.

souse [saus] *vt.* 1. a uda. 2. a pune la saramură. 3. a îmbăta.

soutache [suːˈtɑːʃ] *s. text.* suitaş.

south [sauθ] I. *s.* sud. II. *adj.* sudic. III. *adv.* spre sud.

Southdown [sauθdaun] *s.* rasă englezească de oi.

south-east ['sauθ'iːst] I. *s.* sud-est. II. *adj.* de sud-est. III. *adv.* spre sud-est.

south-eastern [sauθ'iːstən] *adj.* (d. origine) de / din sud-est.

southerly ['sʌðəli] I. *adj.* sudic, din sud. II. *adv.* spre sud.

southern ['sʌðən] *adj.* sudic.

southerner ['sʌðənə] *s.* 1. sudic, meridional. 2. *amer.* locuitor din sud; *ist.* sudist.

southernmost ['sʌðənmoust] *adj.* cel mai de (la) sud; din extremitatea sudică.

southward ['sauθwəd] I. *adj.* sudic. II. *adv.* spre sud.

southwards ['sauθwədz] *adv.* spre sud.

south-west ['sauθwest] I. *s.* sud-vest. II. *adj.* sud-vestic. III. *adv.* spre sud-vest.

southwester [sau(θ)'westə] *s.* 1. vânt din sud-vest. 2. *mar.* pălărie impermeabilă (din muşama).

souvenir ['suːvniə] *s.* suvenir.

sou'wester [sau'westə] *s.* v. **southwester 2**.

sovereign ['sɔvrin] I. *s.* 1. suveran. 2. *fin.* liră sterlină (de aur). II. *adj.* 1. suveran. 2. suprem.

sovereignty ['sɔvrnti] *s.* suveranitate. 2. autoritate (supremă).

Soviet ['souviet] I. *s.* Soviet. II. *adj.* sovietic.

sovran ['sɔvrən] *adj. s. poet.* suveran.

sow[1] [sou] I. *vt.* part. trec. **sown** [soun] 1. a însămânţa, a semăna. 2. a planta. 3. *fig.* a răspândi. || *to ~ one's wild oats* a-şi face de cap (în tinereţe). II. *vi.* part. trec. **sown** [soun] a semăna.

sow[2] [sau] *s.* scroafă.

sown [soun] *vt., vi.* part. trec. de la **sow**.

soy [sɔi] *s.* 1. *bot.* soia (*Soja hispida*). 2. sos oriental (de soia).

soya ['sɔiə] *s.* (bob de) soia (v. **soy**).

sozzled ['sɔzld] *adj. sl.* beat criţă.

spa [spɑː] *s.* 1. izvor mineral. 2. staţiune balneo-climaterică.

space [speis] I. *s.* 1. spaţiu. 2. distanţă. 3. perioadă. || *for a ~* (pentru) câtva timp. II. *vt.* a spaţia.

spaceman ['speismən] *s. pl.* **spacemen** ['speismən] cosmonaut, astronaut.

spaceship ['speisʃip] *s.* navă cosmică.

spacious ['speiʃəs] *adj.* spaţios; vast; întins; amplu, cuprinzător; larg. || *~ mind* minte largă / cu vederi largi.

spade [speid] I. *s.* 1. cazma, hârleţ. 2. pică (la cărţi). II. *vt.* a săpa.

spaghetti [spəˈgeti] *s.* spaghete, macaroane.

span[1] [spæn] I. *s.* 1. (distanţă de o) palmă. 2. (măsură de o) şchioapă. 3. distanţă. 4. *av.* anvergură. 5. deschidere (a unui pod). || *the ~ of life* durata medie a vieţii. II. *vt.* 1. a traversa. 2. a se întinde peste.

span[2] [spæn] *vt., vi.* trec. înv. de la **spin**.

spandrel ['spændrl] *s. constr.* 1. timpan. 2. zid de rezistenţă.

spangle ['spæŋgl] I. *s.* 1. podoabă. 2. *pl.* paiete. II. *vt.* a înstela.

Spaniard ['spænjəd] *s.* spaniol; spaniolă.

spaniel ['spænjəl] *s.* prepelicar.

Spanish ['spæniʃ] I. *s.* (limba) spaniolă. || *the ~* spaniolii. II. *adj.* spaniol.

Spanish main ['spæniʃmein] *s.* Zona Mării Caraibilor.

spank [spæŋk] I. *s.* 1. palmă, pălmuţă. 2. scatoalcă. II. *vt.* a bate.

spanker [spæŋkə] *s.* 1. persoană care loveşte / cârpeşte / plesneşte cu palma (peste şezut). 2. *fam.* om / cal iute de picior; cal (bun) trăpaş. 3. *fam.* lucru de mâna întâi; lucru grozav / care iese din comun; lucru de mirare; minciună gogonată. 4. *fam.* om excepţional; om neobişnuit de înzestrat; personalitate. 5. *mar.* randă.

spanking ['spæŋkiŋ] *s.* chelfăneală.

spanner ['spænə] *s.* 1. *tehn.* cheie de piuliţe. 2. traversă, stinghie.

spar[1] [spɑː] I. *s.* 1. ceartă. 2. box. 3. *fig.* duel. II. *vi.* 1. a boxa. 2. a se certa.

spar[2] [spɑː] *s.* 1. *mar.* vergă. 2. *av.* lonjeron. 3. *constr.* bară, traversă.

spar[3] [spɑː] *s. minr.* spat.

spare [speə] I. *s.* piesă *sau* roată de rezervă. II. *adj.* 1. suplimentar. 2. de rezervă. 3. liber. 4. frugal. 5. subţirel. III. *vt.* 1. a cruţa. 2. a economisi. 3. a avea disponibil. || *not to ~ oneself* a nu se cruţa.

spare parts [ˌspeə'pɑːts] *s. pl.* piese de schimb.

spare time [ˌspeə'taim] *s.* timp liber.

sparing ['speəriŋ] *adj.* 1. econom. 2. cumpătat.

sparingly ['speəriŋli] *adv.* cu economie / cumpătare.

spark [spɑːk] I. *s.* 1. scânteie. 2. urmă. II. *vi.* a scânteia.

spark(ing)-plug ['spɑːk(iŋ)plʌg] *s.* bujie.

sparkle ['spɑːkl] **I.** *s.* **1.** licărire. **2.** scânteiere. **II.** *vi.* **1.** a scânteia. **2.** a licări. **3.** a străluci. **4.** a face spumă.

sparrow ['spærou] *s. ornit.* vrabie *(Fringilla domestica).*

sparrow-hawk ['spærouhɔːk] *s. ornit.* erete *(Accipiter nisus).*

sparse [spɑːs] *adj.* **1.** rar. **2.** răsfirat, răspândit. **3.** subțire.

Spartan [spɑːtn] *s., adj.* spartan.

spasm ['spæzəm] *s.* spasm.

spasmodic(al) [spæz'mɔdik(l)] *adj.* spasmodic, convulsiv.

spastic ['spæstik] *adj. med.* spastic.

spat[1] [spæt] **I.** *s.* **1.** palmă, lovitură. **2.** *pl.* ghetre. **II.** *vt., vi. trec. și part. trec. de la* **spit.**

spat[2] [spæt] **I.** *s.* **1.** ouă de stridii. **2.** stridie tânără. **II.** *vi. (d. stridii)* a depune ouă.

spat[3] [spæt] *vi. amer.* **1.** a pocni, a face poc. **2.** a se certa.

spate [speit] *s.* **1.** potop, revărsare neașteptată a apelor. **2.** rupere de nori. **3.** *fig.* potop *(de cuvinte etc.).*

spathe [speiθ] *s. bot.* spată.

spatial ['speiʃl] *adj.* **1.** spațial. **2.** cosmic.

spatter ['spætə] **I.** *s.* **1.** plescăit. **2.** ploaie scurtă. **3.** grindină *(de gloanțe etc.).* **II.** *vt.* a stropi. **III.** *vi.* a cădea ca o ploaie *sau* grindină.

spatula ['spætjulə] *s.* **1.** *farm., med.* spatulă. **2.** *ornit.* rață-lopătar *(Spatula clypeata).*

spavin ['spævin] *s. vet.* spavan, osul boului.

spavined ['spævind] *adj.* **1.** *(vet. (d. cal)* cu spavan, cu osul boului. **2.** *fig. (d. vers)* șchiop.

spawn [spɔːn] **I.** *s.* **1.** icre. **2.** spori. **3.** *iron.* odrasle. **II.** *vi.* a-și depune icrele.

speak [spiːk] **I.** *vt. trec.* **spoke** [spouk], *part. trec.* **spoken** ['spoukn] **1.** a vorbi. **2.** a rosti. **3.** a exprima. **4.** a indica. || *do you ~ English?* știți englezește?; *to ~ one's mind* a spune ce are pe suflet; a vorbi deschis; *it ~s volumes for him* asta pledează (foarte mult) în favoarea lui. **II.** *vi. trec.* **spoke** [spouk], *part. trec.* **spoken** ['spoukn] **1.** a vorbi. **2.** a ține cuvântări. **3.** a fi expresiv. **4.** a suna, a scoate sunete. || *~ing of...* à propos de ...; *it's nothing to ~ of* nu e mare lucru; *so to ~* ca să zic așa, într-un fel; *not to be on ~ing terms* a nu-și

vorbi.to *~ for* a reprezenta; a lăuda; *to ~ for oneself* a vorbi în numele său personal; *to ~ out* sau *up* a vorbi răspicat; a-și exprima atitudinea, a-și spune cuvântul; *to ~ well for* a fi spre lauda *(cuiva).*

speak-easy ['spiːkˌiːzi] *s. amer.* cârciumă, bombă.

speaker ['spiːkə] *s.* **1.** vorbitor, orator. **2.** președinte *(al Camerei Comunelor etc.).* **3.** interlocutor.

speaking ['spiːkiŋ] **I.** *adj.* **1.** care vorbește; expresiv, elocvent. || *~ likeliness* portret leit / plin de viață; *~ look* privire expresivă; privire elocventă / cu înțeles; *~!* la telefon! la aparat! *(răspuns al celui chemat la telefon).* **2.** de vorbire, de conversație. || *to be on ~ terms (with smb.)* a cunoaște *(pe cineva)* îndeajuns pentru a sta de vorbă cu el; *not to be on ~ terms (with smb.)* a nu vorbi, a fi certat *(cu cineva).* **II.** *s.* vorbire; conversație.

speaking-tube ['spiːkiŋtjuːb] *s.* portavoce.

spear [spiə] *s.* suliță.

spear-head ['spiəhed] **I.** *s.* vârf de suliță. **II.** *vt.* a îndrepta *(un atac).*

spearman ['spiəmən] *s. pl.* **spearmen** ['spiəmən] sulițaș.

spearmint ['spiəmint] *s. bot.* un fel de mentă / izmă *(Mentha spicata).*

spec [spek] *s. abrev. fam.* speculație; speculă; *com.* agio.

special ['speʃl] **I.** *s.* **1.** tren etc. special. **2.** ediție specială. **II.** *adj.* **1.** special. **2.** specific.

specialism ['speʃlizəm] *s.* specializare excesivă; deformație profesională.

specialist ['speʃlist] *s.* specialist.

speciality [ˌspeʃi'æliti] *s.* **1.** specialitate. **2.** particularități.

specialization [ˌspeʃlai'zeiʃn] *s.* **1.** specializare. **2.** diferențiere. **3.** *biol.* specializare *(a organelor pentru anumite funcții).*

specialize ['speʃlaiz] **I.** *vt.* **1.** a specializa. **2.** a amănunți. **II.** *vi.* a se specializa.

specially ['speʃli] *adv.* anume.

specialty ['speʃlti] *s.* **1.** specialitate. **2.** *jur.* înțelegere, acord, contract.

specie ['spiːʃiː] *s. fin.* monezi, bani ghiață.

species ['spiːʃiːz] *s. pl.~* **1.** specie. **2.** specii.

specific [spi'sifik] **I.** *s.* remediu specific. **II.** *adj.* specific.

specifically [spi'sifikəli] *adv.* și anume.

specification [ˌspesifi'keiʃn] *s.* **1.** specificare. **2.** specificație.

specify ['spesifai] *vt.* a specifica.

specimen ['spesimin] *s.* **1.** specimen. **2.** mostră.

specious ['spiːʃs] *adj.* aparent, veridic; înșelător, viclean.

speck [spek] **I.** *s.* **1.** fir (de praf). **2.** fărâmiță. **3.** pată. **II.** *vt.* a păta.

speckle ['spekl] **I.** *s.* pată mică, picățea; pistrui. **II.** *vt.* a păta; a stropi, a împestrița. || *bird ~ed with white* pasăre împestrițată cu alb.

speckled ['spekld] *adj.* **1.** pătat, bălțat. **2.** cu puncte *sau* picățele.

speckless ['speklis] *adj.* nepătat *(și fig.).*

specs [speks] *s. pl.* ochelari, bicicletă.

spectacle ['spektəkl] *s.* **1.** spectacol *(și fig.).* **2.** priveliște. **3.** *pl.* ochelari.

spectacled ['spektəkld] *adj.* cu ochelari; *fam.* ochelarist.

spectacular [spek'tækjulə] *adj.* spectaculos.

spectator [spek'teitə] *s.* spectator.

spectral ['spektrl] *s.* **1.** spectral. **2.** fantomatic.

spectre ['spektə] *s.* fantomă, apariție.

spectroscope ['spektrəskoup] *s. fiz.* spectroscop.

spectrum ['spektrəm] *pl.* **spectra** ['spektrə] *s. fiz.* spectru *(și fig.).*

specular ['spekjulə] *adj.* lucios / neted ca oglinda; lucios. || *~ surface* suprafață reflectoare.

speculate ['spekjuleit] *vi.* **1.** a face speculații. **2.** a medita, a reflecta.

speculation [ˌspekju'leiʃn] *s.* **1.** speculație. **2.** afacere (riscantă). **3.** meditație. **4.** presupunere.

speculative ['spekjulətiv] *adj.* **1.** riscant. **2.** speculativ, bazat pe speculații. **3.** meditativ. **4.** de conjunctură; estimativ. **5.** bazat pe presupuneri.

speculator ['spekjuleitə] *s.* **1.** gânditor, cugetător. **2.** *com.* speculator; jucător la bursă; *com.* speculant.

speculum ['spekjuləm] *pl.* **speculums** ['spekjuləmz] *sau* **specula** ['spekjulə] *s.* **1.** *med.* speculum. **2.** oglindă, reflector *(de telescop).* **3.** ochi, pată *(pe* *aripa păsărilor).* **4.** *(şi ~-metal)* metal / aliaj pentru oglinzi.

sped [sped] *vt., vi. trec. şi part. trec. de la* **speed**.

speech [spi:tʃ] *s.* **1.** cuvântare. **2.** vorbire. **3.** limbaj, limbă.

speechify ['spi:tʃifai] *vi.* **1.** a ţine discursuri *(electorale).* **2.** a face propagandă electorală.

speechless ['spi:tʃlis] *adj.* **1.** mut, amuţit. **2.** uluit.

speed [spi:d] **I.** *s.* **1.** viteză. **2.** rapiditate. **II.** *vt. trec. şi part. trec.* **sped** [sped] a grăbi. || *(to wish smb.) God ~* (a ura cuiva) succes. **III.** *vi. trec. şi part. trec.* **sped** [sped] **1.** a se grăbi. **2.** a merge în viteză.

speed-boat ['spi:dbout] *s.* vedetă rapidă.

speedily ['spi:dili] *adv.* repede, iute; degrabă; cu promptitudine.

speed limit ['spi:d,limit] *s.* viteză maximă (permisă); limită de viteză.

speedometer [spi'dɔmitə] *s.* vitezometru.

speed-up ['spi:dʌp] *s.* intensificare *sau* accelerare a ritmului de muncă.

speedway ['spi:dwei] *s.* **1.** pistă de viteză. **2.** autostradă.

speedwell ['spi:dwel] *s. bot.* ventrilică *(Veronica).*

speedy ['spi:di] *adj.* **1.** grabnic. **2.** prompt. **3.** rapid.

spell[1] [spel] **I.** *s.* **1.** farmec. **2.** vrajă. **3.** perioadă, timp. **4.** răgaz. **II.** *vt. trec. şi part. trec.* **spelt** [spelt] **1.** a vrăji. **2.** a citi literă cu literă. **3.** a înţelege. **4.** a semnifica, a însemna. **5.** a avea drept rezultat. **III.** *vi. trec. şi part. trec.* **spelt** [spelt] a citi literă cu literă, a silabisi.

spell[2] [spel] **I.** *s.* **1.** schimb *(durată a lucrului unei echipe).* **2.** alternare, schimbare. **3.** *amer.* (mână de) ajutor. **II.** *vt. amer.* a schimba, a înlocui *(schimbul precedent la lucru).*

spellbinder [spel,baində] *s. (mai ales amer.)* orator / vorbitor care fascinează / captivează auditoriul.

spellbound [spelbaund] *adj. fig.* **1.** fascinat, vrăjit, fermecat, încântat. **2.** uluit, înlemnit.

speller ['spelə] *s.* **1.** *to be a good ~* a scrie corect / ortografic; *to be a bad ~* a nu scrie / a nu şti să scrie corect / ortografic. **2.** *fam.* om care citeşte greu / silabisind. **3.** *amer.* v. **spelling- book**.

spelling ['speliŋ] *s.* **1.** ortografie. **2.** citire literă cu literă.

spelling book [speliŋ buk] *s.* **1.** îndreptar ortografic. **2.** abecedar.

spelt [spelt] *vt., vi. trec. şi part. trec. de la* **spell**.

spencer ['spensə] *s.* spenţer *(un fel de jachetă scurtă).*

Spencerian [spen'siəriən] *adj.* spencerian, referitor la Herbert Spencer *(filosof englez, 1820-1903).*

spend [spend] **I.** *vt. trec. şi part. trec.* **spent** [spent] **1.** a cheltui. **2.** a consuma. **3.** a petrece *(timpul).* **II.** *vi. trec. şi part. trec.* **spent** [spent] a cheltui.

spender ['spendə] *s.* risipitor.

spendthrift ['spenθrift] **I.** *s.* risipitor. **II.** *adj.* **1.** cheltuitor. **2.** de risipă.

spent [spent] **I.** *adj.* **1.** istovit. **2.** uzat. **II.** *vt., vi. trec. şi part. trec. de la* **spend**.

sperm [spə:m] *s.* spermă.

spermaceti [,spə:mə'seti] *s. chim.* spermanţet.

spermatozoon [,spə:mətou' zouən], *pl.* **spermatozoa** [,spə:mə- tou'zouə] *s. biol.* spermatozoid.

spermicid ['spə:misaid] *s.* spermicid.

sperm-whale ['spə:mweil] *s. zool.* caşalot *(Physeter).*

spew [spju:] *vt., vi.* a vom(it)a.

sphere [sfiə] *s.* **1.** sferă. **2.** glob. **3.** *fig.* domeniu, regiune.

spherical ['sferikl] *adj.* **1.** sferic; bombat; convex. || *mat. ~ trigonometry* trigonometrie sferică. **2.** *astr.* al aştrilor; planetar.

spheroid ['sfiərɔid] *s. geom.* sferoid.

spheroidal [sfiə'rɔidl] *adj.* sferoidal.

sphincter ['sfiŋktə] *s. anat.* sfincter.

sphinx [sfiŋks] *s.* sfinx *(şi fig.).*

spice [spais] **I.** *s.* **1.** condiment *(şi fig.).* **2.** mirodenie. **II.** *vt.* a condimenta *(şi fig.).*

spick and span ['spikən'spæn] *adj.* **1.** curat. **2.** scos din cutie.

spicy ['spaisi] *adj.* picant.

spider ['spaidə] *s. entom.* păianjen.

spidery ['spaidəri] *adj.* **1.** (ca) de păianjen. **2.** fin, subţire *(ca firul de păianjen).*

spiel [spi:l] *sl.* **I.** *s.* **1.** joc. **2.** conversaţie. **3.** palavre, perora. **II.** *vi.* a povesti, a perora.

spigot ['spigət] *s.* cep.

spike[1] [spaik] **I.** *s.* **1.** ţintă, cui. **2.** ţeapă. **3.** spic. **II.** *vt.* a înţepa.

spike[2] [spaik] *s. bot.* spic, inflorescenţă în spic.

spiked boots [,spaikt'bu:ts] *s.* **1.** ghete cu ţinte. **2.** pantofi pentru alergări.

spikenard ['spaiknɑ:d] *s.* **1.** *bot.* nard *(Nardostachys jatamansi).* **2.** nard *(parfum).*

spiky ['spaiki] *adj.* ţepos.

spill[1] [spil] **I.** *vt. trec. şi part. trec.* **spilt** [spilt] a vărsa, a răsturna. **II.** *vi. trec. şi part. trec.* **spilt** [spilt] a da pe dinafară.

spill[2] [spil] *s.* **1.** surcea, aşchie; hârtiuţă răsucită *(pentru aprinderea pipei etc.).* **2.** cep. **3.** *met.* sudură incompletă. **4.** *met.* defect metalic.

spillikin ['spilikin] *s.* **1.** beţişor *(de os, lemn, pentru joc).* **2.** *pl.* joc cu beţişoare. **3.** *pl.* bucăţele, fărâme, praf.

spillway ['spilwei] *s.* deversor; baraj deversor.

spilt ['spilt] *vt., vi. trec. şi part. trec. de la* **spill**.

spin [spin] **I.** *s.* **1.** învârtire. **2.** răsucire, torsiune. **II.** *vt. trec.* **spun** [spʌn], *înv.* **span** [spæn], *part. trec.* **spun** [spʌn] **1.** a răsuci. **2.** a toarce, a fila. **3.** a învârti. || *to ~ a yarn* a spune o poveste; *to ~ a coin* a da cu banul. **III.** *vi. trec.* **spun** [spʌn], *înv.* **span** [spæn], *part. trec.* **spun** [spʌn] **1.** a se învârti. **2.** a toarce. **3.** a fila *(bumbac).* || *to ~ round* a se învârti ca titirezul; *to ~ along* a se mişca iute.

spina bifida ['spainə 'bifidə] *s. med.* spina bifida.

spinach ['spinidʒ] *s. bot.* spanac *(Spinacia oleracea).*

spinal ['spainl] *adj.* dorsal.

spinal cord ['spainlkɔ:d] *s.* şira spinării.

spindle ['spindl] *s.* **1.** fus. **2.** axă, osie.

spindly ['spindli] *adj.* în formă de fus, fusiform.

spindrift ['spindrift] *s.* **1.** bură, ploaie *(foarte)* măruntă. **2.** stropi de spumă *(aruncaţi în aer de apa mării).*

spine [spain] *s.* **1.** şira spinării; coloana vertebrală. **2.** ac, ţeapă *(a ariciului etc.).*

spineless ['spainlis] *adj.* fără şira spinării *(şi fig.).*

spinet [spi'net] *s.* clavecin.

spinnaker ['spinəkə] *s. mar.* spinaker.

spinner ['spinə] *s.* **1.** filator. **2.** torcătoare.

spinneret ['spinəret] *s. entom.* filieră *(a păianjenului, a viermelui de mătase).*

spinney ['spini] *s.* boschet, crâng; hăţiş; mărăciniş.

spinning ['spiniŋ] I. *s.* 1. tors; toarcere. 2. *text.* filare; filatură. 3. *av.* coborâre în vrile. 4. *tehn.* fasonare prin presare la drucbanc. II. *adj.* 1. care toarce. 2. de tors. 3. care se învârteşte.

spinning-mill ['spiniŋmil] *s.* filatură.

spinning-wheel ['spiniŋwi:l] *s.* vârtelniţă.

spinster ['spinstə] *s.* 1. fată bătrână. 2. torcătoare; textilistă.

spinsterhood ['spinstəhud] *s.* starea de fată bătrână / de celibatară.

spiny ['spaini] *adj.* 1. spinos, ţepos. 2. *fig.* spinos; dificil; delicat.

spiracle ['sp(a)irəkl] *s.* 1. *entom.*, *anat.* stigmat. 2. *zool.* orificiu de eliminare a apei pătrunse în căile respiratorii *(la cetacee)*. 3. ferestruică / orificiu de aerisire, răsuflătoare.

spiraea [spaiə'riə] *s.* *bot.* taulă, tavalgă *(Spiraea)*.

spiral ['spaiərl] I. *s.* spirală. II. *adj.* în spirală.

spirant ['spaiərnt] *fon.* I. *adj.* spirant. II. *s.* (consoană) spirantă.

spire ['spaiə] *s.* turlă (de biserică).

spirit ['spirit] *s.* 1. spirit. 2. suflet. 3. fantomă. 4. însufleţire. 5. dispoziţie. 6. energie; tărie de caracter. 7. alcool, spirt. 8. *pl.* băuturi spirtoase. || *in high ~s* bine dispus, entuziast.

spirited ['spiritid] *adj.* 1. vioi. 2. curajos. 3. entuziast.

spiritism ['spiritizəm] *s.* spiritism.

spirit-lamp ['spiritlæmp] *s.* lampă cu spirt.

spiritless ['spiritlis] *adj.* 1. fără vlagă. 2. neinteresat.

spiritual ['spiritʃuəl] *adj.* 1. sufletesc, spiritual. 2. religios.

spiritualism ['spiritʃuəlizəm] *s.* spiritism.

spiritualistic [,spiritʃuə'listik] *adj.* 1. *filoz.* spiritualist. 2. spiritist; de spiritism.

spirituality [,spiritʃu'æliti] *s.* 1. spiritualitate. 2. *pl. bis.* venituri bisericeşti ale unui episcop.

spiritualize [,spiritʃuəlaiz] *vt.* 1. a spiritualiza; a intelectualiza. 2. a inspira, a anima, a însufleţi.

spirituous ['spiritʃuəs] *adj.* spirtos.

spiteful ['spaitfl] *adj.* 1. ranchiunos. 2. duşmănos.

spit[1] [spit] I. *s.* 1. scuipat. 2. scuipare. 3. ploiţă, ploaie

slabă. 4. fulguială, ninsoare slabă. || *he is the dead ~ of his father* seamănă cu taicăsău bucăţică ruptă. II. *vt.* 1. a scuipa. 2. a rosti. 3. a ţipa. || *~ it out!* zi repede! III. *vi.* 1. a scuipa. 2. a ploua slab, a bura.

spit[2] [spit] *s.* 1. *geogr.* limbă de pământ; banc de nisip *(la suprafaţa apei)*. 2. cazma. 3. (cantitate de pământ care încape pe o) cazma, lopată. 4. frigare. III. *vt.* a frige, a pune în frigare.

spite [spait] I. *s.* 1. pică, duşmănie. 2. răutate. || *out of ~ de ciudă; de-al dracului; in ~ of* în ciuda *(cu gen.)*; *in ~ of the fact that* în ciuda faptului că. II. *vt.* 1. a supăra. 2. a necăji; a face în ciudă *(cu dat.)*. 3. a antipatiza.

spittle ['spitl] *s.* scuipat.

spittoon [spi'tu:n] *s.* scuipătoare.

spitz(dog) ['spits (dɔg)] *s.* (câine) şpiţ.

spiv [spiv] *s.* 1. escroc. 2. traficant. 3. parazit *(fig.)*.

splash ['splæʃ] I. *s.* 1. plescăială. 2. împroşcare. 3. stropitură. 4. pată. II. *vt.* 1. a stropi. 2. a împroşca. III. *vi.* 1. a stropi, a împroşca. 2. a plescăi.

splatter ['splætə] I. *vi.* 1. a se bălăci. 2. a lipăi, a merge *(prin apă etc.)* împroşcând. II. *vt., vi.* a împroşca, a stropi.

splay [splei] I. *vt.* 1. *tehn.* a teşi; a evaza. 2. *tehn.* a propti. 3. a luxa, a scrânti. II. *vi.* 1. a se evaza. 2. a călca cu picioarele în afară *(având platfus)*. III. *s.* rotunjire, evazare. IV. *adj.* 1. oblic, pieziş; teşit, evazat. 2. răsucit în afară. 3. *fig.* stângaci, neîndemânatic.

spleen [spli:n] *s.* 1. *anat.* splină. 2. proastă dispoziţie. 3. plictis. 4. pică, duşmănie.

splendid ['splendid] *adj.* 1. splendid. 2. minunat.

splendiferous [splen'difərəs] *adj.* 1. *fam.* splendid, formidabil. 2. *amer. sl.* ciudat; bătător la ochi.

splendo(u)r ['splendə] *s.* 1. splendoare. 2. glorie.

splenetic [spli'netik] I. *adj.* 1. *med.* splenic. 2. ipohondru; melancolic; posac; supărăcios. II. *s.* 1. om iritabil. 2. ipohondru; (om) melancolic. 3. *farm.* medicament pentru tratarea bolilor de splină.

splenic ['splenik] *adj. anat.* splenic.

splice [splais] I. *s.* 1. îmbinare. 2. nod. II. *vt.* 1. a îmbina. 2. a înnoda. 3. a lipi. 4. a căsători. || *to get ~d* a-şi pune pirostriile.

splint [splint] *s.* lopăţică.

splinter ['splintə] I. *s.* 1. aşchie, surcică. 2. schijă. II. *vt.* 1. a despica. 2. a tăia.

split [split] I. *s.* 1. ruptură. 2. separaţie. 3. sciziune. 4. băutură amestecată; băutură răcoritoare. 5. sfoară. 6. *pl.* grand écart *(la gimnastică)*. II. *vt. inf., trec. şi part. trec.* 1. a despica. 2. a tăia. 3. a desface. 4. a dezbina. 5. a scinda. || *to ~ hairs* a despica firul în patru; *to ~ the difference* a se învoila tocmeală. III. *vi. inf., trec. şi part. trec.* 1. a se despica. 2. a se desface. 3. a se scinda. || *to ~ on (his associates)* a trăda (complicii), a denunţa.

split infinitive [,splitin'finitiv] *s. gram.* infinitiv cu adverb intercalat.

split second [,split'seknd] *s.* clip(it)ă.

splitting ['splitiŋ] I. *adj.* 1. care (se) crapă. 2. *(d. dureri de cap)* violent, puternic. 3. iute ca fulgerul. 4. *(d. o glumă etc.)* care te face să mori de râs, grozav. II. *s.* 1. despicare. 2. explozie, detunătură. 3. diviziune, separare; descompunere, disociere; clivaj. || *the ~ of the atom* dezintegrarea atomului. 4. *(pielărie)* spălture.

splotch [splɔtʃ] I. *s.* pată *(de murdărie, de cerneală)*. II. *vt.* a păta.

splurge [splə:dʒ] I. *s.* 1. efort. 2. ostentaţie. II. *vi.* a face pe grozavul.

splutter ['splʌtə] I. *s.* 1. bolboroseală. 2. plescăială. II. *vt., vi.* a bolborosi.

spoil [spɔil] I. *s.* 1. pradă. 2. *pl.* profit. II. *vt. trec. şi part. trec.* **spoilt** [spɔilt] 1. a strica. 2. a răsfăţa. III. *vi. trec. şi part. trec.* **spoilt** [spɔilt] a se strica.

spoiler ['spɔilə] *s. av., auto.* spoiler.

spoilt [spɔilt] *vt., vi. trec. şi part. trec. de la* **spoil**.

spoke [spouk] I. *s.* spiţă (de roată). II. *vt., vi. trec. de la* **speak**.

spoken ['spoukn] *vt., vi. part. trec. de la* **speak**.

spokeshave ['spoukʃeiv] *s. tehn.* cuțitoaie.

spokesman ['spouksmən] *s.pl.* **spokesmen** ['spouksmən]1. purtător de cuvânt. 2. reprezentant.

spoliation [,spouli'eiʃn] *s.* 1. jefuire. 2. *fig.* spoliere; stoarcere. 3. *jur.* distrugere / falsificare *(a unui document probant)*.

sponge [spʌndʒ] I. *s.* 1. burete. 2. *fig.* parazit. II. *vt.* a șterge cu buretele. III. *vi.*: *to ~ on smb.* a trăi pe socoteala cuiva.

sponge-cake ['spʌndʒkeik] *s. chec.*

sponger ['spʌndʒə] *s.* parazit *(fig.).*

spongy ['spʌndʒi] *adj.* 1. spongios, buretos, poros. 2. absorbant *(ca un burete).* 3. *anat.* (d. țesuturi) cu caverne. 4. elastic. 5. *înv.* umed; ud; ploios. 6. *înv.* îmbătat.

sponsor ['sponsə] I. *s.* 1. epitrop. 2. patron. 3. naș (la botez). 4. inițiator; autor *(al unei propuneri).* 5. ctitor. 6. sponsor, firmă care finanțează *(emisiuni de radio sau televiziune etc.).* II. *vt.* 1. a susține, a sprijini. 2. a finanța, a sponsoriza.

sponsorship ['sponsəʃip] *s.* 1. chezășie, garanție; răspundere. 2. nășie. 3. tutelă. 4. sponsorizare.

spontaneity [,spontə'ni:ti] *s.* 1. spontaneitate. 2. impulsivitate. 3. voluntariat. 4. naturalețe, caracter firesc.

spontaneous [spon'teinjəs] *adj.* spontan.

spontaneously [spon'teinjəsli] *adv.* 1. (în mod) spontan. 2. din proprie inițiativă.

spoof [spu:f] I. *vt.* a înșela, a păcăli, a trage pe sfoară, a duce. II. *s.* păcăleală, înșelătorie, potlogărie.

spook [spu:k] I. *s.* fantomă. II. *vt.* a speria.

spool [spu:l] *s.* 1. mosor. 2. rolfilm.

spoon [spu:n] I. *s.* 1. lingură. 2. giugiuleală, drăgosteală. II. *vt.* 1. a lua cu lingura. 2. a giugiuli, a curta. III. *vi.* 1. a face curte. 2. a se giugiuli.

spooner(ism) ['spu:nə(rizəm)] *s.* mutare accidentală a literelor inițiale a două sau mai multe cuvinte (ex: *blushing crow* în loc de *crushing blow*).

spoonful ['spu:nfl] *s.* (cât încape într-o) lingură.

spoor [spuə] I. *s.* urmă *(de animal sălbatic).* II. *vt.* a urmări; a pândi.

sporadic [spə'rædik] *adj.* sporadic.

sporadically [spə'rædikəli] *adv.* sporadic; rar; din când în când.

sporangium [spə'rændʒiəm], *pl.* **sporangia** [spə'rændʒiə] *s. bot.* sporange.

spore [spɔ:] *s. bot.* spor.

sporran ['sporən] *s.* sac / geantă de piele acoperit(ă) cu blană *(la scoțieni).*

sport [spɔ:t] I. *s.* 1. distracție. 2. vânătoare. 3. *pl.* sport, sporturi. 4. glumă. 5. jucărie. 6. persoană simpatică, veselă, care nu se supără. 7. om serviabil.| | *be a ~!* fii (băiat) bun! nu te supăra! II. *vi.* 1. a se distra. 2. a glumi.

sporting ['spɔ:tiŋ] *adj.* 1. sportiv. 2. serviabil. 3. generos. 4. de gentleman.

sportive ['spɔ:tiv] *adj.* 1. jucăuș. 2. vesel.

sportsman ['spɔ:tsmən] *s.* *pl.* **sportsmen** ['spɔ:tsmən] 1. sportiv. 2. vânător; țintaș. 3. caracter bun. 4. om de treabă, serviabil.

sportsmanlike ['spɔ:tsmənlaik] *adj.* 1. (cu adevărat) sportiv; cu fair-play. 2. generos, nobil, elegant. 3. de gentleman. 4. amabil.

sportsmanship ['spɔ:tsmənʃip] *s.* 1. măiestrie sportivă. 2. spirit sportiv. 3. noblețe, eleganță spirituală.

spot[1] [spot] I. *s.* 1. loc. 2. urmă, pată *(și fig.).* 3. pic(ătură). | | *on the ~* imediat; pe teren; la locul respectiv. II. *vt.* 1. a păta *(și fig.).* 2. a strica. 3. a recunoaște. 4. a identifica. 5. a observa. III. *vi.* a se păta.

spot[2] [spot] I. 1. *amer.* situație dificilă. 2. local de noapte. 3. *amer.* condamnare la închisoare. 4. pronosticarea câștigării unei competiții sportive. II. *adj.* 1. local; localizat. 2. punctiform. 3. (d. plată, bani) plătit pe loc, peșin, cash.

spotless ['spotlis] *adj.* nepătat *(și fig.).*

spotlight ['spotlait] *s.* 1. reflector. 2. lumina rampei. 3. atenție *(fig.).*

spotted ['spotid] *adj.* 1. bălțat. 2. cu picățele.

spotter ['spotə] *s.* 1. persoană *sau* obiect care face pete. 2. *fig.* profanator, violator. 3. *amer. fam.* detectiv particular. 4. v. **spotter plane**.

spotter plane ['spotə plein] *s. av.* avion de recunoaștere.

spotty ['spoti] *adj.* 1. pătat. 2. neuniform; pestriț. 3. plin de coșuri. 4. *fig.* pângărit, pătat.

spousal ['spauzəl] I. *adj.* 1. nupțial. 2. conjugal. II. *s.* 1. *(mai ales pl.)* nuntă, cununie. 2. *înv.* căsătorie.

spouse [spauz] *s.* soț; soție.

spout [spaut] I. *s.* 1. gură de țeavă; gurlui. 2. țeavă. 3. jgheab. 4. șuvoi. | | *up the ~* amanetat. II. *vt.* 1. a scuipa. 2. a arunca. 3. a spune răspicat. III. *vi.* a țâșni.

sprain [sprein] I. *s.* luxație. II. *vt.* a scrânti, a luxa.

sprang [spræŋ] *vt., vi. trec. de la* **spring**.

sprat [spræt] *s. iht.* șprot, sardea *(Clupea sprattus).*

sprawl [sprɔ:l] I. *s.* 1. atitudine neglijentă. 2. tolănire. II. *vt.* a întinde, a împrăștia. III. *vi.* 1. a se crăcăna; a se tolăni. 2. a se întinde.

spray [sprei] I. *s.* 1. crenguță. 2. picături, stropeală. 3. duș. 4. spray, vaporizator. II. *vt.* 1. a stropi. 2. a vaporiza, a pulveriza.

sprayer ['spreiə] *s.* 1. vaporizator, spray. 2. pompă de flit.

spread [spred] I. *s.* 1. întindere, răspândire. 2. expansiune. 3. ospăț. 4. cuvertură. II. *vt. inf., trec. și part. trec.* 1. a întinde. 2. a răspândi. 3. a împrăștia. 4. a pune.| | *to ~ the table* a pune masa. III. *vi. inf., trec. și part. trec.* 1. a se întinde. 2. a se împrăștia. 3. a se răspândi. IV. *vr. inf., trec. și part. trec.* 1. a se împărți în zece. 2. a se întinde la scris. 3. a se da peste cap.

spreader ['spredə] *s.* 1. propagator, difuzor, colportor. 2. *tehn.* dispozitiv de repartiție, distribuitor; răspânditor; expansor. 3. *agr.* împrăștietoare de bălegar. 4. *text.* alimentator; depănător. 5. *mar.* întinzător; antenă de crucetă.

spree [spri:] *s.* 1. veselie. 2. chef. | | *to go on the ~* a petrece; a se îmbăta, a o face lată.

sprig [sprig] I. *s.* 1. crenguță; lăstar. 2. *(la broderii)* ornament în formă de crenguță. 3. cui mic fără floare. II. *vt.* 1. a împodobi cu crenguțe. 2. a bate în cuie, a țintui.

sprigged [sprigd] *adj.* ornamentat cu flori / motive florale.

sprightly ['spraitli] *adj.* **1.** vesel. **2.** vioi.

spring [spriŋ] **I.** *s.* **1.** primăvară. **2.** salt, săritură. **3.** izvor. **4.** sursă. **5.** resort, arc; tel. **6.** elasticitate. **7.** spărtură. **II.** *vt. trec.* **sprang** [spræŋ], *part. trec.* **sprung** [sprʌŋ] **1.** a arunca. **2.** a pune. **3.** a deschide. **4.** a arunca în aer. **5.** a produce, a face *(o surpriză etc.)*. **6.** a crăpa. **7.** a slăbi. **III.** *vi. trec.* **sprang** [spræŋ], *part. trec.* **sprung** [sprʌŋ] **1.** a sări. **2.** a ţâşni. **3.** a apărea. **4.** a se naşte, a se trage, a-şi avea originea.|| *to ~ from* a se trage din; a-şi avea originea în; *to ~ up* a a-părea, a răsări.

spring bed ['spriŋ'bed] *s.* somieră.

spring-board ['spriŋbɔːd] *s.* trambulină.

springbuck ['spriŋbʌk] *s.* **1.** gazelă sud-africană *(Antilorchas euchore).* **2.** *pl. Springbucks* sud-africani.

springer ['spriŋə] *s.* **1.** persoană / animal care sare. **2.** copoi. **3.** *înv.* hăitaş. **4.** *mil.* hărţuitor. **5.** *bot.* mlădiţă.

spring mattress ['sprig,mætris] *s.* somieră.

spring tide ['spriŋ taid] *s.* **1.** *poet.* primăvară. **2.** flux subit şi violent al mării. **3.** *fig.* potop; revărsare.

springtime ['spriŋtaim] *s.* primă-vară.

springy ['spriŋi] *adj.* **1.** *(d. o miş-care)* elastic; sprinten; *(d. un material)* elastic, maleabil. **2.** *(d. o regiune)* bogat în izvoare.

sprinkle ['spriŋkl] **I.** *s.* **1.** stropea-lă, (câteva picături de) ploaie. **2.** presărare. **II.** *vt.* **1.** a stropi. **2.** a presăra. **III.** *vi.* **1.** a se răs-pândi. **2.** a cădea în picături.

sprinkler ['spriŋklə] *s.* **1.** persoană care stropeşte ceva. **2.** stropi-toare. **3.** sprinkler, furtun *(de pompier şi pentru agricultură);* maşină de stropit străzile, auto-stropitoare.

sprinkling ['spriŋkliŋ] *s.* **1.** picătu-ră. **2.** pic *(şi fig.).* **3.** pospăială *(şi fig.).* **4.** stropire; udare; iri-gare.

sprint [sprint] **I.** *s.* sprint, cursă de viteză. **II.** *vi.* a alerga repede.

sprinter ['sprintə] *s. sport* sprinter, alergător pe distanţă scurtă.

sprit [sprit] **I.** *vi. înv.* a creşte, a în-colţi. **II.** *vt.* a stropi. **III.** *s. bot.* mlădiţă, vlăstar.

sprite [sprait] *s.* **1.** spiriduş. **2.** zâ-nă.

sprocket ['sprɔkit] *s.* **1.** roată dinţată. **2.** dinte de roată.

sprout [spraut] **I.** *s.* **1.** mugure. **2.** mlădiţă. **3.** *pl.* varză de Bruxel-les. **II.** *vt.* **1.** a produce. **2.** a da naştere. **3.** a germina, a încolţi. **4.** a genera. **III.** *vi.* **1.** a ţâşni. **2.** a se dezvolta.

spruce [spruːs] **I.** *s. bot.* molid, molift *(Picea sp.).* **II.** *adj.* **1.** curat, îngrijit. **2.** dichisit. **III.** *vt., vi.* a (se) aranja, a (se) îmbrăca elegant.

sprung [sprʌŋ] *vt., vi. part. trec. de la* **spring**.

spry [sprai] *adj. amer.* **1.** vioi, sprinten; activ, prompt. || *look ~!* mişcă! **2.** dichisit. **3.** mof-turos; afectat.

spud [spʌd] **I.** *s.* **1.** săpăligă. **2.** obiect scurt şi gros. **3.** *sl.* car-tof. **4.** cuţit scurt; pumnal. **5.** *sl.* pici. **6.** *amer. sl.* bani. **II.** *vt.* **1.** a săpa cu săpăliga. **2.** a fora.

spume [spjuːm] **I.** *s.* spumă. **II.** *vi.* a face spumă.

spun [spʌn] *vt., vi. trec. şi part. trec. de la* **spin**.

spunk [spʌŋk] **I.** *s.* **1.** lemn care se aprinde repede; iască; chibrit. **2.** scânteie. **3.** *fam.* ardoare. **4.** supărare. **II.** *vi.* a se aprinde. || *to ~ out* a ieşi la iveală.

spur [spəː] **I.** *s.* **1.** pinten. **2.** *fig.* imbold, îndemn. || *to act on the ~ of the moment* a acţiona sub impulsul momentului, a nu sta mult pe gânduri. **II.** *vt.* **1.** a îndemna. **2.** a da pinteni *(cu dat.).* **3.** a împinge *(fig.).* **III.** *vi.* **1.** a da pinteni. **2.** a galopa.

spurge [spəːdʒ] *s. bot.* laptele-cucului *(Euphorbia).*

spurious ['spjuəriəs] *adj.* **1.** fals. **2.** prefăcut. **3.** înşelător.

spurn [spəːn] *vt.* **1.** a refuza cu dis-preţ. **2.** a lua de sus.

spurt [spəːt] **I.** *s.* **1.** jet, ţâşnitură. **2.** izbucnire. **3.** efort. **II.** *vt.* a arunca. **III.** *vi.* **1.** a ţâşni. **2.** a face un efort, a se încorda.

sputnik ['sputnik] *s.* sputnic, satelit artificial.

sputter ['spʌtə] **I.** *s.* **1.** izbucnire. **2.** bolboroseală. **II.** *vt., vi.* **1.** sfârâi; a împroşca. **2.** a rosti scuipând, a bolborosi.

sputum ['spjuːtəm], *pl.* **sputa** ['spjuːtə] *s.* salivă, scuipat; spută; flegmă.

spy [spai] **I.** *s.* **1.** spion. **2.** is-coadă. **II.** *vt.* **1.** a spiona. **2.** a iscodi. **III.** *vi.* a face spionaj. || *to ~ on* a pândi.

spy-glass ['spaiglɑːs] *s.* ochean.

Sqn. Ldr. *abrev. Squadron Leader* maior de aviaţie.

squab [skwɔb] **I.** *adj.* **1.** bondoc. **2.** fără pene. **3.** *fig.* scurt, con-cis. **4.** *fig.* sfios, timid. **II.** *s.* **1.** persoană bondoacă. **2.** porum-bel fără pene. **3.** pernă.

squabble ['skwɔbl] **I.** *s.* sfadă. **II.** *vi.* a se ciondăni.

squad [skwɔd] *s.* **1.** detaşament. **2.** escadron.

squaddie ['skwɔdi] *s. sl.* soldat.

squadron ['skwɔdrn] *s.* **1.** esca-dron. **2.** escadră. **3.** escadrilă.

squalid ['skwɔlid] *adj.* **1.** sordid; murdar. **2.** mizerabil; jalnic. **3.** sărăcăcios.

squall [skwɔːl] **I.** *s.* **1.** ţipăt. **2.** rafală *(de vânt).* **II.** *vt., vi.* a ţipa.

squally[1] ['skwɔːli] *adj.* **1.** vijelios, furtunos; năprasnic; cu rafale; *~ weather* vreme vijelioasă. **2.** *amer. fam.* ameninţător, prevestitor de nenorociri. || *things began to look ~* lucru-rile începură să ia o înfăţişare ameninţătoare.

squally[2] [skwɔːli] *adj.* **1.** *agr. reg.* cu porţiuni neproductive. **2.** *text.* defectuos, cu defecte; cu noduri.

squalor ['skwɔlə] *s.* **1.** murdărie. **2.** caracter sordid, sordiditate. **3.** mizerie (cumplită).

squander ['skwɔndə] *vt.* **1.** a risipi. **2.** a irosi.

squanderer ['skwɔndrə] *s.* mână spartă, risipitor.

square [skwɛə] **I.** *s.* **1.** pătrat. **2.** piaţă. **3.** cvartal. **4.** echer; teu. **II.** *adj.* **1.** pătrat. **2.** în unghi drept. **3.** ascuţit. **4.** corect, cinstit; echitabil. **5.** echilibrat. **6.** total. **7.** răspicat. **8.** mulţu-mitor, bun. || *all ~* la egalita-te. **III.** *vt.* **1.** a ridica la pătrat. **2.** a da formă pătrată *(cu dat.).* **3.** a fi perpendicular pe. **4.** a în-drepta. **5.** a echilibra; a achita. **6.** a reglementa, a pune la punct. **7.** a mitui. **IV.** *vi.:* *to ~ up to smb.* a se pune în gardă împotriva cuiva; a privi pe ci-neva cu duşmănie; *to ~ with* a se potrivi cu. **V.** *adv.* **1.** în unghi drept. **2.** direct. **3.** cinstit.

squarely ['skwɛəli] *adv.* **1.** în unghi drept. **2.** direct. **3.** cinstit; de la obraz.

squash [skwɔʃ] **I.** *s.* **1.** terci. **2.** aglomeraţie. **3.** suc de fructe. **4.** *bot.* dovleac; tărtăcuţă. **5.** v. **squash-rackets**. **II.** *vt.* **1.** a zdrobi, a terciui. **2.** a înăbuşi.

III. *vi.* **1.** a se turti, a se zdrobi. **2.** a se înghesui.

squash-rackets ['skwɔʃ,rækits] *s.* *sport.* un fel de tenis cu aruncarea mingii într-un perete.

squat [skwɔt] **I.** *adj.* **1.** îndesat. **2.** scurt şi gros. **3.** turtit. **II.** *vi.* **1.** a sta pe vine. **2.** a se aşeza. **3.** a ocupa un teren *(viran sau liber).*

squatter ['skwɔtə] *s.* **1.** primul ocupant al unui teren viran. **2.** fermier.

squaw [skwɔ:] *s.* indiană, soţie de (indian) piele-roşie.

squawk [skwɔ:k] **I.** *vi.* **1.** *(d. păsări etc.)* a cârâi. **2.** a scoate un sunet ascuţit *(de durere sau spaimă).* **II.** *s.* **1.** cârâit. **2.** sunet, strigăt strident, ascuţit. **3.** *sl.* nereuşită, păcăleală.

squeak [skwi:k] **I.** *s.* **1.** chiţăit. **2.** guiţat. **3.** primejdie. **II.** *vi.* a chiţăi. **2.** a guiţa. **3.** a trăda un secret, a turna.

squeaker ['skwi:kə] *s.* denunţător, turnător.

squeaky ['skwi:ki] *adj.* **1.** chiţăit; piţigăiat, ascuţit, strident. **2.** care scârţâie; scârţâit.

squeal [skwi:l] **I.** *s.* **1.** ţipăt; chelălăit. **II.** *vi.* **1.** a chelălăi. **2.** a-şi denunţa complicii, a turna. **3.** a se plânge.

squeamish ['skwi:miʃ] *adj.* **1.** fandosit. **2.** mofturos. **3.** îngreţoşat. **4.** pedant. **5.** preţios, afectat.

squeegee ['skwi:dʒi] **I.** *s.* **1.** mătură de cauciuc. **2.** *mar.* perie de curăţat puntea. **II.** *vt.* a mătura cu mătura de cauciuc.

squeeze [skwi:z] **I.** *s.* **1.** strânsoare. **2.** înghesuială. **3.** mită. **II.** *vt.* **1.** a strânge. **2.** a stoarce. **3.** a înghesui, a strecura, a furişa. **4.** a-şi croi *(drum).* **III.** *vr.* a se strecura, a se furişa.

squeezer ['skwi:zə] *s.* **1.** persoană *sau* obiect care presează / strânge / comprimă. **2.** *fam.* lovitură vârtoasă. **3.** *pl.* cărţi de joc cu valoarea imprimată pe colţul din dreapta sus. **4.** *tehn.* presă de stors.

squelch [skweltʃ] *fam.* **I.** *vt.* **1.** a călca în picioare; a strivi, a turti, a distruge. **2.** *amer.* a înăbuşi. **3.** a încurca *(pe cineva);* a scoate din fire. **II.** *vi.* **1.** a lipăi *(prin noroi, apă etc.).* **2.** a fi strivit. **III.** *s.* **1.** lovitură nimicitoare. **2.** prăbuşire.

squib [skwib] **I.** *s.* **1.** petardă; rachetă luminoasă *(care se* aruncă cu mâna). || *fam.* damp ~ afacere ratată. **2.** *mine.* capsă; amorsă. **3.** *fam.* pamflet. **4.** *înv.* pamfletist. **5.** *înv.* om de nimic, lepădătură. **6.** fursec. **II.** *vi.* **1.** a se foi. **2.** a exploda *(cu detunătură).* **3.** *fig.* a publica pamflete. **III.** *vt.* **1.** a face să explodeze. **2.** *fig.* a ataca cu pamflete.

squid [skwid] **I.** *s.* **1.** specie de sepie / calmar. **2.** momeală artificială metalică. **II.** *vi.* a pescui cu momeală artificială metalică.

squiffy ['skwifi] *adj. fam.* puţin băut, ameţit, cu chef.

squiggle ['skwigl] *vi.* **1.** *amer. fam.* a merge ca o râmă, a şerpui. **2.** a-şi clăti gura.

squint [skwint] **I.** *s.* **1.** strabism. **2.** privire, ocheadă. **II.** *vi.* a se uita cruciş *sau* cu coada ochiului.

squint-eyed ['skwintaid] *adj.* saşiu, zbanghiu.

squire [skwaiə] *s.* **1.** boiernaş. **2.** moşier, proprietar. **3.** tânăr cavaler. **4.** castelan, senior. **5.** *ist.* scutier.

squirearchy ['skwaiərɑ:ki] *s.* **1.** puterea proprietarilor funciari *(mai ales înaintea reformei din 1832).* **2.** clasa moşierilor; nobilime.

squirm [skwə:m] **I.** *vi.* **1.** a se agita, a se foi. **2.** *fig.* a se agita, a nu-şi găsi locul. **II.** *vt.*: *to ~ up a tree* a se căţăra într-un pom. **III.** *s.* **1.** mişcare şerpuită. **2.** agitaţie, foială. **3.** *sl.* elev neastâmpărat.

squirrel ['skwirl] *s. zool.* veveriţă *(Sciurus sp.).*

squirt [skwə:t] **I.** *s.* **1.** ţâşnitură. **2.** stropitoare. **3.** pompă de ulei. **II.** *vt.* a arunca. **III.** *vi.* a ţâşni.

SRN *abrev.* State Registered Nurse soră / asistentă medicală (cu diplomă).

SSE *abrev.* south-south-east sud-sud-est.

SSW *abrev.* south-south-west sud-sud-vest.

stab [stæb] **I.** *s.* **1.** înjunghiere. **2.** junghi. || *a ~ in the back* o mişelie. **II.** *vt.* **1.** a înjunghia. **2.** a străpunge. **3.** a răni *(şi fig.).* **III.** *vi.* **1.** a simţi junghiuri. **2.** *(d. durere)* a fi ca un junghi, a înţepa.

stability [stə'biliti] *s.* stabilitate.

stabilization [,steibilai'zeiʃn] *s.* **1.** stabilizare, consolidare, întărire. **2.** *mil.* trecere la războiul de poziţii.

stabilize ['stæbilaiz] *vt.* **1.** a stabiliza. **2.** a echilibra.

stabilizer ['steibilaizə] *s. tehn., av.* stabilizator.

stable ['steibl] **I.** *s.* grajd. **II.** *adj.* stabil, ferm. **III.** *vt.* a băga *sau* a ţine în grajd.

stable-boy ['steiblbɔi] *s.* *pl.* **stable-boys** ['steiblbɔiz] grăjdar.

stable-man ['steibl mən] *s.* *pl.* **stable-men** ['steiblmən] grăjdar.

stabling ['steibliŋ] *s.* **1.** munca de grăjdar. **2.** grajd(uri).

stablish ['stæbliʃ] *vt. înv.* a stabili, a fixa; a constitui.

staccato [stə'kɑ:tou] *adj. muz.* stacato, sacadat.

stack [stæk] **I.** *s.* **1.** teanc. **2.** morman. **3.** căpiţă. **4.** coş *(de vapor, de fabrică).* **II.** *vt.* a aranja în teancuri.

stadholder ['stædhouldə] *s. ist.* vicerege *sau* guvernator al unei provincii *sau* al unui oraş în Ţările de Jos.

stadium ['steidjəm] *s.* stadion.

staff [stɑ:f] **I.** *s.* **1.** prăjină. **2.** cârjă *(de păstor etc.).* **3.** băţ *(de steag etc.).* **4.** personal *(al unei instituţii).* **5.** redacţie. **6.** stat major. **7.** *muz.* linie de portativ; *pl.* **staves** [steivz] portativ. || *on the ~* pe schemă. **II.** *vt.* a numi personalul la, a încadra cu personal; a angaja oameni pentru *(o instituţie etc.).*

stag [stæg] *s.* **1.** cerb. **2.** *amer.* bărbat, mascul.

stage [steidʒ] **I.** *s.* **1.** scenă; estradă. **2.** *fig.* teatru. **3.** etapă. **4.** stadiu. **5.** diligenţă. || *to go on the ~* a se face actor; *by ~s* în etape. **II.** *vt.* **1.** a pune în scenă. **2.** a juca *(o piesă).* **3.** a înscena *(şi fig.).*

stage-coach ['steidʒkoutʃ] *s.* diligenţă.

stage directions ['steidʒdi,rekʃnz] *s. pl.* indicaţii de regie.

stage-fright ['steidʒfrait] *s.* trac.

stage-manager ['steidʒ,mænidʒə] *s.* director de scenă.

stager ['steidʒə] *s.* **1.** om încercat, vulpe bătrână. **2.** *înv.* comediant, actor.

stagger ['stægə] **I.** *s.* **1.** mers nesigur. **2.** bălăbăneală. **3.** ameţeală, leşin. **4.** *vet.* capie (a oilor). **5.** *tehn.* dispunere în trepte *sau* zigzag. **6.** *av. tehn.* decalaj. **II.** *vt.* **1.** a speria, a ului; a zăpăci. **3.** a eşalona, a decala. **III.** *vi.* **1.** a se bălăbăni. **2.** a se clătina pe picioare.

staggering ['stægəriŋ] *adj.* ameţitor; înnebunitor *(şi fig.).*

staging ['steidʒiŋ] *s.* punere în scenă, montare; înscenare.

stagnant ['stægnənt] *adj.* **1.** stagnant. **2.** *(d. apă)* stătătoare. **3.** *fig.* static, mort.

stagnate ['stægneit] *vi.* **1.** *(d. apă)* a fi stătătoare. **2.** *fig.* a stagna; a sta pe loc.

stagnation [stæg'neiʃn] *s.* **1.** stagnare, stare pe loc. **2.** *fig.* stagnare, nemişcare, inactivitate.

stag-party ['stæg,pɑːti] *s.* petrecere de *sau* pentru bărbaţi; chef între bărbaţi.

stagy ['steidʒi] *adj.* **1.** de scenă, teatral. **2.** *fig.* teatral, artificial.

staid [steid] *adj.* **1.** liniştit. **2.** serios, aşezat.

stain [stein] **I.** *s.* **1.** pată. **2.** colorare. **3.** culoare; colorant. **II.** *vt.* **1.** a păta *(şi fig.).* **2.** a colora. **III.** *vi.* a se colora.

stainless ['steinlis] *adj.* **1.** imaculat. **2.** inoxidabil.

stair [steə] *s.* **1.** treaptă *(a unei scări).* **2.** *pl.* scară *(a unei clădiri).* || *a flight of* ~s un şir de trepte.

staircase ['steəkeis] *s.* **1.** scară *(a unei clădiri).* **2.** casa scării.

stairway ['steəwei] *s.* **1. v. staircase.** **2.** *mine.* şir de scări.

stake [steik] **I.** *s.* **1.** par. **2.** stâlp. **3.** rug. **4.** miză. **5.** interes. || *at* ~ în joc; la bătaie; în chestiune; în primejdie; *to suffer at the* ~ a fi ars pe rug; *my honour is at* ~ e în joc onoarea mea, e vorba de reputaţia mea. **II.** *vt.* **1.** a sprijini. **2.** a miza. **3.** a marca. || *to* ~ *out / off one's claims* a-şi revendica drepturile.

stalactite ['stæləktait] *s.* stalactită.

stalagmite ['stæləgmait] *s. geol.* stalagmită.

stale [steil] *adj.* **1.** stătut. **2.** vechi. **3.** răsuflat.

stalemate ['steilmeit] **I.** *s.* **1.** pat *(la şah).* **2.** *fig.* impas. **II.** *vt.* **1.** *(la şah)* a face pat. **2.** *fig.* a aduce în impas.

stalk[1] [stɔːk] **I.** *s.* tulpină, pai. **II.** *vt.* **1.** a urmări (ca o umbră). **2.** a cutreiera, a străbate. **III.** *vi.* a umbla semeţ.

stalk[2] [stɔːk] **I.** *vi.* a vâna stând la pândă. **II.** *s.* **1.** pândă. **2.** pas maiestuos.

stalking horse ['stɔːkiŋ hɔːs] *s.* **1.** cal după care se ascunde vânătorul. **2.** *fig.* pretext, mască, scut.

stall [stɔːl] **I.** *s.* **1.** grajd. **2.** tarabă, stand. **3.** chioşc. **4.** stal. **5.** strană. **6.** *tehn. etc.*calare *(a motorului)*, oprire; stagnare. **7.** împotmolire *(şi fig.).* **8.** *av.* pierdere de viteză. **II.** *vt.* **1.** a adăposti *(vitele).* **2.** a opri. **III.** *vi.* **1.** a se opri, a stăvili. **2.** a se împotmoli. **3.** a stagna.

stallion ['stæljən] *s.* armăsar (de prăsilă).

stalwart ['stɔːlwət] **I.** *s.* **1.** viteaz. **2.** voinic. **II.** *adj.* **1.** voinic, robust, viguros. **2.** viteaz.

stamen ['steimən] *s. bot.* stamină.

stamina ['stæminə] *s.* **1.** vigoare. **2.** rezistenţă.

stammer ['stæmə] **I.** *s.* bâlbâială. **II.** *vt.* a rosti cu greu; a bâlbâi. **III.** *vi.* a se bâlbâi.

stammerer ['stæmərə] *s.* bâlbâit, gângav.

stamp [stæmp] **I.** *s.* **1.** pecete, ştampilă. **2.** semn. **3.** marcă; timbru. **4.** matriţă. **5.** şteamp. **6.** tipar. **7.** tip. **8.** bocănit, bătaie *(din picior).* **II.** *vt.* **1.** a ştampila. **2.** a însemna; a marca. **3.** a franca. **4.** a lovi cu piciorul. **5.** a zdrobi *(minereul).* **6.** a ştanţa; || *to* ~ *down* a turti, a zdrobi; *to* ~ *out* a distruge, a şterge (de pe faţa pământului), a lichida. **III.** *vi.* a bate din picior.

stamp-album ['stæmp,ælbəm] *s.* album filatelic.

stamp-collector ['stæmpkə,lektə] *s.* filatelist, colecţionar de timbre.

stampede [stæm'piːd] **I.** *s.* **1.** panică. **2.** învălmăşeală. **3.** goană. **II.** *vt.* a speria. **III.** *vi.* **1.** a se speria; a intra în panică. **2.** a fugi în neorânduială / dezordine.

stance [stæns] *s.* **1.** poziţie; atitudine, ţinută. **2.** *(golf)* poziţia picioarelor în momentul lovirii mingii.

stanch [stɑːntʃ] **I.** *vt.* **1.** a opri curgerea *(sângelui).* **2.** a pansa. **3.** *fig.* a domoli, a linişti. **II.** *vi.* a se opri (să curgă).

stanchion ['stɑːnʃn] *s.* stâlp de susţinere.

stand [stænd] **I.** *s.* **1.** suport. **2.** pupitru *(pentru muzică).* **3.** stand. **4.** chioşc. **5.** staţie (de taxiuri). **6.** tribună. **7.** poziţie. **8.** loc. **9.** atitudine. **II.** *vt. trec. şi part. trec.* **stood** [stuːd] **1.** a aşeza. **2.** a instala. **3.** a pune (în picioare). **4.** a suporta. **5.** a rezista la. **6.** a oferi; a trata cu. **7.** a plăti. **8.** a fi supus la. || *to* ~ *one's ground* a se menţine

pe poziţie. **III.** *vi. trec. şi part. trec.* **stood** [stuːd] **1.** a sta (în picioare). **2.** a se ridica. **3.** a fi aşezat. **4.** a se opri. **5.** a rămâne. **6.** a nu se mişca; a nu se deplasa. **7.** a se afla (într-o situaţie). **8.** a fi valabil. || *to*~*alone* a se susţine singur; a nu avea pereche *sau* rival; *to* ~ *at attention* a sta în poziţie de drepţi; *to* ~ *at ease* a sta în poziţia „pe loc repaus"; *to*~ *by* a sta în preajma; a ajuta; a-şi menţine; *to* ~ *fast* a nu se clinti *(şi fig.);* *to* ~ *for* a reprezenta; a însemna; a înlocui; a susţine; a candida pentru; *to* ~ *in* a participa *(la cheltuieli etc.);* *to* ~ *smb. in good stead* a folosi cuiva; *to* ~ *off* a se ţine deoparte; *he* ~s *on ceremony* e foarte ceremonios; *to* ~ *out* a fi proeminent, a se distinge; a rezista; *it* ~s *to reason* se înţelege de la sine; e la mintea cocoşului; *to* ~ *to win smth.* a fi în situaţia de a câştiga ceva; *to* ~ *up* a se ridica în picioare; *to* ~ *up for* a apăra; a sprijini; *to* ~ *up to* a înfrunta.

standard ['stændəd] *s.* **1.** drapel, stindard. **2.** emblemă. **3.** principiu. **4.** etalon. **5.** standard. **6.** nivel. **7.** suport; proptea; stâlp.

standard-bearer ['stændəd,beərə] *s.* stegar, port-drapel.

standardization [,stændədai'zeiʃn] **1.** standardizare, tipizare. **2.** normare.

standardize ['stændədaiz] *vt.* a standardiza.

standard time ['stændədtaim] *s.* ora oficială.

stand-by ['stændbai] **I.** *s.* sprijin, om de încredere. **II.** *adj.* **1.** de rezervă; auxiliar. **2.** de sprijin.

standing ['stændiŋ] **I.** *s.* **1.** durată. **2.** poziţie. **3.** rang. **II.** *adj.* **1.** din picioare. **2.** de pe loc. **3.** permanent. **4.** drept.

stand-offish ['stænd,ɔːfiʃ] *adj.* **1.** semeţ, trufaş. **2.** înţepat, ţeapăn.

standpipe ['stændpaip] *s.* **1.** *tehn.* tub piezometric. **2.** *mine.* încărcător.

standpoint ['stænpoint] *s.* **1.** punct de vedere. **2.** atitudine, poziţie.

standstill ['stænstil] *s.* **1.** oprire. **2.** impas.

stanhope ['stænəp] *s.* cabrioletă *(cu un loc).*

stank [stæŋk] *vt., vi. trec.* de la **stink.**

stanza ['stænzə] *s.* strofă.

staphylococcus [‚stæfilə'kɔkəs], *pl.* **staphylococci** ['stæfilə'kɔksai] *s.* stafilococ.

staple ['steipl] **I.** *s.* **1.** belciug. **2.** capsă *(pentru hârtie).* **3.** marfă, articol de larg consum. **4.** materie primă. **5.** esenţă. **6.** subiect principal. **II.** *adj.* **1.** principal. **2.** cel mai răspândit. **3.** standard, de rând. **III.** *vt.* **1.** a capsa *(hârtii).* **2.** a lega.

staple fibre ['steipl‚faibə] *s.* celofibră.

star [stɑ:] **I.** *s.* **1.** stea; corp ceresc. **2.** asterisc. || *to see ~s* a vedea stele verzi; *the ~s and stripes; the ~ spangled banner* drapelul american. **II.***vt.* **1.** a însemna cu asteriscuri. **2.** a prezenta ca vedetă. **III.** *vi.* a juca rolul principal.

starboard ['stɑ:bəd] *s.* nav. tribord.

starch [stɑ:tʃ] **I.** *s.* **1.** scrobeală. **2.** amidon. **3.** îngâmfare. **II.** *vt.* a scrobi.

starchy ['stɑ:tʃi] *adj.* de scrobeală; cu amidon. **2.** *fig.* formal; rigid.

stardom ['stɑ:dəm] *s.* **1.** lumea stelelor. **2.** stele; aştri. **3.** *(teatru etc.)* stele. **4.** *(teatru etc.)* glorie, calitate de vedetă.

stare [stɛə] **I.** *s.* **1.** privire fixă. **2.** privire în gol. **II.** *vt.* a privi. **III.** *vi.* **1.** a privi lung. **2.** a privi în gol.

starfish ['stɑ:fiʃ] *s.* zool. stea de mare *(Asteroidea sp.).*

star-gazer ['stɑ:‚geizə] *s.* **1.** astrolog; cititor în stele. **2.** visător.

stark [stɑ:k] **I.** *adj.* **1.** ţeapăn. **2.** curat. **3.** complet. **II.** *adv.* complet. || *~ mad* nebun de legat; *~ naked* gol puşcă.

starless ['stɑ:lis] *adj.* fără stele.

starlet ['stɑ:lit] *s.* **1.** steluţă. **2.** starletă, vedetă de mâna a doua.

starlight ['stɑ:lait] *s.* lumina stelelor.

starlike ['stɑ:laik] *adj.* în formă de stea; ca o stea.

starling ['stɑ:liŋ] *s.* ornit. graur *(Sturnus vulgaris).*

starlit ['stɑ:lit] *adj.* înstelat.

starry ['stɑ:ri] *adj.* **1.** înstelat. **2.** luminos. **3.** strălucitor.

star-spangled ['stɑ: spæŋgld] *adj.* înstelat. || *the ~ banner* drapelul S.U.A.

start [stɑ:t] **I.** *s.* **1.** început. **2.** începere. **3.** start. **4.** avantaj. **5.** tresărire. **6.** smucitură. || *by fits and ~s* pe apucate. **II.** *vt.* **1.**

a începe. **2.** a porni. **3.** a iniţia. **4.** a lansa. **5.** a da drumul la *(cu dat.).* **6.** a stârni. **III.** *vi.* **1.** a porni, a începe. **2.** a se stârni. **3.** a se porni. **4.** a tresări. **5.** a ieşi. || *to~ from scratch* a porni de la zero; *to ~ off* a începe; *to ~ out* a porni; *to ~ up* a tresări; a se naşte; *to ~ with* în primul rând; *to~ with a clean slate* a face tabula rasa, a porni de la zero.

starter ['stɑ:tə] *s.* **1.** starter. **2.** concurent. **3.** demaror. **4.** aperitiv, hors d'œuvre.

starting-point ['stɑ:tiŋpɔint] *s.* **1.** punct de plecare, început. **2.** start.

startle ['stɑ:tl] *vt.* **1.** a surprinde. **2.** a speria.

startling ['stɑ:tliŋ] *adj.* **1.** izbitor, uimitor, neaşteptat. || *~ resemblance* asemănare izbitoare. **2.** senzaţional. **3.** înspăimântător, înfiorător.

starvation [stɑ:'veiʃn] *s.* **1.** foame(te). **2.** inaniţie, înfometare.

starve [stɑ:v] **I.** *vt.* **1.** a înfometa. **2.** a ucide, a distruge. **3.** a stinge *(un foc).* || *to be ~d* a muri de foame *(şi fig.).* **II.** *vi.* **1.** a muri de foame. **2.** a fi înfometat. **3.** *înv.* a muri de frig; a fi îngheţat bocnă. || *to ~ for* a tânji după.

starveling ['stɑ:'vliŋ] **I.** *s.* (om) lihnit; (om) leşinat de foame, „maţe-goale". **II.** *adj.* înfometat.

state [steit] **I.** *s.* **1.** stare. **2.** situaţie. **3.** rang. **4.** pompă, ceremonie. **5.** demnitate. **6.** *(mai ales* **State)** stat. **7.** guvern. **II.** *adj.* **1.** *(mai ales* **State)** de stat. **2.** oficial. **3.** statal. **III.** *vt.* **1.** a declara. **2.** a exprima. **3.**a explica. **4.** a stabili. || *to ~ in part* a spune printre altele.

statecraft ['steitkrɑ:ft] *s.* politică, diplomaţie.

stated ['steitid] *adj.* **1.** declarat. **2.** stabilit (dinainte).

State Department ['steitdi'pɑːtmənt] *s.* Departamentul de Stat, Ministerul de externe al S.U.A.

statehood ['steithu:d] *s.* pol. suveranitate *(mai a ales a statelor din S.U.A.).*

Statehouse ['steithaus] *s.* pol. clădirea parlamentului, Capitoliu *(în S.U.A.).*

stateliness ['steitlinis] *s.* **1.** maiestate, măreţie, aspect impunător. **2.** demnitate. **3.** strălucire. **4.** sublim.

stately ['steitli] *adj.* **1.** maiestuos. **2.** magnific. **3.** impresionant.

statement ['steitmənt] *s.* **1.** declaraţie. **2.** exprimare. **3.** bilanţ.

States General ['steits 'dʒenərəl] *s. pl. ist.* statele generale.

statesman ['steitsmən] *s. pl.* **statesmen** ['steitsmən] **1.** politician. **2.** om de stat.

statesmanlike ['steitsmənlaik] *adj.* de om de stat, de politician.

statesmanship ['steitsmənʃip] *s.* v. **statecraft**.

static ['stætik] **I.** *adj.* static, nemişcat. **II.** *s.* electricitate statică.

statical ['stætikəl] *adj.* static.

statics ['stætiks] *s. pl. (folosit ca sing.)* **1.** statică. **2.** *rad.* paraziţi.

station ['steiʃn] **I.** *s.* **1.** loc. **2.** staţie; gară. **3.** local. **4.** bază militară. **5.** rang, statut social. **II.** *vt. mil.* a staţiona, a disloca.

stationary ['steiʃnəri] *adj.* **1.** staţionar. **2.** neschimbat.

stationer ['steiʃnə] *s.* **1.** corsetier. **2.** librar. **3.** negustor de papetărie.

stationery ['steiʃnəri] *s.* (magazin de) papetărie.

station-wag(g)on ['steiʃn'wægn] *s. auto.* automobil de teren.

statist ['steitist] *s.* **1.** v. **statistician**. **2.** partizan al economiei planificate / de stat.

statistical [stə'tistikl] *adj.* statistic, privitor la statistică.

statistician [stətis'tiʃn] *s.* statistician.

statistics [stə'tistiks] *s. pl (folosit ca sing.)* statistică.

statuary ['stætjuəri] *s.* **1.** arta sculpturii. **2.** galerie de statui.

statue ['stætju:] *s.* statuie.

statuesque [‚stætju'esk] *adj.* statuar, de statuie.

statuette ['stætju'et] *s.* statuetă.

stature ['stætʃə] *s.* **1.** statură. **2.** *fig.* valoare, importanţă.

status ['steitəs] *s.* **1.** situaţie. **2.** rang. **3.** *jur.* statut.

statute ['stætju:t] *s. (mai ales pl.)* **1.** lege. **2.** statut.

statutory ['stætjutri] *adj.* statutar.

staunch [stɔ:ntʃ] **I.** *adj.* **1.** fidel. **2.** neclintit. **II.** *vt.* a opri (sângele).

stave [steiv] **I.** *s.* **1.** prăjină. **2.** doagă. **3.** linie de portativ. **4.** strofă. **II.** *vt.* **1.** a sparge. **2.** a zdrobi.

stay [stei] **I.** *s.* **1.** şedere. **2.** oprire. **3.** întârziere. **4.** amânare. **5.** odgon. **6.** sprijin. **7.** *pl.* corset. **II.** *vt.* **1.** a propti. **2.** a susţine. **3.** a potoli. **4.** a amâna. **5.** a reţine. **6.** a opri. **7.** a suporta. **III.** *vi.* **1.** a sta, a rămâne. **2.** a rezista. **3.** a locui.

stay-at-home ['steɔtoum] s. cloş-car, om căruia îi place să stea acasă.

stayer ['steiɔ] s. 1. sprijin. 2. per-soană care stă sau rămâne.

stay-in strike ['steiinstraik] s. gre-vă cu ocuparea întreprinderii.

stead [sted] s.: in smb.'s ~ în locul cuiva; to stand smb. in good ~ a fi de folos cuiva.

steadfast ['stedfɔst] adj. 1. neclin-tit. 2. fidel. 3. ceremonios.

steadfastness ['stedfɔstnis] s. 1. fermitate. 2. fidelitate. 3. cre-dinţă.

steadily ['stedili] adv. 1. ferm. 2. serios. 3. regulat. 4. constant. 5. harnic.

steady ['stedi] I. adj. 1. ferm, ne-clintit. 2. sigur. 3. uniform, re-gulat. 4. serios. 5. harnic. 6. cu-minte. 7. constant. || ~! ai gri-jă!; uşurel! II. vt.,vi. a (se) linişti.

steak [steik] s. friptură, fleică.

steal [sti:l] I. vt. trec. **stole** [stoul], part. trec. **stole** [stouln] 1. a fura. 2. a lua pe furiş. 3. a smul-ge, a obţine. II. vi. trec. **stole** [stoul], part. trec. **stolen** [stouln] 1. a se strecura, a se furişa. 2. a fura.

stealth [stelθ] s.: by ~ pe furiş; în secret.

stealthily ['stelθili] adv. pe furiş.

stealthy ['stelθi] adj. 1. furiş. 2. tainic. 3. clandestin. 4. prudent.

steam [sti:m] I. s. 1. aburi, vapori. 2. energie. II. vt. 1. a aburi. 2. a încălzi la aburi. III. vi. tehn. a merge sub presiune.

steamboat ['sti:mbout] s. nav. va-por.

steam-engine ['sti:m,endʒin] s. 1. maşină cu vapori / aburi. 2. ferov. locomotivă.

steamer ['sti:mɔ] s. 1. vapor. 2. oală cu aburi. 3. etuvă.

steam-roller ['sti:m,roulɔ] I. s. 1. compresor (rutier). 2. fig. pute-re zdrobitoare. II. vt. 1. a ne-tezi. 2. fig. a zdrobi. 3. pol. etc. a impune.

steamship ['sti:mʃip] s. mar. va-por, navă cu abur.

steamy ['sti:mi] adj. 1. fumegând. 2. aburit.

stearin ['stiɔrin] s. chim. stearină.

steatite ['stiɔtait] s. minr. steatită.

steed [sti:d] s. armăsar.

steel [sti:l] I. s. 1. oţel. 2. instru-ment de oţel. 3. armă; (mai a-les) sabie. II. adj. 1. de oţel. 2. oţelit. III. vt. a oţeli.

steely ['sti:li] adj. 1. de oţel. 2. o-ţelit. 3. de culoarea oţelului.

steelyard ['stiljɑ:d] s. balanţă ro-mană.

steep [sti:p] I. adj. 1. abrupt. 2. (d. preţuri) exorbitant. 3. exagerat. II. vt. 1. a cufunda. 2. a înmuia.

steepen ['sti:pn] I. vt. 1. a face mai abrupt. 2. a mări, a spori. II. vi. a deveni mai abrupt.

steeple ['sti:pl] s. clopotniţă, turlă.

steeplechase ['sti:pltʃeis] s. sport alergare (călare) cu obstacole.

steepness ['sti:pnis] s. 1. caracter râpos / abrupt. 2. loc râpos.

steer [stiɔ] I. s. juncan. II. vt. 1. a cârmi. 2. a călăuzi. III. vi. a sta la cârmă, a cârmi. || to ~ clear of a evita.

steerage ['stiɔridʒ] s. 1. pilotare, ghidare. 2. conducere, guver-nare, administraţie. 3. curs, di-recţie, mişcare; fig. cale. 4. mar. clasa a patra (pentru pasageri).

steering-wheel ['stiɔriŋwi:l] s. 1. nav. timonă, roata cârmei. 2. auto. volan.

steersman ['stiɔzmɔn] s. pl. **steersmen** ['stiɔzmɔn] câr-maci, timonier, pilot.

stein [stain] s. cană de lut (din care se bea bere).

stela ['sti:lɔ], pl. **stelae** ['sti:li:] s. arh. stelă.

stellar ['stelɔ] adj. 1. stelar; astral; în formă de stea. 2. plin de stele, înstelat. 3. fig. principal, de frunte.

stem [stem] I. s. 1. tulpină. 2. ori-gine; arbore genealogic. 3. pi-cior de pahar. 4. proră. II. vt. 1. a stăvili, a opri. 2. a înfrunta. III. vi. 1. a se naşte. 2. a fi pro-vocat.

stench [stentʃ] I. s. duhoare, pu-toare, miros greu. II. vt. a îm-puţi, a face să miroasă.

stencil ['stensl] I. s. matriţă; tipar. II. vt. 1. a matriţa. 2. a copia.

Sten gun ['sten gʌn] s. mitralieră uşoară, puşcă mitralieră.

stenographer [ste'nɔgrɔfɔ] s. ste-nograf; stenografă.

stenographic(al) [,stenɔ'græ-fik(ɔl)] adj. stenografic.

stenography [ste'nɔgrɔfi] s. ste-nografie.

stentorian [sten'tɔ:riɔn] adj. (d. glas) de stentor, răsunător.

step [step] I. s. 1. pas. 2. urmă de pas. 3. ritm. 4. măsură; de-mers. 5. procedeu. 6. treaptă. 7. grad, cin. 8. muz. interval. || ~ by ~ treptat; in ~ în ritm; în pas (cu); to take ~s a lua mă-suri, a acţiona. II. vt. 1. a păşi. 2. a face (un pas). 3. a măsura

cu pasul. || ~ it mergi; dan-sează; to ~ up a spori, a ridica. III. vi. a păşi. || to ~ aside a se da la o parte; to ~ in a intra; a interveni; to ~ into a se a-puca de; a căpăta; to ~ on it sau to ~ on the gas a se grăbi, a-i da bice. IV. adj. vitreg.

step-brother ['step,brʌðɔ] s. frate vitreg.

step-child ['steptʃaild] s. copil vi-treg.

stepdame ['stepdeim] s. înv. ma-mă vitregă, maşteră.

step-daughter ['step,dɔ:tɔ] s. fiică vitregă.

step-father ['step,fɑ:ðɔ] s. tată vi-treg.

stephanotis [stefɔ'noutis] s. bot. plantă ornamentală din genul Stephanotis.

step-ladder ['step,lædɔ] s. scăriţă, scară mobilă.

step-mother ['step,mʌðɔ] s. ma-mă vitregă, maşteră.

steppe [step] s. stepă.

stepper ['stepɔ] s. 1. persoană ca-re merge / păşeşte. 2. cal, fu-gar. 3. amer. fam. persoană vioaie şi activă. 4. pl. sl. pi-cioare.

stepping stone ['stepiŋ ,stoun] s. 1. piatră de pus piciorul (la traversarea unui râu). 2. fig. treaptă, mijloc (pentru atinge-rea unui ţel).

step-son ['stepsʌn] s. fiu vitreg.

stereo- [stiɔriou] prefix stereo-.

stereoscope ['stiɔriɔskoup] s. ste-reoscop.

stereoscopic [,stiɔriɔs'kɔpik] adj. stereoscopic.

stereotee ['stiɔriɔtaip] I. s. stereotipie. II. vt. 1. a repro-duce prin stereotipie. 2. fig. a repeta aidoma.

stereotyped ['stiɔriɔtaipt] adj. 1. stereotip. 2. imitat.

sterile ['sterail] adj. steril.

sterility [ste'riliti] s. sterilitate.

sterilization [,sterili'zeiʃn] s. steri-lizare.

sterilize ['sterilaiz] vt. a steriliza.

sterling ['stɔ:liŋ] I. adj. pur, (de ar-gint) curat. II. s. 1. ist. monedă englezească. 2. liră sterlină.

stern [stɔ:n] I. s. 1. mar. pupă. 2. coadă. II. adj. 1. sever. 2. aspru. 3. cumplit.

sternness ['stɔ:nnis] s. 1. serio-zitate. 2. asprime, duritate.

sternum ['stɔ:nɔm], pl. **sterna** ['stɔ:nɔ] s. anat. stern.

steroid ['stiɔrɔid] s. fiziol. steroid.

sterol ['stiɔrɔl] s. chim. sterol.

stertorous ['stɔːtərəs] *adj. (d. glas)* răguşit, gros, hârâit.

stethoscope ['steθəskoup] *s.* stetoscop.

stetson ['stetsn] *s.* pălărie texană / Stetson.

stevedore ['stiːvidɔː] *s.* docher, muncitor portuar.

stew [stjuː] **I.** *s.* **1.** ostropel; mâncare înăbuşită. **2.** agitaţie. **3.** bucluc, necazuri. **II.** *vt.* a fierbe la foc mic *sau* înăbuşit. || *let him ~ in his own juice* lasă-l să fiarbă în zeama lui.

steward ['stjuəd] *s.* **1.** steward; chelner. **2.** administrator. **3.** intendent. **4.** angajat.

stewardess ['stjuədis] *s.* stewardesă.

stewardship ['stjuədʃip] *s.* **1.** funcţia de steward / de ospătar. **2.** administraţie, direcţie, gestiune.

stew pan ['stjuː ˌpæn] *s.* cratiţă, tigaie.

stick [stik] **I.** *s.* **1.** băţ, baston. **2.** baghetă. **3.** om prostuţ *sau* stângaci. **II.** *vt. trec. şi part. trec.* **stuck** [stʌk] **1.** a sprijini, a propti. **2.** a înfige, a băga. **3.** a lipi. **4.** a fixa. **5.** a suporta.|| *to ~ a pig* a frige un porc *(în frigare); to ~ out* a scoate *(limba etc.); to ~ up* a jefui. **III.** *vi. trec. şi part. trec.* **stuck** [stʌk] **1.** a intra. **2.** a înţepa. **3.** a se lipi. **4.** a se înţepeni. **5.** a rămâne neclintit. || *to ~ at smth.* a se înapoia de la; *to ~ up* a se ridica; *to ~ up to* a se împotrivi la; *to ~ out* a ieşi în afară.

sticker ['stikə] *s.* **1.** măcelar. **2.** cuţit de măcelărie. **3.** cuţit de vânătoare. **4.** *sl.* cârlig de pescuit; harpon. **5.** *fig.* observaţie tăioasă; întrebare derutantă. **6.** om care lipeşte afişe. **7.** partizan, adept, suporter.

stick-in-the-mud ['stiknˌðəmʌd] **I.** *s.* **1.** om mărginit, conservator. **2.** reacţionar. **II.** *adj.* **1.** încet, greoi. **2.** conservator. **3.** demodat, cu concepţii învechite. **4.** mărginit.

stickle[1] ['stikl] **I.** *vt. înv.* a aplana *(o ceartă).* **II.** *vi.* **1.** a ezita. **2.** a oscila *(în atitudine).* **3.** a lupta dârz. **4.** a lua partea cuiva.

stickle[2] ['stikl] **I.** *adj.* **1.** abrupt; înalt; inaccesibil. **2.** *(d. ape)* repede. **II.** *s.* curent puternic *(al unei ape).*

stickleback ['stiklbæk] *s. iht.* plevuşcă-ghimpoasă *(Gasterosteus aculeatus).*

stickler ['stiklə] *s.* maniac. || *~ for etiquette* formalist, om care insistă (exagerat) asupra etichetei *sau* manierelor.

stick-up [stikʌp] *s. sl.* guler înalt *(de cămaşă).*

sticky[1] ['stiki] *adj.* **1.** lipicios, cleios, vâscos. **2.** *(d. vreme)* umed, ceţos. **3.** *fam.*critic; lipsit de bunăvoinţă. || *he was very ~ about giving me leave* cu mare greutate mi-a dat permisia. **4.** *sl.* rău, prost, urât.

sticky[2] ['stiki] *adj.* ca un băţ, ţeapăn.

stiff [stif] **I.** *s.* cadavru. **II.** *adj.* **1.** ţeapăn, tare. **2.** înţepenit. **3.** greoi. **4.** rece, glacial. **5.** dificil. **6.** concentrat, tare. **7.** puternic. **8.** *(d. preţ)* exagerat.|| *to keep a ~ upper lip* a nu se da bătut.

stiffen ['stifn] *vt., vi.* **1.** a (se) înţepeni. **2.** a (se) întări.

stiff-necked ['stif'nekt] *adj.* **1.** încăpăţânat. **2.** înţepenit, înţepat *(fig.).* **3.** semeţ.

stiffness ['stifnis] *s.* **1.** rigiditate, înţepeneală. **2.** asprime, duritate. **3.** fermitate; hotărâre; severitate. **4.** *fig.* tenacitate. **5.** *fig.* constrângere, silă. **6.** încordare *(a unei coarde).*

stifle ['staifl] *vt., vi.* a (se) înăbuşi.

stigma ['stigmə] *s.* stigmat.

stigmatic [stig'mætik] **I.** *adj.* **1.** însemnat; *fig.* înfierat. **2.** (prea) critic, aspru; detestabil. **3.** *zool., bot.* referitor la stigmă, de stigmă, ca o stigmă. **II.** *s.* stigmatizat.

stigmatize ['stigmətaiz] *vt.* a înfiera, a stigmatiza.

stile [stail] *s.* pârleaz. || *to help a lame dog over a ~* a ajuta pe cineva la nevoie.

stiletto [sti'letou] *s.* **1.** stilet. **2.** sulă.

stiletto heel [sti'letouhiːl] *s.* toc cui.

still[1] [stil] **I.** *s.* **1.** linişte. **2.** alambic. **3.** fotografie; secvenţă *(dintr-un film).* **II.** *adj.* **1.** liniştit. **2.** tăcut. **3.** tihnit. **4.** fără viaţă. **III.** *vt.* **1.** a linişti. **2.** a potoli. **IV.** *adv.* **1.** încă (şi mai). **2.** ba chiar. **3.** (şi) totuşi. **4.** mereu.

still[2] [stil] **I.** *vt.* **1.** a distila. **2.** *înv.* a lăsa să picure *(lacrimi).* **II.** *vi.* a picura.

still-born ['stilbɔːn] *adj.* născut mort.

still life [ˌstil'laif] *s. pl.* **still-lifes** [ˌstil'laifs] natură moartă.

stillness ['stilnis] *s.* linişte; tăcere.

stilly ['stili] **I.** *adj. poet.* liniştit, tihnit, calm. **II.** *adv. rar* liniştit.

stilt [stilt] **I.** *s. pl.* picioroange, catalige. || *fig. on ~s* bombastic. **II.** *vt.* **1.** a pune pe picioroange. **2.** a ridica prin mijloace artificiale.

stilted ['stiltid] *adj.* **1.** artificial. **2.** pretenţios. **3.** afectat.

Stilton ['stiltn] *s.* Stilton *(varietate superioară de brânză).*

stimulant ['stimjulənt] **I.** *adj.* stimulator; excitant; întăritor, fortificant, tonic. **II.** *s.* **1.** stimulent, întăritor. **2.** băutură alcoolică, alcool.

stimulate ['stimjuleit] *vt.* **1.** a stimula. **2.** a aţâţa.

stimulation [ˌstimju'leiʃn] *s.* **1.** stimul, impuls, excitare. **2.** *fig.* încurajare, îmboldire, întărire.

stimulator ['stimjuleitə] *s.* stimulator.

stimuli ['stimjulai] *s. pl. de la* **stimulus.**

stimulus ['stimjuləs] *s. pl.* **stimuli** ['stimjulai] stimulent, stimul.

sting [stiŋ] **I.** *s.* **1.** înţepătură. **2.** pişcătură. **3.** imbold. **II.** *vt. trec. şi part. trec.* **stung** [stʌŋ] **1.** a înţepa. **2.** a răni *(fig.).* **3.** a stârni. **III.** *vi. trec. şi part. trec.* **stung** [stʌŋ] a fi înţepător.

stinger ['stiŋə] *s.* **1.** *fam.* lovitură *(bine aplicată);* lovitură dureroasă; remarcă usturătoare. **2.** persoană care împunge / răneşte. **3.** insectă *sau* plantă care înţeapă. **4.** vreme rece cu îngheţ. **5.** *amer.* cocteil din brandy şi lichior.

stinging ['stiŋiŋ] *adj.* **1.** înţepător, usturător, dureros. **2.** *fig.* caustic, înţepător, muşcător.

stinging-nettle ['stiŋiŋˌnetl] *s. bot.* urzică *(Urtica dioica).*

stingy ['stindʒi] *adj.* **1.** cărpănos. **2.** meschin. **3.** sărăcăcios.

stink [stiŋk] **I.** *s.* duhoare, putoare. **II.** *vt. trec. şi part. trec.* **stunk** [stʌŋk]: *to ~ out* a izgoni *(din cauza mirosului).* **III.** *vi. trec. şi part. trec.* **stunk** [stʌŋk] a puţi.

stinker ['stiŋkə] *s.* **1.** persoană care miroase urât; om împuţit. **2.** *ornit.* pasăre marină care se hrăneşte cu stârvuri.

stinking ['stiŋkiŋ] *adj.* **1.** (rău) mirositor, împuţit. **2.** *fam.* murdar, ordinar.

stint [stint] **I.** *vt.* **1.** a tăia, a reteza. **2.**a reduce, a limita. || *he does not ~ his praise* nu precupeţeşte laudele. **2.** a repartiza *(o anumită muncă)*. **3.** *reg.* a împerechea *(o iapă)*. **4.** *înv.* a opri, a face să înceteze. **II.** *vi.* **1.** a înceta, a se opri. **2.** a se restrânge. **3.** a șovăi (în vorbe). **III.** *s.* **1.** reducere, limitare; limită, măsură. **2.** parte; porție; rație; cantitate. **3.** *mine.* schimb, munca de o zi a unui miner.

stinting ['stintiŋ] *s.* **1.** restricție; restrângere. **2.** zgârcenie, calicie.

stintless ['stintlis] *adj.* **1.** altruist. **2.** plin de abnegație.

stipend ['staipend] **I.** *s.* salariu, leafă, stipendiu, subsidiu. **II.** *vt.* *rar* a salariza.

stipendiary ['stai'pendiəri] **I.** *adj.* plătit, salariat; stipendiat. **II.** *s.* salariat; stipendiat.

stipple ['stipl] **I.** *vt.* a grava / picta cu puncte, a puncta. **II.** *s.* arta / metoda desenului *sau* a gravurii punctate.

stipulate ['stipjuleit] **I.** *vt.* a stipula. **II.** *vi.*: to ~ for a prevedea, a stipula.

stipulation [,stipju'leiʃn] *s.* **1.** stipulare, convenție; promisiune. **2.** condiționare; menționare; clauză, condiție.

stipule ['stipju:l] *s.* *bot.* stipelă, frunză secundară.

stir [stə:] **I.** *s.* **1.** agitație. **2.** senzație. **3.** mișcare. **II.** *vt.* **1.** a agita, a mișca. **2.** a învârti. **3.** a stârni. || *no to ~ an eyelid* a rămâne neclintit; *not to ~ a finger* a nu se deranja; *to ~ the blood* a entuziasma; a face să-ți fiarbă sângele în vine. **III.** *vi.* **1.** a se mișca. **2.** a se agita. **3.** a se stârni.

stirring ['stə:riŋ] *adj.* **1.** emoționant. **2.** entuziasmant. **3.** ațâțător.

stirrup ['stirəp] *s.* scară (la șa).

stirrup-cup ['stirəpkʌp] *s.* păhărel băut la botul calului.

stitch [stitʃ] **I.** *s.* **1.** însăilare. **2.** răzor. **3.** cusut; cusătură. **4.** junghi. **II.** *vt., vi.* a însăila.

stiver[1] ['staivə] *s.* **1.** *înv.* cea mai mică monedă, bănuț. || *not worth a ~* a nu face doi bani; *he hasn't a ~* n-are un ban. **2.** *fig.* nimic, fleac, bagatelă.

stiver[2] ['staivə] *s.* *înv.* târfă, otreapă.

stoat [stout] *s.* *zool.* hermelină *(Mustela erminea)*.

stock [stɔk] **I.** *s.* **1.** tulpină. **2.** trunchi. **3.** ciot; butuc *(și fig.)*. **4.** portaltoi. **5.** pat (de pușcă). **6.** arbore genealogic, origine.

7. material (brut). **8.** stoc. **9.** depozit. **10.** sursă. **11.** transport. **12.** grămadă. **13.** șeptel. **14.** bonuri de tezaur. **15.** capital. **16.** (pachete de) acțiuni. **17.** *pl.* obezi *(instrument de tortură)*. **18.** *pl.* *nav.* cală *(pt. reparat vapoare)*. **19.** *bot.* micsandră. || *to have* sau *keep in ~ com.* a ține *(o marfă)*; *out of ~* epuizat; *to take ~ of* a inventaria; a cântări (din ochi); a trece în revistă *(fig.)*; *on the ~s* pe butuci, în reparație. **II.** *adj.* **1.** obișnuit. **2.** la îndemână. **3.** banal. **III.** *vt.* **1.** a aproviziona. **2.** a stoca.

stockade [stɔ'keid] *s.* gard de apărare, palisadă.

stock-breeder ['stɔk,bri:də] *s.* crescător de animale.

stock-broker ['stɔk,broukə] *s.* *fin.* agent de bursă (pentru acțiuni), curtier.

stockdove ['stɔkdʌv] *s.* *ornit.* porumbel-sălbatic (Columba oenas).

stock-exchange ['stɔkiks,tʃeindʒ] *s.* *fin.* bursă (de valori / acțiuni).

stock-holder ['stɔk,houldə] *s.* (mare) acționar.

stockinet(te) [,stɔki'net] *s.* *text.* tricou; jerseu.

stocking ['stɔkiŋ] *s.* ciorap (lung).

stock-in-trade ['stɔkin'treid] *s.* cele necesare meseriei.

stock-jobber ['stɔk,dʒɔbə] *s.* *fin.* **1.** speculant (de bursă). **2.** curtier, agent de bursă.

stock market [stɔk ,ma:kit] *s.* **1.** *com.* bursă de valori. **2.** târg de vite.

stock-still ['stɔkstil] *adv.* nemișcat, neclintit, „smirnă". || *he stood ~* stătea smirnă.

stocky ['stɔki] *adj.* îndesat, voinic.

stock-yard ['stɔkja:d] *s.* ocol de vite.

stodge [stɔdʒ] *sl.* **I.** *s.* **1.** haleală, mâncare, potol. **2.** miez de pâine. **II.** *vi.* a înfuleca, a se îndopa. **III.** *vt.* a umple până la refuz.

stodgy ['stɔdʒi] *adj.* greoi.

stoic ['stɔ(u)ik] *s., adj.* stoic.

stoical ['stouikl] *adj.* stoic, nepăsător.

Stoicism ['stouisizəm] *s.* **1.** *filoz.* stoicism. **2.** *stoicism fig.* stoicism, indiferență.

stoke [stouk] *vt.* **1.** *nav. tehn.* a alimenta cu cărbuni. **2.** *fam.* a mânca, a clămpăni.

stoker ['stoukə] *s.* fochist.

stole [stoul] **I.** *s.* **1.** patrafir. **2.** etolă. **II.** *vt., vi.* *trec. de la* **steal**.

stolen ['stouln] *vt., vi. part. trec. de la* **steal**.

stolid ['stɔlid] *adj.* **1.** greoi, lent. **2.** placid, flegmatic, impasibil.

stolidity [stɔ'liditi] *s.* **1.** flegmă, indiferență. **2.** prostie, neghiobie.

stoma ['stoumə], *pl.* **stomata** ['stoumətə] *s.* **1.** *zool.* gură. **2.** *bot.* stomată.

stomach ['stʌmək] **I.** *s.* **1.** stomac. **2.** pântece, burtă. **3.** poftă (de mâncare). **4.** dispoziție favorabilă. **II.** *vt.* **1.** *(mai ales la negativ)* a suporta. **2.** *(mai ales la negativ)* a înghiți (pe cineva etc.). **3.** a tolera, a îndura.

stomach ache ['stəmək eik] *s.* durere de stomac. || *to give a nasty ~* a provoca dureri puternice de stomac.

stomacher ['stʌməkə] *s.* **1.** corsaj *(adesea brodat)*. **2.** broșă mare. **3.** *sl. box. sound ~* lovitură brutală în stomac.

stone [stoun] **I.** *s.* **1.** piatră. **2.** bolovan. **3.** piatră prețioasă. **4.** *bot.* sâmbure. **5.** bob de grindină. **6.** *(pl.* **stone**) măsură de greutate *(6,350 kg.)*.|| *at a ~'s throw* la o azvârlitură de băț; *to leave no ~ unturned* a se da peste cap; a face tot posibilul. **II.** *vt.* **1.** a bate cu pietre. **2.** a omorî (cu pietre). **3.** a pietrui. **4.** a curăța de sâmburi.

stone-broke ['stounbrouk] *adj.* *fam.* lefter, pe geantă, sărac lipit pământului.

stone cutter ['stoun ,kʌtə] *s.* **1.** pietrar, cioplitor în piatră. **2.** tăietor de diamante / pietre scumpe. **3.** *rar* sculptor.

stone-deaf ['stoun,def] *adj.* surd ca masa, surd de tot.

stone-fruit ['stounfru:t] *s.* *bot.* drupă.

stone-mason ['stoun,meisn] *s.* pietrar.

stone-ware ['stounweə] *s.* ceramică emailată.

stone-work ['stounwə:k] *s.* **1.** pietrărie. **2.** (construcții în) piatră.

stony ['stouni] *adj.* **1.** pietros. **2.** tare. **3.** împietrit. **4.** v. **stonebroke**.

stood [stud] *vt., vi. trec. și part. trec. de la* **stand**.

stooge [stu:dʒ] *s.* **1.** slugă. **2.** agent provocator, unealtă. **3.** cirac.

stool [stu:l] *s.* **1.** scaun *(fără spetează)*. **2.** scăunel. **3.** *med.* scaun.

stool-pigeon ['stu:l,pidʒin] *s.* **1.** porumbel folosit ca momeală.

2. *fig.* agent plătit, informator.

stoop[1] [stu:p] **I.** *s.* **1.** încovoiere a uneltelor. **2.** *amer.* intrare. **II.** *vt.* a apleca. **III.** *vi.* **1.** a se apleca, a se încovoia. **2.** *fig.* a se cobori, a se înjosi.

stoop[2] [stu:p] *s. amer.* verandă (neacoperită).

stooping ['stu:piŋ] *adj.* **1.** aplecat. **2.** *înv.* supus. **3.** care se năpustește.

stop [stɔp] **I.** *s.* **1.** oprire. **2.** stație, haltă. **3.** punct. **4.** opritoare, piedică. **5.** astupuș. **II.** *vt.* **1.** a opri. **2.** a împiedica. **3.** a înceta. **4.** a întrerupe. **5.** a reține. **6.** a astupa. **7.** a închide. || *to ~ a gap* a da un ajutor la nevoie; a astupa găurile; *to ~ up* a astupa. **III.** *vi.* **1.** a se opri. **2.** a se întrerupe. **3.** a înceta. **4.** a sta. **5.** a nu mai funcționa. || *to ~ dead* sau *short* a se opri brusc.

stoplight ['stɔplait] *s.* stop, semafor.

stop news ['stɔpnju:z] *s.* ultima oră, închiderea ediției.

stop-over ['stɔp,ouvə] *s.* escală.

stoppage ['stɔpidʒ] *s.* **1.** întrerupere, oprire. **2.** grevă.

stopper ['stɔpə] **I.** *s.* dop. **II.** *vt.* a astupa (cu un dop).

stop-press ['stɔp ,pres] *s.* vești de ultima oră.

stop-watch ['stɔpwɔtʃ] *s.* cronometru.

storage ['stɔːridʒ] *s.* **1.** stocare. **2.** acumulare. **3.** depozitare. **4.** taxă de locație.

storage lake ['stɔːridʒ leik] *s.* lac de acumulare.

store [stɔː] **I.** *s.* **1.** depozit. **2.** antrepozit. **3.** *pl.* magazin universal. **4.** *amer.* magazin, prăvălie. **5.** aprovizionare. || *to set ~ by* a considera important, a da mare importanță *(cu dat.); in ~* care pândește; rezervat (de soartă). **II.** *vt.* **1.** a aproviziona. **2.** a face provizii de. **3.** a echipa. **4.** *fig.* a mobila.

storehouse ['stɔːhaus] *s.* **1.** depozit. **2.** *fig.* sursă.

store-keeper ['stɔ,kiːpə] *s.* **1.** magazioner. **2.** *amer.* negustor.

store-room ['stɔːrum] *s.* **1.** magazie. **2.** cămară.

storey ['stɔːri] *s.* etaj, cat (văzut de afară).

storeyed ['stɔːrid] *adj.* cu (atâtea) etaje. || *many ~* cu multe etaje; *two ~* cu două etaje; *amer.* cu etaj.

storied ['stɔːrid] *adj.* **1.** celebru. **2.** legendar. **3.** v. **storeyed**.

stork [stɔːk] *s. ornit.* barză *(Ciconio sp.).*

storm [stɔːm] **I.** *s.* **1.** furtună. **2.** grindină *(și fig.).* **3.** izbucnire. **4.** ropot (de aplauze). || *a ~ in a tea cup* o furtună într-un pahar cu apă; *to take by ~* a lua cu asalt *(și fig.).* **II.** *vt.* a lua cu asalt. **III.** *vi.* a izbucn. || *it ~s* e furtună; *bate grindina.*

storm-cloud ['stɔːmklaud] *s.* nor negru de furtună *(și fig.).*

stormily ['stɔːmili] *adv.* furtunos.

storming-party ['stɔːmiŋ,pɑːti] *s.* detașament de asalt.

storm-troops ['stɔːmtruːps] *s. pl.* trupe de asalt.

stormy ['stɔːmi] *adj.* **1.** furtunos. **2.** pasionat, pătimaș. **3.** violent.

stormy petrel ['stɔːmi'petrl] *s.* **1.** *ornit.* pasărea furtunii *(Hydrobates pelagicus).* **2.** *fig.* mărul discordiei. **3.** *fig.* centrul atenției.

story ['stɔːri] *s.* **1.** etaj. **2.** povestire. **3.** poveste, basm. **4.** reportaj. **5.** relatare. **6.** minciună.

story teller ['stɔːri ,telə] *s.* **1.** povestitor, orator. **2.** autor de povești. **3.** *fam.* mincinos; om imaginativ / născocitor; vânzător de gogoși / brașoave; flecar, palavragiu.

story telling ['stɔːri ,teliŋ] *s.* **1.** arta de a povesti, darul povestirii. **2.** *fig. fam.* povești, brașoave, minciuni.

stoup [stu:p] *s.* **1.** agheasmatar. **2.** *înv.* pocal.

stout [staut] **I.** *s.* bere tare (neagră). **II.** *adj.* **1.** corpolent. **2.** gras. **3.** voinic. **4.** viteaz. **5.** tare.

stoutly ['stautli] *adv.* **1.** cu vigoare, puternic; cu fermitate; energic. **2.** solid. || *~ built* solid construit; bine clădit *(și fig.).*

stoutness ['stautnis] *s.* corpolență, trupeșie.

stove [stouv] **I.** *s.* **1.** sobă. **2.** plită, mașină de gătit. **II.** *vt. trec. și part. trec. de la* **stave**.

stove-pipe ['stouvpaip] *s.* burlan; coș.

stow [stou] *vt.* **1.** a depozita. **2.** a pune deoparte. **3.** a ascunde.

stowage ['stouidʒ] *s.* **1.** așezare, împachetare *(a mărfurilor).* **2.** *mar.* arimaj, stivuire. **3.** *mar.* cală, magazie. **4.** *mar.* (taxă de) arimaj, stivuire; (taxă de) magazinaj. **5.** mărfuri înmagazinate / ambalate / stivuite. **6.** păstrare.

stowaway ['stoʊ,wei] *s. nav.* pasager clandestin.

straddle ['strædl] **I.** *s.* poziție călare. **II.** *vt.* a încăleca. **III.** *vi.* **1.** a merge crăcănat. **2.** a sta călare. **3.** *fig.* a șovăi.

strafe [strɑːf] **I.** *s.* bombardament de artilerie. **II.** *vt.* **1.** a bate. **2.** a ocărî. **3.** a bombarda (cu artileria).

straggle ['strægl] *vi.* **1.** a se împrăștia. **2.** a se rătăci. **3.** a apărea sporadic.

straggler ['stræglə] *s.* **1.** *mil.* soldat rămas în urmă. **2.** hoinar; *amer. sl.* vagabond, haimana.

straggling ['strægliŋ] *adj.* împrăștiat, răzleț, risipit.

straggly ['strægli] *adj.* risipit; ciufulit, încâlcit.

straight [streit] **I.** *s.* **1.** porțiune dreaptă. **2.** lucru drept. **3.** suită, chintă *(la cărți).* || *out of the ~* sucit. **II.** *adj.* **1.** drept, direct. **2.** neted. **3.** cum trebuie. **4.** în ordine. **5.** cinstit, sincer. **6.** demn de încredere. **III.** *adv.* **1.** drept, direct. **2.** imediat. || *to come ~ to the point* a vorbi pe șleau; *~ across* sau *away* direct; imediat; *to hit ~ from the shoulder* a lovi în plin *(și fig.).*

straight edge ['streit 'edʒ] *s.* **1.** *text.* lineal. **2.** *constr.* dreptar, netezitor. **3.** *tehn.* riglă de verificare a suprafețelor.

straighten ['streitn] *vt., vi.* a (se) îndrepta, a (se) aranja.

straightforward [streit'fɔːwəd] *adj.* **1.** cinstit. **2.** sincer, franc. **3.** deschis, leal. **4.** simplu; direct.

straightforwardness ['streit'fɔːwədnis] *s.* sinceritate, franchețe; onestitate.

straight play ['streit'plei] *s.* lucrare dramatică, piesă propriu-zisă *(fără muzică).*

straightway ['streitwei] *adv.* **1.** imediat. **2.** direct.

strain [strein] **I.** *s.* **1.** încordare. **2.** efort. **3.** nervozitate. **4.** luxație, entorsă. **5.** rasă, speță. **6.** dispoziție. **7.** turnură, expresie. **8.** *pl. muz.* note, acorduri. **9.** cântec. **10.** poezie. **II.** *vt.* **1.** a întinde; a trage. **2.** a încorda. **3.** a forța. **4.** a strâmba. **5.** a luxa. **6.** a exagera. **7.** a strecura, a trece prin strecurătoare. **III.** *vi.* **1.** a se strădui. **2.** a se încorda. **3.** a trece prin strecurătoare. || *to ~ after* a se forța să *(facă un lucru).*

strained [streind] *adj.* **1.** forțat. **2.** nefiresc. **3.** încordat.

strainer ['streinə] *s.* strecurătoare.

strait [streit] I. s. 1. strâmtoare *(şi pl.).* 2. *pl.* încurcătură (financiară). II. *adj.* strâmt.

straiten ['streitn] *vt.* 1. a restrânge. 2. a strâmtora.

strait-jacket ['streit,dʒækit] I. s. cămaşă de forţă. II. *vt.* a pune în cămaşă de forţă.

strait-laced ['streitleist] *adj.* 1. puritan. 2. încuiat, cu o mentalitate îngustă.

strand [strænd] I. s. 1. ţărm. 2. şuviţă. II. *vt.* 1. *mar.* a se lovi de *(pământ).* 2. a lăsa la ananghie. III. *vi. mar.* a eşua.

strange [streindʒ] *adj.* 1. ciudat, straniu. 2. neobişnuit. || ~ *to say* oricât de surprinzător ar părea; *he was ~ to this kind of life* nu era obişnuit cu această viaţă.

stranger ['streindʒə] *s.* 1. necunoscut. 2. străin.

strangle ['stræŋgl] *vt.* 1. a strangula, a strânge de gât. 2. a înăbuşi *(şi fig.).*

strangle-hold ['stræŋglhould] *s.* strangulare *(şi fig.).*

strangulate ['stræŋgjuleit] *vt.* 1. *med.* a strangula, a ligatura *(intestinul etc.).* 2. *rar* a strânge de gât.

strangulation [,stræŋgju'leiʃn] *s.* 1. strangulare, gâtuire. 2. *med.* ligaturare, strangulaţie.

strap [stræp] I. s. 1. bretea. 2. panglică. 3. curea. II. *vt.* 1. a prinde (cu curele). 2. a bate cu cureaua. 3. a ascuţi *(briciul).*

strapping ['stræpiŋ] *adj.* voinic, zdravăn.

stratagem ['strætidʒəm] *s.* 1. stratagemă. 2. truc.

strategic(al) [strə'ti:dʒik(l)] *adj.* strategic.

strategist ['strætidʒist] *s.* strateg.

strategy ['strætidʒi] *s.* strategie *(şi fig.).*

strathspey [,stræθ'spei] *s.* dans scoţian lent.

stratification [,strætifi'keiʃn] *s.* stratificare, stratificaţie *(şi geol.).* || *el. electrolyte* ~ stratificaţia electrolitului.

stratify ['strætifai] *vt., vi.* a (se) stratifica.

stratosphere ['strætosfiə] *s.* stratosferă.

stratum ['stra:təm, 'streitəm], *pl.* **strata** ['stra:tə, 'streitə] *s.* strat, pătură.

stratus ['streitəs], *pl.* **strati** ['streitai] *s. meteor.* stratus.

straw [strɔ:] I. s. 1. pai. 2. paie. 3. (pălărie de) pai. || *not worth a ~* fără valoare; *to catch at a ~*

a se agăţa şi de un pai. II.*adj.* 1. de pai. 2. gălbui.

strawberry ['strɔ:bri] *s. bot.* 1. căpşună *(Fragaria elatior).* 2. fragă *(Fragaria vesca).*

stray [strei] I. s. 1. vagabond, om fără adăpost. 2. animal de pripas. II. *vi.* 1. a (se) rătăci *(şi fig.).* 2. a se bate. III. *adj.* 1. rătăcit. 2. sporadic, ocazional, luat la întâmplare, aleatoriu.

streak [stri:k] I. s. 1. dungă. 2. umbră, undă. 3. perioadă. II. *vt.* a vărga, a dunga. III. *vi.* a ţâşni.

streaky ['stri:ki] *adj.* 1. vărgat, dungat. 2. amestecat cu straturi de altă natură. 3. *fig., fam.* inegal, neuniform *(în calitate).* 4. *sl.* iritabil.

stream [stri:m] I. s. 1. pârâu. 2. curs de apă. 3. râu, fluviu. 4. şuvoi, curent. 5. tendinţă (generală). || *to go with the ~* a face ce face toată lumea, a nu merge (în) contra curentului. II. *vi.* 1. a curge. 2. a flutura.

streamer ['stri:mə] *s.* panglică colorată (la pălărie).

streamlet ['stri:mlit] *s.* pârâiaş, şuvoi, râuleţ.

streamline ['stri:mlain] I. s. şuvoi neîntrerupt. II. *vt.* 1. a da o formă aerodinamică *(cu dat).* 2. a face economic, eficace. 3. a organiza ştiinţific *(producţia etc.).*

street [stri:t] *s.* stradă; uliţă.

street arab ['stri:t,ærəb] *s.* golan, vagabond.

street-car ['stri:tka:] *s. amer.* tramvai.

street-door ['stri:tdɔ:] *s.* uşa de la stradă.

street urchin ['stri:t,ə:tʃin] *s.* 1. golan, golăneţ. 2. vagabond.

street-walker ['stri:t,wɔ:kə] *s.* prostituată, femeie de stradă.

strength [streŋθ] *s.* 1. tărie, forţă, putere. 2. forţă numerică.

strengthen ['streŋθn] *vt., vi.* a (se) întări.

strengthener ['streŋθnə] *s. med.* fortifiant *(şi fig.).*

strenuous ['strenjuəs] *adj.* 1. dificil. 2. harnic. 3. încordat.

streptococcus [,streptou'kɔkəs], *pl.* **streptococci** [,streptou'kɔksai] *s. biol., med.* streptococ.

stress [stres] I. s. 1. presiune. 2. încordare, tensiune. 3. accent. 4. importanţă. II. *vt.* a accentua.

stressful ['stresful] *adj.* stresant.

stretch [stretʃ] I. s. 1. întindere. 2. perioadă *sau* distanţă neîntreruptă. 3. exagerare. II. *vt.* 1. a

întinde, a trage (în ambele părţi). 2. a exagera. 3. a forţa. III. *vi.* a se întinde.

stretcher ['stretʃə] *s.* 1. *tehn.* targă; tendor, întinzător. 2. targă, brancardă. 3. baraj *(stinghie pentru proptit picioarele vâslaşului).* 4. *constr.* piatră *sau* cărămidă aşezată cu faţa longitudinală paralel cu zidul. 5. *artă* cadru *(care susţine pânza).* 6. *fam.* minciună gogonată, gogoaşă.

stretcher-bearer ['stretʃə'bɛərə] *s.* brancardier.

stretchy ['stretʃi] *adj.* care se poate întinde; elastic.

strew [stru:] *vt. part. trec.* şi **strewn**[stru:n] **(with)** 1. a împrăştia, a risipi. 2. a pulveriza.

strewn [stru:n] I. *adj.* 1. întins. 2. acoperit. 3. împrăştiat. 4. smălţat. II. *part. trec. de la* **strew**.

striated [strai'eitid] *adj.* striat, vărgat.

stricken ['strikn] I. *adj.* 1. lovit *(de durere etc.);* rănit. 2. chinuit. 3. impresionat. 4. speriat. || ~ *in years* încovoiat de ani. II. *part. trec. înv. de la* **strike**.

strict [strikt] *adj.* 1. sever. 2. rigid. 3. strict.

stricture ['striktʃə] *s.* 1. *(mai ales pl.)* (observaţie) critică; condamnare; cenzurare; obiecţie. 2. *med.* strictură, contractare, strângere, îngustare.

stridden ['stridn] *vt., vi. part. trec. de la* **stride**.

stride [straid] I. s. 1. pas (mare). 2. pas înainte, progres. || *to take smth. in one's ~* a face ceva uşor; a lua ceva în uşor; a nu se speria *sau* mira de ceva. II. *vt. trec.* **strode** [stroud], *part. trec.* **stridden** ['stridn] a încăleca. III. *vi. trec.* **strode** [stroud], *part. trec.* **stridden** ['stridn] 1. a păşi; a face paşi mari. 2. a sări.

strident ['straidnt] *adj.* strident.

strife [straif] *s.* 1. ceartă. 2. conflict. 3. luptă.

strike [straik] I. s. grevă. II. *vt. trec. şi part. trec.* **struck** [strʌk] 1. a lovi. 2. a izbi. 3. *fig.* a aprinde *(un chibrit).* 4. a nimeri, a descoperi. 5. a bate *(monedă, orele).* 6. a atinge *(o coardă etc.).* 7. a impresiona. 8. a mira, a surprinde. 9. a veni în mintea *(cuiva).* 10. a pătrunde. 11. a prinde. || *to ~ off sau through* a şterge; a tăia; a tipări; *to~up* a începe *(o* *melodie); to ~ a note* a face o anumită impresie; a sugera un anumit lucru; *to ~ the right note* a spune ce trebuie; *to ~ a false note* a face o gafă; *to~ root* a prinde rădăcini. **III.** *vi. trec. şi part. trec.* **struck** [strʌk] a lovi. **2.** a intra, a se băga. **3.** *(d. ceas)* a bate. **4.** a pătrunde. **5.** a se pune în grevă. || *to ~ at smth.* a încercasă lovească; *to ~ out* a lovi în dreapta şi în stânga; a se zbate; *to ~ up* a începe să cânte; *to ~ upon* a nimeri; a avea *(o idee bună); to ~into smth.* a se apuca de ceva.

strike-breaker ['straik‚breikə] *s.* spărgător de grevă.

strike-pay ['straikpei] *s.* indemnizaţie de grevă, de grevist.

striker ['straikə] *s.* grevist.

striking [straikiŋ] *adj.* izbitor, frapant.

string [striŋ] **I.** *s.* **1.** sfoară. **2.** coardă. **3.** strună. **4.** instrumente cu coarde. **5.** şiret. **6.** panglică. **7.** şirag. **8.** aţă. || *to harp on the same~* a pisa acelaşi subiect; *to pull ~s* a trage sforile. **II.** *vt. trec. şi part. trec.* **strung** [strʌŋ] **1.** a înşira. **2.** a prinde cu sfoara. **3.** a atârna. **4.** a pune corzi noi la *(vioară etc.).* || *to~ out* a înşira; *to ~ up* a înşira; a spânzura; *strung up* încordat, emoţionat; nervos; pregătit. **III.** *vi. trec. şi part. trec.* **strung** [strʌŋ] a se înşira.

stringent ['strindʒnt] *adj.* **1.** strict. **2.** convingător. **3.** obligatoriu. **4.** strâmtorat.

stringy ['strindʒi] *adj.* aţos.

strip [strip] **I.** *s.* **1.** dungă. **2.** şuviţă. **3.** bandă. **4.** panglică. **II.** *vt.* **1.** a dezbrăca. **2.** a dezgoli. **3.** a smulge *(masca etc.).* **III.** *vi.* a se dezbrăca.

stripe [straip] **I.** *s.* **1.** dungă. **2.** tresă. **II.** *vt.* a dunga.

striped [straipt] *adj.* vărgat, dungat, în dungi.

stripling ['stripliŋ] *s.* tânăr, flăcău.

stripper ['stripə] *s.* persoană care cojeşte‚ dezgoleşte.

strip-tease ['stripti:z] *s.* dezbrăcare treptată *(a unei actriţe de varieteu).*

strive [straiv] *vi. trec.* **strove** [strouv]‚ *part. trec.* **striven** ['strivn] **1.** a se strădui. **2.** a se lupta.

striven ['strivn] *vi. part. trec. de la* **strive.**

strobe [stroub] *s. fam.* stroboscop.

stroboscope ['stroubəskoup] *s. tehn.* stroboscop.

strode [stroud] *vt., vi. trec. de la* **stride.**

stroke [strouk] **I.** *s.* **1.** lovitură. **2.** mişcare. **3.** atac. **4.** *med.* atac, acces. **5.** *med.* congestie (cerebrală). **6.** efort. **7.** trăsătură *(de condei).* **8.** bătaie *(a ceasului).* **9.** mângâiere. **II.** *vt.* **1.** a mângâia. **2.** a atinge. || *to ~ down* a potoli, a alina.

stroll [stroul] **I.** *s.* plimbare. **II.** *vi.* **1.** a se plimba. **2.** a hoinări.

stroller ['stroulə] *s.* **1.** plimbăreţ. **2.** hoinar.

strong [strɔŋ] **I.** *adj.* **1.** tare puternic. **2.** voinic. **3.** înrădăcinat; profund. **4.** încurajator. || *a delegation 20 ~* o delegaţie compusă din 20 de oameni. **II.***adv.* tare, puternic. || *you are coming it rather ~* cam exagerezi; cam depăşeşti măsura.

strong-arm ['strɔŋ‚ɑ:m] *vt. fam.* a folosi forţa faţă de.

strong-box ['strɔŋbɔks] *s.* **1.** casă de bani. **2.** tezaur.

stronghold ['strɔŋhould] *s.* fortăreaţă *(şi fig.).*

strong language ['strɔŋ'læŋgwidʒ] *s.* limbaj viguros *sau* ordinar.

strongly ['strɔŋli] *adj.* **1.** puternic. **2.** viguros.

strong-minded ['strɔŋ'maindid] *s.* hotărât, decis; voluntar.

strong point ['strɔŋpɔint] *s.* punct tare, forte.

strontium ['strɔntiəm] *s. chim.* stronţiu.

strop [strɔp] **I.** *s.* curea de ascuţit briciul. **II.** *vt.* a ascuţi *(briciul).*

strophe ['stroufi] *s.* strofă *(în prozodia veche grecească).*

strove [strouv] *vi. trec. de la* **strive.**

struck [strʌk] *vt., vi. trec. şi part. trec. de la* **strike.**

structural ['strʌktʃrl] *adj.* structural.

structure ['strʌktʃə] *s.* **1.** structură. **2.** clădire. **3.** eşafodaj.

struggle ['strʌgl] **I.** *s.* **1.** luptă. **2.** competiţie. **3.** efort. **II.** *vi.* **1.** a se lupta. **2.** a se strădui. **3.** a se zbate.

strum [strʌm] **I.** zdrăngăneală. **II.** *vt., vi.* a zdrăngăni.

strumpet ['strʌmpit] *s.* prostituată, târfă.

strung [strʌŋ] *vt., vi. trec.şi part. trec. de la* **string.**

strut [strʌt] **I.** *s.* **1.** proptea. **2.** suport. **3.** mers trufaş. **II.** *vt.* **1.** a sprijini. **2.** a propti. **III.** *vi.* a se

fuduli, a merge fudul, a se furlandisi.

struth [stru:θ] *interj.* vai! ah! *(exprimă surpriza).*

strychnin(e) ['strikni:n] *s.* stricnină.

stub [stʌb] **I.** *s.* **1.** cotor. **2.** ciot. **3.** muc *(de ţigară).* **II.** *vt.* a se împiedica de.

stubble ['stʌbl] *s.* **1.** mirişte. **2.** barbă ţepoasă, nerasă.

stubborn ['stʌbən] *adj.* **1.** încăpăţânat. **2.** dificil. **3.** persistent. **4.** ferm, hotărât.

stubbornly ['stʌbənli] *adv.* cu îndărătnicie / încăpăţânare.

stubbornness ['stʌbənnis] *s.* încăpăţânare; cerbicie; perseverenţă, tenacitate, îndârjire; neînduplecare.

stubby ['stʌbi] *adj.* bont, gros.

stucco ['stʌkou] *s.* stuc.

stuck [stʌk] *vt., vi. trec. şi part. trec. de la* **stick.**

stuck-up ['stʌkʌp] *adj.* **1.** îngâmfat. **2.** înţepat.

stud [stʌd] **I.** *s.* **1.** buton de guler. **2.** cui (ornamental), ţintă. **3.** herghelie de armăsari. **4.** armăsar / cal de prăsilă; armăsari / cai de rasă. **II.** *vt.* **1.** a bate în ţinte. **2.** *fig.* a presăra, a smălţa v. **strew 1.** || **star studded** înstelat; *cin.* cu multe vedete / staruri.

stud-book ['stʌdbuk] *s.* **1.** registrul hergheliei. **2.** *fig.* pedigriu.

student ['stju:dnt] *s.* **1.** student. **2.** cercetător. **3.** învăţăcel. **4.** învăţat.

stud-horse ['stʌdhɔ:s] *s.* armăsar (de prăsilă).

studied ['stʌdid] *adj.* intenţionat.

studio ['stju:diou] *s.* **1.** atelier (de artist). **2.** studio *(cinematografic sau de radio).* **3.** (divan) studio.

studious ['stju:djəs] *adj.* **1.** studios. **2.** grijuliu, atent.

study ['stʌdi] **I.** *s.* **1.** studiu. **2.** învăţătură. **3.** examinare. **4.** materie de studiu. **5.** reverie. **6.** lucru remarcabil. **7.** birou, cameră de lucru. **8.** strădanie. **9.** scop. **II.** *vt.* **1.** a studia. **2.** a cerceta; a examina. **3.** a urmări, a încerca, a căuta. **III.** *vi.* **1.** a studia. **2.** a se strădui.

stuff [stʌf] **I.** *s.* **1.** material. **2.** materie. **3.** stofă, ţesătură. **II.** *vt.* **1.** a umple. **2.** a îmbâcsi. **3.** a îndesa. **4.** a îndopa cu. **5.** a împăia. **6.** a toci, a învăţa.**7.** a împăna. **III.** *vi.* a se îndopa.

stuffing ['stʌfiŋ] *s.* umplutură.

stuffy ['stʌfi] *adj.* **1.** îmbâcsit. **2.** stricat. **3.** stupid.

stultify ['stʌltifai] **I.** *vt.* **1.** a ridiculiza, a lua în derâdere; a bagateliza *(rezultatele muncii etc.).* **2.** *jur.* a declara iresponsabil *(pentru deficienţă mintală).* **3.** a îndobitoci, a prosti. **4.** a abrutiza. **5.** a strica. **II.** *vr. fam.* a se contrazice; a se face de râs.

stumble ['stʌmbl] **I.** *s.* împeticeală. **II.** *vi.* **1.** a se împletici, a se împiedica. **2.** a merge greu. **3.** a greşi, a păcătui. || *to ~ upon* sau *across smth.* a descoperi ceva din întâmplare.

stumbling-block ['stʌmbliŋ blɔk] *s.* **1.** obstacol. **2.** împiedicare.

stump [stʌmp] **I.** *s.* **1.** ciot. **2.** rădăcină. **3.** rest. **4.** *pl.* picioare. **II.** *vt.* **1.** a ului. **2.** a pune în încurcătură. **3.** a cutreiera *(în scopuri de propagandă).* **III.** *vi.* a umbla greoi.

stumpy ['stʌmpi] *adj.* **1.** greoi. **2.** îndesat. **3.** bont.

stun [stʌn] *vt.* **1.** a şoca. **2.** a ameţi. **3.** a zăpăci.

stung [stʌŋ] *vt., vi.* trec şi part. trec. de la **sting**.

stunk [stʌŋk] *vt., vi.* trec. şi part. trec. de la **stink**.

stunning ['stʌniŋ] *adj.* **1.** năucitor, ameţitor. **2.** uimitor, uluitor. **3.** grozav. **4.** splendid.

stunt [stʌnt] **I.** *s.* **1.** efort deosebit. **2.** performanţa (ostentativă). **3.** număr de senzaţie, cascadorie, acrobaţie. **II.** *vt.* a opri din creştere. **III.** *vi.* a se da peste cap *(fig.).*

stunter ['stʌndə], **stuntman** ['stʌntmən] *pl.* **stuntmen** ['stʌntmən] *s.* cascador.

stupefaction [,stju:pi'fækʃn] *s.* stupefacţie, consternare.

stupefy ['stju:pifai] *vt.* **1.** a ului. **2.** a lua piuitul *(cuiva).* **3.** a abrutiza.

stupendous [stju:'pendəs] *adj.* **1.** uluitor. **2.** fantastic.

stupid ['stju:pid] *s., adj.* tâmpit, idiot.

stupidity [stju'piditi] *s.* prostie, stupiditate.

stupor ['stju:pə] *s.* torpoare, toropeală.

sturdily ['stə:dili] *adv.* **1.** cu putere, viguros. **2.** cu hotărâre, ferm.

sturdiness ['stə:dinis] *s.* **1.** vigoare, tărie, robusteţe. **2.** hotărâre.

sturdy ['stə:di] *adj.* **1.** viguros, robust. **2.** solid. **3.** neclintit.

sturgeon ['stə:dʒn] *s. iht.* **1.** nisetru. **2.** sturion.

stutter ['stʌtə] **I.** *s.* bâlbâialà. **II.** *vt., vi.* a (se) bâlbâi.

sty [stai] *s.* **1.** cocină *(şi fig.).* **2.** *med.* ulcior.

stygian ['stidʒiən] *adj. mit.* **1.** stigian; infernal. **2.** trist, lugubru.

style [stail] **I.** *s.* **1.** stil. **2.** manieră, modă. **3.** fel. **4.** titlu. **5.** stilet. **II.** *vt.* **1.** a numi. **2.** a desemna.

stylish ['stailiʃ] *adj.* **1.** elegant. **2.** rafinat.

stylist ['stailist] *s. lit., artă* stilist.

stylistic ['stailistik] *adj.* stilistic.

stylize ['stailaiz] *vt. artă* a stiliza.

stylus ['stailəs] *s.* **1.** stilet. **2.** ac de picup.

stymie ['staimi] *vt.* a pune în încur-cătură.

stthtic ['stiptik] *adj. med.* hemostatic; astringent.

Styx [stiks] *s. mit.: the ~* Styxul, râul Styx.

suasion ['sweiʒn] *s.* înduplecare, persuasiune. || *moral ~* îndemn, sfat.

suave [swɑ:v] *adj.* **1.** suav. **2.** politicos.

suavity ['swæviti] *s.* **1.** suavitate *(a unui parfum etc.).* **2.** amabilitate.

sub- [sʌb] *prefix* sub-.

subaltern ['sʌbltə:n] *s.* subaltern.

subaqua [sʌ'bækwə] *adj.* subacvatic.

subatomic [sʌbə'tɔmik] *adj.* subatomic.

subcommittee ['sʌbkə,miti] *s.* subcomitet.

subconscious ['sʌb'kɔnʃəs] *adj., s.* subconştient.

sub-contract [sʌb'kɔntrækt] *s. econ.* contract secundar.

subculture [sʌb'kʌltʃə] *s.* subcultură.

subcutaneous ['sʌbkju'teiniəs] *adj.* subcutanat.

subdivide [sʌbdi'vaid] *vt., vi.* a (se) subîmpărţi.

subdivision ['sʌbdi'viʒn] *s.* subîmpărţire; subdiviziune.

subdue [səb'dju:] *vt.* **1.** a supune. **2.** a înfrânge. **3.** a potoli. **4.** a micşora.

sub-edit ['sʌb'edit] *vt.* a corecta, a pune la punct *(un articol de ziar etc.).*

sub-editor ['sʌb'editə] *s.* **1.** redactor *(de ziar etc.).* **2.** *poligr.* corector.

subheading ['sʌb'hediŋ] *s.* subtitlu.

subhuman ['sʌb'hju:mən] *adj.* inferior, animalic, subuman.

subject[1] ['sʌbdʒikt] **I.** *s.* **1.** subiect. **2.** *şcol., univ.* obiect de studiu, materie. **3.** motiv. **4.** *med. psih.* subiect, pacient. **5.** supus, cetăţean. || *~ to* supus sau predispus la; depinzând de.

subject[2] [səb'dʒekt] **I.** *vt.* **1.** a supune. **2.** a expune. **II.** *vr.* **1.** a se supune. **2.** a se expune.

subjection [səb'dʒekʃn] *s.* **1.** supunere. **2.** dependenţă. **3.** aservire.

subjective [səb'dʒektiv] *adj.* subiectiv.

subject-matter ['sʌbdʒikt,mætə] *s.* **1.** *şcol. univ.* temă, subiect. **2.** obiect, materie.

subjoin [sʌb'dʒɔin] *vt.* a adăuga, a anexa, a pune la sfârşit.

sub judice [sʌb 'dʒu:disi] *loc. adv. jur. (d. un proces)* în dezbatere.

subjugate ['sʌbdʒugeit] *vt.* **1.** a subjuga *(şi fig.).* **2.** a cuceri *(şi fig.).*

subjugation [,sʌbdʒu'geiʃn] *s.* **1.** subjugare, înrobire *(şi fig.).* **2.** cucerire *(şi fig.).*

subjunctive [səb'dʒʌntiv] *s., adj.* subjonctiv.

sublease ['sʌb'li:s] **I.** *s.* subînchiriere. **II.** *vt.* a subînchiria *(cuiva).*

sublet ['sʌb'let] *vt., vi.* a subînchiria *(cuiva).*

sublimate ['sʌblimeit] **I.** *s.* sublimat. **II.** *adj.* sublimat. **III.** *vt.* a sublima *(şi fig.).*

sublimation [,sʌbli'meiʃn] *s. chim. etc.* sublimare.

sublime [sə'blaim] **I.** *s.* sublim. **II.** *adj.* **1.** nobil. **2.** sublim. **3.** uluitor. **4.** supraomenesc.

Sublime Porte [sə'blaim'pɔ:t] *ist.* Înalta Poartă (Otomană).

subliminal [sʌb'liminl] *adj. psih.* subconştient.

sublimity [sə'blimiti] *s.* **1.** splendoare. **2.** (caracter) sublim.

sublunar [sʌb'lju:nə] *adj.* sublunar, pământesc, care aparţine acestei lumi.

sublunary [sʌb'lju:nəri] *adj.* v. **sublunar.**

sub-machine gun ['sʌbmə'ʃi:n gʌn] *s. mil.* puşcă mitralieră.

submarine ['sʌbməri:n] *s., adj.* submarin.

submaxillary [sʌb'mæksiləri] *adj. anat.* submaxilar.

submerge [səb'mə:dʒ] **I.** *vt.* **1.** a inunda. **2.** a scufunda. **3.** *fig.* a dispărea. **II.** *vi.* **1.** a se scufunda; a intra în imersiune. **2.** a dispărea.

submergence [səb'mə:dʒəns] *s.* **1.** cufundare în apă. **2.** înecare. **3.** inundaţie, inundare.

submersible [səb'mə:səbl] *adj.* submersibil.

submicroscopic ['sʌb,maikrə'skɔpik] *adj.* submicroscopic *(prea mic pentru a fi văzut la microscop).*

submission [səb'miʃn] *s.* **1.** supunere. **2.** capitulare. **3.** ascultare. **4.** umilință.

submissive [səb'misiv] *adj.* **1.** supus. **2.** ascultător. **3.** umil.

submit [səb'mit] **I.** *vt.* **1.** a supune, a propune, a înainta. **2.** a sugera. **II.** *vi., vr.* **1.** a se supune. **2.** a ceda. **3.** a capitula.

subnormal ['sʌb'nɔːməl] **I.** *adj.* sub limita normală. **II.** *s. mat.* subnormală.

suborder ['sʌbˌɔːdə] *s.* subordin.

subordinate[1] [sə'bɔːdnit] **I.** *s.* inferior, subordonat. **II.** *adj.* **1.** supus, subordonat. **2.** *gram.* secundar.

subordinate[2] [sə'bɔːdineit] *vt.* **1.** a supune. **2.** a subordona.

subordination [səˌbɔːdi'neiʃn] *s.* **1.** subordine. **2.** subordonare.

suborn [sə'bɔːn] *vt.* **1.** a pune la cale pe *(cineva)*; a instiga. **2.** *jur.* a cumpăra, a mitui *(martorii)*.

subornation [ˌsʌbɔː'neiʃn] *s. jur.* **1.** instigare. **2.** cumpărarea martorilor.

subpoena [sə(b)'piːnə] **I.** *s. jur.* citație (la tribunal). **II.** *vt. jur.* a cita (în fața Curții).

subpolar [sʌb'poulə] *adj.* subpolar.

sub rosa [sʌb 'rouzə] *loc. adv.* în taină, în secret.

subscribe [səb'skraib] **I.** *vt.* **1.** a subscrie. **2.** a semna. **II.** *vi.* **1.** a face acte de caritate. **2.** a se abona. **3.** a subscrie *(la o părere)*.

subscriber [səb'skraibə] *s.* **1.** abonat. **2.** filantrop.

subscription [səb'skripʃn] **I.** *s.* **1.** subscripție. **2.** abonament *(la un ziar, la radio etc.)*. **II.** *adj.* în abonament.

subsection ['sʌbˌsekʃn] *s.* subsecție, subdiviziune.

subsequent ['sʌbsikwənt] *adj.* ulterior.

subsequently ['sʌbsikwəntli] *adv.* ulterior, pe urmă, după aceea, mai târziu.

subserve [səb'səːv] **I.** *vt.* a ajuta la, a contribui la. **II.** *vi.* a fi subordonat.

subservience [səb'səːvjəns] *s.* aservire.

subserviency [səb'səːviənsi] *s. v.* **subservience**.

subservient [səb'səːvjənt] *adj.* **1.** servil. **2.** amabil.

subside [səb'said] *vi.* **1.** a scădea. **2.** a se lăsa. **3.** a se scufunda. **4.** *(d. furtună etc.)* a se potoli.

subsidence [səb'saidəns] *s.* **1.** lăsare în jos; așezare, tasare. **2.** cădere, scădere.

subsidiary [səb'sidiəri] **I.** *adj.* **1.** subsidiar, ajutător, auxiliar. **2.** care subvenționează. **II.** *s.* filială.

subsidize ['sʌbsidaiz] *vt.* **1.** a stipendia. **2.** a ajuta (cu bani); a subvenționa.

subsidy ['sʌbsidi] *s.* **1.** ajutor, subsidiu. **2.** subvenție.

subsist [səb'sist] *vi.* **1.** a exista. **2.** a se menține.

subsistence [səb'sistns] *s.* **1.** subzistență. **2.** trai; existență.

subsoil ['sʌbsɔil] *s. geol.* subsol.

substance ['sʌbstns] *s.* **1.** substanță. **2.** materie. **3.** material. **4.** tărie. **5.** avere.

substantial [səb'stænʃl] *adj.* **1.** solid. **2.** substanțial. **3.** considerabil. **4.** bogat. **5.** esențial. **6.** real.

substantiality [səbˌstænʃi'æliti] *s.* **1.** existență reală. **2.** materialitate. **3.** trăinicie, soliditate.

substantially [səb'stænʃəli] *adv.* **1.** efectiv; de fapt. **2.** copios, solid, temeinic. **3.** considerabil.

substantiate [səb'stænʃieit] *vt.* **1.** a dovedi. **2.** a corobora. **3.** a sprijini *(cu dovezi, argumente)*. **4.** a argumenta.

substantiation [səbˌstænʃi'eiʃn] *s.* **1.** dovadă, probă. **2.** argument, justificare *(a unei afirmații)*.

substantive ['sʌbstntiv] *s., adj.* substantiv.

substitute ['sʌbstitjuːt] **I.** *s.* **1.** înlocuitor *(cu gen.)*. **2.** suplinitor *(cu gen.)*. **II.** *vt., vi.* a înlocui.

substitution [ˌsʌbsti'tjuːʃn] *s.* **1.** substituire *(cu gen.)*. **2.** înlocuire *(cu gen.)*.

substratum ['sʌb'strɑːtəm] *s.* substrat.

substructure ['sʌbˌstrʌktʃə] *s.* fundament, bază.

subtenant ['sʌb'tenənt] *s.* subarendaș; subchiriaș.

subtend [səb'tend] *vt.* a contracta *(un arc)*.

subterfuge ['sʌbtəfjuːdʒ] *s.* subterfugiu, truc.

subterranean [ˌsʌbtə'reinjn] *adj.* **1.** subteran. **2.** ascuns.

subterraneous [ˌsʌbtə'reiniəs] *adj. v.* **subterranean**.

subtile ['sʌtl] *adj. înv. v.* **subtle**.

subtility [sʌb'tiliti] *s. înv. v.* **subtlety**.

subtitle ['sʌbˌtaitl] **I.** *s.* subtitlu. **II.** *vt.* **1.** a da un subtitlu *(unui text)*. **2.** a subtitra *(un film)*.

subtle ['sʌtl] *adj.* **1.** subtil. **2.** rafinat. **3.** viclean.

subtlety ['sʌtlti] *s.* **1.** subtilitate. **2.** viclenie. **3.** agerime.

subtract [səb'trækt] *vt., vi. mat.* a scădea.

subtraction [səb'trækʃn] *s. mat.* scădere.

subtrahend ['sʌbtrəhend] *s. mat.* scăzător.

subtropical ['sʌb'trɔpikl] *adj.* subtropical.

suburb ['sʌbəːb] *s.* suburbie, periferie.

suburban [sə'bəːbn] *adj.* **1.** suburban. **2.** de periferie. **3.** monoton.

Suburbia [sə'bəːbiə] *s.* suburbia și locuitorii ei.

subvention ['sʌb'venʃn] *s.* subvenție.

subversion ['sʌb'vəːʃn] *s.* **1.** răsturnare; subminare. **2.** complot, acțiune subversivă.

subversive ['sʌb'vəːsiv] *adj.* subversiv.

subvert [səb'vəːt] *vt.* **1.** a submina. **2.** *pol.* a răsturna.

subway ['sʌbwei] *s.* **1.** pasaj subteran. **2.** *amer.* metro.

succeed [sək'siːd] **I.** *vt.* **1.** a moșteni. **2.** a urma *(cuiva)*. **II.** *vi.:* to ~ in doing smth. a reuși să facă un lucru; to ~ to smb. a urma cuiva.

success [sək'ses] *s.* **1.** succes. **2.** noroc. **3.** prosperitate. **4.** victorie.

successful [sək'sesfl] *adj.* **1.** victorios. **2.** reușit, de succes. **3.** prosper.

successfully [sək'sesfuli] *adv.* **1.** cu succes, în mod izbutit. **2.** în mod reușit. **3.** victorios.

succession [sək'seʃn] *s.* succesiune, șir. || in ~ la rând.

successive [sək'sesiv] *adj.* succesiv.

successively [sək'sesivli] *adv.* succesiv; consecutiv; rând pe rând.

successor [sək'sesə] *s.* **1.** (to) succesor *(cu gen.)*. **2.** moștenitor *(cu gen.)*.

succinct [sək'siŋkt] *adj.* scurt, succint, concis.

succo(u)r ['sʌkə] **I.** *s.* ajutor(are). **II.** *vt.* a ajuta.

succotash ['sʌkətæʃ] *s. amer.* fel de mâncare din porumb verde, fasole și carne.

succulence ['sʌkjuləns] *s.* suculență.

succulent ['sʌkjulənt] *adj.* suculent.

succumb [sə'kʌm] *vi.* **1.** (to) a ceda *(cu dat.)*. **2.** a se supune *(cu dat.)*. **3.** a muri.

such [sʌtʃ] **I.** *adj.* **1.** asemenea. **2.** similar. || ~ being the case aşa stând lucrurile. **II.** *pron.* **1.** anume. **2.** unii. **3.** nişte. **4.** aceştia; acestea. || ~ *as* ca de pildă; *cakes, sweets and* ~ *(like)* prăjituri, dulciuri şi altele asemenea. **III.** *adv.* **1.** asemenea. **2.** astfel. || ~ *that* încât; ~ *as to* aşa încât să; *as* ~ ca atare.

suchlike ['sʌtʃlaik] *adj.* **1.** similar. **2.** de acest fel.

suck [sʌk] **I.** *s.* **1.** sugere. **2.** alăptare. || *to give* ~ *to* a alăpta. **II.** *vt.* **1.** a suge. **2.** a sorbi. **3.** a absorbi *(şi fig.).* **III.** *vi.* a suge. || *to* ~ *up to smb.* a se băga pe sub pielea cuiva.

sucker ['sʌkə] *s.* **1.** sugaci. **2.** ventuză *(de cauciuc, de lipitoare).* **3.** lăstar. **4.** *amer.* fraier.

sucking ['sʌkiŋ] *adj.* **1.** sugaci, sugător. **2.** neexperimentat, începător. **3.** absorbant, aspirant.

suckle ['sʌkl] *vt.* a alăpta.

suckling ['sʌkliŋ] *s.* sugar, copil de ţâţă *(şi fig.).*

sucrose ['su:krouz] *s. chim.* sucroză, zaharoză.

suction ['sʌkʃn] *s.* **1.** sugere. **2.** absorbire.

sudden ['sʌdn] **I.** *s.: all of a* ~ dintr-o dată. **II.** *adj.* **1.** brusc. **2.** neprevăzut.

suddenly ['sʌdnli] *adv.* **1.** deodată. **2.** brusc.

suddenness ['sʌdnis] *s.* caracter brusc / neaşteptat.

sudorific [,sju:də'rifik] *adj., s. med.* diaforetic, sudorific.

suds [sʌdz] *s. pl.* **1.** spumă de săpun. **2.** zoaie. || *fig. to be in the* ~ a se găsi într-o situaţie delicată.

sue [sju:] **I.** *vt.* **1.** a da în judecată. **2.** a implora. **II.** *vi.: to* ~ *for* a cere; a urmări în justiţie.

suède [sweid] *s.* piele de antilopă.

suet [sjuit] *s.* seu.

suffer ['sʌfə] **I.** *vt.* **1.** a suferi. **2.** a permite. **3.** a tolera. **II.** *vi.* **1.** a suferi. **2.** a fi pedepsit.

sufferance ['sʌfrns] *s.* permisiune, îngăduinţă, tolerare.

sufferer ['sʌfərə] *s.* **1.** suferind. **2.** victimă. **3.** osândit; martir. **4.** persoană îngăduitoare.

suffering ['sʌfriŋ] *s.* suferinţă.

suffice [sə'fais] **I.** *vt.* a mulţumi, a satisface. || ~ *it to say* e de ajuns să spunem. **II.** *vi.* a fi suficient, de ajuns; a ajunge.

sufficiency [sə'fiʃnsi] *s.* **1.** îndestulare. **2.** cantitate suficientă.

sufficient [sə'fiʃnt] **I.** *s.* cantitate suficientă. **II.** *adj.* îndestulător, suficient.

suffix ['sʌfiks] *s. lingv.* sufix.

suffocate ['sʌfəkeit] *vt., vi.* a (se) sufoca.

suffocation [,sʌfə'keiʃn] *s.* **1.** înăbuşire, asfixiere. **2.** *med.* astmă.

suffragan ['sʌfrəgən] *s. rel.* ajutor de episcop.

suffrage ['sʌfridʒ] *s.* **1.** sufragiu, (drept de) vot. **2.** aprobare.

suffragette [,sʌfrə'dʒet] *s.* feministă, sufragetă.

suffragist ['sʌfrədʒist] *s.* adept al votului egal al femeilor.

suffuse [sə'fju:z] *vt.* **1.** a acoperi, a năpădi. **2.** a astupa. **3.** a îneca.

suffusion [sə'fju:ʒn] *s.* **1.** fard, sulimeneală. **2.** acoperire.

sugar ['ʃugə] **I.** *s.* zahăr. **II.** *vt.* **1.** a îndulci. **2.** a presăra cu zahăr.

sugar-basin ['ʃugə,beisn] *s.* zaharniţă.

sugar-loaf ['ʃugəlouf] *s.* căpăţână de zahăr.

sugar-tongs ['ʃugətɔŋz] *s.* cleşte pentru zahăr (cubic).

sugary ['ʃugəri] *adj.* **1.** dulce. **2.** zaharos. **3.** mieros. **4.** măgulitor.

suggest [sə'dʒest] *vt.* **1.** a propune. **2.** a sugera. **3.** a aminti de.

suggestible [sə'dʒestibl] *adj.* **1.** sugestionabil; influenţabil. **2.** care poate fi sugerat.

suggestion [sə'dʒestʃn] *s.* **1.** propunere. **2.** sugestie. **3.** nuanţă, indicaţie.

suggestive [sə'dʒestiv] *adj.* **1.** sugestiv. **2.** stimulent.

suicidal [sjui'saidl] *adj.* sinucigaş; de sinucidere.

suicide ['sjuisaid] *s.* **1.** sinucidere *(şi fig.).* **2.** sinucigaş.

sui generis ['sju:ai 'dʒenəris] *adj.* sui generis, aparte.

suit [sju:t] **I.** *s.* **1.** costum *(de haine, de baie).* **2.** petiţie, cerere. **3.** *jur.* acţiune judiciară (civilă). **4.** cerere în căsătorie, peţit. **5.** suită *(la cărţi).* || *to follow* ~ a urma (celorlalţi), a face la fel. **II.** *vt.* **1.** a mulţumi, a satisface. **2.** a se potrivi cu. **3.** a fi bun pentru, a conveni. **4.** a asorta. **5.** a şedea bine (cuiva). **6.** a potrivi. **III.** *vi.* **1.** a se potrivi.**2.** a corespunde. **3.** a fi convenabil. **IV.** *vr.* a face ce doreşti. || ~ *yourself* fă ce *sau* cum vrei.

suitable ['sju:təbl] *adj.* **1.** potrivit. **2.** corespunzător. **3.** favorabil.

suit-case ['sju:tkeis] *s.* valiză, geamantan.

suite [swi:t] *s.* **1.** suită. **2.** garnitură (de mobilă). **3.** şir de odăi, apartament *(în hotel etc.).*

suiting ['sju:tiŋ] *s.* material pentru un costum.

suitor ['sju:tə] *s.* **1.** pretendent, peţitor; amorez. **2.** *jur.* reclamant.

sulk [sʌlk] *vi.* **1.** a bombăni. **2.** a fi morocănos.

sulkily ['sʌlkili] *adv.* îmbufnat, ursuz.

sulks [sʌlks] *s. pl.* **1.** ţâfnă. **2.** tristeţe. **3.** supărare.

sulky ['sʌlki] **I.** *s.* **1.** şaretă. **2.** sulki, trăsurica jocheului *(la cursele de trap).* **II.** *adj.* **1.** morocănos. **2.** mohorât, trist.

sullen ['sʌln] *adj.* **1.** mohorât. **2.** supărat. **3.** ţâfnos.

sullenly ['sʌlənli] *adv.* ursuz, supărat.

sully ['sʌli] *vt.* **1.** a pângări. **2.** a murdări, a spurca.

sulphate ['sʌlfeit] *s. chim.* sulfat.

sulphide ['sʌlfaid] *s. chim.* sulfură.

sulphite ['sʌlfait] *s. chim.* sulfit.

sulphur ['sʌlfə] *s. chim.* sulf.

sulphureous [sʌl'fjuəriəs] *adj.* **1.** *chim.* sulfuros. **2.** verde-gălbui.

sulphuric [sʌl'fju:rik] *adj. chim.* sulfuric.

sulphurous ['sʌlfərəs] *adj.* sulfuros.

sultan ['sʌltn] *s.* sultan.

sultana [sʌl'tɑ:nə] *s.* **1.** stafidă. **2.** sultană.

sultanate ['sʌltəneit] *s.* sultanat, domeniul sultanului.

sultry ['sʌltri] *adj.* **1.** *(d. vreme)* înăbuşitor, arzător. **2.** *(d. temperament)* aprig, arzător.

sum [sʌm] **I.** *s.* **1.** sumă. **2.** total. **3.** adunare. **4.** rezumat. **5.** *pl.* aritmetică. **II.** *vt.* **1.** a aduna. **2.** a rezuma *(mai ales to* ~ *up).*

summarize ['sʌməraiz] *vt.* a rezuma.

summary ['sʌməri] **I.** *s.* **1.** rezumat. **2.** sumar. **II.** *adj.* **1.** sumar. **2.** rapid.

summation [sʌ'meiʃn] *s.* totalizare, însumare.

summer ['sʌmə] **I.** *s.* **1.** vară. **2.** *pl.* ani. **II.** *vi.* **1.** a petrece vara. **2.** a-şi face vilegiatura.

summer-house ['sʌməhaus] *s.* chioşc, pavilion *(în grădină).*

summer-time ['sʌmətaim] *s.* **1.** vară. **2.** (orar de) vară.

summing-up ['sʌmiŋ'ʌp] *s.* **1.** bilanţ. **2.** trecere în revistă. **3.** rezumat.

summit ['sʌmit] I. s. 1. vârf. 2. culme (și fig.). II. adj. 1. la cel mai înalt nivel. 2. maxim.

summon ['sʌmən] vt. 1. a chema. 2. a cita (în fața Curții). 3. a convoca. 4. a mobiliza (fig.).

summoner ['sʌmənə] s. 1. jur. înv. portărel. 2. persoană care convoacă (o adunare etc.).

summons ['sʌmənz] I. s. jur. citație. II. vt. a cita (la judecată).

sump [sʌmp] s. mine. jomp, colector de apă.

sumpter ['sʌmptə] s. vită de povară.

sumptuary ['sʌmptjuəri] adj. somptuar.

sumptuos ['sʌmtjuəs] adj. 1. somptuos. 2. luxos. 3. abundent.

sun [sʌn] I. s. 1. soare. 2. lumină. || to see the ~ a fi în viață; a place in the ~ condiții favorabile; his ~ is set i-a apus steaua. II. vt., vi. a (se) sori.

Sun. abrev. Sunday duminică.

sun-bath ['sʌnbɑ:θ] s. pl. **sun-baths** ['sʌnbɑ:ðz] baie de soare.

sun-beam ['sʌnbi:m] s. 1. rază de soare. 2. persoană plăcută.

sun-blind ['sʌnblaind] s. stor, jaluzea.

sunburn ['sʌnbə:n] s. 1. bronzare, negreală. 2. insolație.

sunburnt ['sʌnbə:nt] adj. bronzat, ars de soare, pârlit.

sundae ['sʌndei] s. gastr. înghețată cu fructe și sirop.

Sunday ['sʌndi] s. duminică.

Sunday best [,sʌndi'best] s. haine de sărbătoare, haine bune.

Sunday school ['sʌndisku:l] s. școală religioasă.

sunder ['sʌndə] poet. I. vt. a despărți, a împărți. II. vi. a se despărți.

sundew ['sʌndju:] s. bot. roua-cerului (Drosera rotundifolia).

sundial ['sʌndail] s. cadran solar.

sundown ['sʌndaun] s. amer. asfințit, apus de soare.

sun-dried [,sʌn'draid] adj. uscat la soare.

sundries ['sʌndriz] s. pl. 1. diverse. 2. resturi. 3. fleacuri.

sundry ['sʌndri] adj. 1. divers. 2. variat. || all and ~ toată lumea.

sunfish ['sʌnfiʃ] s. iht. 1. pește înrudit cu bibanul (Eupomotis gibbosus). 2. pește-lună (Orthagariscus mola).

sunflower ['sʌn,flauə] s. bot. floarea soarelui (Heliathus sp.).

sung [sʌŋ] vt., vi. part. trec. de la **sing**.

sun-glasses ['sʌn,glɑ:siz] s. pl. ochelari de soare.

sunk [sʌŋk] vt., vi. part. trec. de la **sink**.

sunken ['sʌŋkn] I. adj. 1. scofâlcit, scobit, supt. 2. înfundat. II. vt., vi. part. trec. de la **sink**.

sunless ['sʌnlis] adj. 1. fără soare. 2. întunecos.

sunlight ['sʌnlait] s. lumina soarelui.

sunlit ['sʌnlit] adj. însorit.

Sunni ['sʌni] s. rel. adept al sunnismului.

sunny ['sʌni] adj. 1. însorit. 2. luminos. 3. vesel.

sunrise ['sʌnraiz] s. răsăritul soarelui.

sunset ['sʌnset] s. apusul soarelui, asfințit.

sunshade ['sʌnʃeid] s. umbrelă de soare.

sunshine ['sʌnʃain] s. 1. lumina soarelui. 2. cer senin (și fig.).

sunshiny ['sʌnʃaini] adj. însorit. 2. fig. bucuros, fericit, radiind de veselie.

sunstroke ['sʌnstrouk] s. insolație.

sun-up ['sʌnʌp] s. amer. răsăritul soa-relui.

sup [sʌp] I. s. înghițitură. II. vt. a sorbi, a înghiți cu încetul. III. vi. 1. a lua cina. 2. a supa. 3. a sorbi înghițitură cu înghițitură.

super ['sju:pə] I. s. figurant (și fig.). II. adj. 1. strașnic. 2. (d. o unitate de măsură) pătrat.

superabundance [,sju:pərə'bʌn-dəns] s. supraabundență, prisos(ință).

superabundant [,sju:pərə'bʌn-dənt] adj. supraabundent, supraîmbelșugat.

superadd ['sju:pə(r)'æd] vt. a mai adăuga.

superannuate [,sju:pə'rænjueit] vi. a scoate la pensie / reformă etc.

superannuated [,sju:pə'rænjueitid] adj. 1. bătrân. 2. pensionat. 3. depășit. 4. demodat.

superannuation [,sju:pərænju'eiʃn] s. 1. învechire; îmbătrânire; uzare. 2. pensionare. 3. pensie.

superb [sju:'pə:b] adj. 1. strașnic. 2. superb.

supercargo [,sju:pə'kɑ:gou] s. supraveghetor al încărcăturii unui vas comercial.

supercharge ['sju:pətʃɑ:dʒ] vt. tehn. a supraîncărca; a supra-alimenta.

supercilious [,sju:pə'siliəs] adj. 1. disprețuitor. 2. trufaș, îngâmfat.

supereminent [,sju:pə'eminənt] adj. preeminent, care iese în evidență.

supererogation [,sju:pərerə'geiʃn] s. exces de zel.

superficial [,sju:pə'fiʃl] adj. superficial.

superficiality [,sju:pə,fiʃi'æliti] s. 1. superficialitate. 2. caracterul suprafeței.

superficies [,sju(:)pə'fiʃii:z] s. 1. suprafață. 2. fig. suprafață; exterior, aparența.

superfine ['sju:pəfain] adj. 1. (ultra)rafinat. 2. pretențios.

superfluity [,sju:pə'flu:iti] s. 1. prisos, superfluitate; excedent. 2. pl. exces.

superfluous [sju:'pə:fluəs] adj. inutil, de prisos, în plus, superfluu.

supergrass ['sju:pəgrɑ:s] s. sl. 1. informator de poliție. 2. drog de foarte bună calitate.

superhuman [,sju:pə'hju:mən] adj. supraomenesc.

superimpose ['sju:prim'pouz] vt. a suprapune.

superincumbent [,sju:pərin'kʌm-bənt] adj. 1. suprapus. 2. împovărător, apăsător.

superinduce [,sju:pərin'dju:s] vt. 1. (upon, on) a introduce suplimentar (peste); a adăuga (la). 2. a sprijini; a aduce (ceva) în sprijinul (a ceva).

superintend [,sju:prin'tend] vt., vi. 1. a supraveghea. 2. a dirija.

superintendence [,sju:pərin'ten-dəns] s. supraveghere, administrare, conducere.

superintendent [,sju:prin'tendənt] s. 1. supraveghetor. 2. administrator.

superior [sju:'piəriə] I. s. superior. II. adj. 1. superior. 2. mai înalt. 3. excepțional. 4. arogant. || ~ to mai bun decât; mai presus de.

superlative [sju:'pə:lətiv] s., adj. superlativ.

superman ['sju:pəmæn] s. pl. **supermen** ['sju:pəmæn] supraom.

supermarket ['sju:pə,mɑ:kit] s. amer. mare magazin universal (cu autoservire).

supernal [sju:'pə:nl] adj. 1. dumnezeiesc, ceresc. 2. (foarte) înalt.

supernatural [,sju:pə'nætʃrl] s., adj. supranatural.

supernova [sju:pə'nouvə], pl. și **supernovae** [sju:pə'nouvi:] s. astr. supernovă.

supernumerary [,sju:pə'nju:mrəri] I. s. 1. supranumerar. 2. teatru cin. figurant. II. adj. supranumerar.

superpose [ˌsjuːpəˈpouz] *vt.* a suprapune, a etaja.

superposition [ˌsjuːpəpəˈziʃn] *s.* suprapunere.

superpower [ˈsjuːpəˌpauə] *s.* 1. superioritate; putere covârşitoare. 2. *pol.* supraputere.

superscribe [ˌsjuːpəˈskraib] *vt.* 1. a pune o inscripţie pe, a scrie pe. 2. a scrie în antet. 3. a pune adresa pe *(o scrisoare)*.

superscript [ˈsjuːpəskript] I. *adj.* scris deasupra. II. *s.* număr *sau* simbol scris deasupra.

superscription [ˌsjuːpəˈskripʃn] *s.* 1. inscripţie. 2. legendă *(pe hărţi)*. 3. adresă *(pe scrisori)*. 4. antet *(pe documente)*.

supersede [ˌsjuːpəˈsiːd] *vt.* a înlocui, a lua locul *(cu gen.)*.

supersonic [ˌsjuːpəˈsɔnik] *adj. fiz.* supersonic.

superstition [ˌsjuːpəˈstiʃn] *s.* superstiţie.

superstitious [ˌsjuːpəˈstiʃəs] *adj.* superstiţios.

superstructure [ˈsjuːpəˌstrʌktʃə] *s.* 1. suprastructură. 2. construcţie.

supertanker [ˈsjuːpəˌtæŋkə] *s.* 1. *nav.* tanc petrolier de mare capacitate. 2. cisternă de mare capacitate.

supertax [sjuːpəˈtæks] *s. fin.* 1. impozit pe supraprofit. 2. suprataxă.

supervene [ˌsjuːpəˈviːn] *vi.* 1. a surveni. 2. a coincide.

supervise [ˌsjuːpəˈvaiz] *vt., vi.* 1. a supraveghea. 2. a dirija.

supervision [ˌsjuːpəˈviʒn] *s.* 1. supraveghere. 2. conducere. 3. îngrijire.

supervisor [ˈsjuːpəvaizə] *s.* 1. supraveghetor. 2. conducător.

supine [sjuːˈpain] *adj.* 1. culcat pe spate. 2. pasiv. 3. moale.

supper [ˈsʌpə] *s.* 1. cină (târzie). 2. supeu.

supperless [ˈsʌpəlis] *adj.* care nu a cinat.

supper time [ˈsʌpə taim] *s.* vremea / ora cinei.

supplant [səˈplɑːnt] *vt.* 1. a înlocui. 2. a suplini.

supple [ˈsʌpl] *adj.* 1. suplu. 2. maleabil. 3. influenţabil. 4. servil.

supplemental [ˌsʌpliˈmentl] *adj.* *(d. unghiuri etc.)* suplementar.

supplementary [ˌsʌpliˈmentri] *adj.* suplimentar.

supplement[1] [ˈsʌplimənt] *s.* supliment.

supplement[2] [sʌpliˈment] *vt.* 1. a adăugi. 2. a completa. 3. a suplimenta.

suppliant [ˈsʌpliənt] I. *s.* 1. solicitant. 2. petiţionar. II. *adj.* rugător.

supplicant [ˈsʌpliknt] *s.* v. **suppliant** I.

supplicate [ˈsʌplikeit] I. *vt.* a ruga fierbinte, a implora. II. *vi.* a se ruga fierbinte.

supplication [ˌsʌplikeiʃn] *s.* 1. implorare, rugăminte. 2. cerere, jalbă.

supply [səˈplai] I. *s.* 1. cantitate, transport. 2. stoc. 3. aprovizionare. 4. furnizare. 5. furnitură. 6. *econ.* ofertă. 7. suplinitor. 8. *pl.* aprovizionare. 9. fonduri. II. *vt.* 1. a furniza, a oferi. 2. a acoperi *(necesităţile)*. 3. a aproviziona cu.

support [səˈpɔːt] I. *s.* 1. sprijin. 2. susţinere. 3. ajutor. 4. suport. II. *vt.* 1. a sprijini, a susţine. 2. a înconjura. 3. a ajuta. 4. a suporta. 5. a dovedi, a corobora.

supportable [səˈpɔːtəbl] *adj.* 1. suportabil, tolerabil. 2. *(d. o teorie)* care se poate susţine.

supporter [səˈpɔːtə] *s.* 1. sprijinitor, susţinător. 2. epitrop. 3. *sport. etc.* suporter, *pl.* galerie.

suppose [səˈpouz] *vt.* 1. a presupune, a-şi închipui. 2. a bănui. 3. a lua drept bună. 4. a implica, a necesita. || *he is ~d to have left Bucharest* se presupune / crede că a plecat din Bucureşti; *~ we went to the cinema?* ce-ar fi să mergem la cinema? dacă am merge la cinema?

supposed [səˈpouzd] *adj.* presupus, pretins, aşa-zis.

supposedly [səˈpouzidli] *adv.* prin supoziţie; după toate probabilităţile, probabil.

supposing [səˈpouziŋ] *conj.* 1. dar dacă. 2. dacă.

supposition [ˌsʌpəˈziʃn] *s.* 1. presupunere. 2. părere. 3. supoziţie.

supposititious [sʌpəˈziʃəs] *adj.* 1. fals. 2. *jur.* substituit. 3. ipotetic.

suppository [səˈpɔzitəri] *s. med.* supozitor.

suppress [səˈpres] *vt.* 1. a înăbuşi. 2. a zdrobi. 3. a ascunde. 4. a reţine. 5. a muşamaliza. 6. a-şi stăpâni *(sentimentele etc.)*, a refula.

suppression [səˈpreʃn] *s.* 1. înăbuşire, reprimare *(a unei emoţii etc.)*. 2. înăbuşire, represiune *(a unei revolte)*. 3. suprimare. 4. refulare.

suppurate [ˈsʌpjureit] *vi. med.* a supura.

suppuration [ˌsʌpjuəˈreiʃn] *s.* supuraţie.

supra- [ˈsjuːprə] *prefix* supra-.

supranational [ˌsjuːprəˈnæʃnl] *adj.* supranaţional, suprastatal.

suprarenal [ˌsjuːprəˈriːnl] *adj. anat.* suprarenal.

supremacy [sjuˈpreməsi] *s.* supremaţie.

supreme [sjuˈpriːm] *adj.* suprem.

supremo [suːˈpriːmou] *s.* conducătorul, comandantul suprem.

surcease [səːˈsiːs] *poet., înv.* I. *vt.* 1. a înceta. 2. a întrerupe. II. *vi.* a înceta. III. *s.* 1. încetare. 2. întrerupere.

surcharge [ˈsəːtʃɑːdʒ] *s.* 1. supraîncărcare. 2. suprataxă.

surcingle [ˈsəːsiŋgl] I. *s.* cingătoare, chingă *(de cai)*. II. *vt.* a încinge, a lega cu o chingă *(un cal)*.

surd [səːd] I. *adj.* 1. *mat.* iraţional. 2. *fon.* surd. 3. *înv.* neauzit. 4. *înv.* fără însemnătate. II. *s.* 1. *mat.* număr iraţional. 2. *fon.* sunet surd. III. *vt. muz.* a surdina.

sure [ʃuə] I. *adj.* 1. sigur, neîndoielnic. 2. fix. 3. demn de încredere. 4. implacabil. || *as ~ as fate* cum te văd şi cum mă vezi; *~ enough* mai mult ca sigur; *well, I'm ~!* ei, asta e bună!; *be ~ to come* să vii negreşit; *to be ~* fără doar şi poate; nemaipomenit!; *to make ~* a se asigura; a verifica. II. *adv.* fără doar şi poate, sigur. III. *interj.* (de)sigur!

sure-fire [ˈʃuə ˌfaiə] *adj. amer. fam.* de nădejde, pe care te poţi bizui; cert, sigur.

sure-footed [ˈʃuəˌfutid] *adj.* 1. stabil, sigur pe picioare. 2. *fig.* de încredere.

surely [ˈʃuəli] *adv.* 1. fără doar şi poate. 2. cu siguranţă.

sureness [ˈʃuənis] *s.* 1. siguranţă. 2. convingere fermă. 3. hotărâre, fermitate. 4. calitatea de a fi demn de încredere.

surety [ˈʃuəti] *s.* 1. siguranţă. 2. garanţie. 3. chezaş. || *to stand ~* a se pune chezaş.

surf [səːf] *s.* resac, valuri care se sparg la ţărm.

surface [ˈsəːfis] I. *s.* 1. suprafaţă. 2. înfăţişare. || *on the ~* la prima vedere. II. *adj.* superficial.

surfeit [ˈsəːfit] I. *s.* 1. ghiftuială. 2. mahmureală. 3. exces. II. *vt., vr.* a (se) ghiftui.

surge [səːdʒ] I. *s.* 1. val, răbufnire. 2. potop. II. *vi.* 1. a se ridica. 2. a se năpusti (ca valul). 3. a veni ca un potop.

surgeon ['sɔːdʒn] s. 1. chirurg. 2. medic externist. 3. doctor militar. || ~ general medic şef (al ţării), aprox. Ministru al Sănătăţii.

surgery ['sɔːdʒri] s. 1. chirurgie. 2. cabinet medical (de chirurg).

surgical ['sɔːdʒikl] adj. chirurgical.

surly ['sɔːli] adj. ursuz.

surmise[1] ['sɔːmaiz] s. 1. presupunere. 2. ghiceală.

surmise[2] [sɔːˈmaiz] vt., vi. 1. a presupune. 2. a ghici.

surmount [sɔːˈmaunt] vt. 1. a învinge (dificultăţi, criză etc.). 2. a rezolva. 3. a trece peste.

surname ['sɔːneim] s. 1. nume de familie. 2. poreclă.

surpass [sɔːˈpɑːs] vt. 1. a depăşi. 2. a întrece.

surpassing [sɔːˈpɑːsiŋ] adj. eminent, excelent, neîntrecut.

surplice ['sɔːpləs] s. bis. veşminte preoţeşti, odăjdii.

surplus ['sɔːpləs] I. s. surplus. II. adj. 1. suplimentar. 2. în (sur)plus.

surprise [sɔˈpraiz] I. s. 1. surpriză. 2. surprindere. II. adj. 1. surpriză. 2. neaşteptat. III. vt. 1. a surprinde. 2. a ului. || to ~ smb. into doing smth. a determina pe cineva să facă un lucru, luându-l repede.

surprising [sɔˈpraiziŋ] adj. neaşteptat, surprinzător.

surprisingly [sɔˈpraiziŋli] adv. 1. surprinzător. 2. (în mod cu totul) neaşteptat.

surrealism [sɔˈriəlizəm] s. suprarealism.

surrender [sɔˈrendə] I. s. capitulare. II. vt. 1. a preda. 2. a ceda. III. vi. 1. a capitula. 2. a se da bătut. 3. a se lăsa dus.

surreptitious [ˌsʌrəpˈtiʃəs] adj. 1. clandestin. 2. tainic. 3. furiş.

surreptitiously [ˌsʌrəpˈtiʃəsli] adv. pe furiş, în taină / secret.

surrey ['sʌri] s. amer. trăsură uşoară cu patru roţi.

surrogate ['sʌrəgeit] s. 1. locţiitor, supleant. 2. amer. judecător pentru moşteniri şi tutele. 3. farm. succedaneu, surogat.

surround [sɔˈraund] vt. 1. a înconjura. 2. a încercui.

surroundings [sɔˈraundiŋz] s. pl. 1. împrejurimi. 2. mediu (înconjurător).

surtax ['sɔːtæks] I. s. suprataxă. II. vt. a impune la suprataxă.

surveillance [sɔːˈveiləns] s. supraveghere; control.

survey[1] ['sɔːvei] s. 1. privire generală. 2. trecere în revistă. 3. re-

zumat. 4. topografie, cadastru. 5. anchetă, sondaj de opinie etc.

survey[2] [sɔːˈvei] vt. 1. a examina, a cerceta. 2. a supraveghea. 3. a trece în revistă. 4. a măsura.

surveying [sɔːˈveiiŋ] s. cadastru, topografie.

surveyor [sɔˈveə] s. topograf.

survival [sɔˈvaivl] s. 1. supravieţuire. 2. rămăşiţă, urmă.

survive [sɔˈvaiv] I. vt. 1. a supravieţui (cuiva, unui eveniment). 2. a depăşi. II. vi. a supravieţui.

survivor [sɔˈvaivə] s. supravieţuitor.

sus [sʌs] sl. I. s. 1. suspect. 2. bănuială. II. vt. a investiga.

susceptibility [sɔˌseptˈbiliti] s. 1. susceptibilitate. 2. sensibilitate; impresionabilitate.

susceptible [sɔˈseptəbl] adj. 1. susceptibil. 2. influenţabil. 3. slab de înger. || ~ of capabil de.

suspect[1] ['sʌspekt] I. s. (element) suspect. II. adj. suspect.

suspect[2] [sɔsˈpekt] vt. 1. a bănui. 2. a suspecta.

suspend [sɔsˈpend] vt. a suspenda.

suspender [sɔsˈpendə] s. 1. jartieră. 2. pl. amer. bretele.

suspense [sɔsˈpens] s. 1. aşteptare. 2. încordare. 3. palpitare.

suspension [sɔsˈpenʃn] s. 1. suspendare. 2. suspensie.

suspicion [sɔsˈpiʃn] s. 1. bănuială, suspiciune. 2. idee. 3. fig. urmă, undă.

suspicious [sɔsˈpiʃəs] adj. 1. bănuitor. 2. neîncrezător. 3. suspect, dubios.

suspiciously [sɔsˈpiʃəsli] adv. echivoc, suspect; îndoielnic.

sustain [sɔsˈtein] vt. 1. a susţine, a sprijini. 2. a aproba. 3. a confirma, a sancţiona. 4. a suferi. 5. a primi (o lovitură).

sustenance ['sʌstinəns] s. 1. hrană, subzistenţă. 2. susţinere, sprijin.

sutler ['sʌtlə] s. furnizor (al armatei).

suture ['sjuːtʃə] I. s. 1. cusătură. 2. sutură. II. vt. a coase.

suzerain ['suːzərein] s. suzeran.

svelte [svelt] adj. zvelt, mlădios.

swab [swɔb] I. s. şomoiog. II. vt. 1. a tampona. 2. a freca, a spăla.

swaddle ['swɔdl] vt. 1. a bandaja. 2. a înfăşa.

swaddling clothes ['swɔdliŋ klouðz] s. pl. 1. scutece. 2. fig. piedici, încorsetare. || he is still in his ~ e încă un copil.

swag [swæg] s. pradă, câştig.

swage [sweidʒ] tehn. I. s. 1. matriţă de forjare. 2. gâtuire. II. vt. a forja la cald.

swagger ['swægə] I. s. mers fudul. II. vi. a se fuduli.

swain [swein] s. 1. ţăran. 2. iubit.

swale [sweil] s. amer. şes mlăştinos.

swallow ['swɔlou] I. s. 1. ornit. rândunică (Hirundo sp.). 2. înghiţire. 3. îmbucătură. II. vt., vi. a înghiţi (şi fig.).

swallow tail ['swɔlou teil] s. coadă de rândunică. 2. pl. fam. frac.

swallow-tailed ['swɔloteild] adj. cu coadă de rândunică.

swallow-tailed coat ['swɔloteild 'kout] s. frac.

swam [swæm] vt., vi. trec. de la swim.

swamp [swɔmp] I. s. mlaştină. II. vt. 1. a inunda. 2. a covârşi.

swampy ['swɔmpi] adj. mlăştinos.

swan [swɔn] s. ornit. lebădă (Cygnidae sp.). || the Swan of Avon Shakespeare.

swan's down ['swɔnz daun] s. 1. puf de lebădă. 2. ţesătură pufoasă de lână.

swan dive ['swɔndaiv] s. sport. săritură de la trambulină.

swank [swæŋk] fam. I. s. laudă, lăudăroşenie, îngâmfare. II. vi. a se lăuda, a se făli, a-şi da aere.

swanky [ˌswæŋki] adj. fam. 1. pretenţios, fanfaron. 2. elegant.

swannery ['swɔnəri] s. iaz pentru creşterea lebedelor.

swan-song ['swɔnsɔŋ] s. cântecul lebedei. 2. ultima operă.

swap [swɔp] I. s. schimb. II. vt. a schimba, a face schimb de. III. vi. a face schimb.

sward [swɔːd] s. 1. brazdă de pământ. 2. iarbă.

sware [sweə] vt., vi. trec. arhaic de la swear.

swarm [swɔːm] I. s. roi (şi fig.). II. vi. a roi (şi fig.). || to ~ with a fi plin, întesat de.

swart [swɔːt] adj. înv. v. swarthy.

swarthy ['swɔːði] adj. oacheş.

swash [swɔʃ] I. s. plescăit (al apei). II. adv. pleosc. III. interj. pleosc! IV. vt. 1. a face (apa etc.) să ţâşnească. 2. a se lovi plescăind de. V. vi. (d. apă etc.) a plescăi, a clipoci.

swashbuckler ['swɔʃˌbʌklə] s. 1. fanfaron. 2. om bătăios.

swastika ['swæstika] s. svastică.

swat [swɔt] amer. sl. I. vt. a lovi, a pocni. II. s. lovitură.

swatch [swɔtʃ] *s.* mostră de ţe-sătură.

swath [swɔ:θ] *s.* **1.** brazdă cosită. **2.** potecă.

swathe[1] [sweið] *vt.* **1.** a înfofoli. **2.** a bandaja.

swathe[2] [sweið] *v.* **swath**.

sway [swei] **I.** *s.* **1.** putere, stă-pânire. **2.** legământ. | | *to hold ~ over* a stăpâni. **II.** *vt.* **1.** a stă-pâni. **2.** a influenţa. **3.** a legă-na. **III.** *vi.* a se legăna, a se bă-lăbăni.

swear [sweə] **I.** *vt. trec.* **swore** [swɔ:], *part. trec.* **sworn** [swɔ:n] **1.** a jura; a promite. **2.** a pune să jure. | | *to ~ an oath* a face jurământ; a înjura; *to ~ in* a pune să presteze jurământ. **II.** *vi. trec.* **swore** [swɔ:], *part. trec.* **sworn** [swɔ:n] **1.** a jura. **2.** a înjura. | | *to ~ like a bargee* sau *trooper* a înjura ca un bir-jar; *to ~ at smb.* a înjura pe cineva; *to ~ by smth.* a jura pe ceva; a avea încredere în ceva.

sweat [swet] **I.** *s.* **1.** sudoare, transpiraţie. **2.** efort. **3.** ume-zeală. | | *in a (cold) ~; all of a ~* scăldat în sudoare; înspăi-mântat. **II.** *vt.* **1.** a face să trans-pire. **2.** a scoate sub formă de sudoare, a exuda. **3.** *fig.* a ex-ploata. | | *to ~ blood* a se chi-nui. **III.** *vi.* **1.** a transpira. **2.** a se aburi. **3.** a trudi din greu, a munci pe rupte.

sweater ['swetə] *s.* **1.** truditor. **2.** pulover; jerseu.

sweaty ['sweti] *adj.* **1.** transpirat, nădușit. **2.** greu, care te face să nădușești. **3.** *(d. o haină)* im-pregnat cu sudoare.

Swede [swi:d] *s.* suedez; suedeză.

Swedish ['swi:diʃ] **I.** *s.* (limba) suedeză. **II.** *adj.* suedez(ă).

sweep [swi:p] **I.** *s.* **1.** măturare, cu-răţenie. **2.** măturător. **3.** coșar. **4.** curent, șuvoi. **5.** mișcare. **6.** rază de acţiune. **7.** vâslă. **8.** vâslit. **9.** curbă. **10.** cumpăna fântânii. **11.** joc de noroc. **12.** câștig la jocuri de noroc. | | *to make a clean ~ of* a scăpa complet de. **II.** *vt. trec. și part. trec.* **swept** [swept] **1.** a mătura *(și fig.).* **2.** a alunga. **3.** a stră-bate. **4.** a atinge în treacăt. | | *to ~ the board* a câștiga potul *sau* premiul cel mare; *to ~ all before one* a avea numai suc-cese; *to be swept off one's feet* a se entuziasma. **III.** *vi. trec. și part. trec.* **swept** [swept] **1.** a mătura. **2.** a face curăţenie. **3.**

a se năpusti. **4.** a trece, a mer-ge. **5.** a se întinde.

sweeper ['swi:pə] *s.* **1.** măturător. **2.** aspirator de praf.

sweeping ['swi:piŋ] *adj.* **1.** gene-ral. **2.** dominant. **3.** larg. **4.** zdrobitor. **5.** complet, exhaus-tiv. **6.** fără discriminare.

sweepings ['swi:piŋz] *s. pl.* gunoi.

sweepstakes ['swi:psteiks] *s.* **1.** joc(uri) de noroc. **2.** potul *(la jocuri de noroc).*

sweet [swi:t] **I.** *s.* **1.** bomboană. **2.** iubit; iubită. **3.** *pl.* dulciuri. **II.** *adj.* **1.** dulce. **2.** parfumat. **3.** plăcut; blând. **4.** încântător. **5.** frumos.

sweetbread ['swi:tbred] *s.* momiţe *(de vițel).*

sweet briar ['swi:t 'braiə] *s. bot.* varietate de trandafir sălbatic *(Rosa eglanteria).*

sweeten ['swi:tn] *vt., vi.* a (se) în-dulci.

sweetheart ['swi:thɑ:t] *s.* **1.** iubit; iubită. **2.** logodnic; logodnică.

sweetish ['swi:tiʃ] *adj.* dulceag.

sweetly ['swi:tli] *adv.* **1.** binișor, încetișor. **2.** melodios. **3.** *fig.* plăcut, încântător. | | *~ pretty* încântător. **4.** *(a funcţiona)* fără șocuri.

sweetmeat ['swi:tmi:t] *s.* **1.** bom-boană. **2.** dulceaţă. **3.** *pl.* za-haricale.

sweetness ['swi:tnis] *s.* **1.** dul-ceaţă *(fig.).* **2.** blândeţe.

sweet pea ['swi:t ,pi:] *s. bot.* in-drișaim, sângele-voinicului *(La-thyrus odoratus).*

sweet-scented ['swi:t'sentid] *adj.* plăcut mirositor, parfumat, aro-mat.

sweet-tempered [,swi:t'tempəd] *adj.* blând, binevoitor.

sweet tooth [,swi:t'tu:θ] *s.* poftă (de bunătăţi sau dulciuri). | | *to have a ~* a fi pofticios.

sweet-william ['swi:t,wiljəm] *s. bot.* micsandră, garofiţa-de-grădină *(Dianthus barbatus).*

swell [swel] **I.** *s.* **1.** umflătură. **2.** umflare. **3.** val. **4.** crescendo. **5.** filfizon. **6.** ştab. **II.** *adj.* **1.** e-legant. **2.** pus la punct. **3.** strașnic. **III.** *vt., vi.* a (se) umfla.

swelled ['sweld] *vt., vi.* trec de la **swell**.

swelled head ['sweld'hed] *s.* în-gâmfare.

swelling ['sweliŋ] *s.* **1.** umflătură. **2.** umflare. **3.** creştere.

swelter ['sweltə] **I.** *s.* zăpușeală. **II.** *vi.* **1.** a fi zăpușeală. **2.** a se înăbuși, a leșina de căldură. **3.**

a fi lac de sudoare. | | *it~s* e zăpușeală, e o căldură înăbu-șitoare.

swept [swept] *vt., vi. trec. și part. trec. de la* **sweep**.

swerve [swɔ:v] **I.** *s.* **1.** abatere. **2.** cot(itură). **II.** *vt., vi.* a (se) abate *(și fig.).*

swift [swift] *adj.* **1.** rapid, repede. **2.** prompt, iute.

swift-footed ['swift'futid] *adj.* iute de picior.

swiftness ['swiftnis] *s.* repeziciu-ne, iuţeală.

swig [swig] *fam.* **I.** *vt.* a înghiţi cu înghiţituri mari. **II.** *vi.* a lua o sorbitură mare. **III.** *s.* **1.** sorbi-tură adâncă. **2.** bere cu pâine prăjită.

swill [swil] **I.** *s.* **1.** spălătură. **2.** lă-turi; poșircă. **II.** *vt.* **1.** a (se) spăla. **2.** a bea (mult).

swim [swim] **I.** *s.* **1.** înot. **2.** scăl-dat. **3.** *fig.* curent (principal). **II.** *vt. trec.* **swam** [swæm], *part. trec.* **swum** [swʌm] a traversa înot. **III.** *vi. trec.* **swam** [swæm], *part. trec.* **swum** [swʌm] **1.** a înota. **2.** a pluti. **3.** a se înce-toșa. **4.** a ameţi. **5.** a se clătina *(în faţa ochilor).* | | *to ~ with the tide* a face ce face toată lumea; a nu merge contra cu-rentului.

swimmer ['swimə] *s.* înotător.

swimming ['swimiŋ] **I.** *s.* înot. **II.** *adj.* **1.** plutitor. **2.** *fig. (d. ochi)* înecat *(în lacrimi etc.).*

swimmingly ['swimiŋli] *adv.* cu succes, ușor; de minune. | | *things went ~* lucrurile au mers ca pe roate.

swimming pool ['swimiŋpu:l] *s.* **1.** ştrand. **2.** bazin de înot; pis-cină.

swimsuit ['swimsju:t] *s.* costum de baie.

swindle ['swindl] **I.** *s.* **1.** escro-cherie. **2.** înșelăciune. **3.** păcă-leală. **II.** *vt.* a escroca. **III.** *vi.* a face escrocherii.

swindler ['swindlə] *s.* escroc.

swine [swain] *s. pl. ~* **1.** porc *(și fig.).* **2.** porci.

swine-herd ['swainhə:d] *s.* porcar.

swing [swiŋ] **I.** *s.* **1.** leagăn. **2.** legă-nare. **3.** pendulă. **4.** pendulare. **5.** oscilaţie. **6.** ritm, dans legă-nat, swing. | | *in full ~* în plină vervă; în floare; în (curs de) desfășurare. **II.** *vt. trec. și part. trec.* **swing** [swʌŋ] **1.** a legăna. **2.** a întoarce. **3.** a clătina. **III.** *vi. trec. și part. trec.* **swing** [swʌŋ] **1.** a se legăna. **2.** a se întoarce.

3. a se clătina. **4.** a se da în leagăn.

swingeing ['swindʒiŋ] *adj. (d. lovituri)* puternic, violent; amețitor; *fam.* imens, covârșitor.

swinging ['swiŋiŋ] *adj.* **1.** legănat. **2.** oscilant. **3.** ritmat.

swinish ['swainiʃ] *adj.* **1.** de porc, porcesc. **2.** *fig.* porcesc; mojicesc; brutal.

swipe [swaip] **I.** *s.* lovitură. **II.** *vt., vi.* a (se) învolbura.

swirl [swɔ:l] **I.** *vi.* a se învârti; a se roti ca un vârtej. **II.** *vt.* a face / a forma vârtejuri. **III.** *s.* **1.** vârtej; vârtelniță; turbion. **2.** siaj *(al navei).* **3.** nor de fum.

swish [swiʃ] **I.** *s.* **1.** fâșâit **2.** foșnet. **3.** vâjâit. **II.** *vt.* **1.** a foșni din . **2.** a plesni, a biciui. **III.** *vi.* **1.** a foșni. **2.** a fâșâi. **3.** a vâjâi.

Swiss [swis] **I.** *s.* elvețian, elvețiancă. || *the ~* elvețienii. **II.** *adj.* elvețian(ă).

switch [switʃ] **I.** *s.* **1.** nuia. **2.** cravașă. **3.** perucă. **4.** șaltăr, întrerupător, comutator. **5.** macaz. **II.** *vt.* **1.** a cravașa. **2.** a mișca în sus și în jos. **3.** a întrerupe *(curentul).* **4.** a trece pe altă linie. **5.** a schimba. **III.** *vi.* **1.** a trece pe altă linie. **2.** a se muta.

switch-board ['switʃbɔ:d] *s.* **1.** tablou, masă de comandă. **2.** centrală telefonică.

switchman ['switʃmən] *s. pl.* **switchmen** ['switʃmən] *ferov.* acar, macagiu.

swivel ['swivl] **I.** *s.* cuplaj. **II.** *vt., vi.* a (se) învârti.

swivel-chair ['swivltʃɛə] *s.* scaun turnant.

swivel-eyed ['swivlaid] *adj.* sașiu.

swizzle ['swizl] *s. sl.* cocteil din rom și vermut cu gheață.

swollen ['swouln] **I.** *adj.* umflat. **II.** *vt., vi. part. trec. de la* **swell**.

swoon [swu:n] **I.** *s.* leșin. **II.** *vi.* a leșina.

swoop [swu:p] **I.** *s.* **1.** atac. **2.** năpustire. || *at one (fell) ~* năpustindu-se ca un vultur; dintr-o lovitură. **II.** *vi.* a se năpusti. **III.** *vt.: to~ up smth.* a smulge ceva.

swop [swɔp] *s., vt., vi.* v. **swap**.

sword [sɔ:d] *s.* **1.** sabie. **2.** militărie, război. || *to put to the ~* a ucide; *to draw the ~* a începe războiul; *at the point of the~* în vârful săbiilor; *to cross ~s with* a-și măsura puterile cu.

sword-cut ['sɔ:dkʌt] *s.* **1.** rană. **2.** cicatrice.

sword-fish ['sɔ:dfiʃ] *s. iht.* peștesabie *(Xiphias gladius).*

sword-play ['sɔ:dplei] *s.* **1.** scrimă. **2.** *fig.* duel verbal, schimb de replici, discuție tăioasă.

swordsman ['sɔ:dzmən] *s. pl.* **swordsmen** ['sɔ:dzmən] **1.** spadasin. **2.** scrimer.

swore [swɔ:] *vt., vi. trec. de la* **swear**.

sworn [swɔ:n] *vt., vi. part. trec. de la* **swear**.

swot [swɔt] **I.** *s.* tocilar *(fig.).* **II.** *vi.* a toci *(fig.).*

swum [swʌm] *vt., vi. part. trec de la* **swim**.

swung [swʌŋ] *vt., vi. trec. și part. trec. de la* **swing**.

swung dash ['swʌŋdæʃ] *s.* tildă.

sybarite ['sibərait] *s.* sibarit *(și fig.).*

sycamore ['sikəmɔ:] *s.* **1.** sicomor; smochin. **2.** paltin.

sycophant ['sikəfənt] *s.* **1.** lingușitor. **2.** parazit.

syllabary ['siləbəri] *s.* alfabet silabic.

syllabic [si'læbik] *adj.* silabic.

syllabify [si'læbifai] *vt.* **1.** a despărți în silabe. **2.** a silabisi.

syllable ['siləbl] *s.* silabă.

syllabub ['siləbʌb] *s. gastr.* băutură / desert obținut(ă) prin covăsirea laptelui *sau* a smântânii cu vin.

syllabus ['siləbəs] *s. pl. și* **syllabi** ['si:ləbai] programă analitică, plan de învățământ.

syllogism ['silədʒizəm] *s.* silogism.

syllogistic [,silə'dʒistik] *adj. filoz.* silogistic.

sylph [silf] *s.* **1.** zână; nimfă. **2.** silfidă.

sylvan ['silvən] *adj.* silvestru, de pădure / codru.

symbiosis [,simbi'ousis] *s. biol.* simbioză.

symbol ['simbl] *s.* simbol.

symbolic(al) [sim'bɔlik(l)] *adj.* **1.** simbolic. **2.** convențional.

symbolism ['simbəlizəm] *s.* simbolism.

symbolize ['simbəlaiz] *vt.* **1.** a simboliza. **2.** a reprezenta.

symmetric(al) [si'metrik(l)] *adj.* simetric.

symmetry ['simitri] *s.* simetrie.

sympathetic [,simpə'θetik] *adj.* **1.** înțelegător; plin de compătimire, de înțelegere. **2.** simpatic. **3.** armonios. **4.** de simpatie. || *to be ~ to(wards)* a privi cu simpatie.

sympathetically [,simpə'θetikəli] *adv.* din simpatie; prin simpatie.

sympathize ['simpəθaiz] *vi.* a fi înțelegător *sau* milos. || *to ~ with* a compătimi; a agrea; a sprijini; a înțelege.

sympathizer ['simpəθaizə] *s.* **1.** simpatizant. **2.** sprijinitor.

sympathy ['simpəθi] *s.* **1.** înțelegere. **2.** compătimire. **3.** milă. **4.** simpatie. **5.** *pl.* condoleanțe. || *in ~ with* în înțelegere cu; manifestându-și compătimirea pentru.

symphonic [sim'fɔnik] *adj. muz.* simfonic.

symphony ['simfəni] **I.** *s.* simfonie. **II.** *adj.* simfonic.

symposium [sim'pouzjəm] *s. pl.* **symposia** [sim'pouziə] **1.** simpozion. **2.** petrecere.

symptom ['simtəm] *s.* **1.** simptom. **2.** semn.

symptomatic [,simptə'mætik] *adj.* simptomatic.

synagogue ['sinəgog] *s.* sinagogă.

synchronism ['siŋkrənizəm] *s.* sincronism; simultaneitate; izocronism.

synchronize ['siŋkrənaiz] **I.** *vt.* a sincroniza. **II.** *vi.* **1.** a se sinroniza. **2.** a coincide.

synchronous ['siŋkrənəs] *adj.* sincron(ic); simultan.

syncopate ['siŋkəpeit] *vt.* a sincopa.

syncopation [,siŋkə'peiʃn] *s. muz.* sincopare, sincopă.

syncope ['siŋkəpi] *s.* sincopă, leșin.

syncretic [siŋ'kri:tik] *adj.* sincretic.

syndic ['sindik] *s.* sindic; decan; membru al magistraturii.

syndicalism ['sindikəlizəm] *s.* sindicalism.

syndicate I. ['sindikit] *s.* **1.** *econ.* cartel, concern, sindicat patronal. **2.** organizație / trust de presă. **II.** ['sindikeit] *vt.* **1.** *econ.* a pune sub egida unui trust / cartel. **2.** *econ.* a fuziona, a uni (într-un cartel). **3.** a vinde *(un articol etc.)* mai multor ziare; a difuza pentru un trust de presă.

syndrome ['sindrəmi(:)] *s. med.* sindrom.

syne [sain] *adv.* scoțian v. **since** II.

synecdoche [si'nekdəki] *s. lit.* sinecdocă.

synod ['sinəd] *s.* sobor duhovnicesc; consiliu; sinod.

synonym ['sinənim] *s. lingv.* sinonim.

synonymous [si'nɔniməs] adj. sinonim.

synopsis [si'nɔpsis] s. pl. **synopses** [si'nɔpsi:z] **1.** rezumat. **2.** tablou sinoptic.

synoptic(al) [si'nɔptik(l)] adj. sinoptic.

syntax ['sintæks] s. sintaxă.

synthesis ['sinθisis] s. pl. **syntheses** ['sinθisi:z] sinteză.

synthesize ['sinθisaiz] vt. a sintetiza.

synthesizer ['sinθəsaizə] s. muz. sintetizator.

synthetic [sin'θetik] adj. sintetic.

synthetically [sin'θetikəli] adv. sintetic.

syphilis ['sifilis] s. sifilis.

syphilitic [ˌsifi'litik] s. med. sifilitic.

syphon ['sifn] s. sifon (sticla).

Syriac ['siriæk] **I.** adj. (numai d. limbă) siriană. **II.** s. limba veche siriană.

Syrian ['siriən] adj., s. sirian.

syringe ['sirindʒ] **I.** s. **1.** med. seringă. **2.** pompă de incendiu. **II.** vt. a injecta (un lichid).

syrinx ['sirinks], pl. **syrinxes** ['sirinksiz] sau **syringes** ['sirin-dʒiz] s. **1.** nai. **2.** flaut. **3.** arh. galerie îngustă din mormintele egiptene. **4.** anat. trompa lui Eustațiu. **5.** med. fistulă.

syrup ['sirəp] s. sirop.

system ['sistim] s. **1.** sistem(ă). **2.** regim (social), orânduire. **3.** ordine.

systematic(al) [ˌsisti'mætik(l)] adj. **1.** sistematic. **2.** metodic.

systematically [ˌsisti'mætikəli] adv. sistematic.

systematize ['sistimətaiz] vt. a sistematiza.

systole ['sistəli] s. med. sistolă.

T

T [ti:] s. (litera) T, t.

t. abrev. ton(s) tonă / tone.

ta [tɑ:] interj. (în limbajul copiilor) mulțumesc, mersi.

TA abrev. Territorial Army armată teritorială.

tab [tæb] s. **1.** apendice, anexă. **2.** cotor, contramarcă. **3.** agățătoare, atârnătoare. **4.** gaică.

tabard ['tæbəd] s. ist. **1.** tunică de zale. **2.** livrea, tunică.

tabby ['tæbi] s. **1.** pisică tărcată (cu dungi gri sau maro). **2.** cață, femeie iscoditoare; fată bătrână. **3.** text. tafta de mătase. **4.** rochie de tafta.

tabernacle ['tæbəˌnækl] **I.** s. **1.** rel. tabernacol. **2.** templu, loc sfânt; cortul mărturisirii. **3.** bis. casă de rugăciune. **4.** bis. raclă (pentru moaște). **5.** bis. chivot (pentru împărtășanie). **6.** locuință portabilă; cort portativ. **II.** vt. a depune într-un tabernacol. **III.** vi. a locui temporar / provizoriu.

tabla ['tæblə] s. muz. tobe mici, tamburine (în India).

table ['teibl] **I.** s. **1.** masă. **2.** tabel. **3.** mat. tablă; || at ~ la masă. **II.** vt. **1.** a pune pe masă. **2.** a propune. **3.** a pune pe un tabel; a tabula.

tableau ['tæblou] s. teatru **1.** tablou; scenă. **2.** cortină de act / scenă (care se desface lateral). **3.** tablou vivant.

table-cloth ['teiblklɔθ] s. față de masă.

table d'hôte ['tɑ:bl 'dout] s. **1.** masă comună. **2.** meniu fix.

table-land ['teibllænd] s. geogr. platou, podiș.

table spoon ['teibl,spu:n] s. lingură de supă / masă.

tablespoonful ['teibl,spu:nful] s. lingură (plină) (cantitate).

tablet ['tæblit] s. tabletă.

table-talk ['teibltɔ:k] s. conversație.

table-tennis ['teibl,tenis] s. tenis de masă.

tableware ['teibl,wεə] s. articole de masă; veselă, tacâmuri.

table waters ['teibl,wɔ:təz] s. pl. apă minerală, borviz.

tabloid ['tæblɔid] **I.** s. **1.** tabletă, pastilă,comprimat. **2.** ziar sau revistă de scandal / senzație; gazetă revolver. **3.** rezumat; esență; digest; sinapsă. **II.** adj. concentrat, comprimat.

taboo [tə'bu:] **I.** s. **1.** tabu, interzis. **2.** vulgar, porcos. **II.** adj. tabu. **III.** vt. a interzice.

tabor ['teibə] s. muz. tobă mică.

tabo(u)ret ['tæbərit] s. **1.** bancă, taburet. **2.** tambur, tobă mică. **3.** cadru pentru broderie, gherghef.

tabu [tə'bu:] s., adj., vt. v. **taboo.**

tabular ['tæbjulə] adj. **1.** în formă de tabel / intabulară. **2.** neted.

tabulate ['tæbju,leit] vt. **1.** a aranja sub formă de tabel / diagramă, a intabula. **2.** a netezi. **3.** a cataloga.

tabulator ['tæbju,leitə] s. tabulator.

tachograph ['tækə,grɑ:f] s. tehn. tahograf; tahometru înregistrator.

tacit ['tæsit] adj. tacit.

taciturn ['tæsitə:n] adj. tăcut.

taciturnity [ˌtæsi'tə:niti] s. caracter taciturn; rezervă.

tack¹ [tæk] **I.** s. **1.** țintă, cui. **2.** pioneză. **3.** tighel. **4.** zigzag (și fig.). **5.** hrană. **II.** vt. **1.** a prinde în ținte sau pioneze. **2.** a însăila (și fig.). **III.** vi. a merge în zigzag.

tack² [tæk] s. harnașament.

tackle ['tækl] **I.** s. **1.** scripete. **2.** odgon. **3.** instalație, dispozitiv. **4.** echipament. **5.** sport (rugbi) placaj. **6.** sport (rugbi) jucător care plachează adversarii. **II.** vt. **1.** a aborda, a deschide (un subiect etc.). **2.** a ataca (și fig.). **3.** sport (rugbi) a placa. **III.** vi. (rugbi) a placa.

tackler ['tæklə] s. atacant, persoană care plachează (la rugbi).

tacky ['tæki] adj. **1.** vâscos, cleios. **2.** amer. de prost gust; ordinar, prost. **3.** amer. jalnic, prăpădit.

tact [tækt] s. tact, abilitate.

tactful ['tæktfl] adj. abil, plin de tact.

tactfully ['tæktfuli] adv. cu tact.

tactic ['tæktik] s. tactică.

tactical ['tæktikl] adj. **1.** tactic. **2.** abil.

tactician [tæk'tiʃn] s. tactician, cunoscător al tacticii.

tactics ['tæktiks] s. pl. **1.** tactică. **2.** metodă.

tactile ['tæktail] adj. **1.** tactil. **2.** fig. palpabil, tangibil.

tactless ['tæktlis] adj. fără tact, lipsit de tact.

tadpole ['tædpoul] *s. zool.* mormoloc.

taffeta ['tæfitə] *s. text.* tafta.

taffrail ['tæf‚reil] *s. nav.* partea superioară a bolţii pupei.

taffy ['tæfi] *s. amer.* **1.** v. **toffee.** **2.** linguşire, tămâiere, adulare.

tag [tæg] **I.** *s.* **1.** etichetă. **2.** ştampilă. **3.** *fig.* clişeu, tablou, repetiţie. **II.** *vt.* **1.** a eticheta *(şi fig.).* **2.** a se ţine după *(cineva),* a urmări (scai).

tail[1] [teil] **I.** *s.* **1.** coadă. **2.** spate. **3.** stemă, pajură, coroană *(la o monedă).* **4.** *pl.* frac. **II.** *vt.* **1.** a pune coadă la *(un obiect).* **2.** a urmări, a fila, a se ţine după **III.** *vi.:* to ~ *after* a se ţine după *(cineva).*

tail[2] [teil] *jur.* **I.** *s.* drept de succesiune limitat; limitarea succesiunii. **II.** *adj.* limitat din punct de vedere al moştenirii.

tail-coat ['teil‚kout] *s.* frac.

tail-end ['teil‚end] *s.* ultima parte, coada.

tailless ['teillis] *adj.* fără coadă, berc.

tailor ['teilə] **I.** *s.* croitor. **II.** *vt.* **1.** a croi. **2.** a face *(haine).* **III.** *vi.* a face haine.

tailoring ['teiləriŋ] *s.* croitorie *(ca profesie).*

tailor-made ['teiləmeid] *adj.* făcut de croitor.

tailor-made suit ['teiləmeid'sju:t] *s.* taior.

tail race ['teil reis] *s. hidrologie* canal de evacuare.

taint [teint] **I.** *s.* **1.** pată. **2.** molipsire. **3.** pângărire. **4.** atingere. **II.** *vt.* **1.** a pângări. **2.** a strica. **3.** a infecta.

take [teik] **I.** *s.* **1.** captură. **2.** încasări; || *give and* ~ concesii reciproce. **II.** *vt. trec.* **took** [tuk], *part. trec.* **taken** [teikn] **1.** a lua. **2.** a primi. **3.** a accepta. **4.** a obţine. **5.** a duce, a fura, a răpi. **6.** a simţi. **7.** a consuma, a mânca, a bea. **8.** a alege. **9.** a prinde. **10.** a folosi. **11.** a atrage. **12.** a necesita. **13.** a înregistra. **14.** a presupune, a socoti. **15.** a adopta. || to ~ *back* a retrage; to ~ *a back seat* a fi modest; a se da la fund; to ~ *by storm* a lua cu asalt; *fig.* a lua repede; to ~ *the chair* a prezida; to ~ *a chance* a-şi încerca norocul; to ~ *chances* a risca; to ~ *charge of* a lua în primire *sau* în grijă; to ~ *the chill off* a alunga răceala; to ~ *down* a nota

(stenografic); to~ *in* a primi; a scădea; a îngusta; a înţelege; a păcăli; a crede; a cuprinde; to ~ *in hand* a se apuca de; a se ocupa de, a lua asupra sa; to ~ *a leaf out of smb.'s book* a imita exemplul cuiva; to ~ *(one's) leave* a-şi lua rămas bun; to ~ *notice of* a remarca; a observa; to ~ *occasion* a profita de prilej; to ~ *out* a scoate, a smulge; a obţine; to~ *over* a prelua; to ~ *place* a avea loc, a se ţine; to ~ *the rough with the smooth* a se obişnui cu răul; to ~ *root* a prinde rădăcini; to ~ *a seat* a sta jos; to ~ *stock of* a inventaria; a măsura; to ~ *to task* a ocărî; to ~ *the trouble* a-şi da osteneala; to ~ *umbrage* a se ofensa; to ~ *up* a ridica; a ocupa; a primi; a se ocupa de; to ~ *up arms* a se ridica la luptă. **III.** *vi. trec.* **took** [tuk], *part. trec.* **taken** [teikn] **1.** a fi atrăgător. **2.** a face impresie. || to ~ *after smb.* a semăna cu cineva; to~ *off* a sări; a decola; to ~ *on* a fi emoţionat; a se supăra; to ~ *over* a intra în funcţie; to ~ *to one's legs* a o lua la picior; to ~ *up with smb.* a se întovărăşi cu cineva.

takeaway ['teikəwei] **I.** *s.* **1.** (pachet cu) mâncare (semi)preparată pentru luat acasă. **2.** restaurant sau magazin care vinde mâncare pentru acasă. **II.** *adj. (d. mâncare)* pentru acasă.

take-in ['teik‚in] *s.* **1.** păcăleală. **2.** escrocherie.

taken ['teikn] *vt., vi. part. trec. de la* **take.**

take-off ['teiko:f] *s.* **1.** decolare. **2.** săritură. **3.** imitaţie.

take-out ['teikaut] *s., adj. amer.* v. **takeaway.**

taker ['teikə] *s.* **1.** primitor. **2.** antreprenor.

taking ['teikiŋ] **I.** *s.* **1.** luare, prindere. **2.** capturare. **3.** ocupare. **4.** captură, arestare. **5.** *pl.* încasări; venituri. **6.** *jur.* sustragere. **7.** *med.* luare *(de sânge),* sângerare. **8.** *tehn.* ridicare *(topografică);* alcătuire, schiţare *(a unui plan).* **9.** *cin.* dublă. **10.** *fam.* încurcătură, bucluc. **11.** *fam.* nedumerire, confuzie. **II.** *adj.* **1.** atrăgător; captivant, seducător. **2.** *med.* contagios.

talc [tælk] *s. minr.* talc.

talc(um) powder ['tælk(əm) ‚paudə] *s.* pudră de talc.

tale [teil] *s.* **1.** poveste. **2.** basm.

talebearer ['teil‚bɛərə] *s.* **1.** guraliv, flecar. **2.** bârfitor, trădător, gură-rea, informator.

talent ['tælənt] *s.* **1.** talent. **2.** capacitate. **3.** *ist. rel.* talant.

talented ['tæləntid] *adj.* talentat.

talesman ['teili:zmən] *s. pl.* **talesmen** ['teili:zmən] *jur.* jurat supleant.

talisman ['tælizmən] *s.* talisman.

talk [tɔ:k] **I.** *s.* **1.** conversaţie. **2.** discuţie. **3.** conferinţă. **4.** *pl.* tratative. **5.** subiect (al bârfelilor); || *the ~ of the town* subiectul bârfelor curente. **II.** *vt.* **1.** a discuta, a vorbi. **2.** a convinge. || to ~ *smb. out of doing smth.* a convinge pe cineva să nu facă un lucru; to ~ *smb.'s head off* a lua capul cuiva; to ~ *smb. round* a duce cu vorba; to ~ *over* a discuta (pe îndelete). **III.** *vi.* **1.** a vorbi. **2.** a conversa. **3.** a bârfi. || ~*ing of pictures* apropo de filme; to ~ *to smb.* a ocărî pe cineva.

talkative ['tɔ:kətiv] *adj.* flecar.

talker ['tɔ:kə] *s.* **1.** vorbitor. **2.** orator. **3.** lăudăros.

talkie ['tɔ:ki] *s. fam.* film sonor.

talking-picture ['tɔ:kiŋ'piktʃə] *s.* film sonor.

tall [tɔ:l] *adj.* **1.** *(d. om, casă, catarg)* înalt. **2.** riscat. **3.** *(d. preţ, poveste)* exagerat.

tallow ['tælou] **I.** *s.* seu. **II.** *adj.* de seu.

tally ['tæli] **I.** *s.* **1.** răboj *(şi fig.).* **2.** etichetă. **II.** *vt.* a socoti. **III.** *vi.* a corespunde, a se potrivi.

tally-ho ['tæli‚hou] **I.** *interj.* ei! **II.** *vt.* a asmuţi *(câinii).* **III.** *s. amer.* trăsură (cu 4 cai), echipaj.

Talmud, the ['tælmud, ðə] *s. rel.* Talmudul.

talon ['tælən] *s.* gheară, unghie lungă.

tamarind ['tæmərind] *s. bot.* **1.** tamarind *(Tamarindus indica).* **2.** fruct de tamarind.

tamarisk ['tæmərisk] *s. bot.* tamarisc *(Tamarix gallica).*

tamber ['tæmbə] *s. lingv. muz.* timbru *(în fonetică).*

tambour ['tæmbuə] *s.* **1.** gherghef, tambur *(pentru broderie).* **2.** *înv.* tambur, tobă.

tambourine [‚tæmbə'ri:n] *s.* tamburină.

tame [teim] **I.** *adj.* **1.** îmblânzit. **2.** blând; cuminte. **3.** inofensiv. **4.** stupid. **5.** supus. **6.** neinteresant. **II.** *vt.* **1.** a îmblânzi *(şi fig.).* **2.** a supune.

tameless ['teimlis] *adj.* neîmblânzit, sălbatic, care nu poate fi domesticit.

tameness ['teimnis] *s.* **1.** natură blândă, blândeţe *(a unui animal)*. **2.** lipsă de curaj; lipsă de viaţă. **3.** monotonie, caracter searbăd.

tamer ['teimə] *s.* îmblânzitor.

Tamil ['tæmil] **I.** *adj.* tamil. **II.** *s.* **1.** tamil. **2.** *lingv.* (limba) tamilă.

Tammany ['tæməni] *amer.* **I.** *s.* *1.* organizaţie centrală a partidului democrat *(cu sediul la T. hall, în New York)*. **2.** (sistem de) corupţie în viaţa politică; venalitate. **II.** *adj.* *pol.* corupt, venal.

tam o'shanter [,tæm ə'ʃæntə] *s.* **1.** beretă scoţiană *(cu pompon)*. **2.** *Tam o'Shanter* erou al poemului cu acelaşi nume de Robert Burns.

tamp [tæmp] *vt.* **1.** a tasa, a bătători. **2.** a astupa *(o gaură)*.

tamper ['tæmpə] *vi.:* to ~ with a umbla la; a falsifica.

tampon ['tæmpən] *med.* **I.** *s.* tampon. **II.** *vt.* a tampona.

tan [tæn] **I.** *s.* **1.** argăseală. **2.** tanin. **3.** bronzare. **II.** *adj.* gălbui. **III.** *vt.* **1.** a argăsi. **2.** a bronza. **3.** a bate. **IV.** *vi.* **1.** a se argăsi. **2.** a se bronza.

tandem ['tændəm] **I.** *s.* tandem. **II.** *adv.* în tandem.

tandoor [tæn'duə] *s.* cuptor indian din argilă.

tandoori ['tænduəri] *s.* mâncare gătită într-un cuptor indian de argilă.

tang [tæŋ] **I.** *s.* zăngănit; dangăt; zgomot puternic. **II.** *vi.* a zăngăni. **III.** *vt.* a zăngăni din, a face să zăngăne.

tangent ['tændʒnt] **I.** *s.* tangentă. **II.** *adj.* tangent.

tangential [tæn'dʒentʃl] *adj. mat.* tangenţial.

tangerine [,tændʒə'ri:n] *s. bot.* mandarină.

tangibility [,tændʒi'biliti] *s.* tangibilitate, palpabilitate, realitate.

tangible ['tændʒəbl] *s.* **1.** palpabil. **2.** clar.

tangle ['tæŋgl] **I.** *s.* încurcătură *(şi fig.)*. **II.** *vt., vi.* a (se) încurca.

tango ['tæŋgou] *s.* tangou.

tank [tæŋk] *s.* **1.** rezervor. **2.** tanc.

tankage ['tæŋkidʒ] *s.* **1.** capacitatea unei cisterne. **2.** resturi, deşeuri.

tankard ['tæŋkəd] *s.* cană (cu capac).

tanker ['tæŋkə] *s.* tanc petrolier.

tanner ['tænə] *s.* **1.** tăbăcar. **2.** *sl.* monedă de şase peni.

tannery ['tænəri] *s.* tăbăcărie.

tannin ['tænin] *s. chim.* tanin.

tansy ['tænzi] *s. bot.* calapăr *(Tenacetum vulgare)*.

tantalize ['tæntəlaiz] *vt.* **1.** a chinui. **2.** a necăji. **3.** a aţâţa.

tantalus ['tæntələs] *s.* suport cu încuietoare *(pentru carafe de băutură)*.

tantamount ['tæntəmaunt] *adj.:* to be ~ to a se ridica la; a echivala cu; a însemna *(fig.)*.

tantra ['tæntrə] *s. lit., rel., filoz.* tantra, carte sfântă a hinduşilor / budiştilor.

tantrum ['tæntrəm] *s. fam.* ţâfnă, furie, istericale.

tap [tæp] **I.** *s.* **1.** robinet; canea. **2.** vin de la canea. **3.** bătaie uşoară *(în geam, pe umăr etc.)*. **4.** bocănit. **5.** *pl. mil.* stingere. || on ~ de la butoi. **II.** *vt.* **1.** a da cep la *(sau cu dat.)*. **2.** a deschide. **3.** a aborda *(un subiect)*. **4.** a bate *(uşor) (pe braţ, umăr etc.)*. **5.** a tapa *(de bani)*. || to ~ a telephone a supraveghea un telefon.

tape [teip] **I.** *s.* **1.** panglică. **2.** bandă. **3.** *sport* finiş. **II.** *vt.* a prinde cu panglici.

taper ['teipə] **I.** *s.* lumânare subţire. **II.** *vt.* a subţia. **III.** *vi.* **1.** a scădea treptat. **2.** a se subţia. **3.** a se ascuţi. **4.** a fi de formă ascuţită *sau* conică.

tape-recorder ['teipri,kɔːdə] *s.* magnetofon.

tapering ['teipəriŋ] *adj.* **1.** conic. **2.** ascuţit.

tapestry ['tæpistri] *s.* **1.** tapet. **2.** tapiserie.

tapeworm ['teipwɔːm] *s. zool.* tenie *(Cestoda)*.

tapioca [,tæpi'oukə] *s. bot.* tapioca *(Manihot)*.

tapir ['teipə] *s. zool.* tapir *(Tapirus indicus)*.

tap-room ['tæprum] *s.* bar; sală cu tejghea *(într-o cârciumă etc.)*.

tap root ['tæp ruːt] *s. bot.* rădăcină pivotantă.

tapster ['tæpstə] *s.* **1.** bufetier, barman. **2.** cârciumar, cabaretier.

tar [tɑː] **I.** *s.* **1.** gudron. **2.** catran. **3.** marinar. **II.** *vt.* a da cu catran. || ~red with the same brush sau stick de aceeaşi teapă; to ~ and feather smb. a da pe cineva în tărbacă.

ta-ra ['tɑː'rɑː] *interj.* pa (şi pusi)!

taradiddle ['tærədidl] *fam.* **I.** *s.* minciună, gogoaşă; *sl.* cioc, barbă. **II.** *vi.* a spune minciuni / braşoave / gogoşi.

tarantella [,tærən'telə] *s. muz.* tarantelă.

tarantula [tə'ræntjulə] *s. entom.* tarantulă *(Lycosa tarentula)*.

tarboosh ['tɑː,buːʃ] *s.* fes.

tardiness ['tɑːdinis] *s.* încetineală; întârziere.

tardy ['tɑːdi] *adj.* **1.** întârziat. **2.** încet.

tare ['tɛə] *s.* tara, dara.

target ['tɑːgit] *s.* **1.** ţintă *(şi fig.)*. **2.** ţel. **3.** sarcină, normă.

tariff ['tærif] *s.* **1.** tarif. **2.** listă de preţuri.

tarlatan ['tɑːlətən] *s. text.* tarlatan, muselină.

tarmac ['tɑː,mæk] *s. av.* **1.** pistă (de aterizare). **2.** aerodrom.

tarn [tɑːn] *s.* iezer, tău.

tarnish ['tɑːniʃ] **I.** *s.* întunecare. **II.** *vt.* a întuneca.

taro ['tɑːrou] *s. bot.* plantă tropicală comestibilă *(Colocasia esculenta)*.

tarot ['tærou] *s. amer.* **1.** tarot. **2.** cărţi de tarot.

tarpaulin [tɑː'pɔːlin] *s.* **1.** prelată. **2.** îmbrăcăminte marinărească (impermeabilă).

tarragon ['tærəgən] *s. bot.* tarhon *(Artemisia dracunculus)*.

tarry ['tæri] *vi.* **1.** a zăbovi. **2.** a rămâne. **3.** a aştepta.

tarsal ['tɑːsəl] *adj. anat.* tarsian.

tarsus ['tɑːsəs], *pl.* **tarsi** ['tɑːsai] *s.* **1.** *anat.* tars. **2.** *ornit.* pulpă. **3.** *entom.* partea inferioară a piciorului.

tart [tɑːt] **I.** *s.* **1.** tartă. **2.** târfă. **II.** *adj.* **1.** acru. **2.** obraznic.

tartan ['tɑːtn] **I.** *s.* **1.** pled. **2.** stofă ecosez. **II.** *adj.* ecosez.

Tartar ['tɑːtə] **I.** *s.* **1.** tătar. **2.** om nervos. |·| to catch a ~ a-şi găsi naşul. **II.** *adj.* tătărăsc.

tartar ['tɑːtə] *s. chim. med.* tartru.

Tartaric [tɑː'tærik] *adj.* tătar, tătăresc.

Tartarus ['tɑːtərəs] *s. mit.* Tartar, lumea subpământeană, infern.

tartlet ['tɑːtlit] *s. gastr.* tartă mică.

tartrate ['tɑːtreit] *s. chim.* tartrat.

task [tɑːsk] **I.** *s.* **1.** sarcină. **2.** temă. || to take a person to ~ (for smth.) a cere cuiva socoteală. **II.** *vt.* **1.** a încărca. **2.** a pune la (grea) încercare.

taskmaster ['tɑːsk,mɑːstə] *s.* **1.** şef. **2.** cel ce distribuie sarcinile.

Tasmanian [tæz'meiniən] *adj., s.* tasmanian.

tassel ['tæsl] s. canaf, ciucure.

taste [teist] I. s. 1. gust. 2. gură, mușcătură, înghiţitură. 3. preferinţă. II. vt. 1. a gusta. 2. a simţi. 3. a atinge. 4. a se bucura de. III. vi. 1. a gusta. 2. a simţi un gust. 3. a avea gust (bun, rău etc.). || to ~ of a avea gust de; fig. a gusta din.

tasteful ['teistfl] adj. 1. gustos. 2. de bun-gust.

tasteless ['teistlis] adj. 1. fără gust. 2. fără haz. 3. de prost gust.

taster ['teistə] s. 1. degustător (de vinuri etc.). 2. redactor / consilier / lector de editură.

tastiness ['teistinis] s. 1. gust bun, plăcut; savoare. 2. fam. eleganţă, şic.

tasty ['teisti] adj. gustos.

tat [tæt] I. s. 1. zdreanţă; zdrenţe. 2. zdrenţaros, persoană zdrenţăroasă. 3. sl. zar (măsluit). II. vt. a lega, a înnoda.

ta-ta ['taː'taː] interj. pa!

Tatar ['taːtə] s. v. **Tartar**.

tatter ['tætə] s. zdreanţă.

tatterdemalion [,tætədə'meiljən] s. zdrenţăros, calic.

tattered ['tætəd] adj. 1. zdrenţuit. 2. zdrenţăros.

tattle ['tætl] I. s. 1. vorbărie (goală). 2. flecăreală. II. vt., vi. 1. a trăncăni. 2. a bârfi.

tattoo [tə'tuː] I. s. 1. tatuaj. 2. tamtam. 3. retragere cu torţe. II. vt. a tatua.

tatty ['tæti] adj. fam. zdrenţuit; ponosit; ţipător, de prost gust.

taught [tɔːt] vt., vi. trec. şi part. trec. de la **teach**.

taunt [tɔːnt] I. s. 1. ironie. 2. înţepătură. II. vt. a ironiza, a înţepa.

Taurus ['tɔːrəs] s. 1. astr. Taurul (constelaţie şi semn al zodiacului). 2. the ~ Munţii Taurus (în Turcia).

taut [tɔːt] adj. întins, încordat.

tauten ['tɔːtn] I. vt. a întinde, a strânge (o funie etc.). II. vi. a fi încordat / strâns / întins .

tautology [tɔː'tɔlədʒi] s. tautologie.

tavern ['tævən] s. 1. cârciumă. 2. han.

taw[1] [tɔː] s. 1. bile, joc de bile. || to play at ~ a juca bile. 2. linie de pe care se aruncă bilele.

taw[2] [tɔː] vt. a tăbăci (pielea) în vârtej; a bate, a meliţa (cânepa).

tawdry ['tɔːdri] adj. 1. găunos. 2. fără valoare. 3. ţipător.

tawny ['tɔːni] adj. 1. roib. 2. maro deschis.

tax [tæks] I. s. 1. impozit. 2. taxă. 3. fig. povară. II. vt. 1. a impune, a taxa. 2. a împovăra. 3. a acuza.

taxable ['tæksəbl] I. adj. impozabil. II. s. contribuabil.

taxation [tæk'seiʃn] s. 1. impozite. 2. fisc.

tax-collector ['tækskə,lektə] s. econ. perceptor.

tax-free ['tæks,friː] adj. econ. scutit de impozite sau taxe.

taxi ['tæksi] I. s. taxi. II. vi. 1. a merge cu taxiul. 2. auto., av. a rula (pe pistă).

taxicab ['tæksikæb] s. taxi.

taxidermy ['tæksi,dəːmi] s. împăiere a animalelor.

taximan ['tæksimən] s. pl. **taximen** ['tæksimən] şofer de taxi.

taximeter ['tæksi,miːtə] s. aparat de taxat.

taxonomy [tæk'sɔnəmi] s. taxonomie, ştiinţa clasificării.

taxpayer ['tæks,peə] s. contribuabil.

t'other ['tʌðər] prescurtare de la **the other** pron. celălalt, cealaltă.

t.b. ['tiː'biː] s. med. tuberculoză.

te [tiː] s. muz. nota si.

tea [tiː] s. ceai.

teach [tiːtʃ] I. vt. a preda, a învăţa (pe alţii). II. vi. a fi profesor.

teachable ['tiːtʃəbl] adj. 1. capabil să înveţe. 2. docil, ascultător; care poate fi învăţat.

teacher ['tiːtʃə] s. profesor.

teaching ['tiːtʃiŋ] s. învăţătură; profesorat.

teacup ['tiːkʌp] s. ceaşcă de ceai (şi în sensul de conţinut).

teahouse ['tiːhaus] s. ceainărie (în China şi în Japonia).

teak [tiːk] s. 1. bot. tek (Tectona grandis). 2. (lemn de) tek.

tea kettle ['tiː ,ketl] s. ceainic.

teal [tiːl] s. pl. **teal** [tiːl] ornit. lişiţă (Anas crecca).

team [tiːm] I. s. 1. echipă. 2. pereche (de boi, cai). II. vi.: to ~ up with a se uni cu; a lucra împreună cu.

team mate ['tiːm meit] s. jucător sau membru al aceleiaşi echipe.

teamster ['tiːmstə] s. 1. conducător de turmă. 2. vizitiu.

team work ['tiːm ,wəːk] s. 1. munca în colectiv a unei brigăzi; lucru în bandă rulantă. 2. muncă coordonată (în comun), conlucrare. 3. munca atelajului (de câini, reni). 4. amer. munci

agricole cu animale de tracţiune.

tea-party ['tiː,paːti] s. petrecere, ceai.

teapot ['tiːpɔt] s. ceainic (din serviciul de ceai). || fig. a tempest in a ~ furtună într-un pahar cu apă; iron. to stand ~ fashion a sta cu mâinile în şolduri.

tear[1] [tiə] I. s. 1. lacrimă. 2. pl. amărăciune, tristeţe. 3. picătură de rouă. || in ~s plângând, cu ochii în lacrimi. II. vi. a lăcrima; a plânge. III. vt. a înlăcrima, a face să plângă.

tear[2] [tɛə] I. s. ruptură. II. vt. trec. **tore** [tɔː], part. trec. **torn** [tɔːn] 1. a sfâşia, a rupe, a tăia. 2. a răni. 3. a smulge. 4. a chinui. III. vi. trec. **tore** [tɔː], part. trec. **torn** [tɔːn] 1. a se rupe, a se sfâşia. 2. a se repezi. 3. a trece ca fulgerul. || to ~ at smth. a trage de ceva.

tear-drop ['tiədrɔp] s. lacrimă.

tearful ['tiəfl] adj. 1. plângăreţ. 2. scăldat în lacrimi.

tearfully ['tiəfuli] adv. înlăcrimat.

tear-gas ['tiəgæs] s. chim. mil. gaz lacrimogen.

tearing ['tɛəriŋ] I. s. 1. sfâşiere, rupere. 2. smulgere, îndepărtare. II. adj. 1. deşirabil, care se rupe uşor. 2. istovitor. 3. puternic, extrem. 4. fam. scos din pepeni. 5. (d. glas) strident, ascuţit. 6. imoral, stricat.

tearless ['tiəlis] adj. 1. fără lacrimi. 2. insensibil.

tea room ['tiː ruː(ː)m] s. ceainărie, cofetărie.

tease [tiːz] I. s. 1. om ironic. 2. mucalit. 3. femeie capricioasă, care aţâţă / tulbură bărbaţii. II. vt. 1. a tachina, a ironiza. 2. a necăji, a incita. 3. a pisa, a bate la cap. 4. a desface.

teasel ['tiːzl] I. s. 1. bot. scai voinicesc (Dipsacus). 2. darac, maşină de dărăcit. II. vt. text. a dărăci.

teaser ['tiːzə] s. 1. persoană care tachinează, care sâcâie. 2. femeie care aţâţă. 3. fam. problemă dificilă / spinoasă. 4. reclamă, anunţ publicitar.

tea spoon ['tiː:spuːn] s. linguriţă de ceai sau de cafea.

teaspoonful ['tiːspuːn,ful] s. o linguriţă de ceai (conţinut).

teat [tiːt] s. 1. mamelon. 2. vulg. ţâţă.

tea-things ['tiːθiŋz] s. pl. serviciu de ceai.

tea-time ['tiːtaim] *s.* ora ceaiului *(patru sau cinci după-amiază).*

tec [tek] *s. fam.* detectiv.

Tech [tek] *s. fam.* colegiu *sau* şcoală tehnică.

technic ['teknik] *adj.* v. **technical.**

technical ['teknikl] *adj.* tehnic.

technical crops ['teknikl'krɔps] *s. pl.* plante tehnice / industriale.

technicality [ˌtekni'kæliti] *s.* **1.** amănunt; chiţibuş. **2.** chestiune de specialitate.

technically ['teknikəli] *adv.* tehnic, din punct de vedere tehnic.

technician [tek'niʃn] *s.* tehnician.

technics ['tekniks] *s.* tehnică.

technique [tek'niːk] *s.* **1.** tehnică. **2.** îndemânare.

technocracy [tek'nɔkrəsi] *s.* tehnocraţie.

technocrat ['teknəˌkræt] *s.* tehnocrat.

technologic(al) [ˌtek'nɔlɔdʒik(əl)] *adj.* tehnologic.

technology [tek'nɔlɔdʒi] *s.* **1.** tehnologie. **2.** tehnică.

Teddy ['tedi] *s.* : ~ *bear* urs din pluş.

teddy boy ['tedibɔi] *s.* huligan.

tedious ['tiːdjəs] *adj.* **1.** plicticos. **2.** (prea) lung, monoton.

tedium ['tiːdiəm] *s.* **1.** plictiseală. **2.** tărăgănare.

tee[1] [tiː] **I.** *s.* **1.** litera T. || *to a* ~ exact, precis. **2.** obiect în formă de T. **II.** *adj. tehn.* în formă de T.

tee[2] [tiː] *sport* **I.** *s.* semn pentru minge la golf. **II.** *vt.* a aşeza *(mingea)* pentru prima lovitură. || *to* ~ *off* a da prima lovitură *(mingii).*

teem[1] [tiːm] *vi.* **1.** a mişuna. **2.** a roi. || *to* ~ *with* a fi plin de, a mişuna de.

teem[2] [tiːm] *vt. tehn.* a turna *(metalul).*

teen age ['tiːnˌeidʒ] *s.* adolescenţă; vârsta adolescenţei.

teen-ager ['tiːnˌeidʒə] *s.* adolescent / adolescentă *(în vârstă de 13-19 ani).*

teens [tiːnz] *s. pl.* vârsta de la 13 la 19 ani, adolescenţă. || *she is still in her* ~ n-are încă 20 de ani.

teeny (weeny) ['tiːni(wiːni)] **I.** *adj. fam.* micuţ, mititel. **II.** *s.* v. **teen-ager.**

teeter ['tiːtə] *amer. fam.* **I.** *vi.* a se legăna. **II.** *vt.* a legăna, a da huţa. **III.** *s.* leagăn, scrânciob.

teeth [tiːθ] *s. pl.* de la **tooth.**

teethe [tiːð] *vi.* **1.** *(d. dinţi)* a ieşi, a creşte. **2.** *(d. copil)* a-i creşte /

a-i ieşi dinţii. **3.** *fig.* a începe; a se profila.

teetotal [tiː'toutl] *adj.* **1.** cumpătat; antialcoolic. **2.** *(d. băuturi)* nealcoolic.

teetotal(l)er [tiː'toutlə] *s.* **1.** abstinent. **2.** antialcoolic.

tele- ['teli] *prefix* tele-.

telecast ['telikɑːst] *s.* emisiune / program de televiziune.

telecommunication [ˌtelikəˌmjuː-ni'keiʃn] *s.* telecomunicaţii.

telegram ['teligræm] *s.* telegramă.

telegraph ['teligrɑːf] **I.** *s.* telegraf. **II.** *vt., vi.* a telegrafia.

telegrapher [ti'legrəfər] *s.* **1.** persoană care trimite o telegramă. **2.** *amer.* v. **telegraphist.**

telegraphic [ˌteli'græfik] *adj.* telegrafic.

telegraphist [te'legrəfist] *s.* telegrafist.

telegraphy [ti'legrəfi] *s.* **1.** telegrafie. **2.** telegrafiere.

telemeter ['telimitə] *s.* telemetru.

teleology [ˌteli'ɔlədʒi] *s.* teleologie.

telepathy [ti'lepəθi] *s.* telepatie.

telephone ['telifoun] **I.** *s.* telefon. **II.** *vt., vi.* a telefona.

telephone directory ['telifoun di'rektri] *s.* carte de telefon.

telephone exchange ['telifoun iks'tʃeindʒ] *s.* centrală telefonică.

telephonic ['teli'fɔnik] *adj.* telefonic.

telephonist [ti'lefənist] *s.* telefonist(ă).

telephony [ti'lefəni] *s.* telefonie.

telephotography [ˌtelifə'tɔgrəfi] *s.* telefotografie.

teleprinter ['teliˌprintə] *s.* teleimprimator, teleprinter.

telescope ['teliskoup] **I.** *s.* **1.** telescop. **2.** lunetă. **II.** *vt.* **1.** a strânge. **2.** a ciocni. **III.** *vi.* a se ciocni.

telescopic [ˌteli'skɔpik] *adj.* **1.** telescopic, făcut prin telescop. **2.** *astr.* vizibil numai prin telescop. **3.** care poate fi telescopat, care intră unul în altul.

teletypewriter ['teli'taipˌraitə] *s.* teleimprimator, teletaip.

televise ['telivaiz] *vt.* a televiza.

television ['teliˌviʒn] *s.* televiziune.

televisual [ˌteli'viʒuəl] *adj.* **1.** televizat. **2.** referitor la televiziune.

telex, Telex ['teleks] **I.** *s.* (aparat / sistem) telex; telegraf / telegrafie telex. **II.** *vt.* a transmite prin telex.

tell [tel] **I.** *vt. trec. şi part. trec.*

told [tould] **1.** a spune. **2.** a povesti, a relata. **3.** a porunci. **4.** a încredinţa. **5.** a transmite. **6.** a distinge; a deosebi. **7.** a recunoaşte. **8.** a hotărî. || *to* ~ *off* a detaşa; a ocărî; *to* ~ *tales* a trăda; a mărturisi; *it* ~*s its own tale* se înţelege de la sine; ~ *it to the marines* asta se i-o spui lui mutu'; *to* ~ *the time* a spune cât e ceasul; *there is no* ~*ing a lie* imposibil să spui o minciună; *all told* cu una, cu alta; laolaltă. **II.** *vi. trec. şi part. trec.* **told** [tould] a povesti, a spune poveşti. || *to* ~ *on smb.* a trăda, a denunţa; a pârî; *it* ~*s on your health* are un efect (negativ) asupra sănătăţii.

teller ['telə] *s.* **1.** povestitor. **2.** socotitor; cel ce numără *(voturile, banii etc.).*

telling ['teliŋ] *adj.* **1.** eficient. **2.** impresionant. **3.** elocvent, grăitor.

tell-tale ['telteil] **I.** *s.* gură spartă. **II.** *adj.* trădător, care te dă de gol.

tellurium [te'ljuəriəm] *s. chim.* teluriu.

telly ['teli] *s. fam.* televiziune.

temerity [ti'meriti] *s.* nesocotinţă, nechibzuinţă, uşurinţă, cutezanţă, temeritate.

temp *abrev.* **1.** *tempore* pe timpul *(cu gen.).* **2.** *temperature* temperatură. **3.** *temporary* temporar.

temper ['tempə] **I.** *s.* **1.** temperament. **2.** dispoziţie. **3.** (acces de) furie. **4.** stăpânire de sine; tărie. || *to lose one's* ~ a-şi pierde cumpătul, a se supăra; *out of* ~ *(with)* supărat (pe). **II.** *vt.* **1.** a căli. **2.** a întări. **3.** a înmuia. **4.** a ţine în frâu. **5.** a tempera. **III.** *vi.* **1.** a se căli. **2.** a se întări.

tempera ['tempərə] *s. artă* **1.** tempera. **2.** lucrare în tempera.

temperament ['temprəmənt] *s.* **1.** temperament. **2.** dispoziţie.

temperamental [ˌtemprə'mentl] *adj.* **1.** temperamental. **2.** nervos. **3.** capricios.

temperance ['temprns] *s.* **1.** temperanţă. **2.** cumpătare. **3.** antialcoolism.

temperate ['temprit] *adj.* **1.** temperat. **2.** cumpătat. **3.** antialcoolic.

temperature ['tempritʃə] *s.* temperatură.

tempest ['tempist] *s.* furtună *(şi fig.).*

tempestuous [tem'pestjuəs] *adj.* furtunos, violent; impetuos.

Templar ['templə] *s.* **1.** *ist. (şi Knight ~)* templier, cavaler al Ordinului Templului / Templierilor. **2.** avocat *sau* student în drept care locuieşte "in the Temple" *(nume generic pentru două din cele patru şcoli superioare de drept din Londra: the Inner Temple, the Middle Temple, Lincoln's Inn, Gray's Inn).*

template ['templit] *s.* şablon, model, tipar *(şi fig.).*

temple ['templ] *s.* **1.** templu. **2.** *anat.* tâmplă.

tempo ['tempou] *s.* **1.** *muz. pl.* **tempi** ['tempi] tempo, ritm. **2.** *pl.* **tempos** ['tempouz] ritm, iuţeală.

temporal ['temprl] *adj.* **1.** temporal *(şi anat.).* **2.** lumesc.

temporality [,tempə'ræliti] *s.* **1.** caracter trecător / vremelnic. **2.** *pl.* posesiunea şi veniturile unui cleric.

temporarily ['tempərərili] *adv.* temporar, vremelnic, pentru un timp.

temporary ['temprəri] *adj.* temporar.

temporize ['tempəraiz] *vi.* **1.** a zăbovi. **2.** a întârzia. **3.** a căuta să câştige timp. **4.** a tergiversa.

tempt [temt] *vt.* **1.** a ispiti. **2.** a atrage.

temptation [tem'teiʃn] *s.* ispită.

tempter ['temptər] *s.* ademenitor, seducător. || *the Tempter* ispititorul, diavolul, Satan.

temptress ['temptris] *s.* ademenitoare, seducătoare.

ten [ten] *s., num.* zece.

tenable ['tenəbl] *adj.* **1.** durabil, trainic. **2.** justificabil, care poate fi susţinut / apărat. **3.** folositor, util. **4.** destoinic, capabil.

tenacious [ti'neiʃəs] *adj.* **1.** tenace. **2.** unit. **3.** lipicios.

tenacity [ti'næsiti] *s.* **1.** tenacitate, tărie, îndârjire. **2.** statornicie, perseverenţă. **3.** lipici, aderenţă. **4.** soliditate, durabilitate.

tenancy ['tenənsi] *s.* **1.** situaţie *sau* calitate de chiriaş *sau* arendaş. **2.** perioada închirierii. **3.** pământ pentru care se plăteşte rentă.

tenant ['tenənt] **I.** *s.* **1.** chiriaş. **2.** arendaş. **3.** dijmaş. **4.** ţăran (de pe o moşie). **II.** *vt.* **1.** a lua în arendă. **2.** a lucra în dijmă. **3.** a ocupa, a închiria *(o casă, un teren de la cineva).*

tenantless [tenəntlis] *adj. (d. pământ)* gol, nelocuit, pustiu, necultivat.

tenantry ['tenəntri] *s. fam.* **1.** ţărani (arendaşi) de pe moşie. **2.** locatari, chiriaşi.

tench [tentʃ] *s. iht.* lin *(Tinca vulgaris).*

tend [tend] **I.** *vt.* **1.** a păzi. **2.** a paşte *(vitele etc.).* **II.** *vi.* a tinde.

tendance ['tendəns] *s., prescurtare. de la* **attendance** *înv.* **1.** grijă *(de cineva);* supraveghere. **2.** suită, alai, curteni.

tendency ['tendənsi] *s.* tendinţă.

tendentious [ten'denʃəs] *adj.* tendenţios.

tender[1] ['tendə] **I.** *s.* **1.** ofertant. **2.** ofertă. **3.** *fin.* monedă. **4.** *ferov.* tender. **5.** vas auxiliar. **II.** *adj.* **1.** moale. **2.** delicat. **3.** fraged. **4.** tandru. **5.** necopt; nevârstnic.**6.** dureros; sensibil. **7.** milos, bland.

tender[2] ['tendə] **I.** *vt.* **1.** a oferi; a furniza. **2.** a prezenta, a înmâna *(demisia, o cerere).* **3.** *amer.* a organiza, a da *(o masă etc.).* **4.** *amer.* a decerna. **5.** *amer.* a provoca, a aduce *(o jignire, o mutilare).*

tender age ['tendər eidʒ] *s.* vârstă fragedă.

tenderfoot ['tendəfut] *s.* **1.** nouvenit. **2.** ageamiu, nou sosit, neobişnuit (cu o regiune); novice. **3.** *amer.* cowboy de operetă.

tender-hearted ['tendə,haːtid] *adj.* **1.** slab de înger, sensibil. **2.** delicat, bland.

tenderize ['tendə,raiz] *vt.* a frăgezi *(carnea).*

tenderloin ['tendələin] *s.* **1.** *amer.* filet, muşchi. **2.** *the Tenderloin District* nume generic pentru cartierul localurilor de noapte *(în New York şi în alte oraşe).*

tenderly ['tendəli] *adv.* bland, calm, milos.

tenderness ['tendənis] *s.* **1.** frăgezime, delicateţe. **2.** sensibilitate, blândeţe. **3.** grijă, îngrijorare, prudenţă.

tender spot ['tendə spət] *s.* punct dureros *sau* nevralgic.

tendinous ['tendinəs] *adj. anat.* vânos, cu vine, cu tendoane.

tendon ['tendən] *s.* tendon.

tendril ['tendril] *s.* **1.** *bot.* lujer. **2.** cârlionţ.

tenement ['tenimənt] *s.* **1.** închiriere. **2.** local închiriat. **3.** casă de raport. **4.** apartament *sau* cameră cu chirie.

tenement-house ['tenimənthaus] *s.* **1.** casă de raport. **2.** locuinţă sărăcăcioasă.

tenet ['tiːnet] *s.* **1.** principiu. **2.** credinţă.

tenfold ['tenfould] *adj., adv.* înzecit.

tenner ['tenə] *s. fam.* hârtie de zece lire.

tennis ['tenis] *s. sport.* tenis.

tennis-court ['teniskɔːt] *s. sport.* teren de tenis.

tenon ['tenən] **I.** *s. constr.* cep, capăt de lemn care intră într-o scobitură; *tehn.* ştift, gheară de fixare. **II.** *vt.* a îmbina cu cep.

tenor ['tenə] **I.** *s.* **1.** tenor. **2.** direcţie generală. **3.** sens general. **II.** *adj.* de tenor.

tenpenny ['tenpəni] *adj.* (în valoare de) 10 penny.

tense [tens] **I.** *s. gram.* timp verbal. **II.** *adj.* **1.** încordat. **2.** întins. **III.** *vt.* a încorda. **IV.** *vi.* a se încorda.

tensely ['tensli] *adv.* încordat, rigid, ţeapăn.

tenseness ['tensnis] *s. v.* **tensity**.

tensile ['tensail] *adj.* **1.** extensibil. **2.** ductil. **3.** de încordare, de tensiune.

tension ['tenʃn] *s.* **1.** tensiune. **2.** încordare.

tensity ['tensiti] *s.* **1.** încordare, tensiune. **2.** rigiditate. **3.** intensitate.

tent [tent] *s.* cort.

tentacle ['tentəkl] *s.* tentacul *(şi fig.).*

tentacular [ten'tækjulə] *adj.* tentacular.

tentative ['tentətiv] *adj.* **1.** experimental. **2.** făcut la noroc, într-o doară.

tenter-hook ['tentəhuk] *s.* cârlig de rufe. || *to be on ~s* a sta ca pe ghimpi.

tenth [tenθ] **I.** *s.* zecime. **II.** *num.* al zecelea.

tenuity [te'njuːiti] *s.* **1.** rarefiere (a aerului). **2.** subţirime, fluiditate. **3.** insuficienţă, simplitate, sărăcie.

tenuous ['tenjuəs] *adj.* **1.** subţire, subţiratic. **2.** *fig.* micuţ; simplu. **3.** subtil; fin.

tenure ['tenjuə] *s.* **1.** posesiune. **2.** stăpânire. **3.** durată a serviciului. **4.** (termen de) ocupare a unei funcţii. **5.** *univ. şcol.* definitivat, titularizare (pe post).

tepee ['tiːpiː] *s. amer.* cort al pieilor roşii; colibă indiană.

tepid ['tepid] *adj.* călduţ *(şi fig.).*

tequila [ti'kiːlə] *s.* tequila, băutură alcoolică din America Latină.

tercentenary [ˌtəːsen'tiːnəri] **I.** *adj.* tricentenar, de 300 de ani. **II.** *s.* tricentenar, aniversare / comemorare a 300 de ani.

terebinth [ˌteri'binθ] *s. bot.* terebint, arborele din care se extrage terebentina *(Pistacia terebinthus)*.

tergiversation [ˌtəːdʒivə'seiʃn] *s.* **1.** ezitare. **2.** tărăgănare, tergiversare. **3.** eschivare, pretext. **4.** nestatornicie, inconsecvență. **5.** renegare; apostazie.

term [təːm] **I.** *s.* **1.** termen. **2.** limită. **3.** *pl.* învoială. || *to come to ~s* a se învoi; *to bring smb. to ~s* a convinge pe cineva; *not to be on speaking ~s with smb.* a nu vorbi cu cineva; *in ~s of* în (termeni de); *pe baza ~s*; în lumina ...; în materie de ... **II.** *vt.* a numi.

termagant ['təːməgənt] *s.* **1.** vrăjitoare *(fig.)*. **2.** femeie afurisită.

terminable ['təːminəbl] *adj.* **1.** limitat în timp; urgent. **2.** determinabil, susceptibil de a fi definit.

terminal ['təːminl] **I.** *s.* **1.** terminus, stație finală, cap de linie. **2.** capăt. **II.** *adj.* **1.** final. **2.** de la capăt.

terminate ['təːmineit] *vt., vi.* a înceta.

termination [təːmi'neiʃn] *s.* **1.** terminație. **2.** încheiere, încetare.

terminology [ˌtəːmi'nɔlədʒi] *s.* terminologie.

terminus ['təːminəs] *s. pl.* **termini** ['təːminai] **1.** terminus. **2.** capăt. **3.** cap de linie.

termite ['təːmait] *s.* termită.

tern [təːn] *s.* **1.** triadă, (grup de) trei. **2.** *ornit.* chiră *(Sterna)*.

ternary ['təːnəri] **I.** *adj.* ternar, (compus) din trei. **II.** *s.* v. **tern** 1. **2.** *chim.* compus ternar.

terrace ['terəs] **I.** *s.* **1.** terasă. **2.** parc (de locuințe). **II.** *vt.* a aranja în terase.

terracotta [ˌterə'kɔtə] *s.* teracotă.

terra firma ['terə 'fəːmə] *s.* pământ tare / ferm (sub picioare); uscat.

terrain ['terein] *s.* **1.** regiune, teritoriu. **2.** teren, pământ, sol.

terrapin ['terəpin] *s. zool.* broască-țestoasă de apă dulce *(Malaclemmys)*.

terrarium [te'reəriəm], *pl.* **terraria** [te'reəriə] *s.* **1.** terariu. **2.** glob de sticlă cu plante în creștere.

terrestrial [ti'restriəl] *adj.* **1.** terestru. **2.** pământesc. **3.** de uscat.

terrible ['terəbl] *adj.* **1.** teribil. **2.** groaznic.

terribly ['terəbli] *adv.* **1.** teribil, îngrozitor. **2.** *fam.* strașnic, grozav.

terrier[1] ['teriə] *s.* **1.** *zool.* (câine de rasa) terier. **2.** *iron.* soldat din armata teritorială.

terrier[2] ['teriə] *s. ist.* registru de impozit funciar, catastif, cadastru.

terrific [tə'rifik] *adj.* **1.** teribil, înspăimântător; oribil. **2.** *fam.* grozav, nemaipomenit. || *he's a ~ bore* e teribil de plicticos; *he's a ~ actor* e un actor colosal / neîntrecut.

terrifically [tə'rifikəli] *adv.* înspăimântător, teribil, groaznic.

terrify ['terifai] *vt.* a înspăimânta.

terrine [te'riːn] *s.* **1.** castron de supă. **2.** terină, vas de bucătărie incasabil.

territorial [ˌteri'tɔːriəl] **I.** *s.* rezervist. **II.** *adj.* **1.** teritorial. **2.** de rezervă.

territory ['teritri] *s.* teritoriu.

terror ['terə] *s.* **1.** teroare. **2.** spaimă.

terrorism ['terərizəm] *s.* terorism.

terrorist ['terərist] *s.* terorist.

terrorize ['terəraiz] *vt.* a teroriza.

terror-stricken ['terəˌstrikn] *adj.* îngrozit, înspăimântat.

terry ['teri] *s.* **1.** *text.* pluș, (pânză de) prosop, pânză flaușată. **2.** covor, preș.

terse [təːs] *adj.* **1.** concis, succint; clar, răspicat. **2.** *înv.* lustruit, curățit.

tertian ['təːʃn] **I.** *s.* malarie cu accese ce revin din două în două zile. **II.** *adj.* care are loc la fiecare două zile.

tertiary ['təːʃəri] **I.** *adj.* **1.** *geol.* terțiar. **2.** *ornit.* terțial. **3.** *chim.* de gradul al treilea. **II.** *s.* **1.** *geol.* terțiar, eră terțiară. **2.** amestec de culori.

Terylene ['terilin] *s. text.* terilen(ă), *aprox.* tergal.

tesselated ['tesiˌleitid] *adj.* lucrat în mozaic; cadrilat.

tessellate ['tesileit] *vt.* a lucra în mozaic.

test [test] **I.** *s.* **1.** încercare. **2.** experiență. **3.** test. **4.** examen. **5.** analiză. **II.** *adj.* **1.** de încercare. **2.** experimental. **III.** *vt.* **1.** a încerca. **2.** a examina. **3.** a analiza. **4.** a pune la grea încercare.

testa ['testə], *pl.* **testae** ['testiː] *s.* **1.** *bot.* coaja tare a unei semințe. **2.** *zool.* carapace, înveliș calcaros.

testaceous [tes'teiʃəs] *adj. zool.* testaceu, cu carapace.

testacy ['testəsi] *s. jur.* calitate de testator a defunctului *(care lasă testament)*.

testament ['testəmənt] *s.* testament.

testamentary [ˌtestə'mentəri] *adj.* testamentar; succesoral.

testate ['testeit] *jur.* **I.** *adj.* testat, succesoral, lăsat / rămas prin testament. **II.** *s.* testator.

testator [tes'teitə] *s. jur.* testator.

testatrix [tes'teitriks] *s. jur.* testatoare.

tester ['testə] *s.* **1.** experimentator, persoană care face experiențe / analize; laborant. **2.** vas / instalație / instrument pentru experiență.

testicle ['testikl] *s. anat.* testicul.

testify ['testifai] **I.** *vt.* **1.** a declara. **2.** a mărturisi. **3.** a dovedi. **II.** *vi.* a depune mărturie. || *to ~ on behalf of smb.* a depune în favoarea cuiva; *to ~ to* a confirma; a dovedi.

testimonial [ˌtesti'mounjəl] **I.** *s.* **1.** depoziție, mărturie. **2.** mărturisire. **3.** atestat, dovadă. **4.** (scrisoare de) recomandare. **II.** *adj.* doveditor, de confirmare.

testimony ['testiməni] *s.* **1.** mărturie. **2.** declarație. || *to bear ~to* a afirma; a depune mărturie în privința.

testis ['testis], *pl.* **testes** ['testiːz] *s.* testicul.

testosterone [te'stɔstəˌroun] *s. chim., med.* testosteron.

test-tube ['testjuːb] *s.* eprubetă.

testy ['testi] *adj.* supărăcios, țâfnos.

tetanus ['tetənəs] *s. med.* tetanus.

tetchy ['tetʃi] *adj.* **1.** supărăcios, iritabil. **2.** nărăvaș; dificil. **3.** delicat, dificil.

tête-à-tête [ˌteitə'teit] **I.** *adv.* între patru ochi, în intimitate / particular. **II.** *adj.* **1.** tainic, intim; confidențial. **2.** particular, privat. **3.** care privește numai două persoane (implicate). **III.** *s.* **1.** tête-à-tête; conversație intimă / între patru ochi. **2.** canapeluță pentru două persoane.

tether ['teðə] **I.** *s.* pripon. || *at the end of one's ~* la capătul puterilor *sau* răbdării; în ultimul hal. **II.** *vt.* a priponi.

tetra- *prefix* tetra- .

tetrad ['tetræd] *s.* **1.** numărul patru. **2.** grup de patru; cvartet.

tetragon ['tetrə,gɔn] *s.* *geom.* **1.** patrulater. **2.** pătrat.

tetrahedron [,tetrə'hi:drən], *pl.* **tetrahedra** [,tetrə'hi:drə] *s.* *geom.*, *minr.* tetraedru.

tetralogy [te'trælədʒi] *s.* tetralogie.

Teuton ['tju:tn] *s.* **1.** teuton. **2.** german.

Teutonic [tju'tɔnik] *adj.* teutonic.

text [tekst] *s.* **1.** text. **2.** pasaj. **3.** subiect de discuție. **4.** manual.

text-book ['tekstbuk] *s.* manual.

textile ['tekstail] **I.** *s.* textilă. **II.** *adj.* textil.

textual ['tekstjuəl] *adj.* textual.

texture ['tekstʃə] *s.* **1.** țesătură. **2.** structură.

thalidomide [θə'lidə,maid] *s.* *chim.*, *med.* talidomidă.

than [ðən, ðæn] *conj.* decât, ca.

thane [θein] *s.* *ist.* **1.** than, *aprox.* conte *(în Anglia).* **2.** nobil împroprietărit de rege. **3.** *(în Scoția)* șef de clan ridicat la rangul de baron.

thank [θæŋk] **I.** *s.* *(mai ales pl.)* mulțumire. || ~s! mulțumesc!; ~s to datorită, mulțumită. **II.** *vt.* a mulțumi *(cuiva)* || ~ you! mulțumesc!

thankful ['θæŋkfl] *adj.* recunoscător.

thankfully ['θæŋkfli] *adv.* cu recunoștință / gratitudine.

thankfulness ['θæŋkflnis] *s.* recunoștință / gratitudine.

thankless ['θæŋklis] *adj.* **1.** ingrat, nerecunoscător. **2.** lipsit de satisfacții.

thanksgiving ['θæŋks'givin] *s.* **1.** expresia recunoștinței. **2.** (rugăciune de) mulțumire.

Thanksgiving Day ['θæŋks, givin'dei] *s.* *amer.* Sărbătoarea Recunoștinței *(ultima zi de joi din noiembrie).*

that [ðət, ðæt] **I.** *adj.* [ðæt] acel, acea. **II.** *pron.* **1.** [ðæt] acela, aceea. **2.** care. || ~ is why iată de ce. **III.** *adv.* [ðæt]atâta; așa de. **IV.** *conj.* [ðət, ðæt] **1.** că. **2.** încât. **3.** ca să. **4.** pentru că. **5.** dacă.

thatch [θætʃ] **I.** *s.* **1.** acoperiș de paie *sau* stuf. **2.** paie. **3.** stuf. **II.** *vt.* a acoperi cu paie *sau* stuf.

thaw [θɔ:] **I.** *s.* dezgheț, moină. **II.** *vt.* **1.** a topi. **2.** a dezgheța. **III.** *vi.* **1.** a se topi. **2.** a se dezgheța *(și fig.).* **3.** a moina.

the [ð(ə)], *înaintea vocalelor* [ði(:)] **I.** *art.* hot.: ~ moon luna; ~ most beautiful cea mai frumoasă. **II.** *adv.:* ~ more ~ better cu cât mai mult cu atât mai bine.

theater, theatre ['θiətə] *s.* **1.** teatru. **2.** amfiteatru. **3.** *fig.* scenă.

theatre-goer ['θiətə,gɔə] *s.* (mare) amator de teatru, spectator fidel.

theatric(al) [θi'ætrik(l)] *adj.* teatral.

Theban ['θi:bən] **I.** *s.* teban, băștinaș din Teba *(Grecia sau Egipt).* **II.** *adj.* teban.

thee [ði:] *pron.* *înv.* pe tine.

theft [θeft] *s.* **1.** furt. **2.** hoție.

thegn [θein] *s.* *v.* **thane**.

their [ðeə] *adj.* lor.

theirs [ðeəz] *pron.* al lor.

theism ['θi:izəm] *s.* *rel.* teism.

theistic(al) [θi:'istikl] *adj.* *rel.* teistic.

them [ðəm, ðem] *pron.* **1.** pe ei, pe ele. **2.** îi, le.

theme [θi:m] *s.* **1.** temă, subiect. **2.** compoziție; lucrare. **3.** *muz.* temă, motiv. **4.** *gram.* rădăcină, radical. **5.** *amer.* retroversiune; traducere într-o limbă străină. **6.** *ist.* temă, provincie (a Imperiului bizantin).

themselves [ð(ə)m'selvz] *pron.* **1.** se. **2.** înșiși, însele. || by ~ singuri, fără (alt) ajutor.

then [ðen] **I.** *adj.* de atunci. **II.** *adv.* **1.** atunci. **2.** apoi. **3.** de altfel. || now ~! ei! **III.** *conj.* **1.** așadar. **2.** deci. **3.** atunci, în acest caz. **4.** pe lângă asta, pe deasupra. || but ~ pe de altă parte.

thence [ðens] *înv.* *lit.* **I.** **1.** *adv.* de-acolo, din locul acela. **2.** altundeva, în altă parte. **II.** *conj.* așadar, prin urmare.

thenceforth ['ðens'fɔ:θ], **thenceforward** ['ðens'fɔ:wəd] *adv.* în / pe viitor.

theo- ['θiou] *prefix* teo- .

theocracy [θi'ɔkrəsi] *s.* *rel.* **1.** teocrație. **2.** țară guvernată de o castă sacerdotală.

theodolite [θi'ɔdəlait] *s.* teodolit.

theogony [θi'ɔgəni] *s.* teogonie.

theologian [θiə'loudʒiən] *s.* teolog.

theology [θi'ɔlədʒi] *s.* teologie.

theorem ['θiərəm] *s.* teoremă.

theoretic(al) [θiə'retik(l)] *adj.* teoretic, speculativ.

theoretician [,θiəri'tiʃn] *s.* teoretician.

theorist ['θiərist] *s.* teoretician.

theorize ['θiə,raiz] *vi.* a face teorii; a face speculații.

theory ['θiəri] *s.* teorie.

theosophist [θi'ɔsəfist] *s.* teosof.

theosophy [θi'ɔsəfi] *s.* teosofie.

therapeutic(al) [,θerə'pju:tik(l)] *adj.* terapeutic.

therapeutics [,θerə'pju:tiks] *s.* *pl.* *(folosit ca sing.)* terapeutică.

therapy ['θerəpi] *s.* terapie.

there [ðeə] **I.** *adv.* **1.** acolo. **2.** atunci. || ~ is este, există, se află; ~are sunt, se află; ~ and then (atunci) pe loc. **II.** *interj.* iată.

thereabout(s) ['ðeərə'baut(s)] *adv.* (cam) de acolo.

thereafter [,ðeər'ɑ:ftə] *adv.* *înv.* **1.** după aceea, pe urmă. **2.** în consecință.

thereat [,ðeər'æt] *adv.* *înv.* în legătură cu aceasta; de aceasta.

thereby ['ðeə'bai] *adv.* **1.** astfel, în felul acesta. **2.** prin asta.

therefor [ðeə'fɔ:] *adv.* *înv., lit.* pentru aceasta.

therefore ['ðeəfɔ:] *adv.* **1.** deci; prin urmare. **2.** de aceea.

therefrom [ðeə'frɔm]*adv.* *înv.* de acolo; de aici. || it follows ~ that rezultă de aici că.

therein [ðeər'in] *adv.* **1.** acolo (înăuntru). **2.** în această privință.

thereof [ðeər'ɔv] *adv.* **1.** de aici, de acolo. **2.** din aceasta. **3.** al acestuia / acesteia.

thereon [,ðeə'ɔn] *adv.* *înv.* **1.** deasupra . **2.** de aceasta. || ~ hangs his fate de aceasta depinde soarta lui.

thereto [,ðeə'tu:] *adv.* **1.** *înv.* *lit.* la aceasta. || he put his signature ~ își puse iscălitura dedesubt. **2.** *înv.* în plus, în afară de aceasta.

thereunder [,ðeə'ʌndə] *adv.* *înv.* sub aceasta; mai jos amintit; dedesubt.

thereunto [,ðeə'ʌn'tu:] *adv.* *v.* **thereto**.

thereupon [,ðeərə'pɔn] *adv.* **1.** la care; după care. || ~ he left după care, plecă. **2.** despre aceasta.

therewith [,ðeə'wiθ] *adv.* *înv.* **1.** (odată) cu aceasta, totodată. **2.** *v.* **thereupon** 1.

therewithal [,ðeəwi'ðɔl] *adv.* *v.* **therewith**.

therm [θə:m] *s.* *fiz.* **1.** calorie mare. **2.** *amer.* calorie mică. **3.** *înv.* baie caldă.

thermal ['θə:ml] *adj.* termal.

thermionic tube / valve [ˌθəː-miˈɔnik tjuːb / ˌvælv] s. el. tub termionic, lampă / valvă termionică.

thermo- [ˈθəːmou] prefix termo-.

thermodynamics [ˌθəːmoudaiˈnæmiks] s. pl. (folosit ca sing.) termodinamică.

thermo-electric(al) [ˌθəːmɔiˈlektrik(l)] adj. termo-electric.

thermometer [θəˈmɔmitə] s. termometru.

thermo-nuclear [ˌθəːmouˈnjuːkliə] adj. fiz. termonuclear.

thermoplastic [ˈθəːmouˌplæstik] I. adj. termoplastic. II. s. substanță termoplastică.

thermos (bottle / flask) [ˈθəːmɔs-(ˈbɔtl / flɑːsk)] s. termos.

thermosetting [ˈθəːməˌsetiŋ] adj. chim. (d. materiale plastice) plastifiabil prin încălzire.

thermostat [ˈθəːmɔstæt] s. termostat.

thesaurus [θiˈsɔːrəs] s. 1. dicționar; lexicon (mai ales de sinonime); enciclopedie. 2. tezaur (de cunoștințe).

these [ðiːz] I. adj. acești, aceste. II. pron. aceștia, acestea.

thesis [ˈθiːsis] s. 1. teză. 2. eseu. 3. principiu; concepție.

Thespian [ˈθespiən] adj. dramatic, tragic.

Thessalian [θeˈseiliən] I. adj. din Thesalia. II. s. locuitor din Thesalia.

thews [θjuːz] s. pl. 1. mușchi, tendoane; fig. nervi. 2. fig. forță, tărie (de caracter); inteligență.

they [ðei] pron. 1. ei, ele. 2. (impersonal) lumea.

thick [θik] I. s. 1. aglomerație. 2. miez, toi, foc. 3. desiș. 4. grosime. II. adj. 1. gros, dens. 2. intim. 3. răgușit. 4. greoi. 5. plicticos. 6. stupid. 7. murdar;tulbure.|| it's a bit ~ e cam prea mult; s-a întrecut măsura; the air is ~ with dust aerul e plin de praf; as ~ as thieves în cârdășie. III. adv. gros, dens.|| to come ~ and fast a veni în număr mare.

thicken [ˈθikn] vt., vi. a (se) îngroșa. || the plot ~s se îngroașă gluma.

thicket [ˈθikit] s. 1. crâng. 2. tufiș.

thickhead [ˈθikhed] s. tâmpit.

thickly [ˈθikli] adv. 1. în straturi groase; dens; compact. 2. cu voce groasă. 3. în succesiune rapidă.

thickness [ˈθiknis] s. 1. grosime. 2. strat.

thickset [ˈθikˈset] I. adj. 1. des plantat. 2. îndesat, bine legat, voinic. II. s. 1. tufiș des, gard viu des. 2. țesătură aspră de bumbac pentru haine de lucru.

thick-skinned [ˈθikˈskind] adj. 1. cu pielea groasă. 2. fig. gros de obraz, nesimțit.

thief [θiːf] s. pl. **thieves** [θiːvz] hoț.

thieve [θiːv] vt., vi. a fura.

thievery [ˈθiːvəri] s. hoție, furt, furtișag.

thieves [θiːvz] s. pl. de la **thief**.

thievish [ˈθiːviʃ] adj. hoț, hoțesc.

thigh [θai] s. anat. coapsă; pulpă.

thimble [ˈθimbl] s. degetar.

thimbleful [ˈθimblˌful] s. 1. înghițitură mică, strop. 2. fig. nimic, o nimica toată.

thin [θin] I. s. parte subțire. II. adj. 1. subțire. 2. mic. 3. slab. 4. răsfirat. 5. rar. 6. prost. 7. de necrezut. III. vt., vi. a (se) subția.

thine [ðain] înv. I. adj. tău. II. pron. al tău.

thing [θiŋ] s. 1. lucru, obiect. 2. subiect. 3. ființă. 4. fapt, amănunt. 5. împrejurare, eveniment. 6. pl. situație.|| of all ~s tocmai asta; for one ~ în primul rând; în ceea ce mă privește; it is quite the ~ tocmai ce ne trebuie; e foarte la modă; the ~ is... problema este dacă...; (the) first ~ in the morning primul lucru ce trebuie făcut; mai înainte de toate.

thingamy, thingummy [ˈθiŋəmi] s. drăcia aia, chestia aia (nu-mi amintesc cum îi zice).

thingumajig [ˈθiŋəməˌdʒig], **thingumbob** [ˈθiŋəmbɔb] s. 1. fam. cutare, ăla; drăcie, chestie. 2. fam. șpil, truc.

think [θiŋk] I. vt. trec. și part. trec. **thought** [θɔːt] 1. a gândi, a socoti. 2. a crede. 3. a-și închipui. || to ~ fit a considera potrivit; to ~ nothing of a nu da doi bani pe; to ~ out a elabora; a chibzui; to ~ over a chibzui. II. vi. trec. și part. trec. **thought** [θɔːt] 1. a se gândi. 2. a medita. 3. a fi dus pe gânduri. || to ~ about smth. a se gândi la ceva, a-i veni ceva în minte; to ~ of a se gândi la; a-și închipui; a-și aminti; a născoci; a propune; to ~ better of smth. a se răzgândi în privința unui lucru; a avea o părere mai bună despre ceva.

thinker [ˈθiŋkə] s. 1. gânditor. 2. cugetător.

thinking [ˈθiŋkiŋ] s. 1. gândire. 2. minte, inteligență. 3. concepție. 4. gând.

thinly [ˈθinli] adv. 1. de abia, foarte puțin; sumar. || ~ clad îmbrăcat sumar. 2. risipit; dezlânat. || ~ peopled slab populat; ~ sketched desenat / schițat în grabă. 3. (în strat) subțire.

thinness [ˈθinnis] s. 1. subțirime. 2. fig. delicatețe. 3. fig. slăbiciune. 4. rărime; cantitate mică. 5. fig. sărăcie (a imaginației etc.); superficialitate.

thin-skinned [ˈθinˈskind] adj. 1. cu pielea subțire. 2. subțire (și fig.), delicat. 3. sensibil; susceptibil.

third [θəːd] I. s. treime. II. num. al treilea.

third-class [ˈθəːdˈklɑːs] I. adj. (d. vagon, hotel etc.) de clasa a treia; (d. mărfuri) de calitatea a treia. || ~ carriage vagon de clasa a treia. II. adv.: to travel ~ a călători cu (clasa) a treia.

third degree [ˈθəːddiˈgriː] s. tortură polițienească, interogatoriu cu tortură.

thirdly [ˈθəːdli] adv. în al treilea rând.

third party [ˈθəːdˈpɑːti] s. jur. etc. terț.

third-rate [ˈθəːdˈreit] adj. de rangul / nivelul al treilea, de proastă calitate, foarte prost.

thirst [θəːst] I. s. 1. sete (și fig.). 2. dor. II. vi. a fi însetat (și fig.).

thirsty [ˈθəːsti] adj. 1. însetat. 2. care face sete. 3. uscat. || I am ~ mi-e sete.

thirteen [ˈθəːˈtiːn] s., num. treisprezece.

thirteenth [ˈθəːˈtiːnθ] num. al treisprezecelea.

thirtieth [ˈθəːtiiθ] num. al treizecilea.

thirty [ˈθəːti] I. s. treizeci. || the thirties [ðəˈθəːtiz] deceniul al patrulea. II. num. treizeci.

this [ðis] I. adj. acest, această. II. pron. acesta, aceasta. III. adv. atât (de).

thistle [ˈθisl] s. scai, ciulin.

thistle down [ˈθisl daun] s. puful de pe sămânța scaiului. || as light as ~ ușor ca fulgul.

thither [ˈðiðə] adv. într-acolo.

thitherward(s) [ˈðiðəwəd(z)] adv. înv. într-acolo, acolo.

thole [θoul] s. nav. furchet, furcă de vâslă.

thong [θɔŋ] s. 1. chingă, curea. 2. bici.

thoracic [θɔːˈræsik] *adj.* toracic.

thorax [ˈθɔːræks], *pl.* **thoraces** [ˈθɔːrə,siːz] *s.* **1.** *anat.* torace, piept. **2.** *ist.* pieptar, platoşă.

thorn [θɔːn] *s.* **1.** *(şi fig.)* spin, ghimpe, ţeapă. || *to be / to sit on ~s* a sta ca pe jeratic; *fig. to be a ~ in smb.'s flesh / side* a-i sta / a-i fi cuiva ca sarea în ochi; *to put a ~ in smb.'s pillow* a provoca cuiva necazuri. **2.** *bot.* mărăcine *(Prunus spinosa).*

thorny [ˈθɔːni] *adj.* **1.** ţepos. **2.** *fig.* spinos.

thorough [ˈθʌrə] *adj.* **1.** complet. **2.** profund. **3.** exact. **4.** meticulos, atent, minuţios.

thoroughbred [ˈθʌrəbred] **I.** *s.* **1.** persoană rafinată, aristocrat. **2.** cal pursânge. **II.** *adj.* **1.** aristocratic, rafinat, de clasă. **2.** pursânge.

thoroughfare [ˈθʌrəfɛə] *s.* **1.** magistrală. **2.** cale / stradă / arteră principală.

thoroughgoing [ˈθʌrə,gouiŋ] *adj.* **1.** complet. **2.** *fig.* profund. **3.** extrem. **4.** meticulos. **5.** amănunţit.

thoroughly [ˈθʌrəli] *adv.* cu totul, complet; desăvârşit; în întregime; profund; în amănunţime.

thoroughness [ˈθʌrənis] *s.* caracter aprofundat; perfecţiune.

thorough-paced [ˈθʌrəpeist] *adj.* **1.** învăţat la toate. **2.** pus la punct, desăvârşit, perfect.

thorp [θɔːp] *s. înv.* sat, cătun.

those [ðouz] **I.** *adj.* acei, acele. **II.** *pron.* aceia, acelea.

thou [ðau] *pron. înv.* tu.

though [ðou] **I.** *conj.* **1.** deşi, cu toate că. **2.** totuşi, cu toate acestea. || *strange ~ it may seem* oricât de ciudat ar părea. **II.** *adv.* totuşi.

thought [θɔːt] **I.** *s.* **1.** gând. **2.** idee. **3.** grijă. **4.** nuanţă. || *on second ~s* răzgândindu-mă; gândindu-mă mai bine. **II.** *vt., vi.trec. şi part. trec. de la* **think.**

thoughtful [ˈθɔːtfl] *adj.* **1.** serios. **2.** gânditor. **3.** amabil. **4.** atent, grijuliu, prevenitor.

thoughtless [ˈθɔːtlis] *adj.* **1.** aiurit. **2.** neatent. **3.** egoist.

thoughtlessly [ˈθɔːtlisli] *adv.* nechibzuit, necugetat.

thoughtlessness [ˈθɔːlisnis] *s.* **1.** zăpăceală. **2.** nechibzuinţă.

thousand [ˈθauznd] *s., num.* mie.

thousandfold [ˈθauznfould] *adj., adv.* înmiit.

thousandth [ˈθauznθ] **I.** *s.* o miime. **II.** *num.* al o miilea.

Thracian [ˈθreiʃiən] *adj., s.* trac.

thraldom [ˈθrɔːldəm] *s.* sclavie.

thrall [θrɔːl] *s.* **1.** sclav. **2.** robie.

thrash [θræʃ] **I.** *vt.* **1.** a bate. **2.** a înfrânge. **3.** a treiera. || *to ~ out* a discuta pe îndelete; a lămuri. **II.** *vi.* **1.** a treiera. **2.** a se răsuci, a se învârti.

thrasher [ˈθræʃə] *s. agr.* batoză.

thrashing [ˈθræʃiŋ] *s.* **1.** bătaie, ciomăgeală. **2.** treierat.

thread [θred] **I.** *s.* **1.** aţă. **2.** fir *(conducător etc.).* **3.** filet *(la şurub).* **II.** *vt.* a înşira pe aţă. || *I ~ed my way* mi-am croit drum.

threadbare [ˈθredbɛə] *adj.* **1.** uzat, ros. **2.** ponosit. **3.** învechit.

threadlike [ˈθredlaik] *adj.* subţire *(ca un fir de aţă).*

threat [θret] *s.* ameninţare *(şi fig.).*

threaten [ˈθretn] **I.** *vt.* **1.** a ameninţa. **2.** a primejdui. **3.** a avertiza. **II.** *vi.* a fi ameninţător.

three [θriː] *s., num.* trei.

three-cornered [ˈθriːkɔːnəd] *adj.* în trei colţuri.

threefold [ˈθriːfould] *adj., adv.* întreit.

threepence [ˈθrepns] *s.* trei peni.

threepenny [ˈθrepni] **I.** *s.* trei peni. **II.** *adj.* în valoare de trei peni.

threescore [ˈθriːskɔː] *num.* şaizeci.

threesome [ˈθriːsəm] *s.* **1.** grup de trei *(dansatori, jucători).* **2.** *sport* golf în trei *(jucători)*

threnody [ˈθrenədi] *s.* bocet, cântec de jale.

thresh [θreʃ] *vt., vi. agr.* a treiera.

thresher [ˈθreʃə] *s.* batoză.

threshing-floor [ˈθreʃiŋflɔː] *s. agr.* arie de treierat.

threshing-machine [ˈθreʃiŋməˈʃiːn] *s.* batoză.

threshold [ˈθreʃould] *s.* **1.** prag *(şi fig.).* **2.** intrare.

threw [θruː] *vt., vi. trec. de la* **throw.**

thrice [θrais] *adv.* de trei ori.

thrift [θrift] *s.* **1.** economie. **2.** chibzuială.

thriftily [ˈθriftili] *adv.* cumpătat, cu economie.

thriftless [ˈθriftlis] *adj.* risipitor.

thrifty [ˈθrifti] *adj.* **1.** econom. **2.** prosper.

thrill [θril] **I.** *s.* **1.** fior. **2.** emoţie, palpitaţie. **II.** *vt.* **1.** a emoţiona, a captiva. **2.** a face să palpite. **III.** *vi.* **1.** a se înfiora *(de plăcere etc.).* **2.** a palpita. **3.** a vibra.

thriller [ˈθrilə] *s.* **1.** roman poliţist sau de groază. **2.** film de groază.

thrilling [ˈθriliŋ] *adj.* **1.** palpitant. **2.** captivant. **3.** emoţionant.

thrillingly [ˈθriliŋli] *adv.* mişcător; palpitant.

thrive [θraiv] *vi. trec.* **throve** [θrouv], *part. trec.* **thriven** [ˈθrivn] **1.** a prospera. **2.** a reuşi. **3.** a-i merge bine.

thriven [ˈθrivn] *vi. part. trec. de la* **thrive.**

thro [θruː] *prep. v.* **through.**

throat [θrout] *s.* **1.** gât. **2.** gâtlej, beregată.

throaty [ˈθrouti] *adj.* **1.** gutural. **2.** din gât.

throb [θrɔb] **I.** *s.* **1.** puls. **2.** vibraţie. **3.** duduit. **4.** emoţie. **II.** *vi.* **1.** a pulsa. **2.** a dudui. **3.** a vibra. **4.** *(d. inimă)* a bate.

throe [θrou] **I.** *s. (mai ales pl.)* **1.** durere, boală puternică. **2.** tortură sufletească. **3.** chinurile naşterii; convulsii. **4.** *pl.* agonie. **II.** *vi.* a suferi crunt.

thrombosis [θrɔmˈbousis], *pl.* **thromboses** [θrɔmˈbousiːz] *s. med.* tromboză.

throne [θroun] *s.* **1.** tron. **2.** rege. **3.** monarhie.

throng [θrɔŋ] **I.** *s.* mulţime, aglomeraţie. **II.** *vt., vi.* a (se) aglomera.

throstle [ˈθrɔsl] *s.* **1.** *poet. (cuvânt scoţian)* sturzul-viilor *(Turdus musicus)* **2.** *text.* maşină de filat cu inele, ring.

throttle [ˈθrɔtl] **I.** *s.* **1.** gât, beregată. **2.** *auto.* accelerator. **II.** *vt.* **1.** a strânge de gât. **2.** a înăbuşi *(şi fig.).* **III.** *vi.* a încetini viteza.

through [θruː] **I.** *adj.* **1.**(*d. tren etc.)* direct. **2.** terminat, încheiat, gata. || *to be ~* a fi gata; a fi terminat. **II.** *adv.* **1.** de la un capăt la celălalt. **2.** complet. **3.** gata. || *wet~* ud până la piele; *~ and ~* de tot, total. **III.** *prep.* **1.** prin. **2.** datorită *(cu gen.),* din cauza *(cu gen.).* || *to go ~* a examina; a absolvi; a termina; a epuiza; *to see ~* a înţelege; a duce la bun sfârşit; *to get ~* a trece.

throughout [θruˈaut] **I.** *adv.* **1.** întru totul. **2.** peste tot. **II.** *prep.* **1.** de-a lungul. **2.** de la un capăt la celălalt al. **3.** peste tot cuprinsul.

throve [θrouv] *vi. trec. de la* **thrive.**

throw [θrou] I. *s.* aruncare. || *at a stone's* ~ la o azvârlitură de băţ. II. *vt. trec.* **threw** [θru:], *part. trec.* **thrown** [θroun] 1. a arunca, a azvârli. 2. a îndrepta. 3. a trimite. 4. a lăsa deoparte. 5. a făta. 6. a juca *(zaruri)*. 7. a pune. || *to* ~ *about* a împrăştia; a mişca *(braţele)*; *to* ~ *away* a irosi; a da cu piciorul la; *to* ~ *down* a răsturna; a trânti la pământ; *to* ~ *in* a pune la bătaie; a băga; a face *(o remarcă)*; *to* ~ *mud at* a defăima, a bârfi; *to* ~ *off* a dezbrăca; a scăpa de; a arunca (la o parte); *to* ~ *open* a deschide (larg); *to* ~ *out* a respinge; a arunca (la întâmplare); a clădi; *to* ~ *over* a părăsi; a renunţa la; *to* ~ *overboard* a arunca peste bord *(şi fig.)*; *to* ~ *up* a ridica; a vomita; a renunţa la; *to* ~ *light on the matter* a lămuri, a elucida o problemă; *to* ~ *into disorder* a deranja, a tulbura. III. *vi. trec.* **threw** [θru:], *part. trec.* **thrown** [θroun] a arunca (în lături). || *to* ~ *back* a se întoarce. IV. *vr. trec.* **threw** [θru:], *part. trec.* **thrown** [θroun] 1. a se arunca. 2. a se trânti.

thrown [θroun] *vt., vi. part. trec.* de la **throw**.

thru [θru:] *prep. amer.* v. **through** II. 1. prin. 2. până la. 3. de la până la.

thrum [θrʌm] *vt., vi.* a zdrăngăni.

thrush [θrʌʃ] *s.* 1. sturz. 2. *med.* aftă, puşche.

thrust [θrʌst] I. *s.* 1. împingere. 2. împunsătură, înţepătură. 3. atac. 4. aluzie (răutăcioasă), şarjă. II. *vt. inf., trec. şi part. trec.* 1. a împinge. 2. a înfige. 3. a înjunghia. III. *vi. inf., trec. şi part. trec.* 1. a împinge. 2. a ţâşni.

thruway ['θru:wei] *s. amer.* autostradă *(de mare viteză, cu taxă de folosire)*.

thud [θʌd] I. *s.* 1. bubuitură. 2. dupăit. II. *vi.* 1. a bubui. 2. a dupăi.

thug [θʌg] *s.* criminal.

thumb [θʌm] I. *s.* degetul mare. || *under the* ~ *of* în puterea *(cuiva)*. II. *vt.* a foileta, a răsfoi.

thumb-index ['θʌm,indeks] *s.* index, litere tipărite pe marginea paginilor cărţii.

thumb-screw ['θʌmskru:] *s.* 1. instrument de tortură. 2. şurub.

thumb-tack ['θʌmtæk] *s.* pioneză.

thump [θʌmp] I. *s.* lovitură cu pumnul. II. *vt., vi.* 1. a lovi. 2. a bate.

thumping ['θʌmpiŋ] *adj., adv.* 1. straşnic. 2. teribil.

thunder ['θʌndə] I. *s.* 1. tunet; trăsnet. 2. *fig.* bubuit. 3. *fig.* fulger. II. *vt.* a urla. III. *vi.* 1. a trăsni; a tuna. 2. a bubui. 3. a se năpusti.

thunderbolt ['θʌndəboult] *s.* fulger *(şi fig.)*.

thunder-clap ['θʌndəklæp] *s.* (lovitură de) trăsnet.

thunder-cloud ['θʌndəklaud] *s.* nor de furtună.

thundering ['θʌndriŋ] *adj., adv.* 1. straşnic. 2. colosal.

thunderous ['θʌndrəs] *adj.* bubuitor, ca trăsnetul.

thunder shower ['θʌndə,ʃauə] *s.* ploaie (scurtă) cu furtună; aversă de ploaie cu descărcări electrice.

thunder-storm ['θʌndəstɔ:m] *s.* furtună cu descărcări electrice.

thunder-struck ['θʌndəstrʌk] *adj.* 1. trăsnit. 2. uluit.

thurible ['θjuəribl] *s. bis.* cădelniţă.

Thurs. *abrev.* *Thursday* joi.

Thursday ['θə:zdi] *s.* joi.

thus [ðʌs] *adv.* 1. astfel. 2. aşa. 3. atâta. || ~ *far* deocamdată; până aici.

thwack [θwæk] I. *vt.* 1. a lovi, a pocni, a cârpi. 2. **(with)** *înv.* a umple până la refuz (cu). II. *s.* lovitură zdravănă, pocnitură.

thwart [θwɔ:t] *vt.* 1. a contrazice. 2. a zădărnici. 3. a se opune *(cu dat.)*, a pune beţe în roată *(cu dat.)*.

thy [ðai] *adj. înv.* tău, ta.

thyme [taim] *s. bot.* cimbru *(Thynus vulgaris)*.

thymol ['θaiməl] *s. med.* timol.

thymus ['θaiməs] *s.* 1. *anat.* timus. 2. v. **thyme**.

thyroid ['θairɔid] *s. anat.* tiroidă.

thyrsus ['θə:səs], *pl.* **thyrsi** ['θə:sai] *s. mit., ist.* tirs.

thyself [ðai'self] *pron. înv.* tu însuţi.

ti [ti:] *s. muz.* (nota) si.

tiara [ti'ɑ:rə] *s.* 1. diademă. 2. coroană papală.

Tibet [ti'bet] *s.* tibet *(ţesătură de lână)*.

Tibetan [ti'betn] I. *adj.* tibetan. II. *s.* 1. tibetan. 2. (limba) tibetană.

tibia ['tibiə] *s. anat.* tibia.

tic [tik] *s.* tic (nervos).

tick¹ [tik] I. *s.* 1. ticăit, tic-tac. 2.

semn, bifare. 3. căpuşă. 4. faţă de saltea. 5. credit. II. *vt.* a bifa, a însemna. III. *vi.* a ticăi.

tick² [tik] *vt. fam.* 1. a da / a vinde pe credit / datorie. 2. a cere credit pentru *(o marfă etc.)*.

ticker ['tikə] *s.* 1. *sl.* ceas, ceapă. 2. teleimprimator, teletaip.

ticket ['tikit] *s.* 1. bilet; tichet. 2. *amer.* listă de candidaţi. 3. notă, autorizaţie. || *that's the* ~ aşa e (bine); asta este (ce trebuie să faci).

ticking ['tikiŋ] *s.* 1. ticăit. 2. faţă de saltea.

tickle ['tikl] I. *s.* gâdilat. II. *vt.* 1. a gâdila. 2. a amuza. 3. a încânta. || *to* ~ *trout* a prinde păstrăvi (cu mâna). III. *vi.* a gâdila.

ticklish ['tikliʃ] *adj.* 1. gâdilicios. 2. *fig.* spinos, delicat.

tick-tock ['tiktɔk] I. *s. fam.* ticăitul rar al unei pendule mari. II. *vi.* a face tic- tac.

tidal ['taidl] *adj.* în legătură cu fluxul, legat de flux.

tidbit ['tidbit] *s.* 1. bucăţică bună. 2. veste mare.

tiddl(e)y ['tidli] *fam.* I. *adj.* afumat, cherchelit. II. *s.* tărie, băutură (tare).

tiddl(e)y-wink ['tidli,wiŋk] I. *s.* 1. fisă aruncată într-o ceaşcă în jocul „tiddl(e)y-wink". 2. *pl.* joc în care concurenţii aruncă fise într-o ceaşcă. 3. cârciumă clandestină, tavernă, bombă. II. *adj. pop., sl.* pipernicit, firav; obosit.

tiddler ['tidlə] *s. sl.* 1. plevuşcă, peşte mic. 2. lucru foarte mic.

tide [taid] I. *s.* 1. flux (şi reflux); maree. 2. *fig.* tendinţă (generală), curent. 3. perioadă. II. *vt.: to* ~ *over* a rezolva *(dificultăţile)*.

tidiness ['taidinis] *s.* 1. ordine, rânduială. 2. fire ordonată.

tidings ['taidiŋz] *s. pl. înv. poet.* veşti, noutăţi.

tidy ['taidi] I. *adj.* 1. ordonat. 2. curat. 3. mare. II. *vt.* 1. a aranja. 2. a pune în ordine. III. *vi.* a face ordine, a strânge (prin casă).

tie [tai] I. *s.* 1. legătură. 2. funie, sfoară. 3. cravată. 4. *fig.* emblemă. 5. *fig.* încurcătură. 6. *sport* egalitate / meci nul. 7. *muz.* legato. II. *vt.* 1. a lega, a fixa. 2. a îngrădi. III. *vi.* a se lega. 2. *sport* a face meci nul.

tier [tiə] *s.* 1. rând de loji, rafturi *sau* scaune (suprapuse). 2. nivel, rang.

tie-up ['taiʌp] *s. amer.* **1.** uniune, coaliție, alianță. **2.** stagnare (a lucrului).

tiff [tif] *s.* ceartă.

tiffin ['tifin] **I.** *s.* **1.** micul dejun. **2.** dejun, prânz. **3.** înghițitură, dușcă. **II.** *vi.* **1.** a lua micul dejun. **2.** a dejuna, a prânzi.

tiger ['taigə] *s. zool.* tigru (Felis tigris).

tigerish ['taigəriʃ] *adj.* **1.** ca de tigru. **2.** crud, sângeros. **3.** *fam.* fanfaron, fălos, umflat în pene.

tight [tait] **I.** *adj.* **1.** (bine) închis. **2.** etanș. **3.** strâns. **4.** strâmt. **5.** plin (ochi). **6.** încordat. **7.** beat (criță). **8.** *rar.* **9.** zgârcit. || *to be in a ~ corner* a fi la ananghie. **II.** *adv.* strâns, încordat. || *to sit ~* a se ține tare pe poziție.

tighten ['taitn] *vt.* **1.** a încorda, a întinde. **2.** a întări. **3.** a închide. **4.** a strânge. || *to ~ one's belt* a strânge cureaua; a face foame.

tight-lipped ['tait'lipt] *adj.* taciturn, tăcut; discret.

tightly ['taitli] *adv.* **1.** v. **tight** II. **2.** bine; tare; strâns. **3.** strâns pe corp. || *to hold smth. ~* a ține ceva strâns; a strânge ceva în mâini; *to fit ~* a fi bine ajustat, a se potrivi bine; *to be ~ packed* a fi înghesuiți ca sardelele.

tightness ['taitnis] *s.* **1.** încordare. **2.** etanșeitate. **3.** severitate, asprime (a legilor etc.).

tight-rope ['taitroup] *s.* funie întinsă (pentru acrobații).

tights [taits] *s. pl.* **1.** pantaloni *sau* maiou de balet. **2.** pantaloni colanți.

tight-wad [tait'wɔd] *s. amer.* avar, zgârcit, cărpănos.

tigress ['taigris] *s.* tigroaică (și fig.).

tike [taik] *s.* v. **tyke.**

tilbury ['tilbəri] *s.* tilbury (un fel de cabrioletă).

tile[1] [tail] **I.** *s.* țiglă, olan. **II.** *vt.* a acoperi cu țiglă.

tile[2] [tail] **I.** *s. sl.* găină, pălărie. **II.** *vt.* a obliga (pe cineva) să-și țină gura / să păstreze un secret.

till [til] **I.** *s.* sertar (la tejghea). **II.** *vt.* a cultiva, a lucra (pământul). **III.** *prep.* până la. **IV.** *conj.* până (ce), până să.

tillage ['tilidʒ] *s.* **1.** agricultură. **2.** pământ lucrat.

tiller ['tilə] *s.* **1.** țăran. **2.** muncitor agricol. **3.** *nav.* mânerul cârmei.

tilt [tilt] **I.** *s.* **1.** luptă cavalerească, turnir. **2.** înclinare. || *at full ~* în plină viteză; tare. **II.** *vt.* **1.** a înclina. **2.** a întoarce; a răsturna. **III.** *vi.* **1.** a se înclina. **2.** a se răsturna. || *to ~ at* a ataca (și fig.).

tilth [tilθ] *s. agr.* **1.** plugărit, muncă la câmp. **2.** strat arabil; adâncime a arăturii.

tilt yard ['tilt jɑ:d] *s. înv.* arenă pentru turnir.

timber ['timbə] *s.* **1.** cherestea. **2.** lemne. **3.** pădure.

timbered ['timbəd] *adj.* **1.** de lemn / lucrat în lemnărie. **2.** împădurit.

timbering ['timbəriŋ] *s.* **1.** împădurire. **2.** *mine.* armare, susținere minieră. || *~ and walling* construire (a galeriilor etc.). **3.** lemnărie, lemn de construcție, cherestea.

timber-line ['timbəlain] *s.* limita climaterică a arborilor de construcție.

timbre ['tæmbə] *s. muz.* timbru.

timbrel ['timbrl] *înv.* **I.** *s. muz.* tamburină; tobă mică. **II.** *vt. rar* a cânta (o melodie) acompaniindu-se la tamburină.

time [taim] **I.** *s.* **1.** timp. **2.** perioadă. **3.** dată. **4.** ocazie. **5.** epocă. **6.** oră. **7.** *muz.* măsură. || *~ and again* de nu știu câte ori; *~out of mind* de mult de tot; *the ~ of one's life* anii cei mai frumoși ai vieții; distracție grozavă; *ahead of ~* înainte de termen; *against ~* în mare grabă; *all the ~* tot timpul; oricând; *întere timp; at one ~* cândva (în trecut); *at the same ~* laolaltă; totodată; totuși; *at ~s* când și când; *eighteen~s over* de nu știu câte ori la rând; (mereu) de la început; *half the ~* în jumătate de timp; *to have a good ~* a se distra bine; *to have the ~ of one's life* a se distra de minune; *in no ~* imediat; *in ~* la timp(ul potrivit); *muz.* în ritm; *in ~(s) immemorial* în vremuri de mult uitate; *many a ~* many ~s adesea. **II.** *vt.* **1.** a potrivi (în timp), a programa. **2.** a cronometra.

time-bomb ['taimbɔm] *s.* **1.** bombă cu explozie întârziată. **2.** mașină infernală.

timekeeper ['taim,ki:pə] *s.* **1.** normator. **2.** cronometru.

timeless ['taimlis] *adj.* **1.** fără sfârșit, veșnic. **2.** nedatat, fără dată.

timely ['taimli] **I.** *adj.* **1.** oportun. **2.** actual, de actualitate. **II.** *adv.* **1.** curând; devreme. **2.** (în mod) convenabil, potrivit; la vreme.

timepiece ['taimpi:s] *s.* ceasornic, orologiu.

timer ['taimə] *s.* **1.** pontator; cronometror. **2.** cronometru; ceas. **3.** *tehn.* regulator (cu program). **4.** *auto.* distribuitor de aprindere.

time-serving ['taim,sə:viŋ] *adj.* **1.** oportunist. **2.** conformist.

time-table ['taim,teibl] *s.* **1.** program. **2.** orar.

time worn ['taim wɔ:n] *adj.* **1.** uzat de timp, ros, vechi; *fig.* învechit. **2.** secular, venerabil. **3.** blazat.

timid ['timid] *adj.* **1.** timid. **2.** fricos.

timidly ['timidli] *adv.* **1.** cu sfială. **2.** cu frică, cu teamă.

timing ['taimiŋ] *s.* **1.** sincronizare; potrivire în timp; coordonare. **2.** îndeplinire / execuție la timp. **3.** *sport etc.* cronometraj, cronometrare. **4.** *tehn., auto.* reglare a aprinderii. **5.** *foto.* calcul al timpului de expunere. **6.** temporizare.

timorous ['timərəs] *adj.* fricos, timid.

timpano ['timpənou], *pl.* **timpani** ['timpəni] *s. muz.* timpan.

tin [tin] **I.** *s.* **1.** cositor. **2.** tinichea. **3.** cutie (de conserve). **4.** bani. **II.** *vt.* **1.** a conserva (în cutii). **2.** a cositori.

tinct [tiŋkt] *înv., poet.* **I.** *vt.* a colora. **II.** *adj.* colorat; vopsit. **III.** *s.* **1.** vopsea, culoare. **2.** *med.* tinctură; elixirul vieții (la alchimiști).

tincture ['tiŋktʃə] **I.** *s.* **1.** *chim., med.* tinctură. **2.** culoare, vopsea. **3.** *artă* nuanță, ton. **4.** *fig.* spoială, cunoștințe superficiale. **II.** *vt.* **1.** **(with)** a vopsi, a boi (cu). **2.** **(with)** a da o spoială (de) (și fig.).

tinder ['tində] *s.* iască.

tine [tain] *s.* **1.** dinte (de furcă, de furculiță, de grapă). **2.** vârf de corn (la cerb).

tin-foil ['tin'fɔil] *s.* staniol.

ting [tiŋ] *vi. fam.* v. **tinkle.**

tinge [tindʒ] **I.** *s.* **1.** nuanță, tentă. **2.** urmă. **II.** *vt.* **1.** a colora (ușor). **2.** *fig.* a umbri.

tingle ['tiŋgl] **I.** *s.* **1.** furnicătură. **2.** țiuială. **II.** *vi.* **1.** a furnica. **2.** a țiui.

tin god [,tin'gɔd] *s.* impostor.

tinker ['tiŋkə] I. s. 1. tinichigiu. 2. meseriaş prost. II. vt., vi. a cârpăci.

tinkle ['tiŋkl] I. s. clinchet. II. vt. a suna (din clopoţel). III. vi. a clincăni, a suna, a scoate un clinchet.

tinman ['tinmən] s. pl. **tinmen** ['tinmən] 1. tinichigiu. 2. meseriaş care lipeşte şi cositoreşte vasele.

tinned food ['tind'fu:d] s. (cutii de) conserve.

tinny ['tini] adj. 1. cu / de cositor. 2. cu gust de cositor. 3. ca de tinichea. 4. care sună ca o tinichea; metalic. 5. sl. înv. bogat, plin de gologani. 6. artă (d. culori) aspru,dur, metalic.

tinsel ['tinsl] I. s. 1. paiete; fluturaşi; beteală; lamé. 2. brocart. 3. fig. zorzoane. II. adj. 1. sclipitor. 2. superficial; aparent; amăgitor. || ~ enthusiasm entuziasm prefăcut. III. vt. a împodobi cu beteală (şi fig.). || to ~ over a îmbrăca cu beteală, a acoperi cu zorzoane.

tinsmith ['tinsmiθ] s. v. **tinman**.

tint [tint] I. s. nuanţă, culoare, tentă. II. vt. a colora.

tintinnabulation ['tinti,næbju 'leiʃn] s. sunet de clopote.

tiny ['taini] adj. mititel.

tip [tip] I. s. 1. vârf. 2. capăt. 3. bacşiş. 4. sfat, idee. 5. informaţie secretă, pont. 6. lovitură uşoară, atingere. 7. răsturnare. 8. loc de aruncat gunoaie. II. vt. 1. a răsturna; a întoarce. 2. a da bacşiş (cu dat.). 3. a lovi. 4. a atinge. || to ~ the scale(s) a întoarce balanţa; to ~ smb. the wink a avertiza pe cineva; a da o sugestie cuiva.

tip-cart ['tipkɑːt] s. camion basculant.

tippet ['tipit] s. 1. eşarfă. 2. (capă de) blană. 3. capişon, glugă.

tipple ['tipl] I. s. băutură. II. vt., vi. 1. a bea. 2. a (se) îmbăta.

tipster ['tipstə] s. vânzător de ponturi (la bursă etc.).

tipsy ['tipsi] adj. beat, afumat.

tiptoe ['tiptou] I. s. vârful picioarelor. || on ~ în vârful picioarelor; atent; nerăbdător. II. vi. a merge în vârful picioarelor.

tiptop ['tip'tɔp] I. s. vârful cel mai înalt. II. adj. straşnic; de prima calitate.

TIR abrev. Transport International Routier TIR.

tirade [tai'reid] s. 1. tiradă. 2. (şuvoi de) vorbe grele, ocară.

tire[1] ['taiə] I. s.amer. auto. anvelopă, cauciuc. II. vt. 1. a obosi. 2. a plictisi. III. vi. 1. a se obosi. 2. a se plictisi.

tire[2] ['taiə] înv. I. s. 1. găteală, podoabe. 2. îmbrăcăminte, haine. 3. garnitură de pat. 4. coafură, pieptănătură. 5. fig. pompă, fală. II. vt. 1. a găti, a dichisi. 2. a îmbrăca.

tired ['taiəd] adj. 1. obosit. 2. istovit. 3. plictisit.

tiredness ['taiədnis] s. oboseală.

tireless ['taiəlis] adj. 1. neobosit. 2. energic. 3. neîncetat.

tiresome ['taiəsəm] adj. 1. obositor. 2. supărător. 3. plicticos.

tiro ['taiərou] s. începător, ageamiu.

'tis [tiz] prescurtare de la **it is**.

tissue ['tisju:] s. 1. ţesătură. 2. pânză, material. 3. ţesut. 4. plasă.

tit[1] [tit] s. 1. piţigoi. 2. ţâţă. || ~ for tat dinte pentru dinte; chit.

tit[2] [tit] s. 1. căluţ; mârţoagă, gloabă. 2. ornit. piţigoi (Parus). 3. înv., peior. târfă, otreapă.

Titan ['taitn] I. s. titan. II. adj. titanic.

titanic [tai'tænik] adj. 1. uriaş. 2. titanic.

titbit ['titbit] s. 1. bucăţică bună, delicatese. 2. veste mare.

tithe [taið] s. 1. dijmă. 2. fracţiune.

Titian ['tiʃən] I. s. roşcată (arămie), femeie cu părul arămiu. II. adj. roşu tiţian, arămiu.

titillate ['titileit] vt. 1. a gâdila. 2. a încânta.

titivate ['titiveit] vt., vi. a (se) împopoţona, a se găti exagerat.

title ['taitl] s. 1. titlu. 2. jur. drept.

titled ['taitld] adj. înnobilat.

title page [taitl peidʒ] s. poligr. pagină (de) titlu, frontispiciu, copertă interioară.

titmouse ['titmaus] s. ornit. piţigoi (Parus sp.).

titrate ['taitreit] vt. chim. a titra, a doza.

titter ['titə] I. s. chicotit. II. vi. a chicoti.

tittivate ['titiveit] vt. vi. v. **titivate**.

tittle ['titl] s. 1. înv. liniuţă (ca semn de prescurtare); punctuleţ, punct. 2. fig. amănunt meschin, fleac; iotă. || to a ~ exact, întocmai.

tittle-tattle ['titl,tætl] I. s. bârfeală; flecăreală. 2. zvon. II. vi. a bârfi. 2. a răspândi zvonuri.

tittup ['titəp] fam. I. v. 1. a ţopăi. 2. a merge repede; a galopa uşor. II. s. 1. ţopăială. 2. mers grăbit. 3. galop uşor.

titubation [,titju'beiʃn] s. agitaţie, nervozitate.

titular ['titjulə] I. adj. 1. titular, nominal. 2. onorific. 3. cuvenit (unei funcţii); legat de titlu / funcţie. II. s. titular (suplinit de altcineva).

tizzy ['tizi] s. sl. 1. înv. monedă de şase peni. 2. agitaţie, surescitare.

TNT abrev. trinitrotoluen TNT.

to [tə, tu(:)] I. adv. închis. || the door blew ~ vântul a trântit uşa; ~ and fro încoace şi încolo, în sus şi în jos. II. prep. 1. la. 2. spre. 3. înainte de. 4. până la. 5. pe; pentru. || give it ~ me dă-mi-o mie. III. particulă a inf. (pentru) a; de.

toad [toud] s. 1. zool. broască râioasă (Bufo sp.). 2. parazit (fig.). 3. linguşitor.

toad-eater ['toud,i:tə] s. 1. linguşitor. 2. sicofant.

toadstool ['toudstu:l] s. ciupercă otrăvitoare.

toady ['toudi] I. s. linguşitor. II. vi. a linguşi.

toast [toust] I. s. 1. pâine prăjită. 2. toast. 3. persoană sărbătorită. II. vt. 1. a prăji. 2. a încălzi. 3. a toasta pentru. III. vi. 1. a se prăji. 2. a se încălzi.

toaster ['toustə] s. aparat pentru prăjit pâinea.

toasting-fork ['toustiŋfɔ:k] s. furculiţă pentru prăjit pâine.

toast-master ['toust,mɑːstə] s. cel ce propune toasturile oficiale.

tobacco [tə'bækou] s. tutun.

tobacconist [tə'bækənist] s. 1. tutungiu. 2. fabricant de tutun.

tobacco-plant [tə'bækoplɑːnt] s. bot. tutun (Nicotiana tabacum).

toboggan [tə'bɔgn] I. s. sanie. II. vi. a se da cu sania.

Toby-jug ['toubidʒʌg] s. cană de bere.

toccata [tə'kɑːtə] s. muz. tocată.

tocsin ['tɔksin] s. 1. clopot de alarmă. 2. alarmă.

today [tə'dei] I. s. 1. (ziua de) astăzi. 2. zilele noastre. II. adv. 1. azi. 2. în zilele noastre.

toddle ['tɔdl] I. s. bălăbăneală. II. vi. 1. a se bălăbăni. 2. a umbla haihui.

toddler ['tɔdlə] s. copilaş (care începe să umble), pici.

toddy ['tɔdi] s. 1. grog cald; rachiu cu apă. 2. vin / suc de palmier.

to-do [tə'du:] s. 1. zarvă. 2. agitaţie.

toe [tou] I. s. 1. deget de la picior.

2. bombeu. || *from top to* ~ din cap până-n picioare. **II.** *vt.* a atinge cu piciorul. || *to* ~ *the line* a sta liniştit (la start); a sta cuminte; a se supune.

toe-cap ['toukæp] *s.* bombeu.

toff [tof] *s.* **1.** filfizon. **2.** nobil.

toffee ['tofi] *s.* pralină, caramel.

tog [tog] **I.** *s.* haină. **II.** *vr.* a se îmbrăca elegant.

toga ['tougə], *pl.* **togae** ['toudʒi:] *s.* togă.

together [tə'geðə] *adv.* **1.** împreună. **2.** laolaltă. **3.** alături. **4.** neîntrerupt.

toggle ['togl] **I.** *s.* **1.** *nav.* cavilă de parâme. **2.** *tehn.* piron, cârje; mecanism cu pârghii cotite. **II.** *vt. nav.* a prevedea cu cavilă de parâme.

toil [toil] **I.** *s.* trudă. **II.** *vi.* **1.** a trudi. **2.** a merge cu greu.

toiler ['toilə] *s.* truditor.

toilet ['toilit] *s.* toaletă.

toilet-paper ['toilit,peipə] *s.* hârtie igienică.

toiletries ['toilətri:z] *s.* obiecte de toaletă.

toilet-table ['toilit,teibl] *s.* măsuţă de toaletă.

toilette [toa:'let] *s. v.* **toilet.**

toils [toilz] *s. pl.* capcană; laţ; plasă.

toilsome ['toilsəm] *adj.* **1.** obositor. **2.** laborios.

toil-worn ['toil,wo:n] *adj.* surmenat, extenuat, epuizat, istovit de muncă.

Tokay [tou'kei] *s.* **1.** (vin de) Tokay. **2.** (strugure de) Tokay. || *amer. flaming* ~ strugure de Tokay californian.

token ['toukn] **I.** *s.* **1.** semn. **2.** simbol. **II.** *adj.* simbolic.

tokenism ['toukənizəm] *s.* (efectuare a unui) efort simbolic; (efort) minim necesar; linie de minimă rezistenţă.

token strike ['touknstraik] *s.* grevă de protest *sau* solidaritate.

tol'able ['tol(ə)bl] *adj. amer. fam.* v. **tolerable.**

told [tould] *vt., vi. trec. şi part. trec. de la* **tell.**

tolerable ['tolərəbl] *adj.* **1.** suportabil. **2.** acceptabil. **3.** bunişor, bunicel. **4.** *amer.* drăguţ, simpatic. **5.** *înv.* relativ sănătos, binişor.

tolerably ['tolərəbli] *adv.* **1.** tolerabil, suportabil. **2.** destul de, binişor.

tolerance ['tolərns] *s.* **1.** toleranţă; îngăduinţă. **2.** *com., tehn.* toleranţă.

tolerant ['tolərnt] *adj.* **1.** tolerant. **2.** îngăduitor.

tolerate ['toləreit] *vt.* **1.** a tolera; a răbda. **2.** a permite, a îngădui.

toleration [,tolə'reiʃn] *s.* toleraţie; îngăduinţă, indulgenţă.

toll [toul] **I.** *s.* **1.** dangăt de clopot. **2.** *bir.* **II.** *vt.* a suna (din clopot). **III.** *vi.* a (ră)suna jalnic.

toll gate ['toul geit] *s.* barieră unde se încasează taxe (pe şosele).

toluen(e) ['tolju,i:n] *s. chim.* toluen.

Tom [tom] *s. prescurtare de la Thomas.* || *(any)* ~, *Dick and Harry* oricine, fiecare, toată lumea; *iron.* plevuşcă, neisprăviţi, terchea-berchea; *nav. long* ~ tun cu ţeavă lungă.

tomahawk ['toməho:k] *s.* secure a pieilor roşii.

tomato [tə'ma:tou] *s.* (pătlăgică) roşie.

tomb [tu:m] *s.* mormânt; cavou.

tombola [tom'boulə] *s.* tombolă.

tomboy ['tomboi] *s.* fată băieţoasă.

tombstone ['tu:mstoun] *s.* piatră funerară / de mormânt.

tom cat ['tom 'kæt] *s.* motan.

tome [toum] *s.* volum (gros).

tomfool ['tom'fu:l] **I.** *s.* zevzec, prostovan. **II.** *adj.* prostesc, stupid. **III.** *vi.* a face pe prostul / nebunul.

tomfoolery [tom'fu:ləri] *s.* **1.** aiureală. **2.** prostie.

tommy ['tomi] *s.* soldat britanic.

Tommy ['tomi] **I.** *s.* **1.** porecla soldatului englez. **2.** *sl.* soldat prost, soldat fără grad. **3.** *tommy* pâine; alimente date în loc de plată muncitorilor. **4.** *tommy tehn.* cheie, şurubelniţă.

tommy gun ['tomigʌn] *s. mil.* automat.

tommy rot ['tʌmirot] *s.* prostie cumplită.

tomorrow [tə'morou] **I.** *s.* (ziua de) mâine. **II.** *adv.* mâine.

tomtit ['tom,tit] *s.* **1.** piţigoi. **2.** pici, ţânc.

tomtom ['tom,tom] **I.** *s.* tam-tam, tobă. **II.** *vi.* a bate tam-tamul.

ton [tʌn] *s.* tonă *(şi fig.).*

tonal ['tounl] *adj. muz.* tonal.

tonality [tou'næliti] *s.* tonalitate.

tone [toun] **I.** *s.* **1.** ton, glas, intonaţie. **2.** spirit, esenţă. **3.** nuanţă, culoare. **II.** *vt.* **1.** a intona. **2.** a colora. || *to* ~ *down* a potoli; *to* ~ *up* a întări. **III.** *vi.* a se îmbina, a se potrivi.

tong [toŋ] *s.* societate secretă *(în China).*

toneless ['tounlis] *adj.* **1.** mort, fără viaţă. **2.** fără culoare.

tongs [toŋz] *s. pl.* cleşte, cleşti.

tongue [tʌŋ] *s.* **1.** limbă. **2.** limbaj. **3.** flacăra.

tongueless ['tʌŋlis] *s.* fără limbă.

tongue-tied ['tʌŋtaid] *adj.* mut; amuţit.

tonic ['tonik] **I.** *s.* **1.** tonic. **2.** *muz.* tonică. **II.** *adj.* **1.** tonic. **2.** înviorător.

tonight [tə'nait] **I.** *s.* noaptea *sau* seara asta. **II.** *adv.* **1.** diseară. **2.** la noapte.

tonnage ['tʌnidʒ] *s.* tonaj.

tonne [tʌn] *s.* tonă metrică *(1000 kg).*

tonsil ['tonsl] *s. anat.* amigdală.

tonsil(l)itis [,tonsi'laitis] *s. med.* amigdalită.

tonsillectomy [,tonsi'lektəmi] *s. med.* tonsilectomie, operaţie de amigdale.

tonsorial [ton'so:riəl] *adj. iron.* de bărbier / frizer.

tonsure ['tonʃə] **I.** *s.* **1.** tonsură. **2.** tunsoare. **II.** *vt.* a tunde (un călugăr).

too [tu:] *adv.* **1.** de asemenea, şi. **2.** prea, foarte.

took [tuk] *vt., vi. trec. de la* **take.**

tool [tu:l] **I.** *s.* **1.** unealtă, instrument *(şi fig.).* **2.** marionetă *(fig.).* **II.** *vt.* **1.** a utila. **2.** a lucra.

toot [tu:t] **I.** *s.* **1.** claxon. **2.** fluierat. **II.** *vt., vi.* a claxona.

tooth [tu:θ] *s. pl.* **teeth** [ti:θ] dinte. || *in the teeth of* în ciuda.

tooth-ache ['tu:θeik] *s.* durere de dinţi.

tooth-brush ['tu:θbrʌʃ] *s.* periuţă de dinţi.

toothless ['tu:θlis] *adj.* ştirb, fără dinţi.

tooth-paste ['tu:θpeist] *s.* pastă de dinţi.

tooth-pick ['tu:θpik] *s.* scobitoare.

toothsome ['tu:θsəm] *adj.* gustos, apetisant.

toothy ['tu:θi] *adj.* **1.** *(d. gură)* dinţos. **2.** *(d. zâmbet)* larg, cu gura până la urechi. **3.** *înv., mai ales fig.* colţos, muşcător. **4.** *fig.* eficace; viguros. **5.** *(d. hârtie)* de o asprime plăcută, nelucios.

tootle ['tu:tl] *iron.* **I.** *vi.* **1.** a sufla *(din trompetă etc.),* a suna *(din flaut etc.).* **2.** a flecări, a trăncăni. **II.** *s.* **1.** sunet *(de trompetă etc.).* **2.** trăncăneală, flecăreală.

top [tɔp] **I.** *s.* **1.** vârf, culme. **2.** parte de sus. **3.** înălţime. **4.** sfârlează, titirez. || *on ~* deasupra, sus; *from ~ to toe* din cap până-n picioare; *from ~ to bottom* complet. **II.** *adj.* maxim. || *at ~ speed* în cea mai mare viteză. **III.** *vt.* **1.** a acoperi. **2.** a reteza vârful la. **3.** a depăşi. **4.** a trece dincolo de. **5.** a fi în fruntea *(cu gen.).*

topaz ['toupæz] *s.* topaz.

top-boot ['tɔp'buːt] *s.* cizmă (înaltă).

top-coat ['tɔp'kout] *s.* pardesiu.

tope [toup] *vt., vi.* a bea (zdravăn).

toper ['toupə] *s.* beţiv(an).

topgallant [tɔp'gælənt] *s.* **1.** *nav.* arboret. **2.** *fig.* vârf, culme.

top-hat ['tɔp'hæt] *s.* joben.

top-heavy ['tɔp,hevi] *adj.* **1.** mai greu la vârf; nestabil; *av.* greu de bot; *nav.* supraîncărcat la partea superioară. **2.** *sl.* beat, făcut.

topi ['toupi] *s.* cască colonială.

topiary ['toupiəri] *adj.* legat de horticultura ornamentală.

topic ['tɔpik] *s.* subiect *(de conversaţie)*, temă; chestiune.

topical ['tɔpikl] *adj.* **1.** actual; de actualitate. **2.** interesant. **3.** curent.

topknot ['tɔpnɔt] *s.* moţ; fundă; creastă *(pe cap).*

topless ['tɔplis] *adj.* **1.** *(d. pomi)* cu vârful retezat; fără vârf. **2.** *(d. costum de baie de damă etc.)* fără sutien. **3.** *(d. persoană)* dezbrăcat până la brâu, fără sutien.

topmast ['tɔpmɑːst] *s. nav.* arbore gabier.

topmost ['tɔpmoust] *adj.* cel mai de sus.

topographer [tə'pɔgrəfə] *s.* topograf.

topographic(al) [,tɔpə'græfik(l)] *adj.* topografic.

topography [tə'pɔgrəfi] *s.* topografie.

topology [tə'pɔlədʒi] *s.* topologie.

topper ['tɔpə] *s.* **1.** joben. **2.** băiat bun.

topping ['tɔpiŋ] *adj.* grozav.

topple ['tɔpl] *vi.* a se bălăbăni.

topsail ['tɔpseil] *s. nav.* gabier, vela gabier.

top secret [,tɔp'siːkrit] **I.** *s.* mare secret. **II.** *adj., adv.* ultrasecret.

topsy turvy ['tɔpsi'təːvi] *adj., adv.* **1.** cu susul în jos. **2.** talmeş-balmeş.

toque [touk] *s.* **1.** tocă. **2.** *zool.* specie de macac *(Macaca pileata).*

tor [tɔː] *s.* dâmb, deluşor / pisc stâncos; buză de deal.

torch [tɔːtʃ] *s.* **1.** torţă. **2.** flacără *(şi fig.).* **3.** lanternă (de buzunar).

torch bearer [tɔːtʃ,beərə] *s.* purtător de torţă.

torchlight ['tɔːtʃlait] *s.* (lumină de) torţă.

torchlight procession ['tɔːtʃlait prə'seʃn] *s.* retragere cu torţe.

tore [tɔː] *vt., vi. trec. de la* **tear²** **II., III.**

toreador ['tɔriədɔː] *s.* toreador.

torment¹ ['tɔːment] *s.* **1.** chin, tortură. **2.** durere. **3.** necaz.

torment² [tɔː'ment] *vt.* **1.** a chinui. **2.** a necăji. **3.** a nelinişti.

tormentor [tɔː'mentə] *s.* **1.** călău; chinuitor. **2.** *agr.* grapă cu roţi. **3.** *teatru* prima culisă.

torn [tɔːn] *vt., vi. part. trec. de la* **tear²** II, III.

tornado [tɔː'neidou] *s.* **1.** tornadă, uragan. **2.** trombă.

torpedo [tɔː'piːdou] **I.** *s. pl.* **torpedoes** [tɔː'piːdouz] torpilă. **II.** *vt.* a torpila *(şi fig.).*

torpedo-boat [tɔː'piːdoubout] *s. nav. mil.* **1.** torpilor. **2.** vedetă torpiloare.

torpid ['tɔːpid] *adj.* **1.** pasiv. **2.** toropit. **3.** trândav. **4.** înţepenit.

torpidity [tɔː'piditi] *s.* **1.** înţepenire, amorţire. **2.** toropeală.

torpor ['tɔːpə] *s.* **1.** torpoare. **2.** toropeală. **3.** lene.

torque [tɔːk] **I.** *s.* **1.** *tehn.* moment / cuplu de torsiune. **2.** *ist.* colier de metal răsucit. **II.** *vt.* a supune cuplului de torsiune, a răsuci.

torrent ['tɔrnt] *s.* torent *(şi fig.).*

torrid ['tɔrid] *adj.* torid; tropical.

torsion ['tɔːʃn] *s.* **1.** răsucire. **2.** torsiune.

torso ['tɔːsou] *s. anat.* tors, trunchi.

tort [tɔːt] *s. jur.* **1.** prejudiciu. **2.** ofensă.

tortilla [tɔː'tiːjə] *s.* turtă (fierbinte) de mălai, tortila.

tortoise ['tɔːtəs] *s. zool.* broască ţestoasă *(Testudo; Chelonia).*

tortoise-shell ['tɔːtəʃel] *s.* **1.** carapace (de broască ţestoasă). **2.** baga.

tortuous ['tɔːtjuəs] *adj.* **1.** răsucit. **2.** încurcat. **3.** necinstit.

torture ['tɔːtʃə] **I.** *s.* tortură, chin. **II.** *vt.* **1.** a tortura. **2.** a răstălmăci.

torturer ['tɔːtʃərə] *s.* persoană care chinuieşte, călău.

Tory ['tɔːri] **I.** *s. pol.* (membru al partidului) conservator, Tory. **II.** *adj. pol.* conservator, tory.

Toryism ['tɔːriizəm] *s. pol.* conservatorism.

tosh [tɔʃ] *s. sl.* **1.** rahat, vax, fleac; prostii. **2.** v. **mackintosh.**

toss [tɔs] **I.** *s.* **1.** clătinare. **2.** prăbuşire. **3.** aruncare. **II.** *vt.* **1.** a clătina. **2.** a răsturna. **3.** a arunca de colo colo. || *to ~ (up) a coin* a da cu banul; *to ~ off* a da pe gât *(un păhărel).* **III.** *vi.* **1.** a se clătina. **2.** a se răsuci. **3.** a se zbuciuma.

tost [tɔst] *poet. trec. şi part. trec. de la* **toss** II.

tot [tɔt] **I.** *s.* **1.** copilaş. **2.** păhărel. **II.** *vt.* a aduna. **III.** *vi.: to ~ up to* a se ridica la.

total ['toutl] **I.** *s.* total. **II.** *adj.* total. **III.** *vt.* **1.** a totaliza. **2.** a se ridica la.

totalitarian [,toutæli'teəriən] *adj.* totalitar.

totality [tou'tæliti] *s.* totalitate; cantitate întreagă / totală.

totalizator ['toutəlai,zeitə] *s.* totalizator.

totalize ['toutəlaiz] *vt.* a totaliza.

totally ['toutəli] *adv.* totalmente, cu desăvârşire.

tote¹ [tout] **I.** *s.* numărătoare, calculator. **II.** *vt.* a totaliza.

tote² [tout] **I.** *vt. amer.* **1.** a transporta. **2.** a duce (cu sine), a purta *(pistol etc).* **II.** *vi.* a proceda cinstit.

tote-bag ['toutbæg] *s. amer.* sacoşă, sac, plasă.

totem ['toutəm] *s.* totem.

totemism ['toutəmizəm] *s.* totemism.

totter ['tɔtə] **I.** *vi.* **1.** a se clătina; a merge clătinându-se. **2.** *(d. un turn etc.)* a se clătina; a fi pe punctul de a se prăbuşi. **3.** *fig. (d. guvern, sistem)* a se clătina; a fi pe punctul de a cădea. **II.** *s.* clătinare.

toucan ['tuːkən] *s. ornit.* tucan *(Ramphastus uragnirostris).*

touch [tʌtʃ] **I.** *s.* **1.** atingere. **2.** pipăit. **3.** tuşeu. **4.** legătură. **5.** comunicaţie, contact. **6.** încercare. **7.** urmă, cantitate mică. **8.** stil. || *in ~ with* în relaţii cu; *to lose ~ with* a pierde legătura cu; *to put smth. to the ~* a pune ceva la încercare. **II.** *vt.* **1.** a atinge. **2.** a pune în contact. **3.** a egala. **4.** a se compara cu. **5.** a mânca. **6.** a avea de-a face cu. **7.** a strica, a afecta. **8.** a lovi. **9.** a măguli. **10.** a enerva. **11.** a tapa *(de bani);* || *to ~ bottom* a atinge fundul; a se degrada, a (se) coborî pe treapta cea mai de jos; a intra în fondul problemei. **III.** *vi.* a (se) atinge, a fi în contact. || *to ~ on a subject* a se referi la; *to ~ at a port* a face escală într-un port.

touch-down ['tʌtʃdaun] *s.* **1.** atingere. **2.** *sport.* eseu (la rugbi). **3.** *av.* aterizare.

touché ['tu:ʃei] *interj.* touché!

touched [tʌtʃt] *adj.* înduioşat, impresionat.

touching ['tʌtʃiŋ] **I.** *adj.* emoţionant. **II.** *prep.* în legătură cu.

touch-line ['tʌtʃlain] *s. sport.* (linia de) tuşă.

touchstone ['tʌtʃstoun] *s.* **1.** (piatră de) încercare. **2.** criteriu (de evaluare).

touchy ['tʌtʃi] *adj.* **1.** ultrasensibil. **2.** iritabil.

tough [tʌf] **I.** *s.* **1.** huligan. **2.** bandit, gangster. **II.** *adj.* **1.** tare, rezistent. **2.** aspru. **3.** încăpăţânat. **4.** greu de făcut *sau* de mânuit, dificil.

tough customer ['tʌf,kʌstəmə] *s.* **1.** scandalagiu. **2.** om dificil.

toughen ['tʌfən] **I.** *vt.* a întări, a solidifica. **II.** *vi.* a se întări, a se solidifica.

toughness [tʌfnis] *s.* **1.** duritate; asprime. **2.** tenacitate, rezistenţă; forţă, soliditate. **3.** încăpăţânare, îndărătnicie. **4.** dificultate, greutate.

toupee [tu:'pi:] *s.* moţ.

tour [tuə] **I.** *s.* **1.** turneu. **2.** tur. **II.** *vt.* a face un turneu prin. **III.** *vi.* a face turism.

tour de force [turə 'fɔrs] *s.* tur de forţă.

touring car ['tuəriŋka:] *s.* autoturism.

tourism ['tuərizəm] *s.* turism.

tourist ['tuərist] *s.* turist.

tourmaline ['tuəmə,li:n] *s. minr.* turmalină.

tournament ['tuənəmənt] *s.* **1.** *sport* turneu, competiţie. **2.** *ist.* turnir, luptă cavalerească.

tournedos ['tuənə,dou] *s.* turnedo, muşchiuleţ de vacă cu sos.

tourney ['tuəni] **I.** *s.* turnir. **II.** *vi.* a lua parte la un turnir.

tourniquet ['tuəni,kei] *s.* **1.** *ist.* instrument de tortură, turnichet. **2.** *med.* bandaj de compresie *(pentru artere)*.

tousle ['tauzl] *vt.* **1.** a zbârli, a răvăşi. **2.** a încurca.

tousled ['tauzld] *adj.* **1.** *(d. păr)* zburlit, ciufulit. **2.** *(d. om)* cu părul zburlit / ciufulit.

tout [taut] **I.** *s.* agent de publicitate, şleper. **II.** *vi.* a face reclamă (zgomotoasă).

tow [tou] **I.** *s.* **1.** remorcare, tragere. **2.** câlţi. **II.** *vt.* a remorca.

toward ['touəd] *adj.* **1.** docil. **2.** aproape gata. **3.** apropiat.

toward(s) [tə'wɔ:d(z)] *prep.* **1.** către, spre. **2.** dinspre. **3.** aproape de. **4.** faţă de. **5.** pentru.

towboat ['toubout] *s. nav.* remorcher.

towel ['tauəl] **I.** *s.* prosop. **II.** *vt., vi.* a (se) şterge cu prosopul.

towelling ['tauəliŋ] *s.* **1.** *text.* material de prosop. **2.** *pl.* mardeală, ciomăgeală.

tower ['tauə] **I.** *s.* turn. **II.** *vi.* a se ridica, a se înălţa. || *to ~ over* a domina.

towering ['tauəriŋ] *adj.* **1.** înalt. **2.** dominant. **3.** violent.

tow-line ['toulain] *s. edec.*

town [taun] *s.* **1.** oraş. **2.** *amer.* comună, orăşel. **3.** orăşeni. **4.** centrul (oraşului).

town clerk ['taunklɑ:k] *s.* arhivar.

town council ['taun,kaunsl] *s.* consiliu municipal.

town crier ['taun'kraiə] *s. ist.* crainicul oraşului.

townee ['tauni] *s. peior.* orăşean, locuitor al oraşului.

town hall ['taun'hɔ:l] *s.* primărie.

town house ['taun haus] *s.* **1.** casă în / la oraş. **2.** casă de oraş.

townsfolk ['taunzfouk] *s.* orăşeni.

township ['taunʃip] *s.* **1.** *amer.* municipalitate. **2.** district.

townsman ['taunzmən] *s. pl.* **townsmen** ['taunzmən] **1.** orăşean. **2.** concetăţean.

townspeople ['taunzpi:pl] *s. v.* **townsfolk**.

tow-path ['toupɑ:θ] *s.* poteca edecului.

tox(a)emia [tɔk'si:miə] *s. med.* **1.** septicemie. **2.** hipertensiune arterială în timpul sarcinii.

toxic ['tɔksik] *adj.* toxic, otrăvitor.

toxicology [,tɔksi'kɔlədʒi] *s. med.* toxicologie.

toxin ['tɔksin] *s.* toxină.

toy [tɔi] **I.** *s.* jucărie *(şi fig.).* **II.** *adj.* de jucărie. **III.** *vi.* a se juca *(şi fig.).*

trace[1] [treis] **I.** *s.* **1.** urmă *(şi fig.).* **2.** ham. **II.** *vt.* **1.** a trasa, a schiţa. **2.** a copia. **3.** a da de urmă *(cu dat.).* **4.** a desluşi. **III.** *vi.: to ~ back* a stabili originea.

trace[2] [treis] *s.* hulubă. || *to kick over the ~s* a se răzvrăti.

traceable ['treisəbl] *adj.* **1.** identificabil. **2.** de găsit, care poate fi găsit *sau* urmărit.

tracer ['treisə] *s. fiz.* (atom) trasor; atom marcat.

tracery ['treisəri] *s.* **1.** dantelă, dantelărie. **2.** ornamentaţie (traforată).

trachea [trə'ki:ə] *pl.* **tracheae** [trə'ki:i:] *s. anat.* trahee.

tracheal [trə'ki:əl] *adj. anat.* traheal.

trachoma [trə'koumə] *s. med.* trahom; conjunctivită granuloasă.

tracing ['treisiŋ] *s.* copie pe hârtie de calc.

track [træk] **I.** *s.* **1.** urmă, pistă. **2.** drum, potecă. **3.** linie (ferată). **4.** hipodrom. **5.** teren de sport. **6.** şenilă. || *off the ~* aiurea (în tramvai). **II.** *vt.* a urmări. || *to ~ down* a da de urmă *(cu dat.).*

trackage ['trækidʒ] *s. ferov. amer.* reţea de cale ferată.

trackless ['træklis] *adj.* **1.** fără drum (făcut). **2.** fără urmă. **3.** *ferov.* fără şine, fără linie.

tract[1] [trækt] *s.* **1.** teren, întindere (de pământ). **2.** canal; tub. **3.** broşură; tratat.

tract[2] [trækt] *s. bis. catolică* imn religios *(cântat în loc de aleluia).*

tractable ['træktəbl] *adj.* docil, maleabil.

tractate ['trækteit] *s. v.* **tract**[2].

traction ['trækʃn] *s.* tracţiune.

tractive ['træktiv] *adj.* tirant, cu / de tracţiune.

tractor ['træktə] *s.* tractor.

trad [træd] *fam.* **I.** *s.* jaz tradiţional. **II.** *adj. (d. jaz)* tradiţional.

trade [treid] **I.** *s.* **1.** meserie, ocupaţie. **2.** comerţ. **3.** *pl.* alizee. || *by ~* de meserie. **II.** *adj.* comercial. **III.** *vt.* a schimba, a face negoţ cu.|| *to ~ in* a schimba, a da un lucru vechi în schimbul unuia nou. **IV.** *vi.* a face negoţ. || *to ~ upon* a profita de.

trade-mark ['treidmɑ:k] *s.* marca fabricii.

trade-name ['treidneim] *s.* **1.** marca fabricii. **2.** nume comercial.

trader ['treidə] *s.* **1.** comerciant. **2.** vas comercial.

tradescantia [,trædes'kænʃiə] *s. bot.* buruiană / plantă perenă din genul *Tradescantia.*

tradesfolk ['treidzfouk] *s. pl.* comercianţi.

tradesman ['treidzmən] *s. pl.* **tradesmen** ['treidzmən] **1.** negustor. **2.** furnizor.

tradesmen's entrance ['treidz mənz'entrns] s. intrare de serviciu.

tradespeople ['treidzˌpi:pl] s. pl. 1. negustorime, lumea negustorilor. 2. furnizori, lumea furnizorilor.

trade-union ['treid'ju:njən] s. sindicat.

trade-unionist ['treid'ju:njənist] s. 1. sindicalist. 2. membru de sindicat.

trade-winds ['treidwindz] s. pl. alizee.

trading ['treidiŋ] I. s. comerț. II. adj. comercial, de comerț.

tradition [trə'diʃn] s. tradiție, datină.

traditional [trə'diʃənl] adj. 1. tradițional. 2. popular. 3. anonim.

traditionalism [trə'diʃnəlizəm] s. tradiționalism.

traditionary [trə'diʃənəri] adj. v. **traditional**.

traduce [trə'dju:s] vt. a defăima.

traffic ['træfik] I. s. 1. trafic, circulație. 2. comerț. II. vi. a trafica.

trafficker ['træfikə] s. traficant.

tragacanth ['trægəˌkænθ] s. chim., farm., text. gumă (albă / roșcată) extrasă din plantele din genul Astragalus.

tragedian [trə'dʒi:djən] s. tragedian, autor de tragedii sau actor tragic.

tragedienne [trəˌdʒi:di'en] s. tragediană, actriță tragică.

tragedy ['trædʒidi] s. tragedie.

tragic(al) ['trædʒik(l)] adj. tragic.

tragically ['trædʒikəli] adv. (în mod) tragic. || to take things ~ a lua lucrurile în tragic.

tragi-comedy ['trædʒi'kɔmidi] s. tragicomedie; melodramă.

trail [treil] I. s. 1. dâră, urmă. 2. potecă. || hot on the ~ pe urmele vânatului. II. vt. 1. a da de urmă (cu dat.). 2. a târî, a trage. 3. a remorca. III. vi. 1. a fi târât. 2. a se târî. 3. a se întinde, a se răspândi.

trailer ['treilə] s. 1. auto. trailer, remorcă. 2. urmăritor. 3. plantă târâtoare. 4. cin. forșpan.

train [trein] I. s. 1. tren. 2. trenă. 3. suită, alai. 4. șir (de idei). II. vt. 1. a educa; a pregăti, a instrui. 2. a antrena. 3. a ținti, a ochi cu. III. vi. a se antrena.

trainee [trei'ni:] s. 1. mil. recrut; elev la o școală specială. 2. sport elev (al unui maestru); sportiv care se antrenează.

trainer ['treinə] s. antrenor.

training ['treiniŋ] s. 1. instrucție; instruire. 2. antrenament. 3. pregătire.

trainman ['treinmən] s. pl. **trainmen** ['treinmən] amer. feroviar, lucrător la căile ferate.

traipse [treips] vi. 1. a hoinări. 2. a se târî (de colo până colo).

trait [treit] s. trăsătură (caracteristică).

traitor ['treitə] s. trădător.

traitorous ['treitərəs] adj. trădător, perfid, lipsit de loialitate.

traitress ['treitris] s. trădătoare.

trajectory ['trædʒiktri] s. traiectorie.

tram[1] [træm] s. text. fir de mătase dublu răsucit.

tram[2] [træm] s. 1. tehn. prescurtare de la **trammel**[2] 1. 2. fam. tramvai.

tram(car) ['træm(kɑ:)] s. 1. tramvai. 2. vagon.

tram-line ['træmlain] s. 1. linie de tramvai. 2. șină.

trammel[1] ['træml] I. s. 1. piedică. 2. pl. încurcături. II. vt. a împiedica, a încurca.

trammel[2] ['træml] s. 1. tehn. șubler. 2. amer. cârlig de care se atârnă un vas deasupra focului.

tramp [træmp] I. s. 1. vagabond. 2. cargobot. 3. drum lung. 4. tropăit. II. vt. a cutreiera. III. vi. 1. a tropăi. 2. a umbla haihui.

trample ['træmpl] I. s. tropăit. II. vt. 1. a călca în picioare. 2. a zdrobi. III. vi. 1. a tropăi. 2. a călca apăsat. || to ~ about o merge tropăind; to ~ on smb. a călca pe cineva în picioare, a maltrata pe cineva.

trampoline ['træmpəlin] I. s. plasă elastică folosită (de către acrobați etc.) ca trambulină. II. vi. (d. acrobat) a face salturi cu ajutorul plasei elastice.

tramway ['træmwei] s. (linie de) tramvai.

trance [trɑːns] s. transă (și fig.).

tranny ['træni] s. sl. radio cu tranzistori.

tranquil ['træŋkwil] adj. liniștit.

tranquil(l)ity [træŋ'kwiliti] s. liniște, calm.

tranquil(l)ize ['træŋkwilaiz] vt. 1. a liniști. 2. a împăca.

tranquil(l)izer ['træŋkwiˌlaizə] s. med. tranchilizant, calmant, sedativ.

tranquillity [træŋ'kwiliti] s. liniște, calm, seninătate.

tranquilly ['træŋkwili] adv. liniștit, calm.

trans- [træns] prefix trans-.

transact [træn'zækt] vt. a încheia sau a face (afaceri).

transaction [træn'zækʃn] s. 1. tranzacție, afacere. 2. pl. procese-verbale; arhivă, anale.

transatlantic ['trænzət'læntik] adj. transatlantic.

transceiver [træn'si:və] s. rad. aparat de emisie-recepție.

transcend [træn'send] vt. 1. a depăși. 2. a trece peste.

transcendent [træn'sendənt] adj. 1. transcendent(al). 2. extraordinar.

transcendental [ˌtrænsen'dentl] adj. 1. transcedental. 2. neînțeles. 3. vag.

transcontinental [ˌtrænzkɔnti'nentl] adj. transcontinental.

transcribe [træns'kraib] vt. a transcrie.

transcription [træns'kripʃn] s. 1. transcriere. 2. copie.

transcript ['trænskript] s. copie.

transducer [trænz'dju:sə] s. fiz., el., tehn. traducător, convertor.

transept ['trænsept] s. arhit. absidă.

transfer[1] ['trænsfɑ:] s. 1. transfer, trecere. 2. (act de) transfer. 3. bilet de corespondență. 4. copie la indigo.

transfer[2] [træns'fɑ:] I. vt. 1. a transfera. 2. a muta. 3. a trece. 4. a copia (la indigo). II. vi. 1. a se transfera. 2. a schimba trenul, tramvaiul etc.

transferable [træns'fɑ:rəbl] adj. 1. care poate fi transferat. 2. transmisibil. 3. alienabil.

transfiguration [ˌtrænsfigju'reiʃn] s. transfigurare.

transfigure [træns'figə] vt. a transfigura, a transforma.

transfix [træns'fiks] vt. 1. a străpunge (cu privirea). 2. a paraliza.

transform [træns'fɔ:m] vt. a transforma, a schimba.

transformation [ˌtrænsfə'meiʃn] s. 1. transformare. 2. perucă.

transformer [træns'fɔ:mə] s. transformator.

transfuse [træns'fju:z] vt. a face o transfuzie.

transfusion [træns'fju:ʒn] s. transfuzie.

transgress [træns'gres] I. vt. 1. a depăși. 2. a încălca. II. vi. 1. a păcătui. 2. a greși.

transgression [træns'greʃn] s. 1. încălcare. 2. păcat.

transgressor [træns'gresə] s. 1. infractor. 2. păcătos.

transient ['trænziənt] I. s. 1. pasager. 2. musafir trecător. II. adj. trecător, efemer.

transistor [træn'zistə] s. tranzistor.

transistorize [træn'zistə,raiz] vt. el. a tranzistoriza.

transit ['trænsit] s. tranzit.

transition [træn'ziʃn] I. s. tranziție. II. adj. de tranziție.

transitional [træn'ziʃənl] adj. de tranziție, de trecere, intermediar.

transitive ['trænsitiv] I. adj. gram. tranzitiv. II. s. gram. verb tranzitiv.

transitory ['trænsitri] adj. 1. scurt. 2. efemer.

translatable [træns'leitəbl] adj. traductibil.

translate [træns'leit] vt. 1. a traduce. 2. a muta.

translation [træns'leiʃn] s. 1. traducere. 2. translație. 3. mutare.

translator [træns'leitə] s. traducător.

transliterate [træns'litəreit] vt. a recopia.

translucent [træns'lu:snt] adj. transparent.

transmigrate [,trænzmai'greit] vi. 1. a emigra. 2. a transmigra, a suferi o metempsihoză.

transmigration [,trænzmai'greiʃn] s. migrație, transhumanță.

transmissible [trænz'misəbl] adj. transmisibil.

transmission [trænz'miʃn] s. 1. transmisie. 2. emisie.

transmit [trænz'mit] vt. 1. a transmite. 2. a emite.

transmitter [trænz'mitə] s. transmițător, emițător.

transmogrify [trænz'mɔgri,fai] vt. iron. a transforma, a schimba (la față), a metamorfoza.

transmutation [,trænzmju:'teiʃn] s. 1. transmutație. 2. transformare, conversiune. 3. fam. schimbare, modificare.

transmute [trænz'mju:t] vt. 1. a transmuta. 2. a preface.

transoceanic ['trænz,ouʃi'ænik] adj. transoceanic, de dincolo de ocean.

transom ['trænsəm] s. oberliht.

transparency [træns'pærənsi] s. 1. transparență; limpezime. 2. (hârtie) transparentă. 3. foto. diapozitiv; fotografie pe sticlă.

transparent [træns'pɛərnt] adj. 1. transparent. 2. clar. 3. vizibil.

transpiration [,trænspi'reiʃn] s. 1. transpirație, asudare. 2. fig. transpirare (a unui secret).

transpire [træns'paiə] I. vt. 1. a

transpira. 2. a degaja (vapori). II. vi. 1. a se afla. 2. a se întâmpla. 3. a transpira.

transplant [træns'plɑ:nt] vt. 1. a transplanta. 2. a răsădi.

transplantation ['trænsplɑ:nteiʃn] s. transplantare.

transport[1] ['trænspɔ:t] s. 1. transport. 2. vas de transport. 3. pl. entuziasm. 4. pl. acces.

transport[2] [træns'pɔ:t] vt. 1. a transporta. 2. a deporta. 3. a entuziasma. 4. a mișca (și fig.).

transportation [,trænspɔ:'teiʃn] s. 1. transport(uri). 2. exil. 3. deportare.

transporter [træns'pɔ:tə] s. 1. antreprenor, agent de transport. 2. tehn. transportor, conveier, bandă transportoare.

transpose [træns'pouz] vt. a transpune.

transposition [,trænspə'ziʃn] s. transpunere.

transsexual [trænz'seksjuəl] I. adj. (d. persoană) transsexual. II. s. transsexual; hermafrodit.

transship [træns'ʃip] mar. I. vt. a transborda. II. vi. a face o transbordare.

transubstantiation [,trænssəb,stən-ʃi'eiʃn] s. rel. doctrină a transsubstanțierii.

transuranic [,trænzju'rænik] adj. chim., fiz. (d. element) transuranic.

transversal [trænz'və:sl] I. adj. transversal, dispus de-a curmezișul. II. s. 1. mat. linie transversală. 2. anat. mușchi transversal.

transverse ['trænsvə:s] adj. transversal.

transvestism [træns'ves,tizəm] s. psih., med. deghizare / travestire în îmbrăcămintea sexului opus; manifestări homosexuale de travestit.

transvestite [trænz'vestait] s. transvestit.

trap [træp] I. s. 1. capcană, cursă. 2. trapă. 3. docar. 4. sifon (la closet). II. vt. a prinde în cursă. III. vi. a pune capcane (pentru animale).

trap door ['træp dɔ:] s. chepeng, trapă.

trapeze [trə'pi:z] s. trapez (pentru acrobați).

trapezium [trə'pi:zjəm] s. pl. și **trapezia** [trə'pi:zjə] geom. trapez.

trapezoid ['træpizɔid] s. trapezoid.

trapper ['træpə] s. vânător care folosește capcanele, trappeur.

trappings ['træpiŋz] s. pl. 1. ornamente. 2. fig. abțibilduri, găteli.

traps [træps] s. pl. fam. catrafuse, calabalâc.

trash [træʃ] s. 1. gunoi. 2. prostii, rahat.

trashy ['træʃi] adj. fără valoare.

trauma ['trɔ:mə] pl. **traumata** ['trɔ:mətə] s. med. traumă, traumatism.

travail ['træveil] înv. I. s. 1. chinurile facerii. 2. fig. trudă, travaliu. II. vi. 1. a fi în chinurile facerii. 2. fig. a (se) trudi, a se speti muncind.

travel ['trævl] I. s. călătorie. II. vt. a străbate. III. vi. 1. a călători, a umbla. 2. a se mișca. 3. a trece.

travel(l)ed ['trævld] adj. umblat.

travel(l)er ['trævlə] s. călător.

traveller's cheque ['trævləz'tʃek] s. cec la purtător (plătibil și în străinătate).

travelogue ['trævəloug] s. conferință geografică (cu proiecții).

traverse ['trævəs] I. s. 1. traversă. 2. piedică. II. adj. transvers, cruciș. III. vt. 1. a traversa. 2. a contrazice. 3. a discuta. 4. a străbate.

travesty ['trævisti] I. s. 1. travestire. 2. imitație, parodie. II. vt. 1. a parodia. 2. a imita prost.

trawl [trɔ:l] I. s. plasă (mare) de pescuit. II. vt. a târî (pe fundul mării). III. vi. a pescui (cu plasă mare).

trawler ['trɔ:lə] s. vas de pescari, trauler.

tray [trei] s. 1. tavă, tabla. 2. tăviță.

treacherous ['tretʃrəs] adj. 1. trădător. 2. înșelător.

treacherously ['tretʃrəsli] adv. perfid.

treachery ['tretʃri] s. trădare; înșelăciune.

treacle ['tri:kl] s. melasă.

tread [tred] I. s. 1. pas. 2. mers. 3. treaptă. II. vt. 1. a călca. 2. a zdrobi (cu picioarele). 3. a bătători. 4. a bate (un drum). || to ~ the boards a juca teatru; to ~ under foot a călca în picioare (fig.). III. vi. a călca, a păși. || to ~ in smb.'s footsteps a păși pe urmele cuiva; to ~ on air a fi în al nouălea cer; to ~ on smb.'s corns a călca pe cineva pe bătături sau pe nervi; to ~ on the heels of a urma sau urmări îndeaproape.

treadle ['tredl] I. s. pedală. II. vi. a pedala.

treadmill ['tredmil] s. 1. roată învârtită de pașii oamenilor. 2. instrument de tortură (și fig.).

treason ['tri:zn] s. trădare.

treasonable ['tri:znəbl] adj. trădător.

treasonous ['tri:zənəs] adj. trădător.

treasure ['treʒə] I. s. 1. comoară. 2. bijuterie. 3. avere. II. vt. 1. a păstra. 2. a colecționa. 3. a iubi ca pe ochii din cap. 4. a aprecia.

treasure-house ['treʒəhaus] s. vistierie, trezorerie.

treasurer ['treʒərə] s. 1. vistiernic, trezorier. 2. casier.

treasure-trove ['treʒə'trouv] s. 1. comoară găsită. 2. obiect fără stăpân.

treasury ['treʒri] s. 1. vistierie, trezorerie. 2. tezaur. 3. antologie.

treasury note ['treʒrinout] s. bancnotă.

treat ['tri:t] I. s. 1. încântare. 2. tratație. || to stand ~ a face cinste, a plăti. II. vt., vi. a trata.

treatise ['tri:tiz] s. tratat (științific).

treatment ['tri:tmənt] s. tratament.

treaty ['tri:ti] s. 1. tratat (comercial, cultural etc.). 2. negociere.

treble ['trebl] I. s. 1. voce subțire, înaltă (de soprană). 2. soprană. II. adj. 1. triplu, întreit. 2. muz. înalt; de soprană. III. vt., vi. a (se) tripla.

tree [tri:] s. copac, arbore, pom; || up a ~ în mare încurcătură, în pom, la ananghie.

tree frog [tri: frɔg] s. zool. brotac, brotăcel, răcănel (Hyla arborea).

treeless ['tri:lis] adj. despădurit.

tree nail [tri: neil] s. nav. pană de lemn, osie, ic, cătuș.

tree top [tri: tɔp] s. vârf / creastă de pom / copac.

trefoil ['trefoil] s. bot. trifoi (Trifolium arvense).

trek [trek] I. s. 1. călătorie / drum (cu carul cu boi). 2. escală, haltă. 3. emigrare, mutare dintr-un ținut într-altul. II. vi. 1. a călători (cu carul cu boi). 2. a emigra. 3. sl. a o șterge, a o întinde. 4. (d. bou) a trage la car.

trellis (work) ['trelis (wɔ:k)] s. 1. plasă, grătar. 2. spalier.

tremble ['trembl] I. s. tremur. II. vi. a tremura (și fig.). || I ~ to

think of it mă apucă groaza când mă gândesc la asta.

tremendous [tri'mendəs] adj. 1. uriaș, enorm. 2. nemaipomenit. 3. teribil, înspăimântător. 4. strașnic. 5. fantastic.

tremendously [tri'mendəsli] adv. 1. extraordinar. 2. foarte mult, enorm. 3. peste măsură. 4. îngrozitor, înspăimântător.

tremolo ['tremə,lou] s. muz. tremolo.

tremor ['tremə] adj. 1. tremur(at). 2. fior; emoție.

tremulous ['tremjuləs] adj. 1. tremurător. 2. fricos.

tremulously ['tremjuləsli] adv. 1. tremurând. 2. cu sfială, timid.

trench [trentʃ] I. s. 1. tranșee. 2. șanț. II. vt. a săpa tranșee. III. vi.: to ~ upon a încălca; a tulbura.

trenchant ['trentʃənt] adj. 1. poet. ascuțit, tăios. 2. fig. tăios, mușcător. 3. fig. tranșant, hotărât.

trencher ['trentʃə] s. tocător, fund de lemn.

trencherman ['trentʃəmən] s. pl. **trenchermen** ['trentʃəmən] mâncător, mâncău. || poor ~ persoană care mănâncă puțin; a good / stout / valiant ~ un mare mâncău, un mare gurmand.

trend [trend] s. tendință, curent.

trendy ['trendi] I. adj. fam. (foarte) modern / elegant / la modă; ultramodern. II. s. fam. persoană foarte elegantă (îmbrăcată după ultima modă).

trepan [tri'pæn] med. I. s. trepan. II. vt. a trepana, a face o trepanație.

trephine [tri'fi:n] I. s. med. trefin. II. vt. a face o trepanație cu un trefin.

trepidation [,trepi'deiʃn] s. 1. trepidație. 2. tremur. 3. panică.

trespass ['trespəs] I. s. 1. încălcare. 2. braconaj. 3. păcat. II. vi.: to ~ on a încălca; a abuza de; to ~ against a păcătui împotriva; a lovi.

trespasser ['trespəsə] s. 1. infractor, delincvent, contravenient. 2. braconier. 3. rel. păcătos. || ~s will be prosecuted trecerea (strict) oprită.

trespassing ['trespəsiŋ] s. 1. încălcare. 2. infracțiune; || no ~ trecerea oprită.

tress [tres] s. 1. șuviță. 2. pl. bucle.

trestle ['tresl] s. constr. capră.

trews [tru:z] s. pl. pantaloni ecosez din lână.

T. R. H. abrev. Their Royal Highnesses Majestățile lor.

tri- [tri] prefix tri-.

triad ['traiæd] s. 1. triadă, grup de trei. 2. chim. element trivalent. 3. muz. acord triplu.

trial ['trail] s. 1. proces. 2. necaz. 3. încercare grea. 4. experiență. || on ~ de sau la probă; supus probei sau încercărilor; în curs de judecare.

triangle ['traiæŋgl] s. triunghi.

triangular [trai'æŋgjulə] adj. triunghiular.

triangulate I. [trai'æŋgjulit] adj. 1. pol. tripartit. 2. zool. cu pete triunghiulare. II. [trai'æŋgju,leit] vt. 1. a da formă de triunghi. 2. a face triangulația (unui ținut etc.)

tribal ['traibl] adj. tribal.

tribe [traib] s. 1. trib. 2. familie. 3. clică.

tribesman ['traibzmən] s. pl. **tribesmen** ['traibzmən] membru al unui trib.

tribulation [,tribju'leiʃn] s. 1. necaz. 2. supărare. 3. chin.

tribunal [trai'bju:nl] s. 1. tribunal special. 2. slujbă de magistrat.

tribunate ['tribjunit] s. ist. Romei tribunat, funcție de tribun.

tribune ['tribju:n] s. 1. tribun. 2. tribună.

tributary ['tribjutri] I. s. afluent. II. adj. 1. tributar. 2. afluent.

tribute ['tribju:t] s. 1. tribut. 2. impozit. 3. omagiu. || to lay under ~ a pune la plată.

trice [trais] s.: in a ~ cât ai clipi din ochi.

triceps ['traiseps] s. anat. triceps.

trichinosis [,triki'nousis] s. med. trichinoză.

trichology [tri'kɔlədʒi] s. med. tricologie.

trichromatism [trai'kroumə,tizəm] s. fiz. tricromatism.

trick [trik] I. s. 1. șmecherie. 2. truc. 3. scamatorie. 4. farsă. 5. acțiune. 6. obicei. 7. levată (la cărți). || to do the ~ a o scoate la capăt. II. vt. a păcăli.

trickery ['trikəri] s. înșelătorie, șmecherie; șarlatanie.

trickle ['trikl] I. s. scurgere; dâră; picătură. II. vt. a turna puțin câte puțin, a picura. III. vi. 1. a se scurge încet. 2. a picura.

trickster ['trikstə] s. 1. trișor. 2. escroc. 3. pungaș.

tricky ['triki] adj. 1. neserios; înșelător. 2. complicat, spinos.

tricolo(u)r ['trikələ] s. tricolor.

tricot ['tricou] s. **1.** tricou, tricot. **2.** tricou, soi de cămaşă tricotată.

tricuspid [trai'kʌspid] s. anat. **1.** valvulă tricuspidă. **2.** măsea, molar.

tricycle ['traisikl] s. triciclu.

trident ['traidnt] s. trident.

Tridentine [trai'dentain] I. adj. ist., bis. referitor la conciliul / sinodul de la Trent (1545 – 1563). II. s. romano-catolic fervent sau habotnic.

tried [traid] adj. **1.** încercat. **2.** de nădejde. **3.** călit.

triennial [trai'enjəl] I. s. trienală. II. adj. trienal.

trier ['traiə] s. **1.** persoană care încearcă; persoană care insistă fără să se descurajeze. || he is a ~ caută întotdeauna să facă cât mai bine. **2.** jur. judecător; Trier magistrat însărcinat cu examinarea recuzării juraţilor.

trifle ['traifl] I. s. **1.** fleac, bagatelă. **2.** picătură. **3.** pic. II. vt.: to ~ away a irosi. III. vi. a se juca (fig.). IV. adv.: a ~ cam; it's a ~ late e cam târziu.

trifling ['traifliŋ] adj. neînsemnat.

trig[1] [trig] I. adj. **1.** curat, îngrijit. **2.** elegant, fercheş. **3.** voinic, robust, sănătos. **4.** corect, exact; pus la punct. II. vt. a ţine în ordine, a ţine curat; a îngriji, a dichisi. **2.** a umple, a ticsi, a îndesa. || to ~ smb. out a împodobi, a dichisi, a găti. III. vr.: to ~ oneself out a se găti, a se pune la punct, a se dichisi. IV. s. om îngâmfat şi sclivisit.

trig[2] [trig] I. s. opritoare, piedică de roată; frână. II. vt. **1.** a propti, a împiedica, a frâna. **2.** to ~ it a trage chilul, a umbla haimana.

trig[3] [trig] sl. şcolar prescurtare de la **trigonometry**.

trigger ['trigə] s. trăgaci.

trigonometric(al) [,trigənə'metrik(l)] adj. trigonometric.

trigonometry [,trigə'nomitri] s. trigonometrie.

trike [traik] s. fam. triciclu, tricicletă.

trilateral [trai'lætərl] adj. trilateral.

trilby ['trilbi] s. pălărie moale.

trilingual [trai'liŋgwəl] adj. trilingv.

trill [tril] I. s. tril. II. vt. a rula (un sunet), a graseia. III. vi. a face triluri. **2.** a graseia.

trillion ['triljən] s. **1.** trilion. **2.** amer. bilion.

trilobite ['trailə,bait] s. zool. trilobit.

trilogy ['trilədʒi] s. trilogie.

trim [trim] I. s. **1.** pregătire. **2.** ordine. II. adj. **1.** pus la punct. **2.** curat. **3.** elegant. III. vt. **1.** a aranja. **2.** a curăţi. **3.** a netezi. **4.** a tunde. **5.** a împodobi, a garnisi.

trimaran ['traimə,ræn] s. nav. trimaran.

trimeter ['trimitə] s. metr. trimetru.

trimmer ['trimə] s. **1.** persoană care potriveşte, care aşează în ordine, care împodobeşte, v. **trim** III. **2.** oportunist; ezitant, şovăitor, persoană lipsită de o atitudine fermă. **3.** constr. tălpoaie. **4.** foarfecă mare de grădină (pentru tăiat crăci subţiri).

trimming ['trimiŋ] s. **1.** aranjare, potrivire. **2.** ornamentaţie. **3.** ornament. **4.** ornamente. **5.** pl. adaosuri, înflorituri. **6.** garnitură.

trine [train] I. adj. **1.** triplu, întreit. **2.** astr. (d. planete) situat într-o anumită poziţie la distanţa de 120°. II. s. astr. aspect a două planete la 120° una de alta.

Trinitarium [,trini'teəriəm] s. bis. **1.** persoană care crede în dogma treimii. **2.** călugăr aparţinând ordinului Sfintei Treimi.

trinitrotoluene [trai,naitrou 'toljui:n] s. chim. trinitrotoluen, TNT.

trinity ['triniti] s. trinitate.

Trinity ['triniti] s. bis. treime. || the blessed ~ Sfânta Treime.

trinket ['triŋkit] s. podoabă, fleac.

trio ['triou] s. **1.** trio. **2.** terţet.

trioxide [trai'oksaid] s. chim. trioxid.

trip [trip] I. s. **1.** călătorie (scurtă). **2.** excursie. **3.** împiedicare. **4.** pas greşit. **5.** greşeală, scăpare. **6.** sl. vis, halucinaţie (sub influenţa drogurilor). II. vt. a sări peste. || to ~ up a pune piedică (cuiva). III. vi. **1.** a ţopăi. **2.** a se împiedica. **3.** a face o greşeală sau gafă.

tripartite ['trai'pɔːtait] adj. **1.** tripartit. **2.** împărţit în trei.

tripe [traip] s. **1.** burduhan, burtă de vacă. **2.** prostii, fleacuri. **3.** maculatură.

trip hammer ['trip ,hæmə] s. tehn. ciocan mecanic.

triple ['tripl] I. adj. triplu. II. vt., vi. a (se) tripla.

triplet ['triplit] s. **1.** tripletă. **2.** unul din trei gemeni.

triplex ['tripleks] I. s. **1.** muz. măsură în trei timpi. **2.** muz. compoziţie alcătuită din trei

părţi. **3.** tehn. sticlă securit / triplex. II. adj. tehn. triplex; cu trei cilindri, cu acţiune triplă.

triplicate I. ['triplikit] adj. **1.** triplu. **2.** jur. în trei exemplare / părţi. II. ['tripli,keit] s. triplicat, exemplarul trei. III. ['tripli,keit] vt. **1.** a tripla. **2.** a redacta în trei exemplare.

tripod ['traipod] s. trepied.

Tripolitan [tri'politən] adj., s. tripolitan.

tripos ['traipos] s. **1.** examen de licenţă în litere (la Cambridge). **2.** lista licenţiaţilor în litere (la Cambridge).

tripper ['tripə] s. excursionist.

tripping ['tripiŋ] adj. facil, superficial.

triptych ['triptik] s. artă triptic.

trireme ['trairi:m] s. nav. triremă.

trisect [trai'sekt] vt. a secţiona în trei părţi (egale).

trisection [trai'sekʃn] s. trisecţie.

trite [trait] adj. **1.** banalizat. **2.** banal, comun.

triteness ['traitnis] s. banalitate.

tritium ['tritiəm] s. chim. tritiu.

Triton ['traitn] s. **1.** mitol. Triton. **2.** entom. triton. **3.** muz. triton.

triturate ['tritjureit] vt. **1.** a măcina fin, a pisa. **2.** chim. fam. a tritura.

triumph ['traiəmf] I. s. **1.** triumf, victorie. **2.** entuziasm. II. vi. **1.** a triumfa. **2.** a se bucura. || to ~ over a triumfa (asupra); a exulta (în privinţa).

triumphal [trai'ʌmfəl] adj. triumfal, glorios; victorios.

triumphant [trai'ʌmfənt] adj. **1.** triumfal. **2.** triumfător.

triumvir [trai'ʌmvə], pl. şi **triumviri** [trai'ʌmvi,ri:] s. ist. triumvir.

triumvirate [trai'ʌmvirit] s. **1.** ist. triumvirat. **2.** fam. trio.

trivalent [trai'veilənt] adj. chim. trivalent.

trivet ['trivit] s. **1.** trepied; scaun / obiect cu trei picioare. **2.** pirostrii (pe grătarul căminului).

trivia ['triviə] s. pl. fleacuri, bagatele.

trivial ['trivjəl] adj. **1.** neînsemnat. **2.** meschin. **3.** banal. **4.** neserios, frivol.

triviality [,trivi'æliti] s. **1.** fleac. **2.** lipsă de importanţă. **3.** banalitate.

trochee ['trouki:] s. troheu.

trod [trod] vt., vi. trec. şi part. trec. de la **tread**.

trodden ['trodn] vt., vi. part. trec. de la **tread**.

troglodyte ['trɔglədait] s. **1.** troglodit. **2.** fig. pustnic.

troika ['trɔikə] s. **1.** troică, trăsură trasă de trei cai. **2.** pol. triumvirat, conducere tripartită. **3.** fam. troică.

Trojan ['troudʒn] s., adj. ist. troian.

troll [troul] **I.** vt. **1.** a cânta, a fredona. **2.** a pescui. **3.** a rostogoli. **II.** vi. **1.** a hoinări. **2.** a se rostogoli. **3.** a executa un canon.

trolley ['trɔli] s. **1.** cărucioară. **2.** vagonet. **3.** troleu. **4.** amer. tramvai.

trolley bus ['trɔlibʌs] s. troleibuz.

trollop ['trɔləp] s. târătură, târfă.

trombone [trɔm'boun] s. trombon.

troop [tru:p] **I.** s. **1.** trupă, detașament. **2.** pl. armată, soldați. **II.** vi. a merge în grup.

trooper ['tru:pə] s. **1.** soldat. **2.** cavalerist. **3.** polițist călare. **4.** cal de cavalerie. || to swear like a ~ a înjura ca un birjar.

trope [troup] s. metr. trop, metaforă.

trophy ['troufi] s. trofeu.

tropic ['trɔpik] s. tropic.

tropical ['trɔpikl] adj. tropical.

troposphere ['trɔpə,sfiə] s. geogr. troposferă.

trot [trɔt] **I.** s. **1.** fugă. **2.** trap. **3.** plimbare. **II.** vt. **1.** a duce la trap. **2.** a plimba. **III.** vi. **1.** a merge în trap. **2.** a se grăbi.

troth [trouθ] s. **1.** adevăr. **2.** onoare. || by my ~ pe o-noarea mea; to plight one's ~ a-și da cuvântul de onoare; a făgădui să ia de nevastă.

trotter ['trɔtə] s. **1.** trăpaș. **2.** pl. picioare de porc; piftie din picioare de porc.

troubadour ['tru:bəduə] s. trubadur.

trouble ['trʌbl] **I.** s. **1.** necaz. **2.** bucluc. **3.** încurcătură. **4.** dificultate. **5.** efort. **6.** tulburare. **7.** med. afecțiune, boală. || in ~ în încurcătură; însărcinată; to get into ~ a da de bucluc; a intra la apă; a rămâne gravidă; to ask for ~ a o căuta cu lumânarea; to take the ~ a-și da osteneala, a se deranja. **II.** vt. **1.** a tulbura. **2.** a deranja. **3.** a necăji. || to fish in ~d waters a pescui în apă tulbure. **III.** vi. **1.** a se necăji. **2.** a se agita. **3.** a se deranja. **IV.** vr. **1.** a se deranja. **2.** a se agita.

troublesome ['trʌblsəm] adj. supărător; chinuitor.

troublous ['trʌbləs] adj. înv. agitat, neliniștit; tulbure.

trough [trɔf] s. troacă.

trounce [trauns] vt. **1.** a biciui, a bate. **2.** a pedepsi. **3.** a dojeni, a mustra (aspru). **4.** sport a învinge la scor; a zdrobi, a face praf.

troupe [tru:p] s. trupă (artistică).

trouper ['tru:pə] s. teatru membru al unei trupe / companii teatrale.

trousers ['trauzəz] s. pl. pantaloni lungi.

trousseau ['tru:sou] s. trusou; zestre, dotă.

trout [traut] s. **1.** păstrăv. **2.** păstrăvi.

trove [trouv] s. jur. comoară (găsită); tezaur (fără proprietar).

trow [trou] vi. înv. a crede, a fi de părere.

trowel [trau(ə)l] s. mistrie.

troy [trɔi] s. sistem de greutăți pentru metale prețioase.

truancy ['truənsi] s. **1.** chiul. **2.** absență.

truant ['truənt] **I.** s. **1.** chiulangiu. **2.** absent. || to play ~ a chiuli. **II.** adj. **1.** chiulangiu. **2.** haimana. **3.** zăpăcit. **4.** trândav.

truce [tru:s] s. **1.** armistițiu. **2.** pauză. **3.** răgaz.

truck [trʌk] **I.** s. **1.** vagon de marfă. **2.** amer. camion. **3.** vagonet. **4.** econ. comerț, troc. **5.** relație. **6.** gunoi. || to have no ~ with smb. a nu fi în relații cu cineva. **II.** vt. **1.** a căra, a transporta. **2.** a face troc cu.

truckle ['trʌkl] **I.** s. **1.** înv. rotiță. **2.** înv. pat pe rotile. **3.** burduf (mic) de brânză. **II.** vi. înv. a împinge / a mișca pe rotile.

truckle bed ['trʌkl bed] s. înv. pat (scund) pe rotile.

truculent ['trʌkjulənt] adj. **1.** agresiv, feroce.

trudge [trʌdʒ] **I.** s. drum greu. **II.** vi. a merge cu greu, a se târî.

true [tru:] **I.** adj. **1.** adevărat, veritabil. **2.** exact, corect. **3.** credincios, loial, sincer. || to come ~ a se adeveri, a se realiza. **II.** adj. **1.** corect. **2.** adevărat.

true-blue ['tru:'blu:] **I.** s. **1.** conservator. **2.** partizan înflăcărat sau fanatic. **II.** adj. **1.** conservator. **2.** fanatic. **3.** credincios.

true-born ['tru:,bɔ:n] adj. veritabil, adevărat, get-beget.

true hearted [tru:'ha:tid] adj. loial, credincios; sincer.

truffle ['trʌfl] s. **1.** trufă, prăjitură. **2.** bot. trufă (Tuber cibarium).

trug [trʌg] s. **1.** șiștar, doniță (de lemn). **2.** coșuleț de nuiele (pentru grădinărit).

truism ['tru:izəm] s. platitudine, loc comun, trusim.

truly ['tru:li] adv. **1.** cu adevărat. **2.** sincer.

trump [trʌmp] **I.** s. **1.** trâmbiță. **2.** atu. **3.** om săritor. || to turn up ~s a ieși foarte bine; a fi săritor la nevoie. **II.** vt. a folosi ca atu. || to ~ up a inventa; a înscena.

trump-card ['trʌmp'ka:d] s. **1.** atu. **2.** fig. ultima carte.

trumpery ['trʌmpəri] s. bijuterii false (și fig.).

trumpet ['trʌmpit] **I.** s. **1.** trompetă. **2.** cornet (acustic). || to blow one's own ~ a-și face singur reclamă. **II.** vt. a trâmbița.

trumpeter ['trʌmpitə] s. **1.** trompetist. **2.** trâmbițaș.

truncate ['trʌŋkeit] vt. a trunchia.

truncheon ['trʌntʃn] s. **1.** bâtă. **2.** matracă.

trundle ['trʌndl] vt., vi. a (se) rostogoli.

trundle bed ['trndl bed] s. v. **truckle bed.**

trunk [trʌŋk] **I.** s. **1.** trunchi. **2.** trup. **3.** parte principală. **4.** cufăr. **5.** trompă. **6.** pl. chiloți de baie. **II.** adj. **1.** principal. **2.** interurban.

trunk-call ['trʌŋkkɔ:l] s. convorbire telefonică interurbană.

trunnion ['trʌniən] s. mil. pivot, fus, genunchi.

truss [trʌs] **I.** s. **1.** snop. **2.** bandaj (pentru hernie). **II.** vt. **1.** a lega. **2.** a sprijini.

trust [trʌst] **I.** s. **1.** încredere. **2.** convingere. **3.** obligație; îndatorire. **4.** jur. tutelă. **5.** econ. trust. || on ~ pe încredere; pe credit. **II.** vt. **1.** a avea încredere în. **2.** a crede. **3.** a încredința. **4.** a acorda încredere (cuiva). **5.** a nădăjdui. **6.** a acorda credit (cuiva). **III.** vi. **1.** a avea încredere. **2.** a se încrede.

trustee [trʌs'ti:] s. **1.** jur. tutore. **2.** econ. girant.

trusteeship [trʌs'ti:ʃip] s. **1.** jur. tutelă. **2.** econ. girare.

trustful ['trʌstfl] adj. încrezător.

trusting ['trʌstiŋ] adj. încrezător, nesuspicios.

trust-money ['trʌst,mʌni] s. bani luați în păstrare.

trustworthy ['trʌst,wə:ði] adj. **1.** demn de încredere. **2.** de nădejde.

trusty ['trʌsti] I. adj. fidel, devotat. II. s. deţinut cu comportare bună (care se bucură de privilegii).

truth[1] [tru:θ] s. pl. **truths** [tru:ðz] adevăr, realitate.

truth[2] [tru:θ] s. tehn. ajustare precisă, precizie / fineţe de ajustare.

truthful ['tru:θfl] adj. 1. sincer. 2. corect. 3. adevărat.

truthfully [tru:θfuli] adv. 1. veridic. 2. fidel, întocmai.

truthfulness ['tru:θflnis] s. 1. sinceritate. 2. adevăr.

try [trai] I. s. 1. încercare. 2. sport eseu. II. vt. 1. a încerca. 2. a experimenta. 3. a proba, a pune la încercare. 4. a judeca. 5. a obosi. 6. a chinui. III. vi. 1. a încerca. 2. a se strădui. 3. a face experienţe.

trying ['traiiŋ] adj. 1. supărător. 2. obositor. 3. chinuitor. 4. dificil.

tryst [trist] s. înv. poet. 1. loc de întâlnire. 2. întâlnire, rendez-vous.

try-out ['trai'aut] s. 1. probă (tehnologică). 2. sport joc / meci de selecţie / verificare; (probă de) selecţie / verificare. 3. teatru reprezentaţie de probă (a unei piese noi), avanpremieră.

trypsin ['tripsin] s. chim. tripsină.

tsar [zɑ:] s. ist. ţar.

tsarina [zɑ:ri:nə] s. ist. ţarină.

tsetse ['tsetsi] s. entom. musca ţeţe (Glossima morsitous).

T-shirt ['ti:ʃə:t] s. tricou sport (fără guler); maiou cu mânecuţe.

T. T. abrev. 1. teetotal antialcoolic; fără alcool. 2. teetotaller antialcoolic. 3. telegraphic transfer transfer telegrafic. 4. teletypewriter teleimprimator. 5. Tourist Trophy. suvenir, trofeu turistic. 6. tuberculin-tested testare la tuberculină.

tub [tʌb] s. cadă; albie.

tuba ['tju:bə] s. tubă.

tubby ['tʌbi] adj. 1. (gras) ca un butoi; bondoc; dolofan. 2. muz. cu sunet înfundat / dogit.

tube [tju:b] s. 1. tub. 2. lampă de radio. 3. metrou.

tuber ['tju:bə] s. 1. bot. tubercul; excrescenţă. 2. fam. barabulă, cartof.

tubercle ['tju:bəkl] s. bot., med. tubercul.

tubercular [tju:'bə:kjulə] adj. med. tuberculos.

tuberculin [tju:'bə:kjulin] s. med. tuberculină.

tuberculosis [tjubə:kju'lousis] s. med. tuberculoză.

tuberculous [tju'bə:kjuləs] adj. 1. med. tuberculos. 2. anat., bot. tubercular.

tuberose ['tju:bə,rouz] s. bot. tuberoză (Polyanthes tuberosa).

tuberous ['tju:bərəs] adj. v. **tuberculous.**

tubing ['tju:biŋ] s. 1. tub; tuburi. 2. tubaj.

tubing ['tju:biŋ] s. 1. tehn. ţevărie, conducte, instalaţie de ţevi; ţevi de extracţie, ţevi de pompare. 2. constr., mine. cuvelaj, tubing.

tubular ['tju:bjulə] adj. tubular, cilindric.

TUC abrev. Trades Union Congress Congresul Sindicatelor Britanice.

tuck [tʌk] I. s. 1. pliu. 2. mâncare. II. vt. 1. a băga. 2. a strânge. 3. a înveli, a înfofoli. 4. a sufleca, a rula. 5. a plisa (o stofă). || to ~ away a mânca. III. vi.: to ~ in(to) a înfuleca.

tucker ['tʌkə] vt. sl. amer. a istovi, a epuiza.

tuck-in ['tʌk'in] s. ospăţ.

Tudor ['tju:də] adj. artă în stil Tudor.

Tues. prescurtare de la **Tuesday.**

Tuesday ['tju:zdi] s. marţi.

tufa ['tju:fə] s. geol. 1. tuf calcaros. 2. tuf vulcanic.

tuff [tʌf] s. v. **tufa.**

tuft [tʌft] s. 1. smoc. 2. moţ.

tug [tʌg] I. s. 1. tragere, tracţiune. 2. remorcher. II. vt. 1. a trage. 2. a remorca. III. vi.: to ~ at a trage (de).

tug-boat [tʌgbout] s. nav. remorcher.

tug of war [,tʌgəv'wɔ:] s. 1. luptă cu otgonul. 2. fig. luptă hotărâtoare / decisivă.

tuition [tju'iʃn] s. 1. învăţătură. 2. învăţământ. 3. taxe şcolare.

tulip ['tju:lip] s. bot. lalea (Tulipa).

tulle [tju:l] s. text. tul.

tumble ['tʌmbl] I. s. 1. cădere. 2. tumbă. 3. încurcătură. 4. dezordine. II. vt. 1. a răsturna. 2. a trânti la pământ. 3. a tulbura, a răvăşi. III. vi. 1. a cădea. 2. a se răsturna. 3. a face tumbe; a se rostogoli.

tumble-down ['tʌmbldaun] adj. 1. dărăpănat. 2. în stare proastă.

tumbler ['tʌmblə] s. 1. pahar (fără picior). 2. acrobat.

tumbrel, tumbril ['tʌmbrəl] s. 1. mil. faeton (pt. muniţii). 2. ist. faeton pentru transportarea condamnaţilor la ghilotină.

tumescent [tju:'mesənt] adj. v. **tumid** 1.

tumid ['tju:mid] adj. 1. med. tumefiat, umflat. 2. fig. bombastic, emfatic.

tummy ['tʌmi] s. fam. burtă, pântec.

tumo(u)r ['tju:mə] s. tumoare.

tumult ['tju:mʌlt] s. 1. tumult. 2. dezordine. 3. învălmăşeală. 4. zarvă.

tumultuous [tju'mʌltjuəs] adj. 1. tumultuos. 2. furtunos. 3. zgomotos. 4. învălmăşit.

tumultuary [tju'mʌltjuəri] adj. 1. tumultuos, agitat. 2. zgomotos. 3. nedisciplinat.

tumulus ['tju:mjuləs] pl. **tumuli** ['tju:mjulai] s. 1. geol. tumulus. 2. ist. gorgan, tumul.

tun [tʌn] I. s. butoi mare, butie, boloboc. II. vt. a turna, a pune în butoi; a păstra în butoi.

tuna ['tju:nə] 1. iht. ton (Thunnus thynnnus). 2. carne de ton (mai ales conservată).

tunable ['tju:nəbl] adj. 1. v. **tuneful.** 2. muz. care se poate acorda.

tuneless ['tju:nlis] adj. 1. nemelodios; discordant, nearmonios. 2. (d. voce) lipsit de sonoritate; fără viaţă.

tundra ['tʌndrə] s. tundră.

tune [tju:n] I. s. 1. melodie. 2. ton. 3. armonie. || to change one's ~; to say another ~ a schimba tonul; to the ~ of în sumă de. II. vt. 1. a acorda (un pian etc.). 2. a potrivi (postul de radio). || to ~ in a pune (un post de radio); to ~up a pune la punct, a repara. III. vi.: to ~ up a-şi acorda instrumentele; a începe să cânte.

tuneful ['tju:nfl] adj. muzical, melodios, plăcut la auz.

tuner ['tju:nə] s. 1. acordor (de piane). 2. telec. acordare, acord. 3. rad. tuner.

tungsten ['tʌŋstən] s. tungsten, wolfram.

tunic ['tju:nik] s. 1. tunică. 2. jachetă.

tuning-fork ['tju:niŋfɔ:k] s. diapazon.

tunnel ['tʌnl] s. tunel.

tunny ['tʌni] s. iht. ton.

tuppence ['tʌpəns] s. doi penny.

turban ['tə:bən] s. turban.

turbaned ['tə:bənd] adj. cu turban.

turbid ['tə:bid] adj. 1. tulbure. 2. murdar. 3. învălmăşit.

turbine ['tə:bin] s. turbină.

turbo- *prefix* turbo-.

turbo-jet ['tə:boudʒet] *s.* turbo-reactor.

turbo-prop ['tə:bouprɔp] *adj., s. av.* turbopropulsor.

turbot ['tə:bət] *s. iht.* calcan *(Hippoglossus hippoglossus).*

turbulence ['tə:bjuləns] *s.* **1.** impetuozitate. **2.** tumult, zarvă, agitaţie; clocot, fierbere. **3.** indisciplină. **4.** *meteo.* turbulenţă (atmosferică).

turbulent ['tə:bjulənt] *adj.* turbulent.

turd [tə:d] *s. vulgar* scârnă, excremente; baligă.

tureen [tə'ri:n] *s.* castron (acoperit).

turf [tə:f] *s.* **1.** brazdă de iarbă. **2.** iarbă, gazon. **3.** turf, curse de cai.

turgid ['tə:dʒid] *adj.* **1.** umflat. **2.** congestionat. **3.** pompos.

Turk [tə:k] *s.* **1.** turc. **2.** obrăznicătură.

turkey ['tə:ki] *s. ornit.* curcan; curcă *(Meleagris gallopavo).*

Turkey carpet ['tə:ki ,kɑ:pit] *s.* covor turcesc.

turkey-cock ['tə:kikɔk] *s. ornit.* curcan *(Meleagris gallopavo)(şi fig.).*

turkey-hen ['tə:kihen] *s. ornit.* curcă *(Meleagris gallopavo).*

Turkish ['tə:kiʃ] **I.** *s.* limba turcă. **II.** *adj.* turc(esc).

Turkish delight ['təkiʃdi'lait] *s.* rahat, sugiuc.

turmeric ['tə:mərik] *s. bot.* şofran de India *(Curcuma longa).*

turmoil ['tə:mɔil] *s.* **1.** învălmăşeală. **2.** agitaţie. **3.** tumult. **4.** tulburare.

turn [tə:n] **I.** *s.* **1.** întoarcere, întorsătură. **2.** tur. **3.** rotire. **4.** schimbare. **5.** cotitură. **6.** ocazie. **7.** serviciu, amabilitate. **8.** acţiune. **9.** plimbare. **10.** dispoziţie; aptitudine. **11.** scop. **12.** turnură, exprimare. **13.** şoc. || *by* ~s cu schimbul, când aşa când aşa; *in* ~ pe rând; *on the* ~ învârtindu-se; în schimbare; *to a* ~ perfect, tocmai cum trebuie; *to take* ~s a se schimba, a lucra pe rând. **II.** *vt.* **1.** a învârti. **2.** a suci. **3.** a răsuci. **4.** a întoarce. **5.** a roti. **6.** a schimba. **7.** a preface. **8.** a strunji. **9.** a împlini, a atinge *(o vârstă).* **10.** a folosi. **11.** a trece. || *to* ~ *about* a răsuci (complet); *to* ~ *away* a alunga; a trimite înapoi; *to* ~ *back* a întoarce înapoi; *to* ~ *one's*

coat a-şi schimba convingerile; *to* ~ *the corner* a da, a trece colţul; *fig.* a ieşi cu bine, a o scoate la capăt; *to* ~ *down* a respinge; a da în jos; a întoarce (pe dos); a micşora; a face mai mic *(fitilul etc.); not to* ~ *a hair* a nu se clinti; a nu se speria; *to* ~ *smb.'s head* a suci capul cuiva; *to* ~ *an honest penny* a câştiga un ban cinstit; *to* ~ *in* a întoarce *sau* băga înăuntru; *to* ~ *inside out* a întoarce pe dos; *to* ~ *off* a stinge, a închide *(lumina etc.);* a concedia; *to* ~ *out* a da afară; a produce, a goli; a îmbrăca; a stinge; a răsuci, a învârti; a începe; a preda; a produce; *to* ~ *over a new leaf* a începe o viaţă nouă; *to* ~ *to account* a valorifica; a folosi bine; *to* ~ *up* a întoarce, a sufleca, a răsuci; a deşteleni; a ara; a scoate la iveală; *to* ~ *up one's nose at smth.* a strâmba din nas la ceva. **III.** *vi.* **1.** a se întoarce. **2.** a se roti. **3.** a se învârti. **4.** a se răsuci. **5.** a se strunji. **6.** a fi ameţit. || *to* ~ *about* a se răsuci (cu totul); a face la stânga împrejur; *to* ~ *against smb.* a se năpusti asupra cuiva; *to* ~ *aside* a se întoarce într-o parte; *to* ~ *away* a pleca (dezgustat); *to* ~ *in* a se culca; *to* ~ *off* a o lua pe alt drum; a se bifurca; *to* ~ *on smb.* a ataca (pe cineva); *to* ~ *out* a apărea; a se ivi; a se dovedi; *to* ~ *over* a se învârti, a se rostogoli; a se răsuci; *to* ~ *around* a se răsuci; a schimba politica; *to* ~ *sour* a se acri; *to* ~ *to smb.* a se adresa la, a veni la cineva; *to* ~ *to smth.* a se apuca de ceva; *to* ~ *a traitor* a trăda; *to* ~ *up* a apărea, a se ivi.

turncoat ['tə:nkout] *s.* **1.** apostat. **2.** trădător. **3.** aventurier politic.

turner ['tə:nə] *s.* strungar.

turnery ['tə:nəri] *s.* **1.** (atelier de) strungărie. **2.** strungărie, meşteşugul strungarului. **3.** obiecte / piese strunjite.

turning ['tə:niŋ] *s.* cotitură *(şi fig.).*

turning-point ['tə:niŋpɔint] *s.* cotitură, moment decisiv.

turnip ['tə:nip] *s.* **1.** nap. **2.** gulie.

turnkey ['tə:nki] *s.* temnicier.

turn-out ['tə:n-aut] *s.* **1.** adunare, asistenţă, auditoriu. **2.** echipaj, trăsură. || *smart* ~ echipaj elegant. **3.** *mil.* ţinută.

uniformă. **4.** *econ.* producţie globală. **5.** grevă. **6.** *ferov.* ramificaţie, bifurcaţie, branşament; schimbare de cale / macaz; linie de garaj. **7.** *amer.* punere în libertate a unei persoane arestate.

turnover ['tə:n,ouvə] *s.* **1.** dever. **2.** profit.

turnpike ['tə:npaik] *s.* barieră (turnantă).

turnspit ['tə:nspit] *s.* persoană care învârteşte de frigare.

turnstile ['tə:nstail] *s.* turnichet, portiţă.

turntable ['tə:n,teibl] *s.* **1.** placă turnantă. **2.** *tehn.* platan.

turpentine ['tə:pntain] *s. chim.* terebentină.

turpitude [tə:pitju:d] *s.* **1.** urâciune. **2.** josnicie.

turps [tə:ps] *s. fam.* v. **turpentine.**

turquoise ['tə:kwɑ:z] *s.* turcoază, peruzea.

turret ['tʌrit] *s.* **1.** turnuleţ. **2.** turelă.

turtle ['tə:tl] *s.* **1.** *zool.* broască ţestoasă *(Testudo; Chelonia).* **2.** *ornit.* turturea *(Testur sp.).*

turtle dove ['tə:tldʌv] *s. ornit.* turturea *(Testur sp.).*

Tuscan ['tʌskən] **I.** *adj.* din Toscana, toscan. **II.** *s.* **1.** toscan, locuitor din Toscana. **2.** dialectul toscan.

tush[1] [tʌʃ] *s.* dinte (de cal).

tush[2] [tʌʃ] *înv.* **I.** *interj.* ptiu! **II.** *vi.* a exprima dezaprobarea.

tusk [tʌsk] *s.* fildeş / colţ (de elefant, mistreţ etc.).

tusker [tʌskə] *s.* elefant *sau* porc mistreţ adult *(cu colţii dezvoltaţi).*

tussle ['tʌsl] **I.** *s.* încăierare. **II.** *vi.* a se încăiera.

tussock ['tʌsək] *s.* **1.** smoc *(de iarbă sau păr).* **2.** *ornit.* moţ.

tut [tʌt] *interj.* aş! mţţ!

tutelage ['tju:tilidʒ] *s.* tutelă.

tutelar(y) ['tju:tiləri] *adj.* tutelar; ocrotitor.

tutor ['tju:tə] **I.** *s.* **1.** profesor, meditator. **2.** asistent universitar. **II.** *vt.* a medita (pe un elev).

tutorial [tju:'tɔ:riəl] **I.** *adj.* **1.** de preceptor / meditator / repetitor. **2.** tutelar, de tutore. **II.** *s. pl.* lucrări practice (de seminar sau laborator).

tut-tut (tut) ['tʌt-tʌt (,tʌt)] *interj.* ţţ-ţţ!

tutu ['tu:tu] *s.* jupă de balerină.

tuxedo [tʌk'si:dou] *s. amer.* smoching.

tuyère [tju:'jeər] *s. met.* gură de vânt.

TV *abrev.* **1.** *television* televiziune; televizor. **2.** *terminal velocity* viteză finală.

twaddle ['twɔdl] **I.** *s.* vorbărie, aiureală. **II.** *vi.* a pălăvrăgi.

twain [twein] *num., adj., pron., s. înv. poet.* doi, două.

twang [twæŋ] **I.** *s.* **1.** zbârnâit. **2.** vorbire nazală; fârnâială. **II.** *vt.* a zbârnâi din *(vioară etc.).* **III.** *vi.* **1.** a zbârnâi. **2.** a se fârnâi.

'twas [twɔz] *prescurtare de la it was.*

tweak [twi:k] **I.** *s.* ciupitură. **II.** *vt.* a ciupi.

twee [twi:] *adj. fam.* **1.** ultra delicat; afectat, ultra rafinat. **2.** ciudat, trăsnit, original.

tweed [twi:d] *s.* **1.** tweed, stofă de lână cu picățele. **2.** *pl.* costum de tweed, costum de golf.

tweet [twi:t] **I.** *interj.* cirip (cirip). **II.** *vi.* a ciripi; a piui. **III.** *s.* ciripit; piuit.

tweeter ['twi:tə] *s. telec.* difuzor de înaltă frecvență.

tweezers ['twi:zəz] *s. pl.* pensetă.

twelfth [twelfθ] **I.** *s.* douăsprezecime. **II.** *num.* al doisprezecelea.

twelfth-night ['twelfθ'nait] *s.* ajunul Bobotezei.

twelve [twelv] *s., num.* doisprezece.

twelvemonth ['twelvmʌnθ] *s.* an.

twentieth ['twentiiθ] *num.* al douăzecilea.

twenty ['twenti] **I.** *s.* **1.** douăzeci. **2.** *pl.* deceniul al treilea. **II.** *num.* douăzeci.

'twere [twə(:)] *prescurtare de la it were.*

twerp [twə:p] *s. sl.* **1.** jigodie, javră; tip scârbos. **2.** nătâng, tâmpit.

twice [twais] *adv.* **1.** de două ori. **2.** dublu.

twice-told tale ['twaistoul'teil] *s.* poveste binecunoscută.

twiddle ['twidl] **I.** *vt.* a învârti de pomană / alene / în dorul lelii. || *to ~ one's thumbs* a pierde vremea. **II.** *vi.* a se juca.

twig[1] [twig] *s.* rămurică.

twig[2] [twig] *sl.* **I.** *vt.* **1.** *fam.* a pricepe, a prinde. **2.** a urmări, a supraveghea. **3.** a zări; a recunoaşte. **II.** *vi.* a se prinde, a pricepe.

twilight ['twailait] *s.* **1.** amurg, crepuscul. **2.** zori.

twilit ['twailit] *adj.* **1.** crepuscular. **2.** slab luminat.

twill [twil] *s.* postav cu dungi.

'twill [twil] *prescurtare de la it will.*

twilled ['twild] *adj.* răsucit.

twin [twin] **I.** *s.* frate geamăn, *pl.*

gemeni. **II.** *adj.* **1.** geamăn. **2.** îngemănat.

twine [twain] **I.** *s.* fir, şuviță. **II.** *vt.* **1.** a împleti. **2.** a întinde. **3.** a încolăci. **III.** *vi.* **1.** a se împleti. **2.** a se încolăci.

twin-engine(d) ['twin'endʒin(d)] *adj. av.* bimotor, cu două motoare.

twinge [twindʒ] *s.* junghi.

twinkle ['twiŋkl] **I.** *s.* **1.** scânteiere. **2.** licărire. **3.** lumină. **II.** *vi.* **1.** a licări. **2.** a scânteia.

twinkling ['twiŋkliŋ] *s.* **1.** clipă. **2.** licărire. || *in the ~ of an eye* cât ai clipi din ochi.

twin set ['twin'set] *s.* set (de pulovere).

twirl [twə:l] **I.** *s.* **1.** răsucire. **2.** rotocol. **II.** *vt.* **1.** a răsuci. **2.** a învârti. **III.** *vi.* **1.** a (se) răsuci. **2.** a (se) învârti.

twist [twist] **I.** *s.* **1.** răsucire. **2.** întoarcere. **3.** ocol. **4.** cot; cotitură. **5.** pâine împletită. **6.** împletitură. **7.** întorsătură, tendință. **8.** twist (*dans*). **II.** *vt.* **1.** a (ră)suci. **2.** a învârti. **3.** a stoarce. **4.** a deforma. || *to ~ smb.'s arm* a răsuci mâna cuiva. **III.** *vi.* **1.** a se răsuci. **2.** a se contorsiona. **3.** a face meandre. **4.** a fi în serpentină. **5.** a face escrocherii.

twister ['twistə] *s.* **1.** escroc. **2.** dificultate, dilemă.

twitch [twitʃ] **I.** *s.* **1.** smucitură. **2.** tic nervos. **II.** *vt.* **1.** a trage. **2.** a smulge. **III.** *vi.* **1.** a se răsuci. **2.** a se contracta. **3.** a avea un tic.

twit[1] [twit] **I.** *s.* **1.** dojană; reproş. **2.** zeflemea, batjocură. **II.** *vt.* **1.** a lua în râs, a ridiculiza. **2.** a dojeni, a mustra.

twit[2] [twit] *s. sl.* idiot, nerod.

twitter ['twitə] **I.** *s.* **1.** ciripit (*şi fig.*). **2.** flecăreală. || *in a ~* în mare agitație. **II.** *vi.* a ciripi (*şi fig.*).

two [tu:] **I.** *s.* doi, pereche. **II.** *num.* doi, două. || *one or ~* vreo doi (trei); *to put ~ and ~ together* a pune lucrurile în legătură; a stabili *sau* a face anumite legături.

two-edged ['tu:'edʒd] *adj.* **1.** cu două tăişuri. **2.** ambiguu.

two-faced [,tu:'feist] *adj.* cu două fețe, fățarnic.

twofold ['tu:fould] *adj., adv.* dublu.

two-handed [,tu:'hændid] *adj.* dificil.

twopence ['tʌpəns] *s.* doi penny.

twopenny ['tʌpni] **I.** *s.* (monedă de) doi penny. **II.** *adj.* în valoare de doi penny.

two-piece [,tu:'pi:s] *adj.* din două părți / piese. || *ladies' ~ suit / costume* deux pièces.

two-row barley ['tu:rou'bɑ:li] *s. bot.* orzoaică.

twosome ['tu:səm] **I.** *s.* **1.** pereche, cuplu. **2.** joc în doi. **3.** *muz.* dans pentru perechi. **4.** *fam.* convorbire între patru ochi. **II.** *adj.* pentru două persoane, pentru perechi.

'twould [twud] *înv. prescurtare de la it would.*

tycoon [tai'ku:n] *s.* magnat.

tying ['taiiŋ] *adj. (mai ales jur.)* care te obligă, (cu caracter) obligatoriu.

tyke [taik] *s.* **1.** javră, jigodie (*şi fig.*). **2.** *amer.* țânc, copilaş. **3.** locuitor din comitatul Yorkshire. **4.** bădăran, mocofan. **5.** *fam.* drac împielițat, drac de copil.

tympanum ['timpənəm] *s. anat.* timpan.

type [taip] *s.* **1.** tip, categorie. **2.** persoană. **3.** literă de tipar. **4.** tipar.

type-setter ['taip,setə] *s. poligr.* culegător.

typewrite ['taiprait] *vt., vi.* a dactilografia.

typewriter ['taip,raitə] *s.* maşină de scris.

typewriting [taip,raitiŋ] *s.* v. **typing**.

typewrritten [taip,ritn] *adj.* scris de maşină, dactilografiat.

typhoid (fever) ['taifɔid(,fi:və)] *s. med.* febră tifoidă.

typhoon [tai'fu:n] *s.* taifun.

typhus ['taifəs] *s. med.* tifos exantematic.

typical ['tipikl] *adj.* **1.** tipic. **2.** caracteristic.

typify ['tipifai] *vt.* **1.** a exemplifica. **2.** a ilustra. **3.** a simboliza. **4.** a tipiza.

typist ['taipist] *s.* dactilograf(ă).

typographic(al) [taipə'græfik(l)] *adj.* tipografic, de tipografie. || *~ error* greşeală de tipar.

typography [tai'pɔgrəfi] *s.* **1.** tipografie. **2.** tipar.

tyrannical [ti'rænikl] *adj.* **1.** tiran(ic). **2.** asupritor.

tyrannize ['tirənaiz] *vi.: to ~ over* a asupri.

tyrannous ['tirənəs] *adj.* **1.** tiranic. **2.** (*d. vânt*) năpraznic, violent.

tyranny ['tirəni] *s.* tiranie.

tyrant ['taiərnt] *s.* tiran.

tyre ['taiə] *s.* anvelopă, cauciuc (*de automobil etc.*).

tyro ['taiərou] *s.* începător.

tzar [zɑ:] *s.* țar.

U

U [juː] *s.* (litera) U, u.

ubiquitous [juˈbikwitəs] *adj.* **1.** omniprezent. **2.** ubicuu.

UCCA *abrev.* *Universities Central Council on Admissions* Consiliul Central de Admitere în Universități.

udder [ˈʌdə] *s.* uger.

UFO [ˈjuːfou] *presc. de la* **Unidentified Flying Object** OZN, Obiect Zburător Neidentificat.

ugh [uh] *interj.* **1.** uf! **2.** (p)fui!

ugli [ˈʌgli] *s. bot.* tangelo (*hibrid de mandarină cu grapefruit*).

uglify [ˈʌglifai] *vt.* a urâți.

ugliness [ˈʌglinis] *s.* urâțenie, sluțenie, hidoșenie.

ugly [ˈʌgli] *adj.* **1.** urât. **2.** hidos. **3.** neplăcut. **4.** amenințător.

UHF, uhf. *abrev.* *ultrahigh frequency* frecvență ultra-înaltă.

UK *abrev.* *United Kingdom (of Great Britain and Northern Ireland)* Regatul Unit (al Marii Britanii și Irlandei de Nord).

Ukrainian [juːˈkreinjən] **I.** *adj.* ucrainean. **II.** *s.* **1.** ucrainean. **2.** (limba) ucraineană.

ukulele [ˌjuːkəˈleili] *s.* chitară havaiană.

ulcer [ˈʌlsə] *s.* **1.** bubă. **2.** ulcer. **3.** *fig.* corupție.

ulcerate [ˈʌlsəreit] *vt.* a răni; a ulcera.

ulna [ˈʌlnə] *s. anat.* **1.** ulnă, cubitus. **2.** scobitura cotului.

ulster [ˈʌlstə] *s.* raglan, (manta) ulster.

ult. *abrev. ultimo* în ultimul rând.

ulterior [ʌlˈtiəriə] *adj.* **1.** ulterior. **2.** ascuns, abscons.

ultimate [ˈʌltimit] *adj.* **1.** ultim, final. **2.** fundamental.

ultimately [ˈʌltimitli] *adv.* **1.** la sfârșit, la urmă; în fine, în cele din urmă; până la urmă. **2.** fundamental, esențialmente.

ultimatum [ˈʌltiˈmeitəm] *s.* ultimatum.

ultimo [ˈʌltiˌmou] *adv.* din luna trecută. || *on the 20th ~* la 20 ale lunii trecute.

ultra [ˈʌltrə] **I.** *s.* extremist. **II.** *adj.* extrem.

ultra-high [ˈʌltrəˈhai] *adj. rad.* (*d. frecvență*) ultra-înaltă.

ultramarine [ˌʌltrəməˈriːn] *s., adj.* bleumarin.

ultramontane [ˌʌltrəˈmɔntein] **I.** *adj.* **1.** ultramontan, de peste munți; (*situat*) la sud de Alpi, italian. **2.** *bis.* aparținând partidei italiene din sânul bisericii romano-catolice. **II.** *s.* **1.** persoană care trăiește la sud de Alpi. **2.** *rel.* adept al doctrinei supremației Papei.

ultramundane [ˌʌltrəˈmʌndein] *adj.* ultramundan; nepământean; aparținând altui sistem decât cel solar; supranatural.

ultrasonic [ˌʌltrəˈsɔnik] *adj.* ultrasonic; supersonic.

ultrasound [ˌʌltrəˈsaund] *s. fiz.* ultrasunet.

ultra-violet [ˈʌltrəˈvaiəlit] *adj.* ultraviolet.

ululate [ˈjuːljuˌleit] *vi.* **1.** a urla, a țipa. **2.** a se jeli; a plânge.

umbel [ˈʌmbl], **umbella** [ʌmˈbelə], *pl. și* **umbellae** [ʌmˈbeliː] *s. bot.* umbelă.

umbelliferous [ˌʌmbeˈlifərəs] *adj. bot.* umbelifer.

umber [ˈʌmbə] **I.** *s.* **1.** pământ / lut ocru / roșietic. **2.** (culoarea) ocru. **II.** *adj.* ocru; roșietic. **III.** *vt.* a colora ocru / roșietic; a înroși.

umbilical [ʌmˈbilikl] *adj. anat.* **1.** ombilical. **2.** central, din partea centrală a abdomenului.

umbra [ˈʌmbrə] *s.* **1.** zonă de umbră. **2.** *astr.* con de umbră. **3.** penumbră.

umbrage [ˈʌmbridʒ] *s.* jignire, ofensă. || *to take ~* a se ofensa.

umbrageous [ʌmˈbreidʒəs] *adj.* **1.** umbrit, întunecos. **2.** care se ofensează ușor; foarte susceptibil.

umbrella [ʌmˈbrelə] *s.* umbrelă (*de ploaie*).

Umbrian [ˈʌmbriən] **I.** *adj.* din Umbria. **II.** *s.* locuitor din Umbria.

umpire [ˈʌmpaiə] **I.** *s. sport. și fig.* arbitru. **II.** *vt., vi.* a arbitra (*și fig.*).

umpteen [ˌʌmpˈtiːn] *adj. iron.* **1.** mulți, numeroși. **2.** mult, enorm, colosal (de mult).

'un [ʌn] *pron.* cineva; unul, una.

UN *abrev. United Nations* Organizația Națiunilor Unite, O. N. U.

unabashed [ˌʌnəˈbæʃt] *adj.* **1.** mândru. **2.** nerușinat.

unabated [ˌʌnəˈbeitid] *adj.* **1.** neabătut. **2.** nedomolit. **3.** neclintit.

unable [ʌnˈeibl] *adj.* incapabil.

unabridged [ˌʌnəˈbridʒd] *adj.* **1.** întreg. **2.** neprescurtat.

unacceptable [ˈʌnəkˈseptəbl] *adj.* inacceptabil.

unaccompanied [ˈʌnəˈkʌmpənid] *adj.* **1.** neînsoțit, singur. **2.** *muz.* fără acompaniament. || *passage for ~ violin* partitură pentru vioară solo.

unaccountable [ˈʌnəˈkauntəbl] *adj.* inexplicabil.

unaccustomed [ˈʌnəˈkʌstəmd] *adj.* **1.** (*d. evenimente etc.*) neobișnuit, puțin obișnuit; rar. **2.** (*d. persoane*) ~ *to* care nu e obișnuit să. || *I am ~ to being kept waiting* nu sunt obișnuit să fiu lăsat să aștept.

unacquainted [ˈʌnəˈkweintid] *adj.* **(with)** neobișnuit (cu), nefamiliarizat (cu), străin (de). || *I am ~ with English* nu cunosc engleza, nu știu englezește.

unadopted [ˌʌnəˈdɔptid] *adj.* (*d. drumuri*) care nu se află sub îngrijirea autorităților locale.

unadorned [ˈʌnəˈdɔːnd] *adj.* neornamentat, neînfrumusețat; natural; pur.

unadulterated [ˌʌnəˈdʌltəreitid] *adj.* **1.** (*d. o băutură*) pur, natural, neamestecat. **2.** (*d. un sentiment*) pur, sincer. || *out of ~ malice* din pură răutate; *~ joy* bucurie sinceră.

unadvised [ˈʌnədˈvaizd] *adj.* **1.** nesfătuit; neavizat. **2.** nesăbuit, necugetat, imprudent.

unaffected [ˈʌnəˈfektid] *adj.* sincer; neafectat.

unafraid [ˈʌnəˈfreid] *adj.* **(of)** căruia nu-i e frică (de), care nu se teme (de); neînfricat.

unaided [ʌnˈeidid] *adj.* neajutat, fără ajutor; singur. || *with the ~ eye* cu ochiul liber.

unalarmed [ˌʌnəˈlɑːmd] *adj.* nealarmat, liniştit, calm.

unalloyed [ˌʌnəˈlɔid] *adj.* **1.** *(d. metal)* pur, nealiat. **2.** *fig.* pur, curat; desăvârşit.

unalterable [ʌnˈɔːltrəbl] *adj.* **1.** (de) neschimbat. **2.** consecvent. **3.** constant.

unalterably [ʌnˈɔːltrəbli] *adv.* invariabil.

unaltered [ʌnˈɔːltəd] *adj.* neschimbat, permanent.

unambitious [ˌʌnæmˈbiʃəs] *adj.* neambiţios, modest, fără pretenţii.

un-American [ˌʌnəˈmerikən] *adj.* antiamerican.

unanimity [ˌjuːnəˈnimiti] *s.* unanimitate.

unanimous [juˈnæniməs] *adj.* unanim.

unanimously [ju(:)ˈnæniməsli] *adv.* (în mod) unanim, într-un glas.

unannounced [ˌʌnəˈnaunst] *adj.* neanunţat, neproclamat.

unanswerable [ʌnˈɑːːnsərəbl] *adj.* **1.** fără răspuns, la care nu se poate răspunde. **2.** incontestabil, irefutabil; precis.

unanswered [ʌnˈɑːnsəd] *adj.* **1.** fără răspuns. || *my letter remained* ~ scrisoarea mea a rămas fără răspuns. **2.** *(d. sentimente, afecţiune)* neîmpărtăşit, nereciproc.

unappreciative [ˌʌnəˈpriːʃiətiv] *adj.* nefavorabil, puţin favorabil; care nu ştie să aprecieze.

unapproachable [ˌʌnəˈprəutʃəbl] *adj.* **1.** inabordabil, inaccesibil, de neatins. **2.** distant, rece. **3.** incomparabil, fără asemănare.

unarmed [ʌnˈɑːmd] *adj.* **1.** neînarmat, nefortificat, neîntărit. **2.** *bot., zool.* fără arme de apărare.

unashamed [ˌʌnəˈʃeimd] *adj.* fără ruşine; neruşinat.

unasked [ʌnˈɑːskt] *adj.* **1.** neîntrebat. **2.** nepoftit. || ~ *for* necerut, necăutat, fără căutare; ~ *to* nerugat să.

unassailable [ˌʌnəˈseiləbl] *adj.* **1.** inatacabil, invulnerabil. **2.** incontestabil, indiscutabil.

unassisted [ˌʌnəˈsistid] *adj.* **1.** neajutat, nesusţinut. **2.** *jur.* fără apărare.

unassuming [ˌʌnəˈsjuːmiŋ] *adj.* modest, fără pretenţii.

unattached [ˌʌnəˈtætʃt] *adj.* **1.** nelegat, neataşat, neprins; neînsoţit. **2.** *mil.* în disponibilitate. **3.** *(d. un ziarist)* independent; *(d. un student)* care nu

aparţine nici unui colegiu; *(d. un preot)* care nu are o slujbă regulată. || ~ *young lady* tânără nelogodită; ~ *bachelor* burlac liber / neangajat faţă de nimeni.

unattainable [ˌʌnəˈteinəbl] *adj.* **1.** inaccesibil, de neajuns, de neatins. **2.** irealizabil, de neîndeplinit.

unattended [ˌʌnəˈtendid] *adj.* **1.** neînsoţit, singur. || *action* ~ *by* / *with consequences* acţiune fără consecinţe. **2.** neglijat, neîngrijit. **3.** *(d. bagaj)* nesupravegheat. || *to leave smth.* ~ *to* a neglija ceva; ~ *wound* rană neîngrijită.

unattractive [ˌʌnəˈtræktiv] *adj.* **1.** neatrăgător, lipsit de atracţie; fără vino-ncoace. **2.** fără haz.

unauthorized [ʌnˈɔːθəraizd] *adj.* neautorizat, nepermis; fără împuternicire. || ~ *requisitioning* rechiziţionare abuzivă.

unavailable [ˌʌnəˈveiləbl] *adj.* **1.** indisponibil. **2.** nefolositor, inutilizabil. **3.** de neprocurat.

unavailing [ˌʌnəˈveiliŋ] *adj.* inutil, zadarnic.

unavoidable [ˌʌnəˈvɔidəbl] *adj.* inevitabil.

unaware [ˌʌnəˈwɛə] **I.** *adj.* **1.** neprevenit, nepregătit, neştiutor. || *I was* ~ *of it* nu ştiam asta. **2.** candid. **II.** *adv.* v. **unawares**.

unawares [ˌʌnəˈwɛəz] *adv.* **1.** pe neaşteptate. **2.** prin surprindere. **3.** fără voie.

unbaked [ʌnˈbeikt] *adj.* necopt (bine), crud.

unbalanced [ʌnˈbælənst] *adj.* **1.** *şi fig.* dezechilibrat. **2.** lipsit de echilibru.

unbar [ʌnˈbɑː] *vt.* a descuia, a deschide, a trage zăvorul *(cu gen.).* || *fam. to* ~ *the way* a deschide drumul.

unbearable [ʌnˈbɛərəbl] *adj.* insuportabil.

unbeaten [ʌnˈbiːtn] *adj.* **1.** *(d. drum etc.)* nebătătorit, nebătut, necălcat. || *the* ~ *paths of science* domeniile necercetate ale ştiinţei. **2.** nebătut, neînfrânt. || ~ *record* record neatins / nebătut (încă).

unbecoming [ˌʌnbiˈkʌmiŋ] *adj.* **1.** indecent. **2.** ruşinos. **3.** degradant.

unbeknown [ˌʌnbiˈnoun] *adj.* necunoscut.

unbelief [ˌʌnbiˈliːf] *s.* necredinţă; incredulitate.

unbelievable [ˌʌnbiˈliːvəbl] *adj.* de necrezut, de neconceput, nemaipomenit. || *it is* ~ *that* e de necrezut că.

unbeliever [ˈʌnbiˈliːvə] *s.* necredincios; incredul.

unbelieving [ˈʌnbiˈliːviŋ] *adj.* necredincios; incredul.

unbend [ʌnˈbend] *vt., vi. trec. şi part. trec.* **unbent** [ʌnˈbent] **1.** a (se) dezdoi. **2.** a (se) relaxa. **3.** a (se) înmuia.

unbending [ˈʌnˈbendiŋ] *adj.* **1.** ţeapăn. **2.** încăpăţânat. **3.** hotărât, inflexibil, rigid *(şi fig.)*.

unbent [ʌnˈbent] *vt., vi. trec. şi part. trec. de la* **unbend**.

unbias(s)ed [ʌnˈbaiəst] *adj.* **1.** drept, imparţial, fără prejudecăţi. **2.** *(d. o bilă etc.)* echilibrat, cu centrul de greutate stabil.

unbidden [ʌnˈbidən] *adj.* nepoftit, neinvitat; neaşteptat, spontan.

unbind [ʌnˈbaind] *vt. trec. şi part. trec.* **unbound** [ʌnˈbaund] a dezlega.

unbleached [ʌnˈbliːtʃt] *adj.* nealbit.

unblemished [ʌnˈblemiʃt] *adj.* **1.** nepătat. **2.** imaculat.

unblessed [ʌnˈblest] *adj.* nebinecuvântat, neblagoslovit. || ~ *with success* neîncununat de succes.

unblock [ʌnˈblɔk] *vt.* a debloca *(un drum etc.)*.

unblushing [ʌnˈblʌʃiŋ] *adj.* **1.** neruşinat. **2.** îndrăzneţ.

unbodied [ʌnˈbɔdid] *adj.* neîntruchipat, lipsit de corp, imaterial.

unborn [ʌnˈbɔːn] *adj.* **1.** nenăscut. **2.** aşteptat.

unbosom [ʌnˈbuzəm] *vt.* a destăinui.

unbound [ʌnˈbaund] **I.** *adj.* **1.** dezlegat. **2.** dezlănţuit. **3.** eliberat. **II.** *vt. trec. şi part. trec. de la* **unbind**.

unbounded [ʌnˈbaundid] *adj.* **1.** nemărginit. **2.** uriaş, imens.

unbraid [ʌnˈbreid] *vt.* a despleti, a desface *(părul etc.)*.

unbreakable [ʌnˈbreikəbl] *adj.* incasabil.

unbridled [ʌnˈbraidld] *adj.* **1.** nestrunit. **2.** nestăpânit.

unbroken [ʌnˈbroukn] *adj.* **1.** întreg. **2.** neîntrerupt. **3.** nesupus. **4.** nedomesticit.

unbuckle [ʌnˈbʌkl] *vt.* a descheia catarama *(unei centuri, unui pantof etc.)*.

unburden [ʌnˈbəːdn] **I.** *vt.* **1.** a descărca. **2.** a uşura. **II.** *vr.* a se destăinui, a-şi uşura sufletul.

unburied [ʌn'berid] *adj.* 1. neîngropat, neînmormântat. 2. dezgropat.

unbusinesslike [ʌn'biznislaik] *adj.* 1. care nu are simţul afacerilor. 2. *(d. un procedeu)* incorect, necinstit. 3. necomercial, contrar regulilor comerţului.

unbutton [ʌn'bʌtn] *vt.* a descheia.

uncalled (for) [ʌn'kɔ:ldfɔ:] *adj. cu prep.* 1. nedorit, indezirabil; supărător. 2. inutil, zadarnic 3. nepotrivit, inoportun.

uncanny [ʌn'kæni] *adj.* 1. straniu, supranatural. 2. nefiresc.

uncared-for [ʌn'kɛədfɔ:] *adj.* neîngrijit, părăsit. || ~ *child* copil neîngrijit; *to leave a garden* ~ a lăsa o grădină în paragină.

unceasing [ʌn'si:siŋ] *adj.* 1. neîncetat, continuu, fără sfârşit. 2. *(d. muncă, efort etc.)* asiduu, susţinut; neîntrerupt.

unceremonious [ˌʌnseri'mouniəs] *adj.* neceremonios; care nu se jenează.

unceremoniously ['ʌnˌseri'mouniəsli] *adv.* 1. neceremonios; fără ceremonial; în familie. 2. fără jenă.

uncertain [ʌn'sə:tn] *adj.* 1. nesigur. 2. dubios. 3. schimbător.

uncertainly [ʌn'sə:tnli] *adv.* nesigur; fără ţintă; la voia întâmplării.

uncertainty [ʌn'sə:tnti] *s.* 1. nesiguranţă. 2. dubiu. 3.nestatornicie. 4. lucru nesigur.

unchain [ʌn'tʃein] *vt.* a descătuşa, a scoate din lanţuri.

unchallenged ['ʌn'tʃælindʒd] *adj.* 1. incontestabil. 2. indiscutabil. 3. necontestat.

unchangeable [ʌn'tʃeindʒəbl] *adj.* neschimbător, imuabil.

unchanged ['ʌn'tʃeindʒd] *adj.* neschimbat.

unchanging [ʌn'tʃeindʒiŋ] *adj.* care nu se schimbă, invariabil.

uncharitable [ʌn'tʃæritəbl] *adj.* lipsit de caritate / de dragoste; rău; negeneros, neomenos.

uncharitableness [ʌn'tʃæritəblnis] *s.* lipsă de caritate, neomenie.

uncharted ['ʌn'tʃɑ:tid] *adj.* netrecut pe hartă; neexplorat.

unchaste ['ʌn'tʃeist] *adj.* 1. desfrânat. 2. stricat. 3. imoral. 4. neruşinat, indecent.

unchastity [ʌn'tʃæstiti] *s.* 1. lipsă de pudoare. 2. infidelitate (a soţiei).

unchecked ['ʌn'tʃekt] *adj.* 1. nestânjenit; nestăvilit. 2. neverificat, necontrolat.

unchristian ['ʌn'kristiən] *adj.* 1. necreştin(esc). 2. *fam.* neconvenabil, nepotrivit.

uncircumcised ['ʌn'sə:kəmsaizd] *adj.* necircumcis.

uncivil [ʌn'sivl] *adj.* nepoliticos.

uncivilized ['ʌn'sivilaizd] *adj.* necivilizat.

unclaimed ['ʌn'kleimd] *adj.* nerevendicat.

unclasp ['ʌn'klɑ:sp] I. *vt.* 1. a desface, a deschide (o copcă, o agrafă, o cataramă etc.). 2. a descleşta, a desface (un lucru strâns). II. *vi.* (d. strânsoarea mâinilor, a pumnilor etc.) a se descleşta.

uncle ['ʌŋkl] *s.* 1. unchi. 2. nene.

unclean ['ʌn'kli:n] *adj.* 1. murdar. 2. prihănit. 3. obscen.

uncleanliness ['ʌn'klenlinis], **uncleanness** ['ʌn'kli:nnis] *s.* impuritate; murdărie *(şi fig.)*.

unclear [ʌn'kliə] *adj.* 1. neclar, netransparent, opac. 2. *fig.* neclar, obscur, confuz, foarte vag. || *I am* ~ *as to* nu sunt lămurit în ceea ce priveşte.

Uncle Sam ['ʌŋkl'sæm] *s.* unchiul Sam; S.U.A.

unclose ['ʌn'klouz] I. *vt.* 1. a desface; a deschide (ochii etc.). 2. *fig.* a divulga, a revela, a dezvălui. II. *vi.* a se deschide, a se desface.

unclothed ['ʌn'clouðd] *adj.* dezbrăcat; gol.

unclouded ['ʌn'klaudid] *adj.* senin, fără nori *(şi fig.)*.

uncoil ['ʌn'kɔil] I. *vt.* 1. a desfăşura, a derula. 2. *mar.* a descolăci (o parâmă, un lanţ etc.). II. *vi.* a se desfăşura, a se derula.

uncollected ['ʌnkə'lektid] *adj.* 1. neadunat. 2. lipsit de calm. 3. nestăpânit, irascibil, necontrolat.

uncomfortable [ʌn'kʌmftəbl] *adj.* 1. stânjenit, incomodat. 2. penibil. 3. incomod.

uncomfortably [ʌn'kʌmftəbli] *adv.* 1. neconfortabil, incomod. 2. dezagreabil, neplăcut; neliniştitor.

uncommon [ʌn'kɔmən] I. *adj.* neobişnuit; deosebit; rar. II. *adv.* 1. neobişnuit, extraordinar. 2. grozav, straşnic.

uncommonly [ʌn'kɔmənli] *adv.* deosebit (de), neobişnuit (de), extraordinar (de). || *not* ~ destul de des.

uncomplaining ['ʌnkəm'pleiniŋ] *adj.* care nu se plânge; răbdător; resemnat.

uncomplimentary ['ʌnˌkɔmpli'mentri] *adj.* ireverenţios.

uncompromising [ʌn'kɔmprəmaiziŋ] *adj.* 1. intransigent, care nu face compromisuri. 2. fără compromisuri.

unconcern ['ʌnkən'sə:n] *s.* nepăsare, indiferenţă.

unconcerned ['ʌnkən'sə:nd] *adj.* 1. indiferent, nepăsător. 2. neamestecat, străin; nepărtinitor, imparţial, neutru. || ~ *in / with* neamestecat în, străin de.

unconcernedly ['ʌnkən'sə:ndli] *adv.* cu un aer de nepăsare / de indiferenţă, nepăsător.

unconclusive ['ʌnkən'klu:siv] *adj.* neconcludent.

unconditional ['ʌnkən'diʃənl] *adj.* necondiţionat.

unconditionally ['ʌnkən'diʃənli] *adv.* fără condiţii, necondiţionat, fără rezerve.

unconditioned ['ʌnkən'diʃənd] *adj.* necondiţionat, absolut.

unconformable ['ʌnkən'fɔ:məbl] *adj.* 1. independent; refractar. 2. ~ *to* care nu e în conformitate cu; incompatibil cu.

unconnected ['ʌnkə'nektid] *adj.* 1. fără legătură. 2. irelevant.

unconquerable [ʌn'kɔŋkrəbl] *adj.* 1. invincibil. 2. (de) nestăpânit.

unconquered ['ʌn'kɔŋkəd] *adj.* *fig.* neîngenunchiat, neînvins.

unconscionable [ʌn'kɔnʃnəbl] *adj.* 1. nerezonabil, necumpătat; fără conştiinţă, fără scrupule. || ~ *bargain* tranzacţie împovărătoare pentru una din părţi. 2. excesiv, exagerat, exorbitant. || *to take an* ~ *time doing smth.* a nu mai termina cu ceva.

unconscionably [ʌn'kɔnʃənəbli] *adv.* 1. fără scrupule, neprincipial. 2. (în mod) imoral / venal. 3. (în mod) scandalos / incredibil.

unconscious [ʌn'kɔnʃəs] I. *s.* subconştient. II. *adj.* 1. inconştient. 2. neintenţionat, fără voie.

unconsciously [ʌn'kɔnʃəsli] *adv.* inconştient; fără cunoştinţă.

unconsciousness [ʌn'kɔnʃəsnis] *s.* 1. inconştienţă. 2. insensibilitate.

unconsidered [ˌʌnkən'sidəd] *adj.* 1. nechibzuit, lipsit de înţelepciune. 2. irelevant, fără importanţă.

unconstitutional ['ʌnˌkɔnsti'tju:ʃənl] *adj.* neconstituţional.

uncontrollable [ˌʌnkən'trouləbl] *adj.* 1. (d. copii, popoare etc.)

nesupus, nedisciplinat, nestrunit. **2.** *(putere, drept etc.)* absolut. **3.** necontrolabil.

unconventional [ˈʌnkən'venʃənəl] *adj.* **1.** neconvenţional; original. **2.** neformalist.

uncooked [ˈʌn'kukt] *adj.* crud, nefript, nefiert.

uncork [ˈʌn'kɔːk] *vt.* a destupa.

uncorrupted [ˌʌnkə'rʌptid] *adj.* incorupt, necorupt; integru.

uncounted [ˈʌn'kauntid] *adj.* nenumărat, necalculat.

uncouple [ˈʌn'kʌpl] *vt.* **1.** a decupla. **2.** a desface; a desperechea.

uncouth [ˈʌn'kuːθ] *adj.* **1.** stângaci. **2.** necivilizat. **3.** zurbagiu. **4.** sălbatic.

uncouthness [ˈʌn'kuːθnis] *s.* **1.** asprime *(a moravurilor etc.)*. **2.** stângăcie, neîndemânare.

uncover [ˈʌn'kʌvə] *vt., vi., vr.* a (se) descoperi.

uncrowned [ˈʌn'kraund] *adj.* fără coroană; detronat.

unction [ˈʌŋʃn] *s.* **1.** *bis.* miruire, ungere. **2.** unguent, unsoare *(şi fig.)*, balsam. **3.** caracter onctuos / mieros; glas mieros. **4.** zel, ardoare; poftă (de muncă). **5.** savoare.

unctuous [ˈʌŋtjuəs] *adj.* mieros, onctuos.

uncultivated [ˈʌn'kʌltiveitid] *adj.* necultivat *(şi fig.)*.

uncultured [ˈʌn'kʌltʃəd] *adj.* **1.** necultivat. **2.** incult.

uncurbed [ˈʌn'kɜːbd] *adj.* **1.** nestăvilit. **2.** nestăpânit.

uncurl [ˈʌn'kɜːl] **I.** *vt.* a desface (bucle). **II.** *vi.* **1.** a-şi desface buclele. **2.** a se desfăşura, a se descolăci.

uncut [ˈʌn'kʌt] *adj.* **1.** netăiat. **2.** *(d. piatră preţioasă)* neşlefuit, brut. **3.** *(d. piesă)* netrunchiat, întreg.

undamaged [ˈʌn'dæmidʒd] *adj.* **1.** intact. **2.** neatins. **3.** în perfectă stare.

undaunted [ʌn'dɔːntid] *adj.* neînfricat.

undeceive [ˈʌndi'siːv] *vt.* **1.** a trezi la realitate. **2.** a lumina.

undecided [ˈʌndi'saidid] *adj.* nehotărât, şovăitor, nedecis.

undefeated [ˈʌndi'fiːtid] *adj.* neînvins, neînfrânt; care n-a fost învins.

undefended [ˈʌndi'fendid] *adj.* **1.** ne-apărat. **2.** *jur.* fără apărare.

undefiled [ˈʌndi'faild] *adj.* curat, neprihănit, pur; nemurdărit, nepângărit.

undemocratic [ˈʌnˌdemə'krætik] *adj.* nedemocratic, antidemocratic.

undeniable [ˌʌndi'naiəbl] *adj.* (de) netăgăduit.

undeniably [ˌʌndi'naiəbli] *adv.* incontestabil, de netăgăduit.

undenominational [ˈʌndiˌnɔmi'neiʃənl] *adj.* neconfesional.

under [ˈʌndə] **I.** *adj.* **1.** inferior, de jos. **2.** subordonat. **II.** *adv.* jos, dedesubt. | | *to go* ~ a eşua; a decădea; *to knuckle* ~ a se supune, a ceda. **III.** *prep.* sub, dedesubtul *(cu gen.)*. | | ~ *age* minor; ~ *one's breath* în şoaptă; ~ *repair* în reparaţie; ~ *the head of* în categoria *(cu gen.)*.

underarm [ˈʌndər,ɑːm] *adj.* v. **underhand** I.

underbade [ˌʌndə'beid] *vt. trec. de la* **underbid**[1].

underbelly [ˈʌndəˌbeli] *s.* burtă, abdomen. **2.** *fig.* punct slab.

underbid[1] *com.* **I.** [ˌʌndə'bid] *vt. trec.* **underbid** [ˌʌndə'bid], *part. trec.* **underbidden** [ˌʌndə'bidn] **1.** *com.* a sublicita *(concurenţii)*, a oferi condiţii / preţuri mai avantajoase decât *(concurenţa)*. **2.** *com.* a oferi *(mărfuri etc.)* sub preţul pieţii. **II.** [ˈʌndəˌbid] *s. com.* ofertă ieftină / sub preţul pieţii / concurenţei; ofertă sub preţ redus.

underbid[2] [ˌʌndə'bid] *vt. trec. de la* **underbild**.

underbidden [ˌʌndə'bidn] *vt. part. trec. de la* **underbid**[1].

underbrush [ˈʌndəbrʌʃ] *s.* **1.** cătină. **2.** pădure tânără. **3.** subarboret.

undercarriage [ˈʌndəˌkæridʒ] *s.* *av.* tren de aterizare.

undercliff [ˈʌndəklif] *s.* terase *(formate în urma alunecărilor de teren)*.

underclothes [ˈʌndəklouðz] *s. pl.* lenjerie (de corp) *(mai ales indispensabili / izmene)*.

underclothing [ˈʌndəˌklouðiŋ] *s.* v. **underclothes**.

undercoat [ˈʌndəˌkout] **I.** *s.* **1.** haină purtată sub palton; vestă purtată sub haină. **2.** puf de blană la animale. **3.** *auto., tehn.* strat protector de vopsea. **II.** *vt. auto.* a acoperi *(caroseria)* cu un strat protector de vopsea.

undercover [ˌʌndə'kʌvə] *adj.* ascuns, tainic; clandestin.

undercroft [ˈʌndəkrɔft] *s.* **1.** subsol, beci boltit. **2.** *bis.* criptă.

undercurrent [ˈʌndəˌkʌrnt] *s.* curent subteran *(şi fig.)*.

undercut **I.** [ˌʌndə'kʌt] *vt. inf., trec. şi part. trec.* **1.** a tăia pe dedesubt. **2.** *com.* a vinde mai ieftin / sub preţ. **3.** *econ.* a sublicita. **II.** *vi. inf., trec. şi part. trec.* a se angaja cu un salariu mai mic decât cel obişnuit. **III.** [ˈʌndəkʌt] *s.* **1.** tăietură la bază. **2.** file de muşchi.

under-developed [ˈʌndədi'veləpt] *adj.* **1.** slab dezvoltat. **2.** subdezvoltat.

underdid [ˌʌndə'did] *vt. trec. de la* **underdo**.

underdo [ˈʌndə'du(ː)] *vt. trec.* **underdid** [ˌʌndə'did], *part. trec.* **underdone** [ˌʌndə'dʌn] **1.** a face doar pe jumătate, a lăsa neterminat / neîncheiat. **2.** a frige *sau* prăji *(carnea)* puţin; a lăsa *(fripura etc.)* în sânge.

underdog [ˈʌndədɔg] *s.* **1.** subordonat. **2.** supus; umil; omul de rând.

underdone [ˈʌndə'dʌn] **I.** *adj.* **1.** nefript. **2.** nefiert. **II.** *trec. şi part. trec. de la* **underdo**.

underemployed [ˌʌndərim'plɔid] *adj.* folosit sub capacitatea sa.

underestimate [ˈʌndər'estimeit] *vt.* a subevalua.

underfed [ˈʌndə'fed] **I.** *adj.* prost hrănit, subalimentat. **II.** *vt. vi. trec. şi part. trec. de la* **underfeed**.

underfeed [ˌʌndə'fiːd] *vt.* a subnutri, a hrăni prost.

underfoot [ˌʌndə'fut] *adv.* sub *sau* în picioare.

undergarment [ˈʌndəˌgɑːmənt] *s.* lenjerie de corp.

undergo [ˌʌndə'gou] *vt.* **1.** a suferi. **2.** a păţi. **3.** a trece prin.

undergone [ˌʌndə'gɔn] *vt. part. trec. de la* **undergo**.

undergraduate [ˌʌndə'grædjuit] *s.* student (în ultimii ani).

underground[1] [ˈʌndəgraund] *s.* **1.** metrou. **2.** ilegalitate. **3.** subteran.

underground[2] [ˌʌndə'graund] **I.** *adj.* **1.** subteran. **2.** secret. **3.** ilegal. **II.** *adv.* **1.** sub pământ. **2.** în subteran. **3.** pe ascuns.

undergrown [ˈʌndə'groun] **I.** *adj.* **1.** neisprăvit. **2.** pitic. **II.** *part. trec. de la* **undergrow**.

undergrowth [ˈʌndəgrouθ] *s.* pădure tânără, (sub)arboret.

underhand [ˈʌndəhænd] **I.** *adj.* **1.** ascuns. **2.** viclean. **3.** necinstit. **II.** *adv.* **1.** în secret. **2.** pe furiş. **3.** pe ascuns, pe sub mână / tejghea.

underhanded ['ʌndə'hændid] adj. v. **underhand** II.

underlain [ˌʌndə'lein] vt. part. trec. de la **underlie**.

underlay [ˌʌndə'lei] vt. trec. de la **underlie**.

underlie [ˌʌndə'lai] vt. trec. **underlay** [ˌʌndə'lei], part. trec. **underlain** [ˌʌndə'lein] 1. a fundamenta, a susţine. 2. a se afla dedesubtul sau la baza (unui lucru).

underline [ˌʌndə'lain] vt. a sublinia.

underling ['ʌndəliŋ] s. 1. lacheu, agent. 2. subaltern.

underlip ['ʌndəlip] s. anat. buză de jos / inferioară.

underlying [ˌʌndə'laiiŋ] adj. 1. fundamental. 2. de dedesubt, subiacent.

undermanned [ˌʌndə'mænd] adj. mar. (d. vas) cu (un) echipaj mic / insuficient.

undermentioned ['ʌndə'menʃnd] adj. mai jos pomenit.

undermine [ʌndə'main] vt. a submina.

undermost ['ʌndəmoust] adj. 1. cel mai de jos. 2. cel mai mic.

underneath [ˌʌndə'ni:θ] I. adv. de dedesubt. II. prep. sub.

undernourish [ˌʌndə'nʌriʃ] vt. a subalimenta, a subnutri.

undernourished [ˌʌndə'nʌriʃt] adj. subalimentat, subnutrit.

undernourishment [ˌʌndə'nʌriʃmənt] s. subalimentaţie, subnutriţie.

under-officer I. ['ʌndər͵ɔfisə] s. mil. subofiţer. II. vt. a dota (o trupă) cu prea puţini ofiţeri.

underpaid [ˌʌndə'peid] trec. şi part. trec. de la **underpay**.

underpass ['ʌndə͵pɑ:s] s. pasaj subteran / inferior; trecere denivelată; intersecţie.

underpay [ˌʌndə'pei] vt. trec. şi part. trec. **underpaid** [ˌʌndə'peid] a plăti prost.

underpin [ˌʌndə'pin] vt. 1. a subzidi, a sprijini (o zidărie etc.). 2. a pune temelia la.

under-privileged [ˌʌndə'privilidʒd] adj. 1. năpăstuit, oropsit. 2. sărac.

underrate [ˌʌndə'reit] vt. a subaprecia.

underscore [ˌʌndə'skɔ:] vt. a sublinia.

undersecretary [ˌʌndə'sekrətri] s. subsecretar.

undersell [ˌʌndə'sel] vt. trec. şi part. trec. **undersold** [ˌʌndə'sould] com. a vinde sub preţ.

undershirt [ˌʌndə͵ʃə:t] s. maiou, flanelă de corp.

undershoot [ˌʌndə'ʃu:t] vi. trec. şi part. trec. **undershot** ['ʌndə-'ʃɔt] (d. avioane) a ateriza forţat.

undershot ['ʌndə'ʃɔt] I. adj. 1. (d. falcă) proeminent, ieşit în afară. 2. (d. roţi de moară etc.) mişcat de curentul apei pe dedesubt. II. trec. şi part. trec. de la **undershoot**.

undersigned ['ʌndəsaind] s.: the ~ subsemnatul; subsemnaţii.

undersized [ˌʌndə'saizd] adj. 1. mic, pitic. 2. necrescut.

underslung ['ʌndə͵slʌŋ] adj. tehn. suspendat; auto ~ spring arc montat sub osie.

undersold [ˌʌndə'sould] trec. şi part. trec. de la **undersell**.

understaffed ['ʌndə'stɑ:ft] adj. (d. instituţie) cu personal insuficient.

understand [ˌʌndə'stænd] I. vt. trec. şi part. trec. **understood** [ˌʌndə'stu:d] 1. a înţelege. 2. a afla. 3. a deduce. 4. a subînţelege. || to ~ one another a se înţelege (reciproc). II. vi. trec. şi part. trec. **understood** [ˌʌndə'stu:d] a înţelege.

understandable [ˌʌndə'stændəbl] adj. 1. de înţeles. 2. inteligibil.

understanding [ˌʌndə'stændiŋ] I. s. 1. înţelegere. 2. acord. || on this ~ cu condiţia asta. II. adj. 1. înţelept. 2. înţelegător. 3. perspicace.

understate [ˌʌndə'steit] vt. 1. a atenua, a spune numai pe jumătate. 2. a micşora, a diminua.

understatement ['ʌndə'steitmənt] s. adevăr spus numai pe jumătate, aprox. eufemism.

understood [ˌʌndə'stud] vt., vi. trec. şi part. trec. de la **understand**.

understudy ['ʌndə͵stʌdi] I. s. teatru dublură. II. vt. a dubla (un actor).

undertake [ˌʌndə'teik] vt. trec. **undertook** [ˌʌndə'tuk], part. trec. **undertaken** [ˌʌndə'teikn] 1. a întreprinde. 2. a încerca. 3. a prelua. 4. a presupune, a afirma.

undertaken [ˌʌndə'teikn] vt. part. trec. de la **undertake**.

undertaker s. 1. [ˌʌndə'teikə] antreprenor, întreprinzător. 2. ['ʌndə͵teikə] antreprenor de pompe funebre.

undertaking[1] [ˌʌndə'teikiŋ] s. 1. sarcină. 2. întreprindere, antrepriză.

undertaking[2] ['ʌndə'teikiŋ] s. 1. pompe funebre. 2. promisiune.

undertone [ˌʌndə'toun] s. 1. glas scăzut. 2. nuanţă domoală. 3. subtilitate.

undertook [ˌʌndə'tuk] vt. trec. de la **undertake**.

undertow [ˌʌndə'tou] s. mar. curent de fund / submarin; resac.

undervalue [ˌʌndə'vælju:] vt. a subaprecia, a nu aprecia suficient.

undervest ['ʌndəvest] s. maiou, flanelă de corp.

underwater ['ʌndə'wɔ:tə] adj. subacvatic; submarin.

underwear ['ʌndəwɛə] s. 1. lenjerie de corp. 2. izmene.

underwent [ˌʌndə'went] vt., trec. de la **undergo**.

underwood ['ʌndə'wud] s. 1. lăstăriş, tufăriş, vegetaţie sub arborii unei păduri. 2. silvicultură subarboret.

underworld ['ʌndəwə:ld] s. 1. lumea cealaltă. 2. iad. 3. lumea interlopă.

underwrite ['ʌndərait] vt. trec. **underwrote** ['ʌndərout], part. trec. **underwritten** ['ʌndə͵ritən] 1. a scrie dedesubtul (cu gen.); a scrie sub. 2. a scrie după / la sfârşitul. 3. econ. a gira. 4. econ. a-şi face / a-şi scoate / a subscrie (o poliţă de asigurare). 5. fig. a subscrie la, a fi de acord cu. 6. a sprijini (financiarmente); a întreţine.

underwriter ['ʌndə͵raitə] s. econ. 1. girant; garant. 2. preţuitor. 3. eminent (al unui titlu).

underwritten ['ʌndə͵ritən] vt. part. trec. de la **underwrite**.

underwrote ['ʌndərout] vt. trec. de la **underwrite**.

undeserved [ʌndi'zə:vd] adj. nemeritat; injust.

undeserving ['ʌndi'zə:viŋ] adj. nemernic.

undesirable [ˌʌndi'zaiərəbl] s., adj. indezirabil.

undesirous ['ʌndi'zaiərəs] adj. 1. refractar. 2. lipsit de entuziasm sau de dorinţă.

undeterred ['ʌndi'tə:d] adj. 1. (de) neabătut; nezdruncinat. 2. hotărât, decis. || ~ by fără să se sperie de (greutăţi etc.).

undeveloped ['ʌndi'veləpt] adj. 1. (d. subiecte, planuri etc.) nedezvoltat, nedesfăşurat. 2. (d. plante, animale, pui etc.) nedezvoltat, înapoiat. 3. (d. ogoare, minţi etc.) necultivat. 4.

foto. *(despre film)* nedevelopat.

undeviating [ʌn'diːvieitiŋ] *adj.* neabătut.

undevout ['ʌndi'vaut] *adj.* necucernic.

undid ['ʌn'did] *vt. trec. de la* **undo**.

undies ['ʌndiz] *s. pl. fam.* lenjerie de corp *(de damă).*

undignified [ʌn'dignifaid] *adj.* **1.** lipsit de demnitate. **2.** nedemn. **3.** rușinos.

undiminished [ʌndi'miniʃt] *adj.* **1.** întreg, plin. **2.** neabătut.

undisciplined [ʌn'disiplind] *adj.* nedisciplinat.

undisclosed [ˌʌndis'klouzd] *adj.* (ținut) secret.

undiscovered [ˌʌndis'kʌvəd] *adj.* **1.** nedescoperit. **2.** inedit.

undisguised ['ʌndis'gaizd] *adj.* **1.** sincer. **2.** deschis, fățiș, nedisimulat.

undismayed ['ʌndis'meid] *adj.* neînfricat; ~ *by* fără să se sperie de.

undisputed ['ʌndis'pjuːtid] *adj.* necontestat, necontroversat.

undissolved ['ʌndi'sɔlvd] *adj.* **1.** *chim.* nedizolvat, netopit. **2.** *(d. contracte, căsătorii etc.)* nedesfăcut.

undistinguishable ['ʌndis'tiŋgwiʃəbl] *adj.* **1.** (from) de nedeosebit (de). **2.** imperceptibil, abia sesizabil.

undistinguished [ʌndis'tiŋgwiʃt] *adj.* **1.** neremarcabil, mediocru, banal. **2.** care nu se distinge, care nu se deosebește, asemănător, leit.

undisturbed ['ʌndis'stɔːbd] *adj.* netulburat, neabătut.

undivided ['ʌndi'vaidid] *adj.* întreg, complet.

undo ['ʌn'duː] *vt. trec.* **undid** ['ʌndid], *part. trec.* **undone** ['ʌn'dʌn] **1.** a desface. **2.** a dezlega. **3.** a nimici. **4.** a ruina.

undoing ['ʌn'duːiŋ] *s.* **1.** desfacere. **2.** nimicire. **3.** ruină; nenorocire.

undone ['ʌn'dʌn] **I.** *adj.* **1.** desfăcut. **2.** nenorocit. **3.** distrus. **4.** neterminat. **II.** *vt. part. trec. de la* **undo**.

undoubted [ʌn'dautid] *adj.* indiscutabil, neîndoielnic.

undoubtedly [ʌn'dautidli] *adv.* fără doar și poate, neîndoielnic.

undraw [ʌn'drɔː] *vt. trec.* **undrew** [ʌn'druː], *part. trec.* **undrawn** [ʌn'drɔːn] a deschide, a trage *(zăvorul, perdele, cortina).*

undrawn [ʌn'drɔːn] *vt. part. trec. de la* **undraw**.

undreamed [ʌn'dremt] *adj.*: ~ *of* nevisat, nesperat.

undress [ʌn'dres] **I.** *vt.* **1.** a dezbrăca. **2.** *med.* a scoate bandajul de pe. **II.** *vi.* a se dezbrăca. **III.** *s.* **1.** ținută de casă; neglijeu. **2.** *mil.* mică ținută.

undrew [ʌn'druː] *trec. de la* **undraw**.

undue ['ʌn'djuː] *adj.* **1.** nepotrivit. **2.** exagerat.

undulate ['ʌndjuleit] *vi.* a (se) undui.

undulation [ˌʌndju'leiʃn] *s.* **1.** ondulație. **2.** mișcare ondulatorie. **3.** accident *(de teren)*; mișcare *(de teren).*

undulatory ['ʌndjulətɔri] *adj.* **1.** ondulatoriu. **2.** unduios.

unduly ['ʌn'djuːli] *adv.* în mod nejust *sau* nejustificat.

undutiful ['ʌn'djuːtifl] *adj.* ingrat.

undying [ʌn'daiiŋ] *adj.* **1.** nemuritor. **2.** nepieritor.

unearned ['ʌn'ɔːnd] *adj.* **1.** nemeritat. **2.** necâștigat prin muncă; ~ *increment* creștere a valorii nedatorată muncii.

unearth ['ʌn'ɔːθ] *vt.* a dezgropa *(și fig.).*

unearthly ['ʌn'ɔːθli] *adj.* **1.** nefiresc. **2.** supranatural.

uneasily ['ʌn'izili] *adv.* **1.** stingherit, jenat. **2.** tulburat, neliniștit.

uneasiness ['ʌn'izinis] *s.* **1.** stinghereală, jenă. **2.** neliniște, tulburare.

uneasy [ʌn'iːzi] *adj.* **1.** neliniștit. **2.** tulburat. **3.** încurcat.

uneatable ['ʌn'iːtəbl] *adj.* necomestibil, de nemâncat.

uneaten [ʌn'iːtn] *adj.* nemâncat. || ~ *bread* resturi de pâine.

uneconomic ['ʌnikə'nɔmik] *adj.* **1.** neeconomic, contra legilor economiei. **2.** nelucrativ, neremuneratoriu.

uneducated ['ʌn'edjukeitid] *adj.* **1.** incult. **2.** fără școală. **3.** needucat.

unembarrassed [ʌnim'bærəst] *adj.* dezinvolt, nestingherit.

unemotional ['ʌni'mouʃənl] *adj.* lipsit de afecțiune, rece.

unemployed ['ʌnim'plɔid] **I.** *s.*: *the* ~ șomerii. **II.** *adj.* **1.** șomer. **2.** nefolosit.

unemployment ['ʌnim'plɔimənt] **I.** *s.* **1.** șomaj. **2.** nefolosire. **II.** *adj.* de șomaj.

unending [ʌn'endiŋ] *adj.* interminabil, nesfârșit.

unendingly [ʌn'endiŋli] *adv.* la nesfârșit.

unendurable ['ʌnin'djuərəbl] *adj.* insuportabil, de neîndurat; intolerabil, de netolerat.

unenforceable ['ʌnin'fɔːsəbl] *adj.* *jur. (d. un contract etc.)* neexecutoriu.

unenlightened ['ʌnin'laitnd] *adj.* neluminat, neînvățat; nelămurit, ignorant.

unequal ['ʌn'iːkwəl] *adj.* **1.** inegal, disproporționat. **2.** incapabil. || ~ *to doing smth.* incapabil de a face ceva. **3.** neregulat. || ~ *pulse* puls neregulat.

unequalled ['ʌn'iːkwɔld] *adj.* neegalat, fără egal, neasemuit.

unequivocal [ˌʌni'kwivəkl] *adj.* neechivoc, fără ambiguitate.

unerring ['ʌn'ɔːriŋ] *adj.* **1.** infailibil. **2.** exact. **3.** fără greșeală.

unerringly ['ʌn'ɔːriŋli] *adv.* cu precizie; fără greșeală.

UNESCO [juː'neskou] *s.* UNESCO, Organizația Națiunilor Unite pentru Învățământ, Știință și Cultură.

unessential ['ʌni'senʃəl] *adj.* neesențial, neimportant.

uneven ['ʌn'iːvn] *adj.* **1.** inegal. **2.** *(d. teren)* accidentat, neregulat.

unevenly ['ʌn'iːvnli] *adv.* **1.** inegal. **2.** neregulat.

unevenness ['ʌn'iːvnnis] *s.* **1.** inegalitate, neegalitate. **2.** caracter accidentat *(al drumului etc.).* **3.** caracter neregulat *(al pulsului etc.).*

uneventful ['ʌni'ventfl] *adj.* **1.** calm, tihnit. **2.** lipsit de senzație.

unexampled [ˌʌnig'zɑːmpld] *adj.* neasemuit, fără egal, unic.

unexceptionable [ˌʌnik'sepʃənəbl] *adj.* ireproșabil, desăvârșit.

unexceptional [ˌʌnik'sepʃənl] *adj.* **1.** *(d. regulă)* fără excepție. **2.** v. **unexceptionable**.

unexpected ['ʌniks'pektid] *adj.* **1.** neașteptat. **2.** surprinzător.

unexpectedly ['ʌniks'pektidli] *adv.* **1.** pe neașteptate, din senin. **2.** neașteptat (de), incidental.

unexperienced ['ʌniks'piəriənst] *adj. (d. un efect etc.)* care nu a (mai) fost încercat.

unexplained ['ʌniks'pleind] *adj.* **1.** neexplicat. **2.** inexplicabil.

unexplored ['ʌniks'plɔːd] *adj.* neexplorat, necercetat.

unexpressed ['ʌniks'prest] *adj.* **1.** neexprimat. **2.** *gram.* subînțeles.

unexpurgated [ʌn'ekspɔːgeitid] *adj.* 1. necenzurat. 2. integral, fără tăieturi.

unextinguished [ʌniks'tingwiʃt] *adj.* nestins, nepotolit.

unfaded [ʌn'feidid] *adj.* neofilit, nevestejit; proaspăt.

unfailing [ʌn'feiliŋ] *adj.* 1. constant. 2. credincios. 3. neabătut.

unfair [ʌn'feə] *adj.* 1. injust, incorect, inechitabil. 2. *(d. jocuri)* necinstit.

unfairness [ʌn'feənis] *s.* 1. incorectitudine, lipsă de justeţe. 2. rea-credinţă.

unfaithful [ʌn'feiθfl] *adj.* necredincios.

unfaithfulness [ʌn'feiθflnis] *s.* infidelitate; necredinţă, neexactitate.

unfaltering [ʌn'fɔːltriŋ] *adj.* neşovăielnic.

unfamiliar [ʌnfə'miljə] *adj.* 1. neobişnuit. 2. nefamiliar.

unfashionable [ʌn'fæʃnəbl] *adj.* 1. demodat. 2. lipsit de eleganţă.

unfasten [ʌn'fɑːsn] *vt.* 1. a deschide. 2. a descuia. 3. a dezlega.

unfathomable [ʌn'fæðəməbl] *adj.* 1. (prea) adânc. 2. de neînţeles, nepătruns.

unfavourable [ʌn'feivrəbl] *adj.* nefavorabil.

unfeeling [ʌn'fiːliŋ] *adj.* 1. fără inimă, nesimţitor. 2. crunt.

unfeigned [ʌn'feind] *adj.* sincer, nesimulat, neprefăcut.

unfelt [ʌn'felt] *adj.* care nu se simte, care nu a fost simţit.

unfenced [ʌn'fenst] *adj.* 1. *(d. un teren)* neîngrădit, neîmprejmuit. 2. *(d. un agregat)* neprotejat, fără carter, fără instalaţie de protecţie.

unfetter [ʌn'fetə] *vt.* 1. a slobozi, a elibera. 2. a dezlega (din lanţuri). 3. a descătuşa.

unfinished [ʌn'finiʃt] *adj.* neterminat, neîncheiat.

unfit [ʌn'fit] *adj.* 1. nepotrivit. 2. necorespunzător.

unfitness [ʌn'fitnis] *s.* 1. caracter nepotrivit, impropriu. 2. *(şi physical ~)* constituţie debilă; lipsă de sănătate.

unflagging [ʌn'flægiŋ] *adj.* 1. neabătut. 2. nediminuat.

unflappable [ʌn'flæpəbl] *adj. fam.* imperturbabil.

unfledged [ʌn'fledʒd] *adj.* imatur.

unflinching [ʌn'flintʃiŋ] *adj.* 1. neclintit, neabătut. 2. neşovăitor.

unfold [ʌn'fould] *vt., vi.* 1. a (se) desfăşura. 2. a (se) dezvălui.

unforeseeable [ʌnfɔː'siːəbl] *adj.* 1. imprevizibil. 2. neprevăzut.

unforeseen [ʌnfɔː'siːn] *adj.* neprevăzut, inopinat, neaşteptat. || ~ *expenses* cheltuieli neprevăzute; *jur.* ~ *circumstances* cauze de forţă majoră.

unforgettable [ʌnfə'getəbl] *adj.* de neuitat.

unforgivable [ʌnfə'givəbl] *adj.* 1. de neiertat. 2. nepermis.

unforgotten [ʌnfə'gɔtən] *adj.* (de) neuitat.

unformed [ʌn'fɔːmd] *adj.* neformat, fără formă, inform.

unfortunate [ʌn'fɔːtʃnit] I. *s.* 1. nenorocit. 2. prostituată. II. *adj.* 1. nenorocit. 2. nefericit. 3. nenorocos. 4. regretabil.

unfortunately [ʌn'fɔːtʃnitli] *adv.* din nefericire; din păcate.

unfounded [ʌn'faundid] *adj.* 1. neîntemeiat. 2. nefondat. 3. neadevărat.

unfrequent [ʌn'friːkwənt] *adj.* v. **infrequent**.

unfriendly [ʌn'frendli] *adj.* 1. neprietenos; ostil. 2. glacial, rece.

unfrock [ʌn'frɔk] *vt.* a răspopi.

unfruitful [ʌn'fruːtfl] *adj.* 1. steril. 2. inutil, van.

unfulfilled [ʌnfəl'fild] *adj.* neîndeplinit, nerealizat; neadeverit.

unfurl [ʌn'fɔːl] *vt.* 1. a desfăşura. 2. a desface.

unfurnished [ʌn'fɔːniʃt] *adj.* nemobilat.

ungainly [ʌn'geinli] *adj.* 1. stângaci. 2. greoi. 3. diform.

ungenerous [ʌn'dʒənərəs] *adj.* 1. lipsit de mărinimie; zgârcit; ingrat. 2. *(d. sol)* sterp, steril.

ungentle [ʌn'dʒentl] *adj.* aspru, dur, brutal.

ungentlemanly [ʌn'dʒentlmənli] *adj.* 1. nedemn de un gentleman. 2. lipsit de eleganţă. 3. ruşinos.

unget-at-table [ʌnget'ætəbl] *adj. fam.* 1. inaccesibil; greu de atins. 2. *(d. persoană)* inaccesibil, inabordabil.

unglazed [ʌn'gleizd] *adj.* *(d. fereastră, tablou)* fără geam; *(d. hârtie)* mat, nelucios.

ungodly [ʌn'gɔdli] *adj.* 1. păgân, nereligios. 2. lipsit de evlavie / religiozitate. 3. păcătos, stricat. 4. scandalos; supărător.

ungovernable [ʌn'gʌvənəbl] *adj.* 1. imposibil de guvernat / condus; nedisciplinat. 2. *fig.* (de) nestăpânit.

ungoverned [ʌn'gʌvənd] *adj.* 1. fără guvernare. 2. *(d. o patimă)* nestăpânit, neînfrânat.

ungraceful [ʌn'greisfl] *adj.* dizgraţios; neîndemânatic, greoi.

ungracious [ʌn'greiʃəs] *adj.* 1. *(d. muncă)* neplăcut; ingrat. 2. lipsit de amabilitate, rece; dezagreabil. 3. dizgraţios; neelegant. 4. (făcut) cu rea voinţă.

ungrateful [ʌn'greitfl] *adj.* ingrat, nerecunoscător.

ungrounded [ʌn'graundid] *adj.* 1. nefondat. 2. fără învăţătură.

ungrudging [ʌn'grʌdʒiŋ] *adj.* 1. generos, fără meschinărie. 2. făcut din toată inima.

unguarded [ʌn'gɑːdid] *adj.* 1. nepăzit. 2. luat prin surprindere.

unguent ['ʌŋgwənt] *s.* unguent.

unguided [ʌn'gaidid] *adj.* lipsit de îndrumare.

ungulate ['ʌŋguleit] *adj. zool.* (înzestrat) cu copite, copitat.

unhallowed [ʌn'hæloud] *adj.* 1. nesfinţit. 2. laic; profan. 3. imoral.

unhampered [ʌn'hæmpəd] *adj.* nestânjenit.

unhand [ʌn'hænd] *vt.* a lăsa din mână; a da drumul la.

unhappily [ʌn'hæpili] *adv.* din nefericire; nefericit; prost *(ex-primat etc.)*.

unhappiness [ʌn'hæpinis] *s.* 1. nefericire; griji. 2. caracter impropriu / nefericit *(al unei expresii etc.)*.

unhappy [ʌn'hæpi] *adj.* 1. nefericit. 2. nenorocit. 3. regretabil. 4. trist.

unharmed [ʌn'hɑːmd] *adj.* 1. nevătămat. 2. neatins. 3. intact. 4. scăpat cu bine.

unharness [ʌn'hɑːnis] *vt.* 1. a dezhăma. 2. *înv.* a scoate armura *(de pe)*.

unhealthy [ʌn'helθi] *adj.* 1. nesănătos. 2. insalubru.

unheard [ʌn'hɔːd] *adj.* neauzit, nemaiauzit. || ~ *of* nemaipomenit; fără precedent.

unheeded [ʌn'hiːdid] *adj.* nebăgat în seamă.

unheeding [ʌn'hiːdiŋ] *adj.* nepăsător; neatent.

unhesitating [ʌn'heziteitiŋ] *adj.* 1. sigur (pe sine). 2. fără rezerve. 3. neşovăitor.

unhesitatingly [ʌn'heziteitiŋli] *adv.* fără a ezita, hotărât, decis, prompt.

unhinge [ʌn'hindʒ] *vt.* 1. a scoate din ţâţâni / balamale. 2. a dezechilibra.

unholy [ʌn'houli] *adj.* 1. profan, laic. 2. v. **ungodly** 1, 2.

unhook ['ʌn'huk] **I.** vt. **1.** a scoate / a da jos din cârlig / cui. **2.** a deshăma (un atelaj). **3.** a decopcia (o rochie). **4.** sl. a lua (un obiect) şi a pleca fără încuviinţarea proprietarului. **II.** vi. **1.** (d. un atelaj) a se desface, a se desprinde, a se deshăma. **2.** (d. o rochie) a se decopcia, a se desface din copci / agrafe.

unhoped [ʌn'houpt] adj.: ~ for nesperat.

unhorse ['ʌn'hɔːs] vt. **1.** a da jos din şa / de pe cal. **2.** a scoate / deshăma caii (de la căruţă, de la tun).

unhospitable ['ʌn'hɔspitəbl] adj. **1.** neprimitor, neospitalier. **2.** ostil.

unhurt ['ʌn'hɔːt] adj. teafăr / întreg şi nevătămat, intact; nelovit, neatins.

uni- prefix uni-.

unicameral [,ju:ni'kæmərəl] adj. pol. unicameral.

UNICEF ['ju:ni,sef] s. UNICEF, Fondul Naţiunilor Unite pentru Ajutorarea Copiilor.

unicellular [,ju:ni'seljulə] adj. **1.** biol. monocelular, unicelular. **2.** el. cu o singură celulă.

unicorn ['ju:ni,kɔːn] **I.** adj. unicorn, cu un singur corn. **II.** s. mitol. unicorn, inorog.

unicycle ['ju:ni,saikl] s. mono-ciclu, bicicletă pentru acrobaţi.

unidentified [ʌnai'dentifaid] adj. neidentificat; (despre un avion) necunoscut.

unification [,ju:nifi'keiʃn] s. **1.** unificare. **2.** uniformizare.

uniform ['ju:nifɔːm] **I.** s. uniformă. **II.** adj. uniform.

uniformity [,ju:ni'fɔːmiti] s. **1.** uni-formitate; regularitate (de func-ţionare). **2.** bis. conformism.

unify ['ju:nifai] vt. **1.** a unifica; a uni. **2.** a uniformiza.

unilateral ['ju:ni'lætrl] adj. unila-teral.

unimaginable [,ʌni'mædʒnəbl] adj. (de) neînchipuit.

unimaginative ['ʌni'mædʒnətiv] adj. lipsit de imaginaţie.

unimpaired ['ʌnim'pɛəd] adj. **1.** nevătămat. **2.** neatins. **3.** in-tact.

unimpeachable [,ʌnim'piːtʃəbl] adj. **1.** mai presus de orice bănuială. **2.** curat ca lacrima, pur, inocent (fig.).

unimportant ['ʌnim'pɔːtnt] adj. **1.**neînsemnat. **2.** lipsit de im-portanţă.

unimportance ['ʌnim'pɔːtəns] s. lipsă de importanţă / însemnă-tate.

unimportant ['ʌnim'pɔːtənt] adj. fără importanţă / însemnătate, lipsit de importanţă / însemnă-tate, neimportant, neînsemnat.

unimproved ['ʌnim'pruːvd] adj. **1.** neîndreptat, neîmbunătăţit, ne-corijat. **2.** (d. un prilej) nefo-losit. || he left this advantage ~ n-a tras nici un profit de pe urma acestui avantaj.

uninformed ['ʌnin'fɔːmd] adj. **1.** neinformat. **2.** ignorant, incult.

uninhabitable ['ʌnin'hæbitəbl] adj. de nelocuit.

uninhabited ['ʌnin'hæbitid] adj. **1.** nelocuit. **2.** pustiu. **3.** părăsit.

uninjured ['ʌn'indʒəd] adj. nevă-tămat, neatins, intact.

uninspired [ʌnin'spaiəd] adj. **1.** neinspirat. **2.** neînsufleţit, nea-nimat.

unintelligent ['ʌnin'telidʒənt] adj. neinteligent; mărginit.

unintelligible ['ʌnin'telidʒəbl] adj. neinteligibil, de neînţeles.

unintentional ['ʌnin'tenʃənl] adj. **1.** (făcut) fără voie, nein-tenţionat. **2.** involuntar.

uninteresting ['ʌn'intristiŋ] adj. neinteresant.

uninterrupted ['ʌnintə'rʌptid] adj. neîntrerupt, continuu.

uninvited ['ʌnin'vaitid] adj. nein-vitat, nepoftit. || he came ~ a venit fără invitaţie.

uninviting [,ʌnin'vaitiŋ] adj. neispititor, neatrăgător.

union ['ju:njən] s. **1.** unire. **2.** uniune. **3.** asociaţie. **4.** (şi **trade** ~) sindicat. **5.** azil de muncă. **6.** acord. **7.** mariaj. || the Union S.U.A.

unionist ['ju:njənist] s. **1.** fe-deralist. **2.** sindicalist.

unionize ['ju:njə,naiz] vt. a sin-dicaliza, a uni într-un sindicat.

Union Jack ['ju:njən'dʒæk] s. steagul sau pavilionul britanic.

unique [ju:'niːk] adj. **1.** unic. **2.** ciudat, straniu. **3.** fam. remar-cabil, nemaipomenit.

unisex ['ju:ni,seks] **I.** s. tendinţă de uniformizare a îmbrăcăminţii (celor două sexe). **II.** adj. (d. îmbrăcăminte) unisex, pentru ambele sexe.

unison ['ju:nisn] s. **1.** muz. şi fig. unison. **2.** armonie.

unit ['ju:nit] s. unitate, element.

unitarian [,ju:ni'tɛəriən] s. rel. unitarian.

unitary ['ju:nitəri] adj. unitar; omogen, uniform.

unite [ju:'nait] **I.** vt. **1.** a uni. **2.** a îmbina. **II.** vi. **1.** a se· uni. **2.** se asocia. **3.** a colabora.

united [ju:'naitid] adj. **1.** unit. **2.** asociat. **3.** comun. **4.** unic.

unity ['ju:niti] s. **1.** unitate. **2.** unire. **3.** armonie.

univalve ['ju:nivælv] adj. (d. moluşte) univalv.

universal [,ju:ni'vɔːsl] adj. univer-sal.

universality [,ju:nivə'sæliti], **uni-versalness** [ju:ni'vɔːsəlnis] **1.** universalitate, caracter univer-sal. **2.** capacitate perfectă de adaptare.

universe ['ju:nivɔːs] s. **1.** univers, lume. **2.** sistem.

university [,ju:ni'vɔːsti] **I.** s. universitate. **II.** adj. universitar.

univisited ['ʌn'vizitid] adj. nevizi-tat; necercetat.

univocal ['ju:ni'voukl] adj. **1.** univoc. **2.** unanim. **3.** într-un singur glas.

unjust ['ʌn'dʒʌst] adj. nedrept.

unjustifiable [ʌn'dʒʌstifaiəbl] adj. **1.** de neiertat. **2.** nejustificat.

unjustly [ʌn'dʒʌstli] adv. pe nedrept.

unkempt ['ʌn'kemt] adj. **1.** neţe-sălat. **2.** zbârlit. **3.** neîngrijit.

unkind [ʌn'kaind] adj. **1.** hain. **2.** crud, rău. **3.** neomenos.

unkindly [ʌn'kaindli] **I.** adj. v. **un-kind. II.** adv. fără (pic de) bunăvoinţă; cu răutate; cu asprime.

unknown ['ʌn'noun] adj. necunos-cut, obscur.

unlace ['ʌn'leis] vt. a desface (şireturi, legături).

unlawful ['ʌn'lɔːfl] adj. **1.** ilegal, ilicit. **2.** nedrept.

unlearn ['ʌn'lɔːn] vt. **1.** a uita (învăţăura), a scoate din me-morie. **2.** a se dezvăţa (de obiceiuri).

unlearned ['ʌn'lɔːnd] adj. **1.** neîn-văţat, necultivat. **2.** (d. lecţie, temă) neînvăţat.

unlearnt ['ʌn'lɔːnt] vt. trec. şi part. trec. de la **unlearn.**

unleash [ʌn'liːʃ] vt. **1.** a da drumul din lesă, a lăsa liber. **2.** fig. a dezlănţui, a declanşa.

unless [ən'les] conj. **1.** dacă nu. **2.** în afară de cazul când.

unlettered ['ʌn'letəd] adj. anal-fabet.

unlike ['ʌn'laik] prep. spre deose-bire de.

unlikely [ʌn'laikli] adj. **1.** im-probabil, puţin probabil. **2.** neverosimil.

unlimited [ʌn'limitid] *adj.* nelimitat, fără margini, infinit. || *com.* ~ *liability* responsabilitate nelimitată.

unlisted [ʌn'listid] *adj.* **1.** necatalogat. **2.** (d. preț etc.) neinclus pe listă. **3.** (d. număr de telefon) netrecut în cartea de telefon.

unlit ['ʌn'lit] *adj.* **1.** neluminat. **2.** (d. lampă) neaprins. **3.** întunecat, obscur.

unload ['ʌn'loud] **I.** *vt.* **1.** a descărca. **2.** a scăpa de. **II.** *vi.* a descărca.

unlock ['ʌn'lɔk] *vt.* **1.** a descuia, a deschide, a dezăvorî (o ușă etc.). || *to* ~ *one's heart* a-și deschide inima, a spune ce ai pe inimă. **2.** a dezvălui (un secret). **3.** *econ.* a libera, a debloca (fonduri bănești). **5.** *tehn.* a debloca, a declanșa (un mecanism).

unlooked (for) [ʌn'lukt 'fɔ:] *adj.* cu prep. v. **uncalled for**.

unloose ['ʌn'lu:s] *vt.* a desface (un șiret etc.).

unloved [ʌn'lʌvd] *adj.* neiubit, nesimpatizat.

unlovely [ʌn'lʌvli] *adj.* (d. persoane) lipsit de farmec, disgrațios; (d. lucruri) urât. || ~ *prospect* perspectivă neatrăgătoare.

unlucky [ʌn'lʌki] *adj.* **1.** nenorocos, ghinionist. **2.** nefericit.

unman ['ʌn'mæn] *vt.* **1.** a descuraja. **2.** a deprima. **3.** a lipsi de vlagă.

unmanageable [ʌn'mænidʒbl] *adj.* **1.** refractar. **2.** năravaș, dificil.

unmanly [ʌn'mænli] *adj.* **1.** nebărbătesc, laș. **2.** efeminat, moale.

unmannerly [ʌn'mænəli] *adj.* **1.** lipsit de manieră. **2.** prost crescut.

unmarked [ʌn'mɑːkt] *adj.* **1.** nemarcat, fără marcă. **2.** neremarcat, neobservat.

unmarried [ʌn'mærid] *adj.* **1.** necăsătorit. **2.** celibatar.

unmask ['ʌn'mɑːsk] *vt., vi.* a (se) demasca.

unmatched ['ʌn'mætʃt] *adj.* fără rival.

unmeaning [ˌʌn'miːniŋ] *adj.* fără semnificație; fără însemnătate; (d. față) inexpresiv.

unmeasured [ʌn'meʒəd] *adj.* **1.** nemăsurat. **2.** nemărginit. **3.** scandalos.

unmentionable [ʌn'menʃnəbl] **I.** *adj.* nedemn de a fi pomenit. **II.** *s. pl. iron.* ~s **1.** indispensabili, izmene. **2.** pantaloni, nădragi.

unmerciful [ʌn'mə:sifl] *adj.* **1.** nemilos. **2.** neîndurător.

unmindful [ʌn'mainfl] *adj.* **1.** nepăsător. **2.** neatent.

unmingled [ʌn'miŋgld] *adj.* **1.** pur. **2.** nealterat.

unmistakable ['ʌnmis'teikəbl] *adj.* **1.** inconfundabil. **2.** sigur. **3.** clar. **4.** evident.

unmistakably ['ʌnmis'teikəbli] *adv.* neîndoios *etc.* v. **unmistakable**.

unmitigated [ʌn'mitigeitid] *adj.* **1.** nediminuat, total. **2.** neabătut. **3.** neclintit.

unmixed ['ʌn'mikst] *adj.* **1.** pur. **2.** neamestecat. **3.** neprefăcut.

unmodified ['ʌn'mɔdifaid] *adj.* neschimbat.

unmolested ['ʌnmo'lestid] *adj.* **1.** nevătămat; neatins. **2.** ferit de primejdie.

unmoved ['ʌn'muːvd] *adj.* **1.** nepăsător, neafectat. **2.** rece, impasibil.

unmusical ['ʌn'mjuːzikl] *adj.* **1.** (d. voce, melodie etc.) nemuzical, nearmonios, discordant. **2.** (d. persoane) fără ureche muzicală; căruia nu-i place muzica.

unnatural [ʌn'nætʃrl] *adj.* **1.** nefiresc. **2.** inuman.

unnaturally [ʌn'nætʃərəli] *adv.* (în mod) nenatural, nefiresc.

unnecessary [ʌn'nesisri] *adj.* **1.** superfluu, de prisos. **2.** inutil, zadarnic.

unnerve ['ʌn'nɔːv] *vt.* **1.** a slăbi. **2.** a descuraja. **3.** a deprima.

unnoticed ['ʌn'noutist] *adj.* neobservat, neremarcat. || *he let the insult pass* ~ se făcu că nu a auzit insulta; *to leave smth* ~ a trece ceva sub tăcere.

unnumbered ['ʌn'nʌmbəd] *adj.* **1.** (de) nenumărat, fără număr. **2.** nenumerotat.

UNO *abrev. United Nations Organization* Organizația Națiunilor Unite, ONU.

unobjectionable ['ʌnəb'dʒek-ʃnəbl] *adj.* ireproșabil, fără cusur.

unobserved ['ʌnəb'zɔːvd] *adj.* neobservat, neremarcat.

unobstructed ['ʌnɔb'strʌktid] *adj.* **1.** neîmpiedicat, fără obstacol, liber. **2.** neînfundat.

unobtrusive ['ʌnəb'truːsiv] *adj.* **1.** modest, umil. **2.** neștiut.

unoccupied ['ʌn'ɔkjupaid] *adj.* **1.** fără ocupație, fără treabă. **2.** neocupat, vacant, disponibil. **3.** (d. case, ținuturi etc.) nelocuit.

unoffending ['ʌnə'fendiŋ] *adj.* inofensiv, inocent.

unofficial ['ʌnə'fiʃl] *adj.* neoficial.

unorthodox ['ʌn'ɔːθədɔks] *adj.* **1.** eretic, neortodox. **2.** nonconformist.

unostentatious ['ʌnˌɔsten'teiʃəs] *adj.* **1.** simplu. **2.** fără ostentație.

unpack ['ʌn'pæk] *vt.* a despacheta, a scoate din ambalaj.

unpaid ['ʌn'peid] *adj.* **1.** neplătit, neachitat. || ~ *for* luat pe credit. **2.** neplătit, neretribuit, fără plată / retribuție. **3.** (d. scrisori) netimbrat, nefrancat.

unpalatable [ʌn'pælətəbl] *adj.* **1.** de nemâncat, nedigerabil. **2.** insuportabil. **3.** fără haz.

unparalleled [ʌn'pærəleld] *adj.* **1.** incomparabil. **2.** fără seamăn; fără egal.

unpardonable [ʌn'pɑːdnəbl] *adj.* **1.** de neiertat. **2.** inadmisibil.

unparliamentary [ˌʌnpɑːlə'mentəri] *adj.* neparlamentar.

unpaved ['ʌn'peivd] *adj.* nepietruit; nepavat.

unpeopled ['ʌn'piːpld] *adj.* nelocuit, nepopulat; depopulat.

unperturbed ['ʌnpə'tɔːbd] *adj.* netulburat.

unpick [ʌn'pik] *vt.* a descoase, a desface (o cusătură).

unplaced [ʌn'pleist] *adj. sport* care nu urcă pe podium, necâștigător.

unplait ['ʌn'plæt] *vt.* a despleti, a desface.

unpleasant [ʌn'pleznt] *adj.* **1.** neplăcut. **2.** grețos. **3.** antipatic.

unpleasantly ['ʌn'plezntli] *adv.* (în mod) neplăcut, dezagreabil.

unpleasantness ['ʌn'plezntnis] *s.* **1.** neplăcere, dezagrement. **2.** urâciune. **3.** ceartă, sfadă. **4.** *înv., glumeț the late* ~ Primul Război Mondial; *amer.* Războiul de Secesiune (1861-1865).

unpolished ['ʌn'pɔliʃt] *adj.* **1.** nelustruit. **2.** neșlefuit. **3.** necioc-plit (și fig.).

unpopular ['ʌn'pɔpjulə] *adj.* **1.** nepopular. **2.** antipatizat.

unpractical ['ʌn'præktikl] *adj.* nepractic; lipsit de spirit practic.

unpractised [ʌn'præktist] *adj.* **1.** nepracticat. **2.** neexperimentat. **3.** neexersat, neantrenat.

unprecedented [ʌn'presidentid] *adj.* **1.** fără precedent. **2.** nemaipomenit.

unpredictable ['ʌnpri'diktbl] *adj.* care nu poate fi prezis.

unprejudiced [ʌn'predʒudist] *adj.* **1.** lipsit de prejudecăţi. **2.** nepărtinitor. **3.** echitabil.

unpremeditated ['ʌnpri'mediteitid] *adj.* nepremeditat, spontan.

unprepared ['ʌnpri'pɛəd] *adj.* (**for**) nepregătit (pentru).

unprepossessing ['ʌn͵pri:pə'zesiŋ] *adj.* neatrăgător.

unpresuming ['ʌnpri'zju:miŋ] *adj.* **1.** la locul lui. **2.** modest.

unpretending ['ʌnpri'tendiŋ] *adj.* modest.

unpretentious ['ʌnpri'tenʃəs] *adj.* **1.** fără pretenţii. **2.** modest.

unprincipled [ʌn'prinsəpld] *adj.* **1.** neprincipial. **2.** fără scrupule. **3.** necinstit.

unprintable ['ʌn'printəbl] *adj.* **1.** indecent. **2.** vulgar.

unproductive ['ʌnprə'dʌktiv] *adj.* **1.** neproductiv. **2.** arid. **3.** steril (*fig.*).

unprofessional ['ʌnprə'feʃənl] *adj.* **1.** neprofesionist. **2.** amator.

unprofitable [ʌn'prɔfitəbl] *adj.* nerentabil, infructuos.

unpromising ['ʌn'prɔmisiŋ] *adj.* nepromiţător, fără perspective.

unpropitious ['ʌnprə'piʃəs] *adj.* nefavorabil, ostil.

unprotected ['ʌnprə'tektid] *adj.* **1.** (*d. oraşe, persoane etc.*) fără apărare, neocrotit; deschis. **2.** (*d. curele de transmisie, mecanisme în funcţiune etc.*) neprotejat; fără carter.

unprovided ['ʌnprə'vaidi] *adj.* **1.** lipsit de mijloace. || ~ with neaprovizionat cu, neînzestrat cu, neprevăzut cu. **2.** nepregătit, neaşteptat. || contingencies ~ for cazuri neprevăzute. **3.** neprevăzut (*în legi, regulamente etc.*).

unprovoked ['ʌnprə'voukt] *adj.* neprovocat, nestârnit; din senin.

unpublished ['ʌn'pʌbliʃt] *adj.* inedit, nepublicat (înainte).

unpunctual ['ʌn'pʌŋtjuəl] *adj.* nepunctual.

unpunished ['ʌn'pʌniʃt] *adj.* nepedepsit, nesancţionat.

unqualified ['ʌn'kwɔlifaid] *adj.* **1.** necalificat. **2.** incompetent.

unquenchable [ʌn'kwentʃəbl] *adj.* de nestins, de nepotolit, de nealinat.

unquestionable [ʌn'kwestʃənəbl] *adj.* **1.** indiscutabil. **2.** mai presus de orice îndoială.

unquestioned [ʌn'kwestʃnd] *adj.* **1.** necontestat. **2.** neîntrebat, nechestionat.

unquestioning [ʌn'kwestʃəniŋ] *adj.* (*d. ascultare, executare etc.*) fără murmur, indiscutabil, orb.

unquiet ['ʌn'kwaiət] *adj.* **1.** neliniştit, îngrijorat. **2.** turbulent, zgomotos.

unquote [ʌn'kwout] *vi.* a închide ghilimelele.

unravel [ʌn'rævl] *vt.* **1.** a descurca, a descâlci. **2.** a rezolva. **3.** a lămuri.

unravelling ['ʌn'rævəliŋ] *s.* dezlegare, lămurire (*a unui mister, a unei enigme*).

unread ['ʌn'red] *adj.* **1.** (*d. cărţi etc.*) necitite, fără cititori. **2.** (*d. persoane*) neinstruit.

unreadable ['ʌn'ri:dəbl] *adj.* **1.** de necitit, ilizibil. **2.** sub orice nivel.

unready ['ʌn'redi] *adj.* **1.** nepregătit, care nu este gata; lipsit de promptitudine. **2.** nehotărât, ezitant. **3.** *înv., reg.* dezbrăcat; îmbrăcat numai pe jumătate.

unreal ['ʌn'riəl] *adj.* ireal.

unreality [ʌnri'æliti] *s.* **1.** absenţa a realităţii; caracter imaginar / himeric. **2.** himeră; (pură) fantezie.

unreason ['ʌn'ri:zn] *s.* **1.** prostie, absurditate. **2.** nebunie, sminteală.

unreasonable [ʌn'ri:znəbl] *adj.* **1.** fără raţiune, iraţional. **2.** de neînţeles, inexplicabil.

unrecognizable ['ʌn'rekəgnaizəbl] *adj.* de nerecunoscut.

unrecognized ['ʌn'rekəgnaizd] *adj.* nerecunoscut.

unreconciliable ['ʌn'rekənsailəbl] *adj.* ireconciliabil, de neîmpăcat.

unrecorded ['ʌnri'kɔ:did] *adj.* neînregistrat (*în acte, în documente, pe disc*).

unrefined ['ʌnri'faind] *adj.* necioplit, vulgar, grosolan.

unreflecting ['ʌnri'flektiŋ] *adj.* **1.** (*d. lumină, căldură etc.*) care nu se reflectă. **2.** (*d. acţiuni etc.*) necugetat, nesăbuit. **3.** care nu se reflectă fără consecinţe (*asupra reputaţiei etc.*).

unregarded ['ʌnri'gɑ:did] *adj.* neglijat; nebăgat în seamă.

unrelated ['ʌnri'leitid] *adj.* fără legătură.

unrelenting ['ʌnri'lentiŋ] *adj.* **1.** necruţător. **2.** neîmpăcat, neînduplecat. **3.** sever.

unreliable ['ʌnri'laiəbl] *adj.* **1.** neserios. **2.** nesigur; pe care nu te poţi bizui.

unrelieved ['ʌnri'li:vd] *adj.* **1.** sever. **2.** fără alinare.

unremembered ['ʌnri'membəd] *adj.* uitat, imemorial.

unremitting ['ʌnri'mitiŋ] *adj.* **1.** neîncetat. **2.** perseverent.

unreproved ['ʌnri'pru:vd] *adj.* necenzurat; nereprimat.

unrequited ['ʌnri'kwaitid] *adj.* **1.** neîmpărtăşit. **2.** nerăsplătit. **3.** nerăzbunat.

unreserved ['ʌnri'zɔ:vd] *adj.* **1.** fără rezerve. **2.** expansiv.

unreservedly [͵ʌnri'zɔ:vidli] *adv.* **1.** fără (nici un fel de) rezerve. **2.** cu expansivitate / entuziasm.

unresisting ['ʌnri'zistiŋ] *adj.* **1.** docil, supus. **2.** care nu opune rezistenţă.

unresponsive ['ʌnris'pɔnsiv] *adj.* **1.** indiferent. **2.** placid; rece.

unrest ['ʌn'rest] *s.* **1.** nelinişte. **2.** agitaţie. **3.** tulburare.

unrestrained ['ʌnris'treind] *adj.* nereţinut, neînfrânat; desfrânat.

unrewarded ['ʌnri'wɔ:did] *adj.* nerăsplătit.

unriddle ['ʌn'ridl] *vt.* a rezolva, a dezlega (*ghicitori, mistere*).

unrighteous [ʌn'raitʃəs] *adj.* **1.** nedrept, inechitabil. **2.** injust, incorect.

unrighteousness [ʌn'raitʃəsnis] *s.* **1.** nedreptate, inechitate. **2.** incorectitudine, necinste.

unrightful ['ʌn'raitfl] *adj.* **1.** injust, nedrept. **2.** nejustificat. **3.** ilegal.

unripe ['ʌn'raip] *adj.* **1.** necopt. **2.** imatur.

unrivalled [ʌn'raivld] *adj.* **1.** fără rival / pereche. **2.** inegalabil.

unroll [ʌn'roul] *vt.* a desfăşura, a desface.

unromantic ['ʌnrə'mæntik] *adj.* **1.** prozaic. **2.** lipsit de romantism *sau* imaginaţie.

unruffled ['ʌn'rʌfld] *adj.* **1.** netulburat. **2.** imperturbabil.

unruly [ʌn'ru:li] *adj.* **1.** neascultător. **2.** dezordonat. **3.** nestăpânit. **4.** destrăbalat.

unsaddle ['ʌn'sædl] *vt.* **1.** a scoate şaua de pe (cal) / samarul de pe (măgar). **2.** a trânti din şa (*un călăreţ*).

unsafe ['ʌn'seif] *adj.* **1.** nesigur. **2.** periculos.

unsaid ['ʌn'sed] *vt. trec. şi part. trec. de la* **unsay**.

unsatisfactory ['ʌn͵sætis'fæktri] *adj.* **1.** nesatisfăcător, necorespunzător. **2.** insuficient.

unsatisfied ['ʌn'sætisfaid] *adj.* **1.** (**with**) nesatisfăcut (de), nemulţumit (de). **2.** neconvins. ||

to be ~ about smth. a avea
îndoieli asupra unei chestiuni.
3. nepotolit, neastâmpărat, ne-
satisfăcut, neîndestulat. **4.** *(d.
datorii)* nesatisfăcut, nereglat.

unsaturated [ʌn'sætʃəreitid] *adj.*
nesaturat.

unsavo(u)ry [ʌn'seivri] *adj.* **1.** fără
gust. **2.** grețos, dezgustător.

unsay ['ʌn'sei] *vt. trec. și part.
trec.* **unsaid** ['ʌn'sed] a retrac-
ta, a lua înapoi *(vorba, cu-
vântul).*

unscathed ['ʌn'skeiðid] *adj.* **1.** (viu
și) nevătămat. **2.** neatins. **3.**
scăpat cu bine.

unschooled ['ʌn'sku:ld] *adj.* **1.**
neînvățat, neinstruit. **2.** *(d. sen-
timente etc.)* nestudiat, spon-
tan, natural. **3.** nedisciplinat. **4.**
(to) neantrenat (la).

unscientific [ˌʌnsaiən'tifik] *adj.*
neștiințific.

unscrew ['ʌn'skru:] *vt.* a deșu-
ruba.

unscripted [ʌn'skriptid] *adj.* **1.** *(d.
interviu etc.)* fără text. **2.** com.
făcut / trimis fără documentația
de rigoare.

unscrupulous [ʌn'skru:pjuləs] *adj.*
1. fără scrupule. **2.** ticălos. **3.**
imoral.

unseal ['ʌn'si:l] *vt.* **1.** a desigila
(un pachet, o scrisoare etc.). **2.**
fig. a dezvălui. || to ~ the fu-
ture a revela viitorul; to ~
smb.'s eyes a deschide ochii
cuiva, a-i arăta realitatea.

unsearchable [ʌn'sɔ:tʃəbl] *adj.* de
necercetat;   impenetrabil,
misterios, secret.

unseasonable [ʌn'si:znəbl] *adj.* **1.**
inoportun. **2.** nepotrivit, depla-
sat.

unseat [ʌn'si:t] *vt.* **1.** a răsturna, a
arunca jos *(din șa, de pe
scaun).* **2.** *pol.* a invalida. **3.** a
da jos / afară , a destitui.

unseeing ['ʌn'si:iŋ] *adj.* **1.** orb,
legat la ochi. **2.** neatent. **3.** *fig.*
încrezător, credul.

unseemly [ʌn'si:mli] *adj.* **1.** diz-
grațios. **2.** rușinos. **3.** indecent.
4. neconvenabil.

unseen ['ʌn'si:n] **I.** *s.* lumea
nevăzută. **II.** *adj.* **1.** nevăzut. **2.**
invizibil.

unselfish ['ʌn'selfiʃ] *adj.* **1.**
altruist. **2.** ferit de egoism. **3.**
dezinteresat.

unsettle ['ʌn'setl] *vt.* **1.** a tulbura.
2. a dezorganiza; a destabiliza.

unsettled [ʌn'setld] *adj.* **1.** deze-
chilibrat. **2.** răsturnat, întors pe
dos. **3.** neliniștit. **4.** inconstant,

inconsecvent. **5.** schimbător. **6.**
nehotărât, nedecis. **7.** dubios,
îndoielnic.

unsex [ʌn'seks] *vt.* a lipsi de sex; a
emascula, a castra, a defemi-
niza.

unshaded ['ʌn'ʃeidid] *adj.* **1.**
neumbrit, neferit de soare, lip-
sit de umbră. **2.** *(d. desene)*
fără umbre, neîntunecat. **3.** *(d.
ferestre)* fără storuri; *(d. lampă)*
fără abajur; *foto.* fără parasol.

unshak(e)able [ʌn'ʃeikəbl] *adj.* **1.**
neclintit. **2.** (de) nezdruncinat.

unshaken [ʌn'ʃeikn] *adj.* **1.** ferm.
2. nezdruncinat.

unshapely ['ʌn'ʃeipli] *adj.* diform,
hidos.

unshaven ['ʌn'ʃeivn] *adj.* neras,
nebărbierit.

unsheathe ['ʌn'ʃið] *vt.* a scoate
din teacă. || to ~ the sword a
scoate sabia (din teacă); *fig.* a
începe ostilitățile, a trage
sabia.

unshed ['ʌn'ʃed] *adj.* nevărsat,
nerăspândit.

unshod¹ ['ʌn'ʃɔd] *adj.* **1.** desculț,
fără încălțăminte, cu picioarele
goale. **2.** *(d. cai)* nepotcovit,
despotcovit.

unshod² *vt. trec. și part. trec. de
la* **unshoe.**

unshorn ['ʌn'ʃɔ:n] *adj.* **1.** netuns,
netăiat. **2.** lung.

unsighted [ʌn'saitid] *adj.* **1.** in-
vizibil, nevăzut. **2.** *(d. arme)*
fără cătare.

unsightly [ʌn'saitli] *adj.* **1.** urât. **2.**
urăcios.

unsigned ['ʌn'saind] *adj.* nesem-
nat, anonim.

unskilful ['ʌn'skilfl] *adj.* **1.** neîn-
demânatic. **2.** stângaci, greoi.
3. nepriceput.

unskilled ['ʌn'skild] *adj.* **1.** ne-
priceput. **2.** necalificat.

unsmiling ['ʌn'smailiŋ] *adj.* care
nu zâmbește, serios, grav, se-
ver.

unsociable ['ʌn'souʃəbl] *adj.* **1.**
nesociabil. **2.** sălbatic.

unsocial [ʌn'souʃəl] *adj.* **1.** neso-
ciabil; neprietenos; sălbatic. **2.**
antisocial.

unsold ['ʌn'sould] *adj. (d. marfă)*
nevândut.

unsolved ['ʌn'sɔlvd] *adj.* nerezol-
vat; nedezlegat.

unsophisticated ['ʌnsə'fistikeitid]
adj. **1.** simplu. **2.** nevinovat.

unsought ['ʌn'sɔ:t] **I.** *adj.* necer-
cetat, necăutat; neexaminat,
neexplorat. **II.** *adv.* involuntar,
de la sine, spontan.

unsound ['ʌn'saund] *adj.* **1.** lipsit
de înțelepciune. **2.** nesănătos.
3. greșit (concept).

unsoundness ['ʌn'saundnis] *s.* **1.**
slăbiciune, debilitate, sănătate
șubredă. || ~ of mind lipsă de
rațiune; nebunie; demență. **2.**
stare rea (a lemnului,fructelor
etc.). **3.** netrăinicie, lipsă de
soliditate (a unui edificiu etc.).
4. falsitate (a unei doctrine). **5.**
lipsă de înțelepciune, sub-
rezenie. **6.** caracter greșit /
eronat; bază greșită.

unsparing [ʌn'spɛəriŋ] *adj.* **1.**
necruțător. **2.** generos, mărini-
mos.

unspeakable [ʌn'spi:kəbl] *adj.* **1.**
(de) nespus. **2.** indescriptibil.
3. cumplit.

unspeakably [ʌn'spi:kəbli] *adv.* **1.**
de   nedescris,   extraordinar
(de). **2.** *fam.* incalificabil.

unspoiled ['ʌn'spɔilt] *adj.* **1.** neal-
terat, nestricat. **2.** ferit de
răsfăț. **3.** neprihănit.

unspoken ['ʌn'spoukn] *adj.* **1.**
nespus, negrăit. **2.** tăinuit, (ți-
nut) ascuns.

unsportsmanlike ['ʌn'spɔ:tsmən
laik] *adj.* lipsit de sportivitate
sau de eleganță; nesportiv.

unspotted ['ʌn'spɔtid] *adj.* **1.**
imaculat, nepătat.

unstable ['ʌn'steibl] *adj.* **1.** insta-
bil. **2.** nestatornic. **3.** șubred.

unstained ['ʌn'steind] *adj.* v. un-
spotted.

unsteady ['ʌn'stedi] *adj.* **1.** incon-
stant. **2.** inconsecvent. **3.** nesi-
gur (pe picioare). **4.** instabil.

unstick [ʌn'stik] **I.** *vt. trec. și part.
trec.* **unstuck** [ʌn'stʌk] a dez-
lipi. **II.** *vi. trec. și part. trec.* **un-
stuck** [ʌn'stʌk] *av.* a decola.

unstinted [ʌn'stintid] *adj.* nepre-
cupețit, generos.

unstop ['ʌn'stɔp] *vt.* **1.** a deschide,
a (e)libera *(de un obstacol).* **2.**
a desfunda, a debloca.

unstrap ['ʌn'stræp] *vt.* a descheia
(nasturii), a dezlega *(un pa-
chet);* a scoate *(cureaua).*

unstressed [ʌn'strest] *adj.* **1.**
lingv. neaccentuat. **2.** neîncor-
dat.

unstring [ʌn'striŋ] *vt. trec. și part.
trec.* **unstrung** [ʌn'strʌŋ] **1.** a
destinde strunele *(unui instru-
ment)* / coarda *(unui arc).* **2.** a
deșira *(mărgele etc.).* **3.** a
zdruncina *(nervii).*

unstructured [ʌn'strʌktʃəd] *adj.*
fără structură.

unstrung [ʌn'strʌŋ] I. adj. 1. slăbit. 2. destins. 3. pierdut (fig.). II. vt. trec. şi part. trec. **unstring**.

unstuck [ʌn'stʌk] vt., vi. trec. şi part. trec de la **unstick**.

unstudied [ʌn'stʌdid] adj. 1. nestudiat, necercetat. 2. natural, firesc, lipsit de afectare.3. neînvăţat, ignorant; neşcolarizat.

unsubdued ['ʌnsəb'dju:d] adj. nesubjugat, nestăpânit (şi fig.).

unsubstantial ['ʌnsə'bstænʃl] adj. 1. firav. 2. şubred. 3. subţiratic.

unsuccessful ['ʌnsk'sesfl] adj. neizbutit, fără succes, ratat.

unsuccessfully ['ʌnsək'sesfuli] adv. fără succes, în zadar.

unsuitable ['ʌn'sju:təbl] adj. nepotrivit.

unsuited ['ʌn'sju:tid] adj. 1. neasortat. 2. necorespunzător.

unsure ['ʌn'ʃuə] adj. 1. nesigur. 2. (d. timp) nedeterminat.

unsurmountable ['ʌnsə'mauntəbl] adj. de netrecut.

unsurpassed ['ʌnsə(:)'pɑːst] adj. netrecut.

unsuspected ['ʌnsəs'pektid] adj. nebănuit.

unsuspecting ['ʌnsəs'pektiŋ] adj. 1. nebănuitor; candid. 2. credul, naiv.

unsuspicious ['ʌnsəs'piʃəs] adj. 1. încrezător. 2. care nu bănuieşte nimic, nebănuitor.

unsweetened ['ʌn'swi:tnd] adj. neîndulcit.

unswept ['ʌn'swept] adj. nemăturat.

unswerving [ʌn'swə:viŋ] adj. 1. neabătut, neclintit. 2. credincios, loial.

unsympathetic ['ʌn,simpə'θetik] adj. 1. lipsit de înţelegere sau compătimire. 2. neînţelegător. 3. rece.

untainted ['ʌn'teintid] adj. 1. nealterat. 2. neprihănit.

untaken ['ʌn'teikn] adj. neluat.

untamed ['ʌn'teimd] adj. neîmblânzit, nesupus, sălbatic.

untarnished ['ʌn'tɑːniʃt] adj. nepătat, imaculat.

untasted ['ʌn'teistid] adj. negustat.

untaught ['ʌn'tɔːt] I. vt. trec. şi part. trec. de la **unteach**. II. adj. neînvăţat, neinstruit, ignorant.

unteach ['ʌn'tiːtʃ] vt. trec. şi part.

trec. **untaught** ['ʌn'tɔːt] a dezvăţa.

untenable ['ʌn'tenəbl] adj. 1. (d. o cetate, fortăreaţă etc.) care nu se poate menţine. 2. (d. o părere) care nu se susţine; nerezonabil.

untenanted ['ʌn'tenəntid] adj. nelocuit, gol; fără chiriaşi, neînchiriat.

unthankful ['ʌn'θæŋkfl] adj. 1. nerecunoscător, ingrat. 2. (d. operă) nerecunoscut.

unthinkable [ʌn'θiŋkəbl] adj. 1. imaginabil. 2. de neconceput. 3. puţin probabil.

unthinking ['ʌn'θiŋkiŋ] adj. 1. nechibzuit. 2. zăpăcit. 3. lipsit de atenţie.

unthought (of) [ʌn'θɔːtəv] adj. 1. neprevăzut. 2. uitat, lăsat în părăsire.

untidy [ʌn'taidi] adj. 1. neglijent. 2. dezordonat. 3. şleampăt.

untie ['ʌn'tai] vt. a dezlega, a desface.

until [ən'til] I. prep. până la, până în. II. conj. până (ce).

untimely [ʌn'taimli] adj. 1. inoportun. 2. prea timpuriu. 3. nepotrivit.

untiring [ʌn'taiəriŋ] adj. 1. neobosit. 2. neabătut.

unto ['ʌntu] prep. 1. la. 2. (în) spre; către. 3. aproape de. 4. faţă de.

untold ['ʌn'tould] adj. 1. nespus. 2. secret, tainic, de nedezvăluit.

untouchable [ʌn'tʌtʃəbl] I. s. paria. II. adj. 1. de neatins. 2. nevrednic.

untouched ['ʌn'tʌtʃt] adj. 1. neatins, teafăr. 2. neamintit, nemenţionat. 3. indiferent, rece, nepăsător. 4. (d. calitate) fără egal, incomparabil.

untoward [ʌn'touəd] adj. 1. nefavorabil, defavorabil, ghinionist, nenorocit, nefericit. 2. înv. nesupus, nedocil, rebel, refractar.

untrained ['ʌn'treind] adj. neexperimentat, neînvăţat; (d. animale) nedresat; (d. atleţi) neantrenat.

untrammelled [ʌn'træməld] adj. neîmpiedicat, liber, nestingherit.

untranslatable ['ʌntræns'leitəbl] adj. intraductibil.

untried ['ʌn'traid] adj. 1. neîncercat. || we have left no remedy ~ nu am lăsat nici un remediu neîncercat. 2. nepus la încercare. || ~ troops trupe

neintrate în foc. 3. (d. deţinuţi) nejudecat.

untrimmed ['ʌn'trimd] adj. 1. nearanjat; nepus în ordine. 2. (d. pălării etc.) neîmpodobit.

untrodden ['ʌn'trɔdn] adj. (d. drum) nebătut, necălcat.

untroubled ['ʌn'trʌbld] adj. netulburat.

untrue ['ʌn'truː] adj. 1. neadevărat. 2. mincinos.

untrustworthy ['ʌn'trʌst,wəːði] adj. neserios; nedemn de încredere.

untruth ['ʌn'truːθ] s. 1. neadevăr, minciună. 2. falsitate.

untruthful ['ʌn'truːθfl] adj. 1. neadevărat. 2. mincinos.

unturned ['ʌn'təːnd] adj. neatins.

untutored ['ʌn'tjuːtəd] adj. 1. neinstruit, neexperimentat, ignorant, neformat. 2. simplu, naiv, candid.

untwine ['ʌn'twain] vt. 1. a desface, a destinde, a deznoda, a dezlega. 2. a descurca, a descâlci.

untwist ['ʌn'twist] I. vt. a desface (ceea ce era răsucit); a descâlci; a despleti. II. vi. a se desrăsuci; a se descâlci; a se despleti.

unused ['ʌn'juːzd] adj. 1. neuzitat. 2. ~ to ['ʌn'juːstə] nedeprins / neobişnuit cu.

unusual [ʌn'juːʒuəl] adj. 1. neobişnuit. 2. ieşit din comun, extraordinar.

unusually [ʌn'juːʒuəli] adv. neobişnuit, excepţional de; rar. || ~ tall neobişnuit de înalt.

unutterable [ʌn'ʌtrəbl] adj. 1. nespus. 2. indescriptibil.

unutterably [ʌn'ʌtərəbli] adv. de nespus, de neînchipuit, de nedescris.

unvarnished [ʌn'vɑːniʃt] adj. 1. fără luciu / strălucire. 2. neprefăcut; natural, firesc. 3. neterminat; nedesăvârşit.

unveil [ʌn'veil] vt. 1. a descoperi. 2. şi fig. a dezvălui. 3. a dezveli (o statuie).

unwanted ['ʌn'wɔntid] adj. 1. nedorit. 2. indezirabil.

unwarrantable [ʌn'wɔrntəbl] adv. 1. inexplicabil. 2. nejustificabil. 3. surprinzător.

unwarranted ['ʌn'wɔrntid] adj. 1. nejustificat. 2. nemotivat, gratuit. 3. care nu prezintă garanţie.

unwary [ʌn'wɛəri] adj. neprevăzător, imprudent; nesăbuit, nechibzuit.

unwashed ['ʌn'wɔʃt] I. adj. nespălat, murdar. **II.** *s. the* ~ nespălații, sărăcimea, calicimea.

unwavering [ʌn'weivriŋ] *adj.* **1.** neșovăielnic. **2.** neclintit.

unwearied [ʌn'wiərid] *adj.* neobosit.

unwed [ʌn'wed] *adj.* necununat, necăsătorit.

unwelcome [ʌn'welkəm] *adj.* **I.** nedorit, neașteptat, nepoftit. **2.** supărător, dezagreabil, neplăcut. || ~ *news* știri neplăcute.

unwell [ʌn'wel] *adj.* **1.** bolnav. **2.** indispus, care nu se simte bine.

unwept [ʌn'wept] *adj. poet.* neplâns, neregretat.

unwholesome [ʌn'houlsəm] *adj.* **1.** nesănătos. **2.** insalubru.

unwieldy [ʌn'wi:ldi] *adj.* **1.** greoi. **2.** masiv. **3.** stângaci.

unwilling [ʌn'wiliŋ] *adj.* **1.** refractar. **2.** ostil. **3.** fără chef *sau* poftă.

unwillingly [ʌn'wiliŋli] *adv.* **1.** fără voie. **2.** din greșeală. **3.** cu neplăcere. **4.** în dușmănie.

unwillingness [ʌn'wiliŋnis] *s.* reavoință, silă.

unwind [ʌn'waind] **I.** *vt. trec. și part. trec.* **unwound** [ʌn'waund] a desfășura, a dezveli, a debobina, a descolăci. **II.** *vi. trec. și part. trec.* **unwound** [ʌn'waund] a se desfășura, a se dezveli, a se descolăci.

unwise [ʌn'waiz] *adj.* **1.** nechibzuit, lipsit de înțelepciune. **2.** imprudent. **3.** greșit.

unwisely [ʌn'waizli] *adv.* nesăbuit, nesocotit; fără înțelepciune.

unwitting [ʌn'witiŋ] *adj.* **1.** neștiutor, neavizat. **2.** nevinovat, inocent.

unwittingly [ʌn'witiŋli] *adv.* **1.** din nebăgare de seamă. **2.** fără voie. **3.** pe neștiute.

unwomanly [ʌn'wumənli] *adj.* lipsită de feminitate.

unwonted [ʌn'wountid] *adj.* **1.** neobișnuit, neuzitat. **2.** insolit.

unworkable [ʌn'wɔ:kəbl] *adj.* **1.** nepractic. **2.** impracticabil.

unworkmanlike [ʌn'wɔ:kmən,laik] *adj.* nedemn de un bun lucrător; *fig.* cârpăcit, lucrat de mântuială.

unworthiness [ʌn'wɔ:ðinis] *s.* **1.** lipsă de merit; nevrednicie. **2.** caracter nedemn *(al unei fapte etc.).*

unworthy [ʌn'wɔ:ði] *adj.* **1.** nedemn. **2.** rușinos.

unwound [ʌn'waund] *trec. și part. trec. de la* **unwind.**

unwounded [ʌn'wu:ndid] *adj.* nerănit.

unwrap [ʌn'ræp] *vt.* a desface, a despacheta.

unwritten [ʌn'ritn] *adj.* nescris.

unyielding [ʌn'ji:ldiŋ] *adj.* **1.** ferm. **2.** rigid, inflexibil. **3.** intractabil, dificil. **4.** încăpățânat. **5.** inebranlabil, de nezdruncinat.

unyoke [ʌn'jouk] **I.** *vt.* a dezjuga *(boii etc.);* a scoate jugul. || *fig. to* ~ *a people* a dezrobi un popor. **II.** *vi.* **1.** *fig.* a se elibera, a scoate / a da jos jugul (de pe sine). **2.** *fam.* a înceta lucrul.

unzip [ʌn'zip] *vt.* a deschide fermoarul de la (bluză etc.).

up [ʌp] **I.** *s.: the* ~*s and downs of life* valurile vieții; capricii. **II.** *adj.* **1.** (care merge) în sus. **2.** ascendent. **3.** *(d. tren etc.)* care merge la Londra *sau* spre centru. **III.** *vt.* a ridica, a spori. **IV.** *vi.* **1.** a se ridica. **2.** a se scula în picioare. **3.** a se apuca (de un lucru). **V.** *adv.* **1.** (în) sus. **2.** la centru. **3.** în *sau* pe picioare. **4.** alături. **5.** în față. **6.** complet. || ~ *and down* încolo și încoace; în sus și în jos; peste tot; *to be* ~ *against difficulties* a se lovi de greutăți; *what's* ~? ce se întâmplă? **VI.** *prep.* în susul.

upbeat [ʌp,bi:t] **I.** *s. muz.* timp slab / neaccentuat. **II.** *adj.* **1.** optimist, încrezător. **2.** jovial, bine dispus.

upbraid [ʌp'breid] *vt.* a ocărî.

upbringing [ʌp,briŋiŋ] *s.* creștere, educație.

upcountry [ʌp'kʌntri] **I.** *adv. fam.* în(spre) interiorul țării, în partea centrală a țării. **II.** *adj.* **1.** (situat / așezat) în(spre) interiorul țării. **2.** *(d. regiune etc.)* fără ieșire la mare. **III.** *s.* **1.** centrul / interiorul țării.

update [ʌp'deit] *vt.* **1.** a moderniza, a aduce la zi. **2.** a procura (cuiva) informații la zi, a pune *(pe cineva)* la curent.

up-end [ʌp'end] **I.** *vt.* a ridica *(un butoi etc.)* în picioare. **II.** *vi.* **1.** *fam.* a se ridica (în picioare, în capul oaselor). **2.** a se îndrepta (din șale).

upgrade [ʌp'greid] **I.** *s.* pantă; urcuș. **II.** *adj.* ascendent, care urcă. **III.** [ʌp'greid] *vt.* **1.** a urca *(o pantă).* **2.** *fig.* a înălța; a promova; a înnobila.

upgrowth [ʌp,grouθ] *s.* **1.** dezvoltare, evoluție. **2.** excrescență.

upheaval [ʌp'hi:vl] *s.* **1.** prefa

cere, schimbare. **2.** răsturnare. **3.** mișcare (socială).

upheld [ʌp'held] *vt. trec. și part. trec. de la* **uphold.**

uphill [ʌp'hil] **I.** *adj.* **1.** în urcuș. **2.** ascendent. **3.** dificil. **II.** *adv.* în sus(ul dealului).

uphold [ʌp'hould] *vt. trec. și part. trec.* **upheld** [ʌp'held] **1.** a susține. **2.** a sprijini. **3.** a încuraja. **4.** a aproba. **5.** a confirma.

upholder [ʌp'houldə] *s.* susținător.

upholster [ʌp'houlstə] *vt.* a tapisa.

upholstery [ʌp'houlstri] *s.* tapițerie.

upkeep [ʌp,ki:p] *s.* (bani de) întreținere.

upland [ʌplənd] **I.** *adj.* muntos, de munte. **II.** *s. (mai ales pl.)* ținut muntos, regiune muntoasă.

uplift [ʌp'lift] *vt.* **1.** a ridica. **2.** a înnobila *(fig.).*

upon [ə'pɔn] *prep.* **1.** pe. **2.** despre, cu privire la.

upper [ʌpə] **I.** *s.* carâmb. **II.** *adj.* superior, de sus. || *to have sau get the* ~ *hand of smb.* a domina, a învinge pe cineva.

upper chamber [ʌpə'tʃeimbə] *s. pol.* cameră *(a parlamentului),* senat.

upper circle [ʌpə'sə:kl] *s. teatru* balcon doi.

uppercut [ʌpəkʌt] *s. sport.* upercut, lovitură de jos în sus *(la box).*

uppermost [ʌpəmoust] **I.** *adj.* **1.** superior. **2.** cel mai înalt. **3.** deosebit. **4.** predominant. **II.** *adv.* **1.** cel mai sus. **2.** în vârf.

upper stor(e)y [ʌpə'stɔ:ri] *s.* **1.** ultimul etaj, mansardă. **2.** *sl.* creier, mansardă.

upper ten (thousand) [ʌpə'ten'θauznd] *s.: the* ~ **1.** aristocrația (financiară). **2.** clasele suspuse. **3.** magnații.

uppish [ʌpiʃ] *adj.* **1.** băgăreț. **2.** încrezut. **3.** obraznic.

upraise [ʌp'reiz] *vt. înv.* a ridica, a urca, a înălța.

uprear [ʌp'riə] *vt. lit.* a ridica, a înălța, a arbora.

upright [ʌprait] **I.** *adj.* **1.** drept; vertical. **2.** cinstit. **II.** *adv.* drept (ca lumânarea).

uprightness [ʌp,raitnis] *s.* corectitudine, integritate.

uprise [ʌp'raiz] **I.** *vt. trec.* **uprose** [ʌp'rouz], *part. trec.* **uprisen** [ʌp'rizn] **1.** a se ridica *(de pe*

scaun / pat etc.). 2. (d. astru, construcţie) a se ridica (pe cer). **3. (d. fum, strigăte etc.)** a se ridica, a se înălţa. **II.** *s.* **1.** *lit.* răsărit *(al soarelui, lunii etc.).* **2.** ascensiune *(a unui balon etc.).* **3.** urcuş, coastă. **4.** ridicare, înălţare (în rang).

uprisen [ʌp'rizn] *vi. part. trec.* de la **uprise.**

uprising [ʌp'raiziŋ] *s.* răscoală.

uproar ['ʌprɔ:] *s.* **1.** gălăgie, rumoare. **2.** tumult.

uproarious [ʌp'rɔ:riəs] *adj.* **1.** zgomotos. **2.** turbulent.

uproot [ʌp'ru:t] *vt.* **1.** a dezrădăcina *(şi fig.).* **2.** a desfiinţa.

uprose [ʌp'rouz] *vi. trec.* de la **uprise.**

upset [ʌp'set] **I.** *vt. inf., trec. şi part. trec.* **1.** a răsturna. **2.** a tulbura. **3.** a înfrânge. **4.** a deranja *(fig.).* || *to be* ~ a fi neliniştit *sau* tulburat. **II.** *vi. inf., trec. şi part. trec.* a se răsturna.

upshot ['ʌpʃɔt] *s.* rezultat, consecinţă.

upside ['ʌpsaid] *s.* parte de sud, latură superioară. || ~ *of* în afara lui, în afară de.

upside-down ['ʌpsai'daun] *adv.* **1.** cu susul în jos. **2.** în dezordine.

upsilon [ju:p'sailən] *s.* ipsilon *(a 20-a literă din alfabetul grecesc).*

upstage ['ʌp'steidʒ] *adv.* (din)spre fundul scenei.

upstairs ['ʌp'stɛəz] **I.** *adv.* **1.** sus (pe scări). **2.** la etaj. **II.** *adj.* de sus, de la etaj.

upstanding ['ʌp,stændiŋ] *adj.* drept (ca lumânarea), voinic.

upstart ['ʌpstɑ:t] *s., adj.* **1.** parvenit. **2.** obraznic.

upstream ['ʌp'stri:m] *adj., adv.* contra curentului; în susul apei.

upsurge ['ʌp,sə:dʒ] *s.* **1.** ridicare, înălţare. **2.** avânt.

upswept ['ʌp,swept] *adj.* **1.** ridicat / înălţat; luat pe sus. **2.** *(d. coafură)* montant.

upswing ['ʌp,swiŋ] *s. amer.* urcare, ascensiune, ridicare.

uptake ['ʌpteik] *s.* înţelegere.

uptight ['ʌp'tait] *adj. fam.* **1.** încordat, nervos, un pachet de nervi. **2.** furios, supărat.

up-to-date ['ʌptə'deit] *adj., adv.* **1.** modern. **2.** la modă, la zi.

uptown ['ʌp'taun] *adv.* **1.** în centru. **2.** *amer.* la periferie.

up train ['ʌp'trein] *s.* tren de Londra.

upturn [ʌp'tə:n] **I.** *vt.* **1.** a ridica, a înălţa. **2.** a îndrepta în sus. **II.** *vi.* a se întoarce în sus. **III.** *s.* **1.** înălţare, ridicare; sporire. **2.** progres.

upward ['ʌpwəd] **I.** *adj.* **1.** ascendent. **2.** îndreptat în sus. **II.** *adv.* în sus.

upwards ['ʌpwədz] *adv.* în sus. || *and* ~ şi (chiar) mai mult; ~ *of* peste, mai bine de.

uranium [juə'reinjəm] *s. chim.* uraniu.

urban ['ə:bən] *adj.* urban.

urbane [ə:'bein] *adj.* **1.** politicos. **2.** civilizat. **3.** rafinat.

urbanity [ə:'bæniti] *s.* **1.** politeţe; educaţie bună, maniere alese. **2.** civilizaţie.

urbanize ['ə:bə,naiz] *vt.* a urbaniza.

urchin ['ə:tʃin] *s.* **1.** copil (neastâmpărat). **2.** ştrengar.

urea ['juəriə] *s. chim.* uree.

ureter [ju'ri:tə] *s. anat.* ureter.

urethra [ju'ri:θrə] *s. anat.* uretră.

urge [ə:dʒ] **I.** *s.* **1.** îndemn. **2.** stimulent. **II.** *vt.* **1.** a îndemna. **2.** a mâna. **3.** a solicita. **4.** a sili.

urgency ['ə:dʒnsi] *s.* **1.** urgenţă. **2.** presiune *(fig.).* **3.** caracter imperios.

urgent ['ə:dʒnt] *adj.* **1.** important. **2.** absolut necesar. **3.** imperios. **4.** urgent. **5.** insistent.

uric ['juərik] *adj. chim.* uric.

urinal ['juərinl] *s.* **1.** closet. **2.** ploscă *(pt. bolnavi).*

urinary ['juərinəri] *adj. anat.* urinar.

urinate ['juəri,neit] *vi.* a urina.

urine ['juərin] *s.* urină.

urn [ə:n] *s.* urnă.

ursine ['ə:sain] *adj.* ursin, de urs.

us [əs, ʌs] *pron.* **1.** *(acuzativ)* pe noi. **2.** *(dativ)* nouă.

US ['ju:'es] **I.** *adj.* american, al Statelor Unite. **II.** *abrev. United States* Statele Unite (ale Americii).

USA *abrev.* **1.** *United States of America* Statele Unite ale Americii. **2.** *United States Army* Armata Statelor Unite (ale Americii).

usable ['ju:zəbl] *adj.* utilizabil.

usage ['ju:zidʒ] *s.* **1.** folosire, utilizare. **2.** uzaj, uz. **3.** obicei.

use¹ [ju:s] *s.* **1.** folos. **2.** folosire, utilizare. **3.** posibilitate de folosire. **4.** valoare. **5.** scop. **6.**

datină, practică. || *in* ~ folosit; *out of* ~ nefolosit; *to come into* ~ a fi la modă.

use² [ju:z] *vt.* **1.** a folosi. **2.** a uza. **3.** a consuma. **4.** a trata *(pe cineva)*, a se purta cu. **5.** a obişnui *(cu infinitiv).* || *he ~d to come everyday* venea în fiecare zi; *I am ~d to it* sunt deprins cu asta.

used [ju:zd] *adj.* uzat, folosit, consumat etc.

used to I. ['ju:stə] *vi. (la trec.) cu particulă infinitivală.* **1.** a obişnui să, a avea obiceiul să / de a. || *he ~ visit us every day last. summer* vara trecută ne vizita zilnic. **2.** a fi fost în mod curent. || *it ~ be very expensive* pe vremuri era foarte scump. **II.** *adj.* deprins / obişnuit cu / să. || *I am quite ~ it* sunt (întru totul) obişnuit cu asta.

useful ['ju:sfl] *adj.* **1.** util. **2.** capabil. **3.** bun.

usefully ['ju:sfuli] *adv.* util, cu folos.

usefulness ['ju:sfulnis] *s.* utilitate, folos; raţiune de a fi.

useless ['ju:slis] *adj.* **1.** inutil. **2.** fără valoare. **3.** fără efect.

uselessness ['ju:slisnis] *s.* inutilitate.

user ['ju:zə] *s.* **1.** consumator. **2.** persoană care foloseşte ceva. **3.** *jur.* uzufructuar. **4.** *jur.* drept de uzufruct. **5.** persoană care ia stupefiante, narcoman.

user-friendly [ju:zə'frendli] *adj.* uşor de folosit.

usher ['ʌʃə] **I.** *s.* **1.** aprod. **2.** plasator *(la teatru, cinema).* **II.** *vt.* **1.** a conduce. **2.** a anunţa. **3.** *fig.* a deschide, a inaugura.

usherette [,ʌʃə'ret] *s.* plasatoare *(la teatru, cinema).*

usual ['ju:ʒuəl] *adj.* obişnuit. || *as* ~ ca de obicei.

usually ['ju:ʒuəli] *adv.* de obicei, (în mod) obişnuit, îndeobşte.

usurer ['ju:ʒrə] *s.* cămătar, speculant.

usurious [ju:'zjuəriəs] *adj.* cămătăresc.

usurp [ju:'zə:p] *vt.* a uzurpa.

usurper [ju:'zə:pə] *s.* uzurpator.

usury ['ju:ʒuri] *s.* **1.** camătă, dobândă cămătărească. **2.** speculă cu bani.

utensil [ju'tensl] *s.* unealtă, ustensilă.

uterine ['ju:tərain] *adj.* uterin.

uterus ['ju:tərəs] *s.anat. pl.* **uteri** ['ju:tərai] uter.

utilitarian [,ju:tili'tɛəriən] *adj.* utilitar.

utilitarianism [,ju:tili'tɛəriənizəm] *s.* utilitarism.

utility [ju'tiliti] *s.* 1. utilitate. 2. lucru folositor. 3. serviciu public.

utilization ['ju:tilai'zeiʃn] *s.* utilizare, întrebuinţare, folosire.

utilize ['ju:tilaiz] *vt.* a folosi.

utmost ['ʌtmoust] I. *s.* 1. (efort) extrem. 2. maximum. || *to the* ~ la maximum; *to do one's* ~ a face tot posibilul. II. *adj.* 1. extrem. 2. maximum.

utopia [ju:'toupjə] *s.* utopie.

utopian [ju:'toupjən] *adj.* utopic.

utter ['ʌtə] I. *adj.* 1. total. 2. cumplit. II. *vt.* 1. a rosti. 2. a exprima. 3. a fabrica. || *to* ~ *false coin* a falsifica bani, a scoate / a face bani falşi.

utterance ['ʌtrns] *s.* 1. exprimare. 2. rostire. 3. declaraţie. 4. glas.

uttermost ['ʌtəmoust] I. *s.* extrem, maximum. II. *adj.* 1. extrem. 2. cumplit.

U-turn ['ju:tə:n] *s.* 1. întoarcere (pentru schimbarea sensului de mers). 2. schimbare radicală a politicii / atitudinii.

U. V. *abrev. ultra violet* ultraviolet.

uvula ['ju:vjulə] *s. anat.* vălul palatului, omuşor.

uxorious [ʌk'sɔːriəs] *adj.* care-şi iubeşte excesiv nevasta; servil faţă de femeia sa, sub papucul nevestei.

V

V [vi:] *s.* (litera) V, v.

V *abrev.* 1. *vanadium* vanadiu. 2. *victory* victorie. 3. *volt* volt. 4. *voltage* voltaj.

v. *abrev.* 1. *vector* vector. 2. *velocity* viteză. 3. *verb* verb. 4. *verse* vers. 5. *versus* versus, contra. 6. *very* foarte. 7. *vice* v. **vice.** 8. *vide* vezi. 9. *voice* voce; diateză. 10. *volume* volum. 11. *vowel* vocală.

vac *abrev. vacation* vacanţă, concediu.

vacancy ['veiknsi] *s.* 1. loc liber, vacanţă. 2. spaţiu gol. 3. lapsus.

vacant ['veiknt] *adj.* 1. gol, liber. 2. neocupat, vacant. 3. neatent, distrat. 4. uituc.

vacantly ['veikəntli] *adv.* cu un aer distrat; cu privirea în gol.

vacate [və'keit] *vt.* 1. a elibera, a lăsa vacant. 2. a anula.

vacation [və'keiʃn] *s.* 1. eliberare. 2. *amer.* vacanţă.

vacationist [və'keiʃənist] *s. amer.* persoană care se află în vacanţă; vilegiaturist.

vaccinate ['væksineit] *vt.* a vaccina.

vaccination [,væksi'neiʃn] *s. med.* vaccinare (împotriva variolei).

vaccine ['væksi:n] *s.* vaccin.

vacillate ['væsileit] *vi.* 1. a şovăi. 2. a se clătina. 3. a oscila.

vacillation [,væsi'leiʃn] *s.* 1. şovăială. 2. oscilaţie.

vacuity [væ'kjuiti] *s.* 1. loc liber. 2. absenţă. 3. gol. 4. neatenţie.

vacuous ['vækjuəs] *adj.* 1. gol, vid. 2. fără noimă, stupid. 3. (d. privire, ochi) prostesc, imbecil. 4. neatent, distrat.

vacuum ['vækjuəm] *s.* 1. vid. 2. gol. 3. lapsus. 4. aspirator de praf.

vacuum cleaner ['vækjuəm,kli:nə] *s.* aspirator de praf.

vacuum flask ['vækjuəm,flɑ:sk] *s.* termos.

vade-mecum ['veidi'mi:kəm] *s.* agendă, breviar; ghid.

vagabond ['vægəbɔnd] *s., adj.* vagabond.

vagabondage ['vægəbɔndidʒ] *s.* vagabondaj, hoinăreală.

vagary ['veigəri] *s.* 1. capriciu. 2. *pl.* gărgăuni, aiureli.

vagina [və'dʒainə] *pl.* şi **vaginae** [və'dʒaini] *s.* 1. *anat.* vagin. 2. *bot.* teacă.

vagrancy ['veigrnsi] *s.* vagabondaj.

vagrant ['veigrnt] *s., adj.* 1. vagabond. 2. rătăcitor.

vague [veig] *adj.* 1. vag. 2. nehotărât.

vaguely ['veigli] *adv.* vag, nedesluşit.

vagueness ['veignis] *s.* caracter vag, ceea ce este nedesluşit / vag / imprecis.

vail¹ [veil] *s. înv.* bacşiş, mită, ciubuc.

vail² I. [veil] *vt.* 1. *înv., poet.* a pleca (arma, steagul). 2. a scoate (pălăria). 3. a înclina (capul); a lăsa în jos (ochii). || *to* ~ *one's pride* a renunţa la mândrie. II *vi.* (**to smb.**) a se apleca (înaintea cuiva); a ceda (cuiva).

vain [vein] *adj.* 1. orgolios; încrezut. 2. inutil. 3. de prisos. 4. steril. || *in* ~ degeaba, inutil.

vainglorious [vein'glɔːriəs] *adj.* 1. îngâmfat (la culme). 2. lăudăros.

vainglory [vein'glɔːri] *s.* 1. orgoliu. 2. lăudăroşenie.

vainly ['veinli] *adv.* 1. zadarnic, inutil. 2. din orgoliu.

valance ['væləns] I. *s.* polog, baldachin. II. *vt.* a împodobi cu draperii.

vale [veil] *s. poet.* vale, vâlcea. || *the* ~ *of tears* valea plângerii, lumea asta (chinuită) a noastră, lumea pământească; ~ *of years* bătrâneţe (haine grele).

valediction [,væli'dikʃn] *s.* rămas bun, adio.

valedictory [,væli'diktəri] I. *adj.* de rămas bun, de despărţire. II. *s. amer.* v. **valediction.**

valence ['veiləns] *s. chim.* şi *fig.* valenţă.

Valenciennes [,vælɔnsi'en] *s.* dantelă de Valenciennes.

valency ['veilənsi] *s. chim.* valenţă.

valentine ['væləntain] *s.* 1. felicitare de Sf. Valentin (14 februarie). 2. iubit ales *sau* iubită aleasă în această zi.

valerian [və'liəriən] *s. bot. chim.* valeriană (Valeriana officinalis).

valet ['vælit] I. *s.* valet. II. *vt.* a sluji.

valetudinarian ['væli,tjudi'neəriən] I. *s.* bolnav, infirm. II. *adj.* 1. bolnăvicios. 2. belaliu.

Valhalla [væl'hælə] *s. mit.* Walhalla.

valiant ['væljənt] *adj.* viteaz, brav.

valiantly ['væliəntli] *adv. înv., lit.* vitejeşte, eroic.

valid ['vælid] *adj.* **1.** valabil. **2.** serios, întemeiat.

validate ['vælideit] *vt.* a valida, a confirma.

validity [və'liditi] *s.* valabilitate.

valise [və'li:z] *s.* **1.** valiză. **2.** raniţă.

Valkyrie ['vælkiri] *s. mit.* valchirie.

valley ['væli] *s.* vale.

valo(u)r ['vælə] *s.* vitejie.

valorous ['vælərəs] *adj.* curajos, viteaz.

valse [vɑːls] *s. muz.* vals.

valuable ['væljuəbl] **I.** *s.* **1.** lucru de valoare. **2.** *pl.* valori, bunuri. **II.** *adj.* valoros, preţios, de preţ.

valuation [,vælju'eiʃn] *s.* **1.** evaluare. **2.** apreciere.

value ['vælju:] **I.** *s.* **1.** valoare. **2.** evaluare. **3.** apreciere. **4.** deviz. **5.** preţ. **6.** sens, semnificaţie. **7.** *mat.* cantitate. **II.** *vt.* **1.** a aprecia. **2.** a evalua.

valued ['væljud] *adj.* **1.** evaluat. **2.** apreciat, valoros.

valueless ['væljulis] *adj.* fără valoare, lipsit de valoare.

valuer ['vælju:ə] *s.* preţuitor, evaluator; taxator.

valve [vælv] *s.* **1.** supapă, valvă. **2.** lampă de radio.

valvular ['vælvjulə] *adj.* valvular.

vamo(o)se [və'mu:s] *vi.* a o şterge.

vamp [væmp] **I.** *s.* **1.** vampă. **2.** căpută. **3.** petic. **4.** acompaniament improvizat. **II.** *vt.* **1.** a încăputa. **2.** a repara. **3.** *fig.* a petici. **4.** a improviza. **5.** a stoarce de bani *(pe un bărbat)*. **III.** *vi.* **1.** a face un acompaniament improvizat. **2.** a stoarce bani de la bărbaţi.

vampire ['væmpaiə] *s.* vampir *(şi fig.)*.

van [væn] *s.* **1.** *auto.* camion de mobilă, dubă. **2.** căruţă cu coviltir. **3.** vagon de marfă (acoperit). **4.** avangardă *(şi fig.)*. **5.** partea din faţă; || to be in the ~ of a fi în fruntea *(cu gen.)*.

vanadium [və'neidjəm] *s. chim.* vanadiu.

vandal ['vændl] *s., adj.* vandal.

vandalism ['vændəlizəm] *s.* vandalism.

vandalize ['vændə,laiz] *vt.* a devasta.

vandyke [væn'daik] *s.* **1.** *ist.* guler înalt încreţit. **2.** barbişon.

Vandyke [væn'daik] **I.** *s.* **1.** pictură de Van Dyck *(1599 - 1641)*. **2.** guler (à la) Van Dyck. **3.** *pl.* chenare dantelate *(ale unui guler Van Dyck)*. **II.** *vt.* a dantela *(un guler)* în stil Van Dyck.

vane [vein] *s.* morişcă de vânt, giruetă.

vanguard ['vænga:d] *s.* avangardă *(şi fig.)*.

vanilla [və'nilə] *s. bot.* vanilie *(Orchidaceae)*.

vanish ['væniʃ] *vi.* **1.** a dispărea. **2.** a se şterge.

vanishing ['væniʃiŋ] *adj.* pieritor; pe punctul de a dispărea.

vanishing point ['væniʃiŋ,point] *s. geom. artă* punct de fugă.

vanity ['væniti] *s.* **1.** îngâmfare. **2.** inutilitate. **3.** neseriozitate. **4.** capriciu. **5.** orgoliu. **6.** frivolitate. **7.** *amer.* v. **vanity bag (case)**. **8.** *amer.* v. **vanity table**.

vanity bag (case) ['vænitibæg-(keis)] *s.* **1.** pudrieră. **2.** poşetă.

Vanity Fair ['vænitifeə] *s.* **1.** rel. lit. Bâlciul deşertăciunilor, lumea plăcerilor. **2.** înalta societate.

vanity table ['væniti,teibl] *s. amer.* măsuţă de toaletă.

vanquish ['vænkwiʃ] *vt.* a înfrânge, a supune.

vantage ['va:ntidʒ] *s.* avantaj.

vantage ground ['va:ntidʒgraund] *s.* poziţie favorabilă *sau* dominantă.

vapid ['væpid] *adj.* **1.** fără gust. **2.** *fig.* şters; nesărat.

vapo(u)r ['veipə] *s.* **1.** abur, vapori. **2.** abureală. **3.** beţie. **4.** nebunie. **5.** *pl.* mahmureală.

vaporize ['veipə,raiz] **I.** *vt.* a vaporiza; a evapora. **II.** *vi.* a se vaporiza; a se evapora.

vaporous ['veipərəs] *adj.* **1.** vaporos. **2.** ceţos.

vaquero [va:'kero] *s. amer.* cowboy.

variability [,veəriə'biliti] *s.* **1.** variabilitate. **2.** nestatornicie.

variable ['veəriəbl] **I.** *s.* variabilă. **II.** *adj.* **1.** variabil. **2.** schimbător.

variance ['veəriəns] *s.* **1.** variaţie. **2.** diversitate. **3.** dihonie; || at ~ în duşmănie; în contradicţie.

variant ['veəriənt] **I.** *s.* variantă. **II.** *adj.* **1.** schimbător. **2.** diferit. **3.** facultativ.

variation [,veəri'eiʃn] *s.* variaţie.

varicose ['værikous] *adj.* umflat, cu varice.

varied ['veərid] *adj.* **1.** variat. **2.** schimbător.

variegate ['veərigeit] *vt.* **1.** a varia (culorile). **2.** a bălţa, a împestriţa, pestriţ.

variegated ['veərigeitid] *adj.* **1.** variat. **2.** multicolor, pestriţ.

variety [və'raiəti] *s.* **1.** varietate. **2.** diversitate. **3.** varieteu, music hall.

various ['veəriəs] *adj.* **1.** divers. **2.** diferit. **3.** mulţi, multe.

variously ['veəriəsli] *adv.* variat, felurit.

varlet ['va:lit] *s.* paj, valet.

varmint ['va:mint] *s. fam.* **1.** pungaş. **2.** ticălos.

varnish ['va:niʃ] **I.** *s.* **1.** lac, vernis. **2.** smalţ, email. **3.** *fig.* spoială. **II.** *vt.* **1.** a vernisa. **2.** *fig.* a spoi.

varsity ['va:sti] *s. fam.* universitate.

vary ['veəri] *vt., vi.* **1.** a varia. **2.** a (se) modifica.

vas [væs], *pl.* **vasa** ['veisə] *s. anat., bot.* vas; canal.

vascular ['væskjulə] *adj.* vascular.

vas deferens ['væs'defərənz] *s. anat.* vas deferens, canal deferent *(al spermei)*.

vase [va:z] *s.* vază, vas (de flori).

vasectomy [væ'sektəmi] *s. anat.* vasectomie, vasotomie.

vaseline ['væsili:n] *s. chim. farm.* vaselină.

vaso-motor ['veizou'moutə] *adj. anat.* vaso-motor.

vassal ['væsl] *s., adj.* vasal.

vassalage ['væsəlidʒ] *s.* **1.** vasalitate. **2.** aservire.

vast [va:st] *adj.* **1.** mare, vast. **2.** uriaş. **3.** întins.

vastly ['va:stli] *adv.* considerabil, enorm, în cel mai înalt grad; grozav, foarte. || you are ~ mistaken vă înşelaţi amarnic.

vastness ['va:stnis] *s.* vastitate, imensitate; enormitate.

vasty ['va:sti] *adj. poet.* v. **vast**.

vat [væt] *s.* **1.** cuvă. **2.** butoi. **3.** cadă.

V. A. T. *abrev. value added tax* T.V.A., taxa pe valoarea adăugată.

Vatican ['vætikən] *s.* the ~ Vaticanul, Sfântul Scaun.

vaudeville ['voudəvil] *s.* **1.** operetă. **2.** music hall.

vault [vo:lt] **I.** *s.* **1.** boltă. **2.** pivniţă. **3.** criptă; cavou. **4.** vistierie. **5.** casă de bani. **6.** salt, voltă. **II.** *vt.* **1.** a bolti. **2.** a sări făcând o voltă. **III.** *vi.* a sări cu voltă.

vaulting-horse ['vo:ltiŋho:s] *s. sport.* capră de sărit.

vaunt [vo:nt] **I.** *s.* laudă; lăudăroşenie. **II.** *vt.* a se lăuda cu, a etala. **III.** *vi.* a se lăuda.

VC abrev. **1.** valuation clause clauză de evaluare. **2.** veterinary corps corpul veterinar. **3.** vice-chancellor vice-cancelar; univ. (pro)rector. **4.** vice-consul vice-consul. **5.** Victoria Cross Ordinul Victoria.

VD abrev. **1.** vapour density densitatea vaporilor. **2.** various dates diferite date. **3.** venereal disease boală venerică.

VDT abrev. visual display terminal VDT, terminal de afișare a datelor de către un calculator la care este atașat.

VDU abrev. visual display unit unitate de afișare, monitor.

veal [vi:l] s. carne de vițel.

vector ['vektə] s. mat., fiz., biol. vector.

vedette [vi'det] s. mil. santinelă (înaintată) călare.

veer [viə] vi. a vira, a coti.

vegan ['vi:gən] **I.** adj. vegetarian (strict). **II.** s. vegetarian convins, înrăit.

vegetable ['vedʒtəbl] **I.** s. **1.** plantă. **2.** legumă. **II.** adj. vegetal.

vegetable marrow ['vedʒtəbl' mærou] s. bot. dovleac (Cucurbita pepo orifera).

vegetarian [ˌvedʒi'teəriən] s., adj. vegetarian.

vegetarianism [ˌvedʒi'teəriənizəm] s. vegetarianism.

vegetate ['vedʒiteit] vi. a vegeta (și fig.).

vegetation [ˌvedʒi'teiʃn] s. **1.** vegetație. **2.** vegetare, existență vegetativă. **3.** med. vegetație, polipi.

vegetative ['vedʒitətiv] adj. vegetativ.

vehemence ['vi:iməns] s. **1.** vehemență. **2.** violență.

vehement ['vi:imənt] adj. **1.** vehement. **2.** violent. **3.** puternic.

vehemently ['vi:iməntli] adv. (în mod) vehement etc.

vehicle ['vi:ikl] s. **1.** vehicul. **2.** mijloc de transport.

vehicular [vi'hikjulə] adj. **1.** de transport. **2.** amer. auto, automobilistic.

veil [veil] **I.** s. **1.** văl, voal. **2.** fig. paravan; || to take the ~ a se călugări. **II.** vt. **1.** a învălui. **2.** a voala. **3.** a ascunde.

veiling ['veiliŋ] s. **1.** valoare. **2.** fig. ascundere, tăinuire. **3.** fam. văluri.

vein [vein] s. **1.** vână. **2.** bot., zool. nervură. **3.** dispoziție, toană.

veined [veind] adj. vânos, cu vine, plin de vine; cu filoane.

Velcro ['velkrou] s. text. sistem de închidere la încălțăminte și îmbrăcăminte, constând din două benzi aderente.

veld(t) [velt] s. stepă, savană (în Africa de Sud).

vellum ['veləm] **I.** s. **1.** pergament. **2.** hârtie pergament. **II.** adj. de pergament; ca pergamentul.

velocipede [vi'lɔsipi:d] s. înv. velociped, bicicletă.

velocity [vi'lɔsti] s. viteză, iuțeală.

velour(s) [və'luə] s. **1.** catifea. **2.** fetru.

velum ['vi:ləm], pl. **vela** ['vi:lə] s. anat. văl palatin.

velvet ['velvit] **I.** s. catifea. **II.** adj. **1.** de catifea. **2.** catifelat.

velveteen [ˌvelvi'ti:n] s. **1.** diftină. **2.** pl. haine de diftină.

velvety ['velviti] adj. **1.** catifelat. **2.** onctuos.

ven. abrev. venerable venerabil, onorabil.

venal ['vi:nl] adj. venal, corupt.

venality [vi:'næliti] s. corupție, venalitate.

vend [vend] vt. a vinde, a scoate la vânzare.

vender ['vendə] s. vânzător. || street ~ vânzător ambulant.

vendetta [ven'detə] s. vendetă, răzbunare.

vendor ['vendɔ:] s. vânzător (ambulant).

veneer [vi'niə] **I.** s. **1.** furnir. **2.** fig. lustru, spoială. **II.** vt. **1.** a furnirui. **2.** a spoi (fig.).

veneering [vi'niəriŋ] s. **1.** furniruire. **2.** furnir. **3.** fig. spoială.

venerable ['venrəbl] adj. **1.** ono-rabil, venerabil. **2.** res-pectabil.

venerate ['venreit] vt. a venera.

veneration [ˌvenə'reiʃn] s. **1.** venerație. **2.** adorație.

venereal [vi'niəriəl] adj. veneric.

venery[1] ['venəri] s. înv. **1.** atracție sexuală. **2.** excese sexuale, desfrâu, destrăbălare.

venery[2] ['venə'ri] s. înv. vânătoare.

Venetian [vi'ni:ʃn] s., adj. venețian.

Venetian blind [vi'ni:ʃnblaind] s. jaluzea.

vengeance ['vendʒns] s. răzbunare. || to take ~ upon a se răzbuna pe; with a ~ strașnic; și încă cum; din plin.

vengeful ['vendʒful] adj. răzbunător, vindicativ.

venial ['vi:niəl] adj. mai ales rel. scuzabil, (ușor) de iertat.

venison ['venzn] s. carne de căprioară; (carne de) vânat.

Venn diagram [ven 'daiəgræm] s. mat. diagramă Venn.

venom ['venəm] s. venin (și fig.).

venomous ['venəməs] adj. **1.** veninos. **2.** otrăvitor. **3.** fig. rău.

venous ['vi:nəs] adj. **1.** cu vine / vinișoare. **2.** anat. venos.

vent[1] [vent] **I.** s. **1.** ieșire; scăpare. **2.** supapă. **3.** eșapament. **4.** ușurare. || to give ~ to a da drumul la; a slobozi; a lăsa să izbucnească. **II.** vt. **1.** a da cep la. **2.** a slobozi.

vent[2] [vent] s. șliț.

ventilate ['ventileit] vt. **1.** a ventila. **2.** fig. a agita. **3.** a răspândi.

ventilation [ˌventi'leiʃn] s. **1.** ventilație. **2.** discuție publică.

ventilator ['ventileitə] s. ventilator.

ventral ['ventrl] adj. **1.** ventral; abdominal. **2.** axial.

ventricle ['ventrikl] s. anat. ventricul.

ventricular [ven'trikjulə] adj. ventricular.

ventriloquial [ˌventri'loukwiəl] adj. de ventriloc.

ventriloquist [ven'trilɔkwist] s. ventriloc.

venture ['ventʃə] **I.** s. **1.** aventură. **2.** risc. **3.** speculație. || at a ~ la întâmplare. **II.** vt. **1.** a risca. **2.** a îndrăzni să facă. **3.** a exprima. **III.** vi. **1.** a îndrăzni. **2.** a se aventura.

venturesome ['ventʃəsəm] adj. **1.** nechibzuit. **2.** riscant. **3.** aventuros.

venue ['venju:] s. **1.** loc de judecată. **2.** loc de întâlnire.

veracious [ve'reiʃəs] adj. **1.** demn de încredere. **2.** adevărat.

veracity [ve'ræsiti] s. **1.** sinceritate. **2.** adevăr.

veranda(h) [və'rændə] s. verandă.

verb [və:b] s. verb.

verbal ['və:bl] adj. **1.** verbal. **2.** cuvânt cu cuvânt.

verbalism ['və:bəlizm] s. **1.** vorbărie; pălăvrăgeală. **2.** despicare a firului în patru. **3.** înv. expresie, locuțiune.

verbalize ['və:bə,laiz] **I.** vt. **1.** gram. a verbaliza, a supune conversiunii. **2.** a formula, a exprima (o idee) prin cuvinte. **II.** vi. a fi vorbăreț, a trăncăni.

verbatim [və:'beitim] adj., adv. cuvânt cu cuvânt, relatare fidelă.

verbena [və:'bi:nə] s. bot. verbină, vervenă (Verbenaceae).

verbiage ['və:biidʒ] s. limbuție, verbiaj.

verbose [vəˈbous] *adj.* 1. limbut; prolix. 2. înflorit *(fig.)*.

verbosity [vəˈbɔsiti] *s.* 1. verbiaj. 2. limbuție. 3. potop de cuvinte.

verdant [ˈvəːdnt] *adj.* 1. verde. 2. proaspăt. 3. nevinovat, candid, inocent.

verdict [ˈvəːdikt] *s.* 1. verdict. 2. părere.

verdigris [ˈvəːdigris] *s.* cocleală.

verdure [ˈvəːdʒə] *s.* 1. verdeață. 2. tinerețe, prospețime.

verdurous [ˈvəːdʒəs] *adj. poet.* înverzit.

verge [vəːdʒ] I. *s.* 1. margine. 2. limită. II. *vi.* 1. a se îndoi. 2. a se apropia. || *to ~ on disaster* a fi în pragul dezastrului; *to ~ on madness* a fi vecin cu nebunia.

verger [ˈvəːdʒə] *s.* paracliser.

verification [ˌverifiˈkeiʃn] *s.* 1. verificare. 2. dovadă.

verify [ˈverifai] *vt.* 1. a verifica. 2. a dovedi.

verily [ˈverili] *adv.* 1. cu siguranța, fără îndoială. 2. cu adevărat. 3. în mod sincer, cu toată sinceritatea.

verisimilitude [ˌverisiˈmilitjuːd] *s.* 1. probabilitate. 2. caracter verosimil.

veritable [ˈveritəbl] *adj.* 1. adevărat. 2. veritabil.

verity [ˈveriti] *s.* adevăr.

vermeil [ˈvəːmeil] *adj., s.* v. **vermilion** I, II.

vermicelli [ˌvəːmiˈseli] *s.* fidea.

vermicide [ˈvəːmiˌsaid] *s. med.* vermicid.

vermiform [ˈvəːmiˌfɔːm] *adj.* vermiform, vermicular.

vermilion [vəˈmiljən] I. *s.* purpuriu. II. *adj.* purpuriu. III. *vt.* a împurpura.

vermin [ˈvəːmin] *s.* 1. insecte *sau* animale dăunătoare. 2. *fig.* paraziți. 3. drojdia societății.

verminous [ˈvəːminəs] *adj.* 1. infestat de insecte, viermi etc. 2. molipsitor. 3. josnic.

Vermonter [vəːˈmɔntə] *s.* locuitor din (statul) Vermont (S.U.A.).

vermouth [ˈvəːmɔθ] *s.* vermut.

vernacular [vəˈnækjulə] I. *s.* 1. limbă națională. 2. dialect local. 3. argou *sau* jargon profesional. II. *adj.* neaoș.

vernal [ˈvəːnl] *adj.* primăvăratic.

vernier [ˈvəːniə] *s. tehn.* vernier.

veronica [vəˈrɔnikə] *s.* 1. *bot.* bobornic *(Veronica)*. 2. *bis.* veronică, năframă cu chipul lui Cristos.

verruca [vəˈruːkə], *pl.* **verrucae** [vəˈruːsi] *s. med.* neg.

versatile [ˈvəːsətail] *adj.* 1. multilateral. 2. elastic. 3. nestatornic, schimbător.

versatility [ˌvəːsəˈtiliti] *s.* 1. diversitate. 2. suplețe, elasticitate. 3. *(fig.)* nestatornicie, dibăcie, agilitate, versatilitate. 4. putința de a învârti. 5. *bot., entom. etc.* mobilitate, flexibilitate.

verse [vəːs] *s.* 1. versuri, poezie. 2. strofă. 3. vers. 4. verset.

versed [vəːst] *adj.* versat, priceput.

versicle [ˈvəːsikl] *s. rar* 1. vers scurt. 2. *bis.* verset rostit / cântat alternativ de preot și credincioși; ison; refren.

versification [ˌvəːsifiˈkeiʃn] *s.* 1. versificație. 2. metru, metrică.

versifier [ˈvəːsifaiə] *s.* versificator, poet.

versify [ˈvəːsifai] *vt., vi.* a versifica.

version [ˈvəːʃn] *s.* 1. versiune. 2. traducere.

verso [ˈvəːsou] *s.* verso, dosul paginii / foii.

versus [ˈvəːsəs] *prep.* contra.

vertebra [ˈvəːtibrə], *pl. și* **vertebrae** [ˈvəːtibriː] *s. anat.* vertebră.

vertebral [ˈvəːtibrl] *adj.* 1. *anat.* vertebral. 2. *zool.* vertebrat. || *animals* (animale) vertebrate.

vertebrate [ˈvəːtibrit] *s., adj.* vertebrat.

vertex [ˈvəːteks] *s.* vârf, culme.

vertical [ˈvəːtikl] I. *s.* verticală. II. *adj.* 1. vertical. 2. cel mai înalt. 3. suprem.

vertices [ˈvəːtisiːz] *s. pl. de la* **vertex**.

vertiginous [vəːˈtidʒinəs] *adj.* 1. amețitor. 2. amețit. 3. zăpăcit, aiurit; inconstant. 4. vertiginos. 5. rotativ, de rotație.

vertigo [ˈvəːtigou] *s.* amețeală.

vervain [ˈvəːvein] *s. bot.* verbină *(Verbena)*.

verve [vəːv] *s.* vervă.

very [ˈveri] I. *adj.* 1. adevărat. 2. tocmai acela *sau* aceia. 3. precis. 4. aidoma. || *in the ~ act* tocmai asupra faptului. II. *adv.* 1. chiar. 2. foarte. 3.tocmai, aidoma. 4. prea. || *~ good* foarte bun; foarte bine; am înțeles; prea bine; *~ well* foarte bine, prea bine; precum ziceți; mă rog.

vesicle [ˈvesikl] *s.* 1. *anat., biol.* veziculă. 2. *med.* pustulă. 3. *geol.* cavitate (într-o rocă). 4. *bot.* celulă de aer.

vesper [ˈvespə] *s.* 1. luceafăr. 2. *pl.* vecernie.

vessel [ˈvesl] *s.* vas.

vest [vest] I. *s.* 1. vestă. 2. *amer.* maiou / flanelă de corp. 3. plastron. 4. *înv.* veșminte. II. *vt.* 1. a îmbrăca. 2. a investi.

Vesta *mit.* 1. Vesta *(zeiță romană a căminului și castității)*. 2. *astr.* Vesta *(planetoid)*.

vestal [ˈvestl] I. *s.* vestală. II. *adj.* cast, pur.

vested [ˈvestid] *adj.* 1. îmbrăcat, înveșmântat. 2. asigurat; stabilit.

vested interests [ˈvestidˈintrists] *s. pl.* 1. investiții; interese financiare. 2. monopoluri.

vestibular [vesˈtibjulə] *adj.* 1. referitor la vestibul. 2. *anat.* vestibular.

vestibule [ˈvestibjuːl] *s.* 1. vestibul. 2. pridvor.

vestige [ˈvestidʒ] *s.* urmă; vestigiu.

vestigial [vesˈtidʒiəl] *adj.* rezidual, remanent; *biol.* || *~ organs* organe rudimentare.

vestment [ˈvestmənt] *s.* veșmânt.

vestry [ˈvestri] *s.* 1. *bis.* sacristie. 2. (sală de întrunire pentru epitropi / consiliul parohial / eparhial; epitropie. 3. sală de rugăciune (pentru enoriași). 4. școală religioasă. 5. cămăruță.

vestryman [ˈvestrimən] *s. pl.* **vestrymen** [ˈvestrimən] *bis.* 1. epitrop. 2. membru al consiliului parohial / eparhial.

vesture [ˈvestʃə] I. *s. rar* 1. îmbrăcăminte, haină, veșmânt. 2. *fig.* îmbrăcăminte, înveliș, exterior. II. *vt.* a îmbrăca (în odăjdii); a înveșmânta.

vet [vet] *s. fam.* (medic) veterinar.

vetch [vetʃ] *s. bot.* măzăriche.

veteran [ˈvetrn] *s., adj.* veteran.

veterinarian [ˌvetriˈnɛəriən] *adj., s.* v. **veterinary**.

veterinary [ˈvetrinri] *s., adj.* veterinar.

veterinary surgeon [ˈvetrinri ˈsəːdʒn] *s.* (medic) veterinar.

veto [ˈviːtou] I. *s.* 1. veto. 2. respingere. 3. interzicere. II. *vt.* 1. a opune veto la. 2. a interzice.

vex [veks] *vt.* 1. a supăra. 2. a necăji. 3. a irita.

vexation [vekˈseiʃn] *s.* 1. supărare. 2. necăjire. 3. pacoste.

vexatious [vekˈseiʃəs] *adj.* 1. supărător. 2. iritant.

via [ˈvaiə] *prep.* prin.

viable [ˈvaiəbl] *adj. med. și fig.* viabil.

viaduct ['vaiədʌkt] s. viaduct.

vial ['vaiəl] s. 1. sticluță de doctorie. 2. fiolă.

viands ['vaiəndz] s. 1. pl. merinde, alimente. 2. mijloace de trai.

viaticum [vai'ætikəm] s. bis. 1. grijanie, sfânta împărtășanie / cuminecătură (dată muribunzilor). 2. altar portabil. 3. pl. bani de drum. 4. pl. merinde de drum.

vibes [vaibz] s. pl. fam. 1. muz. vibrafon. 2. freamăt, fiori (de plăcere sau oroare).

vibrant ['vaibrnt] adj. 1. vibrant. 2. răsunător.

vibraphone ['vaibrəfoun] s. muz. vibrafon.

vibrate [vai'breit] I. vt. a face să vibreze. II. vi. 1. a vibra. 2. a palpita. 3. a se legăna.

vibration [vai'breiʃn] s. 1. vibrație. 2. agitație. 3. tremur; palpitare.

vibrato [vi'brɑːtou] s. muz. vibrato; tremolo.

vibrator [vai'breitə] s. vibrator.

vibratory ['vaibrətəri] adj. 1. vibrator. 2. oscilator. 3. vibrant.

vicar ['vikə] s. 1. bis. preot (de țară), paroh. 2. bis. (catolică) vicar. 3. locțiitor, substitut, înlocuitor. 4. reprezentant, delegat.

vicarage ['vikəridʒ] s. 1. casă parohială. 2. parohie.

vicarial [vi'keəriəl] adj. 1. preotesc. 2. parohial. 3. delegat, mandatar. 4. interimar. 5. indirect.

vicarious [vai'keəriəs] adj. 1. delegat. 2. locțiitor.

vicariously [vi'keəriəsli] adv. 1. prin delegat / mandatar / delegație; prin înlocuire / substituire. 2. în locul altcuiva; indirect.

vicariousness [vi'keəriəsnis] s. 1. mandat, delegație. 2. înlocuire, suplinire; substituire. 3. caracter indirect.

vicarious pleasure [vi'keəris-'pleʒə] s. plăcere / bucurie pentru alții. || to feel ~ a te bucura pentru altul / de bucuria altuia.

vicarious suffering [vi'keəris-'sʌfəriŋ] s. rel. suferință pentru alții (a lui Hristos).

vice[1] [vais] s. 1. viciu. 2. imoralitate. 3. nărav. 4. defect. 5. menghină. || as firm as a ~ strâns ca (într-o) menghină.

vice[2] [vais] prep. în loc de, în locul (cu gen.)

vice- prefix vice-.

vice-admiral [vais 'ædmrəl] s. mar. vice-amiral.

vice-chancellor [,vais'tʃɑːnsələ] s. 1. vice-cancelar. 2. univ. rector; pro-rector.

vicegerent [vais'dʒerənt] I. adj. care ține loc, care suplinește. II. s. delegat, locțiitor, guvernator.

vice-like ['vaislaik] s. strâns ca într-o menghină.

vice-presidency ['vais'prezidnsi] s. vice-preşedinție.

vice-president ['vais'prezidnt] s. vice-preşedinte.

viceregal [,vais'riːgl] adj. viceregal.

vicereine [,vais're(i)n] s. vice-regină, soție de vicerege.

viceroy ['vaisrɔi] s. vicerege.

viceroyalty [,vais'rɔiəlti] s. viceregalitate.

viceversa ['vaisi'vɔːsə] adv. invers.

Vichy water ['viːʃi ,wɔːtə] s. apă (minerală) de Vichy.

vicinage ['visinidʒ] s. rar., poet. 1. vecinătate; împrejurimi. 2. apropiere. 3. legături sau relații de bună vecinătate.

vicinity [vi'siniti] s. 1. vecinătate, apropiere. 2. cartier.

vicious ['viʃəs] adj. 1. ticălos, rău; răutăcios. 2. vicios. 3. năravaș. 4. deficient. 5. greşit, prost.

viciously ['viʃəsli] adv. 1. vicios. 2. incorect. 3. răutăcios, cu răutate.

viciousness ['viʃəsnis] s. 1. natură vicioasă; viciu. 2. răutate.

vicissitude [vi'sisitjuːd] s. 1. vicisitudine, năpastă. 2. schimbare în rău.

victim ['viktim] s. 1. victimă. 2. jertfă.

victimize ['viktimaiz] vt. 1. a persecuta. 2. a sacrifica. 3. a chinui.

victor ['viktə] s., adj. 1. învingător. 2. cuceritor.

Victoria Cross [vik'tɔːriə ,krɔs] s. ordinul Victoria / Victoriei.

Victorian [vik'tɔːriən] s., adj. 1. victorian. 2. puritan.

victorious [vik'tɔːriəs] adj. 1. victorios. 2. triumfător.

victory ['viktri] s. 1. victorie. 2. succes.

victrola [vik'troulə] s. amer. 1. picup. 2. patefon.

victual ['vitl] I. s. 1. mâncare. 2. pl. merinde. 3. provizii. II. vt., vi. a (se) aproviziona.

victualler ['vitlə] s. 1. furnizor. 2. mar. vas de aprovizionare.

vicugna [vi'kjuːnə], **vicuna** [vi'kuːnə] s. 1. zool. vicună (Vicugna vicugna). 2. text. lână de vicună. 3. text. stofă din lână de vicună.

vide ['vaidiː] vt. (la imperativ) vezi.

videlicet [vi'diːliset] adv. adică.

video ['vidi,ou] telec. I. s. 1. frecvență video. 2. amer. televiziune. II. adj. video (mai ales în compuşi).

video tape ['vidi,ou ,teip] telec. I. s. bandă sau înregistrare video. II. vt. a înregistra pe bandă video.

vie [vai] vi. 1. a rivaliza. 2. a se întrece.

Viennese [,vie'niːz] I. adj. vienez. II. s. identic la pl. locuitor al Vienei.

view [vjuː] I. s. 1. vedere. 2. privire. 3. cercetare. 4. vizionare. 5. expoziție. 6. părere, judecată. 7. intenție, plan. || on ~ la vedere; expus; in ~ of dat(ă) fiind; din cauza; with a ~ to; with the ~ of în vederea (unui scop), pentru. II. vt. 1. a privi. 2. a cerceta.

viewer ['vjuːə] s. 1. privitor; spectator. 2. telespectator. 3. examinator; supraveghetor; inspector. 4. artă cunoscător.

viewless ['vjuːlis] adj. 1. poet. fără vedere, orb. 2. poet. invizibil, nevăzut, de neobservat. 3. (d. o casă) care nu are / fără perspectivă. 4. fără păreri (proprii).

viewpoint ['vjuːpɔint] s. 1. punct de vedere. 2. priveliște.

vigil ['vidʒil] s. veghe.

vigilance ['vidʒiləns] s. 1. vigilență. 2. pază. 3. precauție.

vigilant ['vidʒilənt] adj. 1. vigilent. 2. precaut.

vignette [vi'njet] s. vinietă.

vigorous ['vigrəs] adj. 1. viguros. 2. vioi.

vigorously [,vigrəsli] adv. viguros, cu vigoare.

vigour ['vigə] s. 1. vigoare, energie. 2. forță.

viking ['vaikiŋ] s. viking.

vilayet [vi'lɑːjet] s. ist. raia, vilaiet (provincie a imperiului otoman).

vile [vail] adj. 1. stricat. 2. ruşinos. 3. josnic; scârbos.

vileness ['vailnis] s. răutate; mişelie, ticăloşie, josnicie.

vilify ['vilifai] vt. a defăima, a calomnia.

villa ['vilə] s. vilă.

village ['vilidʒ] s. sat.

villager ['vilidʒə] s. sătean.
villain ['vilən] s. **1.** ticălos. **2.** ştrengar. **3.** iobag. **4.** slugă, slujitor.
villainous ['vilənəs] adj. **1.** ticălos. **2.** mârşav. **3.** groaznic.
villainy ['viləni] s. **1.** ticăloşie. **2.** mârşăvie.
villein ['vilin] s. iobag.
villeinage ['vilinidʒ] s. iobăgie.
vim [vim] s. **1.** energie. **2.** vigoare. **3.** zel.
vinaigrette [,vinei'gret] s. **1.** sos de salată, cu untdelemn şi oţet. **2.** sticluţă / flacon cu săruri de amoniac.
vindicate ['vindikeit] vt. **1.** a dovedi. **2.** a verifica. **3.** a apăra, a justifica.
vindication [,vindi'keiʃn] s. **1.** apărare. **2.** justificare. **3.** dovedire.
vindictive [vin'diktiv] adj. răzbunător, vindicativ.
vine [vain] s. viţă (de vie).
vinegar ['vinigə] s. oţet.
vinegary ['vinigəri] adj. **1.** oţetit. **2.** acru (şi fig.).
vineyard ['vinjəd] s. vie, podgorie.
vingt-et-un ['væntei:əŋ] s. numele unui joc de cărţi.
vinous ['vainəs] adj. **1.** de vin; ca vinul. **2.** deprins cu vinul, cu băutura. **3.** (d. ospăţ etc.) stropit (din belşug) cu vin.
vintage ['vintidʒ] s. **1.** culesul viei. **2.** recoltă de vin.
vintner ['vintnə] s. podgorean.
vinyl plastic ['vainil ,plæstik] s. chim. vinilin.
viol ['vaiəl] s. muz. înv. violă.
viola[1] [vi'oulə] s. muz. violă.
viola[2] ['vaiələ] s. bot. viorea, toporaş, violetă (Viola odorata).
violate ['vaiəleit] vt. **1.** a viola. **2.** a încălca. **3.** a tulbura.
violation [,vaiə'leiʃn] s. **1.** violare, încălcare. **2.** viol.
violator ['vaiəleitə] s. **1.** răufăcător, (în)călcător (al legii), violator. **2.** profanator. **3.** pângăritor, siluitor.
violence ['vaiələns] s. **1.** violenţă. **2.** vehemenţă. **3.** jignire.
violent ['vaiələnt] adj. **1.** violent. **2.** vehement. **3.** intens. **4.** teribil.
violently ['vaiələntli] adv. **1.** violent, cu violenţă. **2.** puternic; extrem de, foarte.
violet ['vaiəlit] I. s. violet; violetă. II. adj. violet.
violin [,vaiə'lin] s. vioară.
violinist [,vaiə'lənist] s. violonist. || first ~ prim violonist.

violist ['vaioulist] s. muz. violist; instrumentist care cântă la violă.
violoncello [,vaiələn'tʃelou] s. muz. violoncel.
VIP ['vi:'ai'pi:] s. fam. presc. de la **Very Important Person** ştab, grangur, personaj important,vip.
viper ['vaipə] s. viperă (şi fig.).
virago [vi'rɑːgou] s. scorpie, femeie cicălitoare.
viral ['vaiərl] adj. med. viral, virotic.
virgin ['vəːdʒin] I. s. fecioară, virgină. II. adj. **1.** feciorelnic. **2.** virgin. **3.** imaculat. **4.** neatins.
virginal ['vəːdʒinl] I. s. muz. clavecin, virginal. II. adj. **1.** virgin, feciorelnic. **2.** nevinovat.
Virginia [və(:)'dʒiniə] s. tutun de Virginia.
Virginia creeper [və'dʒiniə ,kriːpə] s. bot. viţa sălbatică (Parthenocissus quinquefolia).
Virginian [və(:)'dʒiniən] I. adj. din Virginia. II. s. locuitor din Virginia.
virginity [vəː'dʒiniti] s. **1.** virginitate; feciorie. **2.** puritate, castitate.
Virgo ['vəːgou] s. astr. Fecioara, Constelaţia Fecioarei.
virile ['virail] adj. **1.** viril. **2.** energic. **3.** viguros.
virility [vi'riliti] s. virilitate, bărbăţie.
virtual ['vəːtjuəl] adj. **1.** virtual. **2.** practic; de fapt.
virtually ['vəːtjuəli] adv. **1.** virtual(mente), practic, ca şi. **2.** în fapt, de fapt.
virtue ['vəːtjuː] s. **1.** virtute. **2.** bunătate. **3.** cinste. **4.** eficacitate. **5.** putere. **6.** calitate. || by ~ of prin; in ~ of pe baza; to make a ~ of necessity a-şi găsi justificări morale; a woman of easy ~ o femeie uşoară.
virtuosity [,vəːtju'ositi] s. virtuozitate.
virtuoso [,vəːtju'ouzou] s. pl. **virtuosi** [,vəːtju'ouzi] virtuos, artist.
virtuous ['vəːtjuəs] adj. **1.** virtuos. **2.** cast; cuminte. **3.** cinstit.
virulence ['viruləns] s. **1.** virulenţă. **2.** caracter dăunător.
virulent ['virulənt] adj. **1.** otrăvitor. **2.** mortal. **3.** virulent. **4.** duşmănos.
virus ['vaiərəs] s. virus (şi fig.).
vis [vis], pl. **vires** ['vaiəri:z] s. forţă, putere.
visa ['viːzə] I. s. **1.** viză (mai ales

pe paşaport); viză de ieşire sau intrare. **2.** (~card) carte de credit. II. vt. a viza (un paşaport etc.).
visaed vt. trec şi part. trec de la **visa**.
visage ['vizidʒ] s. lit. faţă, figură; aer, expresie.
vis-à-vis ['vizn:'vi:] I. adv. vizavi; faţă-n-faţă. II. prep. faţă de; cu privire la; vizavi de. III. s. **1.** omolog, partener egal (de discuţii etc.). **2.** landou, trăsură (în care pasagerii stau faţă în faţă).
viscera ['visərə] s. pl. anat. viscere; măruntaie.
visceral ['visərəl] adj. **1.** visceral. **2.** fig. intern.
viscid ['visid] adj. **1.** lipicios. **2.** vâscos.
viscose ['viskous] s. chim., text. viscoză.
viscosity [vis'kositi] s. **1.** viscozitate. **2.** fig. fricţiune internă; forţă de coeziune.
viscount ['vaikaunt] s. viconte.
viscountess ['vaikauntis] s. vicontesă.
viscounty ['vaikaunti] s. rang de viconte.
viscous ['viskəs] adj. vâscos; lipicios, cleios.
viscus ['viskəs] s. anat. folosit la pl. **viscera** ['visərə] viscer, organ intern moale.
vise [vais] s. amer. menghină.
visé ['viːzei] I. s. viză. II. vt. a viza (un document).
visibility [,vizi'biliti] s. vizibilitate.
visible ['vizəbl] adj. **1.** vizibil. **2.** izbitor.
visibly ['vizəbli] adv. evident, vădit, vizibil, clar.
Visigoth ['vizigəθ] s. vizigot.
vision ['viʒn] s. **1.** vedere. **2.** viziune. **3.** concepţie. **4.** vis. **5.** privelişte; vedere frumoasă. **6.** fantomă.
visionary ['viʒnəri] s., adj. vizionar, visător.
visit ['vizit] I. s. **1.** vizită (în Anglia lungă, cu şedere peste noapte). **2.** vizită a unui doctor. **3.** şedere. II. vt. **1.** a vizita. **2.** a frecventa. **3.** a pedepsi, a răzbuna. **4.** a năpăstui. III. vi. a face vizite.
visitant ['vizitnt] I. adj. **1.** care vizitează. **2.** (d. pasăre) călătoare, migratoare. II. s. poet. vizitator, oaspete.
visitation [,vizi'teiʃn] s. **1.** vizită (oficială). **2.** pedeapsă, răzbunare; răsplată. **3.** inspecţie (vamală); percheziţie.

visiting ['vizitiŋ] *adj.* de vizită. ||
we are not on ~ terms nu ne
vizităm.

visiting card ['vizitiŋkɑːd] *s.* carte
de vizită.

visitor ['vizitə] *s.* **1.** vizitator. **2.**
client *(al unui hotel).*

visor ['vaizə] *s.* **1.** vizieră. **2.**
cozoroc. **3.** *fig.* mască.

vista ['vistə] *s.* **1.** vedere,
priveliște. **2.** perspectivă.

visual ['vizjuəl] *adj.* **1.** vizual. **2.**
vizibil.

visualize ['vizjuəlaiz] *vt.* a întrezări,
a prevedea.

vital ['vaitl] *adj.* **1.** vital. **2.** viu,
vioi.

vitality [vai'tæliti] *s.* **1.** vitalitate. **2.**
vioiciune.

vitalize ['vaitə,laiz] *vt.* v. **vivify.**

vitals ['vaitlz] *s. pl.* **1.** măruntaie.
2. *fig.* centru, inimă.

vitamin ['vitəmin] *s.* vitamină.

vitaminize ['vitəminaiz] *vt.* a
vitaminiza.

vitiate ['vifieit] *vt.* **1.** a vicia. **2.** a
strica. **3.** a pângări.

viticulture [,viti'kʌltʃə] *s.* viticul-
tură.

vitreous ['vitriəs] *adj.* vitros;
sticlos.

vitrify ['vitrifai] *vt., vi.* a (se) face
ca sticla.

vitriol ['vitriəl] **I.** *s.* vitriol. **II.** *adj.*
caustic, mușcător.

vituperate [vi'tju:pəreit] **I.** *vt.* a
ocărî, a face cu ou și cu oțet. **II.**
vi. a ocărî, a înjura.

vituperation [vi,tju:pə'reiʃn] *s.*
ocări, vorbe grele.

vituperative [vi'tju:prətiv] *adj.* in-
sultător.

viva[1] ['vaivə] **I.** *interj.* trăiască! ura!
vivat! **II.** *s.* vivat; ura; ovație.

viva[2] **I.** *s. fam.* presc. de la **viva
voce** (examen) oral, colocviu.
II. a examina *(un candidat)* la
oral, a asculta la examen.

vivacious [vi'veiʃəs] *adj.* **1.** vivace.
2. vioi.

vivacity [vi'væsiti] *s.* **1.** vivacitate,
însuflețire, sprinteneală. **2.** *rar*
longevitate.

vivaed *vt. trec. și part. trec. de la*
viva[2].

vivarium [vai'vɛəriəm], *pl.* **vivaria**
s. **1.** acvariu. **2.** vivariu. **3.**
eleșteu.

viva voce ['vaivə 'voutʃi] **I.** *s.*
(examen) oral; colocviu. **II.** *adj.*
oral, verbal. **III.** *adv.* oral. **IV.** *vt.*
a examina oral *(un candidat)*, a
asculta la oral.

vive ['vi:v] *interj.* trăiască! vivat!

vivid ['vivid] *adj.* **1.** vioi. **2.** viu. **3.**
strălucitor.

vividly ['vividli] *adv.* cu vioiciune /
strălucire / brio.

vividness ['vividnis] *s.* vivacitate,
vioiciune, însuflețire.

vivify ['vivi,fai] *vt.* a anima, a
însufleți, a da viață; a vitaliza.

viviparous ['vi'vipərəs] *adj. biol.*
vivipar.

vivisect ['vivi,sekt] *vt.* a supune
vivisecției.

vivisection [,vivi'sekʃn] *s.*
vivisecție.

vixen ['viksn] *s.* **1.** vulpe (femelă).
2. *fig.* scorpie, viperă.

viz [vi'di:liset, 'neimli] *abrev.*
videlicet adv. **1.**(și) anume.**2.**
adică.

vizard ['vizəd] *s. înv.* v. **visor.**

vizier [vi'ziə] *s. ist.* vizir.

vocable ['voukəbl] *s. fig.*
vocabulă, cuvânt, verb, ter-
men.

vocabulary [və'kæbjuləri] *s.*
vocabular, lexic.

vocal ['voukl] *adj.* **1.** vocal. **2.** oral.
3. răsunător.

vocalic [vo'kælik] *adj.* vocalic.

vocalist ['voukəlist] *s.* cântăreț;
cântăreață.

vocalize ['voukə,laiz] **I.** *vt.* **1.** a
cânta (din gură). **2.** a pro-
nunța, a articula, a rosti. **3.**
lingv. a vocaliza. **II.** *vi.* **1.** *muz.*
a face vocalize. **2.** *fam.* a cânta.
3. *iron.* a striga, a face gălăgie,
a vocifera.

vocation [vo'keiʃn] *s.* **1.** vocație.
2. profesie.

vocational [vo'keiʃənl] *adj.* profe-
sional, de meserie.

vocative ['vɔkətiv] *s., adj.* vocativ.

vociferate [vou'sifə,reit] *vi.* a
vocifera, a striga în gura mare.

vociferation [vou,sifə'reiʃən] *s.*
vociferare, larmă, vacarm.

vociferous [vou'sifərəs] *adj.*
zgomotos, cu gura mare.

vodka ['vɔdkə] *s.* vodcă.

vogue [voug] *s.* vogă, modă; po-
pularitate. || *all the ~* ultima
modă; moda cea mai răspân-
dită.

voice [vɔis] **I.** *s.* **1.** glas, voce. **2.**
sonoritate. **3.** vibrație a coar-
delor vocale. **4.** exprimare, ros-
tire. **5.** părere, vot. **6.** *gram.*
diateză, formă. || *to have a ~
in smth.* a avea un cuvânt de
spus (într-o problemă); *with
one ~* în unanimitate; *to lift up
one's ~* a-și ridica glasul; *to
have a ~ but not a vote* a avea
(doar) vot consultativ. **II.** *vt.* **1.** a
exprima. **2.** a rosti.

voiced [vɔist] *adj.* (d. consoană)
sonor.

voiceless ['vɔislis] *adj.* **1.** fără
glas. **2.** mut. **3.** (d. consoană)
surd.

void [vɔid] **I.** *s.* **1.** gol. **2.** vid. **3.**
lipsă. **II.** *adj.* **1.** gol. **2.** nul, fără
valoare. || *~ of* lipsit de. **III.**
vt. **1.** a goli. **2.** a elimina. **3.** a
se ușura. **4.** a anula.

voidable [vɔidəbl] *adj.* **1.** care
poate fi golit. **2.** *jur.* anulabil.

voile [vɔil] *s.* voal.

vol. *abrev.* **1.** *volume* volum. **2.**
volunteer voluntar.

volant ['voulənt] *adj.* **1.** *zool.*
zburător. **2.** *fig.* sprinten,
iute.

volatile ['vɔlətail] *adj.* **1.** volatil. **2.**
schimbător. **3.** capricios.

volatility [,vɔl'ətiliti] *s.* **1.**
volatilitate. **2.** *fig.* schimbare,
nestatornicie.

volatilize [vɔ'læti,laiz] *chim.* **I.** *vt.* a
volatiliza; a vaporiza. **II.** *vi.* a se
volatiliza, a se vaporiza, a se
evapora.

vol-au-vent ['vɔlou'va:ŋ] *s. gastr.*
vol-au-vent (financière) *(pateu
umplut cu ciuperci etc. și sos
alb).*

volcanic [vɔl'kænik] *adj.* **1.** vul-
canic. **2.** exploziv. **3.** violent.

volcano [vɔl'keinou] *s.* vulcan.

vole [voul] *s. zool.* șoarece de
câmp *(Arvicola).*

volition [vɔ'liʃn] *s.* **1.** voință. **2.**
liber-arbitru.

volitional [vɔ'liʃənl] *adj.* volitiv.

volley ['vɔli] **I.** *s.* **1.** salvă. **2.** *fig.*
torent. **3.** voleu. **II.** *vt.* **1.** a trage
(o salvă). **2.** a arunca *(în
zbor)*.

volley-ball ['vɔlibɔːl] *s.* volei.

vol-plane ['vɔl plein] *av.* **I.** *s.* zbor
planat. **II.** *vi.* coborâre fără
motor.

volt [voult] *s. el.* volt.

voltage ['voultidʒ] *s. el.* voltaj.

voltaic [vɔl'teiik] *adj. el.* voltaic, al
lui Volta.

volte-face [vɔlt 'fɑːs] *s. mil.* **1.**
întoarcere împrejur, de 180
grade. **2.** schimbare bruscă a
frontului.

voltmeter ['voult,miːtə] *s. el.* volt-
metru.

volubility [,vɔlju'biliti] *s.* volubi-
litate, vioiciune, iuțeală; dar al
vorbirii.

voluble ['vɔljubl] *adj.* limbut, vo-
lubil.

volume ['vɔljum] *s.* **1.** volum. **2.**
tom. **3.** *(mai ales pl.)* mulțime;
cantitate.

volumetric(al) [,vɔlju'metrik(l)]
adj. chim., fiz. volumetric.

voluminous [vɔ'ljuːminəs] *adj.* **1.**
voluminos. **2.** fecund. **3.** abun-
dent.

voluntarily ['vɔləntərili] *adv.* de
bună voie, voluntar; spontan.

voluntary ['vɔlɘntri] I. *s. muz.* solo (de orgă). II. *adj.* 1. voluntar. 2. benevol. 3. intenţionat.

volunteer [,vɔlɘn'tiɘ] I. *s.* voluntar. II. *vt.* 1. a rosti, a face (*o afirmaţie etc.*). 2. a oferi. III. *vr.* a se oferi (ca voluntar).

voluptuary [vɘ'lʌptjuɘri] I. *adj.* voluptuos, senzual. II. *s.* hedonist, sibarit, iubitor de plăceri.

voluptuous [vɘ'lʌptjuɘs] *adj.* voluptuos.

voluptuousness [vɘ'lʌptjuɘsmis] *s.* voluptate, plăcere.

volute ['vɔljuːt] *s.* 1. *arhit.* volută, (ornament în) spirală. 2. *zool.* cochilie.

vomit ['vɔmit] I. *s.* 1. vărsătură. 2. vomitiv. 3. insulte. II. *vt.* 1. a vărsa (*şi fig.*), a vom(it)a. 2. a scoate (*fum etc.*).

voodoo ['vuːduː] I. *s.* 1. credinţă în vrăjitorie / farmece / magie. 2. vrăjitor, magician. 3. deochi, vrajă; farmece. II. *vt.* a face farmece / vrăji. III. *vi.* a vrăji, a face vrăji / farmece.

voracious [vɔ'reiʃɔs] *adj.* lacom (*şi fig.*).

voracity [vɔ(ː)'ræsiti] *s.* rapacitate, lăcomie, voracitate.

vortex ['vɔːteks] *s. pl.* **vortices** ['vɔːtisiːz] vârtej, bulboană (*şi fig.*).

votaress ['voutɔris] *s.* (of) 1. călugăriţă, maică, soră. 2. admiratoare (*cu gen.*). 3. adeptă, partizană (*cu gen.*); sectantă. 4. iubită.

votarist ['voutɔrist] *s. v.* **votary**.

votary ['voutɔri] *s.* (of) 1. adept (*cu gen.*). 2. susţinător (*cu gen.*). 3. credincios. 4. fanatic.

vote [vout] I. *s.* 1. vot. 2. votare. 3. drept de vot. II. *vt.* 1. a vota (pentru). 2. a aproba. 3. a declara. 4. a propune. 5. a susţine. III. *vi.* a vota.

voter ['voutɔ] *s.* 1. votant. 2. alegător.

votive ['voutiv] *adj.* oferit ca jertfă, votiv.

votive light ['voutiv'lait] *s.* candelă.

vouch [vautʃ] *vi.: to ~ for* a garanta; a confirma.

voucher ['vautʃɔ] *s. fin.* 1. chitanţă. 2. bon; tichet. 3. garanţie. 4. garant.

vouchsafe [vautʃ'seif] *vt.* 1. a acorda. 2. a catadicsi să dea.

vow [vau] I. *s.* 1. jurământ. 2. promisiune. II. *vt.* 1. a promite. 2. a jura.

vowel ['vau(ɔ)l] *s.* vocală.

vox [vɔks], *pl.* **voces** ['vousiːz] *s.* voce, opinie.

vox populi [vɔks 'pɔpjulai] *s.* glasul poporului, opinia publică, opinia / părerea generală.

voyage [vɔidʒ] I. *s.* călătorie pe apă. II. *vt.* a străbate. III. *vi.* a voiaja (pe apă).

voyager ['vɔiɔdʒɔ] *s.* 1. călător. 2. explorator.

voyageur [vwaja'ʒɔː] *s.* navigator, luntraş, corăbier (pe fluviu, în Canada).

voyeur [vwa'jɔː] *s. med.* voyeur.

vs. *abrev.* 1. *verse* vers. 2. *versus* versus, contra. 3. *vide supra* vezi mai sus.

V. S. O. *abrev. Voluntary Service Overseas* serviciul de voluntari pentru forţele din străinătate.

V.S.O.P. [,viːɘsou'piː] *abrev. de la* **Very Superior Old Pale** coniac vechi dintr-un sortiment superior.

V. T. O.(L.) *abrev. vertical take-off (and landing)* decolare (şi aterizare) verticală.

vulcanite ['vʌlkɘnait] *s.* ebonit.

vulcanize ['vʌlkɘnaiz] *vt.* a vulcaniza.

vulgar ['vʌlgɔ] *adj.* 1. vulgar. 2. ordinar. 3. grosolan.

vulgarian [vʌl'gɛɔriɘn] I. *s.* 1. plebeu, om de rând. 2. parvenit. II. *adj.* vulgar.

vulgarism ['vʌlgɔrizɔm] *s.* 1. vulgarism, expresie *sau* cuvânt vulgar. 2. vulgaritate.

vulgarity [vʌl'gæriti] *s.* vulgaritate.

vulgarize ['vʌlgɔraiz] *vt.* 1. a vulgariza. 2. a populariza.

Vulgate, the [vʌl'geit, ðɔ] *s. ist.* Vulgata, traducere latinească a Bibliei.

vulnerable ['vʌlnɔrɔbl] *adj.* vulnerabil.

vulpine ['vʌlpain] *adj.* 1. *zool.* referitor la vulpe. 2. *fig.* şiret, viclean ca vulpea.

vulture ['vʌltʃɔ] *s.* 1. vultur (care se hrăneşte cu hoituri). 2. *fig.* hienă, corb.

vulva ['vʌlvɔ], *pl.* **vulvae** ['vʌlviː] *s. anat.* vulvă.

vv. *abrev.* 1. *verses* versete. 2. *vice versa* viceversa.

vying ['vaiiŋ] I. *adj.* **(with)** în concurenţă, care rivalizează (cu). II. *s.* **(with)** rivalitate, concurenţă (cu).

W

W ['dʌblju] *s.* (litera) W, w.

wabbly ['wɔbli] *adj.* ameţit, buimăcit.

wacky ['wæki] *adj. amer. sl.* nebun, scrântit, ţăcănit.

wad [wɔd] I. *s.* 1. teanc. 2. tampon (de vată). 3. bandaj. II. *vt.* 1. a face teanc. 2. a căptuşi, a moltona.

wadding ['wɔdiŋ] *s.* molton, căptuşeală groasă.

waddle ['wɔdl] I. *vi.* a se clătina; a fi ameţit. II. *s.* clătinare, mers clătinat.

wade [weid] I. *s.* trecere prin vad. II. *vt.* a trece prin vad. III. *vi.* a-şi croi drum (cu greu). || *to ~ into smth.* a se băga în ceva.

wade [weid] I. *vi.* 1. a se bălăci. 2. *to ~ through* a trece cu greu prin apă, noroi etc. 3. *fam. to ~ in* a se apuca de, a începe; a intra în (*o dispută etc.*); *fam. to ~ into* a critica aspru; *to ~ through* a rezolva; a face faţă (*cu dat.*). II. *vt.* a trece, a străbate.

wadi ['wɔːdi] *s. geogr.* 1. vale seacă (*în deşerturile din Arabia şi Africa de Nord*). 2. oază. 3. curs de apă temporar.

wafer ['weifɔ] *s.* 1. biscuit; langue de chat. 2. anafură. 3. tabletă. 4. foaie de plăcintă. 5. scoică de îngheţată.

waffel-iron ['wɔfl aiɔn] *s.* forme de metal pentru coptul vafelor.

waffle ['wɔfl] *s. gastr.* vafelă.

waft [wɔːft] I. *s.* adiere. II. *vt.* (*d. vânt*) a purta prin aer.

wag [wæg] **I.** *s.* mucalit, umorist. **2.** legănare. **II.** *vt.* a legăna. **III.** *vi.* a da din coadă.

wage [weidʒ] **I.** *s.* **1.** *(şi pl.)* salariu, leafă. **2.** *pl.* recompensă, plată. **II.** *vt.* a duce, a purta (un război).

wage-earner ['weidʒˌɔ:nə] *s.* salariat.

wage-freeze ['weidʒfri:z] *s.* îngheţarea salariilor.

wager ['weidʒə] **I.** *s.* rămăşag. **II.** *vt., vi.* a paria.

wage worker ['weidʒ ˌwɔ:kə] *s.* amer. salariat.

waggish ['wægiʃ] *adj.* **1.** comic. **2.** ştrengăresc.

waggle ['wægl] **I.** *vi.* **1.** a se clătina, a se bălăbăni. **2.** a tremura. **II.** *vt.* **1.** a mişca încoace şi încolo, a agita. || *to ~ one's tail* a da din coadă. **2.** *sl.* a învinge, a birui. **III.** *s.* clătinare, balansare.

wag(g)on ['wægən] *s.* **1.** căruţă. **2.** vagon de marfă.

wag(g)oner ['wægənə] *s.* căruţaş.

wag(g)onette [ˌwægə'net] *s.* landou.

Wagnerian [vɑ:g'niəriən] *adj., s.* wagnerian.

wagtail ['wægteil] *s.* **1.** *ornit.* codobatură; prundar (Motacilla). **2.** *sl.* târfă, femeie de stradă.

waif [weif] *s.* **1.** copil de pripas. **2.** persoană *sau* câine fără adăpost. || *~s and strays* copiii nimănui.

wail [weil] **I.** *s.* **1.** bocet. **2.** plângere. **II.** *vt., vi.* **1.** a boci. **2.** a plânge (şi fig.).

wain [wein] *s.* car. || *Charles' Wain astr.* Carul Mare.

wainscot(ing) ['weinskət(iŋ)] *s.* lambriuri.

waist [weist] *s.* **1.** talie, centură. **2.** *amer.* pieptăraş.

waist-band ['weisbænd] *s.* **1.** betelie. **2.** talie.

waistcoat ['weiskout] *s.* vestă.

waist-line ['weistlain] *s.* măsura taliei, talie.

wait [weit] **I.** *s.* **1.** aşteptare. **2.** pândă. **3.** *pl.* colindători. || *to lie in ~ for* a pândi, a aştepta (şi fig.). **II.** *vt.* a aştepta, a pândi. **III.** *vi.* **1.** (for) a aştepta (cu acuz.). **2.** (on) a servi (cu acuz.); || *to ~ on smb.* a servi pe cineva (la masă etc.).

waiter ['weitə] *s.* **1.** chelner. **2.** servantă, măsuţă.

waiting ['weitiŋ] *s.* aşteptare.

waiting-maid ['weitiŋmeid] *s.* cameristă; servitoare.

waiting-room ['weitiŋrum] *s.* sală de aşteptare.

waitress ['weitris] *s.* chelneriţă.

waive [weiv] *vt.* **1.** a renunţa la. **2.** a ceda.

waiver ['weivə] *s.* *jur.* renunţare (la un drept, la o pretenţie etc.).

wake[1] [weik] **I.** *s.* **1.** veghe, priveghi. **2.** festival. **II.** *vt.* **1.** a trezi. **2.** a stârni. **3.** a evoca. **III.** *vi.* **1.** a se trezi. **2.** a veghea.

wake[2] [weik] *s.* **1.** *mar., av.* siaj, dâră. **2.** *av.* jet al elicei. **3.** dâră, urmă. || *in the ~ of* pe urmele, în urma (cu gen.).

wakeful ['weikfl] *adj.* nedormit, de nesomn.

wakefulness ['weikflnis] *s.* nesomn; insomnie.

waken ['weikn] *vt., vi.* a (se) trezi.

wale [weil] **I.** *s.* **1.** semn, urmă (pe piele). **2.** *constr.* grindă de abataj; coroană de zid în formă de acoperiş. **3.** *mar.* brâu de acostare (în jurul unei corăbii). **4.** *text.* şir de ochiuri, manşetă. **II.** *vt.* **1.** a umple de vânătăi. **2.** *mil.* a împleti (coşuri) pentru parapete.

walk [wɔ:k] **I.** *s.* **1.** plimbare. **2.** mers pe jos. **3.** pas; mers. **4.** marş. **5.** strat social. **6.** potecă; promenadă. **II.** *vt.* **1.** a cutreiera, a străbate. **2.** a face să meargă. || *to ~ the hospitals* a face practică medicală, a studia medicina. **III.** *vi.* **1.** a se plimba. **2.** a merge (la pas). **3.** a umbla; || *to ~ into* a ocărî; a se năpusti asupra (mâncării); *to ~ up* a merge; a se apropia.

walker ['wɔ:kə] *s.* **1.** amator de plimbări. **2.** pieton.

walkie-talkie ['wɔ:ki'tɔ:ki] *s.* radio portativ.

walking ['wɔ:kiŋ] *s.* plimbare, mers pe jos.

walking-stick ['wɔ:kiŋstik] *s.* baston.

walk-over ['wɔ:k'ouvə] *s.* *sport.* **1.** cursă *sau* competiţie câştigată uşor. **2.** victorie uşoară; fleac.

wall [wɔ:l] **I.** *s.* **1.** zid, perete. **2.** gard (de zid). || *to push smb. to the ~* a da pe cineva la o parte; *to run one's head against a ~* a se lupta cu morile de vânt. **II.** *vt.* **1.** a fortifica. **2.** a îngrădi. **3.** a zidi.

wallaby ['wɔləbi] *s.* *zool.* cea mai mică specie de cangur (Petrogale). || *sl. on the ~ (track)* în căutarea de lucru.

wall board ['wɔ:l bɔ:d] *s.* **1.** *constr.* tencuială uscată. **2.** *tehn.* placă de fibră.

wallet ['wɔlit] *s.* **1.** portvizit, portefeuille. **2.** portofel. **3.** trusă. **4.** desagă.

wall eye ['wɔ:l ai] *s.* **1.** *med.* albeaţă (la ochi), cataractă. **2.** ochi cu albeaţă.

wallflower ['wɔ:lˌflauə] *s.* **1.** *bot.* micşunea-ruginită. **2.** *fig.* fată cu care nu dansează nimeni.

Walloon [wɔ'lu:n] *s.* **1.** valon. **2.** (limba) valonă. **II.** *adj.* valon.

wallop ['wɔləp] **I.** *s.* palmă, lovitură, scatoalcă. **II.** *vt.* **1.** a pocni tare. **2.** a bate măr.

wallow ['wɔlou] *vi.* a se bălăci (şi fig.).

wallpaper ['wɔ:lˌpeipə] *s.* tapet.

Wall Street ['wɔ:lstri:t] *s.* cartierul marii finanţe americane.

wally ['wɔli] *s.* incompetent, prostănac.

walnut ['wɔ:lnət] *s.* *bot.* **1.** nuc (Juglans regia). **2.** nucă.

walrus ['wɔ:lrəs] *s.* *zool.* morsă (Odobenus rosmarus).

waltz [wɔ:ls] **I.** *s.* vals. **II.** *vi.* a valsa.

wampum ['wɔmpəm] *s.* *amer.* salbă, colier (folosit de indienii din America drept monedă sau pentru a-şi împodobi brâul).

wan [wɔn] *adj.* **1.** pal, pal(id). **2.** istovit; supt.

wand [wɔnd] *s.* baghetă (magică).

wander ['wɔndə] **I.** *vt.* a cutreiera. **II.** *vi.* **1.** a umbla, a hoinări. **2.** a se abate.

wanderer ['wɔndərə] *s.* rătăcitor; hoinar.

wanderings ['wɔndriŋz] *s.* *pl.* **1.** călătorii. **2.** hoinăreli. **3.** aiureli.

wanderlust ['wʌndəlʌst] *s.* plăcere de a călători *sau* a drumeţi; dor de ducă / drumeţie.

wane [wein] **I.** *s.* **1.** descreştere (a lunii). **2.** *fig.* declin; || *on the ~* în scădere; în declin. **II.** *vi.* **1.** a scădea. **2.** a descreşte. **3.** a fi în declin.

wangle ['wæŋgl] *fam.* **I.** *vi.* a izbuti. **II.** *vt.* a obţine (ceva) prin subterfugii *sau* pe căi necinstite.

wanly ['wɔnli] *adv.* (cu un aer) trist.

want [wɔnt] **I.** *s.* **1.** nevoie, lipsă. **2.** necesitate. **3.** sărăcie. **4.** dorinţă. **II.** *vt.* **1.** a dori. **2.** a necesita. **3.** a cere. **4.** a avea nevoie de. **5.** a voi. **III.** *vi.* a lipsi, a fi lipsă. || *to ~ for nothing* a nu avea nevoie de nimic.

wanting ['wɔntiŋ] **I.** *adj.* **1.** deficient (mintal). **2.** prost crescut. **II.** *prep.* fără.

wanton ['wɔntn] **I.** s. femeie ușoară. **II.** adj. **1.** neserios, frivol. **2.** jucăuș. **3.** capricios. **4.** nestatornic. **5.** destrăbălat.

wantonly ['wɔntnli] adv. **1.** neserios. **2.** fără chibzuință; (în mod) nesăbuit.

wapiti ['wɔpiti] s. zool. specie de cerb-canadian (Cervus-canadensis).

wantonness ['wɔntɔnis] s. **1.** vioiciune, zburdălnicie; veselie. **2.** furie, violență. **3.** zgomot, gălăgie. **4.** desfrâu, destrăbălare. **5.** absurditate, lipsă de noimă.

war [wɔ:] **I.** s. **1.** război. **2.** luptă. **3.** militărie. || to be at ~ with a fi în război cu; a se lupta cu. **II.** vi. (with) a se război (cu).

warble ['wɔ:bl] **I.** s. ciripit. **II.** vt., vi. a ciripi (și fig.).

warbler ['wɔ:blə] s. **1.** pasăre cântătoare. **2.** privighetoare. **3.** pitulice.

war-clouds ['wɔ:klaudz] s. pl. amenințarea războiului.

war-cry ['wɔ:krai] s. strigăt de luptă.

ward [wɔ:d] **I.** s. **1.** protecție, pază. **2.** tutelă. **3.** jur. pupil; pupilă. **4.** cartier. **5.** secție (la spital). **II.** vt. a păzi. || to ~ off a evita, a abate (o lovitură).

warden ['wɔ:dn] s. **1.** păzitor; paznic. **2.** custode.

warder ['wɔ:də] s. temnicer.

wardrobe ['wɔ:droub] s. **1.** garderobă. **2.** garderob, dulap.

ward-room ['wɔ:drum] s. cameră de gardă.

wardship ['wɔ:dʃip] s. tutelă, epitropie.

ware [wɛə] s. marfă.

warehouse ['wɛəhaus] s. **1.** depozit. **2.** antrepozit. **3.** brit. și magazin.

warfare ['wɔ:fɛə] s. **1.** beligeranță. **2.** strategie. **3.** luptă.

warily ['wɛərili] adv. **1.** cu grijă. **2.** prudent.

wariness ['wɛərinis] s. precauțiune, prevedere, prudență.

warlike ['wɔ:laik] adj. **1.** războinic. **2.** belicos.

warlock ['wɔ:lɔk] s. vrăjitor, vraci, magician.

war-lord ['wɔ:lɔ:d] s. **1.** militarist. **2.** mandarin (în Japonia).

warm [wɔ:m] **I.** s. a încălzire. **II.** adj. **1.** cald, călduros. **2.** entuziast. **3.** generos. **4.** proaspăt. **5.** pe urmele vânatului. || to make it ~ for smb. a năpăstui pe cineva; a necăji pe cineva; in

~ blood la mânie. **III.** vt., vi. a (se) încălzi. || to ~ to one's work a se pasiona, a se înfierbânta.

warm-hearted ['wɔ:m'hɑːtid] adj. inimos, cordial, generos.

warming-pan ['wɔ:miŋpæn] s. tigaie de încălzit așternutul.

warmint ['wɔ:mint] s. cockney v. varmint.

warmth [wɔ:mθ] s. **1.** căldură. **2.** entuziasm. **3.** pasiune.

warn [wɔ:n] vt. a avertiza.

warning ['wɔ:niŋ] s. **1.** avertisment. **2.** avertizare. **3.** preaviz.

War Office ['wɔ:r,ɔfis] s. Ministerul Războiului (în Anglia).

warp [wɔ:p] **I.** s. **1.** țesătură. **2.** urzeală. **II.** vt., vi. a (se) întrețese.

war-paint ['wɔ:peint] s. **1.** semn de război. **2.** prestigiu de luptă.

war-path ['wɔ:pɑːθ] s. **1.** vopsirea corpului înainte de război (la sălbatici). **2.** fam. găteală; (mil.) uniformă de paradă.

warrant ['wɔrnt] **I.** s. **1.** autorizație, mandat. **2.** garanție. **3.** procură. **4.** certificat. **II.** vt. **1.** a justifica. **2.** a garanta.

warranty ['wɔrnti] s. **1.** justificare, temei. **2.** garanție; cauțiune.

warren ['wɔrin] s. iepurărie, crescătorie de iepuri de casă.

warrior ['wɔriə] s. războinic.

warship ['wɔ:ʃip] s. nav. vas de luptă.

wart [wɔ:t] s. neg.

wartime ['wɔ:taim] **I.** s. timp de război. || in the ~ în timp de război. **II.** adj. de război, din timpul războiului. || ~ recollections amintiri de război.

wary ['wɛəri] adj. **1.** precaut, circumspect. **2.** șiret. || to be ~ a avea grijă; to be ~ of smth. a se păzi sau a se teme de ceva.

was [w(ə)z, wɔz] v. aux., v. mod., vi., pers. I și III-a sing. trec. de la **be**.

wash [wɔʃ] **I.** s. **1.** spălare. **2.** spălătură. **3.** loțiune. **4.** rufărie dată la spălat; rufe la spălat. **5.** val. **6.** lături (și fig.). **II.** vt. **1.** a spăla (și fig.). **2.** a mătura. || to ~ down a spăla; a înghiți; to ~ off a spăla, a curăți; to ~ one's hands a se spăla pe mâini; to~ up a spăla vasele. **III.** vi., vr. a se spăla.

washable ['wɔʃəbl] adj. lavabil.

wash-basin ['wɔʃ,beisn] s. **1.** lighean. **2.** chiuvetă.

wash board ['wɔʃ bɔ:d] s. **1.** scândură de spălat rufe. **2.** constr. pervaz. **3.** făgaș de roți (pe drumuri).

wash bowl ['wɔʃ boul] s. **1.** vas, lighean. **2.** chiuvetă.

wash cloth ['wɔʃ klɔθ] s. cârpă de vase.

washed out ['wɔʃt'aut] adj. **1.** istovit. **2.** distrus (fig.).

washer ['wɔʃə] s. **1.** spălător. **2.** spălătoreasă. **3.** tehn. șaibă.

washerwoman ['wɔʃə,wumən] s. pl. **washerwomen** ['wɔʃə,wimin] spălătoreasă.

wash-hand-stand ['wɔʃhænd'stænd] s. lavabou.

washing ['wɔʃiŋ] s. **1.** spălare. **2.** spălătură. **3.** rufe pentru spălat sau spălate.

wash-out ['wɔʃaut] s. **1.** torent, șuvoi. **2.** eșec, insucces, ratare. **3.** ratat; om incapabil.

wash room ['wɔʃ ru(:)m] s. amer. toaletă; spălător.

wash-stand ['wɔʃstænd] s. lavabou.

wash-tub ['wɔʃtʌb] s. albie (de spălat rufe).

washy ['wɔʃi] adj. **1.** apos. **2.** palid. **3.** șters; spălăcit.

wasp [wɔsp] s. entom. viespe (Vespa).

WASP [wɔsp] abrev. White Anglo-Saxon Protestant alb anglo-saxon protestant.

waspish ['wɔspiʃ] adj. **1.** (ca) de viespe. **2.** irascibil, iritabil. **3.** (d. talie) foarte subțire, de viespe.

wassail ['wɔseil] **I.** s. chef, petrecere. **II.** vi. **1.** a chefui. **2.** a toasta.

wast [wɔst] înv. trec. de la be; (pers. a 2-a sing.).

wastage ['wei stidʒ] s. **1.** risipă. **2.** pierderi.

waste ['weist] **I.** s. **1.** risipă. **2.** irosire. **3.** deșeuri. **4.** gunoi. **5.** pustiu. || to go to ~ a se irosi. **II.** adj. **1.** pustiu. **2.** înțelenit. **3.** nefolositor. **4.** aruncat; dat la gunoi. || to lie ~ a rămâne înțelenit; to lay ~ a pustii, a distruge. **III.** vt. **1.** a irosi, a risipi. **2.** a pierde. **3.** a pustii. **4.** a roade, a mânca, a distruge. || to ~ one's breath sau words a-și bate gura degeaba, a strica vorba de pomană. **IV.** vi. **1.** a se irosi. **2.** a fi în declin. **3.** a se pierde.

wasted ['weistid] adj. **1.** irosit, risipit. **2.** emaciat, slăbit, prăpădit.

wasteful ['weistfl] adj. risipitor.

waste-paper basket [weist'peipə ,bɑːskit] s. coș de hârtii.

waster ['weistə] *s.* **1.** cheltuitor; risipitor. **2.** *tehn.* rebut, deşeu. **3.** *sl.* individ fără valoare.

wastrel ['weistrl] *s.* trândav.

watch [wɔtʃ] **I.** *s.* **1.** pază. **2.** gardă. **3.** paznic. **4.** *cart.* **5.** ceas *(de mână sau de buzunar).* **II.** *vt.* **1.** a păzi. **2.** a privi, a urmări (cu privirea). || *to ~ one's time* a aştepta ocazia potrivită / prilejul favorabil. **III.** *vi.* **1.** a sta treaz. **2.** a veghea. **3.** a fi atent. **4.** a sta de pază.

watchdog ['wɔtʃdɔg] *s.* câine de pază.

watcher ['wɔtʃə] *s.* **1.** paznic. **2.** spectator.

watchful ['wɔtʃfl] *adj.* **1.** treaz. **2.** atent. **3.** precaut.

watchfulness ['wɔtʃflnis] *s.* **1.** trezie. **2.** veghe.

watchmaker ['wɔtʃmeikə] *s.* ceasornicar.

watchman ['wɔtʃmən] *s.* *pl.* **watchmen** ['wɔtʃmən] paznic.

watch-tower ['wɔtʃ,tauə] *s.* turn de pază.

watchword ['wɔtʃwɔːd] *s.* **1.** cuvânt de ordine. **2.** parolă. **3.** lozincă.

water ['wɔːtə] **I.** *s.* **1.** apă. **2.** soluţie apoasă. || *by ~ ; on the ~s* cu vaporul; *in smooth ~* liniştit; în progres; *under ~* inundat; *to get into hot ~* a da de bucluc; *to throw cold ~ on* a descuraja, a disuada; *to keep one's head above ~* a ieşi din încurcătură; *in deep ~(s)* în mare încurcătură; *like ~* ca nimic; extravagant; *to lie like ~* a minţi fără jenă; *to make* sau *pass ~* a urina; *in low ~* fără bani; deprimat. **II.** *vt.* **1.** a uda. **2.** a stropi. **3.** a adăpa. **4.** a dilua, a boteza. **III.** *vi.* **1.** a se adăpa. **2.** a lăsa apă. || *it makes my mouth ~* îmi lasă gura apă.

water-bottle ['wɔːtə,bɔtl] *s.* **1.** ploscă. **2.** bidon.

water-cart ['wɔːtəkɑːt] *s.* **1.** saca. **2.** autostropitoare.

water clock ['wɔːtə klɔk] *s.* orologiu de apă.

water-closet ['wɔːtə,klɔzit] *s.* closet (cu apă).

water-colo(u)r ['wɔːtə,kʌlə] *s.* acuarelă.

watercourse ['wɔːtəkɔːs] *s.* curs de apă.

watercress ['wɔːtəkres] *s.* *bot.* năsturel, bobâlnic (*Nasturtium officinale*).

waterfall ['wɔːtəfɔːl] *s.* cascadă; cataractă.

waterfowl ['wɔːtəfaul] *s.* pasăre de apă.

water-front ['wɔːtəfrʌnt] *s.* **1.** malul mării, faleză; (zonă de) coastă. **2.** docuri, port, zonă portuară.

water glass ['wɔːtə glɑːs] *s.* **1.** *chim.* silicat de natriu. **2.** indicator de nivel, sticlă de nivel.

watering-can ['wɔːtriŋkæn] *s.* stropitoare.

watering-cart ['wɔːtriŋkɑːt] *s.* autostropitoare.

watering-place ['wɔːtriŋpleis] *s.* **1.** loc de adăpare. **2.** băi, localitate balneară.

water lily ['wɔːtə,lili] *s.* *bot.* nufăr (*Nuphar*).

water line ['wɔːtə lain] *s.* **1.** conductă de apă. **2.** *mar.* linie de plutire / apă.

water-logged ['wɔːtəlɔgd] *adj.* **1.** ud. **2.** mlăştinos. **3.** plin de apă, gata să se scufunde.

water-main ['wɔːtəmein] *s.* conductă (principală).

waterman ['wɔːtəmən] *s.* *pl.* **watermen** ['wɔːtəmən] **1.** barcagiu. **2.** vâslaş. **3.** locuitor de pe malul unui râu. **4.** *înv.* sacagiu.

watermark ['wɔːtəmɑːk] *s.* **1.** filigran în hârtie. **2.** nivelul apei.

water-melon ['wɔːtə,melən] *s.* *bot.* pepene verde (*Cucunis citrullus*).

water mill ['wɔːtə mil] *s.* moară de apă.

water-polo ['wɔːtə,poulou] *s.* polo pe apă.

water power ['wɔːtə,pauə] *s.* forţă hidraulică.

waterproof ['wɔːtəpruːf] **I.** *s.* fulgarin. **II.** *adj.* impermeabil. **III.** *vt.* a impermeabiliza.

water-rat ['wɔːtəræt] *s.* *zool.* şobolan de apă (*Arvicola terrestris*).

watershed ['wɔːtəʃed] *s.* cumpăna apelor.

waterside ['wɔːtəsaid] *s.* mal, faleză.

waterspout ['wɔːtəspaut] *s.* **1.** gură de burlan. **2.** trombă marină.

water-supply ['wɔːtəsə'plai] *s.* reţea de apă potabilă.

watertight ['wɔːtətait] *adj.* **1.** etanş. **2.** *fig.* invulnerabil.

waterway ['wɔːtəwei] *s.* **1.** drum de apă; canal navigabil. **2.** jgheab.

water wheel ['wɔːtəwiːl] *s.* **1.** roată hidraulică. **2.** *agr.* roată de grădinărie.

waterworks ['wɔːtəwɔːks] *s.* **1.** uzină de apă. **2.** instalaţie de apă potabilă. **3.** fântână decorativă.

watery ['wɔːtəri] *adj.* **1.** apos. **2.** plâns. **3.** *(d. nori)* (aducător) de ploaie. **4.** insipid.

watt [wɔt] *s.* *el.* watt.

wattle ['wɔtl] **I.** *s.* **1.** împletitură de nuiele. **2.** chirpici. **3.** moţ *(de curcan)*; bărbiţă *(la cocoş etc.)*. **II.** *vt.* a împleti *(nuiele)*.

wattled ['wɔtld] *adj.* împletit.

wave [weiv] **I.** *s.* **1.** val. **2.** unduire. **3.** gest cu mâna. **4.** ondulaţie; încreţire. **5.** undă. **II.** *vt.* **1.** a agita, a gesticula cu. **2.** a face semn cu. **3.** a ondula; a încreţi. **III.** *vi.1.* a se undui. **2.** a se ondula, a face creţuri.

wave-length ['weivleŋθ] *s.* *fiz.* lungime de undă.

wavelet ['weivlit] *s.* val mic.

waver ['weivə] *vi.* **1.** a şovăi. **2.** a se clătina. **3.** a fâlfâi.

waverer ['weivərə] *s.* persoană nehotărâtă / şovăielnică.

wavy ['weivi] *adj.* **1.** ondulat; încreţit. **2.** unduios.

wax [wæks] **I.** *s.* ceară. **II.** *vt.* a cerui. **III.** *vi.* **1.** a creşte. **2.** a deveni.

wax-cloth ['wæksklɔθ] *s.* pânză cerată.

waxen ['wæksn] *adj.* **1.** de ceară, ceruit. **2.** plastic. **3.** *fig.* moale ca ceara. **4.** *(d. ten)* (ca) de ceară.

wax-light ['wækslait] *s.* lumânare.

wax-paper ['wæks,peipə] *s.* hârtie pergament.

waxwork ['wæks wəːk] *s.* **1.** modelaj de ceară *sau* de plastilină. **2.** figurină de ceară; mulaj. **3.** *pl.* panopticum; muzeu cu figuri de ceară.

waxy ['wæksi] *adj.* **1.** ca ceara. **2.** lustruos.

way [wei] **I.** *s.* **1.** drum. **2.** cale (*şi fig.*). **3.** mod, manieră. **4.** metodă. **5.** rută. **6.** distanţă. **7.** direcţie, orientare. **8.** progres. **9.** cartier. **10.** obicei. **11.** privinţă. **12.** situaţie. **13.** domeniu. **14.** *pl.* cală (pentru lansat vaporele). || *~ of thinking* mentalitate, concepţie; *~s and means* căi şi mijloace; *any~* în orice caz; oricum; *to be under ~* a fi pe drum; a fi aşteptat; *by ~ of* prin; *by ~ of an example* ca exemplu; *by the ~* pe drum; apropo; *to go one's own~* a acţiona independent; *to have it both ~s* a lua lucrurile cum vrei; *to have one's (own)* ~ *a face după capul lui; a fi lăsat în pace; in a* ~ *oarecum, într-un fel; in a family* ~ *în secret; familiar; in the family* ~ *însărcinată; in a small* ~ *pe scară mică, modest; to lead the* ~ *a merge în frunte, a conduce; to make* ~ *a progresa; to make* ~ *for a lăsa cale liberă la; out of the* ~ *la o parte; ascuns; îndepărtat; neobişnuit.*

way-bil ['weibil] *s.* **1.** foaie de drum. **2.** *econ.* fraht.

wayfarer ['wei,fɛərə] *s.* călător.

wayfaring ['wei,fɛəriŋ] **I.** *adj.* care călătoreşte *(pe jos).* **II.** *s.* călătorie *(pe jos),* drumeţie.

waylaid [wei'leid] *vt. trec. şi part. trec. de la* **waylay.**

waylay [wei'lei] *vt. trec. şi part. trec.* **waylaid** [wei'leid] a aţine calea *(cuiva).*

wayside ['weisaid] **I.** *s.* **1.** marginea drumului. **2.** potecă. **II.** *adj.* din *sau* la marginea drumului.

wayward ['weiwəd] *adj.* **1.** încăpăţânat. **2.** refractar, greu de mânuit *sau* stăpânit.

waywardness ['weiwədnis] *s.* **1.** încăpăţânare, îndărătnicie. **2.** caracter capricios *sau* ciudat. **3.** răutate; fire morocănoasă.

wayworn ['weiwɔ:n] *adj.* obosit de drum, rupt de oboseală.

we [wi(:)] *pron.* noi.

weak [wi:k] **I.** *s.: the* ~ *cei slabi.* **II.** *adj.* **1.** slab. **2.** firav. **3.** insuficient. **4.** nepriceput. **5.** apos.

weaken ['wi:kn] *vt., vi.* a slăbi.

weak-eyed ['wi:kaid] *adj.* cu vederea slabă.

weak-kneed ['wi:kni:d] *adj.* **1.** beteag. **2.** *fig.* nehotărât, şovăielnic.

weakling ['wi:kliŋ] *s.* **1.** slăbănog. **2.** om nehotărât. **3.** mârţoagă.

weakly ['wi:kli] **I.** *adj.* **1.** slăbănog. **2.** plăpând. **II.** *adv.* **1.** cu glas stins *sau* slab. **2.** fără vlagă, slab.

weak-minded ['wi:k'maindid] *adj.* slab de minte.

weakness ['wi:knis] *s.* slăbiciune.

weak-sighted ['wi:k'saitid] *adj.* cu ochii slabi; cu vederea slabă.

weal [wi:l] *s.* **1.** bunăstare. **2.** dungă.

wealth [welθ] *s.* **1.** avere. **2.** bogăţie, abundenţă. **3.** prosperitate.

wealthy ['welθi] *adj.* bogat.

wean [wi:n] *vt.* **1.** a înţărca. **2.** *fig.* a dezbăra (de un obicei).

weapon ['wepən] *s.* armă.

wear [wɛə] **I.** *s.* **1.** îmbrăcăminte. **2.** folosire. **3.** purtare *(a hainelor).* **4.** uzură. **5.** posibilitate de folosire. || ~ *and tear* uzură. **II.** *vt. trec.* **wore** [wɔ:], *part. trec.* **worn** [wɔ:n] **1.** a purta, a îmbrăca. **2.** a arăta, a manifesta. **3.** a uza, a roade. **4.** a găuri. || *to* ~ *away* a roade, a şterge; *to* ~ *down* a uza, a roade, a scâlcia; a slăbi; *to* ~ *off* a roade, a şterge; *to* ~ *out* a uza; a depăşi, a istovi; *to* ~ *the breeches* a-şi ţine bărbatul sub papuc. **III.** *vi. trec.* **wore** [wɔ:], *part. trec.* **worn** [wɔ:n] **1.** a se purta. **2.** a rezista la uzură. **3.** a ţine. **4.** a se uza. || *to* ~ *away* a se uza, a se roade; a se şterge; a slăbi; *to* ~ *off* a se uza; a se şterge; *to* ~ *on* a trece (treptat, îmcetul cu încetul); *to* ~ *out* a se uza; a se epuiza.

wearer ['wɛərə] *s.* purtător.

wearily ['wiərili] *adv.* cu un aer obosit; pe un ton plictisit / de dezgust.

weariness ['wiərinis] *s.* **1.** oboseală. **2.** plictiseală.

wearisome ['wiərisəm] *adj.* **1.** obositor. **2.** plicticos, monoton.

weary ['wiəri] **I.** *adj.* **1.** obosit, istovit. **2.** plictisit. **3.** obositor. **II.** *vt., vi.* **1.** a (se) obosi. **2.** a (se) plictisi.

weasel ['wi:zl] *s. zool.* nevăstuică *(Mustela vulgaris).*

weather ['weðə] **I.** *s.* **1.** vreme *(din punct de vedere meteorologic).* **2.** climă. **3.** meteorologie. || *under stress of* ~ *din cauza vremii proaste;* ~ *permitting dacă e vreme bună.* **II.** *vt.* **1.** a trece cu bine, a înfrunta. **2.** a expune *(intemperiilor).* **3.** a decolora. **4.** a roade.

weather-beaten ['weðə,bi:tn] *adj.* **1.** asprit / bătut de vânturi şi ploi. **2.** ars de soare şi vânt.

weather board ['weðə bɔ:d] *s.* **1.** *mar.* copastie. **2.** şindrilă, draniţă, şiţă.

weather-bound ['weðəbaund] *adj.* blocat de intemperii; înzăpezit.

weather-cock ['weðəkɔk] *s.* morişcă de vânt.

weather forecast ['weðə'fɔ:kɑ:st] *s.* buletin meteorologic.

weathering ['weðəriŋ] *s.* **1.** alterare, degradare, dezagregare *(a rocilor);* eroziune. **2.** *constr.* ciubuc la rama de jos a ferestrei. **3.** ruginire.

weather-proof ['weðə pru:f] *adj.* **1.** *(d. îmbrăcăminte)* impermeabil; rezistent la intemperii. **2.** călit, rezistent.

weather vane ['weðə vein] *s.* morişcă de vânt.

weave [wi:v] **I.** *vt.trec.* **wove** [wouv], *part. trec.* **woven** [wouvn] **1.** a ţese. **2.** a împleti. **3.** *fig.* a ţese, a urzi *(intrigi).* **II.** *vr. trec.* **wove** [wouv], *part. trec.* **woven** [wouvn] *înv. to* ~ *oneself into* a se amesteca în, a se băga în. **III.** *vi. trec.* **wove** [wouv], *part. trec.* **woven** [wouvn] **1.** a fi ţesător; a ţese. **2.** a se strecura *(printr-o mulţime etc.).* **IV.** *s.* ţesătură; ţesut.

weaver ['wi:və] *s.* ţesător. || ~ *of rhymes* poet.

web [web] *s.* **1.** plasă, ţesătură *(şi fig.).* **2.** labă, talpă *(a gâştii, a raţei etc.).*

webbed [webd] *adj. zool., ornit.* palmat; membranat, cu membrană.

webbing ['webiŋ] *s.* şiret, şnur, cordon.

wed [wed] **I.** *vt. inf. şi part. trec.* **1.** a căsători. **2.** a uni. || ~*ded to smth.* ataşat de ceva. **II.** *vi. inf. şi part. trec.* **1.** a se căsători. **2.** a nunti.

wedded ['wedid] *adj.* **1. (to)** cununat, căsătorit (cu). **2.** conjugal, matrimonial. **3. (to)** devotat, fidel *(unei cauze, opinii).*

wedding ['wediŋ] *s.* **1.** nuntă, cununie. **2.** căsătorie.

wedding-cake ['wediŋkeik] *s.* tort de nuntă.

wedding-ring ['wediŋriŋ] *s.* verighetă.

wedge [wedʒ] **I.** *s.* **1.** pană *(de despicat).* **2.** despicătură. **II.** *vt.* a despica (cu o pană).

wedlock ['wedlɔk] *s.* căsătorie, căsnicie.

Wednesday ['wenzdi] *s.* miercuri.

wee [wi:] *adj.* mititel, micuţ; || *a* ~ *bit* un pic(uleţ).

weed [wi:d] **I.** *s.* **1.** buruiană; iarbă. **2.** *fig.* om plăpând. **3.** *pl.* (haine de) doliu. **II.** *vt.* a plivi; || *to* ~ *out* a înlătura.

weeder ['wi:də] *s. agr.* sapă de plivit, plivitor.

weeds [wi:dz] *s. pl.* veşmânt de doliu *(al unei văduve).*

weedy ['wi:di] *adj.* **1.** plin de buruieni. **2.** slăbănog.

week [wi:k] *s.* săptămână; || ~ *in,* ~ *out* (multe) săptămâni la rând.

week-day ['wi:kdei] s. zi de lucru.

week-end ['wi:k'end] I. s. weekend, răgaz la sfârşitul săptămânii. II. vi. a pleca în excursie (sâmbăta şi duminica), a petrece week-end-ul.

week-ender ['wi:k'endə] s. excursionist (la sfârşit de săptămână).

weekly ['wi:kli] s., adj., adv. săptămânal.

ween [wi:n] vt. poet. 1. a gândi, a socoti, a presupune. 2. a spera, a nădăjdui.

weep [wi:p] I. vt. trec. şi part. trec. **wept** [wept] 1. a vărsa (lacrimi). 2. a deplânge. II. vi. trec. şi part. trec. **wept** [wept] 1. a plânge. 2. a se umezi.

weeper ['wi:pə] s. 1. bocitor. 2. înv. crep de doliu (la pălărie). 3. văl de doliu. 4. pl. manşete albe (ale văduvei).

weeping ['wi:piŋ] I. s. plâns(et); bocet. II. adj. plângător, plângăcios.

weepy ['wi:pi] adj. fam. plângăcios, plângăreţ.

weevil ['wi:vil] s. entom. gărgăriţă (Calandra granaria).

weft [weft] s. băteală, bătătura.

weigh [wei] I. vt. 1. a cântări (şi fig.). 2. a chibzui. 3. a ridica. || to ~ anchor a porni la drum; to ~ down a trage în jos; a împila; to ~ out a împărţi. II. vi. 1. a cântări. 2. a trage în balanţă (şi fig.).

weighing-machine ['weiiŋmə'∫i:n] s. cântar (decimal).

weight [weit] I. s. 1. greutate, pondere (şi fig.). 2. influenţă. 3. importanţă. || to lose ~ a slăbi; to put on ~ a se îngrăşa; under ~ sub greutate anormală. II. vt. a îngreuia.

weighty ['weiti] adj. 1. greu, greoi. 2. apăsător. 3. important. 4. convingător.

weir [wiə] s. stăvilar.

weird [wiəd] adj. 1. fatal. 2. supranatural. 3. sinistru. 4. ciudat. || the Weird Sisters mitol. Parcele, ursitoarele; vrăjitoarele (din "Macbeth").

welch [welt∫] vi. v. **welsh**.

welcome ['welkəm] I. s. 1. bun venit. 2. primire bună. II. adj. 1. binevenit. 2. încântător. || you are ~ to my books poţi să iei ce carte vrei. III. vt. 1. a ura bun venit (cu dat.). 2. a saluta (şi fig.). 3. a primi cu bucurie.

weld [weld] I. s. sudură. II. vt., vi. a (se) suda (şi fig.).

welfare ['welfεə] s. bunăstare, prosperitate.

welfare work ['welfεə'wə:k] s. opere caritabile.

welkin ['welkin] s. poet. boltă cerească, firmament, înalt(uri).

well [wel] I. s. 1. bine, situaţie bună. 2. sondă. 3. puţ; fântână. 4. izvor (şi fig.). 5. casa liftului. II. adj. comp. **better** ['betə], superl. **the best** [ðə'best] 1. sănătos. 2. bun. 3. mulţumitor. || it's all very ~ but... toate bune, dar.... III. vi. 1. a ţâşni. 2. a izvorî. 3. a curge. IV. adv. comp. **better** ['betə], superl. **best** [best] 1. bine. 2. complet. 3. cum trebuie. 4. pe bună dreptate; || ~ enough destul de bine; as ~ mai bine; de asemenea; as ~ as precum şi. V. interj. 1. ei! 2. vai! 3. în sfârşit! 4. ei, şi? 5. mă rog,prea bine. 6. precum spuneam.

welladay [,wel'ədei] interj. v. **wellaway**.

well-appointed [,wel'əpointid] adj. (d. un birou) prevăzut cu toate cele necesare.

wellaway [,wel'əwei] interj. înv. vai de mine! vai şi amar!

well-balanced [,wel'bælənst] adj. 1. echilibrat. 2. înţelept.

well-beaten [,wel'bi:tn] adj. (d. un drum) bătătorit.

well-behaved [,wel'bi:heivd] adj. manierat, binecrescut, care ştie să se poarte.

well-being [,wel'bi:iŋ] s. 1. bunăstare. 2. prosperitate.

well-born [,wel'bo:n] adj. de neam mare, de familie bună, de rang.

well-bred [,wel'bred] adj. 1. binecrescut. 2. (d. cal) pursânge.

well-disposed [,wel'dispouzd] adj. 1. bine dispus. 2. binevoitor.

well-fed [,wel'fed] adj. bine hrănit.

well-founded [,wel'faundid] adj. (bine) întemeiat.

well-grounded [,wel'graundid] adj. 1. (bine) întemeiat. 2. profund, serios.

well-intentioned [,welin'ten∫ənd] adj. bine intenţionat.

well-kept [,wel'kept] 1. îngrijit, bine întreţinut. 2. (d. un secret) păstrat cu grijă.

well-knit [,wel'nit] adj. solid; bine făcut.

well-known [,wel'noun] adj. (bine) cunoscut, vestit, renumit; notoriu. || as is ~ după cum se ştie.

well-made [,wel'meid] adj. 1. (d.

persoane) bine făcut. 2. (d. haine) bine tăiat / croit. 3. (d. obiecte) bine lucrat.

well-mannered [,wel'mænəd] adj. manierat, binecrescut.

well-marked [,wel'mo:kt] adj. 1. bine marcat; ferm. 2. uşor de deosebit; uşor de remarcat; caracteristic. || ~ outlines contururi nete / distincte.

well-meaning [,wel'mi:niŋ] adj. bine intenţionat, binevoitor, cinstit, sincer.

well-meant [,wel'ment] adj. bine intenţionat, cinstit.

wellnigh [,wel'nai] adv. 1. aproape. 2. cât pe-aci să.

well-off [,wel'o:f] adj. comp. **better-off** [,betərə(:)f], superl. **best-off** [,best'o(:)f] 1. înstărit. 2. bogat.

well-ordered [,wel'o:dəd] adj. 1. (d. casă) bine întreţinut. 2. (d. minte) metodic.

well-read [,wel'red] adj. citit, cult.

well-regulated [,wel'regjuleitid] adj. bine pus la punct; bine stăpânit, disciplinat.

well-rounded [,wel'raundid] adj. bine rotunjit.

well spring [,wel' spriŋ] s. izvor, sursă.

well-timed [,wel'taimd] adj. 1. (făcut) la timpul potrivit, oportun. 2. binevenit.

well-to-do [,wel'tədu:] adj. comp. **better-to-do** [,betətədu:], superl. **best-to-do** [,besttədu:] înstărit, avut, bogat.

well water [,wel'wo:tə] s. apă de fântână.

well-wisher [,wel'wi∫ə] s. binevoitor, prieten sincer; protector; partizan; simpatizant.

well-worn [,wel'wo:n] adj. 1. uzat, purtat, jerpelit. 2. fig. banal, răsuflat.

Welsh [wel∫] I. s. limba galeză (din Wales). || the ~ velşii, locuitorii din Ţara Galilor. II. adj. velş, galez.

welsh [wel∫] vi. amer. a refuza să-şi achite o datorie.

Welshman ['wel∫mən] s. pl. **Welshmen** ['wel∫mən] velş, gal, galez.

Welsh rabbit ['wel∫'ræbit] s. gastr. budincă cu brânză topită; caşcaval prăjit.

welt [welt] s. 1. cureluşă. 2. dungă, vrâstă.

welter ['weltə] I. s. 1. încurcătură. 2. talmeş-balmeş. II. vi. 1. a se învălmăşi. 2. a se rostogoli.

welter-weight ['weltəweit] s.

sport. (boxer de) categorie semi-mijlocie.

wen [wen] s. med. gâlcă, chist.

wench [wentʃ] s. **1.** fată, fetişcană. **2.** femeie uşoară.

wend [wend] **I.** vi. a merge, a se duce. **II.** vt. a-şi îndrepta calea.

went [went] vi. trec. de la **go**.

wept [wept] vt., vi. trec. şi part. trec. de la **weep**.

were [wə(:)] v. aux., v. mod., vi. trec. de la **be**.

werewolf ['weəwulf] s. vârcolac, pricolici (în basme).

Wesleyan ['wezliən] **I.** adj. **1.** (d. metodişti) wesleian. **2.** relativ la Universitatea Wesleiană din Middletown. **II.** s. bis. metodist, wesleian.

west [west] **I.** s. **1.** vest, apus. **2.** Occident. **II.** adj. vestic, de vest, occidental. **III.** adv. spre vest. || to go ~ a se duce pe lumea cealaltă.

West End ['west'end] s. cartierul elegant al Londrei; cartierul teatrelor.

westering ['westəriŋ] adj. (d. soare) care apune, care se apropie de vest.

westerly ['westəli] **I.** adj. dinspre vest. **II.** adv. (din)spre vest.

western ['westən] adj. apusean, occidental.

westerner ['westənə] s. occidental (mai ales în S. U. A.).

Westminster ['wesminstə] s. **1.** Catedrala Westminster. **2.** Parlamentul britanic.

westward ['westwəd] adj., adv. către apus, spre vest.

westwards ['westwədz] adv. spre apus.

wet [wet] **I.** s. **1.** umezeală. **2.** băutură. **3.** amer. duşman al prohibiţiei. || ~ through; ~ to the skin ud leoarcă. **III.** vt. a uda; a umezi. || to ~ one's whistle a trage la măsea.

wether ['weðə] s. zool. batal, berbec (castrat).

wetness ['wetnis] s. umezeală.

wet-nurse ['wetnə:s] s. doică.

we'd [wi d] prescurtare de la **we** had; we should; we would.

we're [wiə] prescurtare de la **we** are sau rar **we were**.

we've [wiv] prescurtare de la **we** have.

whack [wæk] **I.** s. **1.** pocnitură. **2.** lovitură. **3.** porţie. **II.** vt. a pocni.

whacking ['wækiŋ] **I.** s. bătaie. **II.** adj. **1.** straşnic. **2.** groaznic. **III.** adv. foarte.

whale [weil] **I.** s. balenă. **II.** vi. a vâna balene.

whale-boat ['weilbout] s. nav. balenieră.

whalebone ['weilboun] s. os de balenă.

whaler ['weilə] s. **1.** balenieră. **2.** vânător de balene.

whaling ['weiliŋ] **I.** s. vânătoare de balene. **II.** adj. sl. mătăhălos.

wharf [wɔ:f] s. pl. **wharves** [wɔ:vz] **1.** debarcader, chei. **2.** doc.

wharves [wɔ:vz] s. pl. de la **wharf**.

what [wɔt] **I.** adj. **1.** care. **2.** ce. || ~ good is it? la ce slujeşte?; ~ time is it? cât e ceasul? **II.** pron. **1.** ce? care? **2.** cât? cât de mult? **3.** ceea ce. || ~ about him? dar cu el ce facem sau cum rămâne?; ~ for? pentru ce?; ~ if? şi dacă?; ~ is it like? cum e?; ~ next? la ce ne mai putem aştepta?; and ~ not şi câte şi mai câte; ~ with one thing, ~ with another mai din una, mai din alta; I know~ ştiu eu ce trebuie să fac; I'll tell you ~ uite ce este.

what-d'you-call-him ['wɔtdju'kɔ:lim] s. ăsta, cum îi zice.

whatever [wɔt'evə] **I.** adj. **1.** oricare, orice. **2.** indiferent care. **3.** (cu neg.) nici un (fel de), nici o. || no doubt ~ nici umbră de îndoială. **II.** pron.**1.** orice, oricare. **2.** indiferent ce. **3.** (cu neg.) nici un; deloc.

whate'er [wɔt'ɛə] adj., pron. poet. v. **whatever**.

what-not ['wɔtnɔt] s. **1.** etajeră (pentru bibelouri). **2.** fel de fel; câte şi mai câte.

what's-his-name ['wɔtsizneim] s. ăsta, cum îl cheamă.

whatsoe'er ['wɔtsou'ɛə] adj., pron. poet. v. **whatsoever**.

whatsoever ['wɔtsou'evə] adj., pron. formă accentuată a lui **whatever**.

wheat [wi:t] s. bot. grâu (Triticum aestivum / vulgare).

wheatear ['wi:tiə] s. ornit. pietrarsur comun (Oenanthe oenanthe).

wheaten ['wi:tn] adj. de grâu.

wheedle ['wi:dl] vt. **1.** a păcăli, a trage pe sfoară. **2.** a convinge prin linguşeli. **3.** a smulge (prin viclenie / linguşire).

wheel [wi:l] **I.** s. **1.** roată. **2.** rotire. **3.** volan. || ~s within ~s complicaţii; intrigărie. **II.** vt. **1.** a duce; a mâna. **2.** a rostogoli. **III.** vi. **1.** a se răsuci. **2.** a se roti.

wheelbarrow ['wi:l,bærou] s. roabă, tărăboanţă.

wheeler ['wi:lə] s. **1.** cal de hulubă, cal rotaş. **2.** v. **wheel wright**.

wheelie ['wi:li] s. figură acrobatică pe bicicletă, constând în mersul pe roata din spate.

wheelwright ['wi:lrait] s. rotar.

wheeze [wi:z] **I.** s. **1.** şuierat. **2.** vâjâit. **3.** glumă. **4.** şiretenie. **II.** vt. a rosti cu greu. **III.** vi. **1.** a hârcâi; a gâfâi. **2.** a vâjâi.

wheezy ['wi:zi] adj. şuierător, astmatic, răguşit.

whelk [welk] s. zool. melc-demare (Buccinum).

whelm [welm] vt. **1.** poet. a absorbi; a afunda, a cufunda, a vârî; a acoperi. **2.** fig. a strivi, a copleşi.

whelp [welp] **I.** s. **1.** căţel. **2.** pui (de tigru, lup etc.). **3.** golănaş. **II.** vt., vi. (d. căţea) a făta.

when [wen] **I.** adv. când. **II.** conj. **1.** când. **2.** deşi. **3.** ori de câte ori. **4.** după ce.

whence [wens] adv. **1.** de unde. **2.** de la care.

whene'er [wen'ɛə] adv., conj. poet. v. **whenever**.

whenever [wen'evə] **I.** adv. **1.** când. **2.** oricând. ||come ~ you want vino ori de câte ori vrei. **II.** conj. oricând, ori de câte ori.

whensoever [wensou'evə] adv., conj. formă accentuată a lui **whenever**.

where [wɛə] **I.** adv. **1.** unde. **2.** încotro. **II.** conj. **1.** unde. **2.** în care. **3.** oriunde.

whereabouts I. [wɛərə'bauts] adv. pe unde, prin ce parte. ||~ is the town hall? pe unde e primăria? **II.** ['wɛərəbauts] s. locul unde se află, adresa. ||can you tell me his ~? poţi să-mi spui (cam pe) unde se află?

whereas [wɛər'æz] conj. **1.** pe când. **2.** întrucât.

whereat [wɛər'æt] adv. la care; după care. ||~ he replied la care el răspunse; the table ~ he had been seated masa la care se aşezase; he said smth. ~ everyone laughed a spus ceva la care au râs toţi.

whereby [wɛə'bai] adv. **1.** cum. **2.** prin ce.

wherefore ['wɛəfɔ:] **I.** s. motiv, raţiune. **II.** adv. de ce? pentru ce? **III.** conj. pentru ce.

wherein [wɛə'in] adv. **1.** unde. **2.** cum.

whereof [wɛər'ɔv] *pron.* **1.** din aceasta. **2.** despre el, ea.

whereon [wɛər'ɔn] *înv. adv.* **1.** *interog.* pe ce? || ~ *did he sit?* pe ce şedea? **2.** *relativ* pe care; asupra căruia; în care. || *that is* ~ *we differ* aici nu ne potrivim / nu ne înţelegem.

wheresoe'er [wɛəsou'ɛə] *adv., conj. poet.* v. **wheresoever**.

wheresoever [wɛəsou'ɛvə] **I.** *adv.* unde. **II.** *conj.* absolut peste tot unde.

whereto [wɛə'tu:] *adv.* **1.** încotro. **2.** în ce scop.

whereupon [ˌwɛərə'pɔn] *adv.* **1.** la care. **2.** drept care.

wherever [wɛər'evə] *adv.* **1.** oriunde. **2.** pretutindeni.

wherewith [wɛə'wiθ] *adv. înv.* cu ce, prin ce, cu care, prin care. || *clothes ~ to cover oneself* haine cu care să se acopere.

wherewithal [ˈwɛəwiðɔ:l] *s.* cele necesare. || *the ~* banii.

wherry [ˈweri] *s.* barcă, luntre; iolă.

whet [wet] *vt.* **1.** a ascuţi. **2.** a stimula. **3.** a stârni.

whether [ˈweðə] *conj.* (indiferent) dacă; || ~ *or no(t)* în orice caz.

whetstone [ˈwetstoun] *s.* (piatră de) tocilă.

whew [hju:] *interj.* ce ne facem? am păţit-o! fir-ar să fie! poftim! na!

whey [wei] *s.* zer.

which [witʃ] **I.** *adj.* care; || ~ *way (?)* în ce fel (?), pe unde (?) **II.** *pron.* **1.** care (din ei). **2.** care, ce. **3.** pe care. **4.** ceea ce.

whichever [witʃ'evə] *adj., pron.* oricare.

whiff [wif] **I.** *s.* **1.** răbufneală. **2.** ţigară. **3.** fum, pufăit *(din ţigară)*. **II.** *vt.* a sufla *(fumul)*. **III.** *vi.* **1.** a pufăi. **2.** a mirosi *(a ceva)*.

Whig [wig] *s., adj.* **1.** liberal. **2.** *amer.* republican.

while [wail] **I.** *s.* perioadă. || *once in a ~* din când în când; *between ~s* pe apucate; *the ~* între timp, tot timpul; *it is worth your~* merită efortul. **II.** *vt.* a face să treacă *(timpul)*. **III.** *conj.* în timp ce; pe când.

whiles [wailz] *conj. înv.* în timp ce.

whilom [ˈwailəm] *înv.* **I.** *adv.* odinioară, odată, altădată. **II.** *adj.* de demult, de altădată; fost. || *his ~ friend* fostul lui prieten.

whilst [ˈwailst] *conj.* v. **while** III.

whim [wim] *s.* capriciu, poftă.

whimper [ˈwimpə] **I.** *s.* scâncet. **II.** *vt., vi.* **1.** a scânci. **2.** a scheuna.

whimsical [ˈwimzikl] *adj.* **1.** capricios. **2.** plin de ciudăţenii.

whimsy [ˈwimzi] *s.* capriciu.

whine [wain] **I.** *s.* **1.** scâncet. **2.** scheunat. **II.** *vt.* a cere cu glas plângăreţ. **III.** *vi.* **1.** a scânci. **2.** a miorlăi. **3.** a scheuna.

whinge [windʒ] *vi. peior.* a se jelui, a se văita, a se smiorcăi, a se sclifosi.

whinny [ˈwini] **I.** *s.* nechezat. **II.** *vi.* a necheza.

whip [wip] **I.** *s.* **1.** bici. **2.** cravaşă. **3.** vizitiu. **4.** convocare. **II.** *vt.* **1.** a biciui. **2.** a bate. **3.** a smulge. **4.** a înfrânge. || *to ~ eggs* a bate ouăle. **II.** *vi.* a ţâşni *(ca fulgerul)*.

whip lash [ˈwip læʃ] *s.* şfichi, sfârc *(de bici)*.

whipped cream [ˈwiptkri:m] *s.* frişcă *(bătută)*.

whipper-snapper [ˈwipəˌsnæpə] *s.* mucos *(obraznic)*.

whippet [ˈwipit] *s.* **1.** *zool.* soi de ogar. **2.** *mil.* tanchetă.

whipping[1] [ˈwipiŋ] *s.* **1.** bătaie (cu biciul). **2.** înfrângere.

whipping[2] [ˈwipiŋ] *s.* **1.** *constr.* înfăşurare, învelire. **2.** *tehn.* bătaie, oscilaţie. **3.** *mar.* patronare. **4.** *tehn.* învârtire, răsucire. **5.** *pol.* disciplină de partid.

whip-poor-will [ˈwippuəˌwil] *s. ornit.* păpăludă *(Caprimulgus vociferus)*.

whir(r) [wə:] **I.** *s.* **1.** vâjâit. **2.** fâlfâit. **3.** foşnet. **II.** *vi.* **1.** a fâlfâi. **2.** a vâjâi.

whirl [wə:l] **I.** *s.* **1.** vârtej. **2.** bulboană. **II.** *vt.* a lua pe sus. **III.** *vi.* **1.** a se învârti, a se învârteji. **2.** a ameţi. **3.** a se învălmăşi.

whirligig [ˈwə:ligig] **I.** *s.* **1.** morişcă. **2.** căluşei. **3.** vârtej. || *the ~ of life* vârtejul vieţii. **II.** *adj.* învârtitor, de vârtej.

whirlpool [ˈwə:lpu:l] *s.* bulboană.

whirlwind [ˈwə:lwind] *s.* **1.** vârtej. **2.** trombă. **3.** furtună.

whisk [wisk] **I.** *s.* **1.** smoc. **2.** canaf. **3.** mişcare rapidă, smucitură. **4.** bătător *(de ouă)*. **II.** *vt.* **1.** a mătura, a lua pe sus. **2.** a agita, a mişca *(coada etc.)*. **3.** a bate *(frişca etc.)*. **III.** *vi.* **1.** a se mişca iute. **2.** a ţâşni *(fig.)*.

whiskered [ˈwiskəd] *adj.* **1.** cu favoriţi; *fam.* cu mustăţi. **2.** *(d.*

pisici, tigri etc.) mustăcios, cu mustăţi.

whiskers [ˈwiskəz] *s. pl.* **1.** favoriţi. **2.** mustăţi *(ale pisicii etc.)*.

whisk(e)y [ˈwiski] *s.* whisky.

whisper [ˈwispə] **I.** *s.* **1.** şoaptă. **2.** murmur. **3.** zvon. **II.** *vt., vi.* a şopti, a susura.

whist [wist] **I.** *s.* (jocul de) whist. **II.** *interj.* sst!

whistle [ˈwisl] **I.** *s.* fluier(at). || *to wet one's ~* a trage la măsea. **II.** *vt., vi.* **1.** a fluiera. **2.** a şuiera. || *to ~ for smth.* a-şi pune pofta în cui.

whistler [ˈwislə] *s.* **1.** persoană care fluieră. **2.** *sl.* cârciumar care nu are licenţă pentru băuturi spirtoase.

whit [wit] *s.* **1.** bucăţică. **2.** picătură, pic.

Whit [wit] *adj.* de (la) Rusalii.

white [wait] **I.** *s.* **1.** alb. **2.** *(mai ales:* ~ *of egg)* albuş. **II.** *adj.* alb.

white cap [wait 'kæp] *s.* **1.** *mar.* berbec, val cu creasta înspumată. **2.** *(amer.) White Cap* membru al unei organizaţii secrete din S.U.A., care foloseşte linşajul .

white-collar [ˈwait 'kɔlə] *adj. (mai ales amer., fam.)* intelectual; de birou. || ~ *worker* muncitor intelectual; funcţionar.

white elephant [ˈwait'elifənt] *s.* podoabă inutilă care mai mult te încurcă.

white-faced [ˈwait'feist] *adj.* **1.** alb la faţă. **2.** *(d. animale)* cu pată albă în frunte.

white fish [wait 'fiʃ] *s. iht.* varietate de somn *(Coregonus)*.

white frost [ˈwaitfrɔst] *s.* chiciură, promoroacă.

white-haired [ˈwait'hɛəd] *adj.* cărunt, cu părul alb.

Whitehall [ˈwait'hɔ:l] *s.* guvernul britanic.

white-hot [ˈwait'hɔt] *adj.* incandescent; încălzit la alb.

White House [wait 'haus] *s.* Casa Albă *(reşedinţa preşedintelui S.U.A.)*.

white-livered [ˈwait'livəd] *adj.* fricos; laş, poltron.

whiten [ˈwaitn] **I.** *vt.* **1.** a albi, a înălbi. **2.** a pudra. **3.** a vărui. **4.** a curăţa *(pieile)* de carne. **II.** *vi.* **1.** a păli. **2.** a încărunţi, a (se) albi.

whiteness [ˈwaitnis] *s.* **1.** albeaţă; paloare. **2.** *înv.* nevinovăţie, curăţenie, puritate.

white paper [ˈwaitˌpeipə] *s. pol.* carte albă.

white poplar [wait'pɔplə] *s. bot.* **1.** plop alb *(Populus alba)*. **2.** liriodendron *(Liriodendron tulipifera)*.

white slave ['waitsleiv] *s.* prostituată (luată cu forța).

whitewash ['waitwɔʃ] **I.** *s.* **1.** var. **2.** văruit. **II.** *vt.* **1.** a vărui. **2.** *fig.* a ascunde.

white wood [wait 'wud] *s.* **1.** lemn alb. **2.** v. **white poplar** 2.

whither ['wiðə] **I.** *adv.* încotro. **II.** *conj.* încotro, acolo unde.

whithersoever ['wiðəsou'evə] *adv. înv. lit.* orișiunde; în orișice direcție; oriîncotro.

whiting[1] ['waitiŋ] *s.* cretă, tibișir.

whiting[2] *s. iht.* merlan *(Gadus merlangus)*.

whitish [hwaitiʃ] *adj.* albicios, alburiu.

whitlow ['witlou] *s. med.* panarițiu.

Whitsunday ['wit'sʌndi] *s.* Rusalii.

whitsuntide ['witsntaid] *s.* săptămâna Rusaliilor.

whittle ['witl] *vt.* **1.** a ciopârți. **2.** a reduce treptat.

whiz(z) [wiz] **I.** *s.* **1.** bâzâit. **2.** vâjâit. **II.** *vi.* **1.** a vâjâi. **2.** a bâzâi.

who [hu(:)] *pron.* **1.** cine (?). **2.** care (?). **3.** acela care. **4.** pe care.

whoa [wou] *interj.* **1.** *(pentru a opri calul etc.)* ho! aho! ptrr! **2.** *fam.* stai! (mai) domol!

whodun(n)it [hu:'dʌnit] *s.* roman polițist.

whoever [hu'evə] *pron.* **1.** oricine. **2.** oricare.

whole [houl] **I.** *s.* **1.** întreg. **2.** unitate. || *as a ~* în ansamblu; *on the ~* în ansamblu; dacă ținem seama de toate. **II.** *adj.* **1.** întreg. **2.** complet. **3.** sănătos. **4.** nevătămat. || *with one's ~ heart* din toată inima; *to go the ~ hog* a face / a duce lucrurile până la capăt.

whole-hearted ['houl'hɑ:tid] *adj.* **1.** din toată inima. **2.** cordial.

whole-length ['houl'leŋθ] *adj.* în mărime naturală.

whole-meal ['houl'mi:l] *adj. (d. pâine, făină)* integrală.

wholeness ['houlnis] *s.* deplinătate, integritate; plenitudine; totalitate.

wholesale ['houlseil] **I.** *s.* toptan. **2.** *adj., adv.* cu toptanul *(și fig.)*; en gros.

wholesaler ['houl‚seilə] *s.* angrosist, toptangiu.

wholesome ['houlsəm] *adj.* **1.** sănătos. **2.** salubru. **3.** moral.

wholesomeness ['houlsəmnis] *s.* **1.** caracter sănătos *sau* nutritiv; salubritate. **2.** utilitate. **3.** normal(itate).

wholly ['houli] *adv.* **1.** pe de-antregul. **2.** complet.

whom [hu:m] *pron.* **1.** pe cine(?). **2.** pe care(?). **3.** cui(?).

whomsoever [hu:msou'evə] *pron. dat. și ac. de la* **whosoever**.

whoop [hu:p] **I.** *s.* **1.** chiot. **2.** strigăt (de bucurie). **3.** acces de tuse. **II.** *vi.* a țipa, a chiui.

whoopee ['wupi(:)] *pop.* **I.** *s.* petrecere, chef. **II.** *interj.* ura! uuu!

whooping cough ['hu:piŋ kɔ(:)t] *s.* tuse convulsivă / măgărească.

whop [wɔp] **I.** *vt. fam.* **1.** a părui, a zvânta în bătaie. **2.** a învinge. **II.** *vi. amer.* a cădea greu, ca un bolovan.

whopper ['wɔpə] *s.* **1.** lucru uriaș. **2.** minciună gogonată.

whopping ['wɔpiŋ] **I.** *adj.* uriaș. **2.** gogonat. **II.** *adv.* foarte.

whore [hɔ:] *s.* **1.** târfă; prostituată; *vulg.* curvă.

whorl [wɔ:l] *s.* **1.** spirală. **2.** bulboană.

whortleberry ['wɔ:tl‚beri] *s. bot.* afin *(Vaccinium)*.

whose [hu:z] *adj., pron.* al cui, a cui, ai cui, ale cui.

whoseever [hu:z'evə] *pron. gen. de la* **whoever**.

whosesoever [hu:zsou'evə] *pron. poet.* v. **whoseever**.

whosoever [‚hu:sou'evə] *pron.* oricine, ori(și)care, oricine / oricare ar fi.

why [wai] **I.** *s.* **1.** motiv. **2.** explicație. **II.** *adv.* de ce (?). **III.** *conj.* pentru care; || *that is ~* iată de ce. **IV.** *interj.* hei! vai!

wick [wik] *s.* muc de lumânare.

wicked ['wikid] *adj.* **1.** ticălos. **2.** blestemat. **3.** rău. **4.** dăunător. **5.** răutăcios.

wickedly ['wikidli] *adv.* cu răutate.

wickedness ['wikidnis] *s.* **1.** răutate. **2.** ticăloșie.

wicker ['wikə] *s. bot.* (împletituri de) răchită.

wickerwork ['wikəwɔ:k] *s.* împletitură, obiecte împletite (din răchită).

wicket ['wikit] *s.* **1.** portiță. **2.** intrare. **3.** ghișeu. **4.** *sport* poartă. **5.** *sport.* punct (marcat).

wide [waid] **I.** *adj.* **1.** larg. **2.** lat; întins. **3.** lejer. **4.** larg deschis. **II.** *adv.* **1.** peste tot. **2.** în lung și în lat. **3.** departe (de țintă).

wide-awake ['waidə'weik] *adj.* **1.** treaz (de-a binelea). **2.** ager; deștept. **3.** precaut. **4.** vigilent.

widely ['waidli] *adv.* **1.** departe. **2.** în mare măsură. **3.** la distanță. **4.** larg.

widen ['waidn] *vt., vi.* a (se) lărgi.

widespread ['waidspred] *adj.* **1.** răspândit. **2.** întins.

widgeon ['widʒn] *s.* **1.** *ornit.* varietate de rață-sălbatică din America *(Anas)*. **2.** *înv.* prost, neghiob.

widow ['widou] *s.* văduvă.

widowed ['widoud] *adj.* **(of)** văduvit (de).

widower ['widouə] *s.* văduv.

widowhood ['widouhud] *s.* văduvie.

width [widθ] *s.* **1.** lărgime. **2.** lățime. **3.** orizont larg. **4.** bucată (de stofă).

wield [wi:ld] *vt.* **1.** a mânui. **2.** a stăpâni. **3.** a deține.

wielder ['wi:ldə] *s.* mânuitor *(al paloșului etc.)*.

wife [waif] *s. pl.* **wives** [waivz] soție, nevastă.

wifehood ['waifhud] *s.* situația de femeie măritată.

wifely ['waifli] *adj.* ca o nevastă.

wig[1] [wig] *s.* perucă.

wig[2] [wig] *vt. fam.* a mustra, a dojeni.

wigged [wigd] *adj.* cu perucă, purtând perucă.

wiggle ['wigl] **I.** *s.* legănare (din șolduri). **II.** *vt.* a (ră)suci. **III.** *vi.* **1.** a se mișca. **2.** a legăna din șolduri.

wiggly ['wigli] *adj.* șerpuit, cotit.

wight [wait] *s. înv., glumeț, reg.* ins, individ, ființă.

wigwag ['wigwæg] **I.** *vi.* **1.** *mil., mar.* a semnaliza cu stegulețe / fanioane. **2.** a umbla de colo până colo, a se fâțâi. **II.** *s. mil. mar.* semnalizare cu fanioane. **III.** *adv.* încoace și încolo.

wigwam ['wigwæm] *s.* cort *sau* colibă indiană.

wilco ['wilkou] *interj.* de acord! OK!

wild [waild] **I.** *s.* **1.** pustiu. **2.** sălbăticie. **II.** *adj.* **1.** sălbatic, nedomesticit. **2.** necivilizat. **3.** sperios. **4.** pustiu. **5.** destrăbălat. **6.** dezordonat. **7.** nestăpânit. **8.** furtunos. **9.** înnebunit. **10.** furios. **11.** nesăbuit. || *to run ~* a-și lua câmpii. **III.** *adv.* **1.** sălbatic. **2.** aspru. **3.** aiurea.

wild beast ['waild'bi:st] *s.* fiară sălbatică.

wild boar ['waild'bɔ:] s. zool. (porc) mistreț (Sus scrofa).

wild cat ['waild'kæt] I. s. zool. pisică sălbatică (Felis silvestris). II. adj. nesăbuit; riscant.

wilderness ['wildənis] s. 1. pustiu. 2. sălbăticie. 3. încurcătură. 4. labirint.

wild-eyed ['waild'aid] adj. cu privirea rătăcită sau speriată.

wildfire ['waild̦faiə] s. praf de pușcă. || to spread like ~ a se răspândi ca fulgerul.

wildfowl ['waild̦faul] s. păsări sălbatice.

wild goose ['waild'gu:s] s. pl. **wild geese** ['waild'gi:s] ornit. gâscă sălbatică (Anser civereus). || to go on a ~ chase a umbla după cai verzi pe pereți.

wildly ['waildli] adv. 1. nebunește. 2. aiurea. 3. (în mod) nesăbuit.

wildness ['waildnis] s. 1. nebunie. 2. barbarie. 3. furie. 4. frenezie; delir. 5. nesăbuință.

wile [wail] I. s. viclenie. II. vt. 1. a prinde în cursă. 2. a ademeni.

wilful ['wilfl] adj. 1. încăpățânat. 2. voluntar. 3. intenționat.

will [wil] I. s. 1. voință. 2. hotărâre. 3. intenție. 4. zel. 5. dispoziție. 6. testament. || at ~ după bunul său plac. II. v. aux. pt. viit. ind. pers. II și III sing. și pl. III. v. mod. a voi. || he won't go refuză să meargă; that door won't open ușa aceea s-a înțepenit de tot. IV. vt. (verb regulat urmat de inf. lung). 1. a hotărî. 2. a dori. 3. a lăsa moștenire. V. vi. a avea voință.

willful ['wilful] adj. v. **wilful**.

willing ['wiliŋ] adj. 1. doritor. 2. săritor la nevoie. 3. serviabil. 4. voluntar.

willingly ['wiliŋli] adj. 1. cu plăcere. 2. bucuros. 3. cu bunăvoință.

willingness ['wiliŋnis] s. 1. bunăvoință; bucurie. || I'll do it with the utmost ~ am s-o fac din toată inima / bucuros. 2. consimțire, asentiment, aprobare.

will-o'-the-wisp ['wiləðwisp] s. 1. flăcăruie (rătăcitoare). 2. fig. miraj.

willow ['wilou] s. bot. salcie (Salix).

willowy ['wiloui] adj. 1. plin de sălcii. 2. mlădios, zvelt.

will-power ['wil̦pauə] s. 1. hotărâre. 2. voință.

willy-nilly ['wili'nili] adv. vrând-nevrând.

wilt [wilt] vt., vi. a (se) ofili.

wily ['waili] adj. viclean.

wimble ['wimbl] I. s. burghiu cu coarbă. II. vt. a sfredeli.

wimple ['wimpl] s. glugă (de călugăriță).

win [win] I. s. succes; victorie. II. vt. trec. și part. trec. **won** [wʌn] 1. a câștiga. 2. a cuceri. 3. a atinge. || to ~ the day sau the field a fi victorios. III. vi. trec. și part. trec. **won** [wʌn] 1. a câștiga. 2. a fi învingător. || to ~ hands down a triumfa ușor; a avea o victorie ușoară.

wince [wins] I. s. tresărire. II. vi. 1. a tresări. 2. a se cutremura.

winch [wintʃ] s. 1. scripete. 2. vinci.

wind¹ [wind] I. s. 1. vânt. 2. suflare, adiere. 3. zvon. 4. vorbe goale. 5. muz. instrumente de suflat. || to cast to the ~ a lăsa la o parte; to take the ~out of smb.'s sails a lua apa de la moara cuiva; in the ~ în aer; to raise the ~ a scoate banii necesari; to get the ~ up a se speria; to get ~ of a afla de; a simți. II. vt. 1. a adulmeca. 2. a obosi. 3. a lăsa să răsufle.

wind² [waind] I. s. 1. serpentină, cot(itură). 2. meandră. II. vt. trec. și part. trec. **wound** [waund] a (ră)suci, a învârti (ceasul), a bobina; a ridica (cu scripetele). || to ~ up a încheia; a lichida. III. vi. trec. și part. trec. **wound** [waund] 1. a șerpui. 2. a se răsuci. || to ~ up a încheia.

windbag ['windbæg] s. 1. lăudăros. 2. flecar.

wind-blown ['windbloun] adj. bătut sau răsucit de vânt.

windfall ['winfɔ:l] s. pară mălăiață, cadou neașteptat.

windflower ['wind̦flauə] s. bot. poet. anemonă (Anemone).

winding ['waindiŋ] I. s. 1. răsucire. 2. bobinare. II. adj. șerpuitor.

winding sheet ['waindiŋ'ʃi:t] s. giulgiu, lințoliu.

winding-up ['waindiŋ'ʌp] s. 1. încheiere. 2. lichidare.

windlass ['windləs] s. scripete, roată de fântână.

windmill ['windmil] s. moară de vânt.

window ['windou] s. fereastră.

window-pane ['windoupein] s. geam.

window sill ['windou sil] s. constr. pervaz; parapet.

windpipe ['windpaip] s. gâtiță, beregată.

windrow ['windrou] I. s. 1. brazdă (de iarbă cosită). 2. margine de câmp arat. 3. șir de arbori doborâți de vânt. 4. rând de cărămizi de turbă (așezate la uscat). II. vt. a așeza în brazde sau în rânduri.

windscreen ['windskri:n] s. auto. parbriz.

windshield ['windʃi:ld] s. amer. auto. parbriz.

windsurfing ['windsɔ:fiŋ] s. sport windsurfing.

wind-swept ['windswept] adj. 1. bătut de vânturi. 2. răvășit. 3. neîngrijit; dezordonat.

wind-up ['waindʌp] s. sfârșit, încheiere. || sl. to get / to have the ~ a se speria, a trage o spaimă.

windward ['windwəd] I. adj. expus vântului; din direcția vântului. II. s. parte opusă vântului. || to get the ~ of a avea un avantaj față de; mar. to work / to ply to ~ a naviga în zigzag contra vântului. III. adv. în bătaia vântului.

windy ['windi] adj. 1. bătut de vânturi. 2. vântos. 3. cu vânt. 4. lăudăros. 5. speriat.

wine [wain] s. 1. vin. 2. suc (de fructe).

wine cellar ['wain selə] s. pivniță de vinuri, cramă.

wineglass ['wainglɑ:s] s. 1. pahar de vin. 2. med. pahar (măsură corespunzând capacității a patru linguri de masă).

wine press ['wain pres] s. teasc (pentru struguri).

wing [wiŋ] I. s. 1. aripă. 2. escadrilă. 3. pl. culise. || on the ~ în zbor; pe drum; to take ~s a-și lua aripi; under the ~ of sub protecția; to clip smb.'s ~s a tăia aripile cuiva. II. vt. 1. a înaripa. 2. a grăbi.

wingless ['wiŋlis] adj. 1. fără aripi. 2. fig. greoi, fără avânt.

wink [wiŋk] I. s. 1. clipit. 2. semn făcut cu ochiul. 3. clipă. || to get forty ~s a ațipi; to tip smb. the ~ a vinde cuiva un pont; a face semn cuiva. II. vt. a închide (ochii) (și fig.). III. vi. 1. a clipi. 2. a sclipi. 3. a face cu ochiul. || to ~ at a face cu ochiul (cuiva); a trece cu vederea.

winkle ['wiŋkl] s. v. **periwinkle** 2.

winner ['winə] s. 1. câștigător. 2. învingător.

winning ['winiŋ] **I.** *s.* câştig. **II.** *adj.* **1.** câştigător. **2.** atrăgător. **3.** convingător.

winning-post ['winiŋpoust] *s.* potou.

winnow ['winou] *vt.* **1.** a vântura. **2.** *fig.* a alege, a despărţi.

winsome ['winsəm] *adj.* **1.** atrăgător. **2.** încântător.

winter ['wintə] **I.** *s.* iarnă. **II.** *vt.* a adăposti pentru iarnă. **III.** *vi.* a ierna.

wintergreen ['wintəgri:n] *s. bot.* perişor *(Pirola minor).*

winter quarters ['wintə ˌkwɔ:təz] *s. pl. mil.* cazări / încartiruiri pe timpul iernii.

winter time ['wintə taim] *s.* iarnă, timp de iarnă; sezon de iarnă.

wintry ['wintri] *adj.* **1.** iernatic. **2.** rece. **3.** vântos.

winy ['waini] *adj.* de vin; cu miros *sau* cu gust de vin.

wipe [waip] **I.** *s.* **1.** ştergere, şters. **2.** lustru. **II.** *vt.* **1.** a şterge. **2.** a mătura. **3.** a nimici. | | *to ~ away* a mătura, a alunga; *to ~off* a şterge, a curăţa; *to ~ out* a bea; a termina; a şterge, a curăţa; a nimici.

wire ['waiə] **I.** *s.* **1.** sârmă. **2.** fir. **3.** telegramă. | | *by ~* telegrafic; *to pull (the) ~s* a trage sfori(le). **II.** *vt.* **1.** a prinde, a lega cu sârme. **2.** a telegrafia. **3.** a instala electricitate în. **III.** *vi.* a telegrafia.

wireless ['waiəlis] **I.** *s.* **1.** radio. **2.** telegrafie fără fir. **II.** *adj.* fără fir. **III.** *vt., vi.* a transmite prin radio.

wiring ['waiəriŋ] *s.* instalaţie electrică.

wiry ['waiəri] *adj.* **1.** tare, oţelit. **2.** musculos.

wisdom ['wizdəm] *s.* **1.** înţelepciune. **2.** învăţătură.

wisdom-tooth ['wizdəmtu:θ] *s.* măsea de minte.

wise [waiz] **I.** *s.* fel, mod. **II.** *adj.* înţelept. | | *to be none the ~r for smth.* a nu fi cu nimic câştigat; a nu afla nimic în plus.

wiseacre ['waizˌeikə] *s.* pedant.

wisecrack ['waizkræk] **I.** *s.* glumă, spirit. **II.** *vi.* a glumi.

wisely ['waizli] *adv.* înţelept, cu înţelepciune.

wiseman ['waizmən] *s. pl.* **wisemen** ['waizmən] **1.** înţelept. **2.** mag.

wish [wiʃ] **I.** *s.* **1.** dorinţă. **2.** rugăminte. **3.** lucru dorit. **4.** urare. **5.** dor. **II.** *vt.* **1.** a dori. **2.** a nădăjdui. **3.** a ruga. **4.** a cere. **5.** a ura. **III.** *vi.* a spera. | | *to ~ for* a dori.

wishful ['wiʃfl] *adj.* **1.** doritor. **2.** visător.

wishing-bone ['wiʃiŋboun] *s.* iadeş.

wishy-washy ['wiʃi'wɔʃi] *adj.* **1.** apos. **2.** slab. **3.** *fig.* slab (de înger). **4.** neinteresant. **5.** moale.

wisp [wisp] *s.* şuviţă.

wist [wist] *trec. şi part. trec. de la* **wit**[2].

wistaria [wis'tɛəriə] *s. bot.* glicină *(Glycina).*

wistful ['wistfl] *adj.* **1.** plin de dor, nostalgie. **2.** visător.

wistfully ['wistfuli] *adv.* cu o privire plină de regret; suferind de dor în tăcere.

wit[1] [wit] *s.* **1.** spirit, inteligenţă. **2.** minte. **3.** înţelepciune. **4.** om spiritual. | | *out of one's ~s* înnebunit; *to have one's ~s about one* a fi cu mintea trează; *at one's ~s' end* în mare încurcătură; la ananghie; *to live by one's ~s* a trăi din expediente.

wit[2] [wit] *înv.* *vt., vi. trec. şi part. trec.* **wist** [wist] a şti, a învăţa, a afla. | | *to ~* adică, cu alte cuvinte.

witch [witʃ] *s.* **1.** vrăjitoare *(şi fig.).* **2.** *fig.* divă.

witchcraft ['witʃkrɑ:ft] *s.* vrăjitorie.

witchery ['witʃəri] *s.* **1.** vrăjitorie. **2.** fascinaţie.

witchhunt ['witʃhʌnt] *s.* **1.** vânătoare de vrăjitoare. **2.** persecutarea oamenilor progresişti / dizidenţilor.

witching ['witʃiŋ] **I.** *adj.* **1.** fermecător, seducător. **2.** magic, vrăjitoresc. | |*~ hour* oră prielnică vrăjilor. **II.** *s.* **1.** fascinaţie, seducţie, farmec. **2.** vrăjitorie, magie.

with [wið] *prep.* **1.** (împreună) cu. **2.** şi. **3.** la. **4.** asupra. **5.** împotriva *(cu gen.).* **6.** faţă de. **7.** în ciuda *(cu gen.).* **8.** pe măsura *(cu gen.).*

withal [wi'ðɔ:l] **I.** *adv.* **1.** totodată. **2.** pe deasupra, în plus. **II.** *prep.* cu.

withdraw [wið'drɔ:] *vt., vi. trec.* **withdrew** [wið'dru:], *part. trec.* **withdrawn** [wið'drɔ:n] **1.** a (se) retrage. **2.** a (se) îndepărta.

withdrawal [wið'drɔ:l] *s.* **1.** retragere. **2.** retractare.

withdrawn [wið'drɔ:n] *vt., vi. part. trec. de la* **withdraw**.

withdrew [wið'dru:] *vt., vi. trec. de la* **withdraw**.

withe [wiθ] *s.* nuia *(de împletit coşuri),* răchită.

wither ['wiðə] *vt., vi.* a (se) veşteji.

withering ['wiðriŋ] *adj.* **1.** dispreţuitor. **2.** distrugător, nimicitor.

withers ['wiðəz] *s. pl.* greabăn *(la cai).*

withheld [wið'held] *vt. trec. şi part. trec. de la* **withhold**.

withhold [wið'hould] *vt. trec. şi part. trec.* **withheld** [wið'held] **1.** a reţine, a opri. **2.** a refuza.

within [wi'ðin] **I.** *adv.* **1.** înăuntru. **2.** în interior. **II.** *prep.* **1.** înlăuntrul *(cu gen.).* **2.** nu mai departe de. **3.** în cadrul *(cu gen.).* | | *~ an inch of* cât peaci să; *~* call *sau* hearing destul de aproape ca să audă; *~ shot* în bătaia puştii.

without [wi'ðaut] **I.** *adv.* (pe) din afară. **II.** *prep.* **1.** fără. **2.** în afara *(cu gen.).* | | *to do* sau *go ~* a se lipsi de; *it goes ~ saying* e de la sine înţeles.

withstand [wið'stænd] *vt. trec. şi part. trec.* **withstood** [wið'stud] **1.** a se împotrivi la. **2.** a rezista la.

withstood [wið'stud] *vt. trec. şi part. trec. de la* **withstand**.

withy ['wiði] **I.** *s.* v. **withe**. **II.** *adj.* **1.** rezistent şi elastic. **2.** musculos.

witless ['witlis] *adj.* fără minte, neghiob, zevzec.

witness ['witnis] **I.** *s.* **1.** martor. **2.** mărturie. **3.** dovadă. | | *to call to ~* a chema ca martor. **II.** *vt.* **1.** a fi martor la, a asista la. **2.** a vedea. **3.** a depune mărturie despre. **4.** a trăda. **III.** *vi.* a depune mărturie.

witness box ['witnisbɔks] *s.* boxa martorilor.

witticism ['witisizəm] *s.* glumă, vorbă de duh / spirit.

wittingly ['witiŋli] *adv.* cu bună ştiinţă.

witty ['witi] *adj.* spiritual; amuzant.

wive [waiv] **I.** *vt.* a lua de nevastă; a se însura cu. **II.** *vi.* a se căsători, a-şi lua nevastă.

wives [waivz] *s. pl. de la* **wife**.

wizard ['wizəd] *s.* vrăjitor *(şi fig.).*

wizardry ['wizədri] *s.* vrăjitorie, magie.

wizened ['wiznd] *adj.* **1.** zbârcit. **2.** îmbătrânit.

WO *abrev.* *Warrant Officer* ofiţer împuternicit.

woad [woud] *s.* **1.** *bot.* drobuşor, cardamă *(Isatis tinctoria).* **2.** glast *(culoare apropiată de indigo).*

wobble ['wɔbl] **I.** vt. a legăna; a clătina. **II.** vi. **1.** a se clătina. **2.** a se legăna. **3.** a şovăi.

wobbler ['wɔblə] s. om şovăitor.

wobbly ['wɔbli] adj. şubred.

woe [wou] s. supărare, durere, necaz. || ~ is me! vai de capul meu!

woe-begone ['woubi,gɔn] adj. nenorocit.

woeful ['woufl] adj. **1.** trist. **2.** regretabil. **3.** nenorocit.

woefully ['woufuli] adv. jalnic; tânguios.

wok [wɔk] s. tigaie cu fundul rotund.

woke [wouk] vt., vi. trec. şi part. trec. de la **wake**.

woken ['woukn] vt., vi. part. trec. de la **wake**.

wold [would] s. **1.** podiş, platou. **2.** depresiune. **3.** teren nelucrat. **4.** înv. pădure.

wolf [wulf] **I.** s. pl. **wolves** ['wulvz] **1.** lup (şi fig.). **2.** crai, berbant. || to keep the ~ from the door a o scoate la capăt (cu mâncarea). **II.** vt. **1.** a înfuleca. **2.** a trăi de azi pe mâine.

wolf hound ['wulfhaund] s. câine lup.

wolfish ['wulfiʃ] adj. **1.** lacom. **2.** de lup.

wolverene, wolverine ['wulvəri:n] s. **1.** zool. polifag-american (Gulo luscus). **2.** amer. fam. locuitor din Michigan.

wolves [wulvz] s. pl. de la **wolf**.

woman ['wumən] s. pl. **women** [wimin] **1.** femeie. **2.** pl. sexul slab. **3.** feminitate. **4.** sentimentalism.

woman-hater ['wumən,heitə] s. misogin, duşman al femeilor.

womanhood ['wumənhud] s. **1.** feminitate. **2.** sexul slab.

womanish ['wuməniʃ] adj. **1.** de femeie. **2.** efeminat. **3.** feminist.

womanize ['wumənaiz] **I.** vt. a efemina. **II.** vi. a umbla după femei.

womankind ['wumən'kaind] s. **1.** femeile. **2.** sexul feminin.

womanlike ['wumənlaik] adj. **1.** femeiesc. **2.** feciorelnic.

womanly ['wumənli] **I.** adj. feminin. **II.** adv. femeieşte.

womb [wu:m] s. **1.** uter, matrice. **2.** pântecele mamei. **3.** sân (fig.).

women ['wimin] s. pl. de la **woman**.

womenfolk ['wiminfouk] s. pl. femeile (în general). || one's ~ femeile din familie.

won [wʌn] vt., vi. trec. şi part. trec. de la **win**.

won't [wount] forma contrasă de la will not.

wonder ['wʌndə] **I.** s. **1.** minune. **2.** mirare. **3.** surprindere. || (it is) no ~ (that) nu e de mirare (că). **II.** vt. a se întreba (ceva). **III.** vi. (of) **1.** a se mira (de). **2.** (about) a se întreba (în privinţa – cu gen.).

wonderful ['wʌndəfl] adj. **1.** minunat. **2.** uluitor. **3.** excepţional.

wonderfully ['wʌndəfli] adv. **1.** minunat. **2.** straşnic / grozav / minunat de.

wonderingly ['wʌndəriŋli] adv. cu mirare.

wonderland ['wʌndəlænd] s. ţara minunilor.

wonderment ['wʌndəmənt] s. **1.** mirare, uimire, surprindere. **2.** minune, miracol, lucru uimitor.

wonderstruck ['wʌndəstrʌk] adj. uluit, uimit.

wondrous ['wʌndrəs] adj. **1.** minunat. **2.** splendid.

wondrously ['wʌndrəsli] adv. surprinzător / extraordinar / uimitor de, de minune. || ~ kind uimitor de bun.

wonky ['wɔŋki] adj. sl. **1.** care nu se ţine bine pe picioare, care se clatină. **2.** ieftin, prost.

wont [wount] **I.** s. obişnuinţă, obicei. **II.** adj. obişnuit. || to be ~ to a obişnui (să).

won't [wount] prescurtare de la will not.

wonted ['wountid] adj. **1.** obişnuit. **2.** tradiţional.

woo [wu:] **I.** vt. **1.** a curta. **2.** a cere în căsătorie. **3.** a cuceri. **4.** a implora. **II.** vi. a face curte.

wood [wud] s. **1.** pădure. **2.** lemn. **3.** muz. instrument de suflat (de lemn).

woodcock ['wudkɔk] s. sitar.

woodcraft ['wudkrɑ:ft] s. **1.** arta vânatului, vânătoare; cinegetică. **2.** xilogravură, gravură în lemn.

woodcut ['wudkʌt] s. gravură în lemn.

wooded ['wudid] adj. împădurit.

wooden ['wudn] adj. **1.** de lemn. **2.** înţepenit. **3.** greoi.

woodland ['wudlənd] s. **1.** teren împădurit. **2.** păduri.

woodman ['wudmən] s. pl. **woodmen** ['wudmən] **1.** pădurar. **2.** tăietor de lemne.

woodpecker ['wud,pekə] s. ornit. ciocănitoare (Picidae sp.).

wood pile [wud pail] s. stivă sau grămadă de lemne.

woodsman ['wudzmən] s. pl. **woodsmen** ['wudzmən] **1.** pădurar. **2.** omul pădurii.

woodsy ['wudzi] adj. amer. fam. **1.** de pădure; silvic; forestier. **2.** care trăieşte în pădure; care vine din pădure.

woodward ['wudwɔ:d] s. înv. pădurar.

woodwind ['wudwind] s. muz. instrument de suflat (de lemn).

woodwork ['wudwɔ:k] s. **1.** lemnărie. **2.** tâmplărie.

woody ['wudi] adj. **1.** păduros. **2.** lemnos.

wooer ['wu:ə] s. curtezan, peţitor, pretendent.

woof [wu:f] s. text. urzeală.

wool [wul] s. **1.** lână. **2.** păr creţ. **3.** câlţi. **4.** vată.

wool(l)en ['wulin] adj. de lână.

wool-gathering ['wul,gæðriŋ] **I.** adj. **1.** aiurit. **2.** visător. **3.** dus pe gânduri. **II.** s. aiureală, zăpăceală, visare, neatenţie.

woolly ['wuli] adj. **1.** lânos. **2.** ca lâna. **3.** ca un caier.

woolwork ['wulwɔ:k] s. lucrătură din fire de lână.

wooly ['wuli] **I.** adj. cu lână; lânos. || ~ painting trăsătură de penel groasă, schiţă brută; ~ voice voce răguşită. **II.** s. **1.** pulover de lână. **2.** pl. tricotaje.

word [wɔ:d] **I.** s. **1.** cuvânt, vorbă. **2.** cuvântare. **3.** observaţie. **4.** discuţie. **5.** veste. **6.** cuvânt de onoare. **7.** poruncă, semnal. || ~ for ~ cuvânt cu cuvânt; a ~ in season un sfat dat la timp; to be as good as one's ~s a se ţine de cuvânt; to take smb. at his ~ a crede pe cineva pe cuvânt; to eat one's ~ a-şi retrage cuvintele, a-şi cere scuze; to have ~s (with) a se certa (cu); to have a ~ with a schimba două vorbe cu; in so many ~s exact aşa; it is not the ~ for it e prea puţin spus; to suit the action to the ~ a-şi ţine făgăduiala; to take smb. at his ~ a crede pe cineva pe cuvânt; upon my ~! pe onoarea mea; ei asta-i! **II.** vt. a exprima, a formula.

wordiness ['wɔ:dinis] s. **1.** limbuţie. **2.** prolixitate, vorbărie.

wording ['wɔ:diŋ] s. formulare, exprimare.

wordless ['wɔ:dlis] adj. fără cuvinte. || ~ grief durere mută.

word splitting ['wəːd‚splitiŋ] s. despicarea firului în patru.

wordy ['wəːdi] adj. 1. prea lung. 2. prolix.

wore [wɔː] vt., vi. trec. de la **wear**.

work [wəːk] I. s. 1. muncă. 2. treabă. 3. slujbă. 4. ocupaţie. 5. lucrare, lucru. 6. operă. 7. unelte. 8. pl. uzină (mai ales metalurgică); fabrică. 9. pl. ateliere. 10. pl. lucrări publice. 11. pl. opere de binefacere. || to set to ~; to set about one's ~ a se apuca de lucru; to make short ~ of a termina repede; a expedia (în doi timpi şi trei mişcări); a face praf (fig.); at ~ în acţiune; la slujbă; out of ~ şomer. II. vt. 1.trec. şi part. trec. înv. **wraught** [rɔːt] a (pre)lucra. 2. a acţiona, a pune în mişcare. 3. a conduce. 4. a administra. 5. a pune la treabă. 6. a face, a produce. 7. a mişca. 8. a broda. 9. a lucra. || to ~ one's will with smb. a-şi face voia cu cineva; to ~ out a produce; a elabora; a calcula; to ~ off a rezolva; to ~ up a alcătui; a crea; a stârni; a aţâţa; to ~ one's way through college a se întreţine singur la universitate. III. vi. 1. a lucra. 2. a munci. 3. a acţiona. 4. a funcţiona. 5. a merge, a avea succes. 6. a se strecura, a trece. 7. a se agita. || to ~ out a ieşi (la socoteală); to ~ up a creşte.

workability [wəːkə'biliti] s. 1. utilitate. 2. capacitate de a fi prelucrat, prelucrabilitate. 3. (tehn.) uzinabilitate.

workable ['wəːkəbl] adj. 1. practicabil. 2. care poate fi prelucrat. 3. practic.

workaday ['wəːkədei] adj. 1. de lucru. 2. obişnuit, banal.

work basket ['wəːk‚baːskit] s. coşuleţ cu lucru de mână.

work-bench ['wəːkbentʃ] s. tehn. banc (de montaj); măsură de lucru (a meseriaşilor).

workday ['wəːkdei] s. 1. zi de lucru. 2. zi de muncă.

worker ['wəːkə] s. muncitor.

workers' movement ['wəːkəz 'muːvmənt] s. mişcare muncitorească.

workers' party ['wəːkəz'paːti] s. partid muncitoresc.

workhouse ['wəːkhaus] s. 1. azil de muncă. 2. casă de corecţie.

working ['wəːkiŋ] I. s. 1. muncă. 2. funcţionare. 3. chin. 4. exploatare minieră. 5. abataj. II. adj. 1. muncitor. 2. de lucru.

working class [‚wəːkiŋ'klaːs] I. s. clasa muncitoare. II. adj. muncitoresc; al clasei muncitoare.

working day [‚wəːkiŋ'dei] adj. 1. zi lucrătoare. 2. zi de lucru.

working man [‚wəːkiŋ'mæn] s. pl. **working men** [‚wəːkiŋ'mæn] muncitor, lucrător.

working party [‚wəːkiŋ'paːti] s. echipă; grup de lucru.

workman ['wəːkmən] s. pl. **workmen** ['wəːkmən] muncitor, lucrător.

workmanlike ['wəːkmənlaik] adj. iscusit, dibaci, îndemânatic.

workmanship ['wəːkmənʃip] s. 1. lucrătură. 2. artizanat.

workout ['wəːkaut] s. 1. termen de probă / încercare. 2. sport antrenament.

workpeople ['wəːk‚piːpl] s. muncitori(me).

workroom ['wəːkru(ː)m] s. atelier.

workshop ['wəːkʃɔp] s. atelier.

world [wəːld] I. s. 1. lume, univers. 2. societate, mulţime. 3. domeniu. 4. planetă, pământ. || not for the ~ cu nici un preţ; to make a noise in the ~ a se remarca; a deveni cineva; to carry the ~ before one a avea un succes răsunător; a ~ of good foarte bine; lost to the ~ adormit complet; beat turtă. II. adj. 1. mondial. 2. internaţional.

worldliness ['wəːldlinis] s. 1. deşertăciune lumească. 2. râvnire, lăcomie.

worldly ['wəːldli] adj. 1. lumesc, monden. 2. profan. 3. trupesc.

world war [‚wəːld 'wɔːr] s. război mondial.

world-wide ['wəːldwaid] adj. 1. mondial. 2. răspândit în lumea întreagă.

worm [wəːm] I. s. 1. vierme (şi fig.). 2. filet de şurub. || food for ~s mort. II. vt. 1. a-şi croi (drum). 2. a smulge, a obţine.

worm-eaten ['wəːm‚iːtn] adj. 1. viermănos. 2. fig. ros sau mâncat de molii, demodat.

wormwood ['wəːmwud] s. pelin.

wormy ['wəːmi] adj. viermănos.

worn [wɔːn] vt., vi. part. trec. de la **wear**.

worn-out [‚wɔːn'aut] adj. 1. istovit. 2. uzat. 3. tocit.

worried ['wʌrid] adj. 1. necăjit. 2. speriat. 3. tulburat.

worry ['wʌri] I. s. 1. nelinişte. 2. tulburare. 3. necaz. 4. grijă. II. vt. 1. a necăji. 2. a chinui. 3. a nelinişti, a agita. 4. a hărţui. III. vi. 1. a se necăji. 2. a se agita. 3. a-şi face griji.

worse [wəːs] I. s. 1. rău. 2. situaţie proastă. || a change for the ~ schimbare în rău, înrăutăţire a situaţiei. II. adj. comp. de la **bad** sau **ill**. 1. mai rău. 2. mai bolnav. || from bad to ~ din lac în puţ; it is all the ~ for wear s-a uzat şi mai tare. III. adv. comp. de la **badly**. mai rău. || none the ~ cu nimic mai prejos sau mai rău; ~ off într-o situaţie mai proastă.

worsen ['wəːsn] vt., vi. 1. a (se) înrăutăţi. 2. a (se) agrava. 3. a (se) ascuţi.

worship ['wəːʃip] I. s. 1. veneraţie, cult. 2. admiraţie. 3. religiozitate. II. vt. 1. a adora. 2. a venera. 3. a se închina la. III. vi. a practica cultul (religios).

worshipful ['wəːʃipfl] adj. înv. onorat.

worship(p)er ['wəːʃipə] s. 1. adorator. 2. credincios.

worst [wəːst] I. s. 1. situaţie foarte proastă. 2. partea cea mai rea. 3. cel mai rău lucru cu putinţă. || prepared for the ~ pregătit pentru orice eventualitate; at (the) ~ în cel mai rău caz; if the ~ comes to the ~ chiar dacă se strică lucrurile; în cel mai rău caz; at his ~ cum nu se poate mai rău; to get the ~ of it a o păţi rău; a mânca bătaie; do your ~! n-ai decât (să faci ce vrei!). II. adj. superl. de la **bad** sau **ill**. 1. cel mai rău. 2. cel mai prost / bolnav. 3. cât poate de bolnav. III. adv. superl. de la **badly**. 1. cel mai rău. 2. cel mai prost. IV. vt. a învinge; a înfrânge.

worsted ['wustid] s. 1. lână răsucită. 2. postav.

wort [wəːt] s. 1. must (de ovăz / orz — pentru bere). 2. iarbă, plantă.

worth [wəːθ] I. s. 1. valoare. 2. merite. 3. marfă în valoare de (o anumită sumă). II. adj. 1. în valoare de. 2. merituos. 3. valoros. || to be ~ a valora; a costa; a merita; for all one is ~ cu toată capacitatea sau energia; din plin; *it is not ~ it; it is not ~ the candle* nu merită *(efortul, banii etc.); it is ~ ten pounds* costă zece lire.

worthless ['wɔ:θlis] *adj.* **1.** fără valoare. **2.** nefolositor.

worthwhile ['wɔ:θwail] *adj.* care merită. || *it is not ~* nu merită *(banii, efortul etc.).*

worthy ['wɔ:ði] **I.** *s.* persoană bine. **II.** *adj.* **1.** merituos. **2.** onorabil. **3.** demn *(de respect etc.).*

wot [wɔt] **I.** *prezent, pers. I şi III sing. de la* **wit²**. **II.** *vt. înv. to ~ of* a şti despre; a cunoaşte *(cu ac.).*

would [wəd, wud] *v. aux. pt. cond., viitor în trecut şi aspectul frecventativ, v. mod.* exprimând voinţa, dorinţa, *trec. de la* **will** II., III. .

would-be ['wudbi:] *adj.* aşa-zis, pretins.

wound¹ [wu:nd] **I.** *s.* **1.** rană. **2.** avarie, stricăciune. **3.** dăunare. **4.** jignire. **II.** *vt.* **1.** a răni. **2.** a strica. **3.** a dăuna *(cuiva).* **4.** a jigni.

wound² [waund] *vt., vi. trec, şi part. trec. de la* **wind²**.

wove [wouv] *vt., vi. trec. de la* **weave.**

woven ['wouvn] *vt., vi. part. trec. de la* **weave.**

wove-paper ['wouv,peipə] *s.* hârtie velină.

wow [wau] **I.** *s. amer. sl.* ceva care iese din comun. **II.** *interj.* vai! oh! ah! ce minune!

wrack [ræk] *s.* **1.** *bot.* algă aruncată pe malul mării, mai ales iarbă-de-mare *(Zostera marina).* **2.** *înv., poet.* pustiire, devastare, ruinare.

wraith [reiθ] *s.* spectru, strigoi *(care apare cu puţin înainte sau curând după moartea unei persoane, cu care seamănă perfect),* dublu spectral; duh, fantomă.

wrangle ['ræŋgl] **I.** *s.* **1.** încăierare. **2.** hărmălaie. **II.** *vi.* a se certa *(zgomotos);* a se încăiera.

wrangler ['ræŋglə] *s.* **1.** certăreţ, arţăgos, gâlcevitor. **2.** opozant, adversar. **3.** *amer.* cowboy.

wrap [ræp] **I.** *s.* **1.** şal. **2.** mantie. **3.** haină de blană. **II.** *vt .trec. şi part. trec.* **wrapt** [ræpt] **1.** a înfăşura. **2.** a înveli. **3.** a ambala. **4.** a învălui. || *~ ped up in smth.* implicat într-o afacere; preocupat de ceva. **III.** *vi. trec. şi part. trec.* **wrapt** [ræpt] **1.** a se înfăşura, a se înfofoli. **2.** a se învălui.

wrapper ['ræpə] *s.* **1.** bandă (de hârtie). **2.** supracopertă. **3.** capot (subţire).

wrapping ['ræpiŋ] *s.* **1.** înveliş. **2.** ambalaj.

wrapt [ræpt] *vt., vi. trec. şi part. trec. de la* **wrap** III.

wrasse [ræs] *s. iht.* peşte-buzat comestibil *(Labrus).*

wrath [rɔ:θ] *s.* mânie.

wrathful ['rɔ:θfl] *adj.* mânios, furios.

wrathfully ['rɔ:θfuli] *adv.* cu mânie, cuprins de mânie.

wreak [ri:k] *vt.* a-şi vărsa *sau* a-şi descărca *(furia etc.).*

wreath [ri:θ] *s. pl.* **wreaths** [ri:ðz] **1.** ghirlandă. **2.** coroană funerară. **3.** sul, colac *(de fum etc.).*

wreathe [ri:ð] **I.** *vt.* **1.** a împleti ghirlande din. **2.** a împodobi. **3.** a răsuci. **II.** *vi.* a se răsuci.

wreck [rek] **I.** *s.* **1.** epavă. **2.** ruină. **3.** distrugere, năruire. **4.** rămăşiţe aruncate de valuri. **II.** *vt.* **1.** a distruge. **2.** a nărui. **3.** a face să naufragieze.

wreckage ['rekidʒ] *s.* **1.** rămăşiţe (ale unei distrugeri). **2.** resturi.

wrecker ['rekə] *s.* **1.** sabotor. **2.** diversionist.

wren [ren] *s.* **1.** *ornit.* ochiul-boului, pitulice *(Troglodytes).* **2.** *peior.* persoană înrolată în *Women's Royal Navy Service (serviciu auxiliar al marinei militare engleze, compus din femei).*

wrench [rentʃ] **I.** *s.* **1.** smulgere. **2.** smucitură. **3.** *fig.* chin. **4.** *tehn.* cheie (franceză). **II.** *vt.* **1.** a smulge. **2.** *fig.* a deforma.

wrest [rest] *vt.* **1.** a smulge. **2.** a scoate. **3.** a deforma.

wrestle ['resl] **I.** *s.* **1.** luptă (corp la corp). **2.** trântă. **II.** *vi.* a se lupta.

wrestler ['reslə] *s. sport* luptător.

wrestling ['resliŋ] *s. sport* lupte.

wretch [retʃ] *s.* **1.** nenorocit. **2.** mizerabil.

wretched ['retʃid] *adj.* **1.** nenorocit. **2.** mizerabil. **3.** trist. **4.** ticălos.

wriggle ['rigl] **I.** *s.* **1.** contorsiune. **2.** zvârcoleală. **II.** *vt.* **1.** a suci, a răsuci. **2.** a agita. **III.** *vi.* **1.** a se zvârcoli. **2.** a se zbate. **3.** a avea un mers ondulat.

wring [riŋ] **I.** *s.* strânsoare. **II.** *vt.* **1.** a răsuci. **2.** a stoarce. **3.** a smulge. || *~ ing wet* ud leoarcă; *to ~ one's hands* a-şi frânge mâinile.

wringer ['riŋə] *s.* maşină de stors rufe.

wrinkle¹ ['riŋkl] **I.** *s.* **1.** zbârcitură, încreţitură, cută. **2.** metodă, tehnică. **3.** *fam.* şmecherie. **4.** poveaţă, sfat, sugestie. || *he knows all the ~s* cunoaşte toate chichiţele / toată şurubăria. **II.** *vt.* a plia, a îndoi, a împături. **III.** *vi.* a se cuta, a se zbârci.

wrinkle² ['riŋkl] *s.* sfat folositor.

wrist [rist] *s.* încheietura mâinii.

wristband ['ristbænd] *s.* manşetă.

wristlet ['ristlit] *s.* brăţară; breloc purtat la încheietura mâinii.

wristwatch ['ristwɔtʃ] *s.* ceas de mână.

writ [rit] *s.* **1.** *jur.* ordin, hotărâre, ordonanţă executorie. **2.** *înv.* scriptură, biblie.

write [rait] **I.** *vt. trec.* **wrote** [rout], *part. trec.* **written** [ritn] **1.** a scrie. **2.** a aşterne pe hârtie. || *to ~ down* a nota; *to ~ off* a compune; a anula; *to ~ up* a aduce la zi; a lăuda; a elabora. **II.** *vi. trec.* **wrote** [rout], *part. trec.* **written** [ritn] **1.** a scrie. **2.** a se ocupa cu scrisul, a fi scriitor.

writer ['raitə] *s.* **1.** scriitor. **2.** conţopist.

writhe [raið] **I.** *s.* zvârcoleală. **II.** *vi.* **1.** a se zvârcoli. **2.** a se zbate. **3.** a se chinui. **4.** a suferi.

writing ['raitiŋ] *s.* scris, scriere.

writing desk ['raitiŋdesk] *s.* pupitru, birou, masă de scris.

written ['ritn] *vt., vi. part. trec. de la* **write.**

WRNS *abrev. Women's Royal Navy Service* corpul de femei al marinei britanice.

wrong [rɔŋ] **I.** *s.* **1.** greşeală. **2.** păcat. **3.** nedreptate. **4.** ticăloşie. || *to be (in the) ~* a greşi, a nu avea dreptate. **II.** *adj.* **1.** greşit. **2.** păcătos. **3.** imoral. **4.** incorect. **5.** nedrept. || *to take the ~ train* a greşi trenul. **III.** *vt.* **1.** a nedreptăţi. **2.** a judeca greşit. **IV.** *adv.* **1.** greşit. **2.** rău. **3.** incorect. || *to go ~* a apuca pe un drum greşit *(şi fig.)*; a se duce de râpă.

wrongdoer ['rɔŋ,duːə] *s.* **1.** răufăcător. **2.** ticălos.

wrongdoing ['rɔŋ,du(ː)iŋ] *s.* **1.** păcat, vină; greşeală. **2.** crimă, delict, fărădelege.

wrongful ['rɔŋfl] *adj.* **1.** greşit. **2.** nedrept. **3.** ilegal.

wrongheaded [,rɔŋ'hedid] *adj.* perseverent în greşeală; încăpăţânat, sucit. || ~ *zeal* râvnă oarbă.

wrongly ['rɔŋli] *adv.* **1.** greşit. **2.** prost, incorect.

wrote [rout] *vt., vi. trec. de la* **write.**

wroth [rouθ, rɔːθ] *adj. poet., peior.* mânios, înfuriat (la culme).

wrought [rɔːt] *vt., vi. înv., poet. trec. şi part. trec. de la* **work.**

wrought iron [,rɔːt'aiən] *s.* fier forjat.

wrung [rʌŋ] *vt. trec. şi part. trec. de la* **wring.**

WRVS *abrev.* Women's Royal Voluntary Service corpul de femei voluntare al armatei britanice.

wry [rai] *adj.* **1.** strâmb. **2.** deformat. **3.** pus greşit.

wry face [,rai'feis], **wry mouth** ['rai'mauθ] *s.* strâmbătură; grimasă.

wych [witʃ] *prefix (intră în compunerea unor denumiri de arbori)* plângător.

X

X, x [eks] *s.* **1.** (litera) X, x. **2.** *mat.* x, valoare *sau* cantitate necunoscută. **3.** *amer.* bancnotă de zece dolari. **4.** cruce. **5.** eroare, greşeală.

xenon ['zenɔn] *s.* xenon.

xenophobia [,zenə'foubiə] *s.* xenofobie.

xerox (machine) ['ziərɔks-(mə'ʃiːn)] **I.** *s.* **1.** copiator, xerox, aparat de multiplicat. **II.** *vt.* a xeroxa, a copia / a trage la xerox, a xerografia.

Xmas ['krismǝs] *s.* Crăciun.

X-ray ['eks'rei] **I.** *s.* **1.** rază X. **2.** radioscopie. **II.** *adj.* de radioscopie, radiologic.

X-ray photograph ['eksrei ,foutǝgrɑːf] *s.* radiografie.

xylophone ['zailǝfoun] *s. muz.* xilofon.

Y

Y [wai] *s.* (litera) Y, y.

yacht [jɔt] *s.* iaht.

yachting ['jɔtiŋ] *s.* iahting, sportul cu vele.

yah [jɑː] *interj.* **1.** ha! ha! **2.** brr! pfui!

yahoo [jə'huː] *s.* fiinţă inferioară.

Yahve(h) ['jɑːve] *s. rel.* Iahve.

Yahwe(h) ['jɑːwe] *s. rel.* Iehova.

yak [jæk] *s. zool.* iac (Bos grunniens).

yam [jæm] *s. bot.* **1.** ignamă (Dioscorea). **2.** *amer. dialectal* o varietate de cartof dulce. **3.** cartof.

yank [jæŋk] *vt.* a smuci.

Yankee ['jæŋki] *s.* yankeu, american.

yap [jæp] **I.** *s.* lătrat. **II.** *vi.* a lătra.

yapp [jæp] *s.* copertă flexibilă de carte, din piele.

yard¹ [jɑːd] *s.* **1.** iard (90 cm.). **2.** metru de stofă. **3.** *mar.* vargă de vintrea. **4.** curte (mai ales **courtyard**). **5.** fabrică (de cărămizi etc.). **6.** şantier. **7.**

depou de cale ferată. || the Scotland Yard poliţia londoneză.

yard² [jɑːd] **I.** *vt.* a mâna, a închide (vitele) în ţarc. **II.** *vi. amer.* a se retrage la iernat.

yardage ['jɑːːdidʒ] *s.* **1.** număr *sau* lungime exprimată în iarzi. **2.** *mine.* plata în acord pe iard de înaintare *(în galerie, în abataj)*.

yard arm ['jɑːd ɑːm] *s. mar.* nod la vergă; capătul vergii.

yard stick ['jɑːd stick] *s.* **1.** riglă de măsurat, lungă de un iard *aprox.* metru (de croitorie). **2.** *fig.* măsură, criteriu.

yarmulka ['jɑːmʌlkǝ] *s. rel.* kippa.

yarn [jɑːn] **I.** *s.* **1.** fir tors. **2.** poveste (vânătorească). **II.** *vi.* **1.** a spune poveşti. **2.** a sta la taifas.

yarrow ['jærou] *s. bot.* coadaşoricelului (Achillea millefolium).

yashmak ['jæʃmæk] *s.* văl, iaşmac (al femeilor mahomedane).

yaw [jɔː] **I.** *s.* **1.** *av., mar.* deviere de la direcţia prestabilită; ambardee. **2.** *av.* viraj unghiular în jurul axei verticale. **II.** *vi.* **1.** *mar.* a deriva. **2.** *av.* a aluneca.

yawl [jɔːl] *s. nav.* **1.** iolă. **2.** şalupă.

yawn [jɔːn] **I.** *s.* căscat. **II.** *vi.* **1.** a căsca. **2.** a se căsca.

ye [jiː] *pron. înv.* voi.

yea [jei] *inter. înv.* da.

yeah [je, jæ] *adv. fam.* v. **yes.**

year [jiǝ, jɔː] *s.* **1.** an. **2.** *pl.* vârstă. || ~ *in* ~ *out; every* ~ an de an.

year-book ['jiǝbuk, 'jɔːbuk] *s.* anuar.

yearling ['jɔːliŋ] *s.* animal de un an.

yearly ['jiǝli, 'jɔːli] *adj., adv.* anual.

yearn [jɔːn] *vi.* **1.** a tânji. **2.** a se ofili de dor.

yearning ['jɔːniŋ] **I.** *s.* **1.** dor. **2.** dorinţă. **II.** *adj.* **1.** doritor. **2.** care tânjeşte.

yeast [jiːst] *s.* drojdie (de bere).

yeastly ['ji:stli] *adj.* **1.** spumos. **2.** înspumat. **3.** pompos.

yeasty ['ji:sti] *adj.* **1.** spumos. **2.** care fermentează. **3.** *fig.* fără valoare; fără conţinut. **4.** *fig.* în fierbere, agitat.

yell [jel] **I.** *s.* **1.** ţipăt. **2.** strigăt. **II.** *vt., vi.* a ţipa.

yellow ['jelou] **I.** *s.* galben. **II.** *adj.* **1.** galben. **2.** fricos. **3.** invidios. **4.** bănuitor; gelos. **5.** laş. **III.** *vt., vi.* a se îngălbeni.

yellow fever ['jelou ‚fi:və] *s. med.* friguri galbene.

yellowish ['jelouiʃ] *adj.* gălbui.

yellow press ['jelou'pres] *s.* presa de scandal.

yelp [jelp] **I.** *s.* lătrat. **II.** *vi.* **1.** a lătra. **2.** a chelălăi.

yen [jen] *s. pl.* **yen** yen *(monedă japoneză).*

yeoman ['joumən] *s. pl.* **yeomen** ['joumən] **1.** *ist.* răzeş. **2.** fermier, ţăran. **3.** cavalerist.

yeomanry ['joumənri] *s.* **1.** *ist.* răzeşi, răzeşime. **2.** cavalerie.

yep [jep] *interj. amer.* da.

yes [jes] **I.** *s.* **1.** da; încuviinţare. **2.** vot pentru. **II.** *adv., interj.* da.

yesman ['jesmæn] *s. pl.* **yesmen** ['jesmæn] **1.** oportunist. **2.** slugă plecată *(fig.)*; om slugarnic.

yesterday ['jestədi] **I.** *s.* **1.** ieri. **2.** trecut. **II.** *adj.* de ieri. **III.** *adv.* ieri.

yesterevening ['jestər‚i:vniŋ] *înv., poet.* **I.** *s.* seara de ieri, noaptea trecută. **II.** *adv.* aseară; astă-noapte.

yestermorn ['jestə‚mɔːn] **I.** *s. înv., poet.* dimineaţa de ieri. **II.** *adj.* ieri dimineaţă.

yesternight ['jestə‚nait] *s., adv.* v. **yesterevening** II.

yet [jet] **I.** *adv.* **1.** încă. **2.** până acum. **3.** acum. **4.** în plus. **5.** cândva. **6.** şi mai. **7.** şi totuşi. **II.** *conj.* totuşi.

yeti ['jeti] *s.* omul zăpezilor *(în munţii Himalaia).*

yew [ju:] *s. bot.* tisă *(Taxus baccata).*

Yiddish ['jidiʃ] *s., adj.* idiş.

yield [ji:ld] **I.** *s.* **1.** producţie (la hectar). **2.** *pl.* produse. **II.** *vt.* **1.** a produce. **2.** a ceda. **3.** a lăsa. **III.** *vi.* **1.** a ceda. **2.** a se da

bătut. || *to~ to none* a nu se lăsa mai prejos decât alţii; a fi primul / pe locul întâi.

yielding ['ji:ldiŋ] *adj.* **1.** docil, supus. **2.** elastic, suplu. **3.** moale.

yodel ['joudl] **I.** *s.* iodler. **II.** *vi.* a cânta iodlere.

yoga ['jougə] *s.* yoga.

yogh(o)urt ['jougə] *s.* iaurt.

yogi ['jougi] *s.* yoghin.

yoicks [jɔiks] *interj.* hai! şo! *(la vânătoare, când dulăii gonesc vulpea).*

yoke [jouk] **I.** *s. pl.* **yoke** [jouk] **1.** jug *(şi fig.).* **2.** pereche de boi. **3.** cobiliţă. **II.** *vt.* **1.** a înjuga. **2.** a uni.

yokefellow ['jouk‚felou] *s.* **1.** tovarăş; tovarăşă. **2.** soţ; soţie.

yokel ['joukl] *s.* ţărănoi.

yolk [jouk] *s.* gălbenuş (de ou).

yon [jɔn] *înv., poet.* **I.** *adj.* acel; acea; acei; acele. **II.** *pron.* acela; aceea; aceia; acelea. **III.** *adv.* acolo, colo, de acolo.

yon(der) ['jɔn(də)] **I.** *adj.* de colo. **II.** *adv.* colo.

yond [jɔnd] *înv., poet.* **I.** *adj., adv.* v. **yon** I,III. **II.** *prep.* pe lângă; de-a lungul *(cu gen.).*

yore [jɔ:] *s.: of ~* de demult.

york [jɔ:k] *vi. sport* a lovi mingea la cricket.

yorker ['jɔ:kə] *s. sport* mingea de cricket.

Yorkist ['jɔ:kist] *s., adj.* partizan / membru al casei de York / al Rozei Albe.

Yorkshire ['jɔ:kʃə] *adj.* **1.** din Yorkshire. **2.** şiret. || *sl. I'll do it when I come into my ~ estates* o voi face când voi avea timp şi bani.

you [ju(:)] *pron.* **1.** tu. **2.** dumneata. **3.** dumneavoastră. **4.** voi. **5.** cineva.

you're [juə] *fam.* prescurtare de la **you are.** || *amer. sl. ~ on it* ne-am înţeles, suntem de acord.

young [jʌŋ] **I.** *s.* pui; || *the ~ tinerii; with ~* gata să fete. **II.** *adj.* **1.** tânăr. **2.** tineresc. **3.** nou. **4.** nepriceput, ageamiu.

youngish ['jʌŋiʃ] *adj.* tinerel.

young lady ['jʌŋ'leidi] *s.* **1.** domnişoară. **2.** tânără.

youngling ['jʌŋliŋ] *s. înv., poet.* **1.** tânăr, tânără. **2.** animal *sau* plantă tânăr(ă). **3.** începător.

young man [‚jʌŋ'mæn] *s. pl.* **young men** [‚jʌŋ'mæn] tânăr; || *my ~* iubitul, logodnicul meu; *interj.* tinere!

youngster ['jʌŋstə] *s.* **1.** băiat. **2.** flăcău.

young woman [‚jʌŋ'wumən] *s. pl.* **young women** [‚jʌŋ'wimin] tânără, domnişoară.

younker ['jʌŋkə] *s.* **1.** *înv., fam.* adolescent, domnişor. **2.** *(în Germania)* junker.

your [jɔ:] *adj.* **1.** tău, ta, tăi, tale. **2.** vostru, voastră, voştri, voastre.

yours [jɔ:z] *pron.* **1.** al tău, a ta, ai tăi, ale tale. **2.** al vostru, a voastră, ai voştri, ale voastre.

yourself [jɔ:'self] *pron.* **1.** tu însuţi. **2.** te. || *all by ~* singur (singurel), chiar tu.

yourselves [jɔ:'selvz] *pron.* **1.** voi înşivă. **2.** vă.

youth [ju:θ] *s. pl.* **youths** [ju:ðz] **1.** tinereţe. **2.** tânăr. **3.** tineret.

youthful ['ju:θfl] *adj.* **1.** tânăr. **2.** tineresc.

yowl [jaul] **I.** *vi.* a urla, a ţipa, a striga. **II.** *s.* urlet; urlete.

yr. *abrev.* **1.** *year(s)* an(i). **2.** *younger* mai tânăr. **3.** *your* tău.

yrs. *abrev.* **1.** *years* ani. **2.** *yours* al dumneavoastră / tău.

yucca ['jʌkə] *s. bot.* iuca *(Yucca filamentosa).*

Yugoslav ['ju:go'slɔ:v] *s., adj. ist.* iugoslav; iugoslavă.

Yule [ju:l] *s.* Crăciun; sărbătorile Crăciunului.

yule(-tide) ['ju:l(taid)] *s.* Crăciun.

Yule block ['ju:l blɔk] *s. v.* **Yule log.**

Yule clog ['ju:l klɔg] *s. v.* **Yule log.**

Yule Day ['ju:l dei] *s. (termen scoţian)* Crăciun.

Yule log ['ju:l lɔg] *s.* buştean care se arde în ajunul Crăciunului.

yummy ['jʌmi] *adj. amer.* delicios, savuros.

yup [jʌp] *interj. amer.* da!

yuppie, yuppy ['jʌpi] *s. fam. iron.* tânăr modern; băiat de bani gata.

YWCA *abrev. Young Women's Christian Association* Asociaţia Tinerelor Femei Creştine.

Z

Z [zed] s. (litera) Z, z.
zany ['zeini] I. s. 1. bufon (şi fig.).
2. (om) caraghios. 3. zăpăcit.
4. zevzec. II. adj. 1. clovnesc,
de bufon. 2. ridicol, caraghios.
3. aiurit, trăsnit.
zeal [zi:l] s. 1. zel. 2. entuziasm.
zealot ['zelət] s. fanatic (religios).
zealous ['zeləs] adj. 1. zelos. 2.
entuziast.
zealously ['zeləsli] adv. zelos, cu
râvnă.
zebra ['zi:brə] I. s. zebră. II. adj. în
dungi.
zebra-crossing ['zi:brə'krɔsiŋ] s.
trecere pentru pietoni (marcată
cu dungi).
zebu ['zi:bu:] s. zool. zebu (Bos
indicus).
zenana [ze'nɑ:nə] s. 1. (în India şi
Persia) zenana, odaia femeilor;
harem. 2. text. zenana.
Zend-Avesta ['zendə'vestə] s. rel.
Zend-Avesta.
zenith ['zeniθ] s. 1. zenit. 2. fig.
culme.

zephyr ['zefə] s. zefir.
zeppelin ['zepəlin] s. zepelin.
zero ['ziərou] s. zero (şi fig.).
zest [zest] s. 1. zel. 2. interes. 3.
entuziasm. 4. gust picant. 5.
condiment.
zeta ['zi:tə] s. zeta (literă în al-
fabetul grecesc).
Zeus [zju:s] s. mit. Zeus, Jupiter.
zig-zag ['zigzæg] I. s. zigzag. II.
adj. în zigzag. III. adv. în zig-
zag. IV. vi. a merge în zigzag.
zillion ['ziliən] s. amer. fam.
număr infinit, j'de mii.
zinc [ziŋk] s. zinc.
zing [ziŋ] s. amer. vigoare, ener-
gie, vitalitate.
zinnia ['ziniə] s. bot. cârciumă-
reasă (Zinnia elegans).
Zionism ['zaiənizəm] s. sionism.
zip [zip] s. 1. ţiuit. 2. fermoar.
zip-fastener ['zip,fɑ:snə] s. fer-
moar.
zircon ['zə:kən] s. minr. zircon.
zirconium [zə'kouniəm] s. chim.
zirconiu.
zither ['ziθə] s. muz. ţiteră.

zodiac ['zoudiæk] s. zodiac.
zodiacal [zo'daiəkl] adj. astr.
zodiacal.
zombi(e) ['zɔmbi] s. sl. 1. cadavru
(şi fig.); mort. 2. automat (fig.).
zone [zoun] s. 1. zonă. 2. regiune.
zoo [zu:] s. grădină zoologică.
zoological [,zoə'lɔdʒikl] adj.
zoologic.
zoologist [zo'ɔlədʒist] s. zoolog.
zoology [zo'ɔlədʒi] s. zoologie.
zoom [zu:m] I. 1. s. bâzâit. 2. cin.
transfocator. II. vi. 1. a bâzâi. 2.
av. a face o lumânare, a se
ridica vertical. 3. cin. a folosi
transfocatorul.
zoom lens ['zu:mlenz] s. cin. (len-
tilă de) transfocator.
zoophyte ['zouofait] s. zoofit.
zucchini [zu'ki:ni] s. (pl. şi ~)
dovlecel.
Zulu ['zu:lu:] s. 1. zulus. 2. (limba)
zulusă.
zygote ['zaigout] s. biol. zigot.

I. PRESCURTĂRI UZUALE ÎN LIMBA ENGLEZĂ

A

A. 1. angstrom unit. **2.** acceleration. **3.** acid.

A- atomic.

A. 1. absolute. **2.** Academy. **3.** America. **4.** answer. **5.** Artillery. **6.** analysis. **7.** Atlantic (Ocean). **8.** atomic weight.

A.A. antiaircraft.

AAA American Automobile Association. *Şi* **A.A.A.**

A.A.A.L. American Academy of Arts and Letters.

AAF 1. Allied Air Forces. **2.** *amer.* Army Air Forces.

a&h Insurance, accident and health.

A.A.U.P. American Association of University Professors.

A&S ammunition and supply.

A.A.S. American Association of Arts and Sciences.

ABC atomic, biologic and chemical.

ABM antiballistic missile.

ABS American Broadcasting System.

absol. absolute; absolutely.

abs.t. absolute temperature.

abv. above.

Ac. academy.

AC alternating current.

A.c. author's correction.

AC 1. acetate. **2.** acetyl.

A/C account current.

A.C. before Christ.

a.c. before meals.

Acad. academy.

acc 1. acceleration. **2.** account. **3.** according.

ACC Agricultural College.

accdg according to. *Şi* **accd'g.**

A/cs pay. accounts payable.

A/cs rec. accounts receivable.

act. active.

ad 1. adapted. **2.** advance. **3.** advice.

ad¹ 1. advertisement. **2.** advertising.

ad² advantage.

ad. 1. advertisement. **2.** adverb.

A.D.A. Americans for Democratic Action.

Add. addenda.

add. addition.

adds address.

add'see addressee.

A.D.G.B. Air Defence of Great Britain.

adj. 1. adjective. **2.** adjustment.

Adm 1. Administration. **2.** admiral. **3.** Admirality.

adm. 1. admission. **2.** administration.

ad. man advertising man.

ADP air defence positions.

adv. 1. ad valorem. **2.** advance. **3.** adverb. **4.** advertisement.

Adv 1. advisor. **2.** advocate.

AE 1. absolute error. **2.** air engineer. **3.** Army Education.

A.E. Agricultural Engineer.

A.E.A. 1. Agricultural Education Association. **2.** American Economic Association.

A.E. and P. Ambassador Extraordinary and Plenipotentiary.

AEC Atomic Energy Corporation.

af. after.

AF 1. Air Force. **2.** Anglo-French.

AFA American Federation of Arts.

AFB Air Force Base.

Afgh Afghanistan.

AFL American Federation of Labour.

AFM American Federation of Musicians.

A.F.O. Anti-Fascist Organization.

Afr 1. Africa. **2.** African.

AFS Air Force School.

aft 1. after. **2.** afternoon.

A.F.T. American Federation of Teachers.

AG 1. advance guard. **2.** automatic gun.

ag. agriculture.

Ag silver.

Ag. August.

A.G. Attorney General.

Agcy agency.

A.G.M. annual general meeting.

agn again.

Agr. 1. agronomy. **2.** agronomic(al).

AGS American Geographical Society.

Agt. agent.

A.H.A. 1. American Historical Association. **2.** American Hospital Association.

ahd ahead.

a.i. ad interim.

A.I.A. 1. American Institute of Architects. **2.** Archeological Institute of America.

AIF Atomic Industrial Forum.

A Ind Anglo-Indian.

AIRNORTH Allied Air Forces, Northern Europe.

al. alcohol.

AL 1. Anglo-Latin. **2.** Aluminium.

ala all arms.

A.L.A. American Library Association.

Alas. Alaska.

Alb. 1. Albania. **2.** Albanian. **3.** Albany. **4.** Alberta.

Alg. 1. Algerian. **2.** Algiers.

alg. algebra.

alt. 1. altitude. **2.** alternation.

AM 1. air mail. **2.** Air Ministry.

Am. 1. America. **2.** ammunition. **3.** amplitude.

A.M. Master of Arts.

a.m. the period from 12 midnight to 12 noon.

A.M.A. American Medical Association.

Am.Chem.Soc. American Chemical Society.

AmCit American citizen.

AML Air Mail Letters.

AMLEG American Legation.

AMP American Military Police.

AMS 1. American Mathematical Society. **2.** American Meteorological Society.

amu atomic mass unit.

Am Univ American University.

an above-named.

AN Anglo-Norman.

and. andante.

ANTA American National Theatre and Academy.

ant. antonym.

Anth. anthology.

AO 1. Administration Order. **2.** Army Order.

a.o. and others.

A of P arms of precision.

A of S angle of sight.

A.O.S. Agricultural Organization Society.

a.p. 1. above proof. **2.** automatic pistol.

AP 1. American Patent. **2.** Associated Press.

ap. 1. apex. **2.** appendix.

Ap. April.

A.P.A. American Press Association.

APHA American Public Health.

APL airplane.

apl approval.

APLCHN Appalachian Mountains.

apos. apostrophe.

app. 1. apparatus. **2.** appended. **3.** appendix. **4.** appointment. **5.** approved.

appl. 1. appeal. **2.** application.

A.P.S. 1. American Philosophical Society. **2.** American Physical Society.

aptd appointed.

aq acquittance.

Ar 1. Arabia. **2.** Arabian. **3.** Arabic. **4.** area.

ar. 1. arrival. **2.** arrive.

ARA Agricultural Research Administration.

A.R.A. 1. American Radio Association. **2.** American Railway Association. **3.** Associate of the Royal Academy.

A.R.C. American Radio Corporation.

Arch. 1. Archbishop. **2.** Architecture.

arch. 1. archaic. **2.** archery. **3.** architect.

Arct. Arctic.

Arg. Argentina.

Ar.M. Master of Architecture.

arpt airport.

arr. 1. arrangement. **2.** arrival.

ARS American Rocket Society.

Ars arsenal.

A.R.S.L. Associate of the Royal Society of Literature.

art. 1. article. **2.** artificial. **3.** artist.

A.S. Academy of Sciences.

a/s after sight.

As Asia.

A.S.A. Atomic Scientists Association.

ASCAP American Society of Composers, Authors and Publishers.

ASEA American Society of Engineers and Architects.

ASN Atomic Scientists' News.

ASNE American Society of Newspaper Editors.

a.s.o. and so on.

ASP Assistant Secretary Police.

asp as soon as possible.

A.S.P.C.A. American Society for Prevention of Cruelty to Animals.

A.S.Q.C. American Society for Quality Control.

ass. 1. assembly. **2.** assessment.

Ass associate.

Assn association.

ASSR Autonomous Soviet Socialist Republic.

ASV Active Service.

ASW Association of Scientific Workers.

AT 1. air temperature. **2.** Air Transport.

at. 1. atmosphere. **2.** atomic. **3.** attorney.

ATC 1. Air Traffic Control. **2.** automatic telephone call.

atchd attached.

at.m. atomic mass.

ATTC American Telephone and Telegraph Company.

attrib. 1. attribute. **2.** attributed.

Au gold.

au author.

aut. 1. authograph. **2.** automatic.

Auth. authorities.

aux. auxiliary.

av. 1. according to value. **2.** avenue. **3.** average.

A.V. 1. Artillery Volunteers. **2.** Authorized Version.

avn. aviation.

ax. 1. axiom. **2.** axis.

az azimuth.

Az azote.

B

B 1. base. **2.** battle. **3.** Belgium. **4.** Broadcast.

B. 1. bar. **2.** Bible. **3.** British.

b 1. bar. **2.** barn.

b. 1. bay. **2.** blend of. **3.** book. **4.** born. **5.** brother.

Ba barium.

B.A. 1. Bachelor of Arts. **2.** British America.

B.A.A. British Astronomical Association.

BAEC British Atomic Energy Corporation.

BAF British Air Force.

Balt. Baltic.

b&e. beggining and ending.

B.&W. black and white.

Bap. Baptist.

bap. baptized.

bar. 1. barometer. **2.** barrel. **3.** barrister.

B.Ar. Bachelor of Agriculture.

B.Arch.E. Bachelor of Architectural Engineering.

barit. baritone.

Bart. baronet.

b.b 1. ball bearings. **2.** bank book.

B.B.B. best-best-best.

B.B.C. British Broadcasting Corporation.

bbl. barrel.

B.C. 1. before Christ. **2.** British Columbia. **3.** British Commonwealth.

B.C.E. before common era.

B.Comm. Bachelor of Commerce.

BCP 1. British Civil Police. **2.** British Communist Party.

B/D 1. bank draft. **2.** bills discounted.

bd. 1. board. **2.** bound. **3.** bundle.

B.D. bills discounted.

B.E. 1. Bachelor of Education. **2.** Bank of England.

Be beryllium.

BE British Embassador.

bec. because.

bef. before.

B.E.L. Bachelor of English Literature.

Belg. 1. Belgian. **2.** Belgium.

ben. benefit.

bet. between.

b.f. 1. bold face. **2.** bona fide.

B.F.A. Bachelor of Fine Arts.

BGH British General Hospital.

B Govt British Government.

BI 1. Board of Investigation. **2.** British India.

Bib 1. Bible. **2.** Biblical.

bibl. 1. biblical. **2.** bibliographical. **3.** bibliography.

b.i.d. twice a day.

bi-m bi-monthly.

B.J. Bachelor of Journalism.

Bk berkelium.

bk. 1. bank. **2.** book.

bkcy bankruptcy.

bkg. banking.

bkpr. bookkeeper.

bks. 1. banks. **2.** barracks. **3.** books.

b/l bill of lading.

bl. 1. bale; bales. **2.** black. **3.** block.

B.L. 1. Bachelor of Laws. **2.** Bachelor of Letters.
blk. 1. black. **2.** block. **3.** bulk.
bls. 1. bales. **2.** barrels.
B.L.S. Bachelor of Library Science.
B.M. 1. Bachelor of Medicine. **2.** British Museum.
B.M.A. British Medical Association.
B.M.E. 1. Bachelor of Mechanical Engineering. **2.** Bachelor of Mining Engineering.
B.M.Ed. Bachelor of Music Education.

B.N. bank-note.
Bn. 1. Baron. **2.** Battalion.
bn. battalion.
B.O. 1. Bachelor of Oratory. **2.** box office.
b.o. 1. back order. **2.** box office. **3.** branch office. **4.** buyer's option.
B.O.T. Board of Trade.
B.P. Bachelor of Painting.
bp. 1. baptized. **2.** birth place. **3.** bishop.
B/P bills payable. *Şi* **B.P.**.
b.p. 1. bellow proof. **2.** bills payable. **3.** boiling point.

Br bromine.
Br. 1. Britain. **2.** British.
br. 1. branch. **2.** bronze. **3.** brother.
b.r. bills receivable.
brd board.
b.rend. bill rendered.
B.S. 1. Bachelor of Science. **2.** Bachelor of Surgery.
B.T. Board of Trade.
BUP British United Press.
B'y *amer.* Broadway.
Byz Byzantium.

C

C 1. centre distance. **2.** commander. **3.** council.
C. 1. calorie. **2.** Catholic. **3.** Celsius. **4.** Celtic. **5.** College. **6.** Conservative.
c. 1. carbon. **2.** centigrade. **3.** century. **4.** chairman. **5.** chapter. **6.** city.
CA chronological age.
Ca calcium.
ca. cathode.
C/A 1. capital account. **2.** cash account. **3.** credit account.
C.A. 1. Central America. **2.** Commercial Agent. **3.** Court of Appeal.
CAA Civil Aeronautics Administration.
CAD Civil Affairs Department.
Cal. California.
cal. 1. calendar. **2.** calibre. **3.** calorie.
Camb. Cambridge.
CA/MB Civil Affairs / Military Government.
Can. 1. Canada. **2.** Canadian. **3.** canteen.
can. 1. canon. **2.** canto. **3.** canton. **4.** canvas.
Canad. Canadian.
canc. 1. cancel. **2.** cancellation.
Cant. Canterbury.
cap. 1. capacity. **2.** capital.
CAP Civil Air Patrol.
caps. capitals.
Capt. Captain.
c.a.r. cut all round.
card. cardinal.
CAS Civil Air Service.
cash. cashier.
cat. 1. catalogue. **2.** catapult. **3.** catechism.
CAT Civil Air Transport.
CB counter battery.

C.B. control board.
CBC Canadian Broadcasting Corporation.
C.B.E. Commander of the Order of the British Empire.
CBRM cash by return mail.
CC carbon copy.
cc cubic centimetre.
C.C. 1. cashier's check. **2.** company commander.
cc. 1. chapters. **2.** cubic centimetre. **3.** centuries.
C.C.A. 1. Chief Clerk of the Admirality. **2.** County Court of Appeals.
C Car combat car.
CCC 1. Central Criminal Court. **2.** Civilian Conservation Corps.
CCI Chief Clerk.
C.Cls. Court of Claims.
C.C.N.Y. College of City of New York.
c.c.t. cubic capacity.
Cd cadmium.
C.d. cash discount.
CD 1. Central Department. **2.** Coastal Defence.
C/D 1. certificate of deposit. **2.** Customs Declaration.
cd 1. code. **2.** commissioned. **3.** conductance.
cd. cord; cords.
C.D. 1. Civil Defence. **2.** creditor's damage.
C-day Coronation day.
Cdn Canadian.
Cdr. Commander.
CDS Civil Defence Services.
Cdt 1. cadet. **2.** commandant.
Ce cerium.
C.E. 1. Church of England. **2.** Civil Engineer. **3.** common era.
CEA Council of Economic Advisers.

CEC Civil Engineers Corps.
C.E.C. Commonwealth Economic Committee.
cen. 1. central. **2.** century.
Cf californium.
c/f carried forward.
cf. 1. calf. **2.** compare.
C.F. cost and freight.
C.F.I. cost, freight and insurance.
cfm confirm.
cfm. cubic feet per minute.
cfr chauffeur.
C.F.R. Code of Federal Regulations.
cfs. cubic feet per second.
CG 1. camera gun. **2.** Commanding General.
C.G. 1. centre of gravity. **2.** Commanding General. **3.** Consul General. *Şi* **c.g.**
cgm. centigram; centigrams.
cgs centimetre-gram-second.
ch chain; chains.
ch. 1. channel. **2.** chapter. **3.** choice. **4.** church.
Ch. 1. Chaldean. **2.** chapter. **3.** China. **4.** Chinese. **5.** church.
c.h. 1. clearing house. **2.** court house. **3.** custom house.
Chanc. 1. chancellor. **2.** chancery.
chap. chapel.
char. character.
Ch. D. Doctor of Chemistry.
Ch. E. Chemical Engineer.
Chf. Cash. Chief Cashier.
Chf. J. Chief Justice.
Chin Chinese.
Chin. 1. China. **2.** Chinese.
Chm chairman.
chm checkmate.
Choc chocolate.
Ch. of Eng. Church of England.
Chop Chief Operator.

Chr Christian.
CI 1. Chief Inspector. **2.** Counter Intelligence.
C.I.A. Criminal Investigation Agency.
C.I.C. 1. Commander in Chief. **2.** Counterintelligence Corps.
Cie. company.
C.I.F. cost, insurance and freight. *Şi* **c.i.f.**
cigs cigarettes.
C. in C. Commander in Chief. *Şi* **C-in-C**
C.I.O. Congress of Industrial Organizations. *Şi* **CIO.**
cit. citation.
cit citizen.
civ. 1. civil. **2.** civilization.
CJ Chief Justice.
ck. 1. cask. **2.** check.
ckw clockwise.
Cl chlorine.
cl 1. calibre. **2.** call. **3.** centilitre; centilitres.
C/L 1. carload lot. **2.** cash letter.
 cl. 1. carload. **2.** centilitre; centilitres. **3.** claim. **4.** classification. **5.** clause. **6.** clerk.
c.l. 1. centre line. **2.** civil law.
cld 1. called. **2.** closed. **3.** cloud.
C.L.D. Doctor of Civil Law.
cler. 1. clergy. **2.** clerical.
CLR Central London (Underground) Railway.
CLU Civil Liberties Union.
Cm curium.
cm centimetre; centimetres. *Şi* **cm.**
Cmdr. Commander.
cml. commercial.
C/N 1. circular note. **2.** credit note.
CNO Chief of Naval Operations.
CNS central nervous system. *Şi* **cns.**
CO cobalt.
C/O cash order.
C/o 1. care of. **2.** carried over.
c/o 1. care of. **2.** carried over. **3.** cash order.
Co.1. company. **2.** County. *Şi* **co.**
C.O. 1. cash order. **2.** Commanding Officer. **3.** conscientious objector.
c.o. 1. care of. **2.** carried over.
C.O.C. Chamber of Commerce.
COD codex. *Şi* **cod.**
C.O.D. cash, or collect on delivery.
Co E Chief of Engineers.

C.O.I. Central Office of Information.
col. 1. collection. **2.** colour.
Col. 1. colonel. **2.** colony. **3.** column.
coll. 1. collective. **2.** college. **3.** colloquial.
com. 1. comedy. **2.** comma. **3.** commerce. **4.** common. **5.** communication.
Com. 1. commonwealth. **2.** communist. **3.** community.
Com. & Nav. Commerce and Navigation.
comb. combination.
Comb Z combat zone.
Comd 1. command. **2.** commandant.
comdg. commanding.
Comdr. Commander. *Şi* **comdr.**
Comdt. Commandant. *Şi* **comdt.**
Com-in-Chf Commander in Chief.
comm. 1. commentary. **2.** commerce. **3.** communication.
Comm. 1. commission. **2.** commissioner. **3.** committee.
Comp. 1. company. **2.** composer.
comp. 1. comparative. **2.** compensation. **3.** completed. **4.** compound.
compy company.
con. 1. conclusion. **2.** concrete. **3.** connect.
Con. 1. consolidate. **2.** Consul.
cond. 1. condition. **2.** conditioning. **3.** conductor.
conf. 1. conference. **2.** confessor. **3.** confidential.
cons. 1. consequence. **2.** constitution. **3.** consult.
cont. 1. continent. **2.** contingent. **3.** continuation. **4.** contract.
contg. 1. containing. **2.** contracting.
contr. 1. contract. **2.** contrary. **3.** contribution. **4.** control.
conv. 1. convenient. **2.** convention. **3.** convert. **4.** convict. **5.** convocation.
cop. 1. copper. **2.** copyright; copyrighted.
co-par. copartner.
co-part counterpart.
cor. 1. correct. **2.** correspondence. **3.** corruption.
Cor. Corsica.
Cor. Mem. Corresponding Member.

CoS Certificate of Service.
Cos companies.
C.P. 1. chemically pure. **2.** Chief of Police. **3.** cost price.
CP 1. chosen point. **2.** Civil Power. **3.** command post. **4.** Communist Party.
Cpn corporation.
cpty capacity.
CQ commercial quality.
cr 1. centre. **2.** circular. **3.** contra.
c.r. copper resistance.
CR 1. centre of resistance. **2.** cross-roads.
C/R Certificate of Retirement.
crit. 1. criterion. **2.** critical.
Cr. P. Criminal Procedure.
Crs creditors.
Cs cesium.
cs. case; cases.
C.S. 1. Christian Science. **2.** civil service.
C.S.A. Confederate States of America.
CSC Civil Service Commission. *Şi* **C.S.C.**
csc cosecant.
csch hyperbolic cosecant.
csk. cask.
CST Central Standard Time. *Şi* **C.S.T., c.s.t.**
Ct. 1. Connecticut. **2.** Count.
ct. 1. cent. **2.** certificate. **3.** county. **4.** court.
C.T. Central Time.
ctn cotangent.
ctr. centre.
cts. 1. centimes. **2.** cents. **3.** certificates.
CU close-up.
Cu copper.
Cu. cumulus.
cu. 1. cubic. **2.** cumulus.
cult. cultivation.
C.U.P. Cambridge University Press.
cur. 1. currency. **2.** current.
CV command vehicle.
Cv constant value.
C.V. curriculum vitae.
C/W commercial weight.
C.W.U. Chemical Workers Union.
Cy 1. city. **2.** company.
cyc. cyclopaedia.
CZ 1. Canal Zone. **2.** combat zone.
Czia Czechoslovakia.

D

D 1. deuterium. 2. distance.
D. 1. dam. 2. December. 3. democracy. 4. density. 5. doctor.
d 1. danger. 2. deuteron. 3. differential.
d. 1. date. 2. degree. 3. pence. 4. density. 5. dollar; dollars.
da 1. daughter. 2. day; days.
D/A 1. deposit account. 2. documents for acceptance.
D.A. 1. District Attorney. 2. documents for acceptance.
DAB Dictionary of American Biography.
D.A.E. Dictionary of American English.
Dan Danish.
Dan. 1. Daniel. 2. Danish.
dat. dative.
D.B. 1. Bachelor of Divinity. 2. Doomsday Book.
d.b. daybook.
DBA doing business as. Şi dba.
D.B.E. Dame Commander of the Order of the British Empire.
dbl. double.
DC 1. dental corps. 2. direct current.
D.C. 1. da capo. 2. District of Columbia.
D.C.M. Distinguished Conduct Medal.
DD 1. Deputy Director. 2. amer. dishonorable discharge.
dd 1. today's date. 2. delayed delivery.
dd. delivered.
D.D. 1. Doctor of Divinity. 2. demand draft.
D.D.S. Doctor of Dental Surgery.
D.D.Sc. Doctor of Dental Science.
D.E. Doctor of Engineering.
Dea. Deacon.
dec. 1. deceased. 2. decimal. 3. declaration.
D.Eco. Doctor of Economics.
D.Ed. Doctor of Education.
DED declared dead.
D Edn Director of Education.
dem. demand.
Den. Denmark.

den. density.
Dent C Dental Corps.
Dep. 1. department. 2. deputy.
dep. 1. dependency. 2. deponent. 3. deposed.
des. 1. desert. 2. design. 3. desired.
Dest destroyer.
det. detail.
dev. 1. development. 2. device.
D.F. 1. Dean of the Faculty. 2. Defender of the Faith.
D.F.C. Distinguished Flying Cross.
dg decigram; decigrams.
dgr danger.
DI Department of the Interior.
Di didymium.
di. diameter.
D.I. double insurance.
dict dictionary.
dif. difference.
DIH Deputy Inspector General of Hospitals.
Dp. diploma.
dipl. diplomat.
dir. 1. direct. 2. direction.
Dir director.
dis 1. discount. 2. dispatch.
dis. 1. distance. 2. distribution.
disp. dispensary.
diss. dissertation.
dist. distance.
Dist. Atty. district attorney.
distr. district.
div 1. divergence. 2. divide.
div. 1. diversion. 2. dividend. 3. divorce.
Div. 1. divine. 2. divinity.
Divn division.
D.J. 1. District Judge. 2. Doctor of Law.
D.J.S. Doctor of Juridical Science.
dk. 1. deck. 2. dock.
dl decilitre; decilitres.
d.l. day labour.
D/L demand loan.
D.Lit. Doctor of Literature.
D.Lett. Doctor of Letters.
dlr. dealer.
D.L.S. Doctor of Library Science.
dlvy. delivery.

DM Deutsche mark.
dm decimeter; decimeters.
D.Mus. Doctor of Music.
DMZ demilitarized zone.
D.N.B. Dictionary of National Biography.
D/O delivery order.
do. ditto.
D.O. Doctor of Osteopathy.
D.O.A. dead on arrival.
Doc./attach. documents attached.
Doc. Eng. Doctor of Engineering.
D of P Director of Press.
Dom. Dominican.
dom. 1. domain. 2. domestic.
Dom Ex domestic exchange.
Dor. 1. Dorian. 2. Doric.
doub. double.
DOW died of wounds.
DP delivery point.
D/P documents against payment.
D.P. displaced person.
dpt. 1. department. 2. deponent.
D.P.W. Department of Public Works.
dr door.
Dr. 1. Doctor. 2. Drive.
dr. 1. debit. 2. debtor. 3. drawer. 4. drum.
Dr. Chem. Doctor of Chemistry.
D. Rd. dirt road.
d.s. daylight saving.
D.Sc. Doctor of Science.
D.S.M. Distinguished Service Medal.
D.S.O. Distinguished Service Order.
DST Daylight Saving Time.
D.Surg. Dental Surgeon.
d.t. delirium tremens.
Du. 1. Duke. 2. Dutch.
dub dubious.
Dub. Dublin.
D.V.M. Doctor of Veterinary Medicine.
d.w. daily wages.
DW 1. Daily Worker. 2. Director of Works.
D/W dock warrant.
DX distant exchange.
Dy dysprosium.
dyn. dynamics.
D.Z. Doctor of Zoology.

E

E 1. Egypt. 2. energy. 3. engineer. 4. Europe. 5. exchange.

E. 1. Earl. 2. east. 3. eastern. 4. English.

e 1. electron. 2. endurance.

e. 1. eldest. 2. end. 3. entrance. 4. error; errors.

ea. each.

E. and P. extraordinary and plenipotentiary.

EAS European Atomic (Energy) Society.

E.B. 1. Encyclopaedia Britannica. 2. export bounties.

EBB extra best best.

EbS East by South.

EBU European Broadcasting Union.

Ec electronic computer.

E.C. Executive Committee.

ECh English Channel.

E.D. Doctor of Engineering.

Ed.B. Bachelor of Education.

EDC European Defence Community.

Ed.D. Doctor of Education.

edit. edited.

edn. 1. edition. 2. education.

EDP electronic data processing.

eds. 1. editions. 2. editors.

EDT Eastern daylight time.

educ. 1. educated. 2. education.

E.E. 1. Early English. 2. Electrical Engineer.

E.E.&M.P. Envoy Extraordinary and Minister Plenipotentiary.

EEG electroencephalogram. Şi E.E.G..

Eg. 1. Egypt. 2. Egyptian.

e.g. 1. for example. 2. such as.

EGmc East Germanic.

E.H. Evacuation Hospital.

EHF extremely high frequency.

EHP effective horse-power.

E.I. 1. East Indian. 2. East Indies.

EL Educational level.

e.l. electric light.

el element.

el. elevation.

elect. 1. electric. 2. electricity.

elem. element.

elev. elevator.

Elf extremely low frequency.

EM enlisted man; enlisted men.

E.M. Mining Engineer.

Emb. embargo.

E.M.B. Empire Marketing Board.

emer. emergency.

emf electromotive force.

Emp 1. Emperor. 2. Empress.

emph. emphasis.

empl employment.

E.M.S. Emergency Medical Service.

EN engineman.

En 1. England. 2. English.

E.N.A. English Newspaper Association.

end. 1. endorsed. 2. endorsement.

ENE East-North-East.

eng 1. engineer. 2. engraved.

Eng. 1. England. 2. English.

EngrO Engineer Officer.

Ens. Ensign.

ent. 1. entertainment. 2. entrance.

EO Engineer Officer.

E/OE errors and ommissions excepted.

E.O.M. end of the month.

e.o.m. every other month.

E.P. 1. English Patent. 2. express paid.

E.P.T. Excess Profits Tax.

Er erbium.

E.R. 1. King Edward. 2. Queen Elisabeth.

Err. errata.

E.S. 1. eldest son. 2. Entomological society.

Esc escape.

ESE East-South-East.

esp especial.

EST Eastern Standard Time.

est 1. establish. 2. estuary.

est. 1. estate. 2. estimate.

e.s.u. electrostatic unit.

et al. 1. and elsewhere (L. et alibi). 2. and others (L. et alii).

E.T. Eastern time.

E.T.D. estimated time of departure.

ETE Engineer Training Establishment

Eth. Ethiopia; Ethiopian.

E. to E. end to end.

EUR Europe; European. Şi Eur; Eurp.

EV electron-volt Şi ev.

E.V. English Version.

EVA extravehicular activity.

Evang. Evangelical.

eve evening. Şi evg.

ev.u. evaporation unit.

Ex. Exodus.

ex. 1. examination. 2. example. 3. exception. 4. exchange. 5. executed. 6. extra.

Exc. 1. excellency. 2. exchequer.

Ex.Com. Executive Committee.

ExD excused (from) duty.

exd explained.

exes expenses.

ex.hy. extra heavy.

exp. 1. expansion. 2. experiment. 3. export.

ExpF Expeditionary Forces.

exr. executor.

ext 1. extension. 2. external. 3. extra.

ext. 1. exterior. 2. extinguish. 3. extract.

extr extreme.

ext.T-phone extension telephone.

exx examples.

F

F 1. February. 2. ferry. 3. France. 4. French. 5. Friday.
F.1. degree Fahrenheit. 2. factor of safety. 3. father. 4. fighter.
f 1. farad. 2. firm. 3. forte.
f. 1. make. 2. farthing. 3. feet. 4. feminine. 5. foot. 6. franc; francs.
FA Field Artillery.
FAA 1. Federal Aviation Agency. 2. Fleet Air Arm. 3. Federal Alcohol Administration.
fab fabric.
Fab. Soc. Fabian Society.
fac. 1. facsimile. 2. factor. 3. factory.
fam. 1. familiar. 2. family.
F.A.M. Free and Accepted Masons.
F.&.S. first and second.
F.A.O. finish all over.
F.A.S. Federation of American Scientists.
fath. fathom.
f.b. 1. freight bill. 2. full back.
F.B.A. Fellow of the British Academy.
FBI Federal Bureau of Investigations.
f.c. 1. fielder's choice. 2. follow copy.
FCA Farm Credit Administration.
FCC First Class Certificate.
F.C.E. Foreign Currency Exchange.
F.C.I. Fellow of the Institute of Commerce.
f.co. fair copy.
fest forecast.
FCU Fighter Control Unit.
FD 1. fire department. 2. forced draft. 3. full dress.
F.D.A. Food and Drug Administration.
F.D.C. *amer.* Food, Drug and Cosmetic Act.
Fd Ldg Forced Landing.
FE 1. Far East. 2. first entry.
Fe iron.
fe. fecit.
Fed.Res.Bd. Federal Reserve Board.
FEF Far East Fleet.
fem. 1. female. 2. feminine.
FET Far East Time.
F.E.T. Federal Exercise Tax.
ff fortissimo.
ff. 1. folios. 2. (and the) following.
F.F.A. free from alongside.
F.f.a. free foreign agency.
F.F.I. 1. free from infection. 2. French Forces of the Interior.
F.F.Sc. Fellow of the Faculty of Sciences.
f.g. field goal; field goals.
FHA Federal Housing Administration.
FHLBA Federal Home Loan Bank Administration.
F.I. Falkland Islands.
fid. fiduciary.
f.i.f.o. first in, first out method.
fig. 1. figurative. 2. figure; figures.
Fin. 1. Finland. 2. Finnish.
fin. financial.
Fine finance.
Fi.t. free of income tax.
Fl 1. fleet. 2. flood. 3. front line.
fl. 1. flower. 2. fluid. 3. flush.
FLab Field Laboratory.
fld. 1. field. 2. fluid. 3. flowered.
FM 1. Food Manufacture. 2. foreign money.
F.M. Foreign Mission.
fm. 1. fathom. 2. from.
F.Mk. finmark.
FN fireman.
fn footnote.
FNA Final Approach.
FO 1. Foreign Office. 2. forward observation.
fo. folio.
f.o.b. free on board.
f.o.c. free of charge.
f.o.d. free of damage.
f.o.i.t. free of income tax.
fol. 1. folio. 2. followed. 3. following.
for. 1. foreign. 2. forestry. 3. former.
F.O.R. free on rails.
Fort Ar. Fortified Area.
f.o.t. free of tax.
fp forte-piano.
fp. 1. fireplug. 2. foot-pound. 3. freezing point.
FPC Federal Power Commision.
fpm feet per minute. *Şi* **ft/mn.**
FPO 1. field post office. 2. fleet post office.
fps 1. feet per second. 2. foot-pound-second.
FR freight release.
Fr francium.
Fr. 1. Father. 2. *(pl.)* **Fr.Frs.** franc. 3. French. 4. Friday.
fr. 1. fragment. 2. *pl.* **fr.frS.** franc. 3. from.
Frat. fraternity.
FRB Federal Reserve Bank. *Şi* **F.R.B.**
F.R.C.P. fellow of the Royal College of Physicians.
F.R.G.S. Fellow of the Royal Geographical Society.
F.R.Hist.S. Fellow of the Royal Historical Society.
Fri. Friday.
FRS Federal Reserve System.
Frs. Frisian.
F.R.S. Fellow of the Royal Society.
frt. freight.
f/s factor of safety.
f.s. foot second.
ft foot; feet.
ft. 1. fort. 2. fortification.
ft-lb foot-pound; foot pounds.
ft/sec feet per second.
F.T.U. Federation of Trade Unions.
FU Flying Unit.
fur furlough.
furn. furniture.
fut. future.
f.v. on the back of the page.
fwd forward.
FX foreign exchange.
F.Y.I. for your information.
F.Y.P. Five Year Plan.
F.Z.S. Fellow of the Zoological Society.

G

G 1. gas. 2. General Staff. 3. Gravitation Constant. 4. gulf.
G. 1. German. 2. gravity. 3. Gulf.
g 1. good. 2. gram; grams. 3. gravity.
g. 1. gender. 2. general. 3. genitive. 4. gold. 5. guinea.
Ga galium.
Ga. Georgia.
G.A. 1. General Agent. 2. General Assembly.
g.a. general average. *Şi* **G/A.**
Gar garage.
GAT Greenwich apparent time.
GATT General Agreement on Tarrifs and Trade.
G.A.W. guaranteed annual wage.
G.B. 1. Great Britain. 2. guidebook.
G.B.E. Knight Grand Cross of the British Empire.
G.B.S. George Bernard Shaw.
G.C. Grand Cross.
GCA ground control approach.
g-cal gram-calorie.
G.C.C. Ground Control Centre.
G.C.D. greatest common divisor. *Şi* **g.c.d.**
G.C.F. greatest common factor. *Şi* **g.c.f.**
G.C.M. greatest common measure. *Şi* **g.c.m.**
G.C.T. Greenwich Civil Time.
Gd 1. gadolinium. 2. grand. 3. guard.
gd. guard.
G.D. 1. Grand Duchess. 2. Grand Duke.
g.d. 1. good delivery. 2. granddaughter.
Gde gourde; gourdes.
gds. goods.
G.E. Geological Engineer.
Ge germanium.
gen. 1. gender. 2. genealogy. 3. general. 4. generic. 5. genitive.
Gen.A. General Assembly.
gen.del. general delivery.
Gen.Man. General Manager.
Gent. gentleman; gentlemen. *Şi* **gent.**
Ger. Germany.
GF. 1. Government form. 2. Ground Forces.
GFTU General Federation of Trade-Unions.
GG 1. gamma globulin. 2. *amer.* Golden Gate.
GHA Greenwich hour angle.
G.H.O. General Headquarters.
G.I. 1. gastrointestinal. 2. general issue. 3. government issue. *Şi* **GI, g.i.**
Gib Gibraltar.
Gl glucinum.
gl. 1. glass. 2. gloss.
GM 1. general message. 2. *amer.* General Motors Corporation. 3. Gold Medal. 4. Greenwich meridian.
G.M. 1. good merchantable. 2. Grand Master. 3. Grand Marshal. 4. General Manager.
gm 1. good morning. 2. gram.
G-Man *amer.* Government man.
G.m.a.t. Greenwich mean astronomical time.
GMT Greenwich Mean Time.
G.N. Graduate Nurse.
G.N.P. gross national product.
G.O. 1. general office. 2. general order. *Şi* **g.o.**
G.P. 1. Gloria Patri. 2. Graduate in Pharmacy. 3. Grand Prix.
gph gallons per hour.
gpm gallons per minute.
GPO Government Printing Office.
G.P.O. general post office.
G.Q. General Quarters.
gr 1. grain; grains. 2. gross.
Gr. 1. Grecian. 2. Greece. 3. Greek.
gr. 1. grade. 2. grammar. 3. great.
G.R. King George.
grad. 1. gradient. 2. graduate. 3. graduated.
gr.wght. gross weight.
GS 1. General Service. 2. General Staff. 3. general support.
G.S. 1. General Secretary. 2. Geographical Society. 3. grammar school.
GT General Transport.
G.T. 1. general terms (of delivery). 2. gross tonnage.
Gt. Brit. Great Britain.
g.t.m. good this month.
gv give.
Gvt government.
GZ ground zero point.

H

H 1. harbour. 2. headquarter. 3. height. 4. helicopter. 5. hospital. 6. Hungary. 7. hydrogen.
h 1. have. 2. heavy.
h. 1. hard. 2. height. 3. hour. 4. hundred. 5. husband.
ha hectar; hectars.
h.a. in this year.
hal. halogen.
h.&c. hot and cold (water).
Har harbour.
Hb hemoglobin.
h.b. halfback.
H.B.M. His (or Her) Britannic Majesty.
H.C. 1. habitual criminal. 2. High Court of Justice. 3. honoris causa. 4. House of Commons.
H.C.F. highest common factor. *Şi* **h.c.f.**
HD 1. Headquarter Department. 2. Home Defence.
H.D. hearing distance.
hd. 1. hand. 2. head.
hdkf. handkerchief.
hdqrs. headquarters.
HDX Home Defence Exercise.
HE 1. high explosive. 2. His Excellency. 3. horizontal equivalent.
He helium.
H.E. 1. high explosive. 2. His Eminence.
HET high education test.
HF high frequency.
Hf hafnium.
hf. half.
hf.bd. half-bound.

hf.cf. half-calf.
H.F.R.A. Honorary Foreign Member of the Royal Academy.
HG 1. High German. **2.** Home Guard.
Hg mercury.
hg hectogram; hectograms.
H.G. 1. High German. **2.** His (or Her) Grace.
hgt. height.
H.H. 1. His (or Her) Highness. **2.** His Holiness.
H.I. Hawaiian Islands.
Hi Fi high fidelity.
H.I.H. His (or Her) Imperial Highness.
H.I.M. His (or Her) Imperial Majesty.
Hi-Q high quality.
H.J. here lies.
H.J.S. here lies buried.

hl hectolitre; hectolitres.
H.L. House of Lords.
hm hectometre; hectometres.
H.M. His (or Her) Majesty.
H.M.S. His (or Her) Majesty's Service.
Ho holmium.
H.of C. house of Commons.
Hon. Honorable.
hon. 1. honourably. **2.** honorary.
Hond. Honduras.
Hon.Sec. Honorary Secretary.
hor horizon.
Hor. horse.
HP 1. high power. **2.** high pressure. **3.** hospital.
hp 1. half-pay. **2.** hope.
H.P. 1. house physician. **2.** Houses of Parliament.
h.pt. high point.
H.Q. high quality.

h.r. half round.
HR 1. King Henry. **2.** House of Representatives.
H.R.H. His (or Her) Royal Highness.
H.S. 1. High School. **2.** Home Secretary.
H.S.H. 1. His (or Her) Serene Highness.
H.S.M. His (or Her) Serene Majesty.
ht. height.

Hts. Heights.
H.V. *amer.* Harvard University.
hum. 1. human. **2.** humorous.
h.v. high voltage.
hv nt have not.
Hv W heavy weapons.
Hz hertz.

I

I 1. imperial. **2.** independence. **3.** infantry. **4.** island. **5.** Italy.
I. 1. industrial. **2.** institute. **3.** iodine.
i. 1. imperator. **2.** interest. **3.** intransitive. **4.** island. **5.** isle; isles.
Ia. Iowa.
IAEA International Atomic Energy Agency.
IAF Imperial Air Force.
IATA International Air Transport Association.
IAW in accordance with.
ib. ibidem. *Și* **ibid.**
IB 1. information bulletin. **2.** Intelligence Branch.
ic 1. in charge of. **2.** increase. **3.** inspected.
IC 1. Information Circular. **2.** International Certificate. **3.** immediate constituent.
I.C. Jesus Christ.
i.c. between meals (*L.* inter cibos).
ICA International Cooperation Administration.
ICAO International Civil Aviation Organization.
ICBM intercontinental ballistic missile.
I.C.C. Interstate Commerce Commision. *Și* **ICC**
Ice. 1. Iceland. **2.** Icelandic.
icfm I confirm.
ID 1. identification. **2.** inside diameter. **3.** Investigation Department.
Id. Idaho.

id. idem.
I.D. 1. identification. **2.** Infantry Division. **3.** Intelligence Department.
IDA International Development Association.
IE 1. Indo-European. **2.** *amer.* information and education.
I.E. 1. Indo-European. **2.** Industrial Engineer.
i.e. that is.
If intermediate frequency.
IFC International Finance Corporation.
I.F.S. Irish Free State.
ign. 1. ignition. **2.** unknown.
I.G.Y. International Geographical Year.
I.I.C. International Institute of Commerce.
IL 1. initial line. **2.** instrumental landing.
ILA International Law Association. *Și* **I.L.A.**
ill. 1. illustration. **2.** most illustrious.
ILO International Labour Organization.
I.M. Isle of Man.
im.act. immediate action.
Imp. 1. Emperor. **2.** Empress.
imp.1. imperfect. **2.** imperial. **3.** import. **4.** important. **5.** in the first place. **6.** improper. **7.** improvement
impce importance.
impv imperative mood.
In indium.

in. inch; inches.
inc. 1. income. **2.** incumbent.
ince insurance.
IND independence.
Ind 1. India. **2.** the Indies.
Ind. 1. India. **2.** Indian. **3.** Indiana. **4.** Indies.
ind. 1. independent. **2.** index. **3.** indicated. **4.** industry.
I.N.D. in the name of God.
Ind. Engin. Industrial Engineer.
inf. 1. inferior. **2.** infinitive. **3.** information.
in mem. in memoriam.
I.N.S. International News Service.
insp. 1. inspector. **2.** inspiration.
inst 1. institute. **2.** instruction. **3.** instrument.
int. 1. initial. **2.** interjection. **3.** intransitive.
intens. intensive.
IntO Intelligence Officer.
intr. 1. intransitive. **2.** introduction.
Int.Rev. Internal Revenue.
intro. 1. introduction. **2.** introductory. *Și* **introd.**
inv. 1. invention. **2.** invert.
IO 1. Indian Ocean. **2.** Intelligence Officer.
Io 1. Ionium. **2.** Iowa.
Ion. Ionic.
i/opn in operation.
I.P. 1. important person. **2.** initial price.
i.p. in primary.
IPA International Phonetic Alphabet.
i.p.m. inches per minute.
i.q. the same as.

IQ 1. instruction qualification. **2.** intelligence quotient.
Ir 1. Iridium. **2.** Irish.
Ir. 1. Ireland. **2.** Irish.
I.R.A. Irish Republican Army.
IRO International Refugee Organization.
iron. ironical.
Is. 1. island. **2.** isle.

IS 1. Information Service. **2.** Intelligence Service.
ISC International Society of Cardiology.
I.S.C. Interstate Commerce.
It. Italy.
I.T.A. Industrial Transport Association.
I. tr. in transit.

IU 1. immunizing unit. **2.** international unit.
i.v. 1. increased value. **2.** intravenous. **3.** invoice value.
i.w. 1. inside width. **2.** isotopic weight.
IWks iron works.

J

J 1. Japan. **2.** judge. **3.** justice.
j. 1. joint. **2.** junior.
J. 1. Jew. **2.** Journal. **3.** Judge. **4.** Justice.
Ja. January.
J.A. 1. Joint Agent. **2.** Judge Advocate.
JAFL Journal of American Folklore.
JAG Judge Advocate General.
Jam. Jamaica.
Jap Japanese.
Jav Javanese.

J.C. 1. Jesus Christ. **2.** Julius Caesar. **3.** jurisconsult.
J.C.L. 1. Doctor of Canon Law. **2.** Doctor of Law.
J.C.S. Joint Chiefs of Staff.
jct junction. *Şi* **jctn.**
J.D. 1. Doctor of Jurisprudence; Doctor of Law. **2.** Doctor of Laws.
Je. June.
jg junior grade.
Jl 1. journal. **2.** July.
J.M. Junior Member.

jn junior.
JO journalist.
J.P. Justice of the Peace.
Jr. 1. Journal. **2.** junior.
jr. junior.
J.S.D. Doctor of the Science of Law; Doctor of Juristic Science.
Ju. June.
Jud 1. judge. **2.** judgment. **3.** judicial. **4.** judiciary.
Jy. July.

K

K 1. kalium. **2.** king.
K. 1. kip; kips. **2.** Knight. **3.** knot.
k. 1. karat. **2.** kilogram; kilograms. **3.** king. **4.** knight.
Kan. Kansas.
KB king's bishop.
kb kilobar; kilobars.
K.B. 1. King's Bench. **2.** Knight Bachelor.
K.B.E. Knight Commander of the British Empire.
K.C. 1. King's Counsel. **2.** Knight Commander.

KD dinar; dinars.
kg kilogram.
K.G. Knight of the Order of the Garter.
Kg's King's.
kil. kilometre.
KKK Ku Klux Klan. *Şi* **K.K.K.**
KKT King's knight.
kl. kilolitre. *Şi* **kl.**
km. kilometre.
km/sec kilometres per second.
Kn knot; knots.
Knt. Knight.

K.O. knockout. *(pl.)* **K.O.'S.** *Şi* **k.o., KO.**
K.P. 1. key point. **2.** kitchen police.
Kr krypton.
kt knot.
kV kilovolt; kilovolts. *Şi* **ko.**
kVa kilovolt-ampere; kilovolt-amperes. *Şi* **kva.**
kw. kilowat.
Ky. Kentucky.

L

L 1. latent heat. **2.** leader. **3.** league. **4.** Lebanon. **5.** level. **6.** legal.
L. 1. label. **2.** lady. **3.** land. **4.** Latin. **5.** law. **6.** London. **7.** lord.
I 1. large. **2.** litre; litres. **3.** lumen.

l. 1. latitude. **2.** law. **3.** league. **4.** left. **5.** length. **6.** line.
La lanthanum.
La. Louisiana.
L.A. 1. Latin America. **2.** Law Agent. **3.** Los Angeles.
lab laboratory.

Lab. Labrador.
lab. 1. labour. **2.** laboratory. **3.** labourer.
Ladp ladyship.
LAM London Academy of Music.
Lam. lamentations.
lam. laminated.

Lancs Lancashire.
l&d loss and damage.
L.A.P. London Air Port.
Lat. Latin.
lat. 1. lateral. **2.** latitude.
Lat. Am. Latin America.
law. lawyer.
lb labour.
L.B. 1. letter box. **2.** Local Board.
Lb Co Labour Company.
L.C. 1. Law Court. **2.** London cheque. **3.** Lord (High) Chancellor.
l.c. 1. left centre. **2.** light case.
L.C.C. Lodon Chamber of Commerce.
l.cr. letter of credit.
L.D. 1. Doctor of Letters. **2.** line of departure. **3.** London District.
Lnd. London.
LEA Librarians, Editors, Authors.
leg. 1. legal **2.** legend **3.** legislature.
Leg. legation.
LEM Lunar Excursion Module; Lunar electronic mobile.
LF low frequency.
LG Low German. *Şi* **L.G.**
lg. 1. large. **2.** long.
l.g. left guard.
L. Ger. 1. Low German. **2.** Low

Germanic.
LGK Late Greek. *Şi* **LGk., L.Gk.**
lgth. length.
lg.tn. long ton.
l.h. left hand. *Şi* **L.H.**
Li lithium.
L.I. 1. Light Infantry. **2.** Long Island.
Lib. Liberal.
lib. 1. book. **2.** librarian. **3.** library.
lic. licence.
ling. linguistics.
lit. 1. litre; litres. **2.** literal. **3.** literary. **4.** literature.
Lit.B. Bachelor of Letters; Bachelor of Literature.
Lit.D. Doctors of Letters; Doctor of Literature.
Lith. 1. Lithuania. **2.** Lithuanian.
LL 1. Late Latin. **2.** Low Latin.
ll. lines.
L.Lat. 1. Late Latin. **2.** Low Latin.
LL.B. Bachelor of Laws.
LL.D. Doctor of Laws.
LL.M. Master of Laws.
LMT Local Mean Time.
L.O.A. lenght over all.
loc.cit. in the place cited.
log.cur. local currency.
L.of C. list of changes.

log. logic.
Lon. London.
lon. longitude.
L.P. 1. Labour Party. **2.** Liberal Party. **3.** London Police. **4.** low pressure.
L.P.S. Lord Privy Seal.
lpW lumen per watt; lumens per watt.
LR 1. living room. **2.** low resistence.
LRBM long-range ballistic missile.
L.S. Licentiate in Surgery.
l.s.c. in the place mentioned above.
L.S.D. pounds, shillings and pence.
l.s.t. local standard time.
Lt. lieutenant.
l.t. 1. local time. **2.** long ton.
Lt. Col. Lieutenant Colonel.
Lt. Comdr. Lieutenant Commander.
ltd. limited.
Lt. Gen. Lieutenant General.
Lt. Gov. Lieutenant Governor.
Lt. Inf. light infantry.
Lu lutetium.
L.U.N. League of United Nations.
l/w last week.

M

M 1. mass. **2.** mate. **3.** medium. **4.** million. **5.** month.
M. 1. magistrate. **2.** majesty. **3.** manifest. **4.** mark. **5.** Medical Service. **6.** Mexico. **7.** midnight. **8.** Monday.
m. 1. male. **2.** masculine. **3.** measure. **4.** medium. **5.** metre. **6.** mile. **7.** minute.
MA mental age.
mA milliampere; milliamperes. *Şi* **ma**
M.A. 1. Master of Arts. **2.** Military Academy. **3.** Ministry of Agriculture.
m/a/c money on account.
Maced. Macedonia.
Ma. E. Master of Engineering.
mag. magazine.
Maj. major.
man. 1. manual. **2.** manufacture.
M.&F. male and female.
man.op. manually operated.
M.A.O. Master of the Art of Obstetrics.
Mar. March.
mar. 1. maritime. **2.** married.
Mar.E. Marine Engineer.
Mart.L. Martial Law.

mat. 1. material. **2.** matter. **3.** maturity.
MATS Military Air Transport Service.
mb. millibar; millibars.
M.B. 1. Bachelor of Medicine. **2.** Medical Board. **3.** Memorandum Book.
M.B.A. Master of Business Administration.
M.B.E. Member of the Order of the British Empire.
Mbr member.
MC. 1. Medical Corps. **2.** Member of Congress.
M.C. 1. Master Commandant. **2.** Military Cross. **3.** Morse Code.
M.C.C. Member of the County Council.
M/chtr Manchester.
M.C.L. Master of Civil Law.
M.Com. Master of Commerce.
MD 1. Madrid. **2.** Middle Dutch. **3.** Military District.
M.D. 1. Doctor of Medicine. **2.** Managing Director. **3.** Medical Department.
M-day mobilization day.

M.Di. Master of Didactics.
ME. 1. Middle English. **2.** Middle East.
M.E. 1. managing editor. **2.** Master of Education. **3.** Middle English.
med. 1. medicine **2.** medieval. **3.** medium.
mem. 1. member. **2.** memorandum.
Merch. merchantable.
Messrs Messieurs.
MET Mechanical Transport.
met. 1. metallurgy. **2.** metaphor. **3.** meteorology.
MetCo Meteorological Company.
Mex. Mexico.
MF 1. medium frequency. **2.** Middle French. **3.** Motor Forces.
M.F. Ministry of Food.
mf 1. manufacture. **2.** millifarad.
M.F.A. Master of Fine Arts.
mfd 1. manufactured. **2.** microfarad; microfarads.
M Flem Middle Flemish.
M.Fr. Middle French.
Mg. magnesium.
mg 1. milligram; milligrams. **2.** magazine.

mgr. 1. manager. **2.** Monseigneur.
mgt. management.
M.H. 1. Medal of Honour. **2.** Ministry of Health.
M.H.R. Member of the House of Representatives *(în S.U.A.).*
M.H.S. Ministry of Home Security.
mi mile; miles.
mi. 1. mile; miles. **2.** mill; mills.
M.I. 1. Military Intelligence. **2.** Mounted Infantry.
mill. million.
Mil Pol Co Military Police Company.
Min minister.
miss mission.
M.J.P. Military Justice Procedure.
mk mark; marks.
mkt. market.
ML Medieval Latin.
ml. millilitre; millilitres.
MLA Modern Language Association.
Mlle. pl. **Mlles.** mademoiselle.
mm millimetre; millimetres.
mm. 1. thousands. **2.** millimetre; millimetres.
MM. 1. Military Medal. **2.** Ministry of Mines. **3.** money market.
Mme Madame.
m/mim metres per minute.

m.m.m. micron.
M.M.P. Military Mounted Police.
Mn manganum.
mn 1. midnight. **2.** minute.
mngr. manager.
Mo molybdenum.
mo. month.
m.o. 1. mail order. **2.** money order.
M.O. 1. mail order. **2.** Medical Officer. **3.** method of working. **4.** military operations.
M.O.T. Ministry of Transport.
MP 1. man-power. **2.** mile-post. **3.** Modern Philology.
M.P. 1. meeting point.**2.** Member of Parliament. **3.** Military Police. **4.** motive-power. **5.** Mounted Police.
mp. melting point.
MPC military payment certificate.
mpg miles per gallon.
mph miles per hour.
mphps miles per hour per second.
M.P.S. Military Police Station.
Mr March.
M.R. 1. Minister Residentiary. **2.** moment of resistance. **3.** money remittance.
MRA Moral Re-Armament.

MS 1. manuscript. **2.** motor ship. **3.** Military Secretary. **4.** special mission.
M.S. 1. Medical Staff. **2.** Metric System. **3.** military service.
M.Sc. Master of Science.
M.Sgt. Master sergeant.
m.s.l. mean sea level.
MSS manuscripts.
MST Mountain Standard Time.
MT megaton; megatons.
Mt. 1. mount. **2.** mountain.
M.T. 1. metric ton. **2.** military transport. **3.** Ministry of Transport.
mtg. 1. meeting. **2.** mortgage.
MTS Military Traffic Service.
Mts. mountains.
Mun. municipal.
MV 1. megavolt; megavolts. **2.** motor vehicle.
Mv mendelevium.
m.v. 1. market value. **2.** mezza voce.
MVA megavolt-ampere; megavolt-amperes.
mvmt movement.
Mw megawatt; megawatts.
M.Wks. Motor Works.
Mx maxwell; maxwells.
M.Y.O.B. mind your own business.

N

N 1. Negro. **2.** newton. **3.** normal force. **4.** North. **5.** nothing to follow.
N. 1. national. **2.** navigation. **3.** negation. **4.** new. **5.** Norway. **6.** November.
n neutron.
n 1. nephew. **2.** neuter. **3.** next. **4.** no. **5.** nominative. **6.** noun.
Na sodium.
n/a no account.
N.A. 1. National Academy. **2.** North America.
NAACP. *amer.* National Association for the Advancement of Colored People.
NAm North America.
N.Am. North American.
N.A.S. National Academy of Sciences. *Şi* **NAS.**
NASA National Aeronautics and Space Administration.
Nat. 1. native. **2.** natural.
Nat. Anth. National Anthem.
NatlBk *amer.* National Bank.
Nat.Sc.D. Doctor of Natural Science.
nav. 1. naval. **2.** navigation.

NB note well; take notice.
Nb niobium.
N.B. 1. Naval Base. **2.** New Brunswick. **3.** North Britain.
NBA 1. National Basketball Association. **2.** National Boxing Association.
NbE north by east.
N.B.S. National Broadcasting Service.
NbW north by west.
Nc Nurse Corps.
N.C. 1. naval construction. **2.** net capital. **3.** North Carolina.
NCh normal charge.
N.C.I. no common interest.
N.C.O. Non-Commissioned Officer.
n.c.v. no commercial value.
ND non-delay.
Nd neodynium.
N/D not done.
N.Dak. North Dakota. *Şi* **N.D.**
NE 1. Northeast. **2.** northeastern. *Şi* **n.e.**
Ne neon.
N.E. 1. Naval Engineer. **2.** New England.

N.E.A. *amer.* National Education Association. *Şi* **NEA.**
Neb Nebraska.
NEbN northeast by north.
NE Ld North-Eastern London.
Nev. Nevada.
NF 1. no funds. **2.** Norman French.
n/f no funds.
N.F. 1. Newfoundland. **2.** New French.
NFL National Football League.
nft no fixed time.
NG nitroglycerin.
N.G. 1. National Guard. **2.** New Guinea. **3.** no good.
n.g. no good.
NGk. New Greek. *Şi* **N.Gk.**
N.H. 1. naval hospital. **2.** New Hampshire.
N.Heb. New Hebrides.
N.H.I. National Health Insurance.
Ni nickel.
N.I. 1. National Insurance. **2.** not-interested. **3.** Northern Ireland.
N.J. New Jersey.
N/K not known.

NL New Latin; Neo Latin. *Şi* **NL.**
N.L. 1. National League. **2.** North Latitude.
n.l. 1. new line. **2.** not licet.
N. Lat. north latitude. *Şi* **N. lat.**
N.L.F. National Liberation Front.
NLRB *amer.* National Labor Relations Board.
N.M. 1. *amer.* National Museum. **2.** New Mexico.
N.M.S. no movements seen.
N.M.U. National Maritime Union. *Şi* **NMU.**
N/N not to be noted.
NNE north-northeast. *Şi* **N.N.E.**
NNP net national product.
NNW north-northwest. *Şi* **N.N.W.**
No nobelium.
Nom.Cap. nominal capital.
Nor. 1. Norman. **2.** North. **3.** Norway.
Nov. November.

NP neuropsychiatric.
Np neptunium.
N.P. 1. new paragraph. **2.** new pattern. **3.** not published.
n.p. 1. new paragraph. **2.** notary public.
n.p.o.d. no place or date.
n.p.t. normal pressure or temperature. *Şi* **npt.**
nr. near.
NRA no repair action.
NS 1. not sufficient (funds). **2.** nuclear ship.
N.S. 1. New Style. **2.** new system. **3.** North Sea. **4.** Nova Scotia.
n.s. not specified.
NSA National Standards Association.
NSC National Security Council.
NSF 1. National Science Foundation. **2.** not specified. *Şi* **N.S.F.**
N/S/F not sufficient funds.

N.S.P.C.A. National Society for the Prevention of Cruelty to Children.
N.S.W. New South Wales.
NT New Testament. *Şi* **NT.**
N.T. 1. New Testament. **2.** night telegram. **3.** Northern Territory.
nt.wt. net weight.
N.V. nominal value.
NW 1. northwest. **2.** northwestern. *Şi* **N.W., n.w.**
N.W. North Wales.
NWbN north by north.
NWbW north by west.
n.wt. net weight.
N.W.T. Northern Territories (Canada).
N.Y. New York.
NYA *amer.* National Youth Administration.
N.Ż. New Zealand.

O

O. 1. observation. **2.** October.
O.1. 1. occupation. **2.** ocean. **3.** office. **4.** old. **5.** operation. **6.** Orient. **7.** owner.
o.1. 1. occasion. **2.** official. **3.** open. **4.** origin. **5.** over.
O/a on account.
OAO Orbiting Astronomical Observatory.
O.A.P. old age pension.
ob. incidentally.
O.B. 1. official broadcasting. **2.** Order Book.
O.B.E. 1. Officer of the British Empire. **2.** Order of the British Empire.
Oc. 1. ocean. **2.** October.
o/c o'clock. *Şi* **o'c.**
o.c. 1. open circuit. **2.** open-closed.
Occ. Occident.
occ. occupation.
OCD Office of Civil Defence.
OCDM Office of Civil and Defence Mobilization.
OCS officer candidate school.
Oct. October.
oct. octavo.
OD 1. Officer of the day. **2.** Ordnance Department. **3.** out-

side diameter.
od 1. on demand. **2.** overdrawn.
OD. Old Dutch.
O.D. 1. Doctor of Optometry. **2.** officer of the day. **3.** outside diameter. **4.** overdrawn.
OE Old English. *Şi* **O.E.**
Oe oersted; oersteds.
O.E. ommissions accepted.
o.e. ommissions accepted. *Şi* **oe.**
OECD Organization for Economic Cooperation and Development. *Şi* **O.E.C.D.**
OEP Office of Emergency Planning.
OF old French. *Şi* **OF., O.F., OFr**
O.F. oil fuel.
off. 1. offered. **2.** office. **3.** officer. **4.** official.
OG officer of the guard.
O.G. Olympic Games.
OGO Orbiting Geophysical Observatory.
O.H.M.S. On His (or Her) Majesty's Service.
OIr Old Irish.
OIt Old Italian.
O.K. *amer.* okay.
OL Old Latin. *Şi* **OL.**
O.M. Order of Merit.

O.O. 1. Observation Officer. **2.** open order.
OOO out of order.
Op. opus.
op. 1. operation. **2.** opposite.
O.P. 1. Observation Post. **2.** open policy. **3.** out of print.
op. cit. in the work cited.
opt. optative. **2.** optics. **3.** option.
O.R. 1. operating room. **2.** owner's risk. **3.** right observer.
Ord. No. order number.
OS Old Saxon.
Os osmium.
O/S Old Style.
o/s 1. out of stock. **2.** outstanding.
O.S. 1. Old School. **2.** Old Series. **3.** Old Style.
OSD Office of the Secretary Defence.
OSlav Old Slavic.
OSS Office of Strategic Services. *Şi* **O.S.S.**
OT Old Testament. *Şi* **OT., O.T.**
OTC Officer in Tactical Command.
O.U. Oxford University.
Oxf. Oxford.
oz ounce.

P

P 1. patrol. **2.** Poland. **3.** Polish. **4.** polar.
P. 1. Pacific. **2.** peace strength. **3.** Police. **4.** Pope. **5.** port. **6.** Post Office. **7.** president.
p. 1. page. **2.** pass. **3.** pint. **4.** post. **5.** pro.
PA 1. press agent. **2.** public-address system.
Pa protactinium.
Pa. Pennsylvania.
P.A. 1. power of attorney. **2.** press agent. **3.** publicity agent. **4.** purchasing agent.
p.a. 1. participial adjective. **2.** per annum.
P&L profit and loss.
par. 1. paragraph. **2.** parallel. **3.** parenthesis.
Parl. parliament.
payt. payment.
Pb lead.
P.B. 1. pass book. **2.** Permanent Base.
pc. 1. piece. **2.** price.
P/C 1. petty cash. **2.** price current. *Şi* **p/c.**
P.C. 1. Past Commander. **2.** Police Constable. **3.** Prince Consort. **4.** Privy Council.
pct. percent.
Pd palladium.
pd. paid.
P.D. 1. partial delivery. **2.** Plane Division. **3.** Police Department.
p.d. per diem.
P.D.F. People's Democratic Front.
P.E. 1. printer's error. **2.** probable error.
pf. 1. preferred. **2.** proof.
P.F. 1. Permanent Force. **2.** prix fixe.
Pg. 1. Portugal. **2.** Portuguese.
pg. page.
P.G. 1. persona grata. **2.** post-graduate.

Ph phenyl.
P.H. Public Health.
PHA Public Housing Administration.
Ph. D. Doctor of Philosophy / Philology.
phil. 1. philosophical. **2.** philosophy.
Phil.I. Philippine Islands.
phr. phrase.
Ph.S. Philosophical Society.
phys. 1. physical. **2.** physician. **3.** physics. **4.** physiology.
phys.chem. physical chemistry.
phys.ed. physical education.
P.I. productivity index.
P.J. Police Justice.
pk. 1. pack. **2.** park.
pkg. package.
pkt. packet.
pl. 1. place. **2.** plate. **3.** plural.
Pm promethium.
pm. premium.
P.M. 1. Police Magistrate. **2.** post-mortem. **3.** Prime Minister.
p.m. afternoon.
P.M.G. Paymaster General.
P/N promising note.
pnt. 1. patient. **2.** point.
Po polonium.
P.O. 1. petty officer. **2.** postal order. **3.** post office.
POL petroleum, oil and lubricants.
Pol. 1. Poland. **2.** Polish.
pol. 1. political. **2.** politics.
pop. 1. popular. **2.** population.
pot. potassium.
pp. 1. pages. **2.** past participle. **3.** privately printed.
P.P. 1. parish priest. **2.** postpaid. **3.** prepaid.
pph. pamphlet.
ppl. participle.
ppm pulse per minute.
pps pulse per second.
P.P.S. second or additional

postscript.
ppt. precipitate.
PR 1. pay roll. **2.** public relations.
Pr praseodimium.
Pr. 1. preferred. **2.** Priest. **3.** Prince.
pr. 1. pair; pairs. **2.** power. **3.** price. **4.** printing. **5.** pronoun.
P.R. 1. proportional representation. **2.** public relations.
P.R.A. President of the Royal Academy.
pr.ct. per centum.
Prem. premier.
prep. preposition.
Pres. 1. Presbyterian. **2.** presidency.
PRI prison.
Priv.X private exchange.
proc. 1. process. **2.** proclaim.
prof. professor.
Prov. 1. Proverbs. **2.** Province.
prov. 1. province. **2.** provincial. **3.** provisional.
ps. 1. pieces. **2.** pseudonym.
P.S. 1. postscript. **2.** Privy Seal. **3.** Public Health.
p.s. postscript.
PSC Public Service Commission.
P-staff personal staff.
Pt platinium.
pt pint; pints.
Pt. 1. point. **2.** port.
pt. 1. part. **2.** past tense. **3.** payment. **4.** port.
P.T. 1. Pacific time. **2.** physical training. **3.** postal telegraph.
P.T.O. please turn over.
PU personal use.
pub. publicity.
Pvt. Private.
PW 1. prisoner of war. **2.** public works.
P.W.D. Public Works Department.
pwr power.
PX private exchange.

Q

Q. 1. quarter. **2.** queen. **3.** question.
q. 1. farthing. **2.** quart; quarts. **3.** question. **4.** quintal.
Q.B. Queen's Bench.

Q.C. Queen's Counsel.
q.e. wich is.
Q.E.F. wich was to be done.
ql. quintal.
qlty. quality.

QM Quartermaster.
qr. 1. farthing. **2.** quarter.
qt. quantity.
qu. 1. quart. **2.** quarter. **3.** queen. **4.** question.

R

R 1. received. **2.** register. **3.** room.
R. 1. radio. **2.** rector. **3.** republic. **4.** responsibility. **5.** right. **6.** Royal.
r 1. radical. **2.** railroad. **3.** redactor. **4.** Republican. **5.** royal.
r. 1. range. **2.** rare. **3.** recipe. **4.** residence. **5.** road.
RA regular army.
Ra radium.
R.A. 1. right ascension. **2.** Royal Academy. **3.** Royal Artillery.
rad. 1. radical. **2.** radio.
R&D research and development.
r.&l. right and left.
R.A.S. Royal Academy of Science.
Rb rubidium.
R.B. Receipt Book.
R.C. 1. Red Cross. **2.** Roman Catholic. *Și* **RC**
R.C.Ch. Roman Catholic Church.
rcd. received.
R.C.P. Royal College of Physicians.
rept. receipt.
R.C.S. Royal College of Surgeons.
Rd. Road.
rd. 1. rendered. **2.** round.
R.D. Rural Delivery.
rdo 1. radio. **2.** radiogram.
Re. rhenium.
R.E. Right Excellent. **2.** Royal Engineers.

rec. 1. receipt. **2.** receiver. **3.** record.
ref. 1. reference. **2.** reform.
Ref. Sp. reformed spelling.
Reg. regiment.
rem. 1. remark. **2.** remedy.
rep. 1. repeat. **2.** report.
req. 1. request. **2.** requisition.
res. 1. residence. **2.** resigned. **3.** restricted.
resp. responsability.
restr. restaurant.
ret. 1. retain. **2.** return.
Rev. 1. Revelation; Revelations. **2.** Reverend.
rev. 1. review. **2.** revision. **3.** revolution.
RF radio frequency.
RFC Reconstruction Finance Corporation.
Rgt regiment.
Rh rhodium.
R.H. Royal Highness.
r.h. right hand.
R.I. Radio Intelligence.
RJ road junction.
R/L radiolocation.
rm. room.
R.M. ready money.
R.M.A. Royal Military Academy.
R.M.C. Royal Military College.
RMP Royal Military Police.
R.M.S. Royal Mail Service.

Rn. radon.
R.N. Royal Navy.
R.N.A.S. Royal Naval Air Service.
ro. 1. recto. **2.** road.
R.O. 1. Receiving Office. **2.** Royal Observatory.
R.O.D. refused on delivery.
Rom. 1. Roman. **2.** Romania. **3.** Romanian.
Roy. Royal.
R.P. 1. retail price. **2.** rocket projectile. **3.** Rules of Procedure.
rpt. report.
R.R. 1. railroad. **2.** Right Reverend.
R.S. 1. radio station. **2.** Recording Secretary. **3.** repair shop. **4.** Royal Society.
r.s. right side.
R.S.G.B. Revised Standard Version.
rt. right.
R.T. 1. receive-transmitter. **2.** road traffic.
Rt.Hon. Right Honourable.
Ru ruthenium.
RU Repair Unit.
R/W right of way.
R.W. Right Worthy.
Rx. 1. prescription. **2.** receiver.
Ry. Railway.

S

S 1 Saxon. 2. Science. 3. security.
S. 1. Saturday. 2. sea. 3. Social. 4. society. 5. South. 6. steel. 7. Sunday. 8. system.
s. 1. school. 2. second. 3. series. 4. sign. 5. society.
Sa samarium.
S.A. 1. Salvation Army. 2. South America.
S.A.E. *amer.* Society of Automotive Engineers.
S.Am. South America.
S&L sea and land.
s.&r. snow and rain.
s.a.p. soon as posible.
SAT Scholastic Aptitude Test.
Sat. 1. Saturday. 2. Saturn.
Sb antimony.
sb. substantive.
S.B. 1. Bachelor of Science. 2. South Britain. 3. submarine boat.
S.B.D. Savings Bank Department.
SbE south by east.
SbW south by west.
Sc scandium.
Sc. 1. Scotch. 2. Scotland. 3. Scots. 4. Scottish.
sc. 1. scale. 2. science. 3. scientific.
S.C. 1. same case. 2. Security Council (of the United Nations). 3. Supreme Court.
s.c. 1. sharp cash. 2. small capitals.
Scand. 1. Scandinavia. 2. Scandinavian.
Sc.B. Bachelor of Science.
sch. school.
Sc.M. Master of Science.
sculp. 1. sculptor. 2. sculpture.
sd. sound.
S.D. 1. doctor of science. 2. secret document. 3. Supply Department.
s.d. 1. several duties. 2. short delivery.
SD 1. same date. 2. Sanitary Department. 3. special duty.
S.Dak. South Dakota.
S.D.P. Social Democratic Party.
Se selenium.
S.E. 1. sanitary engineer. 2. single-engined. 3. Society of Engineers.
SE 1. southeast. 2. southeastern.
sec. 1. secretary. 2. security.
Sec. secretary.
Secstate *amer.* Secretary of State.

SEE South-Eastern Europe.
sem. 1. semicolon. 2. seminary.
sens. sensibility.
Sep. September.
S.F. 1. Special Force. 2. supersonic frequency.
SF 1. sea flood. 2. semifinished.
S.Fran. San Francisco.
S.G. specific gravity.
s.g. 1. screw gear. 2. specific gravity.
SG Service Group.
sgd. signed.
Sgt. sergeant.
Sgt. Maj. Sergeant Major.
sh. 1. share. 2. shilling; shillings.
Sh. 1. ship. 2. shop.
SHA sidereal hour angle.
Shak. Shakespeare.
SHEX Sundays and holidays excepted.
SHq. Supreme Headquarters.
Si silicium.
S.I. self-induction. 2. special indication.
Sic. 1. Sicily. 2. Sicilian.
S.I.E. Society of Industrial Engineers.
sig. 1. signature. 2. signify.
sig.unk. signature unkown.
sim. 1. similar. 2. simile.
sing. 1. single. 2. singular.
SIS Special Investigation Service.
s.i.t. stopping in transit.
SK storekeeper.
sl. slang.
S.L. 1. Solicitor-at-Law. 2. South Latitude. 3. starting line.
S/L speed letter.
S.Lat. South Latitude.
sld. 1. sold. 2. solid.
S/LF sea and land forces.
slsmn salesman.
Sm samarium.
S.M. 1. Master of Science. 2. State Militia.
S/M submarine.
sml small.
S.N. 1. serial number. 2. Sergeant Navigator.
SN seaman.
SNM *amer.* Society of Nuclear Medicine.
S.O. 1. Senior Officer. 2. single opening.
SO 1. shop order. 2. special order.
SOA speed of advance.
Soc. 1. social. 2. socialist. 3. society.

sod. sodium.
S.O.E.D. Shorter Oxford English Dictionary.
Sol. solicitor.
sop. soprano.
SOP Standard Operating Procedure.
SP Submarine Patrol.
Sp. 1. Spain. 2. Spaniard. 3. Spanish.
sp. 1. special. 2. species. 3. specific. 4. spelling.
S.P. Socialist Party.
s.p. 1. single phase. 2. without issue.
S.P.C.A. Society for the Prevention of Cruelty to Animals.
S.P.C.C. Society for the Prevention of Cruelty to Children.
SpCM *amer.* Special Court Martial.
spd special delivery.
sp.gr. specific gravity.
sp. ht. specific heat.
SpM special mission.
sp.v. specific volume.
sqd squad.
sq.m. square metre.
S.R. 1. send reply. 2. snow and rain.
S/R sending receiving.
SR 1. situation report. 2. slow release.
Sr. 1. Senior. 2. Sir.
SRBM short-range ballistic missile.
S.R.O. standing room only.
ss a half.
S/S steamship.
SS. saints.
S.S.1. *amer.* Society of State. 2. Signal Station. 3. slow speed. 4. Supply Station.
SS 1. *(amer.)* Special Staff. 2. United States of America.
S.S.E. south-southeast.
SSM surface-to-surface missile.
SSR Soviet Socialist Republic.
SSS Selective Service System.
SST supersonic transport.
S.S.W. south-southwest.
St. 1. Saint. 2. statute; statutes. 3. Street.
st. 1. stanza. 2. strait.
S.T. 1. sea transport. 2. standard temperature. 3. summer time. 4. Supply and Transport.
s.t. short ton.
sta. 1. station. 2. stationary.

stat. 1. statute. **2.** statute mile.
std standard.
St. Ex. Stock Exchange.
stg. sterling.
stge. storage.
stk. stock.
S. to S. station to station.
str. 1. strenghth. **2.** stroke.
Stsm. statesman.
stud. student.
sub. 1. subiect. **2.** subscription. **3.**

substitute.
Sub. 1. sub-editor. **2.** *amer.* subway.
succ. 1. success. **2.** successor.
suff. 1. sufficient. **2.** suffix.
sup. 1. superior. **2.** superlative. **3.** supreme.
Sup.Ct. Supreme Court.
SurgGen Surgeon General.
Sv service.
S.V. sailing vessel.

s.v. specific volume.
SW 1. southwest. **2.** southwestern.
Sw. 1. Sweden. **2.** Swedish.
S.W. 1. South Wales. **2.** southwest. **3.** southwestern.
S.W.A. South-West-Africa.
sym. 1. symbol. **2.** symmetrical. **3.** symphony. **4.** symptom.
syn. 1. synonym. **2.** synthetic.

T

T 1. temperature. **2.** tension. **3.** test. **4.** time. **5.** transport.
T. 1. target. **2.** telegram. **3.** territory. **4.** traffic control. **5.** Tuesday.
t. 1. temporary. **2.** time. **3.** town. **4.** transition.
T.A. traffic agent.
t.&d. time and date.
T.&R. transmitter and receiver.
taut. tautology.
t.a.w. twice a week.
Tb terbium.
TB 1. time base. **2.** Traffic Bureau. **3.** tuberculosis.
t.b. trial balance.
tbs. tablespoon; tablespoonful.
TC 1. Temporary Commission. **2.** traffic control.
T.C. 1. telephone central. **2.** Transport Command. **3.** type certificate.
TCBM transcontinental ballistic missile.
tchr teacher.
T.C.P. Traffic Control Post.
TD 1. time and date. **2.** touchdown. **2.** Transportation Department.
T.D. 1. Traffic Director. **2.** *amer.* Treasury Department.
TDS time-distance-speed.
TE totally enclosed.
T.E. 1. tax exempt. **2.** Trade Expenses.
Tech. technical.
tel. telegram.
Tel. telephone.
Tel&Tel telephone and telegraph.
tele.rew. television review.

Tel.No. telephone number.
temp. temperature.
Ter. territory.
term. terminology.
T.E.S. turbo-electric ship.
TF 1. *amer.* time-freight. **2.** training.
T.F. 1. time factor. **2.** train ferry.
t.f. time of flight.
Tfc traffic.
Th thorium.
Th. Thursday.
T.H. *amer.* Territory of Hawaii.
Th.B. Bachelor of Theology.
Th.D. Doctor of Theology.
Ti titanium.
T.I. 1. technical information. **2.** time interval.
T.I.H. Their Imperial Highnesses.
T.I.M. time is money.
T.J. turbo-jet.
TKO Technical knockout.
TL thunder and lighting.
T.L. 1. trade-last. **2.** trade list.
t.l. total loss.
TLV television.
TM 1. tactical missile. **2.** Traffic Manager.
T.M. 1. time mechanical. **2.** trademark.
tmr tomorrow.
tn. ton.
T.N. telephone number.
Tng. training.
TO 1. take-off. **2.** Telegraph Office. **3.** travel order.
T.O. Transport Officer.
t.o. 1. turn over. **2.** turnover.
T/O transfer order.
TOD time of delivery.

T.P. 1. traffic post. **2.** turning point. **3.** transport pilot.
tmp tons per minute.
TPS Transport Service.
tr.1. train. **2.** transivite. **3.** translation. **4.** trust. **5.** treasurer.
T.R. 1. telegraph repeater. **2.** telephone repeater. **3.** translating relay.
trag. tragedy.
Trdg trading.
trf 1. transfer. **2.** tuned-radio-frequency.
trib. 1. tribal. **2.** tributary.
tr.mk. trade-mark.
tr.pt. transition point.
Trs 1. transmitter. **2.** troops.
TS 1. Tactical School. **2.** top secret. **3.** Training School.
T.S. 1. Television Society. **2.** too short. **3.** Transport and Supply.
T.S.F. wireless telegraph.
T.Sgt. Technical Sergeant.
TT 1. technical test. **2.** telegraphic transfer.
T.T. 1. technical term. **2.** trade test.
TTL to take leave.
tis that is to.
tu thank you.
Tu 1. thulium. **2.** Tuesday.
TU 1. traffic unit. **2.** universal time.
T.U. transmission unit.
Turk. 1. Turkey. **2.** Turkish.
TV television.
TVL travel.
T.W. total weight.
tx tax.
typ.1. typographer. **2.** typographical.

U

U 1. utility. **2.** you.
U. 1. underground. **2.** union. **3.** universal. **4.** university. **5.** uranium.
u 1. ultimate. **2.** unit. **3.** united.
u. 1. unified. **2.** uniform. **3.** unpaid.
UAM underwater-to-air-missile.
U.C. 1. University College. **2.** upper case.
U/C unclassified.
u/c 1. under command. **2.** under construction.
U.C.L. University College, London.
U.Conf. ultra-confident.
U.D.F. Union Defence Forces.
UHF ultrahigh frequency.
U/I unidentified.
UIA Union of International Associations.
U.K. United Kingdom.
Uk unknown.
ULET your letter.
ult. ultimate.
u.m. undermentioned.
UMT Universal Military Training.
UMWA United Mine Workers of America.

un. unified.
Un. union.
UN United Nations.
U.N.A. United Nations Association.
unam. unanimous.
UNCIO United Nations Conference on International Organization.
UNEF United Nations Emergency Force.
UNESCO United Nations Educational, Scientific and Cultural Organization.
UNO United Nations Organization.
UO unobserved.
UP United Press.
Ur. uranium.
urb. urban.
US United States.
U.S. United Services.
USA United States of America.
USAR United States Army Reserve.
USC United States Congress.
US Emb United States Embassy.
USFOR United States Forces.
US Govt United States Government.

USIS United States Information Service.
USM underwater-to-surface missile.
U.S.M. United States Marines.
U.S.M.A. United States Military Academy.
USN United States Navy.
U.S.N.A. United States National Army.
U.S.P.H.S. United States Public Health Service.
U.S.P.O. United States Post Office.
U.S.R. United States Reserves.
U.S.S. 1. United States Senate. **2.** United States Service.
U.S.S.Ct. United States Supreme Court.
usv. 1. usual. **2.** usually.
UT universal time.
U.T. United Territory.
U.U. University Union.
U/W underwater.
ux. wife.

V

V. 1. value. **2.** venerable. **3.** Vice. **4.** Viscount. **5.** vocative.
v. 1. vein. **2.** verb. **3.** verse. **4.** versus. **5.** volt.
va volt-ampere.
Va. Virginia.
V.A. Vice Admiral.
v.a. 1. verb active. **2.** verbal adjective.
val. 1. valley. **2.** value.
var. 1. variable. **2.** variant.
v. aux. auxiliary verb.
vbl verbal.
VC valuation clause.
V.C. 1. Vice-Chairman. **2.** vital capacity.
V.Day Victory Day.
ve voltage.
veh. vehicle.
Ven. 1. venerable. **2.** Venetian.
vert. vertical.
VF voice frequency.

v.f. very fair.
V.G. Vicar General.
VHG very high frequency.
VI volume indicator.
V.I. 1. Vancouver Islands. **2.** Virgin Islands.
v.i. 1. verb intrasitive.
Vic. 1. Vicar. **2.** Vicarage. **2.** Victoria.
vic. 1. vicinity. **2.** victory.
Vict. 1. Victoria. **2.** Victorian.
VIP very important person.
v. irr. verb irregular.
Visc. Viscount.
v.l. vertical line.
VLF very low frequency. *Şi* **v.l.f.**
v/m volts per minute.
V.M.D. Doctor of Veterinary Medicine.
vo. verso.
V.O. 1. very old. **2.** Veterinary Officer.

VOA 1. Voice of America. **2.** Volunteers of America.
voc. vocative.
vocab. vocabulary.
V.P. 1. Vice President. **2.** vulnerable point.
v.p. 1. verb passive. **2.** vertical plane.
V.R. 1. Queen Victoria. **2.** Volunteer Reserve.
v.r. verb reflexive.
V.Rev. Very Reverend.
vs. 1. verse. **2.** versus.
V.S. Veterinary Surgeon.
v.s. very slow.
vss. versions.
v.t. verb transitive.
VTO vertical take off.
vu volume unit.
vv. 1. verbs. **2.** volumes.
v.v. vice versa.
vy very.

W

W 1. total weight. **2.** water. **3.** writing paper.
W. 1. Wales. **2.** Wednesday. **3.** West.
w 1. specific weight. **2.** warm.
w. 1. weather. **2.** week. **3.** wind. **4.** winter. **5.** work.
W.A. 1. West Africa. **2.** Western Australia.
w.a.f. with all faults.
W&F water and feed.
WARCOR war correspondent.
W.B. West Britain.
w.b. 1. water ballast. **2.** waybill.
WbN west by north.
WbS west by south.
WC water carrier.
W.C. 1. water closet. **2.** wireless communication. **3.** without charge.
wd 1. ward. **2.** word.
WD 1. *amer.* War Department. **2.** wind direction.
W.D. Western Desert.

w/e week end(ing).
whr. watt-hour.
whse. warehouse.
whsle. wholesale.
W.I. 1. West Indian. **2.** West Indies.
wk. 1. week. **2.** work.
W/K well-known.
wkly. weekly.
W.L. west longitude.
w.l. 1. water line. **2.** wave length.
W.Lon. West London.
wls wireless.
wmk. watermark.
WNW west-north-west.
w/o without.
W.O. 1. War Office. **2.** warrant officer.
woc without compensation.
Wom's women's.
WP 1. weather permitting. **2.** working pressure.
W.P. 1. water point. **2.** without prejudice.

WPA *amer.* Work Projects Administration.
WPB War Production Board. *Şi* **W.P.B.**
wpm words per minute.
W.R. 1. War Reserve (Police). **2.** weather report.
WS 1. water supply. **2.** Weather Station.
W.S. 1. war strength. **2.** wireless set.
WSW west-southwest. *Şi* **W.S.W.**
WT 1. war tax. **2.** water transportation.
wt 1. watt. **2.** weight.
W.T. 1. watch time. **2.** wireless telephony.
w.t. war time.
W.Va. *amer.* West Virginia.
W.V.S. Women's Voluntary Service.
WW World War.
WWI World War I.
WWII World War II.

X

X 1. Christ. **2.** cross. **3.** extra.
Xe xenon.
X.H. extra heavy.
xing crossing.

XLNT excellent.
Xm Christmas. *Şi* **Xmas.**
xpln explanation.
Xt Christ.

Xtian Christian.
xtry extraordinary.
XWt experimental weight.

Y

Y 1. Yellow. **2.** yttrium.
Y. 1. year. **2.** you.
y. 1. yard. **2.** young.
Y.C. Youth Council.
yds yards.

ydy yesterday.
yld your letter dated.
ym them.
y.o. year old.
Y.P. Young People.

Yr your.
Yr. 1. year; years. **2.** your.
Y.S. Youth Society.

Z

Z 1. zenith distance. **2.** Zone.
z 1. zero. **2.** zone.
Z/F zone of fire.

Z.G. Zoological Garden.
Z.L. zero line.
Zn zincum.

Z.S. Zoological Society.
ZT zone time.
ZZZ zigzag.

II. NUME PROPRII
LEGATE DE MITOLOGIA ŞI ISTORIA GRECO-LATINĂ

Abydos [ə'baidɔs] Abidos
Achates [ə'keiti:z] Ahate
Achilles [ə'kili:z] Ahile
Actaeon ['æktiən] Acteon
Adonis [ə'dounis] Adonis
Aegeria [i:'dʒiəriə] Egeria
Aegeus ['i:dʒu:s] Egeu
Aegina [i(:)dʒainə] Egina
Aegistus [i(:)'dʒistəs] Egist
Aegyptus [i(:)'dʒiptəs] Egipt
Aeneas [i(:)ni:æs] Enea
Aeneis ['i:niis] Eneida
Aeolus ['i(:)ouləs] Eol
Aesculapius [,i:skju'leipiəs] Esculap
Agamemnon [,ægə'memnən] Agamemnon
Agenor [ə'dʒi:nɔ:r] Agenor
Ajax ['eidʒæks] Aiax
Alcaeus [æl'si(:)əs] Alceu
Alcestis [æl'sestis] Alcesta
Alcmene [ælk'mi:ni(:)] Alcmena
Alexander [,ælig'zɑ:ndə] Alexandru
Alphaeus [æl'fi(:)əs] Alfeu
Amazons ['æməzɔnz] Amazoane
Amphitryon [æm'fitriən] Amfitrion
Amphitrite ['æmfitraiti] Amfitrita
Anchises [æŋ'kaisi:z] Anchise
Andromache [æn'drɔməki] Andromaca
Andromeda [æn'drɔmidə] Andromeda
Antaeus [æn'ti(:)əs] Anteu
Antigone [æn'tigəni] Antigona
Aphrodite [æfrə'daiti] Afrodita
Apis ['ei:pis] Apis
Apollo [ə'pɔlou] Apolo.
Arcadia [ɑ:'keidiə] Arcadia
Areopagus [,æri'ɔpəgəs] Areopag
Ares ['ɛəri:z] Ares, Marte
Arethusa [,æri'θju:zə] Aretuza
Argo ['ɑ:gou] Argo
Argonauts ['ɑ:gənɔ:ts] Argonauţi
Argos ['ɑ:gɔs] Argos
Argus ['ɑ:gəs] Argus
Ariadne [,æri'ædni] Ariadna
Artemis ['ɑ:timis] Artemis, Diana
Asclepiads [æs'kli:piædz] Asclepiade
Asclepius [æs'kli:piəs] Esculap
Astarte [æs'tɑ:ti] Astartea
Astyanax [əs'taiənæks] Astianax
Atalanta [,ætə'læntə] Atalanta
Athena [ə'θi:nə] (Palas) Atena
Athene [ə'θini(:)] (Palas) Atena
Atlantids [ə'tlæntidz] Atlantide

Atlas ['ætləs] Atlas
Atreus ['eitriu:s] Atreu
Atrides [ə'traidi:z] Atrizi
Attica ['ætikə] Atica
Augeas [ɔ:'dʒi:æs] Augias
Aulis ['ɔ:lis] Aulida
Aurora [ɔ:'rɔ:rə] Aurora
Aventine ['ævintain] Aventin
Bacchanalia [,bækə'neiliə] Bacanale
Bacchus ['bækəs] Bachus
Bellona [be'lounə] Belona
Berenice [,beri'naisi(:)] Berenice
Beotia [bi'ouʃiə] Beoţia
Boreas ['bɔriæs] Boreas
Calchas ['kælkæs] Calchas
Calliope [kə'laiəpi] Caliope
Callisto [kæ'listou] Calisto
Calypso [kæ'lipsou] Calipso
Carthage ['kɑ:θidʒ] Cartagina
Caryatids [,kæri'ætidz] Cariatide
Cassandra [kə'sændrə] Casandra
Cassiopeia [,kæsiə'pi(:)ə] Casiopea
Castor ['kɑ:stər] Castor
Centaur ['sentɔ:] Centaur
Cerberus ['sə:bərəs] Cerber
Ceres ['siəri:z] Ceres
Chaos ['keiɔs] Haos
Charon ['kɛərən] Caron
Charybdis [kə'ribdis] Caribda
Chim(a)era [kai'miərə] Himera
Chiron ['kaiərən] Chiron
Cilicia [sai'liʃiə] Cilicia
Circe ['sə:si] Circe
Cleopatra [kliə'pɑ:trə] Cleopatra
Clio ['klaiou] Clio
Clytemnestra [,klaitim'nestrə] Clitemnestra
Colchis ['kɔlkis] Colchida
Concordia [kən'kɔ:diə] Concordia
Corinthus [kə'rinθəs] Corint
Cornucopia [,kɔ:nju'koupiə] Cornul Abundenţei
Cos [kɔs] Cos
Creon ['kri:ɔn] Creon
Crete [kri:t] Creta
Croesus ['kri:səs] Cresus
Cronus ['krounəs] Cronos
Cupid ['kju:pid] Cupidon
Cybele ['sibəli] Cibele
Cyclades ['siklədi:z] Ciclade
Cyclopes [sai'kloupi:z] Ciclopi
Cyclops ['saiklɔps] Ciclopi
Cynthia ['sinθiə] Cintia
Cyrene [sai'ri:ni] Cirene
Cythera [si'θiərə] Citera

Daedalus ['di:dələs] Dedal
Danaë ['dæneii:] Danae
Danaids ['dæneids] Danaide
Daphnis ['dæfnis] Dafne
Dejanira ['di:iə'naiərə] Dejanira, Deianira
Delos ['di:lɔs] Delos
Delphi ['delfi] Delfi
Demeter [di'mi:tə] Demeter
Diana [dai'ænə] Diana
Dido ['daidou] Didona
Diomedes [,daiə'mi:diz] Diomede
Dionysus [,daiə'naisəs] Dionisos
Dioscuri [dai'ɔskjuərai] Dioscuri
Echo ['ekou] Echo
Electra [i'lektrə] Electra
Elis(s)a [i'lisə] Elisa, Didona
Elysian Fields [i'liziən 'fi:ldz] Câmpiile Elizee
Elysii Campi [i'lizi: 'kæmpi] Câmpiile Elizee
Elysium [i'liziəm] Câmpiile Elizee
Empedocles [em'pedəkli:z] Empedocle
Endymion [en'dimiən] Endimion
Eolus ['i(:)ouləs] Eol
Ephesus ['efisəs] Efes
Ephialtes [efai'ælti:z] Efialte
Epidaurus [epi'dɔ:rəs] Epidaur
Epirus [e'paiərəs] Epir
Erato ['erətou] Erato
Erinyes [i'raini:z] Erinii, Furii
Eros ['erɔs] Eros, Amor
Eteocles [i'ti(:)əkli:z] Eteocle
Euboea [ju:'biə] Eubeea
Eumenides [ju'menidi:z] Eumenide
Europa [ju'roupə] Europa
Eurydice [ju'ridisi(:)] Euridice
Euterpe [ju:'tə:pi] Euterpe
Fatum ['feitəm] Fatum
Faun [fɔ:n] Faun
Fortuna [fɔ:'tju:nə] Fortuna
Furies ['fjuəriz] Furii
Gaea ['dʒi:ə] Ge(e)a
Galatea [,gælə'tiə] Galate(e)a
Ganymede ['gænimi:d] Ganimede
Ge [dʒi:] Ge(e)a
Giants ['dʒaiənts] Giganţi
Gigantes [dʒai'gænti:z] Giganţi
Gorgons ['gɔ:gənz] Gorgone
Graces ['greisiz] Graţiile
Griffin ['grifin] Grifon
Gryphon ['grifən] Grifon
Hades ['heidi:z] Hades
Hamadryads [,hæmə'draiədz] Hamadriade

Harmonia [hɑːˈmouniə] Armonia
Harpies [ˈhɑːpiz] Harpii
Hebe [ˈhiːbi(ː)] Hebe
Hecate [ˈhekəti(ː)] Hecata
Hector [ˈhektə] Hector
Hecuba [ˈhekjubə] Hecuba
Helen [ˈhelən] Elena
Hephaestus, **Hephaistos** [hiˈfiːstəs] Hefaistos, Vulcan
Hera [ˈhiərə] Hera
Heracles [ˈherəkliːz] Hercule, Heracle
Hercules [ˈhəːkjuliːz] Hercule
Hermes [ˈhəːmiːz] Hermes, Mercur
Hermione [həːˈmaiəni] Hermiona
Hero [ˈhiərou] Hero
Hesione [hiːˈsaiəniː] Hesiona
Hesperides [hesˈperidiːz] Hesperide
Hippolytus [hiˈpɔlitəs] Hipolit
Hippolyta [hiˈpɔlitə] Hipolita
Horatii [hɔˈreiʃiai] Horaţii
Hydra [ˈhaidrə] Hidra
Hyperion [haiˈpiəriən] Hiperion
Icarus [ˈaikərəs] Icar
Idomeneus [aiˈdɔminiəs] Idomeneu
Ilion [ˈiliən] Ilion, Troia
Ilium [ˈiliəm] Ilia, Troia
Illyria [iˈliriə] Iliria
Ino [ˈainou] Ino
Io [ˈaiou] Io
Iocaste [jɔˈkæstiː] Iocasta
Iphigenia [iˌfidʒiˈnaiə] Ifigenia
Iris [ˈaiəris] Iris
Ismene [isˈmiːniː] Ismena
Ithaca [ˈiθəkə] Itaca
Janus [ˈdʒeinəs] Ianus
Jason [ˈdʒeisn] Iason
Jocasta [dʒouˈkæstə] Iocasta
Juno [ˈdʒuːnou] Junona
Jupiter [ˈdʒuːpitə] Jupiter
Lacedaemonia [ˌlæsidiˈmouniə] Lacedemonia
Laconia [ləˈkouniə], **Laconica** [ləˈkɔnikə] Laconia
Laertes [leiˈəːtiːz] Laerte
Laius [ˈlaiəs] Laius
Laocoon [leiˈɔkouɔn] Laocoon
Laodicea [ˈleioudiˈsiə] Laodiceea
Lares [ˈlɛəriːz] Lari
Latium [ˈleiʃiəm] Latium
Latona [leiˈtounə] Latona
Lavinia [ləˈviniə] Lavinia
Leda [ˈliːdə] Leda
Lemures [ˈliːməriːz] Lemuri
Lesbos [ˈlezbɔs] Lesbos
Lethe [ˈliːθi] Lethe
Leucippus [ljuːˈsipəs] Leucip
Lotophagi [loutɔfədʒai] Lotofagi
Lotus-Easters [ˈloutəsˌiːtəz] Lotofagi
Lucifer [ˈluːsifə] Lucifer
Lupercalia [ˈluːpəˈkeiliə] Lupercalii
Lycurgus [laiˈkəːgəs] Licurg

Lydia [ˈlidiə] Lidia
Lysistrata [laiˈsistrətə] Lisistrata
Maenads [ˈmiːnædz] Menade
Marathon [ˈmærəθən] Maraton
Mars [mɑːz] Marte
Medea [miˈdiə] Medeea
Medusa [miˈdjuːzə] Meduza
Meleager [ˌmeliˈeigə] Meleagru
Melpomene [melˈpɔmini(ː)] Melpomena
Memphis [ˈmemfis] Memfis
Menelaus [ˌmeniˈleiəs] Menelau
Mercury [ˈməːkjuri] Mercur
Merope [ˈmerəpi] Meropa
Midas [ˈmaidæs] Midas
Miletus [miˈliːtəs] Milet
Minerva [miˈnəːvə] Minerva
Minos [ˈmainəs] Minos
Minotaur [ˈmainətɔː] Minotaur
Morpheus [ˈmɔːfjuːs] Morfeu
Muses [ˈmjuːziz] Muze
Mycenae [maiˈsiːniː] Micene
Myrmidons [ˈməːmidənz] Mirmidoni
Naiads [ˈnaiædz] Naiade
Narcissus [nɑːˈsisəs] Narcis
Nausicaa [nɔːˈsikiə] Nausicaa
Nemean Lion [niˈmi(ː)ən ˈlaiən] Leul din Nemeea
Nemesis [ˈnemisis] Nemesis
Neptune [ˈneptjuːn] Neptun
Nereids [ˈniəriidz] Nereide
Nessus [ˈnesəs] Nessus
Nike [naik] Nike
Ninive(h) [ˈninivi] Niniva
Niobe [ˈnaiəbi] Niobe
Nymphs [nimfs] Nimfe
Oceanus [ouˈsiənəs] Oceanus
Odyseus [ɔˈdisjuːs] Odiseu
Odyssey [ˈɔdisi] Odiseea
Oedipus [ˈiːdipəs] Edip
Olympia [ouˈlimpiə] Olimpia
Olympus [ouˈlimpəs] Olimp
Orestes [ɔˈrestiːz] Oreste
Orion [ɔˈraiən] Orion
Orpheus [ˈɔːrfjuːs] Orfeu
Palladium [pəˈleidiəm] Pa(l)ladium
Pallas [ˈpæləs] Palas, Atena
Pallas Athena [ˈpæləs əˈθiːnə] Palas Atena
Pan [pæn] Pan
Pandora [pænˈdɔːrə] Pandora
Parcae [ˈpɑːsiː] Parce
Paris [ˈpæris] Paris
Parnassus [pɑːˈnæsəs] Parnas
Pasiphae [pəˈsifɔiː] Pasifae
Patroclus [pəˈtrɔkləs] Patrocle
Pegasus [ˈpegəsəs] Pegas
Peleus [ˈpiːljuːs] Peleu
Peloponnese [ˈpeləpəniːs] Peloponez
Penates [peˈneitiːz] Penaţi
Penelope [piˈneləpi] Penelopa
Pergamus [ˈpəːgəməs] Pergam
Persephone [pəˈsefəni] Persefona
Perseus [ˈpəːsjuːs] Perseu

Phaedra [ˈfiːdrə] Fedra
Phaethon [ˈfeiəθən] Faeton
Phidias [ˈfidiæs] Fidias
Philemon [fiˈliːmən] Filemon
Philoctetes [ˌfiləkˈtiːtiːz] Filoctet
Philomela [ˌfilouˈmiːlə] Filomela
Phoebe [ˈfiːbi] Febe
Phoebus [ˈfiːbəs] Febus
Phoenix [ˈfiːniks] Fenix
Phrygia [ˈfridʒiə] Frigia
Piraeus [paiˈri(ː)əs] Pireu
Pleia(d)s [ˈplaiədz] Pleiade
Pluto [ˈpluːtou] Pluton
Pollux [ˈpɔləks] Polux
Polybius [pəˈlibiəs] Polib
Polydorus [pɔliˈdourəs] Polidor
Polymnia [pəˈlimniə] Polimnia
Polynices [ˌpɔliˈnaisiːz] Polinice
Polyphemus [ˌpɔliˈfiːməs] Polifem
Polyxena [pɔˈliksinə] Polixenia
Pontus Euxinus [ˈpɔntəs ˈjuːksinəs] Pontul Euxin
Poseidon [pɔˈsaidən] Poseidon
Priam [ˈpraiəm] Priam
Priapus [praiˈeipəs] Priap
Procrustes [prəˈkrʌstiːz] Proc(r)ust
Prometheus [prəˈmiːθjuːs] Prometeu
Proserpine [ˈprɔsəpain] Proserpina
Proteus [ˈproutjuːs] Proteu
Psyche [ˈsaiki] Psihe
Pygmalion [pigˈmeiliən] Pigmalion
Pylades [ˈpilədiːz] Pilade
Pyramus [ˈpirəməs] Piram
Pyrrhus [ˈpirəs] Pirus
Remus [ˈriːməs] Remus
Rhea Silvia [ˈriə ˈsilviə] Rea Silvia
Rhodes [roudz] Rhodos
Rome [roum] Roma
Romulus [ˈrɔmjuləs] Romulus
Salamis [ˈsæləmis] Salamina
Samothrace [ˈsæmouθreis] Samot(h)race
Satyrs [ˈsætəz] Satiri
Scylla [ˈsilə] Scila
Scythia [ˈsiðiə] Sciţia
Selene [siˈliːni] Selene
Semele [ˈsemili] Semela
Semiramis [seˈmirəmis] Semiramida
Sibyl [ˈsibil] Sibila
Sicily [ˈsisili] Sicilia
Silenus [saiˈliːnəs] Silen
Sisyphus [ˈsisifəs] Sisif
Sparta [ˈspɑːtə] Sparta
Sphinx [sfinks] Sfinx
Stentor [ˈstentɔː] Stentor
Styx [stiks] Stix
Syracuse [ˈsaiərəkjuːz] Siracuza
Tantalus [ˈtæntələs] Tantal
Tarquin [ˈtɑːkwin] Tarquiniu
Tauris [ˈtɔːris] Taurida
Taygetus [teiˈidʒitəs] (Muntele) Taiget

Telemachus [ti'leməkəs] Telemah
Terpsichore [tə:p'sikəri] Terpsihora
Terra ['terə] Terra, Pământul
Thalia [θə'laiə] Talia
Thanatos ['θænətɔs] Tanatos, Moartea
Thebaid ['θi:beiid] Tebaida
Thebes [θi:bz] Teba
Thersites [θə:'saiti:z] Tersit
Theseus ['θi:sju:s] Tezeu
Thessaly ['θesəli] Tesalia

Thetis ['θetis] Tetis
Thisbe ['θizbi] Tisbe
Thrace [θreis] Tracia
Thracia ['θreiʃiə] Tracia
Tiber ['taibə] Tibru
Tiresias [tai'ri:siæs] Tiresias
Titans [taitənz] Titani
Triton ['traitn] Triton
Troilus ['trɔiləs] Troilus
Troy [trɔi] Troia
Ulysses [ju(:)'lisi:z] Ulise

Urania [juə'reiniə] Urania
Uranus ['juərənəs] Uranus
Ursa ['ɔ:sə] Ursa
Venus ['vi:nəs] Venus
Virgo ['və:gou] Fecioara
Vulcan ['vʌlkən] Vulcan
Zephyr ['zefə] Zefir
Zeus [zju:s] Zeus

III. LISTĂ DE DENUMIRI GEOGRAFICE CU ECHIVALENTELE LOR ROMÂNEŞTI

Abyssinia [ˌæbi'siniə] Abisinia, Etiopia
Accra [ə'krɑ:] Accra
Addis Abeba ['ædis 'æbəbə] Adis Abeba
Adelaide ['ædəlid] Adelaide
Aden ['eidn] Aden
Adriatic [ˌeidri'ætik] Marea Adriatică
Aegean [i(:)'dʒi:ən] Marea Egee
Aethiopia [ˌiθi'oupiə] Etiopia
Afghanistan [æf'gænistæn] Afganistan
Africa ['æfrikə] Africa
Agincourt ['ædʒinkɔ:t] Azincourt
Aire [ɛə] Aire
Akkra [ə'krɑ:] Accra
Alabama [ˌælə'bæmə] Alabama
Alaska [ə'læskə] Alaska
Albania [æl'beiniə] Albania
Albany ['ɔ:lbəni] Albany
Alberta [æl'bə:tə] Alberta
Alcatraz [ˌælkə'træz] Alcatraz
Aldershot [ˌɔ:ldəʃɔt] Aldershot
Aleutians [ə'lju:ʃənz] Insulele Aleutine
Alexandria [ˌæleg'zændriə] Alexandria
Alger ['ældʒe] Alger
Algeria [æl'dʒiəriə] Algeria
Algiers [æl'dʒiəz] Alger
Allegheny ['ælə'geini] Aleganii
Alps [ælps] Alpii
Alsace ['ælsæs] Alsacia
Amazon ['æməzən] Amazonul
America [ə'merikə] America
Amman [ə'mɑ:n] Amman
Amsterdam ['æmstədæm] Amsterdam
Anchorage ['æŋkəridʒ] Anchorage
Andes ['ændi:z] Anzii
Andorra [æn'dɔ(:)rə] Andora
Anglesea, Anglesey ['æŋglsi:] Anglesey
Angola [æŋ'goulə] Angola

Angora ['æŋgɔrə] Angora
Ankara ['əŋkərə] Ankara
Annapolis [ə'næpəlis] Annapolis
Antarctica [æn'tɑ:ktikə] Antarctica
Antilles [æn'tili(:)z] Insulele Antile
Antwerp ['æntwə:p] Anvers
Appalachians [æpə'leitʃiənz] Apalașii
Appenines ['æpinainz] Apeninii
Arabia [ə'reibiə] Arabia
Arctic ['ɑ:ktik] Arctic
Arden ['ɑ:dn] Arden
Argentina [ˌɑ:dʒən'ti:nə] Argentina
Argentine ['ɑ:dʒəntain] Argentina
Arizona [ˌæri'zounə] Arizona
Arkansas ['ɑ:kənsɔ:] Arkansas
Asia ['eiʃə] Asia
Atlanta [æt'læntə] Atlanta
Atlantic [ət'læntik] Atlantic
Auckland ['ɔ:klənd] Auckland
Australia [ɔ(:)s'treiliə] Australia
Austria ['ɔ(:)striə] Austria
Avon ['eivən] Avon
Baghdad ['bægdæd] Bagdad
Bahama Islands [be'hɑ:mə 'ailəndz] Insulele Bahama
Balkans ['bɔ:lkənz] Balcanii
Baltic ['bɔ:ltik] Marea Baltică
Baltimore ['bɔ:ltimɔ:] Baltimore
Baluchistan [bə'lu:tʃistɑ:n] Belucistan
Bangkok ['bæŋkɔk] Bangkok
Barbados [bɑ:'beidouz] Barbados
Basutoland [bə'su:toulænd] Basutoland
Bath [bɑ:θ] Bath
Battersea ['bætəsi:] Battersea
Bechuanaland [ˌbetʃu'ɑ:nələnd] Bechuanaland
Bedfordshire ['bedfədʃiə] Bedfordshire
Beirut [bei'ru:t] Beirut
Belfast [bel'fɑ:st] Belfast
Belgium ['beldʒəm] Belgia
Belgrade [bel'greid] Belgrad
Berkshire ['bɑ:kʃiə] Berkshire

Berlin [bə:'lin] Berlin
Bern(e) [bə:n] Berna
Berwickshire ['berikʃiə] Berwickshire
Birmingham ['bə:miŋəm] Birmingham
Black Sea ['blæk 'si:] Marea Neagră
Bogotá [ˌbɔ:gɔ:'tɑ:] Bogota
Bolivia [bou'liviə] Bolivia
Bombay [bɔm'bei] Bombay
Borneo ['bɔ:niou] Borneo
Bosphorus ['bɔsfərəs] Bosfor
Bosporus ['bɔspərəs] Bosfor
Boston ['bɔstən] Boston
Brazil [brə'zil] Brazilia
Bristol ['bristl] Bristol
Brussels ['brʌslz] Bruxelles
Bucharest ['bju:kərest] Bucureşti
Budapest ['bju:dəpest] Budapesta
Buenos Aires ['bweinəs 'aiəriz] Buenos Aires
Bulgaria [bʌl'gɛəriə] Bulgaria
Burma ['bə:mə] Birmania
Cairo ['kaiərou] (în Egipt) Cairo
Cairo ['kɛərou] (în SUA) Cairo
Calcutta [kæl'kʌtə] Calcutta
California [ˌkæli'fɔ:niə] California
Cameroons [ˌkæmə'ru:nz] Camerun
Canada ['kænədə] Canada
Canberra ['kænbərə] Canberra
Cape Horn ['keip 'hɔ:n] Capul Horn
Cape of Good Hope ['keip əv gud 'houp] Capul Bunei Speranţe
Caracas [kə'rækəs] Caracas
Caribbean Sea [ˌkɛəri,bi(:)ən 'si:] Marea Caraibilor
Carpathian Mountains [kɑ:'peiθiən 'mauntinz] Munţii Carpaţi
Caspian Sea ['kæspiən 'si:] Marea Caspică
Caucasus Mountains ['kɔ:kəsəs 'mauntinz] Munţii Caucaz

Ceylon [si'lɔn] Ceylon
Chad [tʃæd] Ciad
Cheshire ['tʃeʃiə] Cheshire
Chester ['tʃestə] Chester
Chesterfield ['tʃestəfiːld] Chester-field
Cheviot Hills ['tʃeviət 'hilz] Munţii Cheviot
Chicago [ʃi'kɑːgou] Chicago
Chile ['tʃili] Chile
China ['tʃainə] China
Cincinnati [ˌsinsi'næti] Cincinnati
Cleveland ['kliːvlənd] Cleveland
Colombia [kə'lɔmbiə] Columbia
Colombo [kə'lɔmbou] Colombo
Colorado [ˌkɔlə'rɑːdou] Colo-rado
Columbia [kə'lʌmbiə] Columbia
Conakry [ˌkɔnə'kriː] Conakry
Congo ['kɔŋgou] Congo
Connecticut [kə'nektikət] Con-necticut
Constantinople [ˌkɔnstænti'noupl] Constantinopole
Copenhagen [ˌkoupn'heigən] Copenhaga
Cornwall ['kɔːnwɔːl] Cornwall
Costa Rica ['kɔstə' 'riːkə] Costa Rica
Coventry ['kɔventri] Coventry
Crete [kriːt] Creta
Crimea [krai'miə] Crimeea
Croatia [krou'eiʃiə] Croaţia
Croydon ['krɔidən] Croydon
Cuba ['kjuːbə] Cuba
Cumberland ['kʌmbələnd] Cum-berland
Cumbrian Mountains ['kʌmbriən 'mauntinz] Munţii Cumbrieni
Cyprus ['saiprəs] Cipru
Czechoslovakia ['tʃekouslou-'veikiə] Cehoslovacia
Dakota [də'koutə] Dakota
Dallas ['dæləs] Dallas
Dalmatia [dæl'meiʃiə] Dalmaţia
Damascus [də'mæskəs] Damasc
Danube ['dænjuːb] Dunărea
Dardanelles [ˌdɑːdə'nelz] Dar-danele
Dar es Salaam ['dɑːr es sə'lɑːm] Dar es Salaam
Dead Sea ['ded'siː] Marea Moartă
Delaware ['deləweə] Delaware
Delhi ['deli] Delhi
Denmark ['denmɑːk] Danemarca
Denver ['denvə] Denver
Deptford ['detfəd] Deptford
Derbyshire ['dɑː'biʃiə] Derbyshire
Des Moines [di 'mɔinz] Des Moines
Devonshire ['devnʃiə] Devonshire
District of Columbia ['distrikt əv kə'lʌmbiə] Districtul Columbia
Djakarta [dʒə'kɑːtə] Djakarta
Dnieper ['dniːpə] Niprul
Dobru(d)ja [də'bruːdʒɑː] Dobrogea

Dominican Republic [dɔ'minikən ri'pʌblik] Republica Domi-nicană
Donegal ['dɔnigɔːl] Donegal
Dorsetshire ['dɔːsitʃiə] Dorset-shire
Dover ['douvə] Dover
Downshire ['daunʃiə] Downshire
Dublin ['dʌblin] Dublin
Dumbarton [dʌm'bɑːtən] Dumbar-ton
Dumfriesshire [dʌm'friːsʃiə] Dumfriesshire
Durham ['dʌrəm] Durham
Easter Island ['iːstər 'ailənd] In-sula Paştelui
Ecuador [ˌekwə'dɔː] Ecuador
Edinburgh ['edinbərə] Edinburg
Eire ['ɛərə] Irlanda
El Salvador [el 'sælvədɔː] Republica Salvador
England ['iŋglənd] Anglia
English Channel ['iŋgliʃ 'tʃænəl] Canalul Mânecii
Erie, Lake ['iəri, leik] Lacul Erie
Erin ['iərin] Irlanda
Essex ['esiks] Essex
Estonia [es'touniə] Estonia
Ethiopia [ˌiːθi'oupiə] Etiopia
Europe ['juərəp] Europa
Everest ['evərest] Everest
Fifeshire ['faifʃiə] Fifeshire
Finland ['finlənd] Finlanda
Florida ['flɔridə] Florida
France [frɑːns] Franţa
Ghent [gent] Gand
Georgia ['dʒɔːdʒiə] Georgia
Germany ['dʒɔːməni] Germania
Gibraltar [dʒi'brɔːltə] Gibraltar
Glasgow ['glɑːsgou] Glasgow
Gloucester ['glɔstə] Gloucester
Grampians ['græmpiənz] Gram-ppienii.
Grand Canyon ['grænd 'kæniən] Canionul fluviului Colorado
Great Britain ['greit 'britn] Marea Britanie
Greece [griːs] Grecia
Greenland ['griːnlənd] Groelanda
Greenwich ['grinidʒ] Greenwich
Guatemala [ˌgwæti'mɑːlə] Guate-mala
Guiana [gi'ɑːnə] Guiana
Guinea ['gini] Guineea
Gulf Stream ['gʌlf 'striːm] Curen-tul Golfului, Golfstrom
Hague [heig] Haga
Haiti ['heiti] Haiti
Hampshire ['hæmpʃiə] Hampshire
Hanover ['hænəvə] Hanovra
Hanoi [hæ'nɔi] Hanoi
Harlem ['hɑːləm] Harlem
Harrow ['hærou] Harrow
Havana [hə'vænə] Havana
Hastings ['heistiŋz] Hastings
Hawaii [hɑːwaii] Insulele Hawai
Hebrides ['hebridiːz] Insulele Hebride

Helsinki ['helsinki] Helsinki
Hertford ['hɑːfəd] Hertford
Hertfordshire ['hɑːfədʃiə] Hert-fordshire
Himalayas [ˌhimə'leiəz] Himalaia
Hindustan [ˌhindu'stɑːn] Hindus-tan
Hiroshima [ˌhirɔ'ʃiːmə] Hiroşima
Holland ['hɔlənd] Olanda
Hollywood ['hɔliwud] Hollywood
Honduras [hɔn'djuərəs] Honduras
Hong Kong [hɔŋ 'kɔŋ] Hong Kong
Honolulu [ˌhɔnɔ'luːluː] Honolulu
Houston ['hjuːstən] Houston
Hudson ['hʌdsn] Hudson
Hull [hʌl] Hull
Humber ['hʌmbə] Humber
Hungary ['hʌŋgəri] Ungaria
Huron, Lake ['hjuərən, leik] Lacul Huron
Iceland ['aislənd] Islanda
Idaho ['aidəhou] Idaho
Idlewild ['aidlwaild] Idlewild
Illinois [ˌili'nɔi] Illinois
India ['indiə] India
Indiana [ˌindi'ænə] Indiana
Indianapolis [ˌindiə'næpəlis] In-dianapolis
Indo-China ['indou'tʃainə] Indo-china
Indonesia [ˌindou'niːziə] Indo-nesia
Iowa ['aiowə] Iowa
Iran [i'rɑːn] Iran
Iraq [i'rɑːk] Irak
Ireland ['aiələnd] Irlanda
Iron Gate [əiən 'geit] Porţile de Fier
Israel ['izreiəl] Israel
Istanbul [ˌistæn'buːl] Istambul
Italy ['itəli] Italia
Ivory Coast ['aivəri 'koust] Coasta de Fildeş
Izmir [iz'mir] Smirna, Izmir
Jamaica [dʒə'meikə] Jamaica
Japan [dʒə'pæn] Japonia
Java ['dʒɑːvə] Java
Jerusalem [dʒə'ruːsələm] Ierusalim
Johannesburg [dʒou'hænisbəːg] Johannesburg
Jordan ['dʒɔːdn] Iordan; Iordania
Kabul ['kɔːbl] Kabul
Kamerun ['kæməruːn] Camerun
Kansas ['kænzəs] Kansas
Karachi [kə'rɑːtʃi] Caraci
Kashmir ['kæʃmiə] Caşmir
Katanga [kə'tæŋgə] Katanga
Kent [kent] Kent
Kentucky [ken'tʌki] Kentucky
Kenya ['kiːniə] Kenya
Kilimanjaro [ˌkilimən'dʒɑːrou] Kilimanjaro
Kingston ['kiŋstən] Kingston
Kishinev ['kiʃinef] Chişinău
Korea [kə'riə] Coreea
Krakow ['krækuːf] Cracovia

Kuwait [ku'weit] Kuweit
Labrador ['læbrədɔ:] Labrador
Lagos ['leigɔs] Lagos
Lancashire ['læŋkəʃiə] Lancashire
Lancaster ['læŋkəstə] Lancaster
Laos [lauz] Laos
La Paz [lɑ: 'pæz] La Paz
Lebanon ['lebənən] Liban
Leeds [li:dz] Leeds
Leghorn [,leg'hɔ:n] Livorno
Leicester ['lestə] Leicester
Leopoldville ['liəpouldvil] Leopoldville
Lima ['li:mə] Lima
Limerick ['limərik] Limerick
Lincoln ['liŋkən] Lincoln
Lisbon ['lizbən] Lisabona
Lithuania [,liθju(:)'einiə] Lituania
Liverpool ['livəpu:l] Liverpool
London ['lʌndən] Londra
Long Beach [lɔŋ 'bi:tʃ] Long Beach
Long Island [lɔŋ 'ailənd] Long Island
Los Angeles [lɔs 'ændʒili:z] Los Angeles
Louisiana [lu(:),i:zi'ænə] Louisiana
Louisville ['lu(:)ivil] Louisville
Luxembourg ['lʌksəmbə:g] Luxemburg
Lyon(s) ['laiən(z)] Lyon
Macedonia [,mæsi'douniə] Macedonia
Madagascar [,mædə'gæskə] Madagascar
Madrid [mə'drid] Madrid
Maine [mein] Maine
Malaya [mə'leiə] Malaya
Malaysia [mə'leiʒə] Malayezia
Malta ['mɔ:ltə] Malta
Manchester ['mæntʃistə] Manchester
Manhattan [mæn'hætən] Manhattan
Manila [mə'nilə] Manila
Massachusetts [,mæsə'tʃu:sets] Massachusetts
Mexico ['meksikou] Mexic
Miami [mai'æmi] Miami
Michigan ['miʃigən] Michigan
Middlesex ['midlseks] Middlesex
Milan [mi'læn] Milano
Minnesota [,mini'soutə] Minnesota
Mississippi [,misi'sipi] Mississippi
Missouri [mi'zuəri] Missouri
Moldavia [mɔl'deiviə] Moldova
Monaco ['mɔnəkou] Monaco
Mongolia [mɔŋ'gouliə] Mongolia
Monmouth ['mʌnməθ] Monmouth
Montana [mɔn'tænə] Montana
Montevideo [,mɔntivi'deiou] Montevideo
Montgomery [mənt'gʌməri] Montgomery
Morocco [mə'rɔkou] Maroc

Moscow ['mɔskou] Moscova
Munster ['mʌnstə] Munster
Naples ['neiplz] Neapole
Nebraska [ni'bræskə] Nebraska
Netherlands ['neðələndz] Olanda
Nevada [ne'vɑ:də] Nevada
Newcastle ['nju:,kɑ:sl] Newcastle
Newfoundland [nju:'faundlənd] Terra Nova
New Hampshire [nju:'hæmʃiə] New Hampshire
New Jersey [nju:'dʒə:zi] New Jersey
New Mexico [nju:'meksikou] New Mexico
New York [nju:'jɔ:k] New York
New Zealand [nju:'zi:lənd] Noua Zeelandã
Niagara Falls [nai'ægərə fɔ:lz] Cascada Niagara
Nicaragua ['nikə'rægjuə] Nicaragua
Niger ['naidʒə] Niger
Nigeria [nai'dʒiəriə] Nigeria
Nile [nail] Nil
Norfolk ['nɔ:fək] Norfolk
North Carolina ['nɔ:θ kærə'lainə] Carolina de Nord
North Dakota ['nɔ:θ də'koutə] Dakota de Nord
Northumberland [nɔ:'θʌmbələnd] Northumberland
Norway ['nɔ:wei] Norvegia
Nottingham ['nɔtiŋəm] Nottingham
Nyasaland ['njæsəlænd] Nyasaland
Oceania [,ouʃi'einiə] Oceania
Ohio [ou'haiou] Ohio
Oklahoma [,ouklə'houmə] Oklahoma
Ontario, Lake [ɔn'tɛəriou 'leik] Lacul Ontario
Oregon ['ɔrigən] Oregon
Oslo ['ɔzlou] Oslo
Ottawa ['ɔtəwə] Ottawa
Oxford ['ɔksfəd] Oxford
Pacific [pə'sifik] (Oceanul) Pacific
Pakistan [,pɑ:kis'tɑ:n] Pakistan
Palestine ['pælistain] Palestina
Palm Beach ['pɑ:m bi:tʃ] Palm Beach
Panama [,pænə'mɑ:] Panama
Paraguay [,pærə'gwai] Paraguay
Paris ['pæris] Paris
Peking [pi:'kiŋ] Pekin
Pennines ['penainz] Peninii
Pennsylvania [,pensil'veiniə] Pennsylvania
Persia ['pə:ʃə] Persia
Peru [pə'ru:] Peru
Philadelphia [,filə'delfiə] Philadelphia
Philippines ['filipi:nz] Insulele Filipine
Pittsburgh ['pitsbə:g] Pittsburg
Pnompenh [nɔm'pen] Pnompenh

Poland ['poulənd] Polonia
Polynesia [,pɔli'ni:ziə] Polinezia
Portsmouth ['pɔ:tsməθ] Portsmouth
Portugal ['pɔ:tjugəl] Portugalia
Prague [prɑ:g] Praga
Quebec [kwi'bek] Quebec
Rhine [rain] Rin
Rhode Island [roud 'ailənd] Rhode Island
Rhodesia [rou'di:ziə] Rhodesia
Rhone [roun] Rhonul
Rio de Janeiro ['ri:ou də dʒə'niərou] Rio de Janeiro
Romania [rou'meiniə] România
Rome [roum] Roma
Ruanda [ru:'ɑ:ndɑ:] Ruanda
Russia ['rʌʃə] Rusia
Sahara [sə'hɑ:rə] Sahara
Salem ['seilem] Salem
Salisbury ['sɔ:lzbəri] Salisbury
Sandwich Islands ['sænwitʃ 'ailəndz] Insulele Sandwich
Santa Fé ['sæntə 'fei] Santa Fé
Santiago [,sænti'ɑ:gou] Santiago
Santo Domingo ['sæntou də'miŋgou] San Dominigo, Republica Dominicanã
Saxony ['sæksəni] Saxonia
Scandinavia [,skændi'neiviə] Scandinavia
Scotland ['skɔtlənd] Scoţia
Senegal [,seni'gɔ:l] Senegal
Seoul [soul] Seul
Sheffield ['ʃefi:ld] Sheffield
Sicily ['sisili] Sicilia
Sierra Leone ['sierə li'ouni] Sierra Leone
Sofia ['soufiə] Sofia
Somerset ['sʌməsit] Somerset
Southampton [sauθ'æmtən] Southampton
South Carolina ['sauθ kærə'lainə] Carolina de Sud
South Dakota ['sauθ də'koutə] Dakota de Sud
Spain [spein] Spania
Stockholm ['stɔkhoum] Stockholm
Strasbourg ['stræzbə:g] Strasbourg
Stratford on Avon ['strætfəd ɔn 'eivn] Stratford on Avon
Sudan [su(:)'dɑ:n] Sudan
Suez ['su(:)iz] Suez
Sweden ['swi:dn] Suedia
Switzerland ['switsələnd] Elveţia
Sydney ['sidni] Sydney
Syria ['siriə] Siri
Taiwan [tai'wæn] Taiwan
Tanganyka [,tæŋgə'nji:kə] Tanganica
Tasmania [tæz'meiniə] Tasmania
Teheran [tiə'rɑ:n] Teheran
Tennessee ['tenə'si:] Tennessee
Texas ['teksəs] Texas
Thailand ['tailænd] Tailanda

Thames [temz] Tamisa
Tipperary [ˌtipəˈrɛəri] Tipperary
Tokyo ['toukjou] Tokio
Transvaal ['trænzvɑːl] Transvaal.
Transylvania [ˌtrænsil'veiniə] Transilvania
Tunis ['tjuːnis] Tunis
Tunisia [tju(ː)'niziə] Tunisia
Turkey ['təːki] Turcia
Uganda [ju(ː)'gændə] Uganda
Ulster ['ʌlstə] Ulster
Union of South Africa ['juniən əv 'sauθ 'æfrikə] Uniunea Sud Africană
United Kingdom of Great Britain and Northern Ireland [ju'naitid kiŋdəm əv greit 'britn ən ˌnɔːðən 'aiələnd] Regatul Unit al Marii Britanii şi Irlandei de Nord

United States of America [ju'naitid steits əv ə'merikə] Statele Unite ale Americii
Uruguay ['urugwai] Uruguay
Utah ['juːtɑː] Utah
Vatican ['vætikən] Vatican
Venezuela [ˌvene'zweilə] Venezuela
Victoria [vik'tɔːriə] Victoria
Vienna [vi'enə] Viena
Vietnam ['vjet'næm] Vietnam
Virginia [və'dʒiniə] Virginia
Volga ['vɔlgə] Volga
Volta ['vɔltə] Volta
Wales [weilz] Wales, Ţara Galilor
Wallachia [wɔ'leikiə] Muntenia, Valahia
Warsaw ['wɔːsɔː] Varşovia
Washington ['wɔʃiŋtən] Washington

Wellington ['weliŋtən] Wellington
Wessex ['wesiks] Wessex
Westminster ['westminstə] Westminster
West Virginia ['west və'dʒiniə] Virginia de Vest
Winchester ['wintʃistə] Winchester
Winnipeg ['winipeg] Winnipeg
Wisconsin [wis'kɔnsin] Wisconsin
Wyoming [wai'oumiŋ] Wyoming
Yemen ['jemən] Yemen
York [jɔːk] York
Yorkshire ['jɔkʃiə] Yorkshire
Yugoslavia ['juːgou'slɑːviə] Iugoslavia
Zanzibar [ˌzænzi'bɑː] Zanzibar
Zürich ['zjuərik] Zürich

IV. PRONUNŢAREA CELOR MAI RĂSPÂNDITE NUME

Aaron (m) ['ɛərən]
Abel (m) ['eibəl]
Abraham (m) ['eibrəhæm]
Absalom (m) ['æbsələm]
Ada (f) ['eidə]
Adam (m) ['ædəm]
Adela (f) ['ædilə]
Adelaide (f) ['ædileid]
Adeline (f) ['ædiliːn]
Adolphus (m) [ə'dɔlfəs]
Adrian (m) ['eidriæn]
Agatha (f) ['ægəθə]
Agnes (f) ['ægnis]
Alan, Allan (m) ['ælən]
Aileen (f) ['eiliːn]
Albert (m) ['ælbət]
Aldous (m) ['ɔːldəs]
Alexander (m) [ˌælig'zɑːndə]
Alexandra (f) [ˌælig'zɑːndrə]
Alexis (m) [ə'leksis]
Alfonso (m) [æl'fɔnzou]
Alfred (m) ['ælfrid]
Algernon (m) ['ældʒənɔn]
Alice (f) ['ælis]
Alison (f) ['ælisn]
Allen (m) ['ælin]
Alphonso (m) [æl'fɔnzou]
Amabel (f) ['æməbel]
Amanda (f) [ə'mændə]
Ambrose (m) ['æmbrouz]
Amelia (f) [ə'miːliə]
Amos (m) ['eimɔs]
Amy (f) ['eimi]
Andrew (m) ['ændruː]
Aneurin (m) [ə'naiərin]
Angela (f) ['ændʒilə]
Angus (m) ['æŋgəs]

Ann, Anne (f) [æŋ]
Anna (f) ['ænə]
Annabella (f) [ˌænə'belə]
Anselm (m) ['ænselm]
Anthony, Antony (m) ['æntəni]
Arabel(l)a (f) [ˌærə'belə]
Archibald (m) ['ɑːtʃibəld]
Arnold (m) ['ɑːnld]
Arthur (m) ['ɑːθə]
Aubrey (m) ['ɔːbri]
Audrey (f) ['ɔːdri]
Barbara (f) ['bɑːbərə]
Barry (m) ['bæri]
Bartholomew (m) [bɑː'θɔləmjuː]
Basil (m) ['bæzl]
Beatrice (f) ['biːtris]
Beatrix (f) ['biːtriks]
Belinda (f) [bi'lində]
Benedict (m) ['benidikt]
Benjamin (m) ['bendʒəmin]
Bernard (m) ['bəːnəd]
Bertha (f) ['bəːθə]
Bertram (m) ['bəːtrəm]
Beryl (f) ['beril]
Bessie (f) (dim. de la Elizabeth) ['besi]
Betsy (f) (dim. de la Elizabeth) ['betsi]
Betty (f) (dim. de la Elizabeth) ['beti]
Blanche (f) ['blɑːntʃ]
Brenda (f) ['brendə]
Brian (m) ['braiən]
Bridget (f) ['bridʒit]
Bruce (m) [bruːs]
Carol (m) ['kærəl]
Caroline (f) ['kærəlain]

Catharine, Catherine (f) ['kæθərin]
Cecil (m) ['sesl]
Cecilia (f) [si'siliə]
Cecily (f) ['sisili]
Cicely (f) ['sisili]
Charles (m) ['tʃɑːlz]
Christabel (f) ['kristəbel]
Christopher (f) (['kristəfə]
Clara (f) ['klɛərə]
Clare (f) ['klɛə]
Clarence (m) ['klærəns]
Claude (m) [klɔːd]
Clement (m) ['klemənt]
Clive (m) [klaiv]
Colin (m) ['kɔlin]
Conrad (m) ['kɔnræd]
Constance (f) ['kɔnstəns]
Cuthbert (m) ['kʌθbət]
Cynthia (f) ['sinθiə]
Cyril (m) ['siril]
Daisy (f) [deizi]
Daniel (m) ['dæniəl]
Daphne (f) ['dæfni]
David (m) ['deivid]
Derek (m) ['derik]
Desmond (m) ['dezmənd]
Dick (m) (dim. de la Richard) [dik]
Dilys (f) ['dilis]
Dinah (f) ['dainə]
Donald (m) ['dɔnəld]
Dora (f) ['dɔːrə]
Doreen (f) [dɔː'riːn]
Doris (f) ['dɔris]
Dorothy (f) ['dɔrəθi]
Douglas (m) ['dʌgləs]
Duncan (m) ['dʌŋkən]
Ebenezer (m) [ˌebə'niːzə]

Edgar (m) ['edgə]
Edith (f) ['i:diθ]
Edmond, Edmund (m) ['edmənd]
Edna (f) ['ednə]
Edward (m) ['edwəd]
Edwin (m) ['edwin]
Eileen (f) ['aili:n]
Ella (f) ['elə]
Eleanor, Elinor (f) ['elinə]
Elizabeth (f) [i'lizəbeθ]
Ellen (f) ['elin]
Ellis (f) ['elis]
Emily (f) ['emili]
Emma (f) ['emə]
Enid (m) ['i:nid]
Enoch (m) ['i:nɔk]
Eric (m) ['erik]
Ernest (m) ['ə:nist]
Esmond (m) ['ezmənd]
Esther (f) ['esθə]
Ethel (f) ['eθəl]
Eugene (m) ['ju:dʒin]
Eunice (f) ['ju:nis]
Eustace (m) ['justəs]
Eva (f) ['i:və]
Evangeline (f) [i'vændʒili:n]
Eve (f) [i:v]
Eveline (f) ['i:vlin]
Evelyne (f) ['i:vlin]
Fanny (f) ['fæni]
Ferdinand (m) ['fə:dinənd]
Fergus (m) ['fə:gəs]
Flora (f) ['flɔrə]
Florence (f) ['flɔrəns]
Frances (f) ['frɑ:nsis]
Francis (m) ['frɑ:nsis]
Freda (f) ['fri:də]
Frederick (m) ['fredrik]
Genevieve (f) ['dʒenəvi:v]
Geoffrey (m) ['dʒefri]
George (m) [dʒɔ:dʒ]
Gerald (m) ['dʒerəld]
Gerard (m) [,dʒerɑ:d]
Gertrude (f) ['gə:tru:d]
Gilbert (m) ['gilbət]
Gillian (m) ['dʒiliən]
Gladys (f) ['glædis]
Godfrey (m) ['godfri]
Godwin (m) ['godwin]
Gordon (m) ['gɔ:dn]
Grace (f) [greis]
Gregory (m) ['gregəri]
Gwendolen (f) ['gwendəlin]
Hannah (f) ['hænə]
Harold (m) ['hærəld]
Harriet (f) ['hæriət]
Harry (m) (dim. de la Henry) ['hæri]
Helen(a) (f) ['helən(ə)]
Henrietta (f) [,henri'etə]
Henry (m) ['henri]
Herbert (m) ['hə:bət]
Hermione (f) [hə'maiəni]
Hilary (m) ['hiləri]
Hilda (f) ['hildə]
Horatio (m) [hə'reiʃiou]
Howard (m) ['hauəd]

Hubert (m) ['hju:bət]
Hugh (m) [hju:]
Humphrey (m) ['hʌmfri]
Ida (f) ['aidə]
Irene (f) [ai'ri:ni]
Iris (f) ['aiəris]
Isaac (m) ['aizək]
Isabel (f) ['izəbel]
Isabella (f) [,izə'belə]
Ivan (m) ['aivən]
Jack (m) [dʒæk]
Jacob (m) ['dʒeikəb]
James (m) [dʒeimz]
Jane (f) [dʒein]
Janet (f) ['dʒænit]
Jean (f) ['dʒi:n]
Jennifer (f) ['dʒenifə]
Jenny (f) ['dʒeni]
Jeremy (m) ['dʒerəmi]
Jerome (m) [dʒə'roum]
Jessica (f) ['dʒesikə]
Jessie (f) ['dʒesi]
Joan (f) [dʒoun]
Jocelyn (f) ['dʒɔslin]
John (m) [dʒɔn]
Jonathan (m) ['dʒɔnəθən]
Joseph (m) ['dʒouzif]
Josephine (f) ['dʒouzifi:n]
Joyce (f, m) [dʒɔis]
Jude (m) [dʒu:d]
Judith (f) ['dʒu:diθ]
Julian (m) ['dʒu:liən]
Katharine, Katherine (f) ['kæθərin]
Keith (m) [ki:θ]
Kenneth (m) ['keniθ]
Kitty (f) ['kiti]
Laura (f) ['lɔ:rə]
Laurence, Lawrence (m) ['lɔrəns]
Leonard (m) ['lenəd]
Leslie (m, f) ['lezli]
Lewis (m) ['lu:is]
Lil(l)ian (f) ['liliən]
Lionel (m) ['laiənl]
Llewellyn (m) [lu(:)'elin]
Louisa (f) [lu(:)'i:zə]
Louise (f) [lu(:)'i:z]
Lucy (f) ['lu:si]
Mabel f) ['meibl]
Margaret (f) ['mɑ:gərit]
Margery, Marjorie (f) ['mɑ:dʒəri]
Martha (f) ['mɑ:θə]
Martin (m) ['mɑ:tin]
Mary (f) ['mɛəri]
Matthew (m) ['mæθju:]
Maud (f) [mɔ:d]
Maurice (m) ['mɔris]
Michael (m) ['maikl]
Mirabel (f) ['mirəbel]
Miranda (f) [mi'rændə]
Miriam (f) ['miriəm]
Monica (f) ['mɔnikə]
Muriel (f) ['mjuəriəl]
Nancy (f) ['nænsi]
Naomi (f) ['neiəmi]
Nelly (f) ['neli]
Neville (m) ['nevil]
Nicholas (m) ['nikələs]

Nigel (m) ['naidʒəl]
Noel (m) ['nouəl]
Nora(h) (f) ['nɔ:rə]
Norman (m) ['nɔ:mən]
Olive (f) ['ɔliv]
Oliver (m) ['ɔlivə]
Osbert (m) ['ɔzbə]
Oswald (m) ['ɔzwəld]
Owen (m) ['ouin]
Pamela (f) ['pæmilə]
Patience (f) ['peiʃəns]
Patricia (f) [pə'triʃiə]
Patrick (m) ['pætrik]
Paul (m) [pɔ:l]
Pearl (f) [pə:l]
Peg, Peggy (f) (dim. de la Margaret) [peg(gi)]
Penelope (f) [pi'neləpi]
Percy (m) ['pə:si]
Peter (m) ['pi:tər]
Philip (m) ['filip]
Phoebe (f) ['fi:bi]
Phyllis (f) ['filis]
Priscilla (f) [pri'silə]
Prudence (f) ['pru:dəns]
Rachel (f) ['reitʃəl]
Ralph (m) [rælf]
Raymond (m) ['reimənd]
Rebecca (f) [ri'bekə]
Reuben (m) ['ru:bn]
Rhoda (f) ['roudə]
Richard (m) ['ritʃəd]
Robert (m) ['rɔbət]
Roger (m) ['rɔdʒə]
Roland (m) ['rouländ]
Ronald (m) ['rɔnəld]
Rosemary (f) ['rouzməri]
Rudolf (m) ['ru:dɔlf]
Rupert (m) ['ru:pət]
Ruth (f) [ru:θ]
Samuel (m) ['sæmjuəl]
Sebastian (m) [si'bæstiən]
Shirley (f) ['ʃə:li]
Sidney (m) ['sidni]
Silvia, Sylvia (f) ['silviə]
Simon (m) ['saimən]
Sophia (f) [sə'faiə]
Terence (m) ['terəns]
Theobald (m) ['θiəbɔ:ld]
Thomas (m) ['tɔməs]
Timothy (m) ['timəθi]
Vera (f) ['viərə]
Veronica (f) [və'rɔnikə]
Victor (m) ['viktə]
Victoria (f) [vik'tɔ:riə]
Vincent (m) ['vinsənt]
Viola (f) ['vaiələ]
Violet (f) ['vaiəlit]
Virginia (f) [və'dʒiniə]
Vivian (f) ['viviən]
Wallace (m) ['wɔlis]
Walter (m) ['wɔ:ltə]
Wilfred (m) ['wilfrid]
William (m) ['wiliəm]
Winifred (f) ['winifrid]
Yvonne (f) [i'vɔn]
Zoe (f) ['zoui]